SO-ALF-286

Japon

Chris Rowthorn

Andrew Bender, Matthew D. Firestone,

Timothy N. Hornyak, Benedict Walker, Paul Warham,

Wendy Yanagihara

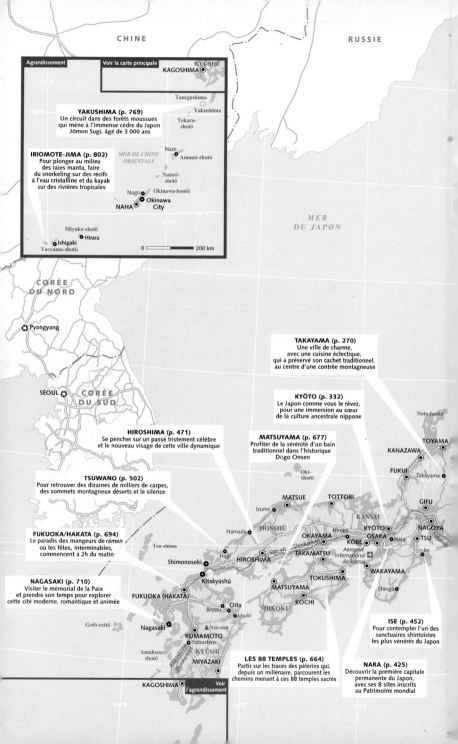

CHINE

RUSSIE

Agrandissement — **Voir la carte principale**

KYŪSHŪ
KAGOSHIMA

Tanegashima

YAKUSHIMA (p. 769)
Un circuit dans des forêts moussues
qui mène à l'immense cèdre du Japon
Jōmon Sugi, âgé de 3 000 ans

Yakushima

Tokara-shotō

MER DE CHINE ORIENTALE

Naze

IRIOMOTE-JIMA (p. 802)
Pour plonger au milieu
des raies manta, faire
du snorkeling sur des récifs
à l'eau cristalline et du kayak
sur des rivières tropicales

Amami-shotō

Nansei-shotō

Nago

Okinawa-hontō

NAHA

Okinawa City

Miyako-shotō

Hirara

Ishigaki

Yaeyama-shotō

0 — 200 km

MER DU JAPON

Noto-hantō

CORÉE DU NORD

Pyongyang

TAKAYAMA (p. 270)
Une ville de charme,
avec une cuisine éclectique,
qui a préservé son cachet traditionnel,
au centre d'une contrée montagneuse

SÉOUL

CORÉE DU SUD

KYŌTO (p. 332)
Le Japon comme vous le rêvez,
pour une immersion au cœur
de la culture ancestrale nippone

TOYAMA

HIROSHIMA (p. 471)
Se pencher sur un passé tristement célèbre
et le nouveau visage de cette ville dynamique

MATSUYAMA (p. 677)
Profiter de la sérénité d'un bain
traditionnel dans l'historique
Dōgo Onsen

KANAZAWA

FUKUI

Takayama

Oki-shotō

TSUWANO (p. 502)
Pour retrouver des dizaines de milliers de carpes,
des sommets montagneux déserts et le silence

MATSUE

TOTTORI

GIFU

Izumo

KANSAI

NAGOYA

FUKUOKA/HAKATA (p. 694)
Le paradis des mangeurs de *rāmen*
où les fêtes, interminables,
commencent à 2h du matin

Hamada

HONSHŪ

OKAYAMA

Himeji

KYŌTO

TSU

Tsu-shima

Hagi

san-yō

Shinkansen

ŌSAKA

Nara

Tōkaidō

Shimonoseki

HIROSHIMA

KŌBE

NAGASAKI (p. 710)
Visiter le mémorial de la Paix
et prendre son temps pour explorer
cette cité moderne, romantique et animée

Kitakyūshū

TAKAMATSU

Aéroport
international
du Kansai

WAKAYAMA

Ise

FUKUOKA (HAKATA)

TOKUSHIMA

Oita

Beppu

MATSUYAMA

Usuki

SHIKOKU

KŌCHI

Shingū

Gotō-rettō

ISE (p. 452)
Pour contempler l'un des
sanctuaires shintoïstes
les plus vénérés du Japon

Nagasaki

Aso-san

KUMAMOTO

Yatsushiro

Amakusa-shotō

KYŪSHŪ

Kagoshima Shinkansen

MIYAZAKI

LES 88 TEMPLES (p. 664)
Partir sur les traces des pèlerins qui,
depuis un millénaire, parcourent les
chemins menant à ces 88 temples sacrés

NARA (p. 425)
Découvrir la première capitale
permanente du Japon,
avec ses 8 sites inscrits
au Patrimoine mondial

KAGOSHIMA

Voir
l'agrandissement

Sakhalin-tō

Wakkanai

Rebun-tō

PARC NATIONAL DE DAISETSUZAN (p. 635)
Randonner sur les plus hauts sommets de Hokkaidō dans l'un des parcs nationaux japonais les plus spectaculaires

PARC NATIONAL DE SHIRETOKO (p. 649)
Trek enchanteur dans l'une des régions les plus isolées et sauvages du Japon

Urup-tō

Rishiri-tō

MER D'OKHOTSK

Kunashiri-tō

Iturup (Etorofu-) (îles Kuril)

Hoppōryōdo (îles Kuril)

NISEKO (p. 613)
Du ski et du snowboard sur des pistes de renommée internationale

Shiretoko-hantō

Parc national de Shiretoko

Abashiri

44°N

Shikotan-tō

Bibai

Parc national de Daisetsuzan

Takikawa

RUSSIE

Parc national d'Akan

Shakotan-hantō

Otaru

SAPPORO

HOKKAIDŌ

Habomaisho

Niseko

Obihiro

Kushiro

Nemuro-hantō

Okushiri-tō

42°N

Hakodate

Osore-zan

Tunnel de Seikan

AOMORI

Hachinohe

CHŪSON-JI (p. 544)
S'imprégner de l'atmosphère particulière de ce remarquable ensemble de temples et son autel doré, le Konjiki-dō

40°N

Tazawa-ko

AKITA

Akita Shinkansen

MORIOKA

Kakunodate

Sakata

Mizusawa

Hiraizumi

Chūson-ji

Tsuruoka

Shinjō

DEWA SANZAN (p. 572)
La beauté saisissante de ces trois montagnes sacrées promet une randonnée exquise

Sado-ga-shima

YAMAGATA

Kinkasan

ALPES JAPONAISES (p. 283)
Marcher d'un refuge à un autre au milieu de sommets montagneux grandioses

SENDAI

38°N

NIIGATA

FUKUSHIMA

OCÉAN PACIFIQUE

Yamagata Shinkansen

Jōetsu Shinkansen

HONSHŪ

NAGANO (p. 288)
La porte des Alpes japonaises, pour découvrir les plaisirs de la marche, du ski et des onsen

NAGANO

UTSUNOMIYA

NIKKŌ (p. 197)
De magnifiques temples et sanctuaires, disséminés dans une paisible région boisée

Kamikōchi

Matsumoto

MAEBASHI

Nikkō

MITO

36°N

Hokuriku Shinkansen

URAWA

Aéroport international de Tōkyō Narita

KŌFU

Mt Fuji (3 776 m)

TŌKYŌ

CHIBA

Alpes japonaises du Sud

YOKOHAMA

SHIZUOKA

Shinkansen

TŌKYŌ (p. 121)
Métropole cosmopolite, curieuse, excentrique… l'ancienne Edo mérite plus que jamais son titre de capitale asiatique du futur !

Izu-hantō

Ō-shima

34°N

Shikine-jima

Izu-shotō

MONT FUJI (p. 208)
L'ascension mythique de ce volcan endormi reste un moment fort d'un séjour au Japon

Miyake-jima

ALTITUDE

	3 000 m
	2 000 m
	1 000 m
	200 m
	0

Hachijō-jima

CHICHI-JIMA (p. 247)
Après 25 heures de ferry, cette île en tout point superbe est le meilleur endroit au Japon pour observer les dauphins et les baleines

OCÉAN PACIFIQUE

32°N

Agrandissement Ogasawara-shotō

Chichi-jima

Hahajima

Échelle approximative

Vers Ogasawara-shotō (500 km)

LÉGENDE

Autoroute
Route nationale
Route départementale
Route

0 _____ 200 km

138°E   141°E   144°E   147°E

Sur la route

CHRIS ROWTHORN Auteur coordinateur

Me voici à Hōrin-ji (plus connu sous le nom de Daruma-dera) dans l'ouest de Kyōto. Il s'agit d'un petit temple situé à une dizaine de minutes à pied au nord-est de la gare d'Enmachi, sur la ligne JR Sagano. C'est ma femme qui a pris cette photo. Nous traversions Kyōto à vélo pour grimper l'Atago-san, qui se trouve dans les monts occidentaux surplombant Arashiyama (p. 367).

MATTHEW D. FIRESTONE Ne vous laissez pas impressionner par mon équipement sophistiqué : je suis un piètre skieur et j'ai passé presque tout mon temps à dévaler les pistes noires les quatre fers en l'air. Malgré les bleus et les bosses, je garde un excellent souvenir de mon séjour dans les stations de ski du nord de Honshū et de Hokkaidō.

BENEDICT WALKER Une nuit dans un *ryokan* à l'ancienne mérite amplement la dépense. Cette photo a été prise au Sanga Ryokan (p. 735) après une balade sur les pentes herbeuses du volcan Aso par une chaude journée d'été. Se détendre dans un bain privatif, en entendant la rivière couler par la fenêtre ouverte : voilà une expérience authentiquement japonaise !

PAUL WARHAM Nous sommes en début de soirée et je m'apprête à entrer dans un petit *izakaya* (bar-restaurant). Dans quelques minutes, je serai attablé en compagnie des habitués auxquels je demanderai des conseils sur le saké tandis que, derrière le comptoir, le chef cuisinier préparera une assiette de poisson frais pêché dans la région. Rien de tel pour se familiariser avec le Japon.

ANDREW BENDER Bien que je me sois déjà rendu de nombreuses fois dans les Alpes japonaises, je ne m'attendais pas à découvrir un tel paysage à l'arrivée du téléphérique de Shin-Hotaka (p. 288), au mois de janvier. Un sentier aussi haut que moi avait été creusé dans les congères et les rayons du soleil jouaient à travers les branches des sapins qui ployaient sous la neige. Il paraît que cet hiver-là, il n'a pas beaucoup neigé !

TIMOTHY N. HORNYAK Ayant voyagé par bateau jusqu'à l'île tropicale de Haha-jima (p. 248), à plus de 1 000 km de Tōkyō, j'étais bien décidé à prendre une baleine en photo avant de repartir. Mais j'avais passé la journée à faire du snorkeling et, de toute façon, ce n'était pas la bonne période de l'année pour observer les baleines. Je me suis donc dit que cette statue près de la jetée ferait bien l'affaire !

WENDY YANAGIHARA Cette photo a été prise un après-midi, lors d'une petite escapade à Shizuoka en compagnie de ma tante Shigeko, de ma cousine Kikuyo et de son mari Takahide. Je garde d'excellents souvenirs de mes séjours chez ma tante quand j'étais petite. Kikuyo est d'ailleurs la cousine dont je me sens la plus proche. Aussi, je ne manque jamais une occasion de passer un moment avec elles quand je voyage au Japon.

La biographie complète des auteurs figure en p. 870

À ne pas manquer

Le Japon compte d'innombrables sites culturels et merveilles naturelles. Vous serez séduit tout autant par les jardins zen de Kyōto ou la jungle de néons de Tōkyō, les joies de la poudreuse à Hokkaidō, la volupté d'un bain dans l'eau bienfaisante des *onsen* (sources chaudes), une randonnée épique dans les Alpes japonaises ou une plongée en compagnie des raies mantas au large d'Okinawa. Sans oublier de grandes découvertes culinaires, comme la dégustation de succulents sushis arrosés de saké à Ōsaka. Mais laissons les experts – nos lecteurs, nos auteurs et nos collaborateurs – vous faire part de leurs coups de cœur.

CHRISTOPHER GROENHOUT

1 LES TEMPLES ET LES JARDINS DE KYŌTO

Des mousses luxuriantes du jardin de Saihō-ji (p. 370) à l'or du Kinkaku-ji (pavillon d'Or ; p. 366), Kyōto recèle les plus beaux temples du pays, souvent entourés de jardins sublimes.

Chris Rowthorn, auteur Lonely Planet, Japon

LOU JONES

② PARC DU MÉMORIAL DE LA PAIX DE HIROSHIMA

Dans le parc du Mémorial de la paix de Hiroshima (p. 474), un Japonais s'est assis sur le banc à côté de moi et m'a demandé s'il pouvait s'exercer à parler anglais. Il espérait qu'un jour, il parlerait suffisamment bien pour pouvoir raconter son histoire aux touristes qui visitent Hiroshima. L'entendre faire le récit du jour où la bombe atomique a frappé la ville – il a alors perdu son père qui travaillait dans le centre-ville et son frère cadet, qui faisait partie des écoliers mobilisés pour réaliser des zones de coupe-feu – et m'expliquer à quoi ressemblait ce parc le lendemain du bombardement reste l'un des moments forts de ma vie.

Angela Tinson, collaboratrice Lonely Planet, Australie

TIMOTHY N HORNYAK

③ UNE NUIT DANS UN RYOKAN

Séjourner dans une auberge traditionnelle est une étape incontournable lors d'un voyage au Japon, mais il faut viser haut. Les *ryokan* à l'ancienne, en bois, et souvent situés dans les campagnes reculées, sont les meilleurs. L'un de mes préférés est le Hōshi Onsen Chōjukan (p. 205), vieux de plus d'un siècle, dans le Gunma-ken, au nord de Tōkyō. Il doit une bonne partie de sa réputation à ses bains mixtes – ce qui est rare au Japon –, alimentés par une source chaude.

Timothy N. Hornyak, auteur Lonely Planet, Tōkyō

OKU-NO-IN, KŌYA-SAN

Loin de l'agitation et des néons de Tōkyō, au cœur d'une forêt de cèdres brumeuse, ce temple et cimetière bouddhique (p. 445), avec ses vieilles pierres tombales couvertes de mousse, est certainement l'endroit le plus paisible au monde. Pour avoir un aperçu de la sérénité dans laquelle vivent les moines, il suffit de passer quelques heures à se promener là, puis d'achever la journée par un repas végétarien servi au temple (où vous pouvez loger) dans une salle garnie de tatamis.

Angela Tinson, collaboratrice Lonely Planet, Australie

LE MARCHÉ AU POISSON DE TSUKIJI

Le soleil n'est pas encore levé, et je dors debout, mais l'animation qui règne au marché au poisson de Tōkyō (p. 150) ne tarde pas à me réveiller. Des chariots à moteur chargés de thons congelés filent en tous sens, tandis que toutes les variétés de fruits de mer, regroupées ici avant de partir vers les restaurants et les magasins de la ville, s'étalent sous mes yeux. Je parcours les étals de poulpes et d'oursins avant de m'offrir un petit-déjeuner de sushis d'une fraîcheur incomparable.

Wendy Yanagihara, auteur Lonely Planet, États-Unis

GREG ELMS

HATTŌJI

Ce village préservé de l'Okayama-ken possède une vieille école et des fermes à toit de chaume dotées d'un foyer traditionnel et d'un bain *goemonburo*. Mais Hattōji (p. 465) se modernise depuis peu : dans un restaurant, un authentique cow-boy japonais vous invite à manger du ragoût de canard et à pousser la chansonnette au karaoké !

**Timothy N. Hornyak,
auteur Lonely Planet, Japon**

7

TIMOTHY N HORNYAK

6

DU SHOPPING DANS OMOTE-SANDŌ, À TŌKYŌ

Des "*irasshaimasssséé*" à l'unisson m'accueillent quand j'entre dans le magasin : cela commence avec un jeune homme en jean noir moulant, bottes de cow-boy et chemise rétro, et s'achève cinq personnes plus loin. Intimidée, je souris et cède finalement à la fièvre consumériste, parcourant du regard les accessoires et les modèles uniques, pliés et présentés avec soin. À Omote-sandō (p. 154), le chic est le maître mot, et les vendeurs sont singulièrement affables. Votre portefeuille ne s'en remettra pas !

Stephanie Ong, une voyageuse, Australie

ALI LEMER

8

DŌTOMBORI BY NIGHT

Voici ce que j'ai vu lors de ma promenade nocturne à Dōtombori (p. 405), quartier du centre-ville d'Ōsaka : de délirantes enseignes au néon se reflétant dans les eaux calmes de la rivière ; des fêtards légèrement ivres se promenant en costumes d'animaux tout en tapant des SMS sur leur téléphone portable ; d'immenses crabes-robots aux pattes articulées postés au-dessus des restaurants de poisson et fruits de mer ; des statues en devanture des commerces, représentant aussi bien des ratons laveurs et des enfants aux airs de personnages de dessin animé, que des chefs cuisiniers à l'air courroucé brandissant des brochettes de *tonkatsu* (p. 85). Et encore, ce n'était qu'un lundi soir…

Ali Lemer, collaboratrice Lonely Planet, Australie

UNE GAIJIN DEVENUE GEISHA

Fascinée depuis l'enfance par la culture japonaise, je m'étais toujours demandé quel effet cela ferait d'être habillée en geisha. J'ai enfin pu réaliser mon rêve à Kyōto, dans le quartier de Gion. Le personnel de Maika (p. 373) m'a recouvert le visage et le cou d'une épaisse couche de fard blanc, a coiffé mes cheveux et m'a revêtue des multiples pans de tissu qui composent le kimono d'une *maiko* (apprentie geisha). Lorsque j'ai rejoint la salle d'attente à petits pas, mon père ne m'a pas reconnue.

Ali Lemer, collaboratrice
Lonely Planet, Australie

ALBERT LEMER

RICHARD l'ANSE

9

10 UN COMBAT DE SUMO

Même assis aux places bon marché, les tournois de sumo (p. 73) sont passionnants. Selon un rituel bien établi, les lutteurs lancent d'abord des poignées de sel devant eux sur le ring, s'accroupissent et reculent, fixant leur adversaire d'un air menaçant. La brève rencontre culmine lorsque les deux lutteurs s'élancent en avant et s'efforcent, avec de violentes claques, de saisir la ceinture de l'adversaire. Observatrice néophyte, je suis avec autant de plaisir le combat que les bavardages des spectateurs ponctués par les acclamations.

Wendy Yanagihara, auteur Lonely Planet, États-Unis

JOHN ELK

11 GINKAKU-JI

Les jardins du Ginkaku-ji (p. 363) réussissent l'exploit de se distinguer des innombrables temples de Kyōto. Peu d'endroits se prêtent aussi bien à la détente et au repos après une matinée passée à arpenter la ville.

Daniel Corbett, collaborateur
Lonely Planet, Australie

LE MONT FUJI DEPUIS LE YAMANAKA-KO

Par une belle journée, la vue sur le mont Fuji depuis les eaux paisibles du lac (p. 211) est l'une des plus belles vues qui soient.

Ivy Kwan, un voyageur, lonelyplanet.com

12

BOB CHARLTON

UN MOMENT DE RELAXATION DANS UN ONSEN

Me frayant un chemin dans la vapeur en évitant les corps nus, je m'approche du bassin en pierre avec la crainte de commettre un impair et la sensation que tous les regards sont braqués sur moi. Mes inhibitions disparaissent dès l'instant où j'entre dans l'eau. La neige tombe sur nos visages rougis, tandis qu'un petit garçon pousse un cri de joie. Je découvre alors tout le plaisir des sources thermales japonaises !

Stephanie Ong, une voyageuse, Australie

13

JOHN BORTHWICK

LA DÉCOUVERTE DU JAPON TROPICAL

On ignore souvent que le Japon possède une partie de son territoire placée sous les tropiques. Les îles d'Okinawa (p. 766), au sud de l'archipel, sont renommées pour leurs magnifiques récifs de coraux, leurs eaux idéales pour nager avec les raies mantas, et leurs forêts de mangroves et de jungle, sillonnées par des sentiers de randonnée.

Chris Rowthorn, auteur Lonely Planet, Japon

14

MASON FLOREN

TEMPLE DE LA GASTRONOMIE

Les Japonais *adorent* manger, ce qui n'est guère étonnant car la gastronomie japonaise, très variée, enchante littéralement les papilles. Parmi les plats les plus courants, citons les *gyoza*, les *tempura*, les *tonkatsu*, les *rāmen*, le *soba*, le *yakitori*, le *sukiyaki*, les *okonomiyaki*, les *teppanyaki*, les *shabu-shabu* et bien sûr, les sushis (p. 80). Pour mener l'expérience encore plus loin, il suffit de gagner le sous-sol de n'importe quel grand magasin, où vous attendent les meilleurs espaces de restauration au monde !

Melissa Randall, voyageuse, États-Unis

GREG ELMS

15

PHIL WEYMOU

16 KARAOKÉ

De nombreux bars sont équipés d'un karaoké mais, pour une expérience vraiment authentique, il faut se rendre entre amis dans un club de karaoké. Installés sur des canapés dans une salle privative, vous pourrez à tour de rôle exprimer vos talents de chanteur. Sachant que l'on peut inclure quelques boissons dans le tarif horaire de location de la salle, c'est aussi un bon moyen de prendre un verre pour pas cher… à condition de ne pas y passer toute la nuit !

Adam Stanford, collaborateur Lonely Planet, Australie

LA BAMBOUSERAIE D'ARASHIYAMA

En me promenant à l'ombre d'immenses tiges de bambou, à Arashiyama (p. 367), j'ai eu l'impression de me trouver en plein conte de fée japonais, comme si j'allais croiser à tout instant un samouraï ou de mystérieux démons.

Ali Lemer, collaboratrice
Lonely Planet, Australie

17

ALI LEMER

JUDY BOARD / ALAMY

LE MARCHÉ DE NISHIKI

Ce marché couvert (p. 337) du centre-ville de Kyōto se compose d'une myriade d'étals entassés les uns à côté des autres le long d'une allée étroite qui semble interminable. On y trouve toutes sortes de marchandises, de la soie aux produits d'alimentation les plus étranges, sans oublier, bien sûr, un petit temple, caché à l'intérieur.

Daniel Corbett, collaborateur
Lonely Planet, Australie

18

PETER PTSCHELINZEW

19 ## UNE RANDONNÉE DANS LES ALPES JAPONAISES

La traversée du nord des Alpes japonaises, de Kamikōchi (p. 283) à Tsurugi-dake (à l'extrémité de la route, au nord), est l'une des plus belles randonnées qui soit. On peut facilement camper le long du parcours, ou passer la nuit dans l'un des refuges de montagne. L'itinéraire est inoubliable !

Chris Rowthorn, auteur
Lonely Planet, Japon

LE TÔDAI-JI, À NARA

Ce vaste temple en bois (p. 429) abrite le Daibutsu, un gigantesque bouddha plein de majesté. Une visite – et une rencontre – dont vous vous souviendrez longtemps !

Un voyageur anonyme, lonelyplanet.com

ADINA TOVY AMS

20

L'ESTHÉTIQUE : UN ART DE VIVRE

La culture japonaise accorde une telle importance à l'esthétique que le souci du beau se retrouve dans les moindres détails. Même les plaques recouvrant les accès souterrains de l'Ueno-kôen (p. 150), à Tôkyô, sont de véritables œuvres d'art en fer forgé.

**Ali Lemer, collaboratrice
Lonely Planet, Australie**

ALI LEMER

JOHN ASHBE

21

22

KENROKU-EN, KANAZAWA

Les jardins de Kanazawa sont incontournables. Tout, de la coupe méticuleuse du moindre brin d'herbe aux tuteurs qui soutiennent les bonsaïs centenaires, est absolument splendide au Kenroku-en (p. 311).

**Ilo Orleans, voyageur,
États-Unis**

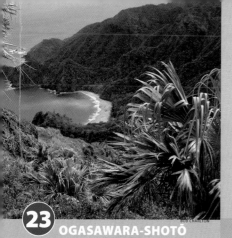

LE PALAIS DE HIMEJI-JŌ

Les demeures médiévales du pays évoquent un monde de samouraïs en armure et de ninjas (guerriers-espions). Pourtant, la plupart, en acier et en béton, datent de l'après-guerre. Parmi les édifices authentiques, le Himeji-jō (p. 422), vieux de 400 ans, est l'un des plus spectaculaires. Ses murs blanc et ses hautes tours lui ont valu le surnom de "héron blanc." Son architecture exceptionnelle comprend un dédale de chemins reliant 83 bâtiments. En avril, la floraison des cerisiers rehausse encore la beauté de ce palais.

**Timothy N. Hornyak, auteur
Lonely Planet, Japon**

BOB CHARLTON

TIMOTHY N HORNYAK

23 OGASAWARA-SHOTŌ

Depuis Tōkyō, un trajet en ferry d'une journée conduit aux îles reculées d'Ogasawara-shotō (p. 246). Là, un autre monde s'offre à vous. Cette région était autrefois peuplée par une colonie de pêcheurs de baleines de la Nouvelle-Angleterre. Aujourd'hui, peu de voyageurs étrangers s'y rendent. Pourtant, les randonnées, la plongée avec masque et tuba, l'observation des baleines et des dauphins valent largement le voyage.

**Chris Rowthorn, auteur
Lonely Planet, Japon**

24

GREG ELMS

25 LA FOULE

La forte densité de la population est frappante partout au Japon, mais tout particulièrement à Tōkyō, à la gare de Shinjuku (p. 153) pendant les heures de pointe ou au carrefour de Shibuya (p. 155) à n'importe quel moment de la journée. Tâcher de circuler au milieu de cette marée humaine rappelle que l'harmonie du groupe est une caractéristique majeure de la culture japonaise : en effet, si personne ne tenait compte de son voisin, nul n'arriverait à destination sans se faire piétiner !

Lou LaGrange, collaboratrice Lonely Planet, États-Unis

L'AQUARIUM D'ŌSAKA (KAIYŪKAN)

Un escalator d'une hauteur vertigineuse conduit à l'entrée de l'un des plus grands aquariums au monde (p. 408), qui abrite toutes sortes de créatures merveilleuses. Au cœur du bâtiment se trouve un aquarium de 9 m de profondeur dans lequel évolue le célèbre requin-baleine, Kai-Kun. Les enfants poussent des cris de ravissement et les adultes manient l'appareil photo. Mais surtout, ne prenez pas de clichés du fragile poisson-lune : il est très timide.

**Kate Morgan, collaboratrice
Lonely Planet, Australie**

KATE MOR

27

À PIED, DE MAGOME À TSUMAGO

Ce sentier de randonnée (p. 309) est incontournable si l'on souhaite parcourir la route qu'empruntaient les voyageurs des temps passés pour se rendre de Tōkyō à Kyōto. Vos efforts seront récompensés par la vue sur les villages, les terres cultivées et les chutes d'eau.

**Ivy Kwan, voyageur,
lonelyplanet.com**

SKYE HOHMANN / AL

28

FRANK CARTER

26 HANAMI

Au printemps, les cerisiers fleurissent aux quatre coins du pays, et les Japonais accourent dans les parcs pour pique-niquer et s'amuser en contemplant la beauté éphémère de cette pluie de pétales. Au moindre souffle de vent survient une tempête de neige rose pâle. Voilà tout le charme de *hanami* (p. 161), qui signifie littéralement "aller voir les fleurs"!

Un voyageur anonyme, lonelyplanet.com

Sommaire

HOKKAIDO
p. 590-591

NORD
DE HONSHŪ
p. 526

CENTRE   ENVIRONS
DE HONSHŪ   DE TŌKYŌ
p. 250   p. 196

OUEST
DE HONSHŪ   KANSAI   TŌKYŌ
p. 457   p. 331   p. 128-129

SHIKOKU
p. 654
KYŪSHŪ
p. 692-693

OKINAWA
ET LES ÎLES
DU SUD-OUEST
p. 768

Destination Japon

Le Japon est un monde à part, semblable à une petite planète autonome postée en orbite de l'incontournable Chine continentale. Préservée, la civilisation japonaise a traversé les âges et s'est développée sans subir l'intrusion de puissances étrangères. Et si, au fil du temps, elle a tout de même reçu de nombreux apports des cultures orientale et occidentale, ce fut chaque fois pour se les approprier pleinement et leur apposer son empreinte.

Aujourd'hui encore, le Japon reste inclassable : s'agit-il de la civilisation technologique la plus avancée au monde, ou bien d'un bastion de la culture asiatique traditionnelle ? Le pays du Soleil-Levant n'est-il devenu qu'un nouvel avant-poste de l'Occident ou bien reste-t-il plus vivace que jamais sous le vernis familier de la modernité ? Difficile de trancher ces questions.

Tout d'abord, le Japon est une terre de contrastes saisissants, où se côtoient temples anciens et villes futuristes, collines enveloppées de brume et trains à grande vitesse, geishas en kimono et hommes d'affaires en costume-cravate, villages pittoresques aux toits de chaume et jungles urbaines scintillant dans la lumière crue des néons. Le mariage insolite qui s'opère entre la tradition et la modernité fascine, hier comme aujourd'hui, les voyageurs au Japon.

Malgré ses caractéristiques uniques, le pays partage un destin commun avec le reste du monde, et notamment dans le domaine économique. Le Japon a été durement frappé par la récession mondiale qui a débuté en 2008. Son économie s'appuyant en très grande partie sur les exportations, il a toujours été sensible à la santé économique de ses partenaires commerciaux. On dit même que lorsque les États-Unis éternuent, le Japon s'enrhume... Et cette fois-ci, le Japon est tombé gravement malade.

Au fur et à mesure que le marché boursier sombrait aux États-Unis, les consommateurs américains ont cessé d'acheter des produits japonais. L'impact sur l'économie nippone s'est fait ressentir presque instantanément. En janvier 2009, les exportations avaient baissé de 46% par rapport à l'année précédente. Pour une nation qui exporte environ 20% du total de ses produits manufacturés, une telle baisse ne pouvait qu'avoir des répercussions désastreuses, à tel point que l'éclatement de la célèbre bulle économique japonaise à la fin des années 1980 commence à faire pâle figure si on la compare avec la situation actuelle.

En outre, au moment où les consommateurs du monde entier arrêtaient d'acheter des produits japonais, le marché des changes mondiaux prenait le yen comme valeur refuge, rendant dans le même temps les exportations japonaises encore moins attractives. Ce coup de poing en deux temps a totalement désorganisé l'économie : recettes d'impôts se réduisant comme peau de chagrin, licenciements massifs, pertes énormes pour les entreprises, etc. Il est encore trop tôt pour pronostiquer ce qui se passera dans les mois et les années à venir mais une chose est sûre : un grand nombre de commerces et d'entreprises vont probablement mettre la clé sous la porte, y compris certains répertoriés dans ce guide.

Pour couronner le tout, la crise économique actuelle se déroule dans un contexte marqué par deux autres problèmes graves : le taux de natalité très bas (le deuxième du monde industrialisé après celui de l'Italie) et

EN BREF

Population : 127 millions d'habitants

Espérance de vie des femmes : 84 ans et demi

Taux d'alphabétisation : 99%

PIB (estimation) : 3 700 milliards de dollars

Latitude de Tōkyō : 35,4° N, pratiquement la même que celle de la Crète (35° N)

Nombre d'îles de l'archipel : environ 3 900

Nombre d'onsen (sources chaudes) : plus de 3 000

Gare la plus fréquentée au monde : la gare de Shinjuku, à Tōkyō, qui voit passer 740 000 passagers par jour

Somme dépensée dans l'achat de mangas chaque année au Japon : 481 milliards de yens (environ 3,6 milliards d'euros)

Vitesse de croisière du shinkansen (train à grande vitesse) : 300 km/heure le vieillissement de la population. En 2006, la population japonaise a atteint le pic de 127,46 millions d'habitants, mais en 2009, ce chiffre avait baissé de près de 400 000. Les experts estiment qu'une baisse de 100 millions de personnes aura lieu d'ici 2050, ce qui pose une question cruciale pour l'avenir : qui fournira la précieuse main-d'œuvre et qui s'occupera des personnes âgées ?

Afin de traiter le problème, le Japon a récemment opté pour une solution bien connue des habitants de Hong Kong : favoriser la venue de travailleurs d'Asie du Sud-Est. Le pays a ainsi modifié sa politique d'attribution des visas afin que des infirmières originaires d'Indonésie, du Vietnam ou des Philippines puissent travailler au Japon de façon temporaire. Les détracteurs de cette mesure la taxent de "consubstantiellement" raciste puisque ces infirmières ne pourront jamais prétendre à l'obtention d'un permis de séjour permanent. De nombreux observateurs considèrent toutefois ces infirmières comme faisant partie de la première vague de travailleurs étrangers qui pourraient à terme profondément transformer l'attitude japonaise face à l'immigration, au mieux conservatrice, au pire xénophobe.

En japonais, "Japon" (日本) se dit *Nihon* ou *Nippon*, le pays du "soleil levant".

Le changement est également en marche dans nombre d'autres domaines. Les fondements traditionnels de la vie japonaise (l'emploi à vie, la promotion à l'ancienneté et une très bonne protection sociale) sont peu à peu abandonnés au profit d'une économie basée sur des conditions de travail plus flexibles et la privatisation de certains services publics (par exemple, la poste). Aujourd'hui, ce pays fier que chacun de ses habitants appartienne à la classe moyenne serait ainsi devenu une nation composée de deux classes bien distinctes : les "kachi-gumi" (gagnants) et les "make-gumi" (perdants).

Heureusement, il semble que les politiciens et les grandes entreprises qui sont derrière tous ces changements aient surestimé leur pouvoir. En effet, le Parti démocrate du Japon, au centre gauche et plus progressiste, a gagné haut la main les élections d'août 2009 (voir p. 52), en grande partie du fait du mécontentement des Japonais à l'égard des effets néfastes du nouveau modèle économique.

Autre source d'inquiétude pour le Japon : les relations, ou plutôt l'absence de relations, avec la Corée du Nord voisine. En 2006, ce pays a procédé avec succès à un essai nucléaire. En avril 2009, il a de nouveau procédé à un tir de fusée, cette fois au-dessus du Japon. Bien que les Nord-Coréens aient affirmé que la charge utile était un satellite civil de télécommunication, les Japonais redoutent que cet essai ait eu pour unique but de démontrer la capacité de la Corée du Nord à lancer une ogive au-dessus de la mer du Japon. Ils craignaient aussi que les éléments largués de la fusée tombent sur leur pays. Les analystes américains et japonais ont eu beau conclure par la suite que cet essai avait été un échec, les craintes des Japonais n'en sont pas moins restées très vives.

Contrairement à l'usage japonais, nous avons choisi, dans ce guide, de faire précéder le nom de famille par le prénom (ainsi, le réalisateur Yojiro Takita, au lieu de Takita Yojiro).

Bien sûr, tout n'est pas aussi sombre. Trois scientifiques nippons se sont partagé le prix Nobel de physique en 2008, et les athlètes japonais ont remporté 26 médailles aux Jeux olympiques de Pékin, un record absolu dans l'histoire olympique du pays. Le film *Departures* (*Okuribito*), du cinéaste Yojiro Takita, sorti en France en juin 2009, a remporté l'Oscar du meilleur film étranger, et les mangas et *anime* (films d'animation) suscitent toujours un véritable engouement. Dans le domaine industriel, le pays continue d'exporter son *shinkansen* (train à grande vitesse), qui est déjà le réseau ferroviaire de trains à grande vitesse le plus étendu au monde.

Le Japon attire non seulement les touristes occidentaux mais aussi ceux qui viennent des pays asiatiques voisins comme la Chine, la Corée, Taïwan et Singapour. Quant aux skieurs australiens, ils se pressent dans les stations comme Niseko, à tel point que les Japonais commencent à surnommer cette dernière la "petite Australie". Si le nombre de voyageurs étrangers a diminué ces dernières années, on peut parier sans trop se tromper que lorsque la récession sera terminée, le Japon redeviendra une destination recherchée. De plus en plus de voyageurs sont attirés par ce pays captivant qui, sans se laisser saisir facilement, réserve un accueil toujours extrêmement chaleureux.

Mise en route

Le Japon est peut-être le pays d'Asie où il est le plus facile de voyager. Efficace, propre et sûr, il est même assez facile d'y communiquer avec les habitants. Si l'on ne parle pas anglais partout, un nombre croissant de Japonais parle quelques mots d'une langue étrangère, et on trouve des panneaux en anglais dans les gares, les aéroports et, de plus en plus, dans les grandes villes. La question du budget reste épineuse ; à l'heure où nous mettons sous presse, le yen atteint une valeur plus élevée que bien d'autres devises. Pour autant, le coût de la vie est stable depuis des années, et il peut même revenir moins cher de voyager au Japon qu'en Europe ou en Amérique du Nord.

QUAND PARTIR

Le printemps (mars-mai) et l'automne (septembre-novembre), caractérisés par des temps stables, offrent les conditions idéales pour un séjour au Japon.

Au printemps, les célèbres *sakura* (cerisiers japonais) se parent de fleurs. Le *sakura zensen* (front de floraison des cerisiers) démarre du Kyūshū en février ou mars et remonte vers le nord pour atteindre les grandes villes de Honshū au début du mois d'avril. La floraison des *sakura*, éphémère, ne dure généralement qu'une semaine – il faut en profiter pour vivre *hanami* (littéralement : "aller voir les fleurs", en général celles des cerisiers) à la manière des Japonais, qui ne rateraient ce rendez-vous pour rien au monde !

Voir la rubrique *Climat* (p. 816) pour plus d'information.

L'automne, avec des températures agréables baignant une nature aux coloris pastel, invite tout autant au voyage. À l'inverse du *sakura*, les premières teintes automnales touchent le Nord parfois dès octobre et couvrent la majeure partie de Honshū de la deuxième à la dernière semaine de novembre.

N'OUBLIEZ PAS…

Le choix des vêtements à emporter varie selon la saison de votre voyage et des régions que vous allez visiter. Une distance importante sépare les extrémités nord et sud de l'archipel : le nord de Hokkaidō se trouve parfois sous la neige, tandis qu'un soleil tropical brûle Okinawa et Nansei-shotō, dans les îles méridionales. Il est par ailleurs indispensable de prévoir des vêtements chauds pour se rendre en montagne ou gravir le mont Fuji, même en plein été. À moins d'aller au Japon pour affaires, il n'est pas nécessaire de prendre une tenue habillée avec vous ; les hommes porteront de préférence des pantalons plutôt que des shorts, surtout dans les restaurants.

Pense-bête non exhaustif d'articles utiles :

- Des chaussures faciles à enfiler – elles devront allier confort et aspect pratique en prévision des nombreuses fois où vous devrez les ôter.

- Des chaussettes – en bon état, car on enlève souvent ses chaussures au Japon.

- Un forfait Japan Rail Pass – si vous avez l'intention d'effectuer de nombreux déplacements en train, ce pass permet de voyager à moindre coût, à condition de vous le procurer "avant" votre arrivée au pays du Soleil-Levant ; voir p. 842.

- Des livres – les livres en français sont onéreux et assez rares.

- Des médicaments – mieux vaut apporter vos médicaments délivrés sur ordonnance.

- Des cadeaux – quelques cartes postales ou des objets spécifiques de votre pays d'origine feront de bons cadeaux destinés aux Japonais que vous rencontrerez en chemin.

- Un permis de conduire international – si vous comptez louer un voiture, attention : les ressortissants de la plupart des pays ne peuvent louer une voiture au Japon sans présenter un permis de conduire international (voir p. 848).

Voyager en hiver est plus hasardeux. À la mi-saison (de décembre à février), le froid est parfois mordant, surtout à Honshū et à Hokkaidō, sur les côtes de la mer du Japon. Les mois d'été (juin-août), enfin, sont en général marqués par une chaleur moite. En juin survient la courte saison des pluies : elle est caractérisée, selon les années, par des averses torrentielles quotidiennes ou, au contraire, par une quasi-absence de précipitations.

Si vous vous rendez dans le groupe d'îles méridionales, telles qu'Okinawa, les îles du sud de Kagoshima-ken, celle d'Izu-shotō ou d'Ogasawara-shotō, sachez que des typhons peuvent sévir plus particulièrement en août, en septembre et au début du mois d'octobre.

De nombreux Japonais voyagent en haute saison, surtout pendant la Golden Week ("semaine d'or", fin avril-début mai, regroupant quatre congés majeurs) et O-Bon (fête des Morts, mi-août). Les réservations sont alors plus difficiles à effectuer. Notez aussi que le pays cesse pratiquement toute activité durant la période de Shōgatsu (Nouvel An).

À toute période de l'année, vous voyagerez de façon confortable. Néanmoins, si vous venez en hiver ou en été, vous échapperez à la foule et obtiendrez probablement des tarifs plus avantageux sur les billets d'avion et l'hébergement.

Voir p. 31 pour d'autres informations sur les fêtes et p. 827 sur les congés fériés au Japon.

COMBIEN ÇA COÛTE EN YENS ?

Hébergement dans un *business hotel* : 8 000 ¥ (par personne)

Repas de catégorie moyenne : 2 000 ¥

Bus local : 220 ¥

Entrée dans un temple : 500 ¥

Journal : 130 ¥

COÛT DE LA VIE

Le Japon est réputé être une destination onéreuse – ce qu'il est sans conteste si vous optez pour des hôtels de luxe, des trajets en taxi et des repas dans des restaurants huppés. En revanche, si vous faites attention à vos dépenses (voir page suivante), un voyage ici est comparable, voire moins cher, qu'un séjour dans un pays occidental. D'une manière générale, ce pays affiche un excellent "rapport qualité/prix" – voir également l'encadré ci-dessous pour plus de précisions.

VOTRE BUDGET QUOTIDIEN

Voici des exemples de dépenses courantes lors d'un voyage au Japon. Il ne s'agit que d'estimations, et il est possible de dépenser un peu moins, comme de vivre bien plus luxueusement ! Reportez-vous au *Bon à savoir*, en deuxième de couverture, pour les taux de change.

Économique

- Nuit en auberge de jeunesse (par personne) : 2 800 ¥
- Deux repas dans un restaurant bon marché : 2 000 ¥
- Transport longue distance en train/bus : 1 500 ¥
- Prix moyen d'une entrée dans un temple/musée : 500 ¥
- En-cas, boissons, frais divers : 1 000 ¥
- Total : 7 800 ¥ (environ 60 €)

Intermédiaire

- Nuit dans un hôtel d'affaires (par personne) : 8 000 ¥
- Deux repas dans un restaurant de catégorie moyenne : 4 000 ¥
- Transport en train/bus : 1 500 ¥
- Prix moyen d'une entrée dans deux temples/musées : 1 000 ¥
- En-cas, boissons, frais divers : 2 000 ¥
- Total : 16 500 ¥ (environ 125 €)

LE JAPON : UNE DESTINATION MOINS CHÈRE QU'ON LE PENSE

Le cliché qui veut que le Japon soit une destination coûteuse a la vie dure. Quiconque s'est récemment rendu dans l'archipel sait qu'il revient moins cher d'y voyager que dans certains pays d'Europe de l'Ouest ou aux États-Unis, voire dans certaines grandes villes chinoises. Bien sûr, tout dépend du taux de change en vigueur au moment où l'on voyage (à l'heure où nous mettons sous presse, celui-ci connaît d'importantes fluctuations). Toutefois, dans le pays même, les prix sont restés pratiquement inchangés ces dix dernières années (certains ont même baissé en raison de la déflation). Cette mise au point étant faite, n'imaginez pas que le Japon possède le même niveau de vie que la Thaïlande ! Voici quelques suggestions qui permettent d'économiser des yens et de voyager à moindre coût :

Achats

▨ Boutiques hyaku-en – Comme l'indique l'enseigne (*hyaku-en* signifie "100 ¥"), ces magasins ne vendent que des articles à 100 ¥ (0,78 €). Vous serez étonné(e) par le choix, et l'on y trouve parfois même de la nourriture.

▨ Marchés aux puces – Si un kimono neuf de qualité coûte près de 200 000 ¥ (près de 1 500 €), on déniche au marché aux puces de beaux articles d'occasion pour 1 000 ¥ (soit 7,80 € !). Que vous cherchiez des souvenirs ou des cadeaux pour la famille, ces marchés recèlent ainsi d'excellentes affaires.

Hébergements

▨ Manga Kissa – Ces cafés manga (BD) disposent de cabines particulières et de confortables sièges inclinables où vous pouvez passer la nuit pour 2 500 ¥ (19 €). Voir aussi *Missing the Midnight Train* p. 163.

▨ Capsule Hotel – La nuit n'y coûte que 3 000 ¥ (23 €)

▨ Pensions – Dans de nombreuses villes, des pensions (*guest houses*) bon marché, et de qualité, demandent 3 500 ¥ (près de 27 €) pour la nuit.

Restaurants

▨ Shokudō – Partout au Japon, ces restaurants populaires servent un bon repas roboratif pour 700 ¥ (5,40 €). Le thé est gratuit et il n'y a pas de pourboire. Qui dit mieux ? Voir aussi p. 78.

▨ Bentō – Pour environ 500 ¥ (3,80 €), la boîte-repas japonaise, en vente partout, est à la fois nourrissante et équilibrée.

▨ Rāmen – Un bol fumant de nouilles aux œufs savoureuses ne coûte que 500 ¥. Pour en commander, rien de plus simple : dites simplement "*rāmen*." Les versions *soba* (blé noir) et *udon* (nouilles blanches épaisses) sont encore moins chères : comptez 350 ¥ le bol.

Transports

▨ Japan Rail Pass – Ce forfait (à acheter avant de partir) offre un accès illimité à l'excellent réseau ferroviaire japonais, ainsi qu'au *shinkansen*, le train à grande vitesse. Voir aussi p. 842.

▨ Seishun Jūhachi Kippu – Pour 11 500 ¥, vous recevez cinq billets, valables durant une journée à bord de n'importe quel train des chemins de fer nippons : vous pouvez ainsi traverser le pays d'un bout à l'autre pour 88 € environ. Voir aussi p. 844.

LIVRES À EMPORTER

Nombre de livres de voyage sur le Japon se limitent à une "réflexion" sur l'excentricité ou le caractère exceptionnel des Japonais. Correspondant pour le journal *Le Monde* au Japon, Philippe Pons remet les choses en perspective dans *Le Japon des Japonais* (Liana Levi/Seuil, 2007). Facile à emporter, ce petit ouvrage constitue une agréable introduction aux us et coutumes de ce fascinant pays.

Occupant une place de choix dans la vie errante de Nicolas Bouvier, le Japon est le sujet de deux ouvrages majeurs du célèbre écrivain voyageur : *Le Vide et le Plein : carnets du Japon 1964-1970* (Hoëbeke, 2007) et *Chronique japonaise* (Payot-Rivages, 2001), publié pour la première fois en 1975. Mêlant étude scientifique et sentiments personnels, l'auteur brosse un portrait original de l'archipel qui conserve toute son actualité. *Le Japon de Nicolas Bouvier* (Hoëbeke, 2002) invite à un voyage en images : où l'on découvre que l'écrivain fut aussi un photographe hors pair, qui a notamment réalisé de nombreux portraits des Japonais croisés en route.

Le Kimono décousu, de Jean Pinquié, côtoie *Découpures japonaises*, des poèmes de Michel Butor, pour former un recueil subjectif (Kailash, 2003), mêlant réflexions et sensations de deux étrangers au Japon.

James Harvey présente lui aussi de façon intimiste la culture nippone, qu'il admire, dans *Le Souffleur de bambou : rencontres japonaises* (illustrations de maître Akeji ; Transboréale, 2006).

Saisons japonaises, de Nicole-Lise Bernheim (Payot, 2002), plus léger et tout aussi instructif, témoigne d'un séjour de plusieurs mois chez une famille de Koya-san, une petite ville du Kansai.

Plus anecdotique, *Toquée de Tokyo : aventures nippones d'une Occidentale naïve que tout surprend*, signé Anouchka Flieller (Les petites vagues, 2007) présente le quotidien souvent hasardeux, et plein d'humour, d'une néophyte au pays du Soleil-Levant. Dans le même ton, *Tokyo Sanpo. Promenades à Tokyo* (Philippe Picquier, 2009), de Florent Chavouet, conçu comme un livre d'aventures, présente quantité de dessins en couleur.

Chercheur au CNRS, spécialiste de la société japonaise et de son système éducatif, Jean-François Sabouret est le maître d'œuvre du recueil d'articles intitulé *Japon, peuple et civilisation* (La Découverte, 2004) – un ouvrage très intéressant. Ne manquez pas non plus de glisser dans vos bagages deux autres de ses ouvrages : *Le Japon quotidien* (Le Seuil, 1993), reprise des chroniques données sur France-Inter, ou *Besoin de Japon* (Le Seuil, 2004). Installé dans le pays depuis 30 ans, il parvient, au gré de ses souvenirs et de ses rencontres, à faire entrer le lecteur dans l'intimité d'une société réputée déroutante.

Ancien correspondant pour le journal *Le Monde* au Japon, Robert Guillain a vécu de longues années dans le pays. *Aventure Japon* (Arléa, 2003) est un portrait passionnant des divers visages du Japon – avant, pendant et après la Seconde Guerre mondiale.

Enfin, indispensable pour mieux communiquer sur place : le guide de conversation français/japonais publié par Lonely Planet. Pour réserver une chambre, lire un menu ou simplement faire connaissance, ce manuel permet d'acquérir rapidement des rudiments de japonais. Il comprend également un minidictionnaire bilingue (voir p. 863).

Pour avoir un aperçu des auteurs japonais et de leurs œuvres, reportez-vous à la rubrique *Littérature* p. 68.

SITES INTERNET

Le site Internet de Lonely Planet (www.lonelyplanet.fr) propose une présentation succincte des principales destinations touristiques de la planète, dont le Japon, un forum pour lire ou déposer des témoignages, et des conseils pratiques. Parmi les autres sites utiles, citons :

Hyperdia Japan (www.hyperdia.com/cgi-english/hyperWeb.cgi). Informations sur les transports japonais (tarifs, horaires, etc.) en anglais.

Institut franco-japonais de Tokyo (www.ifjtokyo.or.jp). Une institution dynamique.

Japan Rail (www.japanrail.com). À consulter pour des informations sur le transport ferroviaire japonais (JR) et sur le Japan Rail Pass (en anglais) ; voir aussi p. 842.

NOTRE SÉLECTION

LE JAPON AU CINÉMA

Voici quelques excellents films qui aiguiseront votre appétit du voyage.

- *Departures* (*Okuribito* ; 2008) de Yōjirō Takita
- *Nobody Knows* (*Dare mo shiranai* ; 2004) et *Still Walking* (2009) de Hirokazu Kore-Eda
- *L'Été de Kikujirō* (*Kikujirō no natsu* ; 1999) et *Hana-bi* (1997) de Takeshi Kitano
- *Rhapsodie en août* (*Hachi-gatsu no kyōshikyoku* ; 1991) d'Akira Kurosawa
- *Le Tombeau des lucioles* (*Hotaru no haka* ; 1988) d'Isao Takahata
- *Tampopo* (1985) de Jūzō Itami
- *La Ballade de Narayama* (*Narayama Bushiko* ; 1983) de Shōhei Imamura
- *L'Empire des sens* (*Ai no corrida* ; 1976) de Nagisa Ōshima
- *Nuages flottants* (*Ukigumo*, 1955) de Mikio Naruse
- *Les Contes de la lune vague après la pluie* (*Ugetsu monogatari* ; 1953) de Kenji Mizoguchi
- *Voyage à Tōkyō* (*Tōkyō monogatari* ; 1953) de Yasujirō Ōzu (p. 71)

LES PLUS BEAUX SITES ET PAYSAGES

Le Japon pourrait se comparer à une mosaïque de sites d'une grande beauté. Il est bien sûr injuste de n'en signaler que quelques-uns, toutefois, ceux répertoriés ici sont parmi les plus admirables.

- Les cerisiers en fleurs à Kyōto (p. 332) – les mots manquent pour décrire le rose moutonneux dont se parent les cerisiers de Kyōto au printemps.
- Saihō-ji (p. 370) – difficile d'imaginer jardin plus beau que celui du temple Saihō-ji (aussi appelé Koke-dera ou "temple de la Mousse") à Kyōto.
- La danse des bambous à flanc de colline – un spectacle que vous apercevrez depuis le *shinkansen* (train à grande vitesse) ou en randonnant dans les collines.
- Yaeyama-shotō (p. 796) – les récifs qui entourent Iriomote-jima arborent mille couleurs éclatantes.
- Kerama-shotō (p. 790) – sable blanc, eau cristalline et corail vibrant de couleurs.
- Alpes japonaises (p. 283) – la réserve située au cœur des Alpes japonaises pourrait en remontrer à bien d'autres paysages de montagne.
- Daitoku-ji (p. 355) – 24 temples et d'innombrables jardins, si beaux qu'on ne saurait choisir.

NE PARTEZ PAS DU JAPON SANS AVOIR GOÛTÉ À...

Même les voyageurs les plus aguerris seront étonnés par la variété, la qualité et les délicieuses saveurs de la gastronomie japonaise. La plupart de ces plats comportent de la viande ou du poisson, mais deux sont végétariens. Pour plus de détails sur la gastronomie japonaise, voir p. 75.

- Sushis – rien de tel que de les déguster à la source.
- *Unagi* – anguille cuisinée servie sur du riz : un régal.
- *Wa-gyū* – le bœuf de Kōbe est le plus connu mais il en existe bien d'autres variétés.
- *Kaiseki* – il existe peu de cuisine aussi raffinée que le *kaiseki* (haute cuisine), notamment eu égard aux ustensiles, plats et assiettes utilisés, et à la présentation.
- *Rāmen* – les nouilles à la japonaise préparées dans de grands récipients fumants et servies par un homme coiffé d'un bandeau.
- *Shōjin-ryōri* – la cuisine végétarienne bouddhiste du Japon pourrait bien gagner le cœur des amateurs de viande. Une bonne adresse pour y goûter : Kōya-san (p. 443), à Kansai.
- *Okonomiyaki* – la "pizza japonaise" est délicieuse – et on participe à sa confection.

Pour l'explication des termes japonais, reportez-vous au glossaire, p. 864. Lire également p. 95 pour une liste de termes culinaires et p. 106 pour les mots utiles lorsque vous êtes dans un onsen.

Jipango (www.jipango.com). Une association à Paris qui publie un journal en français sur le Japon tendance : culture, rencontres, décoration, cuisine, adresses…, disponible en ligne.

Lieux touristiques de Tōkyō (www.tokyotojp.com). Horaires, prix d'entrée, numéros de téléphone et renseignements sur les principaux lieux touristiques de Tōkyō.

Maison de la culture du Japon à Paris (www.mcjp.asso.fr). Spectacles, expositions et événements culturels dans la capitale.

Ministère des Affaires étrangères du Japon (MOFA ; www.mofa.go.jp). Informations pratiques sur les visas et les adresses d'ambassades et de consulats dans la rubrique *Visa*. Enrichi de liens dans différentes langues (dont le français) vers les ambassades et consulats.

Office national du tourisme japonais (JNTO ; www.jnto.go.jp). Une mine de renseignements.

Site météo de l'université de Kōchi (http ://weather.is.kochi-u.ac.jp/index-e.html). Images satellite du pays, actualisées plusieurs fois par jour. Très utile pendant la saison des typhons (août, septembre et octobre).

Fêtes et festivals

Des festivités rythment le calendrier japonais tout au long de l'année. Il ne se passe pas une journée sans que ne soit organisé un *matsuri* (une fête) quelque part, souvent haut en couleur, animé, voire extravagant. Voici une liste des *matsuri*, événements et manifestations saisonnières les plus intéressants.

JANVIER

SHÔGATSU   31 déc-3 janv
Le Nouvel An est l'une des plus importantes fêtes japonaises. On mange et on boit en quantité, on envoie des cartes et l'on présente ses vœux à sa famille et à ses relations de travail. La principale tradition, *hatsumode*, inclut une prière au temple de quartier pour garantir santé, bonheur et prospérité pour la nouvelle année.

YAMAYAKI (FÊTE DU FEU DE L'HERBE)
                                            début janv
À Nara, la veille du Seijin-no-hi (voir ci-dessous), la tradition veut que l'on mette le feu à l'herbe qui recouvre la colline Wakakusa. Des doutes subsistent sur l'origine de cette fête, certains pensent qu'elle a pour but la destruction des êtres maléfiques, d'autres qu'elle doit apaiser les conflits (sans doute féroces !) entre les moines des temples de Kofukuji et de Tadaiji.

SEIJIN-NO-HI (JOUR DU PASSAGE À L'ÂGE ADULTE)   2e lun de janv
Des cérémonies sont organisées en l'honneur des garçons et des filles pour leur vingtième anniversaire. Dans les principaux temples, vous verrez à coup sûr de grands rassemblements de jeunes : les filles portent de somptueux kimonos et les garçons des costumes.

FÉVRIER

SETSUBUN MATSURI   3 ou 4 fév
Pour fêter la fin de l'hiver (la veille du début du printemps dans le calendrier lunaire) et pour chasser les mauvais esprits, les Japonais jettent des haricots grillés en chantant "*oni wa soto, fuku wa uchi*" (ouste les démons, entre la chance). Souvent, dans les temples de quartier, des habitants habillés en démons servent de cible. Voir p. 92 pour plus de détails.

MARS/AVRIL

HINA MATSURI   3 mars
Des expositions de poupées anciennes sont organisées, et les fillettes reçoivent des poupées inédites (*hina*) représentant des personnes de l'ancienne cour impériale.

TAGATA HONEN SAI MATSURI   15 mars
Dans le centre de Honshū (p. 267), cette fête célèbre la fertilité masculine dans l'univers, représentée par un gigantesque phallus promené dans le village dans la bonne humeur. Il s'agit d'une manifestation divertissante typiquement japonaise.

CONTEMPLATION DES PRUNIERS
EN FLEURS   fin fév-mars
Pas aussi connus que les cerisiers, mais non moins charmants, les pruniers fleurissent entre fin février et mars. Se promener au milieu de vergers en fleurs comme au Kitano-Tenman-gū (p. 365) à Kyōto constitue une agréable manière de passer une journée printanière au Japon.

CONTEMPLATION DES CERISIERS
EN FLEURS   fin fév-début avr
Les cerisiers japonais fleurissent au début du printemps. La floraison débute au mois de février à Kyūshū et culmine généralement à Honshū entre la fin mars et début avril. Celle-ci ne dure le plus souvent qu'une semaine. Le Maruyama-kōen, à Kyōto (p. 358), et le Ueno-kōen, à Tōkyō (p. 150), figurent parmi les lieux de prédilection pour admirer les cerisiers.

MAI

GOLDEN WEEK   29 avr-5 mai
La "semaine en or" inclut Shōwa-no-hi (anniversaire de l'empereur Shōwa ; 29 avril), Kempō Kinem-bi (journée de la Constitution ; 3 mai), Midori-no-hi (journée de la Nature ; 4 mai) et Kodomo-no-hi (journée des Enfants ; 5 mai). Les transports et l'hébergement dans les régions touristiques sont alors souvent pris d'assaut.

KODOMO-NO-HI   5 mai
Jour férié dédié aux enfants, surtout aux garçons. Les familles accrochent des banderoles de papier représentant des carpes (*koinobori*), symboles de virilité.

JUILLET

TANABATA MATSURI
(FÊTE DES ÉTOILES) 7 juil

Cette nuit-là, deux étoiles se rencontrent dans la Voie lactée, censées représentées, selon une légende chinoise, deux amants. La fête organisée à Sendai (p. 532), du 6 au 8 août, donne lieu à de somptueuses décorations.

GION MATSURI 17 juil

La plus célèbre fête du Japon. D'immenses chars défilent dans les rues de Kyōto accompagnés en chansons par les habitants. Les trois soirs précédant la parade, les gens se promènent dans Shijō-dōri habillés de jolis *yukata* (kimono en coton léger). Voir p. 374.

FUJI ROCK FESTIVAL fin juil

À Naeba (p. 587), le plus grand festival de rock du Japon attire toujours des pointures du rock étrangères. Cet événement de renommée internationale vaut le déplacement.

AOÛT

NEBUTA MATSURI 2-7 août

Aomori (p. 553), dans le nord de Honshū, accueille l'une des fêtes japonaises les plus pittoresques. Le dernier jour des festivités, des danseurs accompagnent en chantant une parade d'immenses chars.

O-BON (FÊTE DES MORTS) mi-août

Selon la tradition bouddhiste, c'est à cette époque que les défunts reviennent sur terre. Des lanternes allumées sont déposées sur les fleuves, les lacs ou la mer pour symboliser le retour de l'enfer des morts. Voir également le Daimon-ji Gozan Okuribi (ci-dessous).

DAIMON-JI GOZAN OKURIBI 16 août

Plus couramment appelé Daimon-ji Yaki, ces spectacles, parmi les plus grandioses au Japon, font partie de la fête des Morts (ci-dessus). Voir p. 374 pour plus de détails.

FEUX D'ARTIFICE D'ÉTÉ août

Dans tout le Japon, ville et village organisent de spectaculaires feux d'artifice. Vous serez surpris par la qualité et la durée de certains de ces superbes spectacles.

FÊTE DE LA TERRE 3e sem d'août

L'île de Sado-ga-shima, au large du nord de Honshū, accueille un festival mondialement réputé de danse, de manifestations artistiques et de musique. La fête de la Terre (p. 584) fait la part belle aux représentations des fameux joueurs de tambours (*taiko*) de l'île. À ne pas manquer.

ASAKUSA SAMBA MATSURI fin août

Tōkyō se met à l'heure brésilienne le temps d'un festival débridé de samba dans les rues d'Asakusa (voir p. 152). On se demanderait presque si l'on est bien au Japon.

SEPTEMBRE

KISHIWADA DANJIRI MATSURI 14-15 sept

C'est l'une des fêtes les plus périlleuses du Japon. D'immenses *danjiri* (char de fête) sont lancés dans les rues étroites de Kishiwada, au sud d'Ōsaka (voir p. 409). L'alcool coule à flots et des *danjiri* finissent parfois leur course dans les maisons !

OCTOBRE

KURAMA-NO-HI MATSURI 22 oct

Le soir, dans le village de montagne de Kurama (p. 371), au nord de Kyōto, de gigantesques torches enflammées sont portées dans les rues, de pair avec une procession de *mikoshi* (temples portatifs). L'une des fêtes nippones les plus anciennes.

NOVEMBRE

SHICHI-GO-SAN (FÊTE DES 7-5-3) 15 nov

Cette fête est dédiée aux petites filles de 3 et 7 ans et aux petits garçons de 5 ans. Les enfants revêtent leurs plus beaux vêtements et sont conduits dans les temples et les sanctuaires pour prier et attirer la chance.

DÉCEMBRE

BŌNEN-KAI mi-déc à fin déc

Les fêtes pour littéralement "oublier l'année" sont parmi les plus réjouissantes. Elles sont organisées par les entreprises, les familles ou quiconque peut amasser suffisamment d'argent pour proposer un repas arrosé afin de fêter la fin d'une année réussie.

Itinéraires
LES GRANDS CLASSIQUES

GRATTE-CIEL, TEMPLES ET JARDINS ZEN
1-2 semaines / De Tōkyō à Kyōto et Nara

Cet itinéraire classique est parfaitement adapté à un court séjour. Si vous venez pour la première fois dans l'archipel nippon et ne disposez que d'une semaine, deux au mieux, consacrez quelques jours à la découverte du Japon en pleine effervescence à **Tōkyō** (p. 121), puis 4 à 5 jours dans le Kansai, en visitant les sites historiques de **Kyōto** (p. 332).

À Tōkyō, concentrez-vous sur le visage moderne, voire postmoderne, de la capitale, avec les quartiers de **Shinjuku** (p. 154), d'**Akihabara** (p. 149) et de **Shibuya** (p. 155) par exemple. Pour découvrir le Japon traditionnel, privilégiez Kyōto et imprégnez-vous de la beauté classique et de la sérénité des temples, comme le **Nanzen-ji** (p. 361), ou encore du charme de la **bambouseraie d'Arashiyama** (p. 367). Si vous disposez d'un peu plus de temps, vous pouvez aller jusqu'à **Nara** (p. 425), un concentré de sites exceptionnels.

Le *shinkansen* (train à grande vitesse ; p. 841) est le meilleur moyen d'aller de Tōkyō à Kyōto. Pour une escapade entre ces deux mégalopoles, faites un détour par **Takayama** (p. 270), sur le chemin ou au retour de Kyōto.

Cet itinéraire de 550 km comprend un seul long trajet en train : 3 heures en *shinkansen* entre Tōkyō et Kyōto (le trajet Kyōto-Nara prend moins d'une heure en train express, et il faut compter 5 heures de trajet supplémentaires pour le crochet par Takayama).

CAP AU SUD   2 semaines-1 mois / De Tōkyō au Japon du Sud-Ouest

Les voyageurs moins pressés passent généralement plus de temps à Tōkyō et à Kyōto, avant de traverser l'île de Honshū vers l'ouest, puis d'obliquer vers l'île de Kyūshū, au sud. L'avantage de cet itinéraire tient au fait que ces régions sont accessibles en hiver, tandis que l'île de Hokkaidō et le nord de Honshū sont pris dans le froid entre novembre et mars.

Si vous arrivez par **Tōkyō** (p. 121), consacrez quelques jours à la découverte de la capitale, avant de rejoindre le **Kansai** (p. 330) et les célèbres villes de **Kyōto** (p. 332) et de **Nara** (p. 425). **Takayama** (p. 270), accessible depuis Nagoya, justifie aussi un détour.

Du Kansai, prenez le San-yō *shinkansen*, un train à grande vitesse, jusqu'à **Fukuoka/Hakata** (p. 697), à Kyūshū. Sur cette île, **Nagasaki** (p. 710), **Kumamoto** (p. 725), des trésors naturels comme l'**Aso-san** (p. 731) et la ville de **Beppu** (p. 758), réputée pour ses *onsen*, méritent notamment une visite.

Pour regagner rapidement le Kansai ou Tōkyō, choisissez à nouveau le San-yō *shinkansen*. Il longe la mer Intérieure sur la côte de l'**ouest de Honshū** (p. 456) et permet des haltes à **Hiroshima** (p. 471) ou à **Himeji** (p. 422), célèbre pour son château.

Il est facile de prolonger ce parcours : l'île de **Shikoku** (p. 653), rarement visitée, est facilement accessible depuis Okayama, sur la côte du Honshū. Par ailleurs, l'ouest de Honshū côté mer du Japon, plus rural et peu fréquenté, compte des sites intéressants, dont le sanctuaire d'**Izumo** (p. 514) et les villes de **Matsue** (p. 516) et de **Tottori** (p. 522).

Un périple parfait pour découvrir la grande métropole qu'est Tōkyō, les sites culturels du Kansai (Kyōto et Nara), mais aussi les îles du Kyūshū, de Honshū (dans sa partie occidentale) et de Shikoku.

BEAUTÉS NATURELLES DU NORD-EST
2 semaines-1 mois / Kyōto-Tōkyō, Kansai, Honshū et Hokkaidō

Cet itinéraire, au départ de **Kyōto** et/ou de **Tōkyō**, dévoile certains des sites naturels d'exception du Japon. Rendez-vous d'abord dans les Alpes japonaises : les villes de Matsumoto (p. 302) et de Nagano (p. 288) font d'excellents points de départ pour des randonnées autour de Kamikōchi (p. 283), par exemple. Depuis Nagano, il est possible de rejoindre **Niigata** (p. 578), puis l'île de **Sado-ga-shima** (p. 583), connue pour ses tambours *taiko* et sa fête de la Terre, en août. **Sendai** (p. 532), sur la côte opposée, donne accès à **Matsushima** (p. 538), l'un des panoramas les plus connus du pays. Au nord de Sendai, la paisible île de **Kinkasan** (p. 541), surnommée la Montagne dorée, et le **Tazawa-ko** (p. 563), le lac le plus profond de l'archipel, méritent le détour, tout comme **Morioka** (p. 550), **Hachimantai** (p. 563) et l'**Osore-zan** (p. 557).

Le train qui relie Honshū à Hokkaidō, au nord, passe, au départ d'Aomori, par le **tunnel sous-marin Seikan** (p. 610). À l'arrivée sur Hokkaidō, le port de pêche de **Hakodate** (p. 604) est l'occasion d'une halte agréable, agrémentée notamment d'un repas de fruits de mer. **Sapporo** (p. 594) constitue une bonne base pour rayonner sur Hokkaidō. La ville se révèle particulièrement animée pendant le Yuki Matsuri (fête de la Neige ; p. 599).

La visite des parcs nationaux – les trésors de Hokkaidō –, requiert du temps et/ou un moyen de transport. Si vous disposez de 3 à 4 jours, optez pour le **parc national Shiretoko** (p. 649) et celui d'**Akan** (p. 642) ; en une semaine, préférez **Daisetsuzan** (p. 635).

Cet itinéraire, qui débute avec les cités emblématiques de Tōkyō et de Kyōto, se poursuit vers Hokkaidō et le nord de l'archipel, et privilégie les grands sites naturels du pays.

HORS DES SENTIERS BATTUS

D'ÎLE EN ÎLE AU SUD-OUEST DE L'ARCHIPEL

3 semaines-1 mois / De Kyūshū à Iriomote-jima

Idéal pour explorer le sud tropical du pays si vous avez du temps devant vous, ce parcours démarre à **Kagoshima** (p. 738), sur l'île méridionale de Kyūshū. De là, un trajet de nuit en ferry permet de rejoindre l'île d'**Amami-Ōshima** (p. 776), émaillée de superbes plages et d'une végétation semi-tropicale. D'Amami-Ōshima, un autre ferry rallie au sud l'îlot de **Yoron-tō** (p. 779), petit bijou auréolé de plages. Après quelques jours de farniente balnéaire, reprenez brièvement le ferry jusqu'à **Naha** (p. 782), sur l'île d'Okinawa-hontō. Consacrez un ou deux jours à la ville avant de prendre le ferry pour les **Kerama-shotō** (p. 790), non loin de là. La petite île d'**Aka-jima** (p. 790) possède certaines des plus belles plages de tout l'archipel.

Si vous êtes pressé, de Naha, regagnez les îles principales par avion. Sinon, prenez un vol jusqu'à **Ishigaki-jima** (p. 796). Les détenteurs d'un certificat de plongée pourront nager, entre juin et octobre, au milieu des raies cornues. Ensuite, mettez le cap sur **Iriomote-jima** (p. 802), rapidement accessible en ferry, où dominent la jungle et des récifs coralliens côtiers. D'Iriomote-jima, rentrez par avion depuis Ishigaki-jima.

Un circuit dans un Japon tropical, à l'atmosphère décontractée, une région souvent méconnue des visiteurs étrangers. En plein hiver, les îles offrent un agréable répit, qui ne peut que séduire !

HOKKAIDŌ AUTREMENT
2 semaines-1 mois / Hokkaidō

Sapporo (p. 594) est une bonne base pour explorer l'île de Hokkaidō, que vous arriviez par avion ou possédiez un pass ferroviaire (voir p. 842). Commencez par passer 1 ou 2 nuits à **Hakodate** (p. 604). Selon la saison et si vous en avez le temps, partez admirer les cerisiers de **Matsumae** (p. 607), à la pointe sud de l'île. Plus au nord, en revanche, **Tōya-ko** (p. 616) est réputé pour ses nombreux *onsen* (sources chaudes) et le volcan fumant de l'Usu-zan. De là, poussez jusqu'à **Shiraoi** (p. 624), le plus grand village aïnou de l'île ; en chemin, les amateurs de bains relaxants plongeront dans le célèbre **Noboribetsu Onsen** (p. 619). Consacrez ensuite une journée à **Otaru** (p. 609) la romantique, puis poursuivez jusqu'à **Wakkanai** (p. 626), à l'extrême nord. Cap vers le large pour rejoindre en ferry les îles **Rebun-tō** (p. 630) et y randonner durant 1 ou 2 jours. Au retour, ne manquez pas **Sōya-misaki** (p. 626).

Dans le centre de Hokkaidō, savourez un saké Otokoyama à **Asahikawa** (p. 622), puis rejoignez l'**Asahidake Onsen** (p. 635), d'où vous partirez pour 2 jours de randonnée dans le **parc national de Daisetsuzan** (p. 635). Autres excursions possibles : les champs de lavande de **Furano** (p. 633) ou de **Biei** (p. 632). Étapes suivantes : **Abashiri** (p. 639) et **Shari** (p. 648), toutes deux sur la côte septentrionale. Ce sont les portes d'accès au **parc national Shiretoko** (p. 649) – louez une voiture de préférence. Consacrez au moins 2 jours et 1 nuit à la partie orientale de l'île, où **Nemuro** (p. 647), sur la côte, méritent une halte. De **Kushiro**, rejoignez le **parc national de Kushiro Shitsugen** (p. 646), parfait pour observer les grues et les cervidés, puis le **parc national d'Akan** (p. 642), qui renferme l'un des plus beaux lacs du pays : le **Mashū-ko**.

Très apprécié, ce circuit de 1 200 km est tout à fait modulable. Prenez Sapporo comme base pour des excursions de 1 ou 2 jours, puis partez vers le nord et l'est et louez une voiture afin d'explorer les régions reculées.

LE KANSAI EN PROFONDEUR
1-2 semaines / Kansai

Le **Kansai** (p. 330) possède la plus importante concentration de destinations touristiques du Japon, ce qui en fait la région idéale pour découvrir quantité de sites traditionnels tout en limitant ses déplacements.

De par sa position centrale, son large choix d'hébergements, sans oublier ses temples et ses jardins, les plus beaux du pays, **Kyōto** (p. 332) s'impose comme point de chute. Consacrez une journée au **quartier de Higashiyama** (p. 361) et une autre à flâner dans la bambouseraie d'**Arashiyama** (p. 367). Faites en train une escapade d'une journée à **Nara** (p. 425) pour admirer les monuments ponctuant le parc **Nara-kōen** (p. 425), dont le temple **Tōdai-ji** (p. 429) et son immense bouddha. Autre excursion d'une journée recommandée : l'**Ise-jingū** (p. 452), un temple imposant, à Ise. Le trajet est assez pittoresque.

À seulement 30 minutes en train de Kyōto, **Ōsaka** (p. 399) permet de goûter au Japon moderne. Sa visite peut se combiner à celle du fantastique château de **Himeji** (p. 422), à l'ouest. Enfin, pour décompresser et vous détendre, faites le voyage de nuit jusqu'à **Kinosaki** (p. 396). Ses *onsen* (sources chaudes) concluront à merveille votre séjour dans le Kansai.

Cet itinéraire qui nécessite de 4 à 12 heures de trajet est idéal pour découvrir calmement de nombreux sites traditionnels, le tout en un laps de temps assez court.

VOYAGES THÉMATIQUES

LE PARADIS DES GOURMETS

Le Japon ravit les amateurs de bonne chère grâce à une cuisine très variée qui va des simples bols de *soba* (nouilles de sarrasin) à des festins de *kaiseki* (haute cuisine).

Débutez votre périple à **Tōkyō** (p. 121) en vous rendant de bon matin à l'immense **marché au poisson de Tsukiji** (p. 150), le plus vaste du genre au monde. Après cette expérience visuelle et olfactive, dégustez les sushis les plus frais et sans doute les meilleurs de la planète dans l'un des restaurants spécialisés voisins. **Kyōto** (p. 332) est une ville de choix pour découvrir le *kaiseki*. On y déguste des produits de saison d'une grande fraîcheur dans un cadre idéal : des édifices traditionnels d'où admirer de somptueux jardins pendant le repas. Les habitants bons vivants d'**Ōsaka** (p. 399) ont la réputation d'avoir un solide appétit qui va de pair avec la spécialité de la ville, les *okonomiyaki*, de délicieuses crêpes que l'on prépare soi-même sur un grill de table. La mer Intérieure est réputée pour la qualité de ses huîtres, à goûter à **Hiroshima** (p. 471), par exemple à la mode *kaki-furai* (frites), l'une des nombreuses façons de les savourer. Essayez également le *Hiroshima-yaki*, version locale de l'*okonomiyaki*. Des principales îles de l'archipel, **Kyūshū** (p. 691) est la plus proche de la Chine, ce qui explique peut-être pourquoi elle est devenue le haut lieu des *rāmen* (nouilles aux œufs). Le choix est vaste, mais les habitants affectionnent tout particulièrement les *tonkotsu rāmen* (nouilles au bouillon d'os de porc).

BAIN DE CULTURE TRADITIONNELLE

Un circuit à la découverte des merveilles culturelles du pays est une évidence.

Derrière les néons et le béton de **Tōkyō** (p. 121) se cachent des sites historiques comme le **Meiji-jingū** (p. 154) et le **Sensō-ji** (p. 152). **Kyōto** (p. 332) regroupe la plus exceptionnelle collection de temples, sanctuaires, jardins et quartiers traditionnels du pays. Une excursion au monastère de **Kōya-san** (p. 443), perché sur la montagne, est incontournable pour découvrir les traditions religieuses ancestrales. Le temple shintoïste le plus sacré du Japon, le **Ise-jingū** (p. 452), à découvrir en une journée depuis Kyōto avec le train express, dégage une aura presque palpable. Si le Japon d'antan vous passionne, ne manquez pas non plus de faire halte à **Kurashiki** (p. 465), une ville à l'architecture préservée sillonnée de canaux. Enfin, c'est à **Miyajima** (p. 478) que se dresse l'un des sites japonais emblématiques, le *torii* flottant (portique d'un sanctuaire shintoïste), et à Izumo que subsiste l'**Izumo Taisha** (p. 514), le plus ancien sanctuaire shintoïste du Japon.

Histoire

LA PRÉHISTOIRE

La poterie Jōmon, qui remonte à 15 000 ans, est le plus ancien exemple d'objets usuels en terre cuite au monde.

L'origine des premiers habitants du Japon demeure obscure. L'hypothèse d'une immigration par vagues successives, depuis la Sibérie et la Corée, alors reliées au Japon par voie de terre, reste privilégiée. On parle avec moins de certitude d'arrivées qui auraient pu se produire à Kyūshū et à Okinawa depuis la Polynésie. À en croire ces théories, le peuple japonais trouverait donc son origine dans le mélange de plusieurs populations.

Les plus anciennes traces de civilisation retrouvées au Japon remontent au néolithique, vers 13 000 av. J.-C. La culture de cette période, baptisée période de Jōmon (littéralement "marque de corde") suite à la découverte de fragments de poterie à décor cordé caractéristique de cette époque, est fondée sur la pêche, la chasse et la cueillette.

La période de Yayoi succède à celle de Jōmon vers 400 av. J.-C., après une phase de transition. Cette époque tire son nom d'un site archéologique proche de Tōkyō où des fragments de poterie ont été exhumés. Elle est le théâtre des débuts de la maîtrise de la riziculture inondée et de la fonte du bronze et du fer. On y assiste par ailleurs à une probable mise en place d'importants contacts avec la Corée.

Selon la tradition, Jimmu Tenno, descendant de la déesse Amaterasu, aurait fondé le Japon en 660 av. J.-C. Les historiens situent en fait la vie du premier empereur entre 63 et 1 av. J.-C.

La période suivante, dite de Kofun ("sépulture ancienne"), se caractérise par la présence de tertres, dont des milliers ont déjà été mis au jour, principalement dans les régions centrale et occidentale du pays. Leur constitution doit alors requérir une main-d'œuvre importante. Ces structures funéraires complexes peuvent en effet atteindre une taille considérable. Selon toute probabilité, l'arrivée du bouddhisme, qui privilégie la crémation, mène à l'abandon de ce type de sépulture.

La volonté de défendre les territoires conduit à la formation de communautés de plus en plus grandes et, vers 300, le clan Yamato (ancêtres de l'actuelle famille impériale) réalise une première unification du pays, au terme de conquêtes et d'alliances. Les chefs du clan se prétendent descendants de la déesse solaire Amaterasu. Ils adoptent le titre de *tennō* (empereur) vers le Vᵉ siècle. Avec la montée en puissance des empereurs Yamato, le Japon parvient au statut d'État souverain. Son territoire s'étend alors des îles au sud de Kyūshū aux contrées sauvages au nord de Honshū. Le pays est divisé en une cinquantaine de *kuni* (provinces), mais l'autorité centrale reste relative.

LE BOUDDHISME ET LES PREMIÈRES INFLUENCES CHINOISES

Le bouddhisme arrive de Chine au milieu du VIᵉ siècle, via le royaume coréen de Paekche. Le règne du prince Shōtoku (573-620) marque une halte

CHRONOLOGIE

vers 13 000 av. J.-C.	vers 400 av. J.-C.	IIIᵉ siècle
Premières traces des chasseurs-cueilleurs de l'époque Jōmon, ancêtres du peuple aïnou vivant aujourd'hui dans le nord du Japon, et auteurs des premières poteries au monde.	Apparition du peuple yayoi dans le sud-ouest du Japon (sans doute arrivé de Corée), pratiquant la riziculture inondée et utilisant des outils en métal. En gagnant l'est et le nord, ils stimulent les échanges d'une région à l'autre et renforcent le sentiment de territorialité.	La reine Himiko règne sur Yamatai (Yamato). Qualifiée par les visiteurs chinois de "reine-prêtresse" du Japon, qui rassemble alors plus d'une centaine de royaumes. Le clan Yamato maintient sa domination par la suite.

LES PÉRIODES HISTORIQUES

Période/ère	Date
Jōmon	13 000-400 av. J.-C.
Yayoi	400 av. J.-C.-250 apr. J.-C.
Kofun	250-710
Nara	710-794
Heian	794-1185
Kamakura	1185-1333
Muromachi	1333-1573
Momoyama	1576-1600
Edo	1600-1868
Meiji	1868-1912
Taishō	1912-1926
Shōwa	1926-1989
Heisei	depuis 1989

dans le déclin amorcé de la cour Yamato. Le prince instaure en effet une Constitution en dix-sept points (604) et pose les bases d'un État centralisé, dirigé par un souverain unique. Il établit le bouddhisme comme religion d'État. Les querelles de palais et d'autres usurpations n'empêchent pas les souverains suivants de poursuivre la réforme de l'administration et du système législatif inaugurée par Shōtoku.

La tradition veut que la cour Yamato change de capitale à la mort de l'empereur – probablement pour purifier la capitale après ce décès. Le transfert de la capitale à Nara (p. 425) en 710 marque une altération de cette coutume. Nara demeura en effet, par la suite, capitale durant près de 75 ans, avant que Nagaoka-kyō ne lui succède en 784 pour dix ans.

La période de Nara (710-794) se distingue par un développement important du bouddhisme, en particulier sous le règne de l'empereur Shōmu. Ce dernier ordonne l'édification du vaste Tōdai-ji et la fonte du Daibutsu (Grand Bouddha), proclamé divinité protectrice suprême de la nation. Le temple et le bouddha subsistent aujourd'hui encore à Nara.

La religion japonaise dite shintō est l'une des rares religions au monde qui comprenne une déesse soleil ou une déité féminine suprême.

L'ÉTABLISSEMENT D'UNE CULTURE NATIONALE

À la fin du VIIIe siècle, face à l'influence croissante des religieux bouddhistes de Nara sur la scène politique, l'empereur Kammu déplace la capitale à Heian-kyō (l'actuelle Kyōto ; p. 332).

À l'instar de Nara, Heian-kyō est construite sur le modèle quadrillé de Chang'an (l'actuelle Xi'an), la capitale chinoise sous les Tang (dynastie en place de 618 à 907). Heian-kyō conservera son statut de capitale du Japon jusqu'en 1868.

Le nom de la montagne la plus célèbre du Japon, Fuji, est un mot aïnou désignant un dieu du feu.

milieu du Ve siècle　　**milieu du VIe siècle**　　　　**710**

Introduction de l'écriture (caractères chinois) par des érudits du royaume coréen de Paekche. La transcription du japonais parlé en caractères chinois fait naître un système d'écriture d'une rare complexité.

Introduction du bouddhisme par les érudits de Paekche. Les textes religieux sont désormais lisibles par l'élite intellectuelle, qui utilisent le culte pour unifier et contrôler la nation.

Première capitale japonaise établie à Nara sur le modèle chinois. Le site étant bientôt considéré comme de mauvais augure, la capitale est déplacée. Le Japon est alors considéré comme un État-nation.

Le Dit du Genji, de
Murasaki Shikibu, dame
de cour, qui remonte
aux environs de 1004,
est considéré comme le
premier roman au monde.

La période de Heian (794-1185) est marquée par un essor des arts et un développement de la pensée religieuse, sous l'influence des idées et des institutions venues de Chine, puis adaptées à la société japonaise.

Pour résoudre le problème des rivalités entre le bouddhisme et le shintoïsme, la religion japonaise traditionnelle (voir la rubrique *Religion* p. 58), les divinités shintoïstes sont présentées comme des "incarnations" du Bouddha. La religion se voit assigner un rôle distinct de la politique. De retour de Chine, des moines japonais créent deux nouvelles écoles, le Tendai et le Shingon, qui deviendront les deux grandes sectes bouddhistes japonaises.

À la fin de la période de Heian, au XIIᵉ siècle, les empereurs délaissent progressivement l'administration du pays pour s'adonner aux loisirs et à l'étude. Les nobles du clan Fujiwara profitent de ce relâchement pour s'assurer des postes importants à la cour. Ils deviennent les éminences grises de la dynastie, "statut" qu'ils conserveront pendant plusieurs siècles.

Si la période de Heian est considérée comme l'apogée de l'élégance et du raffinement japonais, elle marque également, loin de la cour, la montée en puissance d'un autre pouvoir : celui des samouraïs (voir l'encadré p. 44). Prête à défendre son autonomie, cette "classe de guerriers" constitue sa propre force armée. Rapidement, les familles de samouraïs rejoignent la capitale et s'imposent à la cour.

Dans Le Héros sacrilège
(Shin Heike Monogatari ;
1955), l'un de ses
meilleurs films,
Kenji Mizoguchi raconte
la lutte de pouvoir
qui opposa les clans
Taira et Minamoto
à la fin du XIIᵉ siècle.

Le très corrompu clan Fujiwara est finalement évincé par le clan Taira, qui ne règne que peu de temps avant d'être battu par les Minamoto – également connus sous le nom de Genji – à la bataille de Dannoura (l'actuelle Shimonoseki) en 1185.

LA DOMINATION DU POUVOIR MILITAIRE

La période de Kamakura (1185-1333) succède à la période de Heian. En 1192, Yoritomo Minamoto conquiert l'actuel Aomori-ken, étendant son pouvoir à l'extrême nord de Honshū. Ainsi, pour la première fois dans l'histoire, le Japon est entièrement unifié.

Yoritomo prend alors le titre de *shogun* (chef militaire, généralissime) et établit son quartier général à Kamakura (p. 234). L'empereur, installé à Kyōto, demeure le souverain en titre. C'est le début de la féodalité japonaise, qui marquera les montées en puissance successives de différentes familles de samouraïs. Le système féodal perdurera sous des formes variées jusqu'à la restauration du pouvoir impérial en 1868.

Les Japonais, de Robert
Calvet (Armand Colin,
2007), dresse un
tableau de l'histoire
du peuplement de
l'archipel nippon et de sa
civilisation, des origines
à aujourd'hui.

Yoritomo n'hésite pas à éliminer les membres de sa famille qui se dressent sur son chemin. Quand il meurt des suites d'une chute de cheval en 1199, la famille de son épouse, le clan des Hōjō, supprime tous ses héritiers potentiels et s'arroge le pouvoir véritable, camouflé derrière un shogunat (*bakufu*) fantoche et des seigneurs de la guerre.

La popularité du bouddhisme s'étend à cette époque aux différentes classes de la société. À la fin du XIIᵉ siècle, des moines japonais ayant

712 et 720	794	IXᵉ-XIIᵉ siècle
La famille impériale se découvre une ascendance "divine", légitimant ainsi son règne, dans la rédaction de deux œuvres historiques majeures, Kojiki (Chroniques des faits anciens ; 712) et Nihon Shoki (Chroniques du Japon ; 720).	À la suite d'une série de catastrophes dans la capitale de Nara, notamment une redoutable épidémie de variole, la capitale officielle s'installe à Heian (actuelle Kyōto), où elle demeurera plus de mille ans.	Tout en développant un grand raffinement culturel, la cour se détourne progressivement de l'administration du pays, dont s'emparent les clans militaires provinciaux.

séjourné en Chine introduisent une nouvelle école bouddhiste au Japon, le zen, dont l'austérité ne manque pas de séduire les samouraïs.

En 1259, l'empereur mongol Kubilay Khan, ayant envahi la Corée, envoie une ambassade demander la soumission du Japon. La délégation est expulsée. En 1274, une flotte mongole part à l'assaut de l'actuelle Fukuoka. L'armada est repoussée… grâce à un typhon. Le grand Khan dépêche alors d'autres émissaires, qui finissent décapités. En 1281, les Mongols déploient un deuxième corps expéditionnaire de 100 000 hommes. Après des débuts victorieux, la flotte d'invasion est à nouveau presque entièrement décimée par un typhon. Les Japonais le baptisent *Kamikaze* ("vent divin") – un surnom qui sera repris au cours de la Seconde Guerre mondiale pour désigner les pilotes-suicide.

Si les Kamakura sortent vainqueurs des attaques mongoles, ils se révèlent incapables de payer les soldats et perdent le soutien de la classe des samouraïs. Espérant profiter du mécontentement populaire, l'empereur Go-Daigo fomente une sédition contre le gouvernement. Cette dernière échoue, et il est envoyé en exil dans les Oki-shōtō (p. 520), près de Matsue (ouest de Honshū). Il parviendra à renverser le gouvernement dans une seconde tentative, menée l'année suivante.

UN PAYS EN GUERRE

Ces événements annoncent la période de Muromachi (1333-1573). Privilégiant l'aristocratie et le clergé, l'empereur Go-Daigo refuse de rétribuer les soldats. Ashikaga Takauji, qui avait pourtant rejoint son camp, entre alors en rébellion. Il bat Go-Daigo à Kyōto, où il désigne un nouvel empereur et s'autoproclame shogun. Le clan Ashikaga s'installe à Muromachi, près de Kyōto. Go-Daigo s'enfuit à Yoshino (p. 439), où il établit une autre cour. La rivalité entre les deux villes persistera pendant 60 ans, jusqu'à ce que les Ashikaga s'engagent à accepter une alternance du pouvoir – une promesse non tenue dans les faits.

Le pouvoir des Ashikaga ne cesse de s'affaiblir, dans un territoire où la guerre civile et le chaos gagnent progressivement du terrain. Mais ces temps troublés marquent également l'essor des arts considérés comme typiquement japonais, notamment la peinture de paysages, le *nō* (théâtre dansé stylisé), l'ikebana (art floral) et le *cha-no-yu* (cérémonie du thé). Nombre des célèbres jardins de Kyōto datent de cette époque, tout comme de grands monuments, dont le Kinkaku-ji (pavillon d'Or ; p. 366) et le Ginkaku-ji (pavillon d'Argent ; p. 363). Cette époque voit également la reprise des échanges commerciaux officiels avec la Chine des Ming et la Corée, ce malgré les tensions imputables à la piraterie japonaise.

En 1467 éclate la guerre d'Ōnin, qui oppose les chefs des fiefs divisés en deux camps. Le conflit tourne bientôt à la guerre civile et entraîne le déclin rapide du clan Ashikaga. Durant au moins un siècle, daimyo

Le "vent divin," qui aurait noyé 70 000 soldats mongols en 1281, aurait été la pire catastrophe maritime de l'histoire.

1156	**1185**	**1192**
Deux grandes dynasties provinciales, les Taira et les Minamoto, s'opposent dans des factions rivales à la cour et se livrent une guerre farouche. Les Taira triomphent sous Kiyomori.	Renversement des Taira par Minamoto Yoritomo, qui devient l'homme le plus puissant du pays et lui apporte une certaine unité. De nature soupçonneuse, il élimine une partie de sa famille.	Yoritomo arrache le titre de shogun (généralissime) à un empereur privé de son autorité. Il établit le *bakufu* (shogunat) à Kamakura, sa région d'origine, marquant le début du féodalisme au Japon.

LES SAMOURAÏS

Le premier devoir d'un samouraï, membre de la classe des guerriers depuis le XIIe siècle, consistait à servir fidèlement son seigneur. Le terme de "samouraï" est en fait dérivé du mot "servir" – ce qui signifiait alors, selon un idéal chevaleresque, "être prêt à donner sa vie pour celle de son seigneur". Toutefois, il existait différents rangs de samouraïs, et seuls les notables, titulaires héréditaires du titre, étaient tenus par cette obligation, du moins au début. Au bas de l'échelle, le samouraï s'apparentait plutôt à un mercenaire professionnel, personnage peu fiable et prêt à changer de camp à la première occasion s'il pensait favoriser ses intérêts.

Le *bushidō* ("voie du guerrier") est le célèbre code des samouraïs. Créé au fil des siècles, il n'a été réellement codifié qu'au XVIIe siècle, époque à laquelle ces samouraïs n'avaient plus l'occasion de guerroyer. Largement idéalisé, le *bushidō* avait sans doute pour ambition de redresser la moralité des guerriers, taxés d'oisiveté.

L'éthique des samouraïs reposait sur des valeurs fortes, comme l'endurance (*gaman*), la fidélité sans réserve (*isshi*) et la sincérité (*makoto*). Homme austère et d'une grande résistance, souvent très cultivé, le samouraï est parfois comparé au chevalier médiéval. Pourtant, la chevalerie n'était pas aussi généralisée qu'en Europe, en particulier à l'égard des femmes. Loin de leur faire la cour, la plupart des samouraïs méprisaient le "sexe faible," convaincus que les relations sexuelles avec les femmes (*yin/in*) affectaient leur virilité *(yang/yō)*. Les samouraïs étaient majoritairement homosexuels ou bisexuels. Quelques rares femmes ont combattu comme samouraïs, comme Tomoe Gozen (XIIe siècle), sans être reconnues officiellement.

Les guerriers qui, pour une raison ou une autre, se trouvaient sans seigneur, étaient appelés *rōnin* (errants). Ils se comportaient comme des brigands et constituaient un sérieux problème social.

Les samouraïs déshonorés devaient généralement commettre un suicide rituel, consistant à s'éventrer : ce rituel démontrait la pureté de l'âme, qui résidait, pensait-on, dans le ventre. Si les Occidentaux adoptent en général le terme *hara-kiri*, les Japonais préfèrent employer le mot *seppuku* pour désigner ce suicide rituel – les deux mots signifient "couper le ventre."

Dans l'imaginaire collectif, le samouraï combat avec un sabre, dit *katana* – dans un premier temps, pourtant, l'arc était l'arme la plus répandue. Les samouraïs furent sans doute les meilleurs sabreurs du monde, et constituaient de redoutables adversaires au duel. Un genre de combat qui n'était plus adapté au monde moderne : à la fin du XIXe siècle, le gouvernement (qui comptait d'ailleurs des samouraïs) s'avisa qu'une armée de conscrits représenterait une force plus adaptée, et défit la classe des samouraïs. Les valeurs qu'ils privilégiaient, comme le courage et la détermination, connurent un regain d'intérêt lors de la guerre dans le Pacifique, au moment de la Seconde Guerre mondiale, et animèrent de nombreux soldats japonais.

Pour approfondir votre connaissance de cette caste guerrière, lisez *Hagakure – écrits sur la voie du samouraï* (Budo, 2005), un recueil assemblé au XVIIe siècle par Yamamoto Tsunetomo et son disciple Tashiro Tsuramoto. *Hagakure* évoque les principes de la vie du samouraï.

(seigneurs des provinces à l'époque féodale) et chef locaux s'affrontent dans des luttes de pouvoir pour le contrôle des territoires. Cette période, qui se poursuit jusqu'au début de celle de Momoyama en 1567, deviendra pour tous "l'époque des pays en guerre" (Sengoku-jidai).

1199	XIIIe siècle	1274 et 1281
Après la mort suspecte de Yoritomo, sa femme Masako (personnage singulier, surnommé "la nonne shogun") prend les rênes du pouvoir et nomme shoguns des membres de sa famille, les Hōjō. Le shogunat demeure à Kamakura.	Le bouddhisme zen s'impose au Japon, en particulier parmi les guerriers, séduits par l'austérité et la discipline qu'il prône. Le mouvement influence aussi l'esthétique japonaise. Des courants populaires du bouddhisme apparaissent également.	Sous le règne de Kubilay Khan, les Mongols tentent à deux reprises d'envahir le Japon. Mal préparés, ils reculent devant la résistance acharnée des Japonais et devant les typhons, qualifiés de "vents divins" (*shinpū* ou *kamikaze*), qui détruisent leur flotte.

Sur le plan politique, le Japon présente alors des similitudes avec le Japon d'avant les Yamato : non soumis à une autorité centrale, le pays est constitué de groupes luttant pour prendre le pouvoir d'une région. La nouvelle génération de gouvernants aura donc pour tâche d'inverser la situation pour rendre au pays un pouvoir central fort.

LE RETOUR À L'UNITÉ

En 1568, le fils d'un daimyo, Nobunaga Oda, renverse la cour impériale de Kyōto et s'empare du pouvoir. S'appuyant sur son génie militaire, il entreprend de pacifier et de réunifier le centre du pays. En 1582, la trahison de l'un de ses généraux, Mitsuhide Akechi, met un terme à son entreprise. L'attaque d'Akechi et la conviction que tout est perdu conduisent Nobunaga Oda à commettre le suicide rituel au temple Honnō-ji de Kyōto.

La relève est assurée par Hideyoshi Toyotomi, son plus vaillant commandant. Il est surnommé Saru-san (le Singe) en raison de sa petite taille et de son physique ingrat. Remarqué par son suzerain sur le champ de bataille, Hideyoshi serait issu d'une famille de paysans, mais ses origines demeurent obscures. Il poursuit l'unification du pays et parvient à contrôler, en 1590, l'ensemble du territoire. Il nourrit alors le projet insensé d'envahir la Chine et la Corée. En 1593, sa première tentative se solde par un échec. Sa mort en 1598 marque le terme d'une seconde expédition.

Dans le domaine des arts, la période de Momoyama (1576-1600) se caractérise par le choix de couleurs flamboyantes et l'emploi de la feuille d'or. Elle connaît également un engouement pour les châteaux monumentaux, dont l'exemple le plus spectaculaire est l'Osaka-jō (p. 404), dont la construction aurait demandé trois ans et mis à contribution jusqu'à 100 000 hommes.

LE SIÈCLE CHRÉTIEN

Quand les Européens parviennent dans l'archipel au milieu du XVIᵉ siècle, le pouvoir central exerce peu de contrôle sur le commerce avec l'étranger. Les premiers Portugais arrivent en 1543, après avoir fait naufrage au large de la côte méridionale de Kyūshū. Leur maîtrise de la fabrication des armes à feu, vite adoptée par les Japonais, leur vaut un accueil chaleureux. Le jésuite saint François Xavier arrive à Kagoshima en 1549. D'autres missionnaires suivent et parviennent à convertir rapidement les seigneurs locaux, avides de profiter du commerce avec l'étranger et des ressources en armes. Le christianisme se répand et compte bientôt plusieurs centaines de milliers de fidèles, principalement à Nagasaki (p. 710).

Si, dans un premier temps, Nobunaga Oda, conscient des avantages du commerce avec les Européens, accepte que le christianisme vienne concurrencer le bouddhisme, Hideyoshi Toyotomi va craindre ensuite que

1333	1338-92	années 1400-1500
Initialement allié à l'empereur Go-Daigo, le général Takauji Ashikaga renverse le shogunat de Hōjō, de plus en plus critiqué. Ignorant les exigences d'Ashikaga, Go-Daigo fait preuve d'une assurance peu commune et refuse de lui conférer le titre de shogun, consacrant la rupture entre les deux hommes.	Takauji met sur le trône un empereur fantoche qui le nomme shogun (1338) et établit le shogunat d'Ashikaga à Kyōto (Muromachi). Deux cours et empereurs rivaux coexistent, jusqu'à ce que le petit-fils de Takauji, Yoshimitsu (1392), trahisse Go-Daigo.	Les guerres intestines, comme la terrible guerre d'Ōnin de 1467-1477, gagnent quasiment tout le Japon. Cette période (en particulier de la fin du XVᵉ à la fin du XVIᵉ siècle) est surnommée l'époque Sengoku (État guerrier).

cette religion étrangère ne déstabilise son pouvoir. Des édits antichrétiens sont promulgués et, en 1597, 26 prêtres étrangers et chrétiens japonais sont crucifiés.

L'interdiction du christianisme s'accompagne de persécutions envers les convertis, une répression qui se poursuit sous le règne des Tokugawa – voir ci-dessous pour cette dynastie. Elle culmine en 1637, avec la fin sanglante de la rébellion chrétienne de Shimabara. C'est dans un tel paroxysme que s'achève le "siècle chrétien". La religion va continuer à être pratiquée en secret, jusqu'à ce qu'elle soit de nouveau officiellement autorisée à la fin du XIXe siècle.

LA PAIX ET LA FERMETURE DU PAYS

Après la mort de Hideyoshi Toyotomi, les protecteurs de son jeune héritier, Hideyori Toyotomi, sont vaincus par son ancien allié, Ieyasu Tokugawa, en 1600, lors de la bataille de Sekigahara. Autoproclamé shogun, Tokugawa établit son *bakufu* (shogunat, quartier général de campagne) à Edo, l'actuelle Tōkyō (p. 121). Il inaugure ainsi la période d'Edo, également appelée période de Tokugawa (1600-1868). À Kyōto, l'empereur et la cour se retrouvent dépourvus de toute véritable autorité.

Le clan Tokugawa institue un régime fort. À la tête d'une fortune colossale, il prend également le contrôle des villes majeures, des ports et des mines, et concède le reste du territoire à des daimyo autonomes. La société se divise alors, du haut en bas de l'échelle, entre la noblesse, détentrice du pouvoir en titre, les daimyo et leurs samouraïs, les paysans et, au dernier échelon, les artisans et les marchands. Pour assurer la stabilité du régime, les daimyo ont l'obligation de se rendre en visite officielle à Edo tous les deux ans, tandis que leurs épouses et leurs enfants, "pris en otages" par les autorités, doivent résider à Edo de manière permanente. Les daimyo se voient ainsi contraints de demeurer fidèles au pouvoir central. En bas de l'échelle sociale, les paysans sont soumis à un ensemble de règles rigides décidant de leur alimentation, de leurs tenues vestimentaires et de leurs logements. Le rang est déterminé par la naissance, ce qui exclut toute possibilité de mobilité sociale.

Sous les Tokugawa, le Japon entre dans une période de *sakoku* ("fermeture du pays"). Sortir de l'archipel et faire du commerce avec l'étranger devient alors passible de la peine capitale. Seuls les Hollandais, les Chinois et les Coréens sont autorisés à aborder le territoire japonais, tout en restant soumis à un contrôle sévère. Les Hollandais doivent ainsi demeurer sur l'île de Dejima, près de Nagasaki, et ne peuvent entrer en contact qu'avec les marchands et les prostituées.

De ce carcan de réglementations strictes découlent une paix et une sécurité relatives, propices à l'épanouissement des arts. Ainsi voit-on se développer la pratique des haïkus (poèmes en 17 syllabes), du bunraku (théâtre traditionnel de marionnettes) et du kabuki

1543	**1568**	**1582**
Arrivée (accidentelle) des Portugais, premiers Européens à entrer au Japon ; ils introduisent les armes à feu, qui séduisent les seigneurs de guerre, et le christianisme, accueilli avec scepticisme puis une franche hostilité.	Le seigneur de guerre Nobunaga Oda s'empare de Kyōto et s'investit du pouvoir suprême sans prendre le titre de shogun. Il se distingue pour sa grande vanité et sa brutalité.	Trahison de Nobunaga, contraint au suicide. Le pouvoir passe entre les mains de l'un de ses fidèles généraux, Hideyoshi Toyotomi, qui sombre dans la paranoïa et l'hostilité contre les chrétiens. Hideyoshi prend le titre de régent.

(théâtre japonais stylisé). Le raffinement du tissage, de la poterie, de la céramique et de la laque rend ces arts très populaires au sein des classes privilégiées.

Au début du XIXe siècle, la famine et la pauvreté des paysans et des samouraïs affaiblissent une administration déjà corrompue et sclérosée. Les puissances étrangères montrent une insistance croissante à forcer l'isolement du pays, conduisant les Japonais à une prise de conscience du peu d'efficacité de leur défense obsolète. Aux contacts avec la Russie, dans le Nord, suivent la visite des Britanniques et des Américains. En 1853, la marine des États-Unis, en la personne du commodore Matthew Perry, accompagné d'un escadron de "bateaux noirs" (kurofune), arrive au Japon pour demander l'ouverture du pays au commerce international. À leur tour, d'autres nations réclament l'ouverture de ports et l'assouplissement des restrictions sur le commerce.

L'arrivée des étrangers sonne le glas du régime des Tokugawa, déjà affaibli. Mécontents de la manière dont le shogunat a géré ces incursions étrangères, les fiefs de Satsuma et de Chōshū, deux vastes régions à l'ouest du pays dominées par des daimyo, s'allient à des samouraïs désabusés. Ils parviennent à capturer l'empereur en 1868, proclament la restauration du pouvoir impérial et la fin du shogunat. La même année, une contre-attaque des gardes des Tokugawa échoue à Kyōto. Le shogun, Yoshinobu Tokugawa, démissionne et l'empereur Meiji prend les rênes des affaires de l'État.

MEIJI ET L'OUVERTURE DU PAYS

Dans un contexte de quasi-guerre civile, la Restauration de Meiji (1868-1912) fait dans un premier temps l'objet de résistances. Après l'abolition du shogunat, les daimyo se rendent et leurs territoires sont divisés en préfectures, toujours existantes aujourd'hui. Edo, rebaptisée Tōkyō ("capitale de l'Est"), devient la capitale. L'administration est à nouveau centralisée et, sur le modèle occidental, des missions spécifiques sont assignées à différents ministères. Mécontents de l'altération de leur statut, des samouraïs organisent des rébellions. Vaincus lors de la célèbre révolte de Saigō Takamori, ils sont forcés de renoncer à leur pouvoir.

Malgré un fort sentiment nationaliste pro-impérial qui s'illustre dans le slogan Sonnō-jōi ("Révérez votre empereur, expulsez les étrangers"), le nouveau pouvoir central prend rapidement conscience de la nécessité de se soumettre aux exigences des puissances occidentales. Sous couvert du slogan Fukoku kyōhei ("Un pays riche, une armée forte"), l'économie est contrainte de suivre des cours intensifs d'occidentalisation et d'industrialisation. L'afflux d'experts étrangers est encouragé et des étudiants japonais sont envoyés à l'étranger pour étudier les technologies modernes. En 1889, le Japon se dote d'une Constitution à l'occidentale qui, à l'instar de la remilitarisation, compte de nombreuses influences prussiennes.

L'effondrement du monde bien ordonné des Tokugawa provoqua une forme d'hystérie collective, appelée Ee Ja Nai Ka ("pourquoi pas ?") : perturbées, certaines personnes dansaient nues et abandonnaient leurs biens.

Eijanaika (1981), de Shoei Imamura, se déroule à la fin du règne des Tokugawa, à l'aube de l'ère Meiji. Le film aborde les bouleversements sociaux de cette époque. Il offre par ailleurs une excellente reconstitution d'Edo (devenue Tōkyō) telle qu'elle devait être au XIXe siècle.

Durant l'ère Meiji, le gouvernement aurait consacré 5% de ses dépenses aux paiements des experts étrangers invités au Japon.

1600	1638	années 1600-1800
Ieyasu Tokugawa, seigneur de guerre, trahit la promesse faite sur son lit de mort à Hideyoshi de protéger son jeune fils et héritier Hideyori, et s'empare du pouvoir lors de la bataille de Sekigahara.	Les forces shogunales massacrent les chrétiens à l'origine de la rébellion de Shimabara. Les Occidentaux ont été expulsés, à l'exception d'une petite enclave de protestants hollandais cantonnée sur un îlot proche de Nagasaki.	Le shogunat des Tokugawa s'est installé à Edo (futur Tōkyō). Un contrôle sévère s'exerce sur la nation, fermée au monde, et la société est rigoureusement hiérarchisée. Une culture marchande émerge pourtant à Edo.

Inquiets du libéralisme des idées occidentales, les autorités encouragent un retour au nationalisme et aux valeurs traditionnelles dans les années 1890.

Une nouvelle confiance du pays dans sa propre force s'illustre alors dans l'abolition des traités accordés aux puissances étrangères et l'aisance avec laquelle Japon remporte la guerre sino-japonaise (1894-1895). Le traité qui résulte des négociations d'après-guerre aboutit à l'indépendance de la Corée et au passage de Taïwan aux mains des Japonais. Des tensions avec la Russie conduisent à la guerre russo-japonaise (1904-1905). Les Japonais attaquent les Russes en Mandchourie et en Corée et anéantissent la flotte de la Baltique lors de la bataille de Tsushima. Pour la première fois de son histoire, le Japon a le sentiment de pouvoir rivaliser avec les puissances occidentales.

Le rickshaw (ou pousse-pousse) a été introduit au Japon à partir de 1869, lorsque l'interdiction des transports à roues imposée par les Tokugawa a été levée.

L'INDUSTRIALISATION ET LA DOMINATION JAPONAISE EN ASIE

À la mort de Meiji en 1912, son fils, Yoshihito, lui succède, sous le nom de Taishō (1912-1926), son nom d'empereur. La fin de sa vie est assombrie par une santé fragile, conséquence probable d'une méningite contractée trois semaines après sa naissance.

Quand la Première Guerre mondiale éclate, le Japon se positionne contre l'Allemagne, mais ne prend qu'une part très marginale dans le conflit. Profitant de l'implication des Alliés dans la guerre, il accélère le développement de son économie grâce au secteur maritime et au commerce. Il parvient également à s'implanter en Chine, s'assurant ainsi le contrôle de l'Asie.

L'agitation sociale conduit le gouvernement à adopter une ligne plus démocratique et libérale. Il élargit le droit de vote et rejoint la Société des Nations en 1920. Sous l'influence des *zaibatsu* (groupes financiers constitués d'industriels et de banquiers), une politique étrangère pacifique est initiée.

Dans Je ne regrette rien de ma jeunesse (Waga Seishun ni Kui Nashi ; 1946), Akira Kurosawa, l'un des maîtres du cinéma japonais, met en lumière l'entrée du Japon dans la Seconde Guerre mondiale, la montée au pouvoir des militaristes et l'oppression des dissidents.

NATIONALISME ET VISÉES IMPÉRIALISTES

La période Shōwa (1926-1989) s'ouvre sur le couronnement de l'empereur Hirohito en 1926. Familier de l'Europe, le nouvel empereur nourrit des liens avec la noblesse du Vieux Continent et un certain goût pour le mode de vie britannique.

La dépression économique qui frappe la planète dès 1929 fait le lit d'une nouvelle vague nationaliste. Le mécontentement populaire s'illustre dans des assassinats politiques et des complots pour renverser le gouvernement. Dans ce contexte, les militaristes, qui approuvent l'invasion de la Mandchourie en 1931 et l'instauration d'un gouvernement fantoche contrôlé par les Japonais (le Mandchouko), gagnent du terrain. En 1933, le Japon se retire de la Société des Nations (SDN). En 1937, il s'engage dans une guerre ouverte avec la Chine.

1701-1703	début du XIXᵉ siècle	1853-1854
Les quarante-sept *rōnin*, qui commettent un suicide collectif après avoir vengé la mort de leur seigneur, incarnent l'éthique des samouraïs récemment codifiée dans la voie du guerrier (*bushidō*).	Un nombre croissant de baleiniers étrangers et d'autres navires pénétrant dans les eaux japonaises menacent l'isolement imposé par le shogunat. Un sort terrible est réservé à ceux qui débarquent ou font naufrage.	Le commodore américain Matthew Perry a recours à la "diplomatie des canonnières" pour contraindre le Japon à s'ouvrir aux échanges et à la circulation maritime. Le shogunat est largement critiqué pour sa passivité.

Fort de sa position de "leader" d'un nouvel ordre en Asie, l'Empire signe un pacte tripartite avec l'Allemagne et l'Italie en 1940. Pour l'armée japonaise, les États-Unis sont alors les principaux adversaires de la "Sphère de coprospérité de la grande Asie orientale" qui intègre l'ensemble de l'Asie orientale dans la sphère économique nippone.

LA SECONDE GUERRE MONDIALE

Face au refus des États-Unis d'opter pour la neutralité, le Japon entre dans la Seconde Guerre mondiale par une attaque surprise contre la base navale américaine de Pearl Harbor le 7 décembre 1941. Dans une première phase, les Japonais enchaînent les victoires, sur des fronts allant de l'Inde à la frontière australienne et au centre du Pacifique. La bataille de Midway ouvre en 1942 la contre-attaque des États-Unis. Le Japon perd sa suprématie maritime, alors que s'inverse le cours de la guerre. En 1945, repoussé sur tous les fronts, le pays est épuisé par les blocus sous-marins et les bombardements aériens. En août, l'entrée en guerre de l'URSS et les tristement célèbres bombes atomiques américaines sur Hiroshima (p. 471) et Nagasaki (p. 710) ont raison de ses forces. L'empereur Hirohito annonce une reddition inconditionnelle.

Après la capitulation, le Japon est occupé par les forces armées américaines, sous le commandement du général Douglas MacArthur. Le premier objectif des États-Unis tient à une réforme complète de l'État japonais. Cette dernière passe par une démilitarisation, le jugement des criminels de guerre et la purge du gouvernement de ses éléments militaristes et ultranationalistes. La nouvelle Constitution met à bas le pouvoir politique de l'empereur (voir l'encadré p. 50). À la surprise générale, le souverain déclare publiquement renoncer à son statut divin. Dès lors, l'empereur, maintenu en place par souci de cohésion nationale, accède au rang de simple symbole.

L'occupation américaine de l'archipel se poursuit jusqu'en 1952. Okinawa ne sera pas rendue au Japon avant 1972. Elle accueille aujourd'hui encore des bases militaires américaines.

LA RECONSTRUCTION DE L'APRÈS-GUERRE

À la fin de la guerre, l'économie japonaise, dévastée, connaît une inflation galopante. Un programme de reconstruction est mis en place, reposant sur un système de prêts, une restriction des importations et la stimulation des investissements et de l'épargne individuelle.

À la fin des années 1950, le commerce est à nouveau prospère et l'économie poursuit une croissance rapide. Le "miracle économique" japonais se répand à pratiquement tous les secteurs d'activité, des textiles aux industries à forte main-d'œuvre, à l'exemple du matériel photographique. Le Japon subit un retour de la récession et de l'inflation en 1974, puis en 1980, principalement du fait de l'augmentation des prix du pétrole

Pour lire des témoignages de victimes des bombardements de Hiroshima, consultez *J'avais six ans à Hiroshima* de Keiji Nakazawa (Le Cherche Midi, 2005) ou *Notes de Hiroshima* de Kenzaburo Oe (Gallimard, 1996).

Avec *Lettres d'Iwo Jima* (2007), Clint Eastwood évoque avec humanisme l'ultime bataille de la guerre du Pacifique vue du côté japonais – son opus précédent, *Mémoires de nos pères*, présentait le point de vue américain de la même bataille. Quelque 1 000 soldats japonais sur les 20 000 présents auraient survécu à Iwo Jima.

Avant d'être occupé par les États-Unis et les Alliés après la Seconde Guerre mondiale, le Japon (en tant que nation) n'avait jamais été conquis ni occupé par une puissance étrangère.

Sujet difficile et douloureux, les crimes de guerre sont abordés par Akira Yoshimura dans son roman *La Guerre des jours lointains* (Actes Sud, 2004).

1867-1868	années 1870-1890	1894-1895
La Restauration de Meiji, coup d'État ourdi par les samouraïs, démantèle le shogunat et restaure théoriquement l'autorité impériale. Les oligarques confisquent pourtant le pouvoir des mains de l'empereur Mutsuhito, âgé de 15 ans. La capitale s'installe à Tōkyō (ancienne Edo).	La modernisation et l'occidentalisation menées par les oligarques s'accompagnent de la création d'une armée de conscrits (1873), de la disparition de la classe des samouraïs (1876), de l'adoption d'une Constitution sur le modèle occidental (1889) et de la formation d'une Diète (1890).	Le Japon défait la Chine, nation encore mineure, dans la guerre sino-japonaise (1895) et s'empare de Taïwan, première étape de son expansion territoriale.

LE RÉGIME POLITIQUE JAPONAIS

En 1946, l'Empire vaincu vit l'instauration d'une nouvelle Constitution – elle fut surnommée la Constitution MacArthur, du nom du général qui supervisa la capitulation du Japon en 1945 et la mise en place de l'occupation américaine sur l'archipel. Le Japon devint alors une monarchie constitutionnelle.

Dans cette Constitution, le peuple est dit souverain. L'empereur, dépourvu de tout pouvoir exécutif, garde une importance cruciale, quasi sacrée, puisqu'il reste le symbole de l'État japonais.

Le pouvoir législatif est confié à la Diète (Parlement), qui rassemble deux chambres : celle des représentants (Shugi-in ou chambre basse – équivalent de l'Assemblée nationale en France) et celle des conseillers (Sangi-in ou chambre haute – ou encore Sénat). Ces assemblées législatives sont toutes deux élues au suffrage universel mais selon des modalités différentes ; la première comprend 480 députés élus tous les 4 ans ; la seconde chambre comprend 242 membres élus tous les 6 ans.

Le gouvernement (ou cabinet) est dirigé par un Premier ministre, issu du Parlement, qui nomme ensuite ses ministres. Ce dernier est élu par ses pairs, parfois seulement par la chambre des représentants en cas de désaccord entre les deux assemblées – de fait, le Premier ministre est donc issu du parti majoritaire (soit, depuis août 2009, le PDJ, ou Parti démocrate du Japon, élu après plusieurs décennies de monopole du PLD, ou Parti libéral-démocrate).

Dans *Voyage à Tōkyō* (*Tōkyō Monogatari* ; 1953), Yasujiro Ōzu explore, dans le contexte de l'après-Seconde Guerre mondiale, les relations entre les jeunes et leurs aînés. Un excellent film sur les mutations survenues à cette époque.

dont le pays est dépendant. Pourtant, cela ne l'empêche pas de devenir la première économie à vocation exportatrice au monde, générant un fort excédent commercial et dominant des secteurs tels que l'électronique, la robotique, l'informatique, l'automobile et le domaine bancaire.

L'HISTOIRE RÉCENTE

Jusqu'en 1990, la toute-puissance économique japonaise paraît inébranlable. Au cours de la décennie précédente, une explosion des prix de l'immobilier, conjuguée à une hausse des cours des actions et à des taux d'intérêt extrêmement bas ont contribué à la formation d'une "économie de bulle". Profitant d'une manne qu'ils pensent inépuisable, promoteurs et investisseurs multiplient les grands projets, certains que les cours de la Bourse et les prix de l'immobilier poursuivront leur ascension.

En janvier 1990, la Bourse de Tōkyō commence à s'affaisser. En octobre, elle a déjà perdu 48% de sa valeur – la bulle est au bord de l'éclatement. En 1991, les banques japonaises, confrontées à la chute des cours boursiers, se voient contraintes d'augmenter les taux d'intérêt. Les prix des terrains s'effondrent à leur tour. Ce ralentissement économique brutal conduit à la faillite de nombreuses entreprises qui s'étaient engagées dans le développement à des fins spéculatives au cours des années 1980, et laisse aux banques d'énormes portefeuilles de créances irrécouvrables. Les répercussions se font sentir dans tous les secteurs d'activité, plongeant le pays dans la récession.

1902	1910	1912
Signature d'un pacte anglo-japonais, première alliance de l'histoire entre deux nations occidentale et non occidentale, et preuve de la puissance du Japon.	Débarrassé de la menace russe, le Japon annexe officiellement la Corée, qu'elle convoitait depuis les années 1870, dans la relative indifférence de la communauté internationale.	Mort de l'empereur Meiji (Mutsuhito). En un demi-siècle, il a vu le Japon, nation préindustrielle, devenir une puissance mondiale. Son fils Yoshihito, en mauvaise santé physique et intellectuelle, lui succède.

En 1993, la crise économique contribue à la défaite des conservateurs du Parti libéral-démocrate (PLD), au pouvoir depuis 38 ans. Ils sont forcés de s'incliner face à une coalition de huit partis réformateurs.

En janvier 1995, un violent tremblement de terre dévaste Kōbe (p. 416). Les autorités tardent à réagir : la confiance des Japonais dans la capacité de réaction de leur pays en cas de tremblement de terre est mise à mal. Quelques mois plus tard, le métro de Tōkyō est la cible d'une attaque au gaz sarin par la secte millénariste Aum Shinrikyō (secte Aum Vérité suprême). Cet attentat cause la mort de 12 personnes et fait des milliers de blessés.

En avril 2001, le libéral-démocrate Junichirō Koizumi, nommé Premier ministre, promet une série de réformes radicales destinées à redynamiser l'économie. Cependant, il peine à mettre en œuvre les réformes annoncées et s'illustre davantage dans le domaine de la politique internationale : en septembre 2002, il devient le premier chef de gouvernement japonais à se rendre en Corée du Nord. Suite à cette visite, les autorités nord-coréennes reconnaissent l'enlèvement par leur pays, dans les années 1970-1980, de 13 citoyens japonais destinés à servir de professeurs à des espions nord-coréens. Pyongyang accorde également à Koizumi la libération de cinq d'entre eux. Ces derniers sont accueillis en grande pompe sur le territoire nippon. La colère du peuple japonais à l'évocation de ces destins brisés ne s'apaise pas pour autant. Les essais nucléaires effectués en 2006 par la Corée du Nord ont par ailleurs causé une grande inquiétude dans l'archipel.

La dynastie Yamato est la plus longue monarchie ininterrompue au monde, et le règne de Hirohito de 1926 à 1989, le plus long de l'histoire japonaise.

En octobre 2001, dans le contexte des attentats terroristes du 11-Septembre, une modification apparemment anodine est apportée à la Constitution d'après-guerre, qui proscrivait toute action militaire autre que défensive : un vote de la Diète (le Parlement) autorise les *jieitai* (forces d'autodéfense) à prendre part à des activités de soutien dans des opérations militaires outre-mer. Des observateurs japonais et étrangers considèrent que ce changement ouvre la voie à une remilitarisation du Japon.

Après les années de troubles et de crise économique de la dernière décennie, le Japon bénéficie d'un retour à la prospérité à partir de 2003. Une bonne nouvelle n'arrivant jamais seule, le pays a accueilli avec joie l'annonce de la naissance d'un garçon, le 6 septembre 2006, chez le couple des princes impériaux, rejetant aux oubliettes un éventuel débat sur une succession ouverte aux femmes ! L'automne 2007 a été marqué par des bouleversements au sein du gouvernement, avec la démission du Premier ministre Shinzo Abe. Son successeur, Yasuo Fukuda, est lui aussi issu des rangs du PLD.

Atlas du Japon, une société face à la post-modernité (Autrement, 2008), de Philippe Pelletier, rend compte à l'aide de diverses thématiques (environnement, puissance, société…) de l'originalité d'un pays en proie à de multiples contradictions et mutations.

Sur le plan économique, la crise financière mondiale amorcée en 2008 a frappé durement le Japon, dont la part de marché a perdu un tiers de sa valeur, tandis que Toyota annonçait son premier déficit en 70 ans

1914-1915	années 1920	1941
Le Japon profite de l'engagement de nombreux pays occidentaux dans la Première Guerre mondiale pour occuper un territoire allemand dans le Pacifique en 1914 (en tant qu'allié de la Grande-Bretagne) et, en 1915, pour présenter à la Chine ses "21 demandes."	Déçu par l'Occident, le Japon s'estime lésé par la conférence de Washington (1921-1922) fixant les limites de tonnage, et par la politique américaine d'immigration en 1924.	L'attaque surprise de Pearl Harbor le 7 décembre 2017 signe l'entrée en guerre du Japon. La destruction d'une grande partie de la flotte américaine au Pacifique entraîne les États-Unis dans le conflit.

d'existence. Après la démission de Koizumi en septembre 2006, Abe Shinzō et Fukuda Yasuo se sont succédé au poste de Premier ministre, qu'ils ont chacun quitté au bout d'un an. Ils sont remplacés en septembre 2008 par Asō Tarō, considéré par certains trop conservateur pour donner un nouvel élan à la nation.

Le 30 août 2009, les Japonais ont élu le Parti démocrate du Japon (PDJ), classé au centre gauche. Historique – les Japonais étaient gouvernés depuis plus d'un demi-siècle par le Parti libéral-démocrate (PLD), à droite sur l'échiquier politique –, cette victoire est d'abord un appel au changement. Le PDJ dispose donc d'une réelle marge de manœuvre pour mener les réformes promises aux électeurs : relancer la consommation et améliorer la protection sociale. Âgé de 62 ans, Yukio Hatoyama remplace donc le Premier ministre sortant Asō Tarō. Hatoyama devra définir une nouvelle voie japonaise de croissance afin de refonder le modèle qui fut à l'origine de l'expansion des années 1960-1980. Enfin, il reste aux démocrates à être à la hauteur des attentes et de briser le "triangle de fer" (collusion entre le monde politique, l'administration et les milieux des affaires).

Parmi les sujets les plus préoccupants de ces dernières années, citons d'abord le vieillissement de la population et la chute des naissance. En effet, entre taux de natalité minimaliste et espérance de vie importante, la situation démographique du Japon risque à terme de ralentir, voire de mettre en péril, la croissance économique du pays.

Le Japon, qui compte la population qui vieillit le plus vite des pays riches, compte plus de centenaires que le reste de la planète – et ce "club" augmente de 13% tous les ans. L'espérance de vie y est en moyenne plus élevée que celles des pays européens et américains, soit une moyenne de 85 ans pour les femmes et de 78 ans pour les hommes. Pourtant tous ces signes de "bonne santé" ne sont pas sans conséquences sur l'économie du pays.

Parallèlement, la population japonaise a diminué plus vite que jamais en 2009. Le Japon connaît l'un des taux de natalité les plus faibles du monde (avec à peine 1%, selon les dernières estimations publiées par le ministère de la Santé). La naissance d'un enfant reste toujours un parcours du combattant pour les femmes japonaises, même si le gouvernement a tenté ces dernières années d'inciter les Japonaises à faire plus d'enfants, avec la mise en place d'aides visant à relancer la procréation (en rendant l'école gratuite ou en multipliant les crèches, par exemple). En novembre 2009, la société Mistubishi a même envoyé un mail à ses employés, les enjoignant à rentrer tôt pour passer du temps en famille et contribuer ainsi à résoudre le problème du faible taux de natalité auquel est confronté le Japon ! Mais il semble qu'il soit déjà un peu tard. Les éventuelles conséquences positives d'une telle politique, ne se feront pas ressentir avant que ces nouveaux bébés ne soient à leur tout devenus des contribuables, soit vers 2030…

Le Japon contemporain, un ouvrage dirigé par Jean-Marie Bouissou (Fayard, 2007), évoque la transformation du pays, passé dans l'après-guerre d'une économie rurale au modèle économique et high-tech. Les auteurs évoquent tous les aspects de cette histoire récente (politique, société, vie religieuse et culturelle…).

En 2009, le nombre de centenaires au Japon a dépassé les 40 000, dont 35 000 femmes.

1945	**1945-1952**	**1989**
Après le bombardement intensif de Tōkyō en mars, le 6 août, Hiroshima entre dans l'histoire comme la première cible d'une bombe atomique, suivie le 9 août de Nagasaki. Hirohito annonce la capitulation le 15 août.	Le Japon est occupé par les Américains. Grâce à des politiques constructives et un regain d'énergie, l'économie nationale se relève à une cadence remarquable. Hirohito échappe à une inculpation de criminel de guerre, à la surprise de nombreux Japonais.	Mort de Hirohito (renommé empereur Shōwa à titre posthume), personnage controversé, après 63 ans sur le trône. Rompant avec son règne, son fils Akihito lui succède, inaugurant l'ère Heisei, ou "Accomplissement de la paix."

Citons également les phénomènes de criminalité juvénile (qui tend à s'atténuer néanmoins depuis quelques années) et aussi de phobie sociale chez les jeunes, dégénérant parfois en *hikikomori* (réclusion sociale). Si le phénomène des *hikikomori*, apparu dans les années 1990, n'est pas spécifique au Japon, il est vrai qu'il prend de plus en plus d'importance au pays du Soleil-Levant.

Enfin, même s'il est critiqué sur la scène internationale, notamment pour la chasse à la baleine, le Japon contemporain n'en demeure pas moins respecté du reste du monde. Ses produits culturels s'exportent avec succès dans tous les pays (la popularité des mangas et des films d'animation ne cesse de croître auprès des jeunes générations), tandis que le Japon continue de faire figure de laboratoire mondial de nouvelles tendances.

L'économie nippone reste aujourd'hui la deuxième économie mondiale – la Chine ne devrait lui ravir cette place qu'au cours de l'année 2010. Le PIB du Japon représente près de deux fois celui de la France, et le chômage reste très bas, malgré la récession.

1995	2006	2008-2009
Le 17 janvier, un séisme d'une magnitude de 7,2 secoue Kōbe, tuant plus de 5 000 personnes. Quelques mois plus tard, la secte Aum est l'auteur d'un attentat au gaz sarin dans le métro de Tōkyō qui fait 12 victimes et des milliers de blessés.	Naissance du prince Hisahito le 6 septembre, premier enfant mâle dans la famille impériale japonaise depuis 1965 et troisième candidat au trône en vertu des règles actuelles de succession.	Alors que le Japon est frappé par la récession mondiale, sa part de marché s'effondre et Toyota annonce le premier déficit de son histoire. Le 30 août 2009, le Parti démocrate du Japon (PDJ) est élu après plusieurs décennies de monopole du pouvoir du Parti libéral-démocrate (PLD).

Culture et société

L'ESPRIT JAPONAIS

En découvrant le Japon, un pays de 127 millions d'habitants, les étrangers un peu attentifs sont frappés par la diversité et la richesse de la culture et de la société nippones. Des liens sociaux profonds et durables en sont l'un des aspects les plus remarquables.

La culture japonaise peut sembler hermétique au premier abord. Ce que l'on appelle l'"esprit japonais" est le produit de l'histoire du pays et de son interaction avec l'environnement. En premier lieu, le Japon est une nation insulaire. Ensuite, jusqu'à la Seconde Guerre mondiale, le pays n'avait jamais été conquis ou occupé par une puissance étrangère, ni réellement influencé par les missionnaires chrétiens. Troisièmement, jusqu'au début du siècle dernier, la majorité des Japonais vivait au sein de communautés rurales très unies, solidaires. Par ailleurs, la plus grande partie du Japon est couverte de montagnes escarpées, si bien que les rares régions plates du pays sont surpeuplées. Enfin, pendant presque toute son histoire, la société japonaise a respecté une hiérarchie très stricte, avec un quasi-système de castes durant la période d'Edo.

Tous ces facteurs expliquent le penchant des Japonais pour l'identité collective et l'harmonie sociale : dans les villes surpeuplées ou les villages ruraux, on ne laisse aucune place à l'individualisme ! Afin de préserver cette harmonie, la recherche du consensus et la dissimulation de ses opinions personnelles et de ses sentiments sont courantes. Les échanges d'idées et les débats parfois houleux qui ont cours en Occident sont bien plus rares au Japon.

Cette tendance japonaise à placer l'harmonie au-dessus de l'expression individuelle est confortée par l'héritage confucéen et bouddhiste. Le premier, venu de Chine, met l'accent sur le respect dû aux parents, aux enseignants, à la société et aux ancêtres, qui passe avant le bonheur individuel. Le second, arrivé d'Inde via la Chine, professe le caractère illusoire du soi et prêche l'austérité en toute chose.

La fidélité, la loyauté et le respect d'autrui sont donc des valeurs primordiales pour les Japonais, qui voient dans l'égoïsme l'un des plus grands défauts de l'esprit humain. Le groupe est, bien sûr, essentiel. Mais il serait absurde, à l'instar de certains "observateurs" occidentaux, de comparer les habitants de l'archipel à des automates suivant le mouvement de la société sans faire usage de leur conscience. S'il est généralement admis qu'un individu doit penser aux membres du cercle auquel il appartient, il n'a aucune obligation de les apprécier. Il convient simplement, par exemple, de prêter attention aux propos que l'on tient, d'éviter les conflits et de s'excuser en cas de problème, même quand la responsabilité en demeure mal définie.

Au Japon, la règle n°1 dans les rapports sociaux est sans doute de prendre en considération les sentiments d'autrui, ce qui implique avant tout de garder pour soi ses propres sentiments et opinions. Aussi, le *honne*, ou "ce que l'on pense vraiment", n'est parfois jamais exprimé. Le *tatamae* désigne "ce que l'on montre", des propos conformistes, que l'on peut prononcer sans crainte. Il est destiné à conserver sa position dans un groupe, une entreprise ou sa famille. En essayant de soutirer une opinion à un ami japonais, vous risquez de vous trouver face à un mur, ce qui vous plongera dans l'embarras… et traduira le malaise de votre interlocuteur. Toutefois, maintes circonstances font exception à ces règles, surtout avec les jeunes Japonais, plus prompts à dévoiler leurs opinions.

Les Maîtres du zen au Japon, de Masumi Shibata (Maisonneuve et Larose, 2001), retrace les grandes étapes de la création des écoles du zen dans l'archipel.

MODE DE VIE

Le mode de vie des Japonais a considérablement changé depuis l'avant-guerre. Le taux de natalité est en baisse, la demande de main-d'œuvre a attiré un nombre croissant de travailleurs dans les villes, et la population est de plus en plus urbaine. Dans le même temps, le Japon ne cesse de digérer l'influence de l'étranger, et le mode de vie traditionnel des campagnes disparaît rapidement face aux assauts de la culture occidentale, populaire et matérialiste. La jeune Tōkyōïte moyenne a aujourd'hui beaucoup plus en commun avec ses homologues de Melbourne ou de Paris qu'avec sa grand-mère, vivant dans sa *furusato* (ville natale).

En ville

La grande majorité des Japonais vit dans l'effervescence des grandes villes. Les citadins mènent des vies épuisantes, avec des horaires de travail souvent démesurés et de longs trajets entre le centre-ville et les banlieues, aux logements plus abordables.

Jusque récemment, les entreprises constituaient le cœur de toute cette activité, offrant un emploi à vie aux travailleurs en col blanc, principalement des hommes, qui vivaient, travaillaient, buvaient, mangeaient et dormaient dans l'entreprise. Aujourd'hui, tandis que le Japon opère une transition de l'économie manufacturière à l'économie de service, les anciennes certitudes sont anéanties : fini l'emploi à vie et le système de promotion à l'ancienneté. Le jeune diplômé d'université a désormais autant de chances de devenir *furitaa* (salarié à temps partiel) que cadre moyen. Cela n'est évidemment pas sans conséquences pour la société dans son ensemble.

La plupart des familles se composaient jadis d'un père occupant un emploi salarié, d'une mère à la maison, d'enfants studieux aspirant à intégrer l'une des grandes universités du pays et d'un aïeul. Si ce modèle traditionnel n'a pas complètement disparu, il a rapidement évolué ces dernières années. Comme dans les pays occidentaux, le *tomobataraki* (les deux conjoints qui travaillent) est de plus en plus courant.

Les enfants doivent toujours faire preuve d'une application poussée dans leurs études. Les collégiens suivent souvent des cours complémentaires dans une école préparatoire, appelée *juku*, pour entrer dans un lycée prisé. Les lycéens, eux, doivent travailler dur afin de réussir les examens d'entrée à l'université.

Les grands-parents, qui par le passé se chargeaient de l'éducation du fils aîné, ont vu changer l'attitude de leurs enfants depuis les années 1980, surtout dans les centres urbains. Des familles de plus en plus nombreuses les envoient vivre leurs "années dorées" dans des *rōjin hōmu* (littéralement, "maison de vieux").

À la campagne

Un Japonais sur quatre vit dans les villages ruraux ou de pêcheurs qui parsèment les montagnes ou les côtes déchiquetées. Les migrations massives de l'après-guerre ont dépeuplé les campagnes tout en modifiant le tissu social et les paysages. Aujourd'hui encore, les jeunes partent en nombre vers les villes, et les rizières délaissées dévalent le flanc des collines.

Aujourd'hui, seuls 15% des foyers paysans parviennent à vivre de la seule agriculture. La plupart des travailleurs ruraux cumulent deux ou trois emplois. Si certains obtiennent ainsi des revenus supérieurs à ceux des citadins, cette situation témoigne des difficultés que doivent affronter nombre de communautés rurales pour maintenir leur mode de vie traditionnel.

Tōkyō compte plus de 6 millions de distributeurs automatiques de produits divers (alimentation, boissons, gadgets, etc.).

La sauvegarde de ce dernier pourrait dépendre de l'engouement pour les mouvements *I-turn* (quitter la ville pour les villages ruraux) et *U-turn* (aller de la campagne à la ville puis retourner à la campagne). Si leur succès demeure mitigé, ils ont cependant su séduire des jeunes qui travaillent à domicile, des employés qui acceptent de passer plusieurs heures dans le train jusqu'à la ville la plus proche et des retraités désireux de passer leurs "années dorées" parmi les toits de chaume et les rizières qui symbolisent un passé récent.

ÉCONOMIE

Le "miracle économique" japonais est l'une des plus belles réussites de l'après-guerre. Quelques décennies ont suffi au Japon pour passer de l'état de nation en ruine au rang de seconde économie mondiale. Ce succès est d'autant plus frappant que le pays ne possède aucune ressource naturelle importante en dehors des produits agricoles et marins.

Plusieurs facteurs expliquent cette incroyable réussite économique : un peuple travailleur, une industrie fortement soutenue par le gouvernement, une situation stratégique au bord du Pacifique, un apport d'argent pendant la guerre de Corée (le Japon était alors une base stratégique pour l'armée américaine) et, selon certains, des politiques commerciales protectionnistes. Une chose est certaine : le capitalisme libéral, introduit au Japon après la guerre, prospéra au-delà de toute attente.

Pendant les années 1980, le pays connut ce qu'on appelle une "bulle économique." La surchauffe économique, due à l'abondance de liquidités et à l'escalade des prix de l'immobilier, provoqua une bulle boursière, qui éclata soudainement au début de 1990. Dans les années qui suivirent, le Japon frôla la récession, et le taux de chômage atteignit 5%, un chiffre surprenant dans un pays qui ne connaissait jusque là qu'un quasi plein emploi.

Le début du nouveau millénaire vit un fort rebond de l'économie japonaise, avec une croissance record de 4,8 % au dernier trimestre 2006. Certains prédisaient alors la fin de la stagnation (appelée la "décennie perdue").

Cependant, la reprise ne devait pas durer. La crise économique mondiale, déclenchée par l'éclatement de la bulle de l'immobilier et du crédit aux États-Unis fin 2008, a eu des effets dévastateurs au Japon, qui dépend des consommateurs américains pour la bonne santé de ses usines. En janvier 2009, les exportations japonaises ont chuté de 46% par rapport à l'année précédente (et de 53% vers les États-Unis). Les conséquences étaient prévisibles : l'économie japonaise s'est fortement contractée au dernier trimestre 2008 pour atteindre un taux annualisé de plus de 12%. Le chômage a grimpé rapidement depuis 2008 et le pays connaît un déficit commercial pour la première fois depuis des années. La chute du gouvernement de Taro Aso a provoqué des élections législatives anticipées le 30 août 2009, remportées par le Parti démocrate du Japon et mettant fin à plus de 50 ans d'une domination quasi constante du Parti libéral-démocrate (voir p. 52).

POPULATION

Le Japon compte environ 127 millions d'habitants (ce qui le place au 9e rang mondial), dont 75% vivent dans des centres urbains à la très forte densité de population. Dans des endroits comme la conurbation Tōkyō-Kawasaki-Yokohama, elle est telle que ces trois villes se sont presque fondues l'une dans l'autre. Considérées comme une seule et même mégapole, elles constitueraient la plus grande ville au monde.

L'un des traits remarquables de la population japonaise réside dans sa relative unité ethnique et culturelle, une caractéristique qui frappe particulièrement les visiteurs provenant de nations multiculturelles. La principale raison de cette homogénéité est la rigueur des lois japonaises en matière d'immigration ; seul un petit nombre d'étrangers parvient à s'installer dans le pays.

Les 650 000 *zai-nichi kankoku-jin* (résidents coréens) forment le groupe non japonais le plus important. Étrangers pour la plupart, les Coréens constituent une minorité invisible ; même les Japonais ne peuvent distinguer une personne d'ascendance coréenne si elle adopte un nom japonais. Jusque très récemment, les Coréens nés au Japon, et de langue japonaise, devaient pouvoir présenter en permanence une carte d'identité avec leurs empreintes, et souffrent encore de discrimination pour les emplois et d'autres aspects de la vie quotidienne.

En dehors des Coréens, la plupart des étrangers sont des travailleurs temporaires venus de Chine, d'Asie du Sud-Est, d'Amérique du Sud et d'Occident. Les groupes indigènes comme les Aïnous ont été fortement réduits à cause des mariages interethniques et des efforts du gouvernement pour hâter leur assimilation. Actuellement, les Aïnous vivent essentiellement à Hokkaidō, l'île la plus septentrionale du Japon.

Le trait caractéristique de la démographie est son déclin. Le taux de natalité (1,3 enfant par femme) compte parmi les plus faibles des pays développés et le Japon devient rapidement une nation de citoyens âgés. Selon les spécialistes, la population a commencé à décliner en 2007, ne devrait pas dépasser 100 millions en 2050 et 67 millions en 2100. Cette baisse démographique aura bien évidemment de considérables répercussions économiques dans les décennies à venir (voir ci-contre la rubrique *Économie*).

Les Aïnous

Les Aïnous, au nombre de 24 000 dans le pays, forme la population indigène de l'île d'Hokkaidō et, selon certains, le seul peuple qui peut se proclamer véritablement originaire du Japon. Les mariages interethniques et l'assimilation conduisent la plupart des Aïnous à se considérer bi-ethniques. Aujourd'hui, moins de 200 personnes peuvent revendiquer une ascendance exclusivement aïnoue. On retrouve également des Aïnous dans les îles Kouriles russes.

Les burakumin

Les burakumin constituent un groupe largement invisible (du moins aux yeux des étrangers) dont les ancêtres exerçaient des tâches qui les mettaient en contact avec la mort : boucherie, travail du cuir ou maniement des cadavres. Les burakumin étaient exclus de la hiérarchie sociale (certains parlent d'un système de castes) durant la période d'Edo. Bien qu'ethniquement identiques aux autres Japonais, ils ont toujours été traités avec mépris par la majeure partie de la société. Le nombre estimé de descendants de burakumin varie actuellemen (voit de 890 000 à 3 millions.

Alors que la discrimination envers les burakumin est interdite par la loi, elle persiste dans des aspects importants de la vie sociale, comme l'emploi et le mariage. Chacun sait, sans vouloir l'admettre, que l'éventuelle origine burakumin d'un individu peut être facilement découverte par une enquête discrète (habituellement commandée par un employeur ou un beau-père potentiel). Nombre de Japonais préfèrent ne pas aborder cette question délicate avec des étrangers.

Entre étude sociale et tableau des différents modes de vie de la population japonaise, *L'Empire désorienté* de Catherine Bergman (Flammarion, 2002) évoque les mutations du Japon contemporain.

Presque tous les bébés japonais naissent avec une tache mongole, ou *mōkohan*, sur les fesses ou au bas du dos. Cette marque de naissance de couleur bleu-gris est composée de cellules à base de mélanine. Elle est commune à plusieurs peuples asiatiques, dont les Mongols, mais aussi aux Indiens d'Amérique. Elle disparaît habituellement vers l'âge de cinq ans et soulève d'intéressantes interrogations sur l'origine du peuple japonais.

Dans la trilogie formée par *Le Cap* (Picquier, 1996), *La Mer aux arbres morts* et *Bout du monde, moment suprême* (Fayard, 1989 et 2000), Nakagami Kenji offre une vision exceptionnelle du monde des burakumin, les intouchables japonais. Il situe son action dans la province de Kishu, l'actuelle préfecture de Wakayama.

MULTICULTURALISME

À l'instar de nombreux pays industrialisés, le Japon attire des milliers de travailleurs en quête de hauts salaires et d'une meilleure vie. À l'heure actuelle, environ 1,9 million de résidents étrangers sont officiellement enregistrés (environ 1,5% de la population totale). Parmi eux, 32% sont coréens (voir p. 56), 24% sont chinois ou taïwanais, 14% sont brésiliens et 2,5% viennent des États-Unis. On estime en outre qu'au moins 250 000 immigrants illégaux vivent et travaillent au Japon.

Une population vieillissante et un faible taux de natalité (voir p. 56) oblige le pays à envisager l'accroissement de l'immigration de travailleurs qualifiés, ce que beaucoup de Japonais considèrent comme une menace pour l'ordre social établi. Fin 2008, le gouvernement a lancé un programme pour encourager la venue d'infirmières étrangères (surtout d'Asie du Sud-Est), suscitant des critiques de tous bords : certains dénonçaient des conditions de travail proches de l'exploitation, d'autres la méconnaissance du japonais empêchant les infirmières de travailler correctement. Quel que soit le résultat, le Japon ne pourra pas se passer d'une aide étrangère face au vieillissement de sa population.

MÉDIAS

Comme toutes les démocraties, le Japon garantit la liberté de la presse dans sa Constitution. Des analystes japonais et étrangers estiment néanmoins que les journalistes ont parfois du mal à profiter de cette liberté.

Pour des raisons qui demeurent obscures, de nombreux journalistes japonais pratiquent une forme d'autocensure. Ils se contentent des rapports des autorités et de la police, sans mener les investigations indépendantes afin de révéler ce que cache l'histoire officielle. Cette pratique serait symptomatique de journalistes proches, voire trop proches, de politiciens et de gradés de la police, qui les encourageraient tacitement à omettre des détails contredisant les rapports officiels. La corruption de la police et la réticence des principaux médias japonais à aborder cette question sont l'un des thèmes du film *Pochi no kokuhaku* de Takahashi Gen, sorti en 2006 mais indisponible en français ou en anglais.

Au problème de l'autocensure s'ajoute celui des clubs de presse, ou *kisha clubs*, qui offrent à quelques privilégiés l'accès aux salons gouvernementaux. Ne pouvant obtenir d'informations clés, les journalistes non affiliés à un *kisha club* restent en dehors du jeu. Certains ont dénoncé une forme de monopole de l'information et ont fait pression sur les autorités pour l'abolition de ces clubs.

En dépit de ces problèmes, la plupart des citoyens japonais font confiance à la presse. Les journaux sont largement diffusés, grâce sans doute à un taux d'alphabétisation de 99%, et quasiment tous les foyers disposent d'un téléviseur. Internet est également largement utilisé ; on estime à 87 millions le nombre de Japonais qui se connectent régulièrement.

Les Religions du Japon, de René Sieffert (Publications orientalistes de France, ou POF, 2000), évoque les deux grands système de croyance, le bouddhisme et le shintō, mais aussi les nombreuses sectes religieuses du pays.

RELIGION
Shintō et bouddhisme

La vaste majorité (environ 86%) des Japonais pratiquent à la fois le bouddhisme et le shintō (ou shintoïsme), ce qui ne manque pas d'étonner les Occidentaux, qui suivent pour la plupart une religion monothéiste. Les Japonais disent que le shintō est la religion de ce monde et de cette vie, tandis que le bouddhisme concerne l'âme et l'au-delà. Les naissances, mariages, rituels de récoltes et succès commerciaux

VISITER UN SANCTUAIRE

Entrer dans un sanctuaire japonais peut être une expérience déconcertante pour les voyageurs. Ces quelques recommandations vous aideront à profiter au mieux de votre visite.

Immédiatement après le *torii* (portail du sanctuaire), vous trouverez un *chōzuya* (bassin d'eau) avec des *hishaku* (louches à long manche) suspendues à un égouttoir. Elles servent à se purifier avant de pénétrer dans l'enceinte sacrée du sanctuaire. Des Japonais ignorent ce rituel et se rendent directement dans la salle principale. Si vous préférez vous purifier, prenez une louche, remplissez-la d'eau fraîche, versez-en un peu dans une main, puis dans l'autre. Versez ensuite un peu d'eau dans votre main en coupe, rincez-vous la bouche et crachez sur le sol à côté du bassin (pas dedans !).

Après, dirigez-vous vers le *haiden* (salle de culte), qui se tient devant le *honden* (salle principale) où réside le *kami* (dieu du sanctuaire). Une épaisse corde pend d'un gong, derrière une boîte à offrandes. Déposez une pièce dans la boîte, faites retentir le gong en tirant la corde (pour alerter la divinité), priez, puis tapez deux fois des mains, inclinez-vous et éloignez-vous du sanctuaire. Certains croient qu'une pièce de 5 ¥ est la meilleure offrande, et qu'une pièce de 10 ¥ procure une chance plus tardive (10 peut se prononcer *tō*, qui signifie aussi "loin").

En l'absence d'un panneau d'interdiction, vous pouvez prendre des photos dans un sanctuaire. Faites simplement preuve de discrétion et de politesse.

---

sont considérées du domaine du shintō, tandis que les funérailles sont des cérémonies exclusivement bouddhistes. Lorsqu'on examine les croyances et la métaphysique de chaque religion, cette dichotomie est parfaitement logique : selon le shintō, les dieux résident dans la nature (le monde), tandis que le bouddhisme souligne l'impermanence du monde naturel.

Le shintō, ou "voie des dieux", est la religion autochtone. Plutôt qu'une religion monolithique, c'est un ensemble de rituels et de pratiques populaires indigènes, souvent liés à la culture du riz et mêlés à des mythes anciens associés au clan Yamato, les ancêtres de l'actuelle famille impériale. Il est intéressant de noter que le shintō ne portait pas de nom jusqu'à ce qu'on ait dû le distinguer du bouddhisme, l'autre grande religion du pays.

Le shintō comprend un panthéon de dieux (*kami*) qui vivent dans le monde naturel. Ces milliers de divinités rassemblent des esprits locaux et des dieux et déesses du monde. Les dieux du shintō sont souvent vénérés dans des sanctuaires appelés *jinja*, *jingū* ou *gū* (voir l'encadré ci-dessus). Le plus important est l'Ise-jingū (p. 452), dans le Mie-ken au Kansai, qui renferme la divinité shintōïste la plus révérée, Amaterasu-Ōmikami, la déesse du Soleil dont descendrait la famille impériale japonaise. Par ailleurs, des cascades, des arbres ou des rochers sont ornés d'une corde sacrée (appelée *shimenawa*), qui indique qu'ils contiennent un *kami* (et en fait un sanctuaire naturel).

Contrairement au shintō, qui a évolué avec le peuple japonais, le bouddhisme est arrivé d'Inde via la Chine et la Corée vers le VIᵉ siècle. Il a paisiblement coexisté avec le shintō pendant la majeure partie de son histoire (à l'exception notable de la Seconde Guerre mondiale, durant laquelle il fut réprimé car importé de l'étranger). Le bouddhisme, né dans le sud du Népal au Vᵉ siècle av. J.-C., est parfois considéré plus comme une voie ou une méthode qu'une religion, puisqu'il ne révère aucun dieu. Dans la pratique, les différentes formes du Bouddha et des bodhisattvas (êtres qui ont renoncé au nirvana pour aider les humains à l'atteindre) sont vénérés comme des dieux dans la plupart des branches du bouddhisme, du moins par le commun des croyants.

Le shintō possède trois insignes sacrés : le miroir sacré (conservé dans l'Ise-jingū, à Mie-ken ; p. 452), l'épée sacrée (à Atsuta-jingū près de Nagoya ; p. 257) et les perles sacrées (gardées au Palais impérial à Tōkyō ; p. 127). Selon certains, les trésors sacrés auraient été apportés par les prédécesseurs du clan Yamato, venus du continent.

TEMPLE BOUDDHIQUE OU SANCTUAIRE SHINTŌ ?

L'entrée d'un édifice religieux constitue l'un des meilleurs moyens de distinguer un temple bouddhique d'un sanctuaire shintō. L'entrée principale d'un sanctuaire est un *torii* (porte du sanctuaire), habituellement composé de deux piliers verticaux réunis au sommet par deux barres horizontales, la barre supérieure étant légèrement incurvée. Souvent peints en rouge vermillon, les torii sont parfois en bois naturel. Bien plus imposante, l'entrée principale d'un temple (*mon*) comprend plusieurs piliers ou battants, surmontés d'un toit à multiples niveaux, parfois entouré de passerelles. Elle abrite fréquemment des représentations de gardiens, généralement des *niō* (rois deva). Un temple et un sanctuaire peuvent partager le même domaine et il est alors plus difficile d'identifier les limites des deux édifices.

Les quatre nobles vérités du bouddhisme sont les suivantes : 1) la vie est souffrance ; 2) l'origine de la souffrance est le désir ; 3) le remède à la souffrance est l'élimination du désir ; 4) pour éliminer le désir, il faut suivre l'Octuple sentier du Bouddha. Ainsi, le bouddhisme peut apparaître comme un manuel d'utilisation pour l'esprit humain confronté au problème de l'existence dans un monde impermanent.

Les principales sectes bouddhiques japonaises appartiennent toutes à la branche mahayana (grand véhicule), qui se distingue du theravada (petit véhicule) par sa foi dans les bodhisattvas. Les différentes écoles du bouddhisme japonais sont le zen, le tendai, l'ésotérique, le "pays pur" et le "véritable pays pur". Les édifices religieux sont appelés *tera*, *dera*, *ji* ou *in* (temples ; voir l'encadré ci-dessus).

En 2008, le nombre de *maiko* (apprenties geishas) à Kyōto a dépassé la centaine pour la première fois depuis quatre décennies.

LES FEMMES AU JAPON

La société japonaise traditionnelle cantonnait la femme dans son foyer où, en tant que maîtresse de maison, elle jouissait d'un pouvoir considérable, supervisant le budget, l'éducation des enfants et agissant d'une certaine manière en chef de famille. Cependant, même au début de l'ère Meiji, cet idéal restait loin de la réalité : la pénurie de main-d'œuvre obligeait souvent les femmes à travailler dans les fabriques et, auparavant, elles travaillaient fréquemment dans les champs avec les hommes.

Dans *Yosano Akiko, poète de la passion et figure du féminisme japonais* (POF, 2000), Claire Dodane trace le portrait d'Akiko Yosano (1878-1942), femme écrivain, poète et journaliste, qui n'hésita pas à aller à l'encontre des usages de l'époque.

Aujourd'hui, la situation est complexe. Certaines femmes se conforment aux rôles traditionnels, choisissent un cursus court, souvent dans une université de femmes, et considèrent l'éducation comme un atout pour le mariage. Une fois mariées, elles laissent leur époux gagner l'argent du foyer.

Toutefois, les Japonaises sont de plus en plus nombreuses à refuser ou retarder le mariage, et à tenter de faire carrière. La réalité ne reflète pas leurs ambitions : les femmes restent sous-représentées dans la politique et les postes de direction, et constituent l'essentiel des employés de bureau subalternes ("office ladies" ou OL). Cette situation s'explique en partie par la discrimination sexuelle qui prévaut dans les entreprises japonaises. Les attentes sociales jouent également un rôle, forçant les Japonaises à choisir entre carrière et famille. Non seulement la plupart des entreprises refusent d'embaucher des femmes pour des postes à responsabilité, mais la majorité des Japonais répugnent à épouser une femme ambitieuse. Ces considérations empêchent souvent les Japonaises de sortir de leur rôle traditionnel et freinent leurs aspirations.

La mise en place de wagons réservés aux femmes dans les transports en commun est emblématique du féminisme à la japonaise, où, plus que l'égalité avec les hommes, les femmes cherchent à délimiter un territoire dont elles aient la maîtrise.

Celles qui optent pour un emploi à plein temps souffrent des pires inégalités de salaire du monde développé : elles ne gagnent que 66% de la rétribution versée aux hommes. Dans le monde politique, la situation est pire encore : les femmes ne détiennent que 10% des sièges à la Diète (Parlement).

ARTS
Arts plastiques contemporains

Dans les années qui ont suivi la Seconde Guerre mondiale, les artistes japonais ont lutté pour définir leur identité. Leur génération se débattait entre des philosophies contradictoires : "esprit japonais, savoir japonais" contre "esprit japonais, savoir occidental". Ces artistes se sont distingués par leur quête pour déterminer si les médias et les techniques artistiques occidentaux parvenaient à transmettre l'espace, la lumière, la substance et les ombres de l'esprit japonais, ou si l'essence de ce dernier ne pouvait s'exprimer qu'à travers des genres artistiques nippons traditionnels.

Aujourd'hui, les artistes émergents et les mouvements qu'ils ont générés n'ont plus cette ambivalence. Envolée l'anxiété de voir l'art contemporain japonais être récupéré par, ou récupérer, les philosophies et les esthétiques occidentales. L'heure est à la célébration insouciante d'un futur lisse et doux qui s'exprime dans des couleurs et des formes extraordinaires. Takashi Murakami illustre mieux que tout autre cette esthétique exubérante et légère. Il s'inspire principalement de l'*otaku*, une culture qui vénère les héros des mangas (voir l'encadré p. 355). Ses images et installations espiègles sont devenues l'emblème de l'esthétisme japonais *poku* (un concept hybride qui combine pop art et sensibilité *otaku*). Son *Super Flat Manifesto* (Manifeste super plat), qui proclame que "le monde du futur pourrait être à l'image du Japon d'aujourd'hui – super plat", constituerait une excellente introduction à l'esthétique pop japonaise contemporaine.

En dehors du pop art, des artistes continuent à produire des œuvres dont la texture et les thèmes dépassent le cadre restreint de la bande dessinée. Trois artistes méritent d'être mentionnés : Yoshie Sakai, dont les peintures à l'huile éthérées, emplies de cieux pastel et d'eaux profondes, semblent hésiter entre le flottement et le naufrage ; Noriko Ambe, dont les sculptures en papier évoquent les dunes mouvantes du Sahara ; et l'indomptable Hisashi Tenmyouya, dont le travail applique la profondeur et le plat de l'estampe dans des œuvres qui explorent les thèmes de la vie japonaise contemporaine.

Arts plastiques traditionnels
PEINTURE

De 794 à 1600, les peintres japonais empruntèrent les techniques et supports chinois et occidentaux et les transformèrent progressivement, pour atteindre leurs propres visées esthétiques. Dès le début de la période d'Edo (1600-1868), qui se caractérisa par un mécénat enthousiaste d'une large palette de styles picturaux, l'art japonais avait acquis son caractère propre. L'école de Kanō, créée plus d'un siècle auparavant, restait appréciée pour sa description de thèmes liés au confucianisme, de créatures mythologiques chinoises ou de la nature. L'école de Tosa, influencée par le style pictural *yamato-e* (souvent utilisé pour les rouleaux de la période de Heian, 794-1185), reçut également de nombreuses commandes d'une noblesse avide de scènes inspirées de la littérature classique japonaise.

L'école de Rimpa (à partir de 1600), si elle s'inspira des styles antérieurs, dépassa les conventions pour créer une peinture aux ombres délicates d'une qualité ornementale saisissante. Les œuvres du trio formé par Tawaraya Sōtatsu, Hon'ami Kōetsu et Ogata Kōrin, les trois grands artistes de ce courant, comptent parmi les pièces majeures de cette période.

Les panneaux peints de Hasegawa Tohaku, vieux de près de 400 ans, sont considérés comme les premières œuvres impressionnistes.

Pour un panorama complet des arts de l'archipel, de sa préhistoire à l'époque contemporaine, consultez *L'Art japonais*, de Christine Shimizu (Flammarion, 2008). L'auteur aborde tous les domaines artistiques, de la sculpture aux arts décoratifs, sous leurs aspects religieux ou profane.

Hokusai souhaitait vivre jusqu'à 100 ans afin de "devenir vraiment un grand peintre". Lorsqu'il mourut à 89 ans, il l'était assurément devenu, tout particulièrement après la soixantaine.

CALLIGRAPHIE

Le *shodō* (la voie de l'écriture) est l'un des arts les plus reconnus au Japon. Jadis pratiqué par la noblesse, les prêtres et les samouraïs, il est toujours enseigné dans les écoles sous la forme du *shūji* (calligraphie "éducative"). À l'instar des caractères de la langue japonaise, le *shodō* provient de Chine. La période de Heian (794-1185) marqua la naissance du *wayō*, un style de *shodō* typiquement japonais, déterminé par le caractère cursif de l'écriture et sa grande fluidité. Le style chinois demeura populaire un certain temps parmi les prêtres zen et les lettrés.

Les *shodō* chinois et japonais comportent trois styles majeurs. Le plus courant est le *kaisho* (style régulier à l'allure carrée). Du fait de la clarté de ses caractères bien détachés, il est le plus employé dans les médias et dans tous les domaines qui privilégient la lisibilité. Le *gyōsho* (style semi-cursif) est par excellence le style de la correspondance informelle. Le *sōsho* (style cursif) abrège les caractères et les lie de manière fluide et gracieuse.

UKIYO-E (ESTAMPES JAPONAISES)

Le mot *ukiyo-e* (images du monde flottant) dérive d'une métaphore bouddhiste qui désigne le monde éphémère des plaisirs fugitifs. Les artistes représentaient des personnages et des scènes inspirés du "monde flottant", à la fois sordide et animé, des quartiers de plaisir d'Edo (future Tōkyō), de Kyōto et de Ōsaka.

Ce monde flottant et interlope, à l'image de celui de Yoshiwara à Edo, symbolisait un univers chamboulé, une inversion de la hiérarchie sociale imposée par le pouvoir du shogunat des Tokugawa. En de tels lieux, l'argent importait plus que le rang. Comédiens et artistes dictaient les modes, tandis que les geishas montraient une culture et une distinction qui rivalisaient avec celles des femmes de bonne famille.

Le catalogue de l'exposition qui s'est tenue au Grand Palais, à Paris en 2004, *Images du monde flottant : peintures et estampes japonaises (XVIIᵉ-XVIIIᵉ siècle)* reste une référence sur l'*ukiyo-e* de l'époque d'Edo. Dans la collection Découvertes, *Le Monde des estampes japonaises* (Gallimard, 2004), de Nelly Delay, présente lui aussi le courant pictural qui s'est développé à partir du XVIᵉ siècle.

GRANDS CENTRES DE CÉRAMIQUE

Le suffixe "*-yaki*" désigne un type de poterie. Le terme "Bizen-yaki" fait ainsi référence à une poterie fabriquée dans la région de Bizen, dans l'ouest d'Honshū. Voici quelques-uns des principaux centres de céramique :

- **Arita-yaki**. Appelé "Imari" en Occident, ce style coloré est produit dans la ville d'Arita (p. 708), à Kyūshū.

- **Bizen-yaki**. L'ancien centre de céramique de Bizen (p. 463) à Okayama-ken, dans l'ouest d'Honshū, est réputé pour ses bols épais sans vernis, rougis par l'oxydation. Bizen produit aussi des tuiles.

- **Hagi-yaki**. La ville de Hagi (p. 497), dans l'ouest d'Honshū, est connue pour le Hagi-yaki, un type de porcelaine couverte d'un vernis craquelé jaune ou rose pâle.

- **Karatsu-yaki**. Karatsu (p. 705), près de Fukuoka dans le nord de Kyūshū, produit des ustensiles de style coréen pour la cérémonie du thé, reconnaissables à leur vernis craquelé grisâtre.

- **Kiyomizu-yaki**. La rue qui mène au temple Kiyomizu-dera (p. 357), à Kyōto, est bordée de boutiques qui vendent des poteries Kiyomizu-yaki, parfois vernissées et de couleur bleu ou rouge.

- **Kutani-yaki**. La porcelaine d'Ishikawa-ken (p. 311), dans le centre d'Honshū, est généralement verte ou peinte de cinq couleurs distinctes.

- **Satsuma-yaki**. Cette porcelaine, originaire de Kagoshima (p. 738) à Kyūshū, est habituellement couverte d'un vernis blanc opaque, émaillé d'or, de rouge, de vert et de bleu.

Les couleurs vives, le caractère innovant et les lignes fluides du style d'*ukiyo-e* éveilla un vif intérêt en Occident et lança une mode qu'un critique d'art français qualifia de "japonisme". L'*ukiyo-e* devint l'une des influences majeures des impressionnistes (notamment Toulouse-Lautrec, Manet et Degas) et des postimpressionnistes. Au Japon, où des millions d'estampes étaient imprimées chaque année à Edo, on ne leur trouvait souvent qu'un intérêt limité. Elles étaient même souvent jetées ou employées pour envelopper des céramiques. Les Japonais s'étonnèrent longtemps de l'engouement des étrangers pour cet art auquel ils n'accordaient qu'une valeur éphémère.

CÉRAMIQUE

La céramique est la forme artistique la plus ancienne du Japon : les poteries jōmon, ornées de motifs distinctifs semblables à des cordes, datent de quelque 15 000 ans. Lorsque le peuple jōmon fut supplanté par le peuple yayoi, vers 400 av. J.-C, apparut un style de poterie plus raffiné. Alors que la poterie jōmon était un art indigène, la poterie yayoi comportait des influences et des techniques continentales. Ces dernières, de même que des artisans venus du continent, dominèrent la céramique japonaise pendant le millénaire suivant : vers le Vᵉ siècle la poterie sue arriva de Corée, puis au VIIᵉ siècle prédomina la poterie chinoise tang.

Au Moyen Âge, Seto, dans le Honshū central, était le grand centre de la céramique japonaise. À partir du XIIᵉ siècle, les potiers de Seto adoptèrent des formes chinoises, les adaptèrent aux goûts et aux besoins japonais et créèrent un style spécifique appelé vaisselle de Seto. Un terme japonais pour désigner la poterie et la porcelaine, *setomono* (littéralement, "objets de Seto"), provient de ce centre de céramique toujours actif.

Aujourd'hui, le pays compte plus de 100 centres de poterie, où une multitude d'artisans fabriquent toutes sortes d'articles, des accessoires pour le thé aux souvenirs folkloriques. Les grands magasins organisent régulièrement des expositions de céramique qui permettent d'admirer des pièces de qualité (pour plus d'informations, voir l'encadré p. 62).

SHIKKI (LAQUE)

Les Japonais emploient la laque pour protéger ou embellir le bois depuis la période de Jōmon (13 000-400 av. J.-C.). Les objets laqués devinrent très prisés à l'étranger durant l'ère Meiji (1868-1912) et comptent encore aujourd'hui parmi les produits les plus connus du Japon. Appelée *shikki* ou *nurimono* en japonais, la laque est fabriquée avec le suc de l'*urushi*, ou laquier, une espèce proche du sumac. La laque brute est toxique et provoque de graves irritations cutanées chez ceux qui ne sont pas immunisés. Une fois durcie, elle n'a plus d'effet délétère et se révèle très résistante.

La laque est habituellement de couleur ambre ou marron, mais des additifs permettent de la teinter en noir, violet, bleu, jaune ou blanc. Les plus belles pièces comportent de multiples couches de laque appliquées avec soin, séchées, puis polies pour obtenir la brillance.

Théâtre et danse contemporains

Si la danse et le théâtre contemporains se portent bien au Japon, la plupart des grandes troupes sont installées à Tōkyō. Pour découvrir le théâtre contemporain, le mieux consiste à se faire accompagner d'un traducteur et d'assister aux spectacles *shogekijō* (petits théâtres, voir plus bas). Pour voir de la danse contemporaine, consultez les programmes dans le *Japan Times*, *Metropolis* ou le *Tokyo Journal* à Tōkyō, ou dans *Kansai Time Out* dans le Kansai.

Le site de Tokyo Art Beat (www.tokyoartbeat. com/index.en) est une excellente source d'information sur les événements artistiques dans la capitale.

THÉÂTRE D'AVANT-GARDE

Une transformation de l'art théâtral se manifesta dans le monde entier au cours des années 1960. Le mouvement shōgekijō, également appelé *angura* (avant-garde) donna alors au Japon nombre de ses grands auteurs dramatiques, metteurs en scène et comédiens. Ce courant se développa en réaction au réalisme et à la structure du *shingeki*, né dans les années 1920 et largement inspiré de l'art dramatique occidental, et se caractérisa par des pièces surréalistes explorant les relations entre l'homme et le monde. Comme en Occident, elles se jouèrent dans les lieux les plus divers : des petits théâtres, des tentes, des sous-sols, des espaces verts ou dans la rue.

La première génération de metteurs en scène et d'écrivains shōgekijō ponctuait ses œuvres de scènes comiques, de jeux de mots et de références à la culture populaire pour illustrer la folie de la vie moderne. Les productions shōgekijō plus récentes déclinent des thèmes réalistes et contemporains, comme l'histoire moderne, la guerre, la dégradation de l'environnement et l'oppression sociale. Ce tournant a engagé le mouvement dans de nouvelles directions, comme la critique sociale et politique.

BUTŌ

Le *butō* (danse des ténèbres) est à de nombreux égards le courant chorégraphique japonais le plus remarquable et accessible. Apparu en 1959 avec la création du premier ballet butō par Hijikata Tatsumi (1928-1986), il est également le plus récent. Il est né du rejet du formalisme excessif des danses japonaises traditionnelles, mais aussi d'une volonté de retourner aux racines mêmes de "l'esprit japonais" et de rejeter les influences occidentales, prédominantes dans le Japon d'après-guerre.

Les représentations de butō sont plus proches d'un "happening" artistique que de la danse classique. Un ou plusieurs danseurs expriment, par leurs corps nus ou à moitié nus, les émotions les plus élémentaires et intenses. Rien n'est sacré et les spectacles abordent souvent des sujets tabous, comme la sexualité ou la mort, ce qui provoque régulièrement des critiques "scandalisées". Les danseurs se plaisent à repousser les limites du "bon goût" communément admis.

Le butō reste plus confidentiel que les formes plus classiques de danse japonaise, et les spectacles plus difficiles à dénicher. Consultez les journaux locaux en anglais (le *Japan Times*, *Metropolis* ou le *Tokyo Journal* à Tōkyō, ou *Kansai Time Out* dans le Kansai), ou renseignez-vous à l'office du tourisme local.

Théâtre et danses traditionnels

NŌ

Le nō, une forme de théâtre dansé envoûtante, reflète l'esthétique minimaliste du zen. Il réunit une gestuelle harmonieuse, des chœurs et un accompagnement musical sonores et des dialogues subtils. Une scène en cèdre dépouillée met en valeur les artistes : les comédiens, le chœur, des joueurs de tambour et un flûtiste. Le nō met en scène deux personnages principaux : le *shite*, qui peut représenter une personne vivante mais plus souvent un démon ou un fantôme dont l'âme ne peut trouver le repos, et le *waki*, qui entraîne le shite au moment clé du spectacle. Chaque école de nō possède son propre répertoire, et cette forme artistique ne cesse d'évoluer et de se développer.

KABUKI

Les premières représentations de kabuki remontent au début du XVIIᵉ siècle. Jouées par une troupe exclusivement féminine, elles se caractérisaient par

La Naissance du théâtre moderne à Tōkyō, de Catherine Hennion (L'Entretemps, 2007), évoque l'évolution du théâtre japonais à partir du milieu du XIXᵉ siècle, et consacre une large place au nō, au kabuki mais aussi aux textes et à la formation des acteurs.

un érotisme manifeste et suscitaient un vif engouement au sein de la classe des marchands. L'étroite mentalité bureaucratique de l'administration des Tokugawa aboutit à l'interdiction de la scène pour les femmes en 1629 afin de préserver la moralité du peuple. Les troupes de kabuki, devenues depuis exclusivement masculines, donnèrent naissance à l'institution des *onnagata*, ou *ōyama*, des hommes spécialisés dans les rôles féminins.

Au fil des siècles, le kabuki a développé un répertoire tiré de thèmes populaires, tels des épisodes historiques célèbres, ou des histoires d'amours tragiques. Il a également fait de nombreux emprunts au théâtre nō, aux *kyōgen* (intermèdes comiques) et au bunraku (théâtre de marionnettes traditionnel). La plupart des pièces de kabuki tendent vers le mélodrame, tout en variant les atmosphères.

La stylisation et la beauté formelle constituent les grands principes esthétiques du kabuki. Le jeu combine la danse et des dialogues qui suivent des schémas d'intonation fixes. Les acteurs préparent leurs rôles en étudiant et en imitant le style de leurs prédécesseurs. Les acteurs de kabuki sont généralement issus d'un milieu artistique et commencent leur apprentissage dès l'enfance. Ils jouissent aujourd'hui d'un grand prestige et leurs faits et gestes, sur scène et dans la vie, suscitent autant d'intérêt que ceux des stars de cinéma et de télévision.

Pour découvrir le "monde flottant" des acteurs de kabuki, lisez *Arashi, vie et mort d'un acteur* (Philippe Picquier, 1999), de Saikaku, un poète devenu romancier, grand témoin du Japon urbain de la fin du XVIIᵉ siècle.

BUNRAKU

Le théâtre de marionnettes traditionnel se développa à la même époque que le kabuki, lorsque le *shamisen* (un instrument à trois cordes proche du luth et du banjo), importé d'Okinawa, fut combiné aux techniques traditionnelles de manipulation de marionnettes et au *joruri* (chant narratif). Le *bunraku*, comme il fut appelé au XIXᵉ siècle, décline de nombreux thèmes similaires à ceux du kabuki, dont les pièces les plus célèbres furent souvent écrites à l'origine pour le théâtre de marionnettes. Le bunraku utilise de grandes marionnettes, de presque deux tiers de la taille réelle, actionnées par des marionnettistes vêtus de noir. Ces derniers, qui peuvent être jusqu'à trois par effigie, demeurent silencieux. Un narrateur, assis, raconte l'histoire et prête sa voix aux personnages, tout en exprimant leurs sentiments par des sourires, des larmes et des sursauts de peur ou de surprise. Le Théâtre national de bunraku (p. 414), à Ōsaka, est l'un des meilleurs endroits pour assister à un spectacle.

RAKUGO

Le *rakugo* (littéralement "mots lâchés"), un style de monologue comique traditionnel, fut créé durant la période d'Edo (1600-1868). L'acteur, généralement en kimono, s'assied sur un coussin posé sur la scène. Les accessoires se limitent à un éventail et une serviette. Le monologue commence par un *makura* (prologue), suivi de l'histoire proprement dite, puis de l'*ochi* (conclusion comique, ou chute ; ochi est une autre prononciation du caractère chinois *raku* de rakugo). De nombreux monologues du répertoire traditionnel datent des périodes d'Edo et Meiji. Largement connus, ils reflètent un milieu social ignoré du public actuel. De nombreux artistes écrivent aujourd'hui des monologues se rapportant à la vie contemporaine.

MANZAI

Le *manzai*, un dialogue comique, trouve son origine dans les comédies et les spectacles de danse et de chant interprétés par des artistes itinérants. Il se caractérise par une grande souplesse dans la forme et attire toujours un large public, séduit par des échanges vifs et spirituels sur des sujets improvisés de la vie quotidienne. L'humour repose essentiellement sur des jeux de mots et des double sens. Il faut donc parler couramment japonais pour l'apprécier. Les spectacles sont annoncés dans des journaux comme le *Japan Times, Metropolis* ou le *Tokyo Journal* à Tōkyō, ou *Kansai Time Out* au Kansai. Vous pouvez aussi vous renseigner à l'office du tourisme local.

Architecture

De la simplicité rurale aux rutilantes tours modernes (en passant par des quartiers d'édifices en béton sans grâce), l'architecture japonaise est peut-être la plus variée au monde. Si le bois, le bambou, la terre et le papier constituent les matériaux privilégiés des bâtiments traditionnels, les architectes contemporains utilisent essentiellement le béton, l'acier et le verre. Dans cette section, nous décrivons les principaux styles ; pour plus de détails, reportez-vous p. 113.

Jusqu'à l'arrivée du bouddhisme au Japon au VIᵉ siècle, les empereurs étaient inhumés dans d'énormes tumulus en terre et en pierre appelés *kofun* (voir p. 438). Le plus grand aurait eu une masse supérieure à celle de la grande pyramide de Khéops.

ARCHITECTURE CONTEMPORAINE

L'architecture japonaise contemporaine est actuellement l'une des plus novatrices et influentes. La préférence traditionnelle pour les espaces naturels, simples et harmonieux se retrouve dans les réalisations des architectes modernes et se combine avec des matériaux ultramodernes et des techniques de construction occidentales.

Le Japon s'ouvrit pour la première fois à l'architecture occidentale en 1868, pendant la Restauration de Meiji. Dès le début, les architectes japonais intégrèrent cette influence en mêlant les méthodes traditionnelles de construction en bois à des structures occidentales. Deux décennies plus tard, un courant nationaliste opposé à l'influence étrangère marqua le retour aux styles nationaux et l'abandon provisoire des techniques occidentales.

Cette résistance à l'intrusion de l'architecture occidentale se poursuivit jusqu'après la Première Guerre mondiale, quand des architectes étrangers, dont Frank Lloyd Wright, vinrent construire l'Imperial Hotel à Tōkyō. Wright s'attacha à respecter la sensibilité locale en dessinant les nombreux ponts élégants et les chambres uniques de l'Imperial, mais il employa des formes cubiques modernes pour orner l'intérieur. Le bâtiment fut démoli en 1967 pour laisser place à l'actuel Imperial Hotel, qui ne conserve pas grand-chose du style de Wright.

À l'époque de la Seconde Guerre mondiale, de nombreux architectes japonais employaient déjà des techniques et des matériaux occidentaux et mêlaient styles anciens et nouveaux. Au milieu des années 1960, ils avaient développé un style unique qui commença à attirer l'attention au niveau mondial. Le Corbusier eut une influence majeure sur Kenzō Tange, l'architecte japonais le plus célèbre de l'après-guerre. Ses réalisations, dont les bureaux de la préfecture de Kagawa à Takamatsu (1958) et le gymnase national (achevé en 1964), combinent des influences de Le Corbusier, dans la structure et le choix des matériaux, et des éléments inspirés de l'architecture japonaise traditionnelle, comme des ossatures de poutres et de poteaux et des lignes géométriques. Les bureaux administratifs de la ville de Tōkyō (1991 ; p. 154), à Nishi-Shinjuku (Shinjuku Ouest), occupent le plus haut édifice de la capitale. Si certains lui reprochent son allure totalitaire, ce bâtiment demeure une réalisation extraordinaire et attire quotidiennement quelque 6 000 visiteurs. L'université UN, près de la station de métro Omote-sandō à Tōkyō, mérite également le détour pour ceux qui s'intéressent au travail de Kenzō Tange.

Dans les années 1960, un groupe d'architectes, dont Kazuo Shinohara, Kisho Kurokawa, Fumihiko Maki et Kiyonori Kikutake, initia le mouvement du Métabolisme, qui favorisait les espaces et les fonctions flexibles au détriment des formes fixes. Shinohara évolua ensuite vers un style qu'il baptisa Modern Next, une fusion de moderne et de postmoderne mêlée d'influences japonaises. Parfait exemple de ce style, le Centennial Hall, dans l'Institut de technologie de Tōkyō, est un élégant ensemble de formes disparates dans un cadre en métal poli. Les réalisations de Kurokawa reposent sur la rencontre des constructions bouddhiques traditionnelles avec des influences modernes. Grand maître du minimalisme, Maki adopta, quant à lui, un style moderne tout en mettant en exergue des éléments de la nature – comme le toit en métal poli en forme d'insecte du gymnase municipal de Tōkyō (Tōkyō Metropolitan Gymnasium), près de la gare de Sendagaya. Maki conçut également le Spiral Building (p. 155), édifié à Aoyama en 1985. Ce bâtiment compte parmi les favoris des habitants de la capitale et son intérieur est également superbe.

Ancien élève de Kenzō Tange, Arata Isozaki s'inspira d'abord du Métabolisme avant de se tourner vers des formes géométriques et le postmodernisme. Il conçut notamment le Centre culturel (1990) de Mito, une étonnante tour géométrique semblable à un serpent, faite de différents métaux.

Contemporain d'Isozaki, Kikutake dessina le musée Edo-Tōkyō (1992 ; p. 158) à Sumida-ku, qui reste sans conteste sa réalisation la plus célèbre. Cet édifice gigantesque, consacré à l'histoire de la période d'Edo, couvre près de 50 000 m² et atteint 62,20 m de haut, soit la hauteur du château d'Edo-jō à son apogée. Il rappelle par sa forme la silhouette d'un géant rampant et éclipse sans peine les bâtiments alentour.

Hiroshi Hara compte également parmi les architectes les plus influents de sa génération. Si son style défie toute définition, la nature est un thème constant dans son travail. Ainsi, l'Umeda Sky Building (1993 ; p. 402), dans le quartier de Kita à Ōsaka, est une haute structure élancée, conçue pour ressembler à un jardin dans le ciel. Le Yamamoto International Building (1993), à la périphérie de Tōkyō, est le siège d'une entreprise de textile. Ces deux édifices monumentaux se divisent en unités plus petites – à l'image de la nature.

Dans les années 1980, une seconde génération d'architectes japonais, dont Tadao Andō, Itsuko Hasegawa et Toyo Ito, s'est imposé sur la scène internationale. Ce groupe d'architectes plus jeunes a continué d'explorer le modernisme et le postmodernisme, tout en manifestant un regain d'intérêt pour l'architecte traditionnelle.

Les réalisations d'Andō, en particulier, se caractérisent par une fusion du modernisme classique avec les styles nippons. Elles combinent des matériaux comme le béton avec des motifs géométriques typiques de l'architecture traditionnelle japonaise. Certains dénigrent ses constructions inhumaines et monolithiques, d'autres admirent les espaces spectaculaires qu'elles créent. Le complexe commercial d'Omotesandō Hills (2006 ; p. 154), dans le quartier Aoyama à Tōkyō, est l'œuvre d'Andō la plus accessible.

L'édifice moderne le plus célèbre de la capitale, le complexe de Roppongi Hills (2003 ; p. 156) n'a pas été conçu par un architecte japonais, mais par la firme new-yorkaise Kohn Pedersen Fox Associates.

ARCHITECTURE TRADITIONNELLE PROFANE
Maisons
Hormis sur l'île septentrionale de Hokkaidō, les maisons japonaises traditionnelles sont construites en prévision de la touffeur estivale. Elles privilégient

Shigeru Ban de Matilda McQuaid (Phaidon, 2004) : projets et réalisations d'une agence japonaise qui privilégie le respect de l'environnement dans le choix des matériaux et les techniques de construction.

des matériaux légers, laissant passer la moindre brise. L'autre raison de ces structures légères est la relative fréquence des tremblements de terre, qui proscrit l'emploi de matériaux lourds comme la pierre ou la brique.

Ryokan : séjour dans le Japon traditionnel de Gabriele Fahr-Becker, Narimi Hatano et Klaus Frahm (Könemann, 2005), est une invitation joliment illustrée à la découverte de l'architecture harmonieuse des auberges à l'ancienne.

Simple et raffinée, la maison typique comporte des poutres et des poteaux en bois, avec des panneaux coulissants en bois ou en papier de riz en guise de murs extérieurs. Des paravents amovibles, ou *shōji*, divisent l'intérieur de la maison. Un espace est parfois réservé à la cérémonie du thé ; son ambiance harmonieuse, d'une importance primordiale, repose souvent sur l'utilisation de matériaux naturels et une disposition soignée des meubles et des accessoires.

Des plus traditionnelles, la *machiya* (maison de ville) était jadis construite par les marchands dans des cités comme Kyōto et Tōkyō. Jusque récemment, les anciens quartiers de Kyōto et quelques secteurs de Tōkyō étaient sillonnés d'étroites rangées ordonnées de maisons de ce type. Elles ont presque toutes succombé à la frénésie de construction. Kyōto (p. 332) reste aujourd'hui le meilleur endroit pour admirer des *machiya*.

Fermes

Les fermes les plus caractéristiques sont les *gasshō-zukuri* à toit de chaume (voir l'encadré p. 275). Elles doivent leur nom à la forme des chevrons, qui évoquent deux mains jointes en prière. Si elles paraissent confortables et charmantes, elles abritaient jadis jusqu'à 40 personnes, et parfois les animaux de la ferme. Les planchers noirs, les plafonds couverts de suie et l'absence de fenêtre leur donnaient une ambiance de cave. Le feu dans un foyer central à même le sol, l'*irori*, constituait la seule source de lumière et de chaleur, et fournissait les braises pour cuisiner. Des fermes à plusieurs étages étaient également construites pour la production de la soie, très courante sous l'ère Meiji ; les vers à soie étaient conservés dans les pignons aérés.

Châteaux

Les innombrables châteaux sont pour la plupart des copies d'édifices détruits par des incendies, les guerres ou au fil du temps.

Les premiers châteaux étaient de simples forts de montagne. Leur défense reposait moins sur une quelconque innovation architecturale que sur la nature du terrain, qui les rendait inaccessibles à d'éventuels envahisseurs comme à leurs défenseurs. Le donjon, entouré de tours plus petites, constituait l'élément central. Les bâtiments, en bois recouvert de plâtre afin de les protéger du feu, se dressaient sur des remparts de pierre.

Les guerres multiples des XVIe et XVIIe siècles dotèrent l'archipel de nombreux châteaux, dont beaucoup furent détruits par les autorités durant les périodes d'Edo et Meiji. Les années 1960 marquèrent un nouvel engouement pour leur reconstruction. Édifiés avec des matériaux modernes, béton et acier, ils semblent authentiques à distance, mais totalement nouveaux vus de près.

Le spectaculaire Himeji-jō (p. 422), ou château *shirasagi* (du Héron blanc), et l'Edo-jō (p. 127), au centre de la Tōkyō moderne, comptent parmi les plus intéressants du pays. S'il ne subsiste pas grand-chose de l'Edo-jō (aujourd'hui le site du Palais impérial), sa porte d'origine, l'Ōte-mon, reste l'entrée principale.

Littérature

Les femmes tinrent une place prédominante dans la littérature japonaise ancienne. Cela s'explique en partie par le fait que les hommes écrivaient en *kanji* (caractères venus de Chine) et les femmes en *hiragana* (écriture japonaise). Ainsi, tandis que les hommes copiaient les styles et les textes

ROMANS SUR TÉLÉPHONE PORTABLE : LES LETTRES AU BOUT DU POUCE

En prenant le métro dans n'importe quelle ville japonaise, vous remarquerez que la moitié des jeunes gens pianotent frénétiquement sur leur téléphone portable avec leurs pouces. Si la majorité des messages sont des SMS adressés à des amis, vous assistez peut-être à la rédaction du prochain grand roman japonais. La mode est en effet au *keitai shōsetsu* (roman écrit et diffusé sur portable) et, en 2007, cinq des 10 romans les plus vendus au Japon ont d'abord été diffusés sous cette forme. Ce chiffre est d'autant plus stupéfiant que le premier *keitai shōsetsu* (*Deep Love*, écrit par Yoshi) date seulement de 2003.

Les auteurs des *keitai shōsetsu* sont essentiellement des jeunes femmes, qui signent souvent d'un pseudonyme. Ces ouvrages traitent généralement de l'amour et de l'aliénation, dans un style impersonnel ponctué d'abréviations et de références techno-pop. Les critiques littéraires émettent des avis très contradictoires sur les *keitai shōsetsu* ; certains n'y voient que des jacasseries puériles d'adolescentes fleur bleue, d'autres s'extasient sur l'emploi d'une nouvelle technologie pour perpétuer un art ancien.

chinois, les femmes produisaient la première littérature authentiquement japonaise. L'une d'elles, Murasaki Shikibu écrivit le plus ancien roman japonais, *Genji Monogatari* (*Le Dit du Genji* ; Diane de Selliers 2008, excellente traduction de René Sieffert). Ce roman-fleuve relate avec force détails les intrigues et les amours de la cour à la période de Heian. Bien que ce soit une œuvre majeure, sa longueur tend à le réserver aux amoureux du Japon et aux passionnés de littérature.

Les auteurs modernes vivent essentiellement dans les villes et décrivent le monde urbain. Si certains composent des odes à cet univers, la plupart déplorent la perte du mode de vie rural traditionnel, qui a laissé la place à une société moderne industrialisée. Classique de la littérature moderne, *Kokoro* (*Le Pauvre Cœur des hommes* ; 1914), de Natsume Sōseki, souligne les tensions entre la ville et la campagne, comme *Yukiguni* (*Pays de neige* ; 1935-1947), du Prix Nobel de littérature Yasunari Kawabata. Les deux auteurs abordent les contradictions d'un Japon tiraillé entre la nostalgie du passé et la ruée vers le futur, entre le cœur rural du pays et les villes en plein essor. Kawabata est disponible en Livre de Poche et Sōseki est édité chez Gallimard ou le Serpent à plumes.

Si beaucoup de ses compatriotes reprochent à Yukio Mishima de n'être pas représentatif de la culture japonaise, son œuvre n'en demeure pas moins très intéressante. *Gogo no eiko* (*Le Marin rejeté par la mer* ; 1963), d'une beauté troublante, et *Utage no ato* (*Après le banquet* ; 1960) sont particulièrement passionnants. Le second fut à l'origine du premier procès pour atteinte à la vie privée de l'histoire du Japon. Tous deux sont publiés chez Gallimard (coll. Folio).

L'œuvre de Kenzaburo Ōe, le deuxième Prix Nobel de littérature japonais, se distingue par des écrits énigmatiques et nerveux. Dans *Kojinteki na taiken* (*Une affaire personnelle* ; 1964), son plus célèbre roman – traduit en français chez Stock –, Kenzaburo Ōe évoque de manière troublante sa douleur d'avoir un fils autiste : après la naissance d'un bébé anormal, un homme de 27 ans sombre dans l'angoisse ; tout se mêle, l'échec de son mariage, son envie de fuir en Afrique et son désir de se débarrasser de son fils.

Depuis la fin des années 1970, la littérature japonaise semble prendre une orientation différente. Ainsi, dans *Bleu presque transparent*, paru au Japon en 1977, Ryū Murakami aborde presque exclusivement les thèmes du sexe et de la drogue. Dans son ode au narcissisme du début des années 1990, *Les Bébés de la consigne automatique*, il raconte la vie décadente de deux garçons

Sōseki Natsume est avant tout connu pour *Kokoro*. Toutefois, *Je suis un chat* (Gallimard), une histoire racontée du point de vue d'un chat au tournant du XXᵉ siècle, est beaucoup plus amusante.

Remarquable roman d'Abe Kobo, *La femme des sables* (1962 ; Poche 1992), est une fable sur un homme prisonnier des dunes. C'est l'une des fictions japonaises les plus fascinantes.

À lire également parmi les œuvres contemporaines : *Les Années douces* et *Cette lumière qui vient de la mer* de Hiromi Kawakami (Picquier, 2005) ; *Ikebukuro West Gate Park* d'Ira Ishida (Picquier, 2005) ; *Tokyo décibels* de Tsuji Hitonari (Naïve, 2005) et *La Formule préférée du professeur* de Yoko Ogawa (Actes Sud, 2005).

MUSIQUE ET INSTRUMENTS TRADITIONNELS

▪ Le *gagaku* ramène à la musique de la cour impériale japonaise. Aujourd'hui, les ensembles comprennent 16 musiciens avec des instruments à cordes, comme le *biwa* (luth) et le *koto* (instrument à 13 cordes inspiré d'une cithare chinoise, posé à plat sur le sol), et à vent, tel l'*hichiriki* (hautbois japonais).

▪ Le *shamisen* est un instrument à long manche et à trois cordes, proche du luth ou du banjo. Populaire durant la période d'Edo, surtout dans les quartiers de plaisir, il est toujours employé pour accompagner les représentations de kabuki et de bunraku, et reste l'un des principaux apanages des geishas.

▪ Le *shakuhachi* est un instrument à vent importé de Chine au VIIe siècle. Les moines errants *komusô*, qui en jouaient au fil de leurs pérégrinations, contribuèrent à le rendre populaire aux XVIe et XVIIe siècles.

▪ Le mot *taiko* désigne indifféremment tous les grands tambours japonais. Les percussionnistes jouent souvent torse nu pour dévoiler les mouvements des muscles de leur dos.

Deux grands classiques indémodables : l'*Éloge de l'ombre*, de Tanizaki Junichirô (Pof, 2008), un brillant essai écrit en 1933 sur l'esthétique japonaise, et le *Fusil de chasse* (1949) d'Inoué Yasushi (Livre de poche, 2000), une très belle histoire d'amour sous forme de tragédie.

abandonnés par leur mère dans une consigne. Mentionnons également l'excellent *Lignes*, publié chez Picquier comme les deux précédents. Banana Yoshimoto, quant à elle, dresse dans son roman *Kitchen* (Folio Gallimard) une chronique de la culture pop des années 1980.

Haruki Murakami est surtout connu pour *La Ballade de l'impossible* (Points Seuil). Sur fond de manifestations d'étudiants dans les années 1960, l'auteur se dépeint lui-même dans sa jeunesse. *La Course au mouton sauvage* (Points Seuil) mérite également l'attention : la quête d'un mouton mutant portant une étoile sur le dos conduit un publicitaire dans les montagnes du Nord. Le héros finira par affronter la bête tout en luttant contre ses propres démons. Citons aussi *Kafka sur le rivage* (Belfond), paru en 2006, un roman initiatique d'une grande profondeur.

Enfin, côté polars, les Japonais sont des auteurs prolifiques depuis plusieurs décennies. Considéré comme le précurseur de la littérature policière japonaise, Edogawa Ranpo (signifiant "flânerie au bord du fleuve Edo") – de son vrai nom Hirai Tarô – choisit son nom de plume d'après l'anagramme d'un auteur qu'il admirait : Edgar Allan Poe. Dans les cinq nouvelles de *La Chambre Rouge* (Picquier Poche), on retrouve la même atmosphère et le même goût pour les mises en scène fantastiques et obsessionnelles que dans son célèbre roman *La proie et l'ombre* : une logique implacable qui fait du crime une voie esthétique, où s'entremêlent perversions sexuelles, cruauté raffinée, manies et délires mentaux. Même si elles ont été écrites dans la première moitié du XXe siècle, les œuvres de Ranpo conservent un ton étonnamment moderne. Du même auteur, citons également *Le Lézard Noir* (Picquier Poche), adapté au théâtre par Mishima puis au cinéma.

Les mélomanes se plongeront dans *La musique classique du Japon, du XVe siècle à nos jours*, d'Akira Tamba (POF, 2001), tout en écoutant des morceaux de style nagauta ("chant long", joué au shamisen) dans le CD *Japon – Kabuki et autres musiques traditionnelles*, par l'ensemble Nipponia (Nonesuch).

Musique

Vaste et mouvante, la scène musicale japonaise est portée par des mélomanes ouverts à toutes les expériences. Des artistes internationaux se produisent régulièrement dans le pays et chaque soir, la scène locale s'illustre dans des milliers de salles de concerts. Le jazz, le rock, la house et la musique électronique sont particulièrement dynamiques. Plus grand public, les *aidoru* (jeunes idoles) doivent leur popularité à une importante médiatisation et à leur image de jeunes filles charmantes – mais il y a aussi des garçons. Elles séduisent surtout les moins de 15 ans et les ados.

Actuellement, la J-pop ("japan pop") est dominée par des chanteuses qui s'inspirent de pop stars américaines comme Mariah Carey. La plus célèbre est Utada Hikaru, dont la voix superbe et la maîtrise de l'anglais (elle ponctue ses chansons de paroles en anglais) la distinguent de la foule des aidoru souvent banales.

Autre star de la scène musicale japonaise, Jero (de son vrai nom Jerome White) est un jeune chanteur afro-américain. Né et élevé à Pittsburgh, en Pennsylvanie, Jero a découvert la musique japonaise en écoutant sa grand-mère japonaise chanter des *enka* (romances japonaises). En 2008, il a remporté un énorme succès avec sa chanson *Umi Yuki* (Neige sur la mer). Vêtu comme un chanteur de hip-hop américain, Jero a impressionné les critiques par sa voix et sa maîtrise du japonais. Il pourrait relancer la mode d'un genre musical tombé en désuétude.

Donald Richie a publié *Le Cinéma japonais* (Rocher, 2005), un panorama du 7ᵉ art de l'archipel : histoire, mouvements et écoles, analyse des œuvres des grands réalisateurs, ainsi qu'un guide commenté de plus de 200 films.

Cinéma

Le Japon possède une industrie cinématographique dynamique, régulièrement encensée par la critique. Un nouvel engouement international depuis le milieu des années 1990 a renforcé l'intérêt pour les films nationaux, qui représentent environ 40% des recettes au box-office (contre 20% environ dans la plupart des pays européens). Ce chiffre englobe les films d'auteur, mais aussi ceux de science-fiction, d'horreur et de monstres, pour lesquels le Japon est également connu.

Les premiers films japonais furent principalement des adaptations à l'écran du théâtre traditionnel. Les années 1920 virent la naissance de deux genres distincts : le *jidaigeki* (films historiques) et un style nouveau, le *gendaigeki*, qui privilégiait des thèmes modernes. Les scénarios plus réalistes du second eurent rapidement une influence sur les films traditionnels qui déboucha sur la réalisation de *shin jidaigeki* (nouveaux films historiques). Les histoires de samouraïs devinrent alors un thème récurrent du cinéma japonais.

Les années 1950 marquèrent l'âge d'or du cinéma nippon. *Rashōmon* (1950), d'Akira Kurosawa, remporta le Lion d'or au festival de Venise en 1951 et l'Oscar du meilleur film étranger. Un réalisme sans cesse renforcé et la qualité exceptionnelle des films de cette époque s'illustrent dans des œuvres majeures comme *Voyage à Tōkyō* (*Tōkyō Monogatari*, 1953) du légendaire Yasujirō Ōzu, dans les classiques de Kenji Mizoguchi – *Ugetsu*

Dans *Voyage à Tōkyō* (*Tōkyō monogatari*, 1953), Yasujirō Ōzu raconte l'histoire d'un couple âgé qui vient voir ses enfants à Tōkyō et se heurte à l'indifférence et au manque de respect.

UN CINÉASTE OUBLIÉ ?

Des grands maîtres du cinéma japonais comme Ōzu, Mizoguchi, Kurosawa, c'est Mikio Naruse qui reste à ce jour le moins connu du public occidental.

Si Naruse (1905-1969) est désormais reconnu comme l'un des plus grands réalisateurs japonais des années 1950, il faudra attendre les années 1980 – et une rétrospective à la Cinémathèque française en 2001 – pour voir le cinéaste définitivement consacré. Mikio Naruse réalise ses premiers films muets en 1930. *La Mère*, sorti en France en 1954, est l'un des fleurons du cinéma japonais. Dans les années 1960, son thème de prédilection reste le portrait de femmes dans *Quand une femme monte l'escalier* (*Onna ga kaidan o agaru*, 1960), l'histoire d'une hôtesse de bar, ou dans *Nuages épars* (*Miidaregumo*) en 1967, son dernier film.

Son cinéma est marqué par une économie d'effet, et néanmoins une grande efficacité dramatique. Donnant peu d'instructions à ses comédiens, faisant très peu de commentaires, laissant tourner la caméra, l'essentiel de son travail se faisait au montage, où, par des inserts ou des coupes, il corrigeait et arrangeait les séquences à sa convenance. *Nuages flottants* (*Ukigumo*, 1955), son chef d'œuvre, une émouvante histoire sur une famille déchirée, est adapté d'un livre de la romancière Fumiko Hayashi.

HAYAO MIYAZAKI – LE ROI DE L'ANIME

Hayao Miyazaki, le réalisateur d'*anime* japonais le plus célèbre et le plus encensé, nous a offert certaines des images les plus inoubliables de l'histoire du grand écran. Rappelez-vous l'île qui flottait dans le ciel dans *Laputa*, un classique de 1986, le train magique qui franchissait la surface d'une mer bleu-vert dans *Le Voyage de Chihiro* (2002), ou encore le monde psychédélique sur lequel ouvraient les portes du *Château ambulant* (2004). Miyazaki possède le génie de plonger le spectateur dans un monde imaginaire incroyablement réaliste.

Hayao Miyazaki est né à Tōkyō en 1941. Son père dirigeait une entreprise qui fabriquait des pièces détachées pour les fameux avions de combat Zero. Cette familiarité avec les avions marqua profondément le jeune Hayao, comme en témoignent ses films : le ciel est souvent rempli d'engins volants les plus excentriques, dirigeables, bateaux volants ou les ailes de *Nausicaa de la vallée du vent*.

Au lycée, Miyazaki vit l'un des premiers *anime* japonais, *Hakujaden*, et décida de devenir dessinateur. Après son diplôme en 1963, il entra dans la puissante société Tōei Animation, où il collabora à certaines des plus célèbres productions du studio. En 1971, il rejoignit les studios A Pro, où il codirigea sa première création, la série désormais célèbre (du moins au Japon) *Lupin III*. En 1979, il dirigea, seul cette fois, *Le Château de Cagliostro*, un autre épisode de *Lupin*.

En 1984, Miyazaki écrivit et réalisa *Kaze no Tani no Nausicaa* (*Nausicaa de la vallée du vent* ; sorti en France fin 2006), considéré par de nombreux critiques comme son premier film véritablement personnel et qui offre un excellent avant-goût de ses thèmes de prédilection. Le film fut accueilli avec enthousiasme par le public et la critique et imposa Miyazaki comme une figure incontournable du monde de l'*anime*. Ce succès lui permit de fonder son propre studio d'animation, le Studio Ghibli.

En 1988, le Studio Ghibli produisit *Tonari no Totoro* (*Mon voisin Totoro*), considéré par beaucoup comme le chef-d'œuvre de Miyazaki. *Totoro* raconte l'histoire d'une jeune fille qui part à la campagne avec sa famille pendant que sa mère est en convalescence. L'héroïne se lie d'amitié avec une créature magique qui vit sous un camphrier géant et se déplace en chat-bus (véhicule de rêve s'il en est). Ce film, plus simple et moins dense que ses autres réalisations, est la meilleure introduction à l'univers de Miyazaki.

Les fans les plus enthousiastes de ce créateur visiteront son musée Ghibli (p. 158) à Mitaka, une courte excursion d'une journée depuis Tōkyō.

Monogatari (*Les Contes de la lune vague après la pluie*, 1953) et *Saikaku Ichidai Onna* (*La Vie d'Oharu, femme galante*, 1952) –, et dans le chef-d'œuvre de Kurosawa, *Shichinin no Samurai* (*Les Sept Samouraïs*, 1954).

En 1958, les salles japonaises totalisèrent 1,1 milliard d'entrées. Kyōto, avec ses grands studios de cinéma comme Shōchiku, Daiei et Tōei et plus de 60 salles, connut alors son heure de gloire et devint le Hollywood nippon.

Des films talentueux à voir également : *Tōkyō Sonata* (2009) de Kiyoshi Kurosawa, *M/Other* (1999) de Nabuhiro Suwa ; *Shara* (2004) de Naomi Kawase ; *Kaïro* (2001) de Kiyoshi Kurosawa et *The Taste of Tea* (2005) de Katsuhito Ishii.

Comme partout dans le monde, l'essor fulgurant de la télévision entraîna une baisse de la fréquentation des salles dans les années 1960 et 1970. Le cinéma demeura néanmoins l'un des arts majeurs au Japon et c'est à cette époque que furent réalisés des classiques comme *Chushingura* (1962), de Kon Ichikawa, et *Yōjimbo* (*Le Garde du corps*, 1961), de Kurosawa.

La baisse du nombre des entrées se poursuivit dans les années 1980, aggravée par la généralisation des cassettes vidéo, pour atteindre à peine plus de 100 millions par an. Le cinéma japonais demeura pourtant bien vivant. *Kagemusha* (1980), qui reçut la Palme d'or à Cannes, et *Ran* (1985), tous les deux de Kurosawa, furent encensés sur la scène internationale. Le film déchirant de Shōhei Imamura, *Narayama Bushiko* (*La Ballade de Narayama*), reçut à son tour la Palme d'or en 1983.

Jūzō Itami devint, quant à lui, le réalisateur nippon le plus connu à l'étranger après Kurosawa, avec des films satiriques comme *Osōshiki* (*Funérailles*, 1985), *Tampopo* (1987) et *Marusa no Onna* (*L'Inspectrice des impôts*, 1988). Nagisa Ōshima, plus connu pour ses films controversés comme *Ai no Korrida* (*L'Empire des sens*, 1976), fut salué par le public et la critique en 1983 pour *Senjo no Merry Christmas* (*Furyo* pour la version française).

Ces dernières années, le cinéma japonais a connu un renouveau et retenu l'intérêt du public et des critiques étrangers. En 1997, deux réalisateurs japonais ont été récompensés lors de deux festivals prestigieux. *Unagi* (*L'Anguille*), de Shohei Imamura, un film d'humour noir sur l'aspect sombre de la nature humaine, a reçu la Palme d'or à Cannes. Imamura est le premier réalisateur japonais à obtenir deux fois cette distinction. "Beat" Takeshi Kitano a remporté le Lion d'or à Venise pour *Hana-bi*, une fable sur la vie et la mort, et la violence et l'honneur qui les relient. Plus récemment, *Departures* (*Okuribito*), de Takita Yojiro, a obtenu l'Oscar du meilleur film étranger en 2009.

Reportez-vous p. 29 pour notre sélection des meilleurs films japonais.

Hirokazu Kore-Eda, en compétition à Cannes en 2004 avec *Nobody knows*, conte avec tendresse le quotidien d'enfants livrés à eux-mêmes. Inspirée d'un fait divers, cette oeuvre vaudra à son jeune acteur de 14 ans le Prix d'interprétation.
En 2009, Hirokazu dévoile le doux-amer *Still Walking*, qui aborde le thème du deuil au sein d'une famille japonaise.

ANIMATION (ANIME)

Le mot japonais *anime*, une contraction du terme "animation", est employé dans le monde entier pour désigner les films d'animation japonais d'une extrême sophistication. Les *anime* occupent une place de choix dans le paysage cinématographique nippon, contrairement à ce qui se passe dans d'autres pays. Ils abordent tous les genres, de la science-fiction à l'action et des histoires d'amour aux faits historiques.

Les *anime* visent un public de tout âge et de toute origine sociale. Ils abordent indifféremment des questions philosophiques ou sociales, l'humour et le fantastique. Ils réunissent des images d'un réalisme extraordinaire, avec un grand souci du détail, des personnages complexes et expressifs et des scénarios élaborés. Les réalisateurs et les acteurs qui prêtent leur voix aux personnages sont connus et respectés, et les personnages deviennent des idoles populaires.

Parmi les *anime* plus connus figure *Akira* (1988) de Katsuhiro Ōtomo, une histoire futuriste et psychédélique dans une mégapole habitée par des gangs de motards et des enfants désaxés. Ōtomo a également participé à la création de *Memories* (1995), un *anime* en trois parties : dans la dérangeante séquence "Magnetic Rose", des éboueurs de l'espace tombent sur un engin spatial contenant la mémoire d'une femme mystérieuse. Enfin, *Ghost in a Shell* (1995), de Mamoru Ōishii, décrit un complot futuriste que ne renierait pas Philip K. Dick.

Bien entendu, un nom domine tous les autres dans le monde des *anime* : Hayao Miyazaki, qui a imposé ce genre en Occident (voir l'encadré ci-contre).

SPORTS

Reportez-vous également à la rubrique *Activités sportives* (p. 810).

Sumo

Discipline fascinante, fortement ritualisée et enracinée dans les croyances shintō, le sumo est le seul sport japonais traditionnel à attirer des foules et à figurer en prime time à la télévision. Vieux de 2 000 ans, cette lutte dérive d'une ancienne forme de combat appelée *sumai* (lutter). Les tournois durent habituellement une quinzaine de jours et l'on peut facilement se procurer une place, sauf pour les grands matchs du week-end. Les tournois (*bashō*) ont lieu en janvier, mai et septembre à Ryōgoku Kokugikan (p. 187) à Tōkyō, en mars au gymnase Furitsu Taiiku-kan à Ōsaka, en juillet au gymnase de la préfecture d'Aichi à Nagoya (voir p. 251), et en novembre au Centre Fukuoka Kokusai à Fukuoka (p. 699). Les combats les plus courus sont ceux où s'illustre un *yokozuna* (grand champion). Actuellement, le sumo est dominé par deux *rikishi* (lutteurs de sumo) étrangers, le Mongol Asashōryū et le Bulgare Kotoōshū.

Football

Le football, déjà très populaire au Japon avant que la Coupe du monde ne se déroule à Saitama et Yokohama en 2002, déchaîne désormais les passions. La saison de la Ligue nationale de football japonaise (J-League ; www.j-league.or.jp/eng/) dure de mars à novembre et des matchs ont lieu dans tout le pays.

Base-ball

Le base-ball fut introduit au Japon en 1873. La première équipe professionnelle, les Yomiuri, fut créée en 1934, après la tournée japonaise de Babe Ruth et de Lou Gehrig. Les matchs continuèrent pendant la Seconde Guerre mondiale, mais les joueurs devaient revêtir des uniformes kaki sans numéro et se saluer sur le terrain. Bien que le base-ball demeure très médiatisé et populaire, des supporters s'inquiètent de l'avenir de ce sport au Japon après le départ de plusieurs joueurs talentueux, tels Hideki Matsui, Ichirō Suzuki et Daisuke Matsuzaka, pour rejoindre de grandes équipes américaines. Entre avril et octobre, vous pourrez assister à un match dans l'historique stade Koshien (1924 ; carte p. 400), le premier stade construit au Japon, à la périphérie d'Ōsaka, ou au Tōkyō Dome (p. 187), affectueusement surnommé "Big Egg"(Gros Œuf) et résidence des Yomiuri Giants, l'équipe favorite du pays.

La cuisine japonaise

Ceux qui connaissent la cuisine japonaise (*nihon ryōri*) considèrent généralement qu'elle est l'un des éléments essentiels à la réussite d'un voyage dans l'archipel. Même si vous avez eu l'occasion, avant de partir, d'en goûter certaines des spécialités les plus connues, vous serez sans doute étonné, sur place, de découvrir à quel point cette cuisine est savoureuse et variée. En outre, les gourmands les plus intrépides découvriront avec bonheur que la cuisine ne se limite pas aux sushis, *tempura* ou *sukiyaki*. Il est tout à fait possible de passer un mois au Japon et d'expérimenter chaque soir un plat différent.

L'idée de dîner dans un restaurant où l'on ne comprend ni la langue ni le menu en intimidera peut-être certains, mais il suffit de se familiariser avec les principales variétés de restaurants japonais pour savoir quoi commander. Que les plus timides se rassurent : les Japonais feront toujours preuve d'une grande patience pour comprendre ce que vous désirez et vous guider dans votre choix. Par ailleurs, pour les restaurants figurant dans ce guide qui ne possèdent pas de carte en anglais, les auteurs ont indiqué quelques suggestions.

À l'exception des *shokudō* (restaurants non spécialisés) et des *izakaya* (bar-restaurant), la plupart des établissements japonais sont spécialisés dans un type de cuisine, ce qui limite le choix à quelques plats, souvent savoureux. La rubrique *Restaurants et menus types* (p. 78) répertorie les principales catégories de restaurants et certains des plats les plus couramment servis.

Pour savoir à quoi vous attendre dans un restaurant japonais, reportez-vous à l'encadré p. 77. Pour éviter les faux pas à table, lisez l'encadré p. 76.

> Le guide *Japan Bar* (Larousse, 2009) traduit et adapté du japonais par Ghislaine Tamisier, présente en détails 90 recettes pour découvrir l'art culinaire japonais, des mets les plus simples aux plus sophistiqués.

ALIMENTS DE BASE

Malgré la stupéfiante variété de plats disponibles dans l'archipel, il existe quelques aliments de base : *shōyu* (sauce de soja), miso, tofu, *mame* (haricots)… Le plus important demeure néanmoins la graine sacrée, le *kome* (riz).

Riz (O-kome)

Consommé quotidiennement et tout au long de la journée, le *kome* (riz) est l'essence de la cuisine japonaise. Sec, il s'appelle *o-kome*, le préfixe emphatique *o-* précédant *kome*, ou "riz." Préparé à la japonaise, il devient *go-han* (le préfixe *go-* est l'expression du plus grand respect), qui désigne le riz cuit, mais également le repas. Les routiers lui préféreront cependant *meshi*, plus informel et proche de "tambouille." Servi à l'occidentale, il prend le nom de *raisu*. En moyenne, chaque Japonais consomme quelque 70 kg de *kome* par an – pour lui, un repas ne se conçoit pas sans *kome*.

> La première divinité shintō est Inari, dieu de la récolte de riz.

Hakumai est le nom du riz blanc commun aux plats de base, du modeste *ekiben* (*bentō*, ou boîte-repas, vendu à la gare) au *kaiseki* (haute cuisine japonaise). Ainsi, un repas peut consister en un bol de *hakumai* garni de *tsukudani* (poisson et légumes marinés dans du *shōyu* et du *mirin*, vin de riz doux) et une soupe de miso accompagnée de quelques *tsukemono* (légumes en saumure). En dehors des restaurants bio, on trouve rarement du *genmai*, riz complet non poli (à l'exception notable de la cuisine bouddhiste végétarienne, ou *shōjin-ryōri*), car il n'a pas la saveur et le brillant du *hakumai*. Le riz est aussi préparé en *zōsui* (soupe de riz), *o-chazuke* (riz blanc arrosé de thé vert), *onigiri* (les incontournables boulettes de riz), ou vinaigré pour l'élaboration des sushis.

LE B.A.-BA DES BONNES MANIÈRES

Au Japon, les bonnes manières à table sont régies par de nombreuses règles tacites mais faciles à mémoriser. Si vous craignez de commettre un impair, sachez que les gaffes des étrangers sont accueillies avec indulgence : les Japonais s'offusquent rarement, tant que vous respectez les règles de politesse de votre pays d'origine. Voici quelques principes de base :

- **Baguettes et riz** Ne plantez pas vos *hashi* (baguettes) verticalement dans votre bol de riz : c'est ainsi que les offrandes sont présentées aux morts dans les rites bouddhiques. De la même manière, ne passez pas la nourriture à quelqu'un avec vos baguettes, car ce geste rappelle un rituel funéraire.

- **Expressions de politesse** Lorsque vous partagez votre repas avec d'autres convives, surtout si vous êtes invité, il est poli de dire "*itadakimasu*" (littéralement "je le reçois") avant de commencer, expression qui n'est pas sans évoquer le bénédicité. À la fin du repas, il convient de remercier votre hôte en prononçant les mots "*gochisō-sama deshita*" ("c'était un régal").

- **Kampai** Il n'est pas convenable de remplir son propre verre : il faut servir celui de son voisin et attendre qu'il fasse de même avec vous. Levez un peu votre verre pendant qu'on le remplit. Quand les verres sont pleins, tout le monde s'écrie "*kampai*!" ("Santé !")

- **Slurp** Lorsque l'on mange des nouilles au Japon, il est tout à fait normal, voire essentiel, de les aspirer bruyamment. Si vous êtes à la recherche d'un restaurant de *rāmen* (nouilles aux œufs), rien de plus facile : il suffit de tendre l'oreille !

Mame (haricots)

Le *matsutake* est un champignon japonais très prisé qui se vend jusqu'à 2 000 $US/kg.

L'influence considérable du bouddhisme dans l'histoire du Japon contribue à expliquer la place occupée par différentes formes de haricots – précieuse source de protéines – dans la cuisine japonaise. Le plus répandue est le soja, ou *daizu* (littéralement "gros haricot"), qui constitue la matière première du miso, du *shōyu*, du tofu, du *yuba* (peau du lait de soja) et du *nattō* (soja fermenté). Sa réputation n'est plus à faire… On le retrouve aussi dans des plats comme le *hijiki-mame,* mélange d'algues noires en forme de brindilles, de *daizu no nimono,* graines de soja cuites au *konbu* (laminaire), et de champignons *shiitake* séchés, aromatisés d'huile, de sauce de soja et de sucre.

• Enfin, le haricot *azuki* (composé des caractères chinois "petit" et "haricot"), est omniprésent dans la fabrication des *wagashi* (friandises japonaises), souvent destinées à la cérémonie du thé, et dans la préparation du *seki-han* (riz au haricot rouge), servi durant certaines festivités et à l'occasion des premières règles d'une jeune fille.

Miso

Depuis la découverte de l'ancêtre chinois du miso au VIIe siècle, peu après le bouddhisme, les Japonais ne peuvent plus se passer du *misoshiru* (soupe de miso), qu'ils avalent au petit déjeuner, au déjeuner et au dîner. Obtenu en ajoutant du *kōji* (ferment) et du sel aux graines de soja, le miso fait partie intégrante de tout repas japonais, qu'il soit servi sous forme de *misoshiru* ou comme condiment. Sur les *dengaku* (brochettes grillées de poisson et légumes), on enduit aussi de miso les aubergines ou le *konnyaku* (langue du diable, ou amorphophallus).

Le *misoshiru* est une soupe de couleur brune à base de *dashi* (bouillon), de miso et de coquillages comme le *shijimi* (palourde d'eau douce) ou l'*asari* (praire), de légumes comme le *daikon* (radis blanc géant), les carottes ou la bardane (qui facilite la digestion), de porc ou simplement de tofu. La soupe de miso accompagne traditionnellement tous les repas japonais ou presque. Si l'on vous sert un bol de riz, le *misoshiru* n'est jamais loin.

Tofu

Généralement à base de graines de soja, le tofu est l'une des créations culinaires japonaises les plus sublimes. Il se vend sous deux formes : le *kinugoshi* (tofu tendre), et le *momen* (ou *momengoshi*), plus ferme. Le premier est surtout utilisé en soupes, notamment dans le *misoshiru*. Le second se mange tel quel, en *agedashi-dōfu*, beignet de tofu dans un bouillon *dashi*, ou en *yudōfu*, fondue de tofu et spécialité de Kyōto. Le *momen* et le *kinugoshi* tirent leur nom de la technique employée lors de l'égouttage du lait de soja chaud : filtré dans du coton (*momen*), le tofu est ferme, tandis que la soie *(kinu)* donne du *kinugoshi*.

Particulièrement savoureux, le *hiyayakko*, gros cubes de tofu arrosés de sauce de soja et servis avec du gingembre râpé et de fines rondelles d'oignon frais, est un classique de la cuisine d'*izakaya*.

Le traditionnel *abura-age* désigne des tranches d'un tofu très dense, grillées dans de l'huile de sésame (de nos jours, les producteurs utilisent aussi de l'huile végétale ou de soja). C'est l'élément indispensable d'un plat de fête, le *chirashi-zushi* (riz vinaigré garni d'œufs cuits et d'autres ingrédients, crevettes, concombre ou gingembre) et de l'*inari-zushi* (poche de tofu frit fourrée de riz vinaigré).

On trouve le *yuba*, spécialité de Kyōto, dans le *shōjin-ryōri*. Servi frais avec du wasabi (raifort vert) râpé et trempé dans la sauce de *shōyu tsuyu*, il accompagne délicieusement le saké. Sa production est longue et complexe : le lait de soja est mis à cailler à feu doux, et la peau qui se forme à la surface est délicatement prélevée.

La cuisine bio du Japon (Anagramme éditions, 2008), de Natacha Duhaut, vous permettra de cuisiner des produits traditionnels japonais réputés pour leurs effets bénéfiques (agar-agar, tofu, lait de soja, algues kombu, etc.).

DU VOYAGE DANS L'ASSIETTE

S'il existe un mot que tout gourmet doit apprendre avant de venir au Japon, c'est celui de *meibutsu ou* "spécialité" régionale. Malgré sa petite taille, le Japon en possède une immense variété. Lorsque vous commandez dans un restaurant ou un *izakaya* (bar-restaurant), demandez simplement le *meibutsu* : l'expérience est souvent inoubliable. Voici quelques-unes des spécialités locales les plus renommées.

- Hiroshima : *kaki* (huîtres) ; *Hiroshima-yaki, okonomiyaki* (crêpe au chou cuite sur une plaque chauffante) à la sauce de Hiroshima
- Hokkaidō : *kani-ryōri* (plats à base de crabe) ; saumon
- Kyōto : *kaiseki* (haute cuisine japonais) ; *wagashi* (confiseries traditionnelles) ; *yuba* ("peau" du lait de soja) ; *Kyō-yasai* (légumes à la mode de Kyōto)
- Kyūshū : *tonkotsu-rāmen* (rāmen dans un bouillon de porc) ; *Satsuma-imo* (patates douces)
- Nord de Honshū : *wanko-soba* (soba à volonté) ; *jappa-jiru* (soupe au cabillaud, au radis japonais et au miso)
- Okinawa : *gōya champuru* (fricassée de concombre amer) ; *sōki-soba* (rāmen aux côtes de porc) ; *mimiga* (oreilles de porc en saumure)
- Ōsaka : *tako-yaki* (boulettes de pâte fourrées au poulpe) ; *okonomiyaki*
- Shikoku : *sansai* (légumes des montagnes) ; *Sanuki-udon* (nouilles de froment) ; *katsuo tataki* (bonite légèrement grillée au feu de bois)
- Tōkyō : sushis

Shōyu (sauce de soja)

Étonnamment, le *shōyu* est un ajout récent à la cuisine japonaise, même s'il existait déjà sous une forme primitive, le *hishio*, à base de poisson salé, à l'ère Yayoi. Le *shōyu* dans sa forme actuelle est plus récent : il remonte à l'ère Muromachi (1333-1568).

Grâce à la production de masse, la marque Kikkōman est aujourd'hui employée dans la majorité des foyers, mais la fabrication du *shōyu* est encore assurée dans tout le pays par de petites fabriques artisanales. Il en existe deux variétés : la sauce foncée (*koikuchi-shōyu*, "goût épais"), et une version claire et beaucoup plus salée (*usukuchi-shōyu*), adoucie et diluée par l'adjonction de *mirin*. Le *koikuchi* se retrouve dans de nombreuses recettes. Dans le *teriyaki*, par exemple, un mélange de *shōyu*, de *mirin* et de sucre est étalé sur la viande ou le poisson avant la grillade. Quant à l'*usukuchi-shōyu*, prisé des habitants du Kansai, il convient aux soupes et aux poissons blancs, et met superbement en valeur les couleurs d'un plat.

RESTAURANTS ET MENUS TYPES
Shokudō

Les *shokudō* sont les restaurants les plus courants. On les trouve près des gares, des sites touristiques, et dans tous les lieux publics. Identifiables aux plats factices en plastique exposés en vitrine, ces établissements servent généralement un choix de *washoku* (plats japonais) et de *yōshoku* (cuisine occidentale).

Au déjeuner, et parfois au dîner, l'option la plus pratique est le *teishoku* (menu), parfois appelé *ranchi setto* (prononciation japonaise de l'anglais "lunch set", "menu déjeuner") ou *kōsu*. Il comprend généralement une viande ou un poisson, un bol de riz, du *misoshiru*, du chou éminé et quelques *tsukemono*. La plupart des *shokudō* servent en outre une sélection de *donburi-mono* (plats de riz) et de *menrui* (nouilles), *soba* ou *udon*,

---

MANGER DANS UN RESTAURANT JAPONAIS

En entrant dans un restaurant japonais, le client est accueilli par un chaleureux *"irasshaimase"* ("bienvenue !"). À l'exception des établissements les plus modestes, le serveur demande alors *"nan-mei sama"* ("Combien de personnes ?"). Répondez à l'aide de vos doigts – c'est ce que font les Japonais. Il vous mènera à une table, au comptoir ou dans une pièce à tatamis.

On vous remet ensuite un *oshibori* (serviette chaude), une tasse de thé et une carte. L'*oshibori* sert à s'essuyer les mains et le visage. Après l'avoir utilisée, roulez la serviette et posez-la près de vous. Le plus difficile reste à faire : commander. Si vous ne lisez pas le japonais, reportez-vous aux traductions en caractères romains proposées dans ce guide, ou indiquez au serveur les termes japonais correspondants. En cas de besoin, voici deux phrases utiles : *"o-susume wa nan desu ka"* ("Que conseillez-vous ?") et *"o-makase shimasu"* ("Choisissez pour moi"). En cas de problème, essayez de montrer du doigt ce que mangent vos voisins ou, si le restaurant en possède, les reproductions en plastique exposées en vitrine.

Lorsque vous avez fini, vous pouvez demander l'addition en croisant les deux index l'un sur l'autre pour former un "x" – un geste signifiant communément "l'addition, s'il vous plaît." Vous pouvez aussi demander *"o-kanjō kudasai"*. Rappelez-vous que l'on ne laisse pas de pourboire et que le thé est gratuit. Vous recevez généralement une note à apporter à la caisse, à l'entrée du restaurant. Dans les établissements plus haut de gamme, l'hôte principal quitte discrètement la table pour payer avant le départ du groupe. Contrairement aux habitudes occidentales, on ne laisse pas l'argent sur la table en partant. Seules les grandes enseignes internationales acceptent les cartes de crédit ; mieux vaut donc se munir d'argent liquide.

En partant, il est poli de dire au personnel *"gochisō-sama deshita"*, "c'était un festin." La rubrique *Quelques expressions utiles* (p. 95) propose davantage de vocabulaire.

servies avec un choix de garnitures. Si vous ne savez pas quoi commander, il suffit d'annoncer "*kyō-no-ranchi*" (le déjeuner du jour). Un repas dans un *shokudō* coûte de 800 à 1 000 ¥.

PLATS DE RIZ

katsu-don	かつ丼	côtelette de porc pané sur un bol de riz
niku-don	牛丼	fines tranches de bœuf cuit sur un bol de riz
oyako-don	親子丼	œuf et poulet sur un bol de riz
ten-don	天丼	légumes et crevettes en *tempura* sur un bol de riz

NOUILLES

kake soba/udon	かけそば/うどん	*soba/udon* en bouillon
kitsune soba/udon	きつねそば/うどん	*soba/udon* au tofu poêlé
nagashi-sōmen	流しそうめん	"coulée de nouilles"
reimen	冷麺	*soba* au *kimchi* (spécialité coréenne, légumes piquants en saumure)
soba	そば	nouilles de sarrasin
tempura soba/udon	天ぷらそば/うどん	*soba/udon* et *tempura* de crevettes
tsukimi soba/udon	月見そば/うどん	*soba/udon* coiffées d'un œuf cru
udon	うどん	épaisses nouilles de froment
zaru soba	ざるそば	nouilles froides présentées avec de fines lamelles de nori sur un treillis en bambou

Izakaya

L'*izakaya* est l'équivalent japonais du bar-restaurant ou du bistrot. On peut y déguster, dans une ambiance joviale, une vaste sélection de plats simples généreusement arrosés de bière ou de saké. À l'entrée, on vous demandera de choisir entre le comptoir, une table ou le tatami. La carte comprend diverses spécialités, des yakitori (voir ci-dessous) aux sashimis ou aux grillades de poisson, et des versions nippones de plats européens comme les frites ou le bœuf braisé, que l'on commande au fur et à mesure.

Les *izakaya* se reconnaissent à leur façade rustique, à leurs lanternes rouges et aux kanjis d'*izakaya* (居酒屋) inscrits à l'entrée. L'*izakaya* est avant tout un bar, et les plats y sont généralement bon marché : selon ce que vous buvez, comptez de 2 500 à 5 000 ¥ par personne. Voir aussi l'encadré d'Ōta Kazuhiko (p. 88).

agedashi-dōfu	揚げだし豆腐	tofu frit au bouillon *dashi*
chiizu-age	チーズ揚げ	fromage frit
hiyayakko	冷奴	cube de tofu froid à la sauce de soja et à la ciboule
jaga-batā	ジャガバター	pommes de terre cuites au beurre
kata yaki-soba	固焼きそば	nouilles frites croustillantes à la viande et aux légumes
niku-jaga	肉ジャガ	ragoût de bœuf et de pommes de terre
poteto furai	ポテトフライ	frites
sashimi mori-awase	刺身盛り合わせ	assortiment de sashimis
shio-yaki-zakana	塩焼魚	poisson entier grillé et salé
tsuna sarada	ツナサラダ	salade de thon au chou
yaki-onigiri	焼きおにぎり	triangle de riz grillé avec une sauce *yakitori*
yaki-soba	焼きそば	nouilles sautées à la viande et aux légumes

Yakitori

Les *yakitori* (brochettes de poulet et légumes grillées au charbon de bois) sont un en-cas très prisé à la sortie du bureau, généralement pour accompagner de la bière et du saké. Dans un *yakitori-ya* (restaurant de *yakitori*), on s'assoit avec les autres clients au comptoir, et on indique au chef les brochettes que l'on désire. Notre conseil : demandez un assortiment, puis reprenez celles que vous préférez. Sachez que les brochettes sont servies par deux ou trois, mais que le tarif indiqué sur la carte s'entend généralement à l'unité.

La bière et le saké froid sont les boissons de prédilection des clients des *yakitori-ya* en été, tandis que le saké chaud est à l'honneur en hiver. Quelques verres et une bonne portion de brochettes excèdent rarement 3 000 à 4 000 ¥ par personne. Les *yakitori-ya* sont de petites échoppes, souvent proches des gares, que l'on repère à leurs lanternes rouges et à l'odeur de poulet grillé qu'elles exhalent.

gyū-niku	牛肉	morceaux de bœuf
hasami/negima	はさみ/ねぎま	alternance de viande blanche et d'oignons nouveaux
kawa	皮	peau de poulet
piiman	ピーマン	petits piments verts
rebā	レバー	foies de poulet
sasami	ささみ	morceaux d'escalope de poulet
shiitake	しいたけ	champignons japonais
tama-negi	玉ねぎ	oignons blancs
tebasaki	手羽先	ailes de poulet
tsukune	つくね	boulettes de poulet
yaki-onigiri	焼きおにぎり	triangle de riz grillé à la sauce *yakitori*
yakitori	焼き鳥	grillade de viande blanche

Sushi et sashimi

Comme le *yakitori*, le sushi est considéré comme un en-cas à déguster en buvant de la bière ou du saké. Néanmoins, les Japonais et les étrangers en font souvent un repas, à la fois délicieux et très sain. Un authentique restaurant de sushis sert le poisson cru, simplement en tranches, c'est à dire en sashimi ou *tsukuri* (le terme respectueux est *o-tsukuri*), ou sur du riz, auquel cas on parle de sushi.

Il existe deux types de sushis : le *nigiri-zushi* (le plus courant, servi sur une boule de riz) et le *maki-zushi* (entouré d'une feuille d'algue). Moins connus, on trouve aussi du *chirashi-zushi* (couche de riz garnie d'œuf ou de poisson), l'*oshi-zushi* (poisson pressé et moulé sur du riz) et l'*inari-zushi* (morceau de tofu sucré et frit fourré de riz). Quel que soit votre choix, tous les sushis sont servis avec du riz légèrement vinaigré, et, dans le cas du *nigiri-zushi* et du *maki-zushi*, un peu de wasabi.

Pour commander, rien de plus facile : si vous êtes au comptoir d'un restaurant de sushis, il suffit de montrer du doigt ce que vous voulez. La plupart des poissons proposés sont en effet exposés dans la vitrine réfrigérée qui vous sépare du chef. Vous pouvez aussi commander à la carte. *Ichi-nin mae* (une portion) comprend généralement deux sushis, mais le prix qui apparaît sur la carte correspond à une pièce. Si vous n'osez pas commander à la carte, rabattez-vous sur le *mori-awase,* un assortiment de *nigiri-zushi,* généralement proposé en trois versions : *futsū nigiri* (*nigiri* normal), *jō nigiri* (*nigiri* spécial) et *toku-jō nigiri* (*nigiri* de luxe), selon le type poisson utilisé. Un *mori-awase* contient généralement six ou sept sushis.

Sachez qu'un repas dans un bon restaurant de sushis peut dépasser 10 000 ¥, et coûte de 3 000 ¥ à 5 000 ¥ par personne dans un établissement plus ordinaire. Pour goûter aux joies du sushi sans se ruiner, nous recommandons une enseigne de type *kaiten-zushi,* où les sushis défilent sur un plateau roulant devant les clients assis au comptoir. Inutile de commander :

Le marché au poisson de Tsukiji à Tōkyō est le plus grand au monde. Quelque 2 246 tonnes de produits de la mer y transitent quotidiennement (dont plus de 450 espèces de poissons !).

PRÉPARER SON CHANKO-NABE

Voici un repas à la marmite à base de légumes, tofu, poulet et poisson. Selon la tradition, les lutteurs de sumo dévorent quotidiennement leur ration de *chanko-nabe*. En famille ou entre amis, les Japonais adorent le chaleureux coude à coude convivial de ce genre de repas "à la fortune du pot".

Fiche de marché

Pour 2 sumos… ou 4 à 5 personnes.

2 tranches de tofu frit (300 g environ)	Pour les boulettes de poisson :
200 g de chou japonais	400 g de filets de sardines
1 *daikon* (gros radis blanc) épluché	20 g de gingembre frais et râpé
2 gros poireaux	3 œufs
½ chou chinois	2 cuillerées à soupe de *miso*
50 g d'algue de kombu	50 g de ciboulette haché
500 g de poulet désossé et coupé en dés	2 cuillerées à soupe de farine
12 *shiitake* (champignons) sans les pieds	Pour le bouillon :
300 g de tofu en bloc égoutté et coupé en dés	½ litre de saké
	4 cuillerées à soupe de sauce soja
	Poivre

Préparation

Préparez les boulettes de poisson en mixant rapidement (ne pas faire une bouillie, mais garder des morceaux) tous les ingrédients. Réservez.

Faites blanchir le tofu en bloc durant 30 secondes, passez à l'eau froide, pressez pour faire sortir l'eau, puis coupez le tofu en petits carrés pour en obtenir au moins une vingtaine.

Coupez en morceaux le chou japonais, faites des rondelles peu épaisses avec le poireau et le *daikon*. Coupez en biais les feuilles du chou chinois pour en faire des bandes et séparez les feuilles des côtés.

Posez les feuilles d'algue de kombu au fond d'une cocotte, versez ½ litre d'eau et les ingrédients du bouillon, puis portez à ébullition 2 minutes.

Réduisez à feu moyen. Pétrissez les boulettes, jetez-les dans le bouillon (environ une cuillerée à soupe de chair par boulette) et laissez cuire environ 3 minutes. Puis ajoutez le poulet coupé en dés, le *daikon*, le poireau, le chou, les *shiitake*, le tofu frit et le tofu coupé en dés.

Laissez mijoter 10 à 12 minutes à feu moyen et ajoutez les feuilles du chou chinois, laissez cuire encore 3 minutes à feu doux et retirez du feu.

Assaisonnez avec le poivre selon votre goût.

Mettez la cocotte sur un réchaud de table. Chaque convive se servira à tour de rôle.

repérez une assiette qui vous tente et servez-vous. Au moment de payer, la serveuse compte simplement le nombre d'assiettes de sushis empilées devant vous. Le prix de chaque soucoupe est fonction de sa couleur et est précisé sur l'assiette ou inscrit au mur. Il est généralement possible de se rassasier pour 1 000 à 2 000 ¥ par personne.

Avant de mettre le sushi dans votre bouche, trempez-le délicatement dans le *shōyu* contenu dans une petite bouteille et que vous aurez versé dans une coupelle prévue à cet effet. Si vous n'êtes pas très à l'aise avec des *hashi* (baguettes), pas de panique : les sushis comptent parmi les rares aliments que l'on peut manger avec les doigts. Vous aurez également des tranches de *gari* (gingembre en saumure) à votre disposition. Les sushis se dégustent traditionnellement avec de la bière ou du saké (chaud en hiver et froid en été), et une tasse de thé vert en fin de repas.

La plupart des ingrédients de ce menu type de sushis peuvent également être préparés sous forme de sashimi : précisez "*no o-tsukuri*" à votre commande pour l'obtenir sans riz (*o-tsukuri* est un terme plus courant

Le guide *Sushi !* (éd. De Vecchi, 2009), de Sara Gianotti et Simone Pilla, propose une trentaine de recettes japonaises de sushis simples à réaliser.

BŒUF DE KÔBE

Si vous goûtez du bœuf de Kôbe pour la première fois, sachez que vous courez un grave danger : vous n'apprécierez plus jamais le steak comme avant. Le bœuf de Kôbe est sans aucun doute le meilleur au monde.

Apprenez tout d'abord à le prononcer : "ko-bé." En japonais, ce type de viande est appelé Kôbe-gyū. Cette appellation n'est qu'une des nombreuses variétés de bœuf japonais, ou wa-gyū (littéralement "bœuf japonais"). Le wa-gyū désigne plusieurs races de bétail élevées pour la haute teneur en gras de leur chair au goût persillé (la race la plus commune est celle à robe noire). Le bœuf de Kôbe désigne donc le wa-gyū élevé à Hyogō-ken, la préfecture de la ville de Kôbe.

De nombreux mythes entourent le bœuf de Kôbe, sans doute alimentés par les éleveurs ou par des esprits fantasques attribuant aux vaches un mode de vie idéalisé. On raconte ainsi que les bœufs de Kôbe passent leurs journées à boire de la bière et à se faire masser. Or, pendant tout le temps que nous avons passé au Japon, nous n'avons pas croisé une seule vache ivre ni rencontré de "masseur de bovins". Parions que la saveur persillée du bœuf est le résultat d'une sélection artificielle et du régime des animaux, composé d'alfalfa, de maïs, d'orge et de chaume de blé.

La meilleure manière de préparer le bœuf de Kôbe ou tout autre wa-gyū est la cuisson au teppan (plaque chauffante) dans un restaurant spécialisé dans le wa-gyū, un teppen-yaki-ya. En Occident, les steaks des restaurants sont souvent de taille XXL. Mais un bon morceau de wa-gyū est si riche en goût (et si cher) qu'il est généralement servi en petits steaks, de la grosseur d'une main. La viande est saisie et la cuisson arrêtée lorsque la viande est rosée. Manger une tranche de bon wa-gyū trop cuite serait aussi criminel que de préparer un sandwich au thon avec un sashimi du meilleur toro (ventrèche de thon gras).

Bien que le bœuf de Kôbe et le wa-gyū fassent aujourd'hui fureur dans les capitales européennes, ceux que l'on consomme au Japon sont (comme bien des spécialités japonaises) infiniment meilleurs, pour un prix souvent inférieur. Au déjeuner, on trouve de bons steaks de wa-gyū pour 5 000 ¥, ou le double au dîner. Bien entendu, le meilleur endroit où déguster du bœuf de Kôbe demeure… Kôbe. Consultez nos critiques de Wakkoqu (p. 420) et Mouriya (p. 420). Un avertissement cependant : ne venez pas vous plaindre à votre retour si les steaks servis dans les brasseries vous semblent aussi appétissants que des semelles !

que "sashimi"). Si vous souhaitez par exemple du sashimi de thon, dites "maguro no o-tsukuri." Sachez que le sashimi n'est pas uniquement servi dans les restaurants spécialisés dans le sushi : de nombreux shokudō proposent des menus sashimi (o-tsukuri teishoku), et les izakaya des assortiments (otsukuri moriawase), tandis que les repas de kaiseki comprennent souvent quelques morceaux de sashimi sélectionnés avec soin. Dans un restaurant de sushis, le sashimi fait office d'entrée, tandis que les sushis sont le plat de résistance. Vous remarquerez qu'une sauce différente accompagne le sashimi. Si vous aimez votre poisson cru relevé au wasabi, diluez directement le raifort dans la sauce.

ama-ebi	甘海老	crevette rose
awabi	あわび	abalone
ebi	海老	crevette grise
hamachi	はまち	thon à queue jaune
ika	いか	calmar
ikura	イクラ	œufs de saumon
kai-bashira	貝柱	Saint-Jacques
kani	かに	crabe
katsuo	かつお	bonite
maguro	まぐろ	thon
tai	鯛	daurade

tamago	たまご	omelette sucrée
toro	とろ	morceau le plus fin de la ventrèche de thon
unagi	うなぎ	anguille à la sauce sucrée
uni	うに	œufs d'oursin

Sukiyaki et shabu-shabu

Ces deux fondues sont généralement servies dans des restaurants spécialisés. Le *sukiyaki*, le plus connu des Occidentaux, est très apprécié des visiteurs étrangers : de fines tranches de bœuf sont mijotées dans un bouillon au *shōyu*, au sucre et au saké, accompagnées de légumes et de tofu. On trempe ensuite les ingrédients dans de l'œuf cru avant de les manger. Préparé avec une excellente viande, comme le bœuf de Kōbe, le *sukiyaki* est succulent.

Pour le *shabu-shabu*, de minces tranches de bœuf et de légumes sont cuites en touillant les ingrédients dans un bouillon léger avant de les tremper dans un choix de sauces au sésame et aux agrumes. Les deux plats sont concoctés dans une cocotte posée sur le feu, à la table des convives. Ne vous préoccupez pas trop des apparences – le serveur vous aidera pour commencer et surveillera la suite des opérations du coin de l'œil. Prenez votre temps, ajoutez les ingrédients progressivement et appréciez la variété des saveurs.

Les restaurants de *sukiyaki* et de *shabu-shabu* arborent généralement un décor traditionnel, et parfois la représentation d'une vache. La commande ne présente pas de difficulté. Dites simplement "*sukiyaki*" ou "*shabu-shabu*" et précisez le nombre de convives. Attendez-vous à payer de 3 000 à 10 000 ¥ par personne.

Tempura

Les *tempura* sont des portions de poisson, de crevettes et de légumes cuits en beignet dans une pâte légère, non grasse. Une fois installé dans un restaurant de *tempura*, vous recevez un petit bol de *ten-tsuyu* (sauce brune légère) et une assiette de *daikon* râpé à mélanger à la sauce. Trempez chaque morceau de tempura dans la sauce avant de le manger. Les *tempura* sont meilleurs chauds. N'attendez pas trop longtemps pour manger et servez-vous de la sauce pour rafraîchir le beignet.

S'il est possible de commander à la carte, la plupart des clients optent pour un *teishoku*, qui comprend du riz, du *misoshiru* et des *tsukemono*. Certains restaurants de *tempura* proposent plusieurs formules avec différentes quantités de tempura.

Un repas complet coûte de 2 000 à 10 000 ¥. Faute de façade ou de décor distinctif, ces restaurants ne sont pas toujours faciles à trouver. Par la fenêtre, vous verrez des clients assis autour du comptoir, tournés vers les chefs s'activant au-dessus de grandes bassines d'huile de friture.

kaki age	かき揚げ	*tempura* d'émincé de légumes ou de poisson
shōjin age	精進揚げ	*tempura* de légumes
tempura moriawase	天ぷら盛り合わせ	sélection de *tempura*

Rāmen

Importées de Chine, ces nouilles ont été accommodées à la sauce japonaise pour devenir l'un des meilleurs plats de restauration rapide au monde. Les *rāmen* sont de grands bols de nouilles dans un bouillon de viande, servis avec diverses garnitures : tranches de porc, pousses de soja, ciboule… Dans certains restaurants, notamment dans le Kansai, vous pouvez choisir entre une soupe *kotteri* (épaisse) ou *assari* (claire).

Plus de cinq milliards de *rāmen* instantanés sont consommés chaque année au Japon.

En dehors de cela, la commande est relativement facile : installez-vous au comptoir et dites *"rāmen,"* ou l'un des autres plats généralement proposés (voir la liste ci-dessous). Comptez de 500 à 900 ¥ pour un bol. Puisque les *rāmen* sont un emprunt à la cuisine chinoise, certains restaurants spécialisés servent également du *chāhan* ou du *yaki-meshi* (deux plats de riz sauté), des *gyōza* (raviolis chinois) et du *kara-age* (morceaux de poulet en friture).

Les restaurants de *rāmen* se distinguent par leur long comptoir bordé de clients penchés au-dessus de leurs bols fumants. Vous pouvez même les reconnaître à l'oreille : la politesse exige que l'on aspire les nouilles à grand bruit. À en croire les connaisseurs, cette méthode permet de mieux apprécier les saveurs du bouillon.

Avant de partir au Japon, tout amateur de *rāmen* se doit de voir l'excellent film *Tampopo* (Itami Jūzō, 1987), qui relate les efforts déployés par la propriétaire d'une enseigne de *rāmen* et deux compères pour améliorer sa cuisine, sur fond de diverses intrigues gastronomiques.

chanpon-men	ちゃんぽん麺	*rāmen* à la mode de Nagasaki
chāshū-men	チャーシュー麺	*rāmen* garnies de tranches de rôti de porc
miso-rāmen	みそラーメン	*rāmen* au bouillon au miso
rāmen	ラーメン	soupe et nouilles parsemées de viande et de légumes
wantan-men	ワンタン麺	*rāmen* et raviolis de viande

Soba et udon

Les *soba* (fines nouilles de sarrasin) et les *udon* (épaisses nouilles de froment) sont les versions japonaises des *rāmen* d'origine chinoise. La plupart des restaurants spécialisés servent les deux types. Les nouilles sont généralement servies dans un bol contenant un bouillon léger à base de bonite, mais elles se mangent aussi froides, sur un treillis de bambou, trempées dans un bouillon.

Les nouilles froides les plus prisées sont sans conteste les *zaru soba*, parsemées de paillettes de *nori* (algue). Elles sont servies avec une petite assiette de wasabi et des oignons frais émincés, que l'on verse dans la tasse contenant le bouillon avant de tremper les nouilles dans le mélange. À la fin du repas, une tasse de bouillon est apportée à table : mélangez-le avec le reste de sauce et buvez-le comme vous le feriez avec une tisane. Comme les *rāmen*, n'hésitez pas à avaler bruyamment vos nouilles.

Les établissement de *soba* et d'*udon* sont peu coûteux (environ 900 ¥ par plat), à l'exception de certaines adresses plus huppées (le décor est un bon indice). Voir la rubrique *Nouilles* (p. 79) pour en savoir plus.

Unagi

L'*unagi* (anguille) est un produit rare, cher et très apprécié des Japonais. Vous vous devez d'y goûter au moins une fois durant votre séjour au Japon. Le poisson est cuit sur des braises et couvert d'une sauce épaisse à base de *shōyu* et de saké. Un dîner complet d'*unagi* est souvent coûteux, mais de nombreux restaurants d'*unagi* proposent des *unagi bentō* (boîte-repas autour de l'*unagi*) et des menus déjeuners pour environ 1 500 ¥. La plupart des restaurants d'*unagi* exposent des modèles en plastique de leurs menus en vitrine, voire des aquariums d'anguilles vivantes pour faire saliver les passants.

kabayaki	蒲焼き	brochettes d'anguille grillée sans riz
una-don	うな丼	anguille grillée sur un bol de riz
unagi teishoku	うなぎ定食	menu complet autour de l'*unagi* avec du riz, de l'anguille grillée, une soupe de foie d'anguille et des légumes en saumure
unajū	うな重	anguille grillée sur lit de riz

Fugu

Le redoutable *fugu* (poisson-globe ou tétrodon) est davantage apprécié pour le frisson d'excitation qu'il procure que pour son goût. Relativement fade et souvent comparée au poulet, sa chair se distingue néanmoins par la finesse de sa texture. Si votre budget vous le permet, un dîner de *fugu* (compter environ 10 000 ¥) fera une bonne histoire à raconter à vos amis en rentrant.

En 1997, quelque 44 empoisonnements provoqués par une mauvaise préparation du *fugu* (poisson-globe ou tétradon) ont été recensés, provoquant trois morts.

Bien que le risque d'empoisonnement au *fugu* soit minime, les Japonais conseillent toujours en plaisantant de laisser le voisin goûter le premier : s'il parle encore au bout de cinq minutes, c'est qu'il n'y a pas de danger. Vous pouvez aussi, pour vous donner du courage, commander un verre de *hirezake* (saké chaud contenant de la queue de *fugu* grillée), accompagnement traditionnel d'un repas de *fugu*.

Le *fugu* est un plat que l'on déguste en hiver. Les restaurants de *fugu* ne servent généralement que ce poisson, et se reconnaissent au *fugu* figurant sur l'enseigne.

Le *fugu* est une spécialité de l'ouest de Honshū, et Shimonoseki (p. 492) est un lieu idéal où l'essayer. Bien entendu, il est également servi ailleurs au Japon.

fugu chiri	ふぐちり	ragoût à base de *fugu* et de légumes
fugu sashimi	ふぐ刺身	fines tranches de *fugu* cru
fugu teishoku	ふぐ定食	menu comprenant plusieurs préparations de *fugu*, du riz et une soupe
yaki fugu	焼きふぐ	*fugu* grillé sur un *hibachi* (brasero) à votre table

Tonkatsu

Le *tonkatsu* est une friture de côtelette de porc panée servie avec une sauce spéciale, généralement dans un menu *(tonkatsu teishoku)*. Le *tonkatsu* est proposé par les restaurants spécialisés et les *shokudō*, mais le meilleur *tonkatsu* est naturellement préparé par les premiers, où un menu complet coûte de 1 500 à 2 500 ¥. Si vous commandez un *tonkatsu*, vous avez le choix entre *rōsu* (morceau gras) et *hire* (plus maigre).

hire katsu	ヒレかつ	filet de porc en *tonkatsu*
kushikatsu	串かつ	brochettes de porc et de légumes frites
minchi katsu	ミンチカツ	côtelette de porc haché
tonkatsu teishoku	とんかつ定食	menu comprenant un *tonkatsu*, du riz, du *misoshiru* et du chou émincé

Kushiage et kushikatsu

Si vous aimez la friture, ne manquez pas le *kushiage* et le *kushikatsu*, brochettes frites de viande, de poisson et de légumes que l'on accompagne traditionnellement d'une bière. *Kushi* signifie "brochette", et les menus proposent tous les ingrédients possibles et imaginables. Le repas est souvent servi avec du chou.

Les *kushiage* et *kushikatsu* sont servis à l'unité (dites *"ippon"*, ou indiquez avec vos doigts le nombre de brochettes que vous souhaitez). Comme le *yakitori*, les brochettes sont appréciées des salariés et des étudiants. C'est un plat assez bon marché, excepté dans quelques établissements haut de gamme. Un repas complet avec quelques bières coûte de 2 000 à 5 000 ¥. Rien ne permettant de repérer un bon établissement de *kushiage* et de *kushikatsu*, mieux vaut demander conseil à un ami japonais.

ebi	海老	crevette
ginnan	銀杏	noix de ginkgo
gyū-niku	牛肉	morceau de boeuf
ika	いか	calmar
imo	いも	pomme de terre
renkon	れんこん	rhizome de lotus
shiitake	しいたけ	champignon japonais
tama-negi	玉ねぎ	oignon blanc

Okonomiyaki

Le nom de ce plat bon marché, qui se traduit par "cuisez ce que vous voulez", n'est pas usurpé, comme en témoigne le choix proposé par les restaurants d'*okonomiyaki*. Parfois qualifié de pizza ou de crêpe japonaise, l'*okonomiyaki* n'en a pourtant que la forme. Dans un restaurant d'*okonomiyaki*, les clients s'assoient autour d'un *teppan* (plaque de cuisson), armés d'une spatule et de baguettes, et disposent eux-mêmes la garniture (viande, poisson, légumes) de leur choix dans une pâte à base de chou.

Certains restaurants assurent toute la préparation et apportent la crêpe presque terminée sur votre plaque, où vous assaisonnez avec du *katsuo bushi* (pétales de bonite séchée), du *shōyu*, de l'*ao-nori* (similaire au persil), de la sauce barbecue japonaise et de la mayonnaise. Dans certains établissements plus modestes, on vous apporte simplement un bol contenant les ingrédients que vous ferez cuire vous-même. Dans ce cas, pas de panique. Commencez par mélanger soigneusement la pâte et la garniture, versez sur la plaque et aplatissez en forme de crêpe. Cinq minutes plus tard, retournez la crêpe à l'aide de la spatule et attendez cinq minutes de plus. Bon appétit !

La plupart des restaurants d'*okonomiyaki* servent aussi du *yaki-soba* (nouilles sautées à la viande et aux légumes) et du *yasai-itame* (légumes sautés). Tous ces plats se dégustent à grand renfort de bière à la pression.

Un dernier conseil : ne vous préoccupez pas trop de la présentation. De la part d'un étranger, les maladresses sont aisément pardonnées, et le serveur restera dans les parages pour prévenir une éventuelle catastrophe.

Le ministre japonais de l'Agriculture a récemment chargé une équipe d'évaluer la qualité des restaurants japonais à l'étranger. Cette "police des sushis" a pour mission de traquer les restaurants de bas étage proposant de piètres imitations de cuisine japonaise. Cela sonne-t-il le glas des sushis au roquefort ?

gyū okonomiyaki	牛お好み焼き	*okonomiyaki* au bœuf
ika okonomiyaki	いかお好み焼き	*okonomiyaki* au calmar
mikkusu okonomiyaki	ミックスお好み焼き	*okonomiyaki* garni d'un mélange de poisson, viande et légumes
modan-yaki	モダン焼き	*okonomiyaki* aux *yaki-soba* coiffées d'un œuf au plat
negi okonomiyaki	ネギお好み焼き	*okonomiyaki* peu épais à la ciboulette

Kaiseki

Le *kaiseki* est le summum de la gastronomie japonaise. Les ingrédients, la préparation, la présentation, tout concourt à faire d'un repas de *kaiseki* une expérience inoubliable. Préparé à l'origine pour accompagner la cérémonie du thé, le *kaiseki* est essentiellement végétarien (contrairement au poisson, relativement courant, la viande est bannie des menus *kaiseki*). Le *kaiseki* se déguste souvent dans le salon particulier d'un *ryōtei* (restaurant traditionnel très luxueux), en contemplant un paisible jardin privatif. Le repas se compose de plusieurs petits plats – autant d'occasions d'admirer la vaisselle, soigneusement sélectionnée en fonction de la recette et de la saison. Le riz se consomme en fin de repas (généralement avec un choix de légumes en saumure), et le repas se déguste avec du saké ou de la bière.

La haute cuisine a toutefois un prix : un bon dîner de *kaiseki* coûte plus de 10 000 ¥ par personne. Vous pouvez néanmoins goûter aux délices du *kaiseki* sans vous ruiner : au déjeuner, la plupart des restaurants spécialisés proposent des boîtes-repas pour environ 2 500 ¥.

Malheureusement pour les étrangers, les restaurants de *kaiseki* peuvent être assez intimidants. Mieux vaut venir accompagné d'un ami japonais, ou lui demander de téléphoner à l'avance.

bentō	弁当	boîte-repas, généralement composée de riz, d'un plat et de salade ou de légumes en saumure
kaiseki	懐石	haute cuisine traditionnelle, spécialité de Kyōto
matsu	松	plat de luxe
take	竹	plat supérieur
ume	梅	plat ordinaire

Confiseries

Si les restaurants servent rarement des desserts (quelques tranches de fruits sont parfois apportées à la fin du repas), les confiseries (*wagashi*) ne manquent pas au Japon. La plupart sont vendues à emporter dans des boutiques spécialisées. Les pâtisseries les plus raffinées sont destinées à adoucir l'amertume du *matcha* (thé vert en poudre) durant la cérémonie du thé.

Certains Occidentaux sont un peu déroutés par les confiseries japonaises, en particulier par l'omniprésence d'une pâte sucrée d'*azuki* (haricots rouges), l'*anko*. Cette étonnante garniture se retrouve dans la majorité des pâtisseries, qui méritent d'être découvertes.

Le choix est tel qu'il est impossible d'en dresser une liste exhaustive, mais la combinaison d'*anko* et d'une enveloppe de *mochi* est la plus commune.

Les *okashi-ya* (magasins de pâtisseries) sont facilement repérables ; ce sont généralement des échoppes ouvertes sur la rue, où les pâtisseries sont disposées sur des plateaux en bois pour allécher les passants. Il suffit de pointer le gâteau en indiquant sur vos doigts la quantité voulue.

anko	あんこ	pâte sucrée ou confiture de haricots *azuki*
kashiwa-mochi	柏餅	pâte de riz glutineux fourrée et sucrée, enveloppée d'une feuille de chêne parfumée
mochi	餅	boulette de riz glutineux passé au pilon
wagashi	和菓子	gâteau japonais
yōkan	ようかん	confiture de haricots rouges

BOISSONS

La boisson joue un rôle important dans la société japonaise, et il existe peu de festivités dont la bière et le saké soient absents. L'alcool (plus précisément le saké) a également une fonction cérémonielle dans divers rituels et fêtes shintō, notamment la cérémonie de mariage. Durant votre visite au Japon, vous vous retrouverez souvent dans des situations où l'on vous invite à boire. Rien de tel qu'une bière ou un verre de saké pour faire fondre la glace avec les Japonais. Si vous ne buvez pas d'alcool, pas d'inquiétude. Commandez simplement de l'*oolong cha* (thé *oolong*). Si l'on insiste pour vous faire boire, il suffit d'annoncer *"sake o nomimasen"* (je ne bois pas d'alcool).

La note dépend de l'établissement et, dans le cas des bars à hôtesses, de *celle* avec qui vous buvez. Ces derniers sont les plus coûteux (jusqu'à 10 000 ¥ par verre), suivis des bars traditionnels japonais haut de gamme, des bars d'hôtels, des *beer halls* et des pubs. Pour plus de sécurité, demandez les prix et le tarif d'entrée avant de vous asseoir. En règle générale, si l'on vous apporte un petit en-cas (*o-tsumami*, ou charme) avec votre premier verre, attendez-vous à payer un prix d'entrée (une centaine de yens, voire beaucoup plus).

Pour déguster une bière ou un saké et manger pour pas cher dans une ambiance conviviale, optez pour un *izakaya* ou un *yakitori-ya*. Toutes les villes japonaises, grandes ou modestes, comptent quelques bars sans chichi à prix raisonnables. Ces établissements sont fréquentés par des jeunes Japonais et des *gaijin* (étrangers) expatriés, qui les surnomment généralement "*gaijin bars*." En été, de nombreux grands magasins et hôtels des grandes villes japonaises ouvrent des *beer gardens* sur leur toit, et proposent des menus à volonté avec boisson pour environ 3 000 ¥ par personne dès la tombée du jour.

izakaya	居酒屋	bar-restaurant
yakitori-ya	焼鳥屋	restaurant de *yakitori*

Bière

Introduite à la fin des années 1800, la bière (*biiru*) est la boisson préférée des Japonais. La qualité est la plupart du temps excellente. La bière la plus prisée est une bière blonde légère, même si quelques marques s'essaient aux bières brunes. Les principales sont Kirin, Asahi, Sapporo et Suntory. La bière est omniprésente : on la trouve partout, des distributeurs aux brasseries, et même dans certains hébergements installés dans des temples. Une cannette de bière dans un distributeur coûte environ 250 ¥, tandis que certaines cannettes grands formats excèdent les 1 000 ¥. Dans les bars, comptez 500 ¥ ou plus selon les établissements. La *nama biiru* (bière pression) est généralement disponible un peu partout, de même que les bières d'importation.

biiru	ビール	bière
nama biiru	生ビール	pression

ŌTA KAZUHIKO ÉVOQUE LES IZAKAYA

Ōta Kazuhiko est considéré par de nombreux Japonais comme un éminent spécialiste des fameux *izakaya*, à mi-chemin entre bar et taverne. Ōta-san explore les quatre coins du pays en quête d'*izakaya* traditionnels et a consacré plus d'une dizaine d'ouvrages au sujet. Dans le titre de l'un d'entre eux, *Ōta Kazuhiko no Izakaya Mishuran*, "Mishuran" est un clin d'œil aux guides Michelin.

Comment définir un izakaya ? En bref, un *izakaya* est un établissement où l'on déguste du saké. Plus généralement, c'est un lieu où l'on boit du saké et où l'on mange. C'est aussi un lieu où l'on peut se rendre seul.

Quelle est leur origine ? Jusqu'à l'époque Meiji, les *saka-ya* (magasins de saké) servaient un verre aux clients de passage. Ces derniers restaient debout et buvaient leur saké dans un *masu* (mesure de saké en bois de forme carrée). On les surnommait donc *tachi-nomiya* ("maison où boire debout"). Par la suite, certaines *saka-ya* transformèrent les tonneaux en sièges pour permettre aux clients de se détendre en savourant leur saké, et prirent le nom de *izakaya* (le préfixe *i-*, "être" précède *saka-ya* pour former *izakaya*, c'est-à-dire "un *saka-ya* où l'on peut s'asseoir et boire"). Plus tard, certains établissements servirent des en-cas, puis de véritables plats, avec le saké.

Quel rôle ont joué les izakaya dans la société japonaise ? Les *izakaya* ont occupé une place importante. En sortant du travail, les hommes avaient coutume de se retrouver dans un *izakaya*. Les membres les plus âgés, ou le patron, payaient souvent pour les plus jeunes. Tout en buvant, ils

Shōchū

Pour noyer ses soucis dans l'alcool à peu de frais, le *shōchū* est incontournable. Il s'agit d'un alcool distillé à base de pomme de terre (*imo-jōchū*), d'orge (*mugi-jōchū*) ou d'autres ingrédients. Le *shōchū* contient environ 30% d'alcool. Après être tombé dans l'oubli (il servait de désinfectant durant la période d'Edo), il connaît depuis quelques années une renaissance. Il se boit en *oyu-wari* (à l'eau chaude) ou en *chūhai* (dans un haut verre, allongé de soda et de citron). Une bouteille de 720 ml se vend 600 ¥, relativement peu en comparaison avec les autres liqueurs.

chūhai	チューハイ	*shōchū* au soda et citron
oyu-wari	お湯割り	*shōchū* allongé d'eau chaude
shōchū	焼酎	liqueur de grain distillée

Vin, boissons d'importation et whisky

On trouve des vins japonais à Yamanashi, Nagano, Tōhoku ou Hokkaidō. Les vins de qualité standard sont souvent mélangés avec des produits importés d'Amérique du Sud ou d'Europe de l'Est. Les principaux producteurs sont Suntory, Mann's et Mercian. Une bouteille de vin acceptable coûte au moins 1 000 ¥. Des vins d'importation sont souvent proposés dans les magasins de boissons ou les grands magasins. On tombe parfois sur de bonnes affaires à 600 ¥, mais la plupart des importations buvables coûtent beaucoup plus cher.

Le prix des alcools est à la baisse depuis quelques années, et les magasins de boissons alcoolisées bon marché poussent comme des champignons dans les grandes villes. Néanmoins, si vous aimez les articles d'importation, mieux vaut prendre une ou deux bouteilles aux boutiques hors taxes de l'aéroport. Le whisky est à la carte dans la plupart des établissements et se boit généralement *mizu-wari* (allongé à l'eau et avec glaçons) ou *onzarokku* (avec des glaçons). Les marques japonaises, comme Suntory et Nikka, affichent des prix raisonnables, et sont généralement à la hauteur des grands noms occidentaux. Une bouteille étrangère constitue un cadeau très apprécié.

---

discutaient librement de leur travail mais évoquaient aussi leur vie personnelle et leur passé. Les plus vieux apprenaient aux jeunes à boire, à commander, et les gratifiaient de leçons de vie. Bien plus qu'un bar, l'*izakaya* était en ce sens le cadre d'une éducation humaine et sociale.

Que commander dans un izakaya ? Tout d'abord, inutile de vous précipiter. Jetez un coup d'œil, puis optez par exemple pour du *ginjō-shu* (un saké supérieur), froid pour commencer. Vous pouvez continuer avec un saké chaud. Pour l'accompagner, les poissons et fruits de mer s'imposent : sashimi, poisson en ragoût ou grillé, coquillages… Pensez aussi au poulet. Repérez ce que mangent les autres clients ou les plats du jour. Si vous ne parlez ni ne lisez le japonais, exprimez-vous par gestes ou amenez un ami japonais pour vous aider.

Où trouve-t-on de bons izakaya ? Et bien, de nombreuses chaînes d'*izakaya* sont présentes autour des gares, mais c'est dans le *hankagai* (quartier des divertissements), rarement proches de la gare, que l'on trouve les bonnes tables. Les meilleures enseignes sont tenues par la même famille et fréquentées par certains clients depuis des générations. Le maître a parfois vu grandir ses clients. Ces établissements s'enorgueillissent de leur service et forment l'élite des *izakaya*.

Quelle est la première qualité d'un izakaya ? L'*izakaya* est un lieu où les gens se montrent tel qu'ils sont et ouvrent leur cœur. Grâce au saké, ils oublient leurs prétentions et se détendent. L'*izakaya* est un lieu où s'expriment les individualités, un lieu où se nouent des liens, que les gens se connaissent ou non. Je suis sûr que cela existe dans tous les pays, mais au Japon, si vous voulez voir les gens dans toute leur authenticité, entrez tout simplement dans un *izakaya*.

LE SAKÉ *Paul Warham*

Obtenu par la fermentation du riz, le saké est la boisson de prédilection des Japonais depuis des siècles. Bien que la bière et le *shōchū* (liqueur de grain distillé) l'ait depuis supplanté, le saké demeure pour la plupart des Japonais la boisson nationale. De fait, ce que nous appelons "saké" en Occident est plus communément appelé *nihonshu* ("boisson japonaise"). Le saké est traditionnellement associé au shintô et à d'autres cérémonies traditionnelles, et d'énormes tonneaux de saké (*o-miki*) sont souvent empilés devant chaque sanctuaire que vous visitez. Si sa consommation est en déclin depuis quelques années, certains affirment que la qualité du saké est meilleure que jamais, et que les meilleurs crus ont des saveurs et des arômes à la hauteur des vins et des bières les plus raffinés d'Europe.

Le saké est bien entendu la boisson idéale pour accompagner la cuisine japonaise, et les bars à saké (voir *izakaya*, p. 79) servent généralement d'excellents poissons de saison et d'autres plats assortis à la boisson. Le saké se boit frais *(reishu)*, à température ambiante *(jō-on)*, chaud *(nuru-kan)* ou brûlant *(atsu-kan)*, selon la saison et le goût de chacun, mais les sakés de qualité supérieure sont souvent servis bien frais. Le saké se présente traditionnellement dans une carafe en céramique appelée *tokkuri*, et versé dans de minuscules soucoupes (*o-choko* ou *sakazuki*). Il se mesure en *gō* (一合), soit en mesure d'un peu plus de 180 ml. Dans les bars spécialisés, il est proposé au verre, souvent plein à ras bord et placé dans un cadre en bois pour ne rien en perdre. En groupe, la tradition exige que l'on serve d'abord son voisin avant qu'il vous rende la politesse.

Le saké est produit pendant l'hiver, durant le froid qui suit la récolte de riz de septembre. Les principaux ingrédients sont le riz et la levure, ainsi qu'un ferment non toxique (*kōji*) qui accélère la transformation de l'amidon du riz en sucres fermentables. Le saké doit légalement être classé en deux catégories : le *futsū-shu* (saké ordinaire, qui constitue le gros de la production), et le *tokutei-meishōshu* (saké haut de gamme), lui-même divisé selon le polissage du riz avant fermentation qui le débarrasse des protéines et des huiles affectant le produit final. Ce degré est exprimé en *seimai buai*, le pourcentage de la taille d'origine auquel le grain est réduit avant fermentation. En règle générale, plus ce chiffre est bas, meilleur (et plus cher) est le saké. Le riz raffiné de 60% ou moins de sa taille d'origine donne un saké appelé *ginjō*, celui poli à 50% ou moins de sa taille d'origine produit le saké le plus fin, le *dai-ginjō*. Le saké fabriqué exclusivement à base de riz et de *kōji* (sans ajout d'alcool) est le *junmai-shu*, ou saké au "riz pur."

La plupart des alcools d'importation sont servis dans les bars japonais, fréquentés par une clientèle étrangère. Les bars d'hôtels, en particulier, prépareront votre boisson de prédilection ou, à défaut, vous proposeront une autre concoction.

uisukii	ウィスキー	whisky
mizu-wari	水割り	whisky, avec glaçons et eau
onzarokku	オンザロック	whisky et glaçons

Boissons sans alcool

Vous retrouverez au Japon la plupart de vos boissons habituelles, auxquelles s'ajoutent quelques breuvages pittoresques comme le Pocari Sweat et le Calpis Water. Moyennant 120 ¥, des rafraîchissements sont vendus par les distributeurs automatiques installés à chaque coin de rue.

CAFÉ ET THÉ

Le *kōhii* (café) servi par les *kissaten* (salons de thé) est assez coûteux : le prix d'une tasse peut varier de 350 à 500 ¥, voire parfois 1 000 ¥. Vous pouvez vous rabattre sur les chaînes de l'accabit de Doutor et Pronto, ou des magasins de *doughnuts* comme Mr Donut (qui remplissent gratuitement votre tasse). Moins cher encore, songez aux cafés, chauds ou froids, vendus par les distributeurs. Bien que trop sucré, c'est néanmoins, pour 120 ¥, une excellente affaire.

Toutes les préfectures du Japon fabriquent du saké, à l'exception notable de Kagoshima, dans le sud de Kyūshū, fief traditionnel d'une boisson distillée, le *shōchū* (voir p. 89), et le pays compte plus de 1 500 brasseries en activité. Niigata et le reste du nord du Honshū sont particulièrement renommés pour la qualité de leur saké, tandis que Hiroshima et Nada-ku (à Kōbe) sont de grands centres de l'industrie du saké. Où que vous alliez au Japon ou presque, vous aurez l'occasion de boire du saké produit à quelques kilomètres de l'endroit où vous vous trouvez. Tout visiteur étranger qui exprime un intérêt pour le *jizake* (saké local) recevra des conseils enthousiastes et une hospitalité qui laissera des traces le lendemain au réveil…

ama-kuchi	甘口	saveur douce
ama-zake	甘酒	saké sucré servi pendant les festivités hivernales
dai-ginjō	大吟醸	saké à base de riz poli jusqu'à moins de 50% de son poids d'origine
futsū-shu	普通酒	saké ordinaire
genshu	原酒	saké non dilué, dont le taux d'alcool est souvent proche de 20%
ginjō	吟醸	saké à base de riz poli jusqu'à 60% de son poids d'origine
jizake	地酒	"saké local," souvent produit par des petites fabriques traditionnelles
junmai-shu	純米酒	saké pur riz, fait exclusivement de riz, de *kōji* et d'eau
kara-kuchi	辛口	saveur sèche et forte
kōji	麹	*kōji* ferment
kura, saka-gura	蔵、酒蔵	fabrique de saké
nama-zake	生酒	saké frais, non pasteurisé
nigori-zake	濁り酒	"saké trouble," laiteux et souvent assez sucré
nihonshu	日本酒	nom japonais du saké
o-choko	お猪口	petites tasses traditionnelles à saké
seimai buai	精米歩合	taux de polissage du riz, exprimé en pourcentage du poids d'origine auquel est réduit le grain avant la fermentation
tokkuri	徳利	service traditionnel en céramique
tokutei-meishōshu	特定名称酒	saké de qualité supérieure

Lorsque vous commandez votre café, on vous demandera si vous le préférez *hotto* (chaud) ou *aisu* (froid). Le thé noir est également servi chaud ou froid, avec du *miruku* (lait) ou du *remon* (citron). Avant de se lancer dans une journée de visite, rien ne vaut un copieux *mōningu setto* (menu petit déjeuner) de thé ou café, de toasts et d'œufs, pour environ 400 ¥.

American kōhii	アメリカンコーヒー	café léger
burendo kōhii	ブレンドコーヒー	café assez fort
kafe ore	カフェオレ	"*café au lait*", chaud ou froid
kōcha	紅茶	thé noir à l'anglaise
kōhii	コーヒー	café normal
orenji jūsu	オレンジジュース	jus d'orange

THÉ JAPONAIS

Contrairement au thé noir auquel sont habitués les Occidentaux, la plupart des thés (verts) japonais sont riches en vitamine C et caféine. Sous forme de poudre, le *matcha* (voir l'encadré *La culture japonaise du thé*, p. 92), qui se boit pendant la cérémonie du thé, se prépare au fouet pour obtenir une consistence mousseuse. En feuilles, le thé vert s'appelle *o-cha* et se boit après avoir infusé dans une théière. Outre le thé vert, vous boirez du thé brun appelé *bancha*, offert gracieusement dans les restaurants. En été, la *mugicha* (une infusion froide à base d'orge grillé) est consommée en famille.

LA CULTURE JAPONAISE DU THÉ *Morgan Pitelka*

Au même titre que les kanji et le bouddhisme, le thé est un héritage culturel chinois, mais c'est seulement au Moyen Âge que la boisson s'est popularisée. Les moines bouddhistes, qui consommaient le thé pour ses vertus médicinales et stimulantes, furent bientôt imités par la classe des guerriers, puis par le peuple. Au XVIe siècle, l'élite urbaine des marchands et des maîtres de thé comme Sen no Rikyû (1522-1591) avaient élevé la préparation, la présentation et la consommation du *matcha* (thé vert en poudre) au rang d'art et de véritable spectacle. Au XVIIe siècle, les maîtres de thé fondèrent leurs propres écoles, qui codifièrent, diffusèrent et défendirent cette pratique pendant des siècles.

Souvent synonyme de cérémonie du thé pour les Occidentaux, le *chanoyu* (littéralement "eau chaude pour le thé") ou *sadô/chadô* ("voie du thé") tient davantage d'une pratique collaborative tournée vers le plaisir esthétique que du rituel protocolaire. La "cérémonie" peut être courte et spontanée ou longue et très formelle, et marque un anniversaire, le passage des saisons ou simplement la rencontre de vieux amis.

Généralement, les invités se présentent au lieu dit, une résidence ou un temple dotés de leur propre pavillon de thé. Ils attendent au jardin dans une ambiance paisible et contemplative avant de pénétrer dans le pavillon, où ils observent l'hôte préparer les braises et servir un repas spécial de style *kaiseki* (haute cuisine ; p. 86). Après le repas, ils dégustent quelques confiseries simples, font une pause avant de rentrer pour siroter un *koicha* (thé épais) suivi, bien souvent, d'une tournée d'*usucha* (thé fin). Les gestes des hôtes et des convives, soigneusement chorégraphiés et répétés,

bancha	番茶	thé vert ordinaire, d'une couleur brunâtre
matcha	抹茶	thé vert en poudre servi dans la cérémonie du thé
mugicha	麦茶	infusion d'orge grillé
o-cha	お茶	thé vert à grandes feuilles
sencha	煎茶	thé vert de qualité moyenne

PLATS DE FÊTE

Au Japon, il est impensable de faire la fête sans manger et boire, en quantités, que ce soit dans une fête champêtre destinée à apaiser les dieux du riz (qui ne répugnent pas eux-mêmes à boire un verre de saké de temps à autre) ou dans l'*izakaya* animé d'une grande ville. Les Japonais savent s'amuser. La célèbre réserve japonaise semble connue de tous… sauf des Japonais eux-mêmes.

L'année commence dans les foyers et dans les restaurants le 1er janvier, autour d'une ronde d'*osechi-ryôri* (cuisine du Nouvel An, dont les plats revêtent une dimension symbolique, à base de crevettes, d'œufs de poisson et de légumes cuits). Servi dans des *jûbako* (quadruples boîtes en laque), l'*osechi* satisfait le besoin des ménagères japonaises de prendre trois jours de repos : les ingrédients tiennent longtemps.

Le 3 (ou le 4) février, les haricots quittent la cuisine et deviennent des armes contre le Mal, lors du Setsubun Matsuri. Le dernier jour de l'hiver dans le calendrier lunaire, des festivités ont souvent lieu dans les sanctuaires de tout le pays, où des personnages déguisés en démons font une cible idéale : les fidèles et les touristes les criblent joyeusement de haricots de soja en criant "*oni wa soto, fuku wa uchi*" (sus au démon, que la chance soit avec nous !). Ce jour-là, les Japonais se tournent dans une direction de bon augure et mangent du *maki-zushi* (différent chaque année), ainsi que des haricots (un nombre égal à leur âge plus un pour la chance).

Dégusté lors de nombreuses fêtes et tout particulièrement lors de l'Hina Matsuri (fête des Petites Filles ; 3 mars), le *seki-han* (riz aux haricots rouges) est un mélange de riz glutineux et non glutineux, et de haricot *azuki*, qui lui confère une saveur sucrée et sa couleur rose caractéristique.

À Paris, des cours de cuisine sont donnés à l'Espace Japon (http://espacejapon.com/cuisine.html), alors que des soirées découverte, des ateliers création et de cuisine bien-être Shojin sont proposés à l'association Jipango (www.jipango.com).

font de la dégustation du thé un véritable spectacle collectif. Parfois, les invités ont la possibilité d'admirer la tenture, la disposition des fleurs ou les ustensiles à thé (*chadōgu*) soigneusement choisis par l'hôte.

La culture du thé encourage l'artisanat traditionnel depuis des siècles, et le nécessaire (bols, boîtes, cuillères, fouets et louches à thé) s'achète dans des boutiques spécialisées, des galeries d'art locales ou chez des artisans. Dans les villes, il n'est pas rare que des grands magasins comme Takashimaya, Daimaru, Seibu et Mitsukoshi, entre autres, consacrent un étage entier aux objets en céramique, bambou ou laque. Certaines galeries mettent également à l'honneur les plus grands artistes pour des expositions et des ventes. Le voyageur désireux de rapporter des ustensiles à thé ne manquera pas les villes comme Bizen (p. 463), Hagi (p. 497) ou Karatsu (p. 705).

Certaines écoles de thé, comme Urasenke (www.urasenke.or.jp/texte/index.html), Omotesenke (www.omotesenke.jp/english/tobira.html), Mushanokojisenke et Dai Nippon Chado Gakkai, organisent des démonstrations ouvertes au public, en particulier dans les grandes villes. Du thé et des confiseries sont aussi proposées par quelques cafés spécialisés, comme la pâtisserie Toraya. Les musées spécialisés dans les arts liés au thé, comme le musée d'art Nomura, à Kyōto (www.nomura-museum.or.jp), le musée du Raku (www.raku-yaki.or.jp), le musée Kitamura (www.raku-yaki.or.jp/culture/english/kitamura.html) et le musée Gotoh de Tōkyō (www.gotoh-museum.or.jp), exposent des ustensiles à thé historiques et servent quelquefois du thé.

Morgan Pitelka est l'auteur de *Handmade Culture : Raku Potters, Patrons, and Tea Practitioners in Japan*.

Fin mars ou début avril, les bourgeons de cerisier tant attendus fleurissent. Dans un somptueux décor végétal rose pâle, les Japonais s'installent en plein air et célèbrent la fugacité de la vie et la beauté de la nature dans des *hanami* ("aller voir les fleurs") généreusement arrosés. Ces sorties sont aussi l'occasion de déguster des brochettes de *mochi* rose et blanc dont la forme évoque des branches de cerisier.

L'été au Japon est long, chaud et très humide. La fête la plus renommée est le *matsuri* de Gion (p. 374), qui se tient en juillet à Kyōto. Son plat emblématique est la murène, qui lui vaut le surnom de Hamo Matsuri (fête de la Murène). La murène et l'anguille auraient pour vertus de revigorer et stimuler l'appétit.

Le Nouvel An (*Shōgatsu* ; p. 31) est l'une des dates clés du calendrier culinaire japonais. Toute la famille, même éloignée, se retrouve pour trois jours de festin et d'alcool, interrompus par la première visite de l'année au sanctuaire local. Pour lutter contre le froid mordant, on boit l'*ama-zake* (saké sucré associé aux fêtes d'hiver) servi par le sanctuaire. Le premier plat de l'année est le *toshi-koshi soba*, de longues nouilles de sarrasin, symboles de longévité et de fortune – autrefois les marchands d'or recueillaient en effet la poussière d'or dans la pâte de *soba*. Au son de "*yoi o-toshi o*" (Bon Nouvel An !) puis, après minuit, de "*akemashite omedetō gozaimasu*" (Bonne année !), chacun retourne ensuite à ses agapes…

VÉGÉTARIENS

Les végétariens qui mangent du poisson devraient être à l'aise au Japon : presque tous les *shokudō*, *izakaya* et autres restaurants proposent des menus à prix fixe comprenant du poisson. Les végétaliens et les végétariens ne mangeant pas de poisson trouveront une source de protéines dans le tofu et d'autres ingrédients à base de haricots. Sachez que le *misoshiru* contient du *dashi*, c'est-à-dire du poisson.

La plupart des grandes villes japonaises comptent des restaurants végétariens et/ou bio qui proposent bien entendu une gamme de plats adaptés à toutes les préférences alimentaires. (Consulter les rubriques

Où se restaurer dans les chapitres régionaux pour en savoir plus. Les descriptifs comportant le signe Ⓥ dans ces pages indiquent une bonne sélection végétarienne.) À la campagne, en revanche, vous aurez du mal à trouver des plats adaptés ou à faire comprendre vos préférences culinaires aux serveurs. Sachez que de nombreux temples servent du *shōjin-ryōri*, la cuisine végétalienne bouddhiste, sans viande, poisson ni produit laitier. Essayez par exemple Kōya-san (p. 443), dans le Kansai.

Pour apprendre à exprimer vos préférences alimentaires, reportez-vous à la rubrique *Quelques expressions utiles* (p. 95).

AVEC DES ENFANTS

Voyager avec des enfants au Japon ne présente pas de difficulté, à condition d'adopter la bonne attitude, l'équipement adéquat et des ressources illimitées de patience. La variété de plats disponibles conviendra même aux palais les plus difficiles, et pour ceux que les nouilles et le riz commencent à lasser, les chaînes de fast-foods japonaises sont représentées dans presque toutes les villes, et offrent des soupes, des pizzas, des sandwichs et des burgers. Pendant la journée, la plupart des restaurants bon marché affichent des "*okosama-ranchi*" (menu déjeuner enfant), souvent de style occidental et relativement bons – à l'exception des mini-hamburgers et des saucisses de Francfort que fuiront les végétariens.

La rubrique *Quelques expressions utiles* (p. 95) rassemble quelques phrases utiles lorsque vous sortez manger avec des juniors.

À TABLE

Les Japonais prennent généralement leur petit déjeuner chez eux, et quelques tranches de pain accompagnées d'une tasse de café remplacent progressivement le repas traditionnel, composé de riz, de poisson et de *misoshiru*. Pour ceux qui ne mangent pas à la maison, le *mōningu setto* (toast et café) servi dans les cafés est le plus répandu.

Pour le déjeuner, les employés se dirigent ensemble ou seuls vers un *shokudō* ou une échoppe de nouilles.

Le soir, de nombreux Japonais dînent bien entendu chez eux, mais le cliché du *salaryman* qui sort boire et manger après le bureau avec ses collègues demeure une réalité.

Le week-end, tous les Japonais ou presque (du moins ceux qui peuvent se le permettre) sortent dîner avec leurs amis ou en famille : les restaurants sont alors pris d'assaut par de joyeux groupes mangeant, buvant et bavardant.

Les horaires des repas sont similaires à ceux que connaît l'Occident : le petit déjeuner se prend entre 6h et 8h, le déjeuner entre 12h et 14h, et le dîner entre 19h et 21h.

COURS DE CUISINE

Si vous aimez la cuisine japonaise, pourquoi ne pas en découvrir les dessous ? De bons cours sont dispensés à Tōkyō et Kyōto, et les prestataires suivants peuvent organiser des visites guidées du marché :

A Taste of Culture (☎ 03-5716-5751 ; www.tasteofculture.com ; cours à partir de 5 500 ¥). Cours de cuisine, et possibilité de cours sur mesure. Avec une grande maîtrise, Elizabeth Andoh propose des visites des marchés et d'excellents cours de cuisine. À Tōkyō.

Uzuki (www.kyotouzuki.com ; cours de 3 heures 3 500 ¥ par personne). Apprenez à concocter d'authentiques plats japonais dans une maison de Kyōto. Vous pouvez solliciter un plat particulier, et même des pâtisseries. Réservation sur le site. Pour en savoir plus, reportez-vous p. 373.

WAK Japan (☎ 075-212-9993 ; www.wakjapan.com ; 412-506 Iseya-chō, Kamigyō-ku, Kyōto). Cours de cuisine, et leçons à la carte. Pour en savoir plus, voir p. 373.

QUELQUES EXPRESSIONS UTILES
Au restaurant

Une table pour (une/deux/trois/...), s'il vous plaît.
(hitori/futari/san-nin/...-nin) 　　　(一人/二人/三人/…人)
onegai shimas[u] 　　　　　　　　お願いします。

Je voudrais réserver une table pour huit heures (ce soir/demain soir).
(konban/ashita no ban) 　　　　　(今晩/明日の晩)
hachi-ji ni yoyaku shitai no des[u] ga 　八時に予約したいのですが。

Nous avons réservé.
yoyaku shimash[i]ta 　　　　　　　予約しました。

Nous n'avons pas réservé.
yoyaku shiteimasen 　　　　　　　予約していません。

Qu'est-ce que c'est ?
are wa nan des[u] ka 　　　　　　あれは何ですか？

Quelle est votre spécialité ?
koko no tokubetsu ryōri wa nan des[u] ka ここの特別料理は何ですか？

Que nous recommandez-vous ?
o-susume wa nan des[u] ka 　　　　おすすめは何ですか？

Avez-vous ... ?
... ga arimas[u] ka 　　　　　　　…がありますか？

Puis-je voir la carte, s'il vous plaît ?
menyū o misete kudasai 　　　　　メニューを見せてください。

Avez-vous une carte en anglais ?
eigo no menyū wa arimas[u] ka 　　英語のメニューはありますか？

Je voudrais...	*... o kudasai*	…をください。
Pourriez-vous m'apporter...	*... o onegai shimas[u]*	…をお願いします。
du/plus de pain	*pan*	パン
du poivre	*koshō*	コショウ
une assiette	*sara*	皿
du sel	*shio*	塩
de la sauce de soja	*shōyu*	醤油
une cuillère	*supūn*	スプーン
une bière	*biiru*	ビール
de l'eau	*mizu*	水
du vin	*wain*	ワイン

L'addition, s'il vous plaît. 　*(o-kanjō/o-aiso)* 　（お勘定/おあいそ）
o onegai shimas[u] 　　　　　をお願いします。

Vous entendrez peut-être

Bienvenue/Puis-je vous aider ?
irasshaimase 　　　　　　　　いらっしゃいませ

Bienvenue !
irasshai 　　　　　　　　　　いらっしゃい！

Vous êtes seul(e) ?
o-hitori-sama des[u] ka 　　　　お一人さまですか？

(Deux/trois/quatre) personnes ?
(ni/san/yon) -mei-sama des[u] ka 　（二名/三名/四名）さまですか？

Par ici, s'il vous plaît.
kochira e dōzo 　　　　　　　こちらへどうぞ。

Puis-je prendre votre commande ?
(go-chūmon wa) o-kimari des[u] ka （ご注文は）お決まりですか？

Une somptueuse présentation de la cuisine japonaise, les meilleures adresses de Tōkyō et quantité d'autres informations (en anglais) sur Tokyo Food Page (www.bento.com).

Végétariens et autres régimes

Je suis végétarien.
watashi wa bejitarian des[u]　　　私はベジタリアンです。

Je suis végétalien, je ne mange ni viande ni produit laitier.
watashi wa saishoku-shugisha des[u] kara, 私は菜食主義者ですから，
niku ya nyūseihin wa tabemasen　　肉や乳製品は食べません。

Avez-vous des plats végétariens ?
bejitarian-ryōri ga arimas(u) ka　　　ベジタリアン料理がありますか？

Utilisez-vous du saindoux ou du bouillon de poulet pour la cuisson ?
kore wa rādo ka tori no dashi　　　これはラードか鶏の
o tsukatte imas[u] ka　　　　　　だしを使っていますか？

Je ne mange pas de...	... *wa tabemasen*	…は食べません。
viande	*niku*	肉
porc	*buta-niku*	豚肉
fruits de mer	*shiifūdo/kaisanbutsu*	シーフード/海産物

Je suis allergique aux (cacahuètes).
watashi wa (pīnattsu) arerugii des[u]　　私は（ピーナッツ）アレルギーです。

Enfants

Les enfants sont-ils admis ?
kodomo-zure demo ii des[u] ka　　　子供連れでもいいですか？

Avez-vous un menu enfant ?
kodomo-yō no menyū wa arimas[u] ka　　子供用のメニューはありますか？

Avez-vous une chaise haute pour le bébé ?
bebii-yō no isu wa arimas[u] ka　　　ベビー用の椅子はありますか？

Environnement

Petit, densément peuplé et fortement industrialisé, le Japon – formé par une chaîne montagneuse de près de 4 000 îles – possède des paysages parmi les plus beaux et les plus variés au monde. Des plages tropicales, des montagnes coiffées de neige et des vallées ponctuées de sources thermales récompensent ceux qui s'évadent de Tōkyō et d'Ōsaka pour explorer la campagne japonaise. Si la nature a souffert d'un impact humain souvent brutal, des régions ont conservé une beauté sauvage qui séduira les voyageurs les plus blasés.

La carte postale représentant le *shinkansen* (train à grande vitesse) filant devant le mont Fuji, avec une grappe de fleurs de cerisier au premier plan, constitue l'idéal japonais de la technologie de pointe harmonieusement associée à l'esthétique traditionnelle. En réalité, si le mont Fuji est une montagne superbe, ses contreforts sont défigurés par des usines et des constructions en béton. Pourtant, comme ailleurs au Japon, il suffit de s'éloigner des routes pour retrouver la réelle beauté du Fuji-san.

Le béton fait malheureusement partie de l'environnement. Des décennies de travaux publics ont recouvert de ciment les flancs des montagnes, les côtes et les rives des cours d'eau. Si les glissements de terrain et l'érosion constituent des menaces réelles, les mesures de protection semblent souvent excessives, telles les fortifications qui encadrent le moindre ruisseau.

Toutefois, l'intérêt grandit dans le pays pour l'écologie et les efforts se développent pour le recyclage, la conservation et la protection de la nature. Il reste à espérer qu'ils suffiront à préserver la beauté des quelques régions sauvages pour les générations futures.

On estime qu'aujourd'hui la facture énergétique japonaise pour produire l'équivalent de 1 dollar de richesse est environ inférieure de moitié à celle de l'Allemagne ou de la France.

Selon le *Japan Times*, la production de ciment japonaise était en 2000 presque deux fois supérieure à la moyenne mondiale. Quelque 5 570 km des côtes, soit près de 50%, ont été complètement ou en grande partie défigurées par le béton.

GÉOGRAPHIE ET GÉOLOGIE

Le Japon n'a pas toujours été une nation insulaire. À la fin de la dernière ère glaciaire, il y a environ 10 000 ans, le niveau de la mer s'éleva au point de submerger la langue de terre qui le reliait au continent asiatique. D'une superficie de 377 435 km², le pays se compose d'une chaîne d'îles qui chevauchent un arc montagneux long de 3 000 km, à la lisière orientale de l'Asie. Comportant plus de 80% de montagnes, il s'étend à une latitude située entre 25°N, à la pointe sud d'Okinawa, et 45°N, à l'extrémité septentrionale de Hokkaidō. Le sud du territoire se trouve ainsi au même niveau que des villes comme Le Caire et Miami, et le Nord à hauteur de Milan et de Montréal.

Le Japon comprend quatre îles principales – Honshū (un peu plus vaste que l'Angleterre), Hokkaidō, Kyūshū et Shikoku – et quelque 3 900 îles plus petites. Okinawa, la plus importante de ces dernières, se situe vers le milieu d'un archipel qui s'étire de la pointe ouest de Honshū en direction de Taïwan ; son éloignement lui a permis de développer une culture distincte.

Plusieurs îles font l'objet de conflits territoriaux, notamment les Kouriles, au nord de Hokkaidō. Annexées par la Russie à la fin de la Seconde Guerre mondiale, elles restent depuis un sujet de tensions entre les deux pays. Malgré des progrès récents en faveur de leur rétrocession au Japon, elles font toujours partie de la Russie.

La topographie montagneuse du pays, tout comme son isolement, a façonné la culture japonaise. Nombre de montagnes sont des volcans, dont plus de 100 sont actifs et pour la plupart situés sur l'île méridionale de

Kyūshū. L'Agence météorologique en surveille 34 en permanence, 24h/24. L'une des dernières éruptions a été celle du mont Asama, au nord-ouest de Tōkyō, qui a projeté un panache volcanique à 2 km de hauteur et couvert de cendres des quartiers de la capitale en février 2009.

Cette activité géothermique a pour conséquence positive une profusion de sources thermales (*onsen*).

Le Japon est aussi l'une des régions les plus sismiques de la planète, avec plus de 1 000 tremblements de terre chaque année, la plupart de faible intensité. L'activité sismique se concentre dans la région de Kantō, où se situe Tōkyō. Des tremblements de terre peuvent néanmoins survenir dans tout l'archipel, comme l'a prouvé la catastrophe de Kōbe en janvier 1995, qui a fait plus de 5 000 morts.

FAUNE ET FLORE

Réparties sur une latitude étendue, les îles du Japon abritent une faune et une flore très diversifiées. Les archipels de Nansei (Nansei-shotō) et d'Ogasawara (Ogasawara-shotō), à l'extrême sud du pays, bénéficient d'un climat tropical, avec une flore et une faune semblables à celles de la péninsule malaise. La majeure partie du territoire (Honshū, Kyūshū et Shikoku) offre plus de similitude avec la Chine et la Corée. Le nord subarctique et le centre de Hokkaidō possèdent des caractéristiques distinctes.

Faune

La langue de terre qui reliait jadis le Japon au continent asiatique permit la migration d'animaux originaires de Corée et de Chine. Certaines espèces sont endémiques au Japon, comme la grande salamandre du Japon (*Andrias japonicus*) et le macaque du Japon (*Macaca fuscata*). Par ailleurs, Nansei-shotō, séparée depuis plus longtemps du continent, abrite quelques espèces qualifiées de "fossiles vivants" par les spécialistes, tel le chat d'Iriomote.

En 2005, pour la première fois depuis plus de 30 ans, des cigognes blanches élevées en captivité ont été mises en liberté. Cette espèce est considérée au Japon comme un "trésor national".

Plus grands mammifères carnivores de l'archipel, les ours se divisent en deux espèces : l'*higuma* (ours brun) de Hokkaidō et le *tsukinowaguma* (ours brun d'Asie) de Honshū, de Shikoku et de Kyūshū.

Selon un rapport de 2006 publié par l'Union internationale pour la conservation de la nature et des ressources naturelles (International Union for Conservation of Nature and Natural Ressources ; IUCN), le Japon compte 132 espèces menacées, dont le chat d'Iriomote, le chat de Tsushima, le kétoupa de Blakiston (hibou) et la loutre japonaise.

Flore

La flore du Japon a beaucoup changé en quelques siècles. L'urbanisation moderne n'est pas la seule responsable de ces bouleversements. L'importation de nombreuses plantes a également joué un rôle ; on pense que de 200 à 500 espèces ont été introduites dans le pays depuis l'ère Meiji, principalement d'Europe mais aussi d'Amérique du Nord. Malgré leur aspect trop soigné, les jardins de la période d'Edo et des époques antérieures sont de bons endroits pour découvrir la végétation locale.

Les zones fraîches à tempérées du centre et du nord de Honshū et du sud de Hokkaidō abritaient des forêts d'arbres à larges feuilles caduques, conservées en partie. Cependant, la déforestation à grande échelle est une caractéristique du Japon contemporain. La pollution et les pluies acides ont également un effet dévastateur. La difficulté d'accès de nombreuses régions montagneuses a néanmoins préservé des endroits splendides, comme les reliefs alpins du centre de Honshū et les beaux parcs nationaux de Hokkaidō.

Selon un rapport de 2008 publié dans la revue *Proceedings of the Japan Academy*, 1 690 plantes vasculaires du pays sont menacées ou en voie de disparition. Pour plus de renseignements, consultez le site du Centre de biodiversité du Japon, www.biodic.go.jp/index_e.html.

PARCS NATIONAUX

Le Japon compte 29 *kokuritsu kōen* (parcs nationaux) et 56 *kokutei kōen* (parcs quasi nationaux). Répartis de l'extrême sud de l'archipel (parc national d'Iriomote) à la pointe nord de Hokkaidō (parc national de Rishiri-Rebun-Sarobetsu), ils illustrent la volonté de préserver autant que possible l'environnement naturel nippon. Bien qu'ils couvrent moins de 1% du territoire, on estime que 14% de la superficie du pays sont protégés ou exploitées de manière durable.

Peu de parcs disposent des infrastructures – postes de gardes forestiers, campings, installations pédagogiques, etc. De plus, le statut de parc national ne garantit pas l'absence de développement résidentiel, commercial ou même urbain.

La plus grande concentration de parcs se trouve dans le nord de Honshū (Tōhoku) et à Hokkaidō, moins densément peuplés. Il en existe non loin de Tōkyō, comme Chichibu-Tama et Nikkō).

Pour la description des parcs japonais, consultez le site www.env.go.jp/en/np/index.html.

Le Japon utilise chaque année 25 milliards de paires de *waribashi* (baguettes jetables), l'équivalent du bois nécessaire à la construction de 17 000 maisons.

Certains foyers recyclent l'eau de leur bain dans leur machine à laver. Faire sécher son linge au soleil reste plus courant que l'utilisation d'un séchoir électrique.

UN BILAN MITIGÉ *Timothy N. Hornyak*

Le Japon est connu pour ses produits à faible consommation d'énergie ; ses arts et sa culture traditionnelle témoignent d'une attention sensible à la nature et aux saisons. Mais que pensent les Japonais de l'écologie ?

La situation est mitigée. La plupart des Japonais observent les règles municipales complexes pour les déchets, et en produisent moitié moins que les Américains. Cependant, il n'est pas rare de voir des véhicules et des appareils électriques abandonnés au bord des routes de campagne. Téléviseurs, ordinateurs et autres "e-déchets" finissent souvent dans des ateliers non réglementés en Chine et aux Philippines, où les métaux sont récupérés et les composants toxiques jetés dans la nature.

Les Japonais qui vivent près des centrales nucléaires et des ports où font escale les navires américains à propulsion atomique sont très attentifs au risque de contamination. Tous sont très sensibles aux odeurs, et leurs incinérateurs (deux tiers des déchets sont brûlés) comptent parmi les plus sophistiqués et inodores de la planète. Jusqu'à la fin des années 1990, les dioxines dégagées par l'incinération étaient la principale cause de la pollution de l'air.

Un nombre croissant d'habitants utilise un *furoshiki* (carré de tissu) ou un sac en toile pour transporter ses achats, mais pour chaque supermarché qui renonce aux sacs plastique, des milliers d'autres boutiques continuent d'en fournir, sans parler des innombrables bouteilles en plastique et cannettes vendues dans les 5,5 millions de distributeurs automatiques.

Chaque attitude louable s'oppose à une pratique néfaste pour l'environnement. Lorsque j'ai visité Chichibu-jinja, au Saitama-ken, près de Tōkyō, le prêtre m'a fièrement affirmé que le sanctuaire avait été fondé il y a plus d'un millénaire au pied du mont sacré Bukōzan. Il m'a parlé de l'importance de la nature dans la religion shintō et quand je lui ai fait part de mon désir d'explorer le Bukōzan, il a été ravi de me guider.

En arrivant près du sommet, j'ai été consterné. Le tiers supérieur de ce pic sacré ressemblait à un paysage lunaire. Sa roche calcaire avait été arrachée par une demi-douzaine de cimenteries installée sur ses flancs. Par la fenêtre d'un bureau d'une des usines, je vis ce qui incarnait pour moi l'ambivalence des Japonais à l'égard de la nature : un petit sanctuaire shintō !

ÉCOLOGIE

En vertu du protocole de Kyōto de 1997, le Japon s'était engagé à réduire ses émissions de 6% par rapport à 1990. Or, elles ont augmenté de 8% en 2007. Le gouvernement laisse aux entreprises la responsabilité d'appliquer les programmes environnementaux.

En 2008, Toyota Motor Corporation est arrivé en tête, pour la 3ᵉ année consécutive, du palmarès Nikkei Inc. des entreprises vertes grâce à ses mesures anti-pollution et de recyclage.

Premier pays d'Asie à s'industrialiser, le Japon est aussi l'un des plus efficaces pour en traiter les effets pervers.

Dans les premières années de l'après-guerre, la population ignorait les problèmes liés à la pollution et le pays était essentiellement soucieux de reconstruire ses infrastructures et son économie. La première alerte intervint à Minimata en 1953, quand 6 000 habitants furent victimes d'un empoisonnement au mercure ; il fallut pourtant attendre 1968 pour que le gouvernement nippon reconnaisse officiellement la cause de cette "maladie". La pollution industrielle atteint des sommets du milieu des années 1960 au milieu des années 1970.

Dans les années 1960, des lois furent votées pour endiguer la contamination de l'air et de l'eau. Malgré des effets positifs, des esprits critiques font remarquer que, si les eaux ne contiennent presque plus de substances toxiques, la pollution organique continue. Le brouillard ou smog photochimique, apparu à Tōkyō au début des années 1970, demeure un problème et affecte d'autres villes.

Plus récemment, le Japon a dû faire face à de nouveaux problèmes, dont une série d'accidents dans des réacteurs nucléaires. Ces événements ont contraint les autorités à modifier les normes de sécurité de l'industrie nucléaire. Par ailleurs, les constructeurs automobiles japonais ont été les premiers à développer et populariser des véhicules à faible consommation comme les voitures hybrides.

COOL BIZ, UNE IDÉE RAFRAÎCHISSANTE

Durant les étés 2006 et 2007, le Japon a réduit ses émissions de CO_2 d'environ 1,4 million de tonnes, l'équivalent de ce que produit en un mois la métropole de Tōkyō, en préconisant le port de tenues décontractées dans les bureaux. Grâce à la campagne "Cool Biz," les bureaucrates ont délaissé leurs costumes classiques et la climatisation a été moins utilisée.

Cette détente vestimentaire a rendu plus supportable la canicule estivale. Lancée par le gouvernement, cette campagne incite les employés de bureau à adopter une chemisette sans cravate et un pantalon léger de début juin à septembre. Ceci permet de régler les thermostats à 28°C au lieu de 26,2°C et d'économiser l'électricité.

Lancé en 2005 par la ministre de l'Environnement Yuriko Koike, Cool Biz a également été adopté par le secteur privé. Le changement n'a pas été facile pour les austères salariés, classiquement vêtus de noir. Mais grâce au soutien du charismatique ancien Premier ministre Koizumi Junichirō, Koike a convaincu les cadres japonais qu'une tenue décontractée n'avait rien d'impoli et que cela allait dans l'intérêt général, une notion à laquelle les Japonais sont très sensibles. Les deux ministres ont été si convaincants que même les juges de la Cour suprême et le président de Toyota Motor Corporation ont abandonné la cravate. Selon le puissant syndicat patronal Keidanren, 70% de ses entreprises adhérentes ont monté le thermostat de la climatisation à 28°C.

Koike a organisé des défilés de mode Cool Biz pour soutenir la campagne et les créateurs ont dessiné une gamme plus variée de costumes légers. Des "sous-vêtements réchauffement climatique" ont fait leur apparition, de même que des coupes de cheveux Cool Biz. Les détaillants ont vu grimper les ventes, à l'inverse des fabricants de cravates !

En hiver, la campagne "Warm Biz" a pris le relais. Les sociétés sont encouragées à baisser le chauffage dans leurs bureaux et les employés, à porter des vêtements chauds. Selon une enquête du ministère de l'Environnement en 2007, 52% des personnes interrogées avaient effectivement baissé le chauffage, soit 21 points de plus qu'en 2005. Par ailleurs, les ventes de thermos et de couvertures ont bondi.

Quatre ans après le lancement de Cool Biz, les tenues légères se sont généralisées dans les bureaux durant l'été, et le modèle japonais a inspiré la Corée du Sud, la Grande-Bretagne et les Nations unies. Finalement, le Japon apporte la preuve qu'il se soucie de l'environnement !

VOYAGE RESPECTUEUX DE L'ENVIRONNEMENT

En tant que voyageur, vous pouvez réduire votre impact sur l'environnement en observant quelques consignes.

Limitez les emballages. Les Japonais sont fous des emballages – on parle même de "suremballage". La solution consiste à refuser les paquets inutiles. Lors de vos achats, dites simplement *"Fukuro wa irimasen"* (je n'ai pas besoin de sac), ou *"Kekkō desu"* (ça ira).

Refusez les serviettes. Les *oshibori* sont des lingettes humides, en coton ou en papier jetable, offertes dans les restaurants et les bars. Bien que parfaites pour se nettoyer les mains avant un repas, elles contribuent à la dégradation de l'environnement par le lavage des lingettes, leur transport et l'abattage des arbres.

Conservez vos propres baguettes. Refusez les *waribashi* (baguettes jetables) distribuées dans les restaurants. Conservez la première paire de jolis waribashi que l'on vous donne, ou achetez des *my hashi* (baguettes laquées vendues dans un étui) dans une supérette ou un bazar.

Pas de thon, merci. Dans un restaurant de sushis, évitez de choisir ceux qui comportent des poissons menacés, comme le *maguro* (thon), y compris le *toro* (ventrèche de thon gras), même si la tentation est grande !

Depuis la fermeture de la plus importante centrale nucléaire après un séisme en 2007, l'utilisation de combustibles fossiles a augmenté et les émissions de carbone devraient suivre une courbe ascendante. Bien que rien ne contraigne juridiquement les entreprises à diminuer ces émissions, le gouvernement souhaite multiplier par dix la production d'énergie solaire d'ici à 2020 et par quarante d'ici à 2030. Toutefois, la crise financière mondiale a durement frappé l'économie japonaise et la récession risque de renvoyer à plus tard les initiatives écologiques.

Pour en savoir plus sur la sensibilisation des Japonais aux problèmes de l'environnement, consultez le site de Greenpeace (www.greenpeace.or.jp/index_en_html).

Les onsen

On peut dire que le Japon baigne littéralement dans l'eau chaude. Des sources thermales, les *onsen*, jaillissent d'un bout à l'autre du pays, qui en compte plus de 3 000, dépassant de loin le nombre de sources chaudes d'Islande. De fait, si pour vous la détente signifie passer quelques heures à se délasser dans une eau chaude gargouillante, le Japon est la destination idéale.

Compte tenu de leur nombre, il n'est pas surprenant de découvrir des onsen de toute taille, forme et couleur. Il existe des onsen dans les endroits les plus divers, dans le centre de Tōkyō, à quelques minutes de marche du quartier de Roppongi (si le cœur vous en dit, vous pouvez vous offrir un bain entre deux verres), sur une île artificielle dans la baie de Tōkyō ou encore au cœur des cîmes des Alpes japonaises, accessibles au prix d'une journée de marche en montagne. D'autres bouillonnent parmi les rochers sur la côte et n'apparaissent qu'au gré des marées.

Des Japonais vous diront que le seul trait distinctif de leur culture qui ne provienne pas du continent asiatique est le bain. Les premiers récits historiques mentionnent l'usage de l'onsen, attestant que cette pratique est aussi ancienne que l'histoire du pays.

Au fil des siècles, cette coutume s'est transformée en une sorte de rituel religieux et, pour le Japonais moyen, se rendre à un onsen réputé s'apparente à un pèlerinage.

Aujourd'hui, la meilleure approche de l'onsen est sans aucun doute un séjour dans un *ryokan onsen*, une auberge traditionnelle dotée d'une source thermale privative. Les hôtes peuvent passer la journée à prendre des bains, à se détendre dans leur chambre et à savourer une somptueuse cuisine locale.

À DEUX PAS DU PARADIS Chris Rowthorn

Takamama-ga-hara est une réserve naturelle au cœur des Alpes japonaises du Nord qui porte bien son nom : "haute plaine du paradis". La plupart des visiteurs mettent au moins 2 jours pour grimper jusqu'ici. Je ne disposais que de 3 jours pour explorer les montagnes et je voulais visiter la réserve puis descendre jusqu'au Yari-ga-take, un beau sommet à 2 jours de marche au sud. J'ai donc décidé d'accélérer l'allure.

Du début du sentier d'Oritate, j'ai franchi le Taro-san puis suis descendu dans la charmante vallée de Yakushi-zawa et j'ai rejoint vers 14h Yakushi-koya, un refuge au fond de la vallée. J'ai demandé au propriétaire s'il pensait que je pouvais rejoindre Takama-ga-hara et il m'a regardé comme si j'étais fou. Je suis tout de même parti.

En fait, il avait raison. La lumière déclinait et j'étais épuisé quand je suis arrivé au refuge de Takama-ga-hara-koya. Je pouvais à peine marcher, mais je savais que l'onsen était à 20 minutes de marche dans la forêt.

J'ai laissé mon sac et me suis engagé sur le sentier, éclairé par les derniers rayons de soleil. J'ai finalement entendu le bruit d'un torrent dévalant la montagne. Je l'ai traversé et je suis arrivé au Takama-ga-hara Onsen (voir aussi p. 105), un bassin rudimentaire et désert en bord de rivière. Un bonheur !

Je me suis déshabillé, rapidement aspergé de quelques seaux d'eau et j'ai plongé dans le bassin. Un pur délice. Après quelques instants, j'ai retrouvé mes esprits : j'ai alors réalisé que je me trouvais dans l'un des bains naturels les plus spectaculaires, au cœur des Alpes japonaises, entouré d'un cercle parfait de montagnes, avec un torrent à proximité. Un cadre sublime pour moi seul ! J'avais trouvé mon paradis.

ATTENTION À VOS BIJOUX

Les minéraux que contiennent certains onsen peuvent décolorer les bijoux, notamment en argent. Si vous oubliez de les enlever, ne vous désolez pas ; la décoloration s'atténue normalement après quelques heures.

L'accès à certains des plus beaux onsen du pays est entièrement gratuit. Il suffit de se munir d'une serviette, de se déshabiller, de s'asperger d'eau puis de plonger. Pas de problème de communication, aucune dépense et aucun souci. Même si vous devez payer l'entrée, le prix reste très raisonnable : en moyenne 700 ¥ (7 €) par personne.

Pour plus d'informations sur l'attitude à observer dans les onsen, voir la rubrique *Usages dans les onsen*, p. 106, et l'encadré *Plaisirs des bains au Dōgo Onsen* p. 682.

NOS ONSEN FAVORIS

La quantité d'excellents onsen rend difficile d'en sélectionner quelques-uns. Quel que soit le nombre d'onsen visités, il semble toujours qu'il reste un nouveau joyau à dénicher ! Nous relevons cependant le défi et vous présentons une sélection de nos préférés, classés par catégorie pour faciliter votre choix.

Onsen urbain

Ōedo Onsen Monogatari (Tōkyō ; p. 158). Situé sur l'île artificielle d'Odaiba dans la baie de Tōkyō, ce gigantesque onsen a été conçu comme une ville de la période d'Edo. Il comprend une multitude de bains divers, dont certains en plein air, des restaurants, des salles de détente et des boutiques. Des massages et des soins sont également proposés, et on peut facilement y passer une journée à se faire dorloter.

Onsen en bord d'océan

Jinata Onsen (Shikine-jima, Izu-shotō ; p. 244). Le cadre est spectaculaire : cet onsen est situé dans une crevasse rocheuse sur la côte de Shikine-jima, une île tout à fait charmante à quelques heures de ferry seulement du centre de Tōkyō. Les bassins se forment dans le creux des rochers lorsque la marée le permet. On peut passer des heures à contempler les rouleaux du Pacifique s'écraser sur la grève. Deux autres excellents onsen sont installés dans l'île.

Onsen en bord de rivière

Takaragawa Onsen (Gunma-ken ; p. 206). Les amateurs d'onsen affirment souvent que celui de Gunma-ken est le meilleur du pays et nous ne les contredirons pas. Takaragawa signifie "rivière au trésor," et ses bains tapissés d'ardoise longent la rive sur plusieurs centaines de mètres, entourés d'érables et de montagnes. Ils sont mixtes pour la plupart, avec un bain réservé aux femmes. Les eaux alcalines supprimeraient la fatigue et soigneraient les maladies nerveuses et les troubles digestifs.

Station thermale

Kinosaki (Kansai ; p. 396). Kinosaki, sur la côte de la mer du Japon dans le nord du Kansai, est le parfait exemple d'une ville onsen. Avec sept bains publics et des dizaines de *ryokan onsen*, c'est l'endroit idéal pour découvrir ce type d'auberge, comme le Nishimuraya Honkan (p. 396)

TATOUAGES INDÉSIRABLES

Sachez que les tatouages peuvent vous interdire l'entrée dans des *onsen* ou des *sentō* (bains publics). Les tatouages qu'arborent presque tous les *yakuza* (mafia japonaise) explique cette interdiction, un moyen détourné de se protéger des gangsters.

Afin de se prémunir de toute accusation de discrimination (et parce que le Japon est un pays où les règles sont scrupuleusement observées), cette disposition s'applique également aux étrangers. Si vous avez un petit tatouage, n'hésitez pas à le couvrir d'un pansement adhésif. Sinon, demandez à la réception de l'onsen si vous pouvez obtenir l'autorisation d'entrer malgré vos tatouages. Dites simplement : *"irezumi wa daijōbu desu ka"* (les tatouages sont-ils acceptés ?).

---

par exemple. Vous pouvez ainsi vous détendre dans votre chambre, prendre un bain quand bon vous semble, puis arpenter les rues en *yukata* (kimono en coton léger) et *geta* (socques en bois) jusqu'aux bains publics. En outre, la ville est particulièrement plaisante le soir. En hiver, vous pourrez en outre vous régaler de crabe géant, la spécialité locale, après une journée dans les bains.

Onsen sur une falaise
Sawada-kōen Rotemburo Onsen (Dōgashima, Izu-hantō ; p. 226). Si vous appréciez un bain en contemplant une vue sublime, choisissez ce simple *rotemburo* (bain en plein air), perché sur une falaise qui surplombe l'océan Pacifique. Tôt le matin, vous l'aurez quasiment pour vous seul. Si la foule ne vous effraie pas, c'est un endroit merveilleux pour contempler le coucher du soleil.

Onsen confidentiel
Lamp no Yado (Noto-hantō, centre d'Honshū ; p. 326). La péninsule de Noto-hantō est le point le plus reculé du centre d'Honshū, et sa côte semble au bout du monde. Une route de campagne conduit à un chemin étroit de 1 km, d'où vous devez descendre à pied à flanc de colline par un sentier sinueux. Cet établissement séduit depuis des siècles des Japonais en quête de traitements naturels. Malgré des prix élevés, il mérite la dépense pour ses chambres en bois sombre avec tatami et *rotemburo* privé, installées dans une crique face à la mer du Japon.

Onsen et climat tropical
Urami-ga-taki Onsen (Hachijō-jima, Izu-shotō ; p. 246). Dans un pays où abondent les onsen séduisants, celui-ci parvient à sortir du lot : son petit rotemburo en tout point parfait jouxte une jolie cascade au cœur de la jungle tropicale. S'y baigner en fin d'après-midi, quand le soleil brille à travers les fougères, est une expérience magique. De plus, l'accès à l'onsen est gratuit.

Onsen et plage
Shirahama (Shirahama, Wakayama-ken, Kansai ; p. 447). Plonger dans l'océan plutôt frisquet puis se réchauffer voluptueusement dans une source thermale procure un plaisir particulier et on ne se lasse pas du contraste des températures et des différentes textures des eaux. À Shirahama, une station balnéaire dans le sud du Kansai, un onsen gratuit est installé sur la plage. Le Sakino-yu Onsen (p. 448), tout bonnement spectaculaire, est l'un de nos préférés au Japon.

Onsen et bain de sable

Takegawara Onsen (Beppu, Kyūshū ; p. 759). Parfois, le plus simple est le mieux. Cet onsen traditionnel de l'ère Meiji a ouvert en 1859. Ses planchers patinés vous conduisent dans un monde de plaisirs et de sensations simples, accessibles à tous. Outre des bains (brûlants) séparés pour hommes et femmes, il propose des bains de sable : vêtu d'un yukata en coton, vous êtes enseveli jusqu'au cou dans du sable chaud pendant 10 à 15 minutes, avant de vous rincer soigneusement et de plonger avec bonheur dans un onsen.

Onsen de montagne

Takama-ga-hara Onsen (Alpes japonaises du Nord, centre d'Honshū ; p. 102). Haut perché dans les Alpes japonaises, ce merveilleux rotemburo (accès gratuit) en bord de rivière nécessite une marche d'une journée au moins. Il se situe dans une réserve naturelle entourée de montagnes et serait le plus haut rotemburo du pays. Vous pouvez passer la nuit dans le vieux

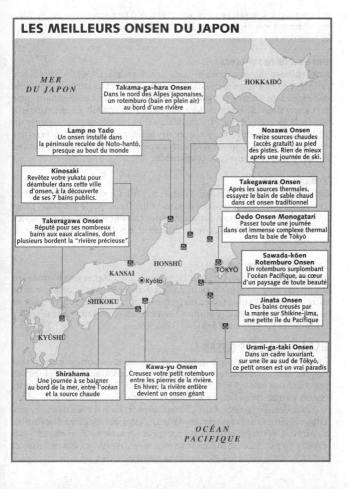

LES MEILLEURS ONSEN DU JAPON

MER DU JAPON

HOKKAIDŌ

Takama-ga-hara Onsen
Dans le nord des Alpes japonaises,
un rotembURO (bain en plein air)
au bord d'une rivière

Lamp no Yado
Un onsen installé dans
la péninsule reculée de Noto-hantō,
presque au bout du monde

Nozawa Onsen
Treize sources chaudes
(accès gratuit) au pied
des pistes. Rien de mieux
après une journée de ski.

Kinosaki
Revêtez votre yukata pour
déambuler dans cette ville
d'onsen, à la découverte
de ses 7 bains publics.

Takegawara Onsen
Après les sources thermales,
essayez le bain de sable chaud
dans cet onsen traditionnel

Takeragawa Onsen
Réputé pour ses nombreux
bains aux eaux alcalines, dont
plusieurs bordent la "rivière précieuse"

Ōedo Onsen Monogatari
Passez toute une journée
dans cet immense complexe thermal
dans la baie de Tōkyō

**Sawada-kōen
Rotemburo Onsen**
Un rotemburo surplombant
l'océan Pacifique, au cœur
d'un paysage de toute beauté

HONSHŪ

TŌKYŌ

KANSAI

⊙ Kyōto

Jinata Onsen
Des bains creusés par
la marée sur Shikine-jima,
une petite île du Pacifique

SHIKOKU

Urami-ga-taki Onsen
Dans un cadre luxuriant,
sur une île au sud de Tōkyō,
ce petit onsen est un vrai paradis

KYŪSHŪ

Shirahama
Une journée à se baigner
au bord de la mer, entre l'océan
et la source chaude

Kawa-yu Onsen
Creusez votre petit rotemburo
entre les pierres de la rivière.
En hiver, la rivière entière
devient un onsen géant

OCÉAN PACIFIQUE

PARLEZ-VOUS ONSEN ?

yu	ゆ ou 湯	eau chaude
o-yu	お湯	eau chaude (forme polie)
dansei-no-yu	男性の湯	bain pour les hommes
otoko-yu	男湯	bain pour les hommes (plus courant)
josei-no-yu	女性の湯	bain pour les femmes
onna-yu	女湯	bain pour les femmes (plus courant)
konyoku	混浴	bain mixte
kazoku-no-yu	家族の湯	bain familial
rotemburo	露天風呂	bain en plein air
kake-yu	かけ湯	se rincer le corps
yubune	湯船	baignoire
uchi-yu	内湯	bain privé

refuge voisin. L'onsen se situe au cœur des Alpes japonaises du Nord, à mi-chemin entre Murodō, sur la route alpine Tateyama-Kurobe (p. 310), et Kamikōchi (p. 283).

Onsen à faire soi-même
Kawa-yu Onsen (Kawa-yu, Wakayama-ken, Kansai ; p. 450). Si vous aimez faire les choses à votre manière, vous apprécierez cette curiosité naturelle dans le sud du Kansai. Les eaux thermales coulent en bouillonnant entre les pierres dans le lit de la rivière. Choisissez un endroit, creusez un petit bassin le long de la rive et attendez qu'il se remplisse pour obtenir un véritable rotemburo privé ! En hiver, des bulldozers transforment la rivière en un gigantesque onsen pouvant accueillir jusqu'à 1 000 personnes, rempli d'une eau émeraude translucide.

Ryokan onsen
Nishimuraya Honkan (Kinosaki, Kansai ; p. 396). Ce ryokan onsen haut de gamme se distingue par un luxe sans faille. Il comporte plusieurs bains splendides, couverts et en plein air, et des chambres raffinées. Un séjour dans cet établissement illustre parfaitement la notion de relaxation totale liée aux onsen.

Station de ski avec onsen
Nozawa Onsen (Nagano, centre d'Honshū ; p. 297). Après une journée sur les pistes, rien n'égale un bain dans un onsen. Cette agréable station offre d'excellentes pistes, un enneigement fiable, des vues superbes sur les montagnes et 13 onsen gratuits à l'eau brûlante, parfaits pour détendre les muscles fatigués par le ski.

USAGES DANS LES ONSEN
La détente est bien la règle numéro un des onsen. Aucun rite compliqué ne préside à leur utilisation ; vous devez simplement respecter la fonction première des bassins et des baignoires : on s'y baigne pour se détendre et l'on y entre après s'être soigneusement lavé.

Payez l'entrée (si nécessaire). Louez une serviette si vous n'en avez pas. Ôtez vos chaussures et placez-les dans un casier ou l'étagère à disposition. Repérez le vestiaire et le bain approprié (hommes : 男 ; femmes : 女). Prenez un panier, déshabillez-vous et placez vos affaires dedans. Rangez le panier dans un casier et conservez votre serviette.

Dans la zone de baignade, trouvez une place pour déposer vos affaires de toilette et lavez-vous (au moins, rincez-vous à grande eau). Vous remarquerez peut-être que certains ignorent ce rituel et entrent directement dans le bain sans se laver ni se rincer. Nous espérons qu'ils se réincarneront dans un monde glacé où n'existeront que des douches froides !

Skier au Japon

Avec plus de 600 stations de ski et un enneigement d'une remarquable régularité, le Japon est un paradis du ski parmi les moins connus. Il offre de splendides paysages de montagnes, des kilomètres de pistes de tous niveaux parfaitement entretenues, des bosses de premier choix et des sites de snowboard. Les habitants sont charmants, la cuisine délicieuse, et les innombrables *onsen* (sources thermales) constituent le délassement suprême après une journée sportive.

Vous n'aurez que l'embarras du choix entre les multiples stations. Les amateurs de poudreuse privilégient Niseko, à Hokkaidō. D'autres préfèrent Shiga Kōgen, réputée la plus grande station de ski au monde, dans le centre de Honshū. Non loin, Nozawa Onsen se distingue par une ambiance plus européenne, d'excellents onsen et pistes. À proximité de ces destinations renommées, nombre de petites stations conviennent parfaitement aux familles.

Le ski demeure une activité abordable au Japon, bien moins chère que dans les grands domaines skiables européens (voir ci-dessous). De plus, on rejoint facilement les pistes depuis l'aéroport international de Narita à Tōkyō ou celui du Kansai à Ōsaka (voir la rubrique *Rejoindre les pistes* ci-dessous).

Excellente source d'information sur le ski au Japon, le site (en anglais) www. snowjapan.com fournit des renseignements détaillés sur les stations, l'enneigement, les transports , les hébergements et les cours de ski, ainsi qu'un service de réservation.

BUDGET

Contrairement à ce que l'on pourrait imaginer, une semaine de ski au Japon peut revenir moins cher qu'en Europe, même en ajoutant le prix du vol international. Voici quelques chiffres pour vous convaincre :

- **Forfait remontées.** Dans la plupart des domaines skiables, le forfait journalier coûte environ 4 800 ¥ (37 €), soit bien moins que dans les grandes stations européennes. De nombreuses stations proposent des forfaits comprenant le déjeuner, voire même un bain dans un onsen. Vous devrez verser une caution de 1 000 ¥ pour la carte électronique des remontées, récupérable quand vous rendez la carte.
- **Hébergement.** Vous trouverez de nombreux hébergements à 8 000 ¥ (61 €) par personne, souvent avec un ou deux repas compris, soit *moins de la moitié* des prix pratiqués en Europe. Les moins fortunés opteront pour les auberges de routards installées près de la plupart des stations, et les familles profiteront de la gratuité ou des réductions consenties aux enfants de moins de 6 ans.
- **Alimentation.** Un repas sur les pistes coûte en moyenne 1 000 ¥ (environ 8 € et la diversité de l'offre est exceptionnelle : pizzas, kebabs et pitas, *rāmen* (nouilles aux œufs), riz et curry, et même un ou deux fast-foods dans les principales stations. La bière et les en-cas sont plus coûteux dans les innombrables supérettes qui jalonnent les pistes ; mieux vaut les acheter ailleurs.
- **Transports.** Les transports entre l'aéroport et les stations ne sont pas plus coûteux que dans d'autres pays, et sont généralement rapides et efficaces ; vous n'aurez pas besoin de louer une voiture. Voir la rubrique ci-dessous pour plus de détails.

Le domaine de Niseko, à Hokkaidō, reçoit 15 m de neige chaque année !

REJOINDRE LES PISTES

L'excellent système de transports publics permet de rejoindre facilement les pistes. Prenons l'exemple de Niseko, à Hokkaidō : si vous arrivez de l'étranger à l'aéroport international de Narita à Tōkyō, prenez un vol

SKIER AU JAPON

intérieur jusqu'au nouvel aéroport de Chitose à Sapporo, puis un bus pour Niseko devant le hall des arrivées (2 heures 30, 2 300 ¥, soit 18 €). En arrivant à Sapporo le matin, vous pouvez dévaler les pistes dans l'après-midi. De même, le trajet en train de Tōkyō à Nagano, le cœur du domaine skiable du centre de Honshū, dure 1 heure 45 et revient à 7 970 ¥ (environ 60 €) en *shinkansen* ultramoderne. Vous pouvez visiter l'incroyable marché de poisson de Tsukiji à Tōkyō le matin et skier à Nagano l'après-midi !

OÙ SKIER

Les meilleures stations de ski se situent dans les Alpes japonaises du centre de Honshū (principalement dans les préfectures de Nagano et de Niigata) et dans l'île septentrionale de Hokkaidō. Les premières possèdent les plus hauts sommets et les secondes bénéficient de la couverture neigeuse la plus profonde et régulière. Les deux régions sont exceptionnelles pour le ski.

Si vous souhaitez compléter vos vacances de ski en visitant des villes comme Kyōto, Nara et Tōkyō, optez plutôt pour les stations des Alpes japonaises. Si le ski constitue votre motivation principale, préférez Hokkaidō ; en réalité, la différence se résume à un court vol intérieur.

La liste qui suit comprend nos cinq stations préférées, destinée principalement à vous allécher ; il en existe plus de 600 autres !

Niseko

Très prisée des Australiens, "Niseko" signifie pour eux poudreuse en japonais. Située sur l'île septentrionale de Hokkaidō, Niseko reçoit en moyenne 15 m de neige par an et se compose de quatre domaines skiables reliés entre eux : Hirafu, Higashiyama, An'nupuri et Hanazono. Un forfait

Les Jeux olympiques d'hiver de 1998 ont eu lieu à Nagano, dans le centre de Honshū. Les épreuves de descente se déroulaient à Happō-One, celles de slalom et de slalom géant à Shiga Kōgen, et le biathlon à Nozawa Onsen.

Près de 90% des skieurs étrangers à Niseko viennent d'Australie.

donne accès aux 60 pistes et 20 remontées mécaniques. Le snowboard est autorisé sur toutes les pistes. Si vous êtes sur place début février, ne manquez pas Yuki Matsuri (p. 599), la célèbre fête de Sapporo. Pour plus de renseignements sur Niseko, reportez-vous p. 613.

Happō-One

Happō-One (prononcez "ha-po-o-nè"), dans le Nagano-ken, est l'exemple parfait de la station des Alpes japonaises. Avec la longue chaîne des Hakuba en toile de fond, elle bénéficie d'un cadre sublime. Les pistes de ski, lisses et bien entretenues ou jalonnées de bosses, dévalent du sommet de la montagne à la station. Cette dernière comprend plusieurs bons onsen et de nombreux hébergements qui accueillent volontiers les étrangers. Pour plus de renseignements sur Happō-One, reportez-vous p. 299.

Shiga Kōgen

Également dans le Nagano-ken, Shiga Kōgen est le plus grand domaine skiable au monde et comporte 21 secteurs différents, tous reliés par des sentiers et des remontées, accessibles avec un seul forfait. Une telle variété peut satisfaire toutes les envies : un domaine est réservé aux skieurs et un autre aux familles. Les innombrables hébergements au

SKI-DŌ, LE SKI À LA JAPONAISE

La neige est la neige et le ski est le ski ! Pourquoi le ski est-il différent au Japon ? À première vue, vous pouvez penser que les stations de ski japonaises sont similaires à celles que vous connaissez. Pourtant, de "petites différences" vous rappelleront que vous n'êtes pas dans les Pyrénées ni dans les Alpes.

- De la musique pop, souvent irritante, bercent les remontées et les restaurants. Apportez un MP3 si vous êtes allergique aux dernières rengaines à la mode.

- Les panneaux indicateurs sont rares et peu fiables, chose étonnante au Japon. Mieux vaut étudier la carte de près et fixer des rendez-vous précis à vos éventuels compagnons.

- Les stations n'utilisent pas toutes les codes vert/bleu/noir pour indiquer la difficulté des pistes. Certaines descentes sont signalées en rouge, pourpre, orange, pointillés ou par un numéro noir sur les cartes.

- La majorité des skieurs japonais commencent la journée à 9h, déjeunent à midi pile et quittent les pistes à 15h. En adoptant des horaires légèrement différents, vous éviterez la foule.

- De jeunes Australiens, Néo-Zélandais ou Canadiens travaillent dans les remonte-pente et les restaurants de nombreuses stations, et sont toujours de bonnes sources d'informations.

- Si les snowboardeurs sont nombreux, peu d'entre eux s'adonnent réellement à la glisse. Au Japon, la figure de snowboard la plus courante consiste à s'asseoir dans la neige, entouré d'amis dans la même position. Considérez ces "sportifs" comme un obstacle naturel et faites un large détour.

- L'assistance aux remontées mécaniques laisse largement à désirer. Les skieurs, abandonnés à leur sort, doivent se débrouiller. Même en cas d'affluence, des skieurs solitaires peuvent emprunter seuls des télésièges prévus pour 3 ou 4 personnes.

- Bien que tentant, le hors-piste est strictement interdit et potentiellement dangereux ; vous encourez la confiscation de votre forfait si des gardes vous surprennent. Chaque année, des skieurs se perdent dans les montagnes et sont secourus à grands frais. De plus, le Japon est particulièrement sujet aux avalanches et la poudreuse, aussi séduisante soit-elle, ne justifie pas un tel risque.

COURS DE SKI EN ANGLAIS

Les tour-opérateurs suivants proposent des cours de ski en anglais pour adultes et enfants (habituellement avec des moniteurs étrangers).

- **Canyons** (http://canyons.jp/index_E.htl). Installé à Hakuba (p. 298 ; près de Happō-One), il offre des cours de ski alpin et de fond, de snowboard, ainsi que des circuits en raquettes.
- **Evergreen** (www.evergreen-hakuba.com). Également à Hakuba, il propose des cours de ski alpin, en poudreuse et télémark (technique ancestrale de ski alpin), ainsi que de snowboard.
- **SAS Snow Sports** (www.sas-net.com). Basé à Niseko (p. 613), il organise des sorties en raquettes.

---

pied des pistes permettent de faire du ski au saut du lit. Comme dans de nombreuses stations japonaises, de bons onsen accueillent les skieurs courbattus. Au cours de votre séjour, vous pourrez facilement faire une excursion à Yudanaka pour voir les fameux "singes des neiges" (macaques du Japon ; voir p. 295). Pour plus de renseignements sur Shiga Kōgen, reportez-vous p. 296.

Nozawa Onsen

Ce pittoresque village, haut perché dans les Alpes japonaises du Nagano-ken, évoquerait fidèlement la Suisse s'il ne comportait 13 onsen gratuits. Le ski reste la principale activité, avec un bon choix de pistes dont de redoutables descentes parsemées de bosses. Plus ramassé que Shiga Kōgen, le domaine est plus facile à explorer. Un parc et un *half-pipe* sont réservés au snowboard et un parcours de ski de fond longe les crêtes. Pour plus de renseignements sur Nozawa Onsen, reportez-vous p. 297.

Le snowboard est une discipline olympique depuis les Jeux olympiques d'hiver de 1998, à Nagano.

Rusutsu

Rusutsu, à Hokkaidō, concurrence Niseko. Tout aussi réputée pour sa poudreuse, elle ravit skieurs et snowboardeurs, qui peuvent dévaler les pistes et s'aventurer hors piste sans braver une quelconque interdiction. Rusutsu est généralement moins fréquentée que Niseko, et l'attente, moins longue aux remontées (parfois fermées par grand vent). Si vous partez skier à Hokkaidō, nous vous conseillons de passer au moins une journée à Rusutsu, qui vous séduira peut-être autant, voire plus, que Niseko ! Pour plus de renseignements sur Rusutsu, reportez-vous p. 616.

La plus longue remontée du monde, le "Dragondola," est un télésiège de 5,4 km de long à la station de Naeba (p. 587), dans le Niigata-ken.

À EMPORTER

À l'exception des chaussures de ski de grandes tailles (voir ci-dessous), vous trouverez quasiment tout l'équipement nécessaire au Japon. Toutefois, à cause des prix ou de la difficulté à se les procurer, mieux vaut acheter les articles suivants avant votre départ :

- **Une petite pochette à forfait à fixer sur le bras**. Vous aurez besoin de votre forfait à chaque remontée ; l'avoir sur le bras est le plus pratique.
- **Lunettes de ski**. Elles sont très coûteuses au Japon, aussi vaut-il mieux emporter les vôtres.
- **Protection solaire**. Écran solaire, aspirine ou autres produits pharmaceutiques que vous connaissez sont parfois difficiles à trouver sur place. Achetez-les avant le départ.
- **Chaussures de ski de grandes tailles**. Dans la plupart des stations, les boutiques de location proposent des chaussures jusqu'à 30 cm (pointure 44 en Europe), voire 31 cm à Happō-One (p. 299) et Nozawa Onsen (p. 297). Au-delà, vous aurez du mal à trouver votre taille.

■ **Téléphone portable**. La majorité des domaines skiables sont couverts par un ou plusieurs réseaux téléphoniques, ce qui permet de rester en contact avec ses amis. Vous pouvez facilement louer un téléphone portable (voir p. 830).

Avant de vous lancer sur les pistes, munissez-vous de quelques billets de 1 000 ¥ et de pièces de 500 ¥ et de 100 ¥ car de nombreux refuges disposent de distributeurs en libre service.

SAVEZ-VOUS DIRE "SKI" EN JAPONAIS ?

Les premiers Jeux olympiques d'hiver organisés en dehors de l'Europe ou de l'Amérique du Nord eurent lieu à Sapporo en 1972.

La réponse est "ski", qui se prononce "su-ki" ! La communication ne devrait pas constituer un problème lors de votre séjour si vous parlez anglais. La plupart des stations emploient des vacanciers anglophones, qui travaillent aux remonte-pente, dans les cafétérias, les hôtels ou les *ryokan* fréquentés par les étrangers. Les principales cartes et indications sont traduites en anglais, et l'organisation des stations correspond peu ou prou à ce que l'on connaît en Occident. Le comptoir d'information au pied de la montagne comprend toujours un personnel serviable et poli qui répondra à vos questions.

Architecture

Le néophyte fraîchement arrivé au Japon a parfois le sentiment d'avoir été parachuté sur une autre planète. Sons, odeurs, tout semble différent, mais le dépaysement est surtout visuel : le hublot du *shinkansen* (train à grande vitesse) offre le spectacle d'un stupéfiant univers de lumières crues et de formes géométriques. Le Japon, où une débauche de métal et de verre voisine parfois un temple de bois dissimulé par des fourrés de bambous, est une destination de rêve pour les amateurs d'architecture.

DE L'ESTHÉTIQUE JAPONAISE

Comment définir l'esthétique japonaise ? La solution de facilité consisterait à dire que, précisément, elle est indéfinissable. Existe-t-il d'ailleurs une architecture "spécifiquement japonaise", comme il existe une esthétique occidentale issue de quelques règles de base comme les cinq ordres des colonnes grecques classiques ? Le style japonais est largement connu pour son épure, son minimalisme, voire son austérité ; les édifices incarnant le style japonais sont connus pour leur sobriété. Bien que l'architecture traditionnelle japonaise affiche effectivement une grande simplicité, cette esthétique dénuée de fioritures transparaît peu dans les façades

Portes en papier de riz dissimulant un restaurant à Kyōto
FRANK CARTER

modernes, et sans cachet, qui constituent l'ordinaire des villes du pays. Elle met l'accent sur l'espace et la fonction, plutôt que sur les détails extérieurs d'un édifice. L'utilisation de l'espace était un élément fondamental dans l'architecture traditionnelle japonaise, et l'austérité d'un édifice préfigurait sa disparition future.

Néanmoins, un autre facteur entre en jeu dans le développement des villes japonaises. Pendant des siècles, les Japonais ont progressivement assimilé des notions, inventions et coutumes étrangères, et les ont modifiées en se les appropriant. Ce processus est commun à de nombreux éléments culturels, de l'importation et l'interprétation du bouddhisme à l'éclectisme de la gastronomie. De même, les paysages citadins japonais comportent de nombreux édifices modernes d'inspiration occidentale qui arborent toutefois une touche typiquement japonaise.

CHAUME, FEUILLE DE RIZ ET TRONC D'ARBRE

Le chaos qui règne dans les villes japonaises est tel que l'on a parfois du mal à croire que la sobriété et le naturel étaient autrefois

BOUTIQUES TŌKYŌÏTES

Tōkyō est incontestablement une ville à l'ambiance électrique, dont les rues sont un défilé de mode permanent. Le shopping est l'activité préférée des Japonais, et ressemble parfois à une discipline athlétique, où les sacs Gucci et les lunettes Chanel sont moins des accessoires branchés que les trophées d'une course frénétique aux achats. Ne vous fiez pas à l'apparent désordre des tenues : chaque détail est mûrement pensé, d'un motif en épingles à nourrice sur le kilt d'une écolière aux éclairs mauves peints dans une coiffure à l'iroquoise. Conséquence de cette obsession pour la mode : une kyrielle de boutiques plus somptueuses que des œuvres d'art, à la hauteur de leurs marques.

■ **Dior Omotesandō** (carte p. 134 ; 5-9-11 Jingūmae, Shibuya-ku ; 🚉 lignes Chiyoda, Ginza, Hanzōmon jusqu'à Omote-sandō, sortie A1). Au premier regard, tout amateur d'architecture reconnaîtra dans la façade blanche de Dior Omotesandō la griffe de Kazuyo Sejima et Ryūe Nishizawa, de l'agence SANAA. L'extérieur est intégralement composé de verre, protégé par un fin revêtement gris hémiperméable isolant le magasin de l'agitation de la rue.

■ **Prada Aoyama** (carte p. 134 ; ☎ 6418 0400 ; 5-2-6 Minami-Aoyama, Minato-ku ; 🕐 11h-20h ; 🚉 lignes Chiyoda, Ginza et Hanzōmon jusqu'à Omote-sandō, sorties A4 et A5). Imaginée par l'agence de design Herzog & de Meuron, lauréate du prix Pritzker, cette structure aux allures de ruche est devenue la deuxième attraction la plus fréquentée de la capitale, après Tōkyō Disneyland.

■ **Louis Vuitton** (carte p. 134 ; ☎ 3478-2100 ; 5-7-5 Jingūmae, 🚉 lignes Chiyoda, Ginza, Hanzōmon jusqu'à Omote-sandō, sortie A1). Première boutique emblématique d'Omote-sandō, la boutique phare de Louis Vuitton a été conçue par l'architecte japonais Aoki Jun et a réalisé un chiffre d'affaires de 1 million de dollars le jour de son inauguration.

■ **Tod's Omotesandō** (carte p. 134 ; ☎ 6419-2055 ; 5-1-15 Jingūmae ; 🚉 lignes Chiyoda, Ginza, Hanzōmon jusqu'à Omote-sandō, sortie A1). Dessinée par l'architecte Ito Toyo, la haute façade en verre enveloppée d'un ruban opaque d'inspiration végétale de Tod's en fait l'une des plus belles boutiques de Tōkyō.

■ **Bapexclusive Aoyama** (carte p. 134 ; ☎ 3407 2145 ; 5-5-8 Minami-Aoyama, Minato-ku ; 🕐 11h-19h ; 🚉 lignes Chiyoda, Ginza, Hanzōmon jusqu'à Omote-sandō, sortie A5). Sobre en comparaison des autres grands noms de la mode, la boutique Bapexclusive, conçue par Wonderwall, offre une atmosphère aseptisée mais élégante pour les victimes de la mode.

Piétons devant la façade en verre arrondi de Prada Aoyama, à Tōkyō

ANTHONY PLUMMER

LE CHANT DU ROSSIGNOL

Aujourd'hui, les intrus sont parfois accueillis par des lasers, des antivols et des alarmes, mais les seigneurs féodaux japonais recouraient à une méthode plus simple pour protéger leur château des perfides assassins masqués de noir. Chargés d'imaginer un moyen de protéger leurs maîtres même la nuit, les architectes de la cour élaborèrent un système de sécurité appelé *uguisubari*, ou "parquet-rossignol". En frottant contre leurs écrous, les clous des sols produisaient un crissement au moindre contact. Les planches de bois grincent naturellement mais, grâce à ce mécanisme, le plancher produisait un véritable chant d'oiseau lorsqu'on posait le pied. Le crissement des sols de Nijō-jō (p. 365) illustrent parfaitement ce système de sécurité sonore. Traversez la pièce sur la pointe des pieds. Combien de mètres pouvez-vous parcourir avant que le sol ne se mette à chanter ?

les maîtres mots de l'esthétique locale. Bien avant que les Japonais n'empruntent et ne perfectionnent des éléments architecturaux occidentaux, la nation insulaire a eu deux siècles pour affiner son art, durant l'isolement qu'imposa Ieyasu Tokugawa après avoir défait ses ennemis et consolidé l'autorité du shogunat.

La somptuosité des temples japonais est sans conteste le meilleur exemple des capacités architecturales précoces de la nation. Les importants ensembles religieux étaient relativement vastes et comprenaient une grande salle entourée d'édifices secondaires, comme des pagodes (ancêtres des gratte-ciel), et de bâtiments où logeaient les adeptes.

Tout aussi impressionnants sont les châteaux féodaux, bien que nombre de bastions visibles aujourd'hui soient des répliques en béton des structures en bois d'origine, détruites par la guerre, les incendies ou la pourriture. Initialement, les premiers châteaux étaient de simples forts surélevés qui échappaient aux envahisseurs grâce à la topographie plutôt qu'à la stratégie militaire. La construction des châteaux connut une explosion aux XVIe et XVIIe siècles. Plus impressionnants les uns que les autres, ils furent pourtant rasés par les gouvernements

Fleurs de cerisier devant l'Ōsaka-jō (p. 404) illuminé, à Ōsaka

JOHN BA

GREG ELMS

Un long escalier mène à l'imposant Niō-mon, porche d'entrée du Kiyomizu-dera (p. 357), à Kyōto

CINQ MERVEILLES DE BOIS

Le Japon est connu pour ses paysages urbains, illustrés par la jungle de métal qu'est Tōkyō dans de multiples films à succès. Mais parmi tous les matériaux de construction traditionnels, c'est le bois qui domine. Les édifices suivants comptent parmi les plus belles constructions en bois du Japon.

- **Hōryū-ji** (p. 435). Situé dans l'ancienne capitale de Nara, ce complexe de temples abrite les deux structures en bois considérées comme les plus vieilles au monde : la pagode (dépassant 32 m) et le *kondō* (salle principale ou salle d'or). Son nom complet, *Hōryū Gakumonji*, signifie "temple de la loi florissante," car il était utilisé pour les sermons et les rituels monastiques.

- **Tōdai-ji** (p. 429). Le Daibutsu-den d'origine et le bouddha de bronze géant ont été édifiés au VIIIe siècle, par quelque deux millions d'ouvriers. La structure a deux fois été réduite en cendres, et sa version actuelle remonte à 1709.

- **Chion-in** (p. 360). Cet étonnant complexe religieux est le centre du *Jōdo shū*, la secte de la Terre pure fondée par Hōnen, moine japonais du XIIe siècle. Le porche principal de Chion-in, ou San-mon, est le plus vaste édifice de son genre de tout le pays. Plusieurs structures du domaine ont brûlé au XVIIe siècle, mais elles ont été reconstruites par le shogunat des Tokugawa quelques années plus tard.

- **Kiyomizu-dera** (p. 357). C'est l'un des temples les plus célèbres de Kyōto. Perché sur une colline, ce stupéfiant sanctuaire domine les toits couleur châtaigne de la ville. Le joyau du temple est le pavillon principal, dont la véranda est soutenue par un échafaudage.

- **Byōdō-in** (p. 370). Cette résidence de campagne du clan Fujiwara construite en 998 fut par la suite transformée en temple. L'Amida-dō (salle du Phoenix ; également appelé Hōō-dō), qui figure sur les pièces de 10 ¥, est l'un des plus beaux exemples d'architecture de la période Fujiwara. L'île d'O'ahu, à Hawaï, possède une réplique du complexe Byōdō-in.

d'Edo et de Meiji. Les principaux châteaux d'Ōsaka (Ōsaka-jō ; p. 404) et Nagoya (Nagoya-jō ; p. 256) sont spectaculaires et possèdent de fascinants musées interactifs. Pourtant, le plus impressionnant demeure Himeji-jō (p. 422), surnommé le "Héron blanc" pour sa somptueuse silhouette blanche.

Simple et raffinée, la demeure classique était construite en poteaux et poutres de bois. Des parois en bois ou en papier de riz (pour les régions chaudes) composaient les murs extérieurs. Des *shōji* (panneaux coulissants) séparaient les différentes pièces. Dans des régions plus densément peuplées, le *machiya* (résidence japonaise traditionnelle) s'est généralisé, souvent construit par des marchands. Bien que les rangées étroites et ordonnées de *machiya* aient cédé la place à des demeures

Gasshō-zukuri, ferme traditionnelle à toit de chaume

FRANK CARTER

modernes et clinquantes, on peut encore trouver, au hasard des rues de Kyōto, quelques *machiya*. La légèreté des maisons étaient doublement justifiée : ces matériaux de construction permettaient de supporter la chaleur suffocante des mois d'été et ils résistaient aux secousses sismiques, assez fréquentes.

La ferme traditionnelle la plus caractéristique du Japon est le *gasshō-zukuri* à toit de chaume. Elle doit son nom à la forme de ses chevrons, qui évoque deux mains jointes comme pour une prière. Si ces fermes semblent confortables et romantiques – elles ont effectivement beaucoup de charme –, il faut savoir qu'elles abritaient jusqu'à 40 personnes et hébergeaient également des animaux. Les planchers en bois sombre, les plafonds couverts de suie et les murs sans fenêtres offrent un contraste frappant avec les spacieuses maisons de marchands des régions plus peuplées.

PIERRE, CISEAUX, PAPIER

Au shogunat de Tokugawa, qui perdit le contrôle de la nation insulaire, succéda la Restauration de Meiji (1868), qui ouvrit de nouveau le Japon aux influences étrangères, notamment en matière d'architecture. Josiah Conder, un architecte britannique, fut invité à Tōkyō pour dessiner les édifices destinés à incarner un Japon occidentalisé. Conder édifia de nombreux bâtiments dans les styles gothique, Renaissance, maure et Tudor, donnant un nouveau souffle au paysage éclectique de Tōkyō. Conder avait pour ambition d'apporter à l'architecture japonaise une touche occidentale sans la dénaturer, mais le choix de ces inspirations étrangères révéla la difficulté de populariser un style typiquement japonais. Cette révolution fut accueillie d'un mauvais œil par les autorités de Meiji, plus enclines à généraliser une esthétique occidentale qu'un mélange anarchique de styles coloniaux. Mécontents de la synthèse que Conder tentait d'amorcer, les autorités de Meiji mirent fin à son contrat.

Au lendemain de la Seconde Guerre mondiale, Tōkyō était un champ de ruines. Les bombardements des Alliés avaient frappé une ville qui se relevait à peine du tremblement de terre du Kantō (1923). Les autres métropoles du pays avaient subi le même sort. La géologie et la guerre semblaient s'être ligués pour anéantir le style des Tokugawa, imposé à la nation pendant ses 200 ans d'isolement forcé.

À l'arrivée de la télévision, accueillie avec émerveillement, le Japon construisit sa première tour de télécommunication en plein cœur de Tōkyō, la Tokyo Tower. On ne se contenta pas d'une simple antenne : les ingénieurs érigèrent une réplique de la tour Eiffel. Symbole des aspirations modernistes et progressistes des Japonais, la structure orange et blanc culmine à 333 m, soit 13 m plus haut que son modèle parisien. Née dans les années 1890 et dominant de sa silhouette d'acier le patchwork de zinc et de pierre du Paris haussmannien, la tour Eiffel était l'incarnation de l'ère industrielle. La Tokyo Tower, dont la construction débuta 60 ans plus tard, ressemble peu à son modèle français.

WABI-SABI

À ne pas confondre avec la sauce verte qui relève les sushis (!), le *wabi-sabi* est l'un des principes visuels fondamentaux sur lesquels repose la notion japonaise traditionnelle du beau. Pour les spécialistes, ce concept est sans équivalent dans les langues occidentales. Le *wabi-sabi* désigne une esthétique conciliant les notions d'éphémère et d'imperfection, qui se manifeste dans chaque facette de la culture japonaise.

Le terme se compose des deux concepts de *wabi* et de *sabi*. *Wabi* est synonyme de rusticité et évoque le sentiment de solitude qu'inspire la nature ; quant à *sabi*, il correspond à l'usure, au déclin et au vieillissement – en japonais, "rouille" se dit *sabi*. Le mot composé fait donc référence aux imperfections naturelles qui caractérisent un objet durant sa fabrication et la conscience qu'il évolue en approchant de la mort.

Ce goût pour l'impermanence et l'inachevé traverse toute la culture visuelle japonaise, des printanières et odorantes fleurs de cerisiers à la légère asymétrie de la poterie *hagi-yaki*. Mais c'est sans doute dans l'art du paysage et l'architecture qu'il est le plus manifeste. Faite de matériaux naturels, ornée de céramiques artisanales et entourée de jardins soignés, la maison de thé japonaise est l'incarnation du *wabi-sabi*.

Hérité du bouddhisme ancien, cet idéal esthétique a survécu jusqu'au Japon moderne et inspire encore certains édifices urbains.

Élégant toit de l'Ōkura Shūkokan (p. 157), à Tōkyō

MARTIN MOOS

Toutefois, malgré son allure désuète et son esthétique d'emprunt, cette structure demeure aujourd'hui un exemple de conception protomoderne.

Pour la première fois depuis la Seconde Guerre mondiale, tous les yeux se sont tournés vers le Japon, à l'occasion des Jeux olympiques d'été de 1964 organisés à Tōkyō. Le gouvernement japonais décida de bâtir le centre olympique sur le site de l'ancienne base américaine de Yoyogi, un quartier au sud-ouest de la ville. Pour les concepteurs du projet, le plus difficile était d'identifier et d'illustrer le style japonais contemporain. L'objectif était double : prouver la modernité du pays en réalisant une création architecturale hors du commun, et inventer un style spécifiquement japonais. Le complexe sportif devait servir de modèle aux architectes de l'avenir.

Mais cette tâche se révéla plus difficile que prévu, même pour des architectes locaux. Le style moderne de l'architecte Kenzō Tange fut finalement sélectionné. Fortement influencé par Le Corbusier, le travail du jeune Tange ne dénaturait pas la philosophie du Français. Ses deux grands stades semblent reproduire les courbes d'un coquillage extraterrestre. Le toit de la principale structure ressemble à la coque renversée d'un majestueux navire. La silhouette gracieuse dissimule la démesure du stade, conçu pour accueillir des milliers de spectateurs. Le monde entier fut fasciné. Tange connut une brillante carrière – il est l'auteur du Tokyo Metropolitan Government Building (1991 ; p. 154), la plus haute tour de Tōkyō.

Le Tokyo Metropolitan Government Building (p. 154)

BRENT WINEBRENNER

Les contemporains de Tange, comme Kazuo Shinohara et Fumihiko Maki, furent les précurseurs d'un mouvement appelé Métabolisme, qui privilégie la flexibilité des espaces et des fonctionnalités au détriment des formes fixes. Les acteurs du Métabolisme souhaitaient faire du fonctionnalisme, caractéristique de l'architecture traditionnelle japonaise, un fondement du modernisme en l'adaptant à de nouveaux matériaux, comme le béton et le verre.

Dans les années 1980, une nouvelle vague d'architectes s'est imposée sur la scène internationale, au nombre desquels Tadao Andō, Itsuko Hasegawa et Ito Toyo. Cette génération montante poursuit son exploration du modernisme et du postmodernisme, tout en explorant le patrimoine architectural du Japon.

Tōkyō 東京

La ville de Tōkyō peut vous sembler familière grâce aux illustrations d'*Akira* (un manga culte) ou aux films de grands réalisateurs japonais et étrangers. Votre style vestimentaire s'inspire peut-être de la mode urbaine d'Harajuku ou des stylistes tels Kenzo, Yohji Yamamoto ou Comme des Garçons, et les albums de BoA ou des Zazen Boys font éventuellement partie de votre discothèque. La marée humaine au carrefour de Shibuya, les employés de bureau en costume strict et les jeux télévisés d'un kitsch confondant font aussi partie des clichés de la capitale. Cette ville réserve néanmoins bien des surprises et procure la liberté de l'anonymat aux personnalités les plus excentriques. Bien sûr, l'aphorisme japonais *"le clou qui dépasse appelle le marteau"* ne reflète pas nécessairement la réalité de Tōkyō.

L'effervescente créativité de la capitale résulte du mélange de traditions ancestrales, d'une société moderne ultra-urbanisée et des apports venant de l'étranger. De même, sa gastronomie, sa culture populaire et la mentalité des habitants sont un curieux mélange de coutumes anciennes et de goûts modernes. Tiraillée entre la rigidité des règles et du protocole et les innovations permanentes, la ville possède une atmosphère unique, à la fois familière et totalement étrangère. De plus, la démesure de cette métropole favorise la multiplicité des particularités et des échanges.

Nul doute que la découverte des innombrables facettes de Tōkyō vous fascinera.

À NE PAS MANQUER

- Une promenade dans le jardin du **Meiji-jingū** (p. 154), le plus beau sanctuaire shintoïste de Tōkyō
- **Jingū-bashi** (p. 154), le rendez-vous des lolitas gothiques qui posent avec plaisir pour une photo
- Le meilleur de l'art et la culture populaire à **Roppongi** (p. 156)
- Une visite matinale au **marché au poisson de Tsukiji** (p. 150), suivie d'un festin de sushis
- Le rituel solennel des tournois de sumo au **Ryōgoku Kokugikan** (p. 187), avec lancers de sel et claques sur la panse
- Un aperçu de la vie à l'époque d'Edo dans le merveilleux **musée d'Edo-Tōkyō** (p. 158)

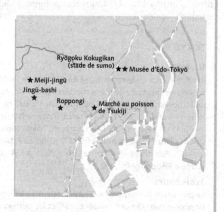

INDICATIF TÉLÉPHONIQUE : 03   POPULATION : 12,56 MILLIONS D'HABITANTS

TŌKYŌ

HISTOIRE

Dévastée à la fin de la Seconde Guerre mondiale, Tōkyō s'est relevée de ses cendres pour devenir l'un des premiers centres économiques mondiaux.

Jadis appelée Edo (littéralement "Porte de la rivière") à cause de son emplacement à l'embouchure de la Sumida, la cité prit de l'importance en 1603, quand elle devint le siège du shogunat (gouvernement militaire) de Ieyasu Tokugawa. De là, le clan Tokugawa parvint à diriger tout le Japon et, à la fin du XVIIIe siècle, Edo était la ville la plus peuplée au monde. Lorsque l'autorité de l'empereur fut restaurée en 1868, la capitale fut déplacée de Kyōto à Edo, rebaptisée Tōkyō (capitale de l'Est).

Après plus de 250 ans d'isolement, Tōkyō parvint à se transformer en une métropole moderne malgré deux désastres majeurs : le tremblement de terre du Kantō en 1923 et les incendies qui s'ensuivirent, puis les raids aériens des Américains en 1944 et 1945.

L'économie japonaise atteignit des sommets vertigineux dans les années 1980, puis s'effondra dans les années 1990 et la capitale mit des années à sortir de la récession. Actuellement, l'économie vacille de nouveau, mais les exportations culturelles de Tōkyō continuent de fortement influencer la scène mondiale au travers de la mode, de la musique, du design, des mangas, des *anime* (films d'animation) et d'une technologie purement japonaise.

ORIENTATION

Tōkyō forme une immense conurbation qui s'étend dans la plaine du Kantō depuis la baie de Tōkyō (Tōkyō-wan). Le centre comporte 23 *ku* (circonscriptions), tandis que la périphérie est divisée en 27 *shi* (villes), un *gun* (département) et quatre secteurs insulaires. Les quartiers qui intéressent les visiteurs se regroupent presque tous le long ou à proximité de la ligne JR Yamanote, qui fait le tour du centre-ville. Les autres quartiers, comme Roppongi, Tsukiji et Asakusa, sont également faciles d'accès grâce à l'excellent réseau du métro tokyoïte.

À l'époque d'Edo, Yamanote, sur les hauteurs, rassemblait les résidences et les domaines des seigneurs féodaux, de l'aristocratie militaire et de l'élite. Shitamachi, le centre-ville, était habité par les ouvriers, les marchands et les artisans. Cette distinction subsiste aujourd'hui. Les quartiers à l'ouest du Palais impérial (Kōkyo), plus modernes, abritent les commerces et les entreprises. Ceux à l'est du Palais conservent plus le caractère de l'ancienne Edo.

Un trajet sur la ligne JR (Japan Railways) Yamanote constitue une bonne approche de la ville. Vous pouvez partir de la gare de Tōkyō, qui jouxte les quartiers d'affaires de Marunouchi et d'Ōtemachi, et celui des boutiques de luxe de Ginza. En poursuivant vers le nord, vous arriverez à Akihabara, le centre de l'électronique à prix réduits. Plus loin, Ueno regroupe de nombreux musées. La ligne descend ensuite vers Ikebukuro, dévolu au shopping et au divertissement. À quelques

TŌKYŌ EN...

Un jour

Rendez-vous à l'aube au **marché au poisson de Tsukiji** (p. 150) pour un aperçu des prises du jour, puis buvez une tasse de thé vert et promenez-vous dans **Hama-Rikyū-Teien** (p. 150). Faites ensuite du lèche-vitrines le long de Chūō-dōri dans **Ginza** (p. 149), et découvrez les derniers gadgets dans le **Sony Building** (p. 149) ou le **Leica Ginza Salon** (p. 149).

Après un déjeuner sur l'esplanade du **Tōkyō International Forum** (p. 148), traversez le **jardin oriental du Palais impérial** (p. 127) jusqu'au **Kitanomaru-kōen** (p. 148) et au **Yasukuni-jinja** (p. 148). Puis offrez-vous un succulent dîner à **L'Atelier de Joël Robuchon** (p. 178) et finissez la soirée à **Roppongi** (p. 156).

Trois jours

Le premier jour, suivez l'itinéraire précédent. Le lendemain, découvrez la haute couture et la culture populaire dans **Omote-sandō** (p. 154) et les **petites rues de Harajuku** (p. 154). Dégustez ensuite des desserts à volonté dans un café de **Shibuya** (p. 176) ou rejoignez le **Blue Note Tōkyō** (p. 185) pour écouter d'excellents jazzmen.

Le troisième jour, détendez-vous : faites la tournée des petits bars, des cafés et des boutiques de **Daikanyama** (p. 156), **Kichijōji** (p. 159) ou **Shimo-Kitazawa** (p. 159).

TŌKYŌ EN LIVRES

Si vous séjournez à Tōkyō, procurez-vous le guide *Tōkyō en quelques jours* édité par Lonely Planet.

Les amateurs de mangas liront *Akihabara@Deep* (12 Bis Éditions, tomes 1 à 5) d'Ira Ishida (dessins de Makoto Akane), dont les histoires futuristes se déroulent dans le quartier tokyoïte d'Akihabara.

Pour découvrir le Tōkyō des initiés, vous lirez (avec plaisir) ces ouvrages abondamment illustrés : *Tōkyō itinéraires* (Waku Waku, 2006), de Cécile Parisot et François-Xavier Robert, et *Tokyo Sanpo. Promenades à Tokyo* (Philippe Picquier, 2009), de Florent Chavouet, conçu comme un livre d'aventures.

Pour des ouvrages plus fouillés, les amateurs d'architecture se tourneront vers *Tōkyō : architecture et urbanisme*, de Livio Sacchi (Flammarion, 2005) et les passionnés d'histoire liront *D'Edo à Tōkyō. Mémoires et modernités*, de Philippe Pons (Gallimard, 1988). Voir aussi *Livres à emporter* p. 27.

arrêts plus loin, Shinjuku, considéré comme le cœur du Tōkyō moderne, mêle commerces, affaires et loisirs. De là, la ligne continue jusqu'aux quartiers branchés de Harajuku, Shibuya et Ebisu, puis passe par Shinagawa avant de revenir à la gare de Tōkyō.

Les renseignements fournis dans ce chapitre suivent la ligne JR Yamanote dans le sens contraire des aiguilles d'une montre.

Cartes

Procurez-vous la *Tourist Map of Tokyo*, distribuée gratuitement par les Tourist Information Centers (TIC – voir p. 126). Cette carte excellente comprend des encarts détaillés des principaux quartiers, ainsi que des plans du métro et du réseau de train. Pour une visite plus approfondie, achetez le *Tokyo City Atlas: A Bilingual Atlas* (Kodansha), qui inclut les numéros *banchi* (numéros des rues), essentiels pour trouver une adresse.

Le *Tokyo Metro Guide* (reproduit dans ce guide), disponible gratuitement dans les stations de métro et les TIC, permet de repérer facilement les lignes de train et de métro, identifiées par des couleurs.

RENSEIGNEMENTS
Accès Internet

Dans certains quartiers, il est difficile de trouver un cybercafé. Le mieux consiste à dénicher un *manga kissa* près des principaux carrefours de transports. Ouverts 24h/24, souvent bondés et enfumés, ces cybercafés proposent l'accès à Internet, des repas bon marché et de multiples activités (lire des mangas, regarder des DVD, etc.) pour tuer le temps ; voir l'encadré p. 163.

Par ailleurs, FedEx Kinko possède des succursales dans toute la ville et offre l'accès Internet pour 250 ¥ les 10 minutes.
FedEx Kinko's Higashi-Ginza (carte p. 138 ; ☎ 5565 0441 ; 1ᵉʳ niv, Taiyo Ginza Bldg, 7-14-16 Ginza, Chūō-ku ;

☺ 24h/24 ; ☒ lignes Hibiya et Toei Asakusa jusqu'à Higashi-Ginza, sortie 4).
FedEx Kinko's Shibuya (carte p. 134 ; ☎ 5464 3391 ; 1ᵉʳ et 2ᵉ niv, Tōkyō Tatemono Shibuya Bldg, 3-9-9 Shibuya, Shibuya-ku ; ☺ 24h/24 ; ☒ ligne JR Yamanote jusqu'à Shibuya, sortie est).
FedEx Kinko's Shinjuku-Minamiguchi (carte p. 131 ; ☎ 3377 5711 ; 3ᵉ niv, Southern Terrace Bldg, 2-2-1 Yoyogi, Shibuya-ku ; ☺ 24h/24 ; ☒ ligne JR Yamanote jusqu'à Shinjuku, nouvelle sortie sud).

Agences de voyages

Plusieurs agences de voyages, dont le personnel parle anglais, offrent habituellement des réductions sur les vols et sur les déplacements dans le pays. Pour une idée des tarifs en vigueur, consultez le *Japan Times* ou *Metropolis*.

Nous vous conseillons ces quatre agences :
A'cross Travellers Bureau Ikebukuro (carte p. 132 ; ☎ 5391-3227 ; www.across-travel.com ; 3ᵉ niv, Nippon Life Higashi-Ikebukuro Bldg, 1-11-1 Higashi-Ikebukuro, Toshima-ku ; ☺ 11h-20h lun-sam, 11h-18h dim ; ☒ ligne JR Yamanote jusqu'à Ikebukuro, sortie est) ; Shibuya (carte p. 134 ; ☎ 5467-0077 ; 3ᵉ niv, TK Shibuya East Bldg, 1-14-14 Shibuya, Shibuya-ku ; ☺ 11h-20h lun-ven, 11h-19h sam ; ☒ ligne JR Yamanote jusqu'à Shibuya, sortie Hachikō) ; Shinjuku (carte p. 131 ; ☎ 3340-1633 ; 2ᵉ niv, Yamate Shinjuku Bldg, 1-19-6 Nishi-Shinjuku, Shinjuku-ku ; ☺ 10h-19h lun-sam, 11h-18h dim ; ☒ ligne Toei Shinjuku jusqu'à Shinjuku, sortie 7).
JTB (Japan Travel Bureau) ; Akasaka (carte p. 140 ; ☎ 3580-4253 ; 2-14-2 Nagatachō, Chiyoda-ku ; ☺ 10h30-19h lun-ven ; ☒ lignes Ginza et Marunouchi jusqu'à Akasaka-mitsuke, sortie Belle Vie) ; Marunouchi (carte p. 138 ; ☎ 3283-1320 ; www.jtb.co.jp/shop/tl-kokusaiforum, en japonais ; 1ᵉʳ niv, C Bldg, Tokyo International Forum, 3-5-1 Marunouchi, Chiyoda-ku ; ☺ 10h30-19h30 lun-ven, 12h30-18h sam ; ☒ ligne JR Yamanote jusqu'à Yūrakuchō). Peut organiser des voyages dans le pays. La succursale de Marunouchi est généralement tenue par des anglophones.

WI-FI

Le moyen le plus facile d'accéder à Internet consiste à se rendre dans le *manga kissa* (voir l'encadré, p. 163) du coin. Si vous possédez un ordinateur portable, vous trouverez facilement un accès Wi-Fi gratuit. Freespot (www.freespot.com/users/map_e.html) répertorie ces endroits, souvent des cafés.

No 1 Travel Ikebukuro (carte p. 132 ; ☎ 3986-4690 ; www.no1-travel.com ; 4ᵉ niv, Daini Mikasa Bldg, 1-16-10 Nishi-Ikebukuro, Toshima-ku ; 🕙 10h-18h lun-ven, 9h30-15h30 sam ; 🚇 ligne JR Yamanote jusqu'à Ikebukuro, sortie ouest. En face de la sortie ouest de la gare JR Ikebukuro, dans Azalea-dôri ; Shibuya (carte p. 134 ; ☎ 3770-1381 ; 6ᵉ niv, Osawa Bldg, 1-20-1 Dôgenzaka, Shibuya-ku ; 🕙 10h-18h30 lun-ven, 11h-16h30 sam ; 🚇 ligne JR Yamanote jusqu'à Shibuya, sortie Hachikô). Empruntez Jingū-dôri vers le nord et tournez à droite après Tower Records ; Shinjuku (carte p. 131 ; ☎ 3205-6073 ; 7ᵉ niv, Don Quijote Bldg, 1-16-5 Kabukichô, Shinjuku-ku ; 🕙 10h-18h30 lun-ven, 11h-16h30 sam ; 🚇 ligne JR Yamanote jusqu'à Shinjuku, sortie est)
STA Travel (carte p. 132 ; ☎ 5391-2922 ; www.statravel.co.jp ; 7ᵉ niv, Nukariya Bldg, 1-16-20 Minami-Ikebukuro, Toshima-ku ; 🕙 10h-18h lun-ven, 10h-13h sam ; 🚇 ligne JR Yamanote jusqu'à Ikebukuro, sortie sud).

Argent

Les banques ouvrent de 9h à 15h (jusqu'à 17h pour certaines) du lundi au vendredi ; repérez la pancarte "Foreign Exchange" à l'extérieur. Certaines postes offrent également un service de change et la plupart disposent de DAB avec instructions en anglais.

Tôkyô compte un bon nombre de DAB qui acceptent les cartes étrangères. Ceux de la Citibank, accessibles 24h/24, acceptent toutes les cartes. Les supérettes 7-Eleven possèdent souvent des DAB avec instructions en anglais.

En cas de perte ou de vol de carte de crédit, appelez les numéros suivants 24h/24 et gratuits au Japon :
American Express (☎ 0120-020-120).
MasterCard (☎ 0053-111-3886).
Visa (☎ 0120-133-173).

Bibliothèques
Bibliothèque de la Maison franco-japonaise
(carte p. 136 ; ☎ 5421-7643 ; www.mfj.gr.jp en français et japonais ; 3-9-25 Ebisu, Shibuya-ku ; 🕙 10h30-18h lun-sam ; 🚇 ligne JR Yamanote jusqu'à Ebisu). De la station

Ebisu, empruntez le Skywalk jusqu'au terminus, tournez à gauche à la sortie, remontez deux pâtés de maisons, puis tournez à gauche à hauteur de l'école primaire. La bibliothèque publique, avec son impressionnante collection d'ouvrages en français, se situe sur la droite.
British Council (carte p. 142 ; ☎ 3235-8031 ; www. britishcouncil.org/japan.htm ; 1-2 Kagurazaka, Shinjuku-ku ; 🕙 10h30-20h30 lun-ven, 9h30-17h30 sam ; 🚇 lignes JR Chūō, Sōbu jusqu'à Iidabashi, sortie ouest, ou lignes Namboku, Tōzai, Yūrakuchō, Toei Ōedo jusqu'à Iidabashi, sortie B3). Vaste sélection de livres et de magazines.
Goethe Institut Tokyo Bibliothek (carte p. 140 ; ☎ 3584-3203 ; 7-5-56 Akasaka, Minato-ku ; 🕙 13h-18h lun-sam, 10h-15h dim). Environ 15 000 tomes. Voir aussi *Centres culturels*.
Japan Foundation Library (carte p. 128 ; ☎ 5369-6086 ; www.jpf.go.jp/e/jfic/lib/index.html ; 4-4-1 Yotsuya, Shinjuku-ku ; 🕙 10h-19h lun-ven, 10h-17h 3ᵉ sam du mois, fermé 4ᵉ lun et dernier jour du mois ; 🚇 ligne Marunouchi jusqu'à Yotsuya-sanchôme, sortie 1). Quelque 30 000 ouvrages en anglais.
National Diet Library (bibliothèque du Parlement ; carte p. 140 ; ☎ 3506-3300 ; www.ndl.go.jp/en/ ; 1-10-1 Nagatachô, Chiyoda-ku ; 🕙 9h30-17h lun-sam ; 🚇 lignes Hanzômon, Yūrakuchō jusqu'à Nagatachô, sortie 2). Un trésor de 1,3 million d'ouvrages en langues occidentales.

Centres culturels

Les centres culturels de Tôkyô servent généralement de point de ralliement aux communautés internationales qu'ils représentent. Souvent pourvus de panneaux d'affichage et d'une petite bibliothèque, ils organisent des cours de langue et des manifestations diverses.
British Council (carte p. 142 ; ☎ 3235-8031 ; www.britishcouncil.org/japan.htm ; 1-2 Kagurazaka, Shinjuku-ku ; 🕙 10h30-20h30 lun-ven, 9h30-17h30 sam ; 🚇 lignes JR Chūō, Sōbu jusqu'à Iidabashi, sortie ouest ou lignes Namboku, Tōzai, Yūrakuchō, Toei Ōedo jusqu'à Iidabashi, sortie B3). À plusieurs rues au sud le long du canal dans Sotobori-dôri.
Goethe-Institut Tokyo (carte p. 140 ; ☎ 3584-3201 ; www.goethe.de/tokyo, en japonais et allemand ; 7-5-56 Akasaka, Minato-ku ; 🕙 10h-13h mar, 14h-17h mer, 10h-13h et 14h-15h30 ven, fermé lun, jeu, sam-dim ; 🚇 lignes Ginza, Hanzômon, Toei Ōedo jusqu'à Aoyama-itchôme, sortie A4). Dirigez-vous vers l'est dans Aoyama-dôri ; tournez à gauche à Sōgetsu Kaikan et parcourez un pâté de maisons. Voir aussi *Bibliothèques*.
Institut franco-japonais de Tôkyô (carte p. 142 ; ☎ 5206-2500 ; www.institut.jp en japonais et français ; 15 Ichigaya Funagawarachô, Shinjuku-ku ; 🕙 12h-20h lun, 9h30-20h mar-ven, 9h30-19h sam, 9h30-18h dim ; 🚇 lignes JR Chūō, Sōbu jusqu'à Iidabashi, sortie ouest

ou lignes Namboku, Tōzai, Yūrakuchō, Toei Ōedo jusqu'à
Iidabashi, sortie B2a et B3). Suivez Sotobori-dōri vers le
sud, tournez à droite au feu et montez sur environ 50 m.

Consignes

L'aéroport de Narita propose un service de
takkyubin (livraison de bagages). Moyennant
2 000 ¥ pour un gros bagage, vos affaires seront
livrées à votre hôtel le lendemain (ou emportées
la veille de votre départ ; appelez un jour avant).
À Narita, les comptoirs indiqués en anglais
sont installés dans chaque terminal.

ABC (☎ 0120-919-120)

Yamato (☎ 0476-324-755)

Toutes les gares ferroviaires et routières de
Tōkyō possèdent des consignes automatiques.
Les plus petites coûtent à partir de 300 ¥ pour
3 jours au maximum. Dans la gare de Tōkyō, le
Rail-Go Service (☎ 3231 0804 ; niv B1, gare de Tōkyō ; ⏰ 9h-
20h) conserve les bagages jusqu'à 2 semaines. Si
la gare est encore en travaux lors de votre séjour,
ce comptoir n'est accessible qu'en sortant de la
gare. De la sortie Yaesu sud, tournez à droite
et longez la gare jusqu'à l'entrée menant à un
ascenseur, qui descend vers la consigne. Les
tarifs commencent à 410 ¥ par bagage et par
jour (et doublent après 5 jours).

Immigration (administration)

Reportez-vous p. 812 pour des informations
sur les ambassades et les consulats étrangers
à Tōkyō.

Bureau régional de l'immigration de Tōkyō (東京
入国管理局 ; hors carte p. 128 ; ☎ 5796-7112 ; www.
moj.go.jp/ENGLISH/information/iic-01.html ; 5-5-30 Kōnan,
Minato-ku ; ⏰ 9h-12h et 13h-16h lun-ven ; 🚇 monorail
de Tōkyō jusqu'à Tennōzu-Isle). À 15 min de marche de
la station Tennōzu-Isle ; prenez le monorail à la station
Hamamatsuchō sur la ligne JR Yamanote. Imprimez le
plan figurant sur le site Internet pour l'itinéraire depuis la
station Tennōzu-Isle.

Laveries

La plupart des hôtels, de catégories moyenne
et supérieure, offrent un service de blanchis-
sage. Si vous résidez dans un *ryokan* (auberge
japonaise traditionnelle), demandez qu'on vous
indique le *koin randorii* (laverie) la plus proche.
Les prix commencent à 150 ¥ la machine, et le
séchage coûte 100 ¥ les 10 minutes.

Presque tous les quartiers possèdent des
kuriiningu-yasan (pressings) fiables, qui proposent souvent un service express. Comptez
200 ¥ pour une chemise.

Librairies

Jimbōchō, le quartier des librairies, intéresse
principalement une clientèle japonaise, mais
reste un endroit fascinant où dénicher des cartes
ou des manuels de jardinage de la période
d'Edo. Paradis des bibliophiles, le Kanda
Furuhon Matsuri (Festival du livre d'occasion
de Kanda) investit le quartier chaque année à
la fin octobre. Pour acheter mangas et *anime*,
reportez-vous p. 189.

Aoyama Book Center Roppongi-dōri (carte
p. 140 ; ☎ 3479-0479 ; www.aoyamabc.co.jp/43/ ;
6-1-20 Roppongi, Minato-ku ; ⏰ 10h-5h lun-sam, 10h-
22h dim, fermé 2e et 3e mar du mois ; 🚇 lignes Hibiya,
Toei Ōedo jusqu'à Roppongi, sortie 3) ; Roppongi Hills
(carte p. 140 ; ☎ 5775-2151 ; 4e niv, West Walk, Roppongi
Hills, 6-10-1 Roppongi, Minato-ku ; ⏰ 11h-21h ;
🚇 ligne Hibiya jusqu'à Roppongi, sortie 1c).

Blue Parrot (carte p. 128 ; ☎ 3202-3671 ;
www.blueparrottokyo.com ; 3e niv, Obayashi Bldg,
2-14-10 Takdanobaba, Shinjuku-ku ; ⏰ 11h-21h30) ;
🚇 ligne JR Yamanote jusqu'à Takadanobaba, sortie
Waseda-dōri). L'un des meilleurs choix de livres d'occasion
en anglais.

Good Day Books (carte p. 136 ; ☎ 5421-0957 ; www.
gooddaybooks.com ; 3e niv, Asahi Bldg, 1-11-2 Ebisu,
Shibuya-ku ; ⏰ 11h-20h lun-sam, 11h-18h dim ;
🚇 ligne JR Yamanote jusqu'à Ebisu, sortie est). Excellent
choix de livres d'occasion en anglais.

Hacknet (carte p. 136 ; ☎ 5728-6611 ; www.hacknet.
tv en japonais ; 1-30-10 Ebisu, Shibuya-ku ; ⏰ 11h-20h ;
🚇 ligne JR Yamanote jusqu'à Ebisu, sortie ouest). Livres
d'art et de design dans le Q-Flagship Building d'Ebisu.

Kinokuniya Shinjuku-dōri (carte p. 131 ; ☎ 3354-0131 ;
3-17-7 Shinjuku, Shinjuku-ku ; ⏰ 10h-21h ; 🚇 ligne JR
Yamanote jusqu'à Shinjuku, sortie est) ; Takashimaya (carte
p. 131 ; ☎ 5361-3301 ; Annexe Bldg, Takashimaya Times
Sq, 5-24-2 Sendagaya, Shibuya-ku ; ⏰ 10h-20h dim-ven,
10h-20h30 sam ; 🚇 ligne JR Yamanote jusqu'à Shinjuku,
nouvelle sortie sud). La succursale de Takashimaya Times
Square offre l'un des plus grands choix d'ouvrages en
anglais au 6e niveau.

Maruzen Marunouchi (carte p. 142 ; ☎ 5288-8881 ;
www.maruzen.co.jp, en japonais ; 1er-4e niv, Oazo
Bldg, 1-6-4 Marunouchi, Chiyoda-ku ; ⏰ 9h-21h ;
🚇 ligne JR Yamanote jusqu'à Tōkyō, sortie Marunouchi
nord) ; Nihombashi (carte p. 142 ; ☎ 6214 2001 ;
2-3-10 Nihombashi, Chūō-ku ; ⏰ 9h-20h30 ; 🚇 lignes
Ginza, Tōzai et Toei Asakusa jusqu'à Nihombashi, sortie B3).
La succursale de Marunouchi comporte des livres en
langue étrangère, une papeterie et un café au 4e niveau.
La maison-mère de Maruzen se trouve du côté Yaesu de la
gare de Tōkyō.

Tower Books (carte p. 134 ; ☎ 3496-3661 ; 7e niv,
Tower Records Bldg, 1-22-14 Jinnan, Shibuya-ku ;

⊕ 10h-23h ; 🚇 ligne JR Yamanote jusqu'à Shibuya, sortie Hachikō). Livres en anglais et grand choix de magazines et journaux internationaux à prix compétitifs.

Médias

De nombreuses publications fournissent des informations en anglais sur Tōkyō, à commencer par les trois quotidiens *Japan Times*, *Daily Yomiuri*, et *Asahi Shimbun/International Herald Tribune*. Le samedi, *Japan Times* comprend une excellente section sur les spectacles.

La rubrique *Cityscope* du *Tokyo Journal* est également intéressante. Nombre de Tokyoïtes consultent l'hebdomadaire gratuit *Metropolis*.

Offices du tourisme

La Japan National Tourist Organization (JNTO) gère deux **Tourist Information Centres** (TIC ; centres d'information touristique ; ☎ 0476-303-383, 0476-345-877 ; ⊕ 8h-20h) au niveau des arrivées des deux terminaux de l'aéroport de Narita. Le personnel compétent parle anglais, vous renseignera et vous réservera éventuellement une chambre d'hôtel.

Les TIC n'effectuent des réservations que dans les hôtels et *ryokan* membres de l'**International Tourism Center of Japan** (l'ancien Welcome Inn Reservation Center ; www.itcj.jp). Ils peuvent aussi organiser des visites de la ville avec des guides bénévoles.

Asakusa Tourist Information Center (TIC ; carte p. 146 ; ☎ 3842-5566 ; 2-18-9 Kaminarimon, Taitō-ku ; ⊕ 9h30-20h ; 🚇 ligne Ginza jusqu'à Asakusa, sortie 2). Le sympathique office du tourisme d'Asakusa propose des visites guidées durant le quartier ; venez à l'heure pour voir l'animation électronique de l'horloge du centre.

JNTO Tourist Information Center (TIC ; carte p. 138 ; ☎ 3201-3331 ; www.jnto.go.jp ; 10ᵉ niv, Kōtsu Kaikan Bldg, 2-10-1 Yūrakuchō, Chiyoda-ku ; ⊕ 9h-17h ; 🚇 ligne JR Yamanote jusqu'à Yūrakuchō). Le principal TIC de la JNTO se tient à la sortie de la gare de Yūrakuchō. Étape incontournable, il offre les informations les plus

complètes sur Tōkyō et le Japon. Le Kōtsu Kaikan Building fait face à la gare en sortant sur la droite.

Tōkyō Tourist Information Center (TIC ; carte p. 131 ; ☎ 5321-3077 ; 1ᵉʳ niv, Tokyo Metropolitan Government Bldg nº1, 2-8-1 Nishi-Shinjuku, Shinjuku-ku ; ⊕ 9h30-18h30 ; 🚇 ligne Toei Ōedo jusqu'à Tochōmae, sortie A4). Un endroit pratique pour obtenir un Grutt Pass (voir l'encadré ci-dessous).

Organisations et services utiles

D'innombrables associations s'adressent aux résidents et voyageurs étrangers. Pour trouver celle qui vous convient, consultez les rubriques de *Metropolis* et du *Tokyo Journal*.

Plusieurs services téléphoniques offrent aide et informations aux étrangers à Tōkyō.

Foreign Residents' Advisory Center (☎ 5320-7744 ; ⊕ 9h30-12h et 13h-17h lun-ven). Pour des informations générales.

Japan Helpline (☎ 0120-461-997 ; ⊕ 24h/24). Numéro d'urgence national.

JR English Information (☎ 050-2016-1603 ; ⊕ 10h-18h). Horaires et tarifs ferroviaires.

Tokyo English Lifeline (TELL ; ☎ 5774-0992 ; www.telljp.com ; ⊕ 9h-23h). Informations et conseils.

Poste

La poste principale, devant la gare de Tōkyō, est en travaux jusqu'en 2011. Entre-temps, la **poste d'Azabu** (carte p. 140 ; ☎ 3582-3806 ; 1-6-19 Azabudai, Minato-ku ; ⊕ 9h-19h lun-ven ; 🚇 lignes Hibiya, Ōedo jusqu'à Roppongi, sorties 3 et 5) a l'habitude de traiter avec les étrangers et conserve le courrier en poste restante durant 30 jours.

Services médicaux

Les trois centres médicaux ci-dessous disposent d'un personnel parlant anglais et d'un service d'urgences ouvert 24h/24. Mieux vaut souscrire une assurance voyage pour couvrir d'éventuels frais médicaux à Tōkyō. Les soins dispensés sont excellents et les prix restent raisonnables pour un pays développé. Sur le site de l'ambassade de France, vous trouverez une liste de médecins parlants français.

Centre médical de la Croix-Rouge japonaise (Japanese Red Cross Medical Center ; carte p. 140 ; Nihon Sekijūjisha Iryō Sentā ; ☎ 3400-1311 ; www.med.jrc.or.jp en japonais ; 4-1-22 Hiro-o, Shibuya-ku ; 🚇 ligne Hibiya jusqu'à Hiro-o, sortie 3).

Hôpital international Saint-Luc (St Luke's International Hospital ; carte p. 128 ; Seiroka Byōin ; ☎ 3541-5151 ; www.luke.or.jp/eng/index.html ; 9-1 Akashichō, Chūō-ku ; 🚇 ligne Hibiya jusqu'à Tsukiji, sortie 3).

GRUTT PASS

Le **Grutt Pass** (www.museum.or.jp/grutto/ ; 2 000 ¥), un carnet de billets, offre l'accès gratuit ou à prix réduits à plus de 60 musées et zoos de Tōkyō. Valable deux mois à partir de la première entrée, il constitue une excellente affaire si vous souhaitez visiter plusieurs musées. Il est vendu dans les musées qui en font partie et au Tokyo Tourist Information Center (ci-dessus) à Shinjuku.

Hôpital de l'université Keiō (Keiō University Hospital : carte p. 140 ; ☎ 3353-1211 ; www.hosp.med.keio.ac.jp ; 35 Shinanomachi, Shinjuku-ku ; 🚇 ligne JR Sōbu jusqu'à Shinanomachi).

Sites Internet
Voici quelques sites particulièrement utiles :
Made In Japon (www.fgautron.com/weblog/). Blog d'un résident français au Japon, avec de très belles photos de Tōkyō. Une vision originale de la ville.
Metropolis (www.metropolis.co.jp). Meilleur site consacré à la ville. Événements, sites, bonnes adresses, petites annonces, etc.
Superfuture (http ://superfuture.com/supertravel/super city/1). Un guide de la ville branché, particulièrement intéressant pour la mode à prix réduits.
Tokyo Food Page (www.bento.com/tf-rest.html). Une référence en matière de restaurants, bien que certaines adresses ne soient pas mises à jour.
Tokyo Journal (www.tokyo.to). Répertoire mensuel des événements, ainsi que des articles intéressants à l'occasion.
Tokyo Q (www.tokyoq.com). Autre excellent site sur Tōkyō pour explorer la ville, ses boutiques et ses bars.

Téléphone et fax
Pratiquement toutes les cabines publiques acceptent les cartes téléphoniques prépayées. Pour des renseignements nationaux, appelez le ☎ 104. Pour les appels internationaux d'une cabine publique, reportez-vous p. 829.

Vous pouvez envoyer des fax de la réception de nombreux hôtels (un service parfois offert aux non-résidents contre un paiement), de certaines supérettes et des FedEx Kinko's (voir p. 123).

Urgences
Vous devriez pouvoir communiquer en anglais. Pour plus de détails, voir ci-contre *Services médicaux*. Voici des numéros utiles :
Japan Helpline (☎ 0120-461-997 ; 🕐 24h/24). Appelez ce numéro si vous avez des problèmes de communication avec une équipe médicale.
Police (☎ 110)
Pompiers et ambulances (☎ 119)

DÉSAGRÉMENTS ET DANGERS
Tōkyō peut être une ville épuisante mais rarement dangereuse. Autant que possible, évitez le réseau ferroviaire aux heures de pointe, de 8h à 9h30 et de 17h à 19h. Des *chikan* (hommes aux mains baladeuses) profitent parfois de la situation, mais avant de crier "*chikan*", assurez-vous que ce n'est pas simplement un effet de la promiscuité.

Sachez que les enseignes et les affiches des quartiers chauds, comme Kabuki-chō à Shinjuku et des endroits d'Ikebukuro, frôlent parfois la pornographie. Ceux qui s'aventurent dans les bars à hôtesses doivent s'attendre à des additions vertigineuses et surveiller de près leur boisson et leur carte de crédit, susceptibles l'une et l'autre de manipulations frauduleuses.

Tremblements de terre
Repérez les sorties de secours dans votre hôtel et observez les consignes (voir p. 818). En cas de séisme, la Japan Broadcasting Corporation (NHK) diffuse des informations en anglais sur ses chaînes de TV et de radio. Branchez la télévision sur la première chaîne ou écoutez les stations de radio NHK (693 AM), AFN (810 AM) ou InterFM (76.1 FM).

À VOIR
La ligne circulaire JR Yamanote et les lignes de métro qui traversent la ville permettent de rejoindre facilement les principaux sites, quel que soit le quartier où vous résidez.

Kanda et gare de Tōkyō 神田・東京駅
PALAIS IMPÉRIAL 皇居
Le Palais impérial (Kōkyo ; carte p. 142) occupe le site de l'Edo-jō, d'où le shogunat Tokugawa gouvernait le Japon. De ce château, jadis le plus grand au monde, ne restent que les douves et les remparts. Le palais actuel, achevé en 1968, remplace celui de 1888, détruit durant la Seconde Guerre mondiale.

Résidence de l'empereur et de sa famille, il n'est ouvert au public que le 2 janvier et le 23 décembre (anniversaire du souverain). Si l'on ne peut entrer dans le palais, on peut se promener alentour et visiter les jardins.

Une marche facile conduit de la gare de Tōkyō, ou des stations de métro Hibiya ou Nijū-bashi-mae, au Nijū-bashi. Traversez les douves Babasaki et la grande esplanade du Palais impérial (Kōkyo-mae Hiroba) pour rejoindre un point de vue qui permet d'admirer le palais pointant au-dessus des fortifications, derrière le pont Nijū-bashi.

JARDIN ORIENTAL DU PALAIS IMPÉRIAL
皇居東御苑
Le **jardin oriental du Palais impérial** (Kōkyo Higashi-gyoen ; carte p. 142 ; ☎ 3213-2050 ; entrée libre ; 🕐 9h-16h30 mar-jeu et sam-dim mars-oct, 9h-16h nov-fév ;

(Suite page 148)

TÔKYÔ

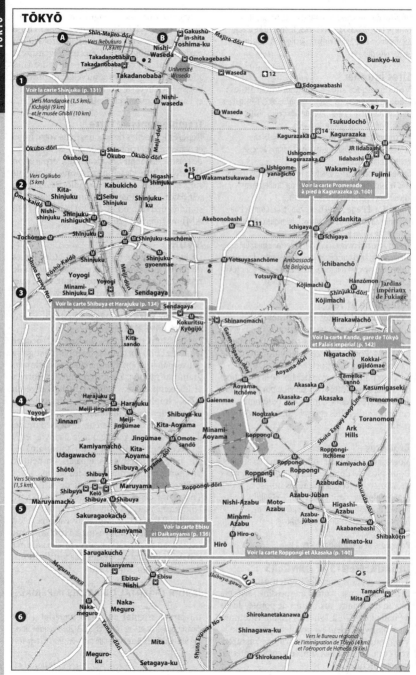

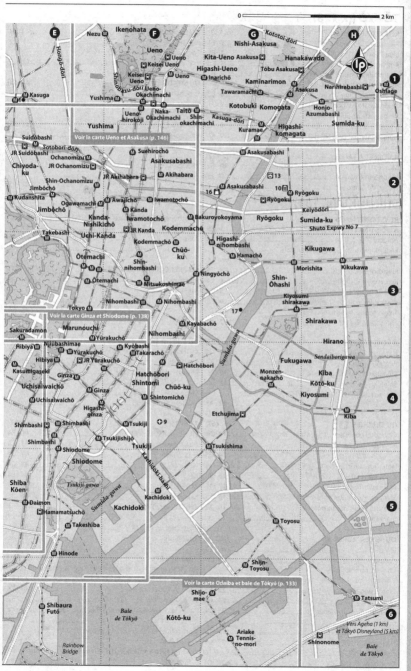

0 _____ 2 km

E   **F**   **G**   **H**

Nezu   Ikenohata   Kototoï-dōri

Nishi-Asakusa

Ueno   Kita-Ueno Asakusa   Hanakawado

Ueno   Higashi-Ueno   Tōbu Asakusa

Keisei Ueno   Kaminarimon

Keisei   Inarichō   Asakusa   Narihirabashi   Oshiage **1**

Ueno   Ueno-Okachimachi   Tawaramachi

Kasuga   Yushima

Shinobazu-dōri

Ueno-hirokōji   Naka- Taitō   Kotobuki Komogata

Yushima   Okachimachi   Shin-okachimachi   Kasuga-dōri   Honjo-Azumabashi

Kuramae   Higashi-Komagata   Sumida-ku

Voir la carte Ueno et Asakusa (p. 146)

Suidōbashi   Suehirochō   Asakusabashi

JR Suidōbashi   Sotobori-dōri

Ochanomizu   Asakusabashi

Chiyoda-ku   JR Ochanomizu   13 **2**

Shin-Ochanomizu   JR Akihabara   Akihabara   Asakusabashi   10   Ryōgoku

Jimbōchō   16   Ryōgoku

Kudanshita   Ogawamachi   Awajichō   Iwamotochō   Keiyōdōri

Jimbōchō   Kanda   Ryōgoku   Sumida-ku

Takebashi   Kanda-Nishikichō   Iwamotochō   Bakuroyokoyama   Shuto Expwy No 7

Uchi-Kanda   JR Kanda   Kodemmachō

Ōtemachi   Kodemmachō   Higashi-nihombashi   Kikugawa

Chūō-ku   Shin-nihombashi   Hamachō   Morishita   Kikukawa

Ōtemachi   Mitsukoshimae   Shin-Ōhashi

Tōkyo   Ningyōchō   Kiyosumi shirakawa **3**

Nihombashi   Nihombashi   17   Shirakawa

Voir la carte Ginza et Shiodome (p. 138)   Kayabachō   Hirano

Marunouchi   Nihombashi   Fukugawa   Sendaiborigawa

Sakuradamon   Yūrakuchō   Kyōbashi

Hibiya   Nijūbashimae   Takarachō   Kiba

Hibiya   JR Yūrakuchō   Hatchōbori   Monzen-nakachō   Kōtō-ku

Kasumigaseki   Ginza   Hatchōbori   Kiyosumi

Uchisaiwaichō   Ginza   Shintomi   Chūō-ku **4**

Uchisaiwaichō   Higashi-ginza   Shintomichō   Kiba

Shimbashi   Shimbashi   Etchujima

Shimbashi   Tsukijishijō   9   Tsukiji

Shiodome   Tsukiji   Tsukishima

Shiodome   Kachidoki-bashi

Shiba Kōen   Tsukiji-gawa   Kachidoki **5**

Daimon   Sumida-gawa   Kachidoki   Toyosu

Hamamatsuchō   Kachidoki

Takeshiba   Shijn-Toyosu

Hinode   Tatsumi

Voir la carte Odaiba et baie de Tōkyō (p. 133)

Shibaura Futō   Shijo-mae   **6**

Baie de Tōkyō   Kōtō-ku   Vers Ageha (1 km) et Tōkyō Disneyland (5 km)

Ariake Tennis-no-mori   Shinonome

Rainbow Bridge   Baie de Tōkyō

TŌKYŌ (p. 128)

SHINJUKU (p. 131)

SHINJUKU

0 — 500 m

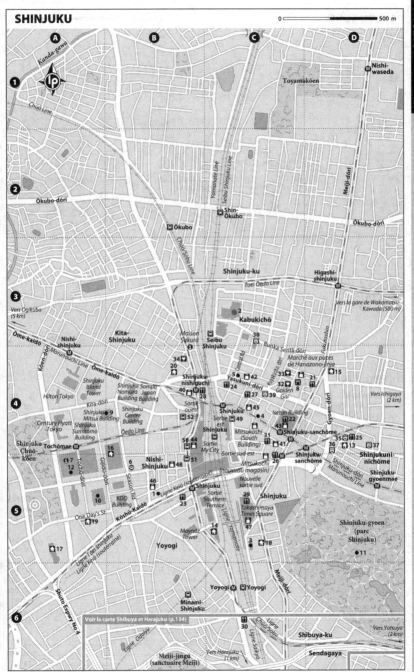

A **B** **C** **D**

1

Kanda-gawa

Chūō Line

2

Ōkubo-dōri

Nishi-
waseda

Toyamakōen

Yamanote Line
Seibu Shinjuku Line

Shin-
Ōkubo

Ōkubo

Meiji-dōri

Ōkubo-dōri

Shinjuku-ku

Chūō-Sōbu Line

Higashi-
shinjuku

Toei Ōedo Line

3

Vers Ogikubo
(5 km)

Vers la gare de Wakamatsu-
Kawada (500 m)

Kabukichō 2

Ōme-kaidō

Nishi-
shinjuku

Kita-
Shinjuku

Maison
Sakura
1

Seibu
Shinjuku

38

Bunka
Senta-dōri

Marché aux puces
de Hanazono-jinja

Kōen-dōri

Marunouchi Line

Ōme-kaidō

34
20

Shinjuku-
nishiguchi

42
Yasukuni-dōri
24

33
32
27
39

8

21

15

Vers Ichigaya
(2 km)

4

Hilton Tokyo

Shinjuku
Island
Tower

Shinjuku Sompo
Nomura Japan
Building Building

40
28

5

Golden
Gai

Kita-dōri

Shinjuku Centre
Building

Sortie
ouest
52

45
Shinjuku
Sortie
est 49
4

Isetan Building

22

Century Hyatt
Tokyo

Shinjuku
Mitsui Building
9

Ōedo Line

Shinjuku
Sumitomo
Building

Sortie
sud est
Shinjuku

Mitsukoshi
(South
Building)
31
41

43
Shinjuku-sanchōme

35
36
13
25
37

Shinjukuni-
chōme

Shinjuku
Chūō-
kōen

Tōchōmae

50 44
6

16

Nishi-
Shinjuku

48

51

Sortie
My City

Sortie sud-est

Mitsukoshi
(nouveau magasin)
26

Shinjuku-
sanchōme

Marunouchi Line

Shinjuku-
gyoenmae

7
12

Tōchō-dōri

Chūō-dōri

46
1

KDD
Building

Ligne Keiō (souterraine)

Shinjuku

Nouvelle
sortie sud

Shinjuku

5

10

Kōshū-Kaidō

Seasona Rd

23

Sortie
Southern
Terrace

Ligne Yamanote

29

Takashimaya
Times Square
47

Shinjuku-gyoen
(parc
Shinjuku)

11

19

One Day's St

17

Ligne Toei Shinjuku
Ligne Keiō (souterraine)

Maynds
Tower

14

3

18

Shuto Expway No.4

6

Voir la carte Shibuya et Harajuku (p.134)

Yoyogi

Yoyogi

Yoyogi

Minami-
Shinjuku

30

Ligne Chūō-Sōbu

Shibuya-ku

Sendagaya

Meiji-jingū
(sanctuaire Meiji)

Vers Harajuku
(1 km)

Vers Yotsuya
(2 km)

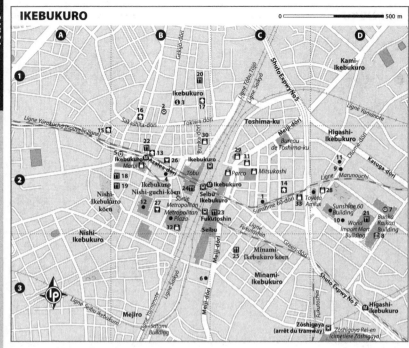

IKEBUKURO

ODAIBA ET BAIE DE TÔKYÔ

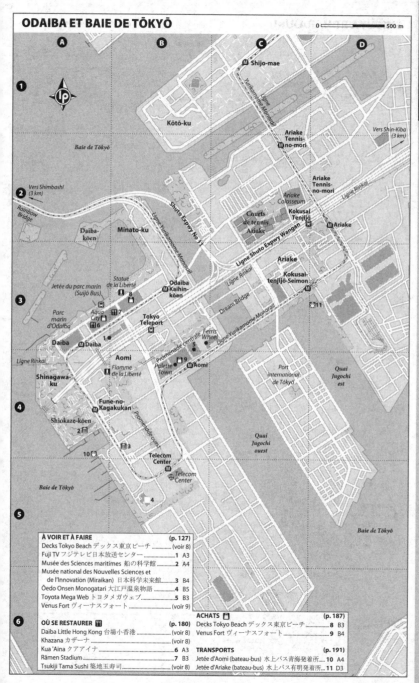

0 — 500 m

À VOIR ET À FAIRE (p. 127)
Decks Tokyo Beach デックス東京ビーチ .... (voir 8)
Fuji TV フジテレビ日本放送センター 1 A3
Musée des Sciences maritimes 船の科学館 2 A4
Musée national des Nouvelles Sciences et
de l'Innovation (Miraikan) 日本科学未来館 3 B4
Ôedo Onsen Monogatari 大江戸温泉物語 4 B5
Toyota Mega Web トヨタメガウェブ 5 B3
Venus Fort ヴィーナスフォート .... (voir 9)

OÙ SE RESTAURER (p. 180)
Daiba Little Hong Kong 台場小香港 .... (voir 8)
Khazana カザーナ .... (voir 8)
Kua 'Aina クアアイナ 6 A3
Râmen Stadium 7 B3
Tsukiji Tama Sushi 築地玉寿司 .... (voir 8)

ACHATS (p. 187)
Decks Tokyo Beach デックス東京ビーチ 8 B3
Venus Fort ヴィーナスフォート 9 B4

TRANSPORTS (p. 191)
Jetée d'Aomi (bateau-bus) 水上バス青海発着所 10 A4
Jetée d'Ariake (bateau-bus) 水上バス有明発着所 ... 11 D3

SHIBUYA ET HARAJUKU

0 ⸺ 500 m

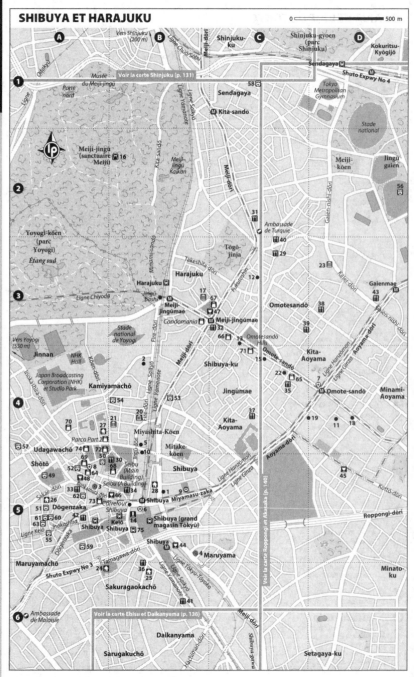

Vers Shinjuku (200 m)

Shinjuku-ku

Shinjuku-gyoen (parc Shinjuku)

Kokuritsu-Kyōgijō

Sendagaya

Shuto Expwy No 4

Musée du Meiji-jingū

Voir la carte Shinjuku (p. 131)

Porte nord

Sendagaya

58

Tōkyō Metropolitan Gymnasium

Kita-sando

Meiji-jingū (sanctuaire Meiji) 16

Meiji-jingū Kaikan

Meiji-kōen

Jingū gaien

Stade national

56

Yoyogi-kōen (parc Yoyogi)

Étang sud

31

Ambassade de Turquie

40

29

Tōgō-jinja

23

Ligne Chiyoda

Vers Yoyogi (550 m)

Jingū-bashi

Takeshita-dōri

Harajuku

Harajuku

12

Gaienmae

43

17

67

Meiji-jingūmae

47

Condomania

Meiji-jingūmae

32

Omotesandō

38

39

Jinnan

Stade national de Yoyogi

66

13

Omotesandō Hills

71

15

Kita-Aoyama

NHK Hall

Japan Broadcasting Corporation (NHK) et Studio Park

Kamiyamachō

2

Shibuya-ku

22

65

7

35

Omote-sandō

19

11

18

Minami-Aoyama

54

53

Jingūmae

70

21

27

20

Kita-Aoyama

37

Parco Part 2

57

Udagawachō

74

72

Miyashita-Kōen

5

Mitake-kōen

10

Shibuya

45

Shōtō

52

69

50

8

64

30

68

Kōttō-dōri

49

3

48

Seibu (Main Building)

Seibu (A Buildings)

Roppongi-dōri

33

34

62

46

28

1

9

26

73

Carrefour Shibuya

Shibuya

Miyamasu-zaka

Dōgenzaka

51

6

60

61

14

Keiō Shibuya

Shibuya (grand magasin Tōkyū)

63

Keiō Shibuya

55

Shibuya

75

Shibuya

59

Shibuya

44

Minato-ku

Maruyamachō

Shuto Expwy No 3

24

Tamagawa-dōri

36

25

4

Maruyama

Sakuragaokachō

41

Voir la carte Roppongi et Akasaka (p. 140)

Ambassade de Malaisie

Voir la carte Ebisu et Daikanyama (p. 136)

Daikanyama

Sarugakuchō

Setagaya-ku

SHIBUYA ET HARAJUKU (p. 134)

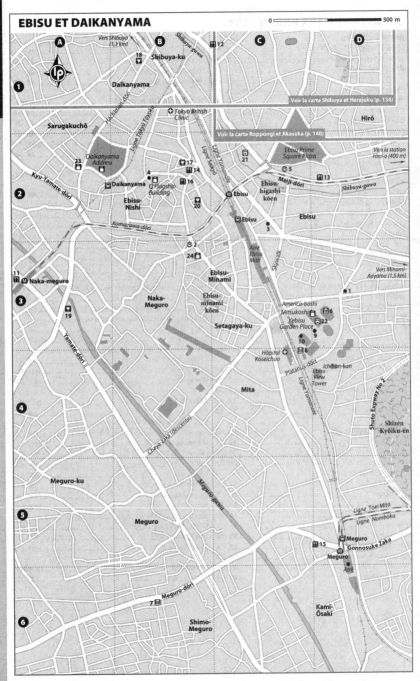

EBISU ET DAIKANYAMA

0 — 500 m

Ⓐ   Ⓑ   Ⓒ   Ⓓ

Vers Shibuya
(1,3 km)

Shibuya-gawa

🏠 12

①

18

Shibuya-ku

Daikanyama

Voir la carte Shibuya et Harajuku (p. 134)

Tokyo British
Clinic

Hirō

Sarugakuchō

Voir la carte Roppongi et Akasaka (p. 140)

Vers la station
Hirō-o (400 m)

Ebisu Prime
Square Plaza

Kyu-Yamate-dōri

23

Daikanyama
Address

17

14

21

5

13

Shibuya-gawa

4

16

Meiji-dōri

Daikanyama

Ⓜ Ebisu

Ebisu-
higashi
kōen

Ⓜ

Q Flagship
Building

Ebisu

②

Ebisu-
Nishi

20

Komazawa-dōri

Ⓜ Ebisu

3

Atré
Ebisu
Mall

2

24

Ebisu-
Minami

Vers Minami-
Aoyama (1,5 km)

11

Ⓜ Naka-meguro

Ebisu-
minami
kōen

1

③

Naka-
Meguro

Setagaya-ku

America-bashi

19

Mitsukoshi

6

Yebisu
Garden Place

22

Yamate-dōri

10

9

8

Hôpital
Kōseichūo

Platanus-dōri

Ichiban-kan
Ebisu
View
Tower

Mita

Shizen
Kyōiku-en

④

Chaya-zaka (Descente)

Meguro-ku

Meguro-gawa

Ligne Toei Mita

⑤

Meguro

Ligne Nomboku

Ⓜ Meguro

15

Gonnosuke Zaka

Ⓜ Meguro

Atré

7

Meguro-dōri

Kami-
Ōsaki

⑥

Shimo-
Meguro

EBISU ET DAIKANYAMA (p. 136)

GINZA ET SHIODOME (p. 138)

TŌKYŌ

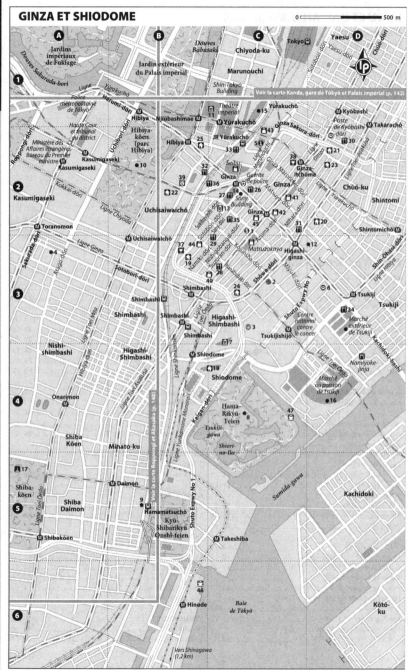

GINZA ET SHIODOME

0 — 500 m

Ⓐ Ⓑ Ⓒ Ⓓ

Jardins impériaux de Fukiage

Douves Sakurada-bori

Douves Babasaki

Chiyoda-ku

Tōkyō

Yaesu

Yaesu-dōri

Chūō-dōri

Sotobori-dōri

Jardin extérieur du Palais impérial

Marunouchi

Shin-Tōkyō Building

Ligne Yūrakuchō

Harumi-dōri

Uchibori-dōri

1

Voir la carte Kanda, gare de Tōkyō et Palais impérial (p. 142)

Police métropolitaine de Tōkyō

Haute Cour et tribunal du district

Théâtre impérial

●15

Ⓜ Yūrakuchō

Ⓜ Kyōbashi

Ⓜ Takarachō

Poste de Kyōbashi

⊠30

Ministère des Affaires étrangères
Bureau du Premier ministre

Hibiya
Ⓜ Njūbashimae

Ⓜ Hibiya

Ⓜ Yūrakuchō

Ginza Sakura-dōri

JR Yūrakuchō

Hibiya-kōen (parc Hibiya)

25

5●

33

Seibu

Ligne Marunouchi

38

Ginza-Ichōme

🏠21

🏠23

Kasumigaseki

Kasumigaseki

Ginza Marunouchi-dōri

Kokkai-dōri

Ligne Ginza

Chūō-ku

Shintomi

Roppongi-dōri

2

Kasumigaseki

●10

32

39

36

Ginza

Guérite de police

26

14

27

13

Ginza

●41

Matsuya-dōri

Ligne Yūrakuchō

Ⓜ Toranomon

🏠22

Uchisaiwaichō

Sony Building

35

Ginza

49

●42

31

🏠20

Shintomichō

Ligne Chiyoda

Sukiyabashi-dōri

Sotobori-dōri

Sanyū-dōri

Azuma-dōri

Miyuki-dōri

Mihara-dōri

Shin-Ōhashi-dōri

Uogashi Hibiya

Sakurada-dōri

Ligne Ginza

Ⓜ Uchisaiwaichō

37 44

29

Matsuzakaya

Higashi-ginza

●12

Atago-dōri

Sotobori-dōri

●4

Namiki-dōri

Nishiganda-dōri

19

Kazan-dōri

Kōun-dōri

Hanbal-dōri

Showa-dōri

Miyuke-dōri

Shuto Expwy No 1

●2

⊘6

Ⓜ Tsukiji

Tsukiji

Shimbashi

40

28

Ⓜ Shimbashi

Shimbashi

Shimbashi

24

34

Marché extérieur de Tsukiji

Kachidoki-bashi

3

Ⓜ Shimbashi

Higashi-Shimbashi

⊘3

Tsukijishijō

Centre national contre le cancer

Ligne Toei Asakusa

Nishi-shimbashi

Higashi-Shimbashi

7

Ⓜ Shiodome

Ⓜ Shiodome

Shiodome

🏠18

Shiodome

Marché au poisson de Tsukiji

Namiyoke-jinja

Hibiya-dōri

Ligne Shinkaisen

Ligne Yurikamome Monorail

Kaigan-dōri

4

Onarimon

Hama-Rikyū-Teien

●8

47

Tsukiji-gawa

Shiori-no-Ike

Shiba Kōen

Minato-ku

Ligne Toei Ōedo

Voir la carte Roppongi et Akasaka (p. 140)

Sumida-gawa

Kachidoki

Ligne Toei Ōedo

🏠17

Shiba-kōen

Shiba Daimon

Ⓜ Daimon

9●

Hamamatsuchō

5

Ⓜ Shibakōen

Kyū-Shibarikyū Onshi-teien

Kōtō-ku

Ⓜ Takeshiba

Shuto Expwy No 1

🚻46

6

Ⓜ Hinode

Baie de Tōkyō

Vers Shinagawa (1,2 km)

ROPPONGI ET AKASAKA (p. 140)

TŌKYŌ

ROPPONGI ET AKASAKA

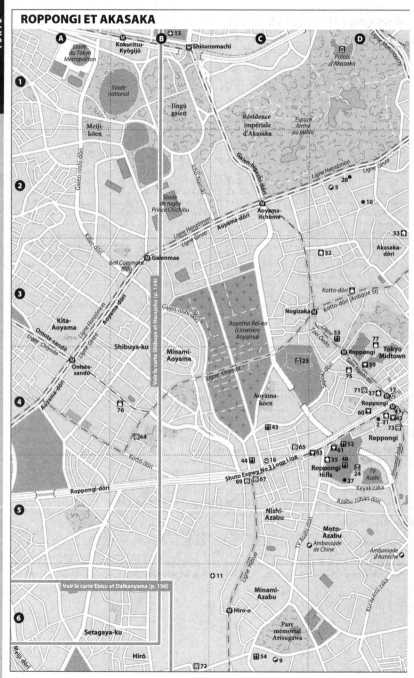

Stade du Tōkyō Metropolitan
Kokuritsu-Kyōgijō
Shinanomachi
Palais d'Akasaka
Stade national
Jingū gaien
Résidence impériale d'Akasaka
Espace fermé au public
Meiji-kōen
Ligne Hanzōmon
Ligne Ginza
Stade de rugby Prince Chichibu
Aoyama-dōri
Aoyama-itchōme
Akasaka-dōri
Bell Commons Bldg
Gaienmae
Kotto-dōri (Antique St)
Kita-Aoyama
Omote-sandō
Nogizaka
Tokyo Midtown
Shibuya-ku
Minami-Aoyama
Aoyama Rei-en (cimetière Aoyama)
Roppongi
Omote-sandō
Aoyama-kōen
Roppongi
Kotto-dōri
Roppongi
Roppongi-dōri
Roppongi Hills
TV Asahi
Keyakizaka
Azabu-Jūban-dōri
Nishi-Azabu
Moto-Azabu
Ambassade de Chine
Ambassade d'Autriche
Minami-Azabu
Hiro-o
Parc mémorial Arisugawa
Setagaya-ku
Hiró

Voir la carte Shibuya et Harajuku (p. 134)
Voir la carte Ebisu et Daikanyama (p. 136)

TŌKYŌ

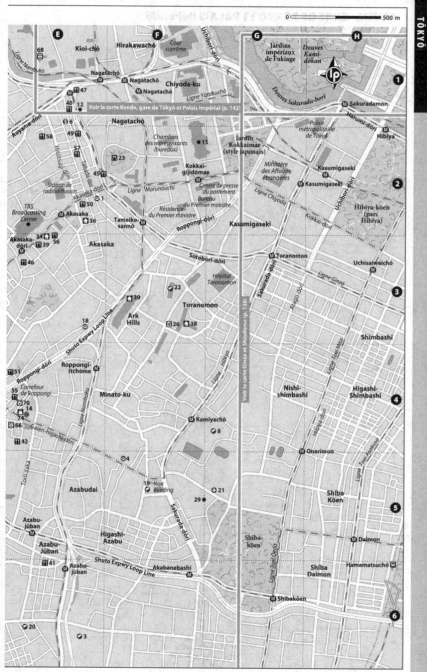

0 —————— 500 m

E   **F**   **G**   **H**

68
Kioi-chō   Hirakawachō   Cour suprême
Ligne Nambuko

Jardins impériaux de Fukiage   Douves Kami-dōkan

Nagatachō
Nagatachō
Nagatachō
Chiyoda-ku

47
40
12
Ligne Yūrakuchō

Douves Sakurada-bori

Sakuradamon
Harumi-dōri

Voir la carte Kanda, gare de Tōkyō et Palais impérial (p. 142)

6
Nagatachō
58
49
57
45
23

Chambres des représentants (bureaux)
15

Jardin Kokkaimae (style japonais)
Kokkai-gijidōmae

Police métropolitaine de Tōkyō
Hibiya

Ministère des Affaires étrangères
Kasumigaseki
Kasumigaseki
Ligne Chiyoda
Uchibori-dōri

Aoyama-dōri
Hitotsugi-dōri
Tameike-dōri
Akasaka-dōri
Ligne Marunouchi
Station de radiodiffusion

TBS Broadcasting Center
Akasaka
1
36
Tameike-sannō
Akasaka

Centre de presse du parlement
Bureau du Premier ministre
Résidence du Premier ministre
Roppongi-dōri

Kasumigaseki
Kokkai-dōri

Hibiya-kōen (parc Hibiya)

Uchisaiwaichō

Akasaka-dōri
34
56
39
46

Sotobori-dōri

Hôpital Toranomon
22

Toranomon
Toranomon
Ligne Ginza
Arago-dōri
Sakurada-dōri

3

Ark Hills
30
18
26 38

Shimbashi

Shuto Expwy Loop Line

Roppongi-itchōme
Roppongi-dōri

Ligne Nambuko
Ligne Hibiya
Ligne Toei Mita
Ligne Toei Asakusa

Nishi-shimbashi
Higashi-Shimbashi

4

51
55
70
14
74
66
42

Carrefour de Roppongi

Gaien-higashi-dōri
Minato-ku

Kamiyachō
8

Hibiya-dōri

Tori-zaka

Azabudai
4

19 Noa Building
21
29

Onarimon

Shiba Kōen

5

Azabu-jūban
Azabu-Jūban
41
Azabu-jūban

Higashi-Azabu

Sakurada-dōri
Shuto Expwy Loop Line
Akabanebashi

Shiba-kōen

Ligne Toei Ōedo

Shibakōen

Daimon

Shiba Daimon

Hamamatsuchō

6

20
3

Shibakōen

TŌKYŌ

KANDA, GARE DE TŌKYŌ ET PALAIS IMPÉRIAL

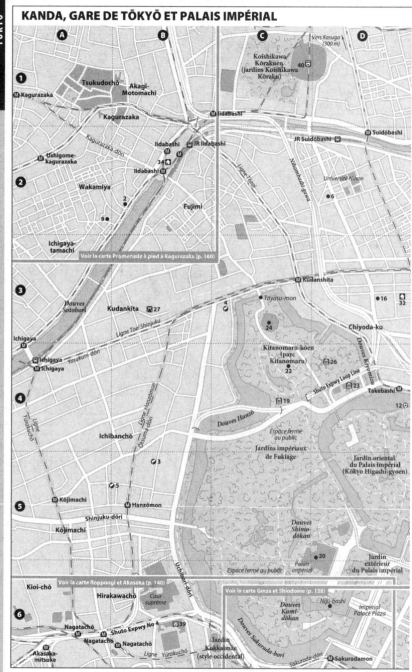

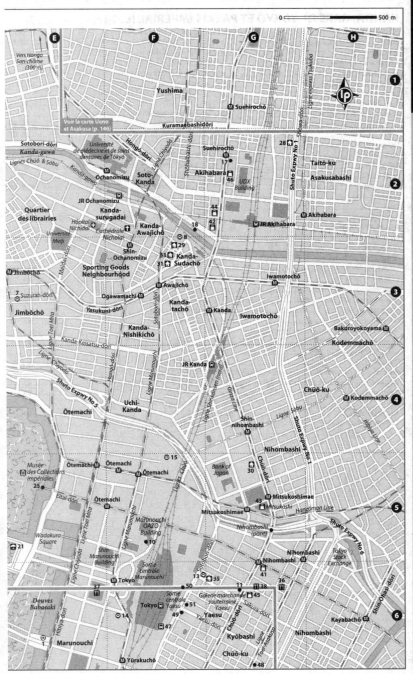

TŌKYŌ

0 ——— 500 m

E **F** **G** **H**

Vers Hongo
San-chôme
(300 m)

Yushima

Suehirochô

Voir la carte Ueno
et Asakusa (p. 146)

Kuramaebashidôri

Sotobori-dôri
Kanda-gawa
Lignes Chūō & Sōbu

Université
de médecine et de soins
dentaires de Tōkyō

Ochanomizu

Soto-
Kanda

Suehirochô

28

17
Akihabara

46
UDX
Building

Taitō-ku
Asakusabashi

JR Ochanomizu

Quartier
des librairies

Kanda-
surugadai

Akihabara

JR Akihabara

Hôpital
Nichidai

Cathédrale
Nicholaï

Kanda-
Awajichô

44

42

Université
Meiji

18

8

Jimbôchô

Shin-
Ochanomizu

29

Sporting Goods
Neighbourhood

33 Kanda-
31 Sudachô

7 Suzuran-dôri

Jimbôchô

Ogawamachi

Yasukuni-dôri

Awajichô

Kanda-
tachô

Kanda

Iwamotochô

Iwamotochô

Bakuroyokoyama

Kanda-
Nishikichô

Kodemmachô

Kanda-Keisatsu-dôri

JR Kanda

Shuto Expwy No 5

Uchi-
Kanda

Ōtemachi

Chūō-ku

Kodemmachô

Shin
nihombashi

Nihombashi

Musée
des Collections
impériales

Ōtemachi Ōtemachi

Ōtemachi

15

Bank of
Japan

30

Mitsukoshimae

25

Ōtemachi

Mitsukoshimae

Mitsukoshi

Hanzomon Line

Shuto Expwy No 6

Wadakura
Square

Marunouchi
OAZO
Building

Nihombashi
(pont)

Nihombashi

Tokyo
Stock
Exchange

21

Shin-
Marunouchi
Building

10

Nihombashi

41

36

Shin-Ohasi-dôri

37

Tōkyō

13 35

Sortie
centrale
Marunouchi

50

45

38

Douves
Babasaki

14

Sortie
centrale
Yaesu

Tokyo

51

49

47

Galerie marchande
souterraine
Yaesu

Yaesu-dôri

Kayabachô

Nihombashi

1

Marunouchi

Yūrakuchô

Kyōbashi

Chūō-ku

48

KANDA, GARE DE TŌKYŌ ET PALAIS IMPÉRIAL (p. 142)

UENO ET ASAKUSA (p. 146)

TŌKYŌ

UENO ET ASAKUSA

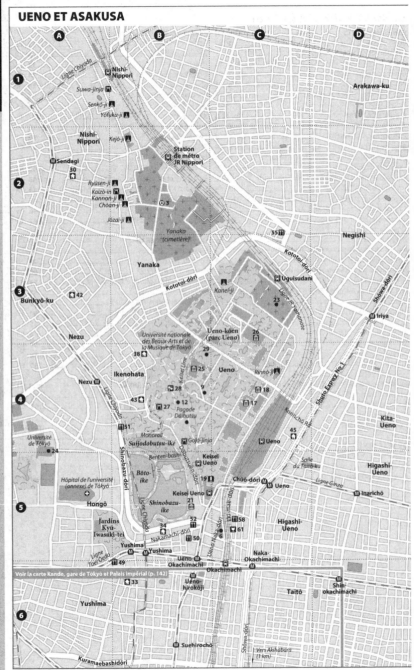

Ligne Chiyoda

Nishi-Nippori

Suwa-jinja

Senkō-ji

Yōfuku-ji

1

A **B** **C** **D**

Nishi-Nippori

Kejō-ji

Sendagi 30

Ryūsen-ji
Kaizō-in
Kannon-ji
Chōan-ji

Jōzai-ji

2

3

Station de métro JR Nippori

55

Negishi

Arakawa-ku

Yanaka

Yanaka (cimetière)

Bunkyō-ku

42

3

Kototoi-dōri

Kanei-ji

23

Uguisudani

Kototoi-dōri

Ligne JR Yamanote

Showa-dōri

Iriya

Nezu

Université nationale des Beaux-Arts et de la Musique de Tōkyō

38

Ikenohata

Nezu

43

Keisei Line

25

28

9

12

Pagode Daibutsu

27

26

29

Ueno-kōen (parc Ueno)

Ueno

Rinnō-ji

18

17

Shuto Expwy No.1

Kōnchō-Rd

45

Kita-Ueno

4

Ligne Chiyoda

51

Monorail
Suijodobutsu-ike

Benten-bashi

Bōto-ike

Gojō-jinja

Keisei Ueno

Ueno

Higashi-Ueno

Inarichō

Ligne Ginza

Université de Tōkyō

24

Hôpital de l'université (annexe) de Tōkyō

Hongō

Shinobazu-dōri

Shinobazu-ike

Dōkan-dōri

19

Keisei Ueno

21

Chūō-dōri

Ueno

Chūō-dōri

Salle du Taitō-ku

Higashi-Ueno

5

Jardins Kyū-Iwasaki-tei

34

Yushima

Yushima

Ligne Toei Oedo

49

Ligne Chiyoda

52

50

Nakamachi-dōri

6

58

61

Ueno-Naka-dōri

Ueno-dōri

Ueno-Okachimachi

Okachimachi

Ueno-dōri

Naka-Okachimachi

Shin-okachimachi

Voir la carte Kanda, gare de Tōkyō et Palais impérial (p. 142)

Yushima

33

Ueno-hirokōji

Taitō

6

Suehirochō

Showa-dōri

Vers Akihabara (1 km)

Kuramaebashidōri

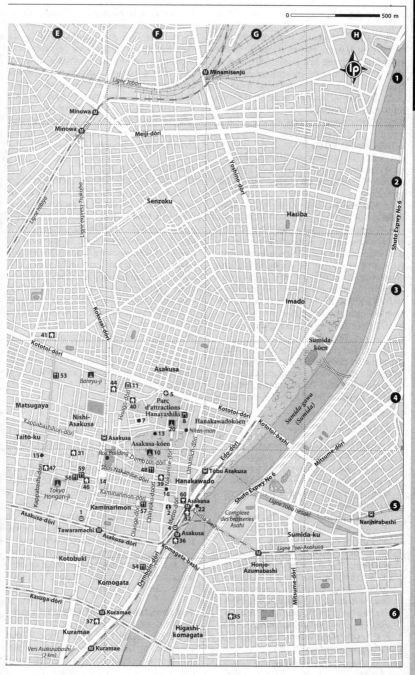

0 — 500 m

E **F** **G** **H**

1

Ⓜ Minamisenju

Ligne Jôban

Minowa Ⓜ

Ⓜ Minowa

Meiji-dôri

2

Yoshino-dôri

Senzoku

Hasiba

Shuto Expwy No 6

3

Imado

Ligne express Tsukuba

Ligne ni???yo

Sumida-kôen

Kototoi-dôri

41 🔼

Banryu-ji

53

Asakusa

Kokusai-dôri

44

11

5

Matsugaya

Hugô-dôri

Parc
d'attractions
Hanayashiki

40

Nishi-
Asakusa

7

Kototoi-dôri

Hanakawadokôen

Kappabashihon-dôri

Asakusa

Kototoi-bashi

4

Sumida-gawa
(Sumida)

Mitsume-dôri

Taitô-ku

8

13

Niten-mon

Edo-dôri

15

31

Asakusa-kôen

10

Rox Building

Dembôin-dôri

48

Shin-Nakamise-dôri

47

59

14

Kaminarimon-dôri

56

46

Tokyo
Hongan-ji

Chinya-dôri

Orange-dôri

Nakamise-dôri

Umamichi-dôri

Metsuro-dôri

39

16

Hanakawado

60

🔼 Tôbu Asakusa

Shuto Expwy No 6

Ligne Tôbu Isesaki

5

Kaminarimon

1

57

22

Asakusa

32

Kuma-bashi

Complexe
des brasseries
Asahi

Narihirabashi

Asakusa-dôri

Tawaramachi Ⓜ

Asakusa-dôri

2

4

Asakusa

36

Sumida-ku

Kotobuki

54

Dembôin-dôri

Komagata-bashi

Honjo
Azumabashi

Ligne Toei-Asakusa

Mitsume-dôri

6

Komogata

Kasuga-dôri

35

37 🔼

Ⓜ Kuramae

Kuramae

Higashi-
komagata

Vers Asakusabashi
(2 km)

Ⓜ Kuramae

(Suite de la page 127)

⬚ lignes Chiyoda, Marunouchi, Tōzai jusqu'à Ōtemachi, sortie C10) est la seule partie du palais ouverte au public. L'entrée principale, l'**Ōte-mon**, se situe à 10 minutes de marche au nord du Nijū-bashi. Il s'agissait autrefois de la grande porte de l'Edo-jō. On vous remettra un jeton numéroté, à restituer en partant. La boutique dans le jardin vend une bonne carte à 150 ¥.

KITANOMARU-KŌEN 北の丸公園
Accessible des stations de métro Kudanshita ou Takebashi, ce parc (carte p. 142) est un endroit plaisant pour un pique-nique ou une promenade.

Le Kitanomaru-kōen renferme le **Nihon Budōkan** (carte p. 142 ; ☎ 3216-5100 ; 2-3 Kitanomaru-kōen, Chiyoda-ku ; ⏰ variable ; ⬚ ligne Tōzai jusqu'à Takebashi, sortie 1a), où vous pouvez assister à des démonstrations de divers arts martiaux. Au sud du Budōkan, le **musée de la Science** (Kagaku Gijitsukan ; carte p. 142 ; ☎ 3212-2440 ; www.jsf.or.jp ; 2-1 Kitanomaru-kōen, Chiyoda-ku ; adulte/enfant 600/250 ¥ ; ⏰ 9h-16h50 ; ⬚ ligne Tōzai jusqu'à Takebashi, sortie 1a) séduit les enfants grâce à ses expositions interactives ; une brochure en anglais est incluse dans le prix d'entrée.

Au sud du musée de la Science, le **musée national d'Art moderne** (Kokuritsu Kindai Bijutsukan ; carte p. 142 ; ☎ 5777-8600 ; www.momat.go.jp/english/fr_museum/index.html ; 3-1 Kitanomaru-kōen, Chiyoda-ku ; adulte 420 ¥, étudiant 70-130 ¥ ; ⏰ 10h-17h mar-dim,

---

TŌKYŌ GRATUIT
Contrairement aux jardins, la plupart des parcs municipaux sont gratuits (à l'exception du Shinjuku-gyoen) et offrent un cadre paisible pour un pique-nique ou une promenade, tels le **Kitanomaru-kōen** (ci-contre), le **Yoyogi-kōen** (p. 155) ou le **Hibiya-kōen** (carte p. 138).

Les temples et les sanctuaires sont gratuits, à moins de vouloir entrer dans les salles principales, et nombre de gratte-ciel, tels le **Tōkyō Metropolitan Government Building** (p. 154) et le **Shinjuku NS Building** (p. 154), comptent des étages panoramiques gratuits. Les galeries d'art, notamment à Ginza et Harajuku, accueillent volontiers les visiteurs. Les salles d'exposition de grandes sociétés, comme le **Sony Building** (p. 149) et le **Toyota Mega Web** (p. 158) à Odaiba, sont également en entrée libre.

10h-20h ven ; ⬚ ligne Tōzai jusqu'à Takebashi, sortie 1a) présente une collection permanente d'art japonais de l'ère Meiji (1868-1912) à nos jours. Consultez le programme des expositions temporaires sur le site Internet. Conservez votre billet, qui donne accès à la proche **galerie des Artisanats** (Bijutsukan Kōgeikan ; carte p. 142 ; ☎ 5777-8600 ; 1-1 Kitanomaru-kōen, Chiyoda-ku ; adulte 200 ¥, étudiant 40-70 ¥ ; ⏰ 14h-17h mar-ven ; ⬚ ligne Tōzai jusqu'à Takebashi, sortie 1a), qui possède une belle collection d'objets artisanaux, dont des céramiques, des laques et des poupées.

YASUKUNI-JINJA 靖国神社
En face de la sortie Tayasu-mon (juste après le Nihon Budōkan) du Kitanomaru-kōen, de l'autre côté de la rue sur la gauche se dresse l'imposant **Yasukuni-jinja** (carte p. 142 ; ☎ 3261-8326 ; www.yasukuni.or.jp ; 3-1-1 Kudankita, Chiyoda-ku ; entrée libre ; ⏰ 9h-17h nov-fév, 9h-18h mars, avr, sept et oct, 9h-19h mai-août ; ⬚ lignes Hanzōmon, Tōzai, Toei Shinjuku jusqu'à Kudanshita, sortie 1), le sanctuaire du Pays tranquille. Dédié aux 2,4 millions de Japonais victimes des guerres depuis 1853, c'est l'édifice religieux le plus controversé du pays. Malgré la séparation de la religion et de l'État et le pacifisme inscrits dans la Constitution japonaise, les cendres de criminels de guerre reconnus y ont été déposées en 1979. Les protestations des nations voisines n'empêchent pas les politiciens de venir s'y recueillir le 15 août, date anniversaire de la défaite japonaise en 1945.

YASUKUNI-JINJA YŪSHŪKAN
靖國神社遊就館
À côté du Yasukuni-jinja, le **Yūshūkan** (carte p. 142 ; ☎ 3261-0996 ; www.yasukuni.or.jp ; adulte 800 ¥, étudiant 100-500 ¥ ; ⏰ 9h-17h ; ⬚ lignes Hanzōmon, Tōzai, Toei Shinjuku jusqu'à Kudanshita, sortie 1) est un musée à la mémoire des victimes de guerre japonaises. Une brochure en anglais compense la pénurie d'explications en langues étrangères. La longue torpille exposée dans la grande salle est un *kaiten* (torpille humaine), la version sous-marine des kamikazes (pilotes suicide de la Seconde Guerre mondiale). Vous verrez aussi des extraits d'ouvrages (certains en anglais) affirmant que l'Amérique obligea le Japon à bombarder Pearl Harbor.

TOKYO INTERNATIONAL FORUM
東京国際フォーラム
Édifice remarquable du centre de Tōkyō, le **Forum** (carte p. 138 ; ☎ 5221-9000 ; www.t-i-forum.co.jp/english ; 3-5-1 Marunouchi, Chiyoda-ku ; ⏰ 7h-23h30 ; ⬚ lignes JR

Yamanote et Yūrakuchō jusqu'à Yūrakuchō, sorties principale et A4b) accueille essentiellement des conférences et des événements divers. Son aile en verre proéminente évoque un vaisseau transparent voguant sur l'océan urbain. Par contraste, l'aile ouest ressemble à une boîte avec des espaces en encorbellement et d'immenses atriums.

AKIHABARA 秋葉原

Akihabara (carte p. 142) commença à devenir "Denki-gai" (Ville électrique) après la Seconde Guerre mondiale, quand le quartier autour de la gare se transforma en un marché noir de pièces détachées de radio. Plus récemment, Akihabara était réputé pour le matériel électronique neuf et d'occasion à bas prix. Aujourd'hui, le quartier est communément appelé Akiba, le surnom que lui donnent les amateurs de mangas et d'*anime* depuis qu'Akihabara est devenu le centre de l'univers *otaku* (passion monomaniaque). Le quartier n'est pas seulement le rendez-vous des mordus de BD et de jeux vidéos, mais également un lieu de détente et de loisirs.

Ainsi, Akiba a contribué au développement d'une culture *otaku* diversifiée ; les *maid cafés* et le *cosplay* (jeu de costume) sont désormais des phénomènes qui séduisent les fans de ces courants culturels japonais. Autour de la gare d'Akihabara, des jeunes filles habillées en soubrettes distribuent des tracts pour les *maid cafés* à thème – soirées pyjama, massages des pieds professionnels ou couvent catholique –, tous avec des serveuses en uniforme.

Ginza et Shiodome 銀座・汐留
GINZA 銀座

Ginza est à Tōkyō ce que la 5e Avenue est à New York. Dans les années 1870, Ginza fut l'un des premiers quartiers modernisés, avec la construction de nombreux bâtiments en brique de style occidental, une nouveauté au Japon. C'est ici qu'apparurent également les premiers grands magasins, lampadaires à gaz et autres éléments du monde moderne.

Aujourd'hui, d'autres quartiers commerçants rivalisent en opulence, dynamisme et popularité, mais Ginza reste le temple du snobisme et de la consommation ostentatoire. L'endroit est idéal pour le lèche-vitrines et la visite des galeries (généralement gratuites). Le samedi après-midi et le dimanche, quand Chūō-dōri et certaines petites rues sont fermés à la circulation, des femmes en kimono et de jeunes enfants déambulent au milieu de la chaussée.

MAID CAFÉS

La culture d'Akihabara se répand à l'étranger, comme en témoignent les *maid cafés*.

Connu dans tout le pays, le @**home Café** (carte p. 142 ; ☎ 3254-7878 ; www.cafe-athome. com/pics/ ?lang=en ; 5e niv, Don Quijote Bldg, 4-3-3 Soto-Kanda, Chiyoda-ku ; ⏱ 11h30-22h lun-ven, 10h30-22h sam-dim ; 🚇 lignes JR Sōbu, Yamanote jusqu'à Akihabara, sortie Electric Town) fait monter sur scène, le temps d'une chanson, ses adorables serveuses. Celles-ci vous appellent "*ojō-sama*" (maîtresse) ou "*goshujin-sama*" (maître) tout au long de votre repas et vous invitent à participer à des jeux pour gagner un prix ou une réduction.

Sony Building ソニービル
Cette **salle d'exposition Sony** (carte p. 138 ; ☎ 3573 2371 ; www.sonybuilding.jp ; 5-3-1 Ginza, Chūō-ku ; entrée libre ; ⏱ 11h-19h ; 🚇 lignes Ginza, Hibiya, Marunouchi jusqu'à Ginza, sortie B9) permet de manipuler les derniers gadgets de la marque, dont certains non encore commercialisés. Vous pourrez essayer les nouveaux appareils photo, des ordinateurs portables et les célèbres chiens-robots.

Galeries et musées
Ginza est rempli de petits musées et galeries, essentiellement consacrés au graphisme. Ils se concentrent principalement au sud de Harumi-dōri, entre Ginza-dōri et Chūō-dōri.

Le **musée d'Art Idemitsu** (carte p. 138 ; ☎ 5777-8600 ; www.idemitsu.co.jp/museum ; 9e niv, 3-1-1 Marunouchi, Chiyoda-ku ; adulte/étudiant 1 000/700 ¥ ; ⏱ 10h-17h mar-dim, 10h-19h ven ; 🚇 lignes Chiyoda, Toei Mita jusqu'à Hibiya, sorties A1 et B3), réputé pour sa collection d'œuvres du moine zen Sengai, présente de l'art japonais et chinois. Il jouxte le Théâtre impérial.

Exposant des travaux exceptionnels de photographes débutants ou confirmés, le **Leica Ginza Salon** (carte p. 138 ; ☎ 6215-7070 ; www.leica-camera.us/culture/galeries/gallery_tokyo ; 1er et 2e niv, Tokaido Bldg, 6-4-1 Ginza, Chūō-ku ; entrée libre ; ⏱ 11h-19h mar-dim ; 🚇 lignes Ginza, Hibiya et Marunouchi jusqu'à Ginza, sortie C2) reste l'une des meilleures galeries de photos du quartier.

Kabuki-za 歌舞伎座
Même des édifices anciens aussi emblématiques que le **Kabuki-za** (carte p. 138 ; ☎ 3541-3131 ; www.shochiku.co.jp/play/kabukiza/theater/index.html ; 4-12-5 Ginza, Chūō-ku ; 2 500-17 000 ¥ ; ⏱ 11h-21h ; 🚇 lignes Hibiya, Toei Asakusa jusqu'à Higashi-Ginza, sortie 3) ne sont pas

à l'abri des démolitions. Si vous venez avant avril 2010, vous pourrez admirer la superbe façade de ce théâtre de kabuki et assister à un spectacle (p. 186) avant que le rideau ne tombe définitivement. Le Kabuki-za rouvrira après reconstruction en 2013.

ADVERTISING MUSEUM TOKYO
アド・ミュージアム東京

Un cadre net et bien éclairé met en valeur les collections du **musée de la Publicité de Tôkyô** (ADMT ; carte p. 138 ; ☎ 6218-2500 ; niv B1 et B2, Caretta Shiodome Bldg, 1-8-2 Higashi-Shimbashi, Minato-ku ; entrée libre ; ⏰ 11h-18h30 mar-ven, 11h-16h30 sam ; 🚇 ligne Toei Ôedo jusqu'à Shiodome, sortie JR Shimbashi). Des images pop d'avant-garde aux gravures sur bois de la période d'Edo présageant les réclames, l'exposition est aussi fascinante que séduisante. Le site Internet contient des indications détaillées.

HAMA-RIKYÛ-TEIEN 浜離宮庭園
Sans doute le plus joli jardin du centre de Tôkyô, le **Hama-Rikyû-Teien** (jardin du Palais isolé ; carte p. 138 ; ☎ 3541-0200 ; 300 ¥ ; ⏰ 9h-17h ; 🚇 ligne Toei Ôedo jusqu'à Tsukiji-Shijô, sortie A2) est entouré de gratte-ciel rutilants au bord de la baie de Tôkyô. Suivez les sentiers paisibles le long des étangs, alimentées par la marée.

MARCHÉ AU POISSON DE TSUKIJI
築地市場

Le **marché au poisson de Tsukiji** (carte p. 138 ; ☎ 3541-2640 ; www.tsukiji-market.or.jp ; 5-2 Tsukiji, Chūō-ku ; ⏰ fermé 2ᵉ et 4ᵉ mer presque chaque mois, dim et jours fériés ; 🚇 ligne Toei Ôedo jusqu'à Tsukiji-Shijô, sorties A1 et A2) est le plus grand marché au poisson du monde. Il ouvre très tôt, pour la criée à l'arrivée de la pêche (voir l'encadré p. 151).

Pour rejoindre la salle de criée climatisée, empruntez l'entrée principale de la halle et allez jusqu'au fond. Vous pouvez engager un guide anglophone à l'entrée du marché. Le reste du marché est ouvert au public et plus intéressant avant 8h.

Ueno 上野
Ueno est l'un des derniers endroits où subsiste l'ambiance de Shitamachi, le quartier ancien de Tôkyô. Sa galerie marchande, Ameyoko Arcade (carte p. 146), vétuste mais dynamique, est un marché animé à mille lieues du monumental quartier commerçant de Roppongi Hills (p. 156). Pas de centres commerciaux branchés donc à Ueno, mais la plus forte concentration de musées et de galeries du pays.

UENO-KÔEN 上野公園
La colline d'Ueno fut le site du dernier retranchement du shogunat Tokugawa, défendu par quelque 2 000 partisans en 1868. L'armée impériale les mit en déroute et le nouveau gouvernement Meiji décida de faire de la colline le premier parc public de la ville. L'**Ueno-kôen** (carte p. 146 ; 🚇 ligne JR Yamanote jusqu'à Ueno, sortie Park), moins séduisant que d'autres parcs, reste inégalé pour son intérêt culturel. En face de la sortie Park du métro, une grande carte indique le plan du parc et les musées.

Le parc est le site le plus prisé de la capitale pour l'*hanami* (floraison des cerisiers) de début à mi-avril, bien que Shinjuku-gyoen soit bien plus paisible (voir p. 154). À l'extrémité sud du parc, d'énormes lotus ronds recouvrent le Shinobazu-ike (étang de Shinobazu) en toute saison.

Statue de Saigô Takamori 西郷隆盛像
Près de l'entrée sud du parc, cette **statue** (carte p. 146 ; 🚇 ligne JR Yamanote jusqu'à Ueno, sortie Shinobazu) inhabituelle représente un samouraï promenant son chien. Saigô Takamori soutint d'abord la Restauration de Meiji, puis s'y opposa et se fit hara-kiri lorsque le nouveau gouvernement ôta son pouvoir à l'aristocratie militaire dont il faisait partie (voir l'encadré p. 740).

Musée national de Tôkyô
東京国立博物館本館

Le **musée national de Tôkyô** (Tôkyô Kokuritsu Hakubutsukan ; carte p. 146 ; ☎ 3822-1111 ; www.tnm.jp ; 13-9 Ueno-kôen, Taitô-ku ; adulte/étudiant 600/400 ¥ ; ⏰ 9h30-17h mar-dim oct-mars, 9h30-20h ven, 9h30-18h sam-dim avr-sept ; 🚇 ligne JR Yamanote jusqu'à Ueno, sortie Park) est *le* musée incontournable de la capitale. Le plus grand du pays, il recèle quelque 87 000 pièces, dont la plus vaste collection d'art japonais au monde. Seule une partie des œuvres est présentée en même temps.

Le musée comporte quatre galeries, dont la plus importante, le **Honkan** (salle principale), fait face à l'entrée ; elle renferme une collection d'art japonais impressionnante, des sabres et des sculptures avec laques et calligraphies. La **galerie des Antiquités orientales** (Tôyô-kan), à droite de la billetterie, présente des œuvres d'art et des trouvailles archéologiques de toute l'Asie. Le **Hyôkei-kan**, à gauche de la billetterie, contient des artefacts japonais et comprend une salle consacrée aux Aïnous, la population indigène de Hokkaidô.

RÈGLES DE CONDUITE À TSUKIJI *Chris Rowthorn*

Au moment de nos recherches, la vente aux enchères du thon à Tsukiji était provisoirement fermée aux touristes en raison du comportement déplacé d'un petit nombre de visiteurs étrangers et japonais ; certains touchaient des poissons (hors de prix) ou s'interposaient entre les acheteurs et les commissaires-priseurs pour une photo. La foule de touristes envahissant la salle durant les enchères perturbait aussi l'activité.

Actuellement, les enchères ont rouvert au public, mais les visiteurs sont confinés dans un petit espace et personne ne sait quelles seront les décisions prises dans le futur. Avant de vous réveiller à 4h pour assister aux enchères, mieux vaut vous renseigner à votre hôtel. Sachez que le reste du marché est passionnant et se visite librement sans avoir à se lever à des heures indues.

Voici quelques règles à respecter :

■ Tsukiji est un marché en activité et non une attraction touristique. N'entravez pas les mouvements des acheteurs et des vendeurs.

■ Ne touchez pas les produits exposés.

■ Prenez garde aux chariots électriques qui circulent entre les étals, tout particulièrement si vous venez avec des enfants.

■ Prévoyez des chaussures qui ne craignent pas l'eau.

■ Tsukiji est un marché, pas un musée : n'hésitez pas à faire des emplettes.

La **galerie des trésors de Hōryūji** (Hōryūji Hōmotsu-kan), peut-être la plus belle, expose des œuvres d'art bouddhiques parmi les plus importantes du pays, provenant toutes de Hōryū-ji à Nara.

Après la visite, promenez-vous dans le **Tokugawa Shōgun Rei-en** (cimetière des shoguns Tokugawa), derrière le musée.

Musée métropolitain d'Art contemporain 東京都美術館

Ce **musée** (carte p. 146 ; ☎ 3823-6921 ; www.tobikan. jp ; 8-36 Ueno-kōen, Taitō-ku ; tarif variable ; ☽ 9h-17h mar-dim ; ⓡ ligne JR Yamanote jusqu'à Ueno, sortie Park) comporte plusieurs galeries qui organisent des expositions temporaires d'artistes japonais ; les œuvres peuvent être de style occidental ou japonais, comme le *sumi-e* (peinture à l'encre) et l'*ikebana* (arrangement floral). Le musée gère uniquement la galerie principale ; les autres sont louées et la qualité des expositions varie.

Musée national des Sciences
国立科学博物館

Ce **musée** (Kokuritsu Kagaku Hakubutsukan ; carte p. 146 ; ☎ 3822-0111 lun-ven, 3822-0114 sam-dim ; www.kahaku. go.jp/english ; 7-20 Ueno-kōen, Taitō-ku ; adulte/enfant 600 ¥/gratuit ; ☽ 9h-17h mar-dim, 9h-20h ven ; ⓡ ligne JR Yamanote jusqu'à Ueno, sortie Park) propose souvent d'excellentes expositions (avec supplément) sur des sujets divers, de la biodiversité à la robotique. Malgré de rares explications en anglais, les installations interactives séduiront

les enfants, surtout si vous combinez la visite avec celle du zoo d'Ueno.

Musée national d'Art occidental
国立西洋美術博物館

Le **musée national d'Art occidental** (Kokuritsu Seiyō Bijutsukan ; carte p. 146 ; ☎ 5777-8600 ; www.nmwa.go.jp ; 7-7 Ueno-kōen, Taitō-ku ; adulte 420 ¥, étudiant 70-130 ¥ ; ☽ 9h30-17h30, 9h30-20h ven, fermé lun ; ⓡ ligne JR Yamanote jusqu'à Ueno, sortie Park) possède une belle collection permanente, qui souffre un peu d'une présentation négligente. Il accueille souvent des expositions temporaires (tarif variable), prêtées par des musées du monde entier.

Musée Shitamachi 下町風俗資料館

Ce **musée** (carte p. 146 ; ☎ 3823-7451 ; 2-1 Ueno-kōen, Taitō-ku ; adulte/étudiant 300/100 ¥ ; ☽ 9h30-16h30 mar-dim ; ⓡ ligne JR Yamanote jusqu'à Ueno, sortie Hirokōji) recrée le cadre de Shitamachi à l'époque d'Edo, le quartier populaire du vieux Tōkyō. Il comprend une boutique de bonbons, l'atelier et la maison d'un chaudronnier, ainsi qu'une habitation. Des animateurs proposent de vous apprendre des jeux ou vous aident à enfiler des vêtements d'époque.

Zoo d'Ueno 上野動物園

Créé en 1882, le **zoo d'Ueno** (carte p. 146 ; ☎ 3828-5171 ; 9-83 Ueno-kōen, Taitō-ku ; adulte/étudiant 600/200 ¥ ; ☽ 9h30-17h mar-dim ; ⓡ ligne JR Yamanote jusqu'à Ueno, sortie Shinobazu) fut le premier du Japon et intéressera surtout les enfants.

Tōshōgū 東照宮

Ce **sanctuaire** (carte p. 146 ; ☎ 3822-3455 ; 9-88 Ueno-kōen, Taitō-ku ; 200 ¥ ; 🕐 9h-16h30 déc-fév, 9h-17h30 mars-nov ; 🚇 ligne JR Yamanote jusqu'à Ueno, sortie Shinobazu), comme son homologue à Nikkō, est dédié à Tokugawa Ieyasu, qui unifia le Japon. Resplendissant de feuilles d'or et abondamment orné, il date de 1651 et compte parmi les rares édifices du début de la période d'Edo ayant survécu aux multiples catastrophes qui ont frappé Tōkyō.

Ameyoko Arcade アメ横

Unique à Tōkyō, ce **marché** (Ameya-yokochō ; carte p. 146 ; 🚇 ligne JR Yamanote jusqu'à Okachimachi, sortie nord, ou Ueno, sortie Hirokōji, ligne Hibiya jusqu'à Naka-Okachimachi, sortie A5) est aussi odorant et bruyant que ceux des autres pays asiatiques. Renommé pour le marché noir après la Seconde Guerre mondiale, il reste animé et ses étals en plein air offrent de bonnes affaires, des calamars séchés aux baskets et aux chemises à motifs japonais. Repérez la grande arche en face du côté sud de la station Ueno.

Asakusa 浅草

Longtemps considéré le cœur du vieux Shitamachi, Asakusa se visite agréablement à pied. Le temple Sensō-ji, également appelé Asakusa Kannon-dō, est son principal point d'intérêt. À l'époque d'Edo, Asakusa se situait à mi-chemin entre la ville et Yoshiwara, le quartier malfamé des plaisirs. Plus tard, il devint un quartier de divertissements et le centre du plus prisé d'entre eux, le kabuki. À l'ombre du Sensō-ji, l'esprit ludique prévalait et de nombreux établissements de loisirs prospéraient, des théâtres de kabuki aux maisons closes.

Aujourd'hui, Asakusa est l'un des rares quartiers de Tōkyō qui conservent l'esprit de Shitamachi. Devenu plus touristique, il attire des foules non seulement pour admirer le Sensō-ji, mais aussi pour les marchés de **Nakamise-dōri**, renommé pour les souvenirs kitsch et les *geta* (socques en bois), et de **Kappabashi-dōri**, réputé pour les ustensiles de cuisine.

SENSŌ-JI 浅草寺

Ce **temple** (carte p. 146 ; ☎ 3842-0181 ; 2-3-1 Asakusa, Taitō-ku ; entrée libre ; 🕐 24h/24 ; 🚇 lignes Ginza ou Toei Asakusa jusqu'à Asakusa, sorties 1 et A5) renferme une statue en or de Kannon (la déesse bouddhique de la Compassion). Selon la légende, deux pêcheurs l'auraient miraculeusement remontée de la Sumida-gawa en 628. Depuis, la statue est restée malgré les reconstructions successives du temple ; la structure actuelle date de 1950.

En arrivant au Sensō-ji de la station de métro Asakusa, on entre par la Kaminarimon (porte du Tonnerre), gardée par deux divinités protectrices : Fūjin, le dieu du Vent, à droite et Raijin, le dieu du Tonnerre, à gauche.

Près de la Kaminarimon, des *jinriksha* (conducteurs de cyclo-pousse) en costume traditionnel vous proposeront la visite commentée en anglais ou en japonais (5 000/9 000 ¥ par personne pour 30/60 min).

Juste après la porte, Nakamise-dōri, la rue commerçante dans l'enceinte du temple, offre toutes sortes de marchandises, des souvenirs à d'authentiques objets d'artisanat de style Edo.

Nakamise-dōri conduit au temple proprement dit. L'existence de la statue de Kannon reste un secret car elle n'est pas exposée au public. Cela ne dissuade pas un flot continu de fidèles de grimper les marches pour s'incliner et frapper des mains. Devant le temple, de l'encens brûle en permanence dans un grand chaudron et la fumée aurait des propriétés bénéfiques.

DEMBŌ-IN 伝法院

À gauche du temple, le Dembō-in (carte p. 146) possède l'un des plus jolis jardins de Tōkyō, avec un bassin charmant et la réplique d'une célèbre maison de thé de Kyōto. Bien qu'il ne soit pas ouvert au public, on peut obtenir un laissez-passer en téléphonant quelques jours à l'avance au **bureau principal** (☎ 3842-0181 ; 2-3-1 Asakusa, Taitō-ku ; entrée libre ; 🕐 sur rendez-vous, fermé lors des cérémonies ; 🚇 lignes Ginza ou Toei Asakusa jusqu'à Asakusa, sorties 1 et A5), à gauche de l'entrée de la pagode à cinq étages.

MUSÉE D'ARTISANAT TRADITIONNEL D'EDO SHITAMACHI 江戸下町伝統工芸館

Shitamachi compte encore une multitude d'ateliers traditionnels, souvent familiaux et en activité depuis des générations. Asakusa est donc un emplacement idéal pour ce **musée** (carte p. 146 ; ☎ 3842-1990 ; 2-22-13 Asakusa, Taitō-ku ; entrée libre ; 🕐 10h-20h ; 🚇 ligne Ginza jusqu'à Tawaramachi, sortie 3, ou Tsukuba Express jusqu'à Asakusa, sortie A1), qui présente de superbes objets artisanaux en bois, paille, céramique et laque. Le week-end, des artisans locaux démontrent leur savoir-faire.

CROISIÈRE SUR LA SUMIDA-GAWA 隅田川クルーズ

Une métrople sur la Sumida-gawa à bord du **Suijō Bus** (bateau-bus ; carte p. 146 ; ☎ 0120-977-311 ; www.suijobus.co.jp ; jusqu'à Hama-Rikyū-Teien/jetée Hinode 720/760 ¥ ; 🕐 9h30-18h ; 🚇 lignes Ginza ou Toei Asakusa jusqu'à Asakusa, sorties 4 et A5) n'a rien d'extraordinaire, mais constitue un excellent moyen de rejoindre Asakusa ou d'en revenir. Les bateaux partent environ toutes les demi-heures de la jetée proche du pont, Azuma-bashi, et rallient Hama-Rikyū-Teien (p. 150) et la jetée Hinode (carte p. 138). Vous pouvez acheter un billet jusqu'à Hama-Rikyū-Teien (où vous devez payer 300 ¥ de droit d'entrée), explorer le jardin, puis marcher 10 ou 15 minutes pour regagner Ginza.

Ikebukuro 池袋

Ikebukuro s'enorgueillissait autrefois de posséder le grand magasin le plus vaste au monde, le plus haut édifice et le plus long escalator. S'il a perdu ces privilèges, Sunshine City demeure un refuge privilégié par temps pluvieux et l'on peut y passer des jours à arpenter la galerie marchande, visiter l'aquarium et le planétarium, et se régaler de glaces et de *gyōza* (raviolis chinois). Les plus pressés pourront ignorer le quartier, à moins de rechercher des mangas ou des gadgets de la culture otaku, disponibles dans Otome Rd.

SUNSHINE CITY サンシャインシティ
Surnommée la "Ville dans un immeuble", **Sunshine City** (carte p. 132 ; ☎ 3989-3331, 3989-1111 ; 3-1-1 Higashi-Ikebukuro, Toshima-ku ; ☉ 10h-22h ; 🚉 ligne JR Yamanote jusqu'à Ikebukuro, sortie est), dans l'est d'Ikebukuro, comporte 60 niveaux de bureaux et de galeries marchandes, avec çà et là quelques établissements culturels et de divertissement. Moyennant 620 ¥, un ascenseur vous transporte en 35 secondes jusqu'à l'**observatoire** (☉ 10h-21h30) du 60ᵉ étage, où vous pouvez contempler les immeubles en contrebas.

Au 7ᵉ niveau du Bunka Kaikan Building de Sunshine City, le **musée de l'Orient ancien** (☎ 3989-3491 ; 3-1-4 Higashi-Ikebukuro, Toshima-ku ; adulte 500 ¥, étudiant 150-400 ¥ ; ☉ 10h-17h) expose des antiquités et des œuvres d'art de toute l'Asie.

Le **Sunshine Planetarium** (☎ 3989-3475 ; 10ᵉ niv, World Import Mart Bldg, 3-1-3 Higashi-Ikebukuro, Toshima-ku ; adulte/enfant 900/500 ¥ ; ☉ 11h-18h lun-jeu, 20h-22h ven-dim) propose des séances commentées en japonais. Le **Sunshine International Aquarium** (☎ 3989-3466 ; 10ᵉ niv, World Import Mart Bldg, 3-1-3 Higashi-Ikebukuro, Toshima-ku ; adulte/enfant 1 800/900 ¥ ; ☉ 10h-18h lun-ven, 10h-18h30 sam-dim ; 🚻), l'aquarium le plus élevé au monde, abrite des anguilles électriques, des requins et d'autres espèces de la faune marine. Vous pouvez acheter un billet combiné pour le planétarium et l'aquarium (adulte/enfant 2 400/1 200 ¥).

OTOME ROAD 乙女ロード
Vous ne trouverez pas **Otome Rd** (rue des Jeunes Filles ; carte p. 132) sur les cartes officielles, car cette rue doit son surnom aux jeunes filles *otaku* qui explorent ses boutiques de mangas. Nombre d'entre elles sont spécialisées dans le *yaoi* ("amour entre garçons") et les superbes *dōjinshi* (fanzines), destinés à un public féminin. À l'instar d'Akihabara, essentiellement fréquenté par des jeunes hommes *otaku*, Otome Rd possède des "*butler cafes*" et d'autres lieux alternatifs où le service est assuré par des jeunes gens attentifs ou des serveuses en costume d'homme.

Ainsi, le **Swallowtail Café** (carte p. 132 ; www.butlers-cafe.jp, en japonais ; niv B1, 3-12-12 Higashi-Ikebukuro, Toshima-ku ; ☉ 10h30-21h lun-sam, sur RV ; 🚉 ligne JR Yamanote jusqu'à Ikebukuro, sortie est) est tellement prisé qu'il faut réserver des jours ou des semaines à l'avance.

TOKYO METROPOLITAN ART SPACE
東京芸術劇場
Conçu pour accueillir toutes sortes de manifestations, le **Tokyo Metropolitan Art Space** (carte p. 132 ; ☎ 5391-2111 ; www.geigeki.jp/english/index.html ; 1-8-1 Nishi-Ikebukuro ; 🚉 ligne JR Yamanote jusqu'à Ikebukuro, sortie ouest ; 🚻) se situe dans la partie ouest d'Ikebukuro et comporte 4 salles, des boutiques et des cafés. À défaut d'assister à un quelconque spectacle, vous pourrez emprunter l'escalator le plus long du monde.

Shinjuku 新宿
Quartier étendu et affairé, Shinjuku réunit la plupart des caractéristiques de Tōkyō : grands magasins haut de gamme, échoppes de nouilles anachroniques, administrations guindées, marée humaine, écrans vidéo en bord de rue, clubs à hôtesses, sanctuaires discrets et gigantesques gratte-ciel.

Plus de 3 millions de personnes transitent chaque jour par la gare de Shinjuku, l'une des plus fréquentées du monde. À l'ouest de la gare se dresse la plus forte concentration de gratte-ciel, dominée par les bureaux administratifs de la ville de Tōkyō, conçus par Kenzō Tange. L'est de la gare est un labyrinthe de grands magasins, de restaurants, de boutiques et de néons, avec quelques lieux interlopes.

SECTEUR EST 東新宿
Le secteur est de Shinjuku allie sous-culture bas de gamme, grands magasins somnolents et l'un des meilleurs endroits pour admirer la floraison des cerisiers, le Shinjuku-gyoen.

Kabukichō 歌舞伎町

Le "quartier chaud" le plus fameux de Tōkyō s'étend à l'est de la station Seibu-Shinjuku, au nord de Yasukuni-dōri. Salons de massage, *love hotels*, bars à hôtesses et spectacles de strip-tease bordent les rues où se pressent des employés de bureau éméchés. *Yakuza* (mafieux) et apprentis marlous friment et traînent en costumes voyants, et des *freeters* (travailleurs à temps partiel) gagnent quelques yens en distribuant des publicités.

Kabukichō ne se résume cependant pas à l'industrie du sexe. Il offre des loisirs innocents comme les cinémas et quelques bons restaurants (voir p. 173). Pour prendre un verre, explorez les ruelles du Golden Gai (p. 181).

Hanazono-jinja 花園神社

Niché à l'ombre de Kabukichō, l'**Hanazono-jinja** (carte p. 131 ; ☎ 3200-3093 ; 5-17-3 Shinjuku, Shinjuku-ku ; 🚇 lignes Marunouchi et Toei Shinjuku jusqu'à Shinjuku-sanchōme, sorties B3 et B5) est un sanctuaire paisible et discret, particulièrement plaisant en soirée quand il est illuminé. Quelques minutes suffisent à en faire le tour mais l'on peut s'y reposer de la frénésie des rues.

Shinjuku-gyoen 新宿御苑

Superbe oasis de verdure, le **Shinjuku-gyoen** (carte p. 131 ; ☎ 3350-0151 ; Naitochō, Shinjuku-ku ; adulte/- de 15 ans/- de 6 ans 200/50 ¥/gratuit ; 🕐 9h-16h30 mar-dim ; 🚇 ligne Marunouchi jusqu'à Shinjuku-gyoenmae, sortie 1) est l'un des plus grands parcs de Tōkyō (57,60 ha) et l'un des endroits les plus prisés lors de la floraison des cerisiers. Aménagé dans le style européen en 1906, il comprend également un jardin japonais, une serre de plantes tropicales et un étang rempli d'énormes carpes.

SECTEUR OUEST 西新宿

Dans ce secteur essentiellement administratif, l'intérieur rutilant des gratte-ciel et les étages panoramiques des bureaux administratifs de la ville de Tōkyō constituent les principaux centres d'intérêt.

Tōkyō Metropolitan Government Building 東京都庁

Ces **bureaux administratifs** (Tōkyō Tochō ; carte p. 131 ; ☎ 5321-1111 ; 2-8-1 Nishi-Shinjuku, Shinjuku-ku ; entrée libre ; 🕐 9h30-23h mar-dim, tour Nord fermée 2e et 4e lun du mois, tour Sud fermée 1er et 3e mar du mois ; 🚇 ligne Toei Ōedo jusqu'à Tochōmae, sorties A3 et A4) occupent deux bâtiments attenants qui méritent le détour pour leur architecture monumentale et leurs étages panoramiques jumeaux. Par temps clair, on aperçoit le mont Fuji à l'ouest. Pour atteindre les étages panoramiques, prenez l'un des deux ascenseurs du 1er niveau.

Shinjuku NS Building 新宿 NS ビル

À l'intérieur du **Shinjuku NS Building** (carte p. 131 ; 2-4-1 Nishi-Shinjuku, Shinjuku-ku ; entrée libre ; 🕐 11h-22h ; 🚇 ligne Toei Ōedo jusqu'à Tochōmae, sortie A2), un atrium de 1 600 m², inondé de lumière naturelle grâce à son toit de verre, renferme une horloge à balancier de 29 m de haut. Les restaurants des 29e et 30e niveaux offrent une vue superbe sur Tōkyō, que l'on peut contempler sans déjeuner ou dîner.

Pentax Forum ペンタックスフォーラム

Installé dans une salle d'exposition interactive, le **Pentax Forum** (carte p. 131 ; ☎ 3348-2941 ; 1er niv, Shinjuku Mitsui Bldg, 2-1-1 Nishi-Shinjuku, Shinjuku-ku ; entrée libre ; 🕐 10h30-18h30 ; 🚇 ligne Toei Ōedo jusqu'à Tochōmae, sortie B2) enchantera les passionnés de photographie, qui pourront manipuler le matériel dernier cri.

Harajuku et Aoyama 原宿・青山

Les Tokyoïtes viennent dépenser sans compter à Harajuku et à Aoyama (carte p. 134) pour acquérir les derniers vêtements branchés. Plaisants pour une promenade, ces quartiers sont dévolus à la mode. Des adolescentes en quête de T-shirts aux messages humoristiques et de bas résille arpentent **Takeshita-dōri**. Bordée d'arbres et de terrasses de café, **Omote-sandō** est la plus parisienne des avenues de Tōkyō, tandis que les bistrots d'Aoyama servent une excellente cuisine internationale.

Pour un aperçu de l'excentricité vestimentaire des Tokyoïtes, faites un tour le week-end à **Jingū-bashi** (voir l'encadré p 155).

MEIJI-JINGŪ 明治神宮

Achevé en 1920, le **sanctuaire** (carte p. 134 ; ☎ 3379-5511 ; www.meijijingu.or.jp ; 1-1 Yoyogi Kamizonochō, Shibuya-ku ; entrée libre ; 🕐 aube-crépuscule ; 🚇 ligne JR Yamanote jusqu'à Harajuku, sortie Omote-sandō) fut érigé en l'honneur de l'empereur Meiji et de l'impératrice Shōken, qui mirent fin à la longue période d'isolement du Japon. Comme beaucoup de bâtiments de Tōkyō, il fut malheureusement détruit par les bombardements de la Seconde Guerre mondiale, puis rebâti en 1958.

Contrairement à la plupart des reconstructions de l'après-guerre, il a conservé les caractéristiques du monument initial : la salle

COSPLAY

Qu'on les appelle filles de Harajuku, lolitas gothiques ou *cosplay-zoku* (bande costumée), ces représentantes de la culture adolescente de Tōkyō sont connues dans le monde entier.

Les *cosplay-zoku* sont essentiellement des jeunes filles qui se rassemblent à Jingū-bashi (p. 154) le week-end, arborant un maquillage gothique, des kimonos à motifs punk, des costumes de nonnes coquines ou d'infirmières de dessin animé.

Les jeunes *cosplay* partagent un même amour pour des groupes japonais *visual-kei* (type visuel) ou des personnages de mangas ou d'*anime*, et sont fiers de leur propre style. Ce sont souvent des *ijime-ko*, des jeunes brimés à l'école, qui se défoulent en adoptant une identité temporaire.

Ce vrai spectacle attire chaque week-end photographes, touristes et simples curieux. Les filles paradent jusqu'à la tombée du jour, puis reprennent le train vers la "vie normale" dans la capitale ou une banlieue sans âme.

principale en cyprès japonais et l'immense *torii* (porte du sanctuaire) taillé dans du cyprès importé d'Alishan, à Taïwan.

Pratiquement désert en semaine, le **Meiji-jingū-gyoen** (adulte/enfant 500/200 ¥ ; 9h-16h30), le jardin intérieur du sanctuaire, est particulièrement beau en juin, quand fleurissent les iris.

YOYOGI-KŌEN 代々木公園

Les week-ends au **Yoyogi-kōen** (parc Yoyogi ; carte p. 134 ; 2-1 Yoyogi-Kaminzonochō ; entrée libre ; aube-crépuscule ; ligne JR Yamanote jusqu'à Harajuku, sortie Omote-sandō, ou ligne Chiyoda jusqu'à Yoyogi-kōen, sortie 4) réservent toujours de bonnes surprises : joueurs de *shamisen* (luth à trois cordes), concerts punk-rock, cracheurs de feu, etc. Des chemins sillonnent ce parc boisé de 53,20 ha, plaisant à arpenter en l'absence d'événements, surtout les dimanches ensoleillés de printemps ou d'automne.

MUSÉE ŌTA 太田記念美術館

Glissez sur des patins à travers le **musée Ōta** (carte p. 134 ; 3403-0880 ; www.ukiyoe-ota-muse.jp/english.html ; 1-10-10 Jingūmae, Shibuya-ku ; adulte/étudiant 1 000/700 ¥ ; 10h30-17h30 mar-dim, fermé du 27 à la fin du mois ; ligne Chiyoda jusqu'à Meiji-jingūmae, sortie 5) pour admirer son exceptionnelle collection

d'*ukiyo-e* (estampes), qui comprend les œuvres de grands maîtres tel Hiroshige. Le musée se situe dans la petite rue au nord-ouest du Laforet Building. Un supplément s'applique aux expositions temporaires.

GALERIES D'ART

Aoyama regorge de petites galeries d'art, gratuites pour la plupart. En haut de Killer-dōri, jetez un coup d'œil au **Watari-um** (musée d'Art contemporain Watari ; carte p. 134 ; 3402-3001 ; www.watarium.co.jp ; 3-7-6 Jingūmae, Shibuya-ku ; adulte/étudiant 1 000/800 ¥ ; 11h-19h, 11h-21h mer, fermé lun ; ligne Ginza jusqu'à Gaienmae, sortie 3), qui expose des œuvres d'avant-garde.

Au cœur de Harajuku, les succursales est et ouest de la **Design Festa Gallery** (carte p. 134 ; 3479-1442 ; www.designfestagallery.com ; 3-20-18 Jingūmae, Shibuya-ku ; entrée libre ; 11h-20h ; ligne JR Yamanote jusqu'à Takeshita) exposent les créations d'artistes et d'artisans locaux.

Traversez Omote-sandō pour rejoindre le **Spiral Building** (carte p. 134 ; 3498-1171 ; 5-6-23 Minami-Aoyama, Minato-ku ; entrée libre ; 11h-20h ; lignes Chiyoda, Ginza, Hanzōmon jusqu'à Omote-sandō, sortie B1), qui propose des expositions temporaires, des restaurants et des concerts. Des articles de boutiques de musée sont en vente au 2ᵉ niveau.

Au coin du Spiral Building, Kottō-dōri (rue des Antiquaires) est ponctuée de galeries et de magasins d'antiquités.

Shibuya 渋谷

L'image du **carrefour Shibuya** (carte p. 134) a fait le tour du monde, avec la marée de piétons qui traverse cette intersection à quatre voies dès que le feu passe au rouge. Ce quartier commerçant vise essentiellement la jeunesse ; les passants, les boutiques et leurs marchandises ainsi que l'énergie ambiante donnent un aperçu des désirs et de la mentalité de la nouvelle génération. Le week-end, les rues semblent réservées aux victimes de la mode de moins de 25 ans.

STATUE DE HACHIKŌ ハチ公像

Dans les années 1920, un professeur possédait un petit chien akita qui venait l'attendre tous les après-midi à la station Shubuya. Le professeur mourut en 1925, mais son chien, Hachikō, continua à venir l'attendre tous les jours jusqu'à ce qu'il meure à son tour, 11 ans plus tard. Émus par sa fidélité, les habitants du quartier érigèrent une statue à sa mémoire.

PARCO FACTORY パルコファクトリー
Les expositions de la **Parco Factory** (carte p. 134 ; ☎ 3477-5873 ; 6ᵉ niv, Parco Part 1, 15-1 Udagawachō, Shibuya-ku ; tarif variable ; 🕙 10h-21h ; 🚉 ligne JR Yamanote jusqu'à Shibuya, sortie Hachikō) privilégient l'art contemporain mâtiné d'humour, dans l'esprit de Shibuya. Arts graphiques et culture pop donnent une idée de l'esthétisme de la Factory.

MUSÉE DU SEL ET DU TABAC
たばこと塩の博物館
Ce curieux petit **musée** (carte p. 134 ; ☎ 3476-2041 ; 1-16-8 Jinnan, Shibuya-ku ; adulte/enfant 100/50 ¥ ; 🕙 10h-18h mar-dim ; 🚉 ligne JR Yamanote jusqu'à Shibuya, sortie Hachikō) possède d'intéressantes collections illustrant l'histoire du tabac et les méthodes de production du sel dans le Japon prémoderne (quand le pays ne récoltait que du sel marin). Si les légendes en anglais sont rares, les pièces exposées parlent d'elles-mêmes.

MUSÉE TEPCO DE L'ÉLECTRICITÉ 電力館
Particulièrement recommandé avec des enfants, le **musée Tepco de l'Électricité** (Denryokukan ; carte p. 134 ; ☎ 3477-1191 ; 1-12-10 Jinnan, Shibuya-ku ; entrée libre ; 🕙 10h-18h jeu-mar ; 🚉 ligne JR Yamanote jusqu'à Shibuya, sortie Hachikō) présente des collections bien agencées sur l'électricité et tout ce qui lui est associé. Légendes en anglais.

Ebisu et Daikanyama 恵比寿・代官山
De taille humaine et moins survoltés, Ebisu et Daikanyama sont des quartiers élégants où l'on oublie le rythme frénétique d'autres parties de la capitale. Avec ses terrasses de café et ses boutiques de créateurs, Daikanyama bénéficie d'une ambiance détendue européenne et japonaise. À proximité, Ebisu possède certains des clubs et bars les plus décontractés de Tōkyō, et le complexe en plein air du Yebisu Garden Place.

YEBISU GARDEN PLACE
恵比寿ガーデンプレイス
Ce **complexe** (carte p. 136 ; ☎ 5423-7111 ; http://garden place.jp en japonais ; 🚉 ligne JR Yamanote jusqu'à Ebisu, sortie est vers Skywalk) de boutiques, de restaurants et d'une tour de 39 étages est entouré d'une promenade, idéale pour flâner par beau temps et écouter, à l'occasion, de la musique live. Les restaurants des 38ᵉ et 39ᵉ niveaux de la **Yebisu Garden Place Tower** offrent une vue panoramique sur la ville.

Également dans le complexe, le siège de la brasserie Sapporo abrite le **musée de la Bière Yebisu** (☎ 5423-7255 ; www.sapporobeer.jp/english/guide/ yebisu/ ; 4-20-1 Ebisu, Shibuya-ku ; entrée libre ; 🕙 10h-18h mar-dim), qui ne manque pas d'intérêt et comprend une salle de dégustation où l'on peut goûter les diverses bières de la marque (200 à 250 ¥ le verre ou 400 ¥ les quatre variétés).

Visitez l'excellent **musée métropolitain de la Photographie** (☎ 3280-0099 ; www.syabi.com ; 1-13-3 Mita, Meguro-ku ; tarif variable ; 🕙 10h-18h mar-dim et sam-dim, 10h-20h jeu-ven), le premier grand musée japonais consacré à cet art. S'il privilégie les photographes japonais, il expose aussi des œuvres internationales.

MUSÉE DE PARASITOLOGIE MEGURO
目黒寄生虫館
Ce petit **musée** (carte p. 136 ; ☎ 3716 1264 ; http:// kiseichu.org/english.aspx ; 4-1-1 Shimo-Meguro, Meguro-ku ; entrée libre ; 🕙 10h-17h mar-dim ; 🚉 ligne JR Yamanote jusqu'à Meguro, sortie ouest ; 🚻 🚹) fascinera ceux que ne dégoûte pas la vue d'un ver solitaire de 9 m. Les enfants s'amusent à découvrir les rangées de bestioles conservées dans le formol et décrites en latin (peu de légendes en anglais). À l'étage, la boutique de souvenirs vend des porte-clés et des T-shirts ornés de parasites.

Roppongi et Akasaka 六本木・赤坂
Depuis quelques années, Roppongi connaît une renaissance : des travaux de grande envergure changent le paysage urbain et relève la respectabilité du quartier. Si Roppongi demeure le centre d'une vie nocturne débridée, il possède aussi des restaurants de premier plan, trois musées splendides qui forment le **Roppongi Art Triangle**, et même quelques espaces verts.

À proximité, Akasaka, essentiellement un quartier d'administrations et de bureaux, compte quelques sites qui méritent le détour.

ROPPONGI HILLS 六本木ヒルズ
Il a fallu 17 ans pour réaliser cet énorme projet, conçu par le promoteur Minoru Mori. Il pensait améliorer la qualité de vie des citadins en regroupant habitation, travail et loisir dans un même microcosme urbain. Que l'on soit d'accord ou non avec cette vision, les Roppongi Hills continuent d'attirer les foules.

Jouissant d'un emplacement privilégié au sommet de la tour Mori, le **musée d'Art Mori** (carte p. 140 ; ☎ 5777-8600 ; www.mori.art.museum ; 53ᵉ niv, Mori Tower Roppongi Hills, 6-10-1 Roppongi, Minato-ku ; billet combiné avec Tokyo City View environ 1 500 ¥ ; 🕙 10h-22h mer-lun, 10h-17h mar ; 🚉 lignes Hibiya et Toei Ōedo jusqu'à Roppongi, sorties 1c et 3) constitue l'un des angles du Roppongi Art Triangle. Les expositions d'art contemporain utilisent principalement les innombrables possibilités multimédia et sont toujours passionnantes.

Le billet du musée donne accès au **Tōkyō City View** (carte p. 140 ; ☎ 6406-6652 ; www.tokyocityview. com ; 52ᵉ niv, Mori Tower Roppongi Hills, 6-10-1 Roppongi, Minato-ku ; adulte/étudiant/enfant 1 500/1 000/500 ¥ ; ◷ 9h-1h, dernière entrée 24h ; ⊗ lignes Hibiya et Toei Ōedo jusqu'à Roppongi, sorties 1c et 3). Outre l'étage aux baies vitrées, une terrasse en plein air permet d'admirer la vue panoramique par beau temps.

TOKYO MIDTOWN 東京ミッドタウン
Dernière construction rutilante de Roppongi, **Tokyo Midtown** (carte p. 140 ; www.tokyo-midtown.com ; 9-7 Akasaka, Minato-ku ; ♿ ♿ ; ⊗ lignes Hibiya et Toei Ōedo jusqu'à Roppongi, sortie 8) apporte une touche de luxe au quartier avec des boutiques de design haut de gamme, un Ritz-Carlton (voir l'encadré *Vingt-cinq étoiles* p. 170), un bar à vins, d'excellents restaurants, un salon pour animaux domestiques et un jardin charmant.

Outre ses enseignes de design et ses boutiques, Tokyo Midtown abrite aussi le **musée d'Art Suntory** (carte p. 140 ; ☎ 3479-8600 ; www. suntory.com/culture-sports/sma/index.html ; 9-7-4 Akasaka, Minato-ku ; adulte/étudiant/enfant 1 300/1 000 ¥/gratuit ; ♿ ; ◷ 10h-18h dim-lun, 10h-20h mer-sam ; ⊗ lignes Hibiya et Toei Ōedo jusqu'à Roppongi, sortie 8). La deuxième institution de l'Art Triangle possède des galeries spacieuses qui présentent des antiquités, de l'art et de l'artisanat traditionnels japonais. Le musée organise aussi des expositions temporaires, prêtées par d'autres organismes.

NATIONAL ART CENTER TŌKYŌ
国立新美術館
La somptueuse façade de verre du **National Art Center Tōkyō** (carte p. 140 ; ☎ 5777 8600 ; www.nact.jp ; 7-22-2 Roppongi, Minato-ku ; tarifs variables ; ◷ 10h-18h mer et sam-lun, 10h-20h ven ; ♿ ; ⊗ ligne Chiyoda jusqu'à Nogizaka, sortie 6, ou lignes Hibiya et Toei Ōedo jusqu'à Roppongi, sorties 4a et 7) forme le dernier coin de l'Art Triangle. Si les expositions en cours ne vous passionnent pas, la boutique du musée mérite à elle seule la visite.

HIE-JINJA 日枝神社
Sanctuaire moderne en ciment, le **Hie-jinja** (carte p. 140 ; ☎ 3581-2471 ; www.hiejinja.net/jinja/english/index. html ; 2-10-5 Nagatachō, Chiyoda-ku ; ⊗ lignes Ginza et Marunouchi jusqu'à Akasaka-mitsuke, sortie Belle Vie) vaut surtout pour la montée jusqu'au sanctuaire à travers un "tunnel" de *torii* orange, un spectacle

splendide à la floraison des cerisiers. Empruntez Sotobori-dōri vers le sud et repérez l'esplanade en béton qui mène aux portes du sanctuaire.

TOUR DE TŌKYŌ 東京タワー
Dépassant de 9 m la tour Eiffel dont elle s'inspire, la **tour de Tōkyō** (carte p. 140 ; ☎ 3433-5111 ; www. tokyotower.co.jp/english/ ; 4-2-8 Shiba-kōen, Minato-ku ; principale plate-forme panoramique 310-820 ¥, plate-forme panoramique spéciale supp 350-600 ¥ ; ◷ 9h-22h ; ⊗ ligne Hibiya jusqu'à Kamiyamachō, sorties 1 et 2), haute de 333 m, est une jolie flèche rétro qui domine Tōkyō. Achevée en 1958, c'est une sorte de contrepoint vieillot à l'extrême modernité de Roppongi Hills. Banale dans la journée, la vue devient magique la nuit.

Derrière la tour, le **Zōjō-ji** (carte p. 140 ; ☎ 3432-1431 ; 4-7-35 Shiba-kōen, Minato-ku ; ◷ aube-crépuscule ; ⊗ ligne Toei Ōedo jusqu'à Akabanebashi, sortie Akabanebashi) était le temple familial des Tokugawa. En soirée, allez à pied de la station Hamamatsuchō, sur la ligne JR Yamanote, jusqu'à la tour de Tōkyō. Coupez par le Zōjō-ji pour admirer la tour illuminée, s'élançant vers le ciel, au-dessus de la silhouette sombre du temple.

ŌKURA SHŪKOKAN 大倉集古館
Dans l'enceinte du vénérable Ōkura Hotel, ce petit **musée** (carte p. 140 ; ☎ 3583-0781 ; 2-10-3 Toranomon, Minato-ku ; adulte/étudiant/enfant 800/500 ¥/gratuit ; ◷ 10h-16h30 mar-dim ; ⊗ ligne Ginza jusqu'à Tameike-sannō, sortie 13) renferme une collection de sculptures, d'écritoires en laque et pas moins de trois trésors nationaux. Il est entouré d'un jardin de sculptures.

Ōdaiba et baie de Tōkyō
お台場・東京湾
Île artificielle dans la baie de Tōkyō, Ōdaiba rappelle que Tōkyō est aussi une ville tournée vers la mer. Outre la vue sur la capitale de l'autre côté de la baie, Ōdaiba comporte des bizarreries architecturales, une petite statue de la Liberté et un *onsen* (source thermale) aménagé dans le style d'Edo.

Pour rejoindre Ōdaiba, empruntez le monorail Yurikamome (sans conducteur) à la station Shimbashi. Une navette gratuite fait le tour de l'île de 11h à 20h.

GALERIES MARCHANDES ET CENTRES DE LOISIRS
Aucun quartier de Tōkyō ne peut s'imaginer sans temples du shopping, tel le **Venus Fort** (carte p. 133 ; ☎ 3599-0700 ; www.venusfort.co.jp ; Palette Town,

Aomi 1-chōme, Kōtō-ku ; boutiques 11h-21h dim-ven, 11h-22h sam ; lignes Yurikamome jusqu'à Aomi ou Rinkai jusqu'à Tōkyō Teleport), résolument kitsch avec ses fresques à l'italienne de style XVIIIᵉ siècle au plafond. D'autres centres gigantesques offrent toutes sortes de divertissements, comme **Decks Tokyo Beach** (carte p. 133 ; ☎ 3599-6500 ; www.odaiba-decks.com, en japonais ; 1-6-1 Daiba, Minato-ku ; 11h-21h ; ligne Yurikamome jusqu'à Odaiba Kaihin-kōen), qui comprend une galerie marchande sur le thème de Hong Kong, un club de loisirs Sega Joypolis avec manèges virtuels et un Muscle Park pour des jeux plus sportifs.

MUSÉE DES SCIENCES MARITIMES
船の科学館

En forme de bateau, ce **musée** (Fune-no-Kagakukan ; carte p. 133 ; ☎ 5500-1111 ; www.funenokagakukan.or.jp ; 3-1 Higashi-Yashio, Shinagawa-ku ; adulte/enfant 700/400 ¥ ; 10h-17h mar-dim ; ; ligne Yurikamome jusqu'à Fune-no-Kagakukan) présente, sur 4 niveaux, tous les aspects de la navigation, avec nombre de maquettes très détaillées. Les expositions interactives enchantent les enfants.

MUSÉE NATIONAL DES NOUVELLES SCIENCES ET DE L'INNOVATION
日本科学未来館

Également appelé **Miraikan** (carte p. 133 ; ☎ 3570-9151 ; www.miraikan.jst.go.jp ; 2-41 Aomi, Kōtō-ku ; adulte/-18 ans 500/200 ¥, enfant gratuit sam ; 10h-17h mer-lun ; ; ligne Yurikamome jusqu'à Fune-no-Kagakukan ou Telecom Center), le meilleur musée scientifique du pays, sorte de Futuroscope, ravit immanquablement les enfants avec des installations interactives amusantes et pédagogiques. Vous pourrez construire votre propre robot et comprendre comment le poisson d'eau douce medaka a pu frayer en apesanteur dans la navette spatiale.

ŌEDO-ONSEN MONOGATARI
大江戸温泉物語

Construit comme une ancienne cité d'Edo, cet **onsen** (carte p. 133 ; ☎ 5500-1126 ; www.ooedoonsen.jp/english ; 2-57 Aomi, Kōtō-ku ; adulte/enfant 2 900/1 600 ¥ ; 11h-9h, dernière entrée 7h ; ligne Yurikamome jusqu'à Telecom Center) puise son eau minérale à 1 400 m sous la baie de Tōkyō. Bien qu'artificiel, l'endroit est joliment conçu, avec de charmants bassins en plein air, des bains traditionnels et des soins. Le port du *yukata* (léger kimono en coton) est obligatoire dans cet établissement mixte. Yukata et serviette sont fournis gracieusement. Les tarifs varient selon l'heure d'arrivée ;

consultez le site Internet. Des restaurants à l'ancienne et des boutiques de souvenirs sont installés sur place.

TOYOTA MEGA WEB トヨタメガウェブ

Les fans de voiture et les enfants peuvent s'asseoir au volant de véhicules hybrides ou électriques au **Toyota Mega Web** (carte p. 133 ; ☎ 3599-0808 ; www.megaweb.gr.jp ; Palette Town, Aomi 1-chōme, Kōtō-ku ; entrée libre ; 11h-21h ; ligne Yurikamome jusqu'à Aomi), l'une des salles d'exposition du constructeur automobile. Certaines attractions ferment plus tôt et l'endroit ferme totalement de temps à autre. Consultez le site Internet avant de vous déplacer.

Ailleurs à Tōkyō
MUSÉES ET GALERIES

Pour une liste plus complète des musées et des galeries, procurez-vous la brochure *Museums & Art Galleries* du TIC.

Pays des merveilles, le **musée Ghibli** (Mitaka no Mori Ghibli Bijutsukan ; 三鷹の森ジブリ美術館 ; hors carte p. 128 ; ☎ 0570-055-777 ; www.ghibli-museum.jp ; 1-1-83 Shimo-Renjaku, Mitaka-shi ; adulte 1 000 ¥, enfant 100-700 ¥ ; 10h-18h mer-lun ; ; ligne JR Chūō jusqu'à Mitaka, sortie sud) a été conçu pour les enfants par le maître de l'*anime*, Hayao Miyazaki. Quiconque a aimé *Princesse Mononoke* ou *Le Voyage de Chihiro* appréciera la visite de ce bâtiment magique, rempli de tunnels, d'escaliers en colimaçon et de pièces minuscules ; la réplique de l'atelier de Miyazaki est tapissée de croquis de l'artiste et le chat-bus remporte un énorme succès auprès des enfants, auxquels il est réservé.

Accéder au Ghibli (prononcez *jibouri*) fait partie de l'aventure si vous n'avez pas effectué de réservation avant votre départ ; consultez le site Internet pour en savoir plus. Au Japon, les billets peuvent s'acheter aux billetteries automatiques des supérettes Lawson. Le musée limite le nombre de visiteurs et vous devez choisir la date et l'heure de votre entrée. Le site Internet fournit des explications détaillées et illustrées. En arrivant au musée, vous échangez votre reçu contre un billet qui comprend une animation originale du Studio Ghibli. Combinez votre visite avec une promenade dans l'Inokashira-kōen (voir l'encadré p. 159).

L'excellent **musée d'Edo-Tōkyō** (carte p. 128 ; ☎ 3626-9974 ; www.edo-tokyo-museum.or.jp ; 1-4-1 Yokoami, Sumida-ku ; adulte/enfant 600 ¥/gratuit, étudiant 300-450 ¥ ; 9h30-17h30 mar-dim, 9h30-19h30 sam ; ; ligne

DES DÔRI HORS DES SENTIERS BATTUS

Non loin du centre-ville, deux quartiers méconnus offrent une ambiance plus paisible et détendue que certains secteurs du centre.

L'un de nos favoris est **Kichijōji** (吉祥寺 ; hors carte p. 128), à environ 10 km à l'ouest de Shinjuku ; il s'étend autour de l'Inokashira-kōen, où un grand lac alimente la Kanda. Si vous avez un billet pour le **musée Ghibli** (p. 158), flânez dans le parc en chemin avant de rejoindre le Cat Bus. Le week-end, un marché d'art et d'artisanat et des musiciens s'installent autour du lac. Des petits cafés, des boutiques et des bars bordent la rue entre la station de métro et le parc, en faisant une merveilleuse escapade de quelques heures, d'une journée ou d'une soirée. Pour vous y rendre, prenez la ligne JR Chūō ou Sōbu jusqu'à Kichijōji et empruntez la sortie vers le parc. Marchez jusqu'au grand magasin Marui et prenez à gauche la rue sur sa droite, qui descend jusqu'au parc.

Également doté de boutiques de fripes, de bars, de cafés et d'une ambiance bohème, **Shimo-Kitazawa** (下北沢 ; hors carte p. 128) se situe à 2,5 km de Shibuya. Prenez la ligne Keiō Inokashira depuis Shibuya jusqu'à Shimo-Kitazawa et décrivez une boucle à travers le quartier. De la sortie nord, tournez à droite et flânez dans les rues bordées de cafés-boutiques avant de revenir vers les voies ferrées. Traversez-les pour découvrir d'autres échoppes, des restaurants, des petits clubs et bars animés. Au bout de la boucle, vous arriverez à l'entrée sud de la station. La construction de la ligne souterraine Odakyū pourrait signer la disparition de ce charmant quartier de maisons basses dans les prochaines années. Le mouvement de défense de Shimo-Kita se bat pour le sauver.

JR Sōbu jusqu'à Ryōgoku, sortie ouest, ou ligne Toei Ōedo jusqu'à Ryōgoku, sortie A4) possède une reproduction du Nihombashi (le pont du quartier éponyme) qui sépare les expositions recréant le Tōkyō des périodes d'Edo et Meiji. On découvre des exemples des infrastructures d'Edo, telle une canalisation d'égoût en bois, et de ravissantes maquettes de marchés et de boutiques, finement détaillées. Des bénévoles proposent parfois la visite guidée en langue étrangère. Le musée jouxte le stade de sumo Ryōgoku.

Près de l'entrée principale du stade de sumo Ryōgoku, le **musée du Sumo** (carte p. 128 ; ☎ 3622-0366 ; www.sumo.or.jp ; 1-3-28 Yokoami, Sumida-ku ; entrée libre ; ⌚ 10h-16h30 lun-ven ; ⓡ ligne JR Sōbu jusqu'à Ryōgoku, sortie ouest, ou ligne Toei Ōedo jusqu'à Ryōgoku, sortie A4) présente des objets relatifs au sumo (pas de légendes en anglais). Durant les grands tournois de janvier, mai et septembre, le musée est ouvert tous les jours pour les spectateurs des tournois. Voir la rubrique *Sumo* p. 187 pour plus d'informations.

PARCS D'ATTRACTIONS

Tōkyō Disneyland (東京ディズニーランド ; hors carte p. 128 ; ☎ 045-683-3777 ; www.tokyodisneyresort.co.jp ; 1-1 Maihama, Urayasu-shi, Chiba ; billet journée adulte/jeune/enfant 5 800/5 000/3 900 ¥ ; ⌚ variable ; ⓡ ligne JR Keiyō jusqu'à Maihama) est une réplique quasiment parfaite de l'original californien d'Anaheim, jumelée à un parc aquatique destiné aux adultes, Tokyo DisneySea. Le complexe ouvre toute l'année, hormis une dizaine de jours (la

plupart en janvier). Les horaires varient selon la saison ; consultez le site Internet avant de vous déplacer.

Au cœur de Tōkyō, le **parc d'attractions Kōrakuen** (carte p. 142 ; ☎ 5800-9999 ; Tōkyō Dome City, 1-3-61 Kōraku, Bunkyō-ku ; manèges 200-1 000 ¥, forfait illimité adulte/enfant 3 300/2 600 ¥ ; ⌚ 10h-22h30 lun-sam, 9h-22h30 dim ; ⓡ lignes JR Chūō, Sōbu jusqu'à Suidobashi, ou ligne Marunouchi jusqu'à Kōrakuen, sortie Kōrakuen) possède d'excellentes montagnes russes, comme le Thunder Dolphin, qui traverse la grande roue et surplombe les rues du centre. Il offre aussi des jeux de réalité virtuelle, moins vertigineux.

À FAIRE
Sentō et onsen

Rien de tel qu'un bain dans un *sentō* (bain public) ou un onsen pour se délasser après une journée de marche. Tous les quartiers possèdent des sentō bon marché ; apportez votre serviette et repérez le symbole de l'eau chaude (ゆ ou 湯). La capitale compte aussi quelques onsen, qui pompent l'eau minérale dans les profondeurs de la baie de Tōkyō. Pour des précisions sur les coutumes du bain, reportez-vous p. 102.

Parmi les onsen haut de gamme figure l'Ōedo Onsen Monogatari (p. 158) à Odaiba, conçu comme un village d'Edo. Plus près du centre, le **Spa LaQua** (carte p. 142 ; ☎ 3817-4173 ; www.laqua.jp ; 5e-9e niv, Tōkyō Dome City, 1-1 Kasuga, Bunkyō-ku ; adulte/jeune 2 565/1 890 ¥ ; ⌚ 11h-9h ; ⓡ lignes JR Chūō et Toei Mita jusqu'à Suidobashi, sorties ouest et A3), dans Tōkyō Dome City, offre une expérience résolument

TŌKYŌ

urbaine : un cadre spacieux et luxueux et un *rotemburo* (bain en plein air) parfois troublé par les vibrations et les cris émanant des manèges du parc d'attractions Kōrakuen voisin. Dans ces deux onsen, des affiches en anglais rappellent l'interdiction des tatouages. Un petit tatouage discret devrait passer inaperçu ; mieux vaut cependant le recouvrir d'un pansement avant d'entrer.

Le **Jakotsu-yu Onsen** (carte p. 146 ; ☎ 3841-8645 ; www.jakotsuyu.co.jp, en japonais ; 1-11-11 Asakusa, Taitō-ku ; 450 ¥ ; ◷ 13h-24h mer-lun ; ⊠ ligne Ginza jusqu'à Tawaramachi, sortie 3), à Asakusa, offre une ambiance plus authentique, une eau sombre, riche en minéraux et très chaude (45°C), ainsi qu'un petit *rotemburo* dans le jardin. De Kokusai-dōri, tournez à droite dans la deuxième ruelle au nord de Kaminarimon-dōri, puis empruntez la première petite rue à droite.

Dans le même quartier, l'**Asakusa Kannon Onsen** (carte p. 146 ; ☎ 3844-4141 ; 2-7-6 Asakusa, Taitō-ku ; 700 ¥ ; ◷ 6h30-18h jeu-mar ; ⊠ ligne Ginza jusqu'à Asakusa, sorties 1, 3 et 6), un grand bain ancien, est sans doute le seul onsen qui ne se préoccupe pas des tatouages. Repérez sa façade couverte de lierre, près de Sensō-ji.

PROMENADE À PIED

Pour les Tokyoïtes, Kagurazaka (carte p. 128) évoque l'image d'une ruelle pavée où une geisha trottine vers un *ryōtei* (restaurant traditionnel). Étonnamment, cette atmosphère romantique perdure dans une cité réputée pour son modernisme et ses démolitions hâtives.

Pour rejoindre ce quartier, empruntez la ligne Tōzai jusqu'à la station Kagurazaka. De la sortie 1, tournez à gauche pour arriver en haut de Kagurazaka-dōri, une petite rue en sens unique qui descend. Tournez de nouveau à gauche au feu et, au bout de la ruelle, se dresse le petit sanctuaire d'**Akagi-jinja** (赤城神社 ; **1**). Le principal attrait de Kagurazaka est son dédale de *kakurembo-yokochō* ("ruelles cache-cache" ; **2**). Tournez à droite à l'entrée du sanctuaire pour pénétrer dans ces ruelles, bordées de bars minuscules, de cafés français et de restaurants italiens tenus par des expatriés, et de petites maisons ornées de bonsaïs. Continuez jusqu'au paisible **sanctuaire Tsukudo Hachiman** (筑土八幡神社 ; **3**), qui possède le plus ancien *torii* de Shinjuku-ku.

Revenez vers Kagurazaka-dōri, jalonnée, après Ōkubo-dōri, d'épiceries familiales et de salles de *pachinko*. Jetez un coup d'œil au **Zenkoku-ji** (善国寺 ; **4**), également appelé

Bishamonten à cause de sa statue du dieu de la Guerre. En bas de la pente, découvrez les ombrelles, les *geta* et les autres accessoires de geisha proposés au **Sukeroku** (助六 ; **5** ; ☎ 3260-0015 ; www.bolanet.ne.jp/sukeroku, en japonais ; 3-6 Kagurazaka, Shinjuku-ku ; ◷ 10h30-20h30), puis grignotez un *Peko-yaki* fourré aux haricots rouges ou à la crème pâtissière (gâteau grillé en forme de Peko-chan, la mascotte du magasin) chez **Fujiya** (不二家 ; **6** ; ☎ 3269-1526 ; 1-12 Kagurazaka, Shinjuku-ku ; ◷ 10h-21h30 lun-ven, 10h-20h sam).

Vous pouvez louer un canot au **Canal Café** (カナルカフェ ; **7** ; ☎ 3260-8068 ; 1-9 Kagurazaka, Shinjuku-ku ; 30 min 500 ¥ ; ◷ 11h30-crépuscule) et faire un tour sur le canal avant de prendre un verre. Sinon, remontez Kagurazaka-dōri, prenez la première à gauche et offrez-vous un repas *izakaya* (bar-restaurant) au **Seigetsu** (霽月 ; **8** ; ☎ 3269-4320 ; 2ᵉ niv, 6-77-1 Kagurazaka, Shinjuku-ku ; ◷ 17h-23h), au bout de la rue après la supérette Family Mart. Retournez à la station Kagurazaka ou revenez par celle de l'Iidabashi, près du canal.

TŌKYŌ AVEC DES ENFANTS

Réfléchissez bien avant de venir à Tōkyō avec vos enfants. Ils seront sollicités en permanence par des distractions de toutes sortes et des nouveautés plus tentantes les unes que les autres !

Parmi les endroits qui les émerveilleront, citons le musée national des Nouvelles Sciences et de l'Innovation (p. 158), le musée de Parasitologie Meguro (p. 156) et le musée Ghibli (p. 158). Les salles d'exposition comme le Sony Building (p. 149) et le Toyota Mega Web (p. 158) offrent d'excellentes activités interactives. Par beau temps, vous pouvez opter pour le zoo d'Ueno (p. 151), le Yoyogi-kōen (p. 155) ou les parcs d'attractions (p. 159).

Les magasins de jouets remportent toujours un franc succès, notamment Hakuhinkan Toy Park (p. 190) et Kiddyland (p. 190).

CIRCUITS ORGANISÉS

Le meilleur moyen de comprendre une ville est de la découvrir avec un habitant, ce que proposent plusieurs Tokyoïtes.

M. Oka (www.homestead.com/mroka ; demi-journée à partir de 2 000 ¥). Un excellent guide anglophone, fin connaisseur de sa ville, qui organise des promenades à pied.

Tokyo Free Guide (www.tokyofreeguide.com). Un groupe de guides bénévoles qui trace un circuit pédestre en fonction de vos intérêts. Droits d'entrée, frais de transport et repas sont à votre charge, mais les guides n'attendent

PROMENADE À KAGURAZAKA

PROMENADE À PIED

Distance : 2 km
Durée : 1 heure 30

pas de pourboire. Si leurs compétences linguistiques varient, cela reste une excellente façon d'explorer la capitale et de rencontrer un Tokyoïte. Réservez avant votre arrivée.

Plusieurs compagnies de bus fiables offrent une grande variété de circuits dans Tōkyō, des excursions d'une journée ou d'une demi-journée aux soirées avec un dîner de *sukiyaki* et un spectacle au Kabuki-za (p. 186). Tous les tour-opérateurs suivants proposent des guides anglophones qui viennent pour la plupart chercher les participants dans divers grands hôtels.

Hato Bus Tours (carte p. 138 ; ☎ 3435-6081 ; www. hatobus.com). Parmi ses divers circuits, le Panoramic Tour (adulte/enfant 12 000/8 000 ¥) comprend la plupart des sites majeurs de Tōkyō, le déjeuner et une croisière dans la baie de Tōkyō. Les circuits partent généralement de la gare routière de Hamamatsuchō.

Japan Gray Line (☎ 3595-5939 ; www.jgl.co.jp/ inbound/traveler/traveler.htm). Le circuit d'une journée "Talk of the Town" (adulte/enfant 8 800/6 800 ¥) comprend le déjeuner et les transferts au départ et au retour.

JTB's Sunrise Tours (☎ 5796-5454 ; www.jtbgmt.com/sunrisetour ; circuit une journée adulte/enfant 9 800/7 700 ¥). Ses circuits dans la ville sont presque identiques à ceux de Hato Bus, et portent les mêmes noms.

FÊTES ET FESTIVALS

Une fête a lieu quasiment chaque jour à Tōkyō. Renseignez-vous auprès des TIC de la JNTO (p. 126). Voici quelques événements majeurs :

Ganjitsu (Nouvel An). À cette occasion, les Tokyoïtes se rendent en nombre au Meiji-jingū (p. 154), au Sensō-ji (p. 152) ou au Yasukuni-jinja (p. 148).

Hanami (floraison des cerisiers ; première quinzaine d'avril). Cohue garantie à l'Ueno-kōen (p. 150) et ambiance plus paisible au Shinjuku-gyoen (p. 154).

Sanja Matsuri (3e week-end de mai). Au cours de cette grande fête, 100 *mikoshi* (autels portatifs) sont promenés en procession dans Asakusa.

Asakusa Samba Matsuri (fin août). Fête débridée et danses endiablées à Asakusa.

Kanda Furuhon Matsuri (Fête du livre d'occasion de Kanda ; fin octobre). Cette foire annuelle envahit tout le quartier ou Jimbōchō. Voir aussi la rubrique *Librairies* (p. 125).

Bōnen-kai (fin décembre). Il ne s'agit pas d'un événement officiel mais d'une période de soirées alcoolisées avant le Nouvel An.

OÙ SE LOGER

Tōkyō offre tous les styles d'hébergement existant au Japon, des hôtels-capsules aux *ryokan* et aux établissements luxueux, et les prix sont généralement un peu plus élevés qu'ailleurs. Les tarifs indiqués ici comprennent les taxes et le service. Les hôtels haut de gamme acceptent les cartes de crédit, contrairement à de nombreux établissements de catégorie moyenne ; renseignez-vous au préalable. Des réductions substantielles sont accordées pour les réservations en ligne, surtout dans les hôtels de luxe.

La plupart des établissements de catégorie moyenne sont des hôtels d'affaires (*business hotels*) à des prix raisonnables. Avant de sortir en soirée, demandez toujours si votre hôtel ferme ses portes et à quelle heure ; certains ryokan, auberges de jeunesse et petits hôtels ferment vers minuit.

À condition de respecter quelques règles de savoir-vivre japonais, les ryokan et les *minshuku* (équivalent japonais du B&B) restent abordables, à partir de 4 500 ¥ par personne. Contrairement à ce qui se pratique ailleurs dans le pays, les ryokan de Tōkyō servent parfois des repas moyennant un supplément et ne fournissent pas toujours serviettes ou articles de toilette.

Les auberges de jeunesse et les "*gaijin houses*" (résidences pour étrangers) offrent des chambres à partir de 3 500 ¥ par personne

TŌKYŌ

(un prix imbattable à Tōkyō), mais les premières imposent un couvre-feu, et les secondes demandent un séjour minimum d'un mois.

L'**International Tourism Center of Japan** (ancien Welcome Inn Reservation Center ; www.itcj.jp ; aéroport de Narita, terminaux 1 et 2 ; ☺ 8h-20h), également présent dans le TIC (p. 126) du centre de Tōkyō, est un service gratuit de réservation dans les hôtels, les ryokan et les *minshuku* du groupe Japan Welcome Inn.

Pour obtenir un hébergement bon marché, réservez impérativement avant votre arrivée. Débarquer à l'aéroport de Narita, surtout de nuit, sans point de chute, peut virer au cauchemar. Les hôtels proches de l'aéroport figurent p. 240.

Pour plus de détails sur les hôtels-capsules, les *gaijin houses*, les auberges de jeunesse et les *love hotels*, reportez-vous p. 824.

Kanda et gare de Tōkyō 神田・東京駅

Les petits budgets éviteront Ginza mais trouveront des hébergements proches du centre, à quelques stations au nord. Sauf mention contraire, tous les établissements suivants acceptent les cartes de crédit.

PETITS BUDGETS

Ace Inn (carte p. 128 ; ☎ 3350-6655 ; www.ace-inn.jp ; 5-2 Katamachi, Shinjuku-ku ; dort 3 150-4 200 ¥ ; 🖥 🛜 ; 🚇 ligne Toei Shinjuku jusqu'à Akebonobashi, sortie A3). Un peu excentré, mais à quelques stations de Shinjuku ou d'Akasaka, l'Ace propose uniquement des dortoirs de style japonais, un étage réservé aux femmes, de confortables parties communes et l'accès Internet gratuit.

Sakura Hotel (carte p. 142 ; ☎ 3261-3939 ; www.sakura-hotel.co.jp ; 2-21-4 Kanda-Jimbōchō, Chiyoda-ku ; dort/s/d 3 780/7 140/8 200 ¥ ; ✗ 🖥 🛜 ; 🚇 lignes Hanzōmon, Toei Mita, Toei Shinjuku jusqu'à Jimbōchō, sorties A1 et A6). Il comporte un café-bar ouvert 24h/24 et une laverie avec des machines à pièces. De la sortie A6, marchez vers le sud et tournez à droite au *kōban* (guérite de police) ; l'hôtel se situe à 200 m sur la droite.

Tokyo International Youth Hostel (carte p. 142 ; ☎ 3235-1107 ; fax 3267-4000 ; www.tokyo-ih.jp ; 18e niv, Ramla Bldg, 1-1 Kagurakashi, Shinjuku-ku ; dort 3 860 ¥ ; ✗ 🖥 ; 🚇 ligne JR Sōbu jusqu'à Iidabashi, sortie ouest, ou lignes Namboku, Tōzai, Yūrakuchō, Toei Ōedo jusqu'à Iidabashi, sortie B2b). L'adhésion n'est pas requise, les cartes de crédit sont acceptées et on peut réserver en ligne. Cette auberge de jeunesse est installée dans le bâtiment proche de la station Iidabashi. La réception ouvre de 15h à 22h. Le petit-

déjeuner/dîner coûte seulement 450/900 ¥. Le TIC de l'aéroport de Narita (voir p. 239) fournit l'itinéraire imprimé le plus économique entre le terminal et l'auberge.

Capsule Inn Akihabara (carte p. 142 ; ☎ 3251-0841 ; www.capsuleinn.com ; 6-9 Akihabara, Taitō-ku ; capsule 4 000 ¥ ; 🖥 🛜 ; 🚇 ligne JR Yamanote jusqu'à Akihabara, sortie Shōwa-dōri). À quelques minutes de marche du centre d'Akihabara, cet hôtel propose des capsules propres. Les hommes bénéficient d'un *sentō*, tandis que les femmes doivent se contenter d'une douche. En revanche, les étages des femmes comprennent des suites, où plusieurs capsules partagent un salon. Réception après 17h.

CATÉGORIE MOYENNE

Tōkyō Green Hotel Ochanomizu (carte p. 142 ; ☎ 3255-4161 ; fax 3255-4962 ; www.greenhotel.co.jp ; 2-6 Kanda-Awajichō, Chiyoda-ku ; s/d/lits jum 8 600/14 200/14 200 ¥ ; ✗ 🖥 ; 🚇 ligne JR Chūō jusqu'à Ochanomizu, sortie Hijiribashi, ou ligne Marunouchi jusqu'à Awajichō, sortie A5). Si Kanda présente peu d'intérêt, cet hôtel d'affaires bien tenu et joliment rénové tranche avec la monotonie du quartier. Les chambres confortables et le personnel sympathique en font une adresse plaisante. Repérez l'entrée couverte de bambou dans Sotobori-dōri.

Hotel Mystays Ochanomizu (carte p. 142 ; ☎ 5289-3939 ; fax 5289-3940 ; www.mystays.jp/ochanomizu/index.html ou www.mystays.jp en japonais ; 2-10-6 Kanda-Awajichō, Chiyoda-ku ; s/d/lits jum 10 100/15 200/16 200 ¥ ; ✗ 🖥 ; 🚇 ligne JR Chūō jusqu'à Ochanomizu, sortie Hijiribashi, ou ligne Marunouchi jusqu'à Awajichō, sortie A5). À quelques pas du Green Hotel Ochanomizu, cet hôtel d'affaires récemment restauré est également séduisant. Le bois foncé et les tons gris et crème confèrent une élégance certaine aux petites chambres, équipées de bons lits, de bouilloires électriques et d'un accès Internet LAN gratuit. Une laverie avec machines à pièces est à disposition. Le personnel est serviable mais ne maîtrise pas bien l'anglais.

Ryokan Ryūmeikan-Honten (carte p. 142 ; ☎ 3251-1135 ; fax 3251-0270 ; www.ryumeikan.co.jp/honten_e.htm ; 3-4 Kanda-Surugadai, Chiyoda-ku ; s/d avec petit déj à partir de 10 100/17 200 ¥ ; 🖥 ; 🚇 ligne JR Chūō jusqu'à Ochanomizu, sortie Hijiribashi, ou ligne Chiyoda jusqu'à Shin-Ochanomizu, sortie B3). Ce petit hôtel se distingue par ses belles chambres de style japonais, avec connexion LAN et petit-déjeuner à la japonaise. Il fait face à l'immeuble de Sumitomo Mitsui Insurance, de l'autre côté du boulevard.

UNE NUIT DANS UN MANGA KISSA

Vous avez laissé passer les 12 coups de minuit et le dernier train s'est transformé en *kabocha* (citrouille) ? Pas de panique. Plutôt que danser jusqu'au matin ou dépenser une fortune pour un taxi, oubliez les hôtels-capsules et choisissez un *manga kissa*.

Les *kissaten* (cafés) ont longtemps été les principaux lieux de rendez-vous, mais ceux de la nouvelle génération permettent de regarder des DVD, de jouer à la Playstation, de consulter ses e-mails ou simplement de dormir. Les *manga kissa* possèdent des bibliothèques de mangas et de DVD, servent du café, des sodas et des repas bon marché, et le personnel veille à la tranquillité des clients.

Les prix, généralement 2 500 ¥/8 heures, défient toute concurrence. Présentez-vous à la réception, payez votre nuit et attendez l'aube dans une cabine douillette. Voici quelques adresses :

Aprecio (carte p. 131 ; ☎ 3205-7336 ; www.aprecio.co.jp/shinjuku/english/service_guide.htm ; niv B1, Hygeia Plaza, 2-44-1 Kabukichō, Shinjuku-ku ; forfait nuit 2 400 ¥ ; 🕑 24h/24 ; 🚇 ligne JR Yamanote jusqu'à Shinjuku, sortie est). Établissement propre et confortable dans Kabukichō, avec tous les services habituels dans des ailes fumeurs et non-fumeurs, plus massages, soins de beauté, billards et fléchettes.

Bagus Gran Cyber Cafe (carte p. 134 ; ☎ 5428-3676 ; www.bagus-99.com/netcafe, en japonais ; 6e niv, 28-6 Udagawachō, Shibuya-ku ; 1 500 ¥ les 8 heures ; 🕑 24h/24 ; 🚇 ligne JR Yamanote jusqu'à Shibuya, sortie Hachikō). Cette chaîne populaire possède des succursales dans toute la ville.

Manga Hiroba (carte p. 140 ; ☎ 3497-1751 ; www.mangahiroba.com/e ; 2e niv, Shuwa Roppongi Bldg, 3-14-12 Roppongi, Minato-ku ; 1re heure 380 ¥, puis 150 ¥ les 30 min ; 🕑 24h/24 ; 🚇 lignes Hibiya, Toei Ōedo jusqu'à Roppongi, sortie 3). Dans Gaien-higashi-dōri, il est pratique pour surfer sur Internet avant ou après une soirée.

Yaesu Terminal Hotel (carte p. 142 ; ☎ 3281-3771 ; fax 3281-3089 ; www.yth.jp ; 1-5-14 Yaesu, Chūō-ku ; s/d/lits jum à partir de 12 000/17 600/17 600 ¥ ; ✕ 🖥 ; 🚇 ligne JR Yamanote jusqu'à Tōkyō, sortie Yaesu nord, ou ligne Ginza jusqu'à Nihombashi, sortie B3). Près de la gare de Tōkyō, cet hôtel d'affaires au design sobre loue des chambres relativement petites, plutôt élégantes, avec TV à écran plat et connexion LAN, à des prix raisonnables pour le quartier. Dans l'agréable restaurant, les baies vitrées donnent sur les arbres de la rue.

Ginza et Shiodome 銀座・汐留

Avec Akasaka, Ginza abrite la plus forte concentration d'hôtels de luxe. Les prix reflètent le statut privilégié de ce quartier et la proximité de plusieurs lignes de métro, de nombreuses boutiques, d'excellents restaurants, de théâtres et des secteurs administratifs et financiers de la ville.

CATÉGORIE MOYENNE

Hotel Villa Fontaine Shiodome (carte p. 138 ; ☎ 3569-2220 ; fax 3569-2221 ; www.hvf.jp ; 1-9-2 Higashi-Shimbashi, Minato-ku ; s/d/lits jum avec petit déj à partir de 10 000/14 000/18 000 ¥ ; 🅿 ✕ 🖥 ; 🚇 ligne Toei Ōedo jusqu'à Shiodome, sortie 10). Superbe hôtel de catégorie moyenne à l'ambiance haut de gamme, il comporte une réception mal éclairée et vaguement inquiétante, mais des chambres confortables et modernes avec TV par Internet et réseau LAN. Le parking revient à 2 100 ¥ la nuit.

Ginza Nikkō Hotel (carte p. 138 ; ☎ 3571-4911 ; fax 3571-8379 ; www.ginza-nikko-hotel.com ; 8-4-21 Ginza, Chūō-ku ; s/d/lits jum à partir de 14 060/29 475/28 320 ¥ ; ✕ 🖥 ; 🚇 ligne JR Yamanote jusqu'à Shimbashi, sortie Ginza, ou lignes Ginza, Marunouchi jusqu'à Shimbashi, sortie 5). Très bien situé dans Sotobori-dōri entre Ginza et Shimbashi, cet hôtel d'affaires offre des petites chambres douillettes, avec baignoires de bonnes dimensions et des modems pour l'accès Internet.

CATÉGORIE SUPÉRIEURE

◎ Ginza Yoshimizu (carte p. 138 ; ☎ 3248-4432 ; www.yoshimizu.com ; 3-11-3 Ginza, Chūō-ku ; s/lits jum/tr avec petit déj 17 000/27 500/31 800 ¥ ; 🚇 lignes Hibiya, Toei Asakusa jusqu'à Higashi-Ginza, sorties 3 et A7). Les portes en bambou du Yoshimizu signifient l'oubli des gadgets modernes en faveur d'un mode de vie plus naturel. Ce ryokan, d'une élégante simplicité, se distingue par ses murs en terre et en bambou, ses tatamis au sol, sa literie en coton et un sentō en granit et *hinoki* (cyprès japonais). Les repas bio sont servis dans la paisible salle à manger et il faut réserver pour le dîner. Les chambres avec toilettes et sdb communes sont beaucoup moins chères ; consultez les prix sur le site Internet.

Mitsui Garden Hotel Ginza (carte p. 138 ; ☎ 3543-1131 ; fax 3543-5531 ; www.gardenhotels.co.jp/eng/ginza.html ; 8-13-1 Ginza, Chūō-ku ; s/d à partir de 19 100/25 600 ¥ ; 🅿 ✕ 🖥 ♿ ; 🚇 ligne JR Yamanote jusqu'à Shimbashi, sortie Ginza, ou lignes Ginza, Marunouchi jusqu'à Shimbashi, sortie 1). Un décor urbain et des matériaux naturels caractérisent cet hôtel à l'esthétique minimaliste. Les chambres spacieuses sont équipées d'une chaîne hi-fi Bose, d'une TV à écran plat et d'une connexion LAN gratuite. Six d'entre elles sont accessibles en fauteuil roulant. Le parking coûte 1 800 ¥ la nuit.

Mercure Hotel Ginza Tōkyō (carte p. 138 ; ☎ 4435-1111 ; fax 4435-1222 ; www.mercure.com/asia ; 2-9-4 Ginza, Chūō-ku ; s/d et lits jum à partir de 20 890/32 740 ¥ ; 🅿 ⊠ ▯ ♿ ; 🚇 ligne Yūrakuchō jusqu'à Ginza-itchōme, sortie 11). Malgré son allure de luxueux hôtel d'affaires, le Mercure possède une ambiance conviviale, résolument française. Les chambres, nettes et modernes, disposent d'une connexion LAN, d'une TV satellite et d'un minibar. L'excellent petit déjeuner-buffet japonais et français (2 100 ¥) et l'emplacement pratique constituent des atouts supplémentaires. Parking à 1 500 ¥ la nuit.

Imperial Hotel (carte p. 138 ; ☎ 3504-1111 ; fax 3504-9146 ; www.imperialhotel.co.jp ; 1-1-1 Uchisaiwaichō, Chiyoda-ku ; s/d à partir de 35 700/40 950 ¥ ; 🅿 ⊠ ▯ 🚇 ; 🚇 lignes Chiyoda, Hibiya, Toei Mita jusqu'à Hibiya, sortie A13). L'un des anciens somptueux palaces de Tōkyō, l'Imperial se tient à courte distance des sites de Ginza et du Hibiya-kōen (carte p. 138). Ses chambres spacieuses, aménagées avec goût, offrent tout le confort attendu et un charme désuet. Parking gratuit pour les clients.

Conrad Hotel (carte p. 138 ; ☎ 6388-8000 ; fax 6388-8001 ; www.conradtokyo.co.jp ; 1-9-1 Higashi-Shimbashi, Minato-ku ; s/d à partir de 74 000/79 000 ¥ ; ⊠ ▯ 🚇 ♿ ; 🚇 ligne Toei Ōedo jusqu'à Shiodome, sortie 10). Que vous choisissiez la vue sur la ville ou sur le jardin, vous bénéficierez de bois vernis et d'une élégance douillette élégance. Les sdb immenses comprennent une douche à l'italienne, une baignoire sur pieds, des produits Shiseido et des parois vitrées face aux fenêtres. Des téléphones portables fonctionnant dans l'hôtel, une salle de gymnastique surplombant la piscine de 25 m et les immenses TV à écran plasma ne sont que quelques exemples des équipements ahurissants (le Wi-Fi et le parking vous coûteront respectivement 1 500 et 3 000 ¥ par jour).

Ueno 上野

Un peu éloigné des lumières de la ville, Ueno et les quartiers alentour constituent une excellente base pour visiter la capitale, notamment les musées. Les nombreux ryokan à prix modérés sont plus séduisants que les hôtels d'affaires sans originalité. Tous les établissements mentionnés ci-dessous acceptent les principales cartes de crédit.

PETITS BUDGETS

Si vous arrivez de l'aéroport de Narita, la course en taxi de la station Ueno jusqu'à l'un de ces ryokan reste bon marché ; vous pouvez imprimer le plan qui figure sur leurs sites Internet.

Sawanoya Ryokan (carte p. 146 ; ☎ 3822-2251 ; fax 3822-2252 ; www.sawanoya.com ; 2-3-11 Yanaka, Taitō-ku ; s sans sdb 5 040-5 355 ¥, d/tr avec sdb 10 080/14 490 ¥ ; ⊠ ▯ ; 🚇 ligne Chiyoda jusqu'à Nezu, sortie Yanaka). Tenu par une famille, ce ryokan douillet constitue un excellent choix dans un coin paisible de Shitamachi. Il comporte des chambres confortables, de chaleureux espaces communs et un impeccable sentō récemment rénové, qui surplombe un petit jardin.

Ryokan Katsutarō (carte p. 146 ; ☎ 3821-9808 ; fax 3821-4789 ; www.katsutaro.com ; 4-16-8 Ikenohata, Taitō-ku ; s/d/tr 5 200/8 400/12 300 ¥, d/tr avec sdb 9 600/13 200 ¥ ; ⊠ ▯ ; 🚇 ligne Chiyoda jusqu'à Nezu, sortie 2). Une jolie promenade conduit du zoo d'Ueno et des musées de l'Ueno-kōen à ce petit ryokan pittoresque, tenu par le frère du propriétaire de l'Annex. Petit-déjeuner continental à 800 ¥.

Hotel Edoya (carte p. 146 ; ☎ 3833-8751 ; fax 3833-8759 ; www.hoteledoya.com ; 3-20-3 Yushima, Bunkyō-ku ; s/d à partir de 5 890/8 540 ¥ ; ▯ 📶 ; 🚇 ligne Chiyoda jusqu'à Yushima, sortie 5). Bien situé entre les principales artères d'Ueno et d'Akihabara, cet hôtel séduisant comprend des chambres de style japonais pour la plupart, agrémentées de sdb occidentales, un rotemburo mixte, une laverie à pièces et un salon face à un jardin. Le petit déjeuner-buffet (japonais ou continental) est inclus.

Annex Katsutarō Ryokan (carte p. 146 ; ☎ 3828-2500 ; fax 3821-5400 ; www.katsutaro.com ; 3-8-4 Yanaka, Taitō-ku ; s/d/tr à partir de 6 300/10 500/14 700 ¥ ; ⊠ ▯ ; 🚇 ligne Chiyoda jusqu'à Sendagi, sortie 2). Toutes les belles chambres, de style japonais, disposent d'une sdb à l'occidentale, du réseau LAN, et d'équipements comme une bouilloire électrique et un sèche-cheveux. Ce ryokan d'une propreté irréprochable possède une laverie avec machines à pièces. Petit-déjeuner continental à 840 ¥.

Sakura Ryokan (carte p. 146 ; ☎ 3876-8118 ; www.sakura-ryokan.com ; 2-6-2 Iriya, Taitō-ku ; s/d 5 500/10 000 ¥, avec sdb 6 600/11 000 ¥ ; ▯ ; 🚇 ligne Hibiya jusqu'à Iriya, sortie 1). À une station d'Ueno, ce modeste ryokan, tenu par une famille, est une bonne adresse dans le quartier populaire de Shitamachi. Préférez une chambre à la japonaise. Petit-déjeuner japonais ou occidental à 840 ¥, et dîner japonais à 1 680 ¥ du lundi au samedi.

CATÉGORIE MOYENNE

Suigetsu Hotel Ōgaisō (carte p. 146 ; ☎ 3822-4611 ; fax 3823-4340 ; www.ohgai.co.jp ; 3-3-21 Ikenohata, Taitō-ku ; s/d/lits jum à l'occidentale 6 820/9 870/10 280 ¥, s/d/tr à la japonaise 12 275/13 850/17 725 ¥ ; ✕ 🖳 ; 🚇 ligne Chiyoda jusqu'à Nezu, sortie 2). L'auteur du même nom écrivit son premier roman, *Maihime*, dans cet hôtel en 1890. Conçu comme un hôtel occidental, il comporte des chambres avec tatamis, plusieurs grands bains à la japonaise et un charmant jardin au centre. Des repas japonais sont proposés. Une agréable promenade conduit à l'Ueno-kōen.

Sutton Place Hotel (carte p. 146 ; ☎ 3842-2411 ; www. thehotel.co.jp/jp/sutton_ueno ; 7-8-23 Ueno, Taitō-ku ; s/d avec petit déj à partir de 7 800/11 000 ¥ ; ✕ 🖳 ; 🚇 ligne JR Yamanote jusqu'à Ueno, sortie Iriya). L'entrée discrète dans Shōwa-dōri mène à un hôtel d'affaires récemment rénové et très bien équipé. Au décor raffiné s'ajoutent des détails plaisants, comme les sèche-cheveux, la connexion LAN et des portes en bois coulissantes dans les sdb. Les chambres sont petites, aussi vaut-il mieux en choisir une à deux lits ou une suite si vous voyagez à deux.

Hotel Parkside (carte p. 146 ; ☎ 3836-5711 ; fax 3831-6641 ; www.parkside.co.jp ; 2-11-18 Ueno, Taitō-ku ; s/d à partir de 9 200/15 500 ¥, d à la japonaise à partir de 18 000 ¥ ; 🅿 ✕ 🖳 ; 🚇 ligne JR Yamanote jusqu'à Ueno, sortie Shinobazu). Donnant sur les gigantesques nénuphars du Shinobazu-ike, le Parkside est un bon choix si vous obtenez une chambre au 4e niveau ou au-dessus. La plus belle, de style japonais, comprend un rotemburo privé. Les chambres occidentales sont confortables mais banales. Parking à 1 050 ¥.

Asakusa 浅草

Si vous préférez l'ambiance sans prétention de Shitamachi à un emplacement central, Asakusa est un quartier plaisant et compte des ryokan et des auberges de jeunesse parmi les meilleurs de la capitale. En dehors de Tōkyō, le Tsukuba Express est la ligne la plus rapide pour rejoindre Asakusa.

PETITS BUDGETS

Sauf mention contraire, tous les établissements ci-dessous fournissent des plans et des indications détaillées sur leurs sites et n'acceptent pas les cartes de crédit.

Khaosan Tokyo Annex (carte p. 146 ; ☎ 5856-6560 ; www.khaosan-tokyo.com/en/annex ; 2-2-5 Higashi-Komagata, Sumida-ku ; dort/s/lits jum à partir de 2 000/3 600/4 600 ¥, cabines 2 800 ¥ ; ✕ 🖳 🛜 ; 🚇 ligne Toei Asakusa jusqu'à

Asakusa, sortie A2). Plusieurs pensions Khaosan sont installées dans le quartier. Outre les dortoirs et les chambres classiques, l'Annex offre des "cabines" avec des lits de style capsule, isolés par des parois en bois coulissantes. Location de vélos, Wi-Fi gratuit, laverie avec machines à pièces et une boisson gratuite le soir.

Khaosan Tokyo Guesthouse (carte p. 146 ; ☎ 3842-8286 ; www.khaosan-tokyo.com ; 2-1-5 Kaminarimon, Taitō-ku ; dort/s/lits jum 2 200/3 700/5 000 ¥ ; ✕ 🖳 ; 🚇 lignes Ginza, Toei Asakusa jusqu'à Asakusa, sorties 4 et A2b). Très accueillante, chaleureuse et bon marché, la Khaosan se situe au bord de la Sumida-gawa. Elle comprend une petite cuisine et une agréable terrasse sur le toit.

◐ K's House (carte p. 146 ; ☎ 5833-0555 ; fax 5833-0444 ; kshouse.jp/tokyo-e/index.html ; 3-20-10 Kuramae, Taitō-ku ; dort/s/d à partir de 2 800/3 400/6 800 ¥ ; ✕ 🖳 🛜 ; 🚇 lignes Toei Asakusa, Toei Ōedo jusqu'à Kuramae, sorties A2 et A6). D'une propreté irréprochable, cette pension possède de plaisantes parties communes, une cuisine bien équipée, une laverie avec machines à pièces et un toit-terrasse donnant sur la Sumida. L'accès Internet revient à 100 ¥ les 20 minutes dans le confortable salon (Wi-Fi gratuit). Réseau LAN gratuit dans chaque chambre. Cartes de crédit acceptées.

Tokyo Ryokan (carte p. 146 ; ☎ 090-8879-3599 ; www.tokyoryokan.com ; 2-4-8 Nishi-Asakusa, Taitō-ku ; ch avec sdb commune 3 000 ¥/pers ; ✕ 🖳 ; 🚇 ligne Ginza jusqu'à Tawaramachi, sortie 3). Ce petit ryokan propre et intime ne compte que trois chambres avec tatamis et parois en *hinoki*. Réservez en ligne longtemps à l'avance. Le charmant propriétaire est toujours ravi de parler voyage et philosophie. Accès Internet à 10 ¥ la minute.

Le quartier compte trop d'hébergements bon marché d'un bon rapport qualité/prix pour en donner une liste exhaustive. En voici quelques-uns :

Asakusa Ryokan Tōkaisō (carte p. 146 ; ☎ 3844-5618 ; www.toukaisou.com ; 2-16-12 Nishi-Asakusa, Taitō-ku ; dort/s/lits jum à partir de 2 600/4 500/6 000 ¥ ; 🖳 ; 🚇 ligne Ginza jusqu'à Tawaramachi, sortie 3). Niché dans un coin d'Asakusa, un ryokan bien tenu et paisible.

Sakura Hostel (carte p. 146 ; ☎ 3847-8111 ; www. sakura-hostel.co.jp ; 2-24-2 Asakusa, Taitō-ku ; dort/lits jum à partir de 2 940/8 295 ¥ ; ✕ 🖳 ; 🚇 ligne Ginza jusqu'à Tawaramachi, sortie 3). Propre et rutilante, cette auberge de jeunesse offre diverses prestations, comme une laverie, la location de vélos et une vaste cuisine. Cartes de crédit acceptées.

Capsule Hotel Riverside (carte p. 146 ; ☎ 3844-5117 ; fax 3841-6566 ; www.asakusa-capsule.jp/english ; 2-20-4 Kaminarimon, Taitō-ku ; capsule 3 000 ¥ ; 🚇 lignes Ginza, Toei Asakusa jusqu'à Asakusa, sorties 3 et 4). L'un des rares hôtels-capsules à accepter les femmes, avec un étage qui leur est réservé et un sentō. Entrée derrière le bâtiment.

Taitō Ryokan (carte p. 146 ; ☎ 3843-2822, 090-5321-3599 ; www.libertyhouse.gr.jp ; 2-1-4 Nishi-Asakusa, Taitō-ku ; ch avec sdb commune 3 000 ¥/pers ; ✕ 🖳 ; 🚇 ligne Ginza jusqu'à Tawaramachi, sortie 3). Établissement traditionnel un peu défraîchi, tenu par de charmants gérants anglophones. En cas d'affluence, les voyageurs seuls devront partager une chambre.

CATÉGORIE MOYENNE

Ces deux ryokan acceptent les cartes de crédit.

⭐ Ryokan Shigetsu (carte p. 146 ; ☎ 3843-2345 ; fax 3843-2348 ; www.shigetsu.com ; 1-31-11 Asakusa, Taitō-ku ; s/lits jum à l'occidentale 7 665/14 900 ¥, à la japonaise à partir de 9 450/17 200 ¥ ; ✕ 🖳 ; 🚇 lignes Ginza, Toei Asakusa jusqu'à Asakusa, sorties 1 et 2). Proche de Nakamise-dōri, ce ryokan est un somptueux exemple d'hospitalité japonaise. Si la plupart des chambres disposent d'une sdb, un bain dans le sentō reste une expérience unique : le bassin en granit noir et celui en hinoki jouissent d'une vue superbe. Le délicieux petit-déjeuner japonais revient à 1 300 ¥.

Sukeroku No Yado Sadachiyo (carte p. 146 ; ☎ 3842-6431 ; fax 3842-6433 ; www.sadachiyo.co.jp ; 2-20-1 Asakusa, Taitō-ku ; s/d à partir de 14 100/19 400 ¥ ; 🚇 ligne Ginza jusqu'à Tawaramachi, sortie 3, ou Tsukuba Express jusqu'à Asakusa, sortie A1). Autre belle adresse traditionnelle, à courte distance de l'animation de Nakamise-dōri, le Sadachiyo propose des chambres avec *shōji* (panneaux coulissants), tatamis et sdb à l'occidentale, ainsi qu'un sentō en bois et un autre en granit. Les délicieux petits-déjeuners (1 500 ¥) et dîners japonais (7 000 ¥) sont servis dans la charmante salle de banquet.

CATÉGORIE SUPÉRIEURE

Asakusa View Hotel (carte p. 146 ; ☎ 3847-1111 ; fax 3842-2117 ; www.viewhotels.co.jp/asakusa/english/index.html ; 3-17-1 Nishi-Asakusa, Taitō-ku ; s/d à partir de 17 525/26 800 ¥ ; ✕ 🖳 ; 🚇 ligne Ginza jusqu'à Tawaramachi, sortie 3). L'hôtel le plus chic du quartier porte bien son nom. Si les chambres spacieuses n'ont rien d'exceptionnel, elles bénéficient d'une vue spectaculaire. Tâchez d'en obtenir une au dernier étage du côté est pour contempler le Sensō-ji. L'accès à la piscine couverte est payant (adulte/enfant 3 000/2 000 ¥).

Ikebukuro 池袋

Bien situé sur la ligne JR Yamanote, Ikebukuro n'est pas le quartier le plus séduisant de Tōkyō, mais possède néanmoins quelques attraits et une agréable ambiance détendue.

PETITS BUDGETS

Réservez bien à l'avance dans ces ryokan, dont les sites Internet comprennent des plans détaillés. Aucun n'accepte les cartes de crédit.

Kimi Ryokan (carte p. 132 ; ☎ 3971-3766 ; fax 3987-1326 ; www.kimi-ryokan.jp ; 2-36-8 Ikebukuro, Toshima-ku ; s 4 725 ¥, d 6 825-7 875 ¥ ; ✕ 🖳 ; 🚇 ligne JR Yamanote jusqu'à Ikebukuro, sortie ouest). L'une des meilleures adresses bon marché de la ville, il possède des chambres propres avec tatamis, des sdb communes avec douches et baignoires à la japonaise et un salon convivial décoré de merveilleux bouquets.

House Ikebukuro (carte p. 132 ; ☎ 3984-3399 ; fax 3984-3999 ; www.housejp.com.tw ; 2-20-1 Ikebukuro, Toshima-ku ; d/tr 8 000/11 000 ¥, s/d/tr sans sdb à partir de 5 000/6 000/8 000 ¥ ; 🖳 ; 🚇 ligne JR Yamanote jusqu'à Ikebukuro, sortie ouest). Également dans l'ouest d'Ikebukuro, cette pension loue diverses petites chambres avec tatamis et sdb communes et met une cuisine à disposition. Dans l'annexe, les suites comprennent kitchenette et sdb.

CATÉGORIE MOYENNE

Ikebukuro compte d'innombrables hôtels d'affaires, *love hotels* et hôtels-capsules. Ces derniers sont moins habitués aux clients étrangers que leurs homologues d'Akasaka ou de Shinjuku.

Toyoko Inn (carte p. 132 ; ☎ 5960-1045 ; fax 5960-1046 ; www.toyoko-inn.com/eng ; 2-50-5 Ikebukuro, Toshima-ku ; s 7 140 ¥, d et lits jum 9 240 ¥ ; ✕ 🖳 📶 ; 🚇 ligne JR Yamanote jusqu'à Ikebukuro, sortie nord). L'un des plus séduisants parmi les hôtels d'affaires bon marché du quartier, il loue des petites chambres bien tenues, dont certaines à la japonaise, et des simples dotées d'un lit semi-double. Petit-déjeuner japonais inclus.

Hotel Theatre (carte p. 132 ; ☎ 3988-2251 ; fax 3988-2260 ; www.theatres.co.jp/hotel, en japonais ; 1-21-4 Higashi-Ikebukuro, Toshima-ku ; s/d/lits jum à partir de 9 135/12 600/16 275 ¥ ; ✕ 🖳 ; 🚇 ligne JR Yamanote jusqu'à Ikebukuro, sortie est). Dans Sunshine 60-dōri, cet hôtel d'affaires propre et central propose des équipements classiques, tels que réseau LAN, bouilloires électriques et distributeurs automatiques.

Hotel Strix Tōkyō (carte p. 132 ; ☎ 5396-0111 ; fax 5396-9815 ; www.strix.jp, en japonais ; 2-3-1 Ikebukuro, Toshima-ku ; s/d à partir de 15 000/20 000 ¥ ; ✕ 💻 ; 🚃 ligne JR Yamanote jusqu'à Ikebukuro, sortie ouest). L'hôtel le plus central et le plus élégant du quartier est décoré dans le style rétro, avec des meubles trapus et des touches rouges dans les chambres spacieuses, dotées de grands lits. Repérez son dôme turquoise.

Shinjuku 新宿

Les nombreux hôtels d'affaires de Shinjuku accueillent souvent des étrangers et la concurrence garantit des prix raisonnables. Proche de l'immense gare de Shinjuku, carrefour de presque toutes les lignes desservant Tōkyō, le quartier est un bon point de chute pour les voyageurs qui souhaitent résider au cœur de l'animation.

CATÉGORIE MOYENNE
Sauf mention contraire, tous les hôtels suivants acceptent les cartes de crédit.

City Hotel Lonestar (carte p. 131 ; ☎ 3356-6511 ; www.thehotel.co.jp/en/lonestar/index.html ; 2-12-12 Shinjuku, Shinjuku-ku ; s/d/lits jum avec petit déj à partir de 7 350/12 075/13 650 ¥ ; ✕ 💻 ; 🚃 lignes Marunouchi, Toei Shinjuku jusqu'à Shinjuku-sanchōme, sortie C8). L'ancien Lornstar, un hôtel sans prétention de Sanchōme, loue des chambres propres aux dimensions modestes, d'un excellent rapport qualité/prix. Les gays sont les bienvenus.

Shinjuku Park Hotel (carte p. 131 ; ☎ 3356-0241 ; fax 3352-2733 ; www.shinjukuparkhotel.co.jp ; 5-27-9 Sendagaya, Shibuya-ku ; s/lits jum à partir de 7 900/14 000 ¥, ch à la japonaise 24 800 ¥ ; 🅿 ✕ 💻 ; 🚃 ligne JR Yamanote jusqu'à Shinjuku, nouvelle sortie sud). Au sud du Takashimaya Times Square, cet agréable hôtel d'affaires possède des chambres plus spacieuses que la moyenne. Les voyageurs seuls auront intérêt à dépenser un peu plus pour une simple de type B, dotée d'un lit plus vaste. Essayez d'obtenir une chambre avec vue sur le parc Shinjuku-gyoen. Parking à 800 ¥ la nuit et réseau LAN gratuit.

Hotel Sunlite Shinjuku (carte p. 131 ; ☎ 3356-0391 ; fax 3356-1223 ; www.sunlite.co.jp ; 5-15-8 Shinjuku, Shinjuku-ku ; s/d/lits jum à partir de 8 715/12 275/14 375 ¥ ; 🅿 💻 ; 🚃 lignes Marunouchi, Toei Shinjuku jusqu'à Shinjuku-sanchōme, sortie C7). Au bas de l'échelle des prix dans cette catégorie, cet hôtel propre et confortable accepte les cartes de crédit. Bien situé dans l'est de Shinjuku, près du Shinjuku-gyoen, des commerces et de la vie nocturne de Kabukichō, il propose des cham-

bres douillettes et bien tenues, et Internet par le réseau LAN. Parking à 2 000 ¥ la nuit.

Star Hotel Tokyo (carte p. 131 ; ☎ 3361-1111 ; fax 3369-4216 ; www.starhotel.co.jp/city/tokyo/index.html ; 7-10-5 Nishi-Shinjuku, Shinjuku-ku ; s/d à partir de 9 450/18 250 ¥ ; 🅿 ✕ 💻 ; 🚃 ligne JR Yamanote jusqu'à Shinjuku, sortie ouest). Dans l'ouest de Shinjuku, un hôtel d'affaires confortable sans rien d'exceptionnel, très bien situé et à des prix compétitifs. Réseau LAN gratuit dans les chambres et parking à 1 500 ¥ la nuit.

Shinjuku Washington Hotel (carte p. 131 ; ☎ 3343-3111 ; fax 3342-2575 ; www.shinjyuku-wh.com ; 3-2-9 Nishi-Shinjuku, Shinjuku-ku ; s/d/lits jum à partir de 10 400/15 400/21 200 ¥ ; ✕ 💻 ; 🚃 ligne JR Yamanote jusqu'à Shinjuku, sortie sud). Le personnel de ce grand hôtel d'affaires bien géré aide les voyageurs étrangers à se repérer dans la capitale. Les petites chambres comprennent l'accès LAN gratuit, un réfrigérateur et, pour certaines, un décor psychédélique. Plusieurs restaurants et une supérette sont installés au rez-de-chaussée.

CATÉGORIE SUPÉRIEURE
Hotel Century Southern Tower (carte p. 131 ; ☎ 5354-0111 ; fax 5354-0100 ; www.southerntower.co.jp ; 2-2-1 Yoyogi, Shibuya-ku ; s/d à partir de 18 680/28 120 ¥ ; ✕ 💻 ; 🚃 ligne JR Yamanote jusqu'à Shinjuku, sortie Southern Tce). Ce monolithe, central et pratique, vaut essentiellement pour sa vue panoramique et ses prix raisonnables. Réseau LAN, petite salle de gymnastique et plusieurs restaurants. Réception au 20e niveau.

Keiō Plaza Hotel (carte p. 131 ; ☎ 3344-0111 ; fax 3345-8269 ; www.keioplaza.com ; 2-2-1 Nishi-Shinjuku, Shinjuku-ku ; s/d à partir de 26 450/29 800 ¥, ste à la japonaise à partir de 98 050 ¥ ; 🅿 ✕ 💻 🏊 ♿ ; 🚃 ligne JR Yamanote jusqu'à Shinjuku, sortie ouest). Réparti sur 47 niveaux, le Keiō Plaza se distingue par un style sobre et raffiné. Les chambres jouissent de la vue sur l'ouest de Shinjuku et plus d'une dizaine de restaurants occupent les étages inférieurs. Les chambres "universelles" sont accessibles aux handicapés.

Park Hyatt Tokyo (carte p. 131 ; ☎ 5322-1234 ; fax 5322-1288 ; www.tokyo.park.hyatt.com ; 3-7-1-2 Nishi-Shinjuku, Shinjuku-ku ; ch/ste à partir de 55 650/68 250 ¥ ; ✕ 🏊 ; 🚃 ligne JR Yamanote jusqu'à Shinjuku, sortie sud). De ces hauteurs, la vue fabuleuse, de jour ou de nuit, semble révéler un autre monde. Bois naturel, tissu et marbre composent le décor raffiné et discret des chambres. Le personnel se montre charmant et attentif, et les restaurants comptent parmi les meilleurs de Tōkyō.

Shibuya 渋谷

Les hauteurs de Dôgenzaka regroupent la forte concentration de *love hotels* du Japon. S'ils sont moins fantaisistes à Tôkyô qu'ailleurs, le choix des thèmes est suffisamment varié pour satisfaire tous les goûts, du rose bonbon au décor SM. Dans la réception, des écrans permettent de visualiser les chambres. Bien qu'elles soient habituellement louées de 22h à 24h, leurs prix restent très compétitifs pour une nuit complète et conviendront aux petits budgets.

CATÉGORIE MOYENNE

Shibuya compte peu d'hôtels de catégorie moyenne. Les hôtels d'affaires d'Ueno, d'Ikebukuro et même de Shinjuku présentent un bien meilleur rapport qualité/prix, mais ces quartiers sont moins amusants.

Shibuya City Hotel (carte p. 134 ; ☎ 5489-1010 ; fax 5489-1030 ; www.shibuya-city-hotel.com, en japonais ; 1-1 Maruyamachô, Shibuya-ku ; s/d à partir de 9 900/18 300 ¥ ; ✕ ▯ ⛴ ; 🚉 ligne JR Yamanote jusqu'à Shibuya, sortie Hachikô). Les noctambules apprécieront cet hôtel, idéalement situé au bas de la Love Hotel Hill, à courte distance d'excellentes salles de concert et discothèques. Pour un tel emplacement, les prix défient toute concurrence. Les chambres sont confortables et spacieuses, avec connexion LAN, et l'une d'elles est accessible en fauteuil roulant (15 000 ¥).

Shibuya Tôkyû Inn (carte p. 134 ; ☎ 3498-0109 ; fax 3498-0189 ; www.tokyuhotels.co.jp/en/TI/TI_SHIBU/index.shtml ; 1-24-10 Shibuya, Shibuya-ku ; s/d/lits jum à partir de 13 650/21 420/21 840 ¥ ; ✕ ▯ ; 🚉 ligne JR Yamanote jusqu'à Shibuya, sortie est). D'un standing similaire à celui du Shibuya Tôbu Hotel, il offre des chambres confortables, décorées de couleurs primaires et dotées d'une connexion LAN ; les non-fumeurs sont sans doute les plus plaisantes.

Shibuya Tôbu Hotel (carte p. 134 ; ☎ 3476-0111 ; fax 3476-0903 ; www.tobuhotel.co.jp/shibuya ; 3-1 Udagawachô, Shibuya-ku ; s/d à partir de 14 060/20 035 ¥ ; ✕ ▯ ; 🚉 ligne JR Yamanote jusqu'à Shibuya, sortie Hachikô). L'un des hôtels d'affaires les plus attrayants de Shibuya, il dispose de belles chambres propres, plutôt vastes, avec réseau LAN, et de plaisantes parties communes. Le personnel, sympathique et attentif, parle anglais.

CATÉGORIE SUPÉRIEURE

🅒 **Granbell Hotel** (carte p. 134 ; ☎ 5457-2681 ; fax 5457-2682 ; www.granbellhotel.jp ; 15-17 Sakuragaokachô, Shibuya-ku ; s/d/ste à partir de 13 100/21 400/55 400 ¥ ;

✕ ▯ ; 🚉 ligne JR Yamanote jusqu'à Shibuya, sortie sud). Bien que les chambres soient de taille modeste, les parois en verre des sdb et les couleurs tropicales donnent une sensation d'espace. Réseau LAN gratuit, TV sat, sèche-cheveux et bons lits font partie des équipements du bâtiment principal. Certaines suites, comme la View Bath, sont en duplex.

Cerulean Tower Tôkyû Hotel (carte p. 134 ; ☎ 3476-3000 ; fax 3476-3001 ; www.ceruleantower-hotel.com ; 26-1 Sakuragaokachô, Shibuya-ku ; s/d à partir de 32 540/43 135 ¥ ; ⓟ ✕ ▯ ⛴ ; 🚉 ligne JR Yamanote jusqu'à Shibuya, sortie sud). Chambres immenses, grands lits et vue panoramique sur la ville, "espace" est le maître mot de cet hôtel. Sur place, le Cerulean Tower Nô Theatre propose d'excellentes représentations de nô et des concerts de jazz. Parking à 2 000 ¥ la nuit et accès Internet LAN à 1 050 ¥ par jour.

Roppongi et Akasaka 六本木・赤坂

Proche des centres économiques et politiques, Akasaka regroupe de nombreux hôtels de luxe et d'excellents restaurants. Roppongi, et son animation nocturne, se situe à courte distance et compte plusieurs bonnes adresses.

CATÉGORIE MOYENNE

Asia Center of Japan (carte p. 140 ; ☎ 3402-6111 ; fax 3402-0738 ; www.asiacenter.or.jp ; 8-10-32 Akasaka, Minato-ku ; s/d à partir de 8 610/12 390 ¥ ; ⓟ ▯ ; 🚉 lignes Ginza, Hanzômon, Toei Ôedo jusqu'à Aoyama-itchôme, sortie 4). Au bout d'une rue étroite dans un secteur tranquille d'Akasaka, l'Asia Center est apprécié pour les longs séjours. Les chambres lambrissées de l'ancienne annexe séduisent par leur charmante simplicité. Réseau LAN, laverie, parking (1 500 ¥ la nuit) et petit déjeuner-buffet à 945 ¥.

Arca Torre (carte p. 140 ; ☎ 3404-5111 ; fax 3404-5115 ; www.arktower.co.jp/arcatorre ; 6-1-23 Roppongi, Minato-ku ; s/d à partir de 12 755/16 570 ¥ ; ✕ ▯ ; 🚉 lignes Hibiya, Toei Ôedo jusqu'à Roppongi, sortie 3). Très bien situé et pratiquant des prix raisonnables, l'Arca Torre est une bonne adresse pour les noctambules et ceux qui ont le sommeil lourd. Les chambres sur l'arrière sont beaucoup plus calmes que celles en façade et toutes disposent du réseau LAN gratuit. Les lits sont un peu durs, mais même les simples standard sont dotées de semi-doubles.

Hotel Ibis (carte p. 140 ; ☎ 3403-4411 ; fax 3479-0609 ; www.ibis-hotel.com ; 7-14-4 Roppongi, Minato-ku ; s/d/lits jum à partir de 13 382/16 285/22 145 ¥ ; ✕ ⓟ ; 🚉 lignes Hibiya, Toei Ôedo jusqu'à Roppongi, sorties 4a et 7).

Malgré un intérieur sombre un peu sinistre, l'Ibis est un hôtel propre et moderne, à deux pas du carrefour de Roppongi. Les chambres sont petites et les voyageurs seuls préféreront les semi-doubles aux simples exigus. Réseau LAN.

Chisun Grand Akasaka (carte p. 140 ; ☎ 5572-7788 ; fax 5572-7789 ; www.solarehotels.com/english ; 6-3-17 Akasaka, Minato-ku ; s/d 14 600/17 900 ¥ ; ✖ 🖳 ; 🚇 ligne Chiyoda jusqu'à Akasaka, sorties 6 et 7). Cet hôtel d'affaires propose tous les équipements classiques de cette catégorie (comme le réseau LAN), ainsi que des haut-parleurs pour lecteurs MP3, des presses à vêtements, des grands lits dans toutes les chambres et un balcon pour certaines. Des éléments originaux et des touches de rouge leur ajoutent un certain cachet.

b Akasaka (carte p. 140 ; ☎ 3586-0811 ; fax 3589-0575 ; theb-akasaka@ishinhotels.com ; 7-6-13 Akasaka, Minato-ku ; s/lits jum à partir de 14 600/20 400 ¥ ; ✖ 🖳 ; 🚇 ligne Chiyoda jusqu'à Akasaka, sortie 3b). Des fenêtres aux cabines de douches, les lignes arrondies caractérisent les chambres modernes du b Akasaka. Situé dans une rue calme en face du TBS Broadcasting Center, ce charmant hôtel d'affaires offre le réseau LAN gratuit, un petit déjeuner-buffet léger, ainsi que café et thé gratuits 24h/24. Il jouxte un spa où se délasser après une longue journée de marche.

Hotel Avanshell (carte p. 140 ; ☎ 3568-3456 ; www.solarehotels.com/english/collection ou www.avanshell. com en japonais ; 2-14-14 Akasaka, Minato-ku ; s/d/lits jum 15 750/19 950/25 200 ¥ ; ✖ 🖳 ; 🚇 ligne Chiyoda jusqu'à Akasaka, sorties 6 et 7). Le café en façade apporte à l'Avanshell une touche européenne. Les chambres, spacieuses et modernes, disposent toutes du réseau LAN et certaines s'agrémentent d'un balcon.

CATÉGORIE SUPÉRIEURE

Hotel Ōkura (carte p. 140 ; ☎ 3582-0111, 3582-3707 ; www.okura.com/tokyo ; 2-10-4 Toranomon, Minato-ku ; s/d à partir de 42 363/48 700 ¥ ; 🅿 ✖ 🖳 🛄 ; 🚇 ligne Ginza jusqu'à Tameike-sannō, sortie 13). Adresse prisée des dignitaires et des hommes d'affaires en visite, le charmant hôtel Ōkura séduit par son élégance désuète, sans ostentation. Un ravissant jardin japonais ajoute à l'ambiance séduisante du décor rétro et de l'architecture basse. Un personnel attentif, un excellent centre d'affaires et des restaurants haut de gamme complètent le tableau. L'hotel abrite également l'Ōkura Shūkokan (p. 157). Accès Internet LAN à 1 575 ¥ par jour.

ANA Intercontinental Tokyo (carte p. 140 ; ☎ 3505-1111 ; fax 3505-1155 ; www.anaintercontinental-tokyo.jp ; 1-12-33 Akasaka, Minato-ku ; s/d et lits jum à partir de 31 185/40 425 ¥ ; 🅿 ✖ 🖳 🛄 🚿 ; 🚇 lignes Ginza, Namboku jusqu'à Tameike-sannō, sortie 13). À mi-chemin entre Akasaka et Roppongi, l'ANA vise principalement une clientèle d'affaires. Les suites sont équipées du réseau LAN (1 575 ¥ par jour) et de diffuseurs d'huiles essentielles. Les chambres "club" bénéficient également de l'accès aux salons privés, d'un service de concierge et d'autres privilèges. Plusieurs somptueux restaurants et bars servent sushis, grillades, champagne, whisky et cigares. Vous devrez payer 6 000 ¥ pour plonger dans la piscine découverte. Parking à 1 000 ¥ la nuit.

🔵 Grand Hyatt Tokyo (carte p. 140 ; ☎ 4333-1234 ; fax 4333-8123 ; www.tokyo.grand.hyatt.com ; 6-10-3 Roppongi, Minato-ku ; s/d à partir de 50 400/55 650 ¥ ; 🅿 ✖ 🖳 🛄 🚿 ; 🚇 lignes Hibiya, Toei Ōedo jusqu'à Roppongi, sorties 1 et 3). Dans le quartier privilégié de Roppongi Hills, le Grand Hyatt représente le comble du raffinement. Derrière une façade résolument urbaine, l'utilisation de matériaux naturels confère une ambiance confortable et chaleureuse à cet hôtel moderne, avec des détails comme les douches à jets et les murs en acajou. Lecteurs DVD et TV à écran plat dans les sdb font partie des équipements luxueux, et l'hôtel comprend un spa avec sauna et bain de vapeur, une grande piscine couverte, une salle de gymnastique, d'excellents restaurants et plusieurs bars. Choisissez une chambre du côté ouest pour la vue sur le mont Fuji (par beau temps). Parking à 3 000 ¥ par jour.

OÙ SE RESTAURER

Aucune ville d'Asie ne peut rivaliser avec Tōkyō pour la qualité et la variété des restaurants. En 2008, le guide Michelin a attribué 191 étoiles à Tōkyō, soit plus que New York et Paris réunis !

Outre l'excellente cuisine japonaise, Tōkyō permet de découvrir des saveurs du monde entier, avec des restaurants internationaux pour tous les budgets. Sachez cependant que la nourriture nippone est généralement la moins coûteuse. Pour 750 ¥, vous obtiendrez un grand bol de nouilles dans un *shokudō* (restaurant sans prétention) ou une assiette de spaghettis (à la japonaise) dans l'un des nombreux restaurants italiens bon marché de la ville. Préparez-vous à débourser davantage pour des spécialités étrangères plus authentiques.

VINGT-CINQ ÉTOILES

Le grand nombre des hôtels de luxe de la capitale permet de satisfaire tous les goûts. Voici quelques-uns parmi les meilleurs, des petits hôtels de charme aux tours vertigineuses.

- **Mandarin Oriental Tokyo** (carte p. 142 ; ☎ 3270-8800 ; www.mandarinoriental.com/tokyo ; 2-1-1 Nihombashi Muromachi, Chūō-ku ; ch/ste à partir de 39 000/79 000 ¥ ; P ✕ ☒ ; ☒ lignes Ginza, Hanzōmon jusqu'à Mitsukoshimae, sortie A7). Au cœur de Nihombashi, l'opulent Mandarin Oriental compte trois restaurants dotés d'une étoile au Michelin. Chambres au confort dernier cri.

- **Four Seasons Chinzan-sō** (carte p. 128 ; ☎ 3943-2222 ; fax 3943-2300 ; www.fourseasons.com/Tōkyō ; 2-10-8 Sekiguchi, Bunkyō-ku ; ch/ste à partir de 43 000/69 000 ¥ ; P ✕ ☒ ☒ ; ☒ ligne Yūrakuchō jusqu'à Edogawabashi, sortie 1a). Somptueux et fleuri, aux antipodes du chic minimaliste, le Four Seasons est un endroit prisé pour les mariages. Fameux jardin japonais, qui date de la période Meiji.

- **Hotel Seiyo Ginza** (carte p. 138 ; ☎ 3535-1111 ; fax 3535-1110 ; www.seiyo-ginza.com ; 1-11-2 Ginza, Chūō-ku ; ch/ste à partir de 55 300/69 400 ¥ ; P ✕ ☒ ; ☒ lignes Ginza, Yūrakuchō jusqu'à Ginza-itchōme, sortie 7). Cet hôtel de charme compte 77 chambres et se distingue par un service personnalisé de majordome 24h/24. Il se tient dans un endroit discret, à quelques pas de Ginza.

- **Peninsula Tōkyō** (carte p. 138 ; ☎ 6270-2888 ; fax 6270-2000 ; www.peninsula.com ; 1-8-1 Yūrakuchō, Chiyoda-ku ; ch/ste à partir de 69 000/115 000 ¥ ; P ✕ ☒ ☒ ; ☒ lignes Chiyoda, Hibiya, Yūrakuchō, Toei Mita jusqu'à Yūrakuchō et Hibiya, sorties A6 et A7). Nouvelle adresse tokyoïte, le Peninsula possède des chambres élégantes et une ambiance raffinée. Ginza et le centre-ville sont faciles d'accès.

- **Ritz-Carlton Tōkyō** (carte p. 140 ; ☎ 3423-8000 ; fax 3423-8001 ; www.ritzcarlton.com/en/Properties/ Tōkyō/Default.htm ; Tokyo Midtown Tower, 9-7-1 Akasaka, Minato-ku ; ch/ste à partir de 77 000/126 500 ¥ ; P ✕ ☒ ☒ ; ☒ lignes Hibiya, Toei Ōedo jusqu'à Roppongi, sorties 4a et 8). Le Ritz jouit d'une vue panoramique et comprend une piscine et un spa fabuleux. Outre son restaurant japonais recommandé par le Michelin, il offre les boutiques de luxe de Tokyo Midtown, en contrebas.

Quel que soit votre choix, vous devrez rarement aller loin pour trouver votre bonheur. Les étages supérieurs des grands magasins abritent souvent des *resutoran-gai* (littéralement "rues de restaurants"), où des restaurants japonais, chinois et italiens proposent des menus économiques au déjeuner. Les grands magasins comportent fréquemment des *depachika* (rayons alimentation) au sous-sol, qui vendent des *bentō* (repas en boîte) parmi les produits d'épicerie. Dans les gares ferroviaires, on trouve des échoppes de *rāmen* (nouilles aux œufs), des stands de bentō et d'*onigiri* (boulettes de riz) et des gargotes de *karereaisu* (riz au curry).

Dans la journée, les quartiers commerçants, comme Shibuya, Shinjuku, Harajuku et Ginza, sont les plus propices. Le soir, rendez-vous à Aoyama ou Roppongi où sont installés certains des meilleurs restaurants de la ville. Pour une ambiance plus traditionnelle, essayez un *izakaya*, la Yakitori Alley, ou la galerie sans prétention d'Omoide-yokochō (p. 174), à Shinjuku. Bien que coûteux, les restaurants haut de gamme proposent des menus à prix plus modérés à midi ; pour le dîner, choisissez des établissements plus modestes.

Le site **Tokyo Food Page** (www.bento.com/tokyo-food.html) est une énorme base de données de critiques gastronomiques, classées par type de cuisine et par quartier. Certaines adresses ne sont pas actualisées, aussi vaut-il mieux prévoir un plan de rechange.

Omniprésentes, les chaînes de cafés climatisés (et enfumés), comme Doutor ou Excelsior, sont pratiques pour un en-cas, un sandwich ou une tasse de café.

La cuisine végétarienne est moins répandue qu'on pourrait l'imaginer. Cepndant, nombre d'établissements servent des plats sans viande ni poisson, telles les échoppes de nouilles et tofu (pâte de soja). Pour plus d'informations, procurez-vous la brochure *Vegetarian & Macrobiotic Restaurants in Tokyo* du TIC. Elle répertorie les restaurants strictement végétariens et de *shōjin-ryōri* (cuisine des temples bouddhiques), les restaurants indiens qui offrent un bon choix de plats sans viande et les boutiques de produits bio.

Kanda et gare de Tōkyō 神田・東京駅

En semaine, des fourgonnettes colorées s'installent à l'heure du déjeuner sur la place ombragée du Tokyo International Forum (p. 148) et vendent toutes sortes de plats à emporter bon marché, des falafels aux tacos, pour moins de 1 000 ¥.

Kyōtofu Fujino (carte p. 142 ; ☎ 3240-0012 ; www. kyotofu.co.jp/shop/fujino_tokyo ; 6ᵉ niv, Marunouchi Bldg, 2-4-1 Marunouchi, Chiyoda-ku ; repas à partir de 1 575 ¥ ; 🕙 déj et dîner ; ✕ 🚬 Ⓥ ; 🚇 ligne Marunouchi jusqu'à Tōkyō, sortie 4). Tirant le meilleur parti des produits de saison, ce spécialiste du tofu installé dans le Marubiru (Marunouchi Building) concocte des plats simples et alléchants. La carte en anglais indique ceux qui ne conviennent pas aux végétariens, comme l'*oborodōfu donburi* (tofu, riz et bouillon, à partir de 1 050 ¥). Il possède une succursale dans le sous-sol de Tokyo Midtown (p. 157).

Mimiu (carte p. 138 ; ☎ 3567-6571 ; www.mimiu.co.jp ; 3-6-4 Kyōbashi, Chūō-ku ; repas 1 600 ¥ ; 🕙 11h30-21h30 lun-sam, 11h30-21h dim ; 🚇 ligne Ginza jusqu'à Kyōbashi, sorties 1 et 2). Les connaisseurs d'*udon* affirment que le bouillon d'Ōsaka est plus léger et subtil que celui de Tōkyō. Jugez-en par vous-même chez Mimiu, originaire d'Ōsaka, qui se vante d'avoir inventé l'*udon-suki* (3 500 ¥ par personne), des nouilles au bouillon cuites en sukiyaki avec des fruits de mer, des légumes et de la viande. Carte illustrée. Repérez l'imposant édifice noir en angle.

Mikuniya (carte p. 142 ; ☎ 3271-3928 ; http://unagi3928. com,enjaponais ; 2-5-11 Nihombashi,Chūō-ku ;repas 1 800-3 000 ¥ ; 🕙 11h-16h lun-sam ; 🚇 lignes Ginza, Tōzai, Toei Asakusa jusqu'à Nihombashi, sortie B1). Tenu par une famille sympathique, le Mikuniya sert une savoureuse *unagi* (anguille). Ses *unagi bentō* existent en 3 tailles (2 000, 2 500 et 3 200 ¥), et comprennent des légumes en saumure et une soupe. À la sortie B1, faites demi-tour et descendez la rue derrière le grand magasin Takashimaya ; repérez la planche en bois au-dessus de la porte, gravée de *kanji* (idéogrammes) dorés.

☉ Anago Tamai (carte p. 142 ; ☎ 3272-3227 ; www. anago-tamai.com, en japonais ; 2-9-9 Nihombashi, Chūō-ku ; repas 2 000 ¥ ; 🕙 déj et dîner ; 🚇 lignes Ginza, Tōzai, Toei Asakusa jusqu'à Nihombashi, sortie C4). L'*anago*, est la cousine océanique de l'*unagi*, moins grasse et tout aussi savoureuse. La carte en anglais explique ses particularités et la manière de la déguster. Choisissez un *bentō* ou des sushis d'anago, pressés dans des moules en bambou, et savourez-les dans le cadre désuet de cette vieille demeure en bois,.

Ginza et Shiodome 銀座・汐留

De nombreux établissements proposent à midi des menus à prix compétitifs dans Ginza et aux alentours. Explorez le *resutoran-gai* du **Ginza Palmy Building** (carte p. 138 ; 5-2-1 Ginza, Chūō-ku ; 🚇 lignes Ginza, Hibiya, Marunouchi jusqu'à Ginza, sortie C3), ou des grands magasins comme Matsuzakaya (p. 189), Matsuya (p. 189) et Takashimaya (p. 189). Les rayons d'alimentation en sous-sol vendent également des bentō.

À proximité, les pittoresques restaurants de *yakitori* (brochettes de poulet) de la Yakitori Alley (carte p. 138), dans Yūrakuchō, ouvrent chaque soir sous les voies ferrées.

Sushi Zanmai (carte p. 138 ; ☎ 3541-1117 ; 4-11-9 Tsukiji, Chūō-ku ; repas à partir de 1 500 ¥ ; 🕙 24h/24 ; Ⓥ ; 🚇 ligne Hibiya jusqu'à Tsukiji, sortie 1). Après la criée du petit matin à Tsukiji, les pêcheurs viennent se régaler de sushis dans le Zanmai, avant de laisser la place aux touristes et aux habitants. Bar-restaurant en soirée. Il possède une carte illustrée et une enseigne en anglais, ainsi que plusieurs succursales autour du marché.

Nair's (carte p. 138 ; ☎ 3541-8246 ; www.ginza-nair.co.jp, en japonais ; 4-10-7 Ginza, Chūō-ku ; déj/dîner 1 500/3 000 ¥ ; 🕙 11h30-21h30, 11h30-20h30 sam-dim, fermé mar ; Ⓥ ; 🚇 lignes Hibiya, Toei Asakusa jusqu'à Higashi-Ginza, sortie A2). Fondé en 1949, le premier restaurant indien de Tōkyō reste prisé et fait le bonheur des végétariens. Il se situe en haut de Shōwa-dōri en venant du Kabuki-za. Carte et enseigne en anglais.

Shin-Hi-no-Moto (carte p. 138 ; ☎ 3214-8021 ; 2-4-4 Yūrakuchō, Chiyoda-ku ; repas 2 500 ¥ ; 🕙 17h-24h ; 🚇 ligne Yūrakuchō jusqu'à Yūrakuchō, sortie A5, ou lignes Chiyoda, Hibiya, Toei Mita jusqu'à Hibiya, sortie A2). Authentique et accessible, cet *izakaya* animé se tient sous les voies ferrées à Yūrakuchō. Il est également appelé Andy's, du nom du beau-fils de la famille. Les serveurs parlent anglais. Carte en anglais, contrairement à l'enseigne : repérez les panneaux Guinness et la lanterne rouge.

Robata (carte p. 138 ; ☎ 3591-1905 ; 1-3-8 Yūrakuchō, Chiyoda-ku ; repas à partir de 3 500 ¥ ; 🕙 17h30-23h lun-sam ; 🚇 lignes Chiyoda, Hibiya, Toei Mita jusqu'à Hibiya, sortie A4). Dans la ruelle parallèle aux voies du JR, l'un des *izakaya* les plus réputés de Tōkyō comporte un comptoir où il suffit de désigner les plats campagnards qui vous tentent. Vous le reconnaîtrez à sa rustique façade noire, avec une grande enseigne au 2ᵉ niveau et des légumes présentés à l'extérieur.

Kyūbei (carte p. 138 ; ☎ 3571-6523 ; www.kyubey.jp ; 8-7-6 Ginza, Chūō-ku ; déj/dîner à partir de 4 000/10 000 ¥ ; 🕙 déj et dîner lun-sam ; ✕ ; 🚇 ligne Ginza jusqu'à

Shimbashi, sortie 1). Établi en 1936, cet excellent restaurant de sushis demeure l'un des meilleurs de la capitale. Pour goûter du poisson cru haut de gamme, réservez une table au Kyūbei. Une carte en anglais est disponible uniquement en ligne, mais les serveurs anglophones vous aideront à faire votre choix. À une rue à l'ouest de Chūō-dōri, un petit chemin dallé sur la gauche mène à la façade minimaliste.

Ten-Ichi (carte p. 138 ; ☎ 3571-1949 ; www.tenichi. co.jp, en japonais ; 6-6-5 Ginza, Chūō-ku ; déj/dîner à partir de 5 000/8 500 ¥ ; ☯ 11h30-21h30 ; ✗ ; 🚇 lignes Ginza, Hibiya, Marunouchi jusqu'à Ginza, sorties A1, B3 et B6). Depuis 1930, le Ten-Ichi sert des tempura d'une époustouflante légèreté dans un cadre élégant. Réservation conseillée. En façade, une lanterne carrée arbore une enseigne en kanji.

Birdland (carte p. 138 ; ☎ 5250-1081 ; niv B1, Tsukamoto Sogyo Bldg, 4-2-15 Ginza, Chūō-ku ; repas à partir de 6 000 ¥ ; ☯ 17h-21h mar-sam ; 🚇 lignes Ginza, Hibiya, Marunouchi jusqu'à Ginza, sortie C6). Les chefs yakitori du Birdland connaissent mille manières de griller un poulet et proposent une étonnante variété de préparations, des brochettes de cœur aux sashimis. La carte des vins fait honneur à la modeste volaille. Réservations à partir de 12h pour le jour même uniquement. Carte et enseigne en anglais.

L'Osier (carte p. 138 ; ☎ 3571-6050 ; www.shiseido.co.jp/e/ losier/top.htm ; 7-5-5 Ginza, Chūō-ku ; déj/dîner à partir de 6 800/19 000 ¥ ; ☯ déj et dîner lun-sam ; 🚇 lignes Ginza, Hibiya, Marunouchi jusqu'à Ginza, sortie B6). Depuis longtemps considéré comme l'un des meilleurs restaurants français de la capitale, L'Osier a obtenu trois étoiles au Michelin en 2008. Dans un cadre élégant et détendu, il sert une cuisine classique, mâtinée d'une touche moderne. Revêtez vos plus beaux atours pour un repas sublime.

Ueno 上野

Divers restaurants japonais à prix doux ainsi que des stands de plats à emporter et de fruits se regroupent dans Ameyoko Arcade et aux environs.

Ueno Yabu Soba (carte p. 146 ; ☎ 3831-4728 ; 6-9-16 Ueno, Taitō-ku ; repas à partir de 750 ¥ ; ☯ 11h30-21h jeu-mar ; 🖫 ; 🚇 ligne JR Yamanote jusqu'à Ueno, sortie Hirokōji). Près de la galerie marchande, cette échoppe de *soba* (nouilles de sarrasin) réputée conserve une paisible ambiance traditionnelle malgré l'affluence. Essayez le copieux *nabeyaki soba* (nouilles avec légumes, œuf et tempura de crevettes). Carte illustrée en anglais. Repérez l'enseigne en granit noir à l'angle portant l'inscription "Since 1892".

Futaba (carte p. 146 ; ☎ 3831-6483 ; 2-8-11 Ueno, Taitō-ku ; repas 1 500-3 000 ¥ ; ☯ déj et dîner mar-ven, 11h30-18h sam-dim, fermé lun et jeu ; 🚇 ligne JR Yamanote jusqu'à Ueno, sortie Hirokōji). La façade beige banale dissimule un établissement prisé de longue date pour ses côtelettes de porc. Le service est un peu bourru, mais vous ne serez pas déçu par le *tonkatsu teishoku* (menu avec côtelettes de porc frites, 1 500 ¥). Ni carte ni enseigne en anglais.

Izu-ei (carte p. 146 ; ☎ 3831-0954 ; 2-12-22 Ueno, Taitō-ku ; repas à partir de 1 785 ¥ ; ☯ 11h-22h ; ✗ 🖫 ; 🚇 ligne JR Yamanote jusqu'à Ueno, sortie Hirokōji). L'unagi aurait des vertus revigorantes par temps lourd et humide, mais ce poisson est tout aussi délicieux les autres jours. L'Izu-ei, qui dispose d'une carte illustrée en anglais, offre de plus une belle vue sur Shinobazu-ike. Oubliez le bentō et savourez un *unagi kaiseki* (repas à plusieurs plats, à partir de 7 350 ¥) dans une salle traditionnelle à tatamis. Les menus sont affichés au rez-de-chaussée ; la façade noire classique est légèrement en retrait de la rue.

Sasa-no-Yuki (carte p. 146 ; ☎ 3873-1145 ; www. sasanoyuki.com, en japonais ; 2-15-10 Negishi, Taitō-ku ; repas à partir de 1 800 ¥ ; ☯ 11h-21h mar-dim ; ✗ 🖫 🛇 ; 🚇 ligne JR Yamanote jusqu'à Uguisudani, sortie nord). Ouvert depuis l'époque d'Edo, le Sasa-no-Yuki sert des *tōfu-ryōri* (repas de plusieurs plats autour du tofu) superbement présentés. Le personnel sympathique et la carte en anglais vous aideront à passer commande. Tournez à droite en sortant de la station, traversez le grand carrefour à Kototoi-dōri et repérez les murs noirs du restaurant à votre gauche, environ 200 m plus haut, après la passerelle piétonnière.

Echikatsu (carte p. 146 ; ☎ 3811-5293 ; 2-31-23 Yushima, Bunkyō-ku ; repas à partir de 7 000 ¥ ; ☯ 17h-21h30 lun-sam, fermé sam en août ; 🚇 ligne Chiyoda jusqu'à Yushima, sortie 5). Shitamachi semble suspendu dans le temps, loin du Tōkyō moderne, et Echikatsu en est un exemple parfait. Dans cette maison traditionnelle superbement préservée, agrémentée d'un jardin japonais, vous vous régalerez de *sukiyaki* ou de *shabu-shabu* derrière les cloisons en bambou. Carte en anglais ; réservation conseillée.

Asakusa 浅草

Il est difficile de choisir parmi les innombrables restaurants japonais d'Asakusa. Si vous ne parvenez pas à vous décider, explorez ceux nichés dans les ruelles entre Sensō-ji et Kaminarimon-dōri.

Sometarō (carte p. 146 ; ☎ 3844-9502 ; www.sometaro. com, en japonais ; 2-2-2 Nishi-Asakusa, Taitō-ku ; repas 1 000 ¥ ; ☻ 12h-22h ; ♿ ; 🚇 ligne Ginza jusqu'à Tawaramachi, sortie 3). Dans cet établissement insolite, découvrez l'okonomiyaki (viande, fruits de mer et légumes dans une pâte au chou et légumes), à cuire soi-même sur une plaque chauffante au milieu de la table. La carte en anglais comporte les instructions. La façade rustique est couverte de végétation.

Kappabashi Coffee (carte p. 146 ; ☎ 5828-0308 ; 3-25-11 Nishi-Asakusa, Taitō-ku ; repas à partir de 1 050 ¥ ; ☻ 8h-21h mar-ven, 8h-20h sam-lun ; ✗ ; 🚇 ligne Ginza jusqu'à Tawaramachi, sortie 3). Si vous rêvez d'un café sans fumée après des achats dans Kappabashi-dōri, installez-vous dans ce petit établissement détendu pour savourer un café au lait et un dessert ou dégustez un bentō dans la salle moderne, près d'un foyer japonais. Repérez le logo circulaire avec le nom en anglais.

Daikokuya (carte p. 146 ; ☎ 3844-1111 ; 1-38-10 Asakusa, Taitō-ku ; plats 1 500-3 000 ¥ ; ☻ 11h30-20h30 lun-ven, 11h30-21h sam ; ♿ ; 🚇 lignes Ginza, Toei Asakusa jusqu'à Asakusa, sortie 1). Près de Nakamise-dōri, c'est l'endroit idéal pour un tempura authentique, une spécialité d'Asakusa. La file d'attente dépasse souvent le coin de la rue à l'heure du déjeuner. Tentez votre chance dans la succursale du pâté de maisons voisin. Les deux possèdent des cartes en anglais et des enseignes en japonais.

Komagata Dōjō (carte p. 146 ; ☎ 3842-4001 ; 1-7-12 Komagata, Taitō-ku ; plats 1 500-3 000 ¥ ; ☻ 11h-21h ; 🚇 lignes Ginza, Toei Asakusa jusqu'à Asakusa, sorties 2 et A5). Le chef de ce merveilleux restaurant, ouvert depuis 6 générations, perpétue la tradition en transformant le modeste dōjō (petit poisson de rivière semblable à l'anguille) en un délice. On s'assoit sur le sol devant des tables basses en bois et une carte illustrée en anglais détaille les plats. Si vous choisissez le nabe (1 700 ¥), on vous servira le dōjō sur un plat chauffé à la braise ; couvrez-le de ciboule et laissez-le cuire. Remarquez la façade traditionnelle entre des bâtiments modernes.

Tsukiji Sushi-sen (carte p. 146 ; ☎ 5830-1020 ; 1ᵉʳ et 2ᵉ niv, 2-16-9 Kaminarimon, Taitō-ku ; repas 1 800 ¥ ; ☻ 24h/24 ; ✗ ; 🚇 lignes Ginza, Toei Asakusa jusqu'à Asakusa, sorties 2 et A5). Le couvert de 315 ¥ ajouté à la note est un petit prix à payer pour déguster de délicieux sushis à 4h du matin. Comme son nom l'indique, ce restaurant est relié au marché de Tsukiji. Une carte illustrée présente les sushis ; le tokusen omakase nigiri (assortiment du chef, 3 150 ¥) ne vous décevra pas. Le nom en anglais figure sous le kanji de l'enseigne.

Vin Chou (carte p. 146 ; ☎ 3845-4430 ; www.vinchou. jp/r-asakusa/asakusa.html, en japonais ; 2-2-13 Nishi-Asakusa, Taitō-ku ; repas à partir de 5 000 ¥ ; ☻ 17h-23h lun-mar et jeu-sam, 16h-22h dim). Dans une ville amoureuse de la France, ce restaurant de yakitoris à la française sert du foie gras avec le tori negi (poulet et poireaux). Il constitue une agréable nouveauté dans un quartier traditionnel. Près du Taitō Ryokan, il possède une petite enseigne en français.

Ikebukuro 池袋

Sans être une destination gastronomique, Ikebukuro ne manque pas de bonnes tables.

Tonchin (carte p. 132 ; ☎ 3987-8556 ; tonchin. foodex.ne.jp, en japonais ; 1ᵉʳ niv, 2-26-2 Minami-Ikebukuro, Toshima-ku ; repas à partir de 600 ¥ ; ☻ 11h-4h ; 🚇 ligne JR Yamanote jusqu'à Ikebukuro, sortie Seibu est). La file d'attente témoigne de sa popularité, et l'excellent tonkotsu rāmen (nouilles en bouillon de porc) ne déçoit pas. Pour commander, choisissez votre rāmen et sa garniture grâce aux images du distributeur de tickets en façade. Le serveur prend votre ticket afin que votre plat soit prêt quand vous vous asseyez. Préférez les heures creuses.

Marhaba (carte p. 132 ; ☎ 3987-1031 ; 2-63-6 Ikebukuro, Toshima-ku ; repas 1 200-2 400 ¥ ; ☻ déj et dîner lun-sam, 11h30-21h dim ; Ⓥ ; 🚇 ligne JR Yamanote jusqu'à Ikebukuro, sortie nord). La petite enseigne verte qui indique l'entrée de ce restaurant pakistanais est aussi modeste que la salle, mais de divins effluves proviennent de la cuisine vitrée. Le chef fait peu de concessions aux goûts japonais ; la cervelle masala (1 200 ¥) et les samosas (400 ¥) sont authentiques et plaisamment épicés.

Malaychan (carte p. 132 ; ☎ 5391-7638 ; www.malay chan.jp/NewFiles/contents_E.html ; 3-22-6 Nishi-Ikebukuro, Toshima-ku ; repas 2 000 ¥ ; ☻ dîner lun, déj et dîner mar-sam, 11h-23h dim ; 🚇 ligne JR Yamanote jusqu'à Ikebukuro, sortie ouest). Bien situé en angle en face du parc Nishi-Ikebukuro, le Malaychan est l'un des rares restaurants malaisiens de Tōkyō, et sa carte (en anglais) reflète la pluralité ethnique du pays. Enseigne en anglais.

Akiyoshi (carte p. 132 ; ☎ 3982-0644 ; 3-30-4 Nishi-Ikebukuro, Toshima-ku ; repas 3 000 ¥ ; ☻ 17h-23h ; 🚇 ligne JR Yamanote jusqu'à Ikebukuro, sortie ouest). Le gril central donne une ambiance festive à ce yakitori accueillant, où les chefs s'affairent tandis que les clients, confortablement installés, dégustent plusieurs plats en discutant avec leurs voisins. Carte et enseigne en anglais.

Sasashū (carte p. 132 ; ☎ 3971-6796 ; 2-2-6 Ikebukuro, Toshima-ku ; repas à partir de 6 000 ¥ ; 🕐 dîner lun-sam ; 🚇 ligne JR Yamanote jusqu'à Ikebukuro, sortie nord). La façade de style nippon se repère aisément entre les bâtiments modernes en béton ; repérez la petite enseigne en bois en forme de gourde avec une inscription en anglais. Ce vénérable *izakaya* est réputé pour ses sakés haut de gamme et ses âtres traditionnels. Quelques rudiments de japonais vous seront utiles, mais vous pouvez choisir le *kamonabe* (ragoût de canard, 3 150 ¥), le *salmon yaki* (saumon grillé, 840 ¥), ou le repas *omakase* (suggestion du chef).

À l'heure du déjeuner, faites un tour aux étages de restauration des grands magasins Seibu et Tōbu. À l'est de la station Ikebukuro se regroupent de nombreuses échoppes de *rāmen* et des *kaiten-sushi* (restaurant de sushis sur tapis roulant). Dans le même secteur, **Namco Namjatown** (☎ 5950-0765 ; 2ᵉ niv, World Import Mart Bldg, 3-1-3 Higashi-Ikebukuro, Toshima-ku ; adulte/enfant 300/200 ¥ ; 🕐 10h-22h) compte trois "parcs à thème" gastronomiques, spécialisés dans les *gyōza* (raviolis chinois), les desserts et les glaces. Le billet d'entrée ne couvre pas les éventuelles consommations.

Shinjuku 新宿

Pour un aperçu de Tōkyō durant l'occupation, flânez dans Omoide-yokochō (rue du Souvenir ; voir carte p. 131), ou "Piss Alley" (son surnom moins poli), où se jouxtent de minuscules restaurants à côté des voies ferrées du JR, au nord-ouest de la gare de Shinjuku. Des employés y font halte pour des yakitoris, un *oden* (quenelles de poisson, tofu, légumes et œufs mijotés dans un bouillon d'algues), des nouilles et une bière avant de prendre le train pour rentrer chez eux. La plupart des gargotes servent des plats similaires et peu d'entre elles portent un nom ; choisissez celle qui vous séduit et désignez sur le comptoir le plat qui vous tente ; comptez environ 2 000 ¥. Omoide-yokochō devrait être bientôt rasée pour laisser la place à de nouvelles constructions ; profitez-en pendant qu'il est encore temps !

Quelques suggestions dans Shinjuku :

Nakajima (carte p. 131 ; ☎ 3356-7962 ; shinjyuku-nakajima.com, en japonais ; 3-32-5 Shinjuku, Shinjuku-ku ; déj/dîner à partir de 800/12 500 ¥ ; 🕐 déj et dîner lun-sam ; 🚇 ligne Marunouchi jusqu'à Shinjuku-sanchōme, sortie A1). Cet impeccable restaurant en sous-sol, à l'éclairage chaleureux, a gagné une étoile au Michelin. Il est spécialisé dans l'*iwashi* (sardine), cuit dans un bouillon sucré aux œufs, servi en sashimi,

ou délicatement frit et placé sur une couche de riz. L'hôtesse vous expliquera en anglais les différentes options. Si les dîners sont *kaiseki*, les déjeuners restent très bon marché. Au bout de la rue après le bâtiment Beams, repérez un édifice noir avec un escalier extérieur.

Kōmen (carte p. 131 ; ☎ 5919-1660 ; www.kohmen.com, en japonais ; 1ᵉʳ et 2ᵉ niv, 3-32-2 Shinjuku, Shinjuku-ku ; repas 850 ¥ ; 🕐 11h-5h ; 🚇 ligne Marunouchi jusqu'à Shinjuku-sanchōme, sortie A1). Kōmen est une chaîne prisée, qui sert un excellent *tonkotsu rāmen*. Cette succursale sur deux niveaux offre une carte en anglais et un cadre plus raffiné que la plupart des gargotes de *rāmen*. Une énorme enseigne circulaire surmonte la porte, près du coin de Meiji-dōri et Kōshū Kaidō.

Tsunahachi (carte p. 131 ; ☎ 3352-1012 ; www.tunahachi.co.jp, en japonais ; 3-31-8 Shinjuku, Shinjuku-ku ; repas à partir de 1 260 ¥ ; 🕐 11h-22h ; 🚇 ligne JR Yamanote jusqu'à Shinjuku, sortie est). Le Tsunahachi conserve une clientèle fidèle grâce à des prix raisonnables et de savoureux *tempura*. Asseyez-vous au comptoir pour regarder les cuisiniers frire les divers composants de votre plat et les déposer dans votre assiette. Carte en anglais. De Shinjuku-dōri, en faisant face au grand magasin Mitsukoshi, descendez la petite rue sur sa gauche ; le restaurant est sur la gauche.

Breizh Café (carte p. 131 ; ☎ 5361-1335 ; 13ᵉ niv, Takashimaya Times Sq, 5-24-2 Sendagaya, Shibuya-ku ; repas à partir de 1 480 ¥ ; 🕐 déj et dîner ; 🚇 ligne JR Yamanote jusqu'à Shinjuku, nouvelle sortie sud). Cette rutilante crêperie bretonne (indiquée en français) propose crêpes de sarrasin salées et galettes sucrées et s'agrémente aux beaux jours d'une terrasse. Outre les saveurs françaises classiques, la carte s'inspire de la gastronomie japonaise pour des créations originales, comme la crêpe au *kuro-mitsu* (mélasse), servie avec une glace au thé vert (850 ¥).

Canard (carte p. 131 ; ☎ 3200-0706 ; www.jlcjapon.com ; niv B1, 5-17-6 Shinjuku, Shinjuku-ku ; plats déj/dîner à partir de 1 700/3 000 ¥ ; 🕐 déj et dîner ; 🚇 ligne JR Yamanote jusqu'à Shinjuku, sortie est). Niché dans une ruelle proche de Hanazono-jinja, ce petit restaurant intime mitonne une succulente cuisine française, qui varie selon la saison. Si le vin augmente la note, le prix des repas est amplement justifié. Réservation fortement conseillée. Enseigne en français.

Chaya Macrobiotics (carte p. 131 ; ☎ 3357 0014 ; 7ᵉ niv, Isetan Bldg, 3-14-1 Shinjuku, Shinjuku-ku ; repas à partir de 2 000 ¥ ; 🕐 11h-22h ; Ⓥ ; 🚇 ligne Marunouchi jusqu'à Shinjuku-sanchōme, sortie A1). Mariant cuisine française et principes japonais de la macrobiotique, Chaya concocte des plats simples servis avec des tisanes, des vins et des cidres bio. Même si la carte saisonnière (disponible en anglais) vise surtout une clientèle végétalienne avec risotto de riz rouge, burgers de seitan et millet, et salades d'algues, le poisson est aussi à l'honneur. Enseigne en anglais.

Ibuki (carte p. 131 ; ☎ 3352-4787 ; 3-23-6 Shinjuku, Shinjuku-ku ; sukiyaki 3 600 ¥, shabu-shabu 3 800 ¥ ; 16h-23h30 ; ligne JR Yamanote jusqu'à Shinjuku, sortie est). Excellent restaurant de *sukiyaki* et de *shabu-shabu*, l'Ibuki accueille beaucoup d'étrangers et dispose d'une carte et d'une enseigne en anglais. Il offre une ambiance traditionnelle et conviviale et accepte les cartes de crédit.

Tōfuro (carte p. 131 ; ☎ 3320-1370 ; 1-32-1 Yoyogi, Shibuya-ku ; repas 4 000 ¥ ; déj et dîner ; ligne JR Yamanote jusqu'à Yoyogi, sortie sud). Même si vous ne raffolez pas du tofu, vous trouverez votre bonheur dans cet *izakaya* haut de gamme de style Edo. Les petites salles privées sont idéales pour les groupes qui peuvent commander des repas de plusieurs plats. La cuisine traditionnelle comprend du tofu maison, des viandes grillées, des poissons, des soupes et des *oden*, présentés sur la carte en anglais. Repérez la devanture traditionnelle et l'entrée rouge.

Kozue (carte p. 131 ; ☎ 5323-3460 ; 40ᵉ niv, Park Hyatt Tōkyō, 3-7-1-2 Nishi-Shinjuku, Shinjuku-ku ; menu déj/dîner à partir de 4 000/12 000 ¥ ; déj et dîner ; ligne JR Yamanote jusqu'à Shinjuku, sortie sud). Perché au 40ᵉ niveau du Park Hyatt, le Kozue est une adresse de référence pour découvrir la cuisine japonaise haut de gamme. L'ambiance feutrée et l'éclairage romantique ajoutent à l'excellence des menus (ou des plats à la carte). La carte en anglais et le personnel bilingue sont d'autres atouts de cette table exceptionnelle.

Vous pouvez aussi essayer les *resutoran-gai* des grands magasins, comme celui de l'Isetan Building (p. 189) au 8ᵉ niveau, ou celui du **Takashimaya Times Square** (☎ 5361-3301 ; 5-24-2 Sendagaya, Shibuya-ku ; 10h-21h), aux 12ᵉ au 14ᵉ niveau. Les deux magasins possèdent aussi d'immenses *depachika*.

Harajuku et Aoyama 原宿・青山

Harajuku et Aoyama comptent plus de bistrots, de cafés et de *trattoria* que nombre de petites villes européennes. Beaucoup se regroupent dans Omote-sandō, la promenade de la jeunesse branchée de Tōkyō. Il existe quelques bonnes adresses japonaises au milieu de restaurants français et d'établissements éphémères.

Bape Cafe!? (carte p. 134 ; ☎ 5770-6560 ; 3-27-22 Jingūmae, Shibuya-ku ; plats du jour déj à partir de 800 ¥ ; 10h30-23h ; ; ligne JR Yamanote jusqu'à Harajuku, sortie Takeshita). Autre établissement de l'empire Bathing Ape, ce café aux murs incurvés en béton poli sert d'excellents plats de brasserie japonais, comme le curry rouge (800 ¥) et la délicieuse crème brûlée au soja (400 ¥). Une jeunesse aisée occupe les tables en acier brossé et écoute les derniers succès new-yorkais. Enseigne et carte en anglais.

Fujimamas (carte p. 134 ; ☎ 5485-2283 ; www. fujimamas.com ; 6-3-2 Jingūmae, Shibuya-ku ; déj/dîner 1 100/2 000 ¥ ; 11h-23h ; V ; ligne Chiyoda jusqu'à Meiji-jingūmae, sortie 4, ou ligne JR Yamanote jusqu'à Harajuku, sortie Omote-sandō). Ancien atelier d'un fabricant de tatamis, la grande salle en étage et le rez-de-chaussée ouvert sur la rue répandent désormais les effluves d'une cuisine fusion d'une grande fraîcheur. Les plats, à l'instar de la clientèle, sont cosmopolites et les portions copieuses. Carte (et menu enfant) et enseigne en anglais. Réservation conseillée

Hiroba (carte p. 134 ; ☎ 3406-6409 ; niv B1, Crayon House, 3-8-15 Kita-Aoyama, Minato-ku ; buffet déj 1 260 ¥ ; 11h-22h ; V ; lignes Chiyoda, Ginza, Hanzōmon jusqu'à Omote-sandō, sorties B2 et B4). Dans le Crayon House Building, ce petit restaurant chaleureux propose un excellent buffet bio au déjeuner, avec des plats végétariens ou non. Sur les étiquettes, en japonais, des dessins indiquent la composition des mets.

Le Bretagne (carte p. 134 ; ☎ 3478-7855 ; www. le-bretagne.com ; 3-5-4 Jingūmae, Shibuya-ku ; repas 1 800 ¥ ; 11h30-23h lun-sam, 11h30-22h dim ; lignes Chiyoda, Ginza, Hanzōmon jusqu'à Omote-sandō, sortie A2). Des chefs bretons préparent d'excellentes et authentiques crêpes de sarrasin, idéales avec un bol de cidre bio pour se remettre d'un après-midi de shopping dans Omote-sandō. Carte en anglais et nom en français sur l'auvent.

Las Chicas (carte p. 134 ; ☎ 3407-6865 ; www.vision. co.jp/aoyama/index.html ; 5-47-6 Jingūmae, Shibuya-ku ; repas à partir de 1 300 ¥ ; 11h30-23h lun-jeu et dim, 11h-23h30 ven-sam ; ; lignes Chiyoda, Ginza, Hanzōmon jusqu'à Omote-sandō, sortie B2). L'un des rares restaurants en plein air de la ville, cet endroit détendu sert des classiques, comme la salade Caligula (version créative de la César), à une clientèle essentiellement étrangère et possède une longue carte de vins. Vous pouvez descendre au sous-sol pour un cocktail avant le repas, puis explorer les boutiques de créateurs adjacentes. Enseigne et carte en anglais.

Maisen (carte p. 134 ; ☎ 3470-0071 ; 4-8-5 Jingūmae, Shibuya-ku ; menus déj 1 500 ¥ ; 🕑 11h-22h ; ✗ ♿ ; 🚇 lignes Chiyoda, Ginza, Hanzōmon jusqu'à Omote-sandō, sortie A2). Prisé pour son *tonkatsu* croustillant, comme en attestent les files d'attente, ce restaurant occupe un ancien établissement de bains, suffisamment spacieux pour accueillir les nombreux amateurs de *kurobuta* (porc noir, 1 260 ¥) de Kagoshima. Si vous êtes pressé, achetez un *bentō* au comptoir des plats à emporter.

Mominoki House (carte p. 134 ; ☎ 3405-9144 ; www2.odn.ne.jp/mominoki_house ; 1er niv, 2-18-5 Jingūmae, Shibuya-ku ; plats environ 1 500 ¥ ; 🕑 11h-23h ; 🚇 ligne JR Yamanote jusqu'à Harajuku, sortie Takeshita). Même si vous n'êtes pas végétarien, l'excellente cuisine macrobiotique de la Mominoki House vous changera agréablement des nombreux plats frits. Avec du jazz en musique de fond, la vaste salle est remplie de recoins et de plantes. Le propriétaire viendra vous parler de Stevie Wonder, de poterie et de principes de vie holistiques. Carte et enseigne en anglais.

Fonda de la Madrugada (carte p. 134 ; ☎ 5410-6288 ; www.fonda-m.com, en japonais ; niv B1, Villa Blanca, 2-33-12 Jingūmae, Shibuya-ku ; déj/dîner à partir de 3 800/6 000 ¥ ; 🕑 17h30-2h dim-jeu, 17h30-5h ven-sam ; ♿ ; 🚇 ligne JR Yamanote jusqu'à Harajuku, sortie Takeshita). Au nord de l'ambassade de Turquie, ce restaurant sert la meilleure cuisine mexicaine de Tōkyō. Tout vient du Mexique, des carrelages aux mariachis. Les prix sont élevés (900 ¥ le guacamole), mais après quelques tequilas, vous n'y penserez plus ! Carte et enseigne en anglais.

♥ **Ume-no-hana** (carte p. 134 ; ☎ 3475-8077 ; 6e niv, Aoyama Bell Commons, 2-14-6 Kita-Aoyama, Minato-ku ; dîner 7 000 ¥ ; 🕑 déj et dîner lun-sam, dîner dim ; 🚇 lignes Ginza et Hanzōmon jusqu'à Gaienmae, sortie 2). Cet élégant restaurant traditionnel est réputé à juste titre pour ses repas *kaiseki*, qui présentent artistement tofu et *yuba* ("peau" du lait de tofu) en petites portions. Il propose des menus *nikunashi* (littéralement "sans viande") ou avec viande. Commander peut être difficile sans l'aide d'un locuteur japonais.

Shibuya 渋谷

Des restaurants sont installés dans les nombreux grands magasins de Shibuya. Explorez notamment le 7e niveau du Parco Part 1 et le 8e niveau du Shibuya 109 Building.

Kantipur (carte p. 134 ; ☎ 3770-5358 ; www.kantipur.jp ; niv B1, 16-6 Sakuragaokachō, Shibuya-ku ; plats environ 850 ¥ ; 🕑 déj et dîner lun-ven, 11h30-23h sam ; ✗ ♿ **V** ; 🚇 ligne JR Yamanote jusqu'à Shibuya, sortie sud). Traversez la passerelle piétonne au-dessus de Tamagawa-dōri, repérez les panneaux colorés en façade et descendez jusqu'à la salle joliment éclairée pour vous régaler de plats népalais, végétariens ou non, généreusement servis. Carte en anglais.

Hina Sushi (carte p. 134 ; ☎ 3462-1003 ; niv B2, 21-1 Udagawachō, Shibuya-ku ; déj/dîner à partir de 1 050/2 420 ¥ ; 🕑 11h-23h ; ✗ ; 🚇 ligne JR Yamanote jusqu'à Shibuya, sortie Hachikō). Au sous-sol du Seibu A Building, ce restaurant offre plusieurs menus *tabehōdai* (plats à volonté) et *nomihōdai* (boissons à volonté) les vendredi et samedi. Le rapport qualité/prix est excellent pour des sushis de qualité, mais mangez vite car le temps est limité. Enseigne et carte en anglais.

Bio Café (carte p. 134 ; ☎ 5428-3322 ; 16-14 Udagawachō, Shibuya-ku ; déj 1 400 ¥ ; 🕑 11h-23h ; ✗ ♿ **V** ; 🚇 ligne JR Yamanote jusqu'à Shibuya, sortie Hachikō). Niché au bout d'une rue sinueuse parmi des boutiques d'accessoires de mode et des cafés qui proposent desserts à volonté, le paisible Bio Café sert des plats bio, pour la plupart végétariens, dans une salle à l'éclairage tamisé. Goûtez le cocktail "alcool pour une belle peau". Enseigne et carte en anglais.

Toriyoshi Dining (carte p. 134 ; ☎ 5784-3373 ; niv B1, 2-10-10 Dōgenzaka, Shibuya-ku ; dîner à partir de 3 000 ¥ ; 🕑 17h-4h ; 🚇 ligne JR Yamanote jusqu'à Shibuya, sortie Hachikō). Un peu plus raffiné que les habituelles gargotes de yakitori, ce restaurant souterrain, au décor urbain séduisant, est idéal pour un dîner intime. Le poulet, servi en menu ou à la carte, est grillé sur des braises de *binchō* (chêne de qualité). Enseigne et carte en anglais.

Den Rokuen-tei (carte p. 134 ; ☎ 6415-5489 ; 8e niv, Parco Part 1, 15-1 Udagawachō, Shibuya-ku ; repas à partir de 3 000 ¥ ; 🕑 11h-24h ; 🚇 ligne JR Yamanote jusqu'à Shibuya, sortie Hachikō). Changeant selon la saison, les plats *izakaya* modernisés s'accompagnent d'un choix de vins, de bières ou de saké. Ce restaurant détendu, perché au sommet du Parco 1, comporte des salons privés avec tatamis et une superbe terrasse en plein air. Enseigne et carte en anglais.

Sakana-tei (carte p. 134 ; ☎ 3780-1313 ; 4e niv, Koike Bldg, 2-23-15 Dōgenzaka, Shibuya-ku ; repas à partir de 3 500 ¥ ; 🕑 17h30-23h lun-sam ; 🚇 ligne JR Yamanote jusqu'à Shibuya, sortie Hachikō). Sans prétention malgré son élégance, cet *izakaya* est un spécialiste du saké prisé des connaisseurs d'un excellent rapport qualité/prix. Il ne dispose pas de carte en anglais ; désignez les plats présentés sur le comptoir. Téléphonez pour réserver et éteignez votre portable à l'intérieur. De la station JR Shibuya, empruntez Bunkamura-dōri (à droite du Shibuya 109 Building), prenez à gauche à la bifurcation, puis tournez dans la première à gauche : le Koike Building est le premier bâtiment sur la droite.

Gomaya (carte p. 134 ; ☎ 3770-8158 ; niv B1, Matsubara Bldg, 2-25-13 Dōgenzaka, Shibuya-ku ; repas 3 500 ¥ ; ☺ 17h-24h ; ⓡ ligne JR Yamanote jusqu'à Shibuya, sortie Hachikō). Tournez dans la rue après le McDonald's qui borde Bunkamura-dōri et repérez l'escalier qui conduit au Gomaya sur la droite, avec une enseigne et une courte carte en anglais. Joliment présentés, les plats arrivent rapidement après la commande. Essayez le *gomadōfu* (tofu au sésame noir) maison, ou le menu de 6 plats avec boissons à volonté (4 000 ¥, 2 heures au maximum).

Sora-no-Niwa (carte p. 134 ; ☎ 5728-5191 ; 4-17 Sakuragaokachō, Shibuya-ku ; repas 4 000 ¥ ; ☺ 17h-24h ; ⓡ ligne JR Yamanote jusqu'à Shibuya, nouvelle sortie sud-ouest). Mieux vaut réserver dans ce restaurant de tofu fréquenté, où vous pouvez déguster du tofu frais et préparer vous-même du *yuba* à votre table. Le décor moderne se marie parfaitement avec les plats traditionnels aux touches contemporaines, comme le tiramisu de tofu. Enseigne et carte en anglais.

Ebisu et Daikanyama 恵比寿・代官山

À Ebisu, explorez le 6e niveau de l'Atre Building, au-dessus de la station Ebisu, pour tous les classiques de la cuisine nippone. Plus loin dans le quartier, vous trouverez d'autres bons restaurants de cuisine internationale.

Aussi réputé pour ses cafés que Harajuku ou Aoyama, Daikanyama est un quartier chic où l'on sirote un cappuccino en regardant les passants avant de découvrir les boutiques de créateurs. Parmi les nombreux restaurants étrangers, certains sont bons, d'autres simplement branchés. La ligne Tōkyū Tōyoko (prenez-la à Shibuya) comprend un arrêt dans Daikanyama, qui se situe à seulement 10 minutes de marche d'Ebisu. De la sortie ouest de la station Ebisu, suivez Komazawa-dōri vers l'ouest et tournez à droite au grand croisement avec Kyu-Yamate-dōri. À la passerelle piétonne, tournez encore à droite dans Hachiman-dōri et vous arrivez au cœur de Daikanyama, avec la galerie marchande Daikanyama Address sur votre droite.

Quelques suggestions :

۞ Fujiyama Seimen (carte p. 136 ; ☎ 3473-0088 ; 1-13-6 Ebisu, Shibuya-ku ; repas 900 ¥ ; ☺ déj et dîner ; ⓡ ligne Hibiya jusqu'à Naka-Meguro, sortie nord-ouest). La plupart des gargotes de *rāmen* servent du *tsukemen* (nouilles avec un bouillon séparé), mais le Fujiyama se distingue par la présentation. La cuisine ouverte et le personnel sympathique apportent une ambiance chaleureuse à cet endroit le long des voies ferrées. Les nouilles, épaisses et roboratives, sont parfumées aux saveurs de la soupe, relevée d'une pointe de *yuzu* (agrume japonais). Enseigne et carte en anglais.

Ippūdō Rāmen (carte p. 136 ; ☎ 5420-2225 ; 1-3-13 Hiro-o, Shibuya-ku ; repas 900 ¥ ; ☺ 11h-4h lun-sam, jusqu'à 24h dim ; ⓡ ligne JR Yamanote jusqu'à Ebisu, sortie est). Cette échoppe de *rāmen*, dans Meiji-dōri, est réputée dans tout le pays pour ses nouilles de Kyūshū, assaisonnées d'ail frais et d'épices. Une grande enseigne blanche écrite en kanji surmonte la porte, où s'étire la file d'attente aux heures de pointe ; comme dans toute gargote de *rāmen* courue, les clients ne s'attardent pas plus de 20 minutes. Carte en anglais.

Ura (carte p. 136 ; ☎ 5489 1117 ; 1-17-1 Ebisu-Nishi, Shibuya-ku ; repas 1 500 ¥ ; ☺ 12h-4h mar-dim, 12h-23h lun ; ⓡ ligne JR Yamanote jusqu'à Ebisu, sortie ouest). Ce bistrot détendu, aussi accueillant dans la journée qu'en soirée, privilégie les plats à la française et offre une belle sélection de vins, de bons cafés et des desserts. La carte, en anglais comme l'enseigne discrète, varie selon les saisons.

Good Honest Grub (carte p. 136 ; ☎ 3797-9877 ; www. goodhonestgrub.com ; 2-20-8 Higashi, Shibuya-ku ; repas 1 500 ¥ ; ☺ 11h30-16h lun-ven, 10h30-16h30 sam-dim ; ✗ ☺ Ⓥ ; ⓡ ligne Chiyoda jusqu'à Meiji-jingūmae, sortie 4). Longtemps considéré comme une référence du brunch dominical, ce restaurant canadien sert une cuisine saine et fait la part belle aux plats végétariens. Ses fruits mixés, pitas aux copieuses garnitures et sandwichs en font une bonne adresse pour un en-cas. Carte et enseigne en anglais.

Tonki (carte p. 136 ; ☎ 3491-9928 ; 1-1 Shimo-Meguro, Meguro-ku ; repas 1 650 ¥ ; ☺ 16h-23h mer-lun, fermé 3e lun du mois ; ⓡ ligne JR Yamanote jusqu'à Meguro, sortie ouest). Se limitant à deux plats, le Tonki les réalise à la perfection. Il prépare uniquement du *tonkatsu*, à choisir *hire-katsu* (maigre) ou *rōsu-katsu* (plus gras). Le service est remarquable et le *tonkatsu* s'accompagne de riz, de chou émincé et de soupe miso. De la station, descendez Meguro-dōri vers l'ouest, tournez dans la première rue à gauche et repérez le panneau blanc et les *noren* (rideaux) devant les portes coulissantes.

Mushroom (carte p. 136 ; ☎ 5489-1346 ; www.mush.jp, en japonais ; 2e niv, 1-16-3 Ebisu-Nishi, Shibuya-ku ; déj/dîner à partir de 2 625/5 040 ¥ ; ✂ ; ⊗ ligne JR Yamanote jusqu'à Ebisu, sortie ouest). L'obsession du chef Yamaoka pour les champignons se remarque jusque dans le décor de ce bistrot français cosy. Le menu de 3 plats à base de champignons est d'un exceptionnel rapport qualité/prix et les vins excellents. La carte, en français, change tous les jours. Enseigne en anglais.

Roppongi 六本木

Centre de la vie nocturne pour les étrangers, Roppongi compte d'innombrables restaurants internationaux, des fast-foods aux bars à sushis haut de gamme. Plutôt coûteuses, les tables japonaises restent abordables pour les *gaijin*. Par ailleurs, de nombreuses gargotes bon marché sont idéales pour faire un repas rapide avant la tournée des bars.

Gogyō Rāmen (carte p. 140 ; ☎ 5775-5566 ; 1-4-36 Nishi-Azabu, Minato-ku ; repas 900 ¥ ; ⊗ 11h30-16h et 17h-3h lun-sam, jusqu'à 24h dim ; ⊗ lignes Hibiya, Toei Ōedo jusqu'à Roppongi, sorties 2 et 3). Ouvert tard, ce restaurant raffiné est réputé pour son *kogashi-miso rāmen* (*rāmen* au miso noir, 850 ¥), une soupe étrange que vous ne trouverez nulle part ailleurs à Tōkyō. L'auvent porte le nom de l'établissement en anglais ; carte en anglais.

Salsita (carte p. 140 ; ☎ 3280-1145 ; http ://salsita-Tōkyō.com ; niv B1, 4-5-65 Minami-Azabu, Minato-ku ; repas 1 500 ¥ ; ⊗ déj et dîner mar-dim ; ⊗ jusqu'à Hiro-o, sortie 1). Un peu excentré, le Salsita mérite le détour pour sa cuisine mexicaine authentique à prix raisonnables. Dans un cadre coloré, il sert des tortillas et du chorizo maison, et un *cochinita pibil* (porc rôti à la mode du Yucatan, 1 900 ¥) particulièrement tendre et délicieux. Carte en anglais et enseigne en espagnol.

Eat More Greens (carte p. 140 ; ☎ 3798-3191 ; www.eatmoregreens.jp ; 2-2-5 Azabu-Jūban, Minato-ku ; repas 1 500 ¥ ; ⊗ 11h-23h lun-ven, 9h-23h sam-dim ; ✂ ; ⊗ ligne Namboku jusqu'à Azabu-jūban, sortie 4). Bien que saine, la cuisine japonaise manque souvent de légumes verts. S'inspirant des cultivateurs et des marchés fermiers de New York, cet établissement organise un marché de produits frais chaque samedi. Installez-vous dans la salle ou en terrasse pour savourer les plats de saison, végétariens et végétaliens. Carte et enseigne en anglais.

Gonpachi (carte p. 140 ; ☎ 5771-0170 ; www.gonpachi.jp ; 1-13-11 Nishi-Azabu, Minato-ku ; déj/dîner 2 000/4 000 ¥ ; ⊗ 11h30-5h ; ✂ ⊗ ; ⊗ lignes Hibiya, Toei Ōedo jusqu'à Roppongi, sortie 2). Le décor villageois de la période

d'Edo et l'ambiance urbaine font de ce restaurant une adresse prisée pour les repas de fête. À l'étage, vous pourrez commander tous les plats qui figurent sur la carte (en anglais), ainsi que des sushis. Réservez en ligne si possible. Enseigne en anglais sur la façade rocailleuse.

Pizzeria 1830 (carte p. 140 ; ☎ 3402-1830 ; 9-6-28 Akasaka, Minato-ku ; repas 2 500 ¥ ; ⊗ déj et dîner ; ⊗ ligne Chiyoda jusqu'à Nogizaka, sortie 3). Au 1830, un *pizzaiolo* italien prépare à la main d'authentiques pizzas à pâte fine et croustillante, cuites au feu de bois. D'autres délices, comme les gnocchis et le tiramisu, figurent sur la carte (en anglais), de même qu'une longue liste de vins. Enseigne en anglais.

Pintokona (carte p. 140 ; ☎ 5771-1133 ; niv B2, Metrohat, Roppongi Hills, 6-4-1 Roppongi, Minato-ku ; repas 2 500 ¥ ; ⊗ 11h-23h ; ⊗ lignes Hibiya, Toei Ōedo jusqu'à Roppongi, sorties 1c et 3). Du nom d'un terme du kabuki, ce *kaiten-sushi* de Roppongi Hills se distingue de la concurrence par un décor inspiré également du kabuki. Les prix sont également un peu plus élevés, mais l'accent est mis sur la qualité de la cuisine : des puces électroniques signalent qu'une assiette de sushis tourne depuis trop longtemps (30 min). Carte et enseigne en anglais.

L'Atelier de Joël Robuchon (carte p. 140 ; ☎ 5772-7500 ; 2e niv, Hillside, Roppongi Hills, 6-10-1 Roppongi, Minato-ku ; déj/dîner 5 000/15 000 ¥ ; ⊗ déj et dîner ; ⊗ lignes Hibiya, Toei Ōedo jusqu'à Roppongi, sorties 1c et 3). Distingué par 2 étoiles dans le Michelin, L'Atelier est un restaurant français haut de gamme, avec un comptoir agencé comme un bar à sushis. Sirotez un verre de vin ou un cocktail en regardant les chefs, vêtus de noir, mitonner des merveilles dans la cuisine ouverte. La succulente cuisine fusion combine des influences japonaises, françaises et espagnoles. Découvrez-la en commandant un des savoureux menus. Carte en français et japonais.

Seryna (carte p. 140 ☎ 3402-1051 ; www.seryna.co.jp ; 3-12-2 Roppongi, Minato-ku ; déj/dîner 6 000/15 000 ¥ ; ⊗ 12h-23h30 lun-ven, 12h-22h30 sam-dim ; ⊗ lignes Hibiya, Toei Ōedo jusqu'à Roppongi, sorties 3 et 5). Le Seryna est incontestablement la meilleure adresse pour découvrir le bœuf de Kōbe *(wa-gyū)*. Dans les diverses salles, choisissez *shabu-shabu*, *sukiyaki* ou steak et *teppanyaki* (gril individuel). Le restaurant entoure un joli jardin de rocailles. Carte et enseigne en anglais.

Inakaya (carte p. 140 ; ☎ 3408-5040 ; www.roppongi inakaya.jp ; 5-3-4 Roppongi, Minato-ku ; repas à partir de 10 000 ¥ ; ⊗ dîner ; ⊗ lignes Hibiya, Toei Ōedo jusqu'à

Roppongi, sorties 2 et 3). Après les interminables salutations à l'entrée, on découvre l'animation de ce *robatayaki* (littéralement "cuisson près de l'âtre" ; bar-restaurant de grillades au feu de bois et de généreuses libations) à l'ancienne. Faute de carte en anglais (les prix sont indiqués sur le site), désignez le morceau de votre choix, que l'on fera griller. L'ambiance est bruyante et joyeuse, une attitude à conserver en déchiffrant l'addition !

Fukuzushi (carte p. 140 ; ☎ 3402-4116 ; 5-7-8 Roppongi, Minato-ku ; repas environ 10 000 ¥ ; ☾ déj et dîner lun-sam ; 🚇 lignes Hibiya, Toei Ōedo jusqu'à Roppongi, sorties 3 et 5). L'un des meilleurs bars à sushis de Roppongi, ce restaurant sélect reste néanmoins bien plus détendu que ses homologues de Ginza. Le poisson est frais, les portions copieuses, et l'on peut accompagner son repas d'un cocktail. Il se situe dans la rue après le Hard Rock Café. Carte illustrée et enseigne en anglais.

Akasaka 赤坂

À l'instar de Roppongi, Akasaka est l'un des quartiers les plus cosmopolites de Tōkyō. La vie nocturne s'arrête assez tôt. Dans les petites rues à l'ouest de la station de métro Akasaka-mitsuke, de nombreux établissements proposent des déjeuners à prix doux.

Jangara Rāmen (carte p. 140 ; ☎ 3595-2130 ; 2-12-8 Nagatachō, Minato-ku ; repas à partir de 580 ¥ ; ☾ 11h-2h, 11h-3h30 ven, 11h-1h dim ; 🚇 ligne Chiyoda jusqu'à Akasaka, sortie 2). Près de l'entrée du Hie-jinja, ce restaurant pittoresque est apprécié pour ses excellents bols de *rāmen* à petits prix. Pour changer, commandez des *zenbu-iri rāmen* (1 000 ¥), servies avec un œuf dur, des tranches de porc et des quenelles de poisson, entre autres. Pas de carte en anglais.

Moti (carte p. 140 ; ☎ 3582-3620 ; 2ᵉ niv, 3-8-8 Akasaka, Minato-ku ; déj/dîner 800/2 000 ¥ ; ☾ 11h30-23h ; V ; 🚇 lignes Ginza, Marunouchi jusqu'à Akasaka-mitsuke, sortie Belle Vie). Moti, la chaîne de restauration indienne la plus prisée de Tōkyō, compte deux succursales dans Akasaka, chacune à quelques minutes de marche des stations de métro Akasaka et Akasaka-mitsuke. Confortables et accueillantes, elles servent une cuisine savoureuse et bon marché. Enseignes et cartes en anglais.

Kushinobō (carte p. 140 ; ☎ 3581-5056 ; 3ᵉ niv, Akasaka Tōkyū Plaza, 2-14-3 Nagatachō, Minato-ku ; déj/dîner à partir de 1 050/2 100 ¥ ; ☾ déj et dîner lun-ven, dîner sam-dim ; 🚇 lignes Ginza, Marunouchi jusqu'à Akasaka-mitsuke, sortie Belle Vie). Venez au Kushinobō pour vous régaler de fritures à petits prix,

comme les *kushiage* (brochettes de viande, de poisson et de légumes frits). Carte et enseigne en anglais.

Umaya (carte p. 140 ; ☎ 6229-1661 ; 4-2-32 Akasaka, Minato-ku ; déj à partir de 1 100/3 000 ¥ ; ☾ déj et dîner lun-sam ; 🚇 lignes Ginza, Marunouchi jusqu'à Akasaka-mitsuke, sortie Belle Vie). Ce charmant restaurant de style traditionnel propose un grand choix de plats japonais, à base de poulet fermier et de tofu maison. À défaut de carte en anglais, les serveurs vous expliqueront la composition du *teishoku*, qui change selon la saison. De Hitotsugi-dōri, prenez la direction de l'Akasaka-fudōson-jinja et tournez à gauche dans l'entrée du sanctuaire. Un petit sentier franchit une autre porte et mène au restaurant.

Sunaba (carte p. 140 ; ☎ 3583-7670 ; 6-3-5 Akasaka, Minato-ku ; repas 1 200 ¥ ; ☾ 11h-19h30 lun-ven, jusqu'à 19h sam ; 🚇 ligne Chiyoda jusqu'à Akasaka, sortie 6). Le Sunaba sert d'excellentes nouilles de sarrasin. Il a inventé le *tempura* de *soba* (1 550 ¥), servi avec une délicieuse sauce *tsuyu* au goût fumé. Il jouxte le Kokusai Shin-Akasaka Building et possède une succursale dans Nihombashi. Courte carte illustrée en anglais.

Asterix (carte p. 140 ; ☎ 5561-0980 ; niv B1, 6-3-16 Akasaka, Minato-ku ; déj/dîner à partir de 1 500/3 000 ¥ ; ☾ déj et dîner lun-sam ; 🚇 ligne Chiyoda jusqu'à Akasaka, sortie 7). Un déjeuner français à l'Asterix est une aubaine, mais le dîner permet de s'attarder en savourant un verre de vin. Les plats sont généreux. Mieux vaut réserver car la salle est minuscule. Carte et enseigne en français.

Daidaiya (carte p. 140 ; ☎ 3588-5087 ; 9ᵉ niv, Belle Vie, 3-1-6 Akasaka, Minato-ku ; déj/dîner 1 500/6 000 ¥ ; ☾ 11h30-14h30 et 17h-24h lun-ven, 17h-23h sam-dim ; 🚇 lignes Ginza, Marunouchi jusqu'à Akasaka-mitsuke, sortie Belle Vie). L'ambiance festive de cet *izakaya* fait oublier le côté prétentieux du sombre décor moderne. Combinant œufs de saumon et pignons de pin, vinaigre balsamique et oursins, la cuisine utilise à merveille des produits de saison, artistement présentés. Carte en anglais.

Sushi-sei (carte p. 140 ; ☎ 3582-9503 ; 3-11-14 Akasaka, Minato-ku ; déj/dîner 1 700/4 500 ¥ ; ☾ 11h30-14h et 17h-22h30 lun-ven, 11h45-14h et 16h30-22h sam ; 🚇 lignes Ginza, Marunouchi jusqu'à Akasaka-mitsuke, sortie Belle Vie). Cette enseigne de la fameuse chaîne de sushis de Tsukiji ne déçoit pas et le poisson est d'une fraîcheur irréprochable. Faites votre choix sur la carte illustrée ou commandez un assortiment de sushis à prix raisonnable (2 625 ¥ pour le *nigiri omakase*). Cet établissement discret, légèrement en retrait de la rue, ne comporte pas d'enseigne en anglais.

Kikunoi (carte p. 140 ; ☎3568-6055 ; 6-13-8 Akasaka, Minato-ku ; dîner à partir de 20 000 ¥ ; ☾ dîner lun-sam ; ⊞ ligne Chiyoda jusqu'à Akasaka, sortie 6). Ce restaurant de *kaiseki* originaire de Kyōto a construit sa réputation depuis 3 générations et a obtenu 2 étoiles Michelin en 2008. Les plats de saison, préparés avec soin, sont aussi joliment présentés que succulents. Le chef Murata a écrit un livre sur le *kaiseki*, qu'utilisent les serveurs pour expliquer les plats. Pas de carte en anglais, réservation indispensable.

Odaiba お台場

La plupart des restaurants d'Odaiba donnent sur la baie de Tōkyō, un cadre idéal pour un dîner romantique.

Khazana (carte p. 133 ; ☎3359-6551 ; 5e niv, Decks Tokyo Beach, 1-6-1 Daiba, Minato-ku ; déj/dîner 1 000/2 000 ¥ ; ☾ 11h-23h ; Ⓥ ; ⊞ ligne Yurikamome jusqu'à Odaiba Kaihin-kōen, sortie principale). Haut perché, le Khazana offre la vue sur la baie, à savourer en dégustant les 8 plats du menu Rainbow (3 000 ¥). L'accueil chaleureux et l'ambiance détendue ajoutent à son attrait. Carte et enseigne en anglais.

Kua'Aina (carte p. 133 ; ☎3599-2800 ; 4e niv, Aqua City, 1-7-1 Daiba, Minato-ku ; repas 1 400 ¥ ; ✗ ; ☾ 11h-23h ; ⊞ ligne Yurikamome jusqu'à Daiba, sortie principale). Cette succursale d'une chaîne hawaïenne sert d'excellents et copieux burgers, avec avocat ou bacon, frites et oignons, à accompagner d'une bière coréenne Kona. La chaîne possède d'autres établissements dans la capitale, tous avec carte et enseigne en anglais.

Tsukiji Tama Sushi (carte p. 133 ; ☎3599-6556 ; 5e niv, Decks Tōkyō Beach, 1-6-1 Daiba, Minato-ku ; repas 2 000-4 000 ¥ ; ☾ 11h-23h ; ⊞ ligne Yurikamome jusqu'à Odaiba Kaihin-kōen, sortie principale). Asseyez-vous près d'une fenêtre et sirotez une grande tasse de thé vert en attendant vos sushis, joliment présentés et d'une fraîcheur irréprochable. Carte en anglais et menus de sushis à volonté (homme/femme 3 675/3 045 ¥).

Pour l'ambiance animée et vous régaler de *dim sum* (*yum cha*), explorez les gargotes de style Hong Kong du **Daiba Little Hong Kong** (carte p. 133 ; www.odaiba-decks.com, en japonais ; 6e et 7e niv, 1-6-1 Daiba, Minato-ku ; ☾ petit déj, déj et dîner ; ⊞ ligne Yurikamome jusqu'à Odaiba Kaihin-kōen, sortie principale). Si vous préférez le *rāmen*, rendez-vous au **Rāmen Stadium** (carte p. 133 ; 5e niv, Aqua City, 1-7-1 Daiba, Minato-ku ; ☾ 11h-23h ; ⊞ ligne Yurikamome jusqu'à Daiba, sortie principale).

OÙ PRENDRE UN VERRE

Comme partout, les bars et les clubs peuvent passer de mode du jour au lendemain. Ceux mentionnés ci-après semblent bien établis et jouissaient d'une popularité certaine lors de nos recherches. Vous trouverez des adresses actualisées sur les sites Internet indiqués p. 127.

Pour une sortie authentiquement nippone rendez-vous avec quelques amis dans un *izakaya* ; les chaînes telles **Tsubohachi** (carte p. 134 ; ☎3464-5681 ; niv B1, 33-1 Udagawachō, Shibuya-ku ; repas 3 500 ¥ ; ☾ 17h-24h dim-jeu, 17h-3h ven-sam ; ⊞ ligne JR Yamanote jusqu'à Shibuya, sortie Hachikō) possèdent des succursales dans toute la ville et d'immenses cartes illustrées pour choisir le plat qui accompagnera votre *nama-biiru* (bière à la pression). En été, nombre de grands magasins, comme Keiō (p. 189) à Shinjuku ou Matsuya (p. 189) à Ginza, ouvrent leur bar en plein air sur le toit, plaisants et bondés le soir quand il fait chaud.

Bien entendu, la plupart des hôtels à multiples étages comprennent un bar avec une vue fabuleuse sur la ville. Essayez le New York Bar du Park Hyatt (p. 167), le Bello Visto du Cerulean Tower Tōkyū Hotel (p. 168), ou le Lobby Bar du Ritz-Carlton (voir l'encadré p. 170).

Ginza et Shiodome 銀座・汐留

Les cadres et les employés se retrouvent en fin de journée dans les *izakaya* et les bars chics de ces deux quartiers. Bien que la vie nocturne n'y soit pas particulièrement festive, quelques adresses sont plaisantes pour boire un verre.

300 Bar (carte p. 138 ; ☎3571-8300 ; www.300bar-8chome.com ; niv B1, No 2 Column Bldg, 8-3-12 Ginza, Chūō-ku ; ☾ 17h-2h lun-sam, 17h-23h dim ; ⊞ ligne JR Yamanote jusqu'à Shimbashi, sortie Ginza). C'est l'un des rares établissements de Ginza véritablement bon marché. Ce bar accueillant facture 300 ¥ tout en-cas ou boisson (taxes non comprises).

Aux Amis des Vins (carte p. 138 ; ☎3567-4120 ; www.auxamis.com/desvins, en japonais ; 2-5-6 Ginza, Chūō-ku ; ☾ 17h30-2h lun-ven, 12h-24h sam ; ⊞ ligne Yūrakuchō jusqu'à Ginza-itchōme, sorties 5 et 8). Accueillant en toute saison grâce à une salle détendue et une petite terrasse, ce bar à vins propose une belle sélection de vins essentiellement français, servis au verre (800 ¥) ou à la bouteille. Vous pouvez aussi commander une assiette ou un menu à prix fixe.

Ueno et Asakusa 上野・浅草

Ce ne sont pas des quartiers où passer de folles nuits ! À Asakusa, optez pour les brasseries du complexe Asahi (repérez et suivez la Flamme d'Or vers la rive est de la Sumida-gawa).

Kamiya Bar (carte p. 146 ; ☎ 3841-5400 ; 1-1-1 Asakusa, Taitō-ku ; 🕒 11h30-22h mer-lun ; 🚇 lignes Ginza, Toei Asakusa jusqu'à Asakusa, sorties 3 et A5). Ouvert en 1880, ce bar de Shitamachi serait le plus ancien bar à l'occidentale du Japon. Commandez et payez boisson et nourriture en entrant dans la salle enfumée, au rez-de-chaussée.

Warrior Celt (carte p. 146 ; ☎ 3836-8588 ; www.warriorcelt.com ; 3ᵉ niv, Ito Bldg, 6-9-22 Ueno, Taitō-ku ; 🕒 17h-5h mar-sam, 17h-24h dim-lun ; 🚇 ligne JR Yamanote jusqu'à Ueno, sortie centrale sud). Si vous flânez dans le vieux Shitamachi en soirée, entrez dans ce pub d'Ueno, où les boissons ne coûtent que 600 ¥ de 17h à 19h. Sympathique et accueillant, il offre un bon choix de bières anglaises et irlandaises, et de la musique live plusieurs soirs par semaine.

Shinjuku 新宿

Shinjuku compte d'innombrables boîtes de nuit, dont certaines plutôt glauques qui n'acceptent pas les étrangers. Vous pourrez cependant passer une soirée animée si les néons et les bureaucrates éméchés ne vous dérangent pas.

Le Golden Gai, l'une des destinations nocturnes les plus intéressantes de la ville, se situe à Shinjuku. Même si vous n'avez pas envie d'une nuit, promenez-vous dans ce labyrinthe de petits bistrots pour découvrir son ambiance bohème, comme figée hors du temps. Nombre de ces bars minuscules n'accueillent pas volontiers les *gaijin* ou ceux qui ne parlent pas japonais, et certains font payer un droit d'entrée élevé. Les trois premiers établissements indiqués ci-dessous reçoivent chaleureusement les étrangers. Pour vous y rendre facilement, rejoignez le Hanazono-jinja (p. 154) et grimpez l'escalier à l'arrière, qui mène au cœur du Golden Gai.

Albatross (carte p. 131 ; ☎ 3342-5758 ; www.alba-s.com, 1-2-11 Nishi-Shinjuku, Shinjuku-ku ; 🕒 17h-2h ; 🚇 lignes Marunouchi, Toei Shinjuku jusqu'à Shinjuku-sanchōme, sortie B5). Réparti sur trois niveaux, ce petit bar sympathique occupe peu d'espace dans Omoide-yokochō (p. 174). Ne vous laissez pas rebuter par l'affluence : commandez votre boisson au rez-de-chaussée et montez jusqu'à la terrasse du 3ᵉ niveau.

Bar Plastic Model (carte p. 131 ; ☎ 5273-8441 ; www.plastic-model.net, en japonais ; 1-1-10 Kabukichō, Shinjuku-ku ; entrée 700 ¥ ; 🕒 20h-5h lun-sam, 20h-2h dim ; 🚇 lignes Marunouchi, Toei Shinjuku jusqu'à Shinjuku-sanchōme, sortie B5). Une nouvelle génération de patrons de bar créatifs transforme à son goût les vieux établissements du Golden Gai. En voici un exemple, décoré de gadgets des années 1980 et parfois animé par un DJ.

Bon's (carte p. 131 ; ☎ 3209-6334 ; 1-1-10 Kabukichō, Shinjuku-ku ; entrée 900 ¥ ; 🕒 19h-5h ; ✕ ; 🚇 lignes Marunouchi, Toei Shinjuku jusqu'à Shinjuku-sanchōme, sortie B5). Ce bar sympathique du Golden Gai offre des boissons à partir de 700 ¥. Situé en angle, il porte en façade l'inscription "Old Fashioned American Style Pub".

La Jetée (carte p. 131 ; ☎ 3208-9645 ; 1-1-8 Kabukichō, Shinjuku-ku ; entrée 700 ¥ ; 🕒 19h-tard lun-sam ; 🚇 lignes Marunouchi, Toei Shinjuku jusqu'à Shinjuku-sanchōme, sortie B5). Adresse prisée des cinéastes (et tenue par l'un d'eux), ce petit paradis porte le nom d'un des films préférés du propriétaire francophone.

Zoetrope (carte p. 131 ; ☎ 3363-0162 ; http ://homepage2.nifty.com/zoetrope ; 3ᵉ niv, Gaia Bldg, 7-10-14 Nishi-Shinjuku, Shinjuku-ku ; 🕒 19h-4h lun-sam ; 🚇 ligne Toei Ōedo jusqu'à Shinjuku-nishiguchi, sortie D5). Vous passerez une soirée plaisante et détendue dans ce bar douillet, qui propose plus de 300 sortes de whiskies japonais et projette des films muets sur le mur. Carte en anglais.

Shibuya et Harajuku 原宿・渋谷

Ces quartiers voisins constituent une bonne alternative à la frénésie de Roppongi. Ils privilégient les cafés, où l'on peut passer une agréable soirée à boire de la bière ou du vin plutôt que s'entasser dans un bar enfumé en sous-sol.

Belgo (carte p. 134 ; ☎ 3409-4442 ; niv B1, 3-18-7 Shibuya, Shibuya-ku ; 🕒 17h30-2h, 17h30-4h30 ven, 16h-24h dim). Il offre plus de 100 sortes de bière, dont de la Guinness et de la Chimay à la pression, ainsi que des classiques plats de brasserie à l'européenne.

Den Aquaroom (carte p. 134 ; ☎ 5778-2090 ; niv B1, 5-13-3 Minami-Aoyama, Minato-ku ; entrée 700 ¥ ; 🕒 18h-2h lun-sam, 18h-23h dim ; 🚇 lignes Chiyoda, Ginza, Hanzōmon jusqu'à Omote-sandō, sortie B1). L'éclairage bleuté des aquariums encastrés dans les murs et les accents du jazz en musique de fond séduisent une clientèle élégante.

Insomnia 2 (carte p. 134 ; ☎ 3476-2735 ; niv B1, 26-5 Udagawachō, Shibuya-ku ; 🕒 18h-5h ; ✕ ; 🚇 ligne JR Yamanote jusqu'à Shibuya, sortie Hachikō). Exception à Shibuya, l'Insomnia est un bar pour les adultes. La bonne cuisine (servie jusque tard), la musique douce et le chaleureux décor rouge séduisent ceux qui apprécient une conversation.

Las Chicas (carte p. 134 ; ☎ 3407-6865 ; www.vision.co.jp/aoyama/index.html ; 5-47-6 Jingūmae, Shibuya-ku ; 🕒 11h30-23h lun-jeu ; 11h-23h30 ven-sam, 11h-23h dim ; ✖ ; 🚇 lignes Chiyoda, Ginza, Hanzōmon jusqu'à Omotesandō, sortie B2). Un excellent endroit où passer la soirée (voir p. 175).

Tokyo Apartment Café (carte p. 134 ; ☎ 3401-4101 ; 1-11-11 Jingūmae, Shibuya-ku ; 🕒 23h-4h ; 🚇 ligne Chiyoda jusqu'à Meiji-jingūmae, sortie 5, ou ligne JR Yamanote jusqu'à Harajuku, sortie Omote-sandō). Agréable refuge l'après-midi pour un rouleau de printemps, un verre de vin ou un sorbet aux fruits, il devient en soirée un bar à cocktails prisé des Tokyoïtes.

Ebisu et Daikanyama 恵比寿・代官山

Ces deux quartiers se révèlent excellents pour une soirée à la fois branchée et décontractée.

Enjoy! House (carte p. 136 ; ☎ 5489-1591 ; 2e niv, Kokuto Bldg, 2-9-9 Ebisu-Nishi, Shibuya-ku ; 🕒 13h-2h mar, jeu et dim, 13h-4h ven-sam, fermé lun et 1er dim du mois ; 🚇 ligne JR Yamanote jusqu'à Ebisu, sortie ouest). Le monde coloré et pétillant des années 1970 vous attend dans l'Enjoy ! House. La liberté d'esprit du propriétaire ajoute à l'ambiance joyeuse.

Frames (carte p. 136 ; ☎ 5784-3384 ; 1er niv, Hikawa Bldg, 2-11 Sarugakuchō, Shibuya-ku ; 🕒 11h30-3h dim-jeu, 11h30-5h ven-sam ; 🚇 ligne Tōkyū Tōyoko jusqu'à Daikanyama, sortie principale, ou ligne JR Yamanote jusqu'à Shibuya, sortie sud). Détendez-vous en savourant un verre de vin dans ce spacieux bar-restaurant de Daikanyama, où les clients peuvent venir avec leur chien.

Munch-ya (carte p. 136 ; ☎ 5722-1333 ; 1-10-23 Naka-Meguro, Meguro-ku ; 🕒 12h-15h et 18h-4h lun-ven, 18h-4h sam-dim ; 🚇 ligne Hibiya jusqu'à Naka-Meguro). Au bord du canal dans Naka-Meguro, ce bar classique sert de la bière, du vin et des assiettes de spécialités japonaises (500 ¥). De la sortie du métro, tournez à droite dans Yamate-dōri, puis à gauche dans Komazawa-dōri et suivez à droite la rue des cafés proche de la rivière.

What the Dickens (carte p. 136 ; ☎ 3780-2099 ; www.whatthedickens.jp ; 4e niv, Roob 6 Bldg, 1-13-3 Ebisu-Nishi, Shibuya-ku ; 🕒 17h-tard mar-sam, 17h-24h dim ; 🚇 ligne JR Yamanote jusqu'à Ebisu, sortie ouest). Musique live, bières britanniques, cuisine de pub et ambiance joyeuse, l'endroit ne désemplit pas. Des groupes divers jouent presque tous les soirs.

Roppongi 六本木

Roppongi ressemble à un perpétuel Mardi gras, où se mêlent *gaijin* et Japonais pour boire et faire la fête jusqu'à l'aube. La vie nocturne de la capitale est concentrée plus fortement dans ce quartier, où abondent les bars et les bistrots bon marché : vous les découvrirez après le carrefour de Roppongi.

A971 (carte p. 140 ; ☎ 5413-3210 ; www.a971.com ; Tokyo Midtown, 9-7-2 Roppongi, Minato-ku ; 🕒 22h-5h lun-sam, 22h-24h dim ; 🚇 lignes Hibiya, Toei Ōedo jusqu'à Roppongi, sorties 4a et 8). Au coin de Tokyo Midtown, ce bar séduit étrangers et Tokyoïtes avec sa terrasse et ses bières à 500 ¥.

Agave (carte p. 140 ; ☎ 3497-0229 ; niv B1, 7-15-10 Roppongi, Minato-ku ; 🕒 18h30-2h lun-jeu, 18h30-4h ven-sam ; 🚇 lignes Hibiya, Toei Ōedo jusqu'à Roppongi, sortie 2). Cet établissement chaleureux, aux couleurs du Mexique, propose plus de 400 variétés de tequila. Savourez leurs subtiles différences plutôt que d'avaler un verre après l'autre ! Marchez vers l'ouest du carrefour de Roppongi, et prenez la ruelle du côté nord de la rue.

Heartland (carte p. 140 ; ☎ 5772-7600 ; www.heartland.jp ; 1er niv, West Walk, Roppongi Hills, 6-10-1 Roppongi, Minato-ku ; 🕒 17h-4h ; 🚇 lignes Hibiya, Toei Ōedo jusqu'à Roppongi, sorties 1c et 3). Au pied de Roppongi Hills et à l'écart de la foule du carrefour de Roppongi, le Heartland est une bonne adresse pour commencer la soirée. Commandez une bière Heartland (500 ¥) et observez les manœuvres d'approche entre les étrangers et les Japonaises !

Mado Lounge (carte p. 140 ; ☎ 3470-0052 ; www.ma-do.jp ; 52e niv, Mori Tower, Roppongi Hills, 6-10-1 Roppongi, Minato-ku ; entrée dim-jeu 500 ¥, ven-sam 2 000 ¥ ; 🕒 10h-23h30 dim-jeu, 10h-3h ven-sam ; 🚇 lignes Hibiya, Toei Ōedo jusqu'à Roppongi, sorties 1c et 3). Perché au 52e niveau de la Mori Tower, ce salon-bar à l'ambiance délicieusement détendue offre une vue sublime. Avant de venir, vous devez d'abord acheter un billet pour le musée Mori (p. 156) et/ou le Tokyo City View (p. 157) ; une sortie dans ce bar se justifie que si vous êtes déjà sur place.

Maduro (carte p. 140 ; ☎ 4333-8888 ; 4e niv, Grand Hyatt Tōkyō, 6-10-3 Roppongi, Minato-ku ; entrée environ 1 500 ¥ ; 🕒 18h-2h dim-jeu, 18h-3h ven-sam ; 🚇 lignes Hibiya, Toei Ōedo jusqu'à Roppongi, sorties 1c et 3). Dans l'immense Grand Hyatt Tokyo, ce bar élégant est un endroit raffiné où commencer la soirée par une coupe de champagne ou un scotch. Musique live tous les soirs et entrée payante à partir de 21h.

Mogambo (carte p. 140 ; ☎ 3403-4833 ; www.mogambo. net ; 1er niv, Osawa Bldg, 6-1-7 Roppongi, Minato-ku ; ☾ 18h-6h lun-ven, 19h-6h sam ; ☒ lignes Hibiya, Toei Ōedo jusqu'à Roppongi, sorties 2 et 3). Une clientèle internationale fréquente ce petit bar à l'impressionnante liste de cocktails et décoré comme un camp de jungle. Il se tient du côté sud de Roppongi-dōri, à une rue au sud du carrefour de Roppongi.

◐ SuperDeluxe (carte p. 140 ; ☎ 5412 0515 ; www. super-deluxe.com ; niv B1, 3-1-25 Nishi-Azabu, Minato-ku ; prix d'entrée variable ; ☾ 18h-tard lun-sam ; ☒ lignes Hibiya et Toei Ōedo jusqu'à Roppongi, sorties 1b et 3). Inclassable et séduisant, le SuperDeluxe se métamorphose d'une nuit à l'autre en bar, galerie, discothèque ou salle de spectacle. Quel que soit l'événement, vous y rencontrerez un fabuleux mélange d'esprits curieux et créatifs, venus de Tōkyō et d'ailleurs. Consultez le programme sur le site Internet.

OÙ SORTIR

Si certains mettent en avant l'audace de la vie nocturne d'Ōsaka, Tōkyō reste inégalée pour la variété des divertissements, du kabuki au théâtre d'avant-garde (voir p. 63) et des cinémas aux salles de spectacles et aux bars.

Cinémas

Le cinéma peut être étonnamment cher. Vous économiserez quelques centaines de yens en achetant des billets à prix réduit dans les supérettes et la plupart des salles consentent d'importants rabais (1 000 ¥ au lieu de 1 800 ¥, par exemple) le premier jour du mois, ou des mercredis réservés aux femmes. Consultez les programmes dans le *Japan Times*, *Metropolis* ou le *Tokyo Journal*. Les films étrangers sont généralement en VO, sous-titrés en japonais.

Cinema Rise (carte p. 134 ; ☎ 3464-0051 ; www. cinemarise.com, en japonais ; 13-17 Udagawachō, Shibuya-ku ; ☒ ligne JR Yamanote jusqu'à Shibuya, sortie Hachikō). Films étrangers indépendants.

Shinjuku Piccadilly (carte p. 131 ; ☎ 5367-1144 ; www.shinjukupiccadilly.com, en japonais ; 3-15-15 Shinjuku, Shinjuku-ku ; ☾ 10h-24h ; ☒ lignes Marunouchi et Toei Shinjuku jusqu'à Shinjuku-sanchōme, sorties B7 et B8). Plus de 600 places, dont plusieurs loges privées pour deux personnes avec son surround et canapé en cuir (30 000 ¥ par projection).

Tōhō Cinemas Roppongi Hills (carte p. 140 ; ☎ 5775-6090 ; 6-10-2 Roppongi, Minato-ku ; adulte 1 800-3 000 ¥, enfant 1 000 ¥ ; ☾ 10h-24h dim-mer, 10h-5h jeu-sam ; ☒ lignes Hibiya, Toei Ōedo jusqu'à Roppongi, sortie 3). Multiplexe de neuf écrans avec luxueux sièges inclinables et projections toute la nuit le week-end.

Yebisu Garden Cinema (carte p. 136 ; ☎ 5420-6161 ; Yebisu Garden Pl, 4-20-2 Ebisu, Shibuya-ku ; ☾ 10h-23h ; ☒ ligne JR Yamanote jusqu'à Ebisu, sortie est vers Skywalk). Films indépendants et grand public. Les billets sont numérotés afin d'éviter la ruée sur les meilleures places.

Musique

À Tōkyō, vous aurez peut-être la chance de voir et écouter des artistes de renom dans des salles intimes. Les concerts sont annoncés dans *Metropolis*, le *Tokyo Journal* ou par des flyers distribués dans les magasins de disques (p. 190) de Shibuya. Les prix varient de 5 000 à 8 000 ¥ en fonction de l'artiste et de la salle.

CLUBS ET DISCOTHÈQUES

Roppongi abrite la plus forte concentration de discothèques. Avec un flyer, disponible dans les magasins de disques ou sur les sites Internet des clubs, vous paierez l'entrée de 500 à 1 000 ¥, avec habituellement une ou deux consommations. Si l'on vous demande une pièce d'identité, l'âge minimum est généralement fixé à 20 ans.

Ageha (揚羽 ; hors carte p. 128 ; ☎ 5534-1515 ; www.ageha.com ; 2-2-10 Shin-Kiba, Kōtō-ku ; 3 000-4 000 ¥ ; ☾ 22h-5h mar-sam ; ☒ ligne Yūrakuchō jusqu'à Shin-Kiba, sortie principale). Ce club immense installé sur l'eau peut rivaliser avec ceux d'Ibiza. Animé par des DJ japonais ou étrangers, il comprend des salons calmes et même une petite piscine. Des navettes gratuites (pièce d'identité obligatoire) circulent toutes les demi-heures entre le club et la gare routière du côté est de la station Shibuya, dans Roppongi-dōri.

Air (carte p. 136 ; ☎ 5784-3386 ; www.air-tokyo.com ; niv B1 et B2, Hikawa Bldg, 2-11 Sarugakuchō, Shibuya-ku ; 3 000-4 000 ¥ ; ☾ 22h-5h, fermé mar, mer et dim ; ☒ ligne Tōkyū Tōyoko jusqu'à Daikanyama, sortie principale, ou ligne JR Yamanote jusqu'à Shibuya, sortie sud). Les DJ mixent surtout de la house pour une foule joviale et sympathique. Le site Internet fournit un plan correct. L'entrée du sous-sol se situe dans le Frames (p. 182). Apportez une pièce d'identité.

Bul-Let's (carte p. 140 ; ☎ 3401-4844 ; www.bul-lets. com ; niv B1, Kasumi Bldg, 1-7-11 Nishi-Azabu, Minato-ku ; à partir de 1 500 ¥ ; ☾ à partir de 19h ; ☒ lignes Hibiya, Toei Ōedo jusqu'à Roppongi, sortie 2). Dans cet agréable club en sous-sol, les clients dansent pieds nus au son de la trance et de l'ambient. Ne vous fiez pas aux canapés et à la moquette : l'ambiance n'a rien de somnolent !

◯ **Club 328** (carte p. 140 ; ☎ 3401-4968 ; www.3-2-8. jp ; niv B1, Kotsu Anzen Center Bldg, 3-24-20 Nishi-Azabu, Minato-ku ; 2 000-2 500 ¥ ; ◷ 20h-5h ; 🚇 lignes Hibiya, Toei Ôedo jusqu'à Roppongi, sorties 1b et 3). Du funk au reggae et au R'n'B, les DJ du San-ni-pa (3-2-8 en japonais) ne laissent pas retomber l'ambiance. Avec une atmosphère aussi détendue que la clientèle japonaise et étrangère, le 328 est un bon endroit pour danser jusqu'à l'aube. L'entrée comprend 2 boissons. Dans Roppongi-dôri, à côté du carrefour Nishi-Azabu.

Club Asia (carte p. 134 ; ☎ 5458-2551 ; www.clubasia. co.jp, en japonais ; 1-8 Maruyamachô, Shibuya-ku ; 2 500 ¥ ; ◷ 17h-5h ; 🚇 ligne JR Yamanote jusqu'à Shibuya, sortie Hachikô). Ce gigantesque club techno-soul, prisé des jeunes d'une vingtaine d'années, fait toujours salle comble, quel que soit le type de soirée. Sur place, un restaurant correct sert une cuisine d'Asie du Sud-Est.

Harlem (carte p. 134 ; ☎ 3461-8806 ; www.harlem. co.jp ; 2e et 3e niv, Dr Jeekahn's Bldg, 2-4 Maruyamachô, Shibuya-ku ; 2 000-3 000 ¥ ; ◷ 22h-5h mar-sam ; 🚇 ligne JR Yamanote jusqu'à Shibuya, sortie Hachikô). Venez vous déhancher avec des breakers tokyoïtes des deux sexes sur des rythmes hip-hop. Harlem (à tort ou à raison) refuse les groupes de garçons étrangers ; venez avec des copines !

Muse (carte p. 140 ; ☎ 5467-1188 ; www.muse-web. com ; 4-1-1 Nishi-Azabu, Minato-ku ; 3 000 ¥ ; ◷ 21h-tard sam et mar-jeu ; 20h-tard ven, 19h-tard dim-lun ; 🚇 lignes Hibiya, Toei Ôedo jusqu'à Roppongi, sorties 1b et 3). Installé sur plusieurs niveaux, Muse offre une gamme de divertissements à une sympathique clientèle internationale : piste de danse bondée, plusieurs bars, alcôves intimes, tables de billard, fléchettes et karaoké. Généralement, les femmes ne paient pas l'entrée qui comprend une ou deux boissons. Près de Hobson's, au coin du carrefour Nishi-Azabu, une enseigne au néon "Bar" signale l'entrée.

New Lex-Edo (carte p. 140 ; ☎ 3479-7477 ; www. newlex-edo.com ; niv B1, Gotô Bldg, 3-13-14 Roppongi, Minato-ku ; femme/homme 3 000/4 000 ¥ ; ◷ 20h-5h ; 🚇 lignes Hibiya, Toei Ôedo jusqu'à Roppongi, sortie 3). L'une des premières discothèques de Roppongi, le Lex a été récemment rénové. Fréquenté par les célébrités (qui entrent gratuitement), il offre trois consommations au "petit peuple".

Ruby Room (carte p. 134 ; ☎ 3780-3022 ; www. rubyroomtokyo.com ; 2e niv, Kasumi Bldg, 2-25-17 Dôgenzaka, Shibuya-ku ; 2 000 ¥ ; ◷ 21h-tard ; 🚇 ligne JR Yamanote jusqu'à Shibuya, sortie Hachikô). Ce bar à cocktails sombre et scintillant est perché sur une colline derrière le Shibuya 109 Building. Accueillant

DJ et musiciens, il séduit une clientèle qui a dépassé l'adolescence. Dîner au Sonoma, le restaurant du rez-de-chaussée, permet d'entrer gratuitement.

Salsa Sudada (carte p. 140 ; ☎ 5474-8806 ; www. salsasudada.org ; 3e niv, La Palette Bldg, 7-13-8 Roppongi, Minato-ku ; ◷ 18h-6h ; 🚇 lignes Hibiya, Toei Ôedo jusqu'à Roppongi, sortie 3). Les danseurs de salsa confirmés pourront onduler des heures durant, tandis que les débutants se rabattront sur les cours dispensés le dimanche soir. Des danseurs étrangers viennent régulièrement de Tôkyô et d'ailleurs pour se déhancher aux sons de la salsa et du merengue.

Womb (carte p. 134 ; ☎ 5459-0039 ; www.womb.co.jp ; 2-16 Maruyamachô, Shibuya-ku ; 1 500-4 000 ¥ ; ◷ 20h-tard ; 🚇 ligne JR Yamanote jusqu'à Shibuya, sortie Hachikô). Favori de longue date, l'"Oomou" (comme le prononcent les Japonais) offre house, techno et drum'n'bass sur 4 niveaux, pleins à craquer le week-end. Pièce d'identité avec photo requise à l'entrée.

KARAOKÉ
Le karaoké reste un loisir populaire sur sa terre natale et les Tokyoïtes aiment toujours autant pousser la chansonnette. La plupart des nombreux bars à karaoké de Tokyô proposent quelques chansons en anglais, et même en espagnol, en français et en chinois.

Lovenet (carte p. 140 ; ☎ 5771-5511 ; www.lovenet-jp. com ; 3e niv, Hotel Ibis, 7-14-4 Roppongi, Minato-ku ; suite privée 4 000-60 000 ¥ ; ◷ 18h-5h ; 🚇 lignes Hibiya, Toei Ôedo jusqu'à Roppongi, sortie 4a). Pour une soirée haut de gamme, louez l'une des multiples salles à thème du Lovenet – l'une d'elles comporte même un Jacuzzi !

Smash Hits (carte p. 140 ; ☎ 3444-0432 ; www.smashhits.jp ; niv B1, M2 Bldg, 5-2-26 Hiro-o, Shibuya-ku ; 3 500 ¥ ; ◷ 19h-3h lun-sam ; 🚇 ligne Hibiya jusqu'à Hiro-o, sortie B2). Avec des milliers de chansons, cet établissement offre l'embarras du choix et un temps illimité. L'entrée comprend 2 boissons.

MUSIQUE LIVE
La scène musicale tokyoïte propose des concerts de qualité, souvent à Shibuya et Ebisu. Aventurez-vous dans les petits bars et clubs de Shimo-Kitazawa et Kichijôji (voir l'encadré *Des* dôri *hors des sentiers battus*, p. 159) pour découvrir de nouveaux talents.

Cavern Club (carte p. 140 ; ☎ 3405-5207 ; www. cavernclub.jp ; 1er niv, Saito Bldg, 5-3-2 Roppongi, Minato-ku ; femme/homme 1 575/1 890 ¥ ; ◷ 18h-2h30 ; 🚇 lignes Hibiya, Toei Ôedo jusqu'à Roppongi, sortie 3). Un groupe de

4 Japonais chevelus reprend merveilleusement les succès des Beatles dans ce club qui porte le nom de celui de Liverpool où ils se produisirent à l'origine. Mieux vaut réserver.

Crocodile (carte p. 134 ; ☎ 3499-5205 ; niv B1, New Sekiguchi Bldg, 6-18-8 Jingūmae, Shibuya-ku ; à partir de 2 000 ¥ ; 🕑 18h-2h ; 🚇 ligne Chiyoda jusqu'à Meiji-jingūmae, sortie 4). Tous les soirs, des musiciens jouent du jazz, du reggae ou du rock and roll. Bien que la salle soit assez vaste pour danser, la clientèle ne semble guère en profiter. L'entrée comprend une consommation. Dans Meiji-dōri.

Eggman (carte p. 134 ; ☎ 3496-1561 ; www.eggman. jp ; 1-6-8 Jinnan, Shibuya-ku ; 1 000-3 000 ¥ ; 🕑 18h30-tard ; 🚇 ligne JR Yamanote jusqu'à Shibuya, sortie Hachikō). Un escalier en colimaçon descend vers ce club en sous-sol de taille modeste, où des musiciens généralement locaux jouent du blues, du rock ou du hip-hop.

La.mama (carte p. 134 ; ☎ 3464-0801 ; www.lamama. net ; niv B1, Primera Dōgenzaka Bldg, 1-15-3 Dōgenzaka, Shibuya-ku ; à partir de 2 000 ¥ ; 🕑 18h-tard ; 🚇 ligne JR Yamanote jusqu'à Shibuya, sortie Hachikō). Des artistes connus ou des gloires montantes interprètent les succès du moment dans cette salle spacieuse. Même en cas d'affluence, vous ne serez jamais loin de la scène.

Loft (carte p. 131 ; ☎ 5272-0382 ; www.loft-prj.co.jp/ LOFT/index.html ; niv B2, Tatehana Bldg, 1-12-9 Kabukichō, Shinjuku-ku ; à partir de 2 500 ¥ ; 🕑 17h-tard ; 🚇 ligne JR Yamanote jusqu'à Shinjuku, sortie est). Institution de Shinjuku, le Loft est le temple mythique du rock and roll, enfumé, bruyant et très amusant. Pénétrez dans Kabukichō ; il se situe à un pâté de maisons à l'est du Koma Theater.

Les stars les plus illustres se produisent dans les grands clubs suivants et vous devrez réserver pour être sûr d'entrer un soir de concert.
Club Quattro (carte p. 134 ; ☎ 3477-8750 ; www. clubquattro.com ; 4ᵉ et 5ᵉ niv, Parco Quattro Bldg, 32-13 Udagawachō, Shibuya-ku ; à partir de 3 500 ¥ ; 🕑 à partir de 18h ; 🚇 ligne JR Yamanote jusqu'à Shibuya, sortie Hachikō).

Liquid Room (carte p. 136 ; ☎ 5464-0800 ; www. liquidroom.net ; 3-16-6 Higashi, Shibuya-ku ; à partir de 3 000 ¥ ; 🕑 19h-tard ; 🚇 ligne JR Yamanote jusqu'à Ebisu, sortie est).

O-East (carte p. 134 ; ☎ 5458-4681 ; www.shibuya-o. com, en japonais ; 2-14-8 Dōgenzaka, Shibuya-ku ; à partir de 2 500 ¥ ; 🕑 à partir de 18h ; 🚇 ligne JR Yamanote jusqu'à Shibuya, sortie Hachikō).

O-West (carte p. 134 ; ☎ 5784-7088 ; www.shibuya-o. com, en japonais ; 2-3 Maruyamachō, Shibuya-ku ; à partir de 2 500 ¥ ; 🕑 à partir de 17h30 ; 🚇 ligne JR Yamanote jusqu'à Shibuya, sortie Hachikō).

JAZZ

Les Tokyoïtes prennent le jazz très au sérieux. Consultez le programme des concerts dans le *Tokyo Journal* ou *Metropolis*.

Blue Note Tōkyō (carte p. 140 ; ☎ 5485-0088 ; www.bluenote.co.jp ; Raika Bldg, 6-3-16 Minami-Aoyama, Minato-ku ; 6 000-10 000 ¥ ; 🕑 17h30-1h lun-sam, 17h-1h30 dim ; 🚇 lignes Chiyoda, Ginza, Hanzōmon jusqu'à Omotesandō, sortie B3). Le club de jazz le plus réputé de la capitale, dans Minami-Aoyama, accueille des célébrités comme Chick Corea et Maceo Parker. Le site comporte un plan en anglais.

JZ Brat (carte p. 134 ; ☎ 5728-0168 ; www.jzbrat. com, en japonais ; 2ᵉ niv, Cerulean Tower Tōkyū Hotel, 26-1 Sakuragaokachō, Shibuya-ku ; tarif variable ; 🕑 à partir de 18h lun-sam ; 🚇 ligne JR Yamanote jusqu'à Shibuya, sortie sud). Ce club chic et intime, à l'ambiance sophistiquée, ne se limite pas au jazz et reçoit également des artistes de folk et d'électro en tournée.

♥ STB 139 (Sweet Basil ; carte p. 140 ; ☎ 5474-1395 ; http://stb139.co.jp ; 6-7-11 Roppongi, Minato-ku ; 3 000-7 000 ¥ ; 🕑 18h-23h lun-sam ; 🚇 lignes Hibiya, Toei Ōedo jusqu'à Roppongi, sortie 3). Spacieuse et confortable, cette salle attire des artistes de renom, japonais ou étrangers, qui explorent tous les styles de jazz. Appelez entre 11h et 20h pour réserver.

Shinjuku Pit Inn (carte p. 131 ; ☎ 3354-2024 ; www. pit-inn.com ; niv B1, Accord Shinjuku Bldg, 2-12-4 Shinjuku, Shinjuku-ku ; 1 300-4 000 ¥ ; 🕑 à partir de 14h ; 🚇 lignes Marunouchi, Toei Shinjuku jusqu'à Shinjuku-sanchōme, sortie C8). Prisé depuis près de 40 ans, ce club intime propose dans la journée et en soirée des concerts de jazz par des musiciens majoritairement japonais.

Théâtre et danse
BUNRAKU

Kokuritsu Gekijō (Théâtre national ; carte p. 142 ; ☎ 3230-3000 ; www.ntj.jac.go.jp/english/index.html ; 4-1 Hayabusachō, Chiyoda-ku ; 1 500-12 000 ¥ ; 🕑 réservations 10h-18h ; 🚇 lignes Namboku, Yūrakuchō jusqu'à Nagatachō, sortie 4). Il propose plusieurs fois par an des représentations de bunraku (théâtre classique de marionnettes), un spectacle originaire d'Ōsaka. Consultez le programme sur le site Internet en anglais.

DANSE

Bunkamura Theatre Cocoon (carte p. 134 ; ☎ 3477-9111 ; www.bunkamura.co.jp/english ; 2-24-1 Dōgenzaka, Shibuya-ku ; billets à partir de 4 000 ¥ ; 🕑 10h-19h dim-jeu, 10h-21h ven-sam ; 🚇 ligne JR Yamanote jusqu'à Shibuya, sortie Hachikō). Cet immense centre artistique

TÔKYÔ

TÔKYÔ GAY ET LESBIEN

Enclave gay et lesbienne de Tôkyô, Shinjuku-nichôme se situe à l'est de la sortie C8 de la station Shinjuku-sanchôme. Le quartier compte de nombreux bars. Ceux répertoriés ci-dessous sont très accueillants. Vous trouverez d'autres adresses sur www.utopia-asia.com et www.fridae.com.

Le **Tôkyô International Lesbian & Gay Film Festival** (www.tokyo-lgff.org) a lieu en juillet.

Advocates Bar (carte p. 131 ; ☎ 3358-8638 ; niv B1, 7th Tenka Bldg, 2-18-1 Shinjuku, Shinjuku-ku ; 20h-5h lun-sam, 20h-1h dim ; lignes Marunouchi, Toei Shinjuku jusqu'à Shinjuku-sanchôme, sortie C8). Ce bar est si petit qu'au fil de la soirée, la foule déborde sur le trottoir. Hétéros et homos sont tous bien accueillis.

Arty Farty (carte p. 131 ; ☎ 5362-9720 ; www.arty-farty.net ; 2ᵉ niv, 2-11-7 Shinjuku, Shinjuku-ku ; 19h-tard lun-sam, 17h-3h dim ; lignes Marunouchi, Toei Shinjuku jusqu'à Shinjuku-sanchôme, sortie C8). Ouvert de longue date, l'Arty Farty est plaisant, avec des soirées open-bar et une clientèle mixte. C'est un bon endroit pour commencer la soirée avant de découvrir d'autres bars animés du quartier.

Kinswomyn (carte p. 131 ; ☎ 3354-8720 ; 3ᵉ niv, 2-15-10 Shinjuku, Shinjuku-ku ; 20h-4h mer-lun ; lignes Marunouchi, Toei Shinjuku jusqu'à Shinjuku-sanchôme, sortie C8). Autre bar bien établi, le Kinswomyn est un endroit accueillant, réservé aux femmes japonaises et étrangères. Tara, la propriétaire, est tout aussi sympathique que les clientes.

abrite un cinéma, un théâtre, une salle de concert et une galerie d'art. Le Theatre Cocoon produit des spectacles dramatiques et musicaux novateurs, originaux ou traditionnels. Le site Internet indique le programme.

Session House (carte p. 128 ; ☎ 3266-0461 ; 158 Yaraichô, Shinjuku-ku ; prix variables ; représentation 19h ; ligne Tôzai jusqu'à Kagurazaka, sortie 1). L'une des meilleures adresses pour la danse traditionnelle, folklorique ou moderne, la Session House ne compte que 100 places, assurant ainsi la proximité de la scène et un spectacle mémorable. Sortez à droite de la station Kagurazaka, tournez à droite dans la première rue, puis à gauche au cul-de-sac. La Session House se tient à quelques mètres sur la droite.

KABUKI

Kabuki-za (carte p. 138 ; ☎ 3541-3131 ; www.shochiku. co.jp/play/kabukiza/theater/index.html ; 4-12-5 Ginza, Chûô-ku ; 2 500-17 000 ¥ ; 11h-21h ; lignes Hibiya, Toei Asakusa jusqu'à Higashi-Ginza, sortie 3). Le vénérable Kabuki-za va disparaître en avril 2010 (voir p. 149). Jusque-là, les représentations et les horaires varient d'un mois à l'autre ; consultez le site Internet ou renseignez-vous au théâtre. Des audioguides avec commentaires en anglais sont loués 650 ¥, plus 1 000 ¥ de caution. D'une durée de 4 à 5 heures, les pièces de kabuki tiennent du marathon, mais vous pouvez choisir un billet pour le 4ᵉ niveau (de 600 à 1 000 ¥) et n'assister qu'à une partie du spectacle (demandez le *hitomakumi* ; un acte, sans audioguide). Il y a généralement deux représentations par jour, vers 11h et 16h, et les places peuvent s'acheter le jour même.

Le Kokuritsu Gekijô (voir plus haut), le Théâtre national, propose aussi des spectacles de kabuki avec audioguide. Renseignez-vous sur les horaires au théâtre.

NÔ

Diverses salles offrent des spectacles de nô (drame classique stylisé et dansé). Mieux vaut se procurer les billets (de 2 100 à 15 000 ¥) directement sur place. Renseignez-vous auprès des TIC ou des salles.

Kanze Nô-gakudô (carte p. 134 ; ☎ 3469-5241 ; www.kanze.net, en japonais ; 1-16-4 Shôtô, Shibuya-ku ; à partir de 3 000 ¥ ; ligne JR Yamanote jusqu'à Shibuya, sortie Hachikô). L'une des écoles de nô les plus anciennes et réputées de Tôkyô, à 15 minutes de marche à l'ouest de la station Shibuya.

Kokuritsu Nô-gakudô (Théâtre national du nô ; carte p. 134 ; ☎ 3423-1331 ; www.ntj.jac.go.jp/nou/index.html, en japonais ; 4-18-1 Sendagaya, Shibuya-ku ; 2 800-5 600 ¥ ; réservations 10h-18h ; lignes JR Chûô, Sôbu jusqu'à Sendagaya, sortie principale). Le Théâtre national du nô joue ses propres spectacles (synopsis en anglais fourni), ainsi que des productions extérieures financées par des fonds privés. Sortez de la station Sendagaya avec Shinjuku sur votre gauche et suivez l'artère qui longe les voies ferrées ; le théâtre se dresse sur la gauche.

TAKARAZUKA GEKIJÔ

Exclues du kabuki, les femmes ont pris leur revanche avec le **Takarazuka Gekijô** (Revue Takarazuka ; carte p. 138 ; ☎ 5251-2001 ; http ://kageki. hankyu.co.jp/english ; 1-1-3 Yûrakuchô, Chiyoda-ku ; 3 500-10 000 ¥ ; horaires variables ; lignes Chiyoda,

Hibiya, Toei Mita jusqu'à Hibiya, sorties A5 et A13), fondé en 1913. Composée exclusivement d'actrices chevronnées, la troupe présente des pièces tout aussi spectaculaires et sensiblement différentes, avec des femmes déguisées pour les rôles masculins. Ces productions musicales, souvent des mélos à l'eau de rose, séduisent un public essentiellement féminin.

Cérémonie du thé

Quelques hôtels organisent des cérémonies du thé auxquelles on peut assister et parfois participer moyennant une participation. Téléphonez pour réserver.

Hotel New Ōtani (carte p. 140 ; ☎ 3265-1111 ; 4-1 Kioi-chō, Chiyoda-ku ; cérémonie du thé 1 050 ¥ ; 🕙 11h et 13h jeu-sam ; 🚇 lignes Ginza et Marunouchi jusqu'à Akasakamitsuke, sortie Belle Vie, ou lignes Hanzōmon et Yūrakuchō jusqu'à Nagatachō, sortie 7).

Hotel Ōkura (carte p. 140 ; ☎ 3582-0111 ; www.okura. com/tokyo ; 2-10-4 Toranomon, Minato-ku ; cérémonie du thé 1 050 ¥ ; 🕙 11h-16h lun-sam ; 🚇 ligne Ginza jusqu'à Tameike-sannō, sortie 13). Voir aussi p. 169.

Imperial Hotel (carte p. 138 ; ☎ 3504-1111 ; www. imperialhotel.co.jp ; 1-1-1 Uchisaiwaichō, Chiyoda-ku ; cérémonie du thé 1 500 ¥ ; 🕙 10h-16h lun-sam ; 🚇 lignes Chiyoda, Hibiya, Toei Mita jusqu'à Hibiya, sortie A13). Voir également p. 164.

Sports
BASE-BALL

Le base-ball demeure un sport populaire au Japon. Hormis les deux ligues professionnelles, Central et Pacific, la région de Tōkyō compte plusieurs équipes. La ville même possède deux équipes rivales, les Yomiuri Giants et les Yakult Swallows. Assister à un match est une expérience unique, avec les équipes de pom-pom girls, les jeunes vendeuses de bière portant un petit tonneau sur le dos, et la foule des spectateurs en délire. La saison dure d'avril à fin octobre ; le *Japan Times* annonce les matchs. Prévoyez à partir de 1 000 ¥ pour une place sans réservation.

Tokyo Dome (Gros Œuf ; carte p. 142 ; ☎ 5800-9999 ; 1-3-61 Kōraku, Bunkyō-ku ; 🚇 lignes JR Chūō, Sōbu jusqu'à Suidobashi, sortie ouest, ou ligne Marunouchi jusqu'à Kōrakuen, sortie Kōrakuen). Stade des Yomiuri Giants, l'équipe de base-ball préférée du pays, le Tokyo Dome jouxte le parc d'attractions Kōrakuen (p. 159). Un petit dirigeable à moteur filme l'intérieur du stade couvert d'un dôme.

Jingū Kyūjo (stade de base-ball de Jingū ; carte p. 134 ; ☎ 3404-8999 ; 13 Kasumigaoka, Shinjuku-ku ; 🚇 ligne Ginza jusqu'à Gaienmae, sortie nord). Construit pour les Jeux olympiques de 1964, ce stade est celui des Yakult Swallows.

SUMO

Si vous visitez Tōkyō en janvier, mai ou septembre, ne manquez pas d'assister à un grand tournoi au **Ryōgoku Kokugikan** (stade de sumo Ryōgoku ; carte p. 128 ; ☎ 3622-1100 ; www.sumo. or.jp ; 1-3-28 Yokoami, Sumida-ku ; 🕙 10h-16h ; 🚇 ligne JR Sōbu jusqu'à Ryōgoku, sortie ouest, ou ligne Toei Ōedo jusqu'à Ryōgoku, sortie A4). Les meilleures places sont vendues à des privilégiés, mais l'on peut assister aux matchs debout moyennant quelque 500 ¥. Les billets s'achètent jusqu'à un mois à l'avance ou le jour même ; arrivez vers 6h pour obtenir une place durant les derniers jours du tournoi. Voir aussi *Musée du Sumo*, p. 159

La chaîne NHK retransmet les combats tous les jours à partir de 15h30 durant les tournois. En dehors des tournois, vous pouvez prendre une brochure au stade et vous promener dans le quartier qui abrite plusieurs *sumō-heya* ("écuries" de sumo).

ACHATS

Faire des achats à Tōkyō n'est plus aussi onéreux qu'auparavant et le shopping demeure l'un des passe-temps favoris des habitants. Même si vous ne partagez pas cette passion, vous vous laisserez sans doute séduire par la diversité des marchandises proposées.

Antiquités

Dans Aoyama, Kotto-dōri ("rue des antiquités" ; carte p. 134) doit son nom aux boutiques d'antiquités qui la bordent.

Hanae Mori Building (carte p. 134 ; niv B1, 3-6-1 Kita-Aoyama, Minato-ku ; 🕙 11h-19h ; 🚇 lignes Chiyoda, Ginza, Hanzōmon jusqu'à Omote-sandō, sortie A1). Excellente adresse pour dénicher antiquités et souvenirs excentriques, le sous-sol de ce bâtiment d'Harajuku regroupe plus de 30 boutiques qui vendent toutes sortes d'objets anciens, des poupées aux ornements d'*obi* (ceinture portée sur un kimono).

Kurofune (carte p. 140 ; ☎ 3479-1552 ; www.kurofune antiques.com ; 7-7-4 Roppongi, Minato-ku ; 🕙 10h-18h lun-sam ; 🚇 ligne Toei Ōedo jusqu'à Roppongi, sorties 4a et 7). Tenu depuis 25 ans par un sympathique collectionneur américain, cette boutique est une mine d'antiquités japonaises. Les prix correspondent à la qualité et à la rareté des objets, tels les anciens *tansu* (petite commode à tiroirs), mais vous pouvez vous contenter de les admirer.

TŌKYŌ

Articles pour la maison et gadgets

Le shopping fait partie des passe-temps favoris à Tōkyō, et même le visiteur le plus économe finit par craquer pour un gadget saugrenu, surtout s'il franchit les portes de Tōkyū Hands.

Voici quelques adresses :

Don Quijote (carte p. 131 ; ☎ 5291-9211 ; www. donki.com ; 1-16-5 Kabukichō, Shinjuku-ku ; 🕑 24h/24 ; 🚇 ligne JR Yamanote jusqu'à Shinjuku, sortie est). Cousin fluorescent et kitsch de Tōkyū Hands, Don Quijote est une caverne d'Ali Baba : articles de créateurs à prix discount, friandises, sex toys, etc. Il possède des magasins dans toute la ville, certains ouverts 24h/24.

Loft Shibuya (carte p. 134 ; ☎ 3462-3807 ; www. loft.co.jp, en japonais ; 21-1 Udagawachō, Shibuya-ku ; 🕑 10h-21h ; 🚇 ligne JR Yamanote jusqu'à Shibuya, sortie Hachikō) ; Ikebukuro (carte p. 132 ; ☎ 5949 3880 ; 1-28-1 Minami-Ikebukuro, Toshima-ku ; 🕑 10h-21h lun-sam, 10h-20h dim ; 🚇 ligne JR Yamanote jusqu'à Ikebukuro, sortie est) ; Marunouchi (carte p. 142 ; Marunouchi Bldg, 2-4-1 Marunouchi, Chiyoda-ku ; 🕑 11h-21h lun-sam, 11h-20h dim ; 🚇 ligne Marunouchi jusqu'à Tōkyō, sortie 4). Le côté amusant prime sur le fonctionnel. Bonne adresse pour des ustensiles ménagers plaisants, des cadeaux et des jouets pour les grands enfants.

Muji (carte p. 138 ; ☎ 5208-8241 ; 2e et 3e niv, 3-8-3 Marunouchi, Chiyoda-ku ; 🕑 10h-21h ; 🚇 ligne JR Yamanote jusqu'à Yūrakuchō, sortie principale, ou ligne Yūrakuchō jusqu'à Yūrakuchō, sortie A4b). Le principal magasin de la "marque sans nom" (Mujirushi Ryōhin) vend d'innombrables beaux articles au design sobre, des services à thé aux vêtements pour bébés et aux bagages. Succursales dans toute la ville.

Tōkyū Hands Shinjuku (carte p. 131 ; ☎ 5361-3111 ; Takashimaya Times Sq, 5-24-2 Sendagaya, Shibuya-ku ; 🕑 10h-20h30 ; 🚇 ligne JR Yamanote jusqu'à Shinjuku, nouvelle sortie sud) ; Ikebukuro (carte p. 132 ; ☎ 3980 6111 ; 1-28-10 Higashi-Ikebukuro, Toshima-ku ; 🕑 10h-21h ; 🚇 ligne JR Yamanote jusqu'à Ikebukuro, sortie est) ; Shibuya (carte p. 134 ; ☎ 5489 5111 ; 12-18 Udagawachō, Shibuya-ku ; 🕑 10h-20h30 ; 🚇 ligne JR Yamanote jusqu'à Shibuya, sortie Hachikō). Cette grande surface dédiée au bricolage domestique vend tout ce dont vous n'avez pas besoin, du bois de charpente aux humidificateurs et aux étuis de téléphones portables.

Artisanat et souvenirs

Si les boutiques de jouets et les grands magasins vendent des produits amusants, futuristes et typiquement japonais, on trouve aussi facilement des cadeaux et des souvenirs plus traditionnels. Les principaux grands magasins possèdent tous un rayon de *washi* (papier artisanal).

Bingoya (carte p. 128 ; ☎ 3202-8778 ; www.quasar. nu/bingoya ; 10-6 Wakamatsuchō, Shinjuku-ku ; 🕑 10h-19h mar-dim ; 🚇 ligne Toei Ōedo jusqu'à Wakamatsu-Kawada, sortie Kawadachō). Ce splendide magasin d'artisanat vend sur 5 niveaux des céramiques régionales, des batiks, des *washi* colorés, de la verrerie et des tatamis.

Haibara (carte p. 142 ; ☎ 3272-3801 ; www.haibara. co.jp, en japonais ; 2-7-6 Nihombashi, Chūō-ku ; 🕑 10h-18h30 lun-ven, 10h-17h sam ; 🚇 lignes Ginza, Tōzai, Toei Asakusa jusqu'à Nihombashi, sorties B8 et C3). À l'est de la gare de Tōkyō, Haibara offre un excellent choix de *washi* et d'objets en papier : reproductions de célèbres gravures, cahiers reliés main et papeterie originale.

Japan Traditional Crafts Center (Centre d'artisanat traditionnel du Japon ; carte p. 132 ; ☎ 5954-6066 ; www.kougei. or.jp/english/center.html ; 1er-3e niv, Metropolitan Plaza Bldg, 1-11-1 Nishi-Ikebukuro, Toshima-ku ; 🕑 11h-19h ; 🚇 ligne JR Yamanote jusqu'à Ikebukuro, sortie Metropolitan). Ce centre propose au 3e niveau des démonstrations et des expositions temporaires d'artisanat : tissage, mosaïque, céramique et *washi*. Des articles de qualité supérieure sont en vente aux 1er et 2e niveaux.

Kamawanu (carte p. 136 ; ☎ 3780-0182 ; www. kamawanu.co.jp, en japonais ; 23-1 Sarugakuchō, Shibuya-ku ; 🕑 11h-19h ; 🚇 ligne JR Yamanote jusqu'à Ebisu, sortie ouest). À Daikanyama, cette boutique est spécialisée dans les *tenugui* joliment teints, les petites serviettes japonaises aux usages multiples. Elles sont réalisées dans toutes les couleurs, ornées de motifs traditionnels abstraits ou représentant des éléments naturels.

Kappabashi-dōri (carte p. 146 ; 🚇 ligne Ginza jusqu'à Tawaramachi, toutes sorties) est l'adresse rêvée pour les articles ménagers, des *noren* (rideaux de porte) sur mesure à la vaisselle et aux baguettes, en passant par les reproductions de plats en plastique. Soigneusement fabriqués, ils ne sont pas bon marché mais décoreront joliment votre réfrigérateur ! Kappabashi-dōri se situe à 5 minutes de marche au nord-ouest de la station Tawaramachi.

Oriental Bazaar (carte p. 134 ; ☎ 3400-3933 ; 5-9-13 Jingūmae, Shibuya-ku ; 🕑 10h-19h ven-mer ; 🚇 lignes Chiyoda, Ginza, Hanzōmon jusqu'à Omote-sandō, sortie A3). Bonne adresse pour acheter cadeaux et souvenirs, il offre un grand choix d'articles tels que des éventails, des paravents, des *yukata* et des poteries, souvent à des prix très abordables.

Takumi Handicrafts (carte p. 138 ; ☎ 3571-2017 ; ginza-takumi.co.jp en japonais ; 8-4-2 Ginza, Chūō-ku ; 🕑 11h-19h lun-sam ; 🚇 ligne JR Yamanote jusqu'à

Shimbashi, sortie Ginza). Une belle sélection de jouets, de tissus, de céramiques et d'autres objets d'artisanat traditionnel de tout le pays, avec des informations sur l'origine et l'histoire des différents articles.

Yoshitoku (carte p. 128 ; ☎ 3863-4419 ; 1-9-14 Asakusabashi, Taitō-ku ; 9h30-18h ; lignes JR Sōbu ou Toei Asakusa jusqu'à Asakusabashi, sortie principale ou A2). Près de la station JR Asakusabashi, Yoshitoku est la plus réputée des nombreuses boutiques de *ningyō* (poupées) traditionnelles qui bordent Edo-dōri. Cet atelier fabrique de ravissantes *ningyō* depuis 1711 et appartient à la même famille depuis 11 générations ; il vend aussi des poupées d'autres artisans.

Grands magasins

Les *depāto* (grands magasins ou *department stores*) de Tōkyō, temples de la consommation, valent le coup d'œil pour leur opulence et leur inventivité. Ils ferment au moins un jour par mois, généralement un lundi ou un mercredi. Ils sont particulièrement intéressants pour la restauration, avec des cafés en terrasse sur le toit, des *resutoran-gai* et des *depachika* bien fournis. Voici une liste succincte de *depāto*.

Isetan (carte p. 131 ; ☎ 3352-1111 ; 3-14-1 Shinjuku, Shinjuku-ku ; 10h-20h ; lignes Marunouchi, Toei Shinjuku jusqu'à Shinjuku-sanchōme, sortie A1). Outre un fabuleux rayon alimentation au sous-sol, l'Isetan propose un service gratuit appelé I-club : des comptoirs anglophones accompagnent les clients étrangers (comptoir d'inscription au 6e niveau du bâtiment principal).

Keiō (carte p. 131 ; ☎ 3342-2111 ; 1-1-4 Nishi-Shinjuku, Shinjuku-ku ; 10h-20h, fermé certains jeu ; ligne JR Yamanote jusqu'à Shinjuku, sortie ouest). Ouvre son café sur le toit en été.

Marui (carte p. 131 ; ☎ 3354-0101 ; 3-18-1 Shinjuku, Shinjuku-ku ; 11h-21h ; ligne JR Yamanote jusqu'à Shinjuku, sortie est). Il vise une clientèle jeune et possède des succursales à Shinjuku et Shibuya.

Matsuya (carte p. 138 ; ☎ 3567-1211 ; 3-6-1 Ginza, Chūō-ku ; 10h30-19h30 ; lignes Ginza, Hibiya, Marunouchi jusqu'à Ginza, sorties A12 et A13). Il ouvre aussi son café en plein air en été et comprend un bon *depachika*.

Matsuzakaya (carte p. 138 ; ☎ 3572-1111 ; 6-10-1 Ginza, Chūō-ku ; 10h-19h30 dim-mer, 10h-20h jeu-sam ; lignes Ginza, Hibiya, Marunouchi jusqu'à Ginza, sortie A3). Établi depuis près de 400 ans !

Mitsukoshi (carte p. 138 ; ☎ 3562-1111 ; 4-6-16 Ginza, Chūō-ku ; 10h-20h ; lignes Ginza, Hibiya, Marunouchi jusqu'à Ginza, sorties A7 et A11). Le lion de Mitsukoshi surveille l'entrée de cette institution de Ginza.

Takashimaya (carte p. 142 ; ☎ 3211-4111 ; 2-4-1 Nihombashi, Chūō-ku ; 10h-19h30 ; lignes Ginza, Tōzai, Toei Asakusa jusqu'à Nihombashi, sortie B1 et B2). Dans cet établissement vénérable, des grooms en gants blancs font fonctionner les vieux ascenseurs. Jetez un coup d'œil au patio sur le toit. Il existe une autre enseigne dans Ginza.

Mangas et anime

Dans Akihabara (voir p. 149), des boutiques de mangas et d'*anime* côtoient les magasins d'électronique. Explorez celles d'Otome Rd (p. 153) dans Ikebukuro, où les nombreuses succursales de **K-Books** (www.k-books.co.jp, en japonais) se spécialisent dans les *anime*, des genres spécifiques ou le multimédia.

Animate (carte p. 132 ; ☎ 3988-1351 ; www. animate.co.jp ; 3-2-1 Higashi-Ikebukuro, Toshima-ku ; 10h-20h30 lun-sam, 10h-20h dim ; ligne JR Yamanote jusqu'à Ikebukuro, sortie est). En face de l'entrée ouest sur la rue de Sunshine City, Animate est une halte incontournable pour les filles branchées et les fous de mangas.

Mandarake Shibuya (carte p. 134 ; ☎ 3477-0777 ; www.mandarake.co.jp ; niv B2, Shibuya Beam Bldg, 31-2 Udagawachō, Shibuya-ku ; 12h-20h ; ligne JR Yamanote jusqu'à Shibuya, sortie Hachikō) ; Nakano (まんだらけ ; hors carte p. 128 ; ☎ 3228-0007 ; 2e-4e niv, Nakano Broadway Bldg, 5-52-15 Nakano, Nakano-ku ; 12h-20h ; ligne JR Chūō jusqu'à Nakano, sortie nord). La succursale de Shibuya Beam propose un choix de mangas neufs et accueille des représentations avec des enfants déguisés en personnages d'*anime*. L'immense magasin de Nakano comprend trois étages remplis de mangas, d'*anime*, de jeux et de figurines neufs ou d'occasion.

Tora-no-Ana (carte p. 142 ; ☎ 5294-0123 ; www. toranoana.co.jp, en japonais ; 4-3-1 Soto-Kanda, Chiyoda-ku ; 10h-22h ; lignes JR Sōbu, Yamanote jusqu'à Akihabara, sortie Electric Town). Repérez l'adorable tigresse perchée au sommet du bâtiment, qui comporte 7 étages consacrés aux mangas et *anime*. Des succursales sont installées dans Shinjuku et Ikebukuro.

Matériel électronique

Akihabara (p. 149), le quartier du matériel électronique à prix discount, offre une immense variété d'articles électriques, d'où son surnom Denki-gai (Electric Town). Si les prix sont parfois plus avantageux qu'en Europe, ils restent moins intéressants qu'à Hong Kong ou Singapour. Quelques magasins importants, dont ceux indiqués ci-dessous, comportent des rayons hors taxes qui vendent des matériels et des gadgets destinés à l'exportation ; vérifiez bien qu'ils sont compatibles avec les systèmes utilisés dans votre pays, et apportez votre passeport. **Laox** (carte p. 142 ; ☎ 3253-7111 ; 1-2-9 Soto-Kanda, Chiyoda-ku ; 🕑 10h-21h ; 🚉 lignes JR Sōbu, Yamanote jusqu'à Akihabara, sortie Electric Town). Des vendeurs polyglottes pourront vous aider dans vos choix. Laox possède plusieurs succursales à Akihabara.

Sofmap (carte p. 142 ; ☎ 3253-1111 ; 4-1-1 Soto-Kanda, Chiyoda-ku ; 🕑 11h-21h ; 🚉 lignes JR Sōbu, Yamanote jusqu'à Akihabara, sortie Electric Town). Un autre magasin d'électronique, avec une dizaine de succursales dans Akihabara.

Matériel photographique

Derrière le grand magasin Keiō, du côté ouest de la gare de Shinjuku, se tiennent les deux plus grands magasins de photo de la capitale, Yodobashi et Sakuraya (voir ci-dessous). Ils vendent tout le matériel photographique imaginable, ainsi que des lecteurs MP3, des ordinateurs et toutes sortes de matériels électroniques à des prix raisonnables. Faites le tour de plusieurs boutiques avant d'acheter.

Quelques adresses :

Bic Camera Shinjuku (carte p. 131 ; ☎ 5326-1111 ; 1-5-1 Nishi-Shinjuku, Shinjuku-ku ; 🕑 10h-20h30 ; 🚉 ligne JR Yamanote jusqu'à Shinjuku, sortie ouest) ; Ikebukuro (carte p. 132 ; ☎ 5396 1111 ; 1-41-5 Higashi-Ikebukuro, Toshima-ku ; 🕑 10h-21h ; 🚉 ligne JR Yamanote jusqu'à Ikebukuro, sortie est). Le slogan musical de Bic est particulièrement entêtant ! Des succursales sont installées dans toute la ville.

Sakuraya Camera (carte p. 131 ; ☎ 3346-3939 ; 1-16-4 Nishi-Shinjuku, Shinjuku-ku ; 🕑 10h-20h30 ; 🚉 ligne JR Yamanote jusqu'à Shinjuku, sortie ouest). L'un des plus grands magasins de photo de la capitale.

Yodobashi Camera (carte p. 131 ; ☎ 3346-1010 ; 1-11-1 Nishi-Shinjuku, Shinjuku-ku ; 🕑 9h30-21h30 ; 🚉 ligne JR Yamanote jusqu'à Shinjuku, sortie ouest). Apportez votre passeport pour un achat détaxé.

Musique

Shibuya, le centre de la culture pop tokyoïte, est un bon endroit pour la musique. Udagawachō (carte p. 134 ; empruntez la ligne JR Yamanote jusqu'à Shibuya, sortie Hachikō), le secteur au nord-ouest de la station Shibuya, regroupe plusieurs disquaires, généralement spécialisés dans un genre, où dénicher CD et 33 tours rares et d'occasion.

En voici une sélection :

Disk Union Shibuya (carte p. 134 ; ☎ 3476-2627 ; http ://diskunion.net, en japonais ; Antenna 21 Bldg, 30-7 Udagawachō, Shibuya-ku ; 🕑 11h30-21h) ; Shinjuku (carte p. 131 ; ☎ 3352-2691 ; http ://diskunion.net,

en japonais ; 3-31-4 Shinjuku, Shinjuku-ku ; 🕑 11h-21h lun-sam, 11h-20h dim ; 🚉 ligne JR Yamanote, sortie est). Disques neufs et d'occasion ; chaque étage est consacré à un genre différent.

Guinness Records (carte p. 134 ; ☎ 3464-7752 ; www.guinness-records.com en japonais ; 4ᵉ niv, 10-2 Udagawachō, Shibuya-ku ; 🕑 13h-20h30). Spécialisé dans le hip-hop, la soul, le R'n'B et le jazz.

Manhattan Records (carte p. 134 ; ☎ 3477-7737 ; 1ᵉʳ niv, 10-1 Udagawachō, Shibuya-ku ; 🕑 12h-21h). Spécialisé dans le hip-hop.

Recofan (carte p. 134 ; ☎ 5454-0161 ; www.recofan. co.jp ; 4ᵉ niv, Beam Bldg, 31-2 Udagawachō, Shibuya-ku ; 🕑 11h30-21h). Parmi plusieurs succursales, celle-ci offre une grande variété, y compris folk, soul, J-pop et reggae.

Tower Records (carte p. 134 ; ☎ 3496-3661 ; 1-22-14 Jinnan, Shibuya-ku ; 🕑 10h-23h ; 🚉 ligne JR Yamanote jusqu'à Shibuya, sortie Hachikō). L'immense succursale de Shibuya propose le plus grand choix de la ville et de nombreux postes d'écoute. Tower et HMV possèdent plusieurs succursales dans Tōkyō.

Spécial enfants

Si les objets curieux et charmants que créent les Japonais vous fascinent, ils sont aussi une source d'émerveillement pour les enfants.

Kiddyland (carte p. 134 ; ☎ 3409-3431 ; www.kiddyland. co.jp ; 6-1-9 Jingūmae, Shibuya-ku ; 🕑 10h-20h, fermé 3ᵉ mar du mois ; 🚉 ligne Chiyoda jusqu'à Meiji-jingūmae, sortie 4). Préparez-vous à une overdose de *kawaii* (mignon) dans les 6 niveaux de ce magasin d'Omote-sandō, dans Harajuku. Rempli de jouets pour les enfants de tout âge, il vaut mieux l'éviter le week-end, quand les adolescents l'envahissent.

Hakuhinkan Toy Park (carte p. 138 ; ☎ 3571-8008 ; www.hakuhinkan.co.jp ; 8-8-11 Ginza, Chūō-ku ; 🕑 11h-20h ; 🚉 ligne JR Yamanote jusqu'à Shimbashi, sortie Ginza). Autre magasin à plusieurs étages le long de Chūō-dōri, dans Ginza, il comprend un théâtre au 8ᵉ niveau et deux étages de restaurants conçus pour les enfants.

Vêtements

Harajuku (carte p. 134) est devenu une icône internationale, synonyme de la mode urbaine de la capitale. Alors que les grands couturiers se regroupent dans Omote-sandō, Ura-Hara (les petites rues d'Harajuku) abrite les petites boutiques et les ateliers des créateurs indépendants. Flânez dans les rues qui serpentent de part et d'autre d'Omote-sandō pour découvrir boutiques et friperies. Plus au sud, Aoyama (carte p. 134) vise une clientèle plus sophistiquée et fortunée.

Les grands magasins, comme **Laforet** (carte p. 134 ; ☎ 3475-0411 ; 1-11-6 Jingūmae, Shibuya-ku ; ☽ 11h-20h ; ☒ ligne Chiyoda jusqu'à Meiji-jingūmae, sortie 5) ou le **Shibuya 109 building** (Ichimarukyū ; carte p. 134 ; ☎ 3477-5111 ; 2-29-1 Dōgenzaka, Shibuya-ku ; ☽ 10h-21h lun-ven, 11h-22h30 sam-dim ; ☒ ligne JR Yamanote jusqu'à Shibuya, sortie Hachikō), sont de bonnes adresses pour dénicher les derniers vêtements dans le vent portés par la jeunesse branchée. Daikanyama (carte p. 136) est un autre quartier élégant, avec des boutiques de créateurs établis ou débutants.

Si vous avez besoin de renouveler votre garde-robe, faites un tour à **Uniqlo** (carte p. 138 ; ☎ 3569-6781 ; 5-7-7 Ginza, Chūō-ku ; ☽ 11h-21h ; ☒ lignes Ginza, Hibiya, Marunouchi jusqu'à Ginza, sorties A2 et A3), qui vend des vêtements décontractés à petits prix pour homme, femme et enfant. Le principal magasin se tient dans Ginza, avec des succursales dans toute la ville.

DEPUIS/VERS TÔKYÔ
Avion

À l'exception de quelques compagnies asiatiques, tous les vols internationaux arrivent à l'aéroport international de Narita (p. 833) plutôt qu'à celui de Haneda (p. 193), mieux situé.

Les formalités d'immigration et de douane, généralement simples, peuvent prendre du temps. Sachez que les douaniers japonais sont sans doute les plus scrupuleux d'Asie. Les voyageurs arrivant d'un pays d'Asie moins développé peuvent s'attendre à des questions et peut-être une fouille méthodique.

Vous pouvez changer de l'argent dans le hall des douanes, après les formalités, ou dans le hall des arrivés. Les taux sont les mêmes qu'en ville.

Narita possède deux terminaux, n°s 1 et 2, chacun doté d'une gare ferroviaire reliée aux lignes JR et Keisei. Le terminal d'arrivée dépend de la compagnie aérienne. Des panneaux en anglais indiquent clairement les trains et les services de bus ; voir ci-contre pour plus de détails.

Vérifiez bien de quel terminal part votre vol et prévoyez assez de temps pour rallier Narita ; le trajet peut prendre de 50 min à 2 heures.

Bateau

Prendre un bateau à Tôkyô pour rejoindre une autre partie du pays peut être une expérience plaisante et relativement peu coûteuse. Les tarifs indiqués correspondent à la 2ᵉ classe.

Bien que nous mentionnions leur numéro de téléphone, sachez que la plupart des compagnies maritimes n'ont pas de personnel parlant anglais. Mieux vaut réserver auprès d'une agence de voyages locale ou de la JNTO (p. 126).

De Tôkyô, l'**Ocean Tôkyū Ferry** (オーシャン東九フェリー ; ☎ 5148-0109 ; www.otf.jp) dessert Tokushima (9 900 ¥, 18 heures) à Shikoku et Kitakyūshū (14 000 ¥, 34 heures) dans le nord de Kyūshū. **Maruei Ferry/A Line** (☎ 03-5643-6170, à Naha 861-1886 ; www.aline-ferry.com, en japonais) offre quatre ou cinq traversées par mois entre Tôkyô et Naha (24 500 ¥, 46 heures). Les ferries longue distance entre Tôkyô et Hokkaidō ont été supprimés. Toutefois, **Shosen Mitsui Ferry** (☎ 029-267-4133) propose des départs de la préfecture d'Ibaraki pour Tomakomai, à Hokkaidō (8 500 ¥, 19 heures).

Bus

Les bus longue distance coûtent généralement le même prix que le train, ou à peine moins cher. Ils constituent parfois une alternative appréciable pour les longs trajets vers des régions reliées par des autoroutes.

Plusieurs bus express circulent entre Tôkyô, Kyôto et Ôsaka. Les bus de nuit JR partent à 22h du côté Yaesu de la gare de Tôkyô et arrivent à Kyôto et Ôsaka entre 6h et 7h. Les billets coûtent de 7 270 à 8 550 ¥ (mieux vaut acheter un aller-retour si vous avez l'intention de revenir) et peuvent s'acheter aux comptoirs verts d'une station JR. Pour une liste des services de bus au départ de Tôkyô, reportez-vous p. 840.

De la station Shinjuku, Keiō propose des bus pour les régions de Fuji et Hakone, dont des express jusqu'à 5ᵉ station pour les grimpeurs du Fuji-san (voir p. 210). La gare routière longue distance se situe en face de la sortie ouest de la station Shinjuku, à côté du grand magasin Keiō.

Train

Les principales lignes JR rayonnent de la gare de Tôkyô ; les trains en direction du nord s'arrêtent à la gare d'Ueno, qui se trouve, comme la gare de Tôkyô, sur la ligne JR Yamanote. Des lignes privées, souvent plus rapides et moins chères pour sortir de la ville, partent de diverses stations. À l'exception de la ligne Tōbu Nikkō, qui commence dans Asakusa, toutes sont reliées à la ligne Yamanote.

Pour les prix de Tôkyô jusqu'aux villes principales, reportez-vous p. 842.

TŌKYŌ

SHINKANSEN

Trois lignes *shinkansen* (train à grande vitesse) relient Tōkyō au reste du pays. La ligne Tōkaidō, qui traverse le centre de Honshū, devient en route la ligne Sanyō et s'achève à Hakata, dans le nord de Kyūshū. La ligne Tōhoku court au nord-est via Utsunomiya et Sendai jusqu'à Morioka, avec une ligne secondaire (Yamagata) entre Fukushima et Yamagata et une autre (Akita) entre Morioka et Akita. La ligne Jōetsu file au nord vers Niigata, avec une ligne secondaire (Nagano) de Takasaki à Nagano-shi. Les trois lignes shinkansen partent de la gare de Tōkyō ; les lignes Tōhoku et Jōetsu font halte à la gare d'Ueno, et la ligne Tōkaidō à celle de Shinagawa dans le centre-sud de Tōkyō.

La plus empruntée par les visiteurs est la ligne Tōkaidō, qui passe par Kyōto et Ōsaka. Les trains Nozomi (super express) entre Tōkyō et Kyōto (13 520 ¥, 2 heures 30) sont les plus rapides et ne marquent que quelques arrêts. Achetez vos billets aux guichets verts du JR ; dans la gare de Tōkyō, les quais des shinkansen sont bien indiqués en anglais.

LIGNES PRIVÉES

Elles desservent généralement la banlieue tentaculaire de Tōkyō. La ligne Tōkyū Tōyoko, entre la station Shibuya et Yokohama, la ligne Odakyū, de Shinjuku à Odawara et à la région de Hakone, la ligne Tōbu Nikkō, d'Asakusa à Nikkō, et la ligne Seibu Shinjuku, d'Ikebukuro à Kawagoe, sont les plus utiles.

AUTRES LIGNES JR

La ligne Tōkaidō dessert les stations que la ligne de shinkansen Tōkaidō traverse sans s'arrêter. Les trains partent de la gare de Tōkyō et passent des gares de Shimbashi et de Shinagawa en sortant de la ville. Des services express (*kyūkyō*) desservent Yokohama et Izu-hantō via Atami, d'où des trains lents continuent jusqu'à Nagoya, Kyōto et Ōsaka.

Les trains à destination du nord partent d'Ueno. La ligne Takasaki rallie Kumagaya et Takasaki, avec des correspondances de Takasaki à Niigata. La ligne Tōhoku suit la ligne Takasaki vers le nord jusqu'à Ōmiya, puis rejoint l'extrême nord de Honshū via Sendai et Aomori. Se rendre à Sendai sans payer la surtaxe des express implique des changements à Utsunomiya et Fukushima. Des trains de nuit permettent d'économiser l'hébergement.

COMMENT CIRCULER

Tōkyō possède un excellent réseau de transports publics et tous les lieux intéressants sont proches d'une station de métro ou de JR. Prendre le bus se révèle compliqué si l'on ne lit pas les kanji (le japonais), mais les visiteurs peuvent facilement se passer de ce moyen de locomotion.

Depuis/vers l'aéroport de Narita

L'aéroport de Narita, utilisé par la plupart des compagnies internationales et quelques compagnies nationales, se situe à 66 km du centre de Tōkyō. Le trajet depuis/vers la capitale demande de 50 minutes à 2 heures selon le quartier et le mode de transport.

Il est généralement plus rapide et moins cher de rejoindre Tōkyō en train plutôt qu'en *bus limousine* (navettes). Toutefois, vous devrez sans doute prendre une correspondance, qui peut être fatigant après un long voyage en avion. Les *bus limousine* desservent directement plusieurs hôtels haut de gamme et vous pouvez les emprunter sans descendre dans ces établissements.

Si vous en avez les moyens, un taxi de Narita au centre-ville vous reviendra à quelque 30 000 ¥.

TRAIN

Deux lignes ferroviaires relient Tōkyō et les deux terminaux de l'aéroport de Narita : la ligne privée **Keisei** (☎ 3621-2232 ; www.keisei.co.jp) et la **JR East** (☎ 050-2016-1603 ; www.jreast.co.jp/e/nex/index.html).

Lors de nos recherches, la ligne Keisei offrait 2 services et prévoyait d'en ajouter un troisième. Le Keisei Skyliner circule entre Narita et Ueno (1 920 ¥, 56 min) ou Nippori (1 920 ¥, 51 min) ; il est plus facile de changer pour la ligne Yamanote à la station Nippori. Les services *tokkyū* (semi-express ; 1 000 ¥) de Keisei sont plus fréquents et un peu plus lents que le Skyliner : 71 minutes jusqu'à Ueno et 67 minutes jusqu'à Nippori. La troisième ligne, le Skyliner Airport Express, devrait rouler à 160 km/h et relier en 36 minutes Narita et la gare de Tōkyō (consultez le site www.keisei.co.jp pour les tarifs).

JR East gère le Narita Express (N'EX) qui dessert les gares de Tōkyō (2 940 ¥, 53 min), de Shinjuku (3 110 ¥, 1 heure 30), d'Ikebukuro (3 110 ¥, 1 heure 40) et de Yokohama (4 180 ¥, 1 heure 30). Les trains N'EX sont rapides, confortables et comprennent des équipements tels que distributeurs de boissons et téléphones. Ils circulent environ toutes les demi-heures de 7h à 22h, mais ceux à destination d'Ikebukuro sont peu fréquents ; mieux vaut rejoindre Shinjuku et prendre la ligne Yamanote. La réservation est obligatoire, mais on peut acheter son billet juste avant le départ s'il reste des places. Les trains "Narita Airport" (1 280 ¥, 1 heure 30) circulent environ toutes les heures.

La ligne ferroviaire Keikyū, entre les aéroports de Narita et de Haneda (1 560 ¥, 2 heures), implique un changement à la station Aoto, sur la ligne Keisei.

BUS LIMOUSINE (NAVETTE)

Airport Limousine Bus (www.limousinebus.co.jp/en) possède des bus ordinaires qui circulent entre l'aéroport de Narita et plusieurs grands hôtels. Le trajet dure de 1 heure 30 à 2 heures et les départs ne sont pas très fréquents ; vérifiez les horaires avant d'acheter votre billet. Le tarif depuis/vers Asakusa, Ikebukuro, Akasaka, Ginza, Shiba, Shinagawa, Shinjuku ou l'aéroport de Haneda tourne autour de 3 000 ¥. Un service direct relie l'aéroport de Narita et Yokohama (3 500 ¥, 2 heures).

Depuis/vers l'aéroport de Haneda

La plupart des vols intérieurs et ceux de JAL, ANA, China Eastern Airlines, Shanghai Airlines et Air China utilisent l'aéroport de Haneda, plus pratique.

Le **Tokyo Monorail** (www.tokyo-monorail.co.jp) circule de 5h15 à 23h15 entre l'aéroport et la station Hamamatsuchō sur la ligne JR Yamanote (470 ¥, 22 min, toutes les 10 min).

La course en taxi de l'aéroport au centre de Tōkyō revient à 6 000 ¥ environ. Des bus limousine relient Haneda au Tokyo City Air Terminal (TCAT ; 900 ¥), à la gare de Tōkyō (900 ¥), à Ikebukuro et Shinjuku (1 200 ¥) et à plusieurs autres destinations dans la capitale.

Un service de bus direct circule entre les deux aéroports (3 000 ¥, 1 heure 15).

Bus

Procurez-vous un exemplaire du *TOEI Bus Route Guide* gratuit au TIC. Pour prendre un bus, demandez à quelqu'un d'écrire votre destination en japonais, afin de montrer le papier au chauffeur ou de reconnaître les kanji sur le plan (il y a peu d'indications en anglais dans les bus et aux arrêts). En ville, le billet coûte 200 ¥.

Taxi

Les prix prohibitifs des taxis en font une solution de dernier recours. La prise en charge s'élève à 710 ¥ et comprend 2 km (1,5 km après 23h), puis le compteur ajoute 100 ¥ tous les 350 m, ainsi que 100 ¥ toutes les 2 minutes dans les embouteillages. Si vous ne parlez pas japonais, le chauffeur peut taper le numéro de téléphone de votre destination dans son GPS afin de la repérer.

Train

Tōkyō possède un excellent réseau ferroviaire, régulièrement bondé. Le JR et les lignes privées en surface, ainsi que le métro, permettent de se rendre presque partout rapidement et à faible coût. Sachez que le trafic cesse entre minuit et 5h ou 6h. Si vous manquez le dernier train, reportez-vous p. 163.

Éviter les heures de pointe n'est pas toujours possible. L'affluence tend à baisser entre 10h et 16h.

LIGNES JR

Sans conteste la plus utile, la ligne JR Yamanote forme une boucle de 35 km autour de la ville en passant par les principaux quartiers. Autre itinéraire pratique en surface, la ligne Chūō traverse le centre entre Shinjuku et Akihabara. Les billets sont valables sur toutes les lignes JR.

Les principales stations (Tōkyō, Shibuya, Shinjuku, Ikebukuro et Ueno), immenses et surpeuplées, comportent peu d'indications en anglais. L'achat d'un billet peut se révéler compliqué pour le néophyte. Repérez les panneaux "JR" (généralement verts) et les rangées de billetteries automatiques. Si vous ignorez le tarif, mettez au moins 130 ¥ et pressez le bouton en haut à gauche (celui sans prix marqué). En arrivant à destination, vous paierez la différence sur la machine proche des portillons. Des panneaux en anglais signalent la direction des quais.

Si vous prévoyez un séjour prolongé à Tōkyō, envisagez l'achat d'une carte à puce Suica, rechargeable dans tous les distributeurs JR et que l'on passe au-dessus du portillon sans le retirer du portefeuille. Ces cartes sont également acceptées par la plupart des lignes de métro et peuvent servir de moyen de paiement dans les supérettes et les restaurants des gares. Vous devez verser une caution de 500 ¥ lors de l'achat de la carte, remboursée lors de sa restitution à un guichet JR.

ESCALE À NARITA

Si vous devez faire une longue escale à l'aéroport de Narita, ces alternatives vous éviteront une interminable attente dans les terminaux.

À condition de disposer de plusieurs heures – dont au moins 2 heures 30 pour le trajet aller-retour –, faites une excursion dans la ville de Narita. Elle possède un temple imposant, le **Naritasan Shinsōji** (成田山新勝寺 ; ☎ 0476-222-111 ; 1 Narita, Narita-shi, Chiba-ken), entouré d'un joli parc arboré, sillonné de chemins et de bassins. Explorez les boutiques et les restaurants d'Omote-sandō, l'artère principale entre la gare et le temple. Prenez un express Keisei (peu fréquent cependant) ou un train JR jusqu'à la gare de Narita (250 ¥, 10 min) et demandez une carte de la ville au TIC – à la sortie est de la gare.

Si votre escale dure plus de 8 heures, vous pouvez en passer deux ou trois à Tōkyō. Retirez au moins 10 000 ¥ au DAB de l'aéroport, enregistrez vos bagages ou laissez-les à la consigne et prenez le JR Narita Express (p. 192) ou le Keisei Skyliner (p. 192) jusqu'à Tōkyō. Pour gagner du temps, achetez un billet aller-retour et repartez de Tōkyō au moins 3 heures avant votre vol. Contentez-vous d'un seul quartier (sur la ligne Yamanote) et ne manquez pas votre train de retour à l'aéroport !

Pour toute information en anglais sur les trains, appelez la **JR English Information Line** (☎ 050-2016-1603 ; 🕑 10h-18h lun-ven).

MÉTRO

Le prix des billets commence à 160 ¥ dans le métro de Tōkyō (170 ¥ sur les lignes TOEI) pour un court trajet. Avec une correspondance, comptez au moins 190 ¥. Comme pour le JR, si vous avez un doute (certaines stations n'affichent pas les prix qu'en japonais), achetez le billet le moins cher et payez la différence à l'arrivée.

Le réseau comprend 13 lignes, dont neuf TRTA et quatre TOEI. Cette distinction n'a pas grande importance car les services sont similaires et bien reliés entre eux. Néanmoins, vous aurez besoin d'un billet de transfert pour passer d'un réseau à l'autre. Si vous ne

lisez pas le japonais, le plus simple consiste à acheter une carte Pasmo, identique à la carte Suica et vendue par le métro de Tōkyō. Utilisable dans le métro, sur les lignes JR et la plupart des autres lignes métropolitaines, elle fait gagner du temps, de l'argent et évite les complications en changeant de réseau.

PASS ET BILLETS RÉDUITS

La formule la plus avantageuse est le Tōkyō Combination Ticket (1 580 ¥), valable une journée sur toutes les lignes de train, de métro, de tramway et de bus de la zone métropolitaine. Il s'achète dans les stations de métro, de JR, et les bureaux de poste.

Voiture

Pour louer une voiture, vous devez présenter un permis de conduire international (à demander dans votre pays avant le départ) et votre passeport. Plusieurs agences de location possèdent des comptoirs à l'aéroport de Narita, ainsi que des bureaux à proximité ou près de la sortie centrale Yaesu à la gare de Tōkyō (carte p. 142). Les compagnies suivantes ont généralement des employés anglophones. Les tarifs indiqués correspondent à une berline, souvent avec un kilométrage illimité.

Mazda Rent-a-Car (carte p. 142 ; ☎ 3564-5656, réservations de l'étranger 0120-08-5656 🕑 9h-17h30 ; www.mazda-rentacar.co.jp ; 1-17-11 Kyōbashi, Chūō-ku ; jour/semaine 12 600/69 300 ¥ ; 🕑 8h-20h). Supplément de 1 050 ¥ par jour pour l'assurance. De la sortie souterraine centrale Yaesu, prenez la sortie 24.

Nippon Rent-a-Car (carte p. 142 ; ☎ ligne en anglais 3271-6643 ; 🕑 9h-17h lun-ven ; www.nipponrentacar. co.jp ; niv B2, 2-1 Yaesu, Chūō-ku ; jour/semaine 9 555/57 435 ¥ ; 🕑 7h-22h lun-ven, 8h-20h sam-dim). Supplément de 1 050 ¥ par jour pour l'assurance. Le comptoir se situe dans le parking ouest de Yaesu, dans le sous-sol accessible de l'entrée du centre commercial souterrain.

Nissan Rent-a-Car (carte p. 142 ; ☎ 3274-4501, réservations de l'étranger ☎ 0120-00-4123 ; http://nissan-rentacar.com ; 1-8 Yaesu, Chūō-ku ; jour/ semaine 9 923/68 460 ¥ ; 🕑 24h/24). Assurance comprise. De la sortie souterraine centrale Yaesu, prenez la sortie 19.

Toyota Rent-a-Car (carte p. 142 ; ☎ 3278-0100, réservations de l'étranger 0800-7000-815 ; http://rent. toyota.co.jp ; jour/semaine 9 450/56 700 ¥ ; 🕑 7h-22h). Assurance comprise. De l'entrée du centre commercial souterrain Yaesu, dépassez la poste et descendez à droite les escaliers vers le parking est de Yaesu. Le bureau se trouve au niveau B2, sur la gauche.

Environs de Tōkyō
東京近郊

Plus haut sommet du Japon, le mont Fuji domine les lointains monts Tanzawa et invite à profiter du grand air aux portes de la capitale. En été, vous pourrez grimper à travers les forêts jusqu'à son sommet aux contours si évocateurs, comme le font les pèlerins depuis des siècles. À moins de préférer rejoindre la ville de Hakone ou les Fuji Go-ko (cinq lacs Fuji), pour une excursion en montagne ou un bain dans un *onsen* (source chaude), en toute saison.

Au nord de la capitale, les sanctuaires dorés et les temples aux sculptures délicates de Nikkō sont sertis dans un superbe paysage de forêts verdoyantes. Plus au nord et à l'ouest, le Gunma-ken est la préfecture japonaise qui possède le plus de sources chaudes : vous y trouverez des onsen en bordure de rivière, en montagne, et même des bains mixtes.

Au sud de Tōkyō, Kamakura, l'ancienne capitale du Japon, s'enorgueillit de beaux temples et de sentiers forestiers. Non loin, Yokohama, qui n'était encore qu'un village il y a 150 ans, est devenue la deuxième ville du Japon. Soumise de longue date aux influences étrangères, elle compte des quartiers animés, pour sortir le soir ou se livrer aux délices du shopping.

Encore plus au sud, la péninsule d'Izu se caractérise par ses charmantes villes du bord de mer, ses plages balayées par les vents et ses onsen perchés sur les falaises surplombant le Pacifique. De la capitale, on peut rejoindre l'Izu-shotō, un archipel volcanique aux plages de sable blanc et à la végétation tropicale – un paradis pour les randonneurs. Enfin, les îles de l'Ogasawara-shotō, à 25 heures en ferry, forment un magnifique parc national où l'on peut aller à la rencontre des dauphins toute l'année.

À NE PAS MANQUER

- L'ascension du **mont Fuji** (p. 208), la plus haute montagne et le symbole du Japon, et le lever du soleil depuis son majestueux sommet
- Les temples éblouissants de **Nikkō** (p. 197), qui est encore un authentique centre spirituel
- Les splendides onsen de l'**Izu-hantō** (p. 220) ou du **Gumma-ken** (p. 204), pour se reposer de la folie tokyoïte
- Une escapade loin de tout, mais près des dauphins, dans la nature préservée de **Chichi-jima** (p. 247)
- Un moment de détente dans un onsen naturel, face à l'immensité du Pacifique, dans l'une des îles de l'**Izu-shotō** (p. 241), un archipel facile d'accès

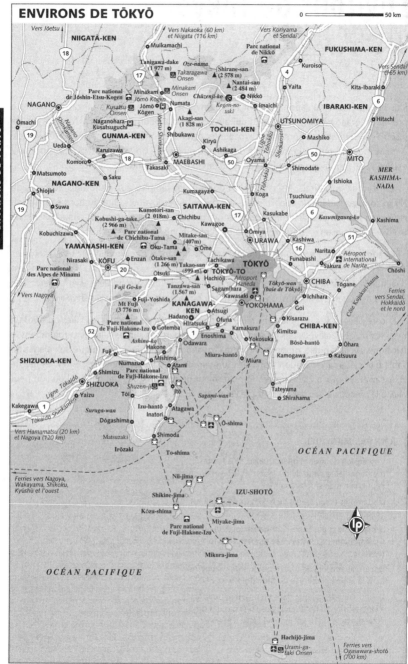

ENVIRONS DE TÔKYÔ

ENVIRONS DE TÔKYÔ

NORD DE TŌKYŌ

Résister à la tentation de prendre le *shinkansen* (train à grande vitesse) en direction du sud – et de Kyōto – vous donnera l'occasion de découvrir le splendide paysage de carte postale des montagnes japonaises, notamment Nikkō et ses éblouissants sanctuaires, et, plus au nord et à l'ouest, le Gunma-ken et ses nombreuses stations thermales.

NIKKŌ 日光

☎ 0288 / 93 000 habitants

De la mousse qui s'accroche siècle après siècle à un mur de pierre, des rangées de lanternes en pierre parfaitement alignées, des portails vermillon et des cèdres immenses : ce n'est qu'un des sentiers de Nikkō, un sanctuaire où perdure la glorieuse splendeur de la période d'Edo (1600-1868). S'éparpillant dans des collines boisées, Nikkō compte parmi les premiers centres d'intérêt du Japon. L'inconvénient, naturellement, c'est que quantité de gens rêvent aussi de découvrir ses joyaux. Durant la haute saison (été et automne) et chaque week-end de l'année, il est donc impossible d'échapper à la foule. Bien que Nikkō se visite en une journée depuis Tōkyō, nous vous conseillons d'y passer au moins une nuit afin d'arriver à la première heure, c'est-à-dire avant la foule, aux sanctuaires et aux temples inscrits au patrimoine mondial de l'Unesco. Le magnifique paysage qui s'étend à l'ouest de la ville mérite une autre nuit sur place.

Histoire

L'histoire religieuse de Nikkō remonte à la fondation d'un ermitage par le moine bouddhiste Shōdō Shōnin (735-817), au milieu du VIIIe siècle. La cité devint alors un important centre d'enseignement bouddhique, avant de sombrer dans l'oubli. Elle renoua avec la notoriété lorsqu'elle accueillit le mausolée d'Ieyasu Tokugawa. Ce seigneur de la guerre prit le contrôle du pays et établit le shogunat qui régna durant 250 ans, jusqu'à la fin de la période féodale et la Restauration de Meiji.

Ieyasu fut inhumé sous les grands cèdres de Nikkō en 1617, mais c'est seulement en 1634 que son petit-fils, Iemitsu Tokugawa, entreprit la construction du sanctuaire-mausolée actuel. Le premier édifice, le Tōshō-gū, fut alors entièrement modifié par 15 000 artisans venus de tout le pays, qui y travaillèrent pendant deux ans. Quelle que soit l'opinion qu'on a d'Ieyasu Tokugawa, on ne peut être que frappé par la magnificence d'une cité exhibant les richesses et le pouvoir d'une famille qui demeura pendant près de deux siècles et demi l'arbitre suprême du pouvoir au Japon.

Orientation

La gare JR de Nikkō et la gare voisine de Tōbu Nikkō se trouvent à moins d'un pâté de maisons de l'artère principale de la ville (Route 119, l'ancien Nikkō-kaidō), au sud-est du centre-ville. Cette rue, jalonnée de restaurants, d'hôtels et de l'office du tourisme principal, remonte jusqu'au quartier des sanctuaires, à 30 minutes de marche. Des bus relient les gares à l'arrêt de bus Shin-kyō, dans

LES VOYAGES SOUS HAUTE SURVEILLANCE DE L'ÉPOQUE D'EDO

Toutes les routes mènent à Rome, dit-on. Eh bien, au Japon, on peut dire qu'à l'époque d'Edo toutes les routes importantes menaient à la capitale du shogun.

Le système du *sankin-kotai* obligeait les daimyo (seigneurs féodaux) à entretenir, en plus de leur maison en province, une résidence à Edo. Durant leurs déplacements, leur famille devait rester à Edo, en otage dirions-nous, afin qu'il ne vienne pas à l'idée de ces seigneurs de s'insurger contre le shogun. Les voyages vers les provinces se faisaient sur des routes "nationales", dont celles du Tōkaidō (route de la mer Orientale, reliant Edo à Heian-kyō, l'actuelle Kyōto), du Nikkō Kaidō (route de Nikkō) et du Nakasendō (route des montagnes du Centre, qui passait par la préfecture Nagano-ken).

Ces routes acquièrent leur renommée, notamment grâce à la série d'*ukiyo-e* (estampes) de Hiroshige, *Les Cinquante-Trois Étapes du Tōkaidō*. À ces "étapes", les auberges prospéraient, fréquentées par les nobles et leur suite. Les haltes situées à des endroits stratégiques possédaient des postes de contrôle, 50 en tout, appelés *sekisho*. Les voyageurs du peuple devaient y présenter un *tegata* (plaquette de bois servant de passeport) et se soumettre à une inspection pour déceler la contrebande d'armes. Violer les lois — essayer de contourner le *sekisho* par exemple — entraînait des punitions sévères, allant jusqu'à une forme de crucifixion. Les postes de contrôle de Hakone et de Kiso-Fukushima sont les mieux conservés. Arimatsu (p. 267), sur la route du Tōkaidō, et Tsumago (p. 307), sur la route du Nakasendō, sont d'autres étapes qui ont gardé leur cachet.

ENVIRONS DE TŌKYŌ

NIKKŌ

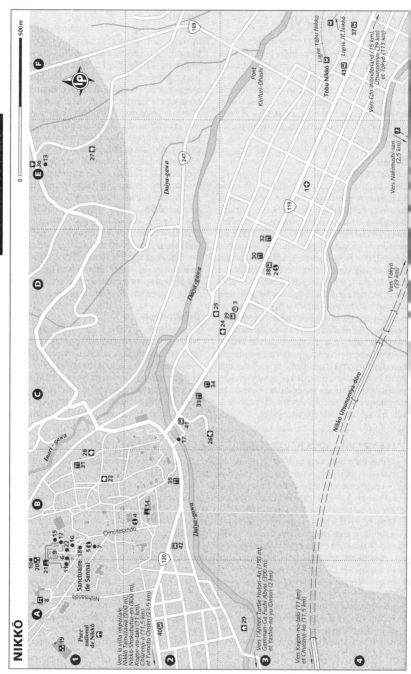

0 —— 500 m

Parc
national
de Nikkō

Sanctuaire
de Sannai

Nishisandō

Omotesandō

Vers la villa impériale
Nikkō Tamozawa (700 m);
Nikkō-Shokubutsu-en (800 m);
Kegon-no-taki (11 km);
Chūzenji (11 km)
et Yumoto Onsen (23,5 km)

Vers l'Annex Turtle Hotori-An (150 m);
Gamman-Ga Fuchi Abyss (300 m)
et Yashio-no yu Onsen (2 km)

Vers Kegon-no-taki (11 km)
et Chūzenji-ko (11,5 km)

Daiya-gawa

Daiya-gawa

Daiya-gawa

Inari-gawa

Pont
Kirifuri-Ohashi

Tōbu Nikkō
Ligne Tōbu Nikkō
Ligne JR Nikkō

Vers Edo Wonderland (15 km);
Utsunomiya (39 km)
et Tōkyō (113 km)

Vers Nakimushi-san
(2,5 km)

Vers Tōkyō
(39 km)

Nikkō Utsunomiya-dōro

le secteur des sanctuaires (190 ¥). En s'éloignant du centre-ville, la zone située au nord de la Daiya-gawa, au cadre plus naturel, est moins bien desservie par les transports publics.

Renseignements

Le *Tourist Guide of Nikkō* renferme l'essentiel des informations utiles, tandis que la brochure bilingue (japonais/anglais) *Central Nikko* détaille les petites rues. Parfait pour les randonneurs, le *Yumoto-Chūzenji Area Hiking Guide* (150 ¥) comporte des cartes et des renseignements sur la faune et la flore régionales. Enfin, le *Guidebook for Walking Trails* (150 ¥) est adapté aux petites randonnées.

Comptoir d'information touristique de la gare de Tôbu Nikkō (☎ 53-4511 ; ◷ 8h30-17h)

Clinique Kawaii-inn (☎ 54-1125 ; ◷ horaires irréguliers). Dans l'artère principale, à 3 pâtés de maisons au sud-est de l'office du tourisme du Kyōdo Center. Pour une consultation en anglais, appelez au préalable.

Nikko Perfect Guide (www.nikko-jp.org/english/index.html). Site Internet consacré à la ville. Sa version imprimée est disponible à l'office du tourisme du Kyōdo Center moyennant 1 575 ¥.

Office du tourisme du Kyōdo Center (☎ 54-2496 ; Internet 50 ¥/15 min ; ◷ 9h-17h). Cartes et personnel anglophone. Possibilité de réserver des visites guidées gratuites en anglais. Plusieurs ordinateurs permettent d'accéder à Internet.

Poste. Dans l'artère principale, à 3 pâtés de maisons au nord-ouest de l'office du tourisme du Kyōdo Center. DAB (cartes internationales) et change.

À voir

Inscrits sur la liste du patrimoine mondial de l'Unesco, les sites autour du Tōshō-gū constituent le principal intérêt de Nikkō. Le "billet combiné" à 1 000 ¥, valable 2 jours, disponible dans les guichets du secteur, comprend l'accès au Rinnō-ji, au Tōshō-gū et au Futarasan-jinja ; en revanche, il n'inclut ni l'entrée au Nemuri-neko, à l'intérieur du Tōshō-gū, ni celle du tombeau d'Ieyasu. On peut aussi acheter des billets distincts pour chaque site.

La plupart des sites sont ouverts de 8h à 17h (jusqu'à 16h de novembre à mars). Pour éviter la foule, arrivez tôt le matin, si possible en semaine. Pensez bien à apporter une carte, car il est difficile de dénicher les panneaux en anglais indiquant les sanctuaires et les temples.

SHIN-KYŌ 神橋

Ce ravissant **pont** rouge sacré (☎ 54-0535 ; droit de traversée 300 ¥ ; ◷ 8h-16h juin-août, 9h-17h déc-fév), au-dessus de la Daiya-gawa, est la reproduction d'un ouvrage du XVIIᵉ siècle. Selon la légende, c'est ici que Shōdō Shōnin aurait traversé la rivière sur le dos de deux serpents géants.

RINNŌ-JI 輪王寺

Ce **temple** de l'école bouddhique Tendai fut fondé il y a 1 200 ans par Shōdō Shōnin. Aujourd'hui, des *zelkova* (sorte d'orme) forment sur 360 m les piliers de l'édifice principal. Les trois statues dorées de 8 m dans le Sambutsu-dō (pavillon des trois bouddhas) sont les plus hauts bouddhas

ENVIRONS DE TÔKYÔ

assis en bois du Japon. Au centre, Amida Nyorai (l'une des principales divinités du bouddhisme mahayana) est flanqué de Senjū (Kannon aux mille bras) et de Batō (Kannon à tête de cheval). Kannon est la déesse du Pardon et de la Compassion. Sous la forme de Batō, elle vient en aide au monde animal. Une pièce sur le côté abrite un bouddha guérisseur, dont l'annulaire est posé sur un bol à onguents. Cette image serait à l'origine du nom japonais *kusuri-yubi* (le doigt qui applique les remèdes).

Le **Hōmotsu-den** (pavillon du trésor ; 300 ¥) du Rinnō-ji renferme quelque 6 000 trésors liés à l'histoire du temple. L'entrée n'est pas comprise dans le billet combiné (voir p. 199).

Près du Rinnō-ji se dresse un pilier de 15 m de hauteur sur 3 m de circonférence, le Sōrintō, construit par Iemitsu en 1643, qui contient 1 000 rouleaux de sutra.

TŌSHŌ-GŪ 東照宮
Un *torii* monumental en pierre marque l'entrée de ce **sanctuaire shintoïste**. Sur la gauche, la **pagode à cinq étages** (34,3 m de hauteur) fut édifiée en 1650, puis reconstruite en 1818. Dépourvue de fondations, elle contient un long poteau suspendu, oscillant comme un pendule pour rétablir l'équilibre en cas de tremblement de terre.

L'entrée au sanctuaire principal s'effectue par le *torii* de l'**Omote-mon**, une porte flanquée de rois deva destinés à la protéger. Les **Sanjinko** (trois entrepôts sacrés) se dressent juste après la porte. Des sculptures d'éléphants ornent l'étage supérieur du dernier entrepôt. Gageons néanmoins que l'artiste n'avait jamais rencontré de pachyderme. À gauche de l'entrée, le **Shinkyūsha** (écurie sacrée), un bâtiment à l'architecture dépouillée, renferme la statue d'un cheval blanc. L'écurie est ornée de sculptures allégoriques de singes, comprenant notamment le célèbre trio de primates, dont les noms signifient respectivement "Je ne dis pas le mal", "Je ne vois pas le mal" et "Je n'entends pas le mal", symbolisant les trois principes de l'école Tendai.

Conformément aux rites shintoïstes, les fidèles se purifient en se lavant les mains et en se rinçant la bouche dans le bassin en granit de l'autre côté du Shinkyūsha. La librairie sacrée, fermée au public, jouxte la porte. Elle contient 7 000 rouleaux et livres bouddhiques.

Passez sous un autre *torii*, grimpez encore une volée de marches et sur votre gauche se dresse la tour du tambour et sur votre droite un beffroi. À gauche de la tour du tambour s'élève

le **Honji-dō** (ou Yakushido), un pavillon célèbre pour son plafond orné d'un gigantesque dragon, le Nakiryū (dragon rugissant). À l'intérieur, un moine frappe deux morceaux de bois l'un contre l'autre pour dévoiler aux visiteurs les étranges propriétés acoustiques du pavillon. Quand les morceaux de bois claquent sous la gueule du dragon, le dragon semble rugir.

Vient ensuite le **Yōmei-mon** (porte du coucher de soleil), richement orné de sculptures colorées et de peintures rehaussées à la feuille d'or, représentant fleurs, danseuses, animaux mythiques et sages chinois. Craignant que la perfection de leur œuvre ne suscite la jalousie des dieux, les artistes placèrent délibérément le dernier pilier sur la gauche la tête vers le bas, afin d'introduire une erreur. Il se dégage de cet ensemble un caractère plus chinois que japonais (certains vont même jusqu'à parler de clinquant) ; néanmoins, l'effet est grandiose.

À gauche du Yōmei-mon, le **Jin-yōsha** sert de dépôt aux *mikoshi* (sanctuaires ou autels portatifs), portés en procession durant les fêtes.

De l'autre côté de l'enceinte, se trouvent le **Honden** (pavillon principal) et le **Haiden** (pavillon du culte) du Tōshō-gu. À l'intérieur (où n'accédaient que les daimyo pendant la période d'Edo), on découvre les portraits des 36 poètes immortels de Kyōto et un plafond peint dans le style de la période de Momoyama ; les 100 dragons y sont tous différents. La peinture sur le *fusuma* (porte coulissante) représente un *kirin* (animal mythique, mi-cerf mi-dragon). Son apparition serait de bon augure.

Une fois passé sous le Yōmei-mon, découvrez, sur votre droite, sur une porte, le **Nemuri-neko** (le chat qui dort), une petite sculpture de bois, célèbre dans tout le pays pour sa ressemblance saisissante avec un vrai chat endormi (même si l'intérêt de l'œuvre, il faut l'admettre, peut échapper à certains visiteurs). D'ici, le **Sakashita-mon** ouvre sur un sentier qui grimpe, au milieu de cèdres gigantesques, jusqu'au **tombeau d'Ieyasu**, d'une grande solennité. L'accès au chat et à la tombe (520 ¥) n'est pas inclus dans le prix du billet combiné.

FUTARASAN-JINJA 二荒山神社
Ce **sanctuaire** fut fondé par Shōdō Shōnin. Le bâtiment actuel remontant à 1619 en fait l'édifice le plus ancien de Nikkō. Dédié au mont Nantai tout proche (Nantai-san, 2 484 m), au mont Nyotai, sa compagne, et au mont Tarō, leur progéniture, il est le protecteur de la ville. Il y a deux autres sanctuaires qui en

dépendent, l'un sur le mont Nantai, l'autre près du Chūzenji-ko (p. 203).

TAIYŪIN-BYŌ 大猷院廟

Le **Taiyūin-byō**, la sépulture d'Iemitsu Tokugawa (1604-1651), petit-fils d'Ieyasu, comporte de nombreux éléments identiques au Tōshō-gū (entrepôts, tour du tambour, portes chinoises). Cependant, il est plus petit et plus intime. Par ailleurs, le sanctuaire s'élève dans un cadre superbe, au cœur d'une forêt de cryptomerias. Un détail insolite : il constitue à la fois un temple bouddhique et un mausolée.

Parmi les nombreux éléments du Taiyūin-byō, vous remarquerez des dizaines de lanternes offertes par les daimyo et la porte Niō-mon, dont les dieux gardiens ont une main pointée vers le haut (pour accueillir les cœurs purs) et l'autre vers le bas (pour supprimer les cœurs impurs). Dans le pavillon principal, les 140 dragons peints au plafond sont supposés emporter les prières vers le paradis : ceux qui portent des perles s'élèvent tandis que ceux qui n'en ont pas s'en reviennent pour accomplir un autre voyage.

GAMMAN-GA-FUCHI ABYSS 含満ヶ淵

À 20 minutes de marche, **Gamman-Ga-Fuchi Abyss**, une série de statues de Jizō (de petites statues bouddhiques en pierre à l'effigie du protecteur des voyageurs et des enfants) bordant un sentier arboré, propose un agréable répit loin des foules de Nikkō. Vers le milieu de la promenade, le Bake-jizō se moque des visiteurs qui essaient de compter les jizō (ils seraient indénombrables). Après le pont Shin-kyō, prenez à gauche puis suivez le fleuve sur environ 800 m, traversant un deuxième pont en chemin.

VILLA IMPÉRIALE NIKKŌ TAMOZAWA

日光田母沢御用邸

À environ 1 km à l'ouest du pont Shin-kyō, le **Nikkō Tamozawa Goyōtei** (☎ 53-6767 ; adulte/enfant 500/250 ¥ ; ☘ 9h-16h mer-lun), datant de 1899, fut la plus vaste villa impériale de bois (106 pièces) ayant servi à deux générations d'empereurs. L'empereur Shōwa (Hirohito) y séjourna pendant la Seconde Guerre mondiale. Rendu au lustre d'antan après d'importants travaux de restauration, il mérite sans conteste une visite.

CENTRE DE SCULPTURE SUR BOIS DE

NIKKŌ 日光木彫りの里

L'atelier-boutique du **centre de sculpture sur bois de Nikkō** (☎ 53-0070 ; 2848 Tokorono ; entrée libre ; ☘ 9h-17h, fermé jeu nov-avr) expose des pièces contemporaines et utilitaires, mais qui restent dans la tradition. Au 2e niveau, vous découvrirez des *yatai* (chars de fête) et des *tansu* (commodes). Pour vous essayer à la sculpture sur bois, prévenez une semaine à l'avance (fax 53-0310 ; tarifs variables).

Fêtes et festivals

Yayoi Matsuri. Procession de *mikoshi* se déroulant au Futarasan-jinja les 16 et 17 avril.

Grande fête du Tōshō-gū. La plus grande fête annuelle de Nikkō a lieu les 17 et 18 mai. Tir à l'arc à cheval le 1er jour, et reconstitution le jour suivant, par 1 000 acteurs costumés, de l'arrivée de la dépouille d'Ieyasu à Nikkō.

Fête d'automne du Tōshō-gū. La même fête qu'au mois de mai (16 et 17 octobre), le tir à l'arc à cheval en moins.

Où se loger
PETITS BUDGETS

Nikkō Daiyagawa Youth Hostel (☎ /fax 54-1974 ; www5.ocn.ne.jp/~daiyayh ; 1075 Nakahatsuishi-machi ; dort 2 730 ¥ ; ☒). Cette auberge de jeunesse de 4 pièces, comptant 24 lits en tout, est tenue par une hôtesse très aimable. L'établissement, à 4 minutes à pied de l'arrêt de bus Nikkō/Shishō-mae (annexe de la mairie), donne sur la rivière. Petit-déjeuner/dîner pour 420/840 ¥.

Jōhsyū-ya Ryokan (☎ 54-0155 ; fax 53-2000 ; www.johsyu-ya.co.jp ; 911 Nakahatsuishi ; ch 3 900 ¥/pers ; ℗). Auberge très soignée située sur la route principale, à côté de la poste. Rapport qualité/prix très correct. Ici, seulement des bribes d'anglais et pas de sdb privatives, mais un bain alimenté par une source chaude. Petit-déjeuner/dîner à partir de 800/1 500 ¥.

Nikkō Park Lodge (☎ 53-1201 ; fax 54-4332 ; www.nikkoparklodge.com ; 28285 Tokorono ; dort à partir de 3 990 ¥ ; ℗). Établissement sympathique, ravissant, sans prétention et bien tenu (on peut venir vous chercher entre 15h et 17h). Les moines bouddhistes zen (anglophones) proposent essentiellement des chambres avec lits jumeaux ou des doubles, ainsi que quelques places en dortoir. Possibilité de prendre des cours de yoga. Petit-déjeuner/dîner pour 395/1 500 ¥.

CATÉGORIE MOYENNE

Turtle Inn Nikkō (☎ 53-3168 ; fax 53-3883 ; www.turtle-nikko.com ; 2-16 Takumi-chō ; s/d sans sdb 4 800/9 000 ¥, avec sdb 5 600/10 600 ¥ ; ℗ 🖵). Grandes chambres de style japonais ou occidental, personnel anglophone et repas copieux (petit déj/dîner 1 050/2 100 ¥). Prenez un bus jusqu'à Sōgō-kaikan-mae, rebroussez chemin sur 50 m, tournez à droite pour longer la rivière (5 min) ; l'auberge a une enseigne en forme de tortue à gauche.

Annex Turtle Hotori-An (☎ 53-3663 ; fax 53-3883 ; www.turtle-nikko.com ; 8-28 Takumi-chō ; s/d 6 500/12 400 ¥ ; P 🖳). L'annexe plus récente et plus moderne de la Turtle Inn est aussi plus agréable. Elle abrite une salle à manger vitrée (petit déj/dîner 1 050/2 100 ¥), des chambres bien tenues, avec tatamis ou à l'occidentale, un onsen entouré de verdure, ainsi que des bains intérieurs.

Nikkô Tôkan-sō Ryokan (☎ 54-0611 ; fax 53-3914 ; www.tokanso.com ; 2335 Sannai ; ch avec 2 repas 8 400-14 000 ¥/pers, 2 pers minimum ; P). Propreté et espace sont au rendez-vous dans cet accueillant et luxueux *ryokan*, apprécié des groupes en voyage organisé et des groupes scolaires. De l'arrêt de bus Shin-kyō, montez la colline, traversez la rue, tournez à droite puis continuez à grimper en obliquant vers la gauche.

CATÉGORIE SUPÉRIEURE

Hotel Seikōen (☎ 53-5555 ; fax 53-5554 ; www.hotel-seikoen.com ; 2350 Sannai ; d avec 2 repas à partir de 13 650 ¥/pers). Cet hôtel de 25 chambres date des années 1980 mais paraît plus ancien. Une impression que l'on oublie vite dans les chambres soignées (de style japonais pour la plupart) et dans l'onsen qui compte un bain intérieur, un bain extérieur, et un sauna. Vous le trouverez après le Tōkan-sō Ryokan, à une centaine de mètres sur la gauche.

🔵 **Nikkô Kanaya Hotel** (☎ 54-0001 ; fax 53-2487 ; www.kanayahotel.co.jp ; 1300 Kami-Hatsuishi-machi ; lits jum à partir de 17 325 ¥ ; P 🖳). Cet établissement, l'un des plus beaux hôtels anciens de style occidental du Japon, date de 1893. Les plus belles chambres, spacieuses et dotées de sdb, jouissent d'une vue splendide. Le bar de la réception bénéficie d'un éclairage tamisé à souhait. Les repas ne sont pas inclus dans le tarif, qui augmente considérablement en saison.

Où se restaurer et prendre un verre

Le *yuba* (peau qui se forme sur le lait de soja lors de la fabrication du tofu) est une spécialité locale. Coupé en fines lamelles, c'est un ingrédient phare du *shōjin ryōri* (cuisine végétarienne bouddhique).

Hippari Dako (☎ 53-2933 ; repas 500-850 ¥ ; 🕙 11h-20h). Trois tables seulement et des menus en anglais pour cette véritable institution parmi les voyageurs étrangers, ainsi qu'en témoignent les nombreuses cartes de visite tapissant les murs. Copieux repas de yakitoris (brochettes de poulet) et de *yaki udon* (nouilles sautées). C'est le bâtiment blanc sur la gauche de la Route 119, pourvu d'une enseigne en anglais.

Gusto (☎ 50-1232 ; plats 500-1 000 ¥ ; 🕙 10h-2h lun-ven, 7h-2h sam et dim). Le seul restaurant de Nikkô ouvert tard le soir. Les prix et la variété des plats compensent le manque de caractère. Au menu (illustré de photos) : pizzas, pâtes et *ribu rosu suteki* (côte de bœuf rôtie ; 899 ¥). Repérez l'enseigne en forme de cercle rouge.

Hi no Kuruma (☎ 54-2062 ; plats 500-1 500 ¥ ; 🕙 déj et dîner tlj sauf mer). Les gens du coin apprécient les *okonomiyaki* (crêpes salées) à cuisiner soi-même sur un *teppan* (sorte de plancha japonaise). La plupart des crêpes coûtent moins de 1 000 ¥, sauf si vous choisissez le mélange porc, poulpe, bœuf, crevettes, maïs, etc. (1 500 ¥). Carte en anglais. Repérez le petit parking et l'enseigne rouge, noire et blanche en japonais.

Kikō (☎ 53-3320 ; plats 700-1 300 ¥ ; 🕙 déj et dîner). Une adresse chaleureuse spécialisée dans la cuisine coréenne "comme à la maison", par exemple l'*ishiyaki bibimpa* (riz au bœuf et légumes dans un bol de pierre chaud), les *chapchae* (nouilles transparentes sautées aux légumes) et les *kimchi rāmen* (nouilles au piment et aux légumes fermentés). Repérez le panneau électronique un peu plus bas que le Hippari Dako. Carte en anglais à disposition.

Yuba Yûzen (☎ 53-0355 ; menus 2 700-3 200 ¥ ; 🕙 déj tlj sauf mer). Cette maison spécialisée dans le *yuba* le sert en sashimis, avec du tofu et du lait de soja, et accompagné de petits plats de saison. Pas de carte en anglais mais le choix s'opère entre deux menus : à 2 700 ¥ si vous avez faim, ou à 3 200 ¥ si vous avez très faim. Cherchez l'immeuble brun à 2 étages dans la première rue à gauche après le pont Shin-kyō.

Gyōshintei (☎ 53-3751 ; formules 3 000-8 000 ¥ ; 🕙 déj et dîner tlj sauf jeu). Le *shōjin ryōri* servi dans ce cadre sublime mérite amplement la dépense. Les formules et les tarifs changent avec les saisons, mais vous ne serez pas déçu par l'*omakase kaiseki* (le *kaiseki* du chef ; prix variable). Cet élégant restaurant traditionnel donne sur un jardin méticuleusement entretenu, à environ 250 m au nord du pont Shin-kyō. Le rideau de la porte arbore un motif à 3 pointes.

Nikkô Beer (☎ 54-3005 ; bière et en-cas à partir de 525 ¥ ; 🕙 9h-18h). Goûtez à la bière locale – une *lager* légère de style Pilsner, primée à l'étranger et au Japon – dans les collines qui surplombent la ville, en grignotant par exemple des *go-shurui sōseji* (assortiment de 5 variétés de saucisses ; 800 ¥). Menu avec photos ; enseigne en anglais.

Depuis/vers Nikkō

Le plus pratique pour rallier Nikkō depuis Tōkyō consiste à emprunter la ligne Tōbu Nikkō au départ de la gare d'Asakusa. On peut généralement prendre un billet juste avant le départ pour le *tokkyū* (express semi-directs ; 2 620 ¥, 1 heure 50), qui circulent toutes les 30 minutes environ entre 7h30 et 10h, toutes les heures après 10h. Il n'est pas nécessaire de réserver dans les *kaisoku* (rapides ; 1 320 ¥, 2 heures 30, toutes les heures 6h20-16h30). Ces deux types de trains imposent parfois un changement à Shimo-imaichi. Pour arriver à Nikkō, mieux vaut monter dans l'un des deux premiers wagons (eux seuls poursuivent jusqu'à Nikkō).

Les trains JR relient Nikkō aux gares de Shinjuku et d'Ikebukuro (4 310 ¥) à Tōkyō en 2 heures environ. Sinon, utiliser le réseau JR est plutôt coûteux, sauf pour les détenteurs du JR Pass. Empruntez le *shinkansen* de Tōkyō à Utsunomiya (4 290 ¥, 54 min), puis un train ordinaire jusqu'à Nikkō (740 ¥, 45 min).

PASS POUR LE TRAIN ET LE BUS

Tōbu Railway propose deux cartes alliant le transport d'Asakusa à Nikkō (hormis la majoration pour le *tokkyū*, à partir de 1 040 ¥) et des trajets illimités sur les lignes de bus dans les environs de Nikkō. Le All Nikko Pass (adulte/enfant 4 400/2 210 ¥), valable 4 jours, comprend les trajets en bus à destination du Chūzenji-ko et de Yumoto Onsen. Le Sekai-isan Meguri Pass (World Heritage Pass ; adulte/enfant/3 600/1 700 ¥), valable 2 jours, combine les trajets de bus jusqu'aux sites classés au patrimoine mondial ainsi que les entrées au Tōshō-gū, au Rinnō-ji et au Futarasan-jinja. Vous vous procurerez ces pass au **Tōbu Sightseeing Service Center** (☼ 8h-14h30) dans la gare d'Asakusa. Arrêts de bus annoncés en anglais.

TŌBU NIKKŌ BUS FREE PASS

Si vous avez déjà votre billet de train, cette carte de bus valable 2 jours permet des trajets illimités entre Nikkō et Yumoto Onsen (adulte/enfant 3 000/1 500 ¥) ou Chūzenji Onsen (adulte/enfant 2 000/1 000 ¥), qui comprennent les sites inscrits au patrimoine mondial de l'Unesco. Vous pouvez aussi opter pour le Sekai-isan-meguri (World Heritage Bus Pass ; adulte/enfant 500/250 ¥), qui couvre tous les trajets entre les gares et les sanctuaires. Les deux cartes sont disponibles à la gare de Tōbu Nikkō.

ENVIRONS DE NIKKŌ 日光周辺

Nikkō est située dans le parc national de Nikkō, qui couvre une superficie de 1 402 km², dans la région montagneuse des préfectures de Fukushima, de Tochigi, de Gunma et de Niigata. Les paysages sont ici constitués de volcans éteints, de lacs, de cascades et de marécages. Le parc compte aussi des onsen isolés et offre de belles possibilités de randonnées.

Edo Wonderland 日光江戸村

Situé à 30 minutes de bus de Nikkō, l'Edo Wonderland Nikko Edomura est un **parc à thème** (☎ 0288-77-1777 ; www.edowonderland.net ; forfait demi-journée adulte/enfant 3 900/2 000 ¥ ; ☼ 9h-17h tlj sauf mer 20 mars-30 nov, 9h30-16h 1er déc-19 mars, fermé 25 jan-7 fév ; ☒) kitsch mais assez amusant, où les enfants peuvent regarder des ninjas se battre, des geishas se pavaner en kimono et des magiciens faire des tours dans une ville de la période d'Edo reconstituée à l'identique. Trois bus font gratuitement la navette tous les jours depuis la gare JR de Nikkō.

Yashio-no-yu Onsen やしおの湯温泉

À 5 km en bus du centre de Nikkō, cet **onsen** (☎ 0288-53-6611 ; adulte/enfant 500/300 ¥ ; ☼ 10h-20h30 tlj sauf jeu) moderne comporte plusieurs bains dont un *rotemburo* (bain extérieur). Depuis l'une des gares ferroviaires de Nikkō, prenez un bus en direction de Chūzenji jusqu'à l'arrêt de Kiyomizu Itchōme. Marchez alors en direction de Nikkō, passez sous la bretelle de contournement (Route 120) et traversez le pont : l'onsen est situé sur la rive opposée de la rivière.

Chūzenji-ko 中禅寺湖

Cette région montagneuse située à 11,5 km à l'ouest de Nikkō permet de bénéficier d'une agréable solitude en pleine nature, et d'une vue superbe sur le Nantai-san (2 484 m) depuis le Chūzenji-ko (lac Chūzenji). Le grand atout du lieu est l'impressionnante **Kegon-no-taki** (cascade de Kegon ; 華厳滝 ; ☎ 0288-55-0030 ; adulte/enfant aller-retour 530/320 ¥ ; ☼ 7h30-18h mai-sept, 9h-16h30 déc-fév, horaires

---

ENVIRONS DE TŌKYŌ

TOP 5 DES ONSEN

Hōshi Onsen Chōjūkan (p. 205)

Jinata Onsen (p. 244)

Takaragawa Onsen (p. 206)

Shuzen-ji Onsen (p. 227)

Yunohama Onsen (p. 243)

variables entre les deux périodes), haute de 97 m. Un ascenseur descend jusqu'à une plate-forme où vous pourrez observer la puissance de l'eau. Le sanctuaire **Futarasan-jinja** (二荒山神社; ☎ 0288-55-0017; ⏰ 8h-17h avr-oct, 9h-16h nov-mars), qui complète le sanctuaire homonyme du Tôshô-gū, est à environ 1 km à l'ouest de la cascade, sur la rive nord du lac. Le temple **Chūzen-ji Tachiki-kannon** (中禅寺立木観音; ☎ 0288-55-0013; adulte/enfant 500/200 ¥; ⏰ 8h-17h avr-oct, jusqu'à 16h nov-mars), situé sur la rive orientale du lac, fut fondé au VIIIe siècle. Il abrite une impressionnante statue de Kannon haute de 6 m.

Pour profiter d'une belle vue sur le lac et la Kegon-no-taki, descendez du bus à l'arrêt Akechi-daira (un arrêt avant Chūzenji Onsen) et prenez l'**Akechi-daira Ropeway** (téléphérique du plateau d'Akechi; 明智平ロープウェイ; ☎ 0288-55-0331; aller simple/aller-retour adulte 390/710 ¥, enfant 190/360 ¥; ⏰ 9h-16h, fermé 1er-15 mars) jusqu'à une plate-forme panoramique. À l'arrivée, une agréable promenade de 1,5 km traverse le Chanoki-daira jusqu'à un poste d'observation offrant une vue extraordinaire sur le lac, la cascade et le Nantai-san. De là, un chemin descend vers le lac et Chūzenji Onsen.

Sur le Chūzenji-ko, une flottille de bateaux touristiques attend le long du quai (prix variables). Par beau temps, le lac (161 m de profondeur), dans son décor montagneux, possède de fabuleux reflets bleu sombre.

OÙ SE LOGER

Chūzenji Pension (中禅寺ペンション; ☎ 0288-55-0888; fax 55-0721; www8.ocn.ne.jp/~chuzn-pn, en japonais; s avec/sans repas à partir de 8 925/5 250 ¥; (P)). Cette auberge rose en retrait du lac, sur la rive orientale, compte 9 chambres presque toutes de style occidental où l'on se sent comme chez soi. Agréable cheminée, 2 bains sur place et location de vélos (3 000 ¥/jour).

Hotel Fūga (楓雅; ☎ 0288-55-1122; fax 55-1100; www.nikko-hotelfuga.com, en japonais; d avec 2 repas à partir de 23 000 ¥/pers; (P)). Les bains communs sont immenses, l'édifice s'orne d'œuvres d'art contemporain et les couloirs sont garnis de moquettes épaisses. Les 30 chambres de style japonais, grandes et luxueuses, ont vue sur le lac. À 150 m après la Chūzenji Pension.

DEPUIS/VERS LE CHŪZENJI-KO

Des bus circulent entre la gare de Tôbu Nikkō et Chūzenji Onsen (1 100 ¥, 45 min). Il est plus économique d'utiliser un Tōbu Nikkō Bus Free Pass (voir p. 203).

Yumoto Onsen 湯元温泉

Du Chūzenji-ko, il est possible de poursuivre en bus (840 ¥, 30 min) jusqu'au paisible ensemble de sources chaudes de Yumoto Onsen, que l'on peut aussi rejoindre par une superbe randonnée empruntant le **Senjōgahara Shizen-kenkyu-rō** (sentier de découverte de la plaine de Senjōgahara; 戦場ヶ原自然研究路).

Depuis Chūzenji Onsen, prenez un bus en direction de Yumoto et descendez à Ryūzu-no-taki (竜頭ノ滝; 410 ¥, 20 min), point de départ de la marche. Le chemin longe la Yu-gawa à travers le pittoresque marécage de Senjōgahara (en partie sur un sentier de planches), passant devant la cascade de Yu-daki (湯滝), haute de 75 m, jusqu'au lac Yu-no-ko (湯の湖). Il contourne ensuite le lac jusqu'à Yumoto Onsen. De Yumoto, des bus repartent vers Nikkō (1 650 ¥, 1 heure 30).

Avant de quitter Yumoto Onsen, le temple **Onsen-ji** (温泉時; adulte/enfant 500/300 ¥; ⏰ 9h-16h fin avr-nov), mérite une halte. L'onsen situé dans l'enceinte est idéal pour détendre ses muscles après une randonnée.

Pour entreprendre la randonnée dans le sens de la descente, prenez le bus jusqu'à Yumoto et suivez le sentier dans l'autre sens.

GUMMA-KEN 群馬県

Si tout l'archipel recèle d'innombrables onsen, c'est bien le Gumma-ken, une préfecture de la région du Kanto, qui est de loin la mieux dotée en sources chaudes. Dans le paysage montagneux, des eaux riches en minéraux jaillissent un peu partout du sol. Certaines petites villes d'onsen sont délicieusement traditionnelles; en voici quelques-unes que nous vous recommandons.

Kusatsu Onsen 草津温泉

☎ 0279 / 7 000 habitants

Kusatsu est célèbre pour ses eaux depuis la période de Kamakura et reste une ville thermale où les touristes affluent. La source jaillissant au Yubatake (湯畑; "champ d'eau chaude"), en plein centre-ville, a un débit de 5 000 litres par minute et est recouverte de réservoirs de bois à partir desquels les *ryokan* remplissent leurs bains. Il est conseillé de venir s'y promener en *yukata* (kimono de coton). Attention, les eaux de Kusatsu seraient riches en acide sulfurique.

Appelez ou rendez-vous à la **section touristique de l'hôtel de ville** (☎ 88-0001; ⏰ 8h30-17h30 lun-ven), à côté de la gare routière (quelqu'un qui parle anglais vous aidera à réserver).

De nombreux onsen sont ouverts au public, dont l'**Ôtakinoyu** (大瀧乃湯 ; ☎ 88-2600 ; adulte/enfant 800/400 ¥ ; ☺ 9h-21h), connu pour ses bains aux températures variées ; essayez-en plusieurs pour expérimenter l'*awase-yu*. À l'ouest de la ville, dans le Saino Kawara-kôen, le **Sai-no-kawara Rotemburo** (西の河露天風呂 ; ☎ 88-6167 ; adulte/enfant 500/300 ¥ ; ☺ 7h-20h avr-nov, 9h-20h déc-mars), bain extérieur de 500 m², peut accueillir 100 personnes. Il est à 20 minutes en bus local au départ de la gare routière de Kusatsu (100 ¥). Demandez le bus "itinéraire A" ("A course").

Kusatsu offre aussi l'occasion unique de découvrir le *yumomi*, c'est-à-dire le brassage de l'eau chaude par les femmes afin de la refroidir, tout en chantant des chansons folkloriques. Cette représentation a lieu près du Yubatake, dans le **Netsu no Yu** (熱の湯 ; ☎ 88-3613 ; adulte/enfant 500/250 ¥ ; ☺ 4-5 spectacles tlj à partir de 10h 1er avr-30 nov).

Pour grignoter un morceau, vous trouverez le **Yurakutei** (湯楽亭 ; ☎ 88-3001 ; plats 700-1 300 ¥ ; ☺ 9h30-23h) immédiatement à l'ouest du Yubatake. Au 2e niveau d'un bâtiment en bois ressemblant à une tour, il sert de copieux *okonomiyaki* (crêpes salées garnies, 720 ¥).

Les auberges du centre-ville sont pour la plupart très onéreuses, mais la **Pension Segawa** (ペンションセガワ ; ☎ 88-1288 ; fax 88-1377 ; http://scty.net/segawa/, en japonais ; ch avec 2 repas à partir de 8 025 ¥/pers ; P) loue 12 chambres au décor alpin, à 10 minutes à pied seulement de la gare routière (les propriétaires peuvent venir vous chercher). Chambre occidentale ou japonaise et 3 bains différents. Le pain maison est délicieux.

Repérable à sa tour qui se dresse près du Yubatake, l'**Hotel Ichii** (ホテル一井 ; ☎ 88-0011 ; fax 88-0111 ; www.hotel-ichii.co.jp ; ch avec 2 repas à partir de 13 500 ¥/pers ; P) est une institution à Kusatsu. Ouvert depuis plus de 300 ans, ce vaste établissement à la déco rétro comporte des bains intérieurs et extérieurs. Vous y dégusterez certainement de la cuisine à base de *sansai* (légumes sauvages qui poussent dans les montagnes). En hiver, n'hésitez pas à demander les billets de remontées mécaniques gratuits pour la station de ski de Kusatsu Kokusai.

Pour vous rendre à Kusatsu Onsen, prenez le bus au départ de la gare de Naganohara-Kusatsuguchi. À partir d'Ueno, le train *tokkyû* pour Kusatsu vous mènera en 2 heures 30 environ (4 620 ¥) jusqu'à la gare de Naganohara-Kusatsuguchi, où un bus local dessert Kusatsu Onsen (670 ¥, 25 min). Vous pouvez aussi prendre le *shinkansen* jusqu'à Takasaki et changer pour la ligne JR Agatsuma (5 140 ¥,

2 heures 30). Les **bus JR** empruntant l'autoroute (www.jrbuskanto.co.jp), au départ de la nouvelle sortie sud (New South Exit) de la gare de Shinjuku coûtent 3 200/5 600 ¥ (aller simple/aller-retour) et mettent 3 à 4 heures à l'aller comme au retour ; réservations obligatoires.

Minakami et Takaragawa Onsen
水上温泉・宝川温泉
☎ 0278

À l'est de la préfecture de Gumma, Minakami est une ville d'onsen animée et étendue qui ne manque pas d'activités de plein air, comprenant notamment Takaragawa Onsen (à 30 min par la route), un spa au bord de la rivière, le plus populaire du pays.

La gare ferroviaire se trouve dans le village de Minakami Onsen, où la plupart des hébergements de Minakami sont aussi installés. L'**office du tourisme de Minakami** (水上観光協会 ; ☎ 72-2611 ; www.minakami-onsen.com ; ☺ 9h-17h), en face de la gare, distribue des brochures en anglais et vous aidera à passer des réservations (en japonais). Demandez quelles auberges de la ville ont des *higaeri nyuyoku* (bains ouverts aux visiteurs dans la journée).

◘ **Hôshi Onsen Chôjûkan** (法師温泉長寿館 ; ☎ 66-0005 ; fax 66-0003 ; www.houshi-onsen.jp, en japonais ; ch avec 2 repas à partir de 13 800 ¥/pers). À la lisière sud-ouest de la ville de Minakami, cet établissement est l'un des plus raffinés du Japon. Pour rejoindre cette auberge au charme rustique, dans un cadre paradisiaque, prenez le bus pour la gare de Jômô Kôgen (20 min), puis un autre bus à destination de Sarugakyô Onsen (35 min). Au dernier arrêt, prenez un troisième bus pour Hôshi Onsen (25 min). N'oubliez pas de vérifier les horaires à l'office du tourisme.

Le **Tanigawadake Ropeway** (téléphérique ; 谷川岳ロープウェイ ; ☎ 72-3575 ; 2 000 ¥ aller-retour ; ☺ 8h-17h lun-ven, 7h-17h sam et dim) vous dépose au sommet du **Tenjin-daira**, où s'offrent à vous de nombreuses possibilités de randonnées, allant de quelques heures à une journée entière. Les chemins sont praticables de mai à novembre. En hiver, vous pouvez skier ou faire du snowboard. De la gare de Minakami, prenez un bus jusqu'à l'arrêt de bus Ropeway-Eki-mae (650 ¥, 20 min, environ toutes les heures).

Des agences organisent des excursions de rafting ou de kayak durant les mois d'été et des promenades en raquettes l'hiver, à partir de 6 000 ¥ la demi-journée. Renseignez-vous à l'office du tourisme. **Max** (☎ 72-4844), l'une de ces agences, emploie des guides anglophones.

Takaragawa Onsen (☎ 75-2611 ; adulte/enfant 1 500/1 000 ¥ ; ☺ 9h-17h) est un lieu idyllique et aéré. La plupart des nombreux bains au bord de la rivière (au sol en ardoise) sont mixtes ; un seul est réservé aux femmes. Dans les bains mixtes, les femmes sont encouragées à porter une serviette autour de la taille. Sur le chemin qui descend vers les bains, vous trouverez une boutique d'antiquités pleine à craquer d'objets sans valeur et de véritables joyaux (théières en laque, têtes de Bouddha, bouliers, etc.).

Sur l'autre berge de la rivière, l'auberge **Ôsenkaku** (汪泉閣 ; ☎ 75-2121 ; fax 75-2038 ; www. takaragawa.com ; ch avec 2 repas à partir de 11 700 ¥/pers) est spectaculaire, avec des chambres ravissantes donnant sur la rivière et réparties dans plusieurs bâtiments, une atmosphère de Japon d'antan et un onsen extérieur accessible 24h/24. Les chambres offrant la plus belle vue sont les plus chères ; choisissez de préférence l'annexe n°1 datant des années 1930. À noter : il y a de la soupe à la viande d'ours au menu.

Pour rejoindre la gare de Minakami, prenez le *shinkansen* au départ d'Ueno pour Takasaki et changez pour la ligne Jôetsu (5 140 ¥, 2 heures), ou bien optez pour un *tokkyū* direct jusqu'à Minakami (4 620 ¥, 2 heures 30). Il est aussi possible, de prendre le *shinkansen* depuis les gares de Tôkyô/Ueno jusqu'à Jômô Kôgen (5 240/5 040 ¥, 1 heure 15), où un bus vous conduit à Minakami (600 ¥) ou à Takaragawa Onsen (1 450 ¥, avril-début décembre). Des bus pour Takaragawa Onsen partent aussi de la gare de Minakami (1 100 ¥, toute l'année).

MITO 水戸

☎ 029 / 264 000 habitants

Capitale de la préfecture d'Ibaraki et autrefois ville fortifiée, Mito est surtout connue pour le **Kairaku-en** (偕楽園 ; ☎ 244-5454 ; jardin/pavillon Kobuntei gratuit/190 ¥ ; ☺ jardin 6h-19h mars-sept, 7h-18h oct-fév, pavillon 9h-16h30). Il est classé parmi les trois jardins les plus célèbres du Japon, avec le Kenroku-en (p. 311), à Kanazawa, et le Kôraku-en (p. 458), à Okayama.

S'étendant sur plus de 7 hectares, le Kairaku-en, qui date de 1842, fut conçu par le daimyo du Mito *han* (domaine de Mito), un membre du clan des shoguns Tokugawa. Son nom signifie le "jardin à savourer en compagnie des autres" et c'est en effet l'un des premiers dans le pays à avoir été ouvert au public.

Le jardin est très populaire pour ses 3 000 pruniers (*ume*), dont les 100 variétés fleurissent à la fin février ou au début mars.

En cette saison a lieu la fête de la floraison des pruniers ; adressez-vous à l'**office du tourisme** (☎ 232-9189) pour connaître les dates exactes. Les autres arbres à fleurs (azalées, camélias, cerisiers, etc.) sont également très admirés à d'autres périodes de l'année. De la colline qui fait partie du jardin, les panoramas sont magnifiques. Le Kobun-tei, pavillon à trois étages, est une reproduction fidèle, datant de 1950, de la villa du daimyo (l'original fut détruit pendant la Seconde Guerre mondiale).

À Tôkyô, les trains empruntant la ligne JR Jôban partent de la gare d'Ueno à destination de Mito (*tokkyū* ; 3 510 ¥, 80 min). Pendant la fête de la floraison des pruniers, rejoignez la gare du Kairaku-en en prenant un train local (180 ¥, 5 min), ou bien prenez un bus jusqu'à l'arrêt Kairaku-en (230 ¥, 15 min), ou encore venez à pied depuis la sortie sud de la gare en longeant le lac Senba-ko (environ 30 min).

OUEST DE TÔKYÔ

La partie ouest de Tôkyô-to (préfecture de Tôkyô) et sa région se prêtent à de nombreuses activités de plein air, qu'il s'agisse de randonner sur des sentiers bordés de cèdres ou de profiter des eaux bouillonnantes des sources chaudes. Au sud et à l'ouest de la capitale se trouvent la spectaculaire région des Fuji Go-ko, le mont Fuji, Hakone – la Mecque du tourisme –, ainsi que les onsen et les plages de l'Izu-hantô.

MUSÉE GHIBLI
三鷹の森ジブリ美術館

Si vous avez vu *Le Voyage de Chihiro*, de Hayao Miyazaki (ou encore *Princesse Mononoké, Le Château ambulant, Mon voisin Totoro*, etc.), vous êtes certainement tombé sous le charme des univers mythiques, des paysages et des personnages pleins de fantaisie de ces films d'animation. Tout comme d'ailleurs tous les enfants du Japon, ce qui explique qu'il faille réserver longtemps avant la visite pour accéder à ce **musée** (☎ 0570-055777 ; www.ghibli-museum.jp ; 1-1-83 Shimorenjaku, Mitaka-shi ; adulte 1 000 ¥, enfant 100-700 ¥ ; ☺ 10h-18h mer-lun) retraçant l'œuvre de Ghibli, le studio d'animation de Hayao Miyazaki (pour plus de détails sur Miyazaki, voir l'encadré p. 72). Au Japon, les billets sont uniquement vendus dans les épiceries Lawson ; consultez le site Internet. Vous aurez peut-être besoin d'être assisté par quelqu'un qui parle japonais au moment de l'achat.

Les expositions présentent tout le procédé de fabrication, de la conception à l'écran (vous pourrez en principe compter sur des conférenciers anglophones mais il n'y a aucune légende en anglais). Des zootropes montrent une demi-douzaine de personnages du studio Ghibli en mouvement. Par ailleurs, des courts-métrages sont projetés dans une petite salle (en japonais mais assez faciles à comprendre) et l'on peut voir sur le toit en terrasse un robot du *Château dans le ciel*. Vous trouverez sur place une boutique de souvenirs.

Le musée est à Mitaka City (Tôkyô). De la sortie sud de la gare de Mitaka, sur la ligne JR Chûô (depuis Shinjuku : 210 ¥, 17 min), suivez les panneaux le long de la Tamagawa pendant un quart d'heure jusqu'au parc Inokashira puis tournez à droite. Sinon, vous pouvez prendre un bus local (aller simple/aller-retour 200/300 ¥, toutes les 10 min environ) qui va directement de la gare au musée.

TAKAO-SAN 高尾山
☎ 042

De la gare de Shinjuku, on accède facilement aux pentes douces du mont Takao, où les Tôkyoïtes partent en randonnée pour la journée. Bien que le Takao soit très fréquenté le week-end et durant les vacances, et assez urbanisé par rapport aux autres sites de la région, il est idéal pour une escapade en famille.

Sur cette montagne de 599 m, l'une des curiosités les plus intéressantes est le temple **Yaku-ô-in** (薬王院 ; ☎ 661-1115 ; ☉ 24h/24), connu pour son Hi-watari Matsuri (rituel de la traversée du feu), qui se déroule le 2ᵉ dimanche de mars à 13h près de la gare de Takaosanguchi. Des prêtres marchent pieds nus sur des charbons ardents pendant que d'autres soufflent dans des conques. Le public est invité à participer.

Le reste de l'année, le Takao-san offre 6 sentiers de randonnée. Les bureaux de la ligne Keio distribuent gratuitement des cartes en anglais. Le sentier le plus fréquenté (n°1) vous conduit plus loin que le temple ; comptez environ 3 heures 15 de marche aller-retour pour les 400 m d'ascension. Un téléphérique, puis un télésiège peuvent vous éviter une partie de l'ascension (aller adulte/enfant 470/230 ¥, aller-retour 900/450 ¥).

De la gare de Shinjuku, prenez la ligne Keio (*jun-tokkyû* ; 370 ¥, 47 min) pour Takaosanguchi. Le village touristique (avec éventaires d'en-cas et boutiques de souvenirs), le départ des sentiers de randonnée, le téléphérique

et le télésiège sont à quelques minutes sur la droite. Les détenteurs du JR Pass iront jusqu'à la gare de Takao sur la ligne JR Chûô (48 min), où ils changeront pour la ligne Keio jusqu'à Takaosanguchi (120 ¥, 2 min).

RÉGION D'OKU-TAMA 奥多摩周辺
Oku-Tama est le meilleur coin des environs de Tôkyô pour partir en randonnée. La Tamagawa coule à travers un superbe paysage de montagnes ponctué de cascades, de forêts et de sentiers de randonnée, l'endroit est donc idéal pour une excursion d'une journée ou bien même une nuit sur place. Le majestueux sanctuaire de Musashi Mitake-jinja et le village pittoresque qui l'entoure sont de véritables joyaux.

Mitake-san 御岳山
Mitake est un charmant hameau d'antan niché dans la montagne, dont l'atmosphère paisible semble à des années-lumière de la trépidante Tôkyô. Vous pourrez tenter d'apercevoir des écureuils volants ou simplement profiter de l'air embaumant le cèdre. Le moyen le plus facile de s'y rendre consiste à prendre le téléphérique. À environ 20 minutes à pied du terminus, perché en haut d'une dizaine de marches, le sanctuaire shintô et lieu de pèlerinage **Musashi Mitake-jinja** (武蔵御嶽神社 ; ☎ 0428-78-8500 ; ☉ 24h/24) remonterait à 1 200 ans. Le site jouit d'une vue grandiose sur les montagnes. Vous pourrez récupérer des cartes au **Mitake Visitors Centre** (御岳ビジターセンター ; ☎ 0428-78-9363 ; ☉ 9h-16h30 tlj sauf lun), à 250 m du téléphérique, près de l'entrée du village.

Randonnée de l'Ôtake-san 大岳山
Ceux qui en ont le temps ne manqueront pas la randonnée de 5 heures aller-retour entre le Musashi Mitake-jinja et le sommet de l'Ôtake-san (1 266 m), superbe et assez facile, malgré quelques tronçons pentus. Au sommet, la vue est exceptionnelle : par temps clair, le mont Fuji se dévoile. En chemin, vous pouvez faire un détour jusqu'à la cascade Nanyonotaki, au jardin de pierres Ganseki-en et à la cascade Ayahirono-taki.

Si vous ne passez pas la nuit sur le Mitake-san, n'oubliez pas de noter les horaires du téléphérique pour redescendre à temps.

Où se loger et se restaurer
Les établissements suivants sont tous à proximité du Musashi Mitake-jinja.

Mitake Youth Hostel (御嶽ユースホステル ; ☎ 0428-78-8501 ; fax 78-8774 ; www.jyh.or.jp ; dort avec/sans 2 repas 4 550/2 880 ¥, non-membres supp de 1 000 ¥). Confortable auberge de jeunesse dont les jolies chambres garnies de tatamis occupent un beau bâtiment ancien, qui était jadis un refuge pour pèlerins. À mi-chemin entre le sommet du téléphérique et le Musashi Mitake-jinja, à une minute du Visitors Centre.

Komadori San-sō (駒鳥山荘 ; ☎ 0428-78-8472 ; fax 78-8472 ; www.hkr.ne.jp/~komadori ; ch à partir de 4 500 ¥/pers ; 🖥). En contrebas du sanctuaire, près de la sortie du village, une auberge de 10 chambres révélant un incroyable bric-à-brac. Propriétaires sympathiques, et accueil chaleureux. Un balcon donne sur les montagnes et les gigantesques bains sont en bois de cyprès.

Reiunso (嶺雲荘 ; ☎ 0428-78-8501 ; fax 78-8774 ; www.reiunsou.com, en japonais ; ch avec 2 repas à partir de 8 400 ¥/pers). Dans le même bâtiment que la Mitake Youth Hostel, un meilleur standard de confort et des repas plus élaborés comportant des légumes de montagne de saison.

Momiji-ya (紅葉屋 ; ☎ 0428-78-8475 ; plats 735-1 155 ¥ ; ⏱ 12h-17h, fermeture irrégulière). Boutique à *soba* (nouilles de sarrasin) proche de la porte du sanctuaire, dont les fenêtres arrière donnent sur les montagnes. Vous pourrez manger des *kamonanban soba* (nouilles dans un bouillon de canard ; 1 155 ¥). Menu illustré de photos. Repérez le rideau extérieur marron et blanc.

Depuis/vers le Mitake-san

Pour rejoindre le Mitake-san, prenez la ligne JR Chūō à la gare de Shinjuku, puis changez pour la ligne JR Ōme soit à la gare de Tachikawa, soit à la gare d'Ōme. Descendez ensuite à Mitake (890 ¥, 90 min). Des bus (270 ¥, 10 min) vont de la gare de Mitake à Takimoto, où un téléphérique permet d'arriver à proximité du village de Mitake (831 m d'altitude, aller simple/aller-retour 570/1 090 ¥, 6 min, de 7h30 à 18h30) ; monter à pied prend environ 1 heure.

RÉGION DU MONT FUJI 富士山周辺

D'une beauté à couper le souffle, le mont Fuji, symbole du Japon, domine la région à l'ouest de Tōkyō. Si la plupart des touristes se contentent de l'admirer depuis sa base, faire l'ascension de ce volcan est une tradition qui relève encore aujourd'hui du sacré. Bien que Hakone soit l'endroit le plus réputé pour admirer le Fuji, mieux vaut opter pour la belle région des Fuji Go-ko (cinq lacs Fuji), qui offre des vues tout aussi spectaculaires, et une foule moins dense.

Fuji-san (mont Fuji) 富士山

Par temps clair, surtout en hiver, on aperçoit le mont Fuji (Fuji-san en japonais ; 3 776 m) depuis Tōkyō, à 100 km. Le plus haut sommet du Japon, un ancien volcan parfois couvert de neige, a été immortalisé par d'innombrables estampes et autres reproductions.

Pendant la majeure partie de l'année, il est généralement difficile de le distinguer, à moins d'être tout près. Le mont Fuji, caché dans la brume ou les nuages, se dévoile un peu en hiver et au printemps, le matin essentiellement.

ORIENTATION

Si le mont Fuji est au cœur de cette région, d'autres centres d'intérêt rayonnent tout autour. Au sud, l'Izu-hantō (péninsule d'Izu) ; au sud-est, Hakone ; au nord, la région des Fuji-Go-ko (cinq lacs Fuji), avec la ville de Fuji-Kawaguchi-ko, et le ravissant lac isolé Motosu-ko, au nord-ouest. La plupart de ces paysages font partie du parc national de Fuji-Hakone-Izu.

RENSEIGNEMENTS

Des brochures, disponibles auprès du **Tōkyō Tourist Information Center** (TIC ; ☎ 03-5321-3077), apportent des informations sur le transport jusqu'au mont et les ascensions possibles.

À proximité du mont, rendez-vous au **Fuji-Yoshida Information Center** (☎ 0555-22-7000 ; ⏱ 9h-17h30), à gauche à la sortie de la gare ferroviaire de Fuji-Yoshida, ou au **Kawaguchi-ko Tourist Information Center** (TIC ; ☎ 0555-72-6700 ; ⏱ 9h-17h dim-ven, 8h30-18h30 sam et jours fériés), à côté de la gare ferroviaire de Kawaguchi-ko. Des équipes sympathiques (parlant anglais) fournissent de nombreuses cartes et brochures sur la région. En haute saison (1er juillet-31 août), des renseignements spécifiques sur l'ascension sont délivrés en anglais par une annexe à l'**hôtel de ville de Fuji-Yoshida** (☎ 0555-24-1236 ; ⏱ 8h30-17h15 lun-ven).

ASCENSION DU MONT FUJI

Le mont Fuji se divise en dix "stations", de la première, à la base, jusqu'à la dixième, au sommet. Mais, aujourd'hui, la plupart des touristes entament la montée à partir de l'une des quatre "5es stations" accessibles par la route. Depuis celles-ci, l'ascension demande 4 heures 30, plus 3 heures pour redescendre, sans compter l'heure que l'on passe en haut à faire le tour du cratère. L'ancienne station météorologique du mont Fuji se situe au bord sud-ouest du cratère, au point culminant.

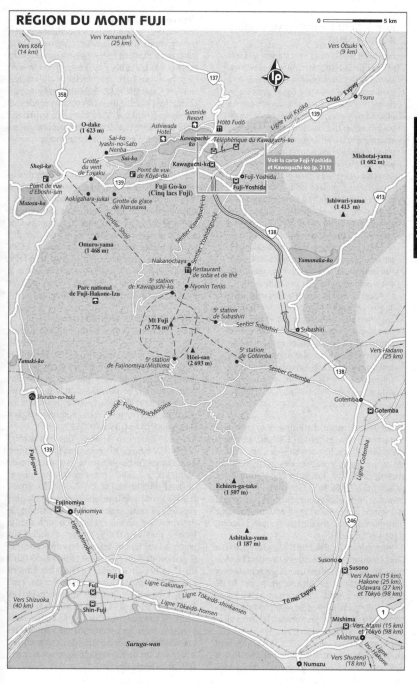

RÉGION DU MONT FUJI

0 ———— 5 km

Vers Kôfu (14 km)

Vers Yamanashi (25 km)

Vers Ôtsuki (9 km)

358

137

Chûô Expwy

Ligne Fuji Kyûkô

Tsuru

139

O-dake (1 623 m)

Sunnide Resort

Ashiwada Hotel

Hôtô Fudô

Kawaguchi-ko

Téléphérique du Kawaguchi-ko

Sai-ko Iyashi-no-Sato Nenba

Sai-ko

Shoji-ko

Grotte du vent de Fugaku

Point de vue de Kôyô-dai

Kawaguchi-ko

Voir la carte Fuji-Yoshida et Kawaguchi-ko (p. 213)

Mishotai-yama (1 682 m)

Point de vue d'Eboshi-san

139

Fuji-Yoshida

Fuji-Yoshida

Motosu-ko

Aokigahara-jukai

Grotte de glace de Narusawa

Fuji Go-ko (Cinq lacs Fuji)

Ishiwari-yama (1 413 m)

413

Omuro-yama (1 468 m)

Sentier Shoji

Sentier Yoshidaguchi

Sentier Kawaguchi-ko

138

Yamanaka-ko

Parc national de Fuji-Hakone-Izu

Nakanochaya

Restaurant de soba et de thé

5ᵉ station de Kawaguchi-ko

Nyonin Tenjo

5ᵉ station de Subashiri

Sentier Subashiri

Subashiri

Tanuki-ko

Mt Fuji (3 776 m)

5ᵉ station de Fujinomiya/Mishima

Hôei-san (2 693 m)

5ᵉ station de Gotemba

Sentier Gotemba

Vers Hadano (25 km)

138

Shiraito-no-taki

Sentier Fujinomiya/Mishima

Gotemba

Gotemba

Fuji-gawa

139

Ligne Gotemba

Echizen-ga-take (1 507 m)

Ligne Minobu

Fujinomiya

Fujinomiya

246

Ashitaka-yama (1 187 m)

Susono

Susono

Fuji

Vers Atami (15 km), Hakone (25 km), Odawara (27 km) et Tôkyô (98 km)

Ligne Gakunan

Ligne Tôkaidô-shinkansen

Ligne Tôkaidô-honsen

Tô mei Expwy

Vers Shizuoka (40 km)

Shin-Fuji

Mishima

Vers Atami (15 km) et Tôkyô (98 km)

1

Mishima

Ligne Izu-Hakone

Suruga-wan

Vers Shuzenji (18 km)

Numazu

ENVIRONS DE TÔKYÔ

BON À SAVOIR AVANT L'ASCENSION DU MONT FUJI

Bien qu'il ne soit pas rare de voir enfants et grands-parents atteindre le sommet, le Fuji-san n'en demeure pas moins une montagne. Elle est assez haute pour qu'on puisse être affecté par le manque d'oxygène et, comme partout en montagne, le temps peut changer très rapidement. Au sommet, on peut passer en quelques instants d'un soleil chaud à la pluie, avec rafales de vent glaciales. Même en été, le thermomètre peut descendre presque à 0 au petit matin.

La saison officielle pour l'ascension du mont Fuji débute le 1er juillet pour s'achever le 31 août ; le sentier risque alors d'être aussi bondé la nuit que la ligne de métro Marunouchi aux heures de pointe. En dehors de cette saison, les services ne fonctionnent plus et les autorités déconseillent absolument l'ascension. Partir à l'assaut du mont Fuji entre octobre et mai est très dangereux.

Pour l'ascension, emportez des vêtements contre le froid et la pluie, sans oublier chapeau et gants. Prenez aussi de l'eau et des provisions. Si vous grimpez la nuit, prenez une lampe de poche ou une lampe frontale. La descente est bien plus éprouvante pour les genoux que l'ascension ; descendez en souplesse, pliez les genoux, et aidez-vous d'une canne ou d'un bâton.

Sur le côté nord du Fuji-san se trouve la 5e station de Kawaguchi-ko (2 305 m), accessible depuis la ville de Kawaguchi-ko. Cette station est très populaire auprès des grimpeurs qui partent de Tōkyō. Les autres 5es stations sont Subashiri (1 980 m), Gotemba (1 440 m ; comptez 7 à 8 heures pour atteindre le sommet) et Fujinomiya (Mishima ; 2 380 m), pratique pour les visiteurs arrivant de l'ouest (Nagoya, Kyōto et au-delà).

Pour parvenir au sommet à l'aurore, il existe deux solutions : commencer à marcher l'après-midi, passer la nuit dans un refuge puis achever la montée tôt le matin, ou pratiquer toute l'ascension de nuit. Mieux vaut toutefois ne pas arriver trop longtemps avant les premières lueurs du jour, car le vent et le froid sont souvent au rendez-vous.

Les sentiers au-dessous des 5es stations sont aujourd'hui empruntés principalement pour de courtes randonnées au pied du mont Fuji.

Cependant, pour ceux qui ont le temps, l'ascension de la base au sommet, certes fatigante, mérite sans conteste les efforts déployés. Deux itinéraires existent : le sentier Yoshidaguchi (voir p. 211), depuis Fuji-Yoshida, ou le sentier Shoji, qui part près du lac Shoji-ko. Les sentiers Kawaguchi-ko, Subashiri et Gotemba permettent à ceux qui ont les genoux solides (et qui ne craignent pas de déchirer leur pantalon) de redescendre rapidement, en courant ou en glissant dans l'argile et le sable rouge.

Refuges de montagne

Une dizaine de refuges sont disséminés le long des sentiers, entre la 5e et la 8e station. Tous proposent un hébergement spartiate : comptez environ 5 000 ¥ pour une couverture à même le sol, entre deux autres grimpeurs. Ces refuges assurent également le couvert, avec des repas simples pour les hôtes du refuge et les randonneurs de passage qui souhaitent faire une halte. Mais, si vous ne consommez pas, il vous en coûtera 500 ¥ par heure de repos. Il est interdit de camper dans la montagne.

DEPUIS/VERS LE MONT FUJI

Pour accéder à la région du Fuji-san depuis Tōkyō, le bus est le plus simple ; depuis le Kansai, le voyage par le Kodama *shinkansen* exigera sans doute plusieurs changements jusqu'à la gare de Mishima. Les deux villes principales sur le flanc nord de la montagne, Fuji-Yoshida et Kawaguchi-ko, représentent les deux grandes portes d'accès. Reportez-vous à la rubrique *Fuji Go-ko* (p. 211).

Du 1er juillet au 31 août, des bus directs (2 600 ¥, 2 heures 30) rejoignent la 5e station de Kawaguchi-ko depuis la gare routière de Shinjuku, à Tōkyō ; renseignez-vous auprès des **bus Keiō Dentetsu** (☎ 03-5376-2217). Ils offrent la solution de loin la moins onéreuse et la plus rapide. En comparaison, la combinaison de deux trains et un bus reviendra pour le même trajet à près de 6 000 ¥. Si vous êtes déjà sur place, à Kawaguchi-ko, des bus desservent la 5e station de Kawaguchi-ko (1 500 ¥, 55 min) du 1er juillet au 31 août. Les horaires variant considérablement durant cette période, renseignez-vous par téléphone auprès des **bus Fuji Kyūkō** (☎ 0555-72-6877). Au plus fort de la saison officielle, des bus circulent jusqu'à 21h15 – très pratique pour les ascensions nocturnes. Des taxis relient la gare ferroviaire de Kawaguchi-ko à la 5e station de Kawaguchi-ko pour environ 10 000 ¥ (plus le péage).

Pour les randonneurs en provenance de l'ouest du Japon, des bus attendant à l'arrivée du *shinkansen* dans les gares de Shin-Fuji (2 400 ¥) et de Mishima (2 390 ¥) rallient la 5ᵉ station de Fujinomiya (Mishima) en un peu plus de 2 heures. Bureaux de réservation à **Tōkyō** (☎ 03-5376-2217) et à **Fuji** (☎ 0555-72-5111).

Fuji Go-ko 富士五湖
☎ 555

La superbe région des Fuji Go-ko (cinq lacs Fuji) est située près des contreforts nord du mont Fuji ; ses lacs font de merveilleux miroirs dans lesquels se reflète la majestueuse montagne. Le Yamanaka-ko, à l'est, est le plus grand, suivi par le Kawaguchi-ko, le Sai-ko, le Shōji-ko (le plus petit) et le Motosu-ko.

Particulièrement agréables à l'automne, quand les arbres flamboient (*kōyō* en japonais), les lacs offrent l'occasion d'une belle excursion de deux jours depuis Tōkyō ou d'une balade d'une journée en voiture. Mais les plus courageux peuvent entreprendre l'ascension des montagnes environnantes.

À VOIR ET À FAIRE
Les deux villes attenantes de Fuji-Yoshida et de Kawaguchi-ko appartiennent à deux entités administratives différentes et ont donc chacune leur propre office du tourisme.

Fuji-Yoshida 富士吉田
Les *oshi-no-ie* (auberges pour pèlerins) de Fuji-Yoshida ont accueilli les visiteurs bien

ASCENSION DU MONT FUJI PAR LE SENTIER YOSHIDAGUCHI

Avant la construction de la route de la 5ᵉ station, les marcheurs partaient du Sengen-jinja, près de l'actuelle Fuji-Yoshida. Là, les pèlerins passaient sous de gigantesques cryptomerias, devant de vieilles lanternes en pierre, et rendaient hommage aux divinités du sanctuaire avant de débuter l'ascension de 19 km de la plus sacrée des montagnes japonaises. Aujourd'hui encore, l'ancien sentier offre l'opportunité de perpétuer une tradition vieille de plusieurs siècles et de profiter pleinement de la beauté du volcan – les puristes estiment que c'est le meilleur chemin pour gravir le mont. La plus belle partie de la randonnée, un sentier isolé au cœur d'une forêt luxuriante, se situe précisément avant la 5ᵉ station. Les marcheurs bénéficient du coucher et du lever du soleil, dorment dans un refuge et approchent sans doute l'expérience intérieure des pèlerins de jadis.

Le Yoshidaguchi est le plus ancien des sentiers qui gravissent la montagne. Depuis le Sengen-jinja, prenez à droite avant le bâtiment principal, puis à gauche pour rejoindre la grande route pavée, où un sentier est visible un peu plus loin, à côté de la route. Au bout du sentier, suivez la première bifurcation sur la droite pour gagner le chemin boisé.

Après 1 heure 15 de marche environ, vous atteindrez **Nakanochaya**, un ancien site signalé par des pierres sculptées laissées par de précédents grimpeurs. Il y a là une **maison de thé et de soba** au charme désuet (dernier point de ravitaillement avant la 5ᵉ station). Nakanochaya marque le début des forêts luxuriantes du mont Fuji.

Quelque 90 minutes plus tard, le sentier aboutit à Umagaeshi, où les pèlerins laissaient jadis leurs chevaux dans des écuries, avant de pénétrer dans la partie sacrée de la montagne. Peu avant l'arrivée, une grande pancarte jaune indique le sentier sur la gauche. Ce dernier traverse un *torii* flanqué de singes, puis se poursuit par une montée. La 1ʳᵉ station est alors à 20 minutes.

L'itinéraire entre la 2ᵉ et la 3ᵉ station demande un peu de vigilance. Le sentier du Fuji rejoint le **Nyonin Tenjo** (territoire sacré des femmes). Jusqu'en 1832, les femmes ne pouvaient pas poursuivre plus avant. Seul un autel subsiste aujourd'hui, caché dans la forêt. Juste avant le Nyonin Tenjo, prenez à droite après les panneaux et poursuivez sur 150 m. Le sentier est alors indiqué par des panneaux sur la gauche. Le chemin croise la route de la 5ᵉ station après 1 heure de marche. Le sentier du Fuji se trouve 150 m plus loin, sur la droite. Vous pouvez vous arrêter dans l'une des stations des environs, ou poursuivre pendant 2 heures jusqu'aux refuges de la 7ᵉ station.

Il faut environ 5 heures pour rejoindre la 5ᵉ station depuis le Sengen-jinja. L'ascension du second jour – 4 heures 30 à travers une montagne désolée – est beaucoup plus ardue. De nombreux marcheurs se lèvent à minuit et grimpent dans l'obscurité ; mieux vaut laisser passer la foule et se lever à 4h30 pour finir l'ascension alors que le soleil pointe derrière les nuages. En redescendant, des bus conduisent de la 5ᵉ station de Kawaguchi-ko à la gare de Kawaguchi-ko.

Le **centre d'information de Fuji-Yoshida** (☎ 0555-22-7000 ; ⏰ 9h-17h30) délivre plans et renseignements sur l'ascension. La brochure *Climbing Mt Fuji* est précieuse.

ENVIRONS DE TÔKYÔ

avant que l'ascension du mont Fuji devienne touristique, car cette montagne a toujours fait l'objet d'un pèlerinage. Avant l'ascension, il fallait d'abord se préparer en se rendant au sanctuaire **Sengen-jinja** (1615, mais son origine remonterait à 788), situé au cœur d'une forêt profonde. Ce lieu mérite toujours une visite pour ses cèdres millénaires, sa porte principale reconstruite tous les 60 ans (un peu plus grande chaque fois) et les deux *mikoshi* d'une tonne que l'on sort chaque année pour le Yoshida no Hi Himatsuri (fête du Feu de Yoshida).

Depuis la gare de Fuji-Yoshida, vous pouvez marcher jusqu'au sanctuaire (15 min) ou prendre le bus jusqu'à l'arrêt Sengen-jinja-mae (150 ¥, 5 min).

Au centre de Fuji-Yoshida, le **quartier de Gekkō-ji** (月江寺) ressemble à une petite ville oubliée par le temps, où il fait bon se perdre. Derrière les façades d'origine datant de la première moitié du XXᵉ siècle, se cachent des boutiques et des cafés très branchés.

À une station à l'ouest de la gare de Fuji-Yoshida, le **Fuji-Q Highland** (☎ 23-2111 ; entrée seule adulte/enfant 1 200/600 ¥, forfait d'une journée avec attractions 4 800/3 500 ¥ ; 9h-17h lun-ven, jusqu'à 20h sam et dim) est un parc d'attractions avec montagnes russes, auto-tamponneuses, etc.

Kawaguchi-ko 河口湖

Au bord du lac du même nom, cette ville paisible est la plus proche de quatre des cinq lacs de la région. Beaucoup de grimpeurs commencent ici l'ascension du mont Fuji. À environ 600 m au nord depuis la gare de Kawaguchi-ko, sur la partie inférieure de la rive orientale du lac, le **téléphérique du Kawaguchi-ko** (☎ 72-0363 ; aller/aller-retour 400/700 ¥) conduit à la plate-forme panoramique du mont Fuji (1 104 m). Le Kawaguchi-ko Tourist Information Center (p. 208) dispose de cartes.

Près de la rive nord du lac, l'excellent **musée d'Art Itchiku Kubota** (久保田一竹美術館 ; ☎ 76-8811 ; entrée 1 300 ¥ ; 10h-17h déc-mars, 9h30-17h avr-nov) expose les kimonos aux teintes sublimes de Kubota Itchiku, dont le grand œuvre – une série de paysages passant d'un kimono à l'autre – est exposé dans une grande salle en bois de cyprès.

Si le mont Fuji n'est pas visible, le **Fuji Visitor Center** (富士ビジターセンター ; ☎ 72-0259 ; entrée libre ; 8h30-22h fin juil-août, jusqu'à 16h30 déc-fév, horaires variables le reste de l'année) diffuse une bonne vidéo en anglais qui présente la montagne et son histoire géologique.

Les abords des lacs de l'ouest sont relativement peu développés touristiquement. Au lac Sai-ko, le **Sai-ko Iyashi-no-Sato Nenba** (西湖いやしの里根場 ; ☎ 20-4677 ; adulte/enfant 200/100 ¥ ; 9h-17h), ouvert en 2006, donne à voir des reconstitutions de maisons traditionnelles aux toits de chaume, détruites par un typhon 70 ans auparavant. Vous pourrez assister à des démonstrations d'artisanat, comme la fabrication de la soie et du papier, et vous attabler dans des restaurants de *soba* et de *konyakku* (gélatine de konjac).

L'extrémité occidentale du lac et le **belvédère de Kōyō-dai**, près de la route principale, offrent une belle vue sur le mont Fuji. La **grotte de glace de Narusawa** et la **grotte du vent de Fugaku**, non loin de la route, furent formées par des coulées de lave lors d'une éruption du mont Fuji aux temps préhistoriques.

Plus à l'ouest, on accède au minuscule Shoji-ko, qui serait le plus beau des Fuji Go-ko, même s'il n'offre pas de vue sur le mont Fuji. En poursuivant jusqu'à l'**Eboshi-san**, à 1 heure-1 heure 30 de montée depuis la route, on parvient à un beau point de vue sur la montagne au-dessus de l'Aokigahara-jukai (mer d'arbres). Le dernier lac, le Motosu-ko, est le plus profond et le moins visité.

FÊTES ET FESTIVALS

Le **Yoshida no Hi Matsuri** (fête du Feu de Yoshida ; 26-27 août) est organisé à la fin de la "saison officielle" de l'ascension du mont Fuji, en remerciement de la protection accordée aux marcheurs. Le 1ᵉʳ jour est marqué par la procession d'un *mikoshi* (autel portatif) et des feux de joie dans la rue principale. Le deuxième jour, les festivités ont lieu au Sengen-jinja (ci-contre).

OÙ SE LOGER

Si vous ne passez pas la nuit dans un refuge de montagne, Fuji-Yoshida et Kawaguchi-ko sont des bases idéales. Leurs centres d'information (voir p. 208) s'occupent des réservations.

Fuji-Yoshida

Fuji-Yoshida Youth Hostel (☎ 22-0533 ; www.jyh.or.jp ; membres/non-membres dort 2 900/3 400 ¥). Auberge de jeunesse assez ancienne et appréciée, dans la vieille ville de Fuji-Yoshida. Certaines des chambres, de style japonais, ont vue sur la montagne. L'établissement est à 600 m au sud de la gare de Shimo-Yoshida ; descendez la rue principale, passez trois feux de circulation puis prenez la petite ruelle sur la droite.

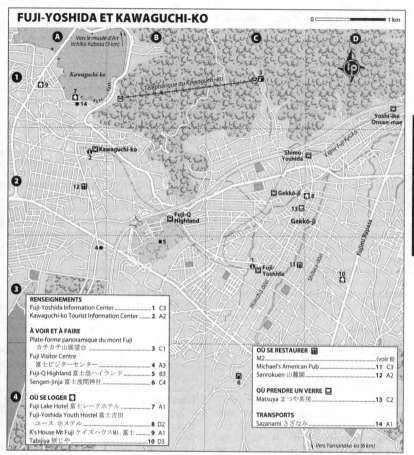

FUJI-YOSHIDA ET KAWAGUCHI-KO

Tabijiya (☎ 20-0500 ; fax 24-0200 ; www.tabijiya.jp, en japonais ; s/d/lits jum à partir de 5 900/11 000/12 000 ¥ ; ✉ 💻). Propre et tenu par une famille, ce *business hotel* est à 25 minutes de marche du centre-ville, derrière le magasin Keiyo et MOS Burger. Le petit-déjeuner, copieux, coûte 950 ¥.

Kawaguchi-ko

La plupart des auberges éloignées de la gare de Kawaguchi-ko enverront quelqu'un vous chercher gratuitement.

K's House Mt. Fuji (☎ 83-5556 ; fax 83-5557 ; kshouse. jp ; dort à partir de 2 500 ¥, ch à partir de 3 400 ¥ ; 💻). Cette nouvelle auberge de jeunesse, propre et près du lac, occupe un bâtiment rénové gai et accueillant. Sur place : cuisine entièrement équipée et VTT à louer. Pas de couvre-feu.

Sunnide Resort (サニーデリゾート ; ☎ 76-6004 ; fax 76-7706 ; www.sunnide.com, en japonais ; chalets à partir de 16 000 ¥ ; 💻). Un peu éloigné mais bénéficiant de la plus belle vue sur le mont Fuji, cet hôtel accueillant, doté d'un ravissant bain extérieur, propose des chambres et des chalets à louer. Optez au choix pour les élégantes suites avec bain sur balcon privatif, ou renseignez-vous sur les tarifs réduits "backpacker" (4 200 ¥). Petit-déjeuner/dîner à 1 050/2 100 ¥ (1 575 ¥ le dîner "backpacker").

Ashiwada Hotel (足和田 ホテル ; ☎ 82-2321 ; fax 82-2548 ; www.asiwadahotel.co.jp, en japonais ; s/d 7 350/12 000 ¥ ; 🅿 ✉ 💻). Hôtel datant un peu mais néanmoins accueillant, avec vue superbe sur le Kawaguchi-ko et des chambres aux proportions généreuses, la plupart de style japonais avec sdb. Bains communs impeccables et *rotemburo*. L'hôtel est à l'extrémité ouest du lac, dans un quartier plus résidentiel.

Fuji Lake Hotel (☎ 72-2209 ; fax 73-2700 ; www.fujilake. co.jp ; ch avec 2 repas à partir de 10 500 ¥/pers ; ◻ ◻ ◻ ◻). À deux pas du centre-ville et en bordure du lac, cet établissement ancien (1935) de 7 étages abrite des chambres mêlant les styles japonais et occidental avec vue sur les montagnes et le lac. Outre les équipements privatifs (certaines chambres ont leur propre *rotemburo*), il y a aussi un onsen *commun*.

OÙ SE RESTAURER ET PRENDRE UN VERRE
Fuji-Yoshida est célèbre pour ses *teuchi udon* (nouilles de farine de blé maison) ; 60 établissements les proposent ! Dégustez les vôtres accompagnés de *tempura*, de *kitsune* (tofu frit) et de *niku* (bœuf). Le **Fuji-Yoshida Information Center** (☎ 22-7000 ; ◻ 9h-17h30) fournit un plan et une liste des restaurants (plats environ 500 ¥).

Les nouilles sont *hôtô*, c'est-à-dire épaisses, coupées à la main, et servies dans un épais bouillon *miso* avec des morceaux de potiron, de patates douces et d'autres légumes.

Fuji-Yoshida
M2 (☎ 23-9309 ; plats 700-1 350 ¥ ; ◻ 11h-22h ; ◻). À un pâté de maisons de la Fuji-Yoshida Youth Hostel, ce café pittoresque affichant une carte en anglais propose des plats occidentaux et japonais comme le riz au curry et le sauté de porc. Les étagères remplies de BD, de jouets miniatures et d'objets d'art kitsch ajoutent au charme du lieu. Repérez l'enseigne indiquant "M2".

Michael's American Pub (☎ 24-3917 ; repas 800-1 100 ¥ ; ◻ 20h-2h ven-mer, déj dim-ven). Pour un repas typiquement américain – burgers, pizzas et bière – cette adresse prisée des expatriés comme des habitants est parfaite. De la gare de Fuji-Yoshida, marchez vers le nord en direction de la rue principale (Akafuji-dôri) et tournez à droite. À hauteur d'une boutique du nom de Nojima, prenez à gauche : le restaurant est un peu plus bas sur la droite, dans une petite rue piétonne. Menu et enseigne en anglais.

Matsuya (☎ 22-5185 ; ◻ 11h-20h mar-dim ; ◻). Emblématique du quartier artiste et bohème de Gekkô-ji, ce charmant café est aussi une boutique d'artisanat. On vient y boire un café ou un thé tout en bavardant avec son adorable propriétaire, qui parle anglais. Parmi les en-cas proposés : *chiri to biinzu tôsuto* (piment et toast ; 400 ¥). Le café est dans la rue principale. Repérez sa vieille enseigne en bois.

Kawaguchi-ko
Hôtô Fudô (ほうとう不動 ; ☎ 76-7800 ; hôtô 1 050 ¥ ; ◻ 11h-19h). Trois établissements de la même enseigne proposent un plantureux ragoût servi dans un récipient en fonte. Les plus audacieux goûteront au *basashi* (viande de cheval crue ; 1 050 ¥). Le *honten* (enseigne principale), ressemblant à une grange marron et blanche, est au nord du lac, près du musée d'Art de Kawaguchi-ko desservi par le bus touristique ("retro-bus").

Sanrokuen (☎ 73-1000 ; menus 2 100-4 200 ¥ ; ◻ 10h-19h30 tlj sauf jeu). Ce charmant restaurant aux airs de grange doté d'un *irori* (foyer creusé dans le sol) permet aux convives de griller eux-mêmes leurs mets (brochettes de poisson, de poulet, tofu, viande rouge et légumes) sur du charbon de bois. Le menu est illustré de photos. De la gare de Kawaguchi-ko, prenez à gauche, puis encore à gauche après le 7-Eleven. Au bout de 600 m, vous verrez le toit de chaume du restaurant sur la droite.

DEPUIS/VERS LES FUJI GO-KO
Des bus (1 700 ¥, 1 heure 45) rejoignent directement Kawaguchi-ko depuis la sortie ouest de la gare de Shinjuku à Tôkyô. En haute saison, jusqu'à 16 bus par jour assurent la liaison. Certains desservent également Yamanaka-ko et Motosu-ko. À Tôkyô, réservations et horaires auprès des **bus Keiô Kôsoku** (☎ 03-5376-2217) ; à Kawaguchi-ko, réservations auprès des **bus Tômei Highway** (☎ 72-2922).

Rejoindre les lacs en train est plus onéreux et plus long qu'en bus. Les trains de la ligne JR Chûô relient Shinjuku à Ôtsuki (*tokkyû* 2 980 ¥, 1 heure ; *futsû* 1 280 ¥, 1 heure 30), où il faut changer pour la ligne Fuji Kyûkô qui rallie Kawaguchi-ko (*futsû* 1 110 ¥, 50 min).

COMMENT CIRCULER
Le bus touristique de Fuji-Kawaguchi-ko (appelé "retro-bus") permet de descendre et de reprendre le bus sur tous les sites des lacs de l'ouest. Une ligne (forfait 2 jours adulte/enfant 1 000/500 ¥) suit la rive nord du Kawaguchi-ko, l'autre (1 300/650 ¥) se dirige au sud ainsi que vers le Sai-ko et Aokigahara.

Vous pourrez louer des vélos (500/1 500 ¥ l'heure/la demi-journée) et des barques (2 500 ¥/pers, plus 1 000 ¥/heure) chez **Sazanami** (☎ 72-0041 ; ◻ 9h-18h), sur la rive sud-est du Kawaguchi-ko.

Des bus partent de la gare de Fuji-Yoshida, desservent les quatre lacs les moins grands et contournent la montagne pour rallier Fujinomiya (2 050 ¥, 80 min). Quotidiennement, 9 à 11 bus relient Kawaguchi-ko à Mishima (2 130 ¥, 2 heures), sur la ligne du *shinkansen*.

RÉGION DE HAKONE 箱根園

☎ 0460 / 13 511 habitants

Si vous n'avez qu'un jour ou deux à passer en dehors de Tôkyô, Hakone dispose de tous les atouts que peut offrir la campagne japonaise : un paysage de montagne extraordinaire dominé par le mont Fuji, des musées d'art, des onsen, des auberges traditionnelles, le tout desservi par de multiples moyens de transport.

Durant les vacances et les week-ends, Hakone est très fréquentée pour ne pas dire bondée. Pour éviter la foule, mieux vaut donc planifier votre excursion en semaine. Pour plus d'informations, consultez le site Internet www.hakone.or.jp/english (en anglais).

FÊTES ET FESTIVALS

Ashino-ko Kosui Matsuri (31 juil). Un *matsuri* organisé au Hakone-jinja, près de Moto-Hakone, avec des feux d'artifice au-dessus du lac.

Hakone Daimonji-yaki Matsuri (16 août). Des torches allumées sont disposées sur le Myojoga-take pour former un gigantesque caractère chinois signifiant "grand".

Parade Hakone Daimyô Gyoretsu (3 nov). Le jour de la Culture, reconstitution d'une procession de seigneurs médiévaux par 400 habitants costumés.

DEPUIS/VERS LA RÉGION DE HAKONE

Bus

Depuis Tôkyô, on peut rejoindre Hakone-machi en bus express Odakyû au départ de la sortie ouest de la gare de Shinjuku (1 950 ¥, 2 heures, 20 bus/jour). Cependant, il est plus amusant de combiner train, funiculaire et bateau.

Train

Depuis la gare de Shinjuku, la **ligne privée Odakyû** (www.odakyu.jp/english) vous conduit directement à la gare de Hakone-Yumoto, plaque tournante de la région. Si vous voyagez avec le JR Pass, vous économiserez un supplément de cette ligne privée en prenant la ligne JR pour Odawara, où vous changerez pour Hakone-Yumoto.

Le **Hakone Freepass d'Odakyû** (箱根フリーパス), disponible aux gares d'Odakyû et dans les agences de l'enseigne Odakyû Travel, est très avantageux pour effectuer le circuit standard autour de Hakone : il comprend le trajet aller-retour à Hakone et donne un accès illimité à tous les transports de la région, en plus d'autres

réductions. Il existe sous diverses formes : le forfait de 2 jours (adulte/enfant au départ de Shinjuku 5 000/1 500 ¥, au départ d'Odawara 3 900/1 000 ¥) ou le forfait de 3 jours (adulte/enfant au départ de Shinjuku 5 500/1 750 ¥, au départ d'Odawara 4 400/1 250 ¥).

Les tarifs des transports annoncés dans cette rubrique ne tiennent pas compte du Free Pass, sauf mention spéciale.

Le moyen de transport le plus pratique sur la ligne Odakyû est le train *Romancecar*, qui va jusqu'à Hakone-Yumoto (avec/sans Freepass 870/2 020 ¥, 85 min). Un *kyûkô* (express ordinaire ; 1 150 ¥, 2 heures) assure également la liaison avec Hakone-Yumoto, avec un changement éventuel à Odawara.

Les trains JR relient Shinjuku à Odawara (1 450 ¥, 90 min). Depuis la gare de Tôkyô, prenez le Kodama *shinkansen* (3 130 ¥, 35 min) ou la ligne JR Tôkaidô (*futsû* 1 450 ¥, 1 heure 15 ; *tokkyû* 2 350 ¥, 1 heure).

À Odawara, il est possible de changer pour le train miniature de la ligne Hakone-Tôzan qui va jusqu'à Gôra (650 ¥, 1 heure) via Hakone-Yumoto. Si vous arrivez à Hakone-Yumoto par la ligne Odakyû, vous n'aurez pas à changer de gare pour trouver la ligne Hakone-Tôzan (390 ¥ jusqu'à Gôra, 40 min).

COMMENT CIRCULER

La chance de pouvoir utiliser en une journée différents *norimono* (modes de transport) contribue grandement à la popularité de Hakone. Tous ou presque sont représentés : train miniature (de Hakone-Yumoto à Gôra), funiculaire, téléphérique, bateau et bus. Consultez le site www.odakyu.jp/english/, qui décrit le circuit, bien pourvu à chaque halte en éventaires d'en-cas et de souvenirs.

Bateau

Depuis Tôgendai, des bateaux sillonnent l'Ashino-ko, reliant Hakone-machi et Moto-Hakone (970 ¥, 30 min). Certains ressemblent à des navires de pirates, d'autres aux bateaux à aube du Mississippi... Du kitsch pour touristes qui n'en demeure pas moins amusant.

Bus

Les compagnies de bus Hakone-Tôzan et Izu Hakone parcourent la région de Hakone. À elles deux, elles desservent la plupart des destinations du secteur. Les bus Hakone-Tôzan sont inclus dans le Hakone Freepass. Depuis Hakone-machi, les bus Hakone-Tôzan rejoignent

ENVIRONS DE TÔKYÔ

RÉGION DE HAKONE

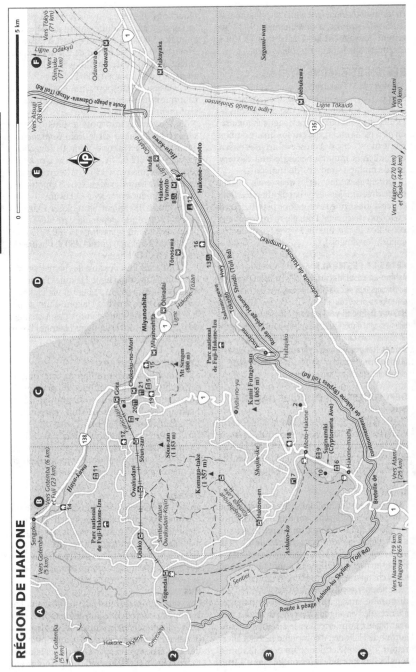

Odawara (1 150 ¥, 45 min). Comptez 1 270 ¥ pour aller à Odawara depuis Hakone-en. Des bus partent toutes les 30 minutes de Moto-Hakone pour Hakone-Yumoto entre 10h et 15h (930 ¥, 35 min).

Envoi des bagages à l'auberge
À la gare de Hakone-Yumoto, déposez avant midi vos bagages au **Hakone Baggage Service** (箱根キャリーサービス ; ☎ 86-4140 ; un article à partir de 600 ¥ ; 🕑 8h30-19h) et ils seront livrés à votre auberge dans Hakone à partir de 15h. Pour le retour, on viendra les reprendre à 10h et vous les retrouverez à partir de 13h à la gare de Hakone-Yumoto. Le Hakone Freepass donne droit à une réduction de 100 ¥ par article.

Funiculaire et téléphérique
Gōra est le terminus de la ligne de chemin de fer Hakone-Tōzan et le départ du funiculaire pour Sōun-zan. De Sōun-zan, vous pourrez prendre le téléphérique (Hakone Ropeway) jusqu'à Ōwakudani et à Tōgendai.

Hakone-Yumoto Onsen 箱根湯元温泉
Hakone-Yumoto étant le point de départ pour la plupart des visites à Hakone, elle peut être vraiment bondée. Lorsque le temps est incertain, si vous arrivez d'Odawara, elle invite à une halte pour passer la journée dans les bains, avant de changer pour le chemin de fer miniature de Hakone-Tōzan. Yumoto est également accessible à pied depuis Moto-Hakone (p. 219), via l'ancienne grand-route Tōkaidō.

L'excellent **office du tourisme** (☎ 85-5700 ; 🕑 9h-17h45), à côté de l'arrêt de bus, dans la rue principale face à la gare, distribue des cartes et fournit toutes sortes d'informations.

Les onsen constituent le principal intérêt de Hakone-Yumoto. Le bain extérieur **Kappa Tengoku Rotemburo** (☎ 85-6121 ; adulte/enfant 750/400 ¥ ;

🕑 10h-22h), derrière et au-dessus de la gare, mérite le détour quand la foule n'est pas trop dense ; à 3 minutes à pied de la gare de Hakone-Yumoto. Plus haut de gamme, le **Tenzan Tōji-kyō** (☎ 86-4126 ; entrée 1 200 ¥ ; 🕑 9h-22h) propose un choix fantastique de bains intérieurs et extérieurs. Pour vous y rendre, prenez la navette B Course (itinéraire B) qui part du pont au sortir de la gare.

OÙ SE LOGER
Hotel Okada (☎ 85-6000 ; fax 85-5774 ; www.hotel-okada.co.jp/eng/ ; ch avec 2 repas à partir de 17 000 ¥/pers ; 🅿 🈳). Pour un séjour douillet, rien de tel que ce vaste hôtel au bord de la Sukumo-gawa. Superbes chambres de style japonais et occidental et grand ensemble de bains comprenant le vaste complexe Yu no Sato (également ouvert aux excursionnistes, à partir de 1 000 ¥), au-dessus de l'aile abritant la Pension Okada, moins chère (chambres à partir de 5 930 ¥/pers). Prenez le bus A à la gare ferroviaire (100 ¥, 10 min).

Miyanoshita 宮ノ下
Première étape digne d'intérêt sur la ligne ferroviaire Hakone-Tōzan en direction de Gōra, ce village compte quelques boutiques d'antiquités le long de la rue principale (de la gare, descendez la colline toujours tout droit), de superbes *ryokan* et un agréable chemin de randonnée qui gravit le mont Sengen jusqu'à 800 m d'altitude. Le départ du chemin est à 20 m sur la route en sortant de la gare.

💟 **Fujiya Hotel** (☎ 82-2211 ; fax 82-2210 ; www.fujiyahotel.jp ; d à partir de 18 870 ¥). L'un des hôtels les plus raffinés du Japon. Ouvert en 1878, c'est l'un des premiers établissements de style occidental du pays. S'étendant aujourd'hui sur plusieurs ailes, toujours aussi élégant, il arbore une architecture de bois dans ses salons et sa salle à manger d'un autre âge, et possède un jardin sur la colline et des bains anciens. Les chambres sont alimentées en eau des sources chaudes. Même si vous n'y séjournez pas, venez au moins en respirer l'atmosphère et prendre le thé dans le salon. Renseignez-vous au sujet du tarif spécial-semaine d'environ 130 $US (acquittables en yens) pour les doubles. À environ 250 m à l'ouest de la gare.

Si vous n'avez pas envie de dépenser trop pour un dîner au Fujiya, vous trouverez, à quelques pas, le sympathique **Miyafuji** (鮨みや ふじ ; ☎ 82-2139 ; repas 1 575-2 310 ¥ ; ☯ déj et dîner tlj sauf mar), renommé pour son *aji-don* (truite de rivière sur du riz). Menu en anglais. Repérez le rideau de porte orné d'un blason rond.

Chôkoku-no-Mori 彫刻の森

Deux arrêts après Miyanoshita, vous découvrirez le remarquable **musée en plein air de Hakone** (☎ 82-1161 ; www.hakone-oam.or.jp ; adulte/enfant/étudiant et lycéen 1 600/800/1 100 ¥ ; ☯ 9h-16h30). Le tarif est élevé mais justifié. À flanc de colline, vous admirerez une extraordinaire collection de sculptures japonaises et occidentales des XIXᵉ et XXᵉ siècles (notamment de Henry Moore, Rodin, Maillol et Mirò). Un pavillon est consacré à Picasso ainsi que des tableaux de Kotaro Takamura et d'autres artistes japonais. Le musée abrite quelques restaurants corrects et une maison de thé. Les détenteurs du Hakone Freepass ont droit à une réduction de 200 ¥.

Le **Yudokoro Chôraku** (☎ 82-2192 ; fax 82-4533 ; ch à partir de 5 150 ¥/pers ; P), un charmant *ryokan*, se trouve 300 m plus haut que le musée sur la gauche. Ses chambres garnies de tatamis, modestes mais soigneusement entretenues, disposent de kitchenettes et de toilettes privées. Un onsen occupe le 1ᵉʳ niveau (accessible en journée moyennant 550 ¥).

Pour vous régaler de succulents sushis et sashimis, rendez-vous au **Kappeizushi** (☎ 82-3278 ; sushis mixtes environ 1 500 ¥ ; ☯ 9h-20h tlj sauf mar). Carte illustrée de photos. L'établissement, avec un rideau de porte bleu et blanc et une enseigne en bois, est en contrebas du musée.

Gôra 強羅

Gôra est le terminus de la ligne Hakone-Tôzan et le point de départ du trajet en funiculaire et en téléphérique jusqu'à Tôgendai, au bord de l'Ashino-ko. Les quelques sites de la bourgade n'ont pas grand intérêt pour les voyageurs.

Une courte promenade longeant les rails du funiculaire pour le Sôun-zan vous mène au **Hakone Gôra-kôen** (☎ 82-2825 ; adulte avec/sans Freepass gratuit/500 ¥, enfant gratuit ; ☯ 9h-17h), un parc qui comprend un jardin de pierres, des plantes alpines et saisonnières, une fontaine et plusieurs serres de fleurs tropicales. Attenant au parc, le **musée d'Art de Hakone** (☎ 82-2623 ; adulte/collégien et enfant/lycéen et étudiant 900 ¥/gratuit/400 ¥ ; ☯ 9h30-16h30 avr-nov, 9h30-15h30 déc-mars) expose une imposante collection de poteries japonaises dont certaines remontent à l'époque Jômon.

Le **musée d'Art Pola** (☎ 84-2111 ; www.polamuseum.or.jp ; adulte/collégien et primaire/étudiant et lycéen 1 800/700/1 300 ¥ ; ☯ 9h-16h30) vaut sans conteste un détour à partir de Gôra. Sa collection, présentée à travers des expositions temporaires, comporte 9 500 tableaux européens et japonais, partant des impressionnistes, ainsi que des céramiques et des objets de verre. Le samedi, l'entrée est gratuite pour les élèves du primaire et du collège. Depuis la gare de Gôra, prendre la navette touristique jusqu'à Shissei-kaen (290 ¥, 13 min).

De construction récente, le **Hyatt Regency Hakone Resort and Spa** (☎ 82-2000 ; fax 82-2001 ; hakone.regency.hyatt. com ; lits jum à partir de 43 900 ¥ ; P 💻) est une retraite raffinée aux grandes chambres très luxueuses, avec terrasses privatives et vue magnifique sur la vallée. Au spa-onsen, vous pourrez prendre des cours de relaxation et profiter des grands bains, ou bien simplement vous reposer dans l'élégant salon central pourvu d'une belle cheminée.

Le **Gyôza Center** (☎ 82-3457 ; plats 735-945 ¥, menus 1 155-1 365 ¥ ; ☯ déj tlj, dîner tlj sauf jeu) est réputé pour ses *gyôza* (raviolis), qu'il décline dans une dizaine de variétés, dont la soupe (*sui-gyôza*), la soupe au *kimchi* (*kimchi sui-gyôza*) ou tout simplement frits à la poêle (*nômaru*). Vous le trouverez entre les gares de Gôra et de Chôkoku-no-Mori. Petite enseigne en anglais, menu en anglais également.

OÙ SE LOGER

Outre les adresses répertoriées pour chaque destination, il faut aussi compter avec ces établissements appréciés de longue date.

Hakone Sengokuhara Youth Hostel (☎ 84-8966 ; fax 84-6578 ; http://hakone.syuriken.jp/YH/ ; membres/non-membres dort 3 200/3 800 ¥, ch 4 800/5 000 ¥/pers ; P ✗ 💻). Agréable auberge de jeunesse située juste derrière la Fuji Hakone Guest House et gérée par la même famille. Chambres et dortoirs de style japonais, bains alimentés par des sources chaudes. Cuisine. Personnel anglophone.

Fuji Hakone Guest House (☎ 84-6577 ; fax 84-6578 ; http://hakone.syuriken.jp/hakone/ ; ch 5 250-6 300 ¥/pers ; P ✗ 💻). Tenue par une sympathique famille anglophone, cette pension propose de jolies chambres garnies de tatamis ainsi qu'un agréable onsen. Comptez une augmentation de 1 000 ¥ à 2 000 ¥ par personne en haute saison. Pour venir, prenez le bus de l'arrêt n°4 à la gare d'Odawara jusqu'à l'arrêt Senkyōrō-mae (50 min). Vous verrez une enseigne en anglais à proximité.

Sôun-zan et Ōwakudani
早雲山・大桶谷

De Gôra, le funiculaire (410 ¥, 10 min) continue son ascension pour s'approcher du sommet du Sôun-zan (1 153 m).

De Sôun-zan partent plusieurs sentiers de randonnée, parmi lesquels l'un rejoint le mont Kami (1 heure 45) et un autre grimpe vers Ōwakudani (1 heure 15). Le second est parfois fermé en raison d'émanations de gaz. Renseignez-vous à l'office du tourisme.

Sôun-zan est le point de départ du téléphérique de Hakone, un parcours de 30 minutes et 4 km jusqu'à Tôgendai (aller/aller-retour 1 330/2 340 ¥). Les cabines marquent une halte en chemin à Ōwakudani pour permettre aux visiteurs d'admirer par beau temps la vue grandiose sur le mont Fuji.

Il sort du chaudron volcanique d'Ōwakudani des vapeurs, de la boue bouillonnante et des odeurs mystérieuses. Le sentier nature Ōwakudani-Kojiri (Ōwakudani Kojiri Shizen Tanshō Hodō ; 大涌谷湖尻自然探勝歩道) monte, à travers des paysages carbonisés, presque apocalyptiques, vers quelques cratères bouillonnants. On y vend des œufs cuits dans les eaux sulfureuses et devenus noirs. Il ne faut pas s'attarder sur place en raison de la toxicité des gaz.

Ashino-ko 芦ノ湖

Entre Tôgendai, Hakone-machi et Moto-Hakone, ce lac, en forme de jambe, est présenté comme le premier site touristique de la région de Hakone. En réalité, le reflet des pentes enneigées du mont Fuji sur le lac contribue pour beaucoup à la poésie du lieu. Malheureusement, le vénérable mont se cache souvent derrière des nuages. Si c'est le cas, consolez-vous en faisant un tour de bateau sur le lac, au cours duquel des commentaires en anglais évoquent l'histoire du lieu et de ses environs naturels. Pour les transports sur le lac, reportez-vous p. 215.

Hakone-machi et Moto-Hakone
箱根町・元箱根

Les bateaux qui croisent sur l'Ashino-ko vous déposent dans l'une de ces deux villes, tout aussi touristiques l'une que l'autre, avec des sites historiques dignes d'intérêt. Principal attrait de Hakone-machi, le **Hakone Sekisho** (musée du Poste-Frontière de Hakone ; ☎ 83-6635 ; adulte/enfant 500/250 ¥ ; ☺ 9h-17h) est une réplique du poste-frontière de l'époque féodale situé sur l'ancienne grand-route du Tôkaidô. Ne manquez pas la visite du musée (pas de légendes en anglais), qui renferme notamment des armures et de macabres instruments de torture utilisés à l'encontre des hors-la-loi. Sur une petite péninsule voisine s'étend un beau parc, l'**Onshi Hakone Kōen** (☎ 83-7484 ; entrée libre ; ☺ 9h-16h30). De là, on jouit d'une belle vue sur le lac et le mont Fuji. L'élégant édifice de style occidental servait jadis de résidence à la famille impériale.

La **Suginamiki** (杉並木 ; avenue des Cryptomerias) est une allée pavée longeant sur 2 km la route animée au bord du lac qui relie Hakone-machi et Moto-Hakone. Elle est bordée de quelque 400 cèdres du Japon (cryptomerias) plantés là il y a près de 400 ans. Entre les cèdres et Moto-Hakone, vous trouverez le **musée d'Art Narukawa** (☎ 83-6828 ; adulte/enfant 1 200/600 ¥ ; ☺ 9h-17h) qui renferme une splendide collection de tableaux japonais contemporains.

À Moto-Hakone, il ne faut pas manquer la visite du **Hakone-jinja** (☎ 83-7213 ; pavillon du Trésor 500 ¥ ; ☺ 9h-16h), dont le *torii* rouge émerge du lac. Une promenade contourne le lac jusqu'au *torii* par une allée bordée de cèdres gigantesques. Le sanctuaire s'élève au cœur d'un bosquet.

Les plus courageux pourront rejoindre Hakone-Yumoto à pied, par l'ancienne grand-route du Tôkaidô (3 heures 30). On y accède en haut de la rue qui part de l'arrêt de bus Moto-Hakone, au bord du lac. En chemin, la **maison de thé Amazake-jaya** (☎ 83-6418 ; ☺ 7h-17h30), édifice isolé de style traditionnel vieux de 350 ans, invite à se désaltérer d'une tasse d'*amazake* (saké doux et tiède ; 400 ¥). On peut aussi faire halte dans le village de Hatajuku, puis terminer la balade par la visite du **Sôun-ji**, un ancien temple à proximité de la gare de Hakone-Yumoto.

OÙ SE LOGER
Moto-Hakone Guesthouse (☎ 83-7880 ; fax 84-6578 ; www.fujihakone.com ; ch 5 250 ¥/pers ; Ⓟ). Adresse très prisée des touristes, proposant de modestes et jolies chambres de style japonais sans sdb. Vous trouverez des détails sur le site Internet. Depuis Hakone-machi ou Moto-Hakone, prenez un bus en direction d'Odawara jusqu'à Ashinokôen-mae (adulte/enfant 210/160 ¥, 10 min). Ensuite, la pension est à deux pas.

ENVIRONS DE TÔKYÔ

IZU-HANTŌ 伊豆半島

L'Izu-hantō (péninsule d'Izu), à 100 km au sud-ouest de Tōkyō dans le Shizuoka-ken, baigne dans une ambiance très décontractée mais s'enorgueillit aussi d'une riche histoire, marquée par l'épisode des célèbres "bateaux noirs" du commodore Perry (p. 47). Au nombre de ses autres atouts, citons sa végé-tation luxuriante, son littoral accidenté, ses nombreux *onsen*, et ses spécialités culinaires comme le *himono* (poisson séché) et les *mikan* (mandarines). Le week-end et les jours fériés, notamment en été, la côte est souvent bondée. L'ambiance est toujours plus calme sur la côte ouest, qui donne sur la baie de Suruga-wan et sur le mont Fuji.

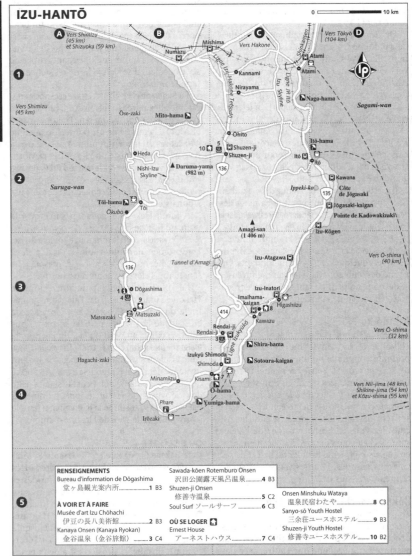

ENVIRONS DE TŌKYŌ

IZU-HANTŌ

0 ⸺ 10 km

Vous pourrez commencer un agréable voyage autour de la péninsule en prenant le train (JR à partir de Tōkyō) jusqu'à Itō, sur la côte orientale, admirant au passage les vues époustouflantes sur la mer. D'Itō, vous irez en bus explorer la ville historique de Shimoda. Ensuite, vous traverserez une campagne vallonnée, émaillée de fermes et de bourgades rurales, afin de rejoindre, sur la côte occidentale, Matsuzaki et Dōgashima. De là, vous rallierez Shuzenji, un paisible petit village d'onsen, où la ligne Izu-Hakone Tetsudō dessert Mishima, elle-même reliée au JR.

Atami 熱海
☎ 0557 / 40 000 habitants
Ville d'eaux surdéveloppée, Atami a beau être la porte d'accès à la péninsule d'Izu, elle présente un intérêt limité, exception faite de son musée. Surplombant l'océan, l'attrayant **musée d'Art MOA** (MOA美術館 ; ☎ 84-2511 ; www. moaart.or.jp ; adulte/étudiant 1 600/800 ¥ ; 🕙 9h30-16h tlj sauf jeu, fermé 4-14 jan et 25-31 déc) survole en effet un millénaire, avec sa belle collection d'art japonais et chinois, regroupant peintures, céramiques, calligraphies et sculptures. Certaines de ces œuvres sont classées trésors nationaux. Prenez le bus à l'arrêt n°4 à la sortie de la gare d'Atami et descendez au terminus (160 ¥, 8 min).

L'**office du tourisme** (☎ 81-5297 ; 🕙 9h30-17h30) installé dans la gare délivre des entrées à tarif réduit pour le musée (1 300 ¥) et des informations sur la ville.

En raison de la grande popularité de la ville auprès des touristes japonais, les hébergements sont extrêmement onéreux. Mieux vaut loger à Itō ou à Shimoda.

DEPUIS/VERS ATAMI
Les trains JR de la ligne Tōkaidō relient la gare de Tōkyō à celle d'Atami (Kodama *shinkansen* 3 570 ¥, 46 min ; Odoriko 3 190 ¥, 1 heure 15 ; Acty *kaisoku* 1 890 ¥, 1 heure 30).

Itō et Jōgasaki 伊東・城ヶ崎
☎ 0557
Autre ville d'eaux pourvue de sources chaudes, Itō doit sa renommée à *Shōgun*, le célèbre roman de James Clavell, dans lequel le héros, Anjin-san (William Adams), construit ici un bateau pour le shogunat des Tokugawa. On dit que cette station était si fréquentée qu'elle comptait, il y a un siècle, une centaine de geishas, mais Itō a depuis retrouvé son calme. L'**office du tourisme** (☎ 37-6105 ; 🕙 9h-17h) est situé dans la gare.

À 7 minutes à pied au sud de la gare se dresse le **Tōkaikan** (東海館 ; ☎ 36-2004 ; adulte/enfant 200/100 ¥ ; 🕙 9h-21h, fermé 3e mar du mois), une auberge des années 1920 aujourd'hui classée monument national pour l'élégance de son architecture en bois, et dont chaque étage a été conçu par un architecte différent. Son immense **bain** (adulte/enfant 500/300 ¥ ; 🕙 11h-19h) est encore en activité.

Au sud d'Itō, les falaises de l'extraordinaire côte de Jōgasaki, balayées par le vent, furent formées par des coulées de lave. Un redoutable pont suspendu de 48 m conduit jusqu'à la pointe de Kadowakizaki, tandis que les vagues se déchaînent 23 m plus bas. C'est un endroit qu'affectionnent tout particulièrement les réalisateurs de films ou de téléfilms pour tourner des scènes de suicide. Si vous avez le temps, un sentier de randonnée d'une difficulté raisonnable longe la falaise à travers roches volcaniques et forêts de pins, au sud du phare de 17 m de hauteur.

Le **Yamaki Ryokan** (山喜旅館 ; ☎ 37-4123, en japonais ; fax 38-8123 ; www.ito-yamaki.co.jp ; ch avec 2 repas 8 550 ¥/pers), à un pâté de maisons à l'est du Tōkaikan, est une charmante auberge de 15 chambres datant des années 1940. Elle témoigne de la riche tradition du travail du bois typique d'Itō. Son sympathique propriétaire parle assez peu anglais. Renseignez-vous sur les réservations à l'office du tourisme.

DEPUIS/VERS ITŌ ET JŌGASAKI
Itō est reliée à Atami par la ligne JR Itō (320 ¥, 25 min). Le service express réduit de la ligne JR Odoriko rallie également la ville au départ de la gare de Tōkyō (3 510 ¥, 1 heure 45). Pour rejoindre Jōgasaki à partir d'Itō, prenez la ligne Izukyūkō (ou Izukyū) pour Jōgasaki-kaigan (560 ¥, 18 min), puis descendez le long de la route sur 1,5 km ; des bus s'y rendent également, mais le trajet est plus long et plus onéreux. La ligne de train Izukyū continue jusqu'à Shimoda.

Shimoda 下田
☎ 0558 / 25 000 habitants
L'ambiance décontractée de Shimoda se prête idéalement à la découverte de ses plages et de son histoire. La ville occupe en effet une place toute particulière dans l'histoire du Japon car c'est ici qu'après des siècles d'isolement, le pays dut s'ouvrir au monde extérieur. Prenant la suite des *kurofune* (bateaux noirs), vaisseaux de guerre du commodore Perry, l'Américain Townsend Harris créa le premier consulat occidental à Shimoda.

ENVIRONS DE TŌKYŌ

ENVIRONS DE TÔKYÔ

RENSEIGNEMENTS

Association des guides anglophones bénévoles

(☎ 23-5151 ; maimai-h@i-younet.ne.jp ; ☺ 8h30-17h15 tlj sauf lun). Visites guidées gratuites.

Association touristique de Shimoda (☎ 22-1531 ; ☺ 10h-17h). Carte utile (la *Shimoda Walking Map*) et service de réservation d'hébergements. Prendre à gauche à la sortie de la gare jusqu'à la première intersection ; l'office du tourisme se trouve à l'angle sud-est.

Poste principale (☎ 22-1531 ; ☺ 10h-17h). DAB international. À quelques pâtés de maisons de Perry Road.

Shelly's English School & Café (☎ 27-2686 ; ☺ 11h-18h mar-sam). Les enfants sont les bienvenus dans ce snack-bar situé au nord-est de la gare d'Izukyū Shimoda, au bord de la rivière. Sur place : renseignements, Internet gratuit et excellents tacos. Cherchez l'escalier rouge.

À VOIR ET À FAIRE

Ryōsen-ji et Chōraku-ji 了仙寺・長楽寺

Le **Ryōsen-ji** (☎ 22-0657), à 25 minutes à pied au sud de la gare de Shimoda, est l'endroit où le commodore Perry et les représentants du shogunat des Tokugawa signèrent un second traité en complément de celui de Kanagawa, qui avait mis un terme à des siècles d'isolement volontaire.

Dans le temple, la **galerie d'art des Bateaux noirs** (Hōmotsukan ; ☎ 22-0657 ; adulte/enfant 500/150 ¥ ; ☺ 8h30-17h, fermé 1er-3 août et 24-26 déc) comprend plus de 2 800 objets évoquant Perry et l'arrivée des "bateaux noirs". On y découvre aussi l'image que les étrangers avaient du Japon et vice-versa. Les expositions changent régulièrement.

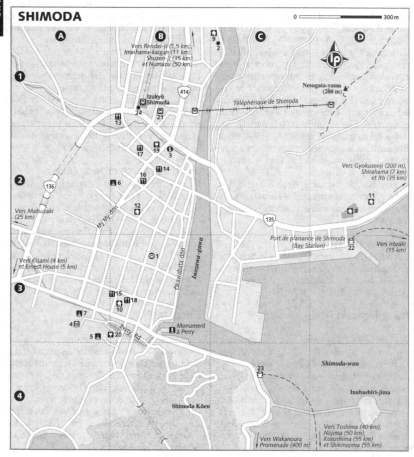

SHIMODA

0 — 300 m

Vers Rendai-ji (1,5 km),
Imaihama-kaigan (11 km),
Shuzen-ji (35 km)
et Numazu (50 km)

Nesugata-yama
(200 m)

Téléphérique de Shimoda

Vers Gyokusenji (200 m),
Shirahama (7 km)
et Itō (35 km)

Vers Matsuzaki
(25 km)

Port de plaisance de Shimoda
(Bay Station)

Vers Irōzaki
(15 km)

Vers Kisami (4 km)
et Ernest House (5 km)

Monument
à Perry

Shimoda-wan

Inubashiri-jima

Shimoda Kōen

Vers Wakanoura
Promenade (400 m)

Vers Toshima (40 km),
Niijima (50 km),
Kozushima (55 km)
et Shikinejima (55 km)

Derrière le Ryōsen-ji, en haut des marches, se trouve le **Chōraku-ji**, où fut signé le traité russo-japonais de 1854. Allez faire un tour au cimetière et remarquez les murs *namako-kabe* (recouverts de carreaux d'ardoise en losange).

Hōfuku-ji 宝福寺

Le Hōfuku-ji, un temple dans le centre de la ville, est avant tout un **musée** (☎ 22-0960 ; 300 ¥ ; ☺ 8h-17h) évoquant la vie d'Okichi (voir l'encadré p. 224).

Il renferme des reliques et des images extraites des diverses adaptations de sa vie, au cinéma ou à la télévision. Sa tombe se trouve à l'extrémité du jardin, à l'arrière du temple, à côté d'une statue de cuivre fatiguée. Les autres sépultures lui sont dédiées, portant le nom des actrices qui l'ont incarnée à l'écran.

Gyokusenji 玉泉寺

Fondé en 1590, ce **temple** (☎ 22-1287 ; entrée libre, musée Harris adulte/enfant 300/150 ¥ ; ☺ 8h-17h) est célèbre, car il fut le premier consulat occidental ouvert au Japon, en 1856. Le musée conserve des objets et des documents relatant la vie de Townsend Harris, le premier consul général, ainsi que des modèles grandeur nature de lui et d'Okichi. Devant le temple, le bas-relief représentant une vache rappelle une anecdote : alors qu'au Japon, personne ne buvait de lait, Harris demanda qu'on lui en apporte pour se remettre d'une maladie. La consommation de lait augmenta à partir de ce moment-là.

Shimoda Kōen et promenade de Wakanoura 下田公園・和歌の浦遊歩道

En poursuivant vers l'est après Perry Road, on parvient à l'agréable parc Shimoda Kōen, qui domine la baie depuis le flanc de la colline. Le site est particulièrement beau au mois de juin, lorsque les hortensias sont en fleurs. La route côtière invite à flâner avant de pénétrer dans le parc. Si vous avez une heure devant vous, longez la baie, dépassez l'aquarium (trop cher), puis rejoignez la promenade de Wakanoura, un sentier pavé de 2 km qui suit une plage paisible. De retour sur la route, vous retrouverez Perry Road en tournant à droite.

Nesugata-yama 寝姿山

La station de téléphérique qui mène au Nesugata-yama (mont Nesugata ; 200 m) est à 200 m à l'est de la gare d'Izukyū Shimoda. Le **téléphérique de Shimoda** (☎ 22-1211 ; adulte/enfant aller-retour, avec l'entrée du parc 1 200/600 ¥ ; ☺ 9h-17h) rejoint toutes les 10 minutes un parc au sommet de la montagne, où le temple Aizendō abrite un bouddha de la période de Kamakura ; 150 statues de Jizō y contemplent aussi la magnifique baie. Le parc renferme également un musée – compris dans le billet – assez fouillis, consacré aux premiers équipements photographiques.

Plages

Les abords de Shimoda comptent de belles plages, surtout près de Kisami, au sud de la ville. Les bus en direction d'Irōzaki (n°3 ou 4 ; 340 ¥) s'arrêtent sur demande à Kisami, à 10 minutes à pied de la côte. Au nord s'étend la belle plage de sable blanc de Shira-hama (bus 9 ; 320 ¥), souvent bondée en juillet-août.

Croisières dans la baie

Plusieurs croisières partent du port de Shimoda. La croisière *Kurofune* ("bateau noir", adulte/enfant 1 000/500 ¥, 20 min) autour de la baie est particulièrement prisée des touristes japonais. Entre 9h10 et 15h30, un bateau part (approximativement) toutes les 30 minutes pour suivre ce circuit.

Trois bateaux (9h40, 11h20 et 14h) rallient quotidiennement Irōzaki (adulte/enfant

L'HISTOIRE D'OKICHI

Shimoda, ville renommée pour les relations internationales qui s'y sont nouées, fut aussi le théâtre d'une histoire d'amour qui tourna au mélodrame. Il en existe plusieurs versions.

Saito Kichi (le "O" honorifique fut ajouté ensuite) était la fille d'un charpentier de Shimoda. Certains récits racontent que sa beauté extraordinaire et son talent pour la musique incitèrent ses parents, désargentés, à la placer dans une maison de geishas à l'âge de 7 ans. D'autres font commencer son histoire en 1854, quand les "bateaux noirs" arrivèrent à Shimoda et qu'un tremblement de terre dévastateur détruisit la maison natale et toutes les possessions d'Okichi.

Tsurumatsu, fidèle admirateur d'Okichi, fit reconstruire la maison et tous les deux tombèrent amoureux. Or, en 1856, Townsend Harris devint premier consul des États-Unis à Shimoda et réclama une domestique. Les autorités locales désignèrent Okichi, qui fut alors contrainte de renoncer à Tsurumatsu – ce dernier se vit offrir une position dans l'administration du shogunat à Edo. Peu à peu, Harris inspira du respect à Okichi qui le protégea même d'une tentative d'assassinat. Certaines versions rapportent en revanche que Harris la plia à ses désirs et les habitants de la ville commencèrent à l'appeler "*tôjin* Okichi" (la concubine de l'étranger), ce qui l'aurait poussée à boire.

Harris partit en 1858. Okichi séjourna pendant une courte période à Kyôto avant de rejoindre Tsurumatsu à Edo. Tous deux s'installèrent à Yokohama et y vécurent jusqu'à la mort de Tsurumatsu. La fin d'Okichi fut, comme on s'y attend, tragique. Elle retourna à Shimoda, où elle ouvrit un restaurant (ailleurs, on parle de maison close), mais son affaire sombra. Okichi se mit à boire et à errer dans les rues avant de se noyer dans la rivière.

L'histoire d'Okichi a été représentée sous toutes les formes que connaît le drame japonais. En dehors du Japon, elle fut le sujet du film *Le Barbare et la Geisha*, réalisé en 1958, avec John Wayne.

1 600/800 ¥, 40 min), où des bus rejoignent le nord de la péninsule. Il est possible de rester sur le bateau pour regagner Shimoda.

FÊTES ET FESTIVALS
Kurofune Matsuri (fête des Bateaux noirs). Les vendredi, samedi et dimanche autour du 3ᵉ samedi de mai, Shimoda fête l'arrivée du commodore Perry. Au programme : défilés de la fanfare de la marine américaine et feux d'artifice. **Shimoda Taiko Matsuri** (fête des Tambours). Les 14 et 15 août, extraordinaire parade de chars *dashi* et excellents joueurs de tambours.

OÙ SE LOGER
Ôizu Ryokan (☎ 22-0123 ; ch 3 500 ¥/pers ; ℗). Apprécié des touristes étrangers pour ses tarifs très intéressants, cet établissement propose des chambres de style japonais quelconques, avec TV et onsen à deux places. Vous le trouverez à l'extrémité sud de la ville, à deux pâtés de maison au nord de Perry Road. Check-in à partir de 15h. Téléphonez avant de venir car il est souvent fermé en semaine.

Nansuisô (☎ 22-2039 ; fax 22-4027 ; ch 4 000 ¥/pers ; ℗). Auberge ancienne tranquille, au bord de la rivière. L'établissement est modeste mais compte un grand bain alimenté par d'authentiques sources chaudes. Il y a 6 chambres de style japonais sans sdb. L'endroit est particulièrement plaisant au printemps, lorsque les cerisiers du bord de l'eau sont en fleurs.

Yamane Ryokan (☎ 22-0482 ; ch à partir de 5 000 ¥/ pers ; ℗). Emplacement pratique entre la gare de Shimoda et Perry Road, pour cette modeste auberge de construction récente qui abrite des chambres de style japonais soignées et des sdb communes. Propriétaire sympathique, petit-déjeuner pour 1 000 ¥.

Ernest House (☎ 22-5880 ; fax 23-3906 ; www.ernesthouse.com ; s à partir de 6 300 ¥ ; ℗ 💻). Agréable retraite à 2 minutes de marche de la plage de Kisami Ô-hama, au bout de la côte en partant de Shimoda. La maison de style occidental comporte 13 chambres avec mobilier en bois brut, un restaurant et un café, le tout baignant dans une ambiance jeune. Le dîner coûte 2 625 ¥. Il est conseillé de réserver. Attention : les tarifs peuvent doubler en saison. De la gare d'Izukyū Shimoda, prenez un bus pour Irôzaki (arrêt n°3 ou 4 ; 360 ¥) ; demandez à vous faire déposer à l'arrêt de Kisami, puis marchez un quart d'heure en direction de la côte.

Shimoda Bay Kuroshio (☎ 27-2111 ; fax 27-2115 ; www.baykuro.co.jp ; ch à partir de 10 500 ¥/pers ; ℗). Cet hôtel, qui dresse sa rutilante silhouette futuriste au-dessus de Shimoda-wan, abrite 42 chambres. Ses chambres immenses sont ornementées de tissus, de têtes de lit en bois sculpté, de couvre-lits de designer. Dans le béton coulé sont incrustés des vieux objets, des coquillages et des fossiles. À l'extérieur : *rotemburo* et barbecues d'été.

Kurofune Hotel (☎ 22-1234 ; fax 22-1801 ; www. kurofune-hotel.com, en japonais ; ch avec 2 repas à partir de 15 000 ¥/pers ; Ⓟ). À flanc de colline, en face du débarcadère de Shimoda, ce vieil hôtel classique jouit d'une vue splendide sur la baie. Chambres de style japonais ou occidental – certaines avec *rotemburo* privatif –, immense onsen commun doté d'un *rotemburo* et possibilité de se régaler de copieux repas de poisson et fruits de mer. Le décor de l'entrée peut surprendre, détournez les yeux quand vous passez !

OÙ SE RESTAURER
Poissons et fruits de mer sont la spécialité de Shimoda.

Musashi (☎ 22-0934 ; plats 630-1 000 ¥ ; ☾ déj). Adresse décontractée servant les savoureuses spécialités d'un *shokudô* (cafétéria), notamment du *kamo nabeyaki udon* (ragoût de canard ; 950 ¥). Prenez à gauche en sortant de la gare, tournez à droite dans une ruelle étroite puis prenez la première à gauche et repérez le blaireau géant à l'entrée.

Dining Log Shimoda (☎ 22-3457 ; formules à partir de 1 000 ¥ ; ☾ 11h30-20h30 tlj sauf mar). Restaurant à la charpente en bois récemment ouvert, proposant des plats corrects mêlant des influences française, italienne et japonaise, comme par exemple les pâtes au *mentaiko* (lieu ; 900 ¥). Menu illustré de photos et enseigne en anglais.

Porto Caro (☎ 22-5514 ; plats 1 050-1 360 ¥ ; ☾ déj et dîner tlj sauf mer). Trattoria installée au 2ᵉ niveau et proposant d'excellentes pâtes, des pizzas (le soir) et d'autres spécialités italiennes. Mention spéciale pour les pâtes aux fruits de mer et au wasabi, et pour la paella (3 000 ¥). L'établissement est à deux pâtés de maisons au nord de Perry Road, dans la même rue que la poste. Menu et enseigne en anglais.

Isoka-tei (☎ 23-1200 ; repas 1 155-2 100 ¥ ; ☾ 11h30-15h et 17h30-21h). Cet établissement sympathique sert de copieux plats de poisson et fruits de mer comme le *torotoro donburi* (ventre de thon sur du riz, 1 890 ¥). En venant de l'Association touristique, descendez My My-dôri et au bout de trois rues tournez à gauche. Le restaurant, à l'enseigne ornée d'un poisson et d'un crabe, est à l'angle suivant. Menu illustré de photos.

Hiranoya (☎ 22-2525 ; repas 1 260-3 150 ¥ ; ☾ déj et dîner tlj sauf mar). Une ancienne maison privée emplie de vieux objets, de belles boiseries et de chaises occidentales au style insolite. Menu en anglais, steaks, sandwichs, burgers et curries. Repérez les *namako-kabe* (murs en lattis).

Gorosaya (☎ 23-5638 ; déj/dîner 1 575/3 150 ¥ ; ☾ déj et dîner tlj sauf jeu). Élégance sans ostentation et succulents fruits de mer. La soupe *Isôjiru* est concoctée avec plus d'une dizaine d'espèces de coquillages. En venant de l'Association touristique, descendez My My-dôri sur deux pâtés de maison, puis tournez à gauche : le restaurant est sur la gauche. Vous verrez un poisson en bois à l'entrée du bâtiment bleu et blanc. Menu en anglais à disposition.

OÙ PRENDRE UN VERRE
Ja Jah (☎ 27-1611 ; boissons à partir de 700 ¥ ; ☾ 19h-2h tlj sauf lun). Bar confortable, parfait pour se détendre dans une ambiance sympathique et musicale. DJ (R&B, soul, hip-hop) certains week-ends. Repérez l'enseigne en anglais.

Cheshire Cat Jazz House (☎ 23-3239 ; boissons à partir de 500 ¥ ; ☾ 11h-1h jeu-dim). Cet établissement discret accueille des concerts de jazz. Dans My My-dôri, repérable à l'enseigne en anglais.

DEPUIS/VERS SHIMODA
On ne peut aller plus loin en train que Shimoda, sur la péninsule d'Izu-hantô. La ville est desservie par l'Odoriko *tokkyû* depuis les gares de Tôkyô (5 480 ¥, 2 heures 45) et d'Atami (3 400 ¥, 80 min). Au départ de la gare d'Itô, les trains de la ligne Izukyûkô (1 570 ¥, 1 heure) rejoignent également Shimoda. D'autres trains partent d'Atami (1 890 ¥, 1 heure 30). Essayez de prendre le train *Resort 21* de la ligne Izukyû, qui dévoile une vue panoramique sur l'océan.

Pour aller plus au sud et à l'ouest, des bus Tôkai rallient Dôgashima (1 360 ¥, 1 heure) et Shuzen-ji (2 140 ¥, 2 heures, 1 bus/j).

Des voitures sont à louer chez **Toyota Rent-a-Car** (☎ 27-0100), près de la gare ferroviaire.

Le **ferry Tôkai Kisen** (☎ 22-2626) dessert les îles de l'archipel Izu-shotô, soit Kôzushima, Shikinejima et Niijima (3 740 ¥).

Environs de Shimoda
IMAIHAMA 今井浜
Cet agréable village au bord de la mer est une des rares localités de l'Izu-hantô à posséder une plage de sable fin et une atmosphère paisible. Juste ce qu'il faut aux surfeurs qui ont eu leur overdose de culture et d'histoire.

Vous pourrez louer des bodyboards ou des planches de surf à partir de 1 500 ¥/jour au **Soul Surf** (☎ 0558-32-1826), dans la rue principale. L'**Onsen Minshuku Wataya** (☎ 0558-32-1055 ; fax 32-2058 ; http://wataya.biz, en japonais ; s/d avec 2 repas 9 075/16 500 ¥), tenu par une famille sympathique, offre 8 chambres face à la plage, avec un petit *rotemburo* donnant sur la mer et des bains intérieurs (24h/24). Repérez l'enseigne vantant la bière Kirin, à 100 m après Soul Surf.

La gare d'Imaihama-kaigan est sur la ligne Izukyū entre Itō (1 330 ¥, 45 min) et Izukyū Shimoda (480 ¥, 20 min).

RENDAI-JI ET KANAYA ONSEN
蓮台寺・金谷温泉

La ville de Rendai-ji a l'un des meilleurs onsen de la péninsule, le **Kanaya Onsen** (1 000 ¥ ; 9h-22h). Une vaste bâtisse renferme le plus grand bain en bois du pays (côté hommes), appelé *sennin-furo* (bain pour 1 000 personnes, une exagération toutefois). Le bain des femmes n'est pas mal non plus, et les deux côtés sont dotés de bains privés à l'extérieur. Apportez votre serviette ou achetez-en une pour 200 ¥.

Le même édifice abrite le **Kanaya Ryokan** (0558-22-0325 ; fax 23-6078 ; ch/pers avec/sans repas à partir de 15 750/7 350 ¥), une auberge traditionnelle qui a gardé l'atmosphère de la date de sa construction : 1929. Certaines des chambres avec tatamis sont très simples, tandis que d'autres sont de belles suites avec toilettes. Comme il n'y a pas de restaurant dans le coin, vous devrez manger au *ryokan* ou apporter votre repas.

De la garde d'Izukyū Shimoda, prenez la ligne d'Izukyū jusqu'à la gare de Rendai-ji (160 ¥, 5 min). De là, traversez la rivière pour gagner la rue principale que vous remonterez jusqu'à l'intersection en T, tournez à gauche : l'onsen est à 50 m sur la droite.

IRÔZAKI 石廊崎

Connue pour ses falaises et son phare, Irôzaki, à l'extrême sud de la péninsule, possède aussi quelques belles plages. Depuis Shimoda, des bateaux (voir p. 223) ou des bus (930 ¥, 45 min), au départ de la plate-forme n°4, desservent le cap. **Izu Cruise** (0558-22-1151 ; adulte/enfant 1 000/500 ¥) organise de fréquentes croisières de 25 minutes autour du port.

Matsuzaki 松崎
 0558

L'ambiance est beaucoup plus calme sur la côte ouest. Endormi au bord de la mer, le port de Matsuzaki est renommé pour ses rues bordées de quelque 200 maisons traditionnelles aux murs dits *namako-kabe*. Ces maisons sont regroupées au sud de la bourgade, de l'autre côté de la rivière. L'office du tourisme ne donne pas d'informations en anglais.

Le **musée d'Art Izu Chôhachi** (42-2540 ; adulte/enfant 500 ¥/gratuit ; 9h-17h) est consacré à l'œuvre de Chôhachi Irie (1815-1899). Ses fresques en plâtre ou en stuc peint révèlent d'infinis détails. Chaque couleur, quelle que soit la complexité du motif (une aiguille de pin ou un point de broderie sur un kimono), est rendue par sa propre couche d'enduit. Prenez une loupe (fournie par le personnel) pour examiner les œuvres de près.

Au milieu des rizières, à 3 km à l'est de la ville, la **Sanyo-sô Youth Hostel** (/fax 42-0408 ; www.jyh.or.jp ; dort membres/non-membres 3 360/3 960 ¥), ancienne et splendide maison de propriétaire terrien, propose de belles chambres communes avec tatamis. On imagine que si le bâtiment n'était pas devenu une auberge de jeunesse, il serait probablement aujourd'hui un important bien classé. Depuis Shimoda, prenez un bus pour Dôgashima et descendez à l'arrêt Yūsu-hosteru-mae (1 160 ¥, 50 min) ; Matsuzaki est plus loin sur la même ligne (240 ¥ en plus).

Depuis Shimoda jusqu'au centre de Matsuzaki, le trajet de bus coûte 1 230 ¥ ; comptez 260 ¥ depuis Dôgashima.

Dôgashima 堂ヶ島

Le **bureau d'information** (0558-52-1268 ; 8h30-17h tlj sauf dim), en face de l'arrêt de bus et au-dessus de l'embarcadère touristique, s'occupe de réserver des hébergements, délivre des renseignements sur les transports et prête des vélos.

Les extraordinaires formations rocheuses qui bordent la côte constituent le principal attrait touristique de Dôgashima. Le parc en face de l'arrêt de bus offre quelques-unes des plus beaux points de vue sur les roches. Des circuits en bateau aller-retour (de 20/50 min, 920/1 880 ¥), depuis l'embarcadère voisin, conduisent à la célèbre grotte du littoral, où la lumière filtre d'en haut par une ouverture naturelle. Depuis les sentiers du parc, on peut admirer la grotte en contrebas.

À 700 m au sud de l'arrêt de bus, le petit mais superbe **Sawada-kôen Rotemburo Onsen** (500 ¥ ; 7h-19h tlj sauf mar sept-juil, 6h-20h tlj sauf mar août) est perché sur une falaise surplombant le Pacifique. Mieux vaut y arriver tôt ; au moment du coucher du soleil, on n'a plus de places assises dans ces bains minuscules (non mixtes).

DEPUIS/VERS DÔGASHIMA

Les bus pour Dôgashima (1 360 ¥, 1 heure) partent de la plate-forme n°5, devant la gare de Shimoda. De Dôgashima, des bus poursuivent jusqu'à Shuzen-ji (1 970 ¥, 1 heure 30), un voyage agrémenté par des vues splendides sur la baie Suruga-wan jusqu'au mont Fuji. Lorsque le mont est enneigé, par temps clair, on se croirait dans une estampe de Hokusai. Les plus beaux points de vue se dévoilent entre Ôkubo (大久保) et Tôi (土肥).

Shuzen-ji Onsen 修善寺温泉

☎ 0558

Située à l'intérieur des terres, Shuzen-ji Onsen est la plus charmante des localités de l'Izu-hantô. Cette ville thermale est en effet nichée dans une vallée luxuriante traversée par la tumultueuse Katsura-gawa. On y trouve certains des plus élégants *ryokan* équipés d'onsen du Japon. Il y a de belles balades à faire. Vous trouverez l'**office du tourisme** (☎ 55-0412 ; ☼ 8h30-17h) à la gare de Shuzen-ji. Shuzen-ji Onsen est à 10 minutes en bus de la gare.

À VOIR ET À FAIRE

Au centre de Shuzen-ji Onsen se dresse le paisible temple du même nom, **Shuzen-ji** (☎ 72-0053 ; entrée libre ; ☼ 8h30-16h), qui a fêté ses 1 200 ans en 2007. Il aurait été fondé par Kôbô Daishi, prêtre de la période de Heian qui a propagé le bouddhisme dans tout le Japon. L'édifice actuel date de 1489.

On vient d'abord et avant tout à Shuzen-ji pour se baigner dans un de ses fameux onsen. Au bord de la rivière, le bain de pieds appelé **Tokko-no-yu** (独鈷の湯 ; eaux de la lance de fer ; entrée libre ; ☼ 24h/24) serait alimenté par la plus ancienne source chaude d'Izu. Son nom découle d'une légende qui raconte que ses eaux jaillirent du roc quand Kôbô Daishi le frappa de son fer.

Vous pourrez prendre un bain en journée dans les auberges des environs, ou essayer le **Hako-yu** (筥湯 ; ☎ 72-5282 ; 350 ¥ ; ☼ 12h-20h30), élégant établissement identifiable à sa superbe tour en bois ; apportez votre savon.

OÙ SE LOGER ET SE RESTAURER

Shuzen-ji Youth Hostel (☎ 72-1222 ; www.jyh.or.jp ; dort membres/non-membres 3 360/3 960 ¥ ; P ✕ ▣). Dans les collines à l'ouest de la ville, cette grande auberge de jeunesse (100 lits) assez impersonnelle reste malgré tout un excellent choix. Repas savoureux (petit déj/dîner 630/1 500 ¥), chambres correctes et cadre reposant. Elle est à 12 minutes en bus de la gare de Shuzen-ji ; prenez un bus sur le quai n°6 à la gare jusqu'à l'arrêt New Town-guchi (dernier bus à 18h45). Ensuite, il ne reste que 5 minutes à pied.

Goyôkan (五葉間 ; ☎ 72-2066 ; fax 72-8212 ; www.goyokan.co.jp ; ch/pers sans/avec petit déj 6 450/7 500 ¥ ; P). *Minshuku* (sorte de B&B) de catégorie moyenne à l'emplacement très central, avec vue sur la rivière. Pas de sdb privatives mais de beaux bains (intérieurs) en pierre et en bois de *hinoki* (cyprès). On y parle un peu l'anglais.

🔾 **Yukairo Kikuya** (湯回廊菊屋 ; ☎ 72-2000 ; fax 72-2002 ; www.yukairou-kikuya.net, en japonais ; avec repas à partir de 23 000 ¥/pers ; P). Enjambant la Katsura-gawa, ce superbe et romantique *ryokan* existe depuis le milieu du XVIIᵉ siècle. C'est l'un des plus beaux du pays, notamment en raison de l'exquis mélange de mobilier japonais et européen. Les chambres de luxe ont des *wa-bed* (futons sur estrade). De façon inhabituelle pour la cuisine *kaiseki*, on choisit soi-même ses plats. Les bains sont également à ne pas manquer.

Arai Ryokan (新井旅館 ; ☎ 72-2007 ; fax 72-5119 ; www.arairyokan.net ; ch avec repas à partir de 24 300 ¥/pers ; P). Apprécié de longue date par les écrivains et artistes nippons, cette superbe auberge datant de 1872 a conservé son architecture en bois. Les chambres donnant sur la rivière sont sublimes en automne, lorsque les érables se parent de couleurs flamboyantes. Le grand bain extérieur est idéal pour admirer le Shuzen-ji.

Tokko Café (独鈷茶屋 ; ☎ 72-6112 ; repas et en-cas 400-1 250 ¥ ; ☼ 9h30-17h tlj sauf jeu). Cette nouvelle adresse, un élégant café/galerie d'art installé juste à côté du Tokko-no-yu, est décorée d'objets artisanaux en bois typiques de la région. Au menu entre autres : gâteaux maison, et formules *bentô* avec tofu, riz et légumes de saison au déjeuner (1 250 ¥). Un rickshaw est généralement garé à l'extérieur.

Zendera Soba (禅寺そば ; ☎ 72-0007 ; repas 630-1 890 ¥ ; ☼ déj tlj sauf jeu). Cette institution locale sert du *zaru soba* (*soba* froid) et la spécialité qui lui a donné son nom, le *Zendera soba* (1 260 ¥), accompagné d'une racine de wasabi à râper soi-même. L'établissement, aux bannières blanches et noires, est à quelques pas de la gare routière, côté rivière. Menu en anglais.

DEPUIS/VERS SHUZEN-JI ONSEN

Pour se rendre à Shuzen-ji, au départ de Tôkyô, il faut emprunter la ligne Tôkaidô jusqu'à Mishima (Kodama *shinkansen* 4 400 ¥, 1 heure), puis changer pour l'Izu-Hakone Tetsudô qui relie Mishima à Shuzen-ji (500 ¥, 35 min). Des bus circulent entre la gare de Shuzen-ji et Shuzen-ji Onsen (210 ¥, 10 min). Des bus relient Shuzen-ji à Shimoda (2 140 ¥, 2 heures) ou à Dôgashima (2 140 ¥, 1 heure 30).

SUD DE TŌKYŌ

Il est facile de passer rapidement à côté de cette région sans s'y arrêter, surtout si l'on prend le *shinkansen* qui va au Kansai. Et pourtant, elle présente de riches atouts historiques et culturels, notamment l'ancienne capitale de Kamakura, souvent surnommée Petite Kyōto en raison de ses nombreux temples bouddhiques et sanctuaires shintō. Le port trépidant de Yokohama est la deuxième ville du pays par la taille, une métropole cependant moins frénétique que sa grande sœur située au nord.

YOKOHAMA 横浜

☎ 045 / 3 655 000 habitants

Yokohama, qui a fêté sont 150e anniversaire en 2009, s'enorgueillit d'avoir été l'une des premières portes ouvertes sur l'Occident. Peuplée d'à peine 600 habitants à l'époque des "bateaux noirs", elle est aujourd'hui la deuxième métropole japonaise, et se distingue aussi bien par son atmosphère animée que par ses sites historiques. À la différence de la plupart des autres villes japonaises, Yokohama présente des quartiers bien distincts, comme Chinatown ou les secteurs historiques de Motomachi et de Yamate, auxquels s'ajoute la récente zone de développement littorale, Minato Mirai 21.

Yokohama n'est qu'à 20 minutes du centre de Tōkyō ; il est donc facile d'aller y passer la journée ou la soirée. Les Japonais aiment à s'y donner des rendez-vous amoureux.

Histoire

Yokohama resta longtemps un village de pêcheurs oublié du monde et de l'Histoire, près de Kanagawa, une étape sur la route du Tōkaidō. Son destin changea brusquement quand, en 1853-1854, la flotte américaine du commodore Perry se montra sur la côte afin de persuader le Japon de s'ouvrir au commerce. En 1858, le petit village fut désigné port international.

Les Occidentaux furent d'abord relégués dans un quartier entouré de douves appelé Kannai ("à l'intérieur des barrières"), mais, plus tard, ils purent acquérir des propriétés sur le côté de la montagne (Yamate). Une communauté chinoise prospéra également et la ville s'étendit, allant jusqu'à englober la ville-étape de Kanagawa.

Bien que Yokohama soit indéniablement japonaise, l'influence étrangère l'a nourrie. Parmi les premières innovations apparues au Japon, beaucoup ont vu le jour à Yokohama : le journal, les lampadaires à gaz et le chemin de fer (qui reliait la ville à la gare de Shimbashi, Tōkyō).

En 1923, le grand tremblement de terre du Kantō détruisit presque entièrement la ville. Les décombres furent ensuite utilisés pour gagner encore plus de terrain sur la mer ; ainsi apparut le parc Yamashita-kōen. Pendant la Seconde Guerre mondiale, les bombardements aériens dévastèrent à nouveau Yokohama. Ensuite, les forces d'occupation y furent stationnées, avant de déménager sur la côte, à Yokosuka. La fin du XXe siècle a vu un grand redéveloppement de la zone portuaire, dont témoignent certains gratte-ciel futuristes. En 2002, Yokohama a accueilli la finale de la 17e Coupe du monde de football. En 2009, la ville a fêté ses 150 ans d'existence en tant que port international avec plusieurs grandes manifestations, dont les championnats du monde de tennis de table ainsi que la réouverture de la Marine Tower et du quartier des quais de Zō-no-Hana.

Orientation

Le centre de Yokohama occupe le côté sud de la partie occidentale de la Tōkyō-wan (baie de Tōkyō, appelée ici Yokohama-wan). La plupart des sites dignes d'intérêt sont à 1 km du rivage, près des gares de Sakuragi-chō, de Kannai et d'Ishikawa-chō, situées sur la ligne JR Negishi, ou proches des stations de Minato Mirai ou de Motomachi-Chūkagai, sur la ligne Minato Mirai.

Renseignements

Le site Internet www.welcome.city.yokohama. jp/eng/tourism donne quantité de détails.

Animi (☎ 222-3316 ; 4-2-7 Minato Mirai ; 100 ¥/h ; ☺ 10h-18h). Accès Internet, à 15 minutes à pied, au nord-ouest de la station Minato Mirai.

Bureau d'information Chinatown 80 (☎ 662-1252 ; Honcho-dōri ; ☺ 10h-22h). Pour tout savoir sur ce qui se passe à Chinatown. À quelques pâtés de maisons de la station de métro Motomachi.

Bureau d'information du Minato Mirai 21 (☎ 211-0111 ; 1-1-62 Sakuragichō ; ☺ 9h-19h). Le personnel anglophone fournit toutes sortes de renseignements, ainsi que le plan gratuit *Yokohama Visitors' Map* ou le *Yokohama Guide Book*, plus détaillé. À l'extérieur de la sortie nord de la gare de Sakuragi-chō.

Citibank (☺ 24h/24). DAB international, à la sortie ouest de la gare de Yokohama (2e niveau du First Building), près du Yokohama Bay Sheraton.

No 1 Travel (☎ 231-0751 ; Isezaki-chō Royal Bldg, 5-127-13 Isezaki-chō ; ☺ 10h-18h30 lun-ven, 10h-16h30 sam). Tarifs réduits sur les voyages internationaux ; à environ 10 pâtés de maison au sud-ouest de la gare de Kannai, dans le centre commercial Isezaki.

Office du tourisme de la gare de Yokohama (☎ 441-7300 ; 2-16-1 Takashima ; ☼ 9h-19h). Ce petit kiosque est dans le couloir est-ouest.

Poste À un pâté de maisons à l'est de la gare de Sakuragi-chō ; DAB international.

À voir et à faire

MINATO MIRAI 21 みなとみらい 21

Ce secteur d'**îles** (᭑ Sakuragi-chō, Minato Mirai, Bashamichi), créé par l'homme, n'était au départ rien d'autre que des docks. Ces vingt dernières années, ils ont été transformés en une métropole du futur (Minato Mirai signifie le "port du futur"), aux rues très animées le jour et aux tours scintillantes de lumière à la nuit tombée. La Landmark Tower et les trois tours du Queen's Square se détachent sur le ciel, tandis qu'on dénombre l'un des plus grands centres de conférence du monde, plusieurs hôtels et quantité de grands magasins et restaurants.

Les sites suivants jalonnent une promenade que l'on peut faire à pied.

Landmark Tower ランドマークタワ

L'édifice le plus haut du Japon (70 niveaux, 296 m) possède un ascenseur parmi les plus rapides du monde (45 km/heure). De l'observatoire du **Landmark Tower Sky Garden** (☎ 222-5030 ; 2-2-1 Minato-Mirai ; adulte/enfant/senior et étudiant 1 000/500/800 ¥ ; ☼ 10h-21h sept-juin, 10h-22h sam, 10h-22h 19 juil-31 août ; ᭑ Minato Mirai), situé au 69e niveau, vous apercevrez, par temps clair, Tōkyō, l'Izu-hantō et le mont Fuji.

Musée d'Art de Yokohama 横浜美術館

Derrière la Landmark Tower, ce **musée d'Art** (☎ 221-0306 ; 3-4-1 Minato Mirai ; adulte/primaire/collégien/lycéen et étudiant 500/gratuit/100/300 ¥ ; ☼ 10h-18h tlj sauf jeu ; ᭑ Minato Mirai) moderne présente une collection d'œuvres de Picasso et de Taikan Yokoyama notamment, à travers des expositions temporaires. L'édifice a été conçu par Kenzō Tange, lauréat du Pritzker Prize (1989).

Musée pour enfants Anpanman 横浜ア ンパンマンこどもミュージアム

Cette **galerie marchande et musée pour enfants** (☎ 227-8855 ; 4-3-1 Minato Mirai ; galerie/musée gratuit/1 000 ¥ ; ☼ musée 10h-17h, galerie 10h-20h avr-sept et 10h-18h oct-mars ; ⚼ ; ᭑ Takashimachō) est à la gloire d'Anpanman, célèbre personnage de dessin animé dont la tête est un petit pain fourré à la pâte de haricots rouges, adoré de

tous les Japonais de 7 à 77 ans. Vous trouverez sur place un salon de coiffure Anpanman, un musée et une boulangerie.

Musée industriel Mitsubishi de Minato Mirai 三菱みなとみらい技術館

Voici l'un des plus beaux **musées** (☎ 224-9031 ; 3-3-1 Minato Mirai ; adulte/enfant/collégien et lycéen 300/100/200 ¥ ; ☼ 10h-17h30 mar-dim ; ᭑ Minato Mirai) des sciences et technologies du pays. Il renferme des robots, un simulateur de vol en hélicoptère et d'excellentes expositions interactives. Voir aussi *Yokohama Heli Cruising* (p. 231).

Musée de la Marine 横浜マリタイムミュ ージアム

Sur le port, devant la Landmark Tower, ce **musée** (Yokohama Maritaimu Myujiamu ; ☎ 221-0280 ; 2-1-1 Minato Mirai ; musée et bateau adulte/enfant 600/300 ¥ ; ☼ 10h-18h30 tlj sauf lun juil-août, 10h-17h tlj sauf lun sept-juin ; ᭑ Minato Mirai) en forme de navire est consacré en grande partie au *Nippon Maru*, un voilier amarré au quai voisin. Ce quatre-mâts construit en 1930 a conservé nombre d'équipements de l'époque, notamment la salle des machines et les cabines du capitaine et des officiers.

Cosmo World 横浜コスモワールド

À côté du musée de la Marine, ce **parc d'attractions** (☎ 641-6591 ; 2-8-1 Shinkō ; attractions 300-700 ¥ ; ☼ 11h-21h lun-ven, 11h-22h sam et dim 21 mars-30 nov, 11h-20h lun-ven, 11h-21h sam et dim 1er déc-20 mars ; ᭑ Minato Mirai) comprend **Cosmo Clock 21** (entrée 700 ¥), une roue Ferris (du nom de son inventeur) de 112,50 m. C'est l'une des plus hautes au monde.

Manyō Club 万葉倶楽部

Ce nouveau **complexe aquatique** (☎ 663-4126 ; 2-7-1 Shinkō ; adulte/enfant 2 720/1 470 ¥ ; ☼ 10h-21h) se fait livrer quotidiennement par camions-citerne de l'eau de source en provenance d'Atami, qu'il vous propose de savourer dans une multitude de bains sur cinq niveaux. Paré du *yukata* maison, vous passerez de bain en bain et de sauna en sauna. Moyennant un supplément, vous pourrez aussi recevoir des soins de spa. Dans les "salles de relaxation", des centaines de transats s'alignent devant des centaines d'écrans de TV... Réception au 7e niveau. Des bus font la navette jusqu'à la gare de Shin-Yokohama.

Akarenga Sōkō 横浜赤レンガ倉庫

Akarenga Sōkō désigne des **entrepôts en brique rouge** (☎ 211-1515 ; 1-1-2 Shinkō ; entrée libre ; ☼ 11h-20h,

ENVIRONS DE TÔKYÔ

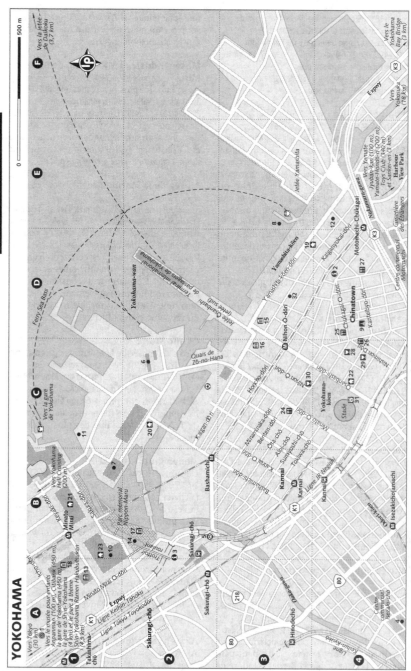

YOKOHAMA

plus tard pour certains restaurants). Ces structures vieilles de plusieurs siècles ont été reconverties en coquettes boutiques, restaurants, cafés et espaces accueillant des manifestations culturelles. L'ensemble mérite la visite.

Yokohama Heli Cruising 横浜ヘリクルージング

Pour survoler Yokohama en hélicoptère, **Yokohama Heli Cruising** (☎ 380-5555 ; 1-7 Minato Mirai ; vol par 5/10 min à partir de 4 000/10 500 ¥ ; ⏰ ven-dim et jours fériés) propose des vols courts au départ de son héliport du parc Rinko, à 7 minutes à pied au nord-est de Queen's Square. Les vols partent au coucher du soleil.

ENVIRONS DU YAMASHITA-KÔEN 山下公園周辺

Amarré le long de ce **parc** (🚇 Motomachi-Chûkagai) en bord de mer, le **Hikawa Maru** (☎ 641-4362 ; Yamashita-kôen ; adulte/enfant et senior 200/100 ¥ ; ⏰ 10h-16h30 tlj sauf lun), un ancien et luxueux paquebot de 1930 (Charlie Chaplin a occupé l'une de ses cabines), a été rénové et rouvert en 2008.

De l'autre côté de la rue, le **musée de la Soie** (☎ 641-0841 ; 1 Yamashita-kôen ; adulte/enfant/étudiant/senior 500/100/200/300 ¥ ; ⏰ 9h-16h30 tlj sauf lun) rend hommage au port de Yokohama, jadis grand exportateur de soie. Tous les aspects de la production sont abordés, illustrés par de magnifiques kimonos et *obi* (ceintures). Un peu plus loin, les **archives historiques de**

Yokohama (☎ 201-2100 ; 3 Nihon Ôdôri ; adulte/enfant 200/100 ¥ ; ⏰ 9h30-17h tlj sauf lun ; 🚇 Nihon-ô-dôri), qui occupent l'ancien consulat britannique, relatent l'histoire de la ville (explications en anglais), de l'ouverture du Japon jusqu'au milieu du XXᵉ siècle. La **Marine Tower** (☎ 664-1100 ; adulte 750 ¥, enfant 200-500 ¥ ; ⏰ 10h-22h ; 🚇 Motomachi-Chûkagai) est l'un des phares – érigés dans les terres – les plus hauts du monde (106 m).

MOTOMACHI ET YAMATE 元町・山手

Au sud du Yamashita-kôen, les quartiers de **Motomachi** et **Yamate** (🚇 Motomachi-Chûkagai, Ishikawa-chô) allient l'intimité agréable de la rue commerçante de Motomachi à l'architecture occidentale du début du XXᵉ siècle et aux vues fantastiques depuis les trottoirs en brique de la Yamate-hon-dôri (appelée jadis Bluff Street, la "rue escarpée", par les étrangers). Les maisons anciennes et les églises continuent de vivre. Ne manquez pas non plus le Harbour View Park et le cimetière des Étrangers, où reposent 4 000 résidents et visiteurs – les pierres tombales portent des épitaphes surprenantes. Comptez environ une heure pour la promenade depuis le Yamashita-kôen jusqu'à la gare d'Ishikawa-chô. Près du cimetière, le ravissant **Toys Club** (☎ 621-8710 ; 239 Yamate-chô ; adulte/enfant 200/100 ¥ ; ⏰ 9h30-18h, 9h30-19h sam et dim) abrite une collection de vieux jouets en fer-blanc, dont certains ont inspiré les personnages du film *Toy Story* (1995). Suivez les panneaux dans Yamate-hon-dôri.

CHINATOWN 中華街

Le **quartier chinois** (Chūkagai ; 🚇 Motomachi-Chūkagai, Ishikawa-chō) de Yokohama, rivalisant en popularité avec le quartier de Minato Mirai, évoque les sons, les images et les parfums de Hong Kong. À l'intérieur de ses 10 portes richement peintes vous attendent toutes sortes de boutiques de produits chinois et quelque 500 restaurants de toutes catégories (souvent onéreux). Le cœur de Chinatown est le temple chinois **Kantei-byō** (☎ 226-2636 ; 140 Yamashita-chō ; entrée libre ; ⏰ 9h-19h), dédié à Kanwu, dieu du Commerce. Voir l'encadré (p. 233) pour des informations sur le Yokohama Daisekai.

SANKEI-EN 三渓園

Superbe jardin paysager ouvert au public en 1906, le **Sankei-en** (☎ 621-0634 ; www.sankeien.or.jp ; 58-1 Honmoku-sannotani ; adulte/enfant 500/200 ¥ ; ⏰ 9h-16h30) renferme des sentiers bordés de bassins, des édifices du XVIIᵉ siècle, plusieurs maisons dévolues à la cérémonie du thé et une pagode de trois étages vieille de 500 ans. Le jardin intérieur offre un bel exemple de jardin paysager japonais. Le parc est desservi par le bus 8 (arrêt Honmoku Sankei-en-mae), depuis les gares de Yokohama et de Sakuragi-chō (10 min).

Où se loger

Toyoko Inn Sutajium-mae (☎ 228-0045 ; fax 228-0046 ; www.toyoko-inn.com/eng ; 205-1 Yamashita-chō ; s/d 6 090/8 400 ¥ ; 🚇 Kannai ; 🅿 ⊠ 🖥 📶). Un *business hotel* simple mais bien équipé, doté de petites chambres confortables réparties entre un bâtiment principal (Honkan) et un autre plus récent un peu plus agréable (Shinkan). Le tarif comprend le petit-déjeuner et Internet.

Navios Yokohama (☎ 633-6000 ; fax 633-6001 ; www.navios-yokohama.com ; 2-2-1 Shinkō ; s/lits jum à partir de 8 400/15 750 ¥ ; 🚇 Bashamichi ; 🅿 🖥 📶 🍴). À Minato Mirai, voici le meilleur rapport qualité/prix de la ville dans cette catégorie : les chambres sont spacieuses, impeccables et l'établissement est commodément situé. Choisissez-en une avec vue sur la ville (sur le port et la Landmark Tower) ou sur la mer en direction des Akarenga Sōkō.

Hotel New Grand (☎ 681-1841 ; fax 681-1895 ; www.hotel-newgrand.co.jp ; 10 Yamashita-kōen-dōri ; s/lits jum à partir de 13 860/28 000 ¥ ; 🚇 Motomachi-Chūkagai ; 🅿 ⊠ 🖥). Jadis très apprécié des dignitaires étrangers (ne manquez pas d'admirer la réception d'origine), cet hôtel de 1927 bénéficiant d'un emplacement exceptionnel sur le front de mer abrite 251 chambres. C'est aujourd'hui une adresse chic et haut de gamme qui conserve son charme d'antan malgré l'ajout d'une tour en 1992.

Yokohama Royal Park Hotel (☎ 221-1111 ; fax 224-5153 ; www.yrph.com ; 2-2-1-3 Minato Mirai ; s/lits jum et d à partir de 31 500/36 750 ¥ ; 🅿 ⊠ 🖥 📶). Une situation exceptionnelle dans les étages supérieurs de la Landmark Tower, et tous les attributs du luxe : centre de remise en forme, piscine, marbre, bois précieux et salon d'aromathérapie.

Pan Pacific Yokohama Bay (☎ 682-2222 ; fax 682-2223 ; http://pphy.co.jp ; 2-3-7 Minato Mirai ; lits jum à partir de 42 000 ¥ ; 🚇 Minatomirai ; 🅿 ⊠ 🖥 📶). Juste à côté du palais des congrès, cet hôtel étincelant abrite des chambres au mobilier de designer avec balcon et vue superbe. Majordomes dans les suites les plus chères. Sur place également : plusieurs bons restaurants (mais onéreux).

Où se restaurer

C'est à Chinatown que l'on trouve les meilleurs restaurants. Pour un dîner chic, comptez environ 5 000 ¥/personne, et environ la moitié de cette somme pour le déjeuner (en optant pour les menus). Il existe toutefois des adresses meilleur marché. Pour une plus grande variété culinaire, visitez les étages consacrés à la restauration de la Landmark Tower et de Queen's Square.

Chano-ma (☎ 650-8228 ; 3ᵉ niv, Akarenga Sōkō Bldg 2 ; plats à partir de 700 ¥ ; ⏰ 11h-4h, 11h-5h ven et sam). Attablé sur un tabouret de bar devant une table haute, ou installé sur les matelas disposés autour de la cuisine ouverte, régalez-vous de sushis, salades et croquettes tandis qu'une musique très rythmée se répercute sous les hauts plafonds. Menu en anglais.

Baikōtei (☎ 681-4870 ; 1-1 Aioicho ; plats 800-1 300 ¥ ; ⏰ 11h-20h30 tlj sauf dim ; 🚇 Kannai ou Nihon Ō-dōri). Un classique accusant son âge, aux chaises de velours rouge, réputé pour son riz Hayashi (avec viande, légumes et sauce demi-glace), et son délicieux *katsu-don* (côtelette de porc). Cherchez l'enseigne : "Baikō Emmies" ; menu en anglais à disposition.

Ryūsen (☎ 651-0758 ; 218-5 Yamashita-chō ; plats 900-1 500 ¥ ; ⏰ 7h-3h ; 🚇 Ishikawa-chō). Le vieux M. Ma se tient assis depuis des années à l'entrée de son petit restaurant, évoquant Canton et Shanghai, et pourvu d'une marquise rouge. À l'intérieur, les murs sont couverts de photos de plats aux tarifs raisonnables, comme le poulet aux noix de cajou frites (1 050 ¥). Menus en anglais.

Manchinrō Honten (☎ 681-4004 ; 153 Yamashita-chō ; plats à partir de 1 100 ¥ ; dîner pour 2 pers 8 400 ¥ ; ⏰ 11h-22h). L'un des restaurants cantonais les plus anciens et les plus courus de Chinatown, et dont le chef

PARC À THÈME GASTRONOMIQUE, LE NOUVEAU CRÉNEAU ?

Yokohama aime la fête et les plaisirs de bouche. Deux ingrédients clés qui sont à la base des parcs à thème gastronomique. Le **Shin-Yokohama Rāmen Hakubutsukan** (新横浜ラーメン博物館 ; ☎ 471-0503 ; 2-14-21 Shinyokohama ; adulte/enfant 300/100 ¥, repas à partir de 900 ¥ ; ☼ 11h-22h), un musée du *rāmen*, montre l'histoire et la culture de ces pâtes d'origine chinoise, dont les Japonais raffolent. Au-dessous des salles d'exposition, dans une reconstitution d'un *shitamachi* (centre-ville) de 1958, neuf restaurants de *rāmen*, choisis dans l'ensemble du Japon, proposent leurs spécialités.

Le concept a été largement copié depuis, et en tout premier à Yokohama. À Chinatown, le **Yokohama Daisekai** (Daska ; ☎ 681-5588 ; 97 Yamashita-chō ; adulte/enfant 500/300 ¥, plats à partir de 900 ¥ ; ☼ 10h-21h), s'inspirant du Shanghai des années 1920-1930, compte huit étages de soies, de sculptures et de produits d'artisanat, ainsi que des scènes pour des concerts de jazz et d'opéra chinois. Les restaurants occupent à eux seuls trois étages. Pour éviter la foule, venez en semaine.

réputé vient de Hong Kong. Au menu, entre autres : fruits de mer sautés au wok dans de la sauce XO, crevettes à la mayonnaise et *yum cha* (*dim sum* ; 480 ¥ à 700 ¥). Des lions en pierre gardent l'entrée ; menu en anglais.

Yamate Jyuban-kan (山手十番館 ; ☎ 621-4466 ; 247 Yamatechō ; plats/formules à partir de 2 000/3 500 ¥ ; ☼ 11h-21h). Surplombant le cimetière des Étrangers à Yamate, ce restaurant français (avec menus en anglais) propose une excellente cuisine. Il occupe une demeure rappelant le sud des États-Unis. Un café décontracté est installé au 1er niveau. Au-dessus, le restaurant plus classique sert des spécialités incontournables, dont le menu *Kaika steak*. Réservations conseillées ; repérez le drapeau français à l'extérieur.

Où sortir et prendre un verre

Cable Car (☎ 662-5303 ; 200 Yamashita-chō ; boissons à partir de 650 ¥ ; ☼ 18h-2h lun-jeu, 18h-4h ven et sam, 18h-24h dim ; ⓡ Nihon Ō-dōri). Ce bar voudrait évoquer ses homologues du San Francisco des années 1890, avec bois ciré, long comptoir et 300 cocktails. Plats de pub : l'*ebi-furai* (crevettes frites ; 1 350 ¥) de style cajun, par exemple. Enseigne en anglais.

Windjammer (☎ 662-3966 ; 215 Yamashita-chō ; droit d'entrée concert 400-600 ¥, boissons à partir de 650 ¥ ; ☼ 17h-1h30 ; ⓡ Kannai). On se croirait ici à l'intérieur d'un yacht (surtout après avoir goûté au cocktail très alcoolisé appelé Jacktar, 1 050 ¥). Bref, c'est le cadre idéal pour écouter du jazz, en live tous les soirs à partir de 20h ; repérez l'enseigne en anglais.

Zaim Café (☎ 227-8051 ; 34 Nihon Ō-dōri ; boissons à partir de 600 ¥ ; ☼ 11h30-23h ; ⓡ Nihon Ō-dōri). Cet espace bohème, installé dans un bâtiment de la Japan Cotton Corp des années 1920, est géré par la Yokohama Arts Foundation. Il accueille souvent des concerts de blues et de jazz à

écouter assis sur de vieux canapés dépareillés très confortables. Le menu se compose de repas légers comme le *maguro don* (thon sur du riz, 1 000 ¥). Enseigne en anglais.

Motion Blue (☎ 226-1919 ; 3e niv, Akarenga Sōkō Bldg 2 ; entrée gratuite-8 200 ¥ ; ☼ 17h-23h30 lun-sam, 16h-22h30 dim ; ⓡ Bashamichi). Dans les Akarenga Sōkō, le club de jazz, fusion, world music, J-pop, etc. le plus tendance de Yokohama.

Nana's Green Tea (☎ 664-2707 ; Akarenga Sōkō Bldg 2 ; boissons environ 550 ¥ ; ☼ 11h-21h). Boissons traditionnelles japonaises revues à la mode contemporaine : lait glacé au matcha (thé vert en poudre ; 450 ¥) et à la crème fouettée, boissons aux haricots azuki et bols fumants de *zensai* (soupe de haricots azuki).

Sirius (☎ 221-1111 ; 2-2-1-3 Minato Mirai ; droit d'entrée après 17h/19h 1 050/2 100 ¥ ; ☼ 7h-1h ; ⓡ Sakuragi-chō). Élégant bar à cocktails tout en haut (70e niveau) du Yokohama Royal Park Hotel. Une vue fantastique à accompagner d'un cocktail comme le "Two Hearts" : champagne sur un trait de sirop de pommes, de sirop de cerises, un nuage de Calpis (boisson à base d'eau et de lait écrémé) et pomme fraîche (1 900 ¥). Ouvre aussi au petit-déjeuner et au déjeuner (buffets).

Depuis/vers Yokohama

Depuis Tōkyō, des trains fréquents de la ligne JR ou de lignes privées desservent la gare JR de Yokohama, où vous pourrez prendre une correspondance pour Sakuragi-chō (130 ¥, 3 min), Kannai (130 ¥, 5 min) ou Ishikawa-chō (150 ¥, 8 min). On peut aussi emprunter le métro, plus cher. Depuis la gare de Shinagawa, prenez la ligne Keihin Kyūkō (290 ¥, 18 min) ; depuis la gare de Shibuya, la ligne Tōkyū Tōyoko (260 ¥, 25 min), qui devient la ligne de métro Minato Mirai jusqu'à Minatomirai (440 ¥, 28 min) et Motomachi-Chūkagai (460 ¥, 30 min).

Depuis la gare de Tōkyō, les trains sur les deux lignes JR, Keihin Tōhoku et Tōkaidō, s'arrêtent en gare de Yokohama (450 ¥, 30 min), certains continuant jusqu'à Sakuragi-chō, Kannai et Ishikawa-chō (tous 540 ¥). Le Tōkaidō *shinkansen* s'arrête à la gare de Shin-Yokohama, au nord-ouest de la ville, reliée au centre par la ligne Yokohama.

DEPUIS/VERS L'AÉROPORT

La gare de Yokohama est reliée à l'aéroport de Narita par les trains Narita Express (N'EX ; 4 180 ¥, 1 heure 30), ou ceux de la ligne Keihin Kyūkō Airport Narita (1 450 ¥, 2 heures, correspondances comprises). Des bus-navettes circulent également entre le Yokohama City Air Terminal (YCAT, Sky Building, à l'est de la gare de Yokohama, à côté du grand magasin Sogō) et l'aéroport de Narita (3 500 ¥, 2 heures) ou celui de Haneda (560 ¥, 35 min).

Comment circuler

BATEAU

Les ferries **Sea Bass** (☎ 671-7719) relient la gare de Yokohama, Minato Mirai 21 et le Yamashita-kōen, entre 10h et 19h environ. De la gare de Yokohama au Yamashita-kōen, le trajet coûte 700 ¥ (20 min). **Suijō Bus** (☎ 201-0821 ; 1-1 Kaigan-dōri ; adulte/enfant 500/200 ¥ ; ☿ 13h-17h mar-ven, 12h-18h sam et dim) assure aussi une liaison en ferry entre Minato Mirai, Ōsanbashi et le Renga Park.

BUS

Bien que les trains soient plus pratiques, Yokohama dispose d'un réseau de bus étendu (adulte/enfant 210/110 ¥ par trajet). Un bus spécial Akai-kutsu (chaussure rouge) effectue toutes les 30 minutes pendant la journée un circuit desservant les zones touristiques (100 ¥ le trajet ou 300-500 ¥ le pass valable 1 jour).

VÉLOS

Green Style (☎ 662-1414 ; 2-5-8 Yamashita-chō ; 1 000 ¥ les 3 heures ; ☿ 11h-20h ven-mar), dans une ruelle proche du Yamashita-kōen, loue des vélos.

KAMAKURA 鎌倉

☎ 0467 / 173 000 habitants

Capitale du Japon de 1185 à 1333, Kamakura est d'une richesse culturelle exceptionnelle, rivalisant ainsi avec Nikkō pour le titre de la meilleure excursion d'une journée depuis Tōkyō. En outre, elle est souvent moins bondée. La campagne environnante est émaillée d'innombrables temples bouddhiques et de quelques sanctuaires shintō. S'il est possible de voir beaucoup de choses en une journée en partant tôt, rester deux jours permet d'explorer les temples de l'est de Kamakura, de profiter de belles promenades et même, de piquer une tête à la plage. Kamakura est très fréquentée le week-end et en période de vacances. Prévoyez votre séjour en conséquence.

Histoire

La fin de la période de Heian fut marquée par une guerre légendaire entre les deux grands clans guerriers des Minamoto (Genji) et des Taira (Heike). Quand les Taira eurent vaincu les Minamoto, le troisième fils du clan Minamoto, Yoritomo, fut envoyé en exil dans un temple de l'Izu-hantō. Devenu grand, il commença à réunir des forces pour contre-attaquer le clan rival et s'installa, en 1180, à Kamakura, loin des influences néfastes de la cour de Kyōto et près des clans restés loyaux aux Minamoto. La ville, bordée par la mer et des collines boisées, était en outre facile à défendre.

Yoritomo Minamoto fut nommé shogun en 1192, après une série de victoires contre les Taira, et gouverna le Japon depuis Kamakura. N'ayant pas d'héritier, quand il mourut, le pouvoir passa aux mains des Hōjō, la famille de son épouse.

Le clan Hōjō régna sur le pays depuis Kamakura durant plus d'un siècle. En 1333, affaibli par les coûts de la défense contre d'éventuelles attaques de Kubilay Khan depuis la Chine, il fut renversé par l'empereur Go-Daigo. Et Kyōto redevint alors la capitale.

Orientation

À Kamakura, la plupart des sites dignes d'intérêt sont accessibles à pied, sinon en bus. Le vélo est aussi très pratique (il est possible d'en louer, voir p. 239). Les temples sont généralement signalés par des panneaux en anglais et en japonais. De la gare de Kamakura, vous pouvez décrire un cercle autour du secteur (Komachi-dōri, la rue commerçante, et la large Wakamiya-ōji sont les artères principales à l'est de la gare) ou partir de la gare de Kita-Kamakura, un arrêt plus au nord, et visiter à pied les temples jusqu'à la gare de Kamakura. Le parcours proposé plus loin suit le second itinéraire.

Renseignements

Kamakura Green Net (http://guide.city.kamakura. kanagawa.jp). Comporte une rubrique en anglais avec renseignements pratiques sur les séjours (possibilités d'hébergement, etc.) et les sites touristiques de Kamakura.

ENVIRONS DE TÔKYÔ

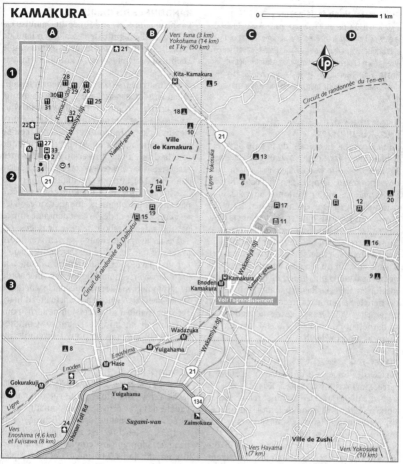

KAMAKURA

Office du tourisme de Kamakura (☎ 22-3350 ;
🕒 9h-17h30 avr-sept, 9h-17h oct-mars). À la sortie est de
la gare de Kamakura, cet office du tourisme fournit cartes
et brochures, dont le guide en anglais *Oshiete Kamakura*.
Aussi, réservations d'hébergement pour le jour-même.
Poste (1-10-3 Komachi ; 🕒 9h-19h lun-ven, 9h-15h
sam). DAB. À une courte marche de la sortie est de la gare
de Kamakura.

À voir et à faire

ENGAKU-JI 円覚寺

Situé à gauche en sortant de la gare de Kita-
Kamakura, l'**Engaku-ji** (☎ 22-0478 ; adulte/enfant
300/100 ¥ ; 🕒 8h-17h avr-oct, jusqu'à 16h nov-mars), l'un
des cinq grands temples zen de l'école Rinzai
de Kamakura, aurait été fondé en 1282, afin
d'accueillir les prières des moines zen destinées
aux soldats japonais morts en défendant le pays
contre Kubilay Khan. Aujourd'hui, seule la porte
San-mon, rebâtie en 1783, témoigne de l'ancienneté du temple et de sa magnificence passée.
Visible en haut du long escalier de l'entrée, la
cloche Engaku-ji, la plus grosse de Kamakura, fut
fondue en 1301. Le **Hondō** (pavillon principal),
derrière le San-mon, fut reconstruit au milieu
des années 1960. Des séances de méditation zen
se déroulent en public les 2ᵉ et 4ᵉ dimanches
du mois à partir de 9h.

TÔKEI-JI 東慶寺

En face de l'Engaku-ji, de l'autre côté de la voie
ferrée, le **Tôkei-ji** (☎ 22-1663 ; 100 ¥ ; 🕒 8h30-17h
mars-oct, 8h30-16h30 nov-fév) est aussi remarquable
pour ses jardins que pour le temple lui-même.
En semaine, les visiteurs sont rares et le lieu
invite à une halte paisible.

Historiquement, il est célèbre pour avoir
servi de refuge aux femmes. Ce fut un couvent
à l'origine, fondé en 1285, une époque où les
femmes n'étaient pas autorisées à divorcer.
Mais elles pouvaient se séparer de leur mari
à condition de se retirer trois ans parmi les
religieuses. Cette pratique prit fin en 1873 et le
Tôkei-ji n'accueille plus de nonnes aujourd'hui.
La tombe de la dernière abbesse subsiste toujours dans le cimetière, sous des cyprès.

JÔCHI-JI 浄智寺

Ce **temple** (☎ 22-3943 ; adulte/enfant 200/100 ¥ ; 🕒 9h-
16h30 mars-oct, 9h-16h nov-fév), à quelques minutes
du Tôkei-ji, est tout aussi attrayant. Fondé en
1283, il compte parmi les cinq grands temples
zen de Kamakura, apprécié pour son allée
couverte de mousse, sa tour de la cloche et sa
profusion de fleurs au printemps.

RANDONNÉE DU DAIBUTSU

Par beau temps, la randonnée du Daibutsu est
agréable. Elle débute de l'escalier en haut de
la ruelle qui donne sur le Jôchi-ji et rejoint le
Daibutsu (voir plus bas), 3 km plus loin, par
un sentier boisé.

Les marcheurs passent en chemin le petit
sanctuaire **Kuzuharagaoka-jinja**, où des panneaux
indiquent le parc paysager **Genjiyama-kōen** (vous
y verrez une statue de Yoritomo Minamoto).
Depuis le parc, la randonnée redescend la colline
en commençant par un escalier, puis oblique
vers la droite pour arriver au **Zeniarai-benten**
(sanctuaire où on lave les pièces de monnaie ; ☎ 25-1081 ; entrée
libre ; 🕒 8h-17h), l'un des sanctuaires shintoïstes
les plus atypiques de Kamakura : on y pénètre
par une grotte, qui mène au sanctuaire, où les
visiteurs plongent de l'argent dans une source
naturelle dans l'espoir de devenir riches.

De là, les promeneurs peuvent rejoindre
le sentier par l'escalier ou descendre jusqu'à
la route pavée, avant de prendre à droite à la
première intersection, de longer le sentier bordé
de cryptomerias et de remonter par le sanctuaire
Sasuke-inari jinja (typique des sanctuaires d'Inari,
reconnaissable à sa succession de *torii*) pour
retrouver le chemin du Daibutsu. Comptez
1 heure 30 de marche pour l'ensemble du
parcours.

KENCHÔ-JI 建長寺

Ce **temple** (☎ 22-0981 ; adulte/enfant 300/100 ¥ ; 🕒 8h30-
16h30) s'élève dans une petite rue donnant à
gauche de la rue principale, en poursuivant en
direction de Kamakura après le Jōchi-ji. Fondé
en 1253, le Kenchô-ji est certainement le plus
beau des cinq grands temples zen de la ville.
Il comptait jadis 7 bâtiments et 49 temples
secondaires, dont la plupart disparurent
dans des incendies aux XIVᵉ et XVᵉ siècles.
Cependant, une restauration entamée au cours
des XVIIᵉ et XVIIIᵉ siècles donne un aperçu
de sa splendeur passée.

Aujourd'hui, le Kenchô-ji accueille des
moines-travailleurs, au sein de ses 10 temples
secondaires. Il abrite, entre autres merveilles,
le **Butsuden** (pavillon du Bouddha), apporté,
morceau par morceau, de Kyōto, ainsi qu'un
jardin paysager zen délicat, reproduisant le *kanji*
signifiant "esprit", et un **bosquet de genévriers**,
qui aurait poussé à partir de graines rapportées
de Chine par le fondateur du Kenchô-ji, il y a
environ 700 ans. Des séances de méditation
zen se déroulent en public les vendredis et
samedis à partir de 16h45.

RANDONNÉE DU TEN-EN

Un joli parcours dans la nature commence par le tour du Hojo (pavillon principal) du Kenchō-ji, avant de gravir les marches pour rejoindre le début du sentier de randonnée du Ten-en. De là, un chemin conduit en 2 heures au Zuisen-ji, à travers des paysages parmi les plus beaux du Kanagawa-ken. Un itinéraire plus court (80 min) mène au Kamakura-gū.

ENNŌ-JI 円応寺

En face du Kenchō-ji, de l'autre côté de la rue, l'**Ennō-ji** (☎ 25-1905 ; 200 ¥ ; ⏰ 9h-16h mar-nov, 9h-15h30 déc-fév) se distingue par une collection de statues des juges de l'enfer, présidées par Emma (une ancienne divinité hindouiste, appelée Yama en sanskrit, qui commande aux dix rois de l'enfer). Admirez dans la statue d'Emma, classée Bien culturel important, ce terrible regard qui foudroie les impurs.

TSURUGAOKA HACHIMAN-GŪ 鶴岡八幡宮

En poursuivant la rue jusqu'à la bifurcation en direction de la gare de Kamakura, on accède au **Tsurugaoka Hachiman-gū** (☎ 22-0315 ; pavillon du Trésor adulte/enfant 200/100 ¥ ; ⏰ 6h-20h30), le plus grand sanctuaire shintoïste de Kamakura. Il fut fondé par Yoriyoshi Minamoto, du clan Minamoto, qui régna sur le Japon depuis Kamakura. Ce sanctuaire, agrémenté de sentiers et de bassins de lotus, présente aux visiteurs une atmosphère complètement différente des paisibles temples zen aux abords de la gare de Kita-Kamakura. Entrecoupé de ponts, le bassin Gempei (le nom associe les idéogrammes des clans Genji et Heike) symboliserait la division entre les deux clans. Au-delà du bassin, le **musée de Kamakura** (☎ 22-0753 ; adulte/enfant 300/100 ¥ ; ⏰ 9h-16h) abrite de remarquables sculptures bouddhiques zen du XIIe au XVIe siècle.

DAIBUTSU 大仏

Dans le temple Kōtoku-in, le **Daibutsu** (Grand Bouddha ; ☎ 22-0703 ; adulte/enfant 200/150 ¥ ; ⏰ 7h-18h avr-sept, 7h-17h30 oct-mars) est le deuxième bouddha le plus grand du Japon et le site le plus célèbre de Kamakura. Achevée en 1252, la statue en bronze de 121 tonnes et de plus de 11 m de hauteur se situait jadis au centre d'un pavillon gigantesque, détruit par un tsunami en 1495. Elle se dresse aujourd'hui à l'extérieur. Le Daibutsu aurait été coulé après une visite de Yoritomo à Nara (où s'élève un Daibutsu encore plus imposant que celui-ci), à la suite de la victoire du clan Minamoto sur le clan Taira. Si le Daibutsu de Kamakura n'égale pas celui de Nara par la taille, on le considère généralement comme supérieur sur le plan artistique.

La statue représente le bouddha Amida (*amitābha* en sanskrit), révéré par l'école Jōdo comme une divinité du salut.

Des bus desservent l'arrêt de Daibutsu-mae depuis les arrêts n°1 à 6 en face de la gare de Kamakura. Le Daibutsu est à 5 minutes à pied au nord de la gare de Hase (ligne Enoden Enoshima), sur le circuit de la randonnée du Daibutsu.

HASE-DERA 長谷寺

À une dizaine de minutes à pied du Daibutsu, le **Hase-dera** (ou Hase Kannon ; ☎ 22-6300 ; adulte/enfant 300/100 ¥ ; ⏰ 8h-17h mars-sept, 8h-16h30 oct-fév), l'un des temples les plus populaires de la région du Kantō.

Sur les murs des escaliers qui mènent au pavillon principal s'alignent, telle une petite armée d'enfants, des milliers de minuscules statues de Jizō, bodhisattva protecteur des voyageurs et des enfants morts avant terme. Ces statues ont été déposées ici par des femmes qui ont fait une fausse couche.

Le pavillon principal du temple contient une statue de Kannon (*avalokiteshvara* en sanskrit), la déesse du Pardon, bodhisattva de l'infinie compassion. Tout comme Jizō, c'est l'une des divinités bouddhiques les plus populaires au Japon. La statue en bois de Jūichimen (Kannon aux onze visages), haute de 9 m, aurait été taillée au VIIIe siècle. Selon la légende, le temple fut fondé en 736 afin d'honorer la statue de Kannon qui s'était échouée sur le rivage de Kamakura.

AUTRES SANCTUAIRES ET TEMPLES

Kamakura et les environs comptent bien d'autres temples et sanctuaires – plus de 60. Depuis le Daibutsu, le mieux est de regagner la gare de Kita-Kamakura en bus, avant de rejoindre par un autre bus les temples situés dans un secteur calme, à l'est de la ville. S'ils n'ont peut-être pas la grandeur des temples les plus connus, ils sont en revanche pleins de charme et bénéficient d'une atmosphère paisible, loin de la foule.

L'enceinte du **Zuisen-ji** (☎ 22-1191 ; adulte/enfant 200/100 ¥ ; ⏰ 9h-16h30), temple zen retiré, se prête à la promenade. Elle comprend des jardins créés par Soseki Musō, le fondateur du temple. Le Zuisen-ji se situe à 10-15 minutes de marche en partant du sanctuaire Egara Ten-jin : obliquez à droite à l'endroit où le bus tourne à gauche devant le sanctuaire, prenez la première à gauche, puis poursuivez la route. La randonnée du Ten-en est accessible depuis le Zuisen-ji.

Fondé en 734, le petit **Sugimoto-dera** (☎ 22-3463 ; adulte/enfant 200/100 ¥ ; ☷ 8h-16h30), qui serait le plus vieux temple de Kamakura, renferme des divinités gardiennes à l'allure féroce et une statue de Kannon. Des bus desservent l'arrêt Sugimoto Kannon depuis l'arrêt de bus n°5 devant la gare de Kamakura.

Le temple zen de l'école Rinzai **Hōkoku-ji** (☎ 22-0762 ; jardin de bambous 200 ¥ ; ☷ 9h-16h) se trouve dans la même rue que le Sugimoto-dera, plus bas sur la droite (en tournant le dos à la gare). Son paisible jardin paysager invite à se détendre sous un parasol, en sirotant une tasse de thé japonais. Il compte parmi les temples zen les plus actifs de Kamakura. Des cours de *zazen* (méditation de l'école Soto) y sont régulièrement organisés pour les débutants ; les séances en public ont lieu le dimanche à partir de 7h30. Prenez un bus direction Jōmyōji à l'arrêt n°5 de la gare de Kamakura (190 ¥, 10 min).

Fêtes

Bonbori Matsuri (6-9 août). Des centaines de lanternes sont accrochées autour du Tsurugaoka Hachiman-gū.
Hachiman-gū Matsuri (14-16 sept). Procession de *mikoshi* (autels portatifs) et démonstration de tir à l'arc à cheval le dernier jour, entre autres.
Kamakura Matsuri. Une semaine de festivités, du 2ᵉ au 3ᵉ dimanche d'avril. Toutes sortes d'activités, pour la plupart liées au Tsurugaoka Hachiman-gū.

Où se loger

Kamakura Hase Youth Hostel (☎ /fax 24-3390 ; www1. kamakuranet.ne.jp/hase_yh/ ; dort membres/non-membres 3 000/4 000 ¥ ; Ⓟ ✗). À 3 minutes du Hase-dera et de la plage, et à 10 minutes du Grand Bouddha, cette modeste auberge de jeunesse, moderne et bien tenue, comporte surtout des lits superposés. À la gare de Kamakura, prenez un train Enoden Enoshima jusqu'à la gare de Hase.

Classical Hotel Ajisai (☎ 22-3492 ; www.beniya-ajisai. co.jp/hotel.html, en japonais ; ch à partir de 6 830 ¥/pers ; Ⓟ ▯). En face du Tsurugaoka Hachiman-gū, cet hôtel de 11 chambres de style occidental propose un hébergement correct et sympathique. Les chambres du 4ᵉ niveau ont vue sur le sanctuaire. Au petit-déjeuner (1 050 ¥), on mange du *kamameshi* (riz en ragoût ; existe sans viande).

Hotel New Kamakura (☎ 22-2230 ; fax 22-0233 ; www. newkamakura.com ; s/d sans sdb à partir de 4 200/11 000 ¥ ; Ⓟ ▯). Ce bel hôtel de 1924 occupe deux

bâtiments. Ses chambres, de style japonais ou occidental, ont de grandes fenêtres, des parquets en bois sombre, des poutres apparentes et un mobilier confortable. À la gare de Kamakura, prenez la sortie ouest, puis tout de suite à droite dans une ruelle. L'hôtel est à hauteur du parking. Évitez les chambres proches de la réception, parfois bruyantes.

Kamakura Park Hotel (☎ 25-5121 ; fax 25-3778 ; www. kamakuraparkhotel.co.jp ; s/lits jum à partir de 12 705/24 200 ¥ ; Ⓟ ✗ ☷). Récemment rénové, ce rutilant hôtel de style occidental, dallé de marbre, est près de la mer. Toutes les chambres sont spacieuses, avec vue sur la mer. Une navette (en semaine uniquement) dessert la gare de Kamakura. Sinon, comptez 12 minutes de marche depuis la gare de Hase, sur la ligne Enoden Enoshima.

Où se restaurer et prendre un verre

Milk Hall (☎ 22-1179 ; plats 600-1 050 ¥ ; ☷ 11h-22h30). Pittoresque café/bar/boutique d'antiquités avec menus en anglais, où l'on sert des repas légers (petites assiettes de saucisses ou de camembert rôti), du café et des cocktails. Des concerts de jazz ont lieu certains soirs. À la gare de Kamakura, prenez la sortie est, descendez Komachi-dōri sur deux pâtés de maisons, prenez à gauche puis la première ruelle à gauche. La porte arbore une enseigne en anglais.

Caraway (☎ 25-0927 ; plats 630-940 ¥ ; ☷ 11h30-19h30 tlj sauf lun). Curries à la mode japonaise dans ce restaurant au charme d'un autre temps. Dégustez le classique curry de bœuf, ou, dans les préparations inédites, celui au poulet et à l'édam. Menu en anglais à disposition. Le restaurant occupe un édifice blanc. La porte est surmontée d'un avant-toit en tuiles.

Fūrin (☎ 0120-86-4411 ; plats 700-1 890 ¥ ; ☷ 11h-22h30). Au-dessus de la gare de Kamakura, élégant restaurant à sushis où le saké (ou d'autres alcools) coule à flots le soir. Les formules sashimis, très copieuses, coûtent 1 600 ¥. En semaine, des formules déjeuner sont proposées : tranches de thon (1 365 ¥) et bols de *tempura* (950 ¥) ; menu en anglais à disposition.

Bowls Donburi Café (☎ 61-3501 ; repas 750-1 250 ¥ ; ☷ 11h-24h ; ✗ ▯). Le propriétaire de cette nouvelle adresse, avec menus en anglais, a élevé la préparation du modeste *donburi* (bol de riz) au rang d'art. Ainsi, les bols de riz s'accompagnent de délicieuses garnitures tels que sashimis, porc au gingembre et avocat au saumon (il existe aussi des formules végétariennes). Petit bonus : on obtient une réduction si l'on découvre le mot *atari* inscrit au fond de son bol, sous la nourriture. Une enseigne en anglais surmonte les portes de l'établissement.

Horetarō (☎ 23-8622 ; plats 1 000-1 300 ¥, formule à volonté à partir de 1 575 ¥ ; ✆ déj et dîner tlj sauf lun). On vient ici pour les *okonomiyaki* et *monjayaki* (crêpes typiques d'Ōsaka et de Tōkyō) à faire griller soi-même. Les formules "boissons et nourriture à volonté" (y compris les boissons alcoolisées) coûtent 3 150 ¥ pour 2 heures 30. Menu en anglais. Des bannières traditionnelles et des lanternes sont disposées à l'extérieur.

Les gourmands qui adorent grignoter découvriront Komachi-dōri avec ravissement. Chez **Kamakura Ichibanya** (☎ 22-6156 ; ✆ 9h-18h30), on grille les *sembei* (crackers à la farine de riz). Il en existe aussi 70 variétés en sachet, notamment au curry, à l'ail, au *mentaiko* (œufs de morue épicés) ou à l'*uni* (oursin) ; des paniers sont disposés en angle. **Imo-no-kichikan** (☎ 25-6038 ; ✆ 10h-18h) est renommé pour ses glaces à la patate douce (295 ¥) ; vous le reconnaîtrez au gigantesque cône de plastique bleu lavande.

Bar Ram (☎ 60-5156 ; boissons à partir de 500 ¥ ; ✆ 19h-tard). Kamakura est quasiment monacale le soir. Heureusement, on peut se donner rendez-vous dans ce petit *tachinomiya* (bar où l'on boit debout au comptoir) situé dans les ruelles proches de Komachi-dōri. Côtoyant de vieux vinyles des Rolling Stones, les habitués discutent joyeusement. Enseigne en anglais.

Depuis/vers Kamakura

Les trains de la ligne JR Yokosuka rallient Kamakura depuis les gares de Tōkyō (890 ¥, 56 min) et de Shinagawa. Les trains de cette même ligne au départ de Yokohama (330 ¥, 27 min) desservent également la ville. Côté ouest de Tōkyō, la ligne Shōnan Shinjuku se rend à Kamakura en 1 heure environ (depuis les gares de Shibuya, Shinjuku et Ikebukuro, 890 ¥), avec certains trains exigeant un changement à Ōfuna, un arrêt avant Kita-Kamakura.

Le JR Kamakura-Enoshima Free Pass (depuis Tōkyō/Yokohama 1 970/1 130 ¥), valable 2 jours, comprend les trajets depuis et vers Tōkyō/Yokohama, ainsi qu'un accès illimité aux trains JR aux alentours de Kamakura, au monorail Shōnan entre Ōfuna et Enoshima, et à la ligne Enoden Enoshima. L'Odakyū Enoshima/Kamakura Free Pass (depuis Shinjuku/Machida 1 430/990 ¥) est valable une journée et permet de rallier la gare de Katase-Enoshima et la gare de Fujisawa (où le train rejoint la ligne Enoden), mais pas celle de Kamakura.

Comment circuler

La plupart des temples et des sanctuaires sont accessibles à pied depuis les gares de Kamakura et de Kita-Kamakura. Pour les sites plus à l'ouest, comme le Daibutsu, mieux vaut opter pour les trains de la ligne Enoden Enoshima (de la gare de Kamakura à Hase 190 ¥) ou les bus au départ des arrêts n°1 à 6 à la gare de Kamakura. Les trajets en bus coûtent 170 ¥/190 ¥. Autre solution : louer un vélo auprès de **Rent-a-Cycle Kurarin** (☎ 24-2319 ; 600/1 600 ¥ par heure/jour ; ✆ 8h30-17h), à la sortie est de la gare de Kamakura, en haut de la pente. Pour un trajet en rickshaw, comptez à partir de 2 000 ¥/pers pour 10 minutes.

EST DE TŌKYŌ

Le Chiba-ken, à l'est et au sud-est de Tōkyō, présente peu d'attraits pour les touristes, hormis quelques plages correctes sur la côte pacifique de la péninsule Bōsō-hantō, près d'Ōhara. Il compte toutefois une destination sous-estimée : la ville de Narita.

NARITA 成田

☎ 0476 / 125 000 habitants

Narita est surtout connue pour son aéroport international, le plus important du Japon. Pourtant, la partie la plus ancienne de la ville fait une halte étonnamment plaisante. Ses rues paisibles mènent à un temple vieux de 1 000 ans pourvu de luxuriants jardins – parfait pour se détendre avant ou après de longues heures de vol, ou encore si vous disposez d'au moins une demi-journée avant de poursuivre le voyage.

Orientation

Les gares Keisei Narita et JR Narita, à quelques centaines de mètres l'une de l'autre, se trouvent à moins d'un pâté de maisons d'Omotesandō, l'agréable artère principale de la ville bordée de restaurants et de boutiques. La rue serpente vers le bas de la colline, où sont regroupés les principaux centres d'intérêt : le Narita-san-kōen et le Narita-san Shinshō-ji.

Renseignements

Vous pourrez vous procurer un plan/brochure de la ville à l'**office du tourisme de Narita** (☎ 24-3198 ; ✆ 8h30-17h30) à la sortie est de la gare JR de Narita, ou aux comptoirs d'information touristique de l'aéroport international de Narita (p. 833). Des plans comportant aussi l'emplacement des restaurants sont disponibles à l'office du tourisme de la gare. Faites halte également au **pavillon touristique de Narita** (☎ 24-3232 ; Omotesandō ; 🕐 9h-17h mar-dim oct-mai, 10h-18h juin-sept) qui présente une exposition sur l'histoire de la cité. Les deux offices du tourisme de la ville peuvent réserver un hébergement.

À voir

Le joyau de la ville est l'impressionnant **Narita-san Shinshō-ji** (成田山新勝寺 ; ☎ 22-2111 ; entrée libre ; 🕐 24h/24), au cœur de l'attrayant parc **Narita-san-kōen** (成田山公園). Alors que le temple, fondé en 1070, présente cinq bâtiments classés Biens culturels importants ; son pavillon principal a été reconstruit en 1968. Il demeure un important centre de l'école bouddhique Shingon, attirant jusqu'à 10 millions de visiteurs par an (dont une grande partie autour du Nouvel An).

Au milieu des 165 000 m² de pièces d'eau et de verdure du Narita-san-kōen (la promenade au bord des étangs est superbe), vous découvrirez deux musées destinés aux passionnés de la culture japonaise. Le **musée de la Calligraphie de Narita-san** (成田山書道美物館 ; ☎ 24-0774 ; adulte/enfant 500/300 ¥ ; 🕐 9h-16h tlj sauf lun) possède une belle collection de *shodō* (calligraphie), tandis que le **musée d'Histoire de Reikōkan** (成田山霊光館 ; ☎ 22-0234 ; adulte/enfant 300/150 ¥ ; 🕐 9h-16h tlj sauf lun), installé sous la pagode supérieure du temple, réunit des objets quotidiens de la vie du XVIIᵉ siècle et divers trésors de temple.

Fêtes et festivals

Hatsumōde (1ᵉʳ jan). Temples et sanctuaires accueillent une foule exceptionnelle qui vient recevoir les bienfaits des dieux pour la nouvelle année. Un haut degré de tolérance à la foule est nécessaire au temple Narita-san Shinshō-ji.

Setsubun (3 fév). Une grande fête au Narita-san Shinshō-ji pour commémorer le dernier jour de l'hiver du calendrier lunaire japonais.

Taiko Matsuri (fête des Tambours ; 1ᵉʳˢ sam et dim d'avril). De 30 à 40 troupes de tambours, venues de tout le Japon, investissent la ville pour un week-end dynamique.

Narita Gion Matsuri (fête de Gion, 3 jours début juil). Cette fête remontant à trois siècles est la plus spectaculaire. Au programme : chars colorés et processions costumées.

Fête de l'Unagi (12 juil-17 août). Cette fête de l'Anguille permet de se régaler d'un repas d'anguille grillée (*unajū*), que proposent de nombreux restaurants.

Où se loger

Narita possède des hôtels en centre-ville (accessible en train) et à proximité de l'aéroport (avec navette en direction de ce dernier).

Comfort Hotel Narita (コンフォートホテル 成田 ; ☎ 24-6311 ; fax 24-6321 ; www.choice-hotels.jp/ cfnarita/ ; s/d/lits jum 5 800/8 000/10 000 ¥ ; P ✗ 🖳). Immédiatement à la sortie est de la gare de Keisei Narita, un *business hotel* aux chambres petites mais d'une propreté irréprochable. Le personnel vous fournira un plan en anglais des restaurants. Sur place : lave-linge à pièces. Petit-déjeuner et connexion à Internet gratuits.

Kirinoya Ryokan (桐之屋旅館 ; ☎ 22-0724 ; fax 22-1245 ; www.naritakanko.jp/kirinoya ; s/d 5 000/9 000 ¥ ; P 🖳). Cette auberge éloignée et apparemment sans attrait est en fait un musée. Le propriétaire a pu remonter son ascendance sur 50 générations, et son modeste *ryokan* est rempli d'armures de samouraïs, d'épées et d'objets d'art hérités de ses ancêtres. L'établissement se situe dans Higashi-sando ; prenez la première à gauche après l'entrée du Narita-san-kōen, puis poursuivez sur 400 m. L'auberge est alors sur la gauche. Possibilité de prendre ses repas sur place.

Ohgiya Ryokan (扇屋旅館 ; ☎ 22-1161 ; fax 24-1663 ; www.naritakanko.jp/ohgiya ; s/d 7 350/13 650 ¥, sans sdb 6 300/10 500 ¥ ; P 🖳). Auberge japonaise abritant 27 chambres confortables, dont certaines s'agrémentent d'objets d'art traditionnel et de boiseries, et s'ouvrent sur un joli jardin. Elle est à 10 minutes de marche des gares JR Narita et Keisei Narita, en descendant Omotesandō en direction du temple, mais il faut bifurquer sur la gauche juste avant le pavillon touristique : vous la trouverez 200 m plus loin sur la gauche.

Les hôtels de l'aéroport appartiennent en général à de grandes chaînes. Pour rejoindre les suivants, mieux vaut d'abord aller à l'aéroport puis prendre la navette qui dessert le vôtre.

Hilton Tokyo Narita Airport (ヒルトン成田 ; ☎ 33-1121 ; fax 33-0369 ; www.hilton.com ; s/d à partir de 8 000/12 000 ¥ ; P ✗ 🖳 🛉 ♿). Ces 548 chambres modernes et spacieuses sont le meilleur choix parmi celles des grandes chaînes hôtelières. En outre, le personnel est particulièrement accueillant et professionnel. L'hôtel est à 10 minutes en navette de l'aéroport et des gares.

Narita Excel Hotel Tokyū (成田エクセルホテル東急 ; ☎ 33-0109 ; fax 33-0148 ; www.tokyuhotels.co.jp/ en/TE/TE_NARIT/index.html ; s/d à partir de 13 860/23 100 ¥ ; P ✗ 🖳 🛉). À 10 minutes en taxi de l'aéroport et des gares, le long de l'autoroute de Shin-Kūkō, ce *business hotel* de qualité abrite des chambres rénovées, des bains communs, des saunas, un court de tennis et une piscine (ouverte au milieu de l'été uniquement). Il existe des chambres réservées aux femmes.

Où se restaurer et prendre un verre

Grill House Hero's (弘's ; ☎ 22-9002 ; plats 630-890 ¥ ; ☾ dîner). Le menu en anglais de cet *izakaya* (bar-restaurant) va des *okonomiyaki* aux saucisses, à savourer dans une grande salle aux poutres sombres. À la sortie est de la gare JR Narita, tournez à l'angle du Mister Donut. Après le Tsukuba Hotel, vous verrez le restaurant au pied de la colline. Une petite échoppe rouge de *yakiniku* (bœuf grillé) est installée devant.

Kikuya (菊屋 ; ☎ 22-0236 ; menus 1 050-2 310 ¥ ; ☾ déj et dîner). Adresse toute simple d'Omotesandō, en face du pavillon touristique, où l'on sert un choix de formules déjeuner ou dîner proposées sur un menu en anglais, avec notamment des sashimis, de l'anguille grillée (1 500 ¥ à 2 000 ¥) et d'autres classiques japonais. Une dame en kimono accueille les clients à l'extérieur.

Kawatoyo Honten (川豊本店 ; ☎ 22-2711 ; repas 1 260-1 890 ¥ ; ☾ 10h-17h tlj sauf lun). Une institution pour qui veut déguster de l'anguille, située en face du pavillon touristique, dont la porte est surmontée d'une enseigne en bois. La spécialité la plus prisée (menu en anglais) est l'*unajū* (1 500 ¥), anguille grillée accompagnée d'une sauce, posée sur du riz dans une boîte en laque.

Barge Inn (バージイン ; ☎ 23-2546 ; repas environ 1 500 ¥, boissons à partir de 400 ¥ ; ☾ 16h-2h lun-jeu, 11h-2h ven et sam). Très apprécié des expatriés (surtout des équipages de compagnies aériennes), ce vaste pub de style anglais, au charme suranné, possède des billards et un espace pour les concerts avec piste de danse. Le menu en anglais propose une cuisine anglaise éclectique. Une grande enseigne en anglais surmonte la porte.

Depuis/vers Narita

De l'aéroport international de Narita, vous pouvez prendre la ligne privée Keisei (250 ¥, 5 min) ou la ligne JR (190/230 ¥ depuis le terminal 2/1, 5 min). De Tōkyō, la façon la plus simple de rallier Narita est d'emprunter la ligne Keisei à la gare de Keisei Ueno, en prenant le Skyliner express semi-direct (1 920 ¥, 56 min), ou l'express (*kyūkō* 810 ¥, 65 min). Les trains JR en provenance du centre de Tōkyō nécessitent un changement à Chiba et Sakura (1 110 ¥, 1 heure 30). Attention : la plupart des trains JR Narita Express ne s'arrêtent pas à Narita. Pour plus de renseignements, voir p. 193.

Comment circuler

Le Narita Circle Bus (adulte/enfant 200/100 ¥) relie les hôtels de l'aéroport aux gares et au Narita-san Shinshō-ji.

IZU-SHOTŌ 伊豆諸島

L'Izu-shotō (l'archipel d'Izu) est une agréable destination permettant d'échapper au Japon des grandes villes. Ces sept îles sont en fait la partie émergée d'une chaîne volcanique qui s'étend sur 300 km dans l'océan Pacifique. Bien que d'un accès facile par le ferry depuis Tōkyō, elles paraissent très lointaines. Cinq des sept îles, toutes très différentes, sont adaptées au tourisme et, comme elles sont bien reliées entre elles, vous pouvez passer une agréable semaine à les découvrir l'une après l'autre.

Se baigner dans les onsen en contemplant le Pacifique constitue l'activité principale dans l'Izu-shotō. Mais il y a aussi d'intéressantes randonnées à faire vers les volcans – pour la plupart inactifs. Les îles sont prises d'assaut l'été à la haute saison. Attention, n'oubliez pas que les typhons, de la fin de l'été au début de l'automne, pourraient bouleverser vos plans.

Depuis/vers l'Izu-shotō

Les **ferries Tōkai Kisen** (東海汽船 ; ☎ 03-5472-9999 en japonais ; www.tokaikisen.co.jp en japonais) relient Tōkyō à l'Izu-shotō.

Le groupe d'îles le plus proche (Ō-shima, To-shima, Nii-jima, Shikine-jima et Kōzu-shima) est desservi par un hydrofoil ultrarapide partant le matin de Tōkyō (généralement vers 8h) avec un retour en fin d'après-midi. Depuis/vers Tōkyō, les tarifs et la durée des trajets sont les suivants : Ō-shima 8 430 ¥, 2 heures ; Nii-jima 10 880 ¥, 3 heures 15 ; Shikine-jima 10 880 ¥, 3 heures 15 ; et Kōzu-shima 11 700 ¥, 4 heures.

Le grand ferry *Camellia-maru* rallie également ces îles, quittant la capitale à 23h pour arriver tôt le matin (il s'arrête dans chaque île du nord au sud), puis repart pour Tōkyō le même soir. Les tarifs (2e classe) et la durée des trajets sont les suivants : Ō-shima 5 180 ¥, 6 heures 15 ; Nii-jima 6 960 ¥, 8 heures 45 ; Shikine-jima 6 960 ¥, 9 heures 15 ; et Kōzu-shima 7 380 ¥, 10 heures 15. On peut également rejoindre certaines de ces îles à partir de l'Izu-hantō.

Le groupe d'îles plus éloigné (Miyake-jima, Mikura-jima et Hachijō-jima) est desservi par le grand ferry *Salvia-maru*, qui part de Tōkyō vers 22h30 pour arriver dans les îles au petit matin, avec un retour le même soir. Le voyage entre Tōkyō et Hachijō-jima prend 10 heures et coûte 9 760 ¥ en 2e classe.

ENVIRONS DE TŌKYŌ

À Tōkyō, les ferries partent de l'embarcadère de Takeshiba, à 10 minutes à pied de la sortie nord de la gare de Hamamatsu-chō.

ANA (全日空グループ エアーニッポン ; ☎ 0120-02-9222 ; www.air-nippon.co.jp, en japonais) propose des vols au départ de l'aéroport Haneda de Tōkyō à destination d'Ō-shima (13 100 ¥, 35 min) et de Hachijō-jima (19 800 ¥, 45 min). **Shinchūō Kōkū** (新中央航空 ; ☎ 0422-31-4191 ; www.central-air.co.jp, en japonais) assure des vols entre l'aéroport de Chōfu (sur la ligne Keiō, à environ 20 min de Shinjuku) et Ō-shima (9 500 ¥, 35 min), Nii-jima (13 700 ¥, 45 min) et Kōzu-shima (14 900 ¥, 55 min). **Tōkyō Ai Land Shuttle** (東京愛らんどシャトル ; ☎ 0499-62-5222 ; www.tohoair.co.jp, en japonais) assure des vols en hélicoptère entre Miyake-jima et Ō-shima (11 340 ¥, 20 min).

Comment circuler

Il est facile d'aller d'île en île grâce aux ferries qui remontent et descendent le long de l'archipel. De plus, trois ferries circulent chaque jour entre Nii-jima et Shikine-jima (420 ¥, 10 min) et permettent de visiter les îles dans la journée.

Des bus peu fréquents circulent sur les îles les plus grandes. Faire du stop reste possible. Le scooter (environ 3 000 ¥/jour) est un moyen de transport idéal, à condition de posséder un permis de conduire international, exigé à la location. Des vélos sont également à louer.

Ō-SHIMA 大島
☎ 04992

La plus grande des îles d'Izu et la plus proche de Tōkyō, Ō-shima est idéale pour une escapade d'un jour, à des années-lumière de la métropole tokyoïte. Elle est dominée par le Mihara-san (三原山), volcan à moitié endormi de 754 m dont la dernière éruption date de 1986. La côte sud compte de belles plages, et vous pourrez parachever votre séjour par un moment de détente dans l'un des superbes onsen de l'île. L'île est particulièrement belle à la fin de l'hiver, au moment de la floraison des camélias.

Renseignements

L'**Association touristique d'Ō-shima** (大島観光協会 ; ☎ 2-2177 ; ☸ 8h30-17h15) est près de l'embarcadère à Motomachi.

À voir et à faire

Si vous ne vous êtes encore jamais penché sur la gueule béante d'un volcan éteint récemment, nous vous recommandons vivement un voyage jusqu'au sommet du **Mihara-yama**.

L'expérience fait frissonner, surtout lorsqu'on remarque, tout au long du chemin, des abris de béton destinés à protéger les habitants des coulées de lave. Pour accéder au volcan, prenez le bus depuis le port de Motomachi jusqu'à Mihara-sancho-guchi (860 ¥, 25 min, 5 départs/jour) ; de là, marchez jusqu'à l'observatoire du cratère (Kaguchi-tenbōdai, à environ 45 min).

À la pointe sud d'Ō-shima, **Tōshiki-no-hana** (トウシキの鼻) dresse ses rochers battus par les vagues, mais il fait bon se baigner dans les bassins naturels bien protégés au-dessous du Tōshiki Camp-jō. Ne nagez jamais quand les vagues sont hautes. Depuis le port de Motomachi, prenez un bus pour Seminaa et descendez à Minami-kōkō-mae (620 ¥, 35 min). À environ 5 km à l'est de cet endroit s'étend la plus belle plage de l'île, Suna-no-hama (砂の浜), composée de sable volcanique noir, également desservie par le bus pour Seminaa (arrêt à Suna-no-hama-iriguchi, 420 ¥, 20 min).

Les onsen sont l'autre grand atout d'Ō-shima. Le **Motomachi Hama-no-yu** (元町浜の湯 ; ☎ 2-2870 ; 400 ¥ ; ☸ 13h-19h, 11h-19h juil-août), superbe onsen extérieur à 10 minutes à pied au nord du port, jouit d'une vue magnifique sur l'océan. L'établissement étant mixte, il est obligatoire de porter un maillot de bain. L'endroit est souvent bondé l'été. Juste à côté, le **Gojinka Onsen** (御神火温泉 ; ☎ 2-0909 ; 1 000 ¥ ; ☸ 9h-21h), plus clinquant, comporte des bains, une piscine et des aires de détente.

À la pointe sud-est de l'île, le port de **Habu** (波浮), un lieu au charme nostalgique, compte nombre d'édifices anciens comme le vénérable **Ryokan Minato-ya** (旧港屋旅館 ; entrée libre ; ☸ 9h-16h), devenu un musée où sont exposés des mannequins en costume d'époque.

Où se loger et se restaurer

Tōshiki Camp-jō (トウシキキャンプ場 ; empl tente gratuit). Très proche de l'arrêt Minami-kōkō-mae, ce camping bénéficie d'un emplacement de choix près de la mer. Il compte des douches et une cuisine commune.

Ryokan Kifune (旅館喜船 ; ☎ 2-1171 ; fax 2-2853 ; ch avec 2 repas 7 350 ¥/pers). Malgré son nom de *ryokan*, cet établissement se compose en fait d'un ensemble de petits bungalows désuets partageant un espace pour les repas. Il est à mi-chemin entre Motomachi et Okadakō. Si vous les appelez, les propriétaires viendront vous chercher à l'embarcadère.

Hotel Shiraiwa (ホテル白岩 ; ☎ 2-2571 ; fax 2-1864 ; www.h-shiraiwa.com, en japonais ; s à partir de 9 600 ¥ ; Ⓟ 🖥). "Rétro" est le maître mot dans ce vaste hôtel surplombant le port de Motomachi. S'il semble en effet en être resté aux années 1960, ses chambres de style japonais et occidental sont confortables. Certaines ont vue sur le port. Les grands bains communs sont un plus.

Otomodachi (おともだち ; ☎ 2-0026 ; plats 650-2 000 ¥ ; 🕐 déj et dîner, fermeture irrégulière). Ce simple *shokudô* situé à 50 m au nord de l'embarcadère de Motomachi sert des formules comme le *jôsashimi teishoku* (assortiment de sashimis ; 1 200 ¥). Repérez les bardeaux rouges et la grande enseigne blanche à l'extérieur.

NII-JIMA 新島
☎ 04992

Nii-jima rivalise de beauté avec sa voisine Shikine-jima. Avec son extraordinaire plage de sable blanc, ses remarquables onsen et son atmosphère paisible, elle évoque un peu Okinawa. Le terrain de camping est aussi idyllique, à quelques pas de la plage.

Renseignements
L'**Association touristique de Nii-jima** (新島観光協会 ; ☎ 5-0001 ; 🕐 8h-16h) est à 200 m au sud de l'embarcadère.

À voir et à faire
La fabuleuse Habushi-ura de Nii-jima constitue sans conteste la plus belle plage près de Tôkyô. Cette étincelante étendue de sable blanc s'étire sur 6,5 km, parcourant la moitié de la longueur de l'île. Avec les rouleaux qui s'y forment, elle attire les surfeurs de tout le Kantô. Attention toutefois car la houle et le courant sont très forts à cet endroit. Du côté de l'île où se trouve le port, la plage de Mae-hama, qui s'étend sur 4 km, est une bonne solution de rechange.

L'autre grand atout de l'île est l'un des plus curieux onsen du Japon, le **Yunohama Onsen** (湯の浜温泉 ; entrée libre ; 🕐 24h/24). Constitué de plusieurs bassins naturels creusés dans les rochers, il est renommé pour sa vue spectaculaire sur le Pacifique et ses colonnes inspirées du Parthénon. Cet onsen à ne pas manquer est à 5 minutes à pied au sud de l'Association touristique (maillot de bain obligatoire). Environ 5 minutes plus loin au sud, le **Mamashita Onsen** (まました温泉 ; ☎ 5-0240 ; bain standard/de sable 300/700 ¥ ; 🕐 10h-21h30 tlj sauf mer) comprend un bain à l'intérieur et, à l'extérieur, un bain dans le sable chaud – où vous n'avez le choix que de rester immobile, comme écrasé par la pression des grains de sable. Assez étonnant, mais quelle sensation de bien-être après !

Ne manquez pas non plus le **musée de Verrerie d'art moderne de Nii-jima** (新島現代ガラスアートミュージアム ; ☎ 5-1840 ; www.niijimaglass.com ; 300 ¥ ; 🕐 9h-16h30), à 1 km au sud du port, où vous admirerez de belles pièces réalisées à partir de la pierre *koga*, une roche naturellement magnétique qui ne se trouve qu'à Nii-jima et en Sicile. Vous verrez sans doute les souffleurs de verre en action.

Où se loger et se restaurer
Habushi-ura Camp-jo (羽伏浦キャンプ場 ; empl tente gratuit ; Ⓟ). Avec les montagnes en arrière-plan et de vastes espaces gazonnés, ce camping est un véritable petit bijou, à seulement 10 minutes à pied de la plage. Sur place : douches, coin cuisine et eau potable.

Nii-jima Grand Hotel (新島グランドホテル ; ☎ 5-1661 ; fax 5-1668 ; www15.ocn.ne.jp/~nghotel, en japonais ; ch avec 2 repas à partir de 6 800 ¥/pers ; Ⓟ 🖥 📶). Le seul hôtel à proprement parler de l'île n'est qu'à 15 minutes à pied de Habushi-ura. Ses chambres agréables, spacieuses et propres, sont équipées de sdb. Le personnel est jeune et sympathique. Grand bain commun.

Minshuku Hamashô (民宿浜庄 ; ☎ 5-0524 ; fax 5-1318 ; ch avec 2 repas à partir de 7 800 ¥/pers ; Ⓟ). Très proche de la plage de Mae-hama, ce *minshuku* se distingue par ses propriétaires sympathiques, ses délicieux fruits de mer et son emplacement superbe. Attention au chien de la maison…

Sakaezushi (栄寿司 ; ☎ 5-0134 ; plats 650-2 000 ¥ ; 🕐 dîner, fermeture irrégulière). À cinq pâtés de maisons de la plage de Mae-hama, sur la route de Habushi-ura, ce populaire pub de pêcheurs propose des formules comme le *shima-zushi* (sushis à la mode de l'île ; 1 850 ¥). C'est un bâtiment blanc pourvu sur la gauche d'une aile rénovée. Repérez le rideau de porte bleu.

SHIKINE-JIMA 式根島
☎ 04992

À 6 km au sud de Nii-jima se trouve la minuscule Shikine-jima (3,8 km²), qui rivalise de charmes. Elle offre quelques superbes onsen en bord de mer (tous gratuits ; maillot de bain obligatoire) et plusieurs belles petites plages. On en fait facilement le tour à pied ou en *mama-chari* (vélo de grand-mère), à louer sur l'île.

Renseignements

L'**Association touristique de Shikine-jima** (式根島観光協会 ; Shikine-jima Kankōkyōkai ; ☎ 7-0170 ; ⌚ 8h-17h) se trouve à l'embarcadère.

À voir et à faire

Le **Jinata Onsen** (地鉈温泉 ; entrée libre ; ⌚ 24h/24) est un des onsen les plus spectaculaires du Japon, à l'extrémité d'une étroite gorge dans la côte rocheuse, qui semble avoir été découpée par la hache d'un géant démoniaque. Essayez de pénétrer dans l'eau lorsque la mer est étale (entre la marée basse et la marée haute) ; la température est alors idéale. Procurez-vous une carte à l'Association touristique et repérez le rocher sur lequel sont peintes des flèches rouges marquant la route qui y accède.

Près du port d'Ashitsuki, un autre onsen : le pittoresque **Matsugashita Miyabi-yu** (松が下雅湯 ; entrée libre ; ⌚ 24h/24). La marée ne l'affecte pas et la vue sur le port est superbe ; l'entrée se trouve près de la rampe des bateaux. Une minute ou deux plus loin sur la côte, l'**Ashizuki Onsen** (足付温泉 ; entrée libre ; ⌚ 24h/24) est un autre joli onsen construit dans les rochers à fleur de mer. Comme pour le Jinata Onsen, la température de l'eau varie selon la marée.

De par ses eaux calmes, la charmante petite plage de **Tomarikō-kaigan** (泊港海岸), au creux d'une crique abritée, est parfaite pour se baigner avec des enfants. Elle se situe à environ 500 m au nord-ouest du port des ferries, sur le versant opposé de la colline. Sur la même côte, les plages de **Naka-no-ura** (中の浦海岸) et d'**Ō-ura** (大浦海岸) sont le but d'une courte promenade.

Où se loger

Kamanoshita Camp-jo (釜の下キャンプ場 ; empl tente gratuit ; ⌚ juin-sept ; 🅿). Juste à côté d'une jolie petite plage et de deux onsen gratuits, ce petit camping est très agréable, surtout en dehors de la pleine saison, car vous l'aurez peut-être à vous seul. Pas de douches.

Ō-ura Camp-jo (大浦キャンプ場 ; empl tente gratuit ; ⌚ juil et août ; 🅿). Sur une belle plage, camping assez exigu et pas très bien entretenu, mais à l'emplacement imbattable. Douches.

La Mer (ラ・メール ; ☎ 7-0240 ; fax 7-0036 ; www.shikine.com, en japonais ; ch à partir de 11 550 ¥ ; 🅿). En hauteur par rapport au port des ferries, cet établissement composé d'une petite pension et de bungalows portant le nom d'Early Bird est idéal lorsqu'on voyage en petit groupe. Déco sommaire mais location de vélos.

KŌZU-SHIMA 神津島
☎ 04992

Dominée par le **Tenjō-san** (天上山), montagne haute de 572 m au sommet aplati qui occupe toute l'extrémité nord de l'île, Kōzu-shima comporte quelques plages plaisantes, un agréable onsen et surtout, les plus beaux sentiers de randonnée de l'Izu-shotō. Pour les amateurs de sensations fortes, l'aéroport de l'île, sur un plateau à la pointe sud, donne vraiment l'impression de s'envoler d'un porte-avions.

Renseignements

L'**Association touristique de Kōzu-shima** (神津島観光協会 ; ☎ 8-0321 ; ⌚ 8h30-17h30) se trouve près de l'embarcadère.

À voir et à faire

Randonner au sommet du Tenjō-san est le principal attrait de Kōzu-shima. L'Association touristique dispose d'excellentes cartes de randonnée en japonais. La marche aller-retour jusqu'au **Kuroshima-Tenbō-Dai** (黒島展望台 ; observatoire, 524 m) prend 3 heures. Par temps clair, vous serez récompensé par une belle vue sur le mont Fuji. De là, vous pouvez poursuivre sur les hauteurs du plateau jusqu'à l'**Ura-Sabaku** (裏砂漠), un "désert" sablonneux, et au **Babaa-Ike** (ババア池), un petit étang.

Plus bas, au niveau de la mer, à environ 1 km au nord de l'embarcadère, le joli **Kōzu-shima Onsen** (神津島温泉 ; 800 ¥ ; ⌚ 10h-21h tlj sauf mer) offre trois excellents bassins en plein air aménagés dans les rochers de la côte et des bains à l'intérieur. Le maillot de bain est indispensable pour profiter des bains extérieurs.

À environ 2 km au nord de l'onsen, au bord de la route du littoral, l'**Akazaki-no Yūhodō** (赤崎の遊歩道 ; entrée libre ; ⌚ 24h/24) constitue un monde fantaisiste de promenades en planches, agrémentées de ponts, de plongeoirs et de tours d'observation, établi sur une belle crique propice à la baignade entre les falaises de la côte.

Où se loger et se restaurer

Nagahama Camp-jo (長浜キャンプ場 ; empl tente gratuit ; 🅿). Camping assez proche de l'onsen, situé sur la plage, à 2 km au nord de l'embarcadère. Douches et barbecues.

Hotel Kōzukan (ホテル神津館 ; ☎ 8-1321 ; fax 8-1323 ; www.kozukan.yad.jp, en japonais ; ch à partir de 6 300 ¥/pers ; 🅿). Le seul hôtel de l'île. Chambres de style japonais et occidental, avec toilettes privées mais sdb communes. Une sympathique famille gère l'établissement. Chambres spacieuses, permettant d'admirer le coucher du soleil.

Ryokan Shūsō (旅館秀蒼 ; ☎ 8-0883 ; fax 8-0884 ; www.syuso.jp, en japonais ; ch avec 2 repas à partir de 7 500 ¥ / pers ; P). En haut du village, près du départ du sentier qui mène au Tenjō-san, cette maison très moderne tenue par une dame anglophone comporte des bains avec vue sur la vallée. Nourriture délicieuse. Téléphonez pour qu'on vienne vous chercher.

Daijinko (だいじんこ ; ☎ 8-1763 ; en-cas 300-900 ¥ ; 🕙 10h-16h lun-mer et ven, 10h-17h sam et dim). Perché sur une falaise en surplomb du port, ce café se trouve à bonne distance à pied de la ville (à moins de se déplacer en scooter) mais la vue est magnifique. Au menu : en-cas légers comme le *chīzu tōsuto kōhī setto* (tartine de fromage et café ; 700 ¥). Demandez une carte et votre chemin à l'Association touristique.

MIYAKE-JIMA 三宅島
☎ 04994

Miyake-jima, à 180 km au sud de Tōkyō, est un endroit peu rassurant : en 2000, l'éruption de son volcan, l'O-yama (雄山), a contraint les habitants à être provisoirement évacués. De nombreux arbres ont été détruits pendant la catastrophe. En dépit de son aspect désolé, l'île de Miyake compte un bel onsen, et offre la possibilité de pratiquer le snorkeling et la plongée. Infrastructures touristiques limitées.

Renseignements

L'**Association touristique de Miyake-jima** (三宅島観光協会 ; ☎ 5-1144 ; 🕙 8h-17h) est un peu plus haut que le débarcadère des ferries de Sabi-ga-Hama, à droite. Vous y trouverez des cartes et des avertissements sur les émanations de gaz toxiques qui touchent certaines zones de l'île.

À voir et à faire

L'O-yama continuant d'émettre des gaz, il reste en grande partie inaccessible. Des villages entiers affectés par les nuages de gaz, comme **Miike** (三池) sur la côte est, près de l'aéroport, ont été abandonnés. Ils n'en constituent pas moins un paysage étrangement apocalyptique intéressant à observer si l'on passe en scooter, mais attention : il est dangereux de s'y attarder. Vous pourrez également observer les terribles dégâts causés par les coulées de lave de 1983 aux **ruines de l'école élémentaire et primaire Ako** (旧阿古小中学校跡), à 15 minutes à pied au nord du débarcadère des ferries. À proximité, l'onsen **Furusato-no-Yu** (ふるさとの湯 ; ☎ 5-0630 ;

adulte/enfant 500/250 ¥ ; 🕙 11h-21h tlj sauf mer avr-sept, 11h-20h tlj sauf mer oct-mars) comporte un superbe bain extérieur surplombant la mer ainsi qu'un restaurant. Vous trouverez une plage correcte de sable noir, un village de pêcheurs pittoresque et des sites de plongée à Ōkubo (大久保) sur le littoral nord. Du côté sud de Miyake, naturalistes et amateurs d'oiseaux apprécieront la réserve ornithologique **Tairo-ike** (大路池) et le centre nature **Akakokko-kan** (アカコッコ館 ; ☎ 6-0410 ; adulte/enfant 200 ¥/gratuit ; 🕙 9h-16h30), du nom local du merle des Izu *(Turdus celaenops)*, une espèce rare.

Où se loger

Il est interdit de camper sur l'île. **Santomo** (サントモ ; ☎ 5-0532 ; fax 5-0527 ; www.asahi-net.or.jp/~di5a-okym/top.html, en japonais ; ch à partir de 8 000 ¥ ; P 🛜), pension coquette et boutique de plongée, est à 10 minutes de marche au nord du débarcadère des ferries, sur la route principale. L'établissement comporte 9 chambres de style japonais et occidental très bien tenues. Le petit-déjeuner japonais coûte 800 ¥. Sorties de plongée à partir de 6 000 ¥.

HACHIJŌ-JIMA 八丈島
☎ 04996

À 290 km au sud de Tōkyō, Hachijō-jima est la deuxième île de la chaîne de l'Izu-shotō par sa superficie et l'avant-dernière au sud. Constituée de deux volcans endormis reliés par une étendue de terre plate, cette île paisible est la destination idéale pour passer quelques jours loin de la folie de Tōkyō. L'activité incontournable est l'ascension du mont Hachijō-Fuji, une randonnée facile qui permet de voir de sompteux paysages.

Renseignements

Au centre de l'île, l'**Association touristique de Hachijōjima** (八丈島観光協会 ; ☎ 2-1377 ; 🕙 8h15-17h15) jouxte l'hôtel de ville, dans la rue principale. Des cartes en japonais sont à disposition.

À voir et à faire

L'île est dominée par deux volcans endormis, le **Hachijō-Fuji** (八丈富士, 854 m) et le **Mihara-yama** (三原山, 701 m), couverts d'une luxuriante végétation semi-tropicale. La plus belle randonnée est celle qui mène en 3 heures au sommet du Hachijō-Fuji. La balade d'une heure qui fait faire le tour du cratère est magnifique mais attention aux gros trous qui ponctuent le sentier. À l'extrémité de l'île dominée par le Mihara-yama, vous pourrez atteindre en une heure de marche la **Kara-taki** (唐滝), une ravissante cascade située à l'intérieur des terres, au-dessus de la localité de Kashidate. Côté snorkeling, les rochers de **Nambara** (南原), sur la côte ouest, sont le meilleur site.

Il faut absolument aller prendre un bain à l'**Urami-ga-taki Onsen** (裏見ケ滝温泉 ; entrée libre ; ☺ 10h-21h). Situé en contrebas de la route, il surplombe une cascade : un cadre absolument magique en début de soirée. N'oubliez pas votre maillot de bain, car le bain est mixte. Depuis le port, prenez un bus pour Sueyoshi (changement éventuel à Kashitate Onsen Mae) et descendez à Nakata-Shōten-mae, puis marchez 20 minutes vers l'océan. Avant d'entrer dans l'onsen, grimpez le sentier qui part de la route au-dessus ; il vous mènera en quelques minutes à la jolie cascade **Urami-ga-taki** (裏見ケ滝).

À 15 minutes de marche au-dessous d'Ura-mi-ga-taki Onsen, en direction de l'océan, le **Nakanogō-Onsen Yasuragi-no-yu** (中之郷温泉やすらぎの湯 ; ☎ 7-0779 ; 300¥ ; ☺ 10h-21h tlj sauf jeu), un petit onsen local pittoresque, offre une splendide vue sur le Pacifique depuis ses bains intérieurs.

Project WAVE (☎ 2-5407 ; www3.ocn.ne.jp/~p-wave, en japonais) propose toutes sortes d'activités dans le domaine de l'écotourisme : randonnée, observation des oiseaux, kayak de mer et plongée sous-marine. Le propriétaire, Iwasaki-san, parle anglais.

Où se loger et se restaurer

Sokodo Camp-jō (底土キャンプ場 ; ☎ 2-1121 ; empl tente gratuit ; Ⓟ). Excellent camping, à 500 m au nord de l'embarcadère de Sokodo, avec toilettes, douches froides, et ce qu'il faut pour cuisiner. Il est à proximité de deux plages. Il faut réserver son emplacement par téléphone (en japonais) au bureau du gardien.

Kokuminshukusha San Marina (国民宿舎サンマリーナ ; ☎ 2-3010 ; fax 2-0952 ; www6.ocn.ne.jp/~marina-6, en japonais ; ch avec 2 repas à partir de 7 875¥/pers ; Ⓟ 🖵). Pension coquette et très soignée à l'emplacement pratique, à 500 m au nord de l'embarcadère de Sokodo. La nourriture est savoureuse. Tournez à gauche pour quitter la route côtière à hauteur du panneau indiquant "Ocean Boulevard" et repérez le grand bâtiment blanc.

Hachijō View Hotel (八丈ビューホテル ; ☎ 2-3221 ; fax 2-3225 ; www.hachijo-v.co.jp, en japonais ; s/d à partir de 17 850/12 600¥ ; Ⓟ 🛜 🖵 ♿). Hôtel moderne à l'ouest de l'aéroport, sur les pentes du mont Hachijō-Fuji, avec tables en terrasse,

bains communs donnant sur la mer, et bain bouillonnant extérieur.

Ryōzanpaku (梁山泊 ; ☎ 2-0631 ; plats à partir de 1 500¥ ; ☺ dîner tlj sauf dim). Cet *izakaya* de la rue principale, entre l'aéroport et le port des ferries, propose sur son menu anglais de délicieuses entrées, comme les croquettes de *taro* (800¥), ainsi que des formules de sashimis (1 500¥). Repérez l'enseigne blanche verticale et les portes coulissantes en bois.

OGASAWARA-SHOTŌ
小笠原諸島

Difficile de croire que l'on se trouve ici au Japon, encore moins dans la préfecture de Tōkyō. Situé à 1 000 km au sud de la capitale, au beau milieu de l'océan Pacifique, ce lointain avant-poste se caractérise par ses superbes plages et ses cieux étoilés. L'Ogasawara-shotō, entouré d'eaux tropicales et de récifs coralliens, est un paradis pour les amoureux de la nature. De multiples activités s'offrent au visiteur, dont le snorkeling, l'observation des baleines, la nage en compagnie des dauphins et la randonnée.

La seule façon de rejoindre ces îles est de prendre un ferry (25 heures de traversée depuis Tōkyō), qui vous débarque à Chichi-jima (父島 ; île Père), la plus importante de l'archipel Ogasawara. Un ferry plus petit relie cette île à Haha-jima (母島 ; île Mère), l'autre île habitée.

Ces îles sont peu visitées par les touristes étrangers. Pourtant, leurs premiers habitants furent des Occidentaux venus y installer des stations d'approvisionnement pour leurs baleinières chassant dans les mers autour du Japon. Parfois, un nom ou un visage rappellent des ancêtres occidentaux. Sur les îles, vous découvrirez, à l'extrémité de chaque plage, des casemates ayant contenu des munitions. Construites par les Japonais pendant la Seconde Guerre mondiale, qui anticipaient un débarquement des forces alliées, elles auraient dû servir à la défense (mais les grandes batailles furent livrées plus au sud, sur Iwo-jima).

Vu la nature, l'histoire et l'emplacement de ces îles, un voyage aux Ogasawara est synonyme d'aventure, aussi bien pour les Japonais que pour les Occidentaux. Quand votre bateau repart de Chichi-jima et que l'île s'efface derrière vous, vous réalisez que vous quittez un endroit magique.

CHICHI-JIMA 父島
☎ 04998

Dotée d'une nature superbement préservée, la ravissante Chichi-jima compte aussi de nombreux hébergements et restaurants, et même une petite vie nocturne, sage cependant. Mais l'on vient ici avant tout pour les merveilleuses plages et les activités de plein air.

Renseignements
Association touristique de Chichi-jima (父島観光協会 ; ☎ 2-2587 ; ⏰ 9h-17h). Dans le bâtiment B-Ship, à 250 m à l'ouest du débarcadère, près de la poste. Procurez-vous le *Guide Map of Chichi-jima*, très pratique.

Ogasawara Visitor Center (小笠原ビジターセンター ; ☎ 2-3001 ; ⏰ 8h-17h). Sur la plage, après le bureau de l'Association touristique ; expositions sur l'écosystème et l'histoire de la région (guide en anglais).

À voir et à faire
Les deux meilleures plages pour le snorkeling sont situées sur le côté nord de l'île, à une courte promenade du village, de l'autre côté de la colline. **Miya-no-ura** (宮之浦), qui possède de jolis coraux, est abritée et donc particulièrement indiquée pour les débutants. À 500 m environ plus loin sur la côte, d'un accès plus facile depuis le village, la plage rocheuse de **Tsuri-hama** (釣浜) a des coraux plus intéressants, mais elle est plus exposée.

De plus en plus belles en allant vers le sud, les plages propices à la baignade s'étendent sur la côte ouest. **Kominato-kaigan** (小港海岸) est notamment une étendue de rêve, qui plus est desservie par le bus depuis le village – si vous avez raté le bus, faites du stop. De Kominato-kaigan, vous pouvez passer de l'autre côté de la colline et continuer sur la côte jusqu'aux superbes plages Jinny Beach et John Beach – sachez que vous n'y trouverez pas d'eau et qu'il vous faudra 2 heures de marche

pour rejoindre le village, dans une direction comme dans l'autre ; emportez au moins 3 litres d'eau par personne. Autre belle plage, Copepe, au nord de Kominato, est accessible par une petite randonnée.

Sur la côte est de Chichi-jima, **Hatsune-ura** (初寝浦), une plage peu fréquentée, s'étend en bas d'un sentier de 1,2 km, au pied d'un à-pic de 200 m. Rejoindre le point de départ du sentier en scooter est la meilleure solution (certains s'essaient aussi à l'auto-stop).

Nombre de compagnies, dont **Chichijima Taxi** (父島タクシー ; ☎ 2-3311, en japonais), proposent de nager avec les dauphins et d'observer les baleines, ainsi que des excursions à Minami-jima, une île inhabitée recelant une plage secrète et magique appelée **Ōgi-ike** (扇池). Stanley Minami, skipper du **Pink Dolphin** (☎ 2-2096 ; www15.ocn.ne.jp/~pdolphin, en japonais), organise des visites d'une journée complète à Minami-jima et Haha-jima, avec snorkeling et observation des dauphins, moyennant 13 500 ¥.

Louer un scooter est le meilleur moyen de découvrir l'île (à partir de 3 000 ¥/jour).

Où se loger et se restaurer
Le camping est interdit sur l'île.

Banana Inn (バナナ荘 ; ☎ 2-2051 ; ch à partir de 4 200 ¥). À deux pas du débarcadère des ferries, cette modeste auberge comporte des chambres très sommaires de style japonais et occidental, mais son sympathique propriétaire, John Washington, adore parler de l'histoire de la région.

Ogasawara Youth Hostel (小笠原ユースホステル ; ☎ 2-2692 ; fax 2-2692 ; www.oyh.jp, en japonais ; dort membres/non-membres avec 2 repas 5 150/5 750 ¥ ; Ⓟ 💻). Auberge de jeunesse propre, bien tenue et réglementée, à 400 m au sud-ouest du débarcadère, près de la poste. Pensez à réserver tôt car elle affiche vite complet.

LES ESPÈCES UNIQUES DE L'OGASAWARA-SHOTŌ

Lorsque des scientifiques ont photographié le légendaire calmar géant (*Architeuthis*) pour la première fois en 2004, c'était bien sûr au large des îles Ogasawara. Cet archipel est le berceau de 60 espèces menacées, comme la roussette frugivore du Japon. Vous rencontrerez des chèvres sauvages et des bernard-l'hermite et, si vous partez randonner dans la jungle, faire du snorkeling, de la plongée, du kayak de mer, ou encore optez pour une croisière d'observation des dauphins, vous croiserez d'autres animaux peu courants. La période choisie est importante : de janvier à avril, par exemple, les baleines à bosse nagent parfois à seulement 500 m du rivage. Mais les merveilles sont aussi dans le ciel. La nuit, par temps clair, depuis le pont supérieur du ferry *Ogasawara-maru*, vous verrez la Voie lactée dans un ciel superbement étoilé. Un spectacle qui fait des îles Ogasawara une destination unique.

Chichi-jima View Hotel (父島ビューホテル; ☎ 2-7845 ; fax 2-7846 ; www16.ocn.ne.jp/~view1 ; ch à partir de 10 000 ¥/pers ; **P**). À une minute à pied à l'ouest du débarcadère, hôtel aux grandes chambres lumineuses avec sdb et cuisine privatives. C'est l'une des adresses les plus haut de gamme de l'île ; vue magnifique sur la baie depuis les balcons.

Marujō-shokudō (丸丈食堂 ; ☎ 2-3030 ; menus à partir de 800 ¥). Modeste *shokudō* où la clientèle locale vient manger des formules simples mais savoureuses, par exemple le menu sashimis (840 ¥, demandez le *kyō no sashimi teishoku*). L'établissement occupe un bâtiment bleu et blanc, à côté d'un magasin de souvenirs.

Yankee Town (ヤンキータウン ; ☎ 2-3042 ; boissons 700-1 200 ¥ ; ⏱ 20h-2h tlj sauf mer). À 15 minutes de marche à l'est du débarcadère principal, à côté du terrain de sport Okumua, ce bar aux murs de bois flotté est idéal pour se détendre en sirotant une *piña colada*. Traversez le tunnel face au débarcadère, continuez tout droit jusqu'à ce que la route décrive un virage vers la droite, et vous verrez le bar sur la gauche. Un barbecue est installé devant.

Depuis/vers Chichi-jima

L'*Ogasawara-maru* navigue environ une fois par semaine entre l'embarcadère Takeshiba de Tōkyō (à 10 min de la gare de Hamamatsu-chō) et Chichi-jima (2ᵉ classe à partir de 28 000 ¥ en juil et août, à partir de 22 000 ¥ de sept à juin, 25 heures). Contactez **Ogasawara Kaiun** (小笠原海運 ; ☎ 03-3451-5171 ; www.ogasawarakaiun. co.jp, en japonais).

HAHA-JIMA 母島
☎ 04998

Haha-jima est une Chichi-jima plus calme et moins développée, pourvue de belles plages sur sa côte ouest. On peut aussi faire de belles randonnées sur sa crête, et certaines baies de la côte est sont très propices à l'observation des dauphins. C'est vraiment l'endroit idéal pour échapper à la foule.

Renseignements

L'**Association touristique de Haha-jima** (母島観光協会 ; ☎ 3-2300 ; ⏱ 8h-17h) est dans la salle d'attente des passagers du débarcadère.

À voir et à faire

Une route part du village en direction du sud jusqu'au départ du **Minami-zaki Yūhodō** (南崎遊歩道), un parcours de randonnée qui continue jusqu'au **Minami-zaki** (南崎 ; le "cap sud"). Le chemin passe par **Hōraine-kaigan** (蓬莢根海岸), une étroite plage possédant un joli champ de coraux, puis Wai Beach, la plus belle plage de l'île, où l'eau s'enfonce brusquement, attirant parfois des raies aigles. Enfin, le chemin atteint le cap de Minami-zaki, dont la plage rocheuse bordée de coraux dévoile de merveilleuses vues sur les autres îles plus petites du sud. Au-dessus du cap Minami-zaki se dresse le **Kofuji** (小富士), un mont Fuji miniature de 86 m de hauteur, offrant lui aussi des vues fantastiques dans toutes les directions. Le scooter est le meilleur moyen de se déplacer sur l'île (à partir de 3 000 ¥/jour).

Où se loger et se restaurer

Il est interdit de camper sur l'île.

Anna Beach Haha-jima Youth Hostel (アンナビーチ母島ユースホステル ; ☎ 3-2468 ; fax 3-2371 ; www.k4.dion.ne.jp/~annayh, en japonais ; dort membres/non-membres avec 2 repas 5 320/5 920 ¥). Une jeune famille tient cette auberge de jeunesse pimpante et soignée, installée dans une maison de style occidental qui donne sur le port de pêche.

Minshuku Nanpū (民宿ナンプー ; ☎ 3-2462 ; fax 3-2458 ; ch avec 2 repas 8 400 ¥/pers). Ce nouveau *minshuku* très propre est à 500 m au nord-est du débarcadère. Propriétaires charmants, nourriture savoureuse, 5 chambres équipées de grands lits, et agréable bain à jets.

Club Noah Haha-jima (クラブノア母島 ; ☎ 3-2442 ; http://noah88.web.fc2.com, en japonais ; en-cas à partir de 500 ¥ ; ⏱ déj). La boutique de plongée Club Noah organise des sorties d'écotourisme avec randonnée dans la jungle ou découverte de la vie marine. Le menu comprend des en-cas légers comme le *shima-zakana no soboro-don* (miettes de poisson sur riz ; 900 ¥). Dans un bâtiment blanc tout au bout du port de pêche.

Depuis/vers Haha-jima

Le *Hahajima-maru* circule environ 5 fois/semaine entre Chichi-jima et Haha-jima (3 780 ¥, 2 heures). Contactez **Ogasawara Kaiun** (小笠原海運 ; ☎ 03-3451-5171 ; www.ogasawarakaiun.co.jp, en japonais). D'autres compagnies organisent des croisières quotidiennes au départ de Chichi-jima.

Centre de Honshū
本州中部

Cœur du Japon du point de vue géographique comme sur le plan des mentalités, le centre de Honshū – bordé par l'océan Pacifique d'un côté et la mer du Japon de l'autre – s'étend entre les deux mégalopoles de Kantō (le grand Tōkyō) et du Kansai (Ōsaka, Kyōto et Kōbe).

Dans les préfectures du sud du "Chūbu" (nom japonais du centre de Honshū), tandis que les randonneurs partent à la découverte du parc national des Alpes japonaises, les skieurs se retrouvent sur les pentes enneigées du Nagano-ken. Et tous se retrouvent dans les nombreux *onsen* (sources chaudes). De somptueux panoramas s'ouvrent sur les hauteurs du Hokuriku (bordant la mer du Japon), réputé pour ses temples et ses fruits de mer.

Grande ville industrielle, Nagoya se distingue par des savoir-faire et une gastronomie uniques. Centre historique du Hokuriku, Kanazawa est une ville passionnante, dont les rues préservées étaient autrefois habitées par des samouraïs et des geishas. Plus au sud, Takayama arbore ses maisons traditionnelles au bord de l'eau et ses paysages verdoyants. Autre destination appréciée, Matsumoto s'enorgueillit d'un étonnant château du XVIe siècle et de galeries d'art.

Enfin, inscrits sur la liste du patrimoine mondial de l'Unesco, les villages montagneux de Shirakawa-gō et de Gokayama témoignent d'une riche tradition architecturale, tandis que la route du Nakasendō, datant de la période d'Edo, traverse de charmants paysages vallonnés.

CENTRE DE HONSHŪ

À NE PAS MANQUER

- L'**Inuyama-jō** (p. 265) et le **Matsumoto-jō** (p. 302), des châteaux classés trésors nationaux
- Les jolies rues de **Takayama** (p. 270), connue pour son architecture et ses sculpteurs sur bois
- Les panoramas de **Kamikōchi** (p. 283)
- Une nuit dans une maison au toit de chaume de **Shirakawa-gō** (p. 279)
- Les stations olympiques de **Shiga Kōgen** (p. 296), de **Nozawa Onsen** (p. 297) et de **Hakuba** (p. 298) pour les passionnés de ski
- La côte déchiquetée de **Noto-hantō** (p. 320) et ses villages de pêcheurs
- Les sites de Kanazawa (p. 311), du **jardin Kenroku-en** à l'audacieux **musée d'Art contemporain du XXIe siècle**
- Une séance de méditation avec les moines bouddhistes de l'**Eihei-ji** (p. 327) ou un pèlerinage au majestueux **Zenkō-ji** (p. 290)

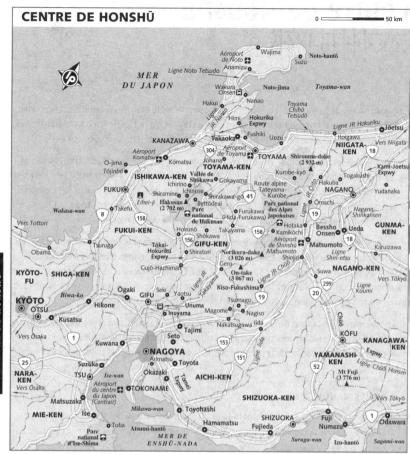

Climat

Du fait de sa diversité géographique, le centre de Honshū connaît une grande variété de climats. En plaine, l'automne (fin septembre-début novembre) et le printemps (avril-mai) ont un climat doux et un ciel dégagé. Attendez-vous à des pluies abondantes pendant la *tsuyu* (mousson ; 2 ou 3 semaines dès la mi-juin), suivie d'un été moite (jusqu'à la mi-septembre) que couronne la saison des typhons. Dans les Alpes japonaises, les hivers (novembre à mars) sont froids et enneigés. Nombre de routes sont alors impraticables et les plus hauts sommets restent souvent couverts de neige jusqu'en juin. Juillet et août sont les mois les plus agréables pour la randonnée en montagne. La neige a fondu et les températures sont plus élevées.

Depuis/vers le centre de Honshū

L'aéroport international du centre du Japon (NGO), près de Nagoya, offre un accès pratique. Un nombre restreint de vols internationaux desservent Komatsu (près de Kanazawa ; voir p. 320) et Toyama (p. 309). Nagoya est un carrefour des transports ferroviaires, et une étape sur la ligne du *shinkansen* (train à grande vitesse) reliant Tōkyō à Nagano.

Les ferries **FKK Air Service** (☎ 0766-22-2212 ; http://fkk-air.toyama-net.com, en japonais) circulent entre Fushiki, dans le Toyama-ken, et Vladivostok (aller simple adulte/enfant à partir de 44 000/33 000 ¥). Les ferries quittent Vladivostok le lundi à 21h et arrivent à 9h le mercredi à Fushiki. Dans le sens inverse, ils partent du Japon le vendredi à 18h, et atteignent la Russie à 9h30 le dimanche.

Comment circuler

Nagoya constitue un important carrefour du sud du Chūbu. L'arrière-pays montagneux est desservi par les trains des lignes JR Takayama et Chūō, qui courent à peu près parallèlement du sud au nord avec, respectivement, Takayama, et Matsumoto et Nagoya comme nœuds de circulation majeurs. Dans le nord, la ligne JR Hokuriku suit la côte de la mer du Japon, reliant Fukui, Kanazawa et Toyama, et assurant la correspondance pour Kyoto et Osaka.

Le centre montagneux du Chūbu est desservi par des bus. Il faut toutefois prévoir son itinéraire avec soin car les horaires ne sont pas toujours pratiques. Par ailleurs, le service peut être totalement interrompu par mauvais temps. Pour certaines destinations, notamment la péninsule de Noto-hantō, louer une voiture est une excellente solution.

NAGOYA 名古屋

☎ 052 / 2,24 millions d'habitants

Si Kyōto évoque une gracieuse geisha, et Tōkyō une adolescente en quête du dernier accessoire à la mode, Nagoya fait plutôt figure de sage grande sœur. Certes, elle n'attire pas autant l'œil, mais sa persévérance permet à ses cadettes de mener grand train.

Quatrième ville du Japon, Nagoya est une locomotive industrielle. Prise isolément, l'économie de la ville et de sa région se classeraient parmi les 20 premières du monde. Elle doit sa réussite à la notion de *monozukuri* (le savoir-faire), une véritable profession de foi pour les habitants de cette cité laborieuse qui continuent de gagner leur vie quand de graves difficultés frappent le reste du pays. À titre d'exemple, Toyota n'est que la plus célèbre des nombreuses usines installées ici. C'est aussi à Nagoya qu'est né le *pachinko* (flipper japonais).

Rien de tout cela ne permet de classer la ville parmi les destinations touristiques de choix, mais comme il est très probable que vous la traverserez (c'est un important carrefour des transports), autant en profiter pour découvrir son impressionnant château, son sanctuaire et ses temples, sa gastronomie, son port agréable et ses distractions urbaines. Des découvertes qui s'effectueront dans une ambiance bien moins frénétique qu'à Tōkyō ou à Ōsaka. Les habitants comme les expatriés tirent une grande fierté de l'atmosphère chaleureuse et sympathique de leur ville.

RANDONNÉE DANS LES ALPES JAPONAISES

Le centre de Honshū est béni, au sens shintoïste du terme et sous bien d'autres aspects, car ses nombreux parcs nationaux abritent la moitié des 100 montagnes les plus renommées du Japon. C'est à ce titre une destination de choix pour les amateurs de randonnée. Nous indiquons dans ce chapitre les destinations les plus réputées. Les vrais passionnés creuseront le sujet en se plongeant dans le guide Lonely Planet *Hiking in Japan* (2009) de David Joll, Craig McLachlan et Richard Ryall.

Nagoya est par ailleurs un point de départ pratique pour des excursions d'une journée. Entre la visite des usines, celles des villages spécialisés dans la fabrication de céramiques et la pêche au cormoran, vous aurez amplement de quoi vous occuper.

HISTOIRE

La fondation de la ville ne date officiellement que de 1889. Pourtant, depuis des siècles déjà, Nagoya exerçait une forte influence dans le pays. C'est la patrie ancestrale des "trois grands héros" japonais : Nobunaga Oda, premier unificateur du pays, le shōgun Hideyoshi Toyotomi et Ieyasu Tokugawa, dont le règne dictatorial instauré depuis Edo déboucha finalement sur une période de paix et de prospérité, marquée par un grand essor artistique. C'est Ieyasu Tokugawa qui fit construire le Nagoya-jō. Le château devint ensuite, 16 générations durant, le bastion des Tokugawa (appelés le clan Owari) dans cette région.

Nagoya se développa sur le plan commercial, financier et industriel, tout en devenant une plaque tournante dans le domaine des transports et de la navigation. Pendant la Seconde Guerre mondiale, on y produisit quelque 10 000 avions de chasse de modèle Zero (Mitsubishi A6M). Son rôle prééminent dans la manufacture d'armes lui valut d'être massivement bombardée par les Alliés. Après l'évacuation des habitants, un quart de la ville fut ainsi rayé de la carte. Sa physionomie actuelle, avec ses larges avenues, ses passages souterrains, ses espaces verts et ses gratte-ciel étincelants résulte de ces événements.

De nos jours, Nagoya tient le rôle de leader mondial dans les secteurs de l'automobile, de la machinerie, de l'électronique et de la céramique.

CENTRE DE HONSHŪ

Un seul coup d'œil aux nombreux grands magasins de la ville suffit d'ailleurs à constater sa prospérité commerciale – même si la crise économique est passée par là aussi…

ORIENTATION

À la lisière ouest du centre, la gare JR de Nagoya (appelée localement Meieki) forme une ville à part entière, avec ses grands magasins, ses commerces, ses restaurants, ses hôtels et ses plates-formes panoramiques installées au sommet des gratte-ciel. Plusieurs lignes ferroviaires convergent ici, notamment celle du *shinkansen* et les lignes privées régionales Meitetsu et Kintetsu. L'endroit est également desservi par le métro et le bus. La gare de Nagoya étant très grande et déroutante, ne prévoyez pas une correspondance trop rapide.

De la sortie est, Sakura-dōri mène à l'imposante tour de la télévision qui se dresse au centre de l'étroit Hisaya-ōdōri-kōen (Parc central). Au sud et à l'ouest de cet édifice s'étendent les quartiers de Sakae et Nishiki, plus pittoresques que Meieki et saturés de magasins, de restaurants et d'établissements où sortir le soir. Autre quartier pittoresque, Kakuōzan est à quelques stations de métro à l'est de Sakae. Le château, Nagoya-jō, se tient au nord du centre-ville, tandis qu'au sud se trouvent l'Ōsu Kannon et, beaucoup plus loin, le port de Nagoya.

Grâce aux panneaux en anglais et au métro, très pratiques, il est relativement facile de circuler dans Nagoya.

RENSEIGNEMENTS
Argent et poste

Citibank possède des DAB Cirrus fonctionnant 24h/24 au 1er niveau du bâtiment Sugi (🚇 Sakae, sortie n°7) et dans le hall d'arrivée de l'aéroport international du centre du Japon.

Poste d'Eki-mae (carte p. 254 ; 🚇 Nagoya).
Au nord de la sortie est de la gare.
Poste de la gare de Nagoya. Près du hall principal.

Internet (accès)

Chikōraku (carte p. 254 ; ☎ 587-2528 ; 1-25-2 Meieki ;
490 ¥ la 1re heure ; 🕐 24h/24 ; 🚇 Nagoya). Au sous-sol
de l'immeuble Meitetsu Lejac.
FedEx Kinko's (carte p. 254 ; ☎ 231-9211 ;
2-3-31 Sakae ; 250 ¥ les 10 premières min,
1 250 ¥ la 1re heure ; 🕐 24h/24 ; 🚇 Fushimi).
Nagoya International Centre (carte p. 254 ;
☎ 581-0100 ; 1-47-1 Nagono ; 100 ¥/15 min ;
🕐 9h-19h mar-dim ; 🚇 Kokusai Centre)

Internet (sites)

Nagoya Convention and Visitors Bureau (www.
ncvb.or.jp). Site d'informations générales pour les visiteurs.
Nagoya International Centre (www.nic-nagoya.or.jp).
Liste des manifestations locales, infos culturelles, etc.

Librairies

Les enseignes ci-après vendent des livres en
anglais.
Kinokuniya Books (carte p. 254 ; ☎ 585-7526 ; 5e niv,
1-2-1 Meieki ; 🕐 10h-20h ; 🚇 Nagoya).
Dans le bâtiment de Men's-Kan, à Meitetsu, au sud de la
gare de Nagoya.
Maruzen (carte p. 254 ; ☎ 261-2251 ; 3-2-7 Sakae ;
🚇 Sakae). Dans la très animée Hirokoji-dōri.

Offices du tourisme

Des plans de la ville et du métro en anglais sont
disponibles dans tous les offices du tourisme
et dans les hôtels. *Live Map Nagoya*, brochure
gratuite du Convention & Visitors Bureau (office
du tourisme), contient les renseignements
touristiques essentiels. Pour connaître les
programmes des manifestations culturelles,
consultez les publications en anglais telles que
Japanzine, *Avenues* et *Nagoya Calendar*.
Nagoya International Centre (carte p. 254 ;
☎ 581-0100 ; 1-47-1 Nagono ; 🕐 9h-19h mar-dim ;
🚇 Kokusai Centre). Personnel anglophone.
Renseignements sur Nagoya et sa région. Sur place :
bibliothèque, journaux télévisés étrangers et panneau
d'affichage pour petites annonces.
Office du tourisme de Nagoya Gare de Nagoya
(carte p. 254 ; ☎ 541-4301 ; 🕐 9h-19h ;
🚇 Nagoya, dans le hall central) ; gare de Kanayama
(carte p. 252 ; ☎ 323-0161 ; 🕐 9h-20h ;
🚇 Kanayama) ; Sakae (carte p. 254 ; ☎ 963-5252 ;
Oasis 21 Bldg ; 🕐 10h-20h ; 🚇 Sakae). Tous ces bureaux
fournissent quantité de renseignements. Vous y trouverez
toujours un interlocuteur anglophone.

Pour les correspondances, adressez-vous au
personnel anglophone des billetteries de la gare JR
de Nagoya, ou contactez l'agence de voyages **KNT
Tourist** (carte p. 254 ; ☎ 541-8686 ; 1-2-2 Meieki ; 🕐 10h-20h
lun-ven, jusqu'à 18h sam et dim ; 🚇 Nagoya).

Services médicaux

La préfecture de Nagoya, l'**Aichi-ken** (☎ 249-9799 ;
www.qq.pref.aichi.jp), met à disposition une liste
des établissements médicaux où le personnel
est anglophone, voire francophone (spécialités
médicales et horaires de consultation).
Clinique Tachino (carte p. 254 ; ☎ 541-9130 ; Dai-
Nagoya Bldg, 3-28-12 Meieki ; 🚇 Nagoya). En face de la
sortie est de la gare de Nagoya. Le personnel parle anglais.

Urgences

Ambulance et pompiers (☎ 119).
Nagoya International Centre (carte p. 254 ; ☎ 581-
0100 ; 1-47-1 Nagono ; 🕐 9h-19h mar-dim ; 🚇 Kokusai
Centre). Informations en anglais sur les urgences.
Police (☎ 110).

À VOIR
Secteur de la gare de Nagoya

MIDLAND SQUARE ミッドランドスクエア
En 2007, la Toyota Motor Corporation a installé
son siège dans ce gratte-ciel (247 m), le plus
haut de Nagoya et le cinquième du Japon.
Ceux qui connaissent le Tōkyō Midtown
peuvent se faire une idée de son allure. Les
étages inférieurs abritent un centre commercial
plutôt huppé. Aux étages intermédiaires, ce sont
des bureaux et, aux tout derniers niveaux, on
trouve la **Sky Promenade** (carte p. 254 ; ☎ 527-8877 ;
www.noritake-elec.com/garden ; 4-7-1 Meieki ; jardin adulte/
enfant/senior 700/300/500 ¥ ; 🕐 10h-22h ; 🚇 Nagoya).
Cette "promenade dans le ciel", la plus haute
plate-forme panoramique du Japon (fermée par
mauvais temps), est accessible en empruntant
des couloirs dont les murs lumineux forment
des fresques aux motifs audacieux.

Les amateurs d'architecture ne manqueront
pas d'admirer l'extérieur des toutes nouvelles
Spiral Towers (carte p. 254), à quelques pâtés de
maisons au sud. Cette étonnante structure fait
penser au célèbre "Gherkin" londonien (Swiss
Re Tower) – à ceci près que l'on aurait plutôt
tenté de peler ce "cornichon"-là…

NORITAKE GARDEN ノリタケの森
Promenez-vous dans le **jardin Noritake** (carte p. 254 ;
☎ 561-7290 ; www.noritake-elec.com/garden ; 3-1-36 Noritake-
shinmachi ; jardin entrée libre ; 🚇 Kamejima), parc arboré
entourant la toute première usine (1904) de

CENTRE DE NAGOYA

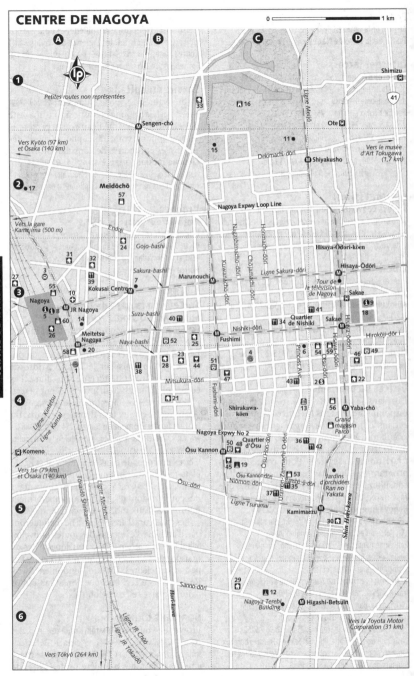

0 ————————————————— 1 km

Petites routes non représentées

Vers Kyōto (97 km)
et Ōsaka (140 km)

Vers le musée
d'Art Tokugawa
(1,7 km)

Vers la gare
Kamejima (500 m)

Shimizu

Ote

Sengen-chō

Meidōchō

Dekimachi-dōri

Shiyakusho

Nagoya Expwy Loop Line

Hisaya-Ōdōri-kōen

Hisaya-Ōdōri

Endoji

Gojo-bashi

Sakura-bashi

Kokusai Centre

Marunouchi

Ligne Sakura-dōri

Tour de
la télévision
de Nagoya

Sakae

Nagoya

JR Nagoya

Suzu-bashi

Meitetsu
Nagoya

Naya-bashi

Fushimi

Nishiki-dōri

Quartier
de Nishiki

Sakae

Hirokōji-dōri

Mitsukura-dōri

Fushimi-dōri

Shirakawa-
kōen

Princess Ave

Yaba-chō

Grand
magasin
Parco

Komeno

Nagoya Expwy No 2

Quartier
d'Ōsu

Ōsu Kannon

Vers Ise (79 km)
et Ōsaka (140 km)

Ōsu Kannon-dōri

Ōsu-dōri

Jardins
d'orchidées
Ran no
Yakata

Niōmon-dōri

Ligne Tsurumai

Kamimaezu

Sanno-dōri

Nagoya Terebi
Building

Higashi-Betsuin

Vers la Toyota Motor
Corporation (31 km)

Vers Tōkyō (264 km)

Ligne Kintetsu

Ligne Kansai

Tōkaidō Shinkansen

Ligne Meitetsu

Hori-kawa

Ligne JR Chūō

Ligne JR Tōkaidō

Shin Hori-kawa

Uramon-Zenmachi-Ōdōri

Banshō-ji-dōri

l'un des plus célèbres fabricants de porcelaine du Japon. Le **centre artisanal** (☎ 561-7114 ; adulte/enfant et senior/lycéen 500/gratuit/300 ¥ ; ☼ 10h-17h) permet d'assister au déroulement de la production et de visiter un musée où sont exposées des pièces anciennes de porcelaine Noritake. Vos pourrez aussi vous essayer à la fabrication (1 500 ¥). La **Noritake Gallery** (☎ 562-9811 ; ☼ 10h-18h mar-dim) accueille des expositions temporaires de peinture, de sculpture et de céramique. La signalétique en anglais permet de s'orienter dans le domaine. Vous verrez aussi un four ancien et des cheminées qui sont les vestiges d'un four tunnel de 1933.

Vous pourrez naturellement faire des achats, notamment au magasin d'usine Box (ouvert de 10h à 18h), qui pratique 30% à 40% de réduction sur les fins de séries.

Musée Toyota de l'Industrie et de la Technologie トヨタテクノミュ ージアム産業技術記念館

Toyota, plus grand constructeur mondial de voitures, a débuté ses activités dans un tout autre domaine : le tissage. Après une dizaine de minutes de marche au nord-ouest du jardin Noritake, on atteint ce **musée** (carte p. 252 ; ☎ 551-6115 ; www.tcmit.org ; 4-1-35 Noritake-shinmach ; adulte/enfant 500/300 ¥ ; ☼ 9h30-17h mar-sam ; ⊠ Sako, ligne Meitetsu Nagoya), installé sur le site de l'ancienne filature de la firme à Nagoya (elle fut ouverte en 1911). On peut y voir des expositions mais aussi des démonstrations de traitement métallique et de machinerie textile. Vous pourrez également y expérimenter vous-même le principe des forces et certaines applications électroniques.

Pour entrer véritablement dans le vif du sujet, rendez-vous au pavillon de l'Automobile, qui s'étend sur 7 900 m². Il existe une signalétique en anglais. L'audio guide en anglais coûte 200 ¥. Voir l'encadré (p. 264) pour les renseignements sur les visites d'usines.

Autour du château de Nagoya
NAGOYA-JŌ 名古屋城
Ieyasu Tokugawa fit édifier le **château de Nagoya** (Nagoya-jō ; carte p. 254 ; ☎ 231-1700 ; 1-1 Honmaru ; adulte/enfant moins de 15 ans 500/100 ¥ ; ☻ 9h-16h30 ; 🚇 Shiyakusho, sortie 7) entre 1610 et 1614, pour son neuvième fils. Bien que détruit pendant la Seconde Guerre mondiale et remplacé en 1959 par une réplique en béton armé, l'édifice mérite une visite pour son musée (accessible par un ascenseur) où sont exposés des armures et d'autres objets illustrant l'histoire des clans Oda, Toyotomi et Tokugawa. Remarquez, à chaque extrémité du toit, la copie dorée de 3 m de long du fameux *shachi-hoko*, créature marine ressemblant à un dauphin (que l'on retrouve dans toutes les boutiques de souvenirs).

Le domaine du château abrite un jardin, le **Ninomaru-en**, particulièrement beau à l'époque de la floraison des cerisiers (vers début avril). Le vendredi, à l'occasion de la **cérémonie du thé** (525 ¥ ; ☻ 9h30-16h ven), on se sert d'une urne en or pour verser le précieux nectar.

Non loin, le beau **théâtre nō de Nagoya** (carte p. 254 ; ☎ 231-0088 ; 1-1-1 San-no-maru ; entrée libre ; ☻ 9h-17h) abrite un petit musée où l'on peut admirer des kimonos, des masques, des éventails et autres objets en lien avec cette tradition théâtrale, la plus ancienne au monde.

MUSÉE D'ART TOKUGAWA 徳川美術館
Riche de plus de 10 000 pièces, cet intéressant **musée** (hors carte p. 254 ; ☎ 935-6262 ; www.tokugawa-art-museum.jp ; 1017 Tokugawa-chō ; adulte/enfant de moins de 7 ans/enfant/étudiant/senior 1 200/gratuit/500/700/1 000 ¥ ; ☻ 10h-17h mar-dim) expose des trésors nationaux et des objets liés au patrimoine culturel ayant appartenu à la famille shogunale – mobilier, armes et armures, calligraphies, rouleaux de peinture, laques et céramiques, ustensiles pour le rituel du thé, masques et costumes de théâtre nō. Fin novembre, durant quelques jours, on peut y admirer un inestimable rouleau du XIIᵉ siècle illustrant *Le Dit du Genji* (voir p. 69) ; sinon, les visiteurs doivent se contenter d'une vidéo.

Le musée est à 3 minutes à pied de l'arrêt de bus Tokugawaen-Shindeki à l'est du Nagoya-jō.

Sakae et l'est du centre-ville
Sakae ne compte aucun grand site touristique, mais c'est un endroit formidable pour faire du shopping et observer les passants. Le grand parc central situé en plein milieu de Hisaya-ōdōri, une artère toujours animée, ainsi que les ruelles de Sakae, sont investis par les fêtards jusque tard dans la nuit. Pour des sites plus classiques, dirigez-vous quelques stations de métro à l'est de Sakae jusqu'à Kakuōzan, quartier ancien et site d'un temple.

CENTRE INTERNATIONAL DE DESIGN DE NAGOYA 国際デザインセンター
À courte distance à pied de Sakae, le Nadya Park, gratte-ciel futuriste aux lignes élancées, abrite le **Centre international de design de Nagoya** (carte p. 254 ; ☎ 265-2106 ; 4ᵉ niv, 3-18-1 Sakae ; adulte/étudiant/moins de 16 ans 300/200 ¥/gratuit ; ☻ 11h-20h mer-lun ; 🚇 Yaba-chō, sortie 5 ou 6). Véritable sanctuaire dédié aux divinités de la conceptualisation et de l'esthétique fonctionnelle, il retrace l'histoire du design de la période Art déco jusqu'à nos jours. Des robots ménagers Electrolux y côtoient des œuvres d'Isamu Noguchi, et celles d'Arne Jacobsen ou la Mini Cooper. Explications en anglais.

Dans le même bâtiment, le grand magasin Loft séduira les amateurs de shopping. Le Nadya Park est à 5 minutes de la station Yaba-chō.

OASIS 21 オアシス２１
Certes, c'est une gare routière, mais OASIS 21 (carte p. 254) est exceptionnelle. Primée pour son architecture, sa "plate-forme galaxie", un fantastique disque en verre, semble flotter à plusieurs étages au-dessus du sol. On peut y accéder par des escaliers et aller s'y promener. Le soir, elle bénéficie d'un étonnant éclairage.

KAKUŌZAN ET LE NITTAI-JI 覚王山日泰寺
Le quartier de Kakuōzan, à quelques stations de métro de Sakae, est un lieu à l'ancienne que l'on s'attendrait à voir à la campagne plutôt qu'à Nagoya. C'est sans doute pourquoi on a choisi d'y ériger le **Nittai-ji** (carte p. 252 ; ☎ 751-2121 ; 1-1 Hōō-chō, Chikusa-ku ; entrée libre ; ☻ 9h-14h30 ; ♿ ; 🚇 Kakuōzan, sortie n°1). Nittai-ji signifie "temple thaïlandais du Japon". C'est ici qu'en 1904, le roi de Thaïlande Chulalongkorn décida de donner la préséance à Nagoya sur Kyōto en léguant à la ville une relique du Bouddha (aujourd'hui conservée ailleurs) ainsi qu'une statue à son effigie vieille de 1 000 ans. De nos jours encore, la royauté thaïlandaise vient sur le site lorsqu'elle séjourne au

Japon. Reconstruit en 1984, le temple est accessible aux personnes à mobilité réduite – ce qui est rare au Japon.

Tous les jours, l'*otsutome* (culte bouddhiste) a lieu à 12h30. Le 21ᵉ jour du mois, la rue menant au temple, Kakuōzan-Nittai-ji-dōri, se transforme en véritable foire, avec des étals de nourriture, de céramiques, de thé, de couteaux et d'objets artisanaux.

À proximité, la ravissante villa **Yōki-sō** (carte p. 252 ; ☎ 759-4450 ; 2-5-21 Hōō-chō, Chikusa-ku ; entrée libre ; ☒ jardins 9h30-16h30 ; ☒ Kakuōzan, sortie n°1) accueillait les étudiants venus d'Asie du Sud-Est au début du XXᵉ siècle. L'édifice n'est accessible qu'à certaines heures en participant à une visite guidée. Quant au jardin, installé dans un ravin, il est conçu sur le modèle de Shūgaku-in Rikyū à Kyōto (p. 364). En venant du Nittai-ji, tournez le dos au pavillon principal, bifurquez à gauche avant la pagode à 5 niveaux, descendez la colline, tournez à droite dans la rue et prenez la première allée carrossable.

Sud du centre-ville

QUARTIER D'ŌSU KANNON 大須観音周辺
Très visité, le **temple Ōsu Kannon** (carte p. 254 ; gratuit ; ☒ 5h30-19h ; ☒ Ōsu Kannon, sortie 2) remonte à 1333. Considéré de bon augure, il fut déplacé sur les lieux actuels en 1610 sur ordre d'Ieyasu Tokugawa. Bien que les bâtiments aient été reconstruits au XXᵉ siècle, ils restent imprégnés d'une atmosphère traditionnelle. On entend des chants dans toute l'enceinte du temple.

Ōsu est également réputée pour son quartier commerçant situé à l'est, qui attire en nombre les amateurs de bonnes affaires. Pour plus de précisions, voir p. 261.

ATSUTA-JINGŪ 熱田神宮
Dissimulé au milieu de cyprès millénaires, l'**Atsuta-jingū** (carte p. 252 ; ☎ 671-4151 ; www.atsutajingu.or.jp ; 1-1-1 Atsuta-Jingū ; gratuit ; ☒ 24h/24), édifié au IIIᵉ siècle, est l'un des sanctuaires shintoïstes les plus vénérés du Japon. Il abrite le *kusanagi-no-tsurugi* (littéralement le "sabre coupeur d'herbe"), un des trois trésors sacrés (*sanshu no jingi*) qui, d'après la légende, auraient été remis à la famille impériale par la déesse du Soleil Amaterasu Ōmikami (les deux autres étant le bijou en forme de virgule conservé au Palais impérial à Tōkyō – p. 127 – et le miroir sacré de l'Ise jingū – p. 452). Vous ne pourrez voir cet objet car seuls le souverain et quelques prêtres shintoïstes triés sur le volet y ont accès.

Un petit **musée** (salle du Trésor ; Hōmotsu-kan ; adulte/enfant 300/150 ¥ ; ☒ 9h-16h30, fermé derniers mer et jeu du mois) présente une collection régulièrement renouvelée de sabres, de masques et de peintures de l'époque des Tokugawa, dont certains appartiennent au patrimoine culturel du pays.

Le sanctuaire est accessible en 3 minutes à pied de la gare de Jingū-mae, sur la ligne Meitetsu Nagoya Honsen, ou en 5 minutes en prenant vers l'est depuis la station de Jingū-nishi, sur la ligne de métro Meijō.

MUSÉE DES BEAUX-ARTS DE NAGOYA/BOSTON 名古屋ボストン美術館
Cet excellent **musée** (carte p. 252 ; ☎ 684-0786 ; www.nagoya-boston.or.jp ; 1-1-1 Kanayama-chō ; expos temporaires et de longue durée adulte/enfant/senior et étudiant 1 200/gratuit/900 ¥ ; ☒ 10h-19h mar-ven, jusqu'à 17h sam et dim ; ☒ Kanayama via la ligne ferroviaire JR et les lignes de métro Meitetsu ou Meijō) est le fruit d'une collaboration entre le musée des Beaux-Arts de Boston et des bailleurs de fonds nippons. Les expositions, qui changent régulièrement, présentent des œuvres d'art japonaises et étrangères. Bonnes explications en anglais.

Le musée se trouve à droite de la sortie sud de la station Kanayama.

ZONE PORTUAIRE DE NAGOYA 名古屋港
Plaisamment réaménagé, le port de fret de Nagoya comprend désormais plusieurs sites méritant le détour. L'**aquarium public du port de Nagoya** (carte p. 252 ; ☎ 654-7000 ; www.nagoyaaqua.jp ; 1-3 Minatomachi ; adulte/enfant 2 000/1 000 ¥ ; ☒ 9h30-20h mar-dim 21 juil-31 août, jusqu'à 17h30 avr-20 juil et sept-nov, jusqu'à 17h le reste de l'année ; ☒ Nagoya-kō), l'un des plus grands du Japon, plaît généralement beaucoup aux enfants. La plate-forme panoramique du **Port Building** (immeuble du port, carte p. 252 ; ☎ 652-1111 ; 1-3 Minatomachi ; ☒ 9h30-17h mar-dim ; ☒ Nagoya-kō) semble posée en équilibre sur des pistons géants. Du haut de ses 53 m, la vue sur le port et la baie d'Ise est très belle. Un Musée maritime occupe le 3ᵉ niveau. À l'extérieur, on peut admirer le navire d'exploration antarctique *Fuji*. L'entrée dans l'un de ces sites portuaires coûte 300/200 ¥ (adulte/enfant) ; pour les trois sites, comptez 700/400 ¥, et 2 400/1 200 ¥ avec la visite de l'aquarium. Des panneaux en anglais permettent de trouver tous ces lieux sans difficulté.

Pour rejoindre le port de Nagoya, il faut emprunter la ligne de métro Meikō. Depuis le centre-ville, prenez une correspondance à Kanayama. Depuis la gare de Nagoya, le trajet jusqu'au port prend environ 30 minutes.

FÊTES ET FESTIVALS

Atsuta Matsuri. Démonstrations d'arts martiaux, sumo et feux d'artifice le 5 juin à l'Atsuta-jingū (p. 257).

Dekimachi Tennō-sai. Le premier week-end de juin, de grands *karakuri* (automates) sont promenés sur des chars dans l'enceinte du sanctuaire Susano-o-jinja, près du musée d'Art Tokugawa (p. 256).

Tournoi de sumo de Nagoya Basho. L'un des six tournois du championnat annuel se déroule durant 2 semaines en juillet au gymnase préfectoral d'Aichi (carte p. 254 ; ☎ 962-9300 ; 1-1 Honmaru ; billets à partir de 1 500 ¥). Arrivez tôt l'après-midi pour voir de près les lutteurs de seconde catégorie.

Minato Matsuri. Défilé dans le port de Nagoya aux alentours du 3ᵉ dimanche de juillet. Parade traditionnelle, danseurs, feux d'artifice et jeux aquatiques sur des rondins de bois remontant à la période d'Edo.

Nagoya Matsuri. La grande fête annuelle de Nagoya a lieu à la mi-octobre au Hisaya-ōdōri-kōen (le parc central). Défilés en costume, parades de chars transportant des marionnettes *karakuri* et de voitures décorées, musique et danses folkloriques figurent au programme.

Kiku-no-hana Taikai. Exposition de chrysanthèmes de fin octobre à début novembre, dans les jardins du Nagoya-jō. Dans un pavillon, une exposition de *ningyō* (poupées) met également en scène des chrysanthèmes pour illustrer l'histoire et les légendes du Japon.

OÙ SE LOGER

Les lieux d'hébergement sont regroupés autour de la gare de Nagoya et à Sakae. Sauf mention contraire, les *ryokan* répertoriés ici ne possèdent pas de chambres avec toilettes ou sdb. Tous les hôtels de style occidental offrent l'accès à Internet dans les chambres (réseau LAN).

Petits budgets

Aichi-ken Seinen-kaikan Youth Hostel (carte p. 254 ; ☎ 221-6001 ; www.jyh.or.jp ; 1-18-8 Sakae ; dort 2 992 ¥ ; 🖳 ; 🚇 Fushimi, sortie n°7). Auberge de jeunesse centrale comportant 50 lits. Atmosphère impersonnelle, pas d'ascenseur ni repas. Malgré tout, c'est souvent la première adresse pour petits budgets qui affiche complet. Les dortoirs sont de style japonais, mais les membres HI peuvent bénéficier de chambres individuelles de style occidental (4 147 ¥ en occupation double) avec toilettes privées. Les sdb, communes, ne sont accessibles que le soir. Depuis la gare, dirigez-vous vers l'ouest et prenez à gauche après le Hilton. Ensuite, l'auberge est à deux pâtés de maisons au sud. Couvre-feu à 23h.

Kimiya Ryokan (carte p. 254 ; ☎ 551-0498 ; hott@hotmail.com ; 2-20-16 Nagono ; ch 4 500 ¥/pers, avec petit déj/dîner 5 000/6 000 ¥ ; 🚇 Kokusai Centre, sortie n°1). Sympathique *ryokan* familial de 14 chambres avec tatamis d'un bon rapport qualité/prix. Les plus agréables donnent sur le jardin. Les propriétaires parlent peu anglais mais vous fourniront un plan très utile. Ils préparent des repas japonais. Au sortir du métro, marchez vers le nord pendant 5 minutes. L'établissement est sur la gauche (signalé par une enseigne en anglais), avant la galerie marchande d'Endōji.

Tsuchiya Hotel (carte p. 252 ; ☎ 451-0028, n° gratuit 0120-144-028 ; www.tsuchiya-hotel.co.jp ; 2-16-2 Noritake ; ch à partir de 4 800 ¥/pers ; 🖳 ; 🚇 Nagoya, sortie ouest). Ouvert depuis plusieurs décennies, cet hôtel a beaucoup de cachet en dépit de sa situation très quelconque. Carreaux de style artisanal dans les couloirs qui mènent aux chambres aménagées à la japonaise. Certaines ont des sanitaires privatifs, ce qui n'empêche pas d'utiliser les sdb communes équipées d'une baignoire, en terre cuite pour les femmes (dans le style réputé de la région, le *Mino-yaki*), en pierre pour les hommes. Repas possibles sur place en commandant à l'avance.

B Nagoya (carte p. 254 ; ☎ 241-1500 ; www.ishinhotels.com ; 4-15-23 Sakae ; s/d et lits jum à partir de 5 000/7 500 ¥ ; ✖ 🖳 ; 🚇 Sakae, sortie n°13). *Business hotel* de Sakae, aussi élégant que fonctionnel. Les chambres compensent le manque d'espace par une décoration soignée. Renseignez-vous en ligne sur les tarifs incluant le petit-déjeuner.

Ryokan Meiryū (carte p. 254 ; ☎ 331-8686 ; www.japan-net.ne.jp/~meiryu ; 2-4-21 Kamimaezu ; s/d/tr 5 250/8 400/11 025 ¥ ; 🖳 ; 🚇 Kamimaezu, sortie n°3). S'il ne paie pas de mine vu de l'extérieur, ce *ryokan* de 22 chambres propose un service très professionnel : personnel anglophone, laverie avec machines à pièces, et sdb communes (non mixtes), avec sauna dans celles des hommes. Possibilité de prendre ses repas (plats japonais) en commandant à l'avance. En sortant de la gare, longez la rue et prenez la première à gauche. Ensuite, l'établissement est à un pâté de maisons et demi plus loin, sur la gauche.

Ryokan Marutame (carte p. 254 ; ☎ 321-7130 ; www.jin.ne.jp/marutame ; 2-6-17 Tachibana ; s/lits jum 5 250/8 450 ¥ ; 🚇 Higashi-Betsuin, sortie n°4). Si l'escalier étroit atteste que ce *ryokan* existe depuis plus de 50 ans, il n'en est pas moins moderne. Chambres à la japonaise propres mais basiques, personnel anglophone, laverie automatique (machines à pièces) et repas japonais simples (petit-déjeuner/dîner 500/1 200 ¥). Essayez d'obtenir la chambre située à l'écart (*hanare*) au fond du jardin. De la gare, traversez la rue, dépassez le bâtiment Nagoya Terebi et le temple Higashi Betsuin puis tournez à droite. L'établissement est sur la gauche.

Catégorie moyenne

Petit Ryokan Ichifuji (carte p. 252 ; ☎ 914-2867 ; www. jin.ne.jp/ichifuji ; 1-7 Saikōbashi-dōri, kita-ku ; s/d avec petit déj à partir de 6 100/9 600 ¥ ; 🖳 ; 🚇 Heian-dōri, sortie n°2 par l'ascenseur). Cet établissement mérite amplement le trajet de 20 minutes en métro depuis la gare de Nagoya : chambres propres et confortables, jolis lavabos, bain commun en bois de cyprès. Possibilité de prendre un dîner de cuisine fusion japonaise/occidentale (à partir de 2 480 ¥) en commandant à l'avance. Après le dîner, la salle à manger se transforme en bar. De la gare, marchez vers le sud pendant 3 minutes. Le *ryokan*, indiqué en anglais, est au bout d'une allée gravillonnée, en face du magasin Pola.

Tōyoko Inn Nagoya-eki Sakura-dōri-guchi Shinkan (carte p. 254 ; ☎ 562-1045 ; www.toyoko-inn.com ; 3-9-16 Meieki ; s/d et lits jum 6 615/8 715 ¥ ; ☒ 🖳 📶 ; 🚇 Nagoya, sortie Sakura-dōri). Ce *business hotel* offre gracieusement dès l'arrivée un petit-déjeuner japonais, de l'eau et du café, l'accès à Internet et même la possibilité de passer quelques brèves communications. On en oublierait presque l'exiguïté des chambres. Attention : nous sommes ici dans le *shinkan* (nouvelle aile) ; le *honkan* (bâtiment d'origine) est de l'autre côté de la rue en diagonale.

Richmond Hotel Nagoya Nayabashi (carte p. 254 ; ☎ 212-1055 ; www.richmondhotel.jp ; 1-2-7 Sakae ; s/d/lits jum à partir de 7 800/10 800/15 500 ¥ ; ☒ 🖳 ; 🚇 Fushimi, sortie n°7). *Business hotel* proposant des chambres assez grandes, d'une propreté impeccable, aménagées selon une déco minimaliste (bois sombre, TV écrans plats…). Les tarifs indiqués ici s'appliquent aux membres. Pour le devenir, il faut s'inscrire et payer 500 ¥.

Natural Hotel Elséreine (carte p. 254 ; ☎ 459-5344, n° gratuit 0120-793-489 ; fax 453-7188 ; 1-23 Tsubaki-chō ; s/lits jum à partir de 11 500/18 480 ¥ ; ☒ 🖳 📶 ; 🚇 Nagoya, sortie ouest). Situé après les *business hotels* peu engageants installés à la sortie ouest de Meieki, ce ravissant hôtel non-fumeurs propose des chambres assez petites mais confortables et très propres. Des plantes à fleurs ornent la réception.

Catégorie supérieure

Nagoya Kankō Hotel (carte p. 254 ; ☎ 231-7407 ; www. nagoyakankohotel.co.jp ; 1-19-30 Nishiki ; s/d à partir de 15 015/23 100 ¥ ; ☒ 🖳 ; 🚇 Fushimi). Cet hôtel des années 1970, récemment rénové, accueille désormais une clientèle huppée, par exemple des politiciens suivis d'une nuée de caméras. Les chambres rénovées, avec sdb en marbre, affichent une élégance discrète, à l'européenne. Les chambres non rénovées sont moins chères. Sur place : centre de remise en forme.

Westin Nagoya Castle (carte p. 254 ; ☎ 521-2121 ; www. castle.co.jp ; 3-19 Hinokuchi-chō ; s/d à partir de 16 000/34 000 ¥ ; ☒ 🖳 📶 🚐 ; 🚇 Sengen-chō). Au plus près du Nagoya-jō, juste en face des douves, le Castle est apprécié pour ses lits divins, ses spacieuses sdb, ses équipements sportifs et ses restaurants. Les promotions sont à débusquer sur Internet exclusivement. Un bus fait la navette depuis/ vers la gare de Nagoya.

Hilton Nagoya (carte p. 254 ; ☎ 212-1111, n° gratuit 0120-489-852 ; www.hilton.com ; 1-3-3 Sakae ; s/d à partir de 16 500/24 500 ¥ ; ☒ 🖳 📶 🚐 ; 🚇 Fushimi, sortie n°7). Dans l'immense réception, ornée de splendides plantes, un pianiste joue des mélodies. Les chambres de style occidental s'ornent de petits détails japonais comme les *shōji* (paravents en papier de riz) et les panneaux occultants des fenêtres. Centre de remise en forme bien équipé, vue superbe depuis le bar au dernier étage.

Sofitel the Cypress Nagoya (carte p. 254 ; ☎ 571-0111 ; www.sofitelthecypress.com ; 2-43-6 Meieki ; s/d à partir de 20 000/25 000 ¥ ; ☒ 🖳 ; 🚇 Nagoya). Atmosphère tranquille pour cet hôtel de style européen, comportant 115 chambres et un bar chic au sous-sol. Les doubles de luxe sont spacieuses et très bien agencées. De la gare de Nagoya, sortez du côté de Sakura-dōri, tournez à gauche et traversez à proximité de la poste.

♥ Nagoya Marriott Associa Hotel (carte p. 254 ; ☎ 584-1111 ; www.associa.com/english/nma ; 1-1-2 Meieki ; s/d à partir de 22 000/30 000 ¥ ; ☒ 🖳 ; 🚇 Nagoya). Le Marriott est véritablement le prince des hôtels de Nagoya. La réception agrémentée de palmiers (accessible par un ascenseur depuis la gare de Nagoya) est au 15e niveau ; la salle de gym du 18e niveau bénéficie d'une belle vue sur la ville ; à partir du 20e niveau, les 774 chambres sont toutes spacieuses et luxueuses au possible.

OÙ SE RESTAURER

Nagoya est réputée pour les saveurs audacieuses de ses spécialités locales qui, contrairement à celles d'autres régions, plaisent instantanément aux papilles étrangères. Les *kishimen* sont des nouilles de blé plates faites à la main, semblables aux *udon* (épaisses nouilles blanches) et qui résistent agréablement sous la dent. Les *miso-nikomi udon* sont des nouilles servies dans un bouillon au *miso*. Quant aux *miso-katsu*, ce sont des côtes de porc panées accompagnées de sauce *miso*. Autres spécialités locales appréciées : le *kōchin* (poulet fermier), les *tebasaki* (ailes de poulet) et le *hitsumabushi* (anguille grillée au barbecue).

Sekai no Yamachan (carte p. 254 ; ☎ 581-1711 à Yanagibashi ; 1-5-16 Meieki-Minami ; petites assiettes 360-630 ¥ ; ◷ 11h-minuit dim-jeu, jusqu'à 3h ven et sam ; ◉ Nagoya). Ce restaurant de chaîne, sympa et bon marché, est une institution spécialisée dans les tebasaki. Les maboroshino tebasaki (ailes de poulet frites au poivre vert) sont le classique de la maison, mais l'on peut aussi se régaler de petites assiettes de chips de renkon (racines de lotus), de salade de daikon et de kimumayo omuretsu (omelette avec kimchi et mayonnaise). Carte en anglais si besoin. Demandez à votre hôtel où se trouve l'enseigne la plus proche.

Tarafuku (carte p. 254 ; ☎ 566-5600 ; 3-17-26 Meieki ; plats 400-800 ¥ ; ◷ dîner ; ◉ Nagoya). En aménageant une cuisine en acier chromé dans une maison en ruines, de jeunes et ambitieux gastronomes ont revisité le concept de l'izakaya (pub japonais). Les plats mêlent les traditions culinaires orientale et occidentale : croquettes de pomme de terre enveloppées d'une panure au tofu, divinement légères, tomates et aubergines en gratin, jambon cru maison, ou bœuf en sauce au vin, à accompagner de vin et de cocktails. Omakase (suggestion du chef) à partir de 3 000 ¥. Pas de carte en anglais mais le personnel vous aidera à faire votre choix. Le restaurant est dans la diagonale opposée aux deux Tōyoko Inns.

Misen (carte p. 254 ; ☎ 238-7357 ; 3-6-3 Ōsu ; plats 580-1 680 ¥ ; ◷ déj et dîner, jusqu'à 2h ven et sam ; ◉ Yaba-chō, sortie n°4). À côté du Yabaton, ce restaurant manque de cachet. Pas de carte en anglais, mais les Taiwan rāmen (nouilles aux œufs ; 580 ¥), mélange épicé de viande hachée, de piment, d'ail et d'oignon vert, le tout servi sur des nouilles baignant dans un bouillon nourrissant, sont un vrai délice. Autres plats très appréciés : les gomoku mame-itame (haricots verts sautés avec de la viande ; 800 ¥) et le mabō-dōfu (tofu dans une sauce à la viande épicée ; 700 ¥).

Tiger Café (carte p. 254 ; ☎ 220-0031 ; 1-8-26 Nishiki ; plats 600-2000 ¥, formules spéciales à partir de 850 ¥ ; ◷ 11h-3h lun-sam, jusqu'à 23h dim ; ◉ Fushimi). Une clientèle à la mode fréquente cet établissement qui, avec son sol carrelé, son personnel en chemise blanche, ses tables en terrasse et ses touches Art déco, recrée fidèlement une ambiance de bistrot parisien (à ceci près qu'il est désormais interdit de fumer dans ces établissements à Paris). Le sandwich au saumon fumé et le croque-monsieur remportent un franc succès, tout comme les formules déjeuner d'un bon rapport qualité/prix.

Ebisuya (carte p. 254 ; ☎ 961-3412 ; 3-20-7 Sakae ; plats à partir de 650 ¥ ; ◷ déj et dîner lun-sam ; ◉ Sakae).

L'une des chaînes de kishimen les plus connues de Nagoya. On déguste dans une atmosphère décontractée des bols de nouilles aussi savoureux que bon marché, que les cuisiniers préparent sous vos yeux. Menu illustré de photos.

Yabaton (carte p. 254 ; ☎ 252-8810 ; 3-6-18 Ōsu ; plats 735-1 575 ¥ ; ◷ déj et dîner mar-dim ; ◉ Yaba-chō, sortie n°4). Oubliez toute idée de régime dans cet établissement impeccable, véritable institution du miso-katsu depuis 1947. À goûter : le waraji-tonkatsu (grande côtelette de porc toute plate), les kani-korokke (croquettes au crabe) ou la Yabaton-salada (porc bouilli avec de la sauce miso au sésame servi sur un lit de légumes). Repérez le logo représentant un cochon en tablier et le menu en anglais.

Torigin Honten (carte p. 254 ; ☎ 973-3000 ; 3-14-22 Nishiki ; plats 750-1 950 ¥ ; ◷ dîner ; ◉ Sakae). On sert dans cet établissement d'excellents kōchin depuis des décennies. Le poulet est préparé de mille façons, notamment en kushiyaki (brochettes), kara-age (morceaux frits), zōsui (en ragoût avec du riz) et en sashimis (cru). Les plats à la carte sont un peu chichement servis mais les teishoku (menus ; à partir de 3 000 ¥) sont plus copieux. Le restaurant est à côté du pub irlandais St James Gate. Menu en anglais disponible au besoin.

Eikoku-ya (carte p. 252 ; ☎ 763-2788 ; 2-58 Kakuōzan ; plats 950-1 600 ¥ ; ◷ 8h-21h30 mer-lun ; ◉ Kakuōzan). On sent de loin l'arôme de curry qui émane de ce petit restaurant indien situé au cœur de l'artère commerçante de Kakuōzan. Au menu donc : curries, thé et grillades mixtes à savourer dans une salle à l'atmosphère d'antan. Des statues d'éléphant sont disposées à l'entrée.

Yamamotoya Sōhonke (carte p. 254 ; ☎ 241-5617 ; 3-12-19 Sakae ; plats 976-1 554 ¥ ; ◷ déj et dîner ; ◉ Sakae, Yaba-chō). On concocte ici des miso-nikomi udon depuis 1925. Le plat de base coûte 976 ¥. L'endroit n'est proche d'aucune station de métro. Il est à quelques pâtés de maisons à l'est du Shirakawa-kōen.

۞ Atsuta Hōraiken (carte p. 252 ; ☎ 671-8686 ; 503 Kōbe-chō, Honten ; plats 1 575-4 305 ¥ ; ◷ déj et dîner, fermé lun ; ◉ Temma-chō). Cet établissement réputé à juste titre pour ses hitsumabushi existe depuis 1873. L'été, en haute saison, attendez-vous à faire la queue pour déguster la spécialité maison agrémentée d'une tare (sauce) dont la recette est gardée secrète, le tout servi sur du riz dans un bol en laque avec couvercle (2 730 ¥) ; ajoutez de l'oignon vert, du wasabi et du dashi (bouillon de poisson) à votre convenance. Les autres teishoku sont à base de poulet, de tempura et de viande rouge. Vous trouverez une seconde enseigne (carte p. 252 ; ☎ 682-5598 ; 2-10-26 Jingū, Atsuta-ku ; ouvert au déjeuner et au dîner, fermé mardi ; la station la plus proche est Jingū-minami) à quelques pâtés de maisons de là, près de l'Atsuta-jingū. L'enseigne principale est plus pittoresque mais elle accueille aussi plus de fumeurs.

Pour manger des plats internationaux bon marché dans une ambiance décontractée, rendez-vous dans le quartier d'Ōsu. Vous entendrez parler portugais chez **Osso Brasil** (carte p. 254 ; ☎ 238-5151 ; 3-41-13 Ōsu ; plats 700-1 500 ¥ ; ◷ 10h30-21h mar-dim ; ◉ Kamimaezu, sortie n°8), petite enseigne en devanture servant des grillades brésiliennes au déjeuner (formules à volonté le week-end, 1 600 ¥) et des en-cas. Chez **Lee's Taiwan Kitchen** (carte p. 254 ; ☎ 251-8992 ; 3-21-8 Ōsu ; plats environ 450 ¥ ; ◷ 12h-20h, fermé 3ᵉ mer du mois ; ◉ Kamimaezu, sortie n°8), on achète des *kara-age* à emporter. Les autres échoppes proposent de tout, des kebabs aux crêpes en passant par les *okonomiyaki* (crêpes japonaises).

OÙ PRENDRE UN VERRE

Eric Life (carte p. 254 ; ☎ 222-1555 ; 2-11-18 Ōsu ; ◷ 12h-minuit jeu-mar ; ◉ Ōsu Kannon, sortie n°2). Café situé derrière le temple Ōsu Kannon, à la déco minimaliste, et affichant une ambiance un brin bohème. L'adresse idéale pour se détendre en dégustant un café, en sirotant un cocktail, ou en grignotant un en-cas. Comme c'est le quartier d'Ōsu, la clientèle est plutôt jeune.

Smash Head (carte p. 254 ; ☎ 201-2790 ; 2-21-90 Ōsu ; ◷ 12h-minuit mer-lun ; ◉ Ōsu Kannon, sortie n°2). Au nord du temple Ōsu Kannon, cette petite adresse modeste est à la fois un pub et un atelier de réparation de motos. On y boit surtout de la Guinness, à consommer avec modération si l'on doit prendre le guidon, bien sûr.

Shooters (carte p. 254 ; ☎ 202-7077 ; www.shooters-nagoya.com ; 2-9-26 Sakae ; ◷ 17h-3h lun-ven, 11h30-3h sam et dim ; ◉ Fushimi, sortie n°5). Bar des sports à l'américaine, doté de plus d'une dizaine d'écrans TV, qui attire surtout des *gaijin* (étrangers) tapageurs. Personnel local et expatrié, formules boissons du jour et, pour les petites faims, burgers, pâtes et plats tex-mex. Vous trouverez le bar au 2ᵉ niveau du Pola Building, dans la diagonale opposée au Misono-za.

Elephant's Nest (carte p. 254 ; ☎ 232-4360 ; 1-4-3 Sakae ; ◷ 17h30-1h dim-jeu, jusqu'à 2h ven et sam ; ◉ Fushimi, sortie n°7). Autre lieu de prédilection des expatriés. Ambiance accueillante, plats anglais traditionnels et jeu de fléchettes. Non loin du Hilton, au 2ᵉ niveau.

Red Rock Bar & Grill (carte p. 254 ; ☎ 262-7893 ; www.theredrock.jp ; 4-14-6 Sakae ; ◷ 17h30-tard mar-dim ; ◉ Sakae, sortie n°13). Dans une ruelle de Sakae, établissement à l'ambiance chaleureuse, tenu par un Australien. Carte de pub très fournie, happy-hour, soirées Ladies' Night et Quiz Night.

Ichirin (carte p. 252 ; ☎ 751-1953 ; 1-58 Yamamoto-chō Ōsu ; ◷ 10h-17h mer-dim ; ◉ Kakuōzan, sortie n°1). À gauche du Nittai-ji, ce café à flanc de colline occupe une maison construite en 1940, emplie d'antiquités et d'objets, et donnant sur un jardin digne d'un temple de Kyōto. Boissons et en-cas y coûtent entre 500 et 700 ¥. Le calme n'a pas de prix…

OÙ SORTIR

Si la vie nocturne de Nagoya ne rivalise pas avec celle de Tōkyō ou d'Ōsaka en termes de quantité de lieux de sortie, elle se rattrape par son intensité. Pour connaître les dates et horaires des manifestations culturelles, consultez les magazines spécialisés en anglais.

Misono-za (carte p. 254 ; ☎ 222-1481 ; www.misonoza.co.jp, en japonais ; 1-6-14 Sakae ; ◉ Fushimi, sortie n°6). Cette salle accueille des représentations de théâtre kabuki en avril et octobre, mais la traduction n'y est pas aussi développée que dans les salles d'autres villes.

Nagoya Dome (carte p. 252 ; ☎ 719-2121 ; ◉ Nagoya Dome-mae Yada). Les fans de base-ball ne manqueront pas de visiter ce stade de 45 000 places, fief des Chunichi Dragons. De grands concerts y sont également organisés.

Electric Lady Land (carte p. 254 ; ☎ 201-5004 ; www.ell.co.jp, en japonais ; 2-10-43 Ōsu ; ◉ Ōsu Kannon, sortie n°2). Une salle de concert intimiste qui accueille la scène musicale underground dans un cadre postindustriel. Des groupes japonais connus se produisent au 1ᵉʳ niveau, le 3ᵉ étant plutôt réservé aux nouveaux talents.

Club JB's (carte p. 254 ; ☎ 241-2234 ; www.club-jbs.jp ; 4-3-15 Sakae ; ◉ Sakae, sortie n°13). Les clubbers de Nagoya (20 ans et plus) fréquentent cette boîte pour son excellent sound system et ses DJs réputés.

Shu (carte p. 254 ; ☎ 223-3788 ; www.geocities.com/mensbar_shu_japan ; 10-15 Nishiki 1-chōme ; ◷ mer-lun ; ◉ Fushimi, sortie n°7). Le choix est mince à Nagoya pour les touristes gay (la plupart des établissements étant des clubs privés). Ce minuscule bar réservé aux hommes accueille toutefois tous les âges et toutes les nationalités.

ACHATS

Les quartiers de Meieki et Sakae comptent tous deux de gigantesques centres commerciaux et grands magasins où acheter des vêtements, de l'artisanat et des produits alimentaires. Prospectez notamment dans les grands magasins Maruei et Mitsukoshi à Sakae, Takashimaya, Meitetsu et Kintetsu près de la gare de Nagoya, et Matsuzakaya à Sakae et près de la gare de Nagoya. Parmi les objets artisanaux, on trouve des tissus *arimatsu-narumi shibori* (technique de la teinture par nœuds ; voir p. 267), des émaux cloisonnés, des céramiques et des lames Seki (sabres, coûteux, ciseaux, etc.).

Une belle vitalité règne dans les boutiques de fripes, d'électronique et de musique, ainsi que dans les cafés et diverses échoppes anciennes ou plus modernes du quartier d'Ōsu, à l'est du temple, dans Ōsu Kannon-dōri et son prolongement, Banshō-ji-dōri. L'enseigne **Komehyō** (carte p. 254 ; 2-20-25 Ōsu, Naka-ku), un discounter installé sur plusieurs étages qui vient de s'accaparer tout l'immeuble, vend de l'électronique, des vêtements, des bijoux, des articles ménagers, des kimonos d'occasion, et bien d'autres choses encore. À l'intérieur, ne manquez pas **yen=g** (☎ 218-2122) qui vend des vêtements d'occasion au poids. **Momijiya** (carte p. 254 ; ☎ 251-1313 ; 3-37-46 Ōsu) crée des vêtements et des accessoires inspirés des motifs traditionnels des kimonos revisités dans un esprit très contemporain.

À l'est d'Ōsu, Ōtsu-dōri est surnommé l'"Akihabara de Nagoya" (du nom d'un quartier de Tōkyō) en raison de ses innombrables boutiques de mangas. Dans l'enceinte du temple Ōsu Kannon, un marché d'antiquités bigarré a lieu le 18 et le 28 du mois, tandis qu'un **marché aux puces** (carte p. 254 ; ☎ 321-9201 ; 🕑 9h-14h ; 🚇 Higashi-Betsuin, sortie n°4) s'installe le 12 dans le temple Higashi Betsuin.

La spécialité du quartier de Meidōchō, à proximité de l'autopont au nord de Meieki et à l'ouest de Nagoya-jō, est l'*okashi*, nom donné à toutes sortes d'en-cas et d'amuse-gueules japonais (crackers de riz *sembei*, bâtonnets de patate douce, poisson séché et génoises). Autre spécialité du lieu : les petits jouets, perles et ballons vendus dans un désordre inhabituel au Japon par les dizaines de grossistes du quartier.

DEPUIS/VERS NAGOYA
Avion
Beaucoup d'habitants de Nagoya se rendent à l'**aéroport international du centre du Japon** (Centrair ; NGO ; hors carte p. 252 ; ☎ 0569-38-1195 ; www.centrair.jp/en), ouvert en 2005 sur une île artificielle dans Ise-wan (la baie d'Ise), à 35 km au sud de la ville,

pour y passer l'après-midi. Le 4ᵉ niveau abrite en effet quantité de magasins et restaurants japonais et occidentaux (affichant les mêmes tarifs qu'en ville). On peut aussi admirer les avions depuis la plate-forme d'observation ou se détendre chez **Fū-no-yu** (風の湯 ; ☎ 0569-38-7070 ; adulte/enfant avec serviette 1 000/600 ¥ ; 🕑 8h-22h), un établissement thermal doté d'un *rotemburo* (bain extérieur) à l'ambiance assez impersonnelle.

Une trentaine de compagnies aériennes relient Centrair à environ 30 grandes villes d'Europe, d'Amérique du Nord, d'Australie et surtout d'Asie, ainsi qu'à 20 villes japonaises. Parmi ces dernières, certaines sont toutefois plus rapidement accessibles en train.

Bateau
Le **ferry Taiheiyo** (☎ 398-1023) qui circule entre Nagoya et Tomakomai (Hokkaidō, 10 500 ¥, 38 heures 30) via Sendai (7 000 ¥, 21 heures), part à 20h un jour sur deux. Pour rejoindre le port d'embarquement, prenez la ligne de métro Meijō jusqu'à Nagoya-kō.

Bus
Les **bus JR et Meitetsu Highway** (☎ 563-0489) effectuent la liaison avec Kyōto (2 500 ¥, 2 heures 30, toutes les heures), Ōsaka (2 900 ¥, 3 heures, toutes les heures), Kanazawa (4 060 ¥, 4 heures, 10/jour) et Tōkyō (5 100 ¥, 6 heures, 14/jour). Des bus de nuit rallient Hiroshima (8 400 ¥, 9 heures).

Train
Nagoya est une importante plaque tournante du *shinkansen* permettant de rallier Tōkyō (10 580 ¥, 1 heure 45), Shin-Ōsaka (6 180 ¥, 50 min), Kyōto (5 440 ¥, 35 min) et Hiroshima (13 630 ¥, 2 heures 30). Pour circuler dans la région, la meilleure solution consiste à emprunter la ligne privée Meitetsu.

Pour se rendre dans les Alpes japonaises, il faut prendre la ligne JR Chūō jusqu'à Nagano (*tokkyū* Shinano, 7 330 ¥, 2 heures 45) via Matsumoto (5 670 ¥, 2 heures). Un autre train dessert Takayama (*tokkyū* Hida, 5 670 ¥, 2 heures 15).

COMMENT CIRCULER
Depuis/vers l'aéroport
De la gare de Nagoya, on accède à l'aéroport international Centrair par la ligne Meitetsu Kūkō (*tokkyū*, 870 ¥, 28 min). La course en taxi depuis le centre de Nagoya coûte un minimum de 13 000 ¥.

Bus

Le **bus Me~guru** (www.ncvb.or.jp/routebus/en/index.html ; forfait d'une journée adulte/enfant 500/250 ¥ ; 🕙 9h30-17h, toutes les heures mar-ven, 2/heure sam et dim) suit un itinéraire circulaire qui passe tout près des principaux sites des quartiers du Meieki, de Sakae et du château, et propose des réductions sur les entrées.

Métro et train

Nagoya bénéficie d'un excellent réseau de six lignes de métro, géré par le **Transportation Bureau** (www.kotsu.city.nagoya.jp). Des indications en japonais et en anglais permettent aux usagers de s'orienter. Les lignes les plus empruntées par les visiteurs sont la violette (Meijō), la jaune (Higashiyama) et la rouge (Sakura-dōri). Les deux dernières passent par la gare de Nagoya, et la ligne Meijō dispose d'un embranchement permettant de rejoindre la ligne Meikō qui conduit au port de Nagoya. Selon la distance parcourue, comptez entre 200 ¥ et 320 ¥. Les coupons journaliers (740 ¥, 850 ¥ avec les bus municipaux), en vente dans les distributeurs, comprennent le transport en métro et donnent droit à des réductions sur les entrées de nombreux sites. Le samedi et le dimanche, le *donichi eco-kippu* (éco-ticket) offre les mêmes possibilités pour 600 ¥ la journée.

La gare de Meitetsu Nagoya est aussi exiguë que déroutante. Les trains déboulent à toute vitesse sur ses quatre quais souterrains. Chaque train en partance est indiqué par une couleur sur les panneaux d'information des quais.

ENVIRONS DE NAGOYA
名古屋近辺

Cette région, formée de l'Aichi-ken, préfecture périphérique de Nagoya, et du Gifu-ken, situé au sud, comporte quantité de sites intéressants se visitant facilement en excursions d'une journée. Les villes de banlieue de Tokoname et Arimatsu ont une longue tradition de fabrication de céramiques et de teinture par nœuds. Pour dénicher des pièces de *monozukuri* (artisanat) plus contemporaines, visitez les fabriques de marques réputées (voir l'encadré p. 264). La ville d'Inuyama abrite quant à elle un château et une maison de thé classés trésors nationaux. On peut également visiter un parc à thème historique et des temples aux ornementations presque érotiques dans les environs proches.

Inuyama et Gifu sont deux cités réputées pour l'*ukai* (pêche au cormoran) : ces oiseaux dressés à plonger, une corde autour du cou, rapportent des truites et des éperlans à la surface.

TOKONAME 常滑
☎ 0569 / 52 800 habitants

Grâce à l'argile de son sous-sol, la ville de Tokoname, située au bord de la baie, est un important centre de la fabrication de céramiques depuis plusieurs siècles. À l'apogée de cet artisanat, quelque 400 cheminées se dressaient au-dessus du centre de Tokoname. De nos jours, sa production annuelle de céramiques atteint un montant de 60 milliards de yens. Il s'agit pour l'essentiel de conduites, de canalisations et de tuiles, mais les théières et les *maneki-neko* (statues de chats disposées à l'entrée des boutiques et des restaurants) restent d'actualité. Cela suffit à faire du centre historique de Tokoname une destination intéressante pour une excursion d'une journée depuis Nagoya, ou pour un rapide détour depuis l'aéroport international du centre du Japon. Vous pourrez vous procurer une carte en anglais à l'**office du tourisme de Tokoname** (常滑市観光案内所 ; ☎ 34-8888 ; 🕙 9h-17h30), dans la gare de Tokoname.

Le **Yakimono Sanpo Michi** (やきもの散歩道 ; sentier de la Poterie) est un joli sentier pavé de 1,8 km décrivant une boucle tout en montées et en descentes dans les collines autour du centre historique. En chemin, on peut voir des céramiques fabriquées localement – conduites anciennes, tuiles de couverture et plaques décorées par des écoliers. Des plaques numérotées correspondant à celles qui apparaissent sur la carte de l'office du tourisme indiquent les différents arrêts. Vous passerez notamment devant les fours et des cheminées, des cafés et des galeries vendant les œuvres d'une centaine de céramistes de la région, certaines à des prix très avantageux. La ruelle **Dokanzaka** (土管坂 ; arrêt n°9), bordée de tuyaux et de pots de toutes sortes, offre un spectacle particulièrement ravissant. Ne manquez pas d'aller au fond de la **Noborigama-hiroba** (登窯広場 ; place du Four grimpant ; arrêt n°13) pour admirer les 10 cheminées de la place qui évacuaient la fumée du gigantesque four de 1887. La **Takita-ke** (滝田家 ; résidence Takita ; ☎ 36-2031 ; arrêt n°8 ; entrée 300 ¥ ; 🕙 9h-16h30 mar-dim), maison construite en 1850 et restaurée, était la demeure d'une famille de magnats du transport maritime. Une reproduction des navires marchands typiques de la région, appelés *bishu-kaisen*, ainsi que des

CENTRE DE HONSHŪ

céramiques, des objets en laque, du mobilier et des lampes à huile y sont exposés. Ne manquez pas de vous arrêter devant le *suikinkutsu*, une jarre en céramique enterrée dans le sol – elle sonne comme un *koto* (instrument à 13 cordes dérivé d'une cithare chinoise dont on joue par terre) lorsque des gouttes d'eau y tombent. Une vidéo avec traduction en anglais est disponible.

Si vous avez un peu plus de temps, vous pouvez visiter l'**Inax Live Museum** (イナックス ライブミュージアム ; ☎ 34-8282 ; adulte/enfant/étudiant 600/200/400 ¥ ; ☺ 10h-18h, fermé 3ᵉ mer du mois), un ensemble de bâtiments situé à 5 minutes du sentier de la Poterie. Inax est l'un des premiers fabricants d'équipements sanitaires du Japon. Au 2ᵉ niveau de l'Inax Kiln Plaza (place du four Inax), on peut admirer 150 toilettes des ères Meiji et Taisho à l'ornementation élaborée, ainsi que des tuiles du monde entier. Vous trouverez un atelier où vous essayer à la fabrication de tuiles (moyennant un supplément).

Les cafés sont nombreux le long du sentier de la Poterie. **Koyōan** (古窯庵 ; ☎ 35-8350 ; plats 880-1800 ¥ ; ☺ 11h30-17h mar-dim, dîner sur réservation) sert du *soba* (nouilles de sarrasin) maison dans de ravissants plats en céramique. La salle s'orne de poutres apparentes et d'incrustations de carreaux de céramique. Pas de carte en anglais mais vous aurez notamment le choix entre des *teuchi soba* (*soba* maison, 880 ¥), des *tempura soba* (1 780 ¥) et des menus à partir de 2 100 ¥.

Nombre de visiteurs terminent la journée par une petite excursion à l'aéroport international du centre du Japon (p. 262) qui compte des restaurants, des boutiques et un onsen.

Comment s'y rendre et circuler

La ligne privée Meitetsu relie Tokoname à la gare de Meitetsu Nagoya (*kyūkō*, 650 ¥, 40 min ; *tokkyū* 1 000 ¥, 30 min) et à l'aéroport international du centre du Japon (300 ¥, 5 min). À Tokoname, le sentier de la Poterie est à quelques centaines de mètres de la gare.

INUYAMA 犬山
☎ 0568 / 75 700 habitants

Surnommée le "Rhin du Japon" depuis le XIXᵉ siècle, la Kiso-gawa qui coule en contrebas du château d'Inuyama offre un cadre magnifique à ce trésor national. En journée, le château, les rues pittoresques, le coquet jardin Uraku-en et la maison de thé Jo-an du XVIIᵉ siècle invitent à une agréable promenade. Ce paysage revêt une allure encore plus féerique le soir, à la saison de l'*ukai* (pêche au cormoran). À voir également : l'architecture du musée Meiji-mura, les rapides de la Kiso-gawa et des sanctuaires tout à fait originaux.

Orientation et renseignements

L'**office du tourisme** (☎ 61-6000 ; ☺ 9h-17h) est dans la gare d'Inuyama. Des brochures et cartes en anglais sont à disposition sur place. Le personnel pourra par ailleurs réserver votre

---

VISITES GRATUITES D'USINES PRÈS DE NAGOYA

Haut lieu de l'industrie, Nagoya vous donne l'occasion de visiter certaines des plus grandes entreprises de niveau mondial. Réservation indispensable.

Les visites (2 heures) du principal site de production de Toyota Motor Corporation, à Toyota City, partent du **hall d'exposition Toyota Kaikan** (☎ 0565-23-3922 ; www.toyota.co.jp/en/about_toyota/facility/toyota_kaikan ; ☺ 11h lun-ven). Il faut réserver en ligne jusqu'à 3 mois à l'avance. Pensez à prévoir 1 heure de trajet au moins pour rejoindre Toyota City depuis le centre de Nagoya. Ne manquez pas non plus le musée Toyota de l'industrie et de la technologie (p. 255).

Denso (hors carte p. 252 ; ☎ 0566-61-7215 ; www.globaldenso.com/en/aboutdenso/hall/gallery ; Kariya City ; ☺ 9h30-17h lun-ven) est une usine dont la production est principalement centrée sur les composants automobiles, mais qui fabrique aussi des robots industriels. De courtes visites (jusqu'à 1 heure) ont lieu dans la Denso Gallery, à moins que vous préfériez visiter le site de production (2 heures 30). L'usine est à 7 minutes à pied de la gare de Kariya sur la ligne JR Tōkaidō.

La brasserie de **bière Asahi** (carte p. 252 ; ☎ 052-792-8966 ; ☺ 9h30-15h, fermeture irrégulière), située à Nagoya, propose des visites guidées de 1 heure 15. Dégustation durant les dernières 20 minutes. Pour obtenir un guide anglophone, faites votre demande au moins une semaine à l'avance. Pour vous y rendre, prenez la ligne JR Chūō jusqu'à la station Shin-Moriyama et marchez ensuite une quinzaine de minutes.

Pour d'autres idées de visites, rendez-vous sur www.sangyokanko.jp.

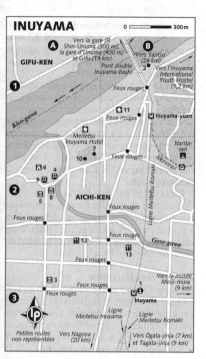

INUYAMA

0 ━━━━━ 300m

hébergement et vous renseigner sur des activités en lien avec la rivière, par exemple le rafting. Le château et la zone où se pratique l'*ukai* sont plus proches de la gare d'Inuyama-yūen, à un arrêt au nord ou à 15 min à pied. Consultez le site Internet www.city.inuyama.aichi.jp/english/index.html.

À voir et à faire

INUYAMA-JŌ 犬山城

Classé trésor national, ce **château** (☎ 61-1711 ; adulte/enfant, 500/100 ¥ ; 9h-17h) serait issu d'un fort construit en 1440 – ce qui en fait le plus ancien château du pays encore debout. Son corps central (*donjon* ; 1537), qui a résisté à la guerre, aux séismes et aux diverses restaurations, demeure un exemple d'architecture typique de la période de Momoyama. Ses murs de pierre atteignent 5 m de haut et l'intérieur, desservi par des escaliers raides et étroits, renferme des objets militaires. Belle vue sur les montagnes et les plaines alentour depuis le dernier étage.

Un peu plus au sud se trouvent les sanctuaires **Haritsuna-jinja** et **Sankō-Inari-jinja**, ce dernier gardé par de belles statues de *komainu* (chiens protecteurs).

EXPOSITION DE MARIONNETTES (KARAKURI) ET MUSÉE HISTORIQUE DU CHÂTEAU D'INUYAMA

からくり展示館・犬山市文化資料館
Votre ticket d'entrée au château vous permet d'accéder à une exposition et à un musée.

À un pâté de maisons au sud du Haritsuna Jinja et du Sankō-Inari Jinja, la **salle d'exposition de karakuri** (☎ 61-3932 ; billet acheté séparément 100 ¥ ; 9h-17h) présente quelques marionnettes des périodes d'Edo et de Meiji. Ces personnages en bois s'animent le samedi et le dimanche, à 10h30 et à 14h.

Pour voir ces marionnettes telles qu'elles étaient utilisées à l'origine, visitez la ville pendant l'**Inuyama Matsuri** (fête d'Inuyama), déclaré "Manifestation culturelle de premier plan" par le gouvernement japonais. À l'occasion de cette fête, qui remonte à 1635, a lieu un défilé de 13 chars à 3 niveaux, ornés de lanternes, sur lesquels s'animent en musique les *karakuri*.

Non loin, le **musée historique du Château d'Inuyama** (☎ 65-1728 ; billet acheté séparément 100 ¥ ; 9h-17h) permet d'admirer deux des chars utilisés pour le défilé. Quatre autres de ces chars sont exposés à **Dondenkan** (☎ 61-1800 ; adulte/enfant 200/100 ¥ ; 9h-17h), à quelques pâtés de maisons au sud. On y accède par une rue bordée d'édifices en bois.

URAKU-EN ET MAISON DE THÉ JO-AN

有楽園・茶室如安
Le jardin **Uraku-en** (☎ 61-4608 ; 1 000 ¥ ; 9h-17h mars-nov, 9h-16h déc-fév) s'étend 300 m à l'est du

CENTRE DE HONSHŪ

château, sur une partie du domaine de l'hôtel Meitetsu Inuyama. Considérée comme l'une des plus belles du Japon, la maison de thé **Jo-an**, classée trésor national, fut construite à Kyōto en 1618 par Urakusai Oda, frère cadet de Nobunaga Oda, et installée ici en 1972.

Urakusai était un maître réputé qui fonda sa propre école consacrée à la cérémonie du thé. Ayant embrassé secrètement la foi chrétienne, il avait adopté le prénom portugais de João, qui fut donné à sa maison de thé. Les visiteurs peuvent jeter un coup d'œil à l'intérieur, mais ils n'ont le droit d'y pénétrer que 4 jours au printemps (de mars à mai) et en automne. Vous pourrez savourer un thé dans le parc moyennant 500 ¥.

PÊCHE AU CORMORAN 鵜飼い

L'*ukai* se pratique à proximité de la gare d'Inuyama-yūen, à côté du pont double Inuyama-bashi. Achetez votre billet à l'office du tourisme ou au **Kisogawa Kankō** (☎ 61-0057 ; adulte/enfant juil et août à partir de 2 800/1 400 ¥, mai-juin et sept-oct à partir de 2 500/1 250 ¥), près du quai réservé à la pêche au cormoran.

Les bateaux lèvent l'ancre tous les jours à 18h de mai à août. Le spectacle commence vers 19h45. En septembre et octobre, les bateaux partent à 17h30, et le spectacle démarre à 19h15.

Fêtes et festivals

Hormis le défilé de chars haut en couleur de la **fête d'Inuyama** (premier week-end d'avril), la ville accueille, sur les berges du fleuve, la **fête Nihon Rhine** (10 août) qui culmine avec des feux d'artifice.

Où se loger et se restaurer

Inuyama International Youth Hostel (犬山国際ユー スホステル ; ☎ 61-1111 ; fax 61-2770 ; www.inuyama-iyh. com ; s/d/tr 3 300/6 200/8 700 ¥ ; 🖳). Cette auberge de jeunesse moderne abrite de grandes chambres confortables, de style japonais et occidental, et un bain commun (prévoyez votre serviette). Personnel sympathique. Il est recommandé de réserver. Possibilité de prendre ses repas (petit-déjeuner/dîner 840/1 580 ¥, plats japonais ou occidentaux) en prévenant à l'avance : une solution conseillée car il n'y a pas de restaurants à proximité. L'auberge est à 25 minutes à pied au nord-est de la gare d'Inuyama-yūen. Allez-y en longeant la rivière.

Rinkō-kan (☎ 61-0977 ; fax 61-2505 ; rinkokan@triton.ocn. ne.jp ; ch par pers avec/sans 2 repas à partir de 12 750/6 450 ¥ ; 🖳). Cet établissement thermal de 20 chambres tire le

meilleur parti de son bâtiment des années 1960 en proposant un bel hébergement de style japonais avec bain intérieur, bains communs en pierre comprenant un *rotemburo*, et Jacuzzi. Dîner servi dans les chambres.

Fū (☎ 61-6515 ; a-fuusan@md.ccnw.ne.jp ; déj 600 ¥ ; 🕓 8h-18h jeu-mar). Modeste café, sympathique et familial, proposant tous les jours une formule déjeuner. Le service s'arrête quand les cuisines ont épuisé leur stock. Pour vous renseigner ou réserver, vous pouvez téléphoner (en japonais) ou envoyer un e-mail. Vous pouvez aussi vous contenter d'un café et d'un gâteau. Concerts de temps à autre.

Narita (☎ 65-2447 ; repas 5 plats à partir de 2 940 ¥ ; 🕓 déj et dîner). Restaurant français sophistiqué installé dans un édifice traditionnel doté d'un joli jardin, servant des menus de 5 plats. Vous le trouverez à un pâté de maisons à l'ouest de l'Inuyama Miyako Hotel.

Depuis/vers Inuyama

Inuyama est reliée à Nagoya (540 ¥, 30 min) et à la gare Meitetsu-Gifu de Gifu (440 ¥, 35 min) par la ligne Meitetsu Inuyama. Les voyageurs qui empruntent les lignes JR peuvent gagner Unuma via Gifu (320 ¥, 20 min), puis traverser le Kiso-gawa pour rejoindre Inuyama.

ENVIRONS D'INUYAMA 犬山近辺
Musée Meiji-mura 明治村

Peu de constructions de l'ère Meiji ont survécu à la guerre, aux séismes et à l'urbanisation rampante. Ce **musée en plein air** (☎ 0568-67-0314 ; www.meijimura.com ; 1 Uchiyama ; adulte/collégien et lycéen/ étudiant/senior 1 600/600/1 000/1 200 ¥ ; 🕓 9h30-17h mars-oct, jusqu'à 16h nov-fév, fermé lun déc-fév) est toutefois parvenu à rassembler plus de 60 bâtiments venus des quatre coins du Japon dans un "village" en bord de lac. On peut ainsi voir des bureaux de l'administration publique, des habitations privées, des banques, une distillerie de saké ainsi que quelques moyens de transport. Parmi ces édifices se tient le hall d'entrée conçu par Frank Lloyd Wright pour l'Imperial Hotel de Tōkyō, la maison du romancier Sōseki Natsume (auteur de *Je suis un chat* et de *Botchan*) et les tout premiers tramways de Kyōto. L'assemblage des styles architecturaux occidental et japonais est typique de cette période. Prévoyez au moins une demi-journée pour prendre le temps d'admirer toutes ces merveilles.

Un bus à destination de Meiji-mura (410 ¥, 20 min) part toutes les 30 minutes de la sortie est de la gare d'Inuyama.

L'ART DE LA TEINTURE PAR NŒUDS

Depuis des siècles, la banlieue d'Arimatsu (有松), au sud-est du centre de Nagoya, est réputée pour son art du *shibori* (teinture du textile par nœuds). Un seul kimono nécessite 4 à 6 mois d'un travail très méticuleux. Les artisans nouent les fils de coton pour créer des motifs dont il existe plus d'une centaine de variétés (les minuscules cubes du *kanoko* – tache du faon – sont les plus reconnaissables). L'**Arimatsu-Narumi Shibori Kaikan** (有松鳴海絞会館 ; musée de la Teinture par nœuds ; ☎ 621-0111 ; www.shibori-kaikan.com/kaikan-e.html ; entrée libre, film et expositions adulte/enfant 300/100 ¥ ; ☼ 9h30-17h jeu-mar) permet d'admirer et d'acheter des pièces fabriquées selon la technique du *shibori* ; une vidéo en anglais explique le procédé et l'on peut voir des artisans à l'œuvre.

La rue principale d'Arimatsu comporte quelques édifices en bois de la période d'Edo, notamment des maisons de marchand qui remontent à l'époque où la ville était une étape sur la route du Tōkaidō (voir l'encadré p. 197). De la gare de Meitetsu Nagoya, le trajet jusqu'à Arimatsu prend environ 20 minutes (340 ¥).

Ōgata-jinja 大縣神社

Dédié à la déesse Izanami, ce **sanctuaire shintoïste** (☎ 0568-67-1017), vieux de 2 000 ans, reçoit la visite des femmes désireuses de se marier ou d'avoir un enfant. Son enceinte renferme des rochers et d'autres objets évoquant les organes génitaux féminins.

La grande fête populaire **Hime-no-Miya** se déroule ici le dimanche précédant le 15 mars (ou ce jour si c'est un dimanche). À cette occasion, les habitants prient pour obtenir la prospérité et des récoltes abondantes, en promenant dans les rues un *mikoshi* (sanctuaire ou autel portatif), surmonté de représentations du sexe féminin.

L'Ōgata-jinja est à 25 minutes à pied au sud-est de la gare de Gakuden sur la ligne Meitetsu Komaki (220 ¥ depuis Inuyama, 7 min).

Tagata-jinja 田県神社

Izanagi, pendant masculin d'Izanami, est célébré dans ce **temple** (☎ 0568-76-2906), où une annexe de la salle principale contient une collection d'offrandes en forme de phallus apportées par les fidèles reconnaissants.

La fête **Tagata Hōnen Sai** a lieu dans le temple le 15 mars. Un "objet sacré" de 2 m de long et pesant 60 kg est alors porté en procession dans le voisinage, dans l'hilarité générale. La cérémonie débute à 14h, mais mieux vaut arriver bien avant.

Le Tagata-jinja est à 5 minutes à pied à l'ouest de la gare de Tagata-jinja-mae sur la ligne Meitetsu Komaki (290 ¥ depuis Inuyama, 9 min).

Yaotsu 八百津

☎ 0574 / 13 500 habitants

Traversée par la rivière Kiso, Yaotsu est devenue un lieu de pèlerinage en tant que ville natale de Chiune Sugihara (1900-1986), consul du Japon en Lituanie pendant la Seconde Guerre mondiale. Cet homme sauva quelque 6 000 juifs des nazis en leur délivrant, contre les ordres du gouvernement japonais, des visas de transit. Ils purent ainsi s'enfuir vers Kōbe et Shanghai, alors sous occupation japonaise et, de là, rallier d'autres pays.

Au sommet du **Jindō-no-oka** (colline de l'Humanité ; 人道の丘), un **musée** (adulte/enfant 300/100 ¥ ; ☼ 9h30-17h mar-dim) retrace cette histoire sous forme de photos et d'expositions qui donnent à réfléchir. Pour plus de renseignements, consultez le site www.town.yaotsu.gifu.jp ou contactez le **bureau de la municipalité** (☎ 43-2111, poste 2253) où vous trouverez un interlocuteur anglophone.

Le moyen le plus simple de gagner Yaotsu est de s'y rendre en voiture. On peut toutefois rejoindre la ville depuis Inuyama en prenant la ligne Meitetsu Hiromi jusqu'à Akechi (440 ¥, 30 min), puis un bus Yao (400 ¥, 25 min) jusqu'à Yaotsu. Un court trajet en bus (300 ¥) ou en taxi permet ensuite de gagner le musée.

GIFU 岐阜

☎ 058/413 000 habitants

Historiquement, Gifu est intimement liée à Nobunaga Oda, daimyo (seigneur féodal) du château, qui baptisa la ville en 1567. Celle-ci accueillit par la suite le célèbre poète de haïkus, Matsuō Bashō, qui assista à l'*ukai* (pêche au cormoran) en 1688 ; Charlie Chaplin fit de même en son temps.

La Gifu d'aujourd'hui ne conserve que peu de traces de cette époque ancienne, à cause notamment du violent séisme qui l'a frappée en 1891 et de bombardements nourris pendant la Seconde Guerre mondiale. Pour autant, les bords

CENTRE DE HONSHŪ

de la Nagara-gawa demeurent une destination très prisée pour assister à l'*ukai*. Il est également intéressant de visiter le Gifu-jō, château reconstruit au sommet du Kinka-zan (329 m), un mont qui se dresse au bord de la rivière, ainsi que l'élégant quartier des affaires. Gifu est par ailleurs réputée pour son artisanat.

Orientation et renseignements

Quelques minutes de marche séparent la gare JR de Gifu et la gare de Meitetsu-Gifu, dans la partie sud du centre-ville. La plupart des sites d'intérêt sont à environ 4 km au nord, près de la Nagara-gawa et du Kinka-zan, et aisément accessibles en bus (voir p. 269).

Le **bureau d'information touristique** (☎ 262-4415 ; ⏰ 9h-19h mars-déc, jusqu'à 18h jan-fév), au 2ᵉ niveau de la gare JR, distribue des plans de la ville en anglais, très utiles, et peut vous aider à réserver votre chambre d'hôtel pour le jour même. On y parle l'anglais.

À voir et à faire

PÊCHE AU CORMORAN 鵜飼い
Pendant la saison de la pêche au cormoran (du 11 mai au 15 octobre), les bateaux partent chaque soir (sauf lorsqu'il pleut ou par les nuits de pleine lune) du pont Nagara-bashi. On peut aussi admirer le spectacle de loin en longeant la rivière à l'est du pont.

Il est fortement conseillé de réserver. Les billets sont en vente dans les hôtels ou, s'il en reste après 18h, au **bureau de réservation** (☎ 262-0104 pour réserver ; adulte/enfant 3 300/2 900 ¥ ; ⏰ départs 18h15, 18h45 et 19h15) situé au-dessous du pont Nagara-bashi. La nourriture et la boisson ne sont pas fournies à bord. Vous pouvez apporter vos provisions pour le premier départ de la soirée mais pas pour les suivants. Du lundi au vendredi, les tarifs des deux derniers bateaux s'élèvent à 3 000/2 600 ¥ par adulte/enfant. Prenez le bus jusqu'à l'arrêt Nagara-bashi.

GIFU-KŌEN 岐阜公園
Au pied du Kinka-zan, ce parc urbain, l'un des plus beaux du Japon, étend ses arbres et ses fontaines à flanc de colline. À l'intérieur, on peut visiter le **musée d'Histoire de la ville de Gifu** (岐阜市歴史博物館 ; ☎ 265-0010 ; 2-18-1 Ōmiya-chō ; adulte/enfant 300/150 ¥ ; ⏰ 9h-17h mar-dim), site de la demeure de Nobunaga Oda, et emprunter la **télécabine du Kinka-zan** (金華山ロープウエー ; ☎ 262-6784 ; 257 Senjōjiki-shita ; aller-retour adulte/enfant 1 050/520 ¥ ; ⏰ 9h-17h mi-oct/mi-mars, jusqu'à 22h30 fin juil-août, jusqu'à 18h mi-mars/fin juil et sept/mi-oct), qui conduit

au sommet du mont. De là, vous pourrez vous rendre au **Gifu-jō** (岐阜城 ; ☎ 263-4853 ; 18 Kinka-zan, Tenshukaku ; adulte/enfant 200/100 ¥ ; ⏰ 9h30-ferme 30 min avant la télécabine), petite reconstruction moderne mais pittoresque du château d'origine. Les courageux peuvent entreprendre à pied l'ascension jusqu'au château (1 heure).

Pour venir, prenez le bus jusqu'à l'arrêt Gifu-kōen Rekishi Hakubutsukan-mae.

SHŌHŌ-JI 正法寺
Ce **temple** (☎ 264-2760 ; 8 Daibutsu-chō ; 150 ¥ ; ⏰ 9h-17h), de couleur orange et blanc, renferme un *daibutsu* (Grand Bouddha) en papier mâché de près de 14 m de haut, réalisé à l'aide d'une tonne de pages de sutra. Achevée en 1832, la construction de la statue nécessita 38 ans d'efforts. L'édifice se dresse à une courte distance à pied au sud-ouest du Gifu-kōen. Il faut descendre à l'arrêt de bus Daibutsu-mae (depuis le Gifu-kōen uniquement).

Où se loger et se restaurer

Comfort Hotel Gifu (コンフォートホテル岐阜 ; ☎ 267-1311 ; fax 267-1312 ; s/lits jum avec petit déj 6 090/11 550 ¥ ; ✉ 💻 📶). En face de la gare JR de Gifu, *business hotel* sans prétention proposant 219 chambres équipées de TV à écran plasma, et d'une connexion Wi-Fi. Sur place également : laverie (machines à pièces). Le petit-déjeuner, simple mais copieux, est servi sous forme de buffet japonais/continental.

Daiwa Roynet Hotel Gifu (ダイワロイネットホテル岐阜 ; ☎ 212-0055 ; fax 212-0056 ; s/d à partir de 7 500/15 000 ¥ ; ✉ 💻). Adresse plus luxueuse avec déco minimaliste, linge de qualité et chambres équipées d'un accès Internet en réseau LAN permettant de brancher son propre ordinateur. L'hôtel est à deux pas de la gare de Meitetsu-Gifu.

Les rues étroites entre Nagarabashi-dōri et Kinka-zan-dōri (c'est-à-dire entre les gares ferroviaires) abondent en cafés, restaurants et *izakaya*. Pour prendre un dernier verre, vous pouvez vous joindre aux expatriés et à la clientèle locale dans l'ambiance *wabi-sabi* du **Bier Hall** (ビアホール ; ☎ 266-8868 ; ⏰ 17h30-1h, fermé 1ᵉʳ et 3ᵉ dim du mois), et savourer de la Guinness, des pizzas, des en-cas frits et des curries thaïs. L'établissement est un peu plus loin que le magasin de vêtements "Bad".

Achats

En matière d'artisanat, Gifu est réputée pour ses *wagasa* (ombrelles et parapluies en papier huilé) et ses *chōchin* (lanternes en papier) peintes avec minutie de beaux paysages notamment. Par comparaison avec l'âge d'or de cette tradition, le nombre d'artisans est aujourd'hui réduit à la portion congrue (une poignée contre 600 facteurs d'ombrelles autrefois). Vous trouverez des ombrelles fabriquées en séries dans les boutiques de souvenirs. Sinon, l'office du tourisme tient à disposition une carte des fabricants et/ou points de vente de qualité. Comptez un minimum de 10 000 ¥ pour des *wagasa* ou des *chōchin* de très belle facture. Les heures d'ouverture des boutiques étant irrégulières, mieux vaut s'assurer par téléphone qu'elles sont bien ouvertes.

Sakaida Eikichi Honten (坂井田永吉本店 ; ☎ 271-6958) fabrique et vend des *wagasa*. La boutique est à 10 minutes à pied de la gare JR de Gifu. Prenez à gauche à la sortie sud, puis à droite au deuxième feu. Sakaida se trouve à l'angle de rue suivant.

Si vous recherchez des *chōchin*, rendez-vous chez **Ozeki Chōchin** (小関提灯 ; ☎ 263-0111). De l'arrêt de bus Ken-Sōgōchōsha-mae, marchez vers l'est. La boutique est à côté du temple Higashi Betsuin.

Depuis/vers Gifu

De Nagoya, prenez la ligne JR Tōkaidō (*tokkyū*, 1 180 ¥, 20 min ; *futsū*, 450 ¥, 30 min) jusqu'à Gifu ou la ligne Meitetsu jusqu'à Meitetsu-Gifu (540 ¥, 35 min). Les trains Meitetsu desservent aussi Inuyama (440 ¥, 35 min).

Les bus conduisant aux sites touristiques (200 ¥) partent des arrêts n°11 et 12 du terminal situé à côté de la sortie Nagara de la gare JR de Gifu, et s'arrêtent en chemin à Meitetsu-Gifu. Renseignez-vous tout de même avant de monter à bord car tous les bus ne marquent pas nécessairement tous les arrêts.

GUJŌ HACHIMAN 郡上八幡
☎ 0575 / 16 000 habitants

Nichée dans les montagnes au confluent de plusieurs rivières, l'agréable petite ville de Gujō Hachiman est connue pour son **Gujō Odori Matsuri**, un important festival de danse traditionnelle. De façon plus anecdotique, cette ville est aussi le principal centre de fabrication du pays de reproductions de plats en plastique pour les vitrines de restaurants.

L'**office du tourisme** (観光協会 ; ☎ 67-0002 ; 8h30-17h) jouxte le pont Shin-bashi dans le centre-ville, à environ 5 minutes à pied de la gare routière du Jōka-machi Plaza.

Parlons du festival : selon une tradition remontant aux années 1590, les habitants se déchaînent en des danses endiablées pendant 32 nuits, entre mi-juillet et début septembre. Les visiteurs sont encouragés à faire de même, en particulier durant les *tetsuya odori*, les 4 journées principales (13-16 août), durant lesquelles la fête bat son plein jusqu'à l'aube.

Le reste de l'année, les cours d'eau étincelants, les ruelles étroites et les ponts de pierre de la ville méritent le détour.

Gujō Hachiman vous donne également l'occasion de percer le mystère de ses étonnantes **imitations d'aliments** typiquement japonaises. Dans une vieille *machiya* (demeure de marchand), le **Shokuhin Sample Kōbō Sōsakukan** (食品サンプル工房創作館 ; ☎ 67-1870 ; entrée libre ; 9h-17h tlj en juil-août, fermé jeu le reste de l'année) présente un choix de ces aliments en plastique et vous propose d'en créer vous-même (réservation obligatoire). *Tempura* (1 000 ¥ les 3 pièces) et laitue (gratuite) font des souvenirs originaux. À 5 minutes de marche de Jōka-machi Plaza.

Parmi les autres points d'intérêt de Gujō Hachiman figure son petit château, édifié au sommet d'une colline. L'actuel **Gujō Hachiman-jō** (☎ 65-5839 ; adulte/enfant 300/150 ¥ ; 8h-18h juin-août, 9h-17h sept-nov et mars-mai, 9h-16h30 déc-fév) ne date que de 1933. Il a remplacé une humble forteresse qui datait de 1600. Il renferme des armes, des armures et d'autres pièces du genre, et offre une vue intéressante. Comptez 20 minutes de marche depuis la gare routière.

La ville est également réputée pour ses canaux. Enfin, une célèbre source, **Sōgi-sui**, baptisée ainsi en hommage à un poète de la période de Momoyama, coule à proximité du centre-ville. D'une limpidité remarquable, elle constitue un lieu de pèlerinage.

Gujō Tōsen-ji Youth Hostel (郡上洞泉寺ユースホステル ; ☎ 67-0290 ; fax 67-0549 ; dort 3 300 ¥ ; fermé mi-août ; ✗). Agréablement située dans l'enceinte d'un temple, cette auberge de jeunesse joliment rénovée abrite des chambres privatives. Il n'y a pas d'installations sanitaires sur place mais vous trouverez un *sentō* (bain public) à proximité. Le petit-déjeuner coûte 500 ¥.

Bizenya Ryokan (備前屋旅館 ; ☎ 65-2068 ; fax 67-0007 ; ch en demi-pension à partir de 11 550 ¥/pers ; ✗). Une trentaine de chambres spacieuses et élégantes (certaines avec sdb privative), aménagées autour d'un joli jardin, garantissent une nuit reposante. Entre la gare routière et l'office du tourisme.

La façon la plus pratique de rallier Gujō Hachiman consiste à prendre le bus depuis Gifu (1 560 ¥, 1 heure, toutes les heures). La ligne privée Nagaragawa Tetsudō dessert Gujō-Hachiman depuis Mino-Ōta (1 320 ¥, 80 min, toutes les heures), et a des correspondances via la ligne JR Takayama pour Nagoya (1 110 ¥, 1 heure) et Takayama (*tokkyū*, 4 180 ¥, 1 heure 45 ; *futsū*, 1 890 ¥, 3 heures). Des bus font également le trajet depuis Nagoya (3 500 ¥, 3 heures). Le centre de Gujō-Hachiman se parcourt aisément à pied, à moins de louer un vélo (300/1 500 ¥ par heure/jour).

DISTRICT DE HIDA
飛騨地域

Haut lieu du district de Hida, antique contrée montagneuse, la ravissante ville de Takayama est connue pour ses demeures de marchands, ses temples et sa tradition artisanale. Le style architectural de Hida se caractérise par ses *gasshō-zukuri* au toit de chaume (voir l'encadré p. 275). En matière culinaire, la région a pour spécialité le *Hida-gyū* (bœuf), les *hoba-miso* (pâte de *miso* sucrée grillée à la table des convives dans une feuille de magnolia) et les *soba*.

TAKAYAMA 高山
☎ 0577 / 95 904 habitants

Avec ses auberges, ses boutiques et ses distilleries de saké anciennes, Takayama fait figure de rareté : cette ville du XXIᵉ siècle, certes de petite taille, a su conserver son cachet traditionnel. Les marchés matinaux animés, les sanctuaires à flanc de colline et la décontraction des habitants ajoutent à l'attrait de la ville, étape incontournable pour ceux qui visitent le centre de Honshū. Octroyez-vous au moins 2 jours pour la découvrir, à pied ou à vélo.

Takayama fut fondée à la fin du XVIᵉ siècle en tant que place forte du clan Kanamori, puis placée dès 1692 sous le contrôle direct du *bakufu* (shogunat) d'Edo. Sa configuration urbaine actuelle date de la période Kanamori. Parmi ses centres d'intérêt figurent plus d'une douzaine de musées, galeries et autres lieux d'exposition d'art, d'artisanat et d'architecture.

Centre administratif et plaque tournante des transports de la région, elle constitue une base idéale pour explorer le district de Hida ainsi que le parc national des Alpes japonaises (p. 283).

Orientation

À l'exception du Hida-no-Sato (village folklorique de Hida, un musée en plein air), tous les sites majeurs sont regroupés dans le centre-ville. Il est facile de s'y rendre à pied depuis la gare. Au nord-est de la gare, l'artère principale, Kokubun-ji-dōri, se dirige vers l'est et traverse la Miya-gawa (à environ 10 minutes de marche), pour devenir ensuite Yasugawa-dōri. Au sud de Yasugawa-dōri, le très pittoresque quartier historique de Sanmachi se compose de maisons anciennes remarquablement entretenues. Sur les panneaux, repérez les caractères 古い町並み (*furui machinami*) ou bien les mots anglais "Old Private Homes".

Hida-no-Sato est à 10 minutes en bus à l'ouest de la gare.

Renseignements

Le principal **office du tourisme** (☎ 32-5328 ; ☺ 8h30-17h nov-mars, jusqu'à 18h30 avr-oct) de Takayama se trouve juste devant la gare JR de Takayama. Le personnel parle anglais. Il propose des cartes et renseignements en anglais sur les sites (la brochure *Hida Takayama* par exemple), sur l'hébergement, sur les diverses manifestations et sur le transport régional. L'autre **succursale de l'office du tourisme** (☎ 32-2177 ; Kami-san-no-machi ; ☺ 10h-16h) est dans le centre de Sanmachi-suji ; pratique pour se renseigner. Consultez aussi www.hidatakayama.or.jp.

Pour visiter une maison, organiser un séjour ou bénéficier de l'aide d'un interprète bénévole (y compris en langue des signes), adressez-vous un mois à l'avance au **bureau des affaires internationales** (International Affairs Office ; ☎ 32-3333 , poste 2407 ; 2-18 Hanaoka), dans le bâtiment municipal de Takayama.

La **bibliothèque municipale** (☎ 32-3096 ; ☺ 9h30-21h30), à l'est de Sanmachi, et le **bureau municipal de Takayama** (2-18 Hanaoka ; ☺ 9h-17h lun-ven), doté de deux ordinateurs, offrent un accès Internet.

La Jūroku Bank change les devises et les chèques de voyage. Pour se servir d'un DAB, il faut aller à la **poste principale** (Hirokōji-dōri), à quelques pâtés de maisons à l'est de la gare, ou bien à l'Ōgaki Kyōritsu Bank (équipée de DAB fonctionnant avec les cartes internationales), dont vous trouverez une agence au sud-est de la gare et près du marché du matin Miya-gawa.

Pour réserver des billets de bus et de train permettant de poursuivre le voyage au Japon, adressez-vous par exemple à **Kinki Nippon Tourist** (☎ 32-6901 ; 1-17 Hanaoka-machi).

À voir et à faire

SANMACHI-SUJI 三町筋

Cœur de la vieille ville, ce quartier se compose de trois artères principales (Ichi-no-machi, Ni-no-machi et San-no-machi), jalonnées d'échoppes traditionnelles, de restaurants, de musées et de demeures particulières. Les distilleries de saké se reconnaissent facilement à leurs sphères en feuilles de cèdre : certaines ouvrent au public en janvier et début février (horaires disponibles dans les offices du tourisme) mais la majeure partie de l'année, elles se contentent de vendre leur production. Pour prendre de beaux clichés de nuit, pensez à apporter un pied et à choisir un temps d'exposition long.

La **Galerie d'art populaire Fujii** (Fujii Bijutsu Minzoku-kan ; ☎ 35-3778 ; 69 San-no-Machi ; adulte/enfant 700/350 ¥ ; ☒ 9h-17h, souvent fermé mar-ven début déc-début mars) présente, dans une ancienne demeure de marchand, une collection privée d'artisanat et de céramiques, en particulier des périodes de Muromachi et d'Edo. Le **musée archéologique et folklorique de Hida** (Hida Minzoku Kōkō-kan ; ☎ 32-1980 ; 82 San-no-Machi ; adulte/enfant/collégien et lycéen 500/200/300 ¥ ; ☒ 8h30-17h mars-nov, 9h-16h30 déc-fév) est une ancienne demeure de samouraï recelant des passages secrets et un vieux puits dans la cour.

Consacré à l'artisanat et aux traditions, le **musée d'Histoire locale de Takayama** (☎ 32-1205 ; 75 Ichi-no-Machi ; adulte/enfant 300/150 ¥ ; ☒ 8h30-17h mars-nov, 9h-16h30 mar-dim déc-fév) renferme des œuvres du prêtre et sculpteur Enkū, qui sillonna les environs au XVIIᵉ siècle. Les petits jardins du lieu sont admirablement entretenus.

TAKAYAMA-JINYA 高山陣屋

Ce domaine, qui s'étend au sud du quartier de Sanmachi, accueille le seul bâtiment préfectoral subsistant de la période du shogunat Tokugawae. La **Takayama-jinya** (maison historique du gouvernement ; ☎ 32-0643 ; 1-5 Hachiken-machi ; adulte/enfant 420 ¥/gratuit ; ☒ 8h45-17h mars-oct, 8h45-16h30 nov-fév), construite en 1615 pour servir de centre administratif au clan Kanamori, fut par la suite reprise par le *bakufu (shogunat)*. L'entrée principale était autrefois réservée aux officiels les plus importants. Datant de 1816, l'édifice actuel fut utilisé par l'administration régionale jusqu'en 1969.

Hormis des bureaux administratifs, un grenier à riz et un jardin, il comprend une salle de torture… Visites guidées gratuites en anglais sur demande (réservation conseillée). Takayama-jinya est à 15 minutes de marche à l'est de la gare ferroviaire.

DEMEURES DE MARCHANDS
吉島家日下部民芸館

Au nord de Sanmachi, on peut admirer deux superbes exemples de demeures privées de la période d'Edo, avec une partie habitée et une autre servant d'entrepôts et de boutique. Les amateurs d'architecture ne manqueront pas le **Yoshijima-ke** (maison Yoshijima ; ☎ 32-0038 ; 1-51 Ōshinmachi ; adulte/enfant 500/300 ¥ ; ☒ 9h-17h mars-nov, 9h-16h30 mer-dim déc-fév), qui figure souvent dans les publications d'architecture. Son absence d'ornementation permet de mieux apprécier l'élégante sobriété de ses lignes, sa haute toiture et sa lucarne. Le billet d'entrée donne droit à une tasse de délicieuse tisane de shiitaké, que l'on peut aussi acheter moyennant 600 ¥ la canette.

Un peu plus bas, le **Kusakabe Mingeikan** (musée du folklore Kusakabe ; ☎ 32-0072 ; 1-52 Ōshinmachi ; adulte/enfant 500/300 ¥ ; ☒ 9h-16h30 mars-nov, 8h30-16h mer-lun déc-fév), construit dans les années 1890, traduit l'étonnant savoir-faire des charpentiers de Takayama. À l'intérieur sont exposées des pièces d'artisanat.

TAKAYAMA YATAI KAIKAN 高山屋台会館

Le **Takayama Yatai Kaikan** (salle d'exposition des chars du festival ; ☎ 32-5100 ; 178 Sakura-machi ; adulte/enfant/lycéen 820/410/510 ¥ ; ☒ 8h30-17h mars-nov, 9h-16h30 déc-fév) présente en rotation 4 des 23 *yatai* (chars) à plusieurs étages qui défilent lors du Takayama Matsuri. Ces créations spectaculaires, dont certaines datent du XVIIᵉ siècle, arborent des sculptures, des ouvrages de ferronnerie et des panneaux laqués flamboyants. Éléments importants de certains *yatai*, les marionnettes *karakuri* accomplissent tours et acrobaties grâce à 8 marionnettistes accomplis actionnant leurs 36 fils. Une vidéo donne un aperçu de la fête. Le majestueux **Sakurayama Jinja** construit à flanc de colline se trouve à l'arrière.

Le Yatai Kaikan se trouve dans l'enceinte du **Sakurayama Hachiman-gū**, un sanctuaire à flanc de colline dont les principaux pavillons se trouvent derrière le Yatai Kaikan. Dédié à la protection de Takayama, le sanctuaire "veille" aussi sur le bon déroulement de la fête (Hachiman).

Le billet d'entrée inclut l'accès au **Sakurayama Nikkō-kan**, en diagonale face au sanctuaire, où sont exposées des maquettes complexes des fameux sanctuaires de Nikkō. Évoquant tour à tour l'aube, le jour et le crépuscule, les éclairages offrent différentes visions de ces sites.

En ville, vous remarquerez de curieux hangars élancés, avec des portes sur 3 niveaux, abritant les *yatai* qui ne sont pas au musée.

CENTRE DE HONSHŪ

SHISHI KAIKAN 獅子会館

Au sud de Sakurayama Nikkō-kan, le **Shishi Kaikan** (salle d'exposition des masques de lion ; ☎ 32-0881 ; 53-1 Sakura-machi ; adulte/enfant 600/400 ¥ ; ⏰ 8h30-17h30 avr-nov, 9h-17h déc-mars) réunit plus de 800 masques de lion et instruments de musique servant aux danses du lion accomplies lors des fêtes dans le centre et le nord du Japon. On peut aussi y admirer des objets d'art tels que rouleaux calligraphiés et paravents. Toutefois, on vient surtout ici pour assister aux démonstrations de *karakuri* (deux par heure). Elles offrent l'occasion d'admirer ces superbes marionnettes en action et de passer en coulisses pour voir comment elles sont manipulées.

SHUNKEI KAIKAN 春慶会館

Si le laque *shunkei* a fait son apparition à Kyōto il y a plusieurs siècles, il est devenu l'emblème de la ville de Takayama et se retrouve dans les vases, boîtes et autres plateaux. À l'ouest du Takayama Yatai Kaikan, de l'autre côté de la rivière, le **Shunkei Kaikan** (salle d'exposition d'objets en laque ; ☎ 32-3373 ; 1-88 Kando-chō ; adulte/enfant 300/200 ¥ ;

⏰ 8h-17h30 avr-oct, 9h-17h nov-mars) comprend plus de 1 000 objets, dont certains datent du XVIIᵉ siècle, et une exposition détaillant leur procédé de fabrication – à l'inverse d'autres techniques de laquage, le *shunkei* laisse apparaître le grain du bois. Boutique sur place.

HIDA KOKUBUN-JI 飛騨国分寺

Plus ancien **temple** de Takayama, le **Hida Kokubun-ji** (☎ 32-1295 ; 1-83 Sōwa-chō ; salle du Trésor adulte/enfant 300/250 ¥ ; ⏰ 9h-16h) fut érigé au VIIIᵉ siècle et ravagé ensuite par les incendies. La partie la plus ancienne de l'édifice actuel date du XVIIᵉ siècle. La salle du Trésor recèle plusieurs biens culturels nationaux. Dans la cour s'élève une pagode à trois étages et un ginkgo terriblement noueux, en excellente forme si l'on considère ses supposés 1 200 ans d'âge.

TAKAYAMA SHŌWA-KAN 高山昭和館

La fièvre nostalgique des années 1950 s'empare actuellement du Japon, comme en témoigne le **Takayama Shōwa-kan** (salle d'exposition ; ☎ 33-7836 ; 6 Shimo-ichi-no-machi ; adulte/enfant 500/300 ¥ ; ⏰ 9h-18h

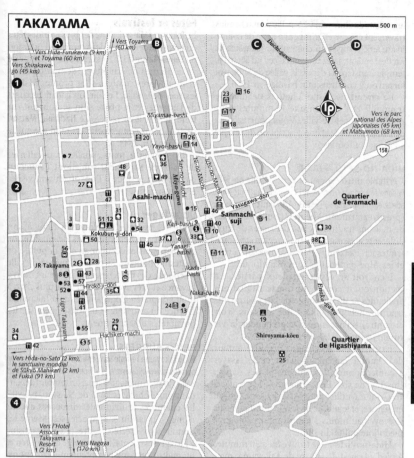

avr-oct, jusqu'à 17h nov-mars), dédié à l'ère Shōwa, nom japonais de l'ancien empereur connu par ailleurs sous le nom de Hirohito. Shōwa a régné de 1926 à 1989, mais le musée est seulement consacré à la période 1955-1965, qui fut celle d'un courant d'optimisme pour tout le pays. Vous pourrez flâner au milieu de voitures, d'affiches de films, de reproductions de devantures, ainsi que d'un salon de beauté et d'une classe d'école.

MARCHÉS DU MATIN

Les *asa-ichi* (marchés du matin) se tiennent chaque jour de 7h à 12h et débutent une heure plus tôt d'avril à octobre. Le **marché Jinya-mae** (陣屋前朝市) se tient devant le Takayama-jinya, le **marché Miya-gawa** (宮川朝市), plus vaste, sur la rive est de la Miya-gawa, entre Kaji-bashi et

Yayoi-bashi. L'un et l'autre sont parfaits pour commencer agréablement la journée, entre les étals de légumes des vieux maraîchers locaux et les stands vendant objets artisanaux en bois ou en tissu, pickles, souvenirs, et surtout tasses de thé fumantes (ou encore bière et saké pour les plus courageux).

TERAMACHI ET SHIROYAMA-KŌEN
寺町・城山公園

Ces quartiers vallonnés à l'est de la ville sont reliés par des sentiers pédestres, particulièrement agréables à parcourir de bonne heure le matin ou en fin d'après-midi. Teramachi possède plus d'une douzaine de temples (l'un d'eux abrite l'auberge de jeunesse) et de sanctuaires que l'on peut visiter avant de s'enfoncer dans la végétation luxuriante du Shiroyama-kōen. Plusieurs chemins traversent ce parc et grimpent à flanc de colline jusqu'aux vestiges du château, le **Takayama-jō**. En descendant, jetez un coup d'œil au **Shōren-ji**, temple transféré ici depuis la vallée de Shōkawa lorsqu'on y construisit un barrage en 1960.

Le circuit nécessite 2 heures de marche tranquille et il faut ensuite 10 minutes pour retourner au centre-ville. Vous pourrez vous procurer une carte et une description du temple à l'office du tourisme.

HIDA-NO-SATO 飛騨の里

Véritable musée à ciel ouvert, le **Hida-no-Sato** (village folklorique ; ☎ 34-4711 ; 1-590 Okatmoto-chō ; adulte/enfant 700/200 ¥ ; ☉ 8h30-17h) vaut une visite (prévoyez au moins 3 heures) pour ses dizaines de maisons traditionnelles, déplacées de leurs différents sites originels dans la région et reconstruites ici. Par temps clair, les vues sur la ville et les Alpes japonaises sont magnifiques.

L'endroit se divise en deux parties. La section ouest comprend douze habitations anciennes et un ensemble de cinq bâtiments traditionnels accueillant des artisans (voir ci-contre) – l'occasion d'appréhender la vie rurale japonaise des siècles passés.

La partie est du village s'organise autour de l'Omoide Taikenkan, où l'on peut s'essayer à confectionner des bougies et des *sembei* (biscuits de riz). Elle abrite aussi le grenier à riz Go-kura, utilisé pour le stockage de l'impôt en nature, et le musée de la Vie montagnarde. Prévoyez au moins 3 heures pour explorer à pied l'intégralité du site.

Hida-no-Sato ne se trouve qu'à 30 minutes à pied à l'ouest de la gare de Takayama, mais le trajet n'a rien de particulièrement attrayant. Vous pouvez louer un vélo ou prendre un bus à la gare routière de Takayama (200 ¥, 10 min). Le billet *Hida-no-Sato setto ken* inclut l'aller-retour et l'entrée au village folklorique (900 ¥). Vérifiez bien les horaires de retour du bus.

SANCTUAIRE MONDIAL
DE SŪKYŌ MAHIKARI 真光教

À l'ouest de Takayama scintille le toit doré du **sanctuaire mondial de Sūkyō Mahikari** (☎ 34-7008 ; gratuit ; ☉ 8h30-16h30, sauf durant les cérémonies religieuses), une nouvelle religion dont les enseignements sont censés induire un effet curatif, par l'intermédiaire de cours de formation et d'amulettes transmettant les rayons divins du soleil. Des visites guidées sont possibles (téléphonez pour réserver un guide anglophone).

Fêtes et festivals

Le **Takayama Matsuri**, l'une des plus grandes fêtes du Japon, se déroule en deux temps. À l'occasion du **Sannō Matsuri** (14-15 avril), une douzaine de *yatai* décorés de sculptures, de marionnettes et de tentures colorées sont promenés dans les rues de la ville. Le soir, on garnit les chars de lanternes et la procession se poursuit sur fond de musique sacrée. Le **Hachiman Matsuri** (9-10 octobre) est un peu plus modeste que le précédent (p. 271).

De janvier à mars, plusieurs distilleries de saké de Sanmachi-suji, dont beaucoup datant de la période d'Edo, organisent visites et dégustations.

Où se loger

L'un des atouts de Takayama tient à son choix varié d'hébergements de qualité, de style japonais et occidental, et à la portée de toutes les bourses. Si vous séjournez en ville à l'époque des fêtes, réservez plusieurs mois à l'avance et prévoyez de payer 20% plus cher, à moins de préférer loger ailleurs qu'à Takayama. L'office du tourisme vous renseignera sur les possibilités d'hébergement.

PETITS BUDGETS

Hida Takayama Temple Inn Zenkō-ji (☎ 32-8470 ; www.geocities.jp/zenkojitakayama ; 4-3 Tenman-chō ; dort/ch par pers 2 500/3 000 ¥). Aménagées dans un temple (dépendant du célèbre Zenkō-ji de Nagano, p. 290), les chambres individuelles disposées autour d'une cour-jardin sont spacieuses. Même les dortoirs sont agréables. Autres plus : une cuisine à l'usage des clients, l'absence de couvre-feu et un maître des lieux parfaitement anglophone. Si cela vous tente, vous pouvez pratiquer la méditation Jōdō dans la salle principale.

Hida Takayama Tenshō-ji Youth Hostel (☎ 32-6345 ; fax 32-6392 ; 83 Tenshōji-machi ; dort membres/non-membres 3 150/3 500 ¥ ; ☒ ▣). Auberge de jeunesse tranquille (le couvre-feu est fixé à 21h45) aménagée dans un joli temple à flanc de colline à Teramachi. Les pièces sont de style japonais. Comptez 1 000 ¥ de supplément par chambre si vous souhaitez l'occuper seul (en fonction des disponibilités). On peut opter pour la douche près des chambres ou le petit bain de l'autre côté du temple, et même prendre le petit-déjeuner (630 ¥). L'auberge est à 20 minutes à pied de la gare ferroviaire. Sinon, un bus circule de façon irrégulière.

Rickshaw Inn (☎ 32-2890 ; www.rickshawinn.com ; 54 Suehiro-chō ; s sans sdb à partir de 4 900 ¥, lits jum avec/

LES GASSHŌ-ZUKURI

Bien avant l'invention du chauffage au gaz, les habitants de Hida devaient affronter des hivers particulièrement rigoureux et enneigés. L'architecture des *gasshō-zukuri*, maisons au toit de chaume très pentu qui émaillent aujourd'hui encore le paysage local, constitue une des manifestations les plus visibles de l'adaptation au climat.

L'inclinaison de la pente du toit permettait en effet d'éviter une lourde accumulation de neige, problème non négligeable dans une région où les routes ferment de décembre à avril. Le terme *gasshō* vient du mot japonais signifiant "en prière", car la forme des toitures évoque celle de mains jointes. Les bâtiments de ce type comportent aussi souvent de robustes piliers en bois de cèdre, qui servaient à étayer la toiture. Leurs combles se prêtaient par ailleurs à la culture du vers à soie.

Les familles aisées habitaient dans de vastes *gasshō-zukuri* pouvant accueillir jusqu'à 30 personnes. Les paysans s'entassaient pour leur part dans des huttes qui sont maintenant utilisées comme abri de jardin.

En raison de l'urbanisation galopante, les *gasshō-zukuri* font aujourd'hui figure de patrimoine menacé. Elles sont pour la plupart regroupées et préservées dans des villages folkloriques comme Hida-no-Sato à Takayama (voir p. 274), ainsi qu'à Shirakawa-gō (p. 279) et Gokayama (p. 282). Cela signifie parfois que deux maisons aujourd'hui voisines peuvent avoir été jadis séparées par plusieurs jours de route à pied ou en traîneau. Les autorités locales ont fait un gros travail pour recréer leur environnement dans les collines de Hida tel qu'elles se présentaient il y a quelques siècles.

sans sdb à partir de 11 900/10 200 ¥ ; ✗ 🖳). Très bon rapport qualité/prix pour cette adresse prisée des voyageurs, proposant d'agréables chambres de style japonais et occidental, une petite cuisine, un coin laverie et un salon douillet. Les sympathiques propriétaires anglophones sont une mine de renseignements sur Takayama. Réservez longtemps à l'avance.

Sōsuke (☎ 32-0818 ; fax 33-5570 ; www.irori-sosuke.com ; 1-64 Okamoto-machi ; ch 5 040 ¥/pers ; 🖳). À l'ouest de la gare ferroviaire, 13 chambres agréables garnies de tatamis, dont certaines ont des lucarnes et des lanternes en papier. Le personnel anglophone concocte d'excellents dîners (2 100 ¥) et petits-déjeuners (645 ¥), y compris des repas végétariens, servis à des *hori-kotatsu* (tables basses sous lesquelles est creusé un trou pour glisser les pieds). Le bâtiment joliment rénové qui date des années 1800 comporte un *irori* (foyer). L'établissement est en face de l'imposant Takayama Green Hotel.

CATÉGORIE MOYENNE

🏨 **Spa Hotel Alpina** (☎ 33-0033 ; www.spa-hotel-alpina. com, en japonais ; 5-41 Nada-chō ; s/lits jum à partir de 6 300/11 000 ¥ ; ✗ 🖳). Ce *business hotel*, ouvert en 2008, arbore une déco minimaliste mais chaleureuse. Il propose divers types de chambres. Autre plus très appréciable : l'onsen du dernier étage, qui comporte un *rotemburo* et bénéficie d'une jolie vue sur la ville. Le buffet petit-déjeuner coûte 700 ¥. Certains membres du personnel parlent anglais et répondront à vos questions envoyées par e-mail (via le site Internet). Connexion à Internet (réseau LAN) à disposition.

Minshuku Kuwataniya (☎ 32-5021 ; fax 36-3835 ; www.kuwataniya.com ; 1-50-30 Sowa-machi ; ch/pers avec/sans sdb 6 450/4 350 ¥ ; 🖳). Le plus vieux *minshuku* (sorte de B&B) de Takayama a ouvert dans les années 1920. Ses chambres, de style japonais et occidental, ont des écrans TV haute définition (chaînes japonaises). Sur place également : onsen et vélos à l'usage des clients (gratuit). Au dîner (2 310 ¥), vous pourrez goûter au fameux bœuf de Hida (possibilité de manger végétarien sur commande). Le petit-déjeuner coûte 840 ¥. L'établissement est à un demi-pâté de maisons au nord du Hida Kokubun-ji.

Ryokan Gōdo (☎ /fax 33-0870 ; San-no-Machi ; ch à partir de 6 825 ¥/pers). Cinq chambres très traditionnelles au cœur de Sanmachi-suji, emplacement de choix pour admirer de spectaculaires paysages nocturnes (vous pourrez emprunter un parapluie en papier huilé s'il pleut). Porte d'entrée basse, à la japonaise, et autres touches pittoresques un peu partout. Les chambres n'ont pas de sanitaires. Bain commun en pierre et en bois de *hinoki* (cyprès). Le personnel ne parle pas anglais.

Yamakyū (☎ 32-3756 ; www.takayama-yamakyu.com ; 58 Tenshōji ; ch en demi-pension 7 980 ¥ ; 🖳). Cette auberge à flanc de colline, près des temples du côté est de la ville, abrite des vitrines emplies d'objets anciens (objets en verre, bols à thé, quelques articles kitsch). Grâce à une récente rénovation, chacune de ses 20 chambres douillettes garnies de tatamis dispose de toilettes et d'un lavabo. Les bains communs sont agrémentés d'une roue à eau. Le personnel parle un peu l'anglais. L'établissement est à 20 minutes à pied de la gare. Le personnel peut venir chercher vos bagages si vous prévenez 2 ou 3 jours à l'avance.

Best Western Hotel (☎ 37-2000 ; www.bestwestern. co.jp ; 6-6 Hanasato-machi ; s/d/lits jum à partir de 9 500/13 000/18 000 ¥ ; ✕ ▫ 🛜). Très prisé des touristes étrangers, cet hôtel à l'occidentale propose un service impeccable. Il compte 78 chambres spacieuses et confortablement meublées, avec connexion à Internet (réseau LAN). Sur place également : un salon et un restaurant. L'hôtel est à un pâté de maisons de la gare.

Sumiyoshi Ryokan (☎ 32-0228 ; www.sumiyoshi-ryokan.com ; 4-21 Hon-machi ; ch en demi-pension à partir de 11 550 ¥/pers ; ▫). Cette ravissante auberge traditionnelle, emplie d'objets anciens, occupe une vieille demeure de marchand datant de la fin de l'ère Meiji. Les fenêtres à vitraux anciens de certaines chambres donnent sur la rivière. Les bains communs sont en bois et en ardoise. Une chambre dispose d'un bain privatif (13 650 ¥).

CATÉGORIE SUPÉRIEURE

Hotel Associa Takayama Resort (ホテルアソシア高山リゾート ; ☎ 36-0001 ; www.associa.com/ tky ; 1134 Echigo-chō ; s/lits jum avec petit déj à partir de 13 800/21 600 ¥ ; ✕). Contrastant avec l'aspect ancien de Takayama, sont bien du XXIᵉ siècle. Ses 290 chambres sont de style occidental ou japonais, tout comme ses restaurants (dîner : environ 6 000 ¥/pers). L'atout majeur de l'hôtel est sans conteste son onsen sur 3 niveaux, doté d'un rotemburo et bénéficiant d'une vue sur la vallée. À 10 minutes de la ville (une navette est assurée). Les clients peuvent déposer leurs bagages au Cafe Scenery (qui appartient à l'hôtel), à la sortie de la gare, pour les faire transporter.

Tanabe Ryokan (☎ 32-0529 ; fax 35-1955 ; www. tanabe-ryokan.jp ; 58 Aioi-chō ; ch en demi-pension à partir de 15 000 ¥/pers ; ✕ ▫). Auberge centrale, gérée par une accueillante famille. Les sols moquettés des couloirs sont bordés de pierres et des objets d'art sont exposés un peu partout dans l'établissement qui comporte 21 chambres spacieuses. Elles ont chacune une sdb mais cela vaut la peine d'essayer les bains communs aux poutres apparentes. Au dîner, on sert de la cuisine de Hida dans le plus pur style kaiseki. Le personnel parle un peu anglais.

Asunaro Ryokan (☎ 33-5551, n° gratuit 0120-052-536 ; www.yado-asunaro.com ; 2-96 Hatsuda-machi ; ch/pers 2 repas compris avec/sans sdb à partir de 15 750/13 650 ¥ ; ▫). Cet excellent ryokan abrite de jolies chambres garnies de tatamis et un spacieux onsen. Le dîner et le petit-déjeuner sont absolument divins. Plusieurs chambres sont équipées d'un irori, et certaines ont une sdb (toutes ont des toilettes). Le personnel parle un peu anglais.

Où se restaurer

Takayama a pour spécialités les soba, le hoba-miso, les sansai (légumes de montagne) et le Hida-gyū, l'une des meilleures viandes de bœuf du Japon. Vous goûterez très probablement à l'une d'elles si vous prenez vos repas à votre auberge. Dans la rue, on peut manger sur le pouce des mitarashi-dango (brochettes de boulettes de riz grillées assaisonnées de sauce soja), des shio-sembei (biscuits de riz salés) et du Hida-gyū servi en kushiyaki (brochettes), en korokke (croquettes) et en niku-man (petits pains à la vapeur).

Origin (☎ 36-4655 ; 4-108 Hanasato-chō ; plats 315-819 ¥ ; 🕒 dîner). À 1 minute de la gare, ce très pittoresque izakaya propose les classiques kushiyaki et steak de tofu, ainsi que des plats originaux comme les sardines roulées dans du yuba (peau de lait de tofu), ou d'énormes daikon grillés à la sauce miso. Vous pouvez aussi vous régaler de bœuf de Hida (1 575 ¥). Des poteaux en bambou se dressent à l'extérieur. Menu en anglais si besoin.

Jingoro Rāmen (☎ 34-5565 ; plats à partir de 600 ¥ ; 🕒 10h30-14h30 et 20h-2h, fermé dîner dim et certains lun). Semblable à un relais routier, cet ancien restaurant de rāmen, au sud de la gare, est des plus modestes. On y sert du bouillon, des nouilles et de la viande de porc (en option) très savoureux. Carte en anglais au besoin.

Chapala (☎ 34-9800 ; plats 600-980 ¥ ; 🕒 dîner lun-sam, fermé 1ᵉʳ lun du mois). Restaurant mexicain tenu par des Japonais très enthousiastes. Les petites portions de tacos, quesadillas et guacamole seraient un peu décevantes au Mexique, mais l'endroit est adorable. En outre, on mange mexicain avec des baguettes tout en sirotant de la Corona et des margaritas. Menu en anglais.

Takumi-ya (☎ 36-2989 ; 2 Shimo-Ni-no-Machi ; plats au rdc 680-980 ¥, à l'étage à partir de 1 280 ¥ ; 🕒 déj et dîner jeu-mar). Du bœuf de Hida à prix doux. Attenant à la boucherie Takumi-ya, ce restaurant décontracté (ouvert de 10h à 16h) est spécialisé dans les rāmen au bouillon de bœuf de Hida et dans le gyū-don de Hida (bœuf et oignons sur du riz ; formule gyū-don et mini-rāmen pour 1 000 ¥). Le restaurant de l'étage sert des *yakiniku* (barbecues coréens). Vous le trouverez à côté de la boutique "Total Fashion".

Holy Grail (☎ 35-3393 ; 4-68 Hanasato-chō ; plats 730-1 250 ¥ ; ☽ déj lun et mer-sam, dîner mer-lun). Une cuisine de trattoria servie dans un décor en bois et une ambiance familiale. Le couple qui tient le restaurant concocte des *crostini*, des pizzas, des pâtes et bien d'autres plats. Formules déjeuner à partir de 550 ¥ et cuvées maison bon marché vendues à la bouteille. Carte en anglais à disposition.

Ebisu-Honten (☎ 32-0209 ; 46 Kami-Ni-no-Machi ; plats de soba 830-1 530 ¥ ; ☽ 10h-17h jeu-mar ; Ⓥ). Cette échoppe Sanmachi concocte des *teuchi soba* (*soba* maison) depuis 1898 selon un procédé expliqué sur le menu. Goûtez le *zaru soba* (froid) pour sentir la saveur du sarrasin, ou essayez la version au curry ou encore le *miso-nikomi* (dans un bouillon *miso*).

Myōgaya (☎ 32-0426 ; 5-15 Hanasato-chō ; plats environ 1 000 ¥ ; ☽ 8h-10h30, 11h30-15h et 17h-19h mer-dim ; ✗ Ⓥ). Ambiance "nourriture saine" pour ce minuscule restaurant et magasin d'alimentation décoré de fibres naturelles, et situé à un pâté de maisons à l'est de la gare ferroviaire. Au menu : savoureux curries végétariens avec du riz brun, *samosas*, jus de fruits, tisane de pissenlit et café. Réservation impérative le samedi.

Suzuya (☎ 32-2484 ; 24 Hanakawa-chō ; menus 1 155-3 100 ¥ ; ☽ 11h-15h et 17h-20h mer-lun). En centre-ville, l'une des tables les plus populaires de Takayama, et de longue date. Une adresse vivement recommandée pour ses spécialités locales comme le bœuf de Hida, le *hoba-miso* et divers ragoûts. Menu disponible en anglais.

Yamatake-Shōten (☎ 32-0571 ; 1-70 Sōwa-chō ; repas à partir d'environ 3 500 ¥/pers ; ☽ déj et dîner jeu-mar, fermé 3ᵉ jeu du mois). Cette boucherie comportant un restaurant à l'étage est tout indiquée pour déguster du *Hida-gyū*. On choisit son morceau (facturé au poids, à partir de 1 380 ¥ les 100 g) qui est ensuite émincé et apporté au client qui le cuit lui-même sur un gril à charbon encastré dans la table. Les légumes et le dessert, assez simple, sont compris. Des accompagnements du type *kimchi* et *gyū tataki* (bœuf cru mariné) sont également proposés à la vente.

Où prendre un verre

Asahi-machi, au nord de Kokubun-ji-dōri et à l'ouest de la Miya-gawa, a beau être le quartier des bars, il ne faut pas s'attendre à une ambiance endiablée. Vous pouvez essayer les établissements indiqués ci-après mais aussi vous laisser guider par le hasard.

Tonio (☎ 32-1677 ; ☽ 19h-2h lun-sam). Cet accueillant pub de style anglais, qui date de 1956, fait faire un bond dans le temps. La clientèle, locale et étrangère, boit de la Guinness à la pression et du whisky d'importation dans un cadre kitsch et ancien.

Red Hill Pub (☎ 33-8139 ; ☽ 19h-24h, jours de fermeture irréguliers). Un bar chaleureux et sympathique, fréquenté par une clientèle de Japonais et d'expatriés. En-cas divers, tels que pitas et *karai rāmen* (rāmen épicés), excellent choix de bières locales et étrangères. Musique variée.

Achats

Takayama est réputée pour son artisanat. On peut voir les *ichii ittobori* (sculptures sur bois) en bois d'if sur les chars *yatai* ou sous la forme de figurines ou d'accessoires pour la maison.

Suzuki Chōkoku (☎ 32-1367 ; ☽ 9h-19h mer-lun), géré par l'ancien directeur de l'association d'*ittobori*, vend des figurines et accessoires entre 750 ¥ et… le prix que vous réussirez à marchander. L'art de travailler le bois s'étend également à la fabrication de mobilier, comme à **Mori no Kotoba** (Mots de la forêt ; ☎ 36-7005 ; ☽ 9h-18h jeu-mar).

Les laques *shunkei* font également la réputation de Takayama. Les boutiques situées près de Shunkei Kaikan (p. 277) déclinent un choix impressionnant de laques et de porcelaines, à des prix parfois intéressants.

La poterie locale comprend différents styles, du *Yamada-yaki* rustique au *Shibukusa-yaki*, plus décoratif.

Les souvenirs les plus courants sont les *sarubobo*, ou "bébés singes" : ces poupées en tissu rouge vêtues de bleu, dotées de membres pointus et d'un visage dépourvu de traits, rappellent le temps où les *obaasan* (grands-mères) de cette ville autrefois pauvre confectionnaient ces jouets porte-bonheur pour leurs petites-filles avec les seuls matériaux dont elles disposaient.

Depuis/vers Takayama

De Tōkyō ou de Kansai, le mieux pour se rendre à Takayama est d'emprunter la ligne JR Takayama via Nagoya (Hida *tokkyū*, 5 670 ¥, 2 heures 15) qui emprunte un fabuleux itinéraire de montagne. Le même train continue jusqu'à Toyama (3 480 ¥, 90 min), avec correspondance pour Kanazawa (2 050 ¥ supplémentaires, 40 min).

Les **bus Highway** (☎ 32-1688 ; www.nouhibus.co.jp/english) relient Takayama et Shinjuku à Tōkyō (6 500 ¥, 5 heures 30, plusieurs par jour, réservation impérative). La gare routière de Takayama

CENTRE DE HONSHŪ

jouxte la gare ferroviaire. Dans cette région, de nombreuses routes sont fermées l'hiver, de sorte que les horaires de bus changent avec les saisons, et que ces derniers ne circulent pas sur certains itinéraires en hiver. Renseignez-vous auprès des offices du tourisme.

Pour les excursions à Shirakawa-gō et au parc national des Alpes japonaises, voir respectivement p. 279 et p. 283.

Les agences de location **Eki Rent-a-Car System** (☎ 33-3522), **Toyota Rent-a-Car** (☎ 36-6110) et **Mazda Rent-a-Car** (☎ 36-1515) sont toutes proches de la gare.

Comment circuler

La plupart des sites de Takayama, sauf Hida-no-Sato, sont facilement accessibles à pied. En marchant d'un pas tranquille, il ne faut que 20 minutes pour rejoindre Teramachi depuis la gare ferroviaire.

Takayama se visite agréablement à vélo. Certains hébergements en louent, sinon, vous pouvez en louer au prix de 300/1 300 ¥ par heure/jour chez à **Eki Rent-a-Car System** (ci-dessus), à la supérette **Daily Yamazaki** (☎ 34-1183), à côté de la gare ferroviaire, ou chez **Hara Cycle** (☎ 32-1657 ; Kokubun-ji-dōri).

HIDA-FURUKAWA 飛騨古川
☎ 0577 / 16 000 habitants

À seulement 15 minutes en train de Takayama, Hida-Furukawa, sise en bordure de rivière, est une ville décontractée ayant les montagnes pour toile de fond. Elle est dotée de jolies rues, de temples paisibles et d'intéressants musées, et doit sa célébrité au Hadaka Matsuri (fête de la Nudité), qui s'y déroule tous les ans en avril.

Orientation et renseignements

Les gares routière et ferroviaire de Hida-Furukawa sont l'une à côté de l'autre, à l'est du centre-ville. Les sites touristiques sont à 10 minutes de marche. Le **bureau d'information** (観光案内所 ; ☎ 73-3180 ; 8h30-17h), à la gare routière, fournit la carte en anglais *Hida Furukawa Stroll Map*, dont se contentent la plupart des touristes. Le personnel ne parle pas anglais mais l'office du tourisme de Takayama (p. 270) pourra vous aider.

À voir

De la gare ferroviaire, tournez à droite (vers le nord) et longez deux pâtés de maisons, puis prenez à gauche en direction du quartier his-torique du canal, le **Setokawa to Shirakabe-dōzō** (瀬戸川と白壁土蔵街, quartier des entrepôts aux murs d'argile blanche et de la Seto). C'est l'une des plus jolies balades de la région. Ses jolies rues sont bordées d'échoppes à colombages blancs et noirs, d'entrepôts et de demeures privées. Des canaux emplis de carpes sillonnent le quartier. On peut acheter de quoi nourrir les poissons (50 ¥).

En chemin, le **Hida Furukawa Matsuri Kaikan** (飛騨古川まつり会館 ; salle d'exposition du Festival ; ☎ 73-3511 ; adulte/enfant/lycéen 800/400/700 ¥ ; 9h-17h mars-nov, jusqu'à 16h30 déc-fév) vous permettra de découvrir la fête de Furukawa dans toute sa splendeur. Vous pourrez regarder une vidéo des festivités avec des lunettes en 3-D (explications gratuites en anglais par iPod), admirer trois des *yatai* promenés dans les rues et regarder un spectacle de *karakuri*. Il est également possible de manipuler des *karakuri* pareils à ceux que transportent les *yatai* et de regarder travailler les artisans spécialistes du *kirie* (découpe de papier) ou de l'*ittobori* (*sculpture sur bois*). Les percussions utilisées pendant la fête sont exposées dans le grand bâtiment situé sur la gauche en diagonale en sortant de la salle d'exposition.

De l'autre côté de la place, le **Takumi-Bunkakan** (匠文化館 ; musée d'Artisanat de Hida ; ☎ 73-3321 ; adulte/enfant 300/100 ¥ ; 9h-16h45 mars-nov, jusqu'à 16h30 mar-dim déc-fév) est incontournable pour qui aime la sculpture sur bois, l'artisanat et le design. Dans une salle interactive, les visiteurs peuvent s'essayer à assembler des pièces de bois découpées de diverses façons, une opération moins simple qu'il n'y paraît.

Suivez la rue du canal en direction de l'ouest sur trois pâtés de maisons, puis tournez à droite pour rejoindre **Honkō-ji** (本光寺). Ce temple savamment sculpté, édifié au bord de la rivière, témoigne du grand savoir-faire des artisans de Furukawa. C'est le plus grand temple en bois du district de Hida. S'il fut fondé en 1532, l'édifice actuel est une reproduction réalisée à partir du plan d'origine en 1913 à la suite de l'incendie qui détruisit 90% de la ville.

Plutôt que de rebrousser chemin, revenez ensuite par Ichi-no-machi, une rue où sont ins-tallées des boutiques d'artisanat, des distilleries de saké (reconnaissables à la grosse boule de feuilles de cèdre suspendue à l'entrée) et des entrepôts anciens. Parmi eux figure **Mishima Wa-rosoku Ten** (☎ 73-4109 ; 9h-18h jeu-mar), une fabrique de bougies traditionnelles existant depuis plus de deux siècles.

Fêtes et festivals

Furukawa Matsuri, nom officiel du Hadaka Matsuri (également connu sous le nom de fête de la Nudité), se déroule chaque année les 19 et 20 avril. Outre les défilés de *yatai*, le point d'orgue de la fête est l'Okoshi Daiko : le 19 au soir, des groupes de jeunes hommes tapageurs vêtus de *fundoshi* (pagnes) paradent dans la ville et s'affrontent pour placer de petits tambours sur une scène où se trouve un tambour géant.

Au cours du **Kitsune-bi Matsuri** (fête du Feu du renard), le quatrième samedi de septembre, les habitants se déguisent en renards, défilent à la lumière des lanternes et simulent un mariage à l'Okura Inari-jinja. Censée apporter la bonne fortune, la cérémonie a pour moment-phare un grand feu de joie.

Où se loger et se restaurer

Hida Furukawa Youth Hostel (飛騨古川ユースホステル ; ☎/fax 75-2979 ; www.jyh.or.jp/english/toukai/hidafuru/index.html ; dort 3 300 ¥, en demi-pension 4 900 ¥ ; 🕐 fermé 30 mars-10 avr ; ✕ 🖳). Sympathique et accueillante auberge de jeunesse de 22 lits, située en face du Shinrin-kōen. Vous la trouverez à 6 km du centre-ville, ou à 1,2 km à l'ouest de la gare de Hida-Hosoe (deux arrêts au nord de Hida-Furukawa). En hiver, initiation possible au télémark (technique de ski ancienne). Si vous prévenez, on peut venir vous chercher à la gare après 18h. Chambres de style japonais et occidental.

Kitchen Kyabingu (キッチンきゃびんぐ ; ☎ 73-4706 ; plats 850-2 200 ¥ ; 🕐 déj et dîner mar-dim). Voici une table cosy dans le quartier historique, où l'on sert du *Hida-gyū*. Sinon, optez pour le curry de bœuf au riz (1 050 ¥) ou pour le *kyabingu teishoku* (2 600 ¥), menu comprenant un steak grésillant servi sur un plat en fonte.

Comment s'y rendre et circuler

Il existe une vingtaine de liaisons ferroviaires quotidiennes dans chaque sens entre Takayama et Furukawa. La gare de Hida-Furukawa se trouve à trois arrêts au nord de Takayama (*futsū*, 230 ¥, 15 min). Il est possible également d'effectuer ce trajet en bus. Le centre de Furukawa se parcourt aisément à pied. Sinon, le bureau des taxis **Miyagawa**, non loin de la gare, loue des vélos (☎ 73-2321 ; 200 ¥/heure). Le personnel de Miyagawa pourra garder vos bagages moyennant 200 ¥ par jour ou un tarif fixé au prorata.

SHIRAKAWA-GŌ ET GOKAYAMA
白川郷・五箇山

Cette région montagneuse, reculée et spectaculaire, entre Takayama et Kanazawa, est surtout connue pour ses *gasshō-zukuri* (voir l'encadré p. 275), des maisons rustiques au toit de chaume très pentu, qui tiennent une place privilégiée dans le cœur des Japonais.

L'éloignement et l'inaccessibilité de ce territoire auraient attiré au XIIe siècle des survivants du clan Taira (Heike), pratiquement exterminé par le clan Minamoto (Genji) au cours d'une féroce bataille en 1185. Comme le reste du district de Hida, Shirakawa-gō était à l'époque féodale sous le contrôle direct du clan Kanamori, allié du shogun Tokugawa, tandis que Gokayama, alors centre de production de poudre à canon pour la région de Kaga, était sous la coupe du clan Maeda.

Dans les années 1960, comme la construction du gigantesque barrage de Miboro sur la Shōkawa menaçait de submerger plusieurs villages de la région, de nombreuses *gasshō-zukuri* furent déplacées de leur site initial. Si la plupart de celles que vous verrez ont été conservées dans un but purement touristique, elles offrent néanmoins un aperçu de la vie rurale assez unique au Japon.

La plupart des sites de Shirakawa-gō se trouvent à Ogimachi, un village très touristique. À cause de la nouvelle autoroute venant de Takayama, il est encore plus visité qu'avant. Plus au calme, à Gokayama (qui se trouve en fait dans la préfecture de Toyama, et non dans le district de Hida), Ainokura est l'endroit qui présente le plus d'intérêt, mais d'autres hameaux sont disséminés sur plusieurs kilomètres le long de la Route 156. Ogimachi et Ainokura (ainsi que Suganuma, à Gokayama) sont classés au patrimoine mondial de l'Unesco.

Même les habitants reconnaissent que le village commence à être envahi par les bus touristiques, la circulation automobile et les touristes. Le débat fait rage sur la conduite à tenir face à cette surfréquentation. Le meilleur conseil qu'on puisse donner est d'éviter les week-ends, les jours fériés, ainsi que le printemps (floraison des cerisiers) et la saison des feuillages d'automne.

Le mieux est de passer la nuit dans une *gasshō-zukuri* convertie en pension, pour profiter de son charme après le départ des touristes. Il est fortement conseillé de réserver ; l'office du tourisme de Shirakawa-gō, à côté du parking d'Ogimachi, vous y aidera (on n'y parle que le japonais). Celui de Takayama peut vous assister si vous ne parlez pas japonais, ou alors envoyez vos questions par e-mail en anglais à info@ shirakawa-go.go.jp. Il n'y a aucune chambre avec sdb et toilettes privées. En revanche, certaines auberges disposent d'un *irori* autour duquel les clients se rassemblent pour les repas.

Shirakawa-gō 白川郷
☎ 05769

Village-phare de plus de 110 *gasshō-zukuri*, **Ogimachi** (600 habitants) est l'endroit le plus pratique pour obtenir des renseignements sur les sites touristiques et sur les transports.

L'**office du tourisme principal d'Ogimachi** (Deai no Yakata ; ☎ 6-1013 ; www.shirakawa-go.org ; 9h-17h) est dans le centre-ville, non loin de l'arrêt de bus Shirakawa-gō. Vous pourrez vous y procurer une carte gratuite d'Ogimachi. Le personnel ne parle que très peu l'anglais. Un office du tourisme plus petit se trouve près du parking d'Ogimachi.

À VOIR ET À FAIRE
À l'emplacement de l'ancien château, le point d'observation **Shiroyama Tenbōdai** offre un beau panorama sur la vallée. Pour l'atteindre, il faut emprunter la route qui passe derrière le côté est du village (15 min à pied), grimper le sentier partant du carrefour des routes 156 et 360 (5 min) ou prendre la navette (200 ¥ aller) à l'arrêt de bus Shirakawa-gō.

Le **Gasshō-zukuri Minka-en** (☎ 6-1231 ; adulte/ enfant 500/300 ¥ ; 8h40-17h avr-juil et sept-nov, 8h-17h30 août, 9h-16h ven-mer déc-mars), un musée en plein air, regroupe plus d'une vingtaine de maisons de style *gasshō-zukuri*, déplacées pour être reconstruites ici parmi les fleurs. Dans plusieurs demeures, des démonstrations d'artisanat régional (sculpture sur bois, travail de la paille, céramique, etc.) ont lieu, et de nombreux objets sont à vendre.

On peut s'éloigner des *gasshō-zukuri* pour faire une agréable promenade à travers les arbres, plus haut dans la montagne. Vous pouvez apporter un pique-nique, mais pliez-vous à la règle en vigueur à Shirakawa-gō et remportez vos détritus.

Les horaires indiqués ici sont susceptibles d'être modifiés du fait de la fermeture irrégulière de certaines maisons. Renseignez-vous au préalable pour éviter les mauvaises surprises.

La plus vaste des *gasshō-zukuri* de Shirakawa-gō, **Wada-ke** (☎ 6-1058 ; adulte/enfant

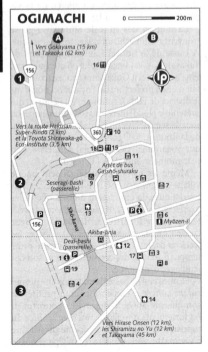

OGIMACHI   0 ———— 200m

300/150¥ ; 🕐 9h-17h), reconnue trésor national, appartenait jadis à une riche famille de négociants en soie. Elle date du milieu de la période d'Edo et abrite à l'étage du matériel employé pour la fabrication de la soie, ainsi qu'une précieuse collection de laques.

Dans la **Kanda-ke** (☎ 6-1072 ; adulte/enfant 300/150¥ ; 🕐 9h-17h), autre maison *gasshō*, où les expositions sont moins nombreuses, on peut à loisir admirer les détails architecturaux ou siroter une tisane sur l'un des 36 tapis du salon au rez-de-chaussée. La **Nagase-ke** (☎ 6-1047 ; adulte/enfant 300/150¥ ; 🕐 9h-17h) fut le lieu de résidence des médecins du clan Maeda. Découvrez les expositions de matériel utilisé en herboristerie médicinale. Le *butsudan* (autel bouddhiste) date de la période de Muromachi. Dans le grenier, observez la facture du toit de chaume dont la réfection, en 2001, exigea le concours de 530 ouvriers.

À côté du petit temple d'Ogimachi, le **musée du folklore Myōzen-ji** (☎ 6-1009 ; adulte/enfant 300/150¥ ; 🕐 8h30-17h avr-nov, 9h-16h déc-mars) présente des objets de la vie quotidienne en milieu rural.

La grande fête de Shirakawa-gō a lieu les 14 et 15 octobre au **Shirakawa Hachiman-jinja** (d'autres festivités se poursuivent jusqu'au 19). C'est l'occasion de voir des troupes de danseurs exécuter la danse du lion et se livrer à des *niwaka* (bouffonneries improvisées), et d'apprécier le *doboroku*, un saké non raffiné (très fort). La **salle d'exposition du Doboroku Matsuri** (☎ 6-1655 ; adulte/enfant 300/150¥ ; 🕐 9h-16h avr-nov) diffuse une vidéo, en japonais, de la fête.

Plusieurs **onsen** existent dans les environs de Shirakawa-gō. Dans le centre d'Ogimachi, le **Shirakawa-gō no Yu** (☎ 6-0026 ; adulte/enfant 700/300¥ ; 🕐 10h-21h30) compte un sauna, un petit *rotemburo* et un grand bain. Les visiteurs séjournant dans les établissements de la ville ont droit à une réduction de 200 ¥. À 12 km au sud d'Ogimachi, près de la Route 156, à Hirase Onsen, les **Shiramizu no Yu** (☎ 5-4126 ; adulte/enfant 600/400¥ ; 🕐 10h-21h mar-dim) est un onsen récent, donnant sur la vallée. On peut profiter de leurs bienfaits durant la saison d'automne. Leurs eaux traiteraient, dit-on, les problèmes de stérilité. À 40 km en amont de l'Ōshirakawa (par une route de montagne en épingle à cheveux non desservie par les transports en commun), l'**Ōshirakawa Rotemburo** (大白川露天風呂 ; ☎ 090-2770-2893, 052-683-9248 à Nagoya ; entrée 300¥ ; 🕐 8h30-17h mi-juin/oct, jusqu'à 18h juil et août) suscite l'émerveillement en raison de son isolement et de sa vue sur un lac vert

émeraude, niché au milieu des montagnes. Pour venir, il faut avoir son propre véhicule ou prendre un taxi (90 min) à Ogimachi.

OÙ SE LOGER ET SE RESTAURER

Quelques rudiments de japonais se révèlent fort utiles pour réserver dans l'une des nombreuses *gasshō-zukuri* d'Ogimachi, anciennes habitations privées qui louent des chambres. Les tarifs comprennent deux repas. Prévoyez un supplément pour le chauffage en soirée (à partir de 400 ¥) par temps froid. Ogimachi compte quelques restaurants tout simples (de *soba* ou de *hoba-miso*) n'ouvrant pour la plupart qu'à l'heure du déjeuner.

Kōemon (☎ 6-1446 ; fax 6-1748 ; ch 8 400 ¥/pers). En centre-ville, adresse pittoresque de 5 chambres avec chauffage au sol, lambris de bois sombre et sdb communes. L'établissement appartient à la même famille depuis 5 générations. Le propriétaire parle anglais et sa passion pour Shirakawa-gō est contagieuse. Réservez si possible la chambre face à l'étang.

Shimizu (☎ 6-1914 ; www.shimizuinn.com ; ch 8 400 ¥/ pers). En raison de l'emplacement, un peu à l'écart du centre-ville, cet établissement est plus calme et dégage une atmosphère plus familiale. S'il fait mauvais ou que vous transportez de lourds bagages, organisez-vous pour qu'on vienne vous chercher. Les 3 chambres comportent chacune 6 tatamis. Elles sont confortablement meublées. En revanche, le bain est minuscule, de sorte que les clients préfèrent souvent opter pour l'*onsen* public. Le personnel parle un peu anglais.

Magoemon (☎ 6-1167 ; fax 6-1851 ; ch 9 800 ¥/pers). Autre adresse sympathique de 6 chambres un peu plus grandes avec vue sur la rivière. Repas servis autour du ravissant *irori*.

Toyota Shirakawa-gō Eco-Institute (トヨタ白 川郷自然学校 ; ☎ 6-1187 ; www.toyota.eco-inst.jp ; d à partir de 12 200 ¥/pers). Ce complexe hôtelier écologique, à 5 minutes en bus du centre d'Ogimachi, propose de nombreuses activités : observation des oiseaux, ascension du Hakusan et bien d'autres. On y sert de la cuisine bio. Il accueille les groupes scolaires et les séminaires d'entreprise, mais les voyageurs indépendants sont également les bienvenus. Les prix peuvent beaucoup varier. Des réductions sont accordées aux enfants.

Masu-en Bunsuke (☎ 6-1268 ; plats 300-500 ¥, teishoku 1 500-4 000 ¥ ; 🕐 9h-21h). Au nord du centre-ville, ce joli restaurant a pour spécialité la truite fraîche, élevée dans les étangs à proximité.

CENTRE DE HONSHŪ

Irori (☎ 6-1737 ; plats 700-1 500 ¥ ; ☺ déj). Sur la route principale près de Wada-ke. Spécialités régionales comme le *hoba-miso* et le *yakidofu* (tofu frit), les *sansai* ou les *tempura soba*, servis autour de foyers traditionnels.

District de Gokayama 五箇山
☎ 0763

L'isolement de Gokayama dans la vallée de la Shōkawa est tel que le réseau routier et l'électricité n'y sont arrivés qu'en 1925.

Des villages comprenant des *gasshō-zukuri* bordent la Route 156 sur de nombreux kilomètres. Voici une brève description de ceux que vous croiserez en circulant vers le nord depuis Shirakawa-gō ou la sortie Gokayama de l'autoroute Tōkai-Hokuriku – si le temps vous manque, rendez-vous directement à Ainokura.

SUGANUMA 菅沼
Classé au patrimoine mondial de l'Unesco, ce hameau en bordure de rivière est situé à 10 km au nord d'Ogimachi, en bas d'une colline abrupte. Il présente un charmant ensemble de 9 *gasshō-zukuri*. Consultez le site www.gokayama.jp/english/index.html pour d'autres informations. Le **Minzoku-kan** (musée du Folklore ; 民族館 ; ☎ 67-3652 ; adulte/enfant 300/150 ¥ ; ☺ 9h-16h mai-nov) se compose de deux maisons où des expositions présentent la vie traditionnelle locale et la fabrication artisanale de la poudre à canon.

À environ 1 km sur la Route 156, le **Kuroba Onsen** (くろば温泉 ; ☎ 67-3741 ; adulte/enfant 600/300 ¥ ; ☺ 10h30-21h mer-lun avr-nov, 11h-21h mer-lun déc-mars), un établissement de bains sur plusieurs niveaux domine la rivière sur fond de montagnes. Il y a des bains à l'intérieur et à l'extérieur. Ses eaux faiblement alcalines sont recommandées, dit-on, lorsqu'on se sent fatigué et pour le traitement des douleurs musculaires.

KAMINASHI 上梨
À Kaminashi, 5 km après Suganuma, la maison-musée **Murakami-ke** (村上家 ; ☎ 66-2711 ; adulte/enfant 300/150 ¥ ; ☺ 8h30-17h avr-nov, 9h-16h déc-mars, fermé 2ᵉ et 4ᵉ mer du mois), qui date de 1578, est une des plus anciennes de la région. Après avoir fièrement fait visiter son domaine, le propriétaire installe ses hôtes autour de l'*irori* et leur chante des airs du folklore local. Brochure détaillée en anglais.

Dans le voisinage, se dresse le sanctuaire **Hakusan-gū**, dont la salle principale (1502) est classée bien culturel national. Les 25 et 26 septembre, il accueille la **fête Kokiriko**, au cours duquel des danseurs costumés se produisent en s'accompagnant de crécelles. Le second jour, tout le monde est invité à participer.

AINOKURA 相倉
Le plus impressionnant des villages de Gokayama s'inscrit dans une vallée agricole, au milieu de montagnes splendides. Classé au patrimoine mondial, il comprend une vingtaine d'édifices au toit de chaume. Le fait que les équipements destinés aux visiteurs soient moins importants qu'à Ogimachi peut constituer un atout ou un inconvénient, selon les cas. Procurez-vous la brochure en anglais au kiosque installé près du parking central.

En vous promenant dans le village, vous trouverez le **musée de la vie rurale d'Ainokura** (相倉民族館 ; ☎ 66-2732 ; 200 ¥ ; ☺ 8h30-17h), où sont exposés des objets d'artisanat et du papier de la région.

Quelques kilomètres plus loin sur la Route 156, le **Gokayama Washi-no-Sato** (五箇山和紙の里 ; village du papier de Gokayama ; ☎ 66-2223 ; adulte/enfant 200/150 ¥ ; ☺ 8h30-17h) présente l'art du *washi* (papier japonais fait main) et propose une séance d'initiation (à partir de 500 ¥, sur réservation ; le personnel ne parle que quelques mots d'anglais). Il se situe à l'intérieur du *michi-no-eki*, sorte d'aire de repos publique.

OÙ SE LOGER
Ainokura est l'endroit idéal pour loger dans une *gasshō-zukuri*. Demandez à une personne parlant japonais de contacter les auberges pour effectuer votre réservation ou contactez-les vous-même. Les tarifs sont partout d'environ 8 000 ¥ par personne en demi-pension. Vous pouvez essayer la très accueillante **Yomoshiro** (与茂四郎 ; ☎ 66-2377 ; fax 66-2387), qui compte 4 chambres, **Goyomon** (五ヨ門 ; ☎ 66-2154 ; fax 66-2227), dont les chambres du 2ᵉ niveau jouissent d'une belle vue, ou encore **Chōyomon** (長ヨ門民宿 ; ☎ 66-2755 ; fax 66-2765), pittoresque avec ses portes coulissantes en bois sombre. Ainokura dispose aussi d'un **camping** (☎ 66-2123 ; 500 ¥/pers ; ☺ mi-avr/fin oct), fermé lorsqu'il neige.

Depuis/vers Shirakawa-gō et Gokayama
La **société Nōhi Bus** (☎ 0577-32-1688, en japonais uniquement ; www.nouhibus.co.jp/english) assure 7 liaisons quotidiennes en bus entre Shirakawa-gō et Takayama (aller simple/aller-retour 2 400/4 300 ¥, 50 min). Il faut réserver son

billet sur certains d'entre eux. Deux bus circulent aussi chaque jour entre Kanazawa et Takayama (3 300/5 900 ¥, 2 heures 15), et entre Kanazawa et Shirakawa-gō (1 800/3 200 ¥, 1 heure 15). De décembre à mars, retards et annulations dépendent des conditions climatiques.

Juste avant Ainokura, les bus bifurquent de la Route 156 vers la Route 304 en direction de Kanazawa. De l'arrêt de bus Ainokura-guchi, il reste environ 400 m de montée avant d'atteindre Ainokura.

Kaetsuno Bus (☎ 0766-22-4888) assure au moins 4 liaisons par jour entre Takaoka, sur la ligne JR Hokuriku, Ainokura (1 450 ¥, 90 min) et Ogimachi (2 350 ¥, 2 heures 30). Tous les bus s'arrêtent aux principaux sites. Si vous souhaitez descendre à un arrêt non officiel (à Kuroba Onsen par exemple), informez-en le chauffeur.

En voiture, comptez environ 50 minutes depuis Takayama, avec des échangeurs à Gokayama et Shōkawa. De Hakusan, la magnifique route à péage Hakusan Super-Rindō aboutit à Ogimachi (voitures 3 150 ¥). Durant les mois les plus froids, renseignez-vous sur l'état des routes auprès des offices du tourisme régionaux.

PARC NATIONAL DES ALPES JAPONAISES 中部山岳国立公園

Offrant l'un des paysages les plus spectaculaires du Japon, le parc national des Alpes japonaises (ou de Chūbu-Sangaku) a depuis longtemps la faveur des amoureux de la montagne. Parmi ses sites-phares figurent Kamikōchi et Shin Hotaka Onsen, propices à la randonnée, et Shirahone Onsen et Hirayu Onsen, petits bijoux de stations thermales. La partie nord du parc s'étend jusqu'à la route alpine Tateyama-Kurobe (p. 310).

Orientation et renseignements

Le parc se tient à cheval sur le Gifu-ken, à l'ouest, et le Nagano-ken, à l'est. La Japan National Tourist Organization (JNTO) et les autorités touristiques locales éditent plusieurs cartes et brochures en anglais, ainsi que des cartes de randonnées plus détaillées en japonais.

Vous ne trouverez aucune banque à l'intérieur du parc. Le seul DAB existant dans les villages répertoriés ci-après est celui de la poste de Hirayu Onsen. Il fonctionne selon des horaires plus restreints que les autres DAB du pays. Aussi,

veillez à disposer de suffisamment d'argent liquide avant de vous mettre en route.

Depuis/vers le parc national des Alpes japonaises

Les principales villes d'accès au parc sont, à l'ouest, Takayama (p. 270), à l'est, Matsumoto (p. 302). De Takayama, le transport se fait en bus. De Matsumoto, la plupart des voyageurs prennent le train privé Matsumoto Dentetsu jusqu'à la gare de Shim-Shimashima (680 ¥, 30 min), puis le bus. Que l'on vienne de l'une ou de l'autre, le trajet est d'une beauté à couper le souffle. Dans le parc, les principaux carrefours des transports sont Hirayu Onsen (du côté du Gifu-ken) et Kamikōchi (du côté du Nagano-ken). Les horaires de bus sont variables. Ils raccourcissent le temps de visite dans certains coins, et le rallongent considérablement dans d'autres. Vérifiez-les bien avant de partir. Les tarifs et la durée des trajets figurent dans l'encadré p. 285.

Louer une voiture peut être un gain de temps et d'argent. Sachez toutefois que certains axes très fréquentés, en particulier la route qui relie Naka-no-yu à Kamikōchi, ne sont ouverts qu'aux bus et aux taxis.

KAMIKŌCHI 上高地
☎ 0263

Principal atout du parc, Kamikōchi, située au bord de la tumultueuse rivière Azusa, abrite des paysages impressionnants et tout un réseau de chemins de randonnée pour les explorer.

Les étrangers qui "découvrirent" cette région montagneuse à la fin du XIXᵉ siècle lui donnèrent le nom d'"Alpes japonaises". Un missionnaire britannique, le révérend Walter Weston, gravit ses pics l'un après l'autre, éveillant ainsi l'intérêt des Japonais pour l'alpinisme. Il est honoré lors d'une fête annuelle (le premier dimanche de juin, date d'ouverture officielle de la saison de randonnée). Kamikōchi est depuis devenu un lieu de prédilection des promeneurs, des randonneurs et des adeptes de l'escalade. Le simple fait de flâner sur les sentiers qui longent la rivière et ses berges où poussent les très beaux bambous *sasa* est déjà un plaisir.

Kamikōchi ferme de mi-novembre à fin avril. En haute saison (fin juillet-fin août et en octobre), l'affluence peut paraître plus importante que celle de la gare de Shinjuku. Mieux vaut ne pas arriver trop tard dans la journée, en particulier en automne. Entre juin et la mi-juillet, la saison des pluies rend déprimante toute activité en plein air. Vous pouvez parfaitement visiter Kamikōchi dans le cadre d'une journée d'excursion. Dans ce cas, vous passerez toutefois à côté du plaisir de loger en montagne et de partir en randonnée tôt le matin ou en fin de journée, quand la foule a disparu.

Orientation

Les visiteurs arrivent à la gare routière de Kamikōchi, à proximité de laquelle des infrastructures leur sont destinées. À une courte distance à pied de la gare routière, la rivière Azusa (Azusa-gawa) est traversée par le Kappa-bashi, un pont d'où partent divers sentiers serpentant dans la montagne.

Renseignements

Le **Kankō Ryokan Kumiai** (Association des ryokan, ou Kanko Centre ; ☎ 95-2405 ; ⏰ 9h-17h fin avr-mi-nov), au niveau de la gare routière de Kamikōchi, s'occupe de vos réservations d'hébergement mais les

visiteurs ne parlant pas japonais préféreront sans doute passer par les offices du tourisme de Matsumoto (p. 302) consacrés à Kamikōchi et Shirahone Onsen, l'un et l'autre employant du personnel anglophone.

Un peu plus loin sur la gauche, le **centre d'information de Kamikōchi** (☎ 95-2433 ; ⏰ 9h-17h fin avr-nov), vous renseigne sur la randonnée et les conditions météo. Il vous proposera le très utile *Kamikōchi Pocket Guide*, qui comporte une carte des principaux sentiers.

À 10 minutes à pied de la gare routière dans la rue principale, le beau **bureau d'accueil des visiteurs de Kamikōchi** (☎ 95-2606 ; ⏰ 9h-17h fin avr à mi-nov) abrite des expositions sur la flore et la faune, ainsi que sur la géologie de la région.

Il est conseillé aux mordus de randonnée et d'escalade de souscrire une **assurance** (*hoken* ; 1 000 ¥/pers/jour), au guichet n°3 de la gare routière de Kamikōchi. Dans l'éventualité où il vous faudrait acquitter vous-même des frais de sauvetage en hélicoptère, sachez que vous en auriez au moins pour 800 000 ¥.

À voir et à faire
RANDONNÉE ET ESCALADE

La vallée de la rivière Azusa permet de courtes promenades en terrain relativement plat. Un itinéraire en boucle de 4 heures débute à l'est du Kappa-bashi (un pont qui porte le nom d'une créature du folklore japonais, habitant près des rivières ou sous les ponts, et en général peu bénéfique aux hommes) ; le circuit longe la rive droite au-delà du Myōjin-bashi (1 heure) jusqu'à Tokusawa (encore 1 heure), avant de revenir à son point de départ. À côté du Myōjin-bashi se trouve le **Myōjin-ike** (entrée 300 ¥), un ravissant étang dont les eaux claires constituent le cœur du sanctuaire de **Hotaka-jinja**. Un autre sentier court du côté gauche de la rivière, mais il s'agit en partie d'une voie de service.

CENTRE DE HONSHŪ

QUELQUES LIGNES DE BUS DU PARC NATIONAL DES ALPES JAPONAISES

Les horaires et les tarifs des bus à l'intérieur du parc changent selon la saison et d'une année sur l'autre. Nous indiquons toutefois ceux des lignes les plus fréquentées dans le secteur et ses environs. Si vous faites de nombreux trajets, sachez que le "Free Coupon" (6 400 ¥, valable 3 jours) donne droit à des trajets en bus illimités dans le parc ainsi que vers Matsumoto et Takayama. Quand on vient de Takayama, le "Marugoto Value Kippu" est une excellente affaire : contre 5 000 ¥, on a droit à un forfait de transport valable 2 jours entre Takayama et Shin-Hotaka, à un trajet à bord du téléphérique de Shin-Hotaka et à un accès au *rotemburo* (bain extérieur) de la gare routière de Hirayu Onsen. Les offices du tourisme de Matsumoto et Takayama fournissent des informations actualisées sur les horaires et les tarifs des bus. Sinon, consultez les adresses www.alpico.co.jp/access/route_k/honsen/info_e.html ou www.nouhibus.co.jp/english.

Depuis	Vers	Tarif (aller simple ou aller simple/aller-retour)	Durée (aller simple)
Takayama	Hirayu Onsen	1 530 ¥	55 minutes
	Kamikōchi	2 000 ¥	80 minutes
	Shin-Hotaka	2 100 ¥	90 minutes
Matsumoto	Shin-Shimashima	680 ¥ (train)	30 minutes
	Kamikōchi	2 400/4 400 ¥	95 minutes
Shin-Shimashima	Naka-no-yu	1 550 ¥	50 minutes
	Kamikōchi	1 900/3 300 ¥	70 minutes
	Shirahone Onsen	1 400/2 300 ¥	75 minutes
Kamikōchi	Naka-no-yu	600 ¥	15 minutes
	Hirayu Onsen	1 050/1800 ¥	25 minutes
	Shirahone Onsen	1 350 ¥	35 minutes
Hirayu Onsen	Naka-no-yu	540 ¥	45 minutes
	Shin-Hotaka	870 ¥	30 minutes

À l'ouest du Kappa-bashi, on peut suivre la rive droite jusqu'au **monument à Weston** (dédié au plus célèbre des randonneurs de Kamikōchi, Walter Weston ; 15 min) ou la gauche jusqu'au lac **Taishō-ike** (40 min).

Le centre des visiteurs propose des **randonnées guidées** (500 ¥/pers) vers notamment le Taishō-ike et le Myōjin-ike. Vous pouvez aussi recourir aux services de **guides nature** (environ 2 000 ¥/heure) et de **guides d'escalade** (environ 30 000 ¥/jour). Il est toujours préférable de réserver, même si cela ne suffit pas toujours pour tomber sur un guide anglophone. Parmi les autres randonnées très demandées figurent les ascensions vers les refuges de montagne de Dakesawa (2 heures 30) ou de Yakedake (4 heures, départ à une vingtaine de minutes de marche à l'ouest du monument à Weston, au niveau du Hodaka-bashi). Des sommets, on peut apercevoir le mont Fuji par temps clair.

Il existe des dizaines de circuits longue distance, dont la durée varie de 2 jours à une semaine. De grandes cartes du secteur en japonais indiquent les itinéraires et le temps de parcours entre les refuges et les principaux sommets et points de repère. Parmi les sites les plus recherchés (parfois très fréquentés en haute saison), citons Yariga-take (3 180 m) et Hotaka-dake (3 190 m), également connu sous le nom d'Oku-Hotaka-dake.

Un sentier escarpé mais très agréable à parcourir relie Kamikōchi à Shin-Hotaka (p. 288). Il part du Kappa-bashi, traverse la crête en contrebas du Nishi Hotaka-dake (2 909 m), au niveau du Nishi Hotaka San-sō (chalet de montagne Nishi Hotaka, 3 heures), puis rejoint Nishi Hotaka-guchi, la station la plus haute du téléphérique conduisant au Shin-Hotaka Ropeway. Comptez environ 4 heures d'effort pour cette randonnée, la pente étant assez raide. Mais vous préférerez peut-être gagner une heure en effectuant le parcours dans l'autre sens. Pour accéder au téléphérique, prenez un bus de Takayama ou de Hirayu Onsen jusqu'à Shin-Hotaka.

Parmi les randonnées plus longues, citons celles de Nakabusa Onsen (3 jours) et de Murodō (5 jours), sur la route alpine Tateyama-Kurobe (voir p. 310). Vous aurez l'occasion de vous baigner sur le chemin dans l'onsen de Takama-ga-hara, l'un des meilleurs établissements thermaux du Japon.

Lors des randonnées longue distance, vous pouvez faire étape dans des refuges de montagne ; renseignez-vous au bureau d'information mais, que vous soyez randonneur ou alpiniste, partez bien préparé, car les températures peuvent chuter même en été, et des pluies de neige fondue ou des brouillards aveuglants peuvent s'abattre sur la région. Enfin, sachez que vous ne trouverez pas de refuge sur les sommets en cas d'orage.

ONSEN

Quand il fait froid ou qu'il bruine, les bains chauds du **Kamikōchi Onsen Hotel** (上高地温泉ホテル ; ☎ 95-2311 ; 600 ¥ ; 🕒 7h-9h et 12h30-15h30) offrent un réconfort appréciable.

L'onsen le plus surprenant de la région est le **Bokuden-no-yu** (☎ 95-2341 ; 700 ¥ ; 🕒 7h-17h), une petite source gorgée de minéraux qui se trouve à Naka-no-yu, au niveau du carrefour, juste avant le tunnel réservé aux bus en direction de Kamikōchi. Payez dans la petite boutique voisine de l'arrêt de bus de Naka-no-yu et prenez la clé permettant d'ouvrir la petite porte à flanc de montagne de l'onsen : l'endroit vous appartient pour 30 minutes.

Où se loger et se restaurer

L'hébergement à Kamikōchi est onéreux et il est impératif de réserver. Sauf pour les campeurs, les tarifs comprennent toujours la demi-pension. Certains établissements coupent leurs générateurs électriques au milieu de la nuit (seules fonctionnent alors les veilleuses).

Tokusawa-en (☎ 95-2508 ; empl tente/dort/ch par pers 500/9 450/13 650 ¥). Établissement merveilleusement isolé, dans un vallon boisé à 3 km au nord-est du Kappa-bashi, qui fait office à la fois de camping et de gîte. Chambres de style japonais (sanitaires communs) et repas copieux servis dans une grande salle animée.

Kamikōchi Konashidaira Kyampu-jō (☎ 95-2321 ; empl tente à partir de 700 ¥/pers, tentes/bungalows à partir de 2 000/6 000 ¥ ; 🕒 bureau 7h-19h). À 200 m du centre des visiteurs, ce terrain de camping est parfois bondé. Location de tentes (en juillet-août) et de bungalows, petite boutique et restaurant (ouverts jusqu'à 18h) sur place.

Kamikōchi Nishiitoya San-sō (☎ 95-2206 ; fax 95-2208 ; www.nishiitoya.com ; dort 8 000 ¥, d 10 550 ¥/ pers). Récemment rénové, cet accueillant gîte doté d'un salon douillet date du début du

XXᵉ siècle. Les chambres, de style japonais et occidental, ont toutes des toilettes. Les sdb, communes, consistent en un grand onsen face au massif de Hotaka. L'établissement est à l'ouest du Kappa-bashi.

Kamikōchi Gosenjaku Lodge (☎ 95-2221 ; fax 95-2511 ; www.gosenjaku.co.jp ; lit "skieur" 10 500 ¥/pers, d/tr/qua 17 850/16 800/15 750 ¥). Petit établissement propre et coquet comportant 34 chambres de style japonais pour la plupart, ainsi que quelques lits "skieur" (lits superposés à rideaux). Toilettes et lavabos dans toutes les chambres mais sdb communes. Les repas, sous forme de buffets, se composent de plats japonais, chinois et occidentaux.

Le long des sentiers et en montagne sont installés des dizaines de *yama-goya* (refuges de montagne) spartiates, où l'on a droit à un futon et 3 2 repas pour environ 8 000 ¥/personne ; certains servent également de simples déjeuners. Assurez-vous avant de partir que vous en trouverez bien un sur votre itinéraire.

Le plat qui fait la réputation de Kamikōchi est l'*iwana* (truite) grillée sur un *irori*. Certains refuges en servent (aux côtés des classiques nouilles et riz au curry), mais une mention spéciale revient à **Kamonji-goya** (☎ 95-2418 ; plats 600-2000 ¥ ; 🕒 8h30-16h). Le menu *iwana* coûte 1 500 ¥, mais il y a aussi de l'*oden* (gâteau de poisson en ragoût), des *soba* et du *koru-sake* (*iwana* séchée au saké) servi dans un ravissant bol en céramique ; près du pont Myōjin-bashi, juste devant l'entrée de l'étang Myōjin-ike.

À la gare routière, une échoppe propose des en-cas bon marché. Si vous recherchez du haut de gamme, optez pour le **Kamikōchi Gosenjaku Hotel** (☎ 95-2111) : ses onéreux restaurants de cuisine française servent toutes sortes de plats originaux, comme la tourte au camembert et aux pommes (630 ¥ la part).

Comment circuler

Les véhicules individuels sont interdits à la circulation entre Naka-no-yu et Kamikōchi ; l'accès n'est donc possible qu'en bus ou en taxi, et seulement jusqu'à la gare routière de Kamikōchi. Vous pouvez laisser votre voiture dans l'un des parkings du hameau de Sawando, sur la route de Naka-no-yu, moyennant 500 ¥/ jour. Il y a plusieurs navettes par jour (1 800 ¥ aller-retour).

Après avoir desservi Naka-no-yu et Taishō-ike, les bus rejoignent la gare routière. Les sentiers de randonnée démarrent à quelques minutes à pied de là, au pont Kappa.

SHIRAHONE ONSEN 白骨温泉
☻ 0263

Installée dans un cadre spectaculaire et isolé, de part et d'autre d'une profonde gorge, cette station thermale est sans doute la plus belle du parc. Durant la saison du feuillage d'automne, et particulièrement sous la neige, elle ressemble à un véritable paradis. Des auberges plus ou moins traditionnelles, avec bains en plein air, sont disséminées dans toute la gorge. Elle peut servir de base pour des excursions vers Kamikōchi.

Trois jours de baignade dans la source chaude de Shirahone ("os blanc") préserveraient, dit-on, des rhumes pendant trois ans. Ses eaux bleues laiteuses, riches en sulfure d'hydrogène, procurent une sensation très douce au contact. En bordure de rivière, le **kōshū rotemburo** (公衆露天風呂 ; bain public extérieur ; 500 ¥ ; ☻ 8h30-17h avr-oct), tout au fond de la gorge, possède des bains séparés hommes/femmes. Entrée à proximité de l'arrêt de bus. De l'autre côté en diagonale, l'**office du tourisme** (観光案内所 ; ☎ 93-3251 ; ☻ 9h-17h ; fermetures irrégulières) communique une liste des auberges ouvrant leurs bains au public (entrée à partir de 600 ¥).

Certains voyageurs viennent ici pour prendre un simple bain et ne restent pas pour la nuit. Le tarif de l'hébergement commence à 9 000 ¥ la nuit en demi-pension ; il est recommandé de réserver à l'avance. Le **Tsuruya Ryokan** (つるや旅館 ; ☎ 93-2331 ; fax 93-2029 ; www.tsuruya-ryokan. jp ; ch en demi-pension à partir de 10 650 ¥) mêle les styles traditionnel et contemporain. Il possède de beaux bains à l'intérieur et en plein air avec vue sur la gorge. Chambre avec lavabo et toilettes privatifs disponibles moyennant supplément.

☻ Awanoyu Ryokan (泡の湯旅館 ; ☎ 93-2101 ; www.awanoyu-ryokan.com ; ch en demi-pension à partir de 25 150 ¥/pers) correspond à l'image type que l'on peut se faire du *ryokan onsen*. Située au-dessus de Shirahone, cette auberge existe depuis 1912 (les bâtiments actuels datent de 1940). Toutes les chambres sont dotées de sanitaires privés. Bains collectifs séparés hommes/femmes mais aussi *kon-yoku* (bain mixte) – avec une eau qui apparaît suffisamment trouble pour préserver votre pudeur.

De nombreux visiteurs nous ont mentionné que le trajet en bus sur les étroites routes surplombant les falaises à partir du carrefour de Sawando, était très (voire trop) impressionnant.

HIRAYU ONSEN 平湯温泉
☻ 0578

Carrefour des transports en bus du parc (côté Takayama), cette station thermale constitue une base pratique pour partir en excursion. On y trouve une poignée d'agréables hébergements avec onsen, dont la moitié environ ouvre leurs bains aux non-résidents en journée. Même la gare routière comporte un **rotemburo** (entrée 600 ¥ ; ☻ 8h30-17h) au dernier étage. Le **bureau d'information** (☎ 89-3030 ; ☻ 9h30-17h30), en face de la gare routière, met à disposition des brochures et des cartes, et se charge d'effectuer les réservations d'hôtel. Le personnel ne parle pas anglais.

Ryosō Tsuyukusa (旅荘つゆくさ ; ☎ 89-2620 ; fax 89-3581 ; ch en demi-pension 7 500 ¥/pers), un *minshuku* à l'ambiance familiale récemment rénové, comporte 8 chambres convenables avec tatamis, ainsi qu'un confortable *rotemburo* en bois de *hinoki* (cyprès) avec vue sur la montagne. Descendez la rue en partant de la gare routière puis, arrivé à la première ruelle étroite, prenez à gauche. L'établissement est sur la gauche, juste avant le virage.

Pratiquement installé dans sa propre forêt, au-dessus de la gare routière, le vaste *ryokan onsen* **Hirayu-no-mori** (ひらゆの森 ; ☎ 89-3338 ; www.hirayunomori.co.jp ; ch en demi-pension à partir de 8 000 ¥/pers, accès bains en journée pour non-résidents 500 ¥) comporte 16 *rotemburo* différents (non mixtes), ainsi que des bains intérieurs et privatifs. Après 21h, ceux-ci sont uniquement accessibles aux clients logeant sur place. Chambres de style japonais, repas copieux de cuisine locale.

Le **Hirayu-kan** (平湯館 ; ☎ 89-3111 ; www.hirayukan. com ; ch en demi-pension à partir de 13 800 ¥/pers) abrite 60 chambres (de style japonais, occidental, ou les deux), un splendide jardin ainsi que de superbes bains couverts ou en plein air. Toutes les chambres ont des toilettes et une sdb. L'établissement est à courte distance à pied après l'embranchement pour Tsuyukusa.

Pour rejoindre le petit **camping Hirayu** (平湯キャンプ場 ; ☎ 89-2610 ; fax 89-2130 ; empl tente par adulte/enfant 600/400 ¥, parking 1 500 ¥ ; ☻ fin avr-oct), tournez à droite en sortant de la gare, et parcourez environ 700 m. Le camping est sur la gauche.

FUKUCHI ONSEN 福地温泉
☎ 0578

Cette station thermale relativement peu fréquentée et située à courte distance en voiture au nord de Hirayu Onsen se distingue par son charme bucolique, son marché du matin et ses deux bains remarquables.

◆ **Yumoto Chôza** (湯元長座 ; ☎ 89-0099 ; fax 89-2010 ; www.cyouza.com, en japonais ; ch en demi-pension à partir de 21 150 ¥/pers), l'un des *ryokan onsen* les plus raffinés du centre de Honshū, est accessible via un long passage couvert d'allure rustique. Une belle architecture traditionnelle, 5 bassins intérieurs, 2 en plein air, et une délicieuse cuisine montagnarde servie autour d'un *irori* (la moitié des 32 chambres possèdent leur propre cheminée). Réservation impérative. Arrêt de bus Fukuchi-Onsen-shimo.

Doublé d'une source chaude, le restaurant-onsen **Mukashibanashi-no-sato** (昔ばなしの里 ; ☎ 89-2793 ; bain 500 ¥ ; ☾ 8h-17h ; fermetures irrégulières) occupe une ferme typique, en retrait de la rue, pourvue de bains intérieurs et à ciel ouvert (accès gratuit le 26 du mois). Un **asa-ichi** (marché du matin ; ☾ 6h-10h tlj avr-nov, sam et dim déc-mars) se tient devant la ferme. En bus, descendez à l'arrêt Fukuchi-Onsen-kami.

SHIN-HOTAKA ONSEN 新穂高温泉
☎ 0578

On vient surtout à Shin-Hotaka Onsen, au nord de Fukuchi Onsen, pour le **téléphérique de Shin-Hotaka** (新穂高ロープウェイ ; ☎ 89-2252 ; www.okuhi.jp/rop/frtop.html ; aller simple/aller-retour 1 500/2 800 ¥ ; ☾ 6h-17h15 1er août-dernier dim d'août, 8h30-16h45 fin août-juil, horaires plus étendus en haute saison). Situé à 1 308 m, ce téléphérique de 2 tronçons est le plus long du Japon, et pour certains, le plus long d'Asie. Il permet de grimper jusqu'à 2 156 m sur le pic Nishi Hotaka-dake (2 909 m). L'entrée est à quelques minutes de marche au-dessus de la gare routière de Shin-Hotaka Onsen.

Par beau temps, la vue depuis le sommet, les plates-formes d'observation et les chemins de randonnée est fantastique. Sur ces derniers en hiver, la neige arrive facilement à hauteur d'épaule. En saison (et uniquement en saison !), les randonneurs en bonne condition physique, correctement équipés, et ayant beaucoup de temps devant eux, peuvent opter pour des randonnées plus longues depuis Nishi Hotaka-guchi, la station haute du téléphérique. Essayez notamment celle qui mène jusqu'à **Kamikôchi** (p. 283, 3 heures) – un parcours *beaucoup* plus facile dans ce sens que dans l'autre.

À côté de la gare routière, l'**onsen public** (新穂高温泉アルペン浴場 ; entrée libre ; ☾ 9h30-16h), plutôt spartiate, est plein à craquer ; hors saison, il n'est souvent fréquenté que par les ouvriers de la centrale électrique voisine.

Vous pourrez obtenir des informations au **centre d'information touristique de l'Oku-Hida Spa** (奥飛騨温泉郷観光案内所 ; ☎ 89-2458 ; ☾ 10h-17h), à côté de la gare routière. Il n'existe qu'un seul hôtel (peu reluisant) à Shin-Hotaka ; mieux vaut donc pousser jusqu'à Kamikôchi, Fukuchi Onsen ou Hirayu Onsen. Pour en savoir davantage sur les transports, voir l'encadré p. 285.

NAGANO-KEN 長野県

Autrefois connu sous le nom de province de Shinshū, le Nagano-ken se range parmi les régions les plus attrayantes du pays, non seulement pour la splendeur de son territoire montagneux (il prétend être le "toit du Japon"), mais aussi pour son architecture traditionnelle, sa richesse culturelle et son incomparable cuisine.

Le parc national des Alpes japonaises constitue le principal atout de la région, mais il existe aussi plusieurs parcs quasi-nationaux qui attirent les skieurs, les campeurs, les randonneurs, les alpinistes et les amateurs d'onsen. Nagano, capitale de la préfecture, s'enorgueillit d'un somptueux temple connu dans tout le pays, et constitue une base très pratique pour des excursions à la journée. Quant à Matsumoto, deuxième ville du Nagano-ken, elle se distingue par sa richesse culturelle, ses possibilités d'activités de plein air et son château classé trésor national.

Si vous voyagez dans le Nagano-ken en empruntant la ligne JR Chūō (qui relie Nagano à Nagoya via Matsumoto et la vallée de Kiso), prévoyez un battement pour la correspondance car les trains sont souvent en retard (ce qui est inhabituel au Japon).

NAGANO 長野
☎ 026 / 377 000 habitants

Capitale préfectorale entourée de montagnes, Nagano est un lieu de pèlerinage depuis la période de Kamakura. C'était alors une ville organisée autour d'un temple remarquable, le Zenkō-ji. Celui-ci attire encore aujourd'hui plus de 4 millions de visiteurs par an.

Après avoir brièvement connu la célébrité sur le plan international en organisant les Jeux olympiques d'hiver de 1998, Nagano a retrouvé son identité de petite ville accueillante. Elle est juste un peu plus ouverte sur le monde. Le Zenkō-ji est la seule véritable curiosité du centre-ville, mais Nagano constitue un excellent point de départ pour des excursions dans la région (voir p. 294).

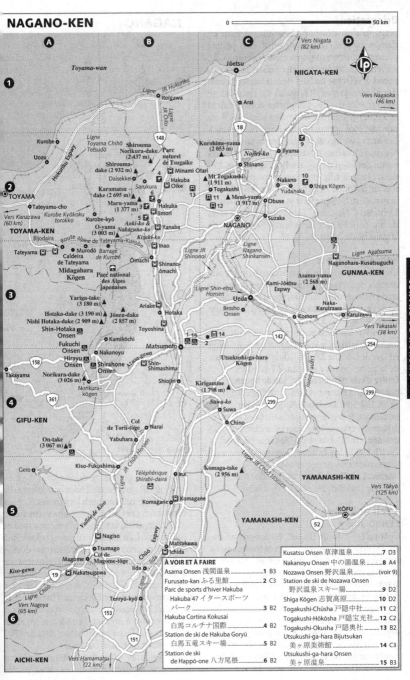

NAGANO-KEN

0 _____ 50 km

Vers Niigata (82 km)

NIIGATA-KEN

Vers Nagaoka (46 km)

Vers Takasaki (38 km)

Vers Tōkyō (125 km)

Vers Nagoya (65 km)

Vers Hamamatsu (22 km)

Vers Kanazawa (60 km)

TOYAMA-KEN

GIFU-KEN

AICHI-KEN

YAMANASHI-KEN

GUNMA-KEN

CENTRE DE HONSHŪ

Orientation

Nagano s'est développée selon un plan en damier où le Zenkō-ji, au nord, occupe une place prépondérante, dominant le centre-ville. L'avenue Chūō-dōri se dirige du sanctuaire vers le sud et effectue un bref décrochement avant de rejoindre la gare JR Nagano, 1,8 km plus loin (on raconte que les urbanistes considéraient le Zenkō-ji comme tellement sacré qu'il ne pouvait être approché par une voie directe). Les arrêts de bus et la ligne ferroviaire privée Nagano Dentetsu ("Nagaden") sont situés à la sortie Zenkō-ji de la gare JR Nagoya. Les bus desservant la ville et ses environs partent à la fois de la sortie Zenkō-ji et d'en face, devant la sortie est. La ligne ferroviaire privée Nagano Dentetsu ("Nagaden") et la plupart des arrêts de bus sont en face de la sortie "Zenkō-ji" de la gare JR de Nagano.

Renseignements

Consultez le site www.nagano-cvb.or.jp pour obtenir des renseignements sur les visites, les transports, les différentes formes d'hébergement (et le cas échéant, leur site Internet), ainsi que les festivals.

Vous trouverez la poste principale et un DAB international dans le West Plaza Nagano Building en face de la sortie Zenkō-ji de la gare. Le bureau de la poste centrale est dans Chūō-dōri.

Centre d'information touristique de Nagano (Nagano Tourist Information Centre ; ☎ 226-5626 ; ☿ 9h-18h). Situé dans la gare JR Nagano. Accueil sympathique. Bonnes cartes et guides en couleur en anglais de Nagano et de ses environs. Réservation d'hôtels.

Heiandō (☎ 224-4545 ; 4e niv, West Plaza Nagano ; ☿ 10h-22h). En face de la gare, la plus grande librairie de Nagano propose des ouvrages en anglais.

Internet Cafe Chari Chari (☎ 226-0850 ; 2e niv, Daito Bldg, Chūō-dōri ; 390 ¥/heure ; ☿ 24h/24).

À voir et à faire

ZENKŌ-JI 善光寺

Ce **temple** (☎ 186-026-234-3591 ; 491 Motoyoshi-chō ; gratuit ; ☿ 4h30-16h30 en été, 6h-16h en hiver, horaires variables le reste de l'année), fondé semble-t-il au VIIe siècle, abrite la statue vénérée *Ikkō-Sanzon*, qui serait la première représentation du Bouddha à être parvenue au Japon (en 552 ; voir l'encadré page suivante). N'espérez pas l'apercevoir : les empereurs eux-mêmes ne l'auraient pas vue depuis 37 générations. Ce qui n'empêche pas des millions de visiteurs d'affluer ici tous les 6 ans pour en voir une reproduction à l'occasion du Gokaichō Matsuri (voir p. 291).

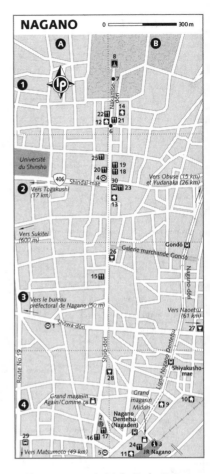

L'immense popularité du Zenkō-ji vient en partie du fait qu'il accueille des bouddhistes de toutes obédiences, y compris les femmes. Il a pour officiants en chef un prêtre et une prêtresse.

Le site initial du sanctuaire s'étendait au sud de l'édifice actuel, en retrait de ce qui est aujourd'hui l'artère commerçante animée Nakamise-dōri. À cet endroit, le temple fut détruit à onze reprises par des incendies déclenchés dans des maisons ou des commerces voisins, et rebâti grâce à des dons provenant de tout le Japon. Finalement, le shogunat Tokugawa décida de le reconstruire là où il se trouve à présent, l'emplacement étant jugé plus sûr. Le bâtiment actuel date de 1707 et a le statut de trésor national.

De Nakamise-dōri, les visiteurs accèdent au temple en franchissant les deux portes

RENSEIGNEMENTS

À VOIR ET À FAIRE

OÙ SE LOGER

OÙ SE RESTAURER

OÙ PRENDRE UN VERRE

TRANSPORTS

monumentales de **Niō-mon** et **Sanmon**. Dans le Hondō (salle principale), l'Ikkō-Sanzon repose dans une châsse à gauche de l'autel central, derrière une tenture décorée d'une broderie de dragon. À droite de l'autel, on peut descendre un escalier jusqu'à l'**Okaidan**, (entrée 500 ¥), un tunnel tout noir qui symbolise la mort et la renaissance et permet d'avancer au plus près de l'effigie cachée. En suivant ce tunnel

sinueux, promenez votre main le long du mur de droite pour palper le lourd objet métallique amovible censé être la clé du salut, une affaire pour le prix d'un billet d'entrée !

Mieux vaut se rendre au temple peu de temps après l'ouverture, afin d'assister à l'office du matin et à l'*ojuzu chodai*, au cours duquel le prêtre ou la prêtresse touche de son chapelet bouddhique les têtes des fidèles agenouillés en rangs. Renseignez-vous auprès du centre d'information touristique ou du bureau du Zenkō-ji pour connaître l'horaire exact.

Tous les bus au départ de l'arrêt n°1, devant la sortie "Zenkō-ji" de la gare JR de Nagano, conduisent au temple (100 ¥, environ 10 min ; descendre à l'arrêt Daimon).

Fêtes et festivals

Gokaichō Matsuri. 5 millions de pèlerins se rendent tous les 6 ans, de début avril à la mi-mai, au Zenkō-ji afin de voir une reproduction de l'image du bouddha sacré du temple. C'est le seul moment où l'on peut l'admirer. La prochaine célébration est prévue pour 2015.

Enka Taikai. Fête des feux d'artifice et étals de nourriture dans les rues le 23 novembre.

Où se loger

Plusieurs *ryokan* traditionnels très anciens sont installés à proximité du Zenkō-ji. Dans le quartier de la gare, on trouve surtout des *business hotels* peu attrayants. L'hébergement le plus typique à Nagano reste sans doute le *shukubō* (hébergement en temple) dans l'un des temples annexes du Zenkō-ji. Pour réserver, contactez le **Zenkō-ji** (☎ 186-026-234-3591) au moins un jour à l'avance. Composez bien le "186" afin de permettre votre identification, sans laquelle on ne décrochera pas à l'autre bout du fil. Prévoyez de 7 000 à 10 000 ¥/personne en demi-pension.

Zenkō-ji Kyōju-in Youth Hostel (☎ 232-2768 ; fax 232-2767 ; 479 Motoyoshi-chō ; dort à partir de 4 000 ¥). Auberge de jeunesse pittoresque, aménagée dans un temple annexe du Zenkō-ji, vieux de plus d'un siècle. Chambres individuelles pour la plupart, à réserver à l'avance. Pas de repas.

Shimizuya Ryokan (☎ 232-2580 ; fax 234-5911 ; 49 Daimon-chō ; ch à partir de 4 725 ¥/pers). Dans Chūō-dōri, à quelques pâtés de maisons au sud du Zenkō-ji, *ryokan* sympathique et familial d'un bon rapport qualité/prix : intérieur en bois sombre, chambres garnies de tatamis impeccables (sans sanitaires privatifs), machines à laver, et une foule de coins et recoins. L'établissement appartient à la même famille depuis 130 ans. Pas de repas.

LES LÉGENDES DU ZENKŌ-JI

Peu de temples japonais exercent une aussi forte fascination que le Zenkō-ji, en partie à cause des mythes qui s'y rattachent. En voici quelques exemples :

- **Ikkō-Sanzon.** Représentant trois statues du Bouddha Amida, cette pièce rapportée de Corée au VIe siècle demeure la raison d'être du sanctuaire. Elle est emmaillotée comme une momie et conservée dans une châsse derrière l'autel principal. On raconte que personne ne l'a vue depuis un millénaire. En 1702, en réponse aux rumeurs mettant en doute son existence, le shogun chargea un prêtre d'en confirmer la présence et d'en prendre les mesures. Cette personne reste officiellement la dernière à l'avoir vue. Il en existe toutefois une copie.

- **Suivre un bœuf jusqu'au Zenkō-ji.** Il y a bien longtemps, une vieille femme impie était en train de laver son kimono lorsqu'un bœuf apparut, arracha un morceau du vêtement avec sa corne et prit la fuite. Aussi avaricieuse qu'elle était mécréante, elle le pourchassa pendant des heures. L'animal la conduisit au Zenkō-ji, où elle s'endormit sous l'avant-toit. Le bœuf lui apparut alors en rêve et lui révéla qu'il était l'incarnation du Bouddha Amida. Après ce miracle, la femme devint une bouddhiste fervente. Aujourd'hui, les gens de Kantō disent "J'ai suivi le bœuf jusqu'au Zenkō-ji" pour indiquer qu'un événement heureux s'est produit de manière inattendue.

- **Les colombes de Sanmon.** Le Zenkō-ji est réputé pour sa colonie de pigeons, si bien que l'*hatto-guruma* (pigeon sur roulettes), confectionné en osier, constitue l'un des souvenirs les plus répandus à Nagano. Selon les habitants, ces oiseaux annonceraient le mauvais temps en se perchant sur la porte Sanmon. De nombreux visiteurs affirment aussi voir cinq colombes blanches sur la plaque au-dessus du porche central.

- **Binzuru.** Disciple du Bouddha, Binzuru était médecin. Sur le point de s'élever au rang de *bosatsu* (bodhisattva, "celui qui est sur la voie de l'Éveil") et de rejoindre la terre des Immortels, il demeura dans le monde des vivants à la demande du Bouddha pour continuer à y exercer le bien. Dans la plupart des temples où il est représenté, Binzuru se tient à l'extérieur de la salle principale. Au Zenkō-ji, vous verrez en revanche sa statue à l'intérieur, usée par le contact des fidèles venus toucher les parties de son corps correspondant à leurs maux. Vous remarquerez au passage les lignes marquant les endroits où certaines parties du visage ont été remplacées.

Comfort Hotel Nagano (☎ 268-1611 ; fax 268-1621 ; www.choice-hotels.com ; 1-12-4 Minami-Chitose ; s/d/lits jum à partir de 4 820/7 350/9 870 ¥ ; ✗ ▣). En termes de qualité et d'accueil, voici l'un des meilleurs *business hotels* du quartier de la gare. Les chambres sont un peu exiguës mais leur tarif inclut le petit-déjeuner et l'accès à Internet à la réception. De la gare, dirigez-vous vers le nord-est dans Nagano Ōdōri.

Matsuya Ryokan (☎ 232-2811 ; fax 233-2047 ; Zenkō-ji Kannai ; ch à partir de 5 250 ¥/pers, en demi-pension à partir de 9 450 ¥). La famille Suzuki tient cette auberge traditionnelle située dans le Niō-mon du Zenkō-ji depuis 6 générations. Même si les bains collectifs datent un peu, le reste du *ryokan* est extrêmement bien tenu. Les repas consistent en *kaiseki* (haute cuisine japonaise) de saison. Comptez un supplément de 1 000 ¥/pers pour les chambres avec sanitaires privés. L'auberge est près de la statue de Jizō Enmei.

Holiday Inn Express Nagano (☎ 264-6000 ; fax 264-5511 ; www.ichotelsgroup.com ; 2-17-1 Minami-Chitose ; s/d/lits jum à partir de 8 800/16 000/17 000 ¥ ; ✗ ▣).

Construit à l'époque des Jeux olympiques pour accueillir les touristes étrangers, cet hôtel de 137 chambres, au service très pro, abrite des chambres de style occidental avec accès Internet (réseau LAN) d'un bon rapport qualité/prix. Le petit-déjeuner consiste en un buffet de plats japonais et occidentaux (1 100 ¥).

Hotel Metropolitan Nagano (☎ 291-7000 ; www. metro-n.co.jp ; 1346 Minami-Ishido-chō ; s/d/lits jum à partir de 9 240/18 480/19 635 ¥). Un excellent choix près de la gare : hôtel moderne et élégant abritant des chambres claires et spacieuses, un café, un restaurant et un salon au dernier étage avec vue dégagée. Les détenteurs d'un Japan Rail Pass ont droit à 20% de réduction. L'hôtel est devant la gare, à la sortie "Zenkō-ji" ; si vous êtes sensible au bruit, demandez une chambre éloignée de la voie ferrée.

Où se restaurer

Chō Bali Bali (☎ 229-5226 ; 1366-1 Ishidō-machi ; plats à partir de 600 ¥ ; ⌚ 12h-14h30 et 18h-minuit mar-dim ; Ⓥ). Cet établissement élégant attire une foule festive presque chaque soir. Au menu : choix éclectique de plats indonésiens, thaïlandais et vietnamiens, mâtinés d'un peu de cuisine italienne, comme cette *yam-un-sen*, salade thaïe épicée aux vermicelles. Chaudement recommandé.

Marusei (☎ 232-5776 ; 486 Motoyoshi-chō ; plats 500-1 800 ¥ ; 🕙 11h-18h jeu-mar). À deux pas du temple, dans Nakamise-dōri, ce minuscule restaurant ne payant pas de mine sert des *soba* et un délicieux *tonkatsu* (côte de porc panée). Grâce au menu *bentō* (boîte-repas ; 1 300 ¥), vous pourrez goûter aux deux.

Gohonjin Fujiya (☎ 232-1241 ; 80 Daimon-chō ; plats 700-2 700 ¥, formules à partir de 2 500 ¥ ; 🕙 déj lun-ven, dîner tlj). Jusque récemment, c'était le plus ancien hôtel de Nagano (en activité depuis 1648 ; il est d'ailleurs écrit "Hotel Fujiya" sur l'enseigne). L'établissement a changé de casquette pour devenir le plus vénérable restaurant de cuisine occidentale. Goûtez les gnocchis de pomme de terre à la sauce au gorgonzola, ou l'aloyau de *wa-gyū* (bœuf japonais) à la florentine. L'imposant bâtiment que l'on admire aujourd'hui date de 1923 et mêle motifs japonais et Art déco. Carte en anglais si besoin.

Fujiki-an (☎ 232-2531 ; 67 Daimon-chō ; plats 800-1 500 ¥ ; 🕙 12h-14h30 et 18h-minuit mar-dim). Le cadre contemporain contraste avec l'histoire de cette échoppe qui fabrique des *soba* frais du nord du Nagano-ken depuis 1827. Pas de carte en anglais mais un menu illustré de photos comportant entre autres des *seiro-mori soba* (*soba* froids sur une natte de bambou ; 900 ¥) et d'autres *soba* aux *sansai*, aux *kinoko* (champignons ; 1 400 ¥), au *nishin* (hareng ; 1 200 ¥) ou avec *tempura*.

Bosco (☎ 264-6270 ; 2ᵉ niv, 1358 Suehiro-chō ; plats 800-1 600 ¥ ; 🕙 déj et dîner mer-lun). Cette trattoria moderne et confortable est la meilleure de Nagano. Si le menu en *katakana* paraît très lointain, la cuisine est familière : pizzas légères et croustillantes, généreuses portions de pâtes. Côté déco, le bois sombre et les murs en mosaïques étincelantes côtoient une cuisine ouverte.

Yayoi-za (☎ 232-2311 ; 503 Daimon-chō ; plats 945-2 650 ¥ ; 🕙 déj et dîner, fermé mar et 2ᵉ mer du mois). Accueillante adresse vieille de 150 ans spécialisée dans le *seiro-mushi* (cuisson à la vapeur dans une boîte en bois et en bambou). On peut choisir le classique *monzen seiro-mushi* (bœuf et légumes ; 1 680 ¥), ou l'*onyasai salada* (légumes vapeur à la sauce au sésame) si l'on est végétarien. Au dessert, essayez la *kuri-an cream* (mousse de châtaignes ; 525 ¥).

Gomeikan (☎ 232-1221 ; 515 Daimon-chō ; plats à partir de 1 200 ¥ ; 🕙 11h-20h jeu-mar). Pour avoir le choix entre diverses cuisines, optez pour ce restaurant ouvert de longue date qui sert *tonkatsu*, curries indiens végétariens, biftecks, café et gâteaux dans un vieil édifice rénové, à côté de la poste dans Chūō-dōri.

Sukitei (すき亭 ; ☎ 234-1123 ; 112-1 Tsumashina ; formules déj 1 150-2 950 ¥, sukiyaki à partir de 2 500 ¥ ; 🕙 déj et dîner mar-dim). Le meilleur *sukiyaki* mais aussi des formules *udon*, *gyusashi* (sashimis de bœuf) et autres. Le bœuf, succulent, est un peu cher, mais une fois que vous l'aurez goûté, vous ne pourrez plus revenir à la qualité inférieure.

Le Patio Daimon, un ensemble de petits immeubles construits comme un village de *kura* (entrepôts), à côté de l'arrêt de bus Daimon, comporte plusieurs restaurants décontractés et boutiques, notamment le **Tofu Café Gorokutei** (☎ 233-0356 ; 125-1 Higashi-machi ; plats 600-1 200 ¥ ; 🕙 déj et dîner, Ⓥ), où l'on concocte toutes sortes de plats avec la protéine préférée des Japonais.

Si vous voulez grignoter un morceau à la sortie "Zenkō-ji" de la gare de Nagano, optez pour l'immeuble Tilia au rez-de-chaussée, une demi-douzaine de restaurants. Au rez-de-chaussée, **Oyaki Kōbō** (☎ 223-4537 ; oyaki : environ 140 ¥ la pièce ; 🕙 8h30-19h30 ; Ⓥ) propose la spécialité locale, les *oyaki* (petits pains de blé cuits à la vapeur ou au four) farcis au potiron, aux champignons et à l'aubergine. Enseigne de la chaîne de restauration, **Yukimura-tei** (☎ 225-7878 ; plats 620-1 080 ¥ ; 🕙 11h-23h) propose de copieux bols de *rāmen* – nous avons beaucoup apprécié les *rāmen* au *moyashi miso* (germes de haricots dans un bouillon *miso*). Le menu est illustré de photos.

D'autres adresses pour manger sur le pouce :

Kashin Miwa (☎ 238-3041 ; 483 Motoyoshi-chō ; glace 250 ¥ ; 🕙 9h-17h). Pour goûter la glace au *soba* (une exclusivité de Nagano !), près du Niō-mon du Zenkō-ji.

Bakery's Street & Café (☎ 232-0269 ; 1283 Toigosho ; plats à partir de 480 ¥ ; 🕙 7h30-19h ; Ⓥ). De nombreuses boulangeries du Shinshū se relaient pour approvisionner cet établissement. Dans Chūō-dōri, sur le chemin du Zenkō-ji.

Où prendre un verre

Asian Night Market (☎ 214-5656 ; http://asian-night-market.net ; 2-1 Higashi Go-chō ; 🕙 12h-23h ; 🖳). Mi-café, mi-boutique de vêtements et babioles thaïlandais, ce magasin en devanture a une allure branchée. Le personnel parle anglais. Vous pourrez consommer de la bière, des cocktails et des boissons sans alcool, dont du café thaï, ainsi que des plats thaïlandais (moins de 1 000 ¥ pour la plupart).

Groovy (☎ 227-0480 ; http ://nagano.cool.ne.jp/jazzgroovy/ ; 1398 Kita-ishidō-machi ; entrée 1 000-3 500 ¥). Un lieu de concerts, plébiscité par les amateurs de jazz. Consultez la programmation sur leur site. Dans Chūō-dōri, à 6 minutes à pied de la gare ferroviaire.

Bistro Liberty (☎ 235-1050 ; 1602 Midori-chō ; 11h30-16h et 18h-1h, fermé mar). Le pub pour *gaijin* le plus populaire de la ville, fréquenté par une clientèle conviviale. Depuis la gare JR Nagano, tournez à droite dans Nagano-Odōri puis de nouveau à droite (au deuxième feu rouge) dans Showa-dōri.

Depuis/vers Nagano

Des *shinkansen* pour Nagano partent deux fois par heure de la gare de Tōkyō (Asama, 7 970 ¥, 1 heure 45). La ligne JR Shinonoi relie Nagano à Matsumoto (Shinano *tokkyū*, 2 970 ¥, 50 min) et à Nagoya (Shinano *tokkyū*, 7 330 ¥, 2 heures 45).

TOGAKUSHI 戸隠
☎ 026

Cette région de montagnes boisées au nord-ouest de Nagano peut faire l'objet d'une superbe journée d'excursion. Son environnement alpin rafraîchissant séduit les randonneurs de la fin du printemps jusqu'à l'automne, puis les skieurs en hiver. Togakushi est réputée depuis des siècles pour ses nouilles de blé noir (*soba*). Vous pourrez trouver des cartes en anglais au centre d'information touristique de Nagano.

Trois petits sanctuaires (Togakushi-Hōkōsha 宝光社, Togakushi-Chūsha 中社 et Togakushi-Okusha 奥社), à quelques kilomètres de distance les uns des autres, forment le **sanctuaire de Togakushi**, qui rend hommage au mont Togakushi, haut de 1 911 m. Paisible, Chūsha est le plus facilement accessible ; il y aurait là un arbre vieux de 700 ans. À côté du sanctuaire, on trouve un petit village comportant des boutiques, des restaurants et un *ryokan*. En hiver, on peut profiter du **Togakushi Ski Park** (戸隠スキー場 ; ☎ 254-2106 ; forfait d'une journée 4 000 ¥), petit domaine skiable de 10 remontées mécaniques apprécié de la population locale.

Okusha, sanctuaire le plus éloigné, est accessible en bus ou en randonnée. Le chemin direct de Chūsha à l'arrêt de bus d'Okusha nécessite environ 25 minutes, mais il existe un itinéraire plus long via le **Kagami-ike** (鏡池 ; étang miroir) et le **jardin botanique Togakushi**

(森林植物園). De l'arrêt de bus d'Okusha, il faut compter encore 2 km (40 min) jusqu'au sanctuaire, un trajet qui s'effectue en partie sur un sentier long de 500 m et bordé de cèdres (杉並木 ; *suginamiki*) plantés en 1612.

D'Okusha, les férus d'alpinisme peuvent entreprendre la rude ascension jusqu'au sommet du mont Togakushi. En hiver, Okusha n'est accessible qu'aux courageux munis de raquettes. Sites et commerces sont fermés.

Sur la colline qui surplombe l'arrêt de bus d'Okusha, il faut absolument voir le **Togakushi Minzoku-kan** (戸隠民俗館 ; ☎ 254-2395 ; adulte/enfant 500/350 ¥ ; 9h-17h mi-avr/mi-nov), "maison des ninjas" comportant des portes dérobées, des escaliers secrets, une salle en pente et d'autres dont il semble impossible de s'échapper. Cet édifice rend hommage à l'époque où les *yamabushi* (moines de la montagne) venaient pratiquer ici ce qui est devenu l'ancêtre du *ninpo* (l'art de l'esquive, tel que le pratiquaient les ninjas). Les autres bâtiments du Minzoku-kan abritent des musées consacrés au *ninpo* et au folklore local.

À Chūsha, le **Yokokura Ryokan** (横倉旅館 ; ☎ 254-2030 ; dort 3 045 ¥, en demi-pension 5 065 ¥, ch en demi-pension à partir de 7 200 ¥/pers) occupe un édifice au toit de chaume datant du début de l'ère Meiji, à 150 m des marches menant au sanctuaire. À la fois auberge de jeunesse et *ryokan*, l'établissement compte des dortoirs avec tatamis (non mixtes) et des chambres individuelles. En face des escaliers menant au sanctuaire, **Uzura Soba** (うずら家そば ; ☎ 254-2219 ; plats 800-1 700 ¥ ; déj) sert des *soba* maison jusqu'à épuisement du stock.

À côté de l'arrêt de bus d'Okusha, **Okusha no Chaya** (奥社の茶屋 ; ☎ 254-2222 ; plats 530-1 480 ¥ ; 10h-16h30 fin avr-fin nov ;) sert des *soba* fraîches dans une salle à la déco minimaliste et contemporaine, dont la grande baie vitrée donne sur la forêt. Vous goûterez aussi à des crèmes glacées aux parfums de saison (tomate, châtaigne et wasabi).

Les bus qui empruntent les routes panoramiques au départ de Nagano partent environ toutes les heures (de 7h à 19h) et atteignent l'arrêt Chūsha-Miyamae, près du sanctuaire de Chūsha, en à peu près 1 heure (aller simple/aller-retour 1 160/2 100 ¥). À destination d'Okusha, le tarif aller simple/aller-retour s'élève à 1 280/2 300 ¥. Le forfait Togakushi Kōgen Free Kippu (2 500 ¥) donne droit pendant 3 jours à des trajets illimités à bord des bus qui vont à Togakushi et circulent dans la région. Achetez vos billets chez **Kawanakajima Bus Co** (☎ 229-6200), dans le bureau d'Alpico Bus à côté de l'arrêt n°7, à la sortie "Zenkō-ji" de la gare de Nagano.

OBUSE 小布施
☎ 026 / 11 600 habitants

Cette petite ville au nord-est de Nagano occupe une place importante dans l'histoire de l'art japonais. L'illustre dessinateur et graveur d'estampes (*ukiyo-e*) Hokusai (1760-1849) y travailla en effet pendant les dernières années de sa vie. Obuse est également connue pour ses *kuri* (châtaignes), cuites à la vapeur avec du riz ou préparées sous forme de glace ou de friandises.

Visitez en priorité le **musée Hokusai-kan** (北斎館 ; ☎ 247-5206 ; adulte/étudiant/enfant 500/300 ¥/ gratuit ; ☼ 9h-18h avr-sept, 9h-17h oct-mars), qui présente une trentaine d'estampes du maître, ainsi que plusieurs chars colorés, dont les panneaux de plafond sont l'œuvre de Hokusai. De la gare ferroviaire, traversez la rue et descendez l'artère perpendiculaire à la gare. Prenez la deuxième à gauche et guettez les panneaux indiquant le musée. Comptez 10 minutes de marche.

Un pâté de maisons plus loin, le **Takai Kōzan Kinenkan** (高井鴻山記念館 ; ☎ 247-4049 ; entrée 300 ¥ ; ☼ 9h-18h avr-sept, jusqu'à 17h oct-mars) rend hommage au commanditaire de Hokusai, Takai Kōzan, un homme d'affaires qui était aussi un artiste classique accompli, comme l'attestent les élégants paysages de style chinois exposés ici.

Parmi les 9 autres musées d'Obuse, le **Nihon no Akari Hakubutsukan** (日本のあかり博物館 ; musée de l'Éclairage et des Lampes japonaises ; ☎ 247-5669 ; adulte/ enfant/étudiant 500/300/400 ¥ ; ☼ 9h-17h fin mars-fin nov, 9h30-16h30 fin nov-fin mars, fermé mer sauf mai, août, oct, nov) retrace l'histoire de l'éclairage au Japon, et donne à voir de superbes lampes à huile et lanternes. Le **musée du Bonsaï de Taikan** (盆栽美術館大観 ; ☎ 247-3000 ; adulte/enfant 500/300 ¥ avr-nov, 300 ¥/gratuit déc-mars ; ☼ 9h-17h) expose des espèces rares et montre divers paysages japonais.

Vous pourrez goûter à des spécialités à base de châtaignes chez **Chikufūdō** (竹風堂 ; ☎ 247-2569 ; ☼ 8h-19h), maison fondée en 1893. Les *dorayakisan* (sorte de macarons fourrés à la pâte de châtaigne) sont un grand classique.

Obuse est accessible par la ligne Nagano Dentetsu (Nagaden) depuis Nagano (*tokkyū*, 750 ¥, 22 min ; *futsū*, 650 ¥, 35 min). Vous pourrez obtenir cartes, information et louer des vélos (400 ¥/demi-journée) à l'**Obuse Guide Centre** (おぶせガイドセンター ; ☎ 247-5050 ; ☼ 9h-17h), sur le chemin des musées en venant de la gare.

YUDANAKA 湯田中
☎ 0269

Cette ville d'onsen est connue pour ses "singes des neiges", une colonie de quelque 200 macaques du Japon qui vivent ici et se baignent eux aussi, à l'occasion, dans les sources, notamment au **Jigokudani Yaen-kōen** (地獄谷野猿公苑 ; parc Jigokudani des singes sauvages ; ☎ 33-4379 ; www.jigokudani-yaenkoen.co.jp ; adulte/enfant 500/250 ¥ ; ☼ 8h30-17h avr-oct, 9h-16h nov-mars), un parc ouvert depuis 1964. On ne peut plus véritablement parler de singes sauvages car les macaques se baignent surtout pour aller chercher la nourriture placée dans leur bassin. C'est cependant une occasion unique de les observer de près. Cette activité fait l'objet d'une excursion très populaire d'une journée au départ de Nagano, que l'on peut combiner en hiver avec une balade à ski vers Shiga Kōgen (voir ci-contre).

De l'autre côté de la rivière par rapport au parc des singes sauvages, le **Kōraku-kan** (後楽館 ; ☎ 33-4376 ; ch en demi-pension à partir de 10 545 ¥ ; onsen seul adulte/enfant 500/250 ¥ ; ☼ 8h-10h et 12h-15h30), hôtel onsen sans prétention, propose de petites chambres sommaires mais propres, avec tatamis. Cet établissement est apprécié pour ses *tempura* aux légumes de montagne, dont se régalent les visiteurs qui passent la nuit ici, ainsi que pour ses bains intérieurs et extérieurs (en bordure de rivière). Les utilisateurs des superbes onsen en plein air sont toutefois avertis du fait que quelques singes peuvent à l'occasion se joindre à eux.

Dans le paisible centre de Yudanaka, l'**Uotoshi Ryokan** (魚蔵旅館 ; ☎ 33-1215 ; www.avis.ne.jp/~miyasaka/ ; s/d/tr/qua à partir de 4 300/7 980/11 970/15 960 ¥ ; 🖳) propose un hébergement sommaire mais très hospitalier. Le propriétaire, anglophone, vous fera une démonstration de *kyūdō* (tir à l'arc japonais) et vous laissera même essayer. Sur demande, il peut venir vous chercher à la gare de Yudanaka, ou vous déposer près du point de départ du sentier menant au parc des singes. Possibilité de prendre le dîner (à partir de 2 520 ¥) et le petit-déjeuner (à partir de 530 ¥). De la gare (7 min), partez sur la gauche et suivez la route qui traverse la rivière. Au bout de cette route, tournez à droite. L'établissement est 20 m plus loin.

De Nagano, prenez la ligne Nagano Dentetsu (Nagaden) jusqu'au terminus de Yudanaka (*tokkyū*, 1 230 ¥, 45 min ; *futsū*, 1 130 ¥, 1 heure 15) ; notez cependant que tous les trains ne s'y rendent pas. Pour le parc des singes Jigokudani, prenez le bus pour Kanbayashi

---

SPÉCIALITÉS CULINAIRES DU SHINSHŪ

Le Nagano-ken est réputé pour sa gastronomie qui marie les produits plutôt courants à des ingrédients beaucoup plus originaux, du moins pour les papilles occidentales. Pour savoir si une spécialité est typique du coin, rien de plus facile : son appellation sera précédée du mot Shinshū (信州), de l'ancien nom de cette région. Voici un petit aperçu des délices qui vous attendent :

▪ *ringo* (りんご) : pommes souvent très grosses ; omniprésentes en automne.

▪ *kuri* (栗) : châtaignes, surtout typiques d'Obuse (p. 295).

▪ *soba* (そば) : nouilles de sarrasin, confectionnées avec 100% de farine de sarrasin dans les échoppes (les *soba* ordinaires n'en contiennent que 50%). Elles se dégustent froides (*zaru-soba* ; avec du wasabi et une sauce à base de soja) ou chaudes (*kake-soba* ; dans du bouillon).

▪ *oyaki* (おやき) : petits pains à la farine de blé fourrés aux légumes, cuits au four ou à la vapeur.

▪ *wasabi* (わさび) : le raifort japonais, cultivé dans les marais, notamment à Hotaka (p. 306). La racine râpée sert à assaisonner les *soba* et à confectionner un condiment pour les sushis. Le jus de fanes de wasabi bouillies fait une boisson très appréciée. Certaines échoppes vendent du wasabi sous forme de gâteaux et de crèmes glacées.

▪ *basashi* (馬刺し) : viande de cheval crue.

▪ *hachinoko* (鉢の子) : larves d'abeille.

▪ *inago* (稲子) : criquets.

CENTRE DE HONSHŪ

Onsen Guchi et descendez à Kanbayashi Onsen (220 ¥, 15 min, 8/jour) ; montez ensuite le long de la route sur environ 400 m ; vous apercevrez le panneau "Monkey Park" au début d'un sentier de 1,6 km de long, bordé d'arbres.

SHIGA KŌGEN 志賀高原
☎ 0269
Site de nombreuses manifestations pendant les Jeux olympiques de Nagano en 1998, **Shiga Kōgen** (☎ 34-2404 ; www.shigakogen.gr.jp/english ; 1-forfait remontée mécanique d'une journée 4 800 ¥ ; 8h30-16h30 déc-avr), plus grande station de ski du Japon, est aussi, avec ses 21 domaines skiables reliés entre eux et ses 80 pistes, l'une des plus grandes du monde. Le ticket de remontée donne accès à toutes les stations et aux navettes qui les relient entre elles. Le personnel anglophone de l'**office du tourisme** (志賀高原観光協会 ; ☎ 34-2323 ; 9h-17h), situé en face de la gare du téléphérique, pourra vous aider à vous orienter et à effectuer vos réservations hôtelières.

En raison de l'étendue du domaine, les skieurs doivent prévoir soigneusement leurs itinéraires et même consacrer une journée à la reconnaissance du terrain. Si vous ne disposez que de peu de temps, optez pour la découverte d'une station centrale, comme la station familiale d'Ichinos, dotée d'un grand choix d'hôtels et de restaurants. Vous pouvez aussi commencer par le secteur de Yakebitai et descendre progressivement à la découverte du domaine ; une fois votre journée terminée, il vous suffira de prendre le bus pour remonter.

La station Nishitateyama possède d'agréables pistes bien larges, généralement non damées. Il est un peu difficile d'accéder à la station Terakoya mais ses pistes courtes et agréables ont l'avantage d'être moins fréquentées qu'ailleurs, l'ambiance y est sympathique. Les skieurs qui n'apprécient pas la compagnie des adeptes du snowboard seront plus à l'aise à Kumanoyu.

Le reste de l'année, les lacs de montagne, les étangs et les points de vue de la région constituent d'excellents objectifs pour les randonneurs.

Où se loger et se restaurer
Les hôtels de Shiga Kōgen – on en trouve dans tout le domaine – sont regroupés au pied des différentes stations. Vous avez tout intérêt à loger dans l'un de ceux de votre station préférée. L'**Hotel Shirakabasō** (ホテル白樺荘 ; ☎ 34-3311 ; www.shirakaba.co.jp/english/index.html ; ch en demi-pension à partir de 11 700 ¥/pers ;), près de la station du téléphérique et du domaine de Sun Valley, est un petit établissement agréable comportant des chambres assez variées, ainsi que des bains intérieurs et extérieurs. Pratiquement au pied du domaine de Kumanoyu, le grand **Hotel Heights Shiga Kōgen** (ホテルハイツ志賀高原 ;

☎ 34-3030 ; www.shigakogen.jp/heights/english/index. htm ; ch en demi-pension à partir de 9 500 ¥/pers) possède des chambres propres, de style japonais et occidental, ainsi qu'un onsen. Le personnel a l'habitude de la clientèle étrangère, et le cuisinier peut sur demande adapter ses préparations aux palais difficiles.

Autre adresse recevant des touristes occidentaux, l'**Hotel Sunroute Shiga Kōgen** (ホテルサンルート志賀高原 ; ☎ 34-2020 ; www.shigakogen.com/ sunroute, en japonais ; ch en demi-pension à partir de 10 500 ¥/pers) est situé dans le village d'Ichinose, à 3 minutes à pied de la remontée mécanique Ichinose Diamond, qui donne accès à d'autres domaines skiables. Les chambres, de style occidental, sont dotées de sdb. Certaines ont vue sur la montagne.

La **Villa Ichinose** (ヴィラ・一の瀬 ; ☎ 34-2704 ; www.villa101.biz/english/index.htm ; ch à partir de 4 800 ¥/ pers ; 🛜) est très appréciée des étrangers, d'autant qu'elle bénéficie d'un emplacement idéal, devant l'arrêt de bus d'Ichinose. Elle abrite des chambres japonaises (avec toilettes uniquement), et des chambres occidentales avec sdb. Vous aurez accès à une connexion Wi-Fi à la réception et à un bain public (ouvert 24h/24) au 2ᵉ niveau. Ambiance chaleureuse et personnel anglophone.

Pratique également pour accéder aux pentes enneigées, le **Chalet Shiga** (シャレー志賀 ; ☎ 34-2235 ; www.shigakogen.jp/chalet ; ch en demi-pension à partir de 11 500 ¥/pers) est un établissement agréable comportant des chambres propres de style occidental et japonais, ainsi qu'un bar des sports très couru.

Depuis/vers Shiga Kōgen

Des bus directs relient la gare de Nagano et Shiga Kōgen. Les départs sont fréquents durant la saison de ski (1 600 ¥, 70 min). Vous pouvez aussi prendre un train de Nagano à Yudanaka (p. 295), puis continuer jusqu'à Shiga Kōgen en bus. Prenez-en un en direction du Hase-ike et descendez au terminus (760 ¥, environ 40 min).

NOZAWA ONSEN 野沢温泉

☎ 0269 / 4 050 habitants

Localité compacte nichée dans la partie orientale des Alpes japonaises, Nozawa Onsen est un parfait exemple de ces petites villes nippones alliant un domaine skiable à une activité thermale. La ville ressemble à s'y méprendre à une station suisse, au point que l'on douterait presque de se trouver au Japon s'il n'y avait

pas les panneaux d'information en kanji. Si Nozawa mérite la visite toute l'année, le ski reste la principale motivation des touristes.

Le 15 janvier, la ville accueille la **fête du Feu Dosojin**, l'une des trois plus importantes du genre au Japon. On prie alors pour la bonne fortune et pour l'abondance des récoltes de l'année à venir.

À voir et à faire

DOMAINE SKIABLE DE NOZAWA ONSEN

野沢温泉スキー場

La **station de ski de Nozawa Onsen** (野沢温泉スキー場 ; ☎ 85-3155 ; www.nozawaski.com/e/ ; ticket de remontée d'une journée 4 600 ¥ ; 🕐 déc-avr) surplombe la ville. Le domaine, qui s'étend principalement à proximité de la gare du téléphérique, est en effet plus dense que celui de Shiga-kōgen, et relativement facile à explorer. Il offre des niveaux de difficulté adaptés à tous les skieurs. Les snowboarders apprécieront les pistes de Karasawa ou le half-pipe d'Uenotaira. Les skieurs confirmés se délecteront des parcours raides et bosselés de la Schneider Course, tandis que les débutants et les familles opteront pour le Higake Course.

Si vous avez envie d'une pause rafraîchissement, dirigez-vous vers le gîte d'étape jouxtant la gare du téléphérique d'Uenotaira où vous trouverez un snack-bar et un restaurant. Un autre restaurant est établi en haut du téléphérique de Nagasaka. Il est possible de louer skis et chaussures (les montantes vont jusqu'à 31 cm, taille 43 environ) au pied des deux téléphériques.

Des balades en raquettes sont organisées à partir de la fin janvier par l'**école de ski de Nozawa Onsen** (☎ 85-2623 ; randonnées 4 000 ¥/pers, location de raquettes 1 000 ¥ ; 🕐 mar, jeu et sam 20 jan-31 mars). Par ailleurs, un **bus touristique des neiges** (☎ 85-2506 ; 500 ¥ ; 6 fois/jour) part de la pension de Yunomine du 5 janvier au 29 mars.

ONSEN

Après le ski ou la randonnée, délassez-vous dans l'un des 13 **onsen** (🕐 6h-23h ; accès gratuit) de la ville. Notre sélection : Ō-yu, très joliment conçu en bois, le bouillant Shin-yu, et le plus ancien mais toujours plein de charme Kuma-no-tearai ("les bains de l'ours"). Les gens du coin aiment dire de certains de ces bains qu'ils sont si chauds qu'il est "impossible aux humains d'y entrer". Si vous portez des bijoux en argent, mieux vaut les ôter sous peine de les voir noircir un ou deux jours après.

CENTRE DE HONSHŪ

Les bains auraient diverses vertus thérapeutiques. Quoi qu'il en soit, ils offrent une agréable détente après une journée sur les pentes. Si vous comptez faire le tour des onsen, laissez vos objets de valeur à l'hôtel et portez des vêtements faciles à ôter et enfiler, par exemple un *yukata* (kimono d'été léger, en coton) et des sandales. Dans les bains gratuits, juste avant ou après le repas, il y a souvent foule. En revanche, en milieu de matinée ou plus tard en soirée, ils sont en principe déserts.

Où se loger et se restaurer

Le **bureau d'information sur les minshuku** (野沢温泉民宿組合事務所 ; ☎ 85-2068 ; ◷ 8h30-17h30), en centre-ville, vous aidera à effectuer vos réservations hôtelières (personnel anglophone).

Lodge Nagano (ロッジながの ; ☎ 090-8670-9597 ; www.lodgenagano.com ; ch avec petit déj à partir de 4 000 ¥/pers, ch en été à partir de 2 500 ¥ ; 🛜). Pension appréciée des étrangers. L'endroit, sympathique, abrite des chambres de style japonais et des chambres avec lits superposés, certaines dotées de sdb privatives. Connexion Wi-Fi et un ordinateur sur place.

Villa Nozawa (ヴィラ野沢 ; ☎ 85-3163 ; www.nozawaholidays.com ; ch avec petit déj à partir de 6 000 ¥/pers, moins de 15 ans moitié prix ; 🛜). Cet établissement, à côté du bain gratuit Nakao Onsen, reçoit surtout des familles, des couples et de petits groupes : 14 chambres de style japonais, une grande cuisine et une buanderie.

Lodge Matsuya (ロッヂ まつや ; ☎ 85-2082 ; fax 85-3694 ; ch avec petit déj à partir de 6 000 ¥/pers, en demi-pension à partir de 8 000 ¥). Dans le centre, grand établissement familial et sympathique, avec chambres de style japonais et occidental.

Pension Schnee (ペンションシュネー ; ☎ 85-2012 ; www.pensionschnee.com ; ch en demi-pension à partir de 8 400 ¥/pers). Sur les pentes, à proximité du pied du téléphérique de Higake, cet hôtel de style européen bénéficie du meilleur emplacement. On chausse et déchausse ses skis littéralement à la porte. Chambres confortables évoquant un gîte. Salle à manger lambrissée.

Haus St Anton (サンアントンの家 ; ☎ 85-3597 ; http://nozawa.com/stanton ; ch/pers 2 repas compris avec/sans sdb à partir de 14 000/11 550 ¥). Dans le centre, auberge confortable d'inspiration autrichienne, au personnel très serviable et sympathique. Elle compte 6 chambres agréables, de style occidental et décorées selon divers thèmes, ainsi qu'un bar/salle à manger lambrissé à l'atmosphère chaleureuse. Très proche du supermarché et de la principale artère commerçante.

Où prendre un verre

Pour sortir, rendez-vous au **Main Street Bar Foot** (マインストリトバーフット ; ☎ 85-4004), dans l'artère principale. Cet établissement décontracté, idéal pour boire un verre après une journée de ski, propose l'accès gratuit à Internet et dispose d'un baby-foot. **Stay** (ステイ ; ☎ 85-3404 ; www.seisenso.com), au sous-sol du même bâtiment, reste ouvert tard. Le lieu est géré par un Japonais fou de musique qui a vécu à l'étranger. Les clients un peu moins jeunes préféreront le **Minato Bar** (みなと ; ☎ 85-2609), également facile à trouver dans la partie nord de la ville, à proximité du pied du téléphérique. Cet établissement de style japonais de 50 places dispose d'un karaoké dans une salle attenante.

Depuis/vers Nozawa Onsen

Des bus directs circulent entre la sortie est de la gare de Nagano et Nozawa Onsen (1 400 ¥, 90 min, 6 bus/jour en hiver, 3 bus/jour en été). Sinon, prenez un train de la ligne JR Iiyama entre Nagano et la gare Togari Nozawa Onsen (740 ¥, 55 min). Des bus relient régulièrement la gare de Togari Nozawa Onsen et Nozawa Onsen (300 ¥, 15 min, 9/jour). La gare routière/billetterie est à 200 m du principal arrêt de bus, lui-même situé en plein centre-ville. L'endroit est un peu déroutant mais le personnel vous aidera à vous y retrouver si besoin.

HAKUBA 白馬

☎ 0261

Au pied de l'un des plus hauts massifs du nord des Alpes japonaises, Hakuba est l'un des plus grands domaines skiable du Japon, propice, également, à la randonnée. En hiver, des skieurs venus de tout le pays, mais aussi de plus en plus de l'étranger, affluent dans les sept stations de ski de Hakuba. En été, les mordus de randonnée sont attirés par les possibilités d'accès relativement facile aux sommets les plus élevés. Le village principal de Hakuba-mura et ses environs sont dotés de nombreux onsen. Rien de tel après une journée bien remplie que de se délasser dans l'eau des sources chaudes.

Pour plus d'informations, pour vous procurer des cartes et pour obtenir de l'aide pour vous loger, faites un petit tour au **centre Hakuba Shukuhaku Jōhō** (白馬宿泊情報センター ; ☎ 72-6900 ; www.hakuba1.com ; ◷ 7h-18), à droite de la gare ferroviaire/routière, ou au **Hakuba-mura Kankō Kyōkai Annai-jo** (白馬村観光協会案内所 ; ☎ 72-2279 ; ◷ 8h30-17h15), en face de la gare sur la droite (repérez le logo "i"). Sur Internet, consultez le site www.vill. hakuba.nagano.jp/e/index.htm.

À voir et à faire

STATION DE SKI DE HAPPŌ-ONE 八方尾根

Happō-one (☎ 72-3066 ; www.hakuba-happo.or.jp/ ; ticket de remontée d'une journée 4 800 ¥ ; ☽ déc-avr), où se déroulèrent les descentes des Jeux olympiques de 1998, est l'un des meilleurs domaines skiables du pays, avec des vues superbes sur le massif de Hakuba, qui semble littéralement à portée de bâton, et des pistes adaptées à tous les niveaux, pour le ski mais aussi pour le snowboard.

Les pistes à flanc de montagne possèdent plusieurs bonnes portions à partir d'Usagidaira 109, à peu près à mi-chemin. Au-dessus, deux télésièges vous emmènent au sommet, d'où le panorama est splendide. Les jours de forte fréquentation, vous pouvez éviter les files d'attente en vous rabattant par exemple sur la piste Skyline 2.

Le gîte d'étape d'Usagidaira 109 abrite le plus grand restaurant du coin ; il y a également un restaurant de *rāmen*, un vendeur de kebabs, un McDonald's et, comme toujours, la possibilité de déguster un bon plat de riz au curry. Le très moderne Virgin Café Hakuba propose une cuisine correcte dans une ambiance plutôt chic, avec vestiaire. Quant au Café Kurobishi, une sorte de cafétéria, il bénéficie de vues sublimes sur les montagnes côté nord.

Si vous voulez louer du matériel (notamment des chaussures montantes), de nombreux magasins vous attendent dans les rues qui s'entrecroisent au pied de la montagne. Tous proposent à peu près le même choix de matériel – skis de carving, snowboards, skis courts et accessoires – et pratiquent des tarifs semblables (2 500 à 3 000 ¥/jour pour des skis/planche et chaussures).

De la gare de Hakuba, un bus vous emmène à Hakuba-mura en 5 minutes (260 ¥) ; de là, il ne reste que 10 minutes à marcher jusqu'au pied de Happō-one, où se trouve la station basse de la télécabine "Adam". En hiver, une navette dessert les pensions et le bas de la station.

PARC DE SPORTS D'HIVER HAKUBA 47 ET STATION DE SKI DE GORYŪ ウイタースポーツパーク・白馬五竜スキー場

Communiquant entre eux, le **parc de sports d'hiver Hakuba 47** (☎ 75-3533 ; www.hakuba47.co.jp/index_en.php) et la **station de ski Goryū** (☎ 75-3700 ; www.hakubagoryu. com/e/index.html) forment le deuxième plus grand domaine (forfait remontées mécaniques d'une journée 4 800 ¥ ; ouvert de décembre à avril) de la région de Hakuba. Ils comportent des pistes très variées, mais pour emprunter celles qui relient les deux domaines, il faut au moins être de niveau intermédiaire. Comme à Happō-one, la région s'enorgueillit de vues somptueuses, à découvrir notamment du restaurant Alps 360. La navette Genki Go permet d'accéder facilement à ce domaine au départ de Hakuba-mura et de Hakuba-eki.

HAKUBA CORTINA KOKUSAI
白馬コルチナ国際

Plus petit, ce **domaine skiable** (☎ 82-2236 ; http:// hakubacortina.jp/ski/index.html, en japonais ; forfait remontées mécaniques 1 journée 3 300 ¥ ; ☽ déc-avr) à l'extrémité nord de la vallée de Hakuba est tout autant apprécié des amateurs de calme que des riches Tokyoïtes adeptes de ski. Ses pistes sont plutôt faites pour les skieurs expérimentés et sont parfois gelées s'il n'a pas neigé récemment. Le bâtiment principal, imposant édifice de style gothique européen rouge, blanc et noir, abrite un hôtel, des restaurants, une boutique de location de matériel de ski et même un luxueux onsen flambant neuf. Il est possible d'acheter un billet combiné permettant d'accéder à la station voisine de Norikura pour découvrir de nouvelles pistes. Lorsqu'il y a de la neige fraîche, l'endroit offre une bonne alternative aux pistes bondées de Happō-One. En outre, la formule remontée mécanique/déjeuner, à moins de 4 000 ¥, est d'un excellent rapport qualité/prix. Parions que vous apprécierez de confectionner votre propre pizza dans le restaurant principal, à l'heure du déjeuner.

ONSEN

Les onsen sont nombreux à Hakuba-mura et dans les environs. Rien de tel en effet que de délasser ses muscles dans un bain après une journée passée à skier ou à randonner. La meilleure adresse, et de loin, s'appelle **Obuya** (おぶや ; ☎ 75-3311 ; 21396 Kamishiro, Hakuba, Kita azumi-gun ; www.obuya.jp/english.html ; adulte/enfant 800/400 ¥ ; ☽ 11h-22h, entrée jusqu'à 21h30). Elle est située à deux pas de la route principale, près de l'embranchement conduisant à la station de ski de Goryū. Son sauna extérieur et son vaste *rotemburo* valent vraiment le détour. **Mimizuku-no-yu** (みみずくの湯 ; ☎ 72-6542 ; adulte/ enfant 500/250 ¥ ; ☽ 10h-21h30, entrée jusqu'à 21h), près du Hakuba Tokyu Hotel, offre l'une des plus belles vues depuis ses bains.

CENTRE DE HONSHŪ

ACTIVITÉS D'ÉTÉ

En été, prenez la télécabine puis les deux télésièges menant plus haut dans la montagne, pour accéder à un sentier qui vous mènera en une heure environ à l'étang Happō-ike, sur une crête en contrebas du mont Karamatsu (Karamatsu-dake). De là, on peut monter à Maru-yama (1 heure), poursuivre jusqu'au refuge Karamatsu-dake San-sō (encore 1 heure 30), puis effectuer l'ascension du **Karamatsu-dake** (2 695 m) en une trentaine de minutes. Pour l'aller-retour, comptez 2 340 ¥ si vous achetez votre billet à l'office du tourisme de Hakuba, et 2 600 ¥ autrement.

Très prisée, l'ascension en 4 heures du **Shirouma-dake** (白馬岳 ; 2 932 m) offre un spectacle impressionnant par temps clair. À moins de 1 heure du sommet, des refuges assurent le gîte et le couvert (comptez quelque 9 000 ¥/pers en demi-pension). Le **Yari Onsen** (鑓温泉 ; ☎ 72-2002 ; onsen 300 ¥ ; ch en demi-pension 9 000 ¥), fait également l'objet d'une randonnée très appréciée. Il possède un *rotemburo* d'altitude (2 100 m), sans doute l'un des plus hauts du pays, et vous y découvrirez des panoramas à couper le souffle.

Des bus quittent la gare de Hakuba pour le départ du sentier de Sarukura (980 ¥, 30 min, fin mai-sept). De là, vous pouvez grimper vers l'ouest jusqu'au Shirouma-dake en 6 heures à peu près. Un sentier au sud-ouest de Sarukura monte en 3 heures au Yari Onsen.

Renseignez-vous auprès des offices du tourisme pour ce qui concerne le **parc national Tsugaike** (栂池自然園), réputé pour la richesse de sa flore alpine, et **Nishina San-ko** (仁科三湖, littéralement les "Trois lacs de Nishina", qui sont l'Aoki-ko, le Nakazuna-ko et le Kizaki-ko), qui se prête agréablement à la randonnée.

L'Evergreen Outdoor Centre (www.evergreen-hakuba. com) propose des activités d'une demi-journée, encadrées par des moniteurs anglophones à partir de 5 000 ¥, telles que canyoning ou VTT. L'hiver, ce centre organise également des randonnées en raquettes et des treks dans l'arrière-pays.

Où se loger et se restaurer

Le village de Hakuba-mura propose un grand choix en matière d'hébergement. Le centre Hakuba Shukuhaku Jōhō (p. 298) vous aidera à trouver où loger si vous n'avez pas réservé.

Snowbeds (スノーベッズ ; ☎ 72-5242 ; www. snowbedsjapan.com ; ch à partir de 3 900 ¥/pers). L'une des adresses les moins chères de Hakuba, aux chambres avec lits superposés plutôt exiguës. Salle commune dotée d'un poêle à bois très agréable. Les propriétaires étant étrangers, il est plus aisé de communiquer. Proche des lieux de sorties nocturnes.

Hotel Viola (ホテルヴィオラ ; ☎ n° gratuit 0120-89-8193 ; www.hotel-viola.com ; d en demi-pension à partir de 8 000 ¥/pers). Établissement sympathique à 15 minutes à pied du téléphérique. Chambres propres et bien entretenues. Personnel anglophone. Ambiance chaleureuse.

Hakuba Highland Hotel (白馬ハイランドホテル ; ☎ 72-3450 ; fax 72-3067 ; ch en demi-pension à partir de 8 400 ¥/pers). Au pied du domaine skiable Hakuba Highland, cet établissement familial bénéficie d'une vue exceptionnelle sur le massif de Hakuba. Chambres propres et assez grandes, superbe onsen intérieur et extérieur.

Hakuba Tokyu Hotel (白馬東急ホテル ; ☎ 72-3001 ; www.tokyuhotelsjapan.com/en/TR/TR_HAKUB/index. html ; avec petit déj à partir de 13 000 ¥/pers). Hôtel de luxe avec tout le confort. Les chambres jouissent d'une vue splendide. Quant au Grand Spa, ses eaux sont les plus alcalines de la région. Sur place : boutique de souvenirs, bar et restaurant proposant de la cuisine japonaise et française.

Uncle Steven's Mexican Food (☎ 72-7569 ; www15. ocn.ne.jp/~ustevens/index-e.html ; Happō Gondola Rd ; repas 1 000-1 600 ¥ ; ☺ 11h-22h30). L'un des restaurants les plus prisés de Hakuba. Le Steven's Burrito, le *chimichanga* et les *enchiladas*, au goût très authentique, sont généreusement servis, mais peut-être un peu chers.

Canada-Tei (金田邸 ; ☎ 75-2698). Ravissant *izakaya* très populaire, situé sur la route de la station de ski de Goryū, où l'on cuisine sous les yeux du client. Le propriétaire est un vrai globe-trotter.

Où prendre un verre et sortir

Ainsi que l'on peut s'y attendre, Hakuba connaît des nuits très animées en hiver, et il n'est guère difficile de trouver où manger, boire un verre et écouter de la musique.

Tracks Bar (☎ 75-4366 ; www.tracksbar.com ; 22200-7 Kitashiro, Hakuba-mura, Kita Azumi-gun ; boissons à partir de 500 ¥ ; ☺ 17h-minuit, fermeture irrégulière). Entre la gare de Kamishiro et le pied du parc des sports d'hiver Hakuba 47/station de ski de Goryū, cette adresse est très prisée de la jeunesse étrangère pour ses concerts, ses matchs diffusés sur grand écran et ses diverses manifestations. Vous trouverez dans le même coin un hébergement bon marché.

The Pub (☎ 72-4453). Ce pub de style britannique, à l'intérieur du Mominoki Hotel, est parfait pour boire un verre ou deux après une journée sur les pistes. Au menu : cuisine de pub, concerts et manifestations diverses. À 5 minutes du pied de la colline dans le village de Hakuba.

Depuis/vers Hakuba

Hakuba est reliée à Matsumoto par la ligne JR Ōito (*tokkyū*, 2 770 ¥, 1 heure ; *futsū*, 1 110 ¥, 1 heure 40). Pour continuer vers le nord, on peut changer de train à Minami Otari afin de rejoindre la ligne JR Hokuriku à Itoigawa, qui dessert Niigata, Toyama et Kanazawa. Enfin, des bus partent de la gare de Nagano (1 500 ¥, environ 1 heure 10). Des bus relient également Shinjuku Nishi-guchi, à Tōkyō, et Hakuba (4 700 ¥, 4 heures 30).

BESSHO ONSEN 別所温泉

☎ 0268 / 1 600 habitants

Nichée dans les montagnes, cette sympathique station thermale parcourue par un paisible ruisseau est surnommée la "petite Kamakura" en raison de ses temples magnifiques et de son ancien statut de centre administratif durant la période de Kamakura (1185-1333). Sei Shōnagon, poétesse de la période de Heian, la mentionne déjà dans ses *Notes de chevet* ; Bessho devint par la suite le lieu de retraite de nombreux écrivains parmi lesquels Yasunari Kawabata.

Les eaux bénéfiques de Bessho ont la réputation de soigner le diabète et la constipation tout en embellissant le teint. Si elles attirent ici de nombreux visiteurs, la localité n'est pas pour autant surfréquentée. Vous pourrez vous renseigner en ligne à l'adresse www.bessho-spa.jp/j_english/english_fls.htm.

L'**Association Bessho Onsen Ryokan** (別所温泉旅館組合 ; ☎ 38-2020 ; ⏰ 9h-17h), office du tourisme local, se trouve dans la gare ferroviaire. L'**office du tourisme** (☎ 26-5001 ; ⏰ 9h-18h) installé dans la gare d'Ueda, sur la route de Bessho, a du personnel anglophone ; on peut y réserver un hébergement à Bessho le jour même.

Classé trésor national, le temple **Anraku-ji** (安楽時 ; ☎ 38-2062 ; adulte/enfant 300/100 ¥ ; ⏰ 8h-17h mars-oct, jusqu'à 16h nov-fév), datant de 824-834, est réputé pour sa pagode octogonale. Il est à 10 minutes à pied de la gare de Bessho Onsen. Le temple de l'école Tendai, **Kitamuki Kannon** (北向観音 ; ☎ 38-2023 ; gratuit ; ⏰ 24h/24), entouré d'arbres séculaires, est à quelques minutes

à pied. Il tire son nom du fait que la statue de Kannon, déesse de la Compassion, y est orientée vers le nord par opposition à celle du Zenkō-ji à Nagano, qui est tournée vers le sud. Il donne sur une magnifique vallée où l'on aperçoit un pavillon sur pilotis semblable à une miniature du temple Kiyomizu-dera de Kyōto. À 5 km de marche se trouvent les temples de **Chūzen-ji** (☎ 38-4538 ; adulte/enfant 200/50 ¥ ; ⏰ 9h-16h) et **Zenzan-ji** (☎ 38-2855 ; adulte/enfant 200/100 ¥ ; ⏰ 9h-16h, fermetures occasionnelles l'hiver), où l'on a vraiment l'impression d'être au bout du monde.

Trois **bains publics** (150 ¥ ; ⏰ 6h-22h) vous attendent dans le centre : Ō-yu (大湯), doté d'un petit *rotemburo*, Ishi-yu (石湯), qui se distingue par son bassin en pierre et Daishi-Yu, très fréquenté par les habitants, toujours relativement frais.

Dotée de 13 lits, la **Mahoroba Youth Hostel** (上田まほろばユースホステル ; ☎ 38-5229 ; fax 38-1714 ; dort 3 200 ¥, en demi-pension 4 950 ¥) est confortable et isolée. Nichée dans un bel écrin de verdure, elle ne possède toutefois pas d'onsen. Vous la trouverez à 8 minutes à pied au sud de la gare ferroviaire.

Uematsu-ya (上松屋 ; ☎ 38-2300 ; fax 38-8501 ; www.uematsuya.com ; ch en demi-pension à partir de 10 500 ¥) n'a rien d'historique ni de traditionnel, mais c'est néanmoins une bonne adresse. Ses 33 chambres (à la japonaise et à l'occidentale), bien tenues et d'un bon rapport qualité/prix, sont réparties sur 9 niveaux. Bains intérieurs et extérieurs. L'établissement propose aussi une formule boisson à volonté (femmes/hommes 2 100/3 150 ¥). On y parle un peu l'anglais.

Le **Ryokan Hanaya** (旅館花屋 ; ☎ 38-3131 ; fax 38-7923 ; ch en demi-pension à partir de 20 000 ¥), une auberge traditionnelle, est entouré de ravissants jardins. Il dispose de grandes chambres avec tatamis offrant de belles vues ; certaines sont dotées d'un bain alimenté par une source chaude. Agréables bains collectifs à l'intérieur et en plein air. Réservez longtemps à l'avance.

Il faut passer par Ueda pour rallier Bessho Onsen. Pour cela, prenez le *shinkansen* de la ligne JR Nagano (de Tōkyō, 6 490 ¥, 1 heure 30 ; de Nagano, 2 870 ¥, 13 min) ou la ligne privée Shinano Tetsudō au départ de Nagano (740 ¥, environ 35 min). À Ueda, changez pour la ligne privée Ueda Kōtsū, qui vous mènera à Bessho Onsen (570 ¥, 30 min, un départ toutes les heures environ).

CENTRE DE HONSHŪ

⌐MOTO 松本

⌐63 / 227 000 habitants

estination de choix pour les touristes, Matsumoto compte un superbe château, des rues ravissantes, et baigne dans une atmosphère à la fois décontractée et étonnamment cosmopolite.

La fondation de la deuxième plus grande ville de la préfecture de Nagano remonte au moins au VIIIe siècle. Appelée à l'origine Fukashi, cette place forte du clan Ogasawara aux XIVe et XVe siècles continua de prospérer à la période

d'Edo. Aujourd'hui, le château noir et blanc, les *kura* à motifs treillissés (*namako-kabe*) et les rues remontant à la période d'Edo du quartier de Nakamachi côtoient l'architecture nippone du XXIe siècle, sans compter que les paysages des Alpes japonaises ne sont jamais bien loin. Les secteurs proches de la Metoba-gawa et de Nakamachi sont jalonnés de galeries, de cafés douillets et d'hébergements de premier choix affichant des tarifs corrects.

Dans les environs, Utsukushi-ga-hara Onsen, Asama Onsen et le plateau d'Utsukushi-ga-hara peuvent faire l'objet d'excursions d'une journée, de même que Hotaka, qui est aussi le point de départ d'un circuit de randonnée. Matsumoto est un carrefour des transports régionaux, notamment pour se rendre au parc national des Alpes japonaises et dans la vallée de Kiso.

Orientation et renseignements

On s'oriente assez facilement car, hormis le lacis de ruelles un peu confus qui débouche sur la gare ferroviaire, la ville obéit à un plan en damier. Aucun lieu mentionné sur notre carte n'est à plus de 20 minutes à pied de cette gare.

La poste principale se trouve dans Honmachi-dōri. Sur Internet, vous pouvez consulter le site www.city.matsumoto.nagano.jp.

L'**office du tourisme** (☎ 32-2814 ; 1-1-1 Fukashi ; ⏱ 9h30-17h45), dans la gare de Matsumoto, dispose de brochures et cartes en anglais, et peut réserver les hébergements. Pour les réservations de train et de bus, adressez-vous à **JTB** (☎ 35-3311 ; 1-2-11 Fukashi).

À voir et à faire

MATSUMOTO-JŌ 松本城

Même si vous ne passez que quelques heures à Matsumoto, ne manquez pas le **Matsumoto-jō**

(☎ 32-2902 ; 4-1 Marunōchi ; adulte/enfant 600/300 ¥ ; ☯ 8h30-17h début sept/mi-juil, jusqu'à 18h mi-juil et août). Ce château en bois, le plus ancien du Japon, est l'un des quatre châteaux classés trésors nationaux, les autres étant ceux de Hikone (p. 394), de Himeji (p. 422) et d'Inuyama (p. 265).

Construit vers 1595, ce magnifique édifice en bois doté de trois tours doit son surnom de Karasu-jō ("château du corbeau") à ses murs et toitures noirs rehaussés de blanc. Des escaliers abrupts conduisent à six niveaux, d'où les vues sont impressionnantes. Les étages inférieurs recèlent une collection de canons et d'instruments divers destinés à l'assaut des places fortes, ainsi qu'un joli *tsukimi yagura* ("pavillon d'observation de la lune"). Dans les douves remplies de carpes, quelques cygnes passent paisiblement sous de jolis ponts rouges. Des haut-parleurs diffusent quelques explications en japonais et en anglais. On peut aussi demander à l'entrée une visite guidée gratuite en anglais (sous réserve) ou contacter le **Goodwill Guide Group** (☎ 32-7140 ; ☯ 8h-12h), qui organise gracieusement des visites d'une heure avec un guide sur réservation.

Dans l'enceinte du château, le **musée de la ville de Matsumoto/musée du Folklore japonais** (billet d'admission au château ; ☎ 32-0133 ; 4-1 Marunōchi ; ☯ 8h30-16h30) illustre l'histoire et les traditions populaires de la région. À noter, une collection de poupées *tanabata* (figurines en bois ou en carton habillées de papier) et des phallus en bois qui jouent un rôle important lors du festival Dōsojin (voir plus loin), en septembre.

QUARTIER DE NAKAMACHI 中町
Les rues étroites de cet ancien quartier de négociants méritent le détour car la plupart des entrepôts y ont été convertis en cafés, galeries, boutiques d'artisanat du bois, du verre, du tissu, de la céramique et des objets anciens. L'un de ces lieux, **Nakamachi Kura Shikku-Kan** (Classic-kan ; ☎ 36-3053 ; 2-9-15 Chūō ; ☯ 9h-22h), expose des objets d'art et d'artisanat de facture locale. Un petit café propice à la détente se trouve juste à côté.

CENTRE DES ARTS DU SPECTACLE
DE MATSUMOTO まつもと市民芸術館
Avec cet édifice réalisé en 2004, l'architecte Toyō Itō enfreint avec succès toutes les règles établies. Les murs extérieurs ondulants, ponctués d'incrustations en verre dépoli semblables à des rochers, sont très spectaculaires de nuit. Avec d'autres salles, le **Centre des arts du spectacle**

de Matsumoto (☎ 33-3800 ; 3-10-1 Fukashi) est une adresse de choix pour la fête de Saitō Kinen (p. 304). Depuis le centre-ville, dirigez-vous vers l'est dans Ekimae-dōri ; il se situe sur la droite, juste en dehors de la carte.

MUSÉE D'ART DE LA VILLE
DE MATSUMOTO 松本市美術館
Ce beau **musée** (☎ 39-7400 ; 4-2-22 Chūō ; adulte/enfant/ lycéen et étudiant 400/gratuit/200 ¥ ; ☯ 9h-17h mar-dim) expose divers artistes japonais. La plupart sont originaires de Matsumoto, d'autres ont peint des paysages des environs. Parmi les œuvres les plus marquantes figurent les étonnants travaux d'avant-garde de Yayoi Kusama (en particulier *The Infinity Mirrored Room*), les délicats paysages de Kazuo Tamura et les calligraphies de Shinzan Kamijo. Les expositions temporaires sont aussi très intéressantes. L'architecture contemporaine du musée (2002) retient également l'attention, avec sa façade noire, ses murs de pierre, ses douves miniatures et ses jardins, motifs inspirés par le château. À une centaine de mètres du Centre des arts du spectacle, de l'autre côté de la rue.

MUSÉE DES ESTAMPES JAPONAISES
(UKIYO-E) 日本浮世絵美術館
Plusieurs générations de la famille Sakai ont réuni plus de 100 000 estampes, peintures, paravents et livres anciens. Ce serait la plus vaste collection privée au monde. Ce **musée** (☎ 47-4440 ; 2206-1 Koshiba, Shimadachi ; adulte/enfant 1 050/530 ¥ ; ☯ 10h-17h mar-dim) n'en expose qu'une infime partie à la fois, dans un bâtiment contemporain. Il y a très peu d'explications en anglais, mais une brochure dans cette langue vous sera remise.

Le musée se situe à environ 3 km de la gare de Matsumoto et à 15 minutes de marche de la gare d'Ōniwa, sur la ligne Matsumoto Dentetsu (170 ¥, 6 min). La course en taxi tourne autour de 2 000 ¥.

UTSUKUSHI-GA-HARA ONSEN
ET ASAMA ONSEN 美ヶ原温泉・浅間温泉
Ces deux villes thermales sont au nord-est de la ville. Utsukushi-ga-hara Onsen (à ne pas confondre avec Utsukushi-ga-hara Kōgen) est la plus belle des deux. Elle compte une artère principale pittoresque et bénéficie d'une vue splendide sur la vallée. Quant à Asama Onsen, son histoire, marquée par des écrivains et des poètes, remonterait au Xe siècle. Aujourd'hui toutefois, la ville n'a rien de particulier. Dans

les deux stations, les eaux sont réputées soigner les troubles de l'estomac et de l'intestin, les maladies de peau ainsi que les problèmes gynécologiques. Le **Hot Plaza Asama** (ホット プラザ浅間 ; ☎ 46-6278 ; adulte/enfant 840/420 ¥ ; 🕑 10h-20h mer-lun), malgré son ambiance de *sentō* de quartier, comprend de nombreux bassins et un sauna.

Les deux villes sont aisément accessibles en bus depuis la gare routière de Matsumoto (Utsukushi-ga-hara Onsen : 330 ¥, 18 min, 2 fois/heure ; Asama Onsen : 350 ¥, 23 min, toutes les heures).

UTSUKUSHI-GA-HARA KŌGEN 美ヶ原高原
Ce plateau alpin (2 000 m), à ne pas confondre avec Utsukushi-ga-hara Onsen, est un lieu d'excursion très prisé par temps chaud. On y accède depuis Matsumoto par de tortueuses routes de montagne, l'Azalea Line et la Venus Line, offrant de très beaux paysages.

L'**Utsukushi-ga-hara Bijutsukan** (美ヶ原美術 館 ; musée en plein air d'Utsukushi-ga-hara ; ☎ 86-2331 ; adulte/enfant/étudiant 1 000/700/800 ¥ ; 🕑 9h-17h fin avr/ mi-nov), dans la même veine et appartenant au même propriétaire que le musée en plein air de Hakone (p. 218), est un grand jardin de sculptures regroupant quelque 350 pièces de sculpteurs japonais pour la plupart. Par beau temps, les montagnes environnantes sont très belles.

Non loin, vous pourrez faire d'agréables promenades et voir des vaches en train de paître (une véritable fascination au Japon). **Furusato-kan** (ふる里館 ; ☎ 0268-86-2311), la boutique de la ferme au sommet de la colline, vend des crèmes glacées fabriquées avec les *kokemomo* (airelles) de la région.

La plupart des visiteurs japonais se rendent au musée en voiture. Des bus (1 300 ¥, 80 min) circulent plusieurs fois par jour vers le milieu de l'été, alors que le service est très rare, voire nul, le reste de la saison. Renseignez-vous avant de partir. Pour s'y rendre en taxi, il faut compter au minimum 10 000 ¥ l'aller, de sorte qu'il est plus judicieux de louer une voiture. Reportez-vous en p. 306 pour les informations sur la location de véhicule.

Fêtes et festivals
Matsumoto-jō Sakura Matsuri. Une mise en lumière du château, réalisée à la période de floraison des cerisiers (Hanami, fin avril).
Tenjin Matsuri (23-24 juil). Une fête qui se déroule au Fukashi-jinja, avec des chars aux décorations complexes.

Takigi Nō Matsuri (août). Cette manifestation pittoresque comprend des représentations de théâtre *nō* données en plein air à la lumière des torches, dans le parc en bas du château.
Festival Saitō Kinen. De la mi-août à la mi-septembre, une dizaine de concerts classiques en hommage au célèbre chef d'orchestre et professeur de musique Hideo Saitō (1902-1972). La direction de ce festival revient à Seiji Ozawa, chef d'orchestre du Boston Symphony Orchestra.
Dōsojin Matsuri (4ᵉ samedi de sept). À Utsukushi-ga-hara Onsen, la fête en l'honneur des *dōsojin* (dieux gardiens des routes) fait la part belle aux phallus stylisés.
Yohashira Jinja Matsuri (ou Shintōsai, vers début oct). Feux d'artifice et grandes poupées.
Taimatsu-Matsuri (vers début oct). Asama Onsen célèbre la spectaculaire fête du feu par un défilé à la lueur des torches sur fond de percussions.
Oshiro Matsuri. La fête du Château, de la mi-octobre au 3 novembre, est un grand rassemblement culturel. Au programme : défilés en costume, spectacles de marionnettes et expositions florales.

Où se loger
Il faut s'éloigner de la gare (quartier empli de *business hotels* exigus et sans charme) pour débusquer des hébergements beaucoup plus pittoresques, en particulier ceux de Nakamachi. Comptez 10 minutes de marche.

Nunoya (☎/fax 32-0545 ; 3-5-7 Chūō ; ch à partir de 4 500 ¥/pers). Peu d'auberges ont autant de cachet que cette ravissante adresse traditionnelle aux parquets cirés et aux superbes chambres dotées de tatamis et de sdb communes. On ne sert pas de repas mais les cafés (ainsi que les boutiques et galeries) de Nakamachi sont au seuil de l'établissement.

Marumo (☎ 32-0115 ; fax 35-2251 ; 3-3-10 Chūō ; ch 5 250 ¥/pers, avec petit déj 6 300 ¥). Entre Nakamachi et la Metoba-gawa, ce superbe *ryokan* en bois de 1868 a un charme fou. Il possède une bambouseraie et un café. Les chambres, petites et sans sdb ni toilettes, affichent cependant vite complet. Pensez à réserver.

Tōyoko Inn Matsumoto Ekimae Honmachi (☎ 36-1045 ; www.toyoko-inn.com ; 2-1-23 Chūō ; s/d et lits jum à partir de 5 460/8 190 ¥ ; 🍴 🖥). Un *business hotel* très bon marché à l'emplacement central. Les chambres sont fonctionnelles, impeccables et exiguës, mais pour le prix, on a droit à de brèves communications téléphoniques depuis la réception, à l'accès à Internet (réseau LAN) et à un petit-déjeuner japonais assez simple.

Richmond Hotel (☎ 37-5000 ; www.richmondhotel. jp/e/matsumoto ; 1-10-7 Chūō ; s/d à partir de 6 400/8 800 ¥ ; 🍴 🖥). Central et impeccable, ce *business hotel* abrite 240 chambres de dimensions correctes, sans chichis ou le moins possible, et dotées de l'accès à Internet (réseau LAN). Les tarifs indiqués s'appliquent aux *kai-in* (membres) ; pour en devenir un, il suffit de remplir un formulaire et d'acquitter la somme de 500 ¥ lors du premier check-in. Vous trouverez des prix encore plus avantageux en ligne.

Hotel Buena Vista (☎ 37-0111 ; www.buena-vista.co.jp ; 1-2-1 Honjo ; s/lits jum à partir de 9 240/19 645 ¥ ; ⊠ ▯). Plus bel hôtel à l'occidentale de Matsumoto, le Buena Vista affiche un chic inspiré de Barcelone dans ses parties communes : mariage du bois sombre et de la pierre, éclairage d'ambiance et musiques du monde à la réception. Les chambres étaient en rénovation lors de notre passage. Le lounge Salon de Fuego du 14ᵉ niveau offre une vue splendide sur la ville. Autres plus : accès à Internet (réseau LAN) et fréquentes offres spéciales en ligne.

UTSUKUSHI-GA-HARA ONSEN
Sugimoto (☎ 32-3379 ; 451-7 Satoyamabe ; ch à partir de 15 000 ¥/pers). Parions que vous voudrez passer au moins 2 nuits dans ce fabuleux *ryokan* de l'artère principale d'Utsukushi-ga-hara : une pour vous familiariser avec les lieux – onsen, Jacuzzi, collection de *mingei* (art populaire), salon de thé, passage souterrain, bar achalandé en whiskies pur malt, etc. –, l'autre pour vraiment en profiter. Les dimensions et la déco des chambres varient (à la japonaise, à l'occidentale, mélange des deux styles) mais toutes sont follement élégantes. Le déjeuner ou le dîner (6 000 ¥, sur réservation) inclut l'accès aux bains.

Où se restaurer et prendre un verre
Robata Shōya (☎ 37-1000 ; 11-1 Chūō ; plats 150-900 ¥ ; ◷ dîner). En angle de rue dans le centre-ville, ce *yakitori-ya* (restaurant de yakitoris, soit des brochettes de poulet) classique et animé propose un grand choix de grillades et de plats de saison. Carte en anglais (approximatif…).

Kura (☎ 33-6444 ; 1-10-22 Chūō ; plats à partir de 300 ¥, teishoku 945-2 100 ¥ ; ◷ déj et dîner jeu-mar). Proche de Nakamachi, le Kura sert des sushis et des *tempura* préparés avec grand soin au déjeuner ou au dîner. On mange dans un ancien entrepôt d'allure très chic. Les audacieux pourront goûter au *basashi* (viande de cheval crue).

Shizuka (☎ 32-0547 ; 4-10-8 Ōte ; plats 525-1 365 ¥ ; ◷ déj et dîner lun-sam). Sympathique *izakaya* traditionnel proposant les classiques *oden* et *yakitori*. Les spécialités locales plus originales

(voir l'encadré p. 296) ne figurent pas sur le menu en anglais.

Vamonos (☎ 36-4878 ; 1-4-13 Chūō ; plats 750-900 ¥ ; ◷ déj et dîner). Ce joli petit restaurant mexicain sert des *enchiladas*, des *burritos*, des *nachos*, de copieuses salades et de petites *margaritas* très alcoolisées. Repérez l'enseigne au 2ᵉ niveau.

Old Rock (☎ 38-0069 ; 2-30-20 Chūō ; plats à partir de 750 ¥ ; ◷ déj et dîner). À un pâté de maisons au sud de la rivière, en face de Nakamachi, ce populaire pub de *gaijin* est très animé les soirs de week-end. Au menu : bonnes formules déjeuner et vaste choix de bières.

Nomugi (☎ 36-3753 ; 2-9-11 Chūō ; soba 1 100 ¥ ; ◷ déj jeu-lun). À Nakamachi, voici l'une des meilleures échoppes de *soba* du centre du Japon. Son propriétaire a tenu un restaurant français à Tōkyō avant de revenir dans sa ville natale. Au menu, un seul plat : le *zaru-soba* servi dans un panier en osier. L'hiver, on peut aussi se régaler de *kake-soba* (1 300 ¥).

Coat (☎ 34-7133 ; 2-3-24 Chūō ; ◷ 16h-0h30 mar-dim). Dans ce petit bar sophistiqué officie le barman le plus célèbre de Matsumoto. L'"*otomenadeshiko*", l'un des cocktails créés par Hayashi-san, a même remporté, il y a quelques années, le premier prix du concours de l'Association des barmen japonais.

Si vous avez simplement envie d'un café et d'un gâteau, rendez-vous dans les nombreux cafés qui bordent la Metoba-gawa et Nawate-dōri.

Achats
Matsumoto est connue pour ses *temari* (balles brodées) et ses poupées, articles que vous trouverez chez **Berami** (Belle Amie ; ☎ 33-1314 ; 3-7-23 Chūō ; ◷ 9h-19h lun, mar, jeu, ven et sam, 10h-18h dim). On distingue deux sortes de poupées, les *tanabata* et les *oshie-bina* (revêtues de beaux tissus). La rue Takasago, à un pâté de maisons au sud de Nakamachi, abrite plusieurs boutiques spécialisées.

Nawate-dōri est également un quartier pittoresque, au nord de la rivière, où s'alignent cafés et boutiques de souvenirs.

Depuis/vers Matsumoto
AVION
L'aéroport Shinshū Matsumoto dessert Fukuoka, Ōsaka et Sapporo.

BUS
La compagnie **Alpico** (☎ 35-7400) assure des liaisons avec Tōkyō (Shinjuku ; 3 400 ¥,

3 heures 15, 18/jour), Ōsaka (5 710 ¥, 5 heures 15, 2/jour), Nagoya (3 460 ¥, 3 heures 30, 6/jour) et Takayama (3 100 ¥, 2 heures 30, 4/jour)). Il est conseillé de réserver. La gare routière de Matsumoto se trouve au sous-sol du bâtiment Espa, en face de la gare ferroviaire.

TRAIN
Des trains relient Matsumoto à la gare de Shinjuku à Tōkyō (*tokkyū*, 6 510 ¥, 2 heures 45, toutes les heures), à Nagoya (*tokkyū*, 5 670 ¥, 2 heures) et à Nagano (Shinano *tokkyū*, 2 970 ¥, 50 min ; *futsū*, 1 110 ¥, 70 min).

VOITURE
Louer une voiture est souvent le meilleur moyen pour faire de petites excursions. Vous trouverez plusieurs agences spécialisées aux alentours de la gare ferroviaire. Comptez un minimum de 5 250 ¥ la demi-journée.

Comment circuler
Le château et le centre-ville se parcourent aisément à pied. Le vélo constitue également un mode de locomotion adapté ; pour en emprunter un, contactez l'office du tourisme qui vous indiquera les lieux de prêt. Trois bus touristiques "Town Sneaker" sillonnent le centre (100/300 ¥ trajet/par jour, 9h-18h, avr-nov, jusqu'à 17h30 déc-mars) ; les bus bleu et les bus orange passent par le château et par Nakamachi.

Des navettes dont les horaires correspondent à ceux des vols, conduisent du centre-ville à l'aéroport Shintsū (540 ¥, 25 min). Le même trajet en taxi revient à environ 4 500 ¥.

HOTAKA 穂高
☎ 0263
À ne pas confondre avec Shin-Hotaka, dans le parc national des Alpes japonaises, Hotaka accueille la plus grande exploitation agricole de wasabi (raifort japonais) du pays. Facile à visiter dans la journée depuis Matsumoto, cette ville est aussi un point de départ apprécié pour les randonnées dans les montagnes de la région.

L'**office du tourisme** (☎ 82-9363 ; 9h-17h avr-nov, 10h-16h déc-mars) et le **magasin de location de vélos** (à partir de 200 ¥/h) – nous vous conseillons ce moyen de locomotion – se situent à la sortie de la gare de Hotaka. Tous deux fournissent des plans en japonais, et le personnel de l'office du tourisme parle anglais et peut s'occuper de vos réservations.

À voir et à faire
DAI-Ō WASABI-NŌJŌ 大王わさび農場
Une visite de la **plantation de wasabi** de Dai-ō (ferme de wasabi de Dai-ō ; ☎ 82-2118 ; gratuit ; 8h30-17h30 juil-août, horaires plus réduits le reste de l'année) s'impose ; même ceux qui n'aiment pas le raifort peuvent y trouver de l'intérêt. Un plan en anglais permet de s'orienter à travers les champs inondés où pousse la fameuse plante, les restaurants, les boutiques et les espaces de travail, tous situés dans un paysage vallonné. Les dégustations gratuites et les possibilités d'achat ne manquent pas : le wasabi entre dans la composition de nombreux produits, du vin aux biscuits de riz en passant par la crème glacée et le chocolat.

L'exploitation se situe à 15 minutes à vélo de la gare de Hotaka. Notez qu'il existe des champs de wasabi plus paisibles que ceux-ci.

ROKUZAN BIJUTSUKAN 碌山美術館
À 10 minutes à pied de la gare, le **Rokuzan Bijutsukan** (musée d'Art Rokuzan ; ☎ 82-2094 ; adulte/enfant/étudiant 700/150/300 ¥ ; 9h-17h10 mars-oct, jusqu'à 16h10 nov-fév, fermé lun nov-avr) donne à voir les œuvres d'un sculpteur de l'ère Meiji, Rokuzan Ogiwara (surnommé "le Rodin de l'Orient" par les Japonais), et de ses contemporains nippons. En parcourant les quatre bâtiments et le jardin, on est frappé par l'influence mutuelle qu'avaient alors l'un sur l'autre l'art oriental et l'art occidental.

NAKABUSA ONSEN 中房温泉
Des bus saisonniers (de fin avril à mi-novembre) au départ de la gare de Hotaka (1 610 ¥, 50 min) desservent cet onsen. Lorsque les bus ne fonctionnent pas, vous pouvez vous y rendre en taxi (comptez environ 7 000 ¥). De Nakabusa Onsen partent plusieurs longs sentiers de randonnée jalonnés d'auberges, ouvertes en saison uniquement.

JŌNEN-DAKE 常念岳
De la gare de Hotaka, il faut 30 minutes en taxi (4 800 ¥) pour rejoindre Ichi-no-sawa, l'embranchement d'un sentier pour randonneurs expérimentés qui grimpe jusqu'au sommet du Jōnen-dake (2 857 m) ; l'ascension prend environ 5 heures 30. La région offre de nombreuses possibilités de randonnées sur plusieurs jours, qui nécessitent toutefois une bonne préparation. Les offices du tourisme fournissent informations et cartes (les plus détaillées sont en japonais). Récupérez la *meishi* (carte de visite) du chauffeur de taxi pour l'appeler au retour.

Où se loger

Azumino Pastoral Youth Hostel (安曇野パストラル
ユースホステル ; ☎ 83-6170 ; pastoral@ai.wakwak.com ;
dort 3 960 ¥, en demi-pension à partir de 5 900 ¥). Au milieu
des champs, à 4 km à l'ouest de la gare de Hotaka
(soit 1 heure de marche), agréable auberge de
jeunesse au charme rustique. Ses chambres logent
3 à 5 personnes. Elle ferme occasionnellement
hors saison (le plus souvent en hiver).

Ariake-so Kokuminshukusha (有明荘国民宿
舍 ; ☎ 090-2321-9991 ; ch en demi-pension à partir de
9 500 ¥/pers ; ☒ fin avr-fin nov). Niché à proximité
de Nakabusa Onsen, ce gîte saisonnier pouvant
loger 95 personnes comporte des chambres
rudimentaires et un onsen (600 ¥/jour).

Depuis/vers Hotaka

Hotaka se situe à 30 minutes (320 ¥) de
Matsumoto par la ligne JR Ōito.

VALLÉE DE KISO 木曽

☎ 0264

Montagneux et densément boisé, le sud-ouest du
Nagano-ken est traversé par une ancienne route de
poste sinueuse et escarpée, la Nakasendō (p. 197).
À l'instar de la plus célèbre route du Tōkaidō, elle
reliait Edo (l'actuelle Tōkyō) à Kyōto, assurant
la prospérité des villes situées sur son parcours.
Plusieurs d'entre elles conservent encore une
architecture préservée de cette époque.

Il n'en a pas toujours été ainsi. En effet, le
hinoki (cyprès) de Kiso était si recherché qu'il
servit à la construction des châteaux d'Edo et
de Nagoya (on l'utilise d'ailleurs toujours, tous
les 20 ans, pour la rénovation de l'Ise-jingū,
p. 452, le temple shintoïste le plus sacré). Afin de
protéger cette manne, la région fut placée sous
le contrôle des shoguns Tokugawa. Ses habitants
avaient alors l'interdiction formelle de couper
des cyprès, y compris ceux leur appartenant,
sous peine de mort. Cette mesure resta en
vigueur bien après l'ère Meiji, empêchant la
réparation de nombreux bâtiments dégradés
ou touchés par des incendies. Vint ensuite le
déclin économique lié à l'apparition de nouvelles
routes et villes commerciales au nord, ainsi
qu'à la construction de la ligne ferroviaire de
Chūō qui isola la vallée.

Dans les années 1960, un mouvement pour la
protection du patrimoine émergea et le tourisme
devint une source de revenus importante.
Aujourd'hui, si la plupart des édifices actuels
sont des reconstitutions datant de l'ère Meiji et
du règne de l'empereur Taishō, les rues évoquent
remarquablement la période d'Edo.

Tsumago et Magome 妻籠 馬籠

Tsumago et Magome sont parmi les plus
attrayantes des villes situées le long de la
Nakasendō. Leurs rues principales sont
fermées à la circulation automobile, et elles
sont reliées entre elles par un agréable chemin
de randonnée.

Tsumago, qui se parcourt d'un bout à l'autre
en 15 minutes, donne l'impression d'être un
musée à ciel ouvert. Afin de préserver son
architecture traditionnelle, le gouvernement a
décrété la ville zone protégée : aucune antenne
de télévision, aucun poteau télégraphique ni
aucun autre élément moderne ne viennent
gâcher le paysage. La beauté des maisons aux
façades en bois sombre surmontées de toits
en pente douce couverts de tuiles se manifeste
encore davantage dans la brume du petit matin.
La rue principale de la ville a servi de décor à de
nombreux films et émissions de télévision.

Le **bureau d'information touristique de Tsumago**
(観光案内館 ; ☎ 57-3123 ; fax 57-4036 ; ☒ 8h30-17h)
se tient dans le centre de la ville, à côté de
l'antique cabine téléphonique. Le personnel
parle un peu anglais et distribue des brochures
dans cette langue.

Plus bas de l'autre côté de la rue, le **Waki-
honjin** (脇本陣 ; ☎ 57-3322 ; adulte/enfant 600/300 ¥ ;
☒ 9h-17h) est une ancienne halte destinée aux
serviteurs des daimyo qui circulaient sur la
route Nakasendō. Reconstruit en 1877 grâce
à une dispense de l'empereur Meiji, il contient
un joli jardin de mousse et des toilettes prévues
spécialement en cas de visite du souverain (il
semble que ce dernier ne soit jamais venu).
Conçu par un architecte de forts que la
politique antiféodale de Meiji avait contraint
à se reconvertir, le bâtiment revêt des allures
de château japonais. Dans son enceinte, le
Shiryōkan (資料館 ; musée d'Histoire locale)
expose de belles pièces relatives à la vallée
de Kiso et à la route Nakasendō (quelques
explications en anglais).

En face du Shiryōkan, le **Tsumago Honjin**
(妻籠本陣 ; ☎ 57-3322 ; adulte/enfant 300/150 ¥ ;
☒ 9h-17h) accueillait jadis les daimyo pour
la nuit. Son architecture est plus intéressante
que les expositions qu'il présente. Un billet
groupé (700/350 ¥) donne également accès au
Waki-honjin et au Shiryōkan.

Kisoji-kan (木曽路館 ; ☎ 58-2046 ; bains 700 ¥ ;
☒ 10h-20h), sur un terrain vallonné à quelques
kilomètres au-dessus de Tsumago, abrite une
excellente boutique de souvenirs. Mais c'est
surtout son *rotemburo* jouissant d'une vue

CENTRE DE HONSHŪ

panoramique sur la montagne qui vaut le détour. Certains lieux d'hébergement de Tsumago proposent des tickets d'entrée à prix réduit et une navette gratuite assure la liaison entre le parking n°1 de la ville (10 min, environ toutes les heures) et Nagiso (voir ci-contre).

Le 23 novembre a lieu la **Fuzoku Emaki Parade**, sur la route Nakasendō, à Tsumago, au cours de laquelle les villageois défilent vêtus de costumes de la période d'Edo.

Magome, un peu plus au sud, est plus développée que Tsumago. Elle est traversée par une rue piétonne pavée, très pentue, bordée d'habitations, de restaurants, d'auberges et de boutiques de souvenirs. Bien que tous les bâtiments ne soient pas de style Edo, Magome et sa vue sur la montagne ont incontestablement beaucoup de cachet. L'**office du tourisme** (観光案内館 ; ☎ 59-2336 ; fax 59-2653 ; ☽ 8h30-17h mi-mars/mi-déc, 9h-17h mi-déc/mi-mars), à mi-chemin de la montée, sur la droite, tient des cartes à disposition. Le personnel se charge de réserver l'hébergement.

Magome est le lieu de naissance de l'écrivain Tōson Shimazaki (1872-1943). Son chef-d'œuvre, *Ie* (*Famille*), raconte le déclin de deux familles provinciales de Kiso. Le **musée** (藤村記念館 ; ☎ 59-2047 ; entrée 500 ¥ ; ☽ 8h30-16h45 avr-oct, jusqu'à 16h15 nov-mars, fermé les 2ᵉ mar, mer et jeu du mois de déc) illustre la vie de l'artiste et son époque. Les personnes ne parlant pas le japonais s'y sentiront peut-être un peu perdues.

Parmi les souvenirs intéressants à rapporter de ces deux villes, vous avez le choix entre les jouets, les objets d'artisanat et les accessoires pour la maison en *kiso hinoki* (cyprès japonais).

La **randonnée** de 7,8 km entre Tsumago et Magome culmine à 801 m au sommet du col escarpé de Magome-tōge. De cet endroit, le chemin vers Tsumago, jalonné de cascades, traverse une forêt et des terres cultivées, tandis que l'approche de Magome se fait essentiellement par une route goudronnée. Comptez environ 2 heures 30 pour vous rendre d'une ville à l'autre. Il est plus facile d'aller de Magome (600 m d'altitude) à Tsumago (420 m d'altitude) que de faire le trajet inverse. Le parcours est balisé en anglais. Le bus Magome-Tsumago (600 ¥, 30 min, au moins 3/jour dans chaque direction, sauf du lundi au vendredi de décembre à février) marque également l'arrêt au col.

Si vous effectuez la randonnée entre Magome et Tsumago, vous pouvez utiliser le **service de transport de bagages** (500 ¥/sac ; ☽ tlj fin juil-août, sam, dim et jours fériés fin mars-fin nov) entre les offices du tourisme de l'une et l'autre ville. Déposez vos sacs entre 8h30 et 11h30 pour une livraison à 13h.

OÙ SE LOGER ET SE RESTAURER
Cela vaut la peine de passer la nuit sur place, en particulier à Tsumago, afin de profiter des lieux une fois les excursionnistes partis. Les deux offices du tourisme peuvent se charger des réservations dans l'un des nombreux *ryokan* (à partir d'environ 9 000 ¥/pers) et *minshuku* (à partir d'environ 7 000 ¥/pers) ; les tarifs incluent la demi-pension. N'escomptez pas trouver une chambre avec toilettes ou sdb. En revanche, vous logerez à coup sûr dans un cadre des plus pittoresques. Pour vous restaurer, optez pour les étals de rue qui servent du *gohei-mochi,* boulettes de pâte de riz en brochettes enrobées d'une sauce noix/sésame, et, en automne, ne manquez pas les *kuri-kinton* (boulettes de pâte de châtaigne).

Magome-Chaya (馬籠茶屋 ; ☎ 59-2038 ; www.magomechaya.com ; s/d 5 250/8 190 ¥). Accueillant et bien tenu, ce restaurant et *minshuku* se trouve dans le centre de Magome, près de la roue à eau. Les repas de style japonais (réservation recommandée ; petit-déjeuner 1 050 ¥, dîner 3 150 ¥) sont particulièrement copieux.

Minshuku Daikichi (大吉旅館 ; ☎ 57-2595 ; fax 57-2203 ; ch 9 000 ¥/pers). Cet établissement très traditionnel, bien que construit dans les années 1970, plaît beaucoup aux étrangers. Jolies chambres avec tatamis et éléments en bois, toutes avec vue. L'auberge est à la lisière de Tsumago (prendre la bifurcation à droite au-dessus du centre-ville).

Matsushiro-ya (松代屋旅館 ; ☎ 57-3022 ; fax 57-3386 ; ch 10 500 ¥/pers ; ☽ jeu-mar). Voici l'un des plus anciens hébergements de Tsumago (certaines parties datent de 1804), installé dans la rue la plus pittoresque. Grandes chambres avec tatamis.

Fujioto (藤乙 ; ☎ 57-3009 ; www.takenet.or.jp/~fujioto ; ch 11 550 ¥/pers). Autre adresse souvent photographiée, cet excellent *ryokan* abrite de superbes chambres anciennes et un ravissant jardin où se régaler au déjeuner de spécialités telles la truite de la vallée de Kiso (*teishoku* 1 500 ¥). Il est à deux pas du Waki-honjin à Tsumago.

À Tsumago, on trouve de nombreux étals de rue ainsi que quelques *shokudō* (petits restaurants polyvalents) près du chemin qui mène au parking. Très typique, **Yoshimura-ya** (吉村屋 ; ☎ 57-3265 ; plats 700-1 500 ¥ ; ☽ déj, fermé jeu) a pour spécialité les *soba* maison, à déguster avec des *tempura* ; carte en anglais si besoin.

DEPUIS/VERS TSUMAGO ET MAGOME

Pour se rendre à Magome et à Tsumago, il faut descendre respectivement à Nakatsugawa et à Nagiso : elles se trouvent toutes deux à une certaine distance, mais ce sont les gares les plus proches, situées sur la ligne JR Chūō. Des trains relient Nakatsugawa à Nagoya (*tokkyū*, 2 740 ¥, 47 min) et à Matsumoto (*tokkyū*, 3 980 ¥, 70 min). Quelques *tokkyū* s'arrêtent chaque jour à Nagiso (depuis Nagoya 3 080 ¥, 1 heure) ; sinon, prenez une correspondance à Nakatsugawa (*futsū* 320 ¥, 20 min).

Des bus pour Magome partent toutes les heures devant la gare de Nakatsugawa (540 ¥, 30 min). À noter aussi, quelques liaisons en bus entre Magome et Tsumago (600 ¥, 25 min).

Des bus circulent entre Tsumago et la gare de Nagiso (270 ¥, 10 min, 8/jour) ; à pied, comptez 1 heure.

De Tsumago, un bus conduit à la gare de Nagiso (270 ¥, 10 min 8/jour), que l'on peut rejoindre sinon en une heure de marche.

Des bus relient également, par l'autoroute, Magome et la gare routière Meitetsu de Nagoya (1 810 ¥, 1 heure 30), ainsi que la gare de Shinjuku à Tōkyō (4 500 ¥, 4 heures 30). Ils s'arrêtent à l'échangeur voisin (Magome Intah, 馬籠インター), d'où il faut compter 1,3 km de marche en montée, à moins que l'arrivée corresponde à celle du bus en provenance de Nakatsugawa.

Kiso-Fukushima 木曽福島

Au nord de Tsumago et de Magome, Kiso-Fukushima est un ancien poste de contrôle établi sur la Nakasendō, aujourd'hui bien plus développé que ces deux villes. Son importance historique et son pittoresque quartier de vieilles demeures en font un intéressant détour de quelques heures sur la route des deux cités touristiques ou en provenance de Matsumoto.

De la gare, traversez la rue et passez prendre un plan en anglais au petit **office du tourisme** (木曽町観光協会 ; Kisomachi Kankō Kyōkai ; ☎ 22-4000 ; 🕐 9h-16h45), puis descendez vers le centre-ville. Les sites à visiter sont bien indiqués. Sur votre droite, entre le Kiso-gawa et la voie ferrée, se tient le **Ue-no-dan** (上の段), quartier historique dont certaines maisons anciennes ont été transformées en boutiques, cafés et galeries.

Encore quelques minutes de marche et l'on arrive au **Fukushima Sekisho-ato** (福島関所跡 ; poste de contrôle de Fukushima ; ☎ 23-2595 ; adulte/enfant 300/150 ¥ ; 🕐 8h-17h30 avr-oct, 8h30-16h30 nov-mars),

reconstruction de l'un des postes de contrôle les plus importants de la période d'Edo (voir l'encadré p. 197). Depuis son emplacement, en surplomb de la vallée, on saisit parfaitement l'importance stratégique de cette barrière. À l'intérieur, des expositions mettent en avant les éléments qui permettaient de maintenir l'ordre autrefois, notamment les armes et les *tegata* (laissez-passer sur les plaquettes de bois), et reviennent sur le traitement particulier auxquelles avaient droit les femmes qui voyageaient seules.

Kurumaya Honten (くるまや本店 ; ☎ 22-2200 ; plats 577-1 575 ¥ ; 🕐 10h-17h jeu-mar). L'un des magasins de *soba* les plus réputés du pays. Optez pour la préparation classique – *mori* (simple) ou *zaru* (avec lamelles d'algues *nori*) froids sur plateau laqué, accompagnés d'une sauce aigre-douce – ou avec du *daikon orishi* (radis râpé), ou encore chaudes avec du *jidori* (poulet fermier). Juste avant le premier pont, au pied de la colline en venant de la gare.

À Ue-no-dan, le **Bistro Matsushima-tei** (ビストロ松島体 ; ☎ 23-3625 ; plats 1 155-1 900 ¥, formules déj 1 200-1 800 ¥ ; 🕐 déj et dîner tlj juil-oct, fermé mer nov-juin) propose une carte souvent renouvelée de pizzas maison et de plats de pâtes, dans un décor précieux cadrant avec l'histoire du bâtiment – une adresse idéale pour un rendez-vous. On peut aussi n'y prendre qu'un café et un gâteau.

Kiso-Fukushima correspond à un arrêt de la ligne JR Chūō (Shinano *tokkyū*), facilement accessible de Matsumoto (2 610 ¥, 35 min), Nakatsugawa (2 610 ¥, 35 min) et Nagoya (4 500 ¥, 1 heure 30).

Deux bus circulent quotidiennement (4 500 ¥, 4 heures 15) entre Kiso-Fukushima et la gare Shinjuku de Tōkyō (sortie ouest).

TOYAMA-KEN 富山県

TOYAMA 富山

☎ 076 / 421 000 habitants

Toyama, où l'on trouve de grandes usines pharmaceutiques et de confection de fermetures Éclair, est bordée, à l'est et au sud, par la chaîne montagneuse du Tateyama, son principal atout aux yeux des touristes. C'est aussi un carrefour des transports de la côte du Hokuriku.

Le **bureau d'information** (観光案内所 ; ☎ 432-9751 ; 🕐 8h30-20h), à la sortie sud de la gare de Toyama, tient à disposition des cartes, ainsi que des brochures sur la ville et sur la route

Tateyama-Kurobe (ci-contre). Le personnel parle un peu anglais. La plupart des lieux d'hébergement et restaurants sont rassemblés à la sortie sud de la gare. Quant aux sites touristiques, ils sont aisément accessibles en tramway ou en bus.

Le **village artisanal de Toyama** (富山市民俗民芸村 ; ☎ 433-8270 ; adulte/enfant 500/250 ¥ ; ☺ 9h-17h) permet de découvrir divers objets artisanaux – céramique, ustensiles servant à la cérémonie du thé, peintures au *sumi-e* (pinceau) – exposés dans un ensemble de bâtiments sinuant à flanc de colline. Au sommet de cette dernière, le temple **Chōkei-ji** (長慶寺 ; ☎ 441-5451 ; entrée libre ; ☺ 24h/24) bénéficie d'une vue splendide sur les montagnes. Il renferme plus de 500 statues de *rakan* (disciples du Bouddha) drapées dans des écharpes aux couleurs vives. Le Museum Bus, gratuit, conduit au village artisanal (10 min, toutes les heures de 10h30 à 16h30). Il part d'un arrêt situé devant le Toyama Excel Hotel Tōkyū.

Au nord du centre-ville et au bord de la baie s'étend le quartier d'**Iwase** (岩瀬), soit l'artère principale fort bien préservée de l'ancien quartier du commerce maritime. Aujourd'hui cette rue, qui comporte quantité de boutiques et d'habitations privées, suscite la convoitise des banques. Prenez un train de la ligne Portram à la sortie nord de la gare de Toyama jusqu'au terminus, Iwase-hama (200 ¥, 25 min). Là, tournez à gauche de sorte à traverser le canal par le pont Iwase-bashi (岩瀬橋) et vous verrez ensuite des panneaux en anglais. Plutôt que de rebrousser chemin, vous pouvez rentrer en passant par la gare de Higashi-Iwase, située sur la ligne Portram.

De nombreux lieux d'hébergement se trouvent concentrés à quelques minutes à pied de la sortie sud de la gare ferroviaire. Le **Toyama Excel Hotel Tōkyū** (富山エクセルホテル東急 ; ☎ 441-0109 ; www.tokyuhotels.co.jp ; s/d à partir de 10 972/18 480 ¥ ; ☒ ▯ ☺), dans une tour au-dessus du centre commercial CIC, abrite des chambres individuelles assez grandes et de petites chambres à lits jumeaux ; accès Internet (réseau LAN). Le **Comfort Hotel Toyama Eki-mae** (コンフォートホテル富山駅前 ; ☎ 433-6811 ; www.choice-hotels.jp ; s/d avec petit déj à partir de 5 800/8 500 ¥ ; ▯ ☺) est un nouveau *business hotel*. Les chambres aux tons neutres sont équipées de lits confortables, et le petit-déjeuner est très correct pour le prix. En sortant de la gare, l'hôtel est de l'autre côté de la rue sur la droite.

On ne s'étonnera pas que le *yakuzen-ryōri*, cuisine à base d'herbes médicinales, soit la spécialité de cette ville où prospère par ailleurs l'industrie pharmaceutique. Vous pourrez y goûter chez **Yakuto** (薬都 ; ☎ 425-1873 ; plats à partir de 2 100 ¥ ; ☺ déj jeu-mar), à côté de l'arrêt de tramway Nishi-chō, et à 10 minutes de la gare (200 ¥). Pensez à réserver.

Le *shiroebi* (crevette blanche d'environ 6 cm de long) est une autre spécialité locale. **Shiroebi-tei** (白えび亭 ; ☎ 432-7575 ; plats 730-2 200 ¥ ; ☺ 10h-20h) et son *shiroebi ten-don* (*shiroebi tempura* sur du riz ; 730 ¥), au 3ᵉ niveau de la gare de Toyama, remportent un franc succès auprès des habitants malgré un cadre très modeste. À côté de la gare, au 6ᵉ niveau de l'immeuble Marier (マリエ), un grand centre commercial, vous trouverez des restaurants. Les rues des alentours du CIC comptent de nombreux *izakaya*. Le *masu-no-sushi* (ますのすし ; lamelles de truite pressées sur du riz ; à partir de 150 ¥) est omniprésent sur les étals de *bentō*. Quant aux choux à la crème et à la cannelle de **Maple House** (メープルハウス ; ☎ 441-1193 ; 150 ¥ la pièce ; ☺ 10h-20h), située dans la gare, ils sont irrésistibles.

Des vols relient quotidiennement Toyama aux grandes villes japonaises. Des liaisons, moins fréquentes, sont également assurées vers Séoul, Shanghai et Vladivostok.

La ligne JR Takayama, en direction du sud, rejoint Takayama (*tokkyū*, 3 480 ¥, 90 min ; *futsū*, 1 620 ¥, 2 heures) et Nagoya (*tokkyū*, 7 640 ¥, 4 heures). En direction de l'ouest, la ligne JR Hokuriku dessert Kanazawa (*tokkyū*, 2 810 ¥, 35 min ; *futsū*, 950 ¥, 70 min), Kyōto (*tokkyū*, 7 960 ¥, 3 heures) et Ōsaka (8 690 ¥, 3 heures 30) ; en direction du nord-est, elle rejoint Naoetsu (4 380 ¥, 1 heure 15) et Niigata (7 330 ¥, 3 heures).

ROUTE ALPINE TATEYAMA-KUROBE
立山黒部アルペンルート

Une montagne sacrée, un canyon spectaculaire, des sources d'eau chaude et des paysages alpins grandioses, voilà quelques-unes des merveilles que l'on peut admirer le long de cette route de 90 km reliant Toyama à Shinano-ōmachi, dans le Nagano-ken. Ouverte uniquement en saison et très touristique, elle se divise en neuf tronçons sur lesquels sont utilisés des modes de transport différents : train, téléphérique, funiculaire, bus, trolley et bien sûr, marche à pied. On peut la parcourir dans les deux sens ; nous donnons ici des indications valables au départ de Toyama. Vous trouverez de plus amples informations à l'adresse Internet www.alpen-route.com/english/index.html.

Pour la parcourir dans sa totalité, le tarif est de 10 560/17 730 ¥ aller simple/aller-retour ; il est possible de prendre des tickets par tronçon. Pour la totalité du trajet aller, prévoyez 6 heures, sans compter les haltes. Certains visiteurs estiment que le trajet jusqu'à Murodō, le plus haut point de cette route, est amplement suffisant (6 530 ¥ aller/retour). La route est ouverte de mi-avril à mi-novembre. Pour connaître les dates précises, variables d'une année sur l'autre, renseignez-vous auprès d'un office du tourisme. En haute saison, d'août à fin octobre, il est fortement recommandé de réserver transport et hébergement.

Les indications données ici concernent un départ de Toyama, mais il est tout à fait possible de circuler dans l'autre direction. Pour plus d'informations, consultez le site www.alpen-route.com/english/index.html.

De la gare de Toyama, prenez la ligne régionale Chitetsu (1 170 ¥, 1 heure) qui vous emmènera à travers la campagne jusqu'au **Tateyama** (立山 ; 475 m). Vous y trouverez de nombreux *ryokan*, prêts à vous accueillir que vous arriviez tôt ou au contraire tard le soir.

De Tateyama, un funiculaire (700 ¥, 7 min) rejoint **Bijodaira** (美女平), d'où un bus (1 660 ¥, 50 min) traverse le spectaculaire plateau alpin de Midagahara Kōgen jusqu'à **Murodō** (室堂 ; 2 450 m). On peut marquer une pause à Midagahara et découvrir, à 15 minutes de marche, la **caldeira de Tateyama** (立山カルデラ), un immense cratère inactif. Une épaisse couche neigeuse recouvre souvent la partie supérieure du plateau jusqu'en plein été. Afin de dégager la route, la neige est entassée sur les côtés au point de former un tunnel dans lequel il est très amusant de circuler.

À Murodō, la beauté naturelle du paysage est quelque peu gâtée par la monstrueuse gare routière qui achemine le flot annuel des visiteurs. Toutefois, de courts itinéraires de randonnées permettent de se replonger en pleine nature. Vers le nord, 10 minutes suffisent pour atteindre le lac **Mikuri-ga-ike** (みくりが池), et 20 minutes encore pour parvenir aux **Jigokudani Onsen** ("sources chaudes de la vallée infernale"), où l'on ne peut se baigner, car les eaux sont littéralement bouillantes. Vers l'est, une marche d'environ 2 heures, en terrain très abrupt sur la fin, conduit au pic d'**O-yama** (推山 ; 3 003 m), d'où le panorama

est éblouissant. Pour les randonneurs aguerris disposant de plusieurs jours devant eux, signalons des itinéraires vers le sud allant jusqu'à Kamikōchi (p. 283).

Pour poursuivre la route depuis Murodō, un bus (2 100 ¥, 10 min) mène à **Daikanbō** (大観峰) via un tunnel traversant le Tateyama. Faites une halte pour admirer la vue, avant d'emprunter le téléphérique (1 260 ¥, 7 min) à destination de Kurobe-daira. Là, un second téléphérique (840 ¥, 5 min) descend à Kurobeko, à 15 minutes à pied de l'imposant **barrage de Kurobe** (黒部ダム).

Du barrage, il est possible d'effectuer une promenade en bateau ou de rallier un point de vue en hauteur avant de monter à bord du trolleybus pour **Ogizawa** (1 260 ¥, 16 min). Un bus (1 330 ¥, 40 min) descend ensuite jusqu'à la gare de Shinano-ōmachi (712 m), d'où des trains fréquents desservent Matsumoto (1 heure), où l'on peut changer de train pour Tōkyō, Nagoya et Nagano.

CENTRE DE HONSHŪ

ISHIKAWA-KEN 石川県

Réunion des anciens fiefs de Kaga et de Noto, l'Ishikawa-ken offre au visiteur une alternance de sites historico-culturels et de paysages naturels de toute beauté. Kanazawa, la capitale du Kaga, jadis siège du clan Maeda, donne à voir des exemples d'architecture traditionnelle et de remarquables jardins. Au nord, la péninsule de Noto (Noto-hantō) se distingue par un superbe environnement marin ponctué de paisibles villages de pêcheurs et par un arrière-pays vallonné. Enfin, le parc national de Hakusan, proche de la pointe méridionale de la préfecture, se prête à de belles randonnées mais reste difficile d'accès, même en haute saison.

Pour une belle vue d'ensemble de la région, rendez-vous sur www.hot-ishikawa.jp.

KANAZAWA 金沢
☎ 076 / 455 000 habitants

Les richesses culturelles de Kanazawa en font une destination phare pour ceux qui voyagent dans le Hokuriku. Surtout réputée pour son ravissant jardin, Kenroku-en, datant du XVIIᵉ siècle, c'est une ville splendide, avec ses vieux quartiers où résidaient autrefois samouraïs et geishas, ses sanctuaires et ses musées.

Comptez 2 jours pour faire le tour de ces sites en prenant votre temps. Les excursions à Noto-hantō sont ensuite vivement recommandées.

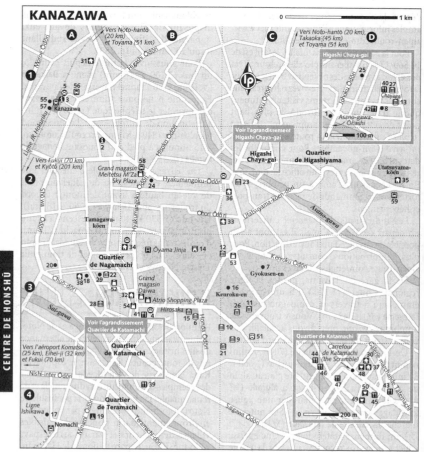

Histoire

Le nom de Kanazawa ("le marais doré") est lié à l'histoire du lieu, longtemps réputé pour sa richesse de ses récoltes. Au XVᵉ siècle, Kanazawa était contrôlée par un gouvernement bouddhique autonome, qui fut ensuite évincé en 1583 par Maeda Toshiie, chef du puissant clan Maeda, allié au shogun.

Trois siècles d'une abondante production rizicole firent de la région de Kaga l'une des plus riches du Japon ; on la surnommait alors Kaga-Hyaku-Man-Goku en raison du million de *koku* (environ 5 millions de boisseaux) de riz récolté chaque année. Cette prospérité permit aux Maeda de financer les arts (voir l'encadré p. 316), si bien que Kanazawa demeure aujourd'hui encore un des grands centres culturels du pays. Préservée des destructions de la Seconde Guerre mondiale, la ville a conservé son patrimoine historique, tout en devenant une cité moderne et animée, avec son lot d'immeubles urbains fonctionnels.

Orientation

Fort étendue, Kanazawa suit en outre un plan labyrinthique hérité de son passé de place forte. Le réseau de bus facilite toutefois les déplacements de la gare ferroviaire aux principaux secteurs d'intérêt touristique, qui peuvent ensuite être parcourus à pied.

Le site de l'ancien Kanazawa-jō (château de Kanazawa) ainsi que ses jardins, dont le Kenroku-en, occupent le centre-ville. Le quartier de Katamachi, juste au sud, est le quartier du commerce et des affaires. Il se déploie autour du grand magasin Kōrinbō 109 ; son carrefour le plus fréquenté porte le surnom de "Scramble" ("Bousculade"). De là, une courte marche conduit vers l'ouest aux maisons de samouraïs de Nagamachi. Au nord-est du château, sur l'autre rive de l'Asano-gawa, s'étend Higashi Chaya-gai, le pittoresque quartier oriental des geishas. À l'est de ce dernier, les collines de Higashiyama et leur point de vue sur la ville sont appréciés des promeneurs. Juste au sud de Katamachi, de l'autre côté de la Sai-gawa, on arrive enfin au quartier des temples de Teramachi.

Renseignements

Il y a des bureaux de poste à Katamachi et dans la gare de Kanazawa. Vous trouverez des laveries automatiques à Higashi Chaya-gai et Katamachi. Pour des informations sur la ville, consultez l'adresse www.city.kanazawa.ishikawa.jp.

Ishikawa Prefectural International Exchange Center (☎ 262-5931 ; 1-5-3 Honmachi ; 🕙 9h-18h lun-ven, jusqu'à 17h sam et dim). Renseignements, bibliothèque et accès gratuit à Internet. Au 3e niveau de l'immeuble Rifare, au sud-est de la gare ferroviaire.
Kanazawa Goodwill Guide Network (KGGN ; ☎ 232-3933 ; 🕙 10h-18h). Dans l'office du tourisme de la gare de Kanazawa. Renseignements pratiques en anglais, aide pour les réservations hôtelières. Réservez 2 semaines à l'avance pour obtenir les services gratuits d'un guide anglophone.
Libro Books (☎ 232-6202 ; 1-5-3 Honmachi ; 🕙 10h-20h). À l'étage au-dessous de l'Ishikawa Prefectural International Exchange Center. Vente de livres et magazines en anglais.
Office du tourisme de Kanazawa (☎ 232-6200 ; 1 Hiro-oka-machi ; 🕙 9h-19h). Dans la gare de Kanazawa, ce bureau accueillant fournit la carte bilingue *Kanazawa Japan* (sites, artisanat et spécialités de la région) ainsi que le fascicule *Eye On Kanazawa*, avec des adresses de restaurants.

CENTRE DE HONSHŪ

À voir et à faire

La liste ci-après suit un ordre géographique et peut constituer un itinéraire pédestre. Si vous disposez de peu de temps, privilégiez Kenroku-en, le musée d'Art contemporain du XXIᵉ siècle, les quartiers de Nagamachi et de Higashi Chaya-gai et le marché d'Ōmichō.

QUARTIER DE NAGAMACHI 長町

Remarquablement bien préservé, cet ancien quartier de samouraïs (Nagamachi Buke Yashiki) est délimité par deux canaux et parcouru de rues sinueuses bordées de murs en terre. La **maison de samouraï Nomura** (☎ 221-3553 ; 1-3-32 Nagamachi ; adulte/enfant/étudiant 500/250/400 ¥ ; ⏰ 8h30-17h30 avr-sept, jusqu'à 16h30 oct-mars), dont une partie n'est pas originaire de Kanazawa, mérite le détour pour son jardin ornemental.

En direction de la Sai-gawa, la **Shinise Kinenkan** (☎ 220-2524 ; 2-2-45 Nagamachi ; adulte/enfant 100 ¥/gratuit ; ⏰ 9h30-17h) permet d'imaginer à quoi ressemblait une pharmacie japonaise autrefois. Elle contient à l'étage un assortiment de produits traditionnels locaux. Si son arbre fleuri entièrement constitué de friandises vous met l'eau à la bouche, venez assouvir votre gourmandise dans les boutiques de *wagashi* (friandises japonaises). **Tarō** (☎ 223-2838 ; ⏰ 8h30-17h30), à côté de la maison de samouraï Nomura, concocte du *yōkan* (gélatine de pâte de haricots) aux saveurs inhabituelles, notamment au chocolat. Chez **Murakami** (☎ 264-4223 ; ⏰ 8h30-17h), de l'autre côté du canal, vous trouverez du *fukusamochi* (pâte de haricots rouges et riz gluant pressé, enveloppés dans une crêpe) et du *kakiho* (du *kinako*, c'est-à-dire de la farine de soja, roulé dans du *kurogoma*, des graines de sésame noir).

Dans un immeuble moderne à la sortie de Nagamachi (à 250 m de la maison de samouraï Nomura), le **Nagamachi Yūzen-kan** (☎ 264-2811 ; entrée 350 ¥ ; ⏰ 9h-12h et 13h-16h30 ven-mer) invite à découvrir de superbes kimonos teints selon la technique du *Kaga yūzen* (voir l'encadré p. 316). Vous pourrez éventuellement vous initier à la teinture de la soie (4 000 ¥).

MUSÉE D'ART CONTEMPORAIN DU XXIᵉ SIÈCLE 金沢 21 世紀 美術館

Conçu par le cabinet d'architectes SANAA, basé à Tōkyō et encensé par la critique, ce **musée** (☎ 220-2800 ; www.kanazawa21.jp ; 1-2-1 Hirosaka ; collection permanente adulte/enfant et lycéen/étudiant et senior 350/gratuit/280 ¥ ; ⏰ 10h-18h mar-jeu et dim, jusqu'à 20h ven et sam) à l'architecture ultramoderne fut inauguré fin 2004. Son succès fut immédiat. Un cylindre

en verre aplati, d'un diamètre de 113 m, en trace les contours. À l'intérieur, galeries et auditoriums sont disposés comme des boîtes sur un plateau. Les secteurs du bâtiment qui ne sont pas des salles d'exposition sont ouverts tous les jours de 9h à 22h.

Le musée présente des expositions temporaires de grands artistes contemporains japonais et étrangers, et accueille de temps à autre des musiciens et des danseurs. Pour connaître le programme des manifestations, consultez le site Internet. Le prix d'entrée aux expositions temporaires augmente parfois (jusqu'à 1 000 ¥ de plus).

MUSÉE DU NŌ DE KANAZAWA
金沢能楽美術館

Ce **musée** (☎ 2202790 ; 1-2-25 Hirosaka ; adulte/enfant, senior 300/gratuit/200 ¥ ; ⏰ 10h-18h mar-dim) moderne offre une brève présentation du théâtre nō, le plus ancien art vivant joué sans interruption depuis son apparition. L'accent est surtout porté sur le style Kaga. Au rez-de-chaussée, vous verrez le plan d'une scène de nō ainsi que des expositions temporaires (costumes, masques, etc.). Les plus enthousiastes ne manqueront pas le théâtre nō de la préfecture d'Ishikawa (p. 319).

PARC DU CHÂTEAU DE KANAZAWA
金沢城公園

Le **Kanazawa-jō** (château de Kanazawa ; ☎ 234-3800 ; 1-1 Marunouchi ; jardins/château entrée libre/300 ¥ ; ⏰ jardins 5h-18h mars-15 oct, 6h-16h30 16 oct-fév, château 9h-16h30), édifié en 1580, est surnommé "le château aux 1 000 tatamis". Il fut le lieu de résidence du clan Maeda pendant quatorze générations. Détruit par le feu, il fut rebâti en partie à l'intérieur des murs entourés de douves, sur le site désormais appelé Kanazawa-jo Kōen (parc du château de Kanazawa). La belle porte **Ishikawa-mon**, reconstruite en 1788, marque l'entrée du parc lorsqu'on arrive du Kenroku-en ; les ouvertures pratiquées dans sa tourelle permettaient de jeter des blocs de pierre sur les assaillants (*ishi-otoshi*). Deux bâtiments, l'**Hishi-yagura** (tourelle en forme de diamant) et le **Gojikken-Nagaya** (arsenal), reconstruits en 2001, mettent en évidence l'armature en bois du château, unique en son genre.

KENROKU-EN 兼六園

Site le plus visité de Kanazawa, le **Kenroku-en** (☎ 234-3800 ; 1-1 Marunouchi ; adulte/senior/enfant 300/gratuit/100 ¥ ; ⏰ 7h-18h mars-15 oct, 8h-16h30 16 oct-fév) se classe comme l'un des grands jardins de la période d'Edo et parmi les trois plus beaux du Japon (les deux autres étant le Kairaku-en de Mito, p. 206, et le Kōraku-en d'Okayama, p. 458).

Son nom (*kenroku* signifiant "les six combinés") renvoie à un jardin renommé de la Chine de la dynastie des Song, dont la perfection venait de la réunion de six qualités : isolement, espace, artifice, ancienneté, abondance en eau et panorama (par temps clair, on peut apercevoir la mer du Japon). En 1676, le Kenroku-en était le jardin de l'une des villas extérieures du Kanazawa-jō. Par la suite, il fut agrandi pour devenir une dépendance du château lui-même, et fut totalement achevé au début du XIXe siècle ; il fut ouvert au public à partir de 1871. L'hiver, les branches des arbres sont soutenues par des cordes reliées à un poteau central, qui leur évitent de se rompre sous le poids de la neige. Au printemps, les iris transforment les canaux en rivières violettes.

Dans le parc, la villa **Seison-kaku** (☎ 221-0580 ; 2-1 Dewa-machi ; adulte/écolier/étudiant 700/250/300 ¥ ; ⏰ 9h-17h jeu-mar) fut édifiée en 1863 par le seigneur Maeda afin que sa mère puisse s'y retirer. Les pièces élégantes, qui portent le nom d'arbres et d'animaux, sont remplies de mobilier, de vêtements et d'éléments de décoration. Une brochure détaillée en anglais est tenue à disposition.

Le Kenroku-en ne manque certes pas de charme, mais la foule qui s'y presse trouble sa sérénité. Arrivez plutôt à l'ouverture afin de l'avoir pour vous seul.

MUSÉE PRÉFECTORAL DE L'ARTISANAT TRADITIONNEL D'ISHIKAWA
石川県立伝統産業工芸館

Situé derrière la villa Seison-kaku, ce **musée** (☎ 262-2020 ; 2-1 Dewa-machi ; adulte/senior/enfant 250/200/100 ¥ ; ⏰ 9h-17h, fermé le 3e jeu du mois avr-nov, fermé jeu déc-mars), d'allure discrète, présente une vingtaine de savoir-faire artisanaux de la région. Audioguide gratuit en anglais. Si vous tombez sur un article qui vous plaît, sachez que le musée dispose d'un plan en anglais des boutiques de la rue Hirosaka, voisine.

MUSÉE D'ART DE LA PRÉFECTURE D'ISHIKAWA 石川県立美術館

Spécialisé dans l'art traditionnel ancien, ce **musée** (☎ 231-7580 ; 2-1 Dewa-machi ; adulte/étudiant/ enfant 350/280 ¥/gratuit ; ⏰ 9h30-17h) met surtout

l'accent sur la porcelaine colorée Kutani-yaki et la peinture japonaise, ainsi que sur les soieries *Kaga yūzen*. L'entrée coûte plus cher pour les expositions temporaires.

MUSÉE MÉMORIAL NAKAMURA 中村記念美術館

De nouvelles expositions sont régulièrement organisées afin de pouvoir montrer au public les quelque 600 pièces de ce **musée** (☎ 221-0751 ; 3-2-29 Honda-machi ; adulte/senior/enfant 300/200 ¥/ gratuit ; ⏰ 9h30-17h) : ustensiles pour le *chanoyu* (cérémonie du thé), calligraphies et objets d'artisanat provenant de la collection d'Eishun Nakamura, un riche fabricant de saké, en font partie. Vous pourrez vous désaltérer d'un bol de thé (instantané) pour 100 ¥. Accès par une étroite volée de marches, sous le musée d'Art de la préfecture d'Ishigakawa.

MUSÉE HONDA 本多 品館

Ce **musée** (☎ 261-0500 ; 3-1 Dewa-machi ; 500 ¥ ; ⏰ 9h-17h mars-déc, ven-mer nov-fév) conserve la collection d'armures, d'objets domestiques et d'œuvres d'art des Honda, qui furent des serviteurs de haut rang du clan Maeda. Le manteau pare-balles et le vase familial sont des pièces particulièrement remarquables. Catalogue détaillé en anglais.

GYOKUSEN-EN 玉泉園

Plus intime et moins fréquenté que le Kenroku-en, ce **jardin** (☎ 221-0181 ; 1-1 Marunouchi ; adulte/enfant 500/350 ¥ ; ⏰ 9h-16h mars-mi-nov) de la période d'Edo s'étend sur une pente abrupte. Pour 700 ¥ de plus, on peut siroter une tasse de thé en contemplant le paysage.

MUSÉE DE LA POTERIE ŌHI 大樋美術館

Ce **musée** (☎ 221-2397 ; Hashiba-cho ; 700 ¥ ; ⏰ 9h-17h mar-dim) a été fondé par la famille Chōzaemon, actuellement à sa 10e génération d'artisans. Le premier membre de la lignée développa, dans le village voisin d'Ōhi, un style de poterie à glaçure ambrée, obtenue par cuisson lente et spécialement conçue pour la cérémonie du thé. Reportez-vous à l'encadré p. 316.

HIGASHI CHAYA-GAI (QUARTIER DES GEISHAS) ひがし茶屋街

Au nord du musée de la poterie Ōhi, sur l'autre rive de l'Asano-gaw, Higashi chaya-gai (le quartier des geishas) forme une enclave d'étroites ruelles remontant au début du XIXe siècle où logeaient jadis les geishas, qui divertissaient

L'ARTISANAT D'ART DE KANAZAWA

Comme les Médicis en Italie à la Renaissance, le clan Maeda, qui dirigea Kanazawa à la période d'Edo, fit œuvre de mécénat. Nombre des formes artisanales qu'il encouragea subsistent encore aujourd'hui.

Laques de Kanazawa et de Wajima

Ces objets d'un noir brillant sont fabriqués à l'aide d'un bois dur et résistant, comme le *keyaki* (*Zelkova serrata*) ou le châtaigner du Japon, finement sculpté et débarrassé de ses imperfections éventuelles. On y applique successivement deux couches de laque, chacune étant poncée à l'aide de *washi* (papier japonais). Avant la troisième et dernière couche a lieu la décoration, sous forme de peinture (*maki-e*) ou de dorure. Jusqu'au séchage, l'artiste doit veiller à ce que la poussière ne se dépose pas sur le produit fini.

Poterie Ōhi

Élément esthétique central dans la cérémonie du thé, le concept du *wabi-sabi* est introspectif, sobre et discret mais matérialisé d'une façon très réfléchie. La poterie Ōhi semble être son équivalent dans le domaine de la céramique, avec ses formes volontairement simples, voire primitives, ses surfaces rugueuses et sa glaçure monochrome. Rien d'étonnant, donc, à ce qu'elle soit utilisée depuis longtemps pour la cérémonie du thé. La même famille, répondant au nom professionnel de Chōzaemon, perpétue la tradition Ōhi depuis le début de la période d'Edo.

Porcelaine Kutani

Caractérisées par leurs formes élégantes, leur design gracieux et leurs nuances vives de rouge, bleu, jaune, vert et violet, les porcelaines Kutani sont à l'opposé de la poterie Ōhi. Ce style remonterait au début de la période d'Edo et partage certains traits avec la porcelaine chinoise et celle d'Imari. Oiseaux, fleurs, arbres et paysages comptent parmi les motifs typiques.

Soieries teintes Kaga yūzen

Ce procédé de teinture des kimonos se distingue par des couleurs tranchées – rouge, ocre, vert, indigo et violet – et des motifs réalistes reproduisant des éléments de la nature (des pétales de fleur qui commencent à jaunir, par exemple).

Il implique un travail complexe et hautement spécialisé. Les motifs sont d'abord dessinés à l'encre gris bleu issue des fleurs du *Tradescantia*, puis on repasse les contours avec de la pâte de riz en utilisant une douille, comme en pâtisserie. Cela empêche les couleurs de fuser lorsqu'elles sont appliquées sur la soie. Les motifs colorés sont ensuite recouverts à leur tour de pâte de riz afin d'effectuer la teinture du fond.

Après quoi, le tissu est rincé (traditionnellement dans une rivière) et passé à la vapeur pour fixer les couleurs. Les lignes blanches à l'endroit où l'encre délimitait les motifs sont caractéristiques des soieries *Kaga yūzen*. La teinture des tissus qui serviront à confectionner un seul kimono prend environ trois mois.

Dorure à la feuille

L'opération commence avec un morceau d'or pur gros comme une pièce de 10 ¥, que l'on aplatit jusqu'à ce qu'il devienne une feuille de 0,0001 mm d'épaisseur de la taille d'une natte de tatami. La feuille est ensuite taillée en carrés de 10,9 cm de côté – le format utilisé pour la décoration des murs, fresques et peintures – ou découpée en fragments plus petits pour orner des laques et des poteries. De fines particules d'or se retrouvent aussi dans certains thés, confiseries et lotions pour les mains. Kanazawa produit environ 98% des feuilles d'or du Japon.

les hommes fortunés. Les maisons de geishas aux façades en lattes de bois ont conservé leur cachet d'origine.

Célèbre maison traditionnelle de geishas, **Shima** (☎ 252-5675 ; 1-13-21 Higashiyama ; adulte/enfant 400/300 ¥ ; ⊗ 9h-18h) date de 1820. Notez la vitrine contenant des peignes superbes et

des *shamisen* (instruments traditionnels à 3 cordes). De l'autre côté de la rue, **Kaikarō** (☎ 253-0591 ; 1-14-8 Higashiyama ; 700 ¥ ; ⊗ 9h-17h), une maison de geishas du début XIXe siècle, s'agrémente d'œuvres d'art et d'éléments décoratifs contemporains, dont une cage d'escalier laquée de rouge.

CENTRE DE HONSHŪ

L'atelier de dorure à la feuille Sakuda (Sakuda Gold Leaf Company ; ☎ 251-6777 ; 1-3-27 Higashiyama ; gratuit ; ⊙ 9h-18h) permet d'observer la technique du *kinpaku* et d'acheter des souvenirs dorés tels que laques, poteries ou... balles de golf. On vous offrira gracieusement une tasse de thé contenant des paillettes d'or censées soulager les rhumatismes. Même les murs des toilettes sont recouverts d'or et de platine !

Le *sentō* (bain public) local, **Higashi-yu** (☎ 252-5410 ; 1-13-2 Higashiyama ; 370¥ ; ⊙ 14h-0h30 lun et mer-sam, 13h-0h30 dim), accueille les baigneurs presque tous les soirs.

TERAMACHI 寺町

Ce quartier vallonné, de l'autre côté de la Sai-gawa, au sud-ouest du centre-ville, constituait initialement la première ligne de défense de la ville. On y trouve quantité de temples. Le **Myōryū-ji** (Ninja-dera ; ☎ 241-0888 ; 1-2-12 Nomachi ; 800¥ ; ⊙ 9h-16h30 mars-nov, 9h-16h déc-fév, réservation obligatoire) est à 5 minutes à pied de la rivière. Édifié en 1643 pour servir de refuge en cas d'attaque, ce temple contient des escaliers et des portes dérobés, ainsi que des chambres et des passages secrets. Son surnom populaire, *Ninja-dera*, fait référence à ses liens avec le *ninjutsu* ("voie furtive"), l'art des ninjas (guerriers-espions du Japon médiéval). On peut le découvrir uniquement dans le cadre d'une visite guidée en japonais, mais il y a assez de choses à voir pour ne pas s'ennuyer. Prenez Minami Ō-dōri de l'autre côté de la rivière, tournez à gauche au premier grand croisement, puis à droite.

Pour les amateurs de poteries, la courte visite guidée **Kutani Kosen Gama Kiln** (☎ 241-0902 ; 5-3-3 Nomachi ; gratuit ; ⊙ 9h-17h) permet de découvrir la technique et l'histoire de cet artisanat. Décorez vous-même votre porcelaine à partir de 1 050 ¥.

MARCHÉ ŌMICHŌ 近江町市場

Dédale de plusieurs centaines d'échoppes et restaurants, dont beaucoup de fruits de mer, ce **marché** (35 Ōmichō ; ⊙ 9h-17h tlj) offre l'occasion d'une pause dans le circuit des sites touristiques, en même temps qu'un aperçu de la vie quotidienne. Ōmichō joue en quelque sorte le rôle d'antenne ou d'avant-poste du marché au poisson Tsukiji de Tōkyō. Depuis qu'il a été rénové, il est beaucoup moins désordonné. Il se tient entre Katamachi et la gare de Kanazawa, l'arrêt de bus le plus proche étant Musashi-ga-tsuji.

Fêtes et festivals

Kagatobi Dezomeshiki (début janvier). Des pompiers volontaires en tenue légère bravent le froid à grand renfort de saké et font la démonstration d'anciennes méthodes de lutte contre les incendies, juchés sur des échelles.

Asano-gawa Enyūkai (2e week-end d'avril). Spectacles de danse et de musique traditionnelles sur les berges de l'Asano-gawa.

Hyakumangoku Matsuri (début juin). La principale fête annuelle de Kanazawa commémore la première fois où la production de riz de la région atteignit 1 million de *koku* (environ 150 000 tonnes). Un immense défilé d'habitants en costumes du XVIe siècle constitue le clou de la manifestation. Cette dernière comprend aussi des représentations de théâtre nō à la lueur des torches (*takigi nō*), un lâcher de lampions sur la rivière au crépuscule (*tōrō nagashi*) et une cérémonie du thé (*cha-no-yu*) spéciale, au Kenroku-en.

Où se loger

Tous les hôtels de style occidental sont équipés de l'accès à Internet (réseau LAN).

PETITS BUDGETS

Kanazawa Youth Hostel (☎ 252-3414 ; fax 252-8590 ; www.jyh.or.jp ; 37 Suehiro-machi ; dort 3 150 ¥ ; ⊙ fermé déb/fév). Bénéficiant d'un superbe emplacement dans les collines à l'est de la ville, cette auberge de jeunesse plutôt stricte compte 80 lits répartis dans des dortoirs à la japonaise et à l'occidentale, ainsi que quelques chambres privatives (plus chères). Malheureusement, l'endroit est irrégulièrement desservi par les bus. De la gare, prenez le bus n°90 pour Utatsuyama (et non Senjūkaku), puis descendez au bout de 25 minutes environ à l'arrêt Yūsu-Hosteru-mae.

Yamadaya (☎ /fax 261-0065 ; 2-3-28 Nagamachi ; ch 4 000 ¥/pers ; 🖥). Établissement accueillant proposant des chambres convenables avec tatamis, aménagées dans une ancienne maison de samouraï de Nagamachi. Vous le trouverez dans une ruelle à l'ouest de la maison de samouraï Nomura. Le personnel ne parle pas anglais.

Murataya Ryokan (☎ 263-0455 ; fax 263-0456 ; murataya@spacelan.ne.jp ; 1-5-2 Katamachi ; s/lits jum 4 700/9 000 ¥ ; ✗ 🖥). Onze chambres bien tenues et des propriétaires charmants pour cette adresse de Katamachi, très appréciée des touristes. Emplacement pratique à proximité des restaurants et de la vie nocturne (une carte en anglais répertorie les adresses du secteur).

CATÉGORIE MOYENNE

APA Hotel Kanazawa Chūō (☎ 235-2111 ; www. apahotel.com ; 1-5-24 Katamachi ; s/d/lits jum à partir de 8 000/11 000/15 000 ¥ ; ✗ 📖). Dominant Katamachi de toute sa hauteur, ce *business hotel* compte plus de 500 chambres joliment aménagées mais exiguës. Les clients ont accès aux bains intérieurs et extérieurs d'onsen du 14e niveau. Emportez en souvenir un origami en forme de grue.

Hotel Dormy Inn Kanazawa (☎ 263-9888 ; fax 263-9312 ; www.hotespa.net, en japonais ; 2-25 Horikawa-shinmachi ; s/d/lits jum 8 500/12 000/15 000 ¥ ; ✗ 📖). Cet hôtel flambant neuf, à deux pas de la gare, a opté pour une déco futuriste. La plupart de ses 304 chambres sont individuelles et comportent une double porte pour faire barrage au bruit. Sur place également : *rotemburo* aux eaux riches en calcium au dernier étage, et laverie automatique.

Kanazawa New Grand Hotel Annex (☎ 233-7000 ; fax 265-6655 ; www.new-grand.co.jp, en japonais ; 1-50 Takaoka-machi ; s/d et lits jum à partir de 9 817/18 480 ¥ ; ✗). Proche de Nagamachi et Katamachi, ce *business hotel* abrite des chambres modernes de bonnes dimensions. Vous le trouverez à côté du bâtiment principal du New Grand. Vous pouvez réserver dans l'un ou l'autre, mais l'annexe est plus récente et plus raffinée.

CATÉGORIE SUPÉRIEURE

Kanazawa Hakuchōrō Hotel (☎ 222-1212 ; www.haku choro.com ; 6-3 Marunouchi ; s/lits jum avec petit déj à partir de 14 000/22 000 ¥ ; ✗). Mélange d'Occident, pour son design et ses dimensions, et d'Extrême-Orient pour les petites touches déco à la japonaise comme les étoffes sur les lits et les vitrines d'objets artisanaux. Sa situation à l'écart assure à l'établissement calme et tranquillité. Vous pourrez profiter des onsen communs.

Kanazawa Excel Hotel Tokyū (☎ 231-2411 ; www. tokyuhotels.co.jp ; 2-1-1 Kōrinbo ; s/d/lits jum à partir de 14 400/21 900/24 200 ¥ ; ✗ 📖 📶). Sur ses 15 niveaux (tâchez d'obtenir une chambre avec vue sur la ville et le parc national de Hakusan), l'hôtel le plus haut de gamme de Kanazawa abrite des chambres élégantes, une déco rétro évoquant un peu les années 1980 et tout le confort imaginable (on peut regarder la BBC à la TV). Autre plus : son emplacement imbattable au cœur de Katamachi.

Matsumoto (☎ 221-0302 ; fax 221-0303 ; 1-7-2 Owari-chō ; ch en demi-pension 25 000 ¥/pers). Cette auberge haut de gamme est un *ryokan ryōri* (cuisine) : attendez-vous donc à des versions

gourmandes de spécialités locales. Les chambres, immenses, ont une sdb. Le personnel ne parle pas anglais. Près du croisement de Hyakumangoku-ōdōri et Jūhoku-dōri, dans une petite rue en face de la poste.

Où se restaurer

Poissons et fruits de mer sont la spécialité-phare du *Kaga ryōri* (cuisine de Kaga) de Kanazawa. Même les plus humbles *bentō* vendus à la gare en contiennent. L'*oshi-zushi,* fine tranche de poisson pressée sur du riz vinaigré, serait, dit-on, l'ancêtre de l'actuel sushi. Autre spécialité locale, le *jibuni* se prépare avec du canard ou du poulet enrobé de farine, puis mijoté avec des shiitakés et des légumes verts. Le quartier de Katamachi et le marché Ōmichō, aussi bien fréquentés par les habitants que par les touristes, offrent un grand choix. Nombre de restaurants disposent d'une carte en anglais. La spécialité typique d'Ōmichō est le *donburi* de fruits de mer (grosse portion de riz surmontée de fruits de mer). Un *teishoku* coûte de 800 ¥ à 1 200 ¥. Les restaurants d'Ōmichō ferment vers 19h ou 20h.

Oden Miyuki Honten (☎ 222-6117 ; 1-10-3 Katamachi ; oden 100-400 ¥, autres plats 400-600 ¥ ; 🕐 dîner lun-sam). Voici un endroit où déguster du poisson autrement que sous forme de sushis : les terrines à base de miettes de poissons servis dans du bouillon sont un délice, en particulier lorsque les soirées sont fraîches. L'établissement compte parmi ses fans le plus célèbre enfant d'Ishikawa, le joueur de base-ball Matsui Hideki, des Yankees de New York. Prenez place au comptoir pour observer les cuisiniers en action. Certains membres du personnel parlent anglais.

Legian (☎ 262-6510 ; 2-31-30 Katamachi ; plats 600-1 000 ¥ ; 🕐 dîner ; Ⓥ). Un petit restaurant indonésien, populaire et authentique, au bord de la rivière. Le personnel, qui se rend tous les ans en Indonésie pour améliorer son savoir-faire, concocte volontiers une version végétarienne des plats proposés. Bons menus déjeuner.

Osteria del Campagne (☎ 261-2156 ; 2-31-33 Katamachi ; plats 650-1 950 ¥, menus à partir de 2 500 ¥ ; 🕐 dîner lun-sam). Bistrot italien douillet et à la mode proposant de délicieux menus avec entre autres *focaccia* maison, salades, pâtes, hors-d'œuvre à manger avec des baguettes et desserts. Carte en anglais ; personnel efficace et sympathique.

Kōtatsu (☎ 261-6310 ; 32-1 Daiku-machi ; plats 700-900 ¥ ; 🕐 dîner lun-sam). Restaurant d'*okonomiyaki* plus sophistiqué que la moyenne. Dans la pénombre, on vous apporte un assortiment de saké et de *shōchū*, et l'on mitonne pour vous votre *okonomiyaki*. Également : bon choix de salades et carte en anglais. Au-dessous du restaurant Arroz Spanish.

Jiyūken (☎ 252-1996 ; 1-6-6 Higashiyama ; plats 785-2 990 ¥ ; ☺ déj et dîner, fermé mar et 3e mer du mois). Près du Higashi Chaya-gai, cet endroit simple et accueillant sert des *yō-shoku* (versions japonaises de plats occidentaux : ragoût de bœuf, poulet grillé, omelettes, etc.) depuis 1909. Le *teishoku* coûte la modique somme de 920 ¥. Des reproductions de plats sont exposées en vitrine. Repérez la façade en pierre.

Janome-sushi Honten (☎ 231-0093 ; 1-1-12 Kōrinbō ; plats 1 200-3 400 ¥, formules Kaga ryōri à partir de 4 000 ¥ ; ☺ déj et dîner jeu-mar). Restaurant très réputé pour ses sashimis et sa cuisine de Kaga (Kanazawa). Le restaurant est de l'autre côté d'un cours d'eau, en face du magasin de vêtements Siena.

Tamazushi (☎ 221-2644 ; 2-14-9 Katamachi ; plats 1 300-3 300 ¥ ; ☺ dîner lun-sam). Près de la Sai-gawa à Katamachi, ce classique restaurant à sushis est l'un des meilleurs du genre à Kanazawa. Une scène de nō est représentée derrière le comptoir. On ne parle pas anglais mais le menu est illustré de photos. Sur la droite par rapport à la rue principale.

Bistro Yuiga (☎ 261-0978 ; 4-1 Mizutamemachi ; formules à partir de 2 575 ¥ ; ☺ déj lun, mar, jeu et ven, dîner jeu-mar). Du jazz en fond sonore pour accompagner une cuisine française raffinée dans cette ancienne maison transformée en bistrot. Un délicieux jambon cru et les incontournables poissons et fruits de mer figurent au menu. À quelques minutes à pied de la rue principale de Katamachi, au bout de la rue située en face du restaurant Kōtatsu. Carte en anglais à disposition.

Hotaruya (☎ 251-8585 ; 1-13-24 Higashiyama ; menus déj/dîner à partir de 3 675/6 300 ¥ ; ☺ déj et dîner). Pour faire un bond dans le temps et goûter à de l'excellent *Kaga ryōri*, ne regardez pas à la dépense et optez pour cette adresse de Higashi Chaya-gai, où savourer des menus classiques dans une salle aux poutres apparentes garnie de tatamis.

Où prendre un verre

La plupart des bars et des clubs de Kanazawa sont des locaux exigus et pleins à craquer aménagés dans des gratte-ciel de Katamachi. Certains ne sont ni plus ni moins que des bars à prostituées à peine déguisés. La liste suivante ne mentionne que de véritables bars. Si en semaine, le calme règne, l'ambiance est assurée le week-end. Pour une atmosphère plus paisible, choisissez plutôt les bars ravissants de Higashi Chaya-gai.

Polé Polé (☎ 260-1138 ; 2-31-30 Katamachi ; ☺ 19h-5h lun). Dans le bâtiment du Legian et appartenant au même propriétaire, ce petit bar sombre et peu reluisant reste malgré tout accueillant ; il attire d'ailleurs depuis des lustres une foule de *gaijin* (les nombreux graffitis laissés par les étudiants étrangers l'attestent) et de Japonais de la région. La musique (reggae) est diffusée à plein volume, et le sol jonché de débris de cacahuètes (l'argent provenant de la vente de ces cacahuètes est reversé à des œuvres de charité).

Baby Rick (☎ 263-5063 ; 1-5-20 Katamachi ; ☺ 17h-3h). Un petit bar très classe, avec billard, jazz et excellent whisky, où l'on peut aussi se restaurer – spaghettis *alla carbonara* et pizzas maison. En sous-sol, sous le karaoké Shidax. Entrée payante après 22h (500 ¥).

I-no-Ichiban (☎ 261-0001 ; 1-9-20 Katamachi ; ☺ 18h-3h lun-sam, 18h-24h dim). Cet *izakaya* tout en longueur est très animé. On y sert une grande variété de cocktails. Il est pratiquement invisible de la rue ; repérez le paravent et le petit stand en bambou.

Pilsen (☎ 221-0688 ; 1-9-20 Katamachi ; plats 600-1 800 ¥). On se croirait à Munich à deux rues du Katamachi Scramble, dans ce café d'inspiration allemande qui propose une large sélection de bières et un menu intéressant mais plutôt hybride, où l'assiette de saucisses côtoie la salade tofu-champignons.

Où sortir

L'art du nō est bien vivant à Kanazawa, où des représentations sont organisées chaque semaine en été au **Théâtre nō de la préfecture d'Ishikawa** (☎ 264-2598 ; 3-1 Dewa-machi ; entrée libre, billet pour le spectacle en supp ; ☺ 9h-16h30 mar-dim).

Achats

Pour un rapide aperçu de l'artisanat de Kanazawa, rendez-vous au **Kankō Bussankan** (boutique d'artisanat d'Ishikawa ; ☎ 222-7788). La rue commerçante de Hirosaka, entre le grand magasin Kōrinbō 109 et le Kenroku-en, comporte sur son côté sud des boutiques d'artisanat haut de gamme. Vous pouvez aussi faire vos achats dans les grands magasins. À la Sakuda Gold Leaf Company (p. 317), spécialisée dans la dorure à la feuille d'or, vous trouverez notamment des présentoirs pour cartes de visite, des miroirs, des supports pour baguettes et des clochettes de prière bouddhiques.

CENTRE DE HONSHŪ

À un angle, dans le quartier des samouraïs de Nagamachi, une superbe maison ancienne avec jardin abrite le **musée Kanazawa Kutani** (☎ 221-6666 ; 1-3-16 Nagamachi ; ⏰ 9h-22h lun-sam, jusqu'à 18h dim) au nom quelque peu erroné puisqu'il s'agit en fait d'une boutique vendant pour l'essentiel des céramiques haut de gamme. On trouve cependant sur place un petit musée de céramiques Kutani anciennes ainsi qu'un café.

Dans un tout autre style, Tatemachi est à Kanazawa ce que Teramachi est à Kyōto : une rue piétonne et commerçante fréquentée par la jeunesse branchée, et où la musique résonne à plein volume.

Depuis/vers Kanazawa

AVION

L'**aéroport Komatsu** (KMQ ; www.komatsuairport.jp), assez proche, assure des liaisons avec les grandes villes japonaises, ainsi qu'avec Séoul, Shanghai et Taipei.

BUS

La société **JR Highway Bus** (☎ 234-0111 ; ⏰ réservations 9h-19h) fait circuler des bus express (départs devant la sortie est de la gare de Kanazawa) à destination de Tōkyō (7 840 ¥, Ikebukuro 7 heures, Shinjuku 7 heures 30) et Kyōto (4 060 ¥, 4 heures 15). La société **Hokutetsu Bus** (☎ 234-0123 ; ⏰ réservations 8h-19h) dessert Nagoya (4 060 ¥, 4 heures).

TRAIN

La ligne JR Hokuriku relie Kanazawa à Fukui (*tokkyū*, 2 940 ¥, 50 min ; *futsū*, 1 280 ¥, 1 heure 30), Kyōto (*tokkyū*, 6 710 ¥, 2 heures 15), Ōsaka (*tokkyū*, 7 440 ¥, 2 heures 45) et Toyama (*tokkyū*, 2 810 ¥, 35 min), avec correspondance pour Takayama (prix total 5 840 ¥, 90 min supplémentaires). À Tōkyō, prenez le *shinkansen* Jōetsu et changez à Echigo-Yuzawa dans le nord de Honshū (12 710 ¥, 4 heures).

Comment circuler

Les horaires des bus qui desservent l'aéroport (1 100 ¥, 40 min) coïncident avec les départs et les arrivées des vols. Ils partent de l'arrêt n°6 en face de la sortie est de la gare ferroviaire de Kanazawa. Certains s'arrêtent également à Katamachi et au grand magasin Kōrinbō 109, mais ils mettent une heure pour rallier l'aéroport.

Vous pouvez louer un vélo à **JR Kanazawa Station Rent-a-Cycle** (☎ 261-1721 ; 200/1 200 ¥/h/jr ; ⏰ 8h-20h30), tout de suite à gauche de la sortie ouest de la gare de Kanazawa, et à **Hokutetsu**

Bicycle Rental (☎ 263-0919 ; 630/1 050 ¥/pour 4h/jour ; ⏰ 8h-17h30), à côté de l'arrêt n°4, devant la sortie ouest.

Tous les bus partant des arrêts n°7, 8 ou 9 de la gare desservent le centre-ville (200 ¥, forfait d'une journée 900 ¥). Le Kanazawa Loop Bus (trajet simple/forfait d'une journée 200/500 ¥, toutes les 15 min de 8h30 à 18h) fait le tour des principaux sites touristiques en 45 minutes. Les samedis, dimanches et jours fériés, le Machi-bus va à Kōrinbō (100 ¥).

Vous pouvez louer une voiture dans les agences proches de la gare.

NOTO-HANTŌ 能登半島

Pointe nord de l'Ishikawa-ken, la péninsule de Noto se caractérise par une plaisante combinaison de paysages marins déchiquetés et de vie rurale traditionnelle, agrémentée de quelques sites culturels et d'une gastronomie mettant à l'honneur les fruits de mer. Noto a un peu la forme d'un boomerang qui surgirait de l'île de Honshū. Sa côte occidentale, relativement plate, est dotée de plusieurs sites intéressants. Centre de fabrication des objets en laque, Wajima est le point de passage obligé pour accéder au littoral accidenté d'Oku-Noto, au nord, et le meilleur endroit où passer la nuit. Parmi les articles réputés figurent le *Wajima-nuri*, laque célèbre pour ses riches couleurs et sa solidité, les céramiques de style Suzu, ainsi que le sel de mer de production locale et les algues *iwanori*.

Les excursions d'une journée au départ de Kanazawa, lorsqu'elles sont possibles, ne rendent pas justice à la péninsule. En effet, passer en hâte d'un site à l'autre laisse peu de temps pour apprécier le rythme paisible de la campagne au quotidien. Par ailleurs, à moins d'être motorisé, les excursions ne sont pas toujours envisageables car les transports en commun sont peu fréquents. Si vous passez la nuit sur place, pensez à réserver. Les lieux d'hébergement affichent vite complet en été et nombre d'entre eux sont fermés l'hiver.

À Kanazawa, l'**office du tourisme** (☎ 076-232-6200) tient à disposition la carte-guide *Unforgettable Ishikawa*, qui inclut la péninsule. Sur la péninsule même, le meilleur office du tourisme est celui de Wajima.

Depuis/vers Noto-hantō

Dans le centre d'Oku-Noto, l'**aéroport de Noto** (NTQ ; ☎ 0768-26-2100) relie la péninsule à l'aéroport Haneda de Tōkyō. **ANA** (☎ 0120-

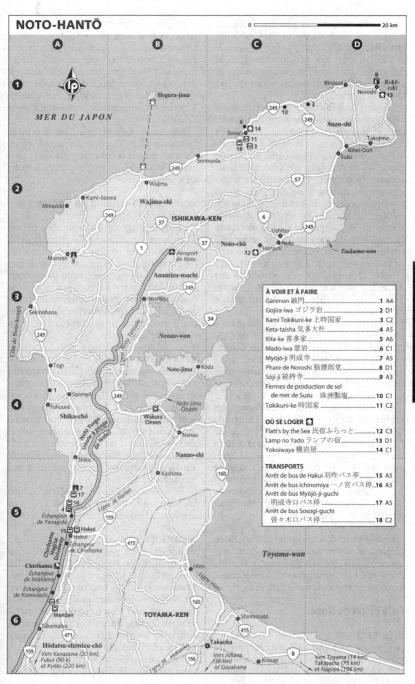

NOTO-HANTŌ

0 _____ 20 km

MER DU JAPON

Hegura-jima

Kinoura
8 Rokō-zaki
Noroshi
13

Suzu-shi

249
10
2
249
6
Sosogi 14
18 11 3
Takojima
Kihei-Don
Suzu

Senmaida
57

Wajima
Kami-ōzawa
Minazuki
Wajima-shi
249
37
ISHIKAWA-KEN
6
Ushitsu
249
Noto
Hanami
12
Aéroport de Noto
37
Noto-chō
Tsukumo-wan

Monzen
9
1

Anamizu-machi
249

Sekinohana
Anamizu
249
34

Côte de Noto-kongō
249
Nanao-wan

Togi
Noto-jima Kōda

1
Sanmyō
249

Fukura
Noto-jima Ōhashi
Shika-chō
Wakura Onsen
Nanao
Shika
Nanao-shi

Kashima
160

7
17
16
Ligne JR Nanao
4
Échangeur de Yanagida
159
15 Hakui
Hakui
Échangeur de Chirihama
Chirihama
Échangeur de Imahama
415
Himi
Toyama-wan
Échangeur de Komedashi
5
Menden
160
TOYAMA-KEN
Shinminato
415
Takamatsu
471
Hōdatsu-shimizu-chō
159 *Vers Kanazawa (20 km), Fukui (90 k) et Kyōto (220 km)*
Takaoka
8
Kosugi
Vers Toyama (14 km), Takayama (75 km) et Nagoya (188 km)
156 *Vers Jōhana (30 km) et Goyakama*

À VOIR ET À FAIRE
Ganmon 巌門	1 A4
Gojira-iwa ゴジラ岩	2 D1
Kami Tokikuni-ke 上時国家	3 C2
Keta-taisha 気多大社	4 A5
Kita-ke 喜多家	5 A6
Mado-iwa 窓岩	6 C1
Myōjō-ji 明成寺	7 A5
Phare de Noroshi 狼煙郎党	8 D1
Sōji-ji 総持寺	9 A3
Fermes de production de sel de mer de Suzu 珠洲製塩	10 C1
Tokikuni-ke 時国家	11 C2

OÙ SE LOGER
Flatt's by the Sea 民宿ふらっと	12 C3
Lamp no Yado ランプの宿	13 D1
Yokoiwaya 横岩屋	14 C1

TRANSPORTS
Arrêt de bus de Hakui 羽咋バス亭	15 A5
Arrêt de bus Ichinomiya 一ノ宮バス停	16 A5
Arrêt de bus Myōjō-ji-guchi 明成寺口バス停	17 A5
Arrêt de bus Sosogi-guchi 曽々木口バス停	18 C2

CENTRE DE HONSHŪ

029-222) assure deux vols aller-retour directs chaque jour (aller simple 19 800 ¥, 65 min). **Furusato Taxi** (☎ 0768-22-7411) propose un service en camionnette vers certains secteurs de la péninsule. Comptez au minimum 700 ¥ pour rallier les villes les plus proches, dont Wajima (environ 30 min).

Bien que des trains desservent la péninsule, la plupart des sites à visiter ne restent accessibles que par la route. Si vous vous rendez sur la côte ouest de Noto, descendez du train de la ligne JR Nanao à Hakui (*tokkyū*, 1 370 ¥ ; *futsū*, 740 ¥), et prenez une correspondance en bus. Pour rallier Oku-Noto, les trains poursuivent jusqu'à Wakura Onsen, où les correspondances en bus sont moins fréquentes. Vérifiez les horaires de départ et d'arrivée auprès de la compagnie de bus **Hokutetsu** (☎ 076-234-0123 à Kanazawa) afin d'éviter une longue attente. Hokutetsu assure aussi des liaisons en bus express entre Kanazawa et Wajima (2 200 ¥, 2 heures, 10/jour). Quelques-uns de ces bus poussent jusqu'à Sosogi (2 510 ¥, 2 heures 45). Ils partent de devant la gare de Kanazawa.

Le circuit des bus touristiques qui partent tous les jours de Kanazawa (7 200 ¥, de 8h10 à 15h30) inclut le marché du matin de Wajima (p. 325), le Ganmon et bien d'autres sites, ainsi que le déjeuner, un guide parlant japonais et l'entrée aux sites. Sachez que le commentaire est souvent débité à toute allure.

La voiture est devenue le moyen de transport le plus courant dans cette région. Longue de 83 km, la Noto Yūryo (能登有料 ; route à péage de Noto) conduit rapidement jusqu'à Anamizu (péage 1 180 ¥) ; prévoyez 2 heures pour faire le trajet complet jusqu'à Wajima via la Route 1. La route à péage ne desservant pas la plupart des sites de la côte ouest de Noto, comptez une journée pour les visiter en allant à Wajima.

La côte ouest de Noto, au terrain généralement plat, plaît beaucoup aux cyclistes. Cependant, il n'est pas recommandé de parcourir à vélo la côte de Noto-kongō et la partie située à l'est car les routes sont souvent raides, avec des virages en épingle à cheveux.

Côte ouest de Noto
☎ 0767

KITA-KE 喜多家
À la période d'Edo, la famille Kita administrait plus de 200 villages depuis cette **résidence** (☎ 28-2546 ; adulte/enfant 500/200 ¥ ; ⏱ 8h30-17h avr-oct, jusqu'à 16h nov-mars) située au carrefour stratégique des fiefs de Kaga, Etchū et Noto. Cette maison vaste et splendide, que jouxte un musée, appartient à la même famille depuis près de 400 ans. Des armes, des céramiques, des outils agricoles, des œuvres d'art, des objets artisanaux et des documents y sont exposés. Le jardin est surnommé le "temple de Mousse de Noto".

Kita-ke se situe à environ 1 km de la sortie "Komedashi" sur la route à péage de Noto. En train, prenez la ligne JR Nanao jusqu'à la gare de Menden ; comptez ensuite 20 minutes de marche.

VOIE EXPRESS CHIRIHAMA NAGISA 千里浜なぎさドライブウエイ
Parfois, la plage de 8 km du quartier de Chirihama, dans la ville de Hakui (羽咋), fait vraiment penser à un circuit automobile tant la route qui la longe voit passer de bus, de motos et de voitures. Hakui est en outre le principal point de transit à l'ouest de Noto. Les correspondances ferroviaires pour Kanazawa sont fréquentes, en revanche, les correspondances en bus avec la côte ouest de Noto le sont moins.

KETA-TAISHA 気多大社
À 4 km au nord du centre de Hakui, ce **sanctuaire** (☎ 22-0602 ; entrée libre ; ⏱ 8h30-16h30) niché à flanc de colline au milieu des arbres, avec vue sur la mer, serait l'un des quatre plus grands sanctuaires du Japon. Il aurait été construit au Ier siècle av. J.-C. et dédié au *kami* (dieu) de cette région. L'architecture de l'actuelle structure en bois affiche des styles différents, mais la partie la plus ancienne (Wakamiya-sha) remonte à 1569.

À l'arrêt de bus Ichinomiya, à Hakui, prenez un bus en direction de Togi (240 ¥, 10 min, environ 15 bus/jour).

MYŌJŌ-JI 妙成寺
Fondé en 1294 par Nichizō, disciple de Nichiren, l'imposant **Myōjō-ji** (☎ 27-1226 ; entrée 500 ¥ ; ⏱ 8h-17h avr-oct, jusqu'à 16h30 nov-mars) demeure un temple majeur du bouddhisme de Nichiren. Il se compose de nombreux bâtiments, dont 10 sont classés biens culturels nationaux, en particulier la superbe **Gojū-no-tō** (pagode à cinq étages). Brochure en anglais disponible.

De la gare de Hakui, le bus à destination de Togi peut vous déposer à l'arrêt de Takidani-

KAZUKO KITA, PROPRIÉTAIRE DE LA KITA-KE (NOTO-HANTŌ)

La famille Kita occupe cette demeure depuis fort longtemps. Moi-même, j'appartiens à la 12ᵉ génération. En fait, notre lignée remonte sur 28 générations jusqu'à la période de Kamakura et au samouraï Yoshisada Nitta, qui combattit aux côtés de l'empereur Go-Daigo contre les seigneurs de guerre Ashikaga (voir p. 43). Des siècles plus tard, l'un de ses descendants, orphelin, seul et sans le sou, fut pris en affection par un habitant de la péninsule de Noto qui l'invita à s'y installer.

C'est vers cette époque que la famille Maeda, qui régnait sur le Hyaku-man-goku (voir p. 312), acquit la fonction de daimyo (seigneur) du fief de Kaga (p. 312) et eut vent du dur labeur dont la famille Kita avait la charge. Un seigneur Maeda fit don à nos ancêtres d'une porte surmontée d'un toit en chaume. Elle est toujours debout aujourd'hui et sert d'entrée à la maison.

Les familles Maeda et Kita devinrent si proches que nous reçûmes le titre de *tomurayaku*. Ma famille administrait 203 villages depuis cette maison, soit aujourd'hui 13 000 *tsubo* (42 900 m²). Le titre de *tomurayaku* était une particularité spécifique au fief de Kaga. Normalement, c'était au daimyo d'administrer son fief, mais nous nous trouvons ici au carrefour de trois provinces (Kaga, Noto et Etchū). Aussi, le travail du *tomurayaku*, qui appartenait à la noblesse, était-il d'administrer les villages des trois fiefs. Afin qu'on ne la confonde pas avec un château et également pour ne pas éveiller les soupçons du shogunat des Tokugawa, notre demeure fut construite au pied d'une colline, à l'abri d'une forêt (les châteaux étaient en principe érigés dans les plaines ou au sommet des collines).

Notre lignée est très différente de celles des samouraïs, qui pouvaient se transmettre leur titre de père en fils sans tenir compte du mérite de la génération suivante. La position de *tomurayaku* était étroitement liée à l'efficacité réelle de ceux qui l'occupaient. Notre famille l'a conservée pendant 170 ans.

C'est ainsi que, de génération en génération, la maison nous a été transmise. Aujourd'hui, nous ne jouons plus aucun rôle officiel mais nous racontons l'histoire de nos ancêtres et nous nous occupons de la maintenance de la maison. Cette demeure est vieille de 400 ans, ses piliers et ses fenêtres sont extrêmement fragiles. Ce n'est pas une maison dont les tâches ménagères et les réparations peuvent être confiées à n'importe qui. Il faut apprendre à la connaître et la traiter avec respect, sans quoi, on pourrait facilement commettre des dégâts irréparables. Je pense que nos ancêtres vivent ici avec nous. Ils nous donnent la force de préserver leur demeure.

C'est grâce à eux que nous l'occupons et je me sens entièrement responsable de cet héritage.

guchi (390 ¥, 18 min), d'où il faut encore marcher une quinzaine de minutes.

Côte de Noto-kongō 能登金剛
☎ 0768

Cette côte ourlée de falaises s'étire sur quelque 16 km entre Fukūra et Sekinohana. Elle se distingue par des formations rocheuses spectaculaires comme le **Ganmon**, en forme de porte (à rejoindre avec sa propre voiture ou en participant à un circuit organisé en bus, avec les réserves que cela suppose).

La jolie petite ville de Monzen, à 25 km au nord-est du Ganmon, est le berceau du majestueux **Sōji-ji** (☎ 42-0005, composez le 186 pour vous identifier ; fax 42-1002 ; adulte/enfant/lycéen 400/150/300 ¥ ; ☽ 8h-17h), temple principal de l'école zen Sōtō à l'époque de sa création, en 1321. Endommagé par un incendie en 1898 et restauré par la suite, il est devenu un sanctuaire annexe, le temple principal se trouvant à Yokohama. Le Sōji-ji

accueille les visiteurs souhaitant s'adonner au *zazen* (méditation assise ; 300 ¥ ; 9h-15h) et sert par ailleurs de la *shōjin-ryōri* (cuisine végétarienne bouddhiste ; 2 500-3 500 ¥) ; réservations au minimum 2 jours à l'avance.

Monzen est aussi un carrefour pour les transports en bus, avec des lignes desservant Kanazawa (2 200 ¥, 2 heures 30), Hakui (1 510 ¥, 1 heure 30) et Wajima (740 ¥, 35 min). Si vous vous rendez au temple, demandez au chauffeur de s'arrêter à "Sōji-ji-mae".

Wajima 輪島
☎ 0768 / 31 500 habitants

À 20 km de Monzen, ce port de pêche de la côte nord est la plus grande ville de l'Oku-Noto et un centre historique de la production de *Wajima-nuri* (laque de Wajima). C'est également aujourd'hui une importante destination touristique. Son centre a été joliment réaménagé et un marché animé s'y tient le matin.

Le **bureau d'information touristique** (☎ 22-1503 ; ◷ 8h-19h) installé dans l'ancienne gare ferroviaire de Wajima (aujourd'hui appelée Michi-no-eki, 道の駅, et actuelle gare routière) distribue des brochures et des cartes en anglais, et peut vous aider à effectuer vos réservations hôtelières. Le personnel ne parle que quelques mots d'anglais.

À VOIR ET À FAIRE
Wajima Shikki Shiryōkan/Shikki Kaikan
輪島漆器会館
Dans le centre-ville, à côté du pont Shin-bashi, le **Wajima Shikki Shiryōkan/Shikki Kaikan** (☎ 22-2155 ; entrée 200 ¥ ; ◷ 8h30-17h), est à la fois une salle d'exposition et un musée du laque. Le 2e étage illustre les procédés de fabrication et montre quelques pièces anciennes remarquables, dont des bols réalisés il y a 500 ans, quand Hideyoshi combattait pour unifier le Japon. La **boutique** (entrée libre) au rez-de-chaussée vend des laques contemporains onéreux, mais d'une beauté indéniable.

Musée d'art ishikawa Wajima Urushi
石川輪島漆芸美術館
Dans l'angle sud-ouest du centre-ville, ce grandiose **musée** (☎ 22-9788 ; adulte/collégien et primaire/étudiant 600/150/300 ¥ ; ◷ 9h-17h) contemporain abrite deux niveaux de galeries où est exposée une partie (changée régulièrement) de l'importante collection de laques japonais et étrangers, anciens et modernes. Comptez 15 minutes de marche vers l'ouest depuis la gare ferroviaire. Téléphonez avant, car le musée ferme entre 2 expositions.

Kiriko Kaikan キリコ会館
Quelques-uns des très beaux chars laqués, éclairés à l'intérieur, utilisés lors du Wajima Taisai et d'autres fêtes régionales sont réunis dans ce **hall d'exposition** (☎ 22-7100 ; adulte/collégien et primaire/lycéen 600/350/450 ¥ ; ◷ 8h-18h mi-juil/août, jusqu'à 17h sept/mi-juil). Certains chars mesurent jusqu'à 15 m de haut. Comptez 20 minutes à pied de la gare de Wajima, ou 6 minutes en bus (arrêt Tsukada ; 150 ¥).

Hegura-jima 舶倉島
Cette île dotée d'un phare et de plusieurs temples, qui plus est interdite aux voitures, est l'occasion d'une excursion des plus agréables. Les amateurs d'ornithologie affluent au printemps, durant les vacances de la Golden Week (29 avril-6 mai), et en automne pour observer l'incroyable variété d'oiseaux migrateurs qui font halte ici. Si vous souhaitez prolonger votre séjour, quelques *minshuku* peuvent vous héberger.

Quand le temps le permet, un **ferry de Hegura Kōro** (☎ 22-4381 ; aller simple 2 200 ¥) assure une liaison quotidienne. Comptez une heure de traversée au départ de Wajima (à 8h) ou, dans l'autre sens, de Hegura (15h mars-octobre ; 14h novembre-février), avec une semaine d'interruption en janvier pour révision du bateau.

FÊTES ET FESTIVALS
Gojinjō Daikō Nabune Matsuri. Cette fête s'achève le 31 juillet par des démonstrations de percussionnistes arborant des masques de démons et coiffés d'algues.
Wajima Taisai (fin août). Pour admirer les imposants *kiriko*, les fameux chars éclairés de Wajima.

OÙ SE LOGER ET SE RESTAURER
Wajima compte des dizaines de *minshuku*. Les repas de poissons et fruits de mer qu'on y prépare valent à eux seuls le déplacement. Vous dénicherez dans le port de charmants restaurants, dont certains ferment un peu tôt cependant.

Sodegahama Camping Ground (袖が浜キャンプ場 ; ☎ 23-1146 ; fax 23-1855 ; empl tente 1 000 ¥/pers ; ◷ fin avr/mi-août, bureau 16h-9h). Ce camping est à 10 minutes en bus à l'ouest de la ville. Prenez au choix le bus local *noranke* (itinéraire Umi, 100 ¥) ou le bus Nishiho (direction Zōza 雑座) jusqu'à Sodegahama. À pied, comptez 20 minutes.

Fukasan (深三 ; ☎ 22-9933 ; fukasan@crux.ocn.ne.jp ; demi-pension 7 800 ¥/pers). Sur le port, *minshuku* moderne au charme rustique, avec poutres en bois sombre, hauts plafonds, un onsen et en prime, le doux bruit des vagues.

Wajima (わじま ; ☎ 22-4243 ; sakaguti@quartz.ocn. ne.jp ; s/d par pers en demi-pension 7 875/7 350 ¥). *Minshuku* de 10 chambres à la déco en bois joliment

---

UNE FRESQUE GIGANTESQUE

C'est à Wajima que se trouve la plus grande fresque en laque du monde. L'*Umi no Uta* ("chanson de la mer") est une marine composée de 15 panneaux mesurant chacun 2,6 m sur 1,2 m, dont les motifs furent créés en appliquant de la poussière d'or sur de la laque humide. Admirez-la dans le **Wajima-shi Bunka Kaikan** (輪島市文化会館 ; pavillon de la culture de Wajima ; entrée libre ; ◷ en journée), derrière l'ancienne gare de la ville.

travaillée, comptant un onsen alimenté par une source minérale. On mange avec des baguettes dans des bols de *Wajima-nuri* la pêche du jour accompagnée du riz que cultivent les propriétaires. De l'autre côté du Futatsuya-bashi, au sud du centre-ville.

Madara-yakata (まだら館 ; ☎ 22-3453 ; plats 800-2100 ¥ ; ☻ déj et dîner, fermeture irrégulière). Ce restaurant sert des spécialités locales comme le *zosui* (ragoût à base de riz), le *yaki-zakana* (poisson grillé) et les fruits de mer de saison, à savourer au milieu d'une déco d'objets artisanaux. Près du marché du matin.

Shinpuku (伸幅 ; ☎ 22-8133 ; sushis à partir de 150 ¥ la pièce, menus 1 000-2 500 ¥ ; ☻ déj et dîner, fermeture irrégulière mais surtout le mer). Cette minuscule échoppe de sushis sert des poissons et fruits de mer d'une grande fraîcheur et agrémente la soupe *miso* de délicieuses algues (*iwanori*). Nous conseillons les menus, ainsi que l'*asa-ichi-don* (choix de produits frais achetés le jour même au marché). Dans la rue principale, à un pâté de maisons à l'est de la station-service Cosmo. Menu illustré de photos.

ACHATS
Bien que touristique, l'**asa-ichi** (marché du matin ; ☻ 8h-12h, fermé le 10 et le 25 du mois) demeure très amusant. Quelque 200 marchandes de poisson vantent leur marchandise (produits de la mer, artisanat…) avec un humour et une insolence qui franchissent la barrière de la langue. Pour atteindre le marché, longez la rivière vers le nord depuis le Wajima Shikki Shiryōkan, puis tournez à droite juste avant l'Iroha-bashi.

DEPUIS/VERS WAJIMA
Reportez-vous à la p. 320 pour les renseignements sur les bus Hokutetsu desservant Wajima (☎ 22-2314). Des bus pour Monzen (740 ¥, 35 min) partent toutes les une à deux heures.

Suzu et Noto-chō 珠洲・能登町
☻ 0768
Si vous vous dirigez vers l'est, en direction de l'extrémité de la péninsule, depuis le centre de Wajima, vous passerez devant les fameuses *dan-dan-batake* (rizières en terrasses) de **Senmaida** (千枚田) avant d'arriver au village côtier de **Sosogi** (曽々木). Tokitada Taira, l'un des rares survivants du massacre des Taira en 1185, s'exila dans la région. Scindée en deux clans, la famille Tokikuni, qui prétend descendre de lui,

établit ici deux résidences séparées. Au départ de Wajima, les bus en direction d'Ushitsu s'arrêtent à Sosogi (740 ¥, 40 min).

La première demeure, **Tokikuni-ke** (résidence Tokikuni ; ☎ 32-0075 ; adulte/collégien/lycéen 600/300/400 ¥ ; ☻ 8h30-17h tlj avr-déc, sam et dim jan-mars), construite en 1590 dans le style de la période de Kamakura, possède un *meishō tei-en* (jardin célèbre). À quelques minutes à pied, la **Kami Tokikuni-ke** (maison haute des Tokikuni ; ☎ 32-0171 ; adulte/enfant 500/400 ¥ ; ☻ 8h30-17h30 juil-sept, jusqu'à 17h oct-juin), dotée d'un imposant toit de chaume et d'un intérieur élégant, date du début du XIXe siècle. Dans chacune de ces demeures, une brochure en anglais vous est remise avec le billet d'entrée.

Plusieurs sentiers de randonnée se trouvent à proximité. Une formation rocheuse baptisée **mado-iwa** ("fenêtre dans le rocher") se dresse au large 1 km plus haut sur la côte. En hiver, observez les *nami-no-hana* ("fleurs des vagues"), paquets d'écume qui se forment quand les vagues viennent s'écraser contre le rivage hérissé de rochers de Sosogi. En face du mini parc Mado-iwa se trouve le *minshuku* **Yokoiwaya** (☎ 32-0603 ; fax 32-0663 ; ch en demi-pension à partir de 8 350 ¥/pers). Cet établissement bien tenu, ouvert depuis 150 ans, compte 7 chambres confortables et un onsen. Les repas de poisson et fruits de mer y sont succulents. Dans la plupart des villes japonaises, le dîner à lui seul coûterait facilement ce prix sans l'hébergement. Repérez la lanterne en papier ou demandez que l'on vienne vous chercher à l'arrêt de bus Sosogi-guchi.

La route qui part au nord-est du village de Sosogi passe devant les **fermes de production de sel de mer** et **Gojira-iwa** ("rocher de Godzilla", nom dû à sa forme), puis par la ville de Suzu et le cap solitaire de Rokō-zaki, le point le plus extrême de la péninsule. De là, vous pouvez grimper jusqu'au phare, dans le village de **Noroshi** (狼煙) ; un panneau indique les distances qui le séparent de Tōkyō (302 km) et de Shanghaï (1 598 km).

Un **chemin de randonnée** côtier longe le cap vers l'ouest. Le paysage est agréablement champêtre, surtout en semaine lorsque les bus touristiques se font plus rares et que Noroshi retrouve son identité de petit village de pêcheurs assoupi.

En allant vers le sud, la route contourne la pointe de la péninsule pour se diriger vers les paysages moins spectaculaires de la côte est, puis revenir ensuite à Kanazawa.

Lamp no Yado (☎86-8000 ; www.lamp noyado. co.jp ; ch en demi-pension à partir de 19 000 ¥/pers ; 🔒), dans le village reculé de Suzu, est un lieu sublime. Cet ensemble de constructions en bois, au bord de la mer, compte 14 chambres construites à l'écart de la rue principale. Le Lamp no Yado est devenu une auberge depuis les années 1970, mais la construction, vieille de quatre siècles, remonte à l'époque où l'on y venait en cure thermale plusieurs semaines d'affilée. Les chambres (certaines en duplex) ont une sdb et un *rotemburo* privé. La piscine en devient presque superflue. L'établissement mérite largement la dépense ; réservation impérative.

Tenu par un couple australo-japonais, **Flatt's by the Sea** (Minshuku Flatto ; ☎62-1900 ; www.flatts.jp ; ch en demi-pension 8 500 ¥/pers ; 🕑 jeu-mar), auberge/restaurant/boulangerie au bord de la mer, ne possède que quelques tables. On y sert une cuisine italo-japonaise. Les 3 chambres garnies de 10 nattes du *minshuku*, de l'autre côté de la rue, ont toutes une vue magnifique sur la mer. Les repas sont servis sur réservation uniquement pour les non-résidents. On peut aussi simplement faire une halte à la boulangerie/café (fermée mercredi et jeudi) pour acheter du pain ou des spécialités plus originales telles que les petits pains au chorizo. Vous la trouverez à l'intérieur du coude que décrit la péninsule de Noto, dans la ville de Hanami.

PARC NATIONAL DE HAKUSAN
白山国立公園
☎0761

Les voyageurs en quête d'exercice et qui ont du temps peuvent s'aventurer dans ce parc national qui se tient à cheval sur quatre préfectures : Ishikawa, Fukui, Toyama et Gifu. Il comprend plusieurs sommets culminant à plus de 2 500 m, dont le plus haut est le Hakusan (2 702 m), une montagne vénérée depuis des temps anciens. En été, la principale activité consiste à grimper en haut des montagnes pour admirer le coucher du soleil. En hiver, le ski et la baignade dans les onsen prennent le relais.

Pour vous renseigner – et si vous parlez japonais –, téléphonez au **centre de réservation de Hakusan Murodō** (白山室堂予約センター ; ☎076-273-1001) ou à l'**hôtel de ville de Shiramine** (白山市白峰支所 ; ☎076-259-2011).

Les sentiers qui sillonnent la partie alpine du parc offrent plusieurs possibilités de randonnées (les plus longues font plus de 25 km). Pour les marcheurs bien équipés et qui ne sont pas pressés, un trek de 26 km rejoint Ogimachi (p. 280), dans la vallée de Shōkawa.

Ceux qui souhaitent parcourir à pied les sommets et leurs alentours doivent passer la nuit (lits en immenses dortoirs pour l'essentiel) soit au **Murodō Centre** (dort en demi-pension 7 700 ¥ ; 🕑 1er mai-15 oct), soit au **Nanryū Sansō** (南竜 ; refuge de montagne Nanryū ; ☎076-259-2022 ; dort en demi-pension 7 600 ¥, empl tente 300 ¥, location tente 2 200 ¥, chalet 5 pers 12 000 ¥ ; 🕑 juil-sept). Pour les rejoindre, il faut compter de 3 heures 30 à 5 heures de marche. Lorsque les hébergements affichent complet, les clients doivent s'entasser sur des tatamis. Le camping est interdit dans le parc, sauf au terrain de camping de Nanryū Sansō. Sachez que plusieurs campings sont installés à l'extérieur du parc. Cependant, cela n'empêche pas les visiteurs de venir nombreux. Il est conseillé de réserver au moins une semaine à l'avance.

Bettōdeai est le point d'accès le plus proche du parc national de Hakusan. De là, il reste 6 km jusqu'à Murodō (comptez environ 4 heures 30 de marche) et 5 km jusqu'à Nanryū (3 heures 30). Ichirino, Chūgū Onsen, Shiramine et Ichinose disposent de *minshuku*, de *ryokan* et d'emplacements de camping. Les places de camping valent au moins 300 ¥ par personne. Si vous optez pour une chambre d'auberge en demi-pension, il vous en coûtera 7 500 ¥ par personne.

Depuis/vers le parc de Hakusan
L'accès au parc se révèle compliqué, y compris durant la haute saison estivale. Le principal moyen de transport est le bus **Hokutetsu Kankō** (Hokutetsu ; ☎076-237-5115) qui dessert Bettōde-ai depuis la gare de Kanazawa. Jusqu'à trois bus quotidiens assurent la liaison (2 000 ¥, 2 heures) de fin-juin à mi-octobre. Le billet aller-retour comprend un bon permettant de loger au Murodō Centre (10 600 ¥).

Hokutetsu assure également des allers-retours vers Ichirino et Chūgū Onsen. Renseignez-vous sur les horaires au **bureau d'information touristique** de Kanazawa ou à la gare routière Hokutetsu, à côté de la gare de Kanazawa.

Si vous venez en voiture de la vallée de Shōkawa, vous pouvez emprunter la spectaculaire route à péage Hakusan Super-Rindō (voitures 3 150 ¥).

FUKUI-KEN 福井県

FUKUI 福井

☎ 0776 / 268 000 habitants

Lourdement bombardée pendant la Seconde Guerre mondiale, puis ravagée par un séisme en 1948, Fukui, capitale de la préfecture du même nom, ne compte pas autant de sites touristiques que les autres villes du Hokuriku. Pourtant, cette ville à l'ambiance sympathique n'en demeure pas moins une base pratique pour visiter les environs.

L'**office du tourisme de Fukui** (☎ 20-5348 ; ☺ 8h30-19h) est situé à côté du tourniquet de la gare de Kukui. On y fournit des renseignements et des cartes en anglais. Si vous comptez visiter à la fois l'Eihei-ji (ci-contre) et Tōjinbō (p. 328), renseignez-vous sur le Free Pass (2 000 ¥) qui offre des trajets illimités en bus, valables 2 jours, vers ces destinations.

Au nord de la gare s'étendent le quartier commerçant de la ville ainsi que les murailles et les douves de ce qui fut jadis le château de Fukui. C'est aujourd'hui le site du gouvernement préfectoral (*kenchō*, 県庁). Environ 300 m plus loin, **Yōkōkan** (養浩館 ; ☎ 21-2906 ; adulte/enfant 210/100 ¥ ; ☺ 9h-19h mars-début nov, jusqu'à 17h début nov-fév) est la villa reconstruite du daimyo de Fukui à la période d'Edo, lequel appartenait au clan Matsudaira ; son jardin de promenade a récemment été classé comme l'un des trois plus beaux du Japon par un magazine spécialisé. Du 19 au 21 mai, Fukui célèbre le **Mikuni Matsuri** avec un défilé de poupées guerrières géantes.

L'**Hotel Route Inn Fukui-Ekimae** (ホテルルートイン福井駅前 ; ☎ 30-2130 ; fax 30-2170 ; www.route-inn.co.jp ; s/d/lits jum avec petit déj 6 200/8 300/10 300 ¥ ; ✗ 🖳), *business hotel* flambant neuf, est à 1 minute à pied de la gare de Fukui, derrière le Tōyoko Inn. Sa déco minimaliste compense l'exiguïté des chambres, de même que le petit-déjeuner japonais/occidental, l'accès à Internet en réseau LAN et les bains communs du dernier étage.

À 10 minutes à pied à l'ouest de la gare, l'**Hotel Riverge Akebono** (ホテルリバージュアケボノ ; ☎ 22-1000, 0120-291-489 ; fax 22-8023 ; s/lits jum à partir de 7 161/12 705 ¥ ; ✗ 🖳 📶), sur la rive de l'Asuwa-gawa, bénéficie d'un environnement splendide à l'époque de la floraison des cerisiers. Son personnel est très aimable, et ses chambres, plutôt standard, ont des sdb et toilettes privées ainsi que l'accès à Internet (réseau LAN). Les bains du dernier étage offrent une jolie vue.

De la gare, descendez Chūō-dōri, bordée d'une galerie en verre très moderne, puis tournez à gauche après l'Ace Inn.

Miyoshiya (見吉屋 ; ☎ 23-3448 ; plats 500-1400 ¥ ; ☺ déj et dîner lun-sam). Très prisée, cette échoppe propose un menu varié et la spécialité du Fukui-ken, l'*oroshi soba* (*soba* avec du *daikon* râpé et des flocons de bonite ; 500 ¥). Miyoshiya est à 5 minutes à pied de la gare de Fukui derrière la Fukui Bank (福井銀行), au croisement de Chūō-dōri et Phoenix-dōri.

Simple échoppe en angle de rue, **Yōroppa-ken** (ヨーロッパ軒 ; ☎ 26-4681 ; plats 850-1350 ¥ ; ☺ déj et dîner mer-lun) sert une autre spécialité très appréciée à Fukui, le *sōsu katsu-don* (côtes de porc panées plongées dans une marinade à base de sauce Worcestershire, et servies sur du riz ; 850 ¥), un plat étonnamment léger. Comptez 200 ¥ en plus pour une formule avec salade et soupe *miso*. L'établissement est du même côté de la rue que Miyoshiya, à 200 m de la gare.

L'ingénieux *izakaya* **Ori-Ori-ya** (織々屋 ; ☎ 27-4004 ; brochettes 100-300 ¥, plats 380-980 ¥ ; ☺ dîner) vous propose de choisir vous-même vos ingrédients et de les griller à votre table. Près de l'Hotel Riverge Akebono.

Les trains JR relient Fukui à Kanazawa (*tokkyū*, 2 940 ¥, 50 min ; *futsū*, 1 280 ¥, 1 heure 30), Tsuruga (*tokkyū*, 2 610 ¥, 35 min ; *futsū*, 950 ¥, 55 min), Kyōto (4 810 ¥, 1 heure 30) et Ōsaka (5 870 ¥, 1 heure 45).

EIHEI-JI 永平寺

☎ 0776

En 1244, le grand maître zen Dōgen (1200-1253), fondateur de la secte de bouddhisme zen Sōtō, établit l'Eihei-ji dans une forêt proche de Fukui. Aujourd'hui, c'est l'un des deux temples-mères du mouvement Sōtō, et l'un des centres les plus influents au monde. Dressé au milieu de montagnes, de mousses et de vieux cèdres, il est imprégné d'une forte aura spirituelle. Ceux qui s'intéressent de près au mouvement zen peuvent envisager d'y faire une retraite – quelque 150 prêtres et disciples y résident en permanence – mais l'on peut aussi se contenter d'une simple visite.

Le **temple** (☎ 63-3102 ; adulte/enfant 500/200 ¥ ; ☺ 9h-17h) accueille les très nombreux visiteurs qui viennent découvrir les lieux ou s'adonner à une pratique zen rigoureuse. Le circuit standard se limite à 7 des 70 bâtiments de l'ensemble architectural : *San-mon* (porte principale), *Butsuden* (salle du Bouddha), *Hattō* (salle du dharma), *Sō-dō* (salle des prêtres), *daikuin* (cuisine), *yokushitsu* (bain) et *tosu* (toilettes). Les allées en bois qui relient les bâtiments entre eux doivent être parcourues sans chaussures mais en chaussettes (ce qui est un peu difficile en hiver). Dans le Shōbōkaku sont exposés de nombreux trésors de l'Eihei-ji.

Le temple ferme régulièrement 7 à 10 jours en raison des principes religieux. Assurez-vous qu'il est bien ouvert en consultant l'adresse www.sotozen-net.or.jp/kokusai/list/eiheiji.htm ou auprès des offices du tourisme.

Vous pouvez suivre sur place un **sanzensha** (programme de formation religieuse ; ☎ 63-3640 ; fax 63-3631 ; www.sotozen-net.or.jp/kokusai/list/eiheiji.htm ; sanzensha 12 000 ¥) de 4 jours et 3 nuits – à des tarifs plutôt élevés ! Vous suivrez le même entraînement que les moines, qui comprend notamment les prières de 3h50, la méditation *zazen*, l'entretien des lieux et les repas rituels où pas un grain de riz ne doit être laissé dans les bols. La connaissance de la langue japonaise ne s'impose pas ; en revanche, il est utile de savoir se tenir dans la position du demi-lotus. Tous ceux qui ont suivi cette formation s'accordent à dire qu'il s'agit d'une expérience formidable. Il faut réserver au moins un mois à l'avance. La nuitée simple, appelée *sanrō*, est également possible moyennant 8 000 ¥ (en demi-pension). En journée, les visiteurs peuvent prendre un déjeuner de *shōjin-ryōri* (3 000 ¥) sur réservation.

Pour rejoindre l'Eihei-ji au départ de Fukui, prenez un bus Keifuku (720 ¥, 35 min, au moins 3/jour) à l'arrêt n°5, situé à quelques pâtés de maisons de Fukui ; les bus (720 ¥, 35 min) partent de la sortie est de la gare de Fukui. Voir p. 327 les renseignements sur le Free Pass couvrant aussi Tōjinbō.

TŌJINBŌ 東尋坊

À près de 25 km au nord-ouest de Fukui, de hautes colonnes rocheuses et des falaises se dressent le long de la côte à Tōjinbō, une destination des plus touristiques. D'après la légende, le méchant prêtre Tōjinbō aurait été précipité du haut de la falaise en 1182 par des villageois en colère. Pendant 49 jours, la mer s'agita alors, manifestant ainsi la fureur du prêtre depuis son tombeau sous-marin.

Les visiteurs peuvent effectuer une excursion en bateau (1 010 ¥, 30 min) pour admirer les **formations rocheuses** ou remonter le littoral jusqu'à **O-jima**, une petite île où se trouve un sanctuaire, reliée à la terre ferme par un pont.

La correspondance la plus pratique pour rejoindre Tōjinbō s'effectue en bus par la gare d'Awara Onsen (depuis Fukui : *tokkyū*, 1 560 ¥, 10 min). Les trains *futsū* sont moins chers (320 ¥, 16 min) mais aussi moins fréquents. Les bus pour Tōjinbō quittent la gare d'Awara Onsen à l'heure passée de 40 minutes (730 ¥, 40 min). Voir p. 327 les renseignements sur le Free Pass couvrant aussi Tōjinbō. Attention : le Free Pass n'est pas valable dans les trains.

TSURUGA 敦賀

Tsuruga est un port florissant et un carrefour ferroviaire, au sud de Fukui et au nord de Biwa-ko. La **compagnie de ferry Shin Nihonkai** (☎ 0770-23-2222 ; www.snf.co.jp) assure 11 traversées par semaine à destination de Tomakomai, sur Hokkaidō (à partir de 9 300 ¥ en 2ᵉ classe, 19 heures 15 sans escale, 30 heures 30 avec escales). Plusieurs d'entre elles comportent des escales à Niigata (5 100 ¥, 13 heures 15) et à Akita (6 700 ¥, 22 heures 45). Des bus coïncidant avec les horaires de départ des ferries circulent entre la gare de Tsuruga et le port Tsuruga-kō (340 ¥, 20 min).

OBAMA 小浜
☎ 0770 / 32 000 habitants

À moins de 2 heures de Fukui et de Kyōto, cette petite agglomération en bordure de mer a suscité l'engouement des médias avec l'élection du nouveau président des États-Unis, mais elle n'en a pas moins sa propre histoire. Des siècles durant, en raison de sa proximité avec la capitale (Heian-kyō, l'actuelle Kyōto) et de sa baie dans laquelle se jetait la rivière (Wakasa-wan), elle est restée pour la cour impériale une pourvoyeuse de choix en produits frais, notamment des *saba* (maquereaux). Tant dans leur expression que dans leur façon d'être ou d'envisager les choses, les habitants sont aujourd'hui encore bien plus proches de Kyōto que du reste du Fukui-ken. Avec ses 144 temples, Obama est la ville du Japon comptant le plus de temples par habitant (elle est surnommée la "Petite Nara"). Côté artisanat, elle se distingue surtout par ses baguettes en laque incrustées de motifs en forme de coquilles d'œuf et d'ormeaux, et par ses tuiles.

L'**office du tourisme de Wakasa Obama** (若狭おばま観光案内所 ; ☎ 53-2042 ; ☉ 9h-17h lun-sam, 10h-16h dim, fermé dim déc-mars) est juste à côté de la gare d'Obama. Louer un vélo (2/4/8 heures 300/500/1 000 ¥) dans les agences proches de la gare est un bon moyen de découvrir la ville.

JOUR D'ÉLECTION À OBAMA *Chris Rowthorn*

Obama est un petit port de pêche assoupi sur la côte de la mer du Japon. Jusqu'à ces dernières années, ses habitants ne prêtaient pas particulièrement attention à la politique nord-américaine. Mais tout a changé en 2008, lorsque Barack Obama s'imposa comme le candidat le plus prometteur à l'élection présidentielle des États-Unis. Une véritable Obamania s'empara alors de la ville.

De jeunes femmes formèrent une troupe de danseuses hawaïennes et prirent le nom d'Obama Girls. Des musiciens fondèrent un groupe farfelu dont l'un des personnages portait une tenue de *Power Rangers*. Les boulangers se mirent à fabriquer des gâteaux de haricots à l'effigie de Barack Obama (représentant l'arrière de sa tête, puisque faire apparaître son visage sur des gâteaux avant qu'il soit élu lui aurait porté malheur). Même les fabricants de baguettes sortirent une série limitée de baguettes Obama.

Le 5 novembre (le Japon a 12 heures d'avance sur les États-Unis, où l'élection était organisée le 4 novembre), j'ai pris un train de chez moi, à Kyōto, jusqu'à Obama afin d'assister au dépouillement des votes en compagnie des habitants. L'atmosphère était électrique. Tandis que les Obama Girls dansaient, des supporters plus âgés agitaient des banderoles. Dans le même temps, une personnalité de la ville faisait de son mieux pour traduire les nouvelles de CNN à la foule rassemblée.

Vers midi, comme l'un des groupes chantait une énième chanson inspirée du parcours d'Obama, un cri fusa soudain d'un groupe de jeunes Américains postés devant le téléviseur. CNN venait d'annoncer l'élection d'Obama. Ce fut alors une explosion de joie. Emportés par toute cette excitation, les mères au foyer d'Obama embrassaient les professeurs d'anglais américains, des *ojisan* (hommes âgés) à demi-saouls frappaient leurs paumes dans celles de reporters étrangers en signe de victoire, et les Obama Girls sautaient d'allégresse, faisant voleter leurs jupes en raphia. Et la foule se mit à scander : "Obama ! Obama ! Obama !"

Un véritable jour de fête…

Le **musée de la culture gastronomique Miketsukuni Wakasa Obama** (御食国若狭おばま食文化会館 ; ☎ 53-1000 ; entrée libre ; 🕐 9h-18h) présente de vastes collections (en japonais) permettant de découvrir l'héritage gastronomique régional. Des démonstrations de cuisine ont lieu de temps à autre au rez-de-chaussée. Dans l'atelier de l'étage, l'occasion vous est donnée de mettre la touche finale à vos propres baguettes en *Wakasa-nuri* (laque de Wakasa) moyennant 900 ¥, ou d'imprimer un motif sur une *kawara* (tuile en argile ; 700 ¥). Le *sentō* du lieu, **Hama-no-yu** (濱の湯 ; avec/sans serviette 800/600 ¥ ; 🕐 10h-minuit, fermé 3ᵉ mer du mois), permet d'admirer la vue sur la baie depuis son bain mais aussi depuis son restaurant, le **Hama-tei** (濱亭 ; plats 650-850 ¥ ; 🕐 11h-23h). Enfin, goûtez au *negi-toro-don* (thon gras et oignons verts sur du riz ; 650 ¥) ou au Hama-no-yu *teishoku* (850 ¥ avec le *saba* local).

Deux temples importants se trouvent à l'extérieur de la ville. Au sommet d'une colline, le **Haga-ji** (羽賀寺 ; ☎ 52-4502 ; adulte/enfant 400/200 ¥ ; 🕐 8h-17h mars-nov, 9h-16h déc-fév), qui date de 716, abrite une cloche de la paix que l'on fait sonner sept fois lors des fêtes. À 4 km en vélo de la gare de Higashi-Obama (180 ¥, 5 min), à travers des rizières, le **Myōtsū-ji** (明通寺 ; ☎ 57-1355 ; adulte/enfant 400/200 ¥ ; 🕐 8h-17h mars-nov, 9h-16h30 déc-fév) fut fondé en 806 par un shogun qui voulait consoler les âmes de ceux qu'il avait vaincus à la guerre. La pagode à 3 niveaux et le *hondō* (pavillon principal) de la fin du XIIIᵉ siècle sont classés trésors nationaux. Attention : on n'a pas le droit de transporter son vélo dans le train qui relie les deux gares, mais il est possible d'en louer un aux deux endroits.

Obama est sur la ligne JR Obama en provenance de Tsuruga (*futsū*, 950 ¥, 65 min).

ai 関西

Le Kansai est le cœur du Japon. C'est là que s'est développée une culture unique, que beaucoup d'étrangers associent étroitement au Japon : temples anciens, sanctuaires shintoïstes et paisibles jardins zen. De nombreux vols long-courriers atterrissent à l'aéroport international du Kansai ; vous pourrez ainsi commencer directement votre voyage par cette région.

Kyōto et Nara sont les deux villes-phares du Kansai. Kyōto, ancienne capitale impériale, est toujours considérée par beaucoup de Japonais comme le centre culturel du Japon. Nara, dont l'histoire est encore plus ancienne, précédant Kyōto comme capitale impériale, possède aussi des temples extraordinaires, des tertres funéraires et d'autres vestiges archéologiques.

Ōsaka offre un échantillon de l'intense vie citadine de l'archipel, tandis que Kōbe, ville agréable, prend place parmi les cités les plus cosmopolites du pays. Plus à l'ouest, Himeji se distingue par le plus bel exemple de château féodal du pays.

Le Mie-ken abrite l'Ise-jingū, le sanctuaire shintoïste le plus sacré du Japon. Wakayama-ken attire les visiteurs pour ses *onsen* (sources chaudes), la beauté de sa côte découpée et les temples du Kōya-san, le plus grand centre bouddhique du Japon. Enfin, la côte nord du Kansai est réputée pour ses paysages, ses plages et la charmante Tango-hantō (péninsule de Tango).

Si Kyōto constitue la base idéale pour partir à la découverte du Kansai, votre choix peut aussi se porter sur Ōsaka ou Nara. En bref, le Kansai est l'endroit propice pour apprécier la vie traditionnelle sans avoir à parcourir de trop longues distances.

KANSAI

À NE PAS MANQUER

- **Kyōto** (p. 332), la ville aux plus de 2 000 temples et sanctuaires et la capitale culturelle de l'archipel

- Une plongée aux sources de la culture japonaise à **Nara** (p. 425), l'ancienne capitale du pays

- La vie nocturne trépidante à **Ōsaka** (p. 399), qui a aussi la réputation d'être une cité très besogneuse

- Le pouvoir spirituel qui émane du plus sacré des sanctuaires shintoïstes, l'**Ise-jingū** (p. 452)

- L'ascension jusqu'au sanctuaire bouddhique du **Kōya-san** (p. 443)

- Un bain dans un onsen au bord de la rivière, au cœur de **Kii-hantō** (p. 441)

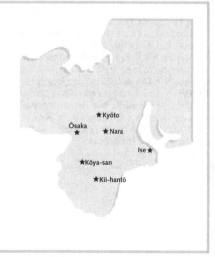

RÉGION DU KANSAI

0 ⊨═══════════ 50 km

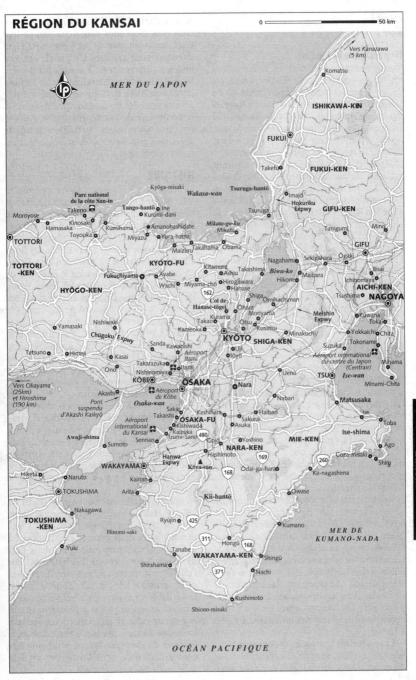

MER DU JAPON

Vers Kanazawa
(5 km)

Komatsu

ISHIKAWA-KEN

FUKUI

Parc national
de la côte San-in

Takefu

FUKUI-KEN

Moroyose

Takeno

Kinosaki

Kyōga-misaki

Tsuruga-hantō

Imajō

Hokuriku
Expwy

GIFU-KEN

Hamasaka

Kumihama

Tango-hantō

Ine

Wakasa-wan

Tsuruga

Tanigumi

Mino

Kurumi-dani

Mikata-go-ku

Toyooka

Amanohashidate

Mikata

GIFU

Miyazu

Yura-hama

Ōgaki

Bisai

Maizuru

Takahama

Obama

Nagahama

Sekigahara

Ichinomiya

TOTTORI

KYŌTO-FU

Kitamura

Takashima

Biwa-ko

Maibara

AICHI-KEN

TOTTORI
-KEN

Fukuchiyama

Ayabe

Ashiu

Hikone

Tsushima

NAGOYA

HYŌGO-KEN

Wachi

Miyama-chō

162

Hirogawara

Hanase

Shiga

Ōmihachiman

Kuwana

Tokai

Chita

Yamasaki

Nishiwaki

Col de
Hanase-tōge

Ōhara

Moriyama

Meishin
Expwy

Yokkaichi

Chūgoku

Expwy

Takao

Kurama

Ōtsu

Kusatsu

Suzuka

Tokoname

Tatsuno

Himeji

Kasai

Sanda

Kawanishi

Kameoka

KYŌTO

SHIGA-KEN

Minakuchi

Mihama

Ono

Aéroport
Itami

Uji

Iōyo

Ueno

TSU

Ise-wan

Minami-Chita

Takarazuka

Itami

Aéroport international
du centre du Japon
(Centrair)

Nishinomiya

KŌBE

Aéroport
de Kōbe

ŌSAKA

Nara

Nabari

Matsusaka

Akashi

Osaka-wan

Sakai

Kashihara

Haibari

Ise

Toba

Pont
suspendu
d'Akashi Kaikyō

Takaishi

Asuka

Ise-shima

Vers Okayama
(25km)
et Hiroshima
(190 km)

Aéroport
international
du Kansai

ŌSAKA-FU

Kishiwada

Sakurai

Kaizuka

Izumi-Sano

480

Gojō

Yoshino

MIE-KEN

Ago

Shima

Awaji-shima

Sennan

Hanwa
Expwy

NARA-KEN

169

Goza-misaki

Sumoto

WAKAYAMA

Hashimoto

Kōya-san

Ōdai-ga-hara

260

Kii-nagashima

Hiketa

Naruto

Kainan

168

TOKUSHIMA

Arita

Kii-hantō

Owase

MER DE
KUMANO-NADA

Nakagawa

Ryūjin

425

TOKUSHIMA
-KEN

Hinomi-saki

Kumano

Yuki

311

Hongū

168

Tanabe

WAKAYAMA-KEN

Shingū

Shirahama

371

Nachi

Kushimoto

Shiono-misaki

OCÉAN PACIFIQUE

KANSAI

Climat

Voir p. 333.

Depuis/vers le Kansai

Voyager entre le Kansai et les autres parties du Japon est très facile. Cette région est desservie par les lignes Tôkaidô et San-yô du *shinkansen* (train à grande vitesse), plusieurs lignes principales du chemin de fer national JR et quelques lignes privées. Des cars longue distance, empruntant les autoroutes, relient le Kansai aux autres parties de Honshū, à Shikoku et à Kyūshū. Des ferries assurent également la liaison, à partir de Kôbe et Ôsaka, vers Honshū, Kyūshū, Shikoku et Okinawa. D'autres desservent Otaru sur l'île de Hokkaidô, à partir d'Higashi-Maizuru, port sur la mer du Japon, dans le nord de la préfecture de Kyôto (Kyôto-fu). De plus, le Kansai est doté de plusieurs aéroports : celui d'Itami à Ôsaka (ITM), l'aéroport national relié à la plupart des grandes villes du Japon, et l'aéroport international du Kansai (KIX), qui dessert un grand nombre de destinations au Japon et à l'étranger. Pour plus d'informations, reportez-vous à la rubrique *Depuis/vers Kyôto* (p. 388).

KYŌTO 京都

☎ 075 / 1,47 million d'habitants

Kyôto est la cité gardienne de la culture traditionnelle japonaise et la scène de presque tous les grands événements historiques du pays. Avec 17 sites inscrits au patrimoine mondial de l'Unesco (voir l'encadré p. 336), plus de 1 600 temples bouddhiques et plus de 400 sanctuaires shintoïstes, Kyôto compte parmi les villes du monde au patrimoine culturel le plus riche.

Kyôto présente le spectacle authentique de ces visions rêvées du Japon qu'entretiennent les Occidentaux : jardins aux étendues de petits galets ratissés avec soin, cabanes de poète à l'abri du monde dans un bosquet de bambous, alignements de portes de sanctuaires vermillon, reflets d'or d'un temple miroitant dans l'eau tranquille, ou une geisha qui, la nuit tombée, se faufile dans un restaurant traditionnel. La plupart des sites qui participent de cette image populaire du Japon trouvent leur origine à Kyôto.

Cependant, malgré ces évocations enchanteresses, les premières impressions risquent d'être décevantes. Au sortir de la gare de Kyôto, vous ne verrez tout d'abord que néons et béton, et vous vous direz sans doute que tout ce que vous avez entendu ou lu sur Kyôto n'était que littérature pour touristes. Un peu de patience toutefois, car la beauté est là, mais cachée derrière les murs, les portes, les rideaux et les façades. Kyôto ne la révèle pas à qui ne sait pas regarder. Si vous accordez un tant soit peu de temps à la découverte de la cité, elle vous dévoilera des centaines et même des milliers de trésors disséminés un peu partout dans le paysage. Plus vous regarderez et plus il y aura à voir.

HISTOIRE

Le bassin de Kyôto s'est développé dès le VIIe siècle. En 794, c'est là que fut établie la nouvelle capitale du Japon, alors baptisée Heian-kyô. À l'instar de Nara, qui la précéda dans ce rôle, la ville présente un plan en damier selon le modèle chinois de la capitale des Tang, Chang'an (actuelle Xi'an). Bien que Kyôto abritât la résidence de la famille impériale de 794 à 1868 (c'est-à-dire jusqu'à la Restauration de Meiji, lorsque l'empereur décida d'élire domicile à Tôkyô), la cité ne fut jamais le centre du pouvoir politique. Pendant la période de Kamakura (1185-1333), l'administration avait son siège dans la ville du même nom. La période d'Edo (1616-1867) vit ensuite les shoguns Tokugawa – Ieyasu Tokugawa au premier chef – gouverner le Japon depuis leur fief d'Edo (actuelle Tôkyô).

À partir du IXe siècle, l'empereur se trouva progressivement mis à l'écart des rouages politiques par les grandes familles de guerriers. Ces dernières mirent en place le système du shogunat, gouvernant en son nom. Officiellement, Kyôto resta la capitale et le centre de la culture, mais l'empereur n'y faisait plus figure que de symbole.

Avec le déclin du pouvoir impérial, la ville se transforma de façon spectaculaire. Lors de la guerre d'Ônin (1466-1467), qui marque la fin de la période de Muromachi, le Gosho (Palais impérial) et les deux tiers de la ville furent détruits. Les bâtiments que l'on voit maintenant datent pour la plupart de la période d'Edo. En fait, bien qu'Edo fut la véritable capitale, cela n'empêcha pas la reconstruction de Kyôto et sa prospérité en tant que centre culturel, religieux et économique. Sa bonne fortune perdura : elle échappa, à l'inverse d'autres grands centres urbains, aux bombardements aériens des derniers mois de la Seconde Guerre mondiale.

KANSAI

VOYAGER À MOINDRE COÛT AU KANSAI

Le **Kansai Thru Pass** est un excellent moyen de voyager à moindre coût. Ce forfait peut être acheté au comptoir de l'agence de voyages dans le hall des arrivées de l'aéroport international du Kansai et dans le centre de renseignements des bus, en face de la gare de Kyōto. Il permet de voyager sans limite sur toutes les lignes de bus et de trains du Kansai, excepté sur les lignes du Japan Railways (JR) ; il est valable sur la ligne Nankai qui dessert l'aéroport international du Kansai. Il donne droit, en outre, à des réductions pour plusieurs sites. Il ne couvre pas la région d'Ise-Shima.

Quand vous achetez votre forfait, n'oubliez pas de prendre la carte-brochure en anglais, très utile car elle indique les lignes de bus et de trains sur lesquelles vous pouvez voyager.

Les forfaits de 2 jours coûtent 3 800 ¥ et ceux de 3 jours 5 000 ¥. Pour des voyages de plus longue durée, vous pouvez acheter des forfaits multiples. Toutefois, comme le JR Pass, ces forfaits ne sont valables que pour des séjours à titre temporaire au Japon, relevant d'un visa de tourisme (vous devrez montrer votre passeport). Pour plus de détails, consultez le site **Kansai Thru Pass** (www.surutto.com/conts/ticket/3dayeng/).

Kyōto aujourd'hui demeure un important centre culturel et universitaire. La ville possède quelque 20% des trésors nationaux et 15% des biens culturels. S'y ajoutent 24 musées et 37 universités répartis à travers la ville. Kyōto a également conservé bon nombre de métiers qui répondaient aux besoins de la cour impériale et reste le centre de l'art et de l'artisanat traditionnels japonais. De plus, la ville est le berceau de plusieurs groupes high-tech, dont le producteur de jeux vidéo, Nintendo, et le géant de la céramique, Kyocera.

CLIMAT

Les meilleures saisons pour visiter Kyōto sont le printemps (mars-mai) et l'automne (fin septembre-novembre), qui bénéficient d'une météo assez constante et d'un climat tempéré.

Le printemps est à son apogée lorsque fleurissent les cerisiers, en général début avril à Kyōto. Certes, la nature a ses caprices, et la floraison varie de fin mars à mi-avril selon les années.

À l'automne, les températures autant que les couleurs sont douces et plaisantes, notamment entre fin octobre et début décembre (les érables flamboient fin novembre).

L'été, juin-août, est souvent extrêmement chaud et humide, le thermomètre atteignant facilement 30°C. C'est aussi la saison des fêtes comme le Gion Matsuri et le Daimon-ji Gozan Okuribi (voir p. 374).

L'hiver est glacé, avec des températures entre 0° et 10°C, mais le froid n'est pas si intense pour empêcher la visite des sites alors délaissés par les touristes.

Sachez que Kyōto reçoit près de 50 millions de touristes par an, japonais et étrangers. Les sites les plus célèbres sont pris d'assaut à l'époque des cerisiers ou des feuillages d'automne. Il est alors difficile de dénicher un hôtel – pensez à réserver tôt. Cependant, même durant les jours de pire affluence, vous trouverez toujours à Kyōto des endroits paisibles : il suffit juste de s'éloigner un peu de la foule.

ORIENTATION

Kyōto présente un plan en damier qui rend l'orientation facile. La gare ferroviaire principale de Kyōto, qui sert aux lignes JR et Kintetsu, se situe au sud de la ville. Le véritable centre de la cité se trouve aux alentours de Shijō-dōri, à environ 2 km au nord de la gare de Kyōto en empruntant Karasuma-dōri. Commerces et vie nocturne sont délimités par Shijō-dōri au sud et Sanjō-dōri au nord, et par Kawaramachi-dōri à l'est et Karasuma-dōri à l'ouest.

Bien que certains hauts lieux touristiques se trouvent au centre de la ville, certains des sites les plus remarquables s'étendent à l'extérieur, au pied des montagnes de l'est (Higashiyama) et de l'ouest (Arashiyama). Les sites de l'est sont facilement accessibles en bus, à vélo ou par la ligne de métro Tōzai. Pour les sites de l'ouest, il faut prendre le bus ou le train (la distance est plus longue à vélo). Plus éloignés de la ville, les villages de montagne d'Ōhara, de Kurama et de Takao, desservis par le bus, sont de merveilleuses destinations, parfaites pour une excursion d'une journée.

Cartes

Le TIC de Kyōto (p. 335) met à votre disposition les cartes suivantes : la *Tourist Map of Kyoto*, comprenant au dos des encadrés détaillés des principaux quartiers touristiques ; la *Welcome Inns Map of Kyoto/Nara* en couleurs, assez

KANSAI

complète ; la *Bus Navi: Kyoto City Bus Travel Map*, la plus utile pour visiter la ville en bus et la brochure intitulée *Kyoto Walks*, qui détaille les promenades possibles dans les principaux sites de Kyōto et aux alentours (Higashiyama, Arashiyama, nord-ouest de Kyōto et Ōhara).

RENSEIGNEMENTS
Accès Internet
Kinko's (carte p. 344 ; ☎ 213-6802 ;
651-1 Tearaimizu-chō, Takoyakushi sagaru, Karasuma-dōri, Nakagyō-ku ; 262 ¥/10ʳᵉˢ min et 210 ¥/10 min ; ☺ 24h/24)
Kyoto International Community House
(KICH ; carte p. 348 ; ☎ 752-3010 ; 2-1 Torii-chō, Awataguchi, Sakyō-ku ; 200 ¥/30 min ; ☺ 9h-21h mar-dim, fermé mar si lun est férié). Les machines ont des claviers japonais et le choix des sites est limité.
Centre international de la préfecture de Kyōto
(carte p. 343 ; ☎ 342-5000 ; 9F Kyoto Eki Bldg, Karasuma-dōri Shiokōji sagaru, Shimogyō-ku ; 100 ¥/15 min ;
☺ 10h-18h, fermé les 2ᵉ et 4ᵉ mar du mois). Idéal pour se connecter près de la gare de Kyōto. Au printemps 2010, le centre intégrera le centre commercial Suvaco (pour plus de détails, voir p. 335).
Media Café Popeye (carte p. 344 ; ☎ 253-5300 ; www.mediacafe.jp/branch/sanjokawaramachi/index.html, en japonais ; Kawaramachi-dōri Sanjō sagaru, Nakagyō-ku ; 420 ¥/heure ; ☺ 24h/24). Pratique quand vous êtes dans le centre-ville.
Tops Café (carte p. 343 ; ☎ 681-9270 ; www.topsnet.co.jp, en japonais ; Kyoto-eki, Hachijō-guchi ; 120 ¥/15 min, plus 200 ¥ d'inscription ; ☺ 24h/24). Cybercafé/manga ouvert toute la nuit. Juste à la sortie sud (Hachijō) de la gare de Kyōto.

Agences de voyages
IACE TRAVEL (carte p. 344 ; ☎ 212-8944 ; 4F Dai15 Hase Bldg, 688 Takanna-chō, Shijo agaru, Karasuma dōri, Nakagyō-ku ; ☺ agence 10h-19h lun-ven, 10h-17h sam)
KNT (carte p. 344 ; ☎ 255-0489 ; 437 Ebisu-chō, Sanjo agaru, Kawaramachi dōri, Nakagyō-ku ; ☺ agence 10h30-19h lun-ven, 10h30-18h30 sam, dim et jours fériés)

Argent
Presque toutes les grandes banques sont au carrefour de Shijō-Karasuma, à deux arrêts au nord à partir de la gare de Kyōto, sur la ligne de métro Karasuma.

Les transactions internationales (telles que des virements par fax) peuvent s'effectuer à la **Bank of Tokyo-Mitsubishi UFJ** (carte p. 344 ; ☎ 221-7161 ; ☺ 9h-15h lun-ven, DAB 7h-23h lun-ven, jusqu'à 21h sam, dim et jours fériés), située à l'angle sud-est de ce carrefour. Une autre agence se trouve à la première petite intersection au sud-ouest du

carrefour. La **Citibank** (carte p. 344 ; ☎ 212-5387 ; ☺ agence 9h-15h lun-ven, DAB 24h/24), juste à l'ouest du carrefour, dispose également d'un service de transactions internationales. De plus, vous pouvez changer des chèques de voyage dans la plupart des bureaux de poste de la ville, y compris à la poste centrale (p. 335), près de la gare de Kyōto.

DISTRIBUTEUR AUTOMATIQUE DE BILLETS (DAB) INTERNATIONAL
Les bureaux de postes disposent de DAB qui acceptent la plupart des cartes étrangères. Si votre carte est refusée, essayez les DAB des supérettes 7-Eleven. En cas de nouvel échec, essayez :
Citibank (carte p. 344 ; ☎ 212-5387 ; ☺ agence 9h-15h lun-ven, DAB 24h/24). Possède un DAB qui accepte la plupart des cartes bancaires étrangères.

Immigration (administration)
Bureau de l'immigration de la région d'Ōsaka
(Osaka Regional Immigration Bureau Kyoto Branch ; succursale de Kyōto ; carte p. 348 ; ☎ 752-5997 ; 2F Kyoto Second Local Joint Government Bldg, 34-12 Marutamachi Kawabata Higashi iru, Higashi Marutamachi, Sakyō-ku ; ☺ 9h-12h et 13h-16h lun-ven).

Librairies
Junkudō (carte p. 344 ; ☎ 253-6460 ; Kyoto BAL Bldg, 2 Yamazaki-chō, Sanjō sagaru, Kawaramachi-dōri, Nakagyō-ku ; ☺ 11h-20h). Dans l'immeuble BAL, riche sélection de livres en anglais, aux 5ᵉ et 8ᵉ niveaux. C'est la meilleure librairie de Kyōto, depuis que Maruzen et Random Walk ont fermé leurs portes (certains visiteurs se souviennent certainement de celles-ci).

Médias
Le magazine gratuit *Kyoto Visitor's Guide* est la meilleure source d'informations sur Kyōto. Il présente des restaurants, des itinéraires de promenades, des cartes détaillées, des rubriques d'informations pratiques et des articles de fond divers. Essayez de vous en procurer un exemplaire dès votre arrivée. Il est à votre disposition au TIC, au Kyoto International Community House et dans les grands hôtels.

Une autre excellente source, concernant Kyōto et le reste du Kansai, est le *Kansai Time Out*. Il s'agit d'un mensuel en anglais, qui est agrémenté d'articles très vivants ainsi que de pages de petites annonces pour l'emploi, les agences de voyages, les rencontres en tous genres, etc. ; il est disponible dans les librairies citées ci-dessus et au TIC (p. 335).

Offices du tourisme

Les deux offices du tourisme ci-dessous (ainsi que le comptoir Welcome Inn Reservation et le centre international de la préfecture de Kyōto) déménageront dans le centre commercial Suvaco au printemps 2010, qui ouvrira ses portes au 2e niveau de la gare de Kyōto, entre le côté nord du bâtiment principal de la gare et l'accès au *shinkansen*, juste à gauche (sud) de l'entrée du grand magasin Isetan.

Kyoto City Tourist Information Center (office du tourisme municipal ; carte p. 343 ; ☎ 343-6656 ; 🕑 8h30-19h). Dans le nouveau bâtiment de la gare de Kyōto, au niveau 2, juste en face du Café du Monde. Bien que ce bureau soit destiné aux visiteurs japonais, des employés parlant anglais pourront vous aider, d'autant qu'il est plus facile à trouver que le TIC ci-dessous.

Kyoto Tourist Information Center (TIC ; carte p. 343 ; ☎ 344-3300 ; 🕑 10h-18h, fermé les 2e et 4e mardis du mois et durant les fêtes du Nouvel An). Meilleure source d'information sur Kyōto, ce bureau est situé au niveau 9 du bâtiment de la gare de Kyōto. Pour vous y rendre à partir du parvis de la gare, prenez l'escalator jusqu'au niveau 2, entrez dans le grand magasin Isetan, où un ascenseur immédiatement sur votre gauche vous y mènera. Le bureau est sur le palier, dans le Kyoto Prefectural International Center. Le TIC comprend un comptoir de réservation qui s'occupe de l'hébergement à Kyōto.

Organismes utiles

Kyoto International Community House (KICH ; carte p. 348 ; ☎ 752-3010 ; 2-1 Torii-chō, Awataguchi, Sakyō-ku ; 🕑 9h-21h, fermé lun, ouvert si le lun est férié et fermé mar). Une étape obligatoire pour ceux qui ont l'intention d'effectuer un long séjour à Kyōto, mais elle peut se révéler tout aussi utile pour de petits séjours. Vous pourrez notamment envoyer et recevoir des fax, et utiliser Internet. Dans la bibliothèque, vous obtiendrez des cartes, des livres, des journaux et des magazines du monde entier. En outre, un panneau affiche les offres ou demandes d'emploi, d'hébergement, les bonnes affaires, etc. Le KICH est situé à l'est de Kyōto ; comptez 30 minutes à pied (1,5 km) pour vous y rendre à partir de la gare de Sanjō Keihan. Vous pouvez aussi prendre la ligne de métro Tōzai dans le centre-ville et vous arrêter à Keage, puis marcher 5 minutes (350 m) en descendant la rue.

Poste

Poste centrale de Kyōto (carte p. 343 ; ☎ 365-2471 ; 843-12 Higashishiokōji-chō, Shimogyō-ku ; 🕑 9h-21h lun-ven, jusqu'à 19h sam, dim et jours fériés, DAB 12h05-23h55 lun-sam, jusqu'à 20h dim). Idéalement localisée près de la gare de Kyōto ; prenez la sortie Karasuma, car elle se situe sur le côté nord-ouest de la gare. Dans l'aile sud de cette poste, un comptoir est ouvert après les heures de service, 24h/24, 365 jours par an. Ici aussi, les DAB fonctionnent *presque* 24H/24.

Services médicaux

Hôpital universitaire de Kyōto (carte p. 348 ; ☎ 751-3111 ; 54 Shōgoinkawara-chō, Sakyō-ku ; 🕑 accueil 8h30-11h, consultations à partir de 9h). L'hôpital universitaire est le meilleur hôpital de Kyōto. L'accueil près de l'entrée vous orientera vers le service adéquat.

Sites Internet

Tarifs dans les temples www.templefees.com
Kyoto Visitor's Guide www.kyotoguide.com

Urgences

Ambulance (☎ 119)
Pompiers (☎ 119)
Police (☎ 110)

À VOIR
Quartier de la gare de Kyōto

La plupart des lieux à visiter se situent un peu plus loin au nord. Cependant, certains sites sont assez proches de la gare pour s'y rendre à pied (carte p. 343). Dans le quartier, le plus impressionnant des sites est le gigantesque temple Higashi Hongan-ji, sans oublier le bâtiment de la gare, devenu une curiosité architecturale.

TOUR DE KYŌTO 京都タワー
À votre arrivée, rien de plus pratique pour s'orienter et avoir une idée de la configuration de la ville que de grimper à la **tour de Kyōto** (Kyōto Tower ; carte p. 343 ; ☎ 361-3215 ; Karasuma-dōri-Shiokōji ; 770 ¥ ; 🕑 9h-21h). Immédiatement à droite en sortant de la gare par la porte Karasuma (côté nord), cette tour, qui ressemble à une fusée perchée sur l'immeuble du Kyoto Tower Hotel, offre d'excellentes vues panoramiques. Un seul regard suffit à comprendre que Kyōto est située dans une cuvette (*bonchi* en japonais). Trois télescopes permettent un point de vue superbe sur le Kiyomizu-dera (p. 357) et prolongent la perspective vers le sud, jusqu'à Osaka. Dernière entrée, 20h40.

HIGASHI HONGAN-JI 東本願寺
À une courte distance à pied au nord de la gare de Kyōto, ce **temple** (carte p. 343 ; ☎ 371-9181 ; Shichijō agaru, Karasuma-dōri, Shimogyō-ku ; gratuit ; 🕑 5h50-17h30 mars-oct, 6h20-16h30 nov-fév) est tout ce qu'il y a de plus monumental. L'entrée est gratuite, donc si vous vous trouvez près de la gare, n'hésitez pas à jeter un œil à l'intérieur éblouissant.

LES SITES CLASSÉS DE KYŌTO

À Kyōto, pas moins de treize temples bouddhiques, trois sanctuaires shintoïstes et un château sont inscrits sur la liste du patrimoine de l'Unesco. Chacun des dix-sept sites, ouverts au public, possède des bâtiments ou des jardins d'une valeur historique inestimable.

Château

Sanctuaires

Temples

En 1602, après avoir provoqué un schisme dans l'école bouddhique Jōdo Shin-shū, Ieyasu Tokugawa fonda ce temple afin de concurrencer le Nishi Hongan-ji (p. 336). Rebâti en 1895, après plusieurs incendies qui détruisirent la structure originale, c'est aujourd'hui le temple principal de la branche Ōtani de l'école Jōdo Shin-shū.

Dans le corridor qui relie les deux bâtiments principaux, vous découvrirez un curieux objet exposé dans une vitrine : un énorme rouleau de corde, fait de cheveux humains. Après la destruction du temple vers 1880, des croyantes particulièrement dévotes donnèrent leurs tresses pour fabriquer ces cordes qui servirent à hisser les poutres de bois lors de la reconstruction.

La gigantesque salle Goei-dō est l'une des plus grandes structures de bois au monde, d'une hauteur de 38 m sur 76 m de long et 58 de large. Au moment de la rédaction de ce guide, cette salle était en restauration, mais devrait être réouverte quand vous lirez ces lignes. La salle voisine Amida-dō devrait être restaurée ensuite.

NISHI HONGAN-JI 西本願寺

En 1591, Toyotomi Hideyoshi fit bâtir ce **temple** (carte p. 343 ; ☎ 371-5181 ; Hanaya-chō sagaru, Horikawa-dōri, Shimogyō-ku ; gratuit ; ⏱ 6h-17h nov-fév, 5h30-17h30 mars, avr, sept et oct, jusqu'à 18h mai-août), appelé alors Hongan-ji, en tant que siège de la toute-puissante école Jōdo Shin-shū (école véritable de la Terre pure). Plus tard, Ieyasu Tokugawa, se sentant menacé par un tel pouvoir, encouragea l'éclosion d'une nouvelle école pour laquelle il fit construire en 1602 le Higashi Hongan-ji (*higashi* veut dire "est"). On rebaptisa alors le Hongan-ji originel Nishi Hongan-ji (*nishi*, "ouest"). C'est maintenant le temple principal de l'obédience Hongan-ji de l'école Jōdo Shin-shū, qui compte plus de 10 000 temples et 12 millions de fidèles dans le monde.

Le temple comprend cinq bâtiments, qui illustrent les prouesses architecturales et artistiques de la période Azuchi-Momoyama (1568-1600). Le **Goei-dō** (grande salle), qui vient d'être restauré, est magnifique. Ne manquez pas non plus la grande salle du **Daisho-in**, ornée de somptueuses peintures, sculptures et ornements métalliques. Un petit jardin et deux scènes de nō (théâtre classique japonais dansé) sont reliés à cette dernière. La porte **Kara-mon** est sculptée de splendides motifs ornementaux.

GARE DE KYŌTO 京都駅

Le bâtiment de la **gare** (carte p. 343 ; Higashishiokō-ji-chō, Shiokōji sagaru, Karasuma-dōri, Shimogyō-ku) dresse son étonnante structure de métal et de verre, telle une cathédrale futuriste de l'âge des transports de masse. Construit par l'architecte Hiroshi Hara et inauguré en septembre 1997, ce bâtiment n'a pas fait l'unanimité. Certains critiques lui ont reproché de briser l'harmonie de Kyōto ; d'autres l'ont porté aux nues pour ses vastes espaces ouverts et ses lignes audacieuses.

Quel que soit l'avis des critiques, vous serez sans doute impressionné par cet immense atrium qui s'élève au-dessus du parvis. Prenez le temps d'explorer tous les niveaux de la gare – le 15e dévoile une vue panoramique de la ville. Si vous n'avez pas le vertige, prenez l'ascenseur à partir du 7ᵉ palier sur l'aile droite du bâtiment, jusqu'au 11ᵉ palier, où une promenade aérienne donne en plongée sur le parvis.

Le bâtiment accueille plusieurs **ensembles de restaurants** (voir p. 379), le **Centre international de la préfecture de Kyōto** (voir p. 334), une salle de spectacles et le grand magasin **Isetan**.

SHŌSEI-EN 涉成園
À 5 minutes à l'est de l'Higashi Hongan-ji, le **jardin Shōsei-en** (carte p. 343 ; ☎ 371-9181 ; Shichijō agaru, Karasuma-dōri, Shimogyō-ku ; gratuit ; 🕑 9h-15h30) offre l'occasion d'une agréable promenade dans le quartier de la gare. Le jardin abrite le Kikoku-tei, une villa achevée en 1657. Apportez votre pique-nique (et du pain pour nourrir les carpes) ou promenez-vous simplement autour du bel étang, appelé Ingetsu-ike.

Centre-ville de Kyōto
Au premier abord le cœur de Kyōto (carte p. 344) ressemble à tous les autres centres-villes japonais. Il se distingue cependant par des sites tels que le marché de Nishiki, le musée de Kyōto, le musée international du Manga de Kyōto et Ponto-chō. Par temps pluvieux, vous apprécierez ses galeries commerçantes.

MARCHÉ DE NISHIKI 錦市場
Si vous vous intéressez aux étonnants ingrédients de la cuisine traditionnelle de Kyōto, allez au **marché de Nishiki** (carte p. 344 ; ☎ 211-3882 ; Nishikikōji-dōri entre Teramachi et Takakura ; 🕑 9h-17h, selon les commerces, certaines boutiques ferment le dim). Situé au centre de la ville, à un pas au nord de Shijō-dōri et parallèle à celle-là, il est à conseiller un jour de mauvais temps ou à ceux qui sont fatigués des temples. Vous serez étonné par la variété de poissons, fruits, légumes, gâteaux, et sans doute étourdi par les cris incessants de "irasshaimasssééé !" (Soyez le bienvenu !).

MUSÉE DE KYŌTO 京都文化博物館
Ce **musée** (carte p. 344 ; ☎ 222-0888 ; Takakura, Sanjō, Nakagyō-ku ; 500 ¥, supp pour expo ; 🕑 10h-19h30, expo jusqu'à 18h, fermé le lun et le mar si le lun est férié, et 28 déc-3 jan) ne mérite une visite qu'un jour d'exposition spéciale ou si vous voulez varier les visites après celles des temples. Autrement, on y voit des maquettes de la ville ancienne, des présentations audiovisuelles et une petite galerie consacrée à l'industrie cinématographique de Kyōto. Au niveau 1, la reconstitution d'un quartier marchand de la période d'Edo, le Roji Tempō, expose dix styles de fenêtres à entrelacs

(l'entrée de cette section est libre ; certaines des boutiques y vendent des souvenirs et servent des spécialités locales). Des guides bénévoles parlant anglais seront heureux de vous aider. À 3 minutes à pied au sud-est, en descendant à l'arrêt Karasuma-Oike sur les lignes de métro Karasuma et Tōzai.

MUSÉE INTERNATIONAL DU MANGA DE KYŌTO 京都国際マンガミュージアム
Cet excellent **musée** (carte p. 344 ; ☎ 254-7414 ; www.kyotomm.com/english ; Oike agaru, Karasuma-dōri, Nakagyō-ku ; adulte/enfant 500/100 ¥ ; 🕑 10h-18h, fermé mer et jeudi si le mer est férié, et durant le Nouvel An) présente une collection de quelque 300 000 mangas. Occupant une ancienne école primaire, il constitue l'introduction idéale à l'art du manga. Expositions et œuvres sont en japonais ; de plus en plus de titres sont malgré tout traduits.

Outre les salles montrant le développement historique du manga depuis les premiers dessins originaux, le musée propose, le week-end, des ateliers pour dessinateurs débutants et des séances de portraits. Les visiteurs accompagnés d'enfants apprécieront la bibliothèque, qui leur est spécialement destinée, ainsi que parfois des représentations traditionnelles de *kami-shibai* (bandes dessinées humoristiques montées en diapo). La pelouse Astroturf invite aussi les plus jeunes à gambader en toute liberté. Les expositions spéciales durent 6 mois : consultez le site du musée pour plus de détails.

Le musée se situe à quelques pas de la station de métro Karasuma-Oike, desservie par les lignes Karasuma et Tōzai. Entrée jusqu'à 17h30.

PONTO-CHŌ 先斗町
Ponto-chō (carte p. 344), le quartier traditionnel réservé aux plaisirs de la vie nocturne, consiste en une étroite allée reliant Sanjō-dōri et Shijō-dōri, juste à l'ouest de la Kamo-gawa. Il faut le visiter le soir, quand ses maisons de bois sont éclairées par des lanternes recréent l'atmosphère du Japon ancien. C'est dans cette allée que l'on aperçoit parfois des geishas ou des *maiko* (apprenties geishas) se rendant à des soirées. Les soirs de week-end, si vous attendez un peu à la sortie de l'allée sur Shijō-dōri, vous aurez peut-être cette chance. C'est l'endroit idéal pour une balade du soir, que l'on peut prolonger dans le quartier tout proche de Gion.

(Suite page 354)

KANSAI

KANSAI

GRAND KYŌTO

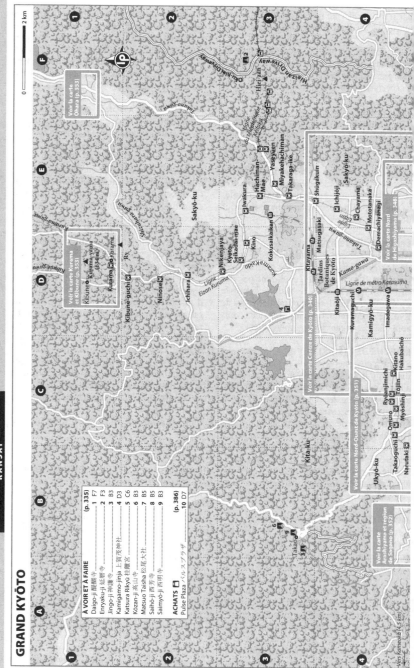

À VOIR ET À FAIRE (p. 335)
Daigo-ji 醍醐寺 1 F7
Enyaku-ji 延暦寺 2 F3
Jingo-ji 神護寺 3 B3
Kamigamo-jinja 上賀茂神社 4 D3
Katsura Rikyū 桂離宮 5 C6
Kōzan-ji 高山寺 6 B3
Matsuo Taisha 松尾大社 7 B5
Saihō-ji 西芳寺 8 B5
Saimyō-ji 西明寺 9 B3

ACHATS (p. 386)
Pulse Plaza パルスプラザ 10 D7

0   2 km

Voir la carte Ōhara (p. 353)

Voir la carte Kurama et Kibune (p. 353)

Voir la carte Centre de Kyōto (p. 340)

Voir la carte Nord-Ouest de Kyōto (p. 353)

Voir la carte Nord de Higashiyama (p. 346)

Voir la carte Arashiyama et la région de Sagano (p. 352)

Vers Kameoka (4,5 km)

Ōi-Hiei Driveway

Hieizan Driveway

Kurama-gawa

Takano-gawa

Kibune-gawa

Kamo-gawa

Shichihonmatsu

Sakyō-ku

Kita-ku

Kamigyō-ku

Ukyō-ku

Kurama-yama (654 m)

Kurama

Kibuneguchi

Ninose

Ichihara

Kibune

Ichijōji

Shūgakuin

Yase-Yūen

Hachiman-Mae

Miyakehachiman

Takaragae-ike

Sakyō-ku

Iwakura

Kokusaikaikan

Kino

Nikenjaya

Kyoto-Seikadai-mae

Ligne Eizan Kurama

Kuramakaido

Kitayama

Matsugasaki

Demachiyanagi

Jardins Botaniques de Kyōto

Ligne Takano-gawa

Ligne de métro Karasuma

Kitaōji

Kuramaguchi

Imadegawa

Marutamachi

Kitano Hakubaichō

Ryōanjimichi

Ōjin

Myōshin-ji

Omuro

Takaoguchi

Narutaki

Takao

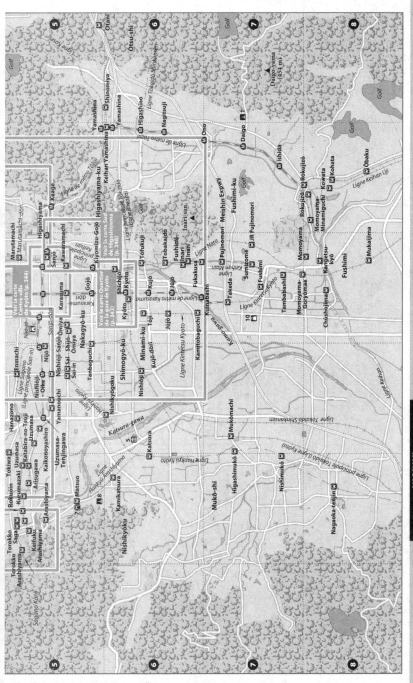

CENTRE DE KYŌTO

0 — 2 km

Voir la carte Nord de Higashiyama (p. 348)

Voir la carte Nord-Ouest de Kyōto (p. 351)

Voir la carte Centre-ville de Kyōto (p. 344)

KANSAI

Sakyō-ku

Kamigyō-ku

Université de Kyōto

Université Ōtani

Institut technologique de Kyōto

Jardins botaniques de Kyōto

Parc du palais impérial de Kyōto

Funaokayama-kōen

Kitano Temman-gū

Kitano Hakubaichō

Shūgakuin

Ichijōji

Chayama

Mototanaka

Tadasu no-mori

Matsugasaki

Kitayama

Kitaōji

Kuramaguchi

Imadegawa

Demachiyanagi

Marutamachi

Marutamachi

Okazaki-kōen

Hôtel de ville de Kyōto

Kyōto-Shiyakusho-mae

Sanjō Keihan

Sanjō

Karasuma-Oike

Nijō-jō-mae

Nijō

Nishiōji-Oike

Tōjiin

Enmachi

Nishiōji-dōri

Senbon-dōri

Senbon-dōri

Kitano

Ligne principale Tōzai

Ligne de métro Tōzai

Ligne principale Keihan

Ligne principale Keihan

Ligne Eizan

Ligne Keihan

Ligne de métro Karasuma

Kamo-gawa

Kamo-gawa

Takano-gawa

Shirakawa-dōri

Kitaōji-dōri

Kitayama-dōri

Horikawa-dōri

Kitaōji-dōri

Kitaōji-dōri

Teramachi-dōri

Teramachi-dōri

Karasuma-dōri

Imadegawa-dōri

Imadegawa-dōri

Higashiōji-dōri

Higashiōji-dōri

Mikage-dōri

Kitaōji-dōri

Shimogamohon-dōri

Shimogamonishi-dōri

Shimogamonaka-dōri

Kamo-kaidō

Kawabata-dōri

Marutamachi-dōri

Reisen-dōri

Niōmon-dōri

Nijō-dōri

Marutamachi-dōri

Murumachi-dōri

Karasuma-dōri

Shimdachi-dōri

Kotomondotana-dōri

Nakadachiuri-dōri

Nakamachi-dōri

Teranouchi-dōri

Nakasuji-dōri

Nakasyachō-dōri

Motoseiganji-dōri

Sasayachō-dōri

Ichijō-dōri

Senbon-dōri

Ōmiya-dōri

Horikawa-dōri

Shimotachiuri-dōri

Abranokōji-dōri

Aneyakōji-dōri

Harayama-dōri

Nishiōji-dōri

Tenjin-gawa

Tenjin-gawa

F ▲16

E Shūgakuin

D Matsugasaki

C

B

A

1 2 3 4

KANSAI

CENTRE DE KYŌTO (p. 340)

QUARTIER DE LA GARE DE KYŌTO (p. 343)

QUARTIER DE LA GARE DE KYÔTO

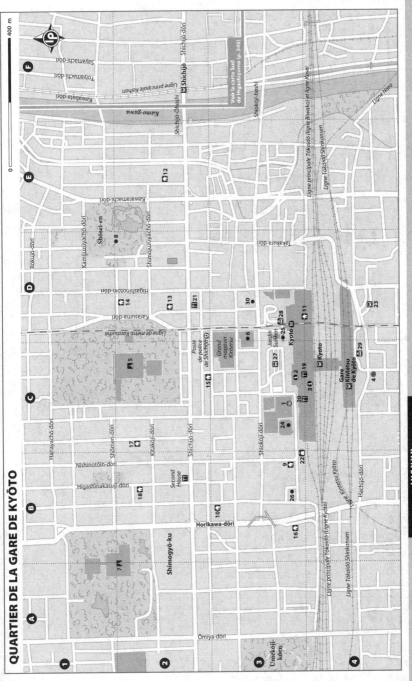

KANSAI

KANSAI

CENTRE-VILLE DE KYÔTO

0   400 m

Voir la carte Nord de Higashiyama (p. 348)

Voir la carte Sud de Higashiyama (p. 346)

Voir la carte Nord-Ouest de Kyôto (p. 351)

Hôtel de ville de Kyōto

Hôtel Gimmond

Shin-Puh-Kan

Kyōto Royal Hotel

Sanjō Keihan

Sanjō

Starbucks

Starbucks

Starbucks

Pontochō

Kiyamachi-dōri

Kamo-gawa

Shinbashi

Gion

Gion Shijō

Grand magasin Hankyū

Grand magasin Takashimaya

OPA

Grand magasin Daimaru

Grand magasin Fuji Daimaru

Galerie marchande Sanjō

Galerie marchande Shinkyōgoku

Galerie marchande Teramachi

Galerie marchande Nishiki (marché de Nishiki)

Nishiki-kōji (marché de Nishiki)

Kawaramachi

Nakagyō-ku

Karasuma-Oike

Karasuma

Shijō

Shiyakusho-mae

Kyōto Shiyakusho-mae

Noms de rues

Aburanokōji-dōri
Nijō-dōri
Oshikōji-dōri
Ogawa-dōri
Aneyakōji-dōri
Sanjō-dōri
Rokkaku-dōri
Takoyakushi-dōri
Nishikikōji-dōri
Shijō-dōri
Shimabata-dōri
Nawate-dōri
Kiri-dōshi
Hanami-kōji
Furumonzen-dōri
Oike-dōri
Shimogawaramachi-dōri
Teramachi-dōri
Tominokōji-dōri
Fuyachō-dōri
Yanaginobanba-dōri
Sakaimachi-dōri
Takakura-dōri
Karasuma-dōri
Ainomachi-dōri
Ryōgaemachi-dōri
Muromachi-dōri
Koromonotana-dōri
Shinmachi-dōri
Kamaza-dōri
Nijō-Ōhashi
Sanjō-Ōhashi
Shijō-Ōhashi
Kawabata-dōri

Rokkaku-dō

CENTRE-VILLE DE KYÔTO (p. 344)

KANSAI

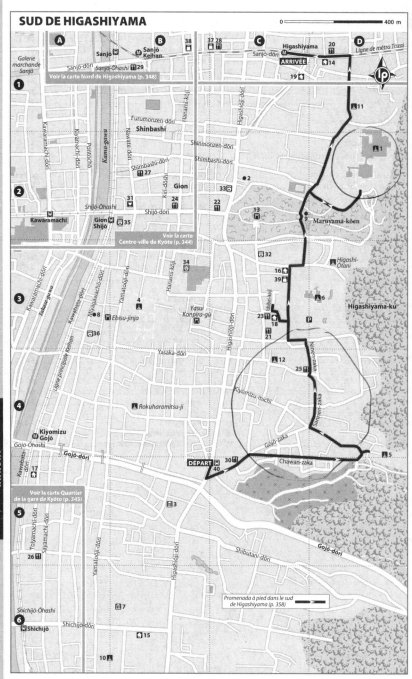

SUD DE HIGASHIYAMA

0 ————————————— 400 m

Voir la carte Nord de Higashiyama (p. 348)

Voir la carte Centre-ville de Kyôto (p. 344)

Voir la carte Quartier de la gare de Kyôto (p. 343)

ARRIVÉE

DÉPART

Promenade à pied dans le sud de Higashiyama (p. 358)

KANSAI

SUD DE HIGASHIYAMA (p. 346)

NORD DE HIGASHIYAMA

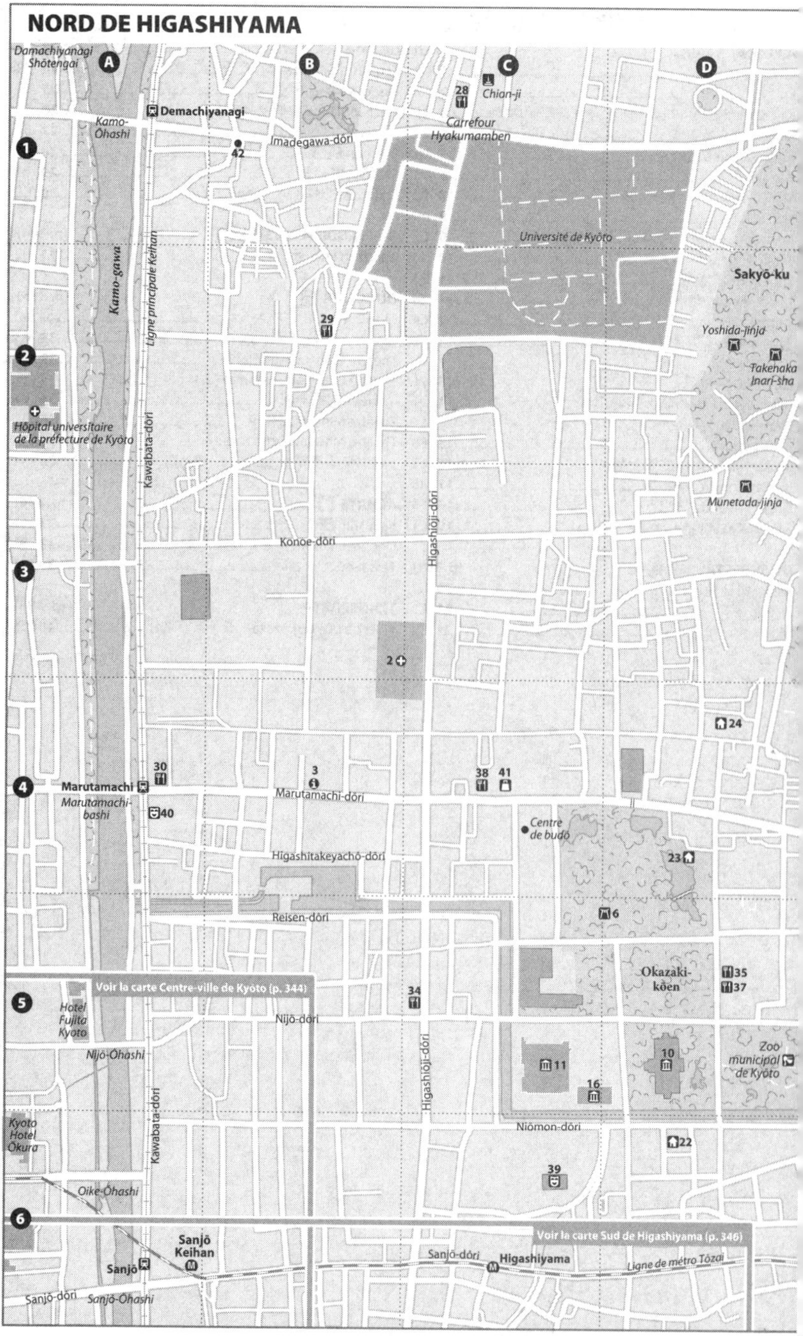

Damachiyanagi
Shôtengai **A**
Kamo-
Ôhashi
1 🚉 **Demachiyanagi**
● 42

B
Imadegawa-dôri

28
🏯 Chion-ji **C**
Carrefour
Hyakumamben

D

Université de Kyôto

Sakyô-ku

Yoshida-jinja 🏯
🏯 Takehaka
Inari-sha

Kamo-gawa
Ligne principale Keihan
Kawabata-dôri

2
➕
Hôpital universitaire
de la préfecture de Kyôto

29
🏯

🏯 Munetada-jinja

3
Konoe-dôri
Higashiôji-dôri
2 ➕

🏯 24

4 🚉 **Marutamachi**
Marutamachi-
bashi
30
🏯
🚌 40
3
ℹ️
Marutamachi-dôri
Higashitakeyachô-dôri
Reisen-dôri

38 41
🏯 🏢
Centre
de budô
23 🏯
🏯 6

5
Hôtel
Fujita
Kyoto
Voir la carte Centre-ville de Kyôto (p. 344)
Nijô-Ôhashi
Kawabata-dôri
Nijô-dôri
34
🏯

Okazaki-
kôen
🏯 35
🏯 37

Zoo
municipal 🏯
de Kyôto

Kyoto
Hôtel
Ôkura
🏯 11
16
🏯
10
🏯

Niômon-dôri
🏯 22

Oike-Ôhashi
39
🏯

6
Sanjô
Keihan
🚉
Sanjô
Sanjô-dôri 🚇 **Higashiyama**
Voir la carte Sud de Higashiyama (p. 346)
Ligne de métro Tôzai
Sanjô-dôri Sanjô-Ôhashi

KANSAI

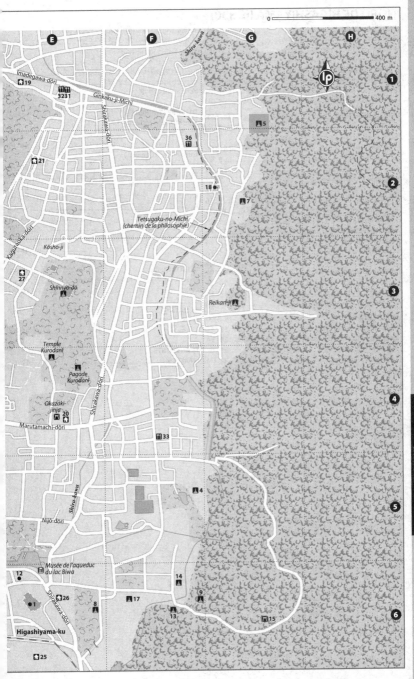

0   400 m

E   F   G   H

1
2
3
4
5
6

Imadegawa-dōri
19
3231
Ginkaku-ji-Michi
Shira-kawa
21
36
18
5
7
Tetsugaku-no-Michi
(chemin de la philosophie)
Kōshō-ji
Kagura-oka-dōri
27
Shinnyo-dō
Reikan-ji
Temple
Kurodani
Pagode
Kurodani
Okazaki-
jinja
20
Marutamachi-dōri
33
Shirakawa-dōri
4
Shira-kawa
Nijō-dōri
Musée de l'aqueduc
du lac Biwa
12
14
9
Shirakawa-dōri
26
8
17
13
15
Higashiyama-ku
25

KANSAI

NORD DE HIGASHIYAMA (p. 350)

NORD-OUEST DE KYŌTO

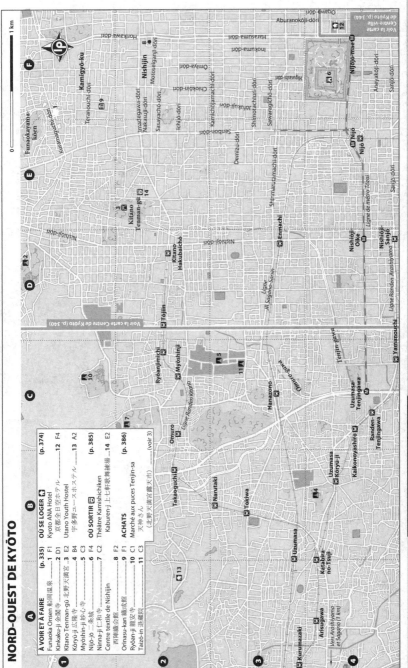

KANSAI

À VOIR ET À FAIRE (p. 335)
Funaoka Onsen 船岡温泉 1 F1
Kinkaku-ji 金閣寺 2 D1
Kitano Tenman-gū 北野天満宮 .3 E2
Kōryū-ji 広隆寺 4 B4
Myōshin-ji 妙心寺 5 C3
Nijō-jō 二条城 6 F4
Ninna-ji 仁和寺 7 C2
Centre textile de Nishijin
西陣織会館 8 F2
Orinasu-kan 織成館 9 F1
Ryōan-ji 龍安寺 10 C1
Taizō-in 退蔵院 11 C3

OÙ SE LOGER (p. 374)
Kyoto ANA Hotel
京都全日空ホテル 12 F4
Utano Youth Hostel
宇多野ユースホステル 13 A2

OÙ SORTIR (p. 385)
Théâtre Kamishichiken
Kaburen-j 上七軒歌舞練場 14 E2

ACHATS (p. 386)
Marché aux puces Tenjin-sa
天神さん
(北野天満宮縁天市) ....(voir 3)

ARASHIYAMA ET RÉGION DE SAGANO

0 — 400 m

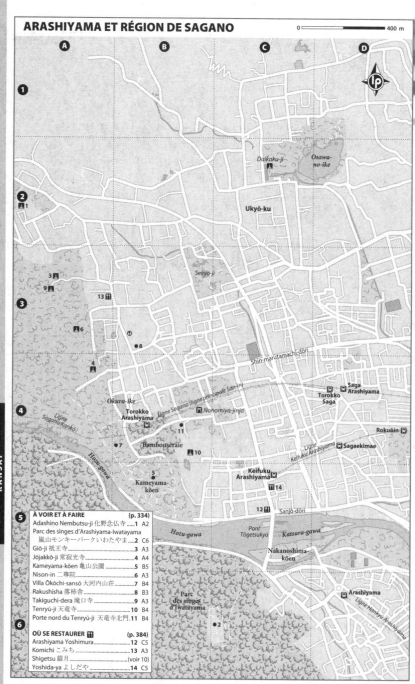

À VOIR ET À FAIRE (p. 334)

Adashino Nembutsu-ji 化野念仏寺 **1**	A2
Parc des singes d'Arashiyama-Iwatayama	
嵐山モンキーパークいわたやま ...**2**	C6
Giô-ji 祇王寺 **3**	A3
Jôjakkô-ji 常寂光寺 **4**	A4
Kameyama-kôen 亀山公園 **5**	B5
Nison-in 二尊院 **6**	A3
Villa Ôkôchi-sansô 大河内山荘 **7**	B4
Rakushisha 落柿舎 **8**	B3
Takiguchi-dera 滝口寺 **9**	A3
Tenryû-ji 天竜寺 **10**	B4
Porte nord du Tenryû-ji 天竜寺北門 .**11**	B4

OÙ SE RESTAURER (p. 384)

Arashiyama Yoshimura **12**	C5
Komichi こみち **13**	A3
Shigetsu 篩月 ....(voir 10)	
Yoshida-ya よしだや **14**	C5

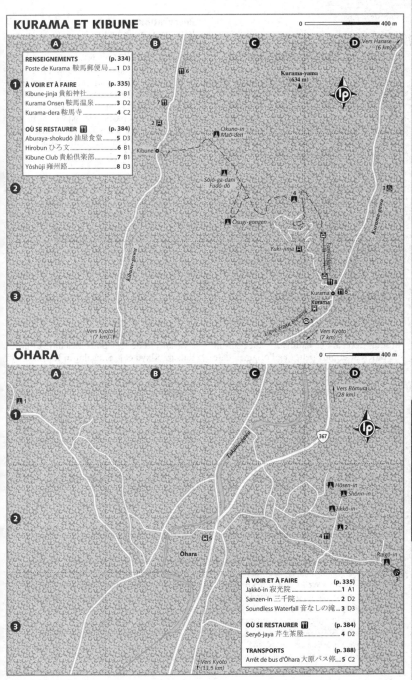

KURAMA ET KIBUNE

0 ———————— 400 m

Vers Hanase
(6 km)

Kurama-yama
(634 m)

Okuno-in
Maō-den

Kibune

Sōjō-ga-dani
Fudō-dō

Ōsugi-gongen

Yuki-jinja

Kibune-gawa

Kurama-gawa

Kurama

Kurama

Vers Kyoto
(7 km)

Ligne Eizan Kurama

Vers Kyoto
(7 km)

ŌHARA

0 ———————— 400 m

Vers Bōmura
(28 km)

367

Hōsen-in
Shōrin-in

Jikkō-in

Takano-gawa

Ōhara

Raigō-in

Vers Kyōto
(13,5 km)

KANSAI

(Suite de la page 337)

Centre de Kyōto
PARC DU PALAIS IMPÉRIAL DE KYŌTO
京都御所

Le Kyōto Gosho est ceint d'un vaste **parc** (Kamigyō-ku Kyōto gyoen ; carte p. 340 ; gratuit ; ☯ lever-coucher du soleil), à l'atmosphère champêtre, planté d'une grande variété d'arbres à fleurs. Il constitue un cadre plaisant pour un pique-nique, une promenade ou n'importe quel sport ou jeu de plein air. Allez jusqu'à l'étang, à l'extrémité sud du parc, admirer les magnifiques carpes. Le parc offre ses plus beaux paysages lorsqu'au printemps fleurissent les pruniers (fin février) et les cerisiers (fin mars). Le champ de pruniers s'étend sur le côté ouest, à mi-chemin environ du parc, tandis que les plus beaux cerisiers sont à son extrémité nord. Il est délimité par Teramachi-dōri (côté est), Karasuma-dōri (côté ouest), Imadegawa-dōri (côté nord) et Marutamachi-dōri (côté sud).

PALAIS IMPÉRIAL DE KYŌTO
(KYŌTO GOSHO) 京都御所

Le Palais impérial (carte p. 340) originel fut érigé en 794. Détruit à maintes reprises par le feu, il fut souvent rebâti. Le bâtiment actuel, sur un site différent et plus petit que l'original, date de 1855. C'est là qu'ont lieu encore aujourd'hui les cérémonies d'intronisation d'un nouvel empereur et d'autres cérémonies d'État.

Le Gosho n'égale pas certains autres sites de Kyōto et vous devrez d'abord demander la permission (voir ci-contre). Le parc environnant est en revanche très plaisant (voir ci-dessus).

Prenez la ligne de métro Karasuma jusqu'à la station Imadegawa ou le bus jusqu'à l'arrêt Karasuma-Imadegawa. Le palais est à 600 m sur le côté sud-est.

Réservation et entrée

La permission pour visiter le Gosho est délivrée par le Kunaichō, l'**Agence de la Maison impériale** (carte p. 340 ; ☎ 211-1215 ; ☯ 8h30-17h30 lun-ven), située à l'intérieur des murs du parc entourant le palais, à quelques pas de la station Imadegawa, sur la ligne de métro Karasuma. Vous devrez remplir un formulaire et montrer votre passeport. Les enfants peuvent participer à la visite s'ils sont accompagnés d'adultes âgés de 20 ans révolus (notez qu'ils ne sont pas admis dans les trois autres villas impériales : Katsura Rikyū, Sentō Gosho et Shūgaku-in Rikyū). On peut obtenir la permission pour visiter le jour même (il est important d'arriver au bureau, situé à l'entrée du Gosho, au moins 30 minutes avant le début de votre visite). Des visites guidées, parfois en anglais, ont lieu à 10h et à 14h du lundi au vendredi, et durent environ 50 minutes.

Vous pouvez visiter le Gosho sans réservation à deux périodes de l'année : au printemps et à l'automne. Les dates varient chaque année, mais en général, il est ouvert la dernière semaine d'avril et à la mi-novembre. Vérifiez auprès du TIC les dates exactes.

C'est aussi auprès de l'Agence de la Maison impériale que vous ferez les réservations, bien à l'avance cette fois, pour le Sentō Gosho, le Katsura Rikyū et le Shūgaku-in Rikyū.

PALAIS DU SENTŌ GOSHO 仙洞御所

Le **palais** (carte p. 340 ; ☎ 211-1215 ; Kamigyō-ku Kyoto gyoen) est à une centaine de mètres au sud du Kyōto Gosho. Édifié en 1630, durant le règne de l'empereur Go-Mizunō, pour servir de résidence aux empereurs retirés, ce palais fut maintes fois détruit par le feu, puis reconstruit. Les anciens empereurs y séjournèrent jusqu'en 1854, où après un dernier incendie, il ne fut plus reconstruit.

VISITES GUIDÉES ET PERSONNALISÉES DE KYŌTO

Une visite personnalisée est une excellente façon de découvrir la ville sans avoir à se soucier des transports et de l'organisation. Voici une liste de guides à Kyōto spécialisés dans ce genre de visite :

All Japan Private Tours & Speciality Services (www.kyotoguide.com/yjpt). Cette compagnie propose des circuits organisés originaux de Kyōto, de Nara ou de Tōkyō. Elle gère aussi la logistique de vos rendez-vous d'affaires.
Chris Rowthorn's Walks and Tours of Kyoto and Japan (www.chrisrowthorn.com). L'auteur des guides *Kyōto* et *Japon* chez Lonely Planet organise des circuits personnalisés de Kyōto, de Nara, d'Ōsaka et d'autres régions.
Johnnie's Kyoto Walking (http://web.kyoto-inet.or.jp/people/h-s-love/). Hirooka Hajime, alias Johnnie Hillwalker, vous fait visiter à pied le quartier autour de la gare de Kyōto et celui de Higashiyama.
Naoki Doi (☎ 090-9596-5546 ; www3.ocn.ne.jp/~doitaxi/). Ce chauffeur de taxi qui parle anglais vous fera faire le tour de Kyōto et de Nara dans un taxi privé.
Windows to Japan (www.windowstojapan.com). Des circuits sur mesure de Kyōto et du Japon.

LES MANGAS

Si en Occident les bandes dessinées ont longtemps souffert d'un manque de considération par rapport à la littérature, il en va tout autrement au Japon où les mangas rivalisent avec le livre traditionnel. Il n'y a qu'à prendre les premiers trains du matin pour le vérifier : vous penserez peut-être que les Japonais refusent de lire tout texte qui ne soit pas accompagné de dessins accrochant le regard, d'héroïnes aux longues jambes et aux yeux langoureux et de forces exclamations.

Le manga, qui s'écrit en japonais avec le caractère "hasard" et "image", trouve ses racines dans un lointain passé – certains disent dans les dessins humoristiques d'hommes et d'animaux (les *chōjū jinbutsu giga*) que réalisaient dès le XIIᵉ siècle les peintres travaillant à l'encre de Chine. Cependant, au XVIIIᵉ siècle, l'*ukiyo-e* (estampe) est un prédécesseur plus vraisemblable. Plus tard, après la Seconde Guerre mondiale, des artistes japonais travaillant avec des peintres occidentaux vont produire les premiers vrais mangas, parfois appelés *ponchi-e*, en référence au magazine britannique *Punch*, qui contenait souvent des dessins satiriques critiquant la politique.

Le père du manga moderne est Osamu Tezuka. À la fin des années 1940, il commença à introduire un découpage cinématographique dans ses bandes dessinées. Il fut un pionnier des plans rapprochés, des angles bizarres et des perspectives plongeant le lecteur au cœur de l'action. Les aventures de ses personnages devinrent rapidement de longues bandes dessinées – en quelque sorte des films dessinés sur papier. Ce que Tezuka avait initié prit un essor formidable lorsque les hebdomadaires réalisèrent qu'ils pourraient multiplier leurs ventes s'ils introduisaient des mangas dans leurs pages. Parmi les œuvres les plus célèbres de Tezuka, citons *Tetsuwan Atomu* (*Astro le petit robot*), *Black Jack* et *Rion Kōtei* (*Le Roi Léo* que Disney adapta pour en faire le *Roi Lion*).

Aujourd'hui, les mangas ont proliféré et se sont diversifiés à un tel point qu'il est impossible de trouver un sujet qu'ils n'explorent pas. Il existe des mangas pour tous : jeunes hommes, jeunes filles, employés de bureau ; des mangas très littéraires ou traitant d'histoire… sans oublier les inévitables *sukebe* mangas (mangas pornographiques).

Malheureusement, presque tous les mangas que l'on peut se procurer au Japon sont en japonais. Cependant, certaines librairies proposent des traductions an anglais des titres les plus célèbres. Essayez la librairie de la chaîne Junkudō à Kyōto (p. 334) ou la gigantesque Kinokuniya dans le quartier de Shinjuku à Tōkyō (p. 125).

Pour un aperçu rapide du monde des mangas, allez tout droit au présentoir des magazines dans n'importe quelle supérette 24h/24. Et si votre intérêt va plus loin, poussez la porte d'un *manga kissa* (café-mangas) et commandez une boisson qui vous donnera accès à une immense bibliothèque de mangas (et à Internet). Enfin, les vrais mordus visiteront le musée international du Manga de Kyōto (p. 337).

Les jardins, conçus en 1630 par Enshū Kobori, sont le principal attrait du lieu. La visite guidée emprunte des sentiers qui serpentent autour de superbes étangs et s'avère bien plus plaisante que celle du Gosho, surtout si vous êtes un amateur de jardins japonais. Les visiteurs doivent être munis de l'autorisation de l'Agence de la Maison impériale et avoir 20 ans révolus. Les visites guidées (en japonais) débutent à 11h et à 13h30.

DAITOKU-JI 大徳寺

Vaste ensemble de temples zen et de jardins aux petits galets ratissés, le Daitoku-ji constitue bel et bien un autre monde à l'intérieur de Kyōto. Daitoku-ji est à la fois le nom du temple principal et celui de l'ensemble, qui comprend 24 temples et annexes. Nous en présentons trois ci-dessous, mais cinq sont ouverts au public.

Le **Daitoku-ji**, temple principal, (carte p. 340 ; ☎ 491-0019 ; 53 Daitokuji-chō, Murasakino, Kita-ku ; gratuit ; ☉ lever-coucher du soleil) est situé sur le côté est de l'enceinte. Fondé en 1319, il fut détruit par le feu au siècle suivant et reconstruit au XVIᵉ siècle. La porte **San-mon** renferme à l'étage une image du célèbre maître de thé, Sen-no-Rikyū. Si vous entrez par la porte principale, sur le côté est de l'enceinte, le Daitoku-ji est à votre droite, à quelques pas au nord.

Juste au nord du Daitoku-ji, **Daisen-in** (carte p. 340 ; ☎ 491-8346 ; 54-1 Daitokuji-chō, Murasakino, Kita-ku ; 400 ¥ ; ☉ 9h-17h mars-nov, jusqu'à 16h30 déc-fév) est réputé pour ses deux jardins, petits mais exceptionnels. À l'angle ouest de l'enceinte, **Kōtō-in** (carte p. 340 ;

KANSAI

☎ 492-0068 ; 73-1 Daitokuji-chō, Murasakino, Kita-ku ; 400 ¥ ; ☺ 9h-16h30) se distingue par une superbe allée de bambous et les érables de son jardin principal (à visiter en automne).

Devant le temple, à l'arrêt Daitoku-ji-mae, s'arrêtent les bus 205 et 206 venant de la gare de Kyōto. Le Daitoku-ji est aussi à quelques pas à l'ouest de la station Kitaō-ji, sur la ligne de métro Karasuma.

SHIMOGAMO-JINJA 下鴨神社

Datant du VIIIᵉ siècle, ce **sanctuaire** (carte p. 340 ; ☎ 781-0010 ; Shimogamo, Izumikawa-chō ; gratuit ; ☺ 6h3-0-17h30) est inscrit au patrimoine mondial de l'Unesco. Un charmant chemin ombragé, le Tadasu-no-mori, mène à ce site niché dans un secteur boisé, à l'embouchure des rivières Kamo-gawa et Tagano-gawa. Ce lieu, où les mensonges ne peuvent être dissimulés, serait jugé propice à résoudre les conflits.

Le sanctuaire est dédié au dieu de la Récolte (ou Moisson). Traditionnellement, on utilisait de l'eau tirée des rivières pour la purification et les cérémonies agricoles. Le Hondō (pavillon principal) date de 1863 et, comme le Haiden et son sanctuaire voisin, le Kamigamo-jinja, il représente un exemple parfait de l'architecture des sanctuaires shintoïste de style *Nagare*.

Le Shimogamo-jinja se trouve à deux pas de l'arrêt de bus Shimogamo-jinja-mae ; prenez le bus 205 à la gare de Kyōto.

JARDINS BOTANIQUES 京都府立植物園

Les **jardins botaniques** (carte p. 340 ; ☎ 701-0141 ; Shimogamohangi-chō, Sakyō-ku ; jardins adulte 200 ¥, enfant 80-150 ¥, supp serre 200 ¥, 80-150 ¥ ; ☺ 9h-17h, fermé pendant les vacances du Nouvel An), ouverts en 1914, occupent 240 000 m² et comptent près de 12 000 plantes, fleurs et arbres. Il est plaisant de se promener à travers les jardins agrémentés de roses, de cerisiers ou d'admirer l'alignement des camphriers et la serre tropicale. C'est l'endroit idéal pour pique-niquer ou jouer au Frisbee. Les jardins sont à deux minutes à pied de la station de métro Kitayama (ligne Karasuma). Dernière entrée à 16h30.

KAMIGAMO-JINJA 上賀茂神社

Ce **sanctuaire** (carte p. 338 ; ☎ 781-0011 ; 339 Motoyama, Kamigamo, Kita-ku ; gratuit ; ☺ 8h-17h30) est l'un des plus anciens du Japon. Fondé en 679, dédié à Raijin, le dieu du Tonnerre, il compte parmi les 17 sites de la ville inscrits au patrimoine mondial de l'Unesco. Les bâtiments actuels (plus de 40), dont l'imposant pavillon Haiden,

sont des reproductions fidèles des structures originales, allant du XVIIᵉ au XIXᵉ siècle. On pénètre dans le sanctuaire par une longue allée à deux *torii* (portiques d'un sanctuaire shintoïste). Les deux hauts cônes de sable blanc à l'entrée du pavillon Hosodono sont censés représenter des montagnes façonnées par l'homme, afin que les dieux y descendent.

Le Kamigamo-jinja est à 5 minutes de marche de l'arrêt de bus Kamigamo-misonobashi ; prenez le bus 9 à la gare de Kyōto.

TŌ-JI 東寺

Ce **temple** (carte p. 340 ; ☎ 691-3325 ; 1 Kujō-chō Minami-ku ; entrée libre dans l'enceinte, Kondō et salle du Trésor 500 ¥ ; ☺ 8h30-17h30, jusqu'à 16h 30 20 sept-19 mars) fut érigé en 794, sur décret impérial, pour protéger la ville. En 818, l'empereur l'offrit à Kōbō Daishi le fondateur de l'école bouddhiste Shingon. Un grand nombre de ses bâtiments furent détruits par le feu ou au cours des guerres du XVᵉ siècle ; ceux qui restent datent du XVIIᵉ siècle.

Le **Kōdō** (salle d'enseignement) abrite 21 images d'un mandala Mikkyō (bouddhisme ésotérique). Dans le **Kondō** (grande salle), vous admirerez la triade de Yakushi (Bouddha guérisseur). Dans la partie sud du jardin, s'élève la pagode à cinq étages, qui brûla cinq fois, avant d'être reconstruite en 1643. Avec ses 57 m de hauteur, elle est la plus haute du Japon.

Le 21 de chaque mois, le **marché de Kōbō-san** se tient dans l'enceinte du temple. Ceux de décembre et de janvier sont très animés.

Tō-ji se trouve à 15 minutes de marche au sud-ouest de la gare de Kyōto et à 5 minutes de la gare de Tōji, sur la ligne Kintetsu.

MUSÉE DE LA LOCOMOTIVE À VAPEUR D'UMEKŌJI 梅小路蒸気機関車館

Ce **musée** (carte p. 340 ; ☎ 314-2996 ; Kannon-ji-chō, Shimogyō-ku ; adulte/enfant 400/100 ¥, tour de train 200/100 ¥ ; ☺ 9h30-17h, dernière entrée 16h30, fermé lun) intéressera les passionnés de locomotives et les enfants. Dix-huit locomotives à vapeur issues de célèbres ateliers et datant de 1914 à 1948, ainsi que d'autres objets du rail y sont exposés. Le musée occupe l'ancien bâtiment de la gare Nijō, démonté récemment, puis soigneusement reconstruit à cet emplacement. Pour un supplément de quelques yens, vous pouvez faire un tour de 10 minutes sur un de ces vieux trains (départs à 11h, 13h30 et 15h30). De la gare de Kyōto, prenez le bus 33, 205 ou 208 jusqu'à l'arrêt Umekō-ji-kōen-mae (vérifiez que le bus circule bien vers l'ouest).

Sud de Higashiyama

Le quartier de Higashiyama, délimité par les contreforts des monts Higashiyama (montagnes de l'est), renferme les principaux sites dignes d'intérêt de Kyōto et doit impérativement figurer sur votre itinéraire. Temples, sanctuaires, jardins, musées, quartiers traditionnels et parcs sont au programme. Nous avons divisé le quartier en deux sections : le sud et le nord (p. 361) de Higashiyama.

Nous commençons ci-dessous par les sites les plus au sud, autour de Shichijō-dōri, pour remonter vers le nord, jusqu'à Sanjō-dōri. Ils peuvent tous se visiter selon cet ordre si vous partez tôt, mais il est plus agréable de les découvrir par la promenade que nous proposons dans le sud de Higashiyama (p. 358).

SANJŪSANGEN-DŌ 三十三間堂

Le **Sanjūsangen-dō** (carte p. 346 ; ☎ 525-0033 ; 657 Sanjūsangendōmawari-chō, Higashiyama-ku ; 600 ¥ ; 🕙 8h-16h30, 9h-15h30 16 nov-16 mars) fut érigé en 1164 sur la requête de l'ex-empereur Goshirakawa. Détruit par le feu en 1249, il fut reconstruit à l'identique en 1266. Son nom fait référence aux 33 (*sanjūsan*) baies qui s'ouvrent entre les piliers du long et étroit bâtiment. Ce dernier abrite 1 001 statues de Kannon aux 1 000 bras, déesse de la Compassion. De chaque côté de la plus grande des Kannon s'alignent, en rangs parfaits, 500 Kannon d'une taille plus modeste. Cela fait beaucoup de bras, et si vous pensez que les statues n'ont peut-être pas toutes leurs 1 000 bras, sachez qu'une habile formule mathématique bouddhique dit que 40 bras sont l'équivalent de 1 000, puisque chacun sauve 25 mondes.

Devant, se dressent 28 dieux-gardiens aux poses expressives. La galerie sur le côté ouest est le cadre, le 15 janvier, du **Tōshi-ya Matsuri**, pendant lequel des archers décochent des flèches sur toute la longueur du couloir. Cette cérémonie remonte à la période d'Edo, durant laquelle un concours annuel sacrait champion celui qui, en 24 heures, de l'extrémité sud de la longue galerie, tirait le plus de flèches atteignant l'extrémité nord. En 1686, un archer battit le record en faisant mouche avec succès 8 000 fois.

À pied, ce temple est à 1,5 km de la gare de Kyōto ; à défaut de marcher, prenez le bus 206 ou 208 et descendez à l'arrêt Sanjūsangen-dō-mae. L'endroit n'est pas loin non plus de la gare Shichijō Keihan.

MUSÉE NATIONAL DE KYŌTO
京都国立博物館

Le **musée national de Kyōto** (carte p. 346 ; ☎ 531-7509 ; www.kyohaku.go.jp/eng/index_top.html ; 527 Chaya-machi, Higashiyama-ku ; adulte/étudiant 500/250 ¥, supp pour expo ; 🕙 9h30-17h, fermé lun) occupe deux bâtiments en face de Sanjūsangen-dō. Il fut fondé en 1895 en tant que dépôt impérial d'œuvres d'art et de trésors des temples et sanctuaires de la ville. Ses 17 salles présentent plus d'un millier d'œuvres dans le domaine des beaux-arts, de l'histoire et de l'artisanat. La collection permanente est remarquable mais pas vraiment mise en valeur. Ce musée plaira surtout aux passionnés d'art traditionnel japonais. Sinon, les expositions spéciales sont à conseiller.

KAWAI KANJIRŌ MEMORIAL HALL
河井寛次郎博物館

Ce **musée** (carte p. 346 ; ☎ 561-3585 ; 569 Kanei-chō, Gojō-zaka, Higashiyama-ku ; 900 ¥ ; 🕙 10h-17h, fermé lun, 10-20 août et 24 déc-7 janv, les dates varient chaque année) est un petit joyau, souvent oublié des touristes, qui ravira les amateurs d'artisanat japonais (poterie, meubles…). Ce fut la maison et l'atelier d'un des plus célèbres potiers japonais, Kanjirō Kawai (1890-1966). De style rustique, la maison, datant de 1937, conserve certaines de ses œuvres, sa collection d'objets artisanaux et de poteries. L'atelier abrite un bel exemplaire de *nobori-gama* (four en escalier).

Le musée est à 10 minutes de marche vers le nord à partir du musée national de Kyōto ; ou prenez le bus 206 ou 207 depuis la gare de Kyōto et descendez à l'arrêt Umamachi. Dernière entrée à 16h30.

KIYOMIZU-DERA 清水寺

Ce **temple** (carte p. 346 ; ☎ 551-1234 ; 1-294 Kiyomizu, Higashiyama-ku ; 300 ¥ ; 🕙 6h-18h), fut érigé en 798, bien que les bâtiments actuels ne datent que de la reconstruction de 1633. Représentant l'école bouddhiste Hossō, qui fut créée à Nara, l'édifice survécut avec succès des siècles durant à toutes les intrigues ourdies par les écoles rivales de Kyōto. Il est maintenant le temple emblème de la ville (pour cette raison, il peut être bondé durant le printemps et l'automne).

Le pavillon principal comprend une immense terrasse surplombant le flanc de la montagne, supportée par des centaines de piliers de bois. Juste au-dessous de cette grande salle coule la cascade **Otowa-no-taki**, dont on boit l'eau sacrée, supposée avoir des propriétés thérapeutiques. L'enceinte comporte d'autres

KANSAI

PROMENADE À PIED DANS LE SUD DE HIGASHIYAMA

※ Départ : arrêt de bus Gojō-zaka dans Higashiōji-dōri, desservi par les bus 18, 100, 206 et 207 (voir la carte p. 346)

※ Arrivée : station de Higashiyama sur la ligne de métro Tōzai

※ Distance et durée : environ 5 km ; comptez une demi-journée

Si vous ne restez qu'un jour à Kyōto, cette promenade est la meilleure manière de découvrir les sites et les quartiers les plus intéressants de la ville. L'itinéraire passe au cœur d'un secteur riche en sites remarquables ; ce qui signifie aussi que vous serez accompagné d'un grand nombre de visiteurs japonais ou étrangers. Il vaut donc mieux arriver tôt le matin sur les lieux.

La promenade démarre à l'arrêt de bus Gojō-zaka (carte p. 346) dans Higashiōji-dōri. De là, marchez vers le sud pendant quelques mètres et tournez dans Gojō-zaka qui monte à flanc de colline (il y a une boutique de nouilles et une pharmacie au bas de cette rue en pente). Continuez de monter jusqu'à ce que vous arriviez à une première fourche ; prenez à droite et continuez jusqu'à **Chawan-zaka** (allée du bol de thé). Au sommet de la colline, s'élève le **Kiyomizu-dera** (p. 357), reconnaissable à sa pagode se découpant sur l'horizon. Avant d'entrer dans l'ensemble principal du temple, acquittez-vous de 100 ¥ pour passer par le **Tainai-meguri**, dont le bâtiment est à gauche de l'entrée principale.

Après avoir fait le tour du Kiyomizu-dera, redescendez par Kiyomizu-michi, le chemin animé qui mène au temple. À 200 m environ, sur la pente, vous arrivez à un carrefour ; empruntez des marches en pierre à droite, jusqu'en bas. Cette allée pavée, portant le nom de **Sannen-zaka** (ci-dessous), est une charmante rue bordée de vieilles maisons de bois, de boutiques et de restaurants traditionnels.

---

temples et des sanctuaires. Dans le Jishu-jinja, le sanctuaire principal, vous pourrez, comme maints jeunes visiteurs, tenter de vous assurer l'amour en parcourant tout droit, les yeux fermés, les 18 m qui séparent une grosse pierre d'une autre. Si vous n'arrivez pas pile sur la pierre en face, votre désir d'amour ne sera jamais exaucé !

Avant d'entrer dans l'enceinte actuelle du temple, cherchez le **Tainai-meguri** (100 ¥ ; ◷ 9h-16h), une entrée à gauche (au nord) de la pagode qui s'élève en face de l'entrée principale du temple (demandez à un officiant du temple car aucun panneau ne l'indique en lettres latines). Nous ne vous dirons rien de plus car l'expérience en serait gâchée. Simplement, si vous entrez par le Tainai-meguri, vous pénétrez de façon symbolique dans l'utérus d'un bodhisattva. Lorsque vous atteindrez la pierre dans l'obscurité, faites la tourner dans un sens ou dans l'autre en prononçant un vœu.

La pente raide qui monte au temple, portant le nom de Chawan-zaka (l'allée du bol à thé), est bordée d'échoppes vendant des objets de l'artisanat de Kyōto, des souvenirs et des petites spécialités culinaires locales.

De la gare de Kyōto, prenez le bus 206 et descendez à l'arrêt Kiyomizu-michi ou Gojō-zaka, puis gravissez la colline (10 min à pied).

NINEN-ZAKA ET SANNEN-ZAKA
二年坂・三年坂

Au-dessous du Kiyomizu-dera, légèrement vers le nord, les rues en pente Ninen-zaka et Sannen-zaka (littéralement "colline des 2 ans" et "colline des 3 ans") composent l'un des plus jolis quartiers restaurés de la ville. Ces deux charmantes rues sont bordées de vieilles maisons en bois, de boutiques et de restaurants traditionnels. De nombreuses maisons de thé et des cafés vous invitent à une pause.

KŌDAI-JI 高台寺
Ce **temple** (carte p. 346 ; ☎ 561-9966 ; 526 Shimokawara-chō, Kōdai-ji, Higashiyama-ku ; 600 ¥ ; ◷ 9h-17h) a été élevé par Kita-no-Mandokoro en 1605, à la mémoire de son mari, Hideyoshi Toyotomi. Sa vaste enceinte comprend des jardins agencés par l'architecte et jardinier Enshū Kobori (1579-1647), ainsi que des pavillons de thé dessinés par le tout aussi fameux maître de thé Sen-no-Rikyū.

Il est à 10 minutes de marche au nord du Kiyomizu-dera (p. 357). Vérifiez auprès du TIC les moments, en été et en automne, où le temple est illuminé par des projecteurs.

MARUYAMA-KŌEN 円山公園
Ce **parc** (carte p. 346 ; Maruyama-chō Higashiyama-ku), qui offre des allées paisibles serpentant à travers

À mi-chemin de Sannen-zaka, la rue bifurque sur la gauche. Suivez-la un petit moment, puis tournez à droite : un escalier descend jusqu'à **Ninen-zaka** (p. 358), une rue pittoresque jalonnée de bâtiments historiques, boutiques et maisons de thé. À l'extrémité de Ninen-zaka, tournez à gauche (aux distributeurs automatiques), puis à droite (juste après le parking), et continuez vers le nord. Bientôt, sur votre gauche, vous arriverez à l'entrée d'**Ishibei-kōji** – sans doute la rue la plus jolie de Kyōto –, une allée pavée bordée des deux côtés de beaux hôtels et de restaurants à l'ancienne. Faites un détour pour l'explorer, puis revenez sur vos pas et poursuivez vers le nord. Très vite, vous serez au pied du **Kōdai-ji** (p. 358), en haut d'un long escalier de pierre.

Après la visite du Kōdai-ji, continuez au nord jusqu'à une intersection en T ; prenez à droite, puis tout de suite après la première à gauche. Traversez la large galerie piétonne, puis descendez à **Maruyama-kōen** (p. 358), un agréable parc. Au centre, vous remarquerez le *shidare-zakura*, le géant de Gion, le célèbre cerisier pleureur de Kyōto. Face à cet arbre, un pont enjambe un bassin rempli de carpes et se prolonge en un sentier menant jusqu'aux attrayantes hauteurs du parc. C'est un bon endroit pour pique-niquer (prévoyez un repas).

Depuis le parc, vous pouvez prendre vers l'ouest (en descendant la colline) pour rejoindre l'enceinte du **Yasaka-jinja** (ci-dessous) et continuer de descendre depuis ce sanctuaire jusqu'à Shijō-dōri et Gion, d'où vous rejoindrez votre hôtel (vous êtes alors à 400 m environ de la gare de Shijō Keihan). Si vous avez encore de l'énergie, le mieux est de remonter le parc en direction du nord pour visiter l'impressionnant ensemble architectural du **Chion-in** (p. 360). De là, en quelques pas, vous serez au **Shōren-in** (p. 360), fameux pour ses gigantesques camphriers ornant l'entrée. Du Shōren-in, descendez Sanjō-dōri (vous verrez l'immense porte du **Heian-jingū** dans le lointain – p. 363). En tournant à gauche dans Sanjō-dōri, vous arrivez bientôt à l'arrêt de bus Jingū-michi, où vous pourrez prendre le bus 5 ou 100 pour la gare de Kyōto, ou continuer un peu plus loin à l'ouest dans Sanjō-dōri pour parvenir à la station de métro Higashiyama-Sanjō sur la ligne Tōzai.

les arbres, un petit étang central où nagent des carpes nonchalantes, des boutiques de souvenirs et des restaurants, est l'endroit idéal pour se reposer de l'agitation du centre-ville.

Mais, fin mars-début avril, il perd son atmosphère tranquille lorsque fleurissent ses nombreux cerisiers. Pendant deux semaines, il est envahi par la foule lors du *hanami* (contemplation des fleurs). Arrivez assez tôt, défendez un petit bout de terrain en hauteur sur le côté est du parc et, de là, participez à la fête.

Le parc est situé à 5 minutes à l'est du carrefour Shijō-Higashiōji. De la gare de Kyōto, prenez le bus 206 et descendez à l'arrêt Gion.

YASAKA-JINJA 八坂神社

Ce pittoresque **sanctuaire** (carte p. 346 ; ☎ 561-6155 ; Gion-machi, Higashiyama-ku ; gratuit ; ☷ 24h/24) juste au pied du Maruyama-kōen, est considéré comme le gardien du quartier de Gion. On lui donne le nom respectueux et affectueux de Gion-san. Sa popularité bat des records au moment de *hatsu-mōde*, la première visite de l'année au sanctuaire. Si vous ne craignez pas la bousculade, venez le soir du 31 décembre ou les jours qui suivent. On prétend que si vous survivez, c'est que vous êtes béni des dieux ! Le Yasaka-jinja sponsorise la plus grande fête de Kyōto, le Gion Matsuri (p. 374).

GION 祇園周辺

Très proche de la gare Shijō Keihan, sur la rive est de la Kamo-gawa, Gion est le quartier de nuit renommé pour ses geishas. L'architecture moderne, les rues encombrées de voitures et les vilaines façades des bars l'ont dépossédé de sa beauté. Mais il subsiste encore quelques endroits charmants au détour des petites rues. Gion s'étend en gros de Sanjō-dōri, au nord, jusqu'à Gojō-dōri, au sud ; et de Higashiyama-dōri, à l'est, jusqu'à Kawabata-dōri, à l'ouest.

Hanami-kōji, orientée nord-sud, est l'artère principale du quartier. Dans sa portion sud, après le croisement avec Shijō-dōri, cette rue est bordée de maisons de thé et de restaurants traditionnels du XVIIᵉ siècle, dont beaucoup d'établissements employant des geishas. Si vous flânez à la tombée du jour dans cette rue, vous apercevrez peut-être une geisha ou une *maiko* (apprentie geisha) se rendant à une soirée.

Dans Gion, il faut aussi vous promener dans **Shimbashi** (appelée aussi Shirakawa Minami-dōri), sans doute la plus belle rue de Kyōto, surtout le soir et durant la saison des cerisiers en fleurs. Pour la trouver, marchez vers le nord depuis le croisement de Shijō-dōri et Hanami-kōji, puis prenez la troisième à gauche.

Gion est tout proche de la gare Gion Shijō, sur la ligne Keihan.

KANSAI

LA VIE D'UNE GEISHA EST TOUT UN ART

Derrière les portes closes des maisons de thé et des restaurants exclusifs des petites rues de Kyôto, des femmes d'une grâce et d'un raffinement exquis divertissent des hommes de goût aux moyens considérables. Certaines personnes peuvent payer jusqu'à plus de 3 000 $US pour passer une soirée en compagnie de deux ou trois geishas : femmes revêtues de kimonos somptueux, versées dans tous les arts classiques japonais, le thé, l'ikebana mais aussi la danse, la musique et le chant traditionnels. Elles chantent les ballades anciennes des maisons de thé en s'accompagnant du *shamisen* (un instrument à trois cordes proche du luth et du banjo).

Une soirée dans une maison de thé de Gion commence par un sublime dîner de *kaiseki* (haute cuisine japonaise, qui obéit à des règles d'étiquette très strictes pour chaque détail du repas). Pendant que ses hôtes dînent, la geisha ou la *maiko* (apprentie geisha) fait son entrée, se présentant en dialecte de Kyôto. Elle joue du *shamisen* et enchaîne souvent sur la danse traditionnelle de l'éventail. Pendant ce temps, les autres geishas et *maiko* versent à boire, allument les cigarettes et bavardent gaiement avec les clients.

Il est presque impossible d'entrer dans une maison de thé de Gion et d'assister à un tel spectacle sans l'entremise d'un client connu. À l'exception de représentations publiques lors des festivals, les geishas ne se montrent qu'à des clients triés sur le volet. Contrairement à l'idée reçue, elles ne sont pas des prostituées. Cependant, elles peuvent recevoir une aide financière de leurs clients attitrés pour ouvrir, par exemple, leur propre maison de thé, lorsqu'elles se retirent vers 50 ans.

On estime qu'il y a une bonne centaine de *maiko* et plus de 100 geishas à Kyôto. Leur nombre a augmenté récemment alors qu'il avait sensiblement diminué depuis la fin de la Seconde Guerre mondiale. On peut toujours voir des geishas (appelées *geiko* – enfant des arts – à Kyôto), surtout à la tombée de la nuit, dans les petites rues entre la Kamo-gawa et le Yasaka-jinja, et dans l'étroite allée de Ponto-chô. Aujourd'hui, il reste moins de 1 000 geishas et *maiko* à travers tout le pays.

Des représentations de geishas et de *maiko* peuvent être organisées par des hôtels de catégorie supérieure, des *ryokan* et par des tour-opérateurs à Kyôto.

KENIN-JI 建仁寺

Fondé en 1202 par le moine Eisai, **Kenin-ji** (carte p. 346 ; ☎ 561-6363 ; Higashiyama-ku, Shijo-sagaru ; 500 ¥ ; 🕙 10h-16h) est le plus vieux temple zen de Kyôto et une oasis de paix et de sérénité en lisière du turbulent quartier de nuit de Gion. On admire avant tout son vaste et magnifique jardin *kare-sansui* (jardin sec). Les deux dragons peints sur le toit du Hôdô sont remarquables ; pour accéder à cette salle, passez 2 portes. Les instructions sont annoncées en anglais.

CHION-IN 知恩院

En 1234, le **Chion-in** (carte p. 346 ; ☎ 531-2111 ; 400 Rinka-chô, Higashiyama-ku ; entrée gratuite dans l'enceinte, bâtiments intérieurs et jardin 400 ¥ ; 🕙 9h-16h mars-nov, jusqu'à 15h40 déc-fév) fut construit sur le site où avait enseigné le célèbre moine Hônen, mort après s'être imposé le jeûne. C'est toujours le temple principal et très dynamique de l'école bouddhiste Jôdo (Terre pure), fondée par Hônen.

Le plus ancien des bâtiments actuels remonte au XVIIᵉ siècle. De toutes les portes qui marquent l'entrée principale d'un temple bouddhique, **San-mon**, à deux niveaux, est la plus imposante du Japon. Elle donne un aperçu de l'immensité de ce temple. La grande salle, abritant une image de Hônen, est reliée à une autre salle, le Dai Hôjô, par un parquet dit "rossignol", dont les lattes émettent une sorte de piaillement quand on marche dessus.

En haut d'un escalier de pierre, au sud-est de la grande salle, se trouve la gigantesque **cloche** du temple. Fondue en 1633 et pesant 74 tonnes, c'est la plus lourde du Japon. Il ne faut pas moins de 17 moines, unissant leurs efforts, pour l'ébranler et annoncer, le soir du 31 décembre, la venue de la nouvelle année.

Ce temple jouxte le coin nord-ouest du parc Maruyama-kôen. De la gare de Kyôto, prenez le bus 206 pour descendre à l'arrêt Chion-in-mae ou marchez vers l'est à partir de la gare Keihan Sanjô ou de l'arrêt précédent Shijô.

SHÔREN-IN 青蓮院

Ce **temple** (carte p. 346 ; ☎ 561-2345 ; Sanjôbô-chô, Awataguchi, Higashiyama-ku ; 500 ¥ ; 🕙 9h-17h) est précédé d'immenses camphriers qui se dressent devant le mur extérieur. Vous ne pouvez donc pas le rater. Le Shôren-in fut à l'origine la résidence de l'abbé supérieur de l'école bouddhiste Tendai ; les bâtiments actuels ne datent toutefois que de 1895. Dans le pavillon principal, les peintures sur les paravents sont des XVIᵉ et XVIIᵉ siècles. Ignoré des foules qui se précipitent vers les autres temples de Higashiyama, c'est un endroit agréable où vous pourrez vous asseoir et méditer en toute sérénité face aux magnifiques jardins. À 5 minutes à pied au nord du Chion-in (p. 360).

Nord de Higashiyama

Ce secteur, au pied des monts Higashiyama, constitue l'un des quartiers de la ville les plus riches en sites importants, comprenant des monuments de tout premier ordre comme les Ginkaku-ji, Hōnen-in, Shūgaku-in Rikyū, Shisen-dō et Manshu-in. Pour avoir un souvenir inoubliable de Kyōto, consacrez une journée à une promenade de la station de métro Keage, sur la ligne Tōzai, jusqu'au Ginkaku-ji au nord, en suivant le Tetsugaku-no-Michi (chemin de la Philosophie) et en vous arrêtant dans les innombrables temples et sanctuaires tout au long du chemin. Les sites plus au nord, plus difficile d'accès, se visitent séparément.

NANZEN-JI 南禅寺

Ce **temple** (carte p. 348 ; ☎ 771-0365 ; http://nanzenji.com/english/index.html ; Fukuchi-chō, Nanzen-ji, Sakyō-ku ; entrée libre dans l'enceinte ; jardin Hōjō/porte San-mon 500/300 ¥ ; ☯ 8h40-17h mars-nov, jusqu'à 16h30 déc-fév), vaste et comptant une multitude d'annexes, figure parmi les plus plaisants de Kyōto. L'édifice principal accueillit d'abord la villa de l'empereur Kameyama (après qu'il eut renoncé au pouvoir), avant de devenir, à sa mort, en 1291, un temple bouddhique zen. Au XVᵉ siècle, la guerre civile provoqua la destruction presque totale du temple ; les bâtiments actuels, datant du XVIIᵉ siècle, abritent maintenant le siège de l'école Rinzai du bouddhisme zen.

À l'entrée, se dresse la massive porte **San-mon**. Des escaliers mènent à l'étage, où vous aurez une très belle vue sur la ville. Au-delà de cette porte, se trouve le bâtiment principal du temple, dans lequel le **Hōjō** (maison abbatiale) est célèbre pour son **jardin du tigre bondissant**, une belle création zen classique (essayez d'ignorer le haut-parleur qui donne des explications incessantes sur le jardin). Dans le Hōjō, vous pourrez prendre une tasse de thé cérémoniel tout en contemplant une petite cascade (400 ¥, demandez au comptoir d'accueil du Hōjō).

Disséminés dans l'ensemble du Nanzen-ji, plusieurs temples annexes (voir rubriques suivantes) sont délaissés par la foule.

Pour rejoindre le Nanzen-ji depuis les gares JR Kyōto ou Keihan Sanjō, prenez le bus 5 et descendez à l'arrêt Nanzen-ji Eikan-dō-michi. Il est aussi possible d'emprunter la ligne de métro Tōzai depuis le centre-ville jusqu'à la station Keage et, de là, de marcher 5 minutes (en descendant). Arrivé à hauteur du petit poste de police, tournez à droite (côté est, face aux montagnes) et remontez la rue ; vous verrez bientôt la grande porte du temple.

Nanzen-ji Oku-no-in 南禅寺奥の院

Oublié par la plupart des visiteurs, **Oku-no-in** (carte p. 348 ; gratuit ; ☯ lever-coucher du soleil) est peut-être l'endroit le plus mystérieux de Nanzen-ji. Il s'agit d'un modeste sanctuaire-temple, niché dans un petit vallon boisé, loin de l'enceinte principale. Pour y parvenir, montez jusqu'à l'aqueduc de briques rouges devant le temple annexe Nanzen-in. Suivez la route parallèle à cet aqueduc dans les collines, passez plusieurs *torii* vermillon, jusqu'à ce que vous débouchiez sur une cascade dans une petite clairière de montagne. N'oubliez pas qu'il s'agit d'un lieu sacré où les fidèles aiment à venir prier en paix. Soyez respectueux en gardant le silence.

Tenju-an 天授庵

Ce **temple** (carte p. 348 ; ☎ 771-0744 ; 86-8 Fukuchi-chō, Nanzen-ji, Sakyō-ku ; 400 ¥ ; ☯ 9h-17h mars-nov, jusqu'à 16h30 déc-fév), du côté de la porte San-mon, est à 4 minutes à pied à l'ouest du Nanzen-in. Construit en 1337, il possède un splendide jardin, dont l'étang est peuplé de carpes.

Konchi-in 金地院

Juste à l'ouest de la porte principale du Nanzen-ji (en haut de quelques marches, dans une petite rue qui descend), se trouve le **Konchi-in** (carte p. 348 ; 400 ¥ ; ☯ 8h30-17h mars-nov, jusqu'à 16h30 déc-fév), dont le jardin sec fut dessiné par le grand maître du paysage Enshū Kobori. C'est un superbe exemple de *shakkei* (ou paysage emprunté) : vous remarquerez que les montagnes à l'arrière-plan font partie intégrante du jardin.

MURIN-AN VILLA 無燐庵

Cette élégante **villa** (carte p. 348 ; ☎ 771-3909 ; Kusakawa-chō, Nanzen-ji, Sakyō-ku ; 350 ¥ ; ☯ 9h-17h) fut la résidence du grand homme d'État Aritomo Yamagata (1838-1922) et le lieu d'une conférence décisive tenue en 1902, lorsque le pays s'engagea dans la guerre russo-japonaise. Dernière entrée à 16h30.

KANSAI

LES BONNES MANIÈRES ENVERS LES GEISHAS

Tout le monde aimerait bien au moins une fois dans sa vie apercevoir une geisha. Chaque soir, des groupes de touristes caméra au poing (aussi bien japonais qu'étrangers) convergent vers Hanami-kōji, à Gion, dans l'espoir de "débusquer" une geisha. Si la plupart se contentent de regarder et de photographier ces dames d'une distance polie, une petite minorité la poursuit, certains s'accrochant même à son kimono pour la forcer à s'arrêter le temps de lui voler une photo.

Inutile de dire que cela est très gênant, et pour les geishas et pour les habitants du quartier de Gion. Si les touristes continuent de se comporter de cette manière, les geishas éviteront les environs et on finira par ne plus les voir du tout. Il est donc important que les visiteurs du quartier de Gion respectent les règles élémentaires de savoir vivre.

■ On n'arrête pas une geisha dans la rue, on ne la poursuit pas. Se rendant pour leur travail à des soirées, elles n'ont pas le temps de poser pour des photos.

■ On ne les touche pas, on ne s'en approche pas et on les laisse poursuivre leur chemin.

■ Pour ceux qui voudraient mieux les connaître, des tours-opérateurs et des hôtels de catégorie supérieure organisent des représentations de geishas ; voir l'encadré p. 360.

■ Enfin, si vous tenez à prendre quelques photos, vous rencontrerez durant la journée, dans les rues de Higashiyama, grand nombre de "geishas touristiques". En voyage à Kyōto, ces jeunes femmes payent pour être habillées en geisha. Elles leur ressemblent à s'y méprendre et, de plus, seront enchantées de poser pour vous.

Datant de 1896, les bâtiments de bois de la résidence comprennent une belle pièce pour la cérémonie du thé. L'annexe, de style occidental, est typique de l'architecture de l'ère Meiji. Le jardin, avec ses ruisseaux qui tirent leurs eaux du canal Biwa-ko Sosui, est serein. Pour 300 ¥, vous pourrez savourer un bol de *matcha* (thé vert en poudre) bien mousseux, tout en admirant le "paysage emprunté" aux monts Higashiyama qui forme l'arrière-plan du jardin.

Murin-an est à 7 minutes à pied de la station de métro Keage, sur la ligne Tōzai.

EIKAN-DŌ 永観堂

Eikan-dō (carte p. 348 ; ☎ 761-0007 ; www.eikando. or.jp/english/index_eng.htm ; 48 Eikandō-chō, Sakyō-ku ; 600 ¥ ; ☻ 9h-17h) retient l'attention par son architecture, ses jardins et ses œuvres d'art. Fondé en 855 par le moine Shinshō, il prit le nom d'Eikan-dō au XIᵉ siècle en hommage à l'illustre moine bienfaiteur Eikan.

Le pavillon Amida-dō, à l'extrémité sud, abrite une statue inhabituelle d'Amida Mikaeri (le Bouddha regardant par-dessus son épaule). Du pavillon Amida-dō, dirigez-vous vers le nord jusqu'au bout de la galerie couverte. Ôtez vos chaussures pour enfiler une paire de sandales, puis grimpez les marches raides sur le flanc de la montagne jusqu'au **Taho-tō** (pagode Taho), où une splendide vue sur Kyōto vous attend.

Le temple est à 10 minutes à pied du nord du Nanzen-ji (p. 361). Entrée jusqu'à 16h.

TETSUGAKU-NO-MICHI (CHEMIN DE LA PHILOSOPHIE) 哲学の道

Le **Tetsugaku-no-Michi** (carte p. 348 ; Sakyō-ku Ginkaku-ji) est un chemin longeant un petit canal, au pied des monts Higashiyama. Bordé de cerisiers et de nombreuses autres variétés de fleurs, il doit son nom au plus célèbre de ses promeneurs, le philosophe Kitarō Nishida que l'on voyait, dit-on, arpenter les berges absorbé par ses pensées. Il faut 30 minutes pour accomplir la promenade complète, qui commence au nord de l'Eikan-dō (ci-contre) et se termine au Ginkaku-ji (p. 363).

HŌNEN-IN 法然院

Ce joli **temple** (carte p. 348 ; ☎ 771-2420 ; 30 Goshonodan-chō, Shishigatani, Sakyō-ku ; gratuit ; ☻ 6h-16h) isolé, dont les jardins ratissés avec soin se fondent dans la montagne boisée à l'arrière-plan, fut érigé en 1680 et dédié à Hōnen, le fondateur charismatique de l'école bouddhique Jōdo. Visitez-le début avril lorsque les cerisiers sont en fleurs ou au début de novembre, à la période des érables. Le pavillon principal est alors ouvert au public pour une visite spéciale.

Le temple se trouve à 10 minutes de marche du Ginkaku-ji (p. 363), dans une petite rue à l'est du Tetsugaku-no-Michi (ci-dessus) ; sur le chemin, en direction du sud, repérez le panneau en anglais sur votre gauche, puis traversez le pont sur le canal et prenez tout de suite la rue qui monte.

JARDIN

GINKAKU-JI (PAVILLON D'ARGENT) 銀閣寺

Le **pavillon d'Argent** (Ginkaku-ji ; carte p. 348 ; ☎ 771-5725 ; 2 Ginkaku-ji-chō, Sakyō-ku ; 500 ¥ ; ☒ 8h30-17h mars-nov, 9h-16h30 déc-fév) est l'un des bâtiments incontournables de Kyōto. En 1482, le shogun Yoshimasa Ashikaga fit construire cette villa pour y oublier la tourmente de la guerre civile. Cependant, le shogun ne put jamais réaliser son rêve de recouvrir d'argent l'intégralité de l'édifice. Après sa mort, la villa fut transformée en temple.

Vous arrivez à la porte principale entre deux hautes haies, mais, soudain, le chemin tourne, offrant à votre regard le pavillon dans son vaste jardin. Suivez le sens de la visite ; au passage, vous admirerez les cônes de sable blanc ratissés avec soin (symbolisant sans doute la montagne au-dessus d'un lac), les grands pins et un étang s'étendant devant le temple. Un autre sentier vous mènera à travers les arbres sur le flanc de la montagne.

Le Ginkaku-ji est l'un des temples les plus visités de la ville, et la fréquentation est la plus forte au printemps et à l'automne. Nous vous conseillons donc d'arriver juste à l'ouverture ou un peu avant la fermeture.

Depuis les gares JR de Kyōto ou Sanjō Keihan, prenez le bus 5 et descendez à l'arrêt Ginkaku-ji-michi. De la gare de Demachiyanagi ou de Shijō, empruntez le bus 203 jusqu'au même arrêt.

QUARTIER D'OKAZAKI-KŌEN 岡崎公園

Au cœur de la partie nord de Higashiyama, le parc Okazaki et le quartier alentour (carte p. 348) regroupent plusieurs musées et le site du sanctuaire shintoïste le plus grandiose et le plus populaire de Kyōto, Heian-jingū.

Depuis les gares de Kyōto ou de Sanjō Keihan, prenez le bus 5 et descendez à l'arrêt Kyōto Kaikan Bijutsu-kan-mae ; de là, marchez vers le nord. Depuis la gare de Sanjō Keihan, si vous choisissez de marcher, comptez 15 minutes. Tous les sites mentionnés ci-dessous sont à 5 minutes à pied de l'arrêt du bus 5.

Musée municipal des Arts de Kyōto
京都市美術館

Le **musée** (carte p. 348 ; ☎ 771-4107 ; 124 Enshōji-chō, Okazaki, Sakyō-ku ; tarif variable selon les expositions ; ☒ 9h-17h, fermé lun) organise plusieurs grandes expositions par an, dont l'excellente Kyoten, qui met en lumière les meilleurs artistes contemporains japonais. Celle-ci se tient en général de fin mai à début juin (vérifiez les dates exactes auprès du TIC). Les autres expositions

sont tirées de sa vaste collection d'œuvres de l'ère post-Meiji. Des peintures relatives à Kyōto forment une part importante de cette collection moderne et prémoderne. Dernière entrée à 16h.

Musée national d'Art moderne
京都国立近代美術館

Ce **musée** (carte p. 348 ; ☎ 761-4111 ; www.momak.go.jp/ English ; Enshōji-chō, Okazaki, Sakyō-ku ; 420 ¥ ; ☒ 9h30-17h, fermé lun) est réputé pour sa petite collection très représentative de la céramique et de la peinture contemporaine japonaises. Renseignez-vous sur les expositions durant votre séjour. Dernière entrée à 16h30.

Miyako Messe et musée des Arts traditionnels Fureai-Kan de Kyōto
みやこめっせ・京都伝統産業ふれあい館

Ce **musée** (carte p. 348 ; ☎ 762-2670 ; 9-1 Seishōji-chō, Okazaki, Sakyō-ku ; gratuite ; ☒ 9h-17h, fermé 29 déc-13 jan) expose des estampes, des laques, des articles de bambou et des ouvrages dorés à la feuille d'or. Au sous-sol du Miyako Messe (Centre international d'exposition de Kyōto). Dernière entrée à 16h30.

Heian-jingū 平安神宮

Cet impressionnant **sanctuaire** (carte p. 348 ; ☎ 761-0221 ; Nishitennō-chō, Okazaki, Sakyō-ku ; entrée libre dans l'enceinte, jardin 600 ¥ ; ☒ 6h-18h, un peu plus tôt/plus tard selon la saison) fut construit en 1895 pour commémorer le 1 100e anniversaire de la fondation de Kyōto. Les bâtiments sont des répliques colorées, réduites aux deux tiers du Gosho, le Palais impérial de Kyōto, à la période de Heian.

Le vaste jardin, avec son gigantesque étang où vous admirerez un pont d'inspiration chinoise, est aussi représentatif du genre de jardin qui était en vogue à la période de Heian. À 500 m devant le sanctuaire s'élève un *torii*, une porte gigantesque en métal, détaché du sanctuaire mais qui en marque l'entrée.

Ce sanctuaire est le cadre de deux événements majeurs : le Jidai Matsuri (fête des Périodes historiques ; p. 374), le 22 octobre, et le Takigi Nō (p. 432), du 1er au 2 juin.

SHISEN-DŌ 詩仙堂

Ce **temple** (carte p. 340 ; ☎ 781-2954 ; 27 Monkuchi-chō, Ichijō-ji, Sakyō-ku ; 500 ¥ ; ☒ 9h-17h) fut construit en 1641 par Jōzan Ishikawa. Ce samouraï nourri de littérature classique chinoise, voulait édifier un ermitage où passer ses vieux jours. Le jardin est devenu un merveilleux havre de paix.

KANSAI

Le silence n'y est interrompu que par le "tap tap" du *sōzu* (un tuyau de bambou destiné à effrayer les animaux sauvages).

À 5 minutes à pied de l'arrêt de bus Ichijōji-sagarimatsu-mae, sur la ligne n°5.

MANSHU-IN 曼殊院

Ce **temple** (carte p. 340 ; ☎ 781-5010 ; 42 Takenouchi-chō, Ichijō-ji, Sakyō-ku ; 600 ¥ ; ☺ 9h-17h) fut à l'origine établi par Saichō sur le mont Hiei, avant d'être déplacé ici au début de la période d'Edo. Son architecture, son jardin et ses œuvres d'art méritent une visite. À 30 minutes de marche (environ 3 km) au nord du Shisen-dō. Dernière entrée à 16h30.

SHŪGAKU-IN RIKYŪ 修学院離宮

La construction de cette **villa** impériale (carte p. 340 ; ☎ 211-1215 ; Yabusoe, Shūgakuin, Sakyō-ku ; gratuit) commença vers 1650 sous l'impulsion de l'empereur Go-Mizunoo après qu'il eut abdiqué. À sa mort, en 1680, sa fille Akenomiya poursuivit son œuvre.

Cette retraite impériale se divise en trois vastes niveaux de jardins étagés sur le flanc d'une colline. Ils sont réputés pour leurs étangs, leurs sentiers et leurs surprenants "paysages empruntés" qui adoptent habilement le décor des collines environnantes. La vue depuis le pavillon de thé Rinun-tei dans le jardin du haut est absolument magnifique.

Des visites guidées de 50 minutes, en japonais, se font à 9h, 10h, 11h, 13h30 et 15h. L'entrée est gratuite ; toutefois, vous devez faire une réservation auprès de l'Agence de la Maison impériale (p. 354). Un audioguide est proposé à ceux qui ne parlent pas japonais.

De la gare de Kyōto, prenez le bus 5 et descendez à l'arrêt Shūgaku-in Rikyū-michi. Le trajet de bus dure environ 1 heure. Depuis l'arrêt, comptez 15 minutes de marche (1 km) jusqu'à la villa. Vous pouvez aussi prendre la ligne de train Eiden Eizan à la gare de Demachiyanagi et descendre à celle de Shūgaku-in, puis de là marcher vers l'est 25 minutes (1,5 km), en direction de la montagne.

HIEI-ZAN ET ENRYAKU-JI 比叡山・延暦寺

Une visite au mont Hiei, haut de 848 m, et au vaste **ensemble de l'Enryaku-ji** (carte p. 392 ; ☎ 077-578-0001 ; 4220 Honmachi, Sakamoto, ville d'Ōtsu, Shiga ; 550 ¥ ; ☺ 8h30-16h30, 9h-16h en hiver) peut être l'occasion d'une demi-journée de randonnée avec des pauses dans des temples de grande importance historique.

L'Enryaku-ji fut fondé en 788 par Saichō, le moine qui établit l'école bouddhiste Tendai, connu aussi sous le nom de Dengyō-daishi. Dès le VIIIe siècle, le temple affirma son pouvoir ; à son apogée, il possédait 3 000 bâtiments et une armée de milliers de *sōhei*, ou moines combattants. En 1571, le chef militaire Oda Nobunaga vit dans cette force une menace à son plan d'unification de la nation ; il ordonna la destruction des temples et massacra hommes, femmes et enfants. L'école ne fut reconnue par l'empereur qu'en 1823. Aujourd'hui, il ne subsiste que trois pagodes et 120 temples mineurs.

L'ensemble architectural est divisé en trois sections : Tōtō, Saitō et Yokawa. Le **Tōtō** (la section de la pagode de l'est) comprend le Kompon Chū-dō (premier pavillon central), qui est le bâtiment le plus important. Les flammes, dans les trois lampes du dharma (la loi, en sanskrit), au pied de l'autel, sont allumées depuis plus de 1 200 ans. Le Daikō-dō (grande salle d'enseignement) abrite les statues en bois, grandeur nature, des fondateurs de diverses écoles de bouddhisme. Cette partie du temple est hélas un peu trop équipée en vue de recevoir les groupes. Ainsi y remarque-t-on un immense parking asphalté.

Dans le **Saitō** (section de la pagode de l'ouest) se dresse le Shaka-dō, datant de 1595, qui renferme une sculpture rare du Bouddha Shaka Nyorai (le Bouddha historique). Du Saitō, des allées pavées constellent la forêt aux arbres gigantesques, menant à des temples enveloppés de brume. De temps à autre, la réverbération étouffée d'un gong confère à ce lieu une mystérieuse atmosphère, unique en son genre. Gardez le billet que vous avez reçu à la section Tōtō, il se peut qu'on vous le demande ici.

Le **Yokawa**, à 4 km par le bus du Saitō, ne présente guère d'intérêt. Le Chū-dō (salle centrale), construit originellement en 848, fut détruit maintes fois par le feu et sans cesse reconstruit (la dernière fois en 1971). Si vous désirez visiter cette section en plus du Tōtō et du Saitō, il vous faudra un jour entier pour une découverte approfondie.

Depuis/vers le Hiei-zan et l'Enryaku-ji

Vous rejoindrez le Hiei-zan et l'Enryaku-ji par le train ou par le bus. Il est plus intéressant de choisir la route qui comporte une partie funiculaire et une partie téléphérique. Mais si vous êtes pressé, ou si vous voulez ne pas trop dépenser, prenez le bus de la gare Sanjō Keihan ou de celle de Kyōto.

Par le train, empruntez la ligne Keihan vers le nord, jusqu'au terminus, Demachiyanagi. Là, changez pour le chemin de fer Eizan Dentetsu qui va à Yase-yūen/Hiei (attention de ne pas monter dans le train de Kurama qui part parfois du même quai). Au terminus, Yase-yūen (260 ¥), dirigez-vous vers le funiculaire (530 ¥, 9 min), puis vers le téléphérique (310 ¥, 3 min), qui vous déposera au sommet ; de là, vous descendrez par un chemin menant vers les temples.

Meilleur marché que le funiculaire et le téléphérique, des bus vont de la gare de Kyōto ou de celle de Sanjō Keihan à Enryaku-ji ; le premier met environ 70 minutes et le second 50 minutes (les deux coûtent 800 ¥).

Nord-Ouest de Kyōto

Le nord-ouest de Kyōto possède de superbes sites dispersés sur une vaste partie de la ville. Parmi les plus célèbres, citons le Nijō-jō, le château des shoguns, le Kinkaku-ji, le fameux pavillon d'Or, et le Ryōan-ji, avec son mystérieux jardin de pierres. Vous pourrez grouper la visite de trois sites de cette zone – Kinkaku-ji, Ryōan-ji et Ninna-ji – et passer ainsi une agréable demi-journée en dehors du centre de la ville.

NIJŌ-JŌ 二条城

Ce **château** (carte p. 351 ; ☎ 841-0096 ; 541 Nijōjō-chō, Horikawa Nishi iru, Nijō-dōri, Nakagyō-ku ; 600 ¥ ; ☺ 8h45-17h, fermé mar en déc, jan, juil et août, et 26 déc-4 jan) fut construit en 1603 pour être la résidence officielle à Kyōto du premier shogun, Ieyasu Tokugawa. Son style architectural affiche avec ostentation le prestige d'Ieyasu en même temps qu'il annonce le renoncement au pouvoir de l'empereur. Pour se garder de toute trahison, Ieyasu fit recouvrir le sol des pièces d'un parquet dit « rossignol » (les lames émettent une sorte de piaillement quand on marche dessus), empêchant les intrus de s'approcher sans bruit. Il fit aussi aménager des chambres secrètes, où des gardes du corps veillaient sur lui.

Passez par la porte **Kara-mon**, puis pénétrez dans le **palais Ninomaru**, qui comprend cinq bâtiments aux innombrables pièces. La 4e salle, Ohiroma Yon-no-Ma, offre de remarquables peintures sur paravent. Surtout, ne manquez pas le **jardin du palais Ninomaru**, qui fut dessiné par le maître de thé, architecte et jardinier Enshū Kobori.

Le **palais Honmaru**, à proximité, qui date du milieu du XIXe siècle, n'est ouvert au public que quelques jours à l'automne.

Pour rejoindre le château, prenez le bus 9 depuis la gare de Kyōto jusqu'à l'arrêt Nijō-jō-mae. Par le métro, empruntez la ligne Tōzai jusqu'à la station Nijō-jō-mae. Dernière entrée à 16h.

NISHIJIN 西陣

Nishijin (carte p. 351) est le quartier de l'industrie textile. C'est là que sont tissés les somptueux kimonos et leurs *obi* (larges ceintures) qui font la renommée de Kyōto. Dans ce quartier traditionnel de la ville, les rues abritent encore aujourd'hui un grand nombre de belles *machiya* (maisons de ville traditionnelles). Pour vous rendre à Nishijin, prenez le bus 9 depuis la gare de Kyōto jusqu'à l'arrêt Horikawa Imadegawa.

Centre textile de Nishijin 西陣織会館

Au cœur du quartier traditionnel des tisserands de Nishijin, ce **centre textile** (carte p. 351 ; ☎ 451-9231 ; Imadegawa Minami iru, Horikawa-dōri, Kamigyō-ku ; gratuit ; ☺ 9h-17h) permet d'observer le tissage du brocart utilisé pour les kimonos et leurs ceintures (*obi*). Vous pourrez y contempler les tissus et les kimonos exposés, assister à une démonstration de tissage et parfois à un défilé de mode. Il se trouve au coin sud-ouest, à l'intersection des rues Horikawa-dōri et Imadegawa-dōri.

Orinasu-kan 織成館

Ce **musée** (carte p. 351 ; ☎ 431-0020 ; 693 Daikoku-chō, Kamigyō-ku ; adulte/enfant 500/350 ¥ ; ☺ 10h-16h, fermé lun) installé dans un atelier de tissage de Nishijin, propose de belles expositions sur les brocarts de Nishijin. L'immeuble voisin, le Susamei-sha, également ouvert au public, mérite la visite. Sur réservation, vous pourrez vous initier au tissage. Le musée se situe à une courte marche du centre textile de Nishijin (ci-dessus).

KITANO-TENMAN-GŪ 北野天満宮

Ce **sanctuaire** (carte p. 351 ; ☎ 461-0005 ; Bakuro-chō, Kamigyō-ku ; gratuit ; ☺ 5h-coucher du soleil, 5h-18h juin-août, 5h30-17h30 déc-fév) est un lieu spacieux et attrayant sur Imadegawa-dōri. Si vous êtes en ville le 25 du mois, ne ratez surtout pas le marché aux puces **Tenjin-san** qui se tient dans l'enceinte. C'est l'un des deux grands marchés de Kyōto, où vous trouverez tous vos cadeaux et souvenirs. Les marchés de décembre et de janvier sont les plus animés.

KANSAI

De la gare de Kyōto, prenez le bus 50 et descendez à l'arrêt Kitano-Tenmangū-mae ; de la gare de Sanjō Keihan, empruntez le bus 10 pour le même arrêt.

KINKAKU-JI (PAVILLON D'OR) 金閣寺

Le fabuleux **pavillon d'Or** (Kinkaku-ji ; carte p. 351 ; ☎ 461-0013 ; 1 Kinkaku-ji-chō, Kita-ku ; 400 ¥ ; ⏰ 9h-17h) est un des monuments les plus connus du Japon. Il s'agissait à l'origine, en 1397, de la villa du shogun Yoshimitsu Ashikaga. À sa mort, son fils la convertit en temple.

Or, en 1950, l'édifice disparut dans l'incendie qu'alluma un jeune moine dévoré par la folie, thème du roman de Yukio Mishima, *Le Pavillon d'Or*. En 1955, le pavillon fut rebâti sur souscription à l'identique, si ce n'est qu'on le recouvrit entièrement de feuilles d'or, alors qu'auparavant seul le 2ᵉ niveau était doré.

Ce temple peut être très fréquenté à n'importe quelle époque de l'année. Nous vous recommandons d'y aller tôt le matin ou juste avant la fermeture.

Depuis la gare de Kyōto, prenez le bus 205 et descendez à l'arrêt Kinkaku-ji-michi. De la gare de Sanjō Keihan, empruntez le bus 59 et descendez au même arrêt.

RYŌAN-JI 龍安寺

Fondé en 1450, ce **temple** (carte p. 351 ; ☎ 463-2216 ; 13 Goryōnoshitamachi, Ryōan-ji, Ukyō-ku ; 500 ¥ ; ⏰ 8h-17h mars-nov, 8h30-16h30 déc-fév) appartient à l'école zen Rinzai. Son principal attrait est le jardin de style *kare-sansui*. Derrière des murs de terre, 15 rochers représentent sans doute des écueils dans la mer. Le créateur, inconnu, n'a pas laissé d'explication.

La plate-forme aménagée pour contempler le jardin est souvent bondée, alors que les autres parties du temple, également intéressantes, n'attirent pas grand monde. Parmi ces dernières, l'étang Kyoyo-chi est peut-être le plus beau, surtout en automne. Si vous voulez contempler le jardin *kare-sansui* sans la foule, tâchez d'arriver à l'ouverture.

De la gare Sanjō Keihan, prenez le bus 59 jusqu'à l'arrêt Ryōan-ji-mae. Sinon, depuis le Kinkaku-ji (voir ci-dessus), vous pouvez rejoindre à pied le Ryōan-ji en 30 minutes.

NINNA-JI 仁和寺

Ce **temple** (carte p. 351 ; ☎ 461-1155 ; 33 Omuroōuchi, Ukyō-ku ; entrée dans l'enceinte gratuite, Kondō et salle du Trésor 500 ¥ ; ⏰ 9h-16h30) fondé en 842 est le temple principal de la branche Omura de l'école bouddhiste Shingon. Les bâtiments actuels, y compris la pagode à cinq étages, datent du XVIIᵉ siècle. Dans sa vaste enceinte, les cerisiers sont en fleurs généralement au début du mois d'avril.

L'entrée est gratuite sur la plus grande partie du site, sauf dans quelques bâtiments, exceptionnellement ouverts à certaines périodes de l'année. Prenez le bus 59 de la gare Sanjō Keihan et descendez à l'arrêt Omuro Ninna-ji. De la gare de Kyōto, empruntez le bus 26.

MYŌSHIN-JI 妙心寺

Derrière ses murs, le vaste ensemble de temples du **Myōshin-ji** (carte p. 351 ; ☎ 461-5226 ; 64 Myoshin-ji-chō, Hanazono, Ukyō-ku ; entrée dans le temple principal 500 ¥ /autres parties du site gratuits ; ⏰ 9h10-11h40, jours de fermeture variables) est un autre monde dans Kyōto, qui invite à de délicieuses flâneries. Datant de 1342, il appartient à l'école zen Rinzai et compte 47 temples et annexes, dont seuls quatre sont ouverts au public.

De la porte du nord, suivez l'avenue pavée bordée de temples, en direction de l'extrémité sud. Le Myōshin-ji, le temple principal (qui porte le même nom que l'ensemble) se trouve à mi-chemin. Le billet d'entrée vous permet de visiter plusieurs bâtiments du temple. Le plafond du *hattō* (salle d'enseignement) présente une troublante peinture de Kanō Tanyū, intitulée *Unryūzu* (ou "dragon regardant dans les huit directions"). Votre guide vous invitera à vous placer juste en dessous et vous verrez alors le dragon décrire une spirale.

Un autre attrait de cet ensemble est le magnifique jardin du **Taizō-in** (entrée 500 ¥ ; ⏰ 9h-17h), un temple dans le coin sud-ouest de l'enceinte.

La porte nord du Myōshin-ji est à 10 minutes à pied au sud du Ninna-ji ; le bus 10 vous y conduit de la gare Sanjō Keihan jusqu'à l'arrêt Myōshin-ji Kita-mon-mae.

KŌRYŪ-JI 広隆寺

La visite du **Kōryū-ji** (carte p. 351 ; ☎ 861-1461 ; 32 Hachioka-chō, Uzumasa, Ukyō-ku ; entrée 700 ¥ ; ⏰ 9h-17h mars-nov, jusqu'à 16h30 déc-fév), un peu à l'écart au nord-ouest de Kyōto, peut facilement se combiner avec celle du Myōshin-ji, pas très éloigné. Ceux qui s'intéressent au bouddhisme japonais passeront ainsi une agréable demi-journée. C'est l'un des plus vieux temples du Japon, fondé en 622 en l'honneur du prince Shōto-ku, un promoteur zélé du bouddhisme.

Le Reihōkan héberge un grand nombre de splendides statues bouddhiques, dont le *Naki*

Miroku (Miroku pleurant) et le *Miroku Bosatsu*, à l'expression extraordinaire. En 1960, le Japon fut sous le choc quand un étudiant en extase (ce fut du moins ce qu'il prétendit) embrassa la statue… et lui arracha le petit doigt.

À la droite de la porte principale, le *hattō* abrite trois superbes statues du IX⁹ siècle figurant Bouddha et des incarnations de Kannon.

Empruntez le bus 11 de la gare Sanjō Keihan, descendez à l'arrêt Ukyō-ku Sogo-chosha-mae et marchez vers le sud. Ce temple est proche aussi de la gare d'Uzumasa sur la ligne de chemin de fer Keifuku-Arashiyama.

Arashiyama et Sagano

Arashiyama et Sagano, deux quartiers au pied des montagnes de l'ouest (appelées Arashiyama) constituent la deuxième grande zone touristique de Kyōto après Higashiyama. On peut se demander pourquoi l'endroit est si recherché car la rue principale et le secteur autour du fameux pont Tōgetsu-kyō n'offrent guère que l'habituel étalage de boutiques de souvenirs. Mais grimpez dans les collines jusqu'aux temples cachés dans la verdure et vous comprendrez tout l'intérêt des lieux.

L'un des sites les plus célèbres est la grande **bambouseraie d'Arashiyama**, qui commence juste à la porte nord du Tenryū-ji (ci-contre). Marcher sous cette voûte de bambous, ondulant sous le vent, est comme pénétrer dans un autre monde. Pour les voyageurs japonais, c'est une expérience à ne pas manquer.

De la gare de Kyōto, le bus 28 relie Arashiyama et le bus 11 de celle de Sanjō Keihan. Par le train, le plus pratique consiste à emprunter la ligne Keifuku-Arashiyama à la gare de Shijō-ōmiya et à descendre à la gare d'Arashiyama (du centre-ville, la ligne ferroviaire Hankyū vous mène à Shijō-Ōmiya). Vous pouvez aussi opter pour la ligne San-in du JR des gares de Kyōto ou de Nijō, et descendre à la gare Saga Arashiyama (attention de ne pas prendre un express mais le train local).

Tous les sites de la zone sont accessibles à pied à partir de la gare d'Arashiyama. Nous vous suggérons, en sortant de la gare, de vous rendre à Tenryū-ji et d'en sortir par la porte nord qui s'ouvre sur un chemin dans le bosquet de bambous. Suivez-le jusqu'à Ōkōchi Sansō, puis prenez vers le nord et découvrez Giō-ji ou Adashino Nembutsu-ji. Si vous n'avez pas le temps de visiter qu'un seul temple, ce sera sans hésitation le Tenryū-ji, suivi du Giō-ji.

KAMEYAMA-KŌEN 亀山公園

Au sud-ouest du Tenryū-ji, ce plaisant petit parc (carte p. 352) permet d'échapper aux foules d'Arashiyama. Il est parcouru de nombreux petits sentiers, dont l'un grimpe au sommet d'une colline pour vous offrir en contrebas une vue sur la Katsura-gawa ou, au-dessus, sur les montagnes d'Arashiyama. Mais prenez garde aux singes chapardeurs : ils peuvent être dangereux, surtout avec les enfants.

TENRYŪ-JI 天竜寺

Tenryū-ji (carte p. 352 ; ☎ 881-1235 ; 68 Susukinobaba-chō, Saga Tenryū-ji, Ukyō-ku ; 600 ¥ ; ⏱ 8h30-17h30, légers changements saisonniers), fut construit en 1339 sur l'ancien site de la villa de l'empereur Go-Daigo, après qu'un moine eut aperçu en rêve un dragon qui surgissait de la rivière proche. Ce rêve fut interprété comme le signe que l'âme de l'empereur était tourmentée, et l'on édifia ce temple pour l'apaiser – d'où le nom de *tenryū* (dragon céleste). C'est un des temples principaux de l'école zen Rinzai. Les bâtiments actuels datent de 1900, mais c'est le jardin zen du XIV⁹ siècle qui en fait l'attrait principal.

La célèbre bambouseraie d'Arashiyama s'étend juste après la porte nord du temple.

ŌKŌCHI SANSŌ 大河内山荘

Cette **villa** (carte p. 352 ; ☎ 872-2233 ; 8 Tabuchiyama-chō, Ogurayama, Saga, Ukyō-ku ; entrée 1 000 ¥ ; ⏱ 9h-17h) était la résidence de Denjiro Ōkōchi, un acteur spécialisé dans les films de samouraïs. Les splendides jardins ouverts au public offrent de beaux points de vue sur la ville, et sont particulièrement attrayants à l'automne. L'entrée n'est pas donnée, mais vous aurez droit à une tasse de thé accompagnée d'un gâteau (ne perdez pas le billet reçu à l'entrée). À 10 minutes de marche au nord du Tenryū-ji en passant par le bosquet de bambous.

JŌJAKKŌ-JI 常寂光寺

Si vous poursuivez vers le nord, à partir d'Ōkōchi Sansō, l'étroite route passera bientôt devant des marches de pierre, du côté gauche. Gravissez-les et vous découvrirez **Jōjakkō-ji** (carte p. 352 ; ☎ 861-0435 ; 3 Ogura-chō, Ogurayama, Saga, Ukyō-ku ; 400 ¥ ; ⏱ 9h-17h). Ce temple est réputé pour ses érables colorés et la pagode Tahōto. À 10 minutes de marche au nord d'Ōkōchi Sansō, il offre aussi, depuis sa partie supérieure, de belles vues sur Kyōto et le mont Hiei. Dernière entrée à 16h30.

KANSAI

RAKUSHI-SHA 落柿舎

Cette **cabane** (carte p. 352 ; ☎ 881-1953 ; 20 Hinomyōjin-chō, Ogurayama, Saga, Ukyō-ku ; 200 ¥ ; 🕑 9h-17h mars-déc, 10h-16h jan et fév) appartenait à Kyorai Mukai, le plus connu des disciples de l'illustre poète de haïkus, Bashō. Rakushi-sha signifie littéralement "maison des kakis tombés". La légende veut que Kyorai lui ait donné ce nom un matin où, après une tempête, il aurait trouvé tous les kakis de son arbre, qu'il comptait vendre, écrasés au sol. Rakushi-sha est à une courte marche en descendant de la colline et au nord du Jōjakkō-ji.

NISON-IN 二尊院

Proche du Jōjakko-ji, le **Nison-in** (carte p. 352 ; ☎ 861-0687 ; 27 Monzenchōjin-chō, Nison-in, Saga, Ukyō-ku ; 500 ¥ ; 🕑 9h-16h30) donne sur les collines boisées. Bordée d'érables, la route jusqu'au temple est son atout majeur. Si vous n'avez que peu de temps, privilégiez le Giō-ji, le temple voisin. Le temple est à une courte marche au nord du Jōjakkō-ji.

TAKIGUCHI-DERA 滝口寺

L'histoire de ce temple rappelle un peu celle de Roméo et Juliette. **Takiguchi-dera** (carte p. 352 ; ☎ 871-3929 ; 10 Kameyama-chō, Saga, Ukyō-ku ; 300 ¥ ; 🕑 9h-17h) fut édifié par un noble de la période de Heian, Takiguchi Nyūdō, qui entra en religion après que son père lui eut interdit de se marier avec une paysanne, Yokobue. Un jour, Yokobue vint au temple pour charmer Takiguchi de sa flûte, mais il la refusa de nouveau. Elle écrivit alors un poème d'adieu sur une pierre (avec son propre sang) avant de se jeter dans la rivière ; cette pierre vous sera montrée. Ce temple est à 10 minutes de marche au nord du Nison-in.

GIŌ-JI 祇王寺

Ce **temple** (carte p. 352 ; ☎ 861-3574 ; 32 Kozaka, Toriimoto, Saga, Ukyō-ku ; 300 ¥ ; 🕑 9h-16h30, légers changements saisonniers) a pris le nom d'une *shirabyōshi* (danseuse traditionnelle) de la période de Heian, Giō. La jeune femme devint nonne à l'âge de 21 ans dans ce temple après une histoire d'amour avec Taira-no-Kiyomori, le dirigeant du clan Heike. Une autre danseuse, Gozen Hotoke, lui vola son amant mais plus tard délaissa Kiyomori pour rejoindre Giō au temple. La grande salle renferme cinq statues en bois représentant Giō, Gozen Hotoke, Kiyomori, la mère et la sœur de Giō (toutes deux également nonnes dans le temple). Le temple est à côté du Takiguchi-dera.

ADASHINO NEMBUTSU-JI 化野念仏寺

Ce **temple** (carte p. 352 ; ☎ 861-2221 ; 17 Adashino-chō, Toriimoto, Saga, Ukyō-ku ; 500 ¥ ; 🕑 9h-16h30, légers changements saisonniers) est singulier, car il a rassemblé, au cours des âges, les ossements des pauvres et des orphelins. Des centaines d'effigies de pierre se dressent dans l'enceinte. Chaque année, les soirs des 23 et 24 août, lors de la **cérémonie Sentō Kuyō**, on allume une bougie pour chacune de ces âmes abandonnées. Le temple est à 15 minutes de marche au nord du Giō-ji.

PARC DES SINGES D'ARASHIYAMA-IWATAYAMA 嵐山モンキーパークいわたやま

Refuge de 200 singes japonais, de toutes tailles et de tous âges, ce **parc** (carte p. 352 ; ☎ 861-1616 ; 8 Genrokuzan-chō, Arashiyama, Nishikyō-ku ; adulte/enfant 550/250 ¥ ; 🕑 9h-17h 15 mars-15 nov, jusqu'à 16h hiver) amusera tous ceux qui aiment les animaux.

Bien qu'il soit courant d'apercevoir des singes dans les montagnes voisines, vous verrez ici ces facétieuses créatures gambader de plus près. Admirez également la vue sur Kyōto.

Pour arriver jusqu'aux singes, vous devrez grimper jusqu'au sommet de la colline.

L'entrée du parc est en haut d'un escalier qui s'élève sur le côté sud du pont Tōgetsu-kyō (près du *torii* orange d'Ichitani-jinja). Achetez votre billet à la machine installée sur la gauche du sanctuaire, en haut de l'escalier.

DESCENTE DE LA HOZU-GAWA 保津川下り

La descente de la **Hozu-gawa** (☎ 0771-22-5846 ; 1 Shimonakajima, Hozu-chō, Kameoka-shi ; adulte/4-12 ans 3 900/2 500 ¥ ; 🕑 9h-15h30, fermé 29 déc-4 jan) est une merveilleuse façon d'admirer la beauté des montagnes à l'ouest de Kyōto, sans trop se fatiguer. En amont, la rivière dévale (et vous avec), encaissée entre les flancs boisés de la montagne, avant d'arriver dans le bassin calme d'Arashiyama, qui marque le point final de la descente. Entre le 10 mai et le 30 novembre, sept descentes ont lieu par jour (9h-15h) ; en hiver, quatre descentes seulement sont organisées, sur des bateaux chauffés.

La descente, qui dure 2 heures, couvre 16 km entre Kameoka et Arashiyama, avec quelques passages de beaux rapides – des frissons, mais aucun danger. Les bateaux partent d'un embarcadère situé à 8 minutes à pied de la gare de Kameoka, que vous pouvez rejoindre, à partir des gares de Kyōto ou de Nijō, par la ligne principale du JR San-in (Sagano). Le billet de train de Kyōto à Kameoka coûte 400 ¥ l'aller pour un train ordinaire (*futsū*).

Sud-Est de Kyōto

TŌFUKU-JI 東福寺

Fondé en 1236 par le prêtre Enni, **Tōfuku-ji** (carte p. 340 ; ☎ 561-0087 ; 15-778 Honmahi, Higashiyama-ku ; enceinte/jardin gratuit/400 ¥ ; ☯ 9h-16h déc-oct, 8h30-16h30 nov) appartient aujourd'hui à l'école Rinzai du bouddhisme zen. Comme il devait rivaliser avec le Tōdai-ji et le Kōfuku-ji de Nara, son nom est une combinaison de ces deux temples. Dernière entrée 30 minutes avant la fermeture.

L'imposante **San-mon** est la porte zen la plus ancienne du pays. Le *tosu* (toilettes) et le *yokushitsu* (salle de bains) datent du XIVe siècle. L'ensemble actuel compte 24 temples annexes ; il en exista jusqu'à 53.

Le **Hōjō** fut reconstruit en 1890. Les jardins, composés en 1938, valent une visite. Leur dessin, original, est formé de damiers alternant carrés de mousse et de graviers blancs. D'une plate-forme à l'arrière des jardins, vous pourrez contempler le Tsūten-kyō (pont du paradis), qui enjambe une vallée tapissée d'érables.

Le Tōfuku-ji est un des sites les plus célèbres de Kyōto pour admirer les feuillages d'automne. En novembre, à l'apogée de la saison, la foule sera immanquablement au rendez-vous. Sinon, l'endroit est le plus souvent paisible.

Le Tōfuku-ji est à 20 minutes de marche (2 km) au sud-ouest de la gare de Kyōto. Vous pouvez aussi prendre un train local sur la ligne JR Nara et descendre à la gare JR Tōfukuji ; de là, marchez 10 minutes en direction du sud-est. La ligne Keihan dessert aussi la gare Keihan Tōfukuji (10 min à pied jusqu'au temple).

FUSHIMI-INARI TAISHA 伏見稲荷大社

Ce fascinant **sanctuaire** (carte p. 340 ; ☎ 641-7331 ; 68 Yabunouchi-chō, Fukakusa, Fushimi-ku ; gratuit ; ☯ lever-coucher du soleil) fut, au VIIIe siècle, bâti par le clan Hata qui le dédia aux divinités du riz et du saké. Puis, l'agriculture ayant perdu son rôle prépondérant, les divinités se virent attribuer le rôle d'assurer la prospérité dans les affaires. Aujourd'hui, ce lieu est l'un des plus populaires du Japon, à la tête de quelque 30 000 sanctuaires dédiés à Inari, déesse de la croissance du riz (et, par extension, des affaires), disséminés dans tout le pays.

L'ensemble comporte cinq sanctuaires étagés sur les pentes boisées du mont Inari. Un sentier de 4 km serpente jusqu'au sommet, passant sous des centaines de *torii* rouges. Vous remarquerez aussi nombre de renards sculptés en pierre. Selon la tradition, le renard serait le messager d'Inari. Animal sacré, aux pouvoirs mystérieux, il est capable de "posséder" les humains.

La clef que l'on voit dans sa gueule est celle du grenier à céréales.

Monter jusqu'au sanctuaire du haut constitue une agréable randonnée d'une journée. À la nuit tombante ou au lever du jour, un parfum de mystère se dégage des divers petits sanctuaires et des pierres tombales bordant le chemin.

De la gare de Kyōto, prenez un train de la ligne JR Nara jusqu'à la gare d'Inari. De la gare de Sanjō Keihan, empruntez la ligne Keihan jusqu'à la gare de Fushimi-Inari. Il n'y a pas de droit d'entrée dans ce sanctuaire, situé juste à l'est de ces deux gares.

DAIGO-JI 醍醐寺

Daigo-ji (carte p. 338 ; ☎ 571-0002 ; 22 Higashiōji-chō, Daigo, Fushimi-ku ; entrée libre dans l'enceinte/durant la saison des cerisiers et des érables 600 ¥, Sampō-in 600 ¥ ; ☯ 9h-17h mars-déc, jusqu'à 16h jan et fév) fut fondé en 874 par le moine Shobo, qui lui donna le nom de Daigo en référence aux cinq périodes de l'enseignement du Bouddha – souvent comparées aux cinq formes de lait préparées en Inde, la plus pure, *daigo*, étant l'essence ultime du lait.

Ce vaste ensemble s'étage sur deux niveaux – Shimo Daigo (Daigo du bas) et Kami (Daigo du haut). Au XVe siècle, les bâtiments du bas furent détruits, à l'exception de la pagode à cinq étages. Édifiée en 951, cette pagode n'a jamais bougé et tire sa renommée du fait qu'elle est le plus ancien bâtiment en bois du Japon.

Le temple secondaire, le **Sampō-in**, illustre à merveille l'opulence de cette période de l'histoire japonaise. Admirez les peintures de l'école Kanō et le jardin.

Le **Daigo-yama**, la montagne qui se détache à l'arrière du temple, bien qu'un peu raide, est agréable à gravir si vous êtes en forme et s'il ne fait pas trop chaud. Depuis le Sampō-in, remontez la large avenue bordée de cerisiers, passez la porte de Niō-mon et la pagode. Vous verrez un petit raidillon qui grimpe jusqu'au sommet du Daigo-yama. Il vous faudra au moins 50 minutes pour l'atteindre, en vous arrêtant dans des temples et des sanctuaires au bord du sentier. Malheureusement, l'un des pavillons principaux, le Juntei-dō, a été récemment détruit par le feu. Que cela toutefois ne vous fasse pas renoncer à cette balade.

Pour vous y rendre, prenez la ligne de métro Tōzai dans le centre-ville de Kyōto jusqu'au terminus, Daigo ; là, marchez vers l'est (en direction des montagnes) 10 minutes. Vérifiez que la rame mène bien à Daigo et non à Hama-Ōtsu, un autre embranchement sur la ligne.

KANSAI

UJI 宇治

Uji est une petite ville au sud de Kyōto, qui tire sa renommée du Byōdō-in et des cultures de thé. Le pont de pierre d'Uji – le plus ancien de ce type au Japon – a été la scène de maints combats acharnés au cours des siècles.

Uji abrite l'Ujigami-jinja, un sanctuaire inscrit au patrimoine mondial de l'Unesco. Celà dit, ce n'est pas l'un des sites les plus intéressants des environs de Kyōto. Néanmoins, ceux qui désirent le voir traverseront la rivière (par le pont, près du Byōdō-in) et marcheront pendant 10 minutes en direction de la montagne. Des panneaux l'indiquent.

Uji est à environ 40 minutes de train de Kyōto, desservie par la ligne Uji de Keihan ou la ligne Nara du JR.

En arrivant à Uji par la ligne Keihan, sortez de la gare, traversez la rivière par le premier pont sur votre droite et tournez immédiatement à gauche : vous voyez le Byōdō-in. En venant par le JR, le temple est à 10 minutes de marche à l'est (vers la rivière) de la gare d'Uji.

Byōdō-in 平等院

Ce **temple bouddhique** (☎ 0774-21-2861 ; 116 Uji renge, Uji-shi ; 600 ¥ ; ☷ 8h30-17h30) fut, jusqu'en 1052, une villa du clan Fujiwara. Construit en 1053, le Hōō-dō (pavillon du Phénix) – de son véritable nom l'Amida-dō (pavillon d'Amida) – est le seul bâtiment qui subsiste. Le phénix, dans la mythologie chinoise, est un oiseau sacré que les Japonais révèrent comme le gardien du Bouddha. Vous remarquerez que le bâtiment a la forme de cet oiseau et que 2 phénix de bronze se font face à chaque extrémité du toit.

Cet exemple très rare d'architecture de la période de Heian est censé représenter le paradis de la Terre pure d'Amida. Vous pourrez le regarder auparavant sur la pièce de 10 ¥.

Dans la salle, vous admirerez la célèbre statue d'Amida et les 52 *bosatsu* (bodhisattvas), datant du XIe siècle, attribués au moine-sculpteur Jōchō. Dernière entrée à 17h15.

Sud-Ouest de Kyōto

SAIHŌ-JI 西芳寺 (苔寺)

L'attrait principal de ce **temple** (carte p. 338 ; ☎ 391-3631 ; 56 Jingatani-chō, Matsuo, Nishikyō-ku ; 3 000 ¥, seulement sur réservation et en visite guidée) réside dans son jardin en forme de cœur, dessiné en 1339 par Kokushi Musō. Il est réputé pour ses mousses luxuriantes, d'où son autre nom de Koke-dera (temple des Mousses). Nous vous recommandons chaudement la visite : ce jardin

en sous-bois recouvert de sompteuses mousses est un des plus beaux de Kyōto.

Avant de visiter le jardin, vous devrez copier un sutra, au pinceau et à l'encre de Chine. Commencez tout simplement à noircir les lettres faiblement imprimées, sans vous soucier d'arriver à la fin. Une fois dans le jardin, vous serez libre de vous promener à votre guise.

De la gare de Kyōto, prenez le bus 28 jusqu'à l'arrêt de Matsuo-taisha-mae et marchez 15 minutes vers le sud-ouest. De la gare Sanjō Keihan, empruntez le bus de Kyōto n°63 jusqu'à Koke-dera, le terminus ; c'est à deux pas.

Réservations

Pour visiter le Saihō-ji, vous devez envoyer une carte au moins une semaine avant la date de votre choix, stipulant vos nom, adresse au Japon, profession, âge (18 ans minimum), le nombre de visiteurs et la date désirée pour la visite (inscrivez plusieurs dates possibles). L'adresse postale est Saihō-ji, 56 Kamigaya-chō, Matsuo, Nishikyō-ku, Kyōto-shi 615-8286. Pour la réponse, joignez une carte timbrée libellée à votre adresse au Japon. La poste vend des *ōfuku-hagaki* (cartes-réponse) déjà affranchies.

KATSURA RIKYŪ 桂離宮

Cette **villa impériale** (palais détaché de Katsura ; ☎ 211-1215 ; Katsura misono, Nishikyō-ku ; gratuit) est considérée, sur le plan esthétique, comme la plus réussie de l'architecture japonaise. Elle fut construite en 1624 pour le frère de l'empereur, le prince Toshihito. Chaque détail de sa composition, comme celle des pavillons de thé et du jardin avec son vaste étang entrecoupé d'îles, a été pensé avec un soin des plus minutieux.

Des visites (environ 40 min), en japonais, débutent à 10h, 11h, 14h et 15h. Vous devez impérativement arriver 20 minutes avant. Dans la salle d'attente, une vidéo et une brochure en anglais vous donneront des explications sur ce lieu. Il est indispensable de faire une réservation auprès de l'Agence de la Maison impériale (voir p. 354). Rappelons que les visiteurs doivent avoir 20 ans révolus.

Pour vous rendre à la villa depuis la gare de Kyōto, prenez le bus 33 et descendez à l'arrêt Katsura Rikyū-mae, à 5 minutes à pied de la villa. À partir du centre-ville, le plus simple consiste à utiliser la ligne de chemin de fer Hankyū, de la gare Hankyū de Kawaramachi jusqu'à la gare Hankyū de Katsura ; et, de là, marchez 15 minutes. Attention de ne pas monter dans un *tokkyū* qui ne s'arrête pas à Katsura.

Autour de Kitayama

Les monts Kitayama (montagnes du Nord) commencent à la frontière nord de la ville de Kyōto et s'étendent jusqu'à la mer du Japon. Les Kyotoïtes aiment aller se détendre dans ce bel environnement naturel. Les sites les plus attrayants sont le village d'Ōhara, à la beauté pastorale, le superbe temple de montagne de Kurama, le hameau de Kibune où l'on mange sur des plates-formes surplombant la rivière, ainsi qu'un trio de temples sur le mont Takao.

ŌHARA 大原

Depuis des temps fort reculés, cette bourgade agricole (carte p. 353), à une dizaine de kilomètres au nord de Kyōto, est considérée comme un lieu sacré par les fidèles de l'école bouddhiste Jōdo (Terre pure). Le paysage alentour, qui ne manque pas de temples pittoresques, tels que le Sanzen-in ou le Jakkō-in, donne un charmant aperçu du Japon rural. Aux plus beaux jours de la saison des feuillages, en novembre, la foule envahit les lieux, surtout durant le week-end.

Sanzen-in 三千院

Fondé en 784 par le moine Saichō, le **Sanzen-in** (carte p. 353 ; ☎ 744-2531 ; 540 Raigōin-chō, Ōhara, Sakyō-ku ; 700 ¥ ; 🕓 8h30-17h mars-nov, jusqu'à 16h30 déc-fév) appartient à l'école Tendai. Saichō, l'un des fondateurs du bouddhisme au Japon, fit aussi ériger l'Enryaku-ji (carte p. 392), sur le mont Hiei, tout proche. Dans le temple, le Yusei-en est un jardin extrêmement photographié.

Après la visite du Yusei-en, continuez jusqu'au pavillon Ojo-gokuraku (temple de la Renaissance au paradis), où vous découvrirez la belle triade Amitabha, formée d'une immense statue du Bouddha Amida entourée de Kannon, déesse de la Compassion, et de Seishi, dieu de la Sagesse. Passez ensuite derrière le temple pour pénétrer dans l'immense jardin d'hortensias.

Avant de quitter les lieux, vous aurez peut-être envie de faire quelques pas ; tournez alors à droite du temple et gravissez la colline jusqu'à la **cascade silencieuse** (*Soundless Waterfall*) – vous remarquerez en vérité que l'eau y fait du bruit comme partout. Or c'est son bruissement particulier, dit-on, qui a inspiré le chant bouddhiste (*shomyo*) de l'école Shingon.

Pour aller au Sanzen-in, suivez les panneaux à partir de l'arrêt principal du bus à Ōhara, jusqu'en haut d'une rue passant devant une longue galerie de stands de souvenirs. Lorsque vous arrivez au sommet, l'entrée du temple est à votre gauche.

Jakkō-in 寂光院

L'histoire du **Jakkō-in** (carte p. 353 ; ☎ 744-2545 ; 676 Kusao-chō, Ōhara, Sakyō-ku ; 600 ¥ ; 🕓 9h-17h mars-nov, jusqu'à 16h30 déc-fév) a un parfum de tragédie. Si la date de sa fondation de ce temple est sujette à controverse (entre le VIᵉ et le XIᵉ siècle), il ne fait aucun doute que c'est en devenant le refuge de Kenrei Mon-in, une dame du clan Taira, que le monastère gagna sa réputation. En 1185, les Taira furent vaincus en mer, lors de leur dernière bataille contre les Minamoto à Dan-no-ura. Tout le clan fut massacré ou périt noyé ; seule Kenrei Mon-in, qui s'était jetée dans les flots avec son fils Antoku, le descendant de l'empereur, fut repêchée.

Elle retourna à Kyōto, où elle devint nonne et vécut dans une hutte jusqu'à ce que sa demeure s'écroule lors d'un tremblement de terre. Kenrei Mon-in fut alors acceptée au Jakkō-in et y resta 27 ans à prier et à se remémorer son passé. Sa tombe se situe en haut de la colline, derrière le temple.

Le bâtiment principal du temple a brûlé en mai 2000 et l'édifice qui l'a remplacé ne possède guère le charme de l'original. L'endroit demeure malgré tout plaisant.

Le Jakkō-in est à l'ouest d'Ōhara. Sortez de la gare routière, allez jusqu'au feu sur la route principale, où vous prendrez la petite route sur la gauche. Il est facile de se perdre en chemin, nous vous recommandons donc de vous familiariser avec les *kanji* de Jakkō-in (voir p. 353) et de suivre les panneaux en japonais.

KURAMA ET KIBUNE 鞍馬・貴船

À 30 minutes seulement au nord de Kyōto, sur la ligne principale du chemin de fer Eiden Eizan, Kurama et Kibune (carte p. 353) sont deux vallées tranquilles côte à côte, depuis longtemps appréciées par les Kyotoïtes désireux d'oublier l'agitation de la ville. Les principaux attraits de Kurama sont ses temples de montagne et son onsen. Kibune, sur la crête, rassemble une poignée de *ryokan* surplombant le torrent. Rien de plus agréable, les jours accablants d'été, que de savourer un délicieux repas sur leurs plates-formes au-dessus des eaux vives et fraîches de la Kibune-gawa !

Les deux vallées se prêtent à être explorées ensemble. En hiver, partez de Kibune, marchez 1 heure environ sur le chemin de crête, visitez le Kurama-dera et terminez par un bain dans l'onsen avant de regagner Kyōto. En été, faites le contraire ; partez de Kurama, grimpez jusqu'à son temple, puis redescendez sur l'autre versant à Kibune pour goûter à la fraîcheur d'un déjeuner ou d'un dîner au-dessus du torrent.

Si vous avez la chance d'être à Kyōto la nuit du 22 octobre, ne ratez pas le **Kurama-no-hi Matsuri** (fête du Feu de Kurama ; p. 374), l'un des plus vivants des environs de Kyōto.

Pour vous rendre à Kurama et à Kibune, prenez la ligne de train Eiden Eizan de la gare de Kyōto-Demachiyanagi. Pour Kibune, descendez à l'avant-dernier arrêt, Kibune Guchi ; de là, prenez à droite en sortant de la gare et marchez 20 minutes en remontant la route le long de la vallée. Pour Kurama, descendez au dernier arrêt, Kurama. Les deux trajets d'environ 30 minutes coûtent chacun 410 ¥.

Kurama-dera 鞍馬寺

Ce **temple** (carte p. 353 ; ☎ 741-2003 ; 1074 Honmachi, Kurama, Sakyō-ku ; 200 ¥ ; ◷ 9h-16h30) fut établi en 770 par le moine Gantei du Tōshōdai-ji à Nara. Après avoir vu en rêve Bishamon-ten, le dieu-gardien du paradis du Nord dans le paradis bouddhiste, il fonda le Kurama-dera juste au-dessous du mont Kurama. À l'origine, il appartenait à l'école Tendai ; Kurama est indépendant depuis 1949, s'étant déclaré école bouddhiste Kurama Kyō.

L'entrée du temple est juste en haut de la colline à la sortie de la gare de Kurama, desservie par la ligne de train Eiden Eizan. Un petit funiculaire vous mène au sommet pour 100 ¥ ; sinon, suivez le même chemin à pied. Quand il ne fait pas trop chaud, le sentier qui grimpe lentement dans la montagne est plaisant, passant sous de gigantesques et vénérables *sugi* (cryptomerias). À mi-chemin, s'ouvre la grande cour du Honden (pavillon principal). Derrière ce dernier, le sentier reprend jusqu'au sommet de la montagne.

De ce sommet, vous pourrez faire un petit détour par le sentier de crête jusqu'à Ōsugi-gongen, un paisible sanctuaire dans un bosquet d'arbres. Et si vous voulez poursuivre jusqu'à Kibune, empruntez le sentier qui redescend sur l'autre versant. C'est une randonnée de 30 minutes (1,2 km) à partir du *honden* de Kurama-dera jusqu'à la vallée de Kibune. En chemin, vous croiserez deux charmants petits sanctuaires de montagne, Sōjō-ga-dani Fudō-dō et Okuno-in Maō-den.

Kurama Onsen 鞍馬温泉

Un des rares onsen d'accès facile au départ de Kyōto, **Kurama Onsen** (carte p. 353 ; ☎ 741-2131 ; 520 Honmachi, Kurama, Sakyō-ku ; bain extérieur/intérieur 1 100/2 300 ¥ ; ◷ 10h-21h) est tout indiqué pour se détendre après une randonnée. Le bain extérieur offre une vue splendide sur le mont Kurama ; le bain intérieur comprend un sauna et un vestiaire. Pour les deux bains, achetez un ticket au distributeur automatique installé dehors, devant l'entrée principale.

Pour vous rendre à Kurama Onsen, sortez de la gare de Kurama, tournez à gauche sur la route principale que vous suivrez durant 10 minutes ; vous verrez les bains en contrebas à droite. Toutes les 30 minutes environ, une navette gratuite relie aussi la gare à l'onsen.

Kibune-jinja 貴船神社

Ce **sanctuaire** (carte p. 353 ; ☎ 741-2016 ; 180 Kibune-chō Kurama, Sakyō-ku ; gratuit ; ◷ 6h-20h, début déc-fév), à mi-chemin de la vallée et du hameau de Kibune, mérite un coup d'œil… si vous parvenez à faire abstraction de la désolante statue de cheval en plastique trônant à l'entrée ! De Kibune, vous pouvez grimper à travers la montagne vers le Kurama-dera, sur un sentier qui démarre à la moitié du village sur le côté est (ou faire le contraire – voir ci-contre).

Takao 高雄

Takao (carte p. 338) est un hameau solitaire très loin au nord-ouest de Kyōto, renommé pour ses couleurs d'automne et ses temples, le Jingo-ji, le Saimyō-ji et le Kōzan-ji.

Le **Jingo-ji** (神護寺 ; carte p. 338 ; ☎ 861-1769 ; 5 Umegahata Takao-chō, Ukyō-ku ; 500 ¥ ; ◷ 9h-16h), perché en haut de longs escaliers de pierre qui grimpent de la rivière Kiyotaki jusqu'à sa porte principale, est le plus intéressant des trois. Le Kondō (pavillon principal), un niveau plus haut au débouché d'un autre escalier de pierre, est impressionnant.

Après la visite du Kondō, dirigez-vous à l'opposé vers un sentier boisé qui mène à un site surplombant la vallée. Ne soyez pas surpris de voir des gens penchés sur la rampe lancer de petits disques dans le précipice. Ce sont des *kawarakenage* – de légers disques d'argile que l'on jette pour se débarrasser de son mauvais karma. Attention : on se prend vite au jeu et, à 100 ¥ les deux, cela peut devenir onéreux. Ces disques sont vendus dans des stands au bord du chemin. Si vous attrapez le coup de main – il faut lancer le disque doucement, côté convexe vers le haut, un peu comme un Frisbee –, ils voleront jusqu'en bas de la vallée, emportant avec eux toutes les influences néfastes.

Les deux autres temples sont à une courte distance à pied du Jingo-ji. Le **Saimyō-ji** (西明寺 ; carte p. 338 ; ☎ 861-1770 ; Umegahata Toganoo-chō Ukyō-ku ; 400 ¥ ; ⏱ 9h-17h) est le plus intéressant des deux, à 5 minutes au nord à partir des degrés de pierre qui mènent au Jingo-ji (suivez la rivière en amont). Pour aller au **Kōzan-ji** (高山寺 ; carte p. 338 ; ☎ 861-4204 ; Umegahata Toganoo-chō Ukyō-ku ; 600 ¥ ; ⏱ 8h-17h), revenez sur vos pas jusqu'à la route principale et suivez-la pendant 10 minutes en direction du nord.

Vous avez le choix entre deux services de bus pour rejoindre Takao : un bus JR partant toutes les heures de la gare de Kyōto (1 heure ; arrêt Yamashiro-Takao), ou le bus de ville n°8 à partir de Shijō-Karasuma (arrêt Takao). En descendant de ces bus, pour vous rendre au Jingo-ji, suivez la rivière en aval et repérez les marches de pierre sur l'autre rive.

À FAIRE
Onsen et autres bains
FUNAOKA ONSEN 船岡温泉
Ce **bain** (carte p. 351 ; ☎ 441-3735 ; 82-1 Minami-Funaoka-chō-Murasakino Kita-ku ; 410 ¥ ; ⏱ 15h-1h lun-sam, 8h-1h dim et jours fériés), dans Kuramaguchi-dōri, est le meilleur de tout Kyōto. Il propose un bain extérieur, un sauna, un bain en bois de cyprès, un bain d'herbes et quelques autres encore pour faire bonne mesure ! Remarquez le *ranma* (panneau de bois sculpté) dans le vestiaire ; cet ouvrage ambigu date de l'époque de l'invasion de la Mandchourie.

Pour découvrir cet établissement, à partir de l'intersection Kuramaguchi-Horiikawa, marchez pendant 400 m vers l'ouest dans Kuramaguchi-dōri. C'est sur la gauche, après le magasin Lawson ouvert 24h/24 ; un gros rocher devant la façade vous l'indique.

GOKŌ-YU 五香湯
Ce **bain** (carte p. 340 ; ☎ 812-1126 ; 590-1 Kakinomoto-chō-Gojō agaru Kuromon-dōri ; 410 ¥ ; ⏱ 14h30-24h mar-sam, 7h-24h dim, 11h-24h jours fériés, fermé lun et 3ᵉ mar du mois) est un endroit agréable pour goûter aux joies du bain public, offrant d'excellents bains et deux saunas (l'un chaud, l'autre brûlant !).

Cours de cuisine
Si vous voulez apprendre à réaliser certains des délicieux plats que vous avez goûtés à Kyōto, nous vous recommandons vivement les cours en groupes de 2 ou 4 personnes de la petite école **Uzuki** (www.kyotouzuki.com ; 3 heures de cours 3 500 ¥/pers), installée dans une maison japonaise. Vous concocterez une variété de plats, que vous dégusterez ensuite. Si vous avez certaines préférences, faites-le savoir auparavant. Réservez via le site.

Se costumer en geisha ou en maiko
Vous rêvez de vous transformer en geisha ou en *maiko*… Plusieurs boutiques de Kyōto vous le permettent (*maiko-henshin*), dont **Maika** (carte p. 346 ; ☎ 551-1661 ; www.maica.net ; Higashiyama-ku, Miyagawa suji ; maiko/geisha à partir de 6 500/8 000 ¥), une des plus populaires de Gion. On vous y habillera en *maiko* et, si vous dépensez un peu plus, vous pourrez défiler dans Gion (et y être fort remarquée !). Il faut environ 1 heure pour être parée de tous les atours ad hoc. Réservez au moins un jour à l'avance.

Culture japonaise
Kyōto représente la ville idéale pour une initiation à la culture japonaise traditionnelle. Les organismes ci-dessous vous invitent à découvrir certains aspects de cette culture.

WAK Japan (carte p. 340 ; ☎ 212-9993 ; www.wakjapan.com ; 412-506 Iseya-chō, Kamigyō-ku), que nous recommandons tout spécialement, offre d'excellents programmes d'introduction à la culture japonaise : cérémonie du thé, ikebana, art de porter le kimono, visite d'une maison japonaise, cuisine, calligraphie, origami… Les animateurs parlent anglais ; à défaut, la traduction est assurée par des interprètes. On peut venir vous chercher à votre hôtel.

Club Ōkitsu Kyōto (carte p. 340 ; ☎ 411-8585 ; www.okitsu-kyoto.com ; 524-1 Mototsuchimikado-chō, Shinmachi, Kamigyō-ku) propose une introduction plus subtile à divers arts traditionnels, tels la cérémonie du thé, la cérémonie de l'encens et les anciens jeux japonais. Cette initiation, dans une exquise villa près du Kyōto Gosho, révèle aux participants l'élégance et le raffinement dans la culture japonaise. Une expérience à ne pas manquer.

En (carte p. 346 ; ☎ 080-3782-2706 ; 272 Matsubara-chō, Higashiyama-ku ; cérémonie du thé 2 000 ¥/pers ; ⏱ 13h-18h, fermé mer) est un petit pavillon de thé près de Gion où vous pourrez participez à une cérémonie du thé, en toute simplicité et sans trop dépenser. Explications en anglais et pas de réservation : il suffit de se présenter à 13h, 14h30, 16h, 17h ou 18h (les horaires sont susceptibles de changer, consultez le site). Jusqu'à 8 personnes peuvent assister à la cérémonie. Un peu difficile à trouver, dans une ruelle en retrait de Higashiōji-dōri : repérez l'enseigne juste au sud de Tenkaippin Rāmen.

FÊTES ET FESTIVALS

À Kyôto, l'année est rythmée par des centaines de fêtes. Consultez les agendas culturels du *Kyoto Visitor's Guide*, du *Kansai Time Out* ou des éditions du week-end du *Japan Times* et du *Yomiuri Daily*. Celles mentionnées ci-dessous, les plus spectaculaires, attirent des milliers de spectateurs venus de Kyôto et des environs – veillez à réserver un hôtel bien à l'avance.

Février

Setsubun Matsuri au Yoshida-jinja (2, 3 ou 4 fév ; vérifiez la date exacte auprès du TIC). Le setsubun est le dernier jour de l'hiver selon l'ancien calendrier lunaire japonais. Lors de cette fête, les gens montent jusqu'à Yoshida-jinja (p. 348), dans le quartier nord de Higashiyama, pour contempler un grand feu (dans lequel brûlent tous les porte-bonheur de l'année passée). C'est l'une des fêtes les plus colorées de Kyôto. Elle débute à la tombée de la nuit.

Mai

Aoi Matsuri (fête des Roses trémières). Ce *matsuri*, qui remonte au VIe siècle, commémore les prières adressées avec succès aux dieux pour qu'ils mettent fin aux calamités. Aujourd'hui, 600 personnes portant des costumes traditionnels forment la procession, à la tête de laquelle on voit les messagers impériaux dans des chars à bœufs décorés de feuilles de roses trémières. Le 15 mai, le défilé s'ébranle vers 10h du Kyôto Gosho en direction du Shimogamo-jinja où se déroulent les rituels.

Juillet

Gion Matsuri. Sans doute la plus célèbre de toutes les fêtes du Japon. Elle culmine le 17 juillet, avec sa parade de plus de 30 chars, évoquant des thèmes traditionnels et décorés avec un raffinement inouï. Les trois soirs précédents, les gens se pressent dans Shijô-dôri (beaucoup portent de jolis *yukata*, un kimono léger en coton) pour admirer les chars et flâner autour des étals des camelots.

Août

Daïmon-ji Gozan Okuribi (16 août). Cette fête, plus connue sous le nom de Daimon-ji Yaki, symbolise l'adieu aux âmes des ancêtres. On allume de grands feux, prenant la forme de caractères chinois ou d'autres motifs tracés sur cinq des montagnes entourant la ville. Le plus important d'entre eux brûle sur le Daimon-ji-yama, le mont qui s'élève au-dessus du Ginkaku-ji (p. 363), dans le nord de Higashiyama. Les berges de la Kamo-gawa, ou les terrasses d'hôtels payantes, offrent une belle vue sur ces brasiers, allumés à 20h.

Octobre

Jidai Matsuri (fête des Périodes historiques ; 22 oct). Cette fête remonte à 1895. Plus de 2 000 participants, vêtus de costumes allant du VIIIe au XIXe siècle, forment une parade qui va du Kyôto Gosho au Heian-jingū.

Kurama-no-hi Matsuri (fête du Feu de Kurama ; 22 oct). Peut-être le *matsuri* le plus spectaculaire de Kyôto. D'énormes torches enflammées sont portées dans les rues de manière à évoquer une danse. Elles sont brandies dans les rues de Kurama (p. 371) par des hommes ceints, pour tout vêtement, d'un linge autour des hanches.

OÙ SE LOGER

Les quartiers les plus pratiques, car les plus proches des principaux sites d'intérêt, des boutiques et des restaurants, sont ceux du centre-ville et du secteur de Higashiyama. Avec son excellent accès au réseau de transports publics, le quartier de la gare constitue également une bonne base, proche d'une multitude de magasins et de restaurants. Sauf mention contraire, l'accès aux hôtels est toujours signalé à partir de la gare de Kyôto.

Quartier de la gare de Kyôto
PETITS BUDGETS
Pensions

K's House Kyoto (carte p. 343 ; ☎ 342-2444 ; http://kshouse.jp/kyoto-e/index.html ; 418 Naya-chô, Shichijô agaru, Dotemachi-dôri, Shimogyô-ku ; s/d/lits jum à partir de 3 500/2 900/2 900 ¥ ; ✗ 🖳 🛜 ; 🚇 gare de Kyôto, sortie centrale Karasuma). K's House est une vaste pension de style occidental pour globe-trotters proposant des chambres et des dortoirs. Les chambres sont simples et confortables ; les parties communes spacieuses. Le restaurant sert des en-cas, du café et des boissons alcoolisées à prix modique. Terminaux Internet fonctionnent avec pièces ; accès Wi-Fi gratuit. Le personnel peut vous aider à planifier un voyage économique au Japon. À environ 10 minutes à pied de la gare de Kyôto.

Tour Club (carte p. 343 ; ☎ 353-6968 ; www.kyotojp.com ; 362 Momiji-chô, Higashinakasuji, Shômen-sagaru, Shimogyô-ku ; dort 2 450 ¥, d 6 980-7 770 ¥, tr 8 880-9 72 ¥ ; ✗ 🖳 🛜 ; 🚇 gare de Kyôto, sortie centrale Karasuma). Dirigée par un jeune couple sympathique et serviable, cette pension propre et bien tenue est la préférée de nombreux visiteurs étrangers. Locations de vélos et laverie. Thé et café sont offerts. Presque toutes les chambres particulières ont leur sdb. Les familles peuvent disposer d'une vaste chambre. À coup sûr, le meilleur prix dans cette catégorie. À 10 minutes à pied de la gare de Kyôto ; tournez au nord dans Shichijô-dôri quand vous voyez le café Second House (il ressemble à une banque), puis repérez l'enseigne en anglais.

KANSAI

Budget Inn (carte p. 343 ; ☎ 344-1510 ; www.budgetinnjp. com ; 295 Aburanokōji-chō, Shichijō sagaru, Shimogyō-ku ; dort/ tr/qua/ch 5 pers 2 500/10 980/12 980/14 980 ¥ ; ✗ 🔲 🛜 ; 🚇 gare de Kyōto, sortie centrale Karasuma). Cette pension bien tenue est un choix excellent. Elle bénéficie de 2 dortoirs et de 6 chambres de style japonais, propres et en parfait état. Chaque chambre a sa sdb, dont une chambre quadruple spacieuse pour les familles. Le personnel est très serviable et décontracté. Location de vélos et laverie. Un très bon rapport qualité/prix. À 7 minutes à pied de la gare de Kyōto ; marchez en direction de l'ouest dans Shiokōji-dōri et tournez au nord une rue avant Horikawa, puis repérez l'enseigne en anglais sur la façade.

Ryokan

Nihonkan (carte p. 343 ; ☎ 371-3125 ; Karasuma-dōri Shichijō sagaru nishi iru, Shimogyō-ku ; ch à partir de 4 000 ¥/ pers ; 🚇 gare de Kyōto, sortie centrale Karasuma). Un modeste ryokan pour voyageurs désargentés, à 2 minutes à pied au nord de la gare. Chambres simples mais confortables ; vastes bains communs (rappelant les bains publics).

Matsubaya (carte p. 343 ; ☎ 351-3727 ; www.matsubaya inn.com ; Nishi-iru Higashinotoin, Kamijizuyamachi-dōri, Shimogyō-ku ; ch à partir de 4 200 ¥ ; 🔲 ; 🚇 gare de Kyōto, sortie centrale Karasuma). À une courte distance de la gare, ce ryokan restauré est habitué aux hôtes étrangers. Il dispose de chambres propres et bien tenues : au 1er étage quelques-unes donnent sur de petits jardins. Connexion Internet par réseau LAN dans les chambres. Comptez en moyenne 6 500 ¥ par personne. Matsubaya propose également dans un bâtiment annexe, la Bambou House, des appartements équipés, adaptés pour de plus longs séjours.

Kyōraku (carte p. 343 ; ☎ 371-1260 ; www.ryokan kyoraku.jp ; 231 Kogawa-chō, Shichijō agaru, Akezu-dōri, Shimogyō-ku ; ch à partir de 5 200 ¥/pers ; 🔲 ; 🚇 gare de Kyōto, sortie centrale Karasuma). À 10 minutes à pied de la gare et à un jet de pierre du Higashi Hongan-ji, un petit ryokan sympathique, aux chambres traditionnelles (certaines avec sdb). Les hôtes apprécient le terminal Internet gratuit dans la réception.

Ryokan Shimizu (carte p. 343 ; ☎ 371-5538 ; www. kyoto-shimizu.net ; 644 Kagiya-chō, Shichijō-dōri, Wakamiya agaru, Shimogyō-ku ; ch à partir de 5 250 ¥/pers ; ✗ 🔲 ; 🚇 gare de Kyōto, sortie centrale Karasuma). À une courte distance à pied au nord de la gare, ce beau ryokan a déjà sa fidèle clientèle d'hôtes étrangers, pour la bonne raison qu'il est propre, bien tenu et chaleureux. Chambres standard de

ryokan avec une différence : cha sa sdb et ses toilettes. Location

CATÉGORIE MOYENNE

APA Hotel Kyoto Ekimae (carte p. 343 ; ☎ 365-4111 ; www.apahotel.com/hotel_e/ah_kyotoekimae/index.html ; Shiokōji sagaru, Nishinotōin-dōri, Shimogyō-ku ; s/lits jum à partir de 10 500/20 000 ¥ ; ✗ 🔲 🛜 ; 🚇 gare de Kyōto, sortie centrale Karasuma). À 5 minutes à pied seulement de la gare, ce business hotel de qualité est un excellent choix pour qui veut rester proche du carrefour des transports. Chambres confortables ; lits impeccables et fermes ; sdb fonctionnelles. Personnel efficace et habitué aux étrangers. Accès Internet par réseau LAN dans les chambres ; Wi-Fi dans la réception.

CATÉGORIE SUPÉRIEURE

Hotel Granvia Kyoto (carte p. 343 ; ☎ 344-8888 ; www. granvia-kyoto.co.jp/e/index.html ; Shiokōji sagaru, Karasuma-dōri, Shimogyō-ku ; d/lits jum à partir de 23 100/25 410 ¥ ; ✗ 🔲 ; 🚇 gare de Kyōto, sortie centrale Karasuma). Sautez de votre lit et attrapez le shinkansen ! C'est presque possible si vous passez la nuit dans l'excellent Granvia, juste au-dessus de la gare de Kyōto. Vastes chambres, impeccables et élégantes, avec baignoires profondes. Très professionnel, l'hôtel dispose de plusieurs bons restaurants, certains avec jolie vue sur la ville. Chambres reliées à Internet (réseau LAN).

Rihga Royal Hotel Kyoto (carte p. 343 ; ☎ 341-1121 ; fax 341-3073 ; www.rihga.com/kyoto ; Horikawa-Shiokōji, Shimogyō-ku ; s/d/lits jum à partir de 16 170/26 565/25 410 ¥/ pers ; ✗ 🔲 ; 🚇 gare de Kyōto, sortie centrale Karasuma). Un hôtel établi de longue date, que certains trouveront un peu vieillot et d'autres trop vaste : rien à redire toutefois sur son confort, de tout premier ordre. Restaurant tournant sur le toit. Assez bien situé près de la gare de Kyōto. Connexion à Internet par câble LAN dans les chambres (1 050 ¥/24 heures).

Centre-ville de Kyōto
PETITS BUDGETS

Kinsuikan (carte p. 344 ; ☎ 255-3930 ; Tominokōji Sanjō sagaru, Nakagyō-ku ; ch à partir de 4 200 ¥/pers ; 🔲 🛜 ; 🚇 lignes de métro Tōzai et Karasuma, station Karasuma-Oike, sortie 3). On ne peut rêver de meilleur emplacement pour le Kinsuikan, en plein cœur du quartier commercial et de ses nombreux restaurants. Ce ryokan sans prétention est habitué à accueillir les voyageurs étrangers. Grande gamme de chambres, certaines avec sdb et toilettes. Wi-Fi à la réception ; vaste bain commun au sous-sol.

CATÉGORIE MOYENNE

Hotel Unizo (carte p. 344 ; ☎ 241-3351 ; www.
sun-hotel.co.jp/ky_index.htm, en japonais ; Kawaramachi-
dōri-Sanjō sagaru, Nakagyō-ku ; s/d/lits jum à partir de
7 350/13 650/12 810 ¥ ; ✕ ; 🚌 bus 5 jusqu'à l'arrêt
Kawaramachi-Sanjō). Il n'existe pas plus central
que ce *business hotel*, situé au cœur de la
scène nocturne et des galeries commerçantes.
Chambres standard de *business hotel*, petites
mais confortables et fonctionnelles. Bref, un
très bon rapport qualité/prix.

Hotel Fujita Kyoto (carte p. 344 ; ☎ 222-1511 ;
www.fujita-kyoto.com/e ; Nijō-Ōhashi Hotori, Kamogawa,
Nakagyō-ku ; s/d/lits jum à partir de 10 395/26 565/16 170 ¥ ;
✕ 🖥 ; 🚇 ligne de métro Tōzai, station Shiyakusho-mae,
sortie 2). Sur la rive de la Kamo-gawa, cet hôtel
possède des chambres légèrement plus spacieuses qu'un *business hotel*. Celles sur le côté
est offrent une belle vue sur la rivière jusqu'aux
monts Higashiyama. Plusieurs excellents restaurants et un magnifique bar. À une courte
promenade du centre-ville.

CATÉGORIE SUPÉRIEURE

Hiiragiya Bekkan (Annexe de l'Hiiragiya) (carte p. 344 ;
☎ 231-0151 ; fax 231-0153 ; www.hiiragiya.com/index-e.
html ; Gokōmachi-dōri, Nijō sagaru, Nakagyō-ku ; ch en demi-
pension à partir de 16 800 ¥/pers ; ✕ 🖥 ; 🚇 ligne de métro
Tōzai, station Shiyakusho-mae, sortie nord-10). Proche de
l'établissement principal (ci-dessous), l'annexe
de l'Hiiragiya offre l'expérience d'un *ryokan*
traditionnel de luxe à prix abordables. Le *kaiseki*
(haute cuisine japonaise) y est délectable et les
jardins sont soignés. Les chambres ont des sdb,
mais les 4 bains communs sont fabuleux. Accès
Internet (câble LAN) depuis la réception.

Kyoto Hotel Ōkura (carte p. 344 ; ☎ 211-5111 ; fax
254-2529 ; www.kyotohotel.co.jp/khokura/english/index.html ;
Kawaramachi-dōri, Oike, Nakagyō-ku ; s/d/lits jum à partir de
21 945/31 185/31 185 ¥ ; ✕ 🖥 ; 🚇 ligne de métro Tōzai,
station Shiyakusho-mae, sortie 3). Ce gigantesque hôtel
du centre-ville dévoile des vues extraordinaires
sur Kyōto. Chambres impeccables, spacieuses
et confortables. Excellents restaurants et bars
sur place. Vous pourrez sauter dans le métro
en descendant au dernier niveau. Chambres
avec accès Internet (câble LAN).

Hiiragiya (carte p. 344 ; ☎ 221-1136 ; fax 221-139 ;
www.hiiragiya.co.jp/en ; Anekōji-agaru, Fuya-chō, Nakagyō-ku ;
ch en demi-pension 30 000-60 000 ¥/pers ; ✕ 🖥 ; 🚇 lignes
de métro Tōzai et Karasuma, station Karasuma-Oike, sortie 3).
D'un très grand raffinement, ce *ryokan* accueille
des célébrités du monde entier. Le Hiiragiya
propose le meilleur de Kyōto tant dans la
décoration que dans les chambres, le service

ou les repas. Les chambres de l'aile la plus
ancienne sont de style japonais, celles de l'aile
plus récente sont lumineuses et confortables.
L'hôtel est en plein centre-ville, à quelques pas
de 2 stations de métro et de quantité d'excellents
restaurants. Dans la nouvelle aile, connexion
à Internet par câble LAN.

Tawaraya (carte p. 344 ; ☎ 211-5566 ; fax 221-2204 ;
Fuyachō-Oike sagaru, Nakagyō-ku ; ch en demi-pension
42 263-84 525 ¥/pers ; ✕ 🖥 ; 🚇 lignes de métro Tōzai
et Karasuma, station Karasuma-Oike, sortie 3). Le *ryokan*
Tawaraya, qui existe depuis trois siècles, est
l'un des hôtels les plus prestigieux du monde.
L'atmosphère est délicieusement intime, toutes
les chambres ont une sdb et les jardins sont
sublimes. La bibliothèque est idéale pour s'attarder. Une nuit passée ici est inoubliable.

Centre de Kyōto
PETITS BUDGETS

Crossroads Inn (carte p. 340 ; ☎ 354-3066 ; fax 354-3022 ;
www.rose.sannet.ne.jp/c-inn ; Ebisu Banba-chō-Shimogyō-ku ;
ch à partir de 3 800/4 000 ¥/pers, liquide ou carte de crédit ;
✕ 🖥 📶 ; 🚌 bus 205, arrêt Umekōji-kōen-mae). Un
propriétaire sympathique gère cette petite
pension aux chambres propres et bien tenues.
D'un bon rapport qualité/prix, mais un peu
difficile à trouver : dans Shichijō-dōri, tournez
au nord, c'est proche de l'arrêt de bus Umekōji-
kōen-mae, en face de la supérette Daily
Yamazaki. Réservations par mail seulement.

Ryokan Hinomoto (carte p. 340 ; ☎ 351-4563 ; fax
351-3932 ; Matsubara agaru-Kawaramachi-dōri ; s/d à partir de
4 200/8 400 ¥ ; ✕ 🖥 ; 🚌 bus 17 ou 205, arrêt Kawaramachi-
Matsubara). Un ravissant *ryokan* idéalement situé
pour le shopping et les dîners dans le centre-
ville ou pour la visite des sites localisés à l'est.
Beau bain de bois, chambres simples mais
douillettes et ambiance chaleureuse. Accès
Internet par câble LAN.

Casa de Natsu (carte p. 340 ; ☎ 491-2549 ; casade
natsu@gmail.com ; 27 Koyamamotomachi, Kita-ku ; ch 4 500 ¥/
pers ; ✕ ; 🚇 ligne de métro Karasuma, station Kitayama,
sortie 4). Au nord de la ville, une minuscule
pension douillette de style japonais, qu'apprécieront ceux qui veulent échapper au tohu-bohu
du centre-ville. Elle dispose de 2 chambres au
décor traditionnel et d'un joli petit jardin. On
sert un petit-déjeuner léger.

Ryokan Rakuchō (carte p. 340 ; ☎ 721-2174 ; fax
791-7202 ; 67 Higashi hangi chō, Shimogamo, Sakyō-ku ; s/
lits jum/tr 5 300/9 240/12 600 ¥ ; ✕ 🖥 📶 ; 🚇 ligne
de métro Karasuma, station Kitaōji ; 🚌 bus 205, arrêt
Furitsudaigaku-mae). Un petit *ryokan* du nord de
la ville chaleureux avec les étrangers. Joli jardin ;

KANSAI

chambres propres et simples. Pas de repas, mais sur place une bonne carte des restaurants du quartier. Accès Wi-Fi.

CATÉGORIE MOYENNE

Karasuma Kyoto Hotel (carte p. 340 ; ☎ 371-0111 ; fax 371-2424 ; www.kyotohotel.co.jp/karasuma/index_e.html ; Karasuma-dōri, Shijō sagaru, Shimogyō-ku ; s/d/lits jum à partir de 10 164/23 100/18 480 ¥ ; ✕ 🖳 ; 🚇 ligne de métro Karasuma, station Shijō, sortie sud-6). Un hôtel animé du centre-ville, entre le *business hotel* et l'établissement standard, doté de chambres bien tenues. Personnel efficace. Prisé à la fois des hommes d'affaires et des voyageurs, dont beaucoup apprécient la présence d'un Starbucks sur place. Accès Internet par câble LAN.

Sud de Higashiyama
PETITS BUDGETS

Higashiyama Youth Hostel (carte p. 346 ; ☎ 761-8135 ; fax 761-8138 ; www.syukuhaku.jp/youth-hostel-kyoto ; 112 Gokenmachi, Shirakawabashi, Sanjō-dōri, Higashiyama-ku ; dort à partir de 3 960 ¥ ; ✕ 🖳 ; 🚇 ligne de métro Tōzai, station Higashiyama, sortie 1). Pour ceux qui ne voient pas d'inconvénient à se coucher et à se lever tôt, cette auberge de jeunesse aux règles strictes est très proche des sites de Higashiyama.

CATÉGORIE MOYENNE

Ryokan Uemura (carte p. 346 ; ☎ /fax 561-0377 ; Ishibe-kōji, Shimogawara, Higashiyama-ku ; ch avec petit déj 9 000 ¥/pers ; ✕ ; 🚌 bus 206, arrêt Yasui). Situé dans une allée pavée, juste au pied de la colline du Kōdai-ji, ce joli *ryokan* est habitué à recevoir des hôtes étrangers. Ses portes ferment à 22h ; petit-déjeuner compris. Réservez à l'avance, si possible par fax, car il n'y a que 3 chambres.

Suisen-Kyo Shirakawa (carte p. 346 ; ☎ 712-7023 ; www.suisenkyo.com ; 473-15 Umemiya-chō, Higashiyama-ku ; maison 12 000-16 000 ¥/nuit, selon la taille du groupe ; 🛜 ; 🚇 ligne de métro Tōzai, station Higashiyama). Proche du quartier le plus touristique de Kyōto, cette petite maison privée se loue pour de courts séjours. Idéale pour les familles et les petits groupes, elle comprend 2 chambres (l'une de style japonais, l'autre de style occidental). Cuisine, bain, machine à laver et petit jardin.

CATÉGORIE SUPÉRIEURE

Ryokan Motonago (carte p. 346 ; ☎ 561-2087 ; fax 561-2655 ; www.motonago.com ; 511 Washio-chō, Kōdaiji-michi, Higashiyama-ku ; ch en demi-pension à partir de 17 850 ¥/pers ; ✕ 🖳 ; 🚌 bus 206, arrêt Gion). Peut-être le *ryokan* de Kyōto le mieux situé de la ville : dans Nene-no-Michi au cœur même du quartier touristique

de Higashiyama. Décor traditionnel, service chaleureux, beaux bains et petits jardins.

Hyatt Regency Kyoto (carte p. 346 ; ☎ 541-1234 ; fax 541-2203 ; www.kyoto.regency.hyatt.com ; 644-2 Sanjūsangendō-mawari, Higashiyama-ku ; ch 22 000-46 000 ¥ ; ✕ 🖳 🛜 ; 🚇 5 min à pied de la station Keihan Shichijō). Le nouvel hôtel Hyatt Regency, situé au sud du quartier touristique de Higashiyama, est un établissement élégant. Beaucoup de visiteurs étrangers le considèrent comme le meilleur hôtel de Kyōto et apprécient ses restaurants et son bar raffinés. Service professionnel, chambres de bon goût avec jolie sdb. Les réceptionnistes peuvent vous prêter un ordinateur portable (si vous n'en avez pas) pour lire vos mails.

Ryokan Seikōrō (carte p. 346 ; ☎ 561-0771 ; fax 541-5481 ; www.seikoro.com/top-e.htm ; 467 Nishi Tachibana-chō, 3 chō-me, Gojō sagaru, Tonyamachi-dōri, Higashiyama-ku ; ch en demi-pension à partir de 28 875 ¥/pers ; ✕ 🖳 🛜 ; 🚌 bus 17 ou 205, arrêt Kawaramachi-Gojō). Ce *ryokan* classique, assez bien implanté près du centre-ville, possède une réception au décor somptueux. Bâtiment assez spacieux ; superbes chambres confortables et service attentionné. Wi-Fi dans la réception.

Nord de Higashiyama
PETITS BUDGETS

Yonbanchi (carte p. 348 ; www.thedivyam.com ; 4 Shinnyo-chō ; ch 10 000 ¥ ; ✕ 🖳 🛜 ; 🚌 bus 5, arrêt Kinrinshako-mae). Idéalement situé pour découvrir le Ginkakuji et Yoshida-yama, ce charmant B&B est une ancienne maison de samouraï qui date de la fin de la période d'Edo, juste à la grande porte du Shinnyo-dō, un temple réputé pour ses érables et ses cerisiers. L'une des deux chambres offre une vue sur un petit jardin. Les hôtes ont leur entrée privée, toujours ouverte. Réservations par e-mail uniquement.

B&B Juno (carte p. 348 ; www.gotokandk.com ; Jōdo-ji-Nishida-chō ; ch 5 000 ¥/pers ; 🚌 bus 17, arrêt Shirakawa-mae). Près du Ginkaku-ji, sur le côté est de l'université de Kyōto, un vaste B&B, dans une ancienne résidence privée, tenu par un couple sympathique. Trois chambres lumineuses de style japonais à l'étage. Réservations par e-mail uniquement.

Kaguraya B&B (carte p. 348 ; kaguraya@me.com ; Yoshidakaguraoka-cho 8 banchi, Sakyō-ku ; B&B ch 2 pers 5 000 ¥/pers). Cette maison traditionnelle japonaise, vieille de 100 ans, avec un jardin et une très belle vue sur les collines de l'est de Kyōto, offre deux grandes chambres. Petit-déjeuner occidental servi par les aimables propriétaires. Réservation par e-mail uniquement.

KANSAI

CATÉGORIE MOYENNE

Kyoto Traveller's Inn (carte p. 348 ; ☎ 771-0225 ; fax 771-0226 ; www.k-travelersinn.com/english/index.php ; 91 Enshō-ichō, Okazaki, Sakyō-ku ; s/lits jum à partir de 5 775/10 500 ¥ ; ✕ 🖥 ; 🚍 bus 5, arrêt Kyōto Kaikan Bijyutsukan-mae). Ce petit *business hotel*, tout proche du Heian-jingū, propose des chambres de style japonais et occidental. Le restaurant au 1er niveau est ouvert jusqu'à 22h. Bon rapport qualité/prix et situation imbattable pour la découverte des sites de Higashiyama.

Three Sisters Inn (établissement principal) (Rakutō-sō Honkan ; carte p. 348 ; ☎ 761-6336 ; fax 761-6338 ; 18 Higashifukunokawa-chō, Okazaki, Sakyō-ku ; s/d/tr 10 280/15 014/22 521 ¥ ; ✕ ; 🚍 bus 5, arrêt Dōbutsuen-mae). Un *ryokan* chaleureux, très prisé des étrangers, pour beaucoup des habitués. Situation idéale dans le quartier d'Okazaki, à quelques pas de Higashiyama.

Annexe du Three Sisters Inn (Rakutō-so Bekkan carte p. 348 ; ☎ 761-6333 ; fax 761-6338 ; 89 Irie-chō, Okazaki, Sakyō-ku ; s/d/tr 10 810/18 170/23 805 ¥, s/d sans sdb 5 635/11 270 ¥ ; ✕ 🖥 🛜 ; 🚍 bus 5, arrêt Dōbutsuen-mae). Dans le même quartier, cette annexe de l'établissement précédent, géré par l'une des trois sœurs, constitue un excellent choix. Offrant les mêmes prestations que la maison principale, elle est plus intime : la petite allée bordée de plantes ajoute à son charme.

CATÉGORIE SUPÉRIEURE

Hotel Heian No Mori Kyoto (carte p. 348 ; ☎ 761-3130 ; fax 761-1333 ; www.heiannomori.co.jp, en japonais ; 51 Higashitennō-chō, Okazaki, Sakyō-ku ; d/lits jum à partir de 17 325/18 480 ¥ ; ✕ 🛜 ; 🚍 bus 5, arrêt Tennōchō). Ce vaste et plaisant hôtel est proche du Ginkaku-ji, du Nanzen-ji et du Tetsugaku-no-Michi (chemin de la Philosophie). Chambres un peu petites ; restaurants sur place. En été, le *beer garden* sur le toit-terrasse offre de belles vues sur la ville. Wi-Fi dans la réception.

Yachiyo Ryokan (carte p. 348 ; ☎ 771-4148 ; fax 771-4140 ; www.ryokan-yachiyo.com/top/englishtop.html ; 34 Fukuji-chō, Nanzen-ji, Sakyō-ku ; ch en demi-pension à partir de 23 100 ¥/pers ; ✕ 🛜 ; 🚍 ligne de métro Tōzai, station Keage, sortie 2). Juste à l'entrée de l'allée qui mène au Nanzen-ji, ce vaste *ryokan* est habitué aux hôtes étrangers. Les chambres sont spacieuses et propres, certaines ont une vue sur un jardin privé. Excellent restaurant où l'on s'assoit à la japonaise sur des tatamis, ou à table. Agréables promenades le soir en perspective. Wi-Fi dans la réception.

Westin Miyako Hotel (carte p. 348 ; ☎ 771-7111 ; fax 751-2490 ; www.westinmiyako-kyoto.com/english/index.html ; Keage, Sanjō-dōri, Higashiyama-ku ; s/d/lits jum 26 600/33 500/33 500 ¥, ch japonaise à partir de 53 000 ¥ ; ✕ 🖥 🛜 🖥 ; 🚍 ligne de métro Tōzai, station Keage, sortie 2). Perché sur les monts Higashiyama, cet immense hôtel offre une situation idéale pour découvrir Kyōto. Ses chambres décorées avec goût sont impeccables ; le personnel est à l'aise avec les étrangers. Les chambres sur le côté nord s'ouvrent sur le magnifique panorama de la ville jusqu'aux montagnes Kitayama. Centre de remise en forme, jardin privé et sentier de promenade. Chambres reliées à Internet par câble LAN ; Wi-Fi dans la réception.

Nord-Ouest de Kyōto

PETITS BUDGETS

Utano Youth Hostel (carte p. 351 ; ☎ 462-2288 ; www.yh-kyoto.or.jp/utano/ ; 9 Nakayama-chō, Uzumasa, Ukyō-ku ; dort 3 300 ¥ ; ✕ 🖥 🛜 ; 🚍 bus 10 ou 59, arrêt Yuusu-hosteru-mae) est la meilleure auberge de jeunesse de Kyōto. Néanmoins, tout en étant avantageusement située pour découvrir les sites du nord-ouest de la ville, elle est très éloignée du centre-ville. Wi-Fi dans la réception.

CATÉGORIE MOYENNE

Kyoto ANA Hotel (carte p. 340 ; ☎ 231-1155 ; fax 231-5333 ; www.ichotelsgroup.com/h/d/6c/1/en/hd/kstna ; Nijō-jō-mae, Horikawa-dōri, Nakagyō-ku ; s/d/lits jum à partir de 10 515/24 255/26 565 ¥ ; ✕ 🖥 🖥 ; 🚍 ligne de métro Tōzai, station Nijōjō-mae, sortie 2). Juste en face du Nijō-jō, à l'ouest du centre-ville, ce vaste hôtel accueille de nombreux hôtes étrangers. Chambres spacieuses, certaines avec belle vue sur le château ; tout le confort d'un grand établissement (piscine, restaurants et bars). Internet dans les chambres par câble LAN.

Locations à long terme

À Kyōto, vous trouverez à louer pour de longs séjours divers hébergements, allant de la minuscule "maison pour *gaijin*" (étranger) à des appartements et maisons de qualité. Le meilleur endroit où trouver des annonces est le panneau d'affichage de la Kyoto International Community House (p. 334). Ci-dessous, une bonne option dans le centre-ville :

Furnished Apartment (carte p. 340 ; ☎ 090-8523-2053 ; www.kyotojp.com/furnished-apt.html ; 34 Hinoshitachō, Matsubara-sagaru, Takakura-dōri, Shimogyō-ku ; app à partir de 78 000 ¥/mois ; 🚍 ligne de métro Karasuma, station Gojō). Au cœur de la ville, ces appartements ont tout ce qu'il vous faut pour un séjour prolongé à Kyōto : cuisine simple, sdb et meubles basiques. À deux pas des boutiques et des restaurants du centre.

OÙ SE RESTAURER

Kyôto est l'un des meilleurs endroits de l'archipel pour découvrir la cuisine japonaise. Et si vous vous lassez de cette merveilleuse cuisine, de bons établissements de cuisine étrangère vous attendent. Les restaurants sont concentrés dans le centre-ville mais aussi dans les quartiers sud de Higashiyama-Gion et aux abords de la gare de Kyôto. Un grand nombre de restaurants présentent un menu en anglais.

Autour de la gare de Kyôto

Le nouveau bâtiment de la gare de Kyôto renferme des allés entières de restaurants. Pour boire un café avant de prendre votre train, essayez le Café du Monde (carte p. 343) au 2e niveau, avec vue plongeante sur l'atrium.

Pour un vrai repas, vous trouverez votre bonheur dans les espaces de restauration de l'immense édifice. Les meilleurs sont situés au 11e niveau sur le côté ouest : citons notamment Cube et Eat Paradise, du grand magasin Isetan. Dans Eat Paradise, nous avons apprécié Tonkatsu Wako pour ses *tonkatsu* (côtelette de porc panée), Tenichi pour sa sublime *tempura* et Wakuden pour sa cuisine *kaiseki* abordable. Pour vous y rendre, prenez l'escalator sur le côté ouest du bâtiment principal, jusqu'au 11e et dernier niveau : Cube est sur votre gauche et Eat Paradise face à vous.

Parmi les autres options dans la gare, l'allée Rāmen Koji aligne sept restaurants de *rāmen* (nouilles) au 10e niveau (sous le Cube). Achetez votre coupon pour le *rāmen* à partir d'un distributeur, qui ne comporte pas d'explication en anglais mais une photo sur chaque touche. Outre les *rāmen,* vous pourrez déguster une glace au thé vert et d'autres douceurs japonaises à Chasen, et croquer des *tako-yaki* (boulettes au poulpe frites) au Miyako.

Si vous voulez emporter des en-cas pour votre voyage en train ou en bus, descendez jusqu'au niveau B1 de l'arcade commerciale Porta. Vous trouverez chez Kyôtaru de savoureux *bentō* (boîte-repas) aux sushis et de délicieux pains et gâteaux à la boulangerie Shinshindō. Les deux sont près de l'entrée/sortie nord (*kita*) de la ligne de métro Karasuma.

Bien d'autres restaurants sont regroupés à l'extérieur de la gare.

Iimura (carte p. 343 ; ☎ 351-8023 ; 216 Maoya-chō, Shimogyō-ku (Shichijō-dōri-Higashinotōin) ; menu fixe 650 ¥ ; ⏱ 11h30 jusqu'à ce qu'il n'y ait plus rien). À 10 minutes à pied au nord de la gare, ce petit restaurant classique sert un menu du jour (changé quotidiennement), apprécié des Kyotoïtes. Dites simplement *kyō no ranchi* (menu du jour) et vous devriez être bien servi. Dans une maison traditionnelle, un peu en retrait de la rue. Menu en anglais, au dîner seulement.

Centre-ville de Kyôto

Le centre-ville de Kyôto présente la plus grande variété de restaurants japonais et étrangers à des prix abordables. Outre les restaurants mentionnés ci-dessous, n'oubliez pas que la plupart des grands magasins ont un étage de restauration, qui regroupe toutes sortes d'établissements à l'atmosphère décontractée.

PETITS BUDGETS

Musashi Sushi (carte p. 344 ; ☎ 222-0634 ; Kawaramachi-dōri, Sanjō agaru, Nakagyō-ku ; assiette 130 ¥ ; ⏱ 11h-22h). Là, découvrez la ronde du *kaiten-zushi* (tapis-roulant à sushis). Ce ne sont pas les meilleurs sushis du monde, mais c'est bon marché, facile et amusant. Vous apercevrez un mini-tapis roulant à sushis dans la vitrine, juste à l'entrée de la galerie couverte Sanjō.

Park Café (carte p. 344 ; ☎ 211-8954 ; 1er niv Gion Bldg, 340-1 Aneyakō-ji kado, Gokomachi-dōri, Nakagyō-ku ; boissons à partir de 400 ¥ ; ⏱ 12h-24h). Un petit café branché, à la limite du quartier commercial central. Parfait pour s'accorder une agréable pause.

Café Independants (carte p. 344 ; ☎ 255-4312 ; 1er sous-sol 1928 Bldg, Sanjō Gokomachi kado, Nakagyō-ku ; salades et sandwichs à partir de 400/800 ¥ ; ⏱ 11h30-24h). Au-dessous d'une galerie, ce café en sous-sol prépare des repas légers (sandwichs et salades) et des cafés, dans une plaisante atmosphère bohème. La plupart des options proposées sont exposées. Prenez l'escalier sur votre gauche, avant l'entrée de la galerie.

A-Bar (carte p. 344 ; ☎ 213-2129 Nishikiyamachi-dōri ; plats à partir de 500 ¥ ; ⏱ 17h-23h). Cet *izakaya* (bar-restaurant), doté de cloisons de bois séparant chaque tablée, est très apprécié des expatriés et des étudiants japonais, qui viennent là pour s'amuser. La cuisine est typique des *izakaya,* avec des fritures et de bonnes salades. Un peu difficile à trouver : repérez un petit panneau noir et blanc au haut d'un escalier. Dernières commandes à 22h30.

Kyô-Hayashi-ya (carte p. 344 ; ☎ 231-3198 ; 6e niv Takase Bldg, 105 Nakajima-chō, Kawaramachi Higashi iru, Sanjō-dōri, Nakagyō-ku ; thé vert 600 ¥ ; ⏱ 11h30-21h30). Si vous en avez assez des grandes chaînes de cafés américains, optez ici pour un délicieux thé vert japonais, à déguster en observant la vue sur les montagnes. Carte en anglais.

Ootoya (carte p. 344 ; ☎ 255-4811 ; Sanjō-dō, Kawaramachi higashi iru, Nakagyō-ku ; repas dans les 700 ¥ ; ☺ 10h-23h). Moderne et impeccable, ce restaurant, fréquenté par des étudiants et des jeunes employés de bureau, sert toute une gamme de plats typiques à prix doux. Le menu illustré facilite la commande. Repérez l'enseigne en lettres latines, juste à l'ouest du Ganko Sushi.

Misoka-an Kawamichi-ya (carte p. 344 ; ☎ 221-2525 ; Sanjō agaru, Fuyachō-dōri, Nakagyō-ku ; plats 700-4 000 ¥ ; ☺ 11h-20h, fermé jeu). La grande tradition du *soba* (pâtes de sarrasin) dans cette maison de Kyōto, qui existe depuis plus de 300 ans. Essayez un simple bol de *nishin soba* (du *soba* et un hareng), ou un *nabe*, plat plus élaboré mijoté dans une marmite en fonte. Vous verrez la façade traditionnelle et son *noren* (rideau japonais). Carte en anglais.

Yak & Yeti (carte p. 344 ; ☎ 213-7919 ; 403-2 Dainichi-chō, Nishikikōji sagaru, Gokomachi-dōri, Nakagyō-ku ; menus de curries à partir de 750 ¥ ; ☺ 11h30-15h et 17h-22h). Un petit restaurant népalais qui sert de bons curries dans la formule du déjeuner et de délicieux dîners à la carte le soir. Carte en anglais. Au déjeuner, dernière commande à 14h25.

Biotei (carte p. 344 ; ☎ 255-0086 ; 2e niv M&I Bldg, 28 Umetada-chō, Higashinotōin Nishi iru, Sanjō-dōri, Nakagyō-ku ; déj à partir de 750 ¥ ; ☺ 11h30-14h et 17h-20h30 mar-ven, dîner seulement mar, mer, ven, sam, fermé dim, lun et jours fériés ; (V)). Situé en face de la poste de Nakagyō, c'est l'un des meilleurs restaurants végétariens de Kyōto. Nous vous recommandons la formule du midi, plus avantageuse que le soir, composée de spécialités végétariennes japonaises (vous aurez le choix de prendre un peu de viande en plus). En haut d'un escalier de métal en spirale. Carte en anglais.

Karafuneya Coffee Honten (carte p. 344 ; ☎ 254-8774 ; Kawaramachi-dōri Nakagyō-ku ; repas simples dans les 800 ¥ ; ☺ 9h-13h). Cette chaîne de cafés est connue pour ses modèles en plastique exposés en vitrine : admirez les somptueux desserts ! Au centre, trône le roi des *sundaes* (18 000 ¥), qui doit être commandé à l'avance. Les moins gourmands commanderont un parfait au *matcha* (780 ¥), une boisson au café ou un repas léger. Carte en anglais.

Shizenha Restaurant Obanzai (carte p. 344 ; ☎ 223-6623 ; 199 Shimomyōkaku-ji-chō, Oike agaru, Koromonotana-dōri, Nakagyō-ku ; déj/dîner à partir de 840/2 100 ¥ ; ☺ 11h-14h et 17h-21h, fermé au dîner mer (V)). Un peu à l'écart, mais Obanzai vaut le détour pour son déjeuner ou son dîner de style buffet, préparé presque entièrement de

produits bio de grande qualité. Au nord-ouest du carrefour de Karasuma-Oike, un peu en retrait de la rue.

Kerala (carte p. 344 ; ☎ 251-0141 ; 2e niv KUS Bldg, Sanjō agaru, Kawaramachi, Nakagyō-ku ; déj à partir de 850 ¥, dîner à partir de 2 500 ¥ ; ☺ 11h30-14h et 17h-21h, jour de fermeture variable). Notre restaurant préféré pour un authentique déjeuner indien : un superbe *thali* comprenant deux curries, du bon *naan*, du riz, une petite salade et d'autres mets. Bon marché pour cette formule de midi mais comptez dans les 2 500 ¥ par personne le soir. À l'étage ; en bas dans la rue, vous verrez la vitrine exposant les plats. Carte en anglais.

Honke Tagoto (carte p. 344 ; ☎ 221-3030 ; 12 Ishibashi-chō, Kawaramachi Nishi iru, Sanjō-dōri, Nakagyō-ku ; pâtes à partir de 840 ¥ ; ☺ 11h-21h). L'une des plus vieilles maisons de Kyōto, et des plus révérées. Si vous en avez assez des *rāmen* essayez ses *soba*. Dans la galerie couverte Sanjō : vous apercevrez les tables à l'intérieur. Carte en anglais.

Café Bibliotec HELLO! (carte p. 340 ; ☎ 231-8625 ; 650 Seimei-chō, Yanaginobanba higashi iru, Nijō, Nakagyō-ku ; repas légers à partir de 850 ¥, café 450 ¥ ; ☺ 11h30-23h, jour de fermeture variable). Ce café, notre préféré à Kyōto, mérite bien une petite marche depuis le centre-ville. Des livres tapissent les murs de ce café à l'ambiance détendue, installé dans une vieille *machiya* (maison traditionnelle). Sur la carte en anglais : thé, café, boissons et en-cas. Des plantes au bord de la rue vous signalent l'établissement.

Katsu Kura (carte p. 344 ; ☎ 212-3581 ; Sanjō Higashi iru Teramachi-dōri, Nakagyō-ku ; tonkatsu à partir de 890 ¥ ; ☺ 11h-21h30). C'est dans ce restaurant situé dans la galerie couverte Sanjō qu'il faut essayer le *tonkatsu* (côtelette de porc panée). Certes, ce n'est pas la meilleure table de Kyōto, mais elle est simple et bon marché. Carte en anglais. Dernière commande à 21h.

Kōsendō-sumi (carte p. 344 ; ☎ 241-7377 ; Aneyakōji Higashi iru, Sakaimachi-dōri, Nakagyō-ku ; repas à partir de 900 ¥ ; ☺ 11h30-15h lun-sam). Recommandé pour un agréable déjeuner si vous êtes dans le centre-ville vers midi. Kōsendō-sumi, dans une vieille maison japonaise, sert un menu du jour composé de mets simples. Près du musée de Kyōto.

Kane-yo (carte p. 344 ; ☎ 221-0669 ; Rokkaku, Shinkyōgoku, Nakagyō-ku ; anguille sur du riz à partir de 950 ¥ ; ☺ 11h30-21h). Excellente adresse pour goûter l'*unagi* (anguille). Au sous-sol, vous serez assis à table avec vue sur une jolie cascade ; au rez-de-chaussée, assis sur des tatamis. L'assortiment *kane-yo donburi* (950 ¥), servi jusqu'à 15h, est un très bon choix. Devant la façade en bois, des tonneaux servent de viviers. Carte en anglais.

Le Bouchon (carte p. 340 ; ☎ 211-5220 ; 71-1 Enoki-chō, Nijō sagaru, Teramachi-dōri, Nakagyō-ku ; déj/dîner à partir de 980/2 500 ¥ ; ☯ 11h30-14h30 et 17h30-21h30, fermé jeu). Vous serez peut-être content de découvrir ce bon petit restaurant français à l'atmosphère détendue. Il prépare à midi un menu fixe et le soir des dîners à la carte. Nous vous recommandons ses poissons, ses salades et ses desserts. Le patron parlant français vous mettra tout de suite à l'aise.

CATÉGORIES MOYENNE ET SUPÉRIEURE

Merry Island Café (carte p. 344 ; ☎ 213-0214 ; Oike agaru, Kiyamachi-dōri, Nakagyō-ku ; déj du week-end à partir de 1 000 ¥ ; ☯ 14h-24h mar-ven, 11h30-24h sam, dim et jours fériés, fermé lun). Ce restaurant très populaire, parfait pour un déjeuner ou un dîner, s'emploie à recréer l'atmosphère des tropiques. Les plats au menu sont *mukokuseki* (sans nationalité) et pour la plupart délicieux. Savoureux risottos et, parfois, bon steak de bœuf japonais. L'été, il ouvre ses portes sur la rue, se transformant en café-terrasse. Carte en anglais.

Ganko Zushi (carte p. 344 ; ☎ 255-1128 ; 101 Nakajima-chō, Kawaramachi Higashi iru, Sanjō-dōri, Nakagyō-ku ; déj/dîner 1 000/3 000 ¥ ; ☯ 11h-23h). Près du pont Sanjō-ōhashi, une bonne adresse pour des sushis ou toutes sortes d'autres plats. De nombreuses formules sont proposées mais nous vous recommandons les sushis à la carte (version en anglais). Les cuisiniers sont rapides et habitués aux clients étrangers. Vitrine remplie de reproductions en plastique.

Yoshikawa (carte p. 344 ; ☎ 221-5544 ; Oike sagaru, Tominokōji, Nakagyō-ku ; déj 3 000-25 000 ¥, dîner 8 000-25 000 ¥ ; ☯ 11h-14h et 17h-20h30). De succulents *tempura*, à savourer à une table ou, c'est bien plus amusant, au petit comptoir où travaillent les chefs. Près d'Oike-dōri, dans un bâtiment traditionnel. Réservation nécessaire pour un salon à tatamis ; pas de service au comptoir et aux tables le dimanche.

Mishima-tei (carte p. 344 ; ☎ 221-0003 ; 405 Sakurano-chō, Sanjō sagaru, Teramachi-dōri, Nakagyō-ku ; formule sukiyaki au déj 8 663-26 250 ¥, au dîner 12 705-26 250 ¥, déj spécial 3 350 ¥ jusqu'à 15h ; ☯ 11h30-22h, fermé mer). Dans la galerie couverte Sanjō, un restaurant bon marché pour déguster un *sukiyaki*. Réduction offerte aux voyageurs étrangers. Carte en anglais ; dernière commande 21h.

Enfin, quelques cafés de la chaîne Doutor parsèment le centre-ville, dont l'un près de Kawaramachi-dōri, entre Shijō et Sanjō.

Centre de Kyōto

Les adresses que nous proposons dans cette rubrique couvrent une vaste zone au centre de Kyōto, mais ne concernent aucun établissement des zones de la gare ou du centre-ville de Kyōto délimitées sur nos cartes.

Didi (carte p. 340 ; ☎ 791-8226 ; 22 Tanaka Ōkubo-chō, Sakyō-ku ; repas à partir de 900 ¥ ; ☯ 11h-22h, jusqu'à 17h jeu, fermé mer ; Ⓥ). Dans Higashiōji-dōri, au nord de Mikage-dōri, ce petit restaurant convivial (non-fumeurs) sert de délicieux déjeuners et dîners indiens. Grand choix de plats végétariens au menu. Facile à trouver. Carte en anglais.

Cocohana (carte p. 340 ; ☎ 525-5587 ; 13-243-1 Honmachi, Higashiyama-ku ; déj 1 000-1 200 ¥ ; ☯ 10h-17h30). Ce café coréen est installé dans une ancienne maison japonaise. Il vous propose du *bibimbap* (plat à base de riz) et des *kimchi* (légumes salés), ainsi que différentes sortes de thés et de cafés. Dans ce cadre rustique, on peut s'asseoir à table ou sur des tatamis. Une agréable pause lorsque vous visitez le sud-est de Kyōto (le Tōfuku-ji par exemple). Carte en anglais.

Den Shichi (carte p. 340 ; ☎ 323-0700 ; 4-1 Tatsumi-chō, Saiin, Ukyō-ku ; dîner de sushis à partir de 2 500 ¥ ; ☯ 11h30-14h et 17h-23h, fermé lun). Un peu excentré, Den Shichi vaut cependant le détour. Pour nous, c'est l'un des meilleurs restaurants de sushis à Kyōto, d'un excellent rapport/qualité prix, surtout le soir. À midi également, d'intéressantes formules peu onéreuses. Repérez l'enseigne noir et blanc à environ 100 m à l'ouest de la gare Hankyū de Saiin, dans Shijō-dōri.

Manzara Honten (carte p. 340 ; ☎ 253-1558 ; 321 Sashimono-chō, Ebisugawa agaru, Kawaramachi-dōri, Nakagyō-ku ; formule dîner à partir de 5 000 ¥ ; ☯ 17h-24h). Dans une ancienne *machiya* convertie en restaurant très chic, Manzara élabore une cuisine japonaise moderne et créative. Le menu recommandé par le chef (*omakase*) est parfait, comprenant 8 plats pour 5 000 ¥. Carte en anglais ; dernière commande 23h30.

Sud de Higashiyama
PETITS BUDGETS

Gion Koishi (carte p. 346 ; ☎ 531-0331 ; 286-2 Gion machi Kita gawa, Higashiyama-ku ; thé à partir de 600 ¥ ; ☯ 10h30-19h30). Faites comme nous, allez-vous rafraîchir par un jour d'été accablant dans cet établissement de Gion en demandant la spécialité, l'*uji kintoki* (900 ¥) : montagne de glace pilée inondée de thé vert avec du lait et des haricots sucrés, servie seulement pendant l'été. Vous verrez les reproductions des coupes sucrées dans la vitrine. Carte en anglais.

KANSAI

Kasagi-ya (carte p. 346 ; ☎ 561-9562 ; 349 Masuya chō, Kōdai-ji, Higashiyama-ku ; 🕐 11h-18h, fermé mar). Dans la Ninen-zaka qui grimpe vers le Kiyomizu-dera, arrêtez-vous dans cette charmante boutique de bois. Une tasse de thé vert et une douceur japonaise vous donneront l'énergie nécessaire pour poursuivre votre visite de Higashiyama. Le *matcha* (thé vert en poudre) accompagné d'un gâteau coûte 700 ¥. Difficile à trouver : vous devrez peut-être demander à quelqu'un. Carte en anglais ; dernière entrée à 17h30.

Santōka (carte p. 346 ; ☎ 532-1335 ; 137 Daikoku-chō, Sanjō sagaru, Yamatoōji-dōri, Higashiyama-ku ; rāmen à partir de 790 ¥ ; 🕐 11h-24h). Les jeunes chefs de ce restaurant dans l'air du temps vous servent les fameux *rāmen* d'Hokkaidō. À la commande, vous aurez le choix entre trois bouillons de base : *shio* (sel), *shōyu* (sauce de soja) et miso. Sur le côté est, au rdc du nouveau complexe de restaurants et de boutiques Kyōen. Carte en anglais.

Machapuchare (carte p. 346 ; ☎ 525-1330 ; 290 Kamihoritsume-chō, Sayamachi-dōri Shōmen sagaru, Higashiyama-ku ; déj onbanzai 840 ¥ ; 🕐 11h30-20h, fermé mar ; Ⓥ). Ce restaurant végétarien bio sert un sublime menu *obanzai* (cuisine familiale de Kyōto). Toutefois, les horaires d'ouverture sont capricieux et l'*obanzai* n'est pas toujours au rendez-vous. Il vaut mieux demander à un Japonais de vérifier d'abord par téléphone.

Asuka (carte p. 346 ; ☎ 751-9809 ; 144 Nishi-machi, Jingū-michi Nishi iru, Sanjō-dōri, Higashiyama-ku ; repas à partir de 850 ¥ ; 🕐 11h-22h, fermé lun). Avec son menu en anglais et son équipe de *mama-san* du vieux Kyōto, à l'aise avec les clients étrangers, ce restaurant est idéal pour déjeuner ou dîner, sans se ruiner, dans le quartier touristique de Higashiyama. Le *tempura moriawase* (assortiment de *tempura*) est très copieux pour 1 000 ¥. Une lanterne rouge l'annonce, ainsi que des photos des plats. Carte en anglais.

Kagizen Yoshifusa (carte p. 346 ; ☎ 561-1818 ; 264 Gion machi Kita gawa, Higashiyama-ku ; kuzukiri 900 ¥ ; 🕐 9h30-18h, fermé lun). C'est l'une des plus anciennes et des plus renommées *okashi-ya* (pâtisseries) de Kyōto. À l'étage, dans un petit salon de thé, vous pourrez déguster des *kuzukiri* froids (nouilles translucides à base d'*arrow-root*), servies avec une sauce au *kuro-mitsu* (sucre noir). Dans une *machiya* (maison traditionnelle), en haut d'un escalier de pierre. Carte en anglais. Dernière commande à 17h45.

Hisago (carte p. 346 ; ☎ 561-2109 ; 484 Shimokawara-chō, Higashiyama-ku ; 🕐 11h30-19h30, fermé lun). Quand vous visitez les sites au sud de Higashiyama, voici un petit restaurant servant des plats à base de riz et de pâtes, idéal pour un repas rapide, à une courte distance à pied de Kiyomizu-dera et de Maruyama-kōen. Sa spécialité est l'*oyako-donburi* (poulet avec œuf sur du riz ; 980 ¥). Pas d'enseigne en anglais : une façade traditionnelle avec une petite collection de modèles en plastique dans la vitrine. Attendez-vous à une longue file d'attente. Carte en anglais.

CATÉGORIES MOYENNE ET SUPÉRIEURE

Shibazaki (carte p. 346 ; ☎ 525-3600 ; 4-190-3 Kiyomizu, Higashiyama-ku ; soba à partir de 1 000 ¥ ; 🕐 11h-21h, fermé mar). Pour d'excellents *soba* et des formules *tempura* joliment présentées (et bien d'autres plats), essayez ce restaurant spacieux et confortable, dans le quartier de Kiyomizu-dera. Après le repas, montez à l'étage admirer la sublime collection de laques. Carte en anglais. Vous verrez un petit mur de pierre et un *noren* (rideau) suspendu à l'entrée.

Ryūmon (carte p. 346 ; ☎ 752-8181 ; Kita gawa, Higashiōji Nishi iru, Sanjō-dōri, Higashiyama-ku ; dîner à partir de 1 500 ¥ ; 🕐 17h-5h). Un restaurant qui surprend à Kyōto, mais la cuisine est authentique et savoureuse, comme en témoigne sa nombreuse clientèle de résidents chinois. Pas de menu en anglais, seulement des photos et quelques serveurs qui parlent un peu anglais. Décor chinois kitsch, où s'est égarée au-dessus de la caisse, une tête de cerf.

Aunbo (carte p. 346 ; ☎ 525-2900 ; Shimokawara-chō, Yasaka Torii mae sagaru, Higashiyama-ku ; déj à partir de 2 625 ¥, formule déj 6 615 ¥, dîner 6 615-11 025 ¥ ; 🕐 12h-14h et 15h30-22h, fermé mer). Aunbo propose dans un cadre traditionnel une cuisine japonaise créative et raffinée : sashimis, *tempura*, plats de légumes inventifs, et autres. Réservations pour le soir. Petite enseigne en lettres latines. Menu en anglais.

Ōzawa (carte p. 346 ; ☎ 561-2052 ; Minami gawa, Gion Shirakawa Nawate Higashi iru, Higashiyama-ku ; repas à partir de 3 900 ¥ ; 🕐 17h-22h, fermé jeu, déj sur commande). Dans un cadre japonais raffiné, ce restaurant élabore de délicieux *tempura*. À moins que vous n'ayez choisi un salon à tatamis, vous serez assis au comptoir, où vous pourrez observer le chef préparer les bouchées de *tempura* sous vos yeux. Carte en anglais. Dernière commande à 21h.

Nord de Higashiyama
PETITS BUDGETS

Hinode Udon (carte p. 348 ; ☎ 751-9251 ; 36 Kitanobō-chō, Nanzenji, Sakyō-ku ; plats de pâtes à partir de 400 ¥ ; 🕐 11h-18h, fermé dim). Dans ce petit restaurant, au menu en anglais, vous ferez une plaisante pause-déjeuner. Vous dégusterez des plats de riz ou de pâtes consistants : les *udon* (épaisses nouilles blanches) nature sont à 400 ¥, mais nous recommandons les *nabeyaki udon* (*udon* mijotés dans leur marmite de terre avec du bouillon) à 800 ¥. Sur le chemin des temples Ginkaku-ji ou Nanzen-ji. Carte en anglais.

Karako (carte p. 348 ; ☎ 752-8234 ; 12-3 Tokusei-chō, Okazaki, Sakyō-ku ; rāmen à partir de 650 ¥ ; ⏰ 11h30-14h et 18h-2h, fermé mar). Notre restaurant de *rāmen* préféré à Kyōto. Chez Karako, rien de spécial côté ambiance, mais les *rāmen* sont excellents – la soupe est épaisse et riche et les *chāshū* (tranches de porc) fondent dans la bouche. Demandez le *kotteri rāmen* (au bouillon épais). Une lanterne rouge sert d'enseigne.

Zac Baran (carte p. 348 ; ☎ 751-9748 ; 18 Sannō-chō, Shōgo-in, Sakyō-ku ; plats à partir de 500 ¥ ; ⏰ 12h-3h). Près du Kyōto Handicraft Centre, idéal pour une pause-café ou un repas léger. Grande variété de plats de spaghettis, ainsi qu'un bon menu du jour. Au bas d'un escalier qui descend au sous-sol.

Earth Kitchen Company (carte p. 348 ; ☎ 771-1897 ; 9-7 Higashi Maruta-chō, Kawabata, Marutamachi, Sakyō-ku ; déj 700 ¥ ; ⏰ 10h30-18h30 lun-ven, jusqu'à 15h30 sam, fermé dim). Dans Marutamachi-dōri, près de la Kamo-gawa, cette minuscule enseigne n'accueille que deux personnes à la fois, mais prépare de délicieux *bentō* à emporter. Achetez-en un aussi pour vos pique-niques les jours d'excursions vers les temples.

Cafe Proverbs 15:17 (carte p. 348 ; ☎ 707-6856 ; Domus Hyakumanben 3ᵉ niv, 28-20 Tanakamonzen-chō, Sakyō-ku ; boissons/repas 300/700 ¥ ; ⏰ 11h-22h, à partir de 12h dim, jusqu'à 18h mer, fermé lun ; Ⓥ). Plaisante adresse pour une tasse de café ou un repas végétarien. La formule de midi propose au choix curry vert, sandwichs ou mets japonais. Au 3ᵉ niveau, annoncé par un petit panneau au niveau de la rue. Carte en anglais.

Goya (carte p. 348 ; ☎ 752-1158 ; 114-6 Nishida-chō, Jōdo-ji, Sakyō-ku ; ⏰ 12h-17h et 18h-24h, fermé mer). Nous avons apprécié ce restaurant, dans le style d'Okinawa, pour sa savoureuse cuisine, son décor et le confort de sa salle à l'étage. C'est l'endroit idéal le midi lorsque vous visitez les sites au nord de Higashiyama, à quelques pas du Ginkaku-ji. Au déjeuner, des mets simples comme les tacos au riz (880 ¥) et le *gōya champurū* (concombre amer sauté, 680 ¥). Dîner à la carte plus élaboré, composé de plats d'*izakaya*. Enseigne et menu en anglais.

CATÉGORIE MOYENNE

Okakita (carte p. 348 ; ☎ 771-4831 ; 34 Minamigosho-chō, Okazaki, Sakyō-ku ; ⏰ 11h-20h, fermé mar). Essayez cet élégant restaurant dans le quartier d'Okazaki, près des musées et du Heian-Heian-jingū, pour un excellent *soba* servi avec art. Si vous réussissez à obtenir une table (l'établissement est très couru), il faut commander par exemple un *tempura soba* (1 200 ¥). Pas d'enseigne en lettres latines mais un menu concis en anglais. Façade traditionnelle à claire-voie.

Yamamoto Menzou (carte p. 348 ; ☎ 751-0677 ; 34 Minamigosho-chō, Okazaki, Sakyō-ku ; ⏰ déj 11h-14h30, dîner 17h30-21h, déj seulement mer, fermé jeu et 4ᵉ mer du mois). Juste à côté de l'Okakita, ce restaurant sert un superbe bol d'*udon* (900 ¥) avec un grand choix de garnitures. Nous l'avons accompagné d'une assiette de *tsuchi gobō tempura* (racines de bardane en *tempura* ; 265 ¥) : exquis ! Très fréquenté, il mérite de faire un peu la queue. Nom écrit en lettres latines sur l'enseigne.

Caffe' Dell'Orso (carte p. 348 ; ☎ 761-7600 ; 36-13 Naka Adachi-chō, Yoshida, Sakyō-ku ; déj/dîner 1 000/2 500 ¥ ; ⏰ 11h30-22h, fermé dim et 2ᵉ lun du mois). Si vous vous trouvez près de l'université de Kyōto, ce café italien à l'ambiance chaleureuse est idéal pour un repas ou un verre. Savoureuses pâtes et *foccacia* maison servies sur un long comptoir ou à table. Repérez l'auvent bleu.

Omen (carte p. 348 ; ☎ 771-8994 ; 74 Jōdo-ji Ishibashi-cho, Sakyō-ku ; pâtes à partir de 1 050 ¥ ; ⏰ 11h-22h, fermé jeu). Ce nom vient des épaisses pâtes blanches servies dans un bouillon chaud, accompagnées d'une sélection de sept légumes frais. Dites simplement *omen* et vous aurez le choix entre des pâtes froides ou chaudes, un bol de sauce pour les tremper et une assiette de légumes (avec sauce agrémentée de graines de sésame). La carte a bien d'autres suggestions : des succulents *tempura* aux bons plats de légumes. À 5 minutes à pied du Ginkaku-ji, dans une maison traditionnelle avec une lanterne à l'extérieur. Carte en anglais.

CATÉGORIE SUPÉRIEURE

Grotto (carte p. 348 ; ☎ 771-0606 ; 114 Jōdo-ji Nishida-chō, Sakyō-ku ; formule dîner 4 750 ¥ ; ⏰ 18h-24h, fermé dim). Ce petit restaurant raffiné dans Imadegawa-dōri sert d'excellents dîners qui vous feront découvrir les saveurs de la gastronomie japonaise. Allez-y en bonne compagnie pour un long tête-à-tête. Réservations recommandées. Le patron parle anglais ; menu également en anglais. Dernière commande 22h.

Secteurs d'Arashiyama et de Sagano

Komichi (carte p. 352 ; ☎ 872-5313 ; 23 Ôjôin-chô, Nison-in Monzen, Ukyô-ku, Saga ; matcha 600 ¥ ; ⏰ 10h-17h, fermé mer). Cette agréable petite maison de thé est idéalement située au bord du sentier qu'empruntent les touristes à Arashiyama. En plus d'un thé vert en poudre chaud ou froid et de café, on y sert en été le *uji kintoki* (de la glace pilée couverte de *matcha*, de lait et de haricots sucrés, sorte de glace à l'italienne version japonaise) et toute l'année diverses spécialités de nouilles. Le menu avec photos vous facilitera la commande. Enseigne vert et noir sur fond blanc.

Yoshida-ya (carte p. 352 ; ☎ 861-0213 ; 20-24 Tsukurimichi-chô, Saga Tenryû-ji, Ukyô-ku ; déj à partir de 800 ¥ ; ⏰ 10h-18h, fermé mer). Ce singulier et sympathique *teishoku-ya* (restaurant de plats du jour) est parfait pour un déjeuner simple entre deux visites de temples à Arashiyama. Grande variété de *teishoku*, tel l'*oyako-donburi* (poulet et œuf sur un bol de riz) pour 850 ¥. Vous pouvez aussi vous y rafraîchir avec un *uji kintoki* pour 650 ¥. C'est la première façade ancienne sur le côté sud de la gare.

Arashiyama Yoshimura (carte p. 352 ; ☎ 863-5700 ; Tôgetsu-kyô kita, Ukyô-ku ; sobas à partir de 1 050 ¥, formules à partir de 1 575 ¥ ; ⏰ 11h-17h). Pour un délicieux bol de *soba* et une vue imprenable sur les montagnes d'Arashiyama et le pont Tôgetsu-kyô, dirigez-vous vers ce restaurant très fréquenté, juste au nord du pont qui enjambe la Katsuragawa. Carte en anglais mais pas d'enseigne en lettres latines : vous verrez de grandes portes vitrées et un mur en pierre.

Shigetsu (carte p. 352 ; ☎ 882-9725 ; 68 Susukinobaba-chô, Saga Tenryû-ji, Ukyô-ku ; formule déj 3 500, 5 500 et 7 500 ¥ ; ⏰ 11h-14h). Pour goûter la cuisine *shôjin-ryôri* (cuisine végétarienne bouddhiste), essayez le Shigetsu, dans l'enceinte du Tenryû-ji. Sa vue sur les jardins est magnifique.

Ôhara

Seryô-jaya (carte p. 353 ; ☎ 744-2301 ; Ôhara Sanzenin hotori, Sakyô-ku ; formule déj à partir de 2 756 ¥ ; ⏰ 11h-18h). Juste à la porte du Sanzen-in, Seryô-jaya sert de succulents *soba* et d'autres spécialités japonaises. Au cœur de l'été, on peut s'asseoir dehors. Jetez un coup d'œil aux modèles des plats.

Kurama

Aburaya-shokudô (carte p. 353 ; ☎ 741-2009 ; 252 Honmachi, Kurama, Sakyô-ku ; udon et soba à partir de 550 ¥ ; ⏰ 10h-16h30, fermeture variable). Au bas des marches qui mènent à la grande porte de Kurama-dera, ce vieux et classique *shokudô* (petit restaurant bon marché) rappelle le Japon du passé. Le *sansai teishoku* (1 700 ¥) est un délicieux assortiment de légumes, de riz et de *soba*, le tout couvert d'igname râpée.

Yôshûji (carte p. 353 ; ☎ 741-2848 ; 1074 Honmachi, Kurama, Sakyô-ku ; repas à partir de 1 050 ¥ ; ⏰ 9h-18h, fermé mar). De l'exquise cuisine végétarienne de temple *shôjin-ryôri*, dans cette plaisante vieille ferme japonaise à *irori* (foyer creusé dans le sol). La spécialité de la maison est le *kurama-yama shôjin zen* (2 600 ¥), une somptueuse sélection de plats végétariens servis dans des bols de laque rouge. Pour une petite faim, essayez l'*uzu-soba* (*soba* et légumes de montagne, 1 050 ¥). À mi-chemin des marches montant au Kurama-dera, vous verrez des lanternes orange sur la façade. Carte en anglais.

Kibune

Si vous allez à Kibune entre juin et septembre, ne manquez pas de déjeuner ou de dîner dans l'un des pittoresques restaurants des bords de la Kibune-gawa. Vous serez servi sur des plates-formes (appelées *kawa-doko*), aménagées sur l'eau délicieusement rafraîchissante. La plupart des restaurants présentent à midi un menu dégustation à environ 3 000 ¥. Au dîner, pour le menu *kaiseki*, qui va de 5 000 à 10 000 ¥, vous devrez peut-être demander à un Japonais de réserver pour vous.

Kibune Club (carte p. 353 ; ☎ 741-2146 ; 76 Kibune-chô, Kurama, Sakyô-ku ; ⏰ 11h30-18h ; café à partir de 450 ¥). Les poutres apparentes et le beau volume aéré de ce café rustique en font l'endroit idéal pour une petite pause lors d'une promenade à Kibune. En hiver, quand chauffe le poêle à bois, l'atmosphère est encore plus douillette. Facile à trouver.

Hirobun (carte p. 353 ; ☎ 741-2147 ; 87 Kibune-chô, Kurama, Sakyô-ku ; pâtes à partir de 1 200 ¥, menus kaiseki à partir de 8 400 ¥ ; ⏰ 11h-21h). Si vous ne voulez pas trop dépenser, mais avoir tout de même un repas qui sort de l'ordinaire, Hirobun vous offre l'amusant *nagashi-sômen* (1 200 ¥), servi jusqu'à 17h : des plats de fines pâtes blanches qui défilent devant vous sur un comptoir tournant. Vous attrapez une portion et vous la dégustez. Vous verrez l'enseigne noir et blanc, et la lanterne. Réservez pour le dîner.

OÙ PRENDRE UN VERRE

Kyôto possède un vaste choix de bars, de clubs et de discothèques, dans lesquels il vous sera facile de lier connaissance. Si vous êtes à Kyôto

---

BARS D'HÔTELS

Certains des meilleurs bars de Kyōto se trouvent dans les hôtels. Faciles d'accès, ils sont propices aux échanges. Voici nos préférés :

- **Orizzonte** (Kyoto Hotel Okura ; p. 376). Restaurant le jour, bar lounge la nuit (en général de 19h à 23h), la vue sur Kyōto y est fabuleuse.

- **Sekisui** (Hotel Fujita Kyoto ; p. 376). Ouvert de 17h à 1h, ce bar à l'étage inférieur de l'hôtel Fujita fait face à un haut mur où l'eau glisse sur les pierres (d'où son nom qui signifie "pierre et eau").

- **Tōzan Bar** (Hyatt Regency Kyoto ; p. 377). Nous apprécions particulièrement ce bar confortable et décontracté qui constitue un agréable refuge au sous-sol de l'un des plus luxueux hôtels de Kyōto. Il mérite la visite, ne serait-ce que pour la beauté du design. Ouvert de 17h à minuit.

---

pendant l'été, de nombreux hôtels et grands magasins installent un *beer garden* sur leur toit, où vous pourrez manger et boire tout en admirant la ville et ses montagnes environnantes. Le *Kyoto Visitor's Guide* vous donnera tous les détails.

Bars

Ing (carte p. 344 ; ☎ 255-5087 ; Nishikiyamachi-dōri, Takoyakushi agaru, Nakagyō-ku ; plats 250-700 ¥ ; boissons à partir de 600 ¥ ; 🕑 18h-3h lun-jeu, jusqu'à 5h ven-dim). Ce petit bar rock est l'un de nos endroits favoris. Vous y trouverez des boissons pas trop onéreuses agrémentées d'amuse-bouches, de la bonne musique et une agréable compagnie. Au 2ᵉ niveau du Royal.

Atlantis (carte p. 344 ; ☎ 241-1621 ; 161 Matsumoto-chō, Shijō agaru, Ponto-chō, Nakagyō-ku ; boissons à partir de 730 ¥ ; 🕑 18h-2h lun-sam, jusqu'à 1h dim). Un des rares bars de Ponto-chō où un étranger peut entrer sans être accompagné d'un ami japonais. Chic et branché, il séduit le beau monde de Kyōto et ceux qui veulent en faire partie. En été, on s'assoit sur une plate-forme installée au-dessus de la Kamo-gawa.

McLoughlin's Irish Bar & Restaurant (carte p. 344 ; ☎ 212-6339 ; 8ᵉ niv The Empire Bldg, Kiyamachi, Sanjō-agaru, Nakagyō-ku ; 🕑 18h-24h, fermé mar ; 🖥 📶). Avec sa belle vue sur la ville, sa bonne bière à la pression accompagnée de petits plats et la chaleureuse ambiance, vous êtes sûr de passer dans ce bar une agréable soirée en faisant connaissance avec les expatriés et les Kyotoïtes. Le bar accueille aussi de bons concerts. Accès Internet et Wi-Fi.

Gael Irish Pub (carte p. 348 ; ☎ 525-0680 ; Nijūikken-chō, Yamatoōji-dōri agaru, Shijō, Higashiyama-ku ; boissons à partir de 500 ¥ ; 🕑 17h-1h, plus tard jeu-dim). Un petit bar irlandais douillet au seuil de Gion. Bonne cuisine, excellente bière, serveurs agréables et parfois des concerts. On y fait facilement

connaissance avec les expatriés qui vous renseigneront sur ce qui se passe en ville. En haut d'un escalier.

OÙ SORTIR

La plupart des divertissements culturels de Kyōto sont liés à des événements particuliers ; pour savoir si l'un deux coïncide avec votre visite, renseignez-vous auprès du TIC ou consultez un magazine tel que *Kansai Time Out*. Souvent destinés aux touristes, les événements culturels réguliers ont tendance à être onéreux et à manquer d'authenticité.

Clubs

Metro (carte p. 348 ; ☎ 752-4765 ; sous-sol Ebisu Bldg, Marutamachi sagaru, Kawabata, Sakyō-ku ; entrée 500-5 000 ¥, selon le jour ; 🕑 vers 22h-3h). Un des clubs les plus populaires de la ville, à l'ambiance trépidante. Chaque soirée a son thème, avec parfois groupes de musiciens ou DJ internationaux. À la sortie 2 de la station de métro Keihan Marutamachi.

World (carte p. 344 ; ☎ 213-4119 ; Nishikiyamachi-dōri-Shijō agaru ; entrée 2500-3 000 ¥, boissons à partir de 500 ¥ ; 🕑 vers 22h-5h, seulement ven, sam et soirée précédant un jour férié), le plus grand club de Kyōto, est aussi celui qui accueille les événements les plus en vue. Sur 2 étages, avec piste de danse et casiers fermant à clé, où vous déposerez vos affaires avant de rejoindre la piste. Les soirées qui s'y déroulent vont de la *deep soul* au reggae, en passant par la techno et la salsa.

Concerts

Vous pourrez assister quelquefois à des concerts d'instruments traditionnels : *koto*, *shamisen* et *shakuhachi*. Dans les sanctuaires, au moment des festivals, se déroulent également des représentations traditionnelles de *bugaku* (musique et danse de cour). Et, occasionnellement, des troupes de *butō* (danse

KANSAI

contemporaine japonaise) se produisent dans la ville. Renseignez-vous auprès du TIC pour savoir ce qui se passe pendant votre séjour.

Danse traditionnelle, théâtre et musique

Gion Corner (carte p. 346 ; ☎ 561-1119 ; Gion-Hanamikōji-dōri ; 2 800 ¥ ; ☺ représentation en soirée 19h40 et 20h40 1er mars-29 nov, fermé le 16 août). Les démonstrations auxquelles vous assisterez ici vous présentent les arts traditionnels japonais. Un condensé de cérémonie du thé, de musique jouée au *koto*, d'ikebana (arrangement floral), de *gagaku* (musique de cour), de *kyōgen* (pièces comiques), de *kyōmai* (danse dans le style de Kyōto) et de *bunraku* (spectacle de marionnettes).

Kabuki

Théâtre Minami-za (carte p. 346 ; ☎ 561-0160 ; Shijō-Ōhashi ; 4 200-12 600 ¥ ; ☺ irrégulier). Ce théâtre de Gion est la plus vieille scène de kabuki du Japon. L'événement majeur de l'année est le festival du Kao-mise (1er-26 décembre), qui voit se produire sur scène les meilleurs acteurs de kabuki de tout le pays. D'autres représentations ont lieu à des dates irrégulières. Si vous êtes intéressé, renseignez-vous auprès du TIC. Saison du kabuki : mai, juin et septembre.

Karaoké

Jumbo Karaoke Hiroba, club de Kawaramachi (carte p. 344 ; ☎ 231-6777 ; 29-1 Ishibashi-chō, Sanjō dōri, Kawaramachi Nishi iru, Nakagyō-ku ; 30 min avant/après 19h à partir de 140/340 ¥/pers ; ☺ 11h-6h). Si vous voulez travailler vos cordes vocales, rendez-vous dans cette "boîte à karaoké" de la galerie commerçante Sanjō. Bon stock de chansons anglaises pour les visiteurs étrangers.

Nō

Théâtre de nō Kanze Kaikan (carte p. 348 ; ☎ 771-6114 ; Sakyō-ku-Okazaki ; entrée bâtiment gratuite, 8 000 ¥ ; ☺ 9h-17h mar-dim). Il s'agit du premier théâtre pour les représentations de nō. Un autre spectacle plus pittoresque, le *takigi nō*, donné à la lueur des torches, a lieu à Kyōto les soirs des 1er et 2 juin au Heian-jingū. Les billets coûtent 2 000 ¥, si vous les achetez à l'avance (demandez au TIC de vous indiquer des bureaux de vente) ; sur place, à la porte principale, 3 300 ¥.

Spectacles de danse de geishas

Chaque année, à l'automne et au printemps, les geishas et les *maiko* (apprenties-geishas) des cinq écoles de Kyōto se parent de leurs kimonos les plus colorés pour donner des spectacles de danse traditionnelle, en l'honneur de ces deux saisons. Les places les moins chères sont à 1 650 ¥ (sans réservation, assis sur des tatamis), les meilleures de 3 000 à 3 800 ¥ ; pour un supplément de 500 ¥, vous pourrez participer à une rapide cérémonie du thé. Si vous êtes en ville à ce moment-là, ces danses méritent vraiment d'être vues. Les dates et les heures peuvent varier ; vérifiez auprès du TIC.

Gion Odori (祇園をどり ; ☎ 561-0224 ; Higashiyama-ku-Gion ; 3 500/avec thé 4 000 ¥ ; ☺ 13h et 15h30). Théâtre Gion Kaikan (carte p. 346), près du Yasaka-jinja ; 1er-10 novembre.

Kamogawa Odori (鴨川をどり ; ☎ 221-2025 ; Ponto-chō-Sanjō sagaru ; ordinaire/spécial/spécial avec thé 2 000/3 800/4 300 ¥ ; ☺ 12h30, 14h20 et 16h10). Théâtre Ponto-chō Kaburen-jō (carte p. 344), Ponto-chō ; 1er-24 mai.

Kitano Odori (北野をどり ; ☎ 461-0148 ; Imadegawa-dōri-Nishihonmatsu nishi iru ; 3 800/avec thé 4 300 ¥ ; ☺ 13h et 15h). Théâtre Kamishichiken Kaburen-jō (carte p. 351), à l'est de Kitano-Tenman-gū ; 15-25 avril.

Kyō Odori (京をどり ; ☎ 561-1151 ; Kawabata-dōri-Shijō sagaru ; 3 800/avec thé 4 300 ¥ ; ☺ 12h30, 14h30 et 16h30). Théâtre Miyagawa-chō Kaburen-jō (carte p. 346) à l'est de la Kamo-gawa, entre Shijō-dōri et Gojō-dōri ; du 1er au 3e dim d'avril.

Miyako Odori (都をどり ; ☎ 561-1115 ; Higashiyama-ku-Gion-chō sud ; place non réservée/réservée/réservée avec thé 1 900/3 800/4 300 ¥ ; ☺ 12h30, 14h, 15h30 et 16h 50). Théâtre Gion Kōbu Kaburen-jō (carte p. 346), près de Gion Corner ; tout le mois d'avril.

Soirées avec geishas

Si vous êtes curieux de voir une geisha, le meilleur moyen est de s'adresser à l'agence Gion Hatanaka (carte p. 346), qui organise les soirées **Kyoto Cuisine & Maiko Evening** (☎ 541-5315 ; www.kyoto-maiko.jp ; Yasaka Jinja Minamimon-mae, 505 Minamigawa, Gion-machi, Higashiyama-ku ; 18 000 ¥/pers ; ☺ 18h, chaque lun, mer, ven, sam et autres dates). Vous savourerez la cuisine raffinée de Kyōto (*kaiseki*), diverti pendant ce festin par de vraies *geiko* et *maiko* (geisha et apprentie-geisha).

ACHATS

Le cœur du shopping à Kyōto se situe autour du carrefour formé par les rues Shijō-dōri et Kawaramachi-dōri. Le quartier compris au nord et à l'ouest de ces deux artères rassemble un nombre incroyable de magasins d'articles traditionnels ou modernes. Les grands magasins

(Hankyū, Takashimaya, Daimaru et Fujii Daimaru) y sont également regroupés.

Il n'y a guère de meilleur endroit pour le shopping que les trois galeries marchandes couvertes du cœur de Kyōto : celle de Shinkyōgoku, de Teramachi et du marché de Nishiki (p. 337). Les galeries de Teramachi et Shinkyōgoku courent en parallèle au cœur de la ville. La première aligne des boutiques aussi bien raffinées que vulgaires ; la seconde propose des articles qui amusent les hordes de collégiens en voyage à Kyōto. De la galerie Shinkyōgoku, Nishiki bifurque vers l'ouest, à environ 100 m au nord de Shijō-dōri.

Antiquités

C'est à Gion (carte p. 346) que vous trouverez les antiquaires, dans Shinmonzen-dōri. La rue est bordée de vieilles boutiques remarquables, beaucoup se spécialisant dans une seule chose (meubles, poteries, rouleaux peints, estampes, etc.). Un après-midi ne vous suffira peut-être pas pour découvrir tous ces trésors. Sachez malgré tout que les prix sont dissuasifs.

Arts et artisanat japonais

Les rues pavées de Ninen-zaka et de Sannen-zaka (près du Kiyomizu-dera), dans l'est de la ville, sont renommées pour l'artisanat et les antiquités. D'autres boutiques de poterie vous attendent le long de Gojō-dōri, entre Kawabata-dōri et Higashiōji-dōri.

Au nord de l'hôtel de ville de Kyōto, dans Teramachi-dōri, entre Oike-dōri et Marutamachi-dōri, s'alignent de très vieilles boutiques traditionnelles qui constituent une destination de flânerie plaisante. Leurs vitrines présentent des articles originaux.

Kamiji Kakimoto (carte p. 344 ; ☎ 211-3481 ; Teramachi-dōri-Nijō agaru ; ◷ 9h-18h lun-sam, 10h-17h dim et jours fériés). Cette boutique offre une belle sélection de *washi* (papier japonais). La qualité n'atteint pas celle de Morita Washi, mais son *washi* à usage plus ordinaire, pour ordinateur par exemple, est parfait.

Morita Washi (carte p. 340 ; ☎ 341-1419 ; Higashinotōin-dōri-Takayagaru ; ◷ 9h30-17h30, 9h30-16h30sam). Proche de Shijo-Karasuma, une fabuleuse sélection de *washi* faits main à des prix raisonnables.

Rakushikan (carte p. 344 ; ☎ 221-1070 ; Takoyakushi-dōri Takakura nishi iru, Nakagyō-ku ; ◷ 10h30-18h, fermé lun). Au cœur de Kyōto, ce spécialiste du papier présente dans son nouveau magasin spacieux une fantastique variété de *washi* et de nombreux autres articles en papier. Vous pourrez

aussi essayer de créer vous-même votre *washi* (demandez des détails au comptoir).

Kyūkyo-dō (carte p. 344 ; ☎ 231-0510 ; 520 Shimohonnōjimae-chō, Aneyakōji agaru, Teramachi, Nakagyō-ku ; ◷ 10h-18h lun-sam, fermé dim et 1er-3 jan). Cette vieille boutique dans la galerie marchande de Teramachi propose une belle collection d'encens, du *washi*, des articles pour le *shodō* (calligraphie) ou pour la cérémonie du thé. Prix élevés, mais articles de qualité.

Ippo-dō (carte p. 340 ; ☎ 211-3421 ; Teramachi-dōri, Nijō, Nakagyō-ku ; ◷ 9h-19h lun-sam, jusqu'à 18h dim et jours fériés, café 11h-17h). Une boutique de thé plus que centenaire, vendant toutes les variétés de thé japonais. On vous offrira de les goûter avant de vous décider.

Kyoto Handicraft Center (carte p. 348 ; ☎ 761-5080 ; 21 Entomi-chō, Shōgoin, Sakyō-ku ; ◷ 10h-18h, fermé 1-3 jan) Juste au nord de l'Heian-jingū, cette immense coopérative organise des démonstrations, vend et expose des objets traditionnels. Nous vous recommandons vivement cet établissement pour vos achats de souvenirs (notamment pour les estampes sur bois et les *yukata*).

KANSAI

Kagoshin (carte p. 346 ; ☎ 771-0209 ; 4 chō-me, Sanjō-Ōhashi higashi, Higashiyama-ku ; 🕒 9h-18h, fermé lun). Vous trouverez dans cette petite boutique toutes sortes d'articles en bambou pas chers tels que des vases pour arrangement floral et des paniers.

Onouechikuzaiten (carte p. 346 ; ☎ 751-2444 ; 3-39 Sanjō-dōri, Higashiyama-ku ; 🕒 10h-19h). À quelques pas de l'adresse précédente, et sa copie presque conforme.

Tessai-dō (carte p. 346 ; ☎ 531-9566 ; Kōdai-ji Kitamonzen-dōri, Higashiyama-ku (côté est de Nene-no-Michi) ; 🕒 10h-17h). À l'entrée du Kōdai-ji, ce petit magasin vend des estampes d'artistes (comptez 10 000 ¥ la pièce).

Iwai (carte p. 344 ; ☎ 221-0314 ; Shijō agaru, Shinkyōgoku, Nakagyō-ku ; 🕒 10h30-21h lun-ven, 10h-21h sam, dim et jours fériés). À l'extrémité sud de la galerie marchande de Shinkyōgoku, vous trouverez cette excellente boutique de souvenirs. Tout ce que produit le Japon, du papier à l'encens, en passant par les kimonos d'occasion, à petits prix.

Équipement de camping et de plein air

Kōjitsu Sansō (carte p. 344 ; ☎ 257-7050 ; B1 Kyoto Asahi Kaikan, 427 Ebisu-chō, Sanjō agaru, Kawaramachi-dōri, Nakagyō-ku ; 🕒 10h30-20h). Si vous avez l'intention de faire de la randonnée ou du camping pendant votre séjour au Japon, vous trouverez tout l'équipement dont vous avez besoin dans cette excellente petite boutique de Kawaramachi.

Électronique et appareils photo

Bic Camera (carte p. 343 ; ☎ 353-1111 ; 927 Higashi Shiokōji-chō, Shimogyō-ku ; 🕒 10h-21h). Un nouveau magasin d'électronique et d'appareils photo immense, relié à la gare de Kyōto par la porte Nishinotōin ; on peut aussi y accéder depuis la porte nord (Karasuma) en allant vers l'ouest. Vous serez étonné de la quantité d'articles exposés. Avant d'acheter, vérifiez qu'un mode d'emploi en anglais est inclus. Quant aux pièces d'ordinateur, sachez qu'elles ne seront pas toutes utilisables à l'étranger.

Produits frais et ustensiles de cuisine

Le marché de Nishiki (p. 337), installé en plein centre, est le plus intéressant de la ville. Si vous le visitez, allez jeter un coup d'œil à la coutellerie **Aritsugu** (carte p. 344 ; ☎ 221-1091 ; 219 Kajiya-chō, Gokōmachi nishi iru, Nishikikōji-dōri, Nakagyō-ku ; 🕒 9h-17h30), près de l'extrémité est du marché. Parmi les meilleurs couteaux de cuisine au monde y sont vendus, ainsi que des ustensiles divers.

Un autre endroit aussi impressionnant que le marché : le sous-sol des **grands magasins de Shijō-dōri**. Allez faire un tour dans celui de Daimaru, il possède une grande sélection de produits frais et d'épicerie. Vous serez étonné par la variété et les prix (melons à 10 000 ¥ !).

Vêtements

Teramachi Shōten (carte p. 344 ; ☎ 213-3131 ; B1 Teramachi Shōtengai Takoyakushi agaru, Nakagyō-ku ; 🕒 11h-20h). Si vous cherchez un T-shirt avec votre nom écrit en kanji, katakana ou hiragana (les trois écritures japonaises), cela ne demandera ici que quelques minutes. Vous pouvez d'ailleurs choisir dans une liste tout autre nom ou slogan japonais. Regardez les T-shirts exposés à l'extérieur.

DEPUIS/VERS KYŌTO
Avion

Kyōto est desservie par l'aéroport Itami d'Ōsaka, qui assure un grand nombre de liaisons nationales, et par le nouvel aéroport international du Kansai (KIX). Des vols fréquents relient Tōkyō à Itami (22 600 ¥, 65 min), mais vous trouverez qu'il est parfois plus pratique et rapide de prendre le *shinkansen*. Les deux aéroports sont reliés à la ville, quoique le trajet depuis ou vers l'aéroport international du Kansai soit plus long et cher.

Auto-stop

Sachez tout d'abord que nous ne le recommandons pas. Toutefois, si vous tenez à faire de l'auto-stop longue distance, dirigez-vous vers le Kyōto-Minami Interchange de la Meishin Expressway, à 4 km au sud de la gare de Kyōto. Prenez le bus 19 de la gare de Kyōto et descendez lorsque vous verrez les panneaux de l'autoroute Meishin Expressway. De là, le pouce vers l'est, vous irez à Tōkyō et, vers l'ouest, dans le sud du Japon.

Bus

Le bus de nuit (JR Dream Kyōto Go) assure la liaison entre la gare de Tōkyō (arrêt Yaesu-Guchi des bus longue distance) et le terminal des bus de la gare de Kyōto (carte p. 343).

Le trajet dure environ 8 heures, avec 2 départs chaque soir dans les deux directions, à 22h (vendredi, samedi, dimanche et jours fériés) et à 23h (tous les jours). Un aller coûte 8 180 ¥ et un aller-retour 14 480 ¥. Les sièges à dossier inclinable permettent de dormir. Le même service existe aussi depuis/vers la gare de Shinjuku Shin-minami-guchi à Tōkyō.

D'autres bus JR desservent entre autres Kanazawa (aller/aller-retour 4 060/6 600 ¥) et Hiroshima (5 500/10 000 ¥).

Train

SHINKANSEN
(TŌKYŌ, ŌSAKA, NAGOYA ET HAKATA)

Kyōto se trouve sur la ligne du *shinkansen* Tōkaidō-San-yō, qui relie Tōkyō au nord de Kyūshū, avec arrêts à Nagoya, Ōsaka, Kōbe, Himeji et Hiroshima. Voici les tarifs et la durée des trajets en Hikari (deuxième train de type *shinkansen* le plus rapide après le Nozomi) entre Kyōto et les villes suivantes : Tōkyō (13 220 ¥, 2 heures 43 min), Nagoya (5 440 ¥, 40 min), Ōsaka (2 730 ¥, 15 min), Hiroshima (9 540 ¥, 1 heure 30), Hakata (15 210 ¥, 3 heures 22 min). Le *shinkansen* part et arrive à la gare de Kyōto (gare principale de la ville). À Tōkyō, il dessert les gares de Tōkyō, Shinagawa et Shin-Yokohama.

NARA

La meilleure façon de rejoindre Nara est de prendre la ligne privée Kintetsu (annoncée parfois en anglais comme le Kinki Nippon Railway), qui relie Kyōto (gare Kintetsu de Kyōto, au sud du bâtiment de la gare de Kyōto) et Nara (gare Kintetsu de Nara). Il existe des *tokkyū* directs (1 110 ¥, 33 min) et des trains express (610 ¥, 40 min), qui demandent parfois un changement à Saidai-ji.

La ligne JR Nara relie aussi la gare de Kyōto à la gare JR Nara (express, 690 ¥, 41 min) et représente une option avantageuse pour les détenteurs du JR Pass.

ŌSAKA

Après le *shinkansen*, le train le plus rapide entre la gare de Kyōto et celle d'Ōsaka est le *shinkaisoku* du JR (train rapide spécial, 540 ¥, 29 min). À Ōsaka, ce train s'arrête aux deux gares de Shin-Ōsaka et d'Ōsaka.

Il existe aussi la possibilité de prendre un train de la ligne Hankyū, moins cher, qui part de la gare Hankyū de Kawaramachi et, passant par les gares de Karasuma et d'Ōmiya à Kyōto, arrive à la gare Hankyū d'Umeda à Ōsaka. (Le *tokkyū* Umeda-Kawaramachi, un express avec quelques arrêts, coûte 390 ¥ et prend 40 minutes). Ces trains sont plus confortables que les trains JR, et si vous montez à Kawaramachi ou à Umeda, vous trouverez en général une place assise.

Un autre choix consiste à prendre un train de la ligne principale Keihan qui part de la gare de Demachiyanagi et passe par celles de Sanjō, de Shijō et de Shichijō à Kyōto, pour s'arrêter à la gare Keihan Yodoyabashi à Ōsaka (*tokkyū* depuis/vers Sanjō 400 ¥, 51 min). Yodoyabashi à Ōsaka est sur la ligne de métro Midō-suji. Ces trains aussi sont plus confortables que les trains JR et vous pourrez en général vous asseoir si vous montez à Demachiyanagi ou à Yodoyabashi.

TŌKYŌ

La ligne de *shinkansen* est la plus rapide, et assure le plus grand nombre de trains au départ. On peut aussi effectuer le voyage dans divers trains express des lignes régulières du JR, en gardant à l'esprit que le trajet sera long, 8 heures environ, avec 2 changements au minimum, 3 ou 4 au maximum. Le coût est de 7 980 ¥. Au guichet, quand vous achèterez votre billet, demandez à l'employé de bien vous écrire tous les détails sur chaque changement.

COMMENT CIRCULER
Depuis/vers l'aéroport

AÉROPORT ITAMI D'ŌSAKA 大阪伊丹空港

Des navettes spéciales relient l'aéroport Itami d'Ōsaka (carte p. 331) et la gare de Kyōto (l'arrêt de la navette à la gare de Kyōto est sur le côté sud de la gare, en face du grand magasin Avanti). Des bus circulent aussi entre l'aéroport et les divers hôtels de la ville, mais sont moins fréquents (vérifiez avec votre hôtel). Le trajet dure environ 55 minutes pour un coût de 1 280 ¥. Prévoyez suffisamment de temps : il peut y avoir de la circulation.

À Itami, la plate-forme pour ces bus se situe à l'extérieur du hall des arrivées ; achetez votre ticket au distributeur et demandez à un employé de vous indiquer la plate-forme pour Kyōto. (un conseil : vous aurez une meilleure chance d'être assis si vous montez au terminal sud).

Il existe un service de navette par minibus **"Sky Gate" de MK Taxi** (☎ 778-5489), une compagnie de taxis, qui offre ce service pour 2 300 ¥. Appelez au moins 2 jours à l'avance pour réserver, ou adressez-vous à leur comptoir d'accueil dans le hall des arrivées à Ōsaka.

AÉROPORT INTERNATIONAL DU KANSAI
(KIX) 関西国際空港

Le moyen le plus rapide et le plus pratique entre le KIX (carte p. 331) et Kyōto est le train express spécial à destination de l'aéroport, appelé Haruka. Il parcourt le trajet en

78 minutes environ. La plupart des places y sont réservées (3 290 ¥), excepté dans deux voitures (2 980 ¥). De toute manière, il y a toujours des places, et vous n'avez pas besoin de réserver. Le premier départ de Kyôto vers le KIX est à 5h45, le dernier à 20h16 ; le premier départ du KIX vers Kyôto est à 5h46 et le dernier à 20h15.

Si vous avez du temps, vous pouvez économiser de l'argent en prenant le *kanku kaisoku* (express pour l'aéroport du Kansai) entre l'aéroport et la gare d'Ôsaka, puis de là un *shinkaisoku* régulier vers Kyôto (de même dans l'autre sens). Le trajet total dure 92 minutes avec de bonnes connexions et coûte 1 830 ¥, ce qui réduit considérablement les frais.

Un service de navette assure aussi la liaison entre Kyôto et le KIX (2 300 ¥, environ 1h45). À Kyôto, ce bus part du même endroit que celui à destination d'Itami (voir p. 389).

Une dernière possibilité : le service de navette par minibus **"Sky Gate" de MK Taxi** (☎ 778-5489), qui vient vous chercher partout à Kyôto et vous dépose au KIX pour 3 500 ¥. Téléphonez au moins 2 jours à l'avance pour réserver. L'avantage de cette option est qu'il s'agit d'un service porte à porte ; vous n'avez donc pas à traîner vos bagages à travers la gare. MK a un comptoir dans le hall des arrivées du KIX ; lorsque vous descendrez de l'avion, et pour peu qu'il y ait de la place, on vous installera dans le prochain minibus pour Kyôto. **Yasaka Taxi** (☎ 803-4800) offre le même service.

Bus

Kyôto possède un dense réseau de bus qui en fait un moyen efficace et bon marché pour se déplacer. Les lignes de bus les plus fréquentées par les visiteurs étrangers ont des annonces en anglais. Le matin, le service commence à 7h pour se terminer vers 21h, à l'exception de quelques lignes.

Les principaux terminaux de bus sont ceux de la gare de Kyôto (lignes de train JR et Kintetsu), de la gare de Sanjô (ligne de train Keihan et ligne de métro Tôzai), de la gare de Karasuma-Shijô (ligne de train Hankyû et ligne de métro Karasuma) et de la gare de Kitaôji (ligne de métro Karasuma). Le terminal des bus de la gare de Kyôto, sur le côté nord de la gare, est doté de trois grands quais (une lettre sur le quai et un numéro de plate-forme à l'intérieur indiquent le point de départ de chaque bus).

FORFAITS BUS/MÉTRO DE KYÔTO

Pour économiser temps et argent, vous pouvez acheter un *kaisū-ken* (carnet de 5 tickets) pour 1 000 ¥. Vous pouvez aussi pour 500 ¥ choisir une carte valable un jour (*shi-basu senyô ichinichi jôshaken câdo*) qui vous autorise des trajets illimités sur les lignes de bus à l'intérieur de la ville. Un forfait similaire (*Kyôto kankô ichinichi jôsha-ken câdo*) permet de voyager sans limite sur les lignes de bus et de métro pour 1 200 ¥. Un forfait de 2 jours bus/métro (*Kyôto kankô futsuka jôsha-ken*) coûte 2 000 ¥. Les *kaisū-ken* peuvent être obtenus auprès du chauffeur. Les forfaits et les cartes sont vendus dans la plupart des terminus de lignes de bus ou au centre d'information principal des bus (carte p. 343).

Le TIC (p. 335) distribue la *Bus Navi: Kyoto City Bus Sightseeing Map,* une bonne carte des principales lignes de bus. Elle n'est cependant pas exhaustive. Si vous pouvez lire un peu les caractères, retirez dans un grand terminal la carte ordinaire des bus en japonais, plus détaillée.

Aux arrêts de bus dans la ville, vous verrez sur une plaque, en haut une carte des lignes de bus depuis cet arrêt et, au-dessous, un horaire pour chaque bus desservant ce même arrêt. Malheureusement, ces informations sont en japonais : si vous ne lisez pas les caractères, vous devrez demander de l'aide autour de vous.

L'entrée dans le bus se fait par la porte arrière et la sortie par la porte avant. Les bus à l'intérieur de la ville ont un tarif unique quelle que soit la distance (220 ¥). En sortant, vous déposerez cette somme dans le réceptacle en plastique transparent d'une machine à côté du chauffeur. Une autre machine change les pièces de 100 et 500 ¥, et les billets de 1 000 ¥.

Dans les bus qui desservent l'agglomération de Kyôto, vous devrez prendre un coupon numéroté (*seiri-ken*) distribué par une machine à l'arrière du bus. À votre arrêt, un panneau électronique au-dessus du chauffeur indiquera le tarif correspondant à votre numéro (glissez le *seiri-ken* en même temps que vos pièces dans la machine).

Le centre d'information principal des bus est en face de la gare de Kyôto. Là, vous pourrez retirer des cartes de bus, acheter des tickets et des forfaits (sur toutes les lignes, y compris les lignes de bus longue distance), et bien sûr obtenir des informations supplémentaires. À proximité se trouve un terminal informatique sur les bus, en anglais/japonais ; entrez-y votre destination, et votre bus et son arrêt s'afficheront sur l'écran.

Les numéros à 3 chiffres sur un fond rouge indiquent des bus qui circulent en boucle autour de la ville : le bus 204 dessert ainsi le nord et les bus 205 et 206 font le tour de la ville via la gare de Kyōto. Les bus aux numéros sur fond bleu suivent d'autres routes.

Quand vous sortez de la ville, veillez à emprunter le bon bus. Les bus de la ville de Kyōto sont verts, les bus de l'agglomération de Kyōto ocre, et ceux de la ligne Keihan rouge et blanc.

Métro

Kyōto est doté de deux lignes de métro efficaces, en service de 5h30 à 23h30. Le tarif minimal est de 210 ¥ (enfant 110 ¥).

Le moyen le plus rapide de voyager entre le nord et le sud de la ville est de prendre la ligne Karasuma. Comptant 15 arrêts, elle va de Takeda au sud, via la gare de Kyōto, jusqu'au Centre de conférences international de Kyōto (station Kokusaikaikan) au sud.

La ligne Tōzai relie l'est à l'ouest. D'Uzumasa-Tenjingawa à l'ouest, elle traverse Kyōto pour rejoindre la ligne Karasuma à la station Karasuma-Oike et poursuit à l'est jusqu'à Sanjō Keihan, puis vers le sud-est jusqu'à Yamashina et Rokujizō.

Scooter

Le scooter est un bon moyen de déplacement dans la ville. Toutefois, pour en louer un, vous devrez posséder un permis de conduire international valide. **Kyoto Rental Scooters** (☎ 864-1635 ; http://kyotorentalscooter.com/e.htm) loue des scooters 50cm^3 (4 000/14 000 ¥ jour/semaine).

Taxis

Les taxis dans Kyōto pratiquent un tarif fixe de 640 ¥ pour les deux premiers kilomètres. L'exception est **MK Taxi** (☎ 778-4141), qui débute à 580 ¥.

MK Taxi organise aussi des visites de la ville en taxi guidées par des chauffeurs anglophones. Une visite de 3 heures, pour un groupe de 4 personnes au maximum, coûte 21 800 ¥. La compagnie **Kyōren Taxi Service** (☎ 672-5111) propose un service similaire.

La plupart des taxis de Kyōto sont équipés de GPS. Si vous allez dans un endroit que le chauffeur ne connaît pas, fournir une adresse ou un numéro de téléphone lui facilitera la tâche, ces deux données pouvant être programmées dans le système.

Vélo

Kyōto est une ville idéale pour le vélo ; à l'exception de certains secteurs à l'extérieur, le terrain est quasi plat. De plus, une nouvelle piste cyclable suit maintenant la Kamo-gawa.

Malheureusement, Kyōto remporterait sans doute la palme des villes les moins bien équipées en parkings publics pour les vélos. En revanche, la ville ne se prive pas d'emporter à la fourrière les vélos stationnés dans les endroits interdits. Si votre vélo disparaît, vérifiez s'il n'y a pas une affiche dans le coin (en japonais et en anglais), indiquant l'heure de l'enlèvement et la lointaine fourrière où vous pourrez le récupérer moyennant une amende de 2 000 ¥.

Deux parkings à vélos sont pratiques pour les visiteurs : l'un devant la gare de Kyōto, l'autre dans Kiyamachi-dōri, à mi-chemin entre Sanjō-dōri et Shijō-dōri. Le tarif est de 150 ¥ la journée. Ne perdez pas le ticket qui vous a été délivré à l'entrée.

ACHAT

Si vous avez l'intention de passer plus d'une semaine à explorer Kyōto à vélo, il peut être intéressant pour vous d'acheter un vélo d'occasion. Un *mama chari* (vélo dit "de grand-mère", sorte de vélo de ville) ne coûte pas plus de 3 000 ¥. Allez voir au magasin de vélos d'occasion **Ei Rin** (carte p. 348 ; ☎ 752-0292 ; 28-4 Sekiden-chō, Tanaka, Sakyō-ku (dans Imadegawa-dōri) ; 9h30-19h30), près de l'université de Kyōto. Le tableau d'affichage du Kyōto International Community House (voir p. 334) peut aussi vous aider ; les petites annonces pour ventes de vélos y abondent.

LOCATION

Un bon endroit pour louer un vélo est le **Kyōto Cycling Tour Project** (KCTP ; carte p. 343 ; ☎ 354-3636 ; www.kctp.net/en/index.html ; 9h-19h). Là, vous trouverez des vélos (1 000 ¥/jour) parfaits pour la ville. KCTP organise aussi divers circuits à vélo à travers Kyōto, avec guides anglophones, une excellente manière de découvrir la ville (consultez aussi leur site Internet).

La plupart de ces loueurs de vélos vous demandent de laisser une pièce d'identité : passeport ou permis de conduire.

KANSAI

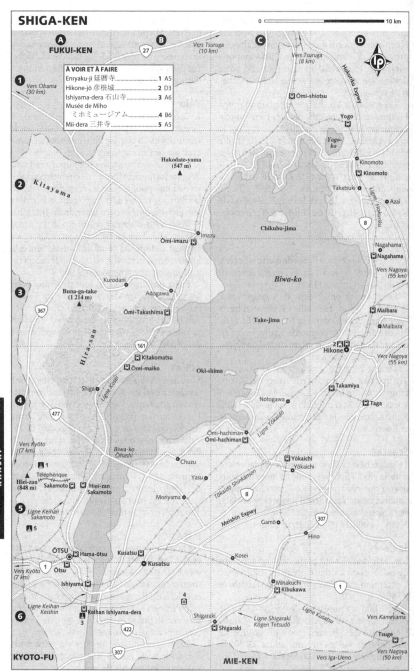

SHIGA-KEN

0   10 km

FUKUI-KEN

À VOIR ET À FAIRE

Enryaku-ji 延暦寺	1 A5
Hikone-jō 彦根城	2 D3
Ishiyama-dera 石山寺	3 A6
Musée de Miho	
ミホミュージアム	4 B6
Mii-dera 三井寺	5 A5

Vers Obama
(30 km)

Vers Tsuruga
(10 km)

Vers Tsuruga
(8 km)

Ōmi-shiotsu

Yogo

Yogo-ko

K i t a y a m a

Hakodate-yama
(547 m)

Kinomoto
Kinomoto

Takatsuki

Azai

Ōmi-imazu
Imazu

Chikubu-jima

Nagahama
Nagahama

Vers Nagoya
(55 km)

Biwa-ko

Kurodani

Buna-ga-take
(1 214 m)

Adogawa

Ōmi-Takashima

Take-jima

Maibara

Maibara

H i r a - s a n

161

Kitakomatsu

Ōmi-maiko

Oki-shima

2
Hikone

Vers Nagoya
(55 km)

Shiga

Takamiya

Notogawa

Taga

Vers Kyōto
(7 km)

*Biwa-ko
Ōhashi*

Ōmi-hachiman
Ōmi-hachiman

Chuzu

Yōkaichi
Yōkaichi

Hiei-zan
(848 m)

Téléphérique

Hiei-zan
Sakamoto

Yasu

Moriyama

Tōkaidō Shinkansen

Sakamoto

Ligne Keihan
Sakamoto

Meishin Expwy

Gamō

Hino

ŌTSU
Ōtsu
Hama-ōtsu

Kusatsu

Kusatsu

Kosei

Vers Kyōto
(7 km)

Ishiyama

Minakuchi
Kibukawa

Ligne Keihan
Keishin

Keihan Ishiyama-dera

4

Shigaraki

Ligne Shigaraki
Kōgen Tetsudō

Vers Kameyama

Shigaraki

Tsuge

KYOTO-FU

MIE-KEN

Vers Iga-Ueno

Vers Nagoya
(50 km)

KANSAI

SHIGA-KEN 滋賀県

De l'autre côté de Kyōto, sur le versant opposé des monts Higashiyama, la vie de Shiga-ken s'articule autour du Biwa-ko, le plus grand lac du Japon. Cette préfecture possède divers sites d'intérêt qui se visitent facilement en une journée à partir de Kyōto. La ville de Nagahama, avec son quartier traditionnel de Kurokabe (Kurokabe Square), animé par les artisans du verre, et celle de Hikone, dominée par son beau château, sont des lieux intéressants à visiter. Il en va de même pour des temples réputés comme le Mii-dera et l'Ishiyama-dera et pour le musée Miho, qui vaut une visite, ne serait-ce que pour son bâtiment et son site.

ŌTSU 大津
☎ 077 / 333 800 habitants

Ōtsu fut au départ une résidence impériale. Au VIIe siècle, la ville fut la capitale du Japon pendant 5 ans. Elle devint ensuite un port d'importance sur le lac, puis une étape sur la route du Tōkaidō qui reliait l'est à l'ouest du Japon. C'est maintenant la première ville de la préfecture de Shiga.

L'**office du tourisme** (☎ 522-3830 ; ☺ 8h40-17h25) se situe dans la gare JR d'Ōtsu.

Mii-dera 三井寺
Le **Mii-dera** (☎ 522-2238 ; 246 Onjōji-chō ; 500 ¥ ; ☺ 8h-17h) est à une courte marche au nord-ouest de la gare Keihan Hama-Ōtsu. Fondé à la fin du VIIe siècle, il est le temple principal de la branche Jimon de l'école bouddhiste Tendai. Cependant, il appartient d'abord à l'ensemble architectural de l'Enryaku-ji sur le mont Hiei, avant qu'un conflit éclate, provoquant à maintes reprises la destruction du Mii-dera par les moines-guerriers de ce puissant temple. Admirez la porte Niō-mon, recouverte de couches d'écorce, et non de tuiles. Elle est particulièrement belle en avril lorsqu'elle est encadrée par des cerisiers en fleurs. Dernière entrée à 16h30.

Fêtes et festivals
Ōtsu Dai Hanabi Taikai (fête des grands feux d'artifice d'Ōtsu). Si vous êtes en ville le 8 août, ne manquez pas cette fête qui débute à la tombée de la nuit. Les meilleurs endroits pour l'admirer sont les abords du lac, près de la gare Keihan Hama-Ōtsu. Sachez que les trains qui viennent de Kyōto sont bondés avant et après la fête.

Ōtsu Matsuri. Un peu avant la mi-octobre, au Tenson-jinja, près de la gare JR d'Ōtsu. Des chars décorés sont exposés dans la ville avant de défiler dans les rues le 2e jour.

Depuis/vers Ōtsu
De Kyōto, vous pouvez prendre la ligne Tōkaidō du JR, à partir de la gare de Kyōto jusqu'à la gare JR d'Ōtsu (190 ¥, 8 min), ou la ligne de métro Tōzai jusqu'à la gare Hama-Ōtsu (410 ¥, 21 min) depuis la gare Sanjō Keihan.

ISHIYAMA-DERA 石山寺
Ce **temple de l'école Shingon** (☎ 077-537-0013 ; 1-1-1 Ishiyama–dera ; 500 ¥ ; ☺ 8h-16h30) fut fondé au VIIIe siècle. La pièce voisine du Hondō (pavillon principal) est célèbre, car Murasaki Shikibu y aurait écrit *Le Dit du Genji*. L'enceinte du temple se fond dans une merveilleuse forêt, dont vous pourrez explorer les sentiers. Celui qui grimpe jusqu'au pavillon du Tsukimitei vous livrera ses vues splendides sur le Biwa-ko.

Ce temple se situe à 10 minutes de marche au sud de la gare Keihan Ishiyama-dera (continuez le long de la route dans la direction suivie par le train). De Kyōto, prenez la ligne de métro Tōzai à la gare Sanjō Keihan jusqu'à la gare Keihan Hama-Ōtsu, où vous changerez pour un *futsū* de la ligne Keihan vers Ishiyama-dera (540 ¥, 33 min). Vous pouvez aussi prendre la ligne JR Tōkaidō depuis la gare JR de Kyōto jusqu'à la gare JR d'Ishiyama-dera (*kaisoku* ou *futsū* uniquement, 230 ¥, 13 min), puis changez pour la ligne Keihan pour un court trajet jusqu'à la gare Keihan Ishiyama-dera (160 ¥).

MUSÉE DE MIHO
Ce **musée** (☎ 0748-82-3411 ; www.miho.or.jp ; 300 Momodani, Shigaraki ; adulte/enfant 1 000/300 ¥ ; ☺ 10h-17h, fermé lun mi-mars à mi-juin, mi-juil à mi-août et sept à mi-déc) ménage une vue saisissante. Conçu par l'architecte Pei (auteur de la pyramide du Louvre), il conserve la collection de la famille Shumei consacrée à l'art du Japon, du Moyen-Orient, de la Chine et de l'Asie du Sud.

Le bâtiment en lui même est aussi impressionnant que la collection. Comme il vous faudra presque une journée pour ce voyage à Miho à partir de Kyōto ou d'Ōsaka, nous vous conseillons de téléphoner auparavant au musée pour demander quelle exposition s'y tient. Dernière entrée à 16h.

KANSAI

De Kyōto ou d'Ōsaka, empruntez la ligne Tōkaidō du JR jusqu'à la gare d'Ishiyama ; de là, prenez le **bus Teisan Bus** (Tanakami Eigyōsho ; ☎ 562-3020) à destination du musée (800 ¥, environ 50 min).

HIKONE 彦根
☎ 0749 / 111 800 habitants

L'attrait principal de Hikone, deuxième ville de la préfecture, réside dans le château qui la domine. Le jardin mitoyen invite à une promenade agréable après la visite du château.

Orientation et renseignements

Un **office du tourisme** (☎ 22-2954 ; ۞ 9h-17h), sur votre gauche quand vous sortez de la gare, dispose d'un très bon choix de cartes et de brochures. La *Street Map & Guide to Hikone* est une carte qui suggère au verso un itinéraire de découverte à vélo des lieux intéressants de Hikone.

Le château est à 10 minutes à pied par la rue qui monte tout droit depuis la gare (tournez à gauche avant le sanctuaire, puis tout de suite à droite).

Hikone-jō 彦根城

Ce **château** (☎ 22-2742 ; 1-1 Konki-chō ; 500 ¥ ; ۞ 8h30-17h) fut achevé en 1622 par la famille Ii, les *daimyo* (seigneurs des provinces à l'époque féodale) qui gouvernaient Hikone. Il est considéré à juste titre comme l'un des plus beaux châteaux subsistant au Japon. Ses bâtiments sont presque tous d'origine. Des étages supérieurs, vous aurez une vue splendide sur le lac. Entouré par plus de 1 000 cerisiers, le château est très prisé au printemps pour le *hanami* (observation des fleurs).

Après la visite du château, ne ratez pas le **Genkyū-en** (entrée comprise avec le château ; ۞ 8h30-17h), un ravissant jardin d'inspiration chinoise remontant à 1677 – demandez à quelqu'un de vous en indiquer le chemin. Assis dans le pavillon de thé, vous pourrez déguster une tasse de *matcha* accompagnée d'un gâteau (500 ¥), tout en appréciant le paysage.

YUMEKYŌ-BASHI CASTLE ROAD
夢京橋キャッスルロード

À environ 400 m au sud-ouest du château (indiquée sur la carte *Street Map & Guide to Hikone* et accessible par les portes du château Omote-mon ou Ōte-mon), cette rue bordée de magasins et de restaurants traditionnels est parfaite pour un déjeuner après la visite

du château. Ensuite, terminez agréablement la journée en faisant le tour des boutiques.

Notre restaurant favori ici est le **Monzen-ya** (もんぜんや ; ☎ 24-2297 ; soba environ 800 ¥ ; ۞ 11h-19h tlj sauf mar), un excellent petit *soba-ya* qui sert du *tori-soba* (pâtes de *soba* au poulet ; 800 ¥). À 100 m sur la gauche de la rue en partant du château, vous verrez un *noren* blanc aux lettres noires suspendu à l'entrée.

Fêtes et festivals

Le **Birdman Rally**, qui se tient en été (les dates changent chaque année), sur la plage de Matsubara à Hikone, célèbre le désir qu'ont toujours eu les hommes de voler – et de manière idéale aussi, sans utiliser de carburants fossiles. Vous verrez les participants s'élancer au-dessus du Biwa-ko dans de drôles de machines volantes ultralégères actionnées par la force humaine.

Depuis vers Hikone

Hikone est à une heure environ de Kyōto (par le *shinkaisoku*, 1 110 ¥) sur la ligne JR Tōkaidō. Si vous avez un JR Rail Pass ou si vous êtes pressé, vous pouvez prendre le *shinkansen* jusqu'à Maibara (3 100 ¥, 18 min depuis Kyōto), puis de là revenir sur vos pas par la ligne JR Tōkaidō jusqu'à Hikone (180 ¥, 5 min).

NAGAHAMA 長浜
☎ 0749 / 83 350 habitants

Nagahama, sur la rive nord-est du Biwa-ko, réserve d'agréables surprises. On peut facilement combiner sa visite avec celle de Hikone. Le quartier de Kurokabe, au nord-est de la gare, en est la curiosité principale.

Si vous êtes à Nagahama entre le 14 et le 16 avril, ne manquez pas le **Nagahama Hikiyama Matsuri** : une dizaine de chars aux décorations élaborées sont exposés dans les rues, et des enfants costumés jouent des Hikiyama *kyōgen* (pièces comiques).

Quartier de Kurokabe 黒壁スクエア

Beaucoup de *machiya* (maisons de ville traditionnelles) et de *kura* (greniers) de ce plaisant quartier ancien ont été transformés en boutiques tendance et en galeries valorisant l'artisanat de prédilection de la ville : le verre. Sortez par le côté est de la gare de Nagahama et prenez la première rue sur la gauche après la Shiga Bank ; à 50 m sur votre droite (au carrefour), vous trouverez le **centre d'information de Kurokabe** (黒壁インフォメーションセン

ター ; ☎ 65-8055 ; ⊗ 10h-18h, jusqu'à 17h nov-mars), où
vous pourrez retirer une carte de la ville.

Nous avons apprécié la petite collection
d'objets du **musée d'Art du verre de Kurokabe**
(黒壁美術館 ; ☎ 62-6364 ; 600 ¥ ; ⊗ 10h-16h30).
Lors de votre visite, demandez qu'on vous
montre comment fonctionne le *suikinkutsu*, un
étrange "instrument de musique", qui consiste
en une urne renversée dans laquelle on fait
couler de l'eau. Ce musée est à 50 m au nord
du centre d'information, sur l'autre côté de la
rue. Dernière entrée à 16h30.

Notre attraction préférée dans le quartier de
Kurokabe est sans conteste le **kaléidoscope géant**
(巨大万華鏡 ; kyodaimangekyō ; gratuit ; ⊗ lever-
coucher du soleil), situé en retrait d'une galerie
marchande un peu au nord du musée d'Art du
verre de Kurokabe. Du musée, marchez vers
le nord et tournez à droite dans la première
rue ; 30 m après l'entrée de la galerie, vous
verrez l'enseigne "Antique Gallery London".
Le kaléidoscope géant est installé à l'arrière de
cette boutique dans un espace ouvert.

À quelques pas du kaléidoscope géant, le
Daitsū-ji (大通寺 ; ☎ 62-0054 ; jardin/enceinte 500 ¥/
gratuit ; ⊗ 9h-16h30, fermé vacances du Nouvel An), un
temple appartenant au bouddhisme Jōdo-
Shin-Shū (école véritable de la Terre pure)
mérite une courte visite (sans nécessairement
payer 500 ¥ pour le jardin).

Où se restaurer
Torikita (鳥善多 ; ☎ 62-1964 ; plats à partir de 470 ¥ ;
⊗ 11h30-14h et 16h30-19h, fermé mar) est spécialisé
dans un seul plat : l'*oyako-donburi* (poulet et
œuf sur un bol de riz ; 580 ¥). Si vous n'aimez
pas l'œuf cru, demandez un *oyako-donburi
nama tamago nashi de* (*oyako-donburi* sans
œuf cru). À 200 m en descendant la rue principale à l'est de la gare : en face de la Shiga
Bank, vous verrez une façade traditionnelle où
est suspendu un *noren* blanc (rideau).

Depuis/vers Nagahama
Nagahama est sur la ligne JR Tōkaidō
(*shinkaisoku*, 1 280 ¥, 62 min depuis Kyōto).
Attention : depuis Kyōto, tous les *shinkaisoku*
ne vont pas jusqu'à Nagahama ; certains trains
nécessitent un changement à Maibara qui
est à 10 minutes au sud de Nagahama par
le *shinkaisoku* (190 ¥). Si vous avez JR Pass,
vous pouvez prendre le *shinkansen* jusqu'à
Maibara (3 100 ¥, 18 min depuis Kyōto) et de
là prendre un train local JR pour une courte
distance jusqu'à Nagahama.

NORD DU KANSAI
関西北部

La côte nord du Kansai est célèbre pour ses
paysages spectaculaires formés de belles plages
de sable, de caps déchiquetés et d'îlots rocheux,
auxquels viennent s'ajouter les charmes d'une
atmosphère campagnarde.

La côte est parcourue par la ligne de chemin
de fer JR San-in, mais les trains font souvent
des crochets en passant par l'intérieur des terres
et les tunnels. Il est plus facile de voyager avec
son propre véhicule : voiture de location, moto,
vélo ou auto-stop.

MOROYOSE 諸寄
Moroyose, dans la préfecture de Hyōgo, à la
limite de celle de Tottori, est un agréable village
de pêcheurs doté d'une jolie plage de sable fin.
À 10 minutes au-dessus de la plage, en grimpant
depuis l'extrémité est, la **Youth Hostel Moroyose-sō**
(諸寄荘ユースホステル ; ☎ 0796-82-3614 ;
461 Moroyose ; ch sans repas 3225 ¥/pers) est le meilleur
endroit pour les voyageurs à petit budget ; elle
loue des chambres plutôt spacieuses pour une
auberge de jeunesse et sert des petits-déjeuners/
dîners à 525/945 ¥. Moroyose est sur la ligne JR
San-in et la gare se trouve au centre du bourg,
tout près de la plage.

TAKENO 竹野
Takeno est un petit bijou, à la fois village de
pêcheurs et station balnéaire, avec deux belles
plages de sable fin : **Benten-hama** (弁天浜), à
l'ouest, et **Takeno-hama** (竹野浜), à l'est. Pour
aller à Benten-hama, en sortant de la gare de
Takeno, tournez à gauche au premier feu et
continuez tout droit pendant 15 minutes (vous
traverserez une grande rue sur le chemin). Pour
Takeno-hama, sortez de la gare en marchant
droit devant vous durant environ 20 minutes.
Dans un bâtiment de brique orange, l'**office du
tourisme** (☎ 0796-47-1080 ; ⊗ 8h30-17h) borde la
plage de Takeno-hama. Son personnel vous
aidera à réserver un *minshuku* (logement chez
l'habitant) ou un *ryokan*.

Le **terrain de camping Bentenhama** (弁天浜
キャンプ場 ; ☎ 0796-47-0888 ; empl adulte/enfant
1 000/500 ¥ ; ⊗ juil et août) fait face à la plage de
Benten-hama. Il est correct, mais les tentes sont
très rapprochées. Dans le complexe de l'onsen
Kitamaekan (北前館 ; ☎ 0796-47-2020 ; onsen adulte/
enfant 400/250 ¥ ; ⊗ 11h-22h), les bains surplombent

la mer et la plage. C'est un vaste bâtiment gris sur la plage de Takeno-hama, à environ 150 m à l'ouest de l'office du tourisme.

La gare de Takeno est sur la ligne JR San-in, facile d'accès depuis Kinosaki (190 ¥, 9 min). Le voyage en train dévoile les beautés de la côte.

KINOSAKI 城崎
☎ 0796 / 4 140 habitants

Kinosaki est un endroit rêvé pour faire l'expérience des onsen. Dans le centre de la ville, un canal bordé de saules coule entre des maisons, des boutiques et des restaurants, dont beaucoup ont gardé leur charme traditionnel. En hiver s'ajouteront aux joies des onsen celle de la dégustation de crabes fraîchement pêchés dans la mer du Japon. Kinosaki est une excellente destination pour une excursion d'un jour à partir de Kyōto, d'Ōsaka ou de Kōbe.

Renseignements

En face de la gare, le personnel de l'**office de l'hébergement** (お宿案内所 ; ☎ 32-4141 ; ⊙ 9h-18h) se fera un plaisir de choisir avec vous un logement en ville et de s'occuper des réservations. Il vous donnera aussi des cartes de la ville. Des vélos sont à louer pour 400 ¥ les 2 heures ou 800 ¥ la journée (à rendre à 17h).

À voir et à faire

L'attrait de Kinosaki réside dans ses 7 **onsen**. Les visiteurs, en *yukata* et *geta* (sandales de bois), vont de bain en bain le long du canal. La plupart des *ryokan* et des hôtels de la ville ont leur propre bain *uchi-yu* (bain privé), mais ils donnent en plus des billets pour entrer dans les bains extérieurs (*soto-yu*).

Voici la liste des onsen de Kinosaki, les meilleurs étant en tête (procurez-vous une carte à l'office du tourisme ou à votre hôtel) :

Sato-no-yu (さとの湯 ; 800 ¥ ; ⊙ 7h-23h, fermé 2e et 4e jeudi du mois). Fantastique gamme de bains, dont un hammam, un *rotemburo* (bain extérieur) sur le toit et un "sauna de pingouins" (une chambre fraîche unique ; idéal après un bain chaud). Les différents étages sont ouverts un jour aux hommes, un jour aux femmes ; il faut donc 2 jours pour explorer toutes les options offertes.

Gosho-no-yu (御所の湯 ; 800 ¥ ; ⊙ 7h-23h, fermé irrégulièrement). Belle structure en rondins, agréable *rotemburo* sur 2 niveaux et des érables flamboyants l'automne. L'entrée rappelle le Kyōto Gosho (Palais impérial de Kyōto).

Kou-no-yu (鴻の湯 ; 600 ¥ ; ⊙ 7h-23h, fermé irrégulièrement). Sobriété ici, un bon *rotemburo* et de plaisants bains à l'intérieur.

Ichi-no-yu (一の湯 ; 600 ¥ ; ⊙ 7h-23h, fermé irrégulièrement). Merveilleux décor de grotte.

Yanagi-yu (柳湯 ; 600 ¥ ; ⊙ 15h-23h, fermé irrégulièrement). Il mérite une visite lors de votre tournée des bains de la ville.

Mandala-yu (まんだら湯 ; 600 ¥ ; ⊙ 15h-23h, fermé irrégulièrement). Un petit *rotemburo* de bois.

Jizo-yu (地蔵湯 ; 600 ¥ ; ⊙ 7h-23h, fermé irrégulièrement). Grand bassin à l'intérieur mais pas de *rotemburo*. Très bien si les autres bains de la ville sont bondés.

Outre les fabuleux onsen de la ville, il peut être intéressant d'aller jeter un coup d'œil au **Kinosaki Mugiwarazaikudenshokan** (城崎麦わら細工伝承館 ; 300 ¥ ; ⊙ 9h-17h, fermé dernier mer du mois), un musée des traditions qui présente un type d'artisanat local connu sous le nom de *mugiwarazaiku*. Cette technique décorative emploie de la paille d'orge, découpée en minuscules morceaux qui sont appliqués sur du bois pour former de splendides motifs. En retrait du canal, à une courte promenade au nord du Mandara-yu onsen.

Où se loger

Mikuniya (三国屋 ; ☎ 32-2414 ; www.kinosaki3928.com, en japonais ; ch avec 2 repas à partir de 18 900 ¥/pers ; 🖳). À environ 150 m sur le côté droit de la route qui mène à la ville depuis la gare, ce *ryokan* est un bon choix. Chambres propres au joli décor japonais et onsen très relaxant. Enseigne en lettres latines.

Suishōen (水翔苑 ; ☎ 32-4571 ; www.suisyou.com, en japonais ; ch avec 2 repas à partir de 21 675 ¥/pers, ch sans repas dim-ven 7875 ¥/pers, ch sans repas sam 9 450 ¥/pers ; 🖳). Excellent *ryokan* moderne à une courte distance en voiture du centre-ville. Ce n'est pas un inconvénient, car on met à votre disposition un taxi londonien qui vous conduira à l'onsen de votre choix et ira vous y rechercher quand vous voudrez. On éprouve un sentiment quelque peu irréel à être assis à l'arrière de ce taxi, vêtu d'un simple *yukata* ! Les chambres sont propres et bien tenues et l'onsen privé est agréable, avec bains intérieurs et extérieurs. Bref, une belle option d'un très bon rapport qualité/prix.

Nishimuraya Honkan (西村屋本館 ; ☎ 32-2211 ; honkan@nishimuraya.ne.jp ; ch avec 2 repas à partir de 37 950 ¥/pers ; 🖳). N'hésitez pas, c'est le meilleur *ryokan* de la ville, d'un raffinement exquis. Les deux onsen sont superbes et la plupart des chambres donnent sur un jardin privatif. Et pour ajouter à ce classique du luxe japonais, la cuisine est succulente. Accès Internet par câble LAN.

Où se restaurer

Le délicieux crabe de la mer du Japon (*kani*) est la spécialité de Kinosaki durant les mois d'hiver. Vous le dégusterez en *kani-suki*, déposé sur votre table dans une marmite avec du bouillon et des légumes.

Daikō Shōten (大幸商店 ; ☎ 32-3684 ; 10h-21h, jusqu'à 23h en été, fermé irrégulièrement). Pas de meilleur endroit que cette poissonnerie et *izakaya* (bar-restaurant) sans prétention pour savourer des fruits de mer fraîchement pêchés. De novembre à mi-avril (la haute saison touristique à Kinosaki), la section restaurant est à l'étage tandis que le rez-de-chaussée est réservé à la vente de grandes quantités de crabes et autres délices de la mer. Le reste de l'année, le restaurant est installé au rez-de-chaussée. Le *teishoku* (menu du jour) est à 1 380 ¥, mais fiez-vous aux suggestions (*osusume*) du patron. En diagonale par rapport au Mikuniya (p. 396).

Heihachirō (☎ 32-0086 ; 11h30-14h et 18h-23h, fermé mer). Une bonne adresse pour essayer en hiver le fameux crabe *kani-suki* (4 500 ¥) ou changer de l'habituelle cuisine *izakaya*, à accompagner de bière et de saké. Pour trouver l'établissement, marchez un peu après le Gosho-no-yu, de l'autre côté de la rue ; vous verrez un mur de pierre et une petite enseigne en anglais "Dining Bar Heihachiro".

Oritsuru (☎ 32-2203 ; dîner de sushis autour de 3 000 ¥ ; déj et dîner, fermé mar). Dans la grand-rue, un restaurant de sushis apprécié des gens du coin, qui propose de bonnes créations, dont la formule supérieure (*jō-nigiri*) à 3 700 ¥. En hiver, on y déguste le crabe. Entre l'Ichi-no-yu et le Gosho-no-yu, de l'autre côté de la rue. Petite enseigne en lettres latines sur la porte.

Pour des repas plus simples, rendez-vous au Yamayoshi (山よし), un *shokudō* populaire à l'étage, juste à la sortie de la gare (repérez les photos et les reproductions de plats en devanture). Menus fixes habituels et quelques spécialités locales dont le crabe.

Sachez qu'à Kinosaki les restaurants ferment très tôt le soir car la majorité des voyageurs optent pour la demi-pension et dînent dans leur *ryokan*.

Depuis/vers Kinosaki

Kinosaki est sur la ligne JR San-in, sur laquelle circulent quelques *tokkyū* en provenance de Kyōto (1 450 ¥, 2 heures 22 min) et d'Ōsaka (5 250 ¥, 2 heures 42 min).

TANGO-HANTŌ 丹後半島

Sur la côte nord du Kansai, la péninsule de Tango forme un promontoire s'avançant dans la mer du Japon. L'intérieur est couvert d'épaisses forêts qui laissent apercevoir des villages de montagne idylliques et des torrents impétueux, tandis que la côte dentelée alterne plages de sable fin et caps rocheux.

La ligne de chemin de fer privée Kita-kinki Tango Tetsudō traverse le sud de la péninsule et relie Toyooka à Nishi-Maizuru, avec un arrêt à Amanohashidate (p. 398) ; si vous souhaitez explorer cette péninsule, vous devrez le faire par la route. En revanche, un bus en fait le tour, passant par quelques villages pittoresques de pêcheurs (Tango Ōkoku Romance gō ; contactez Tankai Bus ☎ 0772-42-0321 ; à partir de 4 400 ¥). Un vaste parking devant un restaurant marque le début d'un sentier qui va jusqu'au **phare de Kyōga-misaki** (経ヶ岬灯台 ; 40 min aller-retour, environ 3 km).

Le village d'**Ine** (伊根), au bord d'une ravissante crique sur le côté est de Tango-hantō, est particulièrement intéressant. Les *funaya*, des maisons sur pilotis tournées vers la mer, servent d'abri aux bateaux. Pour le visiter, le moyen le plus simple est d'arriver par la mer : les bateaux de l'**Ine-wan Meguri** (☎ 0772-42-0321) vous emmènent en promenade autour de la baie (environ 660 ¥, 30 min) de mars à décembre. Des bus relient Ine à Amanohashidate en 30 minutes (910 ¥).

Où se loger

L'une des meilleures façons d'apprécier pleinement Tango-hantō est le **Two to Tango** (www.thedivyam.com ; séjour et circuit 2 jours et demi tout compris 100 000 ¥/pers), un circuit organisé dans la péninsule de Tango. Absolument original, il est proposé par un Français vivant dans la préfecture de Kyōto. Vous logerez dans une ferme retirée de Kurumi-dani (un hameau de 6 maisons au cœur de Tango-hantō) et, de là, parcourerez en voiture les magnifiques paysages de la péninsule, vous arrêtant dans de plaisants onsen, au restaurant ou sur les plus belles plages. Tout est compris, même le chauffeur et guide mis à votre disposition. Ce circuit vous fait pénétrer intimement dans un Japon que peu de voyageurs ont la chance de découvrir.

Le village d'Ine compte plusieurs *minshuku* agréables, tels le **Yoza-sō** (与謝荘 ; ☎ 0772-32-0278 ; 507 Hirata ; à partir de 9 000 ¥/pers avec 2 repas).

KANSAI

Amanohashidate 天橋立
☎ 0772 / 21 000 habitants

Amanohashidate (Pont du Ciel) est classé comme l'une des "trois plus jolies vues" du Japon. Le "pont" est en fait une langue de sable couverte de pins (8 000 arbres !) qui s'étend sur 3,5 km. Sur toute sa longueur, elle possède d'agréables plages équipées en douches, toilettes et kiosques de repos ; le lieu est touristique, mais plutôt agréable. Dans les environs, vous découvrirez d'autres petits trésors comme Ine (voir p. 397).

La ville d'Amanohashidate se divise en deux, une partie à chaque extrémité de la langue de sable. À l'extrémité sud sont regroupés hôtels, *ryokan* et restaurants, autour d'un temple très fréquenté et de la gare JR d'Amanohashidate. Dans cette gare, vous trouverez des brochures en anglais au **comptoir de l'office du tourisme** (☎ 22-8030 ; ⏰ 10h-18h). Pour rejoindre le "pont" depuis la gare, prenez à votre droite la route principale sur 200 m jusqu'au premier feu, où vous tournerez à gauche.

Amanohashidate View Land (天橋立ビューランド ; télécabine/monorail 850 ¥ aller-retour ; ⏰ 9h10-17h, 8h40-18h 21 juil-20 août) se situe à l'extrémité sud de la langue de sable. Une fois au sommet, selon l'usage local, tournez le dos au Pont du Ciel et pliez-vous pour le regarder entre vos jambes ! De cette façon, dit-on, Amanohashidate apparaît comme "flottant".

À l'extrémité nord, le parc **Kasamatsu-kōen** (傘松公園 ; funiculaire/télécabine 640 ¥ aller-retour ; ⏰ 8h-16h30) offre à peu près la même vue.

Où se loger et se restaurer
Amanohashidate Youth Hostel (天橋立ユースホステル ; ☎ 27-0121 ; avec/sans 2 repas 4 500/2 950 ¥/pers ; 💻). Cette agréable auberge de jeunesse bien située sur une colline offre de belles vues sur le "Pont" en contrebas et des chambres bien tenues. Ses propriétaires sont chaleureux. Pour vous y rendre, empruntez un bus de la gare JR d'Amanohashidate (510 ¥, 20 min) et descendez à l'arrêt Jinja-mae. De là, marchez jusqu'au bâtiment principal du sanctuaire, puis quittez l'enceinte du sanctuaire par la droite. Ensuite, prenez à gauche sur la colline, marchez pendant 50 m et tournez à droite ; un panneau vous indique "Manai Shrine". Au *torii* de pierre, continuez à grimper sur 200 m : l'auberge est sur la droite.

Amanohashidate Hotel (天橋立ホテル ; ☎ 22-4111 ; avec 2 repas à partir de 20 000 ¥/pers ; 💻 📶). À environ 100 m à l'ouest de la gare, cet hôtel procure les meilleures vues sur le Pont du Ciel. Chambres de style japonais ou occidental et beaux bains communs offrant eux aussi de splendides vues sur le Pont et la baie. Spécialités de crabe en hiver. Wi-Fi dans la réception.

À l'extrémité sud d'Amanohashidate, vous rencontrerez plusieurs *shokudō* qui servent une cuisine correcte mais à des prix un peu trop exagérés. Le **Resutoran Monju** (れすとらん文珠 ; ☎ 22-2805 ; repas à partir de 1 000 ¥ ; ⏰ 9h30-16h, fermé jeu) propose la spécialité locale, l'*asari udon* (pâtes *udon* aux palourdes), qui coûte environ 1 000 ¥. Quand vous serez près du Chion-ji (le temple à l'extrémité sud de la langue de sable), repérez l'enseigne rouge et blanche.

Depuis/vers Amanohashidate
La ligne de train Kita-kinki Tango Tetsudō fait la jonction avec le JR en direction de l'ouest à Toyooka et en direction de l'est à Nishi-Maizuru. La gare d'Amanohashidate est sur cette ligne, à 1 heure 15 de Toyooka (*futsū* 1 160 ¥) et à 40 minutes de Nishi-Maizuru (*futsū* 620 ¥). Dans la journée, plusieurs trains directs partent de Kyōto. Les possesseurs d'un JR Pass devront s'acquitter d'un supplément pour la partie du trajet effectuée sur le Kita-kinki Tango Tetsudō (de Kyōto 4 180 ¥, 2 heures ; d'Ōsaka 5 040 ¥, 2 heures 15).

Comment circuler
Vous pouvez traverser Amanohashidate à pied, à vélo ou à moto de moins de 125 cm^3. On peut louer des vélos à plusieurs endroits ; comptez 400 ¥ les 2 heures ou 1 600 ¥ la journée.

MAIZURU 舞鶴
Les deux ports de Nishi-Maizuru et de Higashi-Maizuru n'offrent pas un grand intérêt, mais ils jouent un rôle primordial dans le réseau de transports. Si vous venez de l'ouest sur la ligne de chemin de fer Kita-kinki Tango Tetsudō, Nishi-Maizuru est le terminus ; là reprend la ligne JR Obama qui suit la côte. Si, au contraire, vous allez à Amanohashidate, c'est là que vous devez changer pour la ligne privée.

Un service régulier de ferries relie Higashi-Maizuru à Otaru dans l'île de Hokkaidō (2ᵉ classe 9 300 ¥, 20 heures). Renseignez-vous auprès du **Shin-Nihonkai Ferry** (☎ 06-6345-2921 ; www.snf.co.jp, en japonais).

ŌSAKA 大阪

☎ 06 / 2,65 millions d'habitants

Ōsaka est le moteur du dynamisme du Kansai. Connue pour les manières bourrues de ses habitants et son dialecte coloré (le *kansai-ben*), la ville offre un intéressant contraste avec l'atmosphère raffinée de Kyōto. Mais avant tout, les habitants d'Ōsaka aiment la bonne chère, et c'est à leur sujet que l'on a inventé l'expression *"kuidaore"*, c'est-à-dire manger jusqu'à en tomber. C'est une vitrine du mode de vie urbain qui n'est surpassé que par Tōkyō.

Presque rasée par les bombardements de la Seconde Guerre mondiale, Ōsaka apparaît d'abord comme une étendue uniforme de cubes de béton, ponctuée de *pachinko* (salles de jeux avec des *pachinko*, croisement de machine à sous et de flipper) et parcourue d'autoroutes suspendues. Or, quelque chose d'envoûtant s'en dégage. C'est la nuit qu'elle se révèle, lorsque les rues et les ruelles s'allument de mille néons, invitant le chaland au plaisir d'un bon repas ou promettant d'autres distractions.

Les centres d'intérêt d'Ōsaka sont le château (Ōsaka-jō) entouré de son parc, l'aquarium hébergeant un gigantesque requin-baleine, la vie nocturne du quartier de Dōtombori et l'intéressant musée en plein air des vieilles fermes japonaises. Mais Ōsaka offre bien plus que ces sites. Comme Tōkyō, c'est une ville qu'il faut appréhender dans sa totalité : les flâneries au hasard des rues vous plongeront dans son atmosphère particulière, mieux peut-être que n'importe quel circuit touristique.

HISTOIRE

Aussi loin que l'on puisse remonter dans l'Histoire, Ōsaka a toujours été un port et un centre de commerce de premier plan. Elle fut aussi très brièvement la première capitale du Japon (avant l'établissement d'une capitale permanente à Nara). Peu de temps après, elle était déjà le port par lequel s'effectuaient les échanges avec la Corée et la Chine, un rôle qu'elle partage aujourd'hui avec Kōbe et Yokohama.

À la fin du XVIᵉ siècle, Ōsaka gagna encore en statut : Hideyoshi Toyotomi, après avoir accompli l'unité du Japon, choisit d'y établir son château. Les marchands se regroupèrent bientôt autour de l'édifice, transformant la ville en un centre économique prospère. développement fut encouragé à une plus grande échelle encore par le gouvernement des shoguns Tokugawa qui n'interféra pas dans les affaires de la ville, mais laissa tout loisir aux marchands de s'enrichir comme ils l'entendaient.

À l'époque moderne, Tōkyō, en devenant le premier centre de l'économie japonaise, ursupa la place d'Ōsaka, et la plupart des compagnies qui y avaient leur siège déménagèrent à l'est. Ōsaka n'en demeure pas moins une grande place économique ; la ville est cernée d'usines fabriquant à la chaîne les produits les plus innovants de l'électronique et de la haute technologie japonaise.

Malheureusement, Ōsaka subit lourdement les conséquences de la récession mondiale, et les sans-abri y sont de plus en plus nombreux.

ORIENTATION

On a coutume de diviser Ōsaka en deux secteurs : Kita et Minami. Kita (en japonais "nord") est le centre des affaires et de l'administration, avec deux des plus grandes gares de la ville, la gare JR d'Ōsaka et la gare Hankyū d'Umeda.

Minami ("sud") est le quartier des divertissements et des centres commerciaux animés. On y rencontre les deux quartiers de la nuit : Namba et Shinsaibashi. Deux grandes gares se trouvent aussi dans ce secteur, la gare JR de Namba et celle de Nankai Namba.

La frontière entre Kita et Minami est délimitée par deux rivières, la Dōjima-gawa et la Tosabori-gawa, entre lesquelles s'étend Nakano-shima, une île verdoyante et paisible qui accueille le musée des Céramiques orientales. À 1 km au sud-est de Nakano-shima, Ōsaka-jō (le château) est entouré de son parc, Ōsaka-jō-kōen.

À l'extrémité sud de Minami-Ōsaka, il y a d'autres sites et attractions regroupés autour de la gare de Tennō-ji : Shitennō-ji, Tennō-ji-kōen, Den-Den Town (ville de l'électronique) et le quartier des divertissements d'un temps révolu de Shin-Sekai.

Le secteur de la baie d'Ōsaka, à l'ouest du centre-ville, possède d'autres sites attrayants, dont le remarquable aquarium d'Ōsaka et le parc à thème Universal Studios Japan.

N'oubliez pas que la gare JR d'Ōsaka est au centre de la zone Kita, mais, si vous venez de Tōkyō par le *shinkansen*, vous arriverez à la gare de Shin-Ōsaka, qui est à trois arrêts (5 min) au nord de la gare JR d'Ōsaka, sur la ligne de métro Midō-suji.

KANSAI

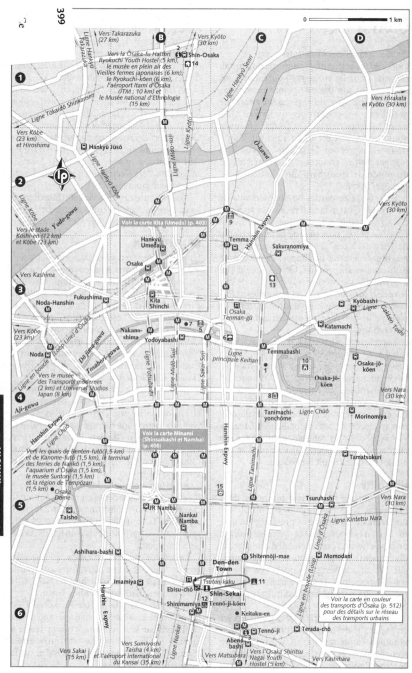

0   1 km

Vers Takarazuka
(27 km)

B

Vers Kyōto
(30 km)

C

D

Ligne Tōkaidō Shinkansen

Ligne Hankyū
Takarazuka

2
Shin-Osaka
14

Vers la Ōsaka-fu Hattori
Ryokuchi Youth Hostel (5 km),
le musée en plein air des
Vieilles fermes japonaises (6 km),
le Ryokuchi-kōen (6 km),
l'aéroport Itami d'Osaka
(ITM ; 10 km) et
le Musée national d'Ethnologie
(15 km)

1

Ligne Hankyū Senri

Vers Hirakata
et Kyōto (30 km)

Vers Kōbe
(23 km)
et Hiroshima

Hankyū Jūsō

Ōkawa

Ligne Midō-suji

Ligne Kyōto

2

Ligne Hankyū Kōbe

Ligne Kōbe

Vers Kyōto
(30 km)

M

M

Hanshin Expwy

Vers le stade
Kōshi-en (12 km)
et Kōbe (23 km)

Vers Kashima

Voir la carte Kita (Umeda) (p. 403)

Hankyū
Umeda

M

M

Temma

9

M

Sakuranomiya

Osaka

3

Noda-Hanshin

Fukushima

M

Kita
Shinchi

M

M

Kyōbashi

Ligne Gakken Toshi

Vers Kōbe
(23 km)

Ligne en boucle (Loop Line) d'Ōsaka

Noda

Nakano-
shima

Yodoyabashi

M

7
5

M

6

Osaka
Tenman-gū

Katamachi

Dōjima-gawa

Tosabori-gawa

Ligne Yotsubashi

Ligne Midō-suji

Ligne Sakai-suji

Ligne principale Keihan

Temmabashi

1

10

Osaka-jō-
kōen

Osaka-jō-
kōen

Vers le musée
des Transports modernes
(2 km) et Universal Studios
Japan (8 km)

4

Aji-gawa

Hanshin Expwy

Ligne Chūō

M

M

M

8

M

Tanimachi-
yonchōme

Ligne Chūō

Vers Nara
(30 km)

Morinomiya

Voir la carte Minami
(Shinsaibashi et Namba)
(p. 406)

M

M

Hanshin Expwy

Ligne Tanimachi

Tamatsukuri

Vers les quais de Benten-futō (1,5 km)
et de Kanome-futō (1,5 km), le terminal
des ferries de Nankō (1,5 km),
l'aquarium d'Osaka (1,5 km),
le musée Suntory (1,5 km)
et la région de Tempōzan
(1,5 km) • Osaka
Dome

5

M

15

JR Namba

Nankai
Namba

Tsuruhashi

Vers Nara
(30 km)

Ligne Kintetsu Nara

Taisho

Ashihara-bashi

Shitennōji-mae

Momodani

Ligne en boucle (Loop) d'Ōsaka

Den-den
Town

Tsuten-kaku

11

Voir la carte en couleur
des transports d'Ōsaka (p. 512)
pour des détails sur le réseau
des transports urbains

Imamiya

Ligne Nankai

Ebisu-chō

12

Shin-Sekai

6

Hanshin Expwy

Shinimamiya

Tennō-ji-kōen

• Keitaku-en

Tennō-ji

Terada-chō

Abeno-
bashi

3

Vers Sumiyoshi
Taisha (4 km)
et l'aéroport international
du Kansai (35 km)

Vers Sakai
(15 km)

Vers Matsubara

Vers l'Osaka Shiritsu
Nagai Youth
Hostel (5 km)

Vers Kashihara

Ligne Nankai

KANSAI

Cartes

Dans les bureaux d'information des visiteurs (voir ci-contre), retirez la remarquable *Osaka City Map*, qui présente des encadrés des quartiers les plus importants de la ville ainsi qu'un plan de l'excellent réseau de métro, de tram et de train. Chaque station de métro affiche une carte détaillée des lignes. Dans ce guide, la carte des lignes de métro et de trams d'Ôsaka se trouve p. 512.

RENSEIGNEMENTS
Accès à Internet

Aprecio (carte p. 406 ; ☎ 6634-0199 ; www.aprecio.co.jp/namba/index.php en japonais ; Minami ; à partir de 200 ¥/30 min ; 24h/24 ; station Namba sur la ligne de métro Midô-suji)

Kinko's (hors carte p. 406 ; ☎ 6266-0565 ; à partir de 262 ¥/10 min ; 24h/24 ; ligne de métro Midô-suji, station Honmachi)

Media Café Popeye (carte p. 403 ; ☎ 6292-3800 ; www2.media-cafe.ne.jp/branch/Umedadd/index.html ; niv B1, DD House Bldg, Kita ; à partir de 400 ¥/60 min ; 24h/24 ; ligne Hankyū, gare d'Umeda)

Agence de voyages

No 1 Travel Osaka (carte p. 403 ; ☎ 6345-4700 ; www.no1-travel.com/kix/no1air/index.htm; Kyo-Tomi Bldg 3F, 1-3-16 Sonezake-Shinchi, Kita-ku ; 10h-18h30 lun-ven, 11h-17h sam ; ligne JR, gare d'Ôsaka). Dans Umeda, une agence au personnel serviable qui parle anglais. Tarifs compétitifs.

Argent

Citibank Osaka Ekimae (carte p. 403 ; ☎ 6344-8608 ; www.citibank.co.jp/en/bankingservice/branch_atm/kansai/br_osakaekimae.html ; 9h-15h lun-ven, DAB 24h/24 ; ligne Hankyū, gare d'Umeda, ou ligne JR, gare d'Ôsaka) ; Shinsaibashi (carte p. 406 ; ☎ 6213-2731 ; www.citibank.co.jp/en/bankingservice/branch_atm/kansai/br_shinsaibashi.html ; 9h-15h lun-ven, DAB 24h/24 ; ligne Midô-suji, station Shinsaibashi) ;

Umeda (carte p. 403 ; ☎ 4802-0277 ; www.citibank.co.jp/en/bankingservice/branch_atm/kansai/br_umeda.html ; 9h-15h lun-ven, DAB 8h-22h ; ligne Hankyū, gare d'Umeda, ou ligne JR, gare d'Ôsaka)

Immigration (administration)

Le **bureau de l'immigration d'Ôsaka** (carte p. 400 ; ☎ 6941-0771 ; www.immi-moj.go.jp/english/soshiki/kikou/osaka.html ; 9h-17h lun-ven ; station Temmabashi sur la ligne de métro Tanimachi), l'office principal pour la région du Kansai, est à deux pas de la sortie 3 de la gare de Temmabashi, sur la ligne principale Keihan.

Librairies

Athens (carte p. 406 ; ☎ 6253-0185 ; 10h-22h ; ligne de métro Midô-suji, station Shinsaibashi). Dans Minami, cette librairie offre un bon choix de livres et de magazines en anglais au 4ᵉ niveau.

Junkudô (carte p. 403 ; ☎ 4799-1090 ; 10h-21h ; ligne JR, gare d'Ôsaka). Dans cette immense librairie, la meilleure sélection à Ôsaka de livres en langue étrangère (2ᵉ et 3ᵉ niv). Dans le Dôjima Avanza Building à Kita, à 10 min à pied de la gare d'Ôsaka. Café au 3ᵉ niveau.

Kinokuniya (carte p. 403 ; ☎ 6372-5821 ; 10h-22h ; ligne Hankyū, gare d'Umeda). Dans Kita, à l'intérieur de la gare Hankyū d'Umeda. Livres et magazines en français.

Offices du tourisme

Tous les offices du tourisme indiqués ci-dessous peuvent vous aider à réserver des hôtels, mais vous devrez pour cela vous présenter en personne. Pour des informations sur les événements qui se déroulent pendant votre séjour, prenez un exemplaire du magazine *Kansai Time Out* dans l'une des librairies mentionnées plus haut.

Le **centre d'information touristique d'Umeda** (carte p. 403 ; ☎ 6345-2189 ; Kita ; 8h-20h, fermé 31 déc-3 jan) est le principal office du tourisme de la ville. Un peu difficile à trouver : de la gare routière longue distance JR d'Ôsaka, sortez au guichet/sortie automatique de la ligne Midô-suji, tournez

KANSAI

à droite et marchez environ 100 m. L'office est juste à l'extérieur de la gare, sous une passerelle pour piétons. À partir du métro, prenez la sortie 9 ; une fois dehors, vous le verrez à côté de la gare routière des bus municipaux. La gare JR étant actuellement en travaux, le centre d'information risque de déménager.

Quelques autres offices du tourisme (heures identiques au précédent) :

Centre d'information touristique de Namba (carte p. 406 ; ☎ 6211-3551 ; Minami)

Centre d'information touristique de la gare de Shin-Ōsaka (carte p. 400 ; ☎ 6305-3311)

Centre d'information touristique de la gare de Tennō-ji (carte p. 400 ; ☎ 6774-3077)

L'aéroport Itami d'Ōsaka et l'aéroport international du Kansai accueillent aussi des comptoirs de l'office du tourisme.

Centre d'information touristique de l'aéroport international du Kansai (☎ 07-2455-2500 ; 2F/nord, 1Fet4F/nord, zone sud et centrale ; ☻ 24h/24)

Centre d'information touristique de l'aéroport Itami (☎ 6856-6781 ; 1F terminal des arrivées, zones nord et sud ; ☻ zone nord 8h-21h15, zone sud 6h30-21h15).

Poste

Poste centrale d'Ōsaka (carte p. 403 ; ☎ 6347-8097 ; 🚇 ligne JR, gare d'Ōsaka). Près de la gare JRd'Ōsaka, dispose d'un guichet ouvert 24h/24.

À VOIR ET À FAIRE
Kita キタ

Dans la journée, le centre des activités d'Ōsaka se situe du côté de Kita (carte p. 403). Le quartier compte toutefois peu de curiosités touristiques, hormis les grands magasins, les nombreux restaurants et l'Umeda Sky building.

UMEDA SKY BUILDING 梅田スカイビル
Juste au nord-ouest de la gare d'Ōsaka, le regard s'arrête sur l'Umeda Sky Building, un gratte-ciel à l'étonnante architecture contemporaine, construit par Hiroshi Hara en 1993. Deux tours jumelles s'élèvent comme un gigantesque arc de triomphe du futur. D'en haut, la vue est fantastique, surtout après le coucher du soleil, quand la vaste conurbation Ōsaka-Kōbe déroule son tapis de lumières.

Il y a deux plates-formes d'observation : l'une sur le toit de l'immeuble, l'autre un étage en dessous. Pour atteindre le sommet, vous emprunterez l'ascenseur de verre à partir des cinq derniers étages seulement. Au 3ᵉ niveau de la tour est, on peut acheter ses billets pour ces **plates-formes d'observation** (carte p. 403 ; ☎ 6440-3855 ; 1-1-88 Ōyodonaka Kita-ku ; 700¥ ; ☻ 10h-22h30 ; 🚇 gare d'Ōsaka sur la ligne JR). Dernière entrée 22h.

RENSEIGNEMENTS
Consulat des États-Unis アメリカ領事館 ... **1** C4
Citibank シティバンク ... **2** B3
Citibank シティバンク ... **3** C2
Junkudō ジュンク堂書店 ... **4** B4
Kinokuniya 紀伊國屋書 ... **5** B2
Media Café Popeye メディアカフェポパイ ... **6** B1
No 1 Travel Osaka 大阪No1トラベル ... **7** B4
Poste centrale d'Ōsaka 大阪中央郵便局 ... **8** B3
Centre d'information touristique d'Umeda 大阪市ビジターズインフォメーションセンター·梅田 ... **9** B3

À VOIR ET À FAIRE
Allée Takimi-kōji 滝見小路 ... (voir 10)
Umeda Sky Building 梅田スカイビル ... **10** A2

OÙ SE LOGER 🏠
Capsule Inn Osaka/Umeda New Japan Sauna 梅田ニュージャパンサウナ カプセルイン大阪 ... **11** D2

Hilton Osaka 大阪ヒルトンホテル ... **12** B3
Hotel Granvia Osaka ホテルグランヴィア大阪 ... **13** B3
Hotel Hankyū International ホテル阪急インターナショナル ... **14** C1
Hotel Sunroute Umeda ホテルサンルート梅田 ... **15** C1
Ritz-Carlton Osaka ザ·リッツ·カールトン大阪 ... **16** A4

OÙ SE RESTAURER 🍴
Dōjima Hana 堂島花 ... **17** B4
Ganko Umeda Honten がんこ梅田本店 ... **18** B1
Gataro がたろ ... (voir 20)
Hilton Plaza ヒルトンプラザ ... (voir 12)
Isaribi 漁火 ... **19** B2
Galerie Kappa Yokochō かっぱ横丁 ... **20** B1
Monsoon Café モンスーンカフェ ... **21** B1
Okonomiyaki Sakura お好み焼きさくら ... (voir 23)
Organic Life オルグオーガニックライフ ... **22** C2

Shinkiraku 新善楽 ... (voir 12)
Shin-Umeda Shokudō-Gai 新梅田食道街 ... **23** B2
Umeda Hagakure 梅田はがくれ ... **24** C4

OÙ PRENDRE UN VERRE 🍷
Canopy キャノピー ... **25** C4
Windows on the World ウィンドーズオン ザ ワールド ... (voir 12)

OÙ SORTIR 🎭
Karma カーマ ... **26** B4
Osaka Nōgaku Hall 大阪能楽会館 ... **27** D2

ACHATS 🛍
Kōjitsu Sansō 好日山荘 ... **28** C4

TRANSPORTS
Gare routière des bus municipaux 市バスターミナル ... **29** B3
Gare routière JR longue distance 高速バスターミナル ... **30** B3

Au pied des tours, vous pourrez manger ou boire dans l'un des nombreux restaurants ou *izakaya* de la **Takimi-koji** (carte p. 403). Cette allée a été reproduite à l'identique d'une rue marchande du début de l'ère Showa.

On accède au complexe par un passage souterrain qui commence au nord des gares d'Ōsaka et d'Umeda.

MUSÉE DU STYLE DE VIE DANS L'ANCIEN ŌSAKA 大阪くらしの今昔館

À deux stations de métro de la gare d'Umeda, le **musée du style de vie dans l'ancien Ōsaka** (carte p. 400 ; ☎ 6242-1170 ; 6-4-20 Tenjinbashi, Kita-ku ; 600 ¥ ; 10h-17h, fermé mar ; ligne de métro Tanimachi, station Tenjinbashisuji Rokuchōme, sortie 3) abrite une reproduction grandeur nature d'un quartier

d'Ōsaka dans les années 1830, à l'époque d'Edo. Vous pouvez inspecter les boutiques, les salles de réunions publiques, les pharmacies et même un vieux *sentō* (bain public). Rues et pièces sont peu éclairées afin de récréer l'ambiance qui régnait à Ōsaka avant que l'électricité ne fasse son apparition. Le musée comprend aussi une pièce remplie de maquettes de quartiers à l'époque post-Meiji, parmi lesquels un intéressant conglomérat de bus transformés en maisons après la Seconde Guerre mondiale.

Pour vous y rendre, sortez de la station de métro par la sortie 3, passez par les portes vitrées à gauche de l'escalator et prenez l'ascenseur jusqu'au 8e niveau. Il n'y a pas de signalisation en anglais.

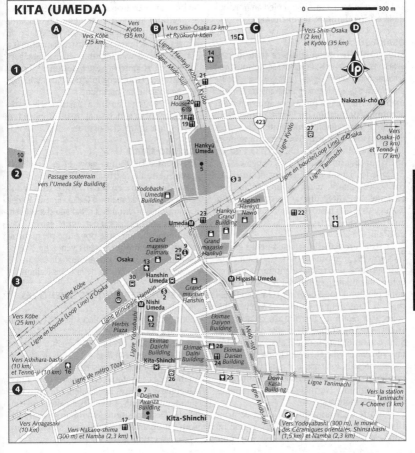

Centre d'Ōsaka
MUSÉE HISTORIQUE D'ŌSAKA
大阪歴史博物館

Au sud-ouest d'Ōsaka-jō, le nouveau **musée historique d'Ōsaka** (Osaka Rekishi Hakubutsukan ; carte p. 400 ; ☎ 6946-5728 ; 4-1-32 Ōtemae, Chūō-ku ; 600 ¥ ; ☺ 9h30-17h, jusqu'à 20h ven ; 🚇 ligne de métro Tanimachi, station Tanimachi-yonchōme) est installé dans un impressionnant bâtiment moderne jouxtant le centre de radiodiffusion NHK d'Ōsaka. L'espace consacré aux expositions s'étend du niveau 7 au niveau 10.

Chaque étage est divisé en quatre sections d'exposition. La visite débute par le dernier niveau et vous descendez, voyageant du passé vers le présent. Les expositions sont bien pensées, avec des commentaires en anglais. Des audioguides sont également disponibles.

Le musée est à 2 minutes à pied au nord-est de la station Tanimachi-yonchōme.

ŌSAKA-JŌ 大阪城

Hideyoshi Toyotomi édifia ce **château** (carte p. 400 ; ☎ 6941-3044 ; 1-1 Ōsaka-jō Chūō-ku ; gratuit dans l'enceinte, donjon 600 ¥ ; ☺ 9h-17h, 9h-20h août ; 🚇 ligne circulaire JR d'Ōsaka Loop, gare d'Ōsaka-jō-kōen) pour manifester à tous sa puissance après qu'il eut accompli l'unification du Japon. La forteresse de granit "imprenable" représente trois années de l'âpre labeur de 100 000 ouvriers. Terminé en 1583, il fut détruit à peine 32 ans plus tard, en 1615, par les armées d'Ieyasu Tokugawa.

Dans les 10 ans qui suivirent, il fut rebâti par les Tokugawa, avant de subir encore une calamité : en 1868, une autre génération de Tokugawa le rasa plutôt que de le laisser tomber aux mains des partisans de la Restauration de Meiji.

La structure actuelle, remise à neuf à grands frais en 1997, remonte à 1931. Cette année-là, l'édifice fut reconstruit à l'identique… mais en béton ! Les amateurs de châteaux féodaux iront donc plutôt à l'ouest admirer celui de Himeji (p. 422). L'intérieur renferme une remarquable collection relatant l'histoire du château, de Hideyoshi Toyotomi et de la ville d'Ōsaka. Au 8e niveau, une plate-forme d'observation offre une vue sur la ville et ses environs.

Le château et son parc sont plus attrayants au printemps, lorsque les cerisiers sont en fleurs, ou à l'automne. Dernière entrée 30 minutes avant la fermeture.

La porte Ōte-mon, qui sert d'entrée principale au parc, est à 10 minutes à pied au nord-est de la station Tanimachi-yonchōme (appelée aussi Tanimachi 4-chome) sur les lignes de métro Chūō et Tanimachi. Vous pouvez aussi prendre la ligne circulaire Ōsaka Loop, et descendre à la station Ōsaka-jō-kōen. Vous entrerez ainsi par l'arrière du château.

MUSÉE DES TRANSPORTS MODERNES
交通科学博物館

Si vous avez des enfants ou si les trains vous passionnent, ne manquez pas de visiter le petit mais attrayant **musée des Transports modernes** (hors carte p. 400 ; ☎ 6581-5771 ; 3 Namiyoke, Minato-ku ; adulte/enfant 400/100 ¥ ; ☺ 9h-17h30, fermé lun et jours fériés du Nouvel An ; 🚇 ligne circulaire JR d'Ōsaka Loop, gare de Bentenchō, sortie sud), sur le côté ouest de la ville, facilement accessible par la ligne circulaire JR d'Ōsaka Loop. Les modèles de trains y sont à l'honneur, accompagnés de quelques bateaux et avions. On y trouve également d'intéressantes expositions interactives et même un vrai *shinkansen*, où l'on peut s'asseoir à la place de l'ingénieur. À l'extérieur, plusieurs machines à vapeur et leurs wagons attendent les passagers (le wagon-restaurant sert à déjeuner). Enfin, ne ratez pas la superbe maquette avec tous ses trains au fond du bâtiment.

Pour vous y rendre à partir de la gare, obliquez sur la gauche à la sortie du portillon mécanique et traversez la rue.

Nakano-shima 中之島

Prise entre la Dōjima-gawa et la Tosabori-gawa, cette île (carte p. 400) est une petite oasis de verdure en plein centre-ville. Vous y découvrirez la **mairie d'Ōsaka**, le musée des Céramiques orientales et le **Nakano-shima-kōen**. Ce parc, qui occupe l'extrémité est de l'île, est un endroit agréable pour une promenade ou un pique-nique. Si vous venez de Kyōto, Nakano-shima est juste au nord de la gare de Yodoyabashi, terminus de la ligne Keihan.

MUSÉE DES CÉRAMIQUES ORIENTALES
東洋陶磁美術館

Comptant plus de 2 700 pièces dans sa collection permanente, ce **musée** (carte p. 400 ; ☎ 6223-0055 ; 1-1-26 Nakanoshima, Kita-ku ; 500 ¥ ; fermé lun ; 🚇 ligne de métro Midō-suji, station Yodoyabashi) possède le fonds le plus riche au monde en matière de céramiques chinoises et coréennes. Quelque 300 pièces de la splendide collection permanente sont présentées en alternance au public. Des expositions temporaires y sont aussi souvent organisées (entrée avec supplément). Dernière entrée à 16h30.

Pour vous y rendre, descendez à la station Yodoyabashi sur les lignes Midō-suji ou Keihan (les stations sont différentes). Marchez vers le nord le long de la rivière et traversez le pont pour Nakano-shima. Tournez à droite, dépassez la mairie sur votre gauche et restez sur la gauche ; vous verrez un bâtiment massif en briques marron.

Minami ミナミ

À quelques arrêts au sud de la gare d'Ōsaka sur la ligne de métro Midō-suji (descendre à la station Shinsaibashi ou Namba), Minami-Ōsaka (carte p. 406) est la ville de la nuit. Ses sites d'intérêt sont la galerie couverte Dōtombori, le Théâtre national de bunraku, la galerie couverte Dōgusuji-ya et l'Amerika-Mura.

DŌTOMBORI 道頓堀

Dōtombori est le quartier d'Ōsaka le plus animé la nuit. Entre la **Dōtombori-gawa** et la **galerie couverte Dōtombori** (carte p. 406), restaurants et théâtres se succèdent. Le soir, dirigez-vous vers le pont **Ebisu-bashi** et vous serez ébloui, étourdi par la multitude de néons ! Tout près, les rives de la Dōtombori-gawa ont été transformées en plaisantes promenades.

À une courte distance de la galerie couverte Dōtombori, vous découvrirez le **Hōzen-ji** (carte p. 406), un minuscule temple caché au fond d'une étroite allée. Cet édifice abrite un petit musée d'estampes, le Kamigata Ukiyo-e et la statue couverte de mousse du **Fudō-myōō**. Les gens d'Ōsaka qui se consacrent au *mizu shobai* (le commerce de l'eau, c'est-à-dire la nuit) aiment particulièrement cette statue et, le soir, avant de commencer le travail, viennent lui verser de l'eau sur les épaules. À proximité se trouve le **Hōzen-ji Yokochō**, une petite allée remplie de restaurants et de bars traditionnels.

Au sud de Dōtombori, en direction de la gare Nankai Namba, un dédale de galeries couvertes colorées livre au regard une profusion de restaurants, de *pachinko*, de clubs de strip-tease, de cinémas, etc. Au nord de Dōtombori, les rues étroites entre les avenues de Midō-suji et de Sakai-suji alignent bars, discothèques et pubs.

GALERIE DŌGUYA-SUJI 道具屋筋

S'il vous prend une envie soudaine de *tako-yaki* (boulettes de poulpe frites), ou que vous cherchez une lanterne rouge et des reproductions en plastique de plats pour faire votre choix, cette galerie commerçante (carte p. 406) est l'endroit idéal. Vous y découvrirez aussi toutes sortes de couteaux, de marmites, de poêles ; bref, tous les ustensiles en relation étroite ou lointaine avec la cuisine.

AMERIKA-MURA アメリカ村

Amerika-Mura ("village américain" ; carte p. 406) est une enclave envahie de boutiques de mode et de restaurants très tendance, avec çà et là quelques *love hotels* discrets. Les adolescents japonais adorent cet endroit et c'est eux qui en font le spectacle. Aujourd'hui, les garçons arborent le look des danseurs de hip-hop et les filles des shorts très courts et un superbe bronzage. Cet endroit doit son nom à l'apparition dans l'après-guerre de boutiques vendant des articles *made in America*, tels des T-shirts et les briquets Zippo.

Au milieu de l'enclave s'étend le **parc en triangle de l'Amerika-Mura**, tout en béton, avec des bancs où vous pourrez vous asseoir et observer ces *fashion victims*. Amerika-Mura est à deux intersections à l'ouest de Midō-suji, délimité au nord par Suomachi-suji et au sud par la Dōtombori-gawa.

Tennō-ji et ses environs 天王寺公園

SHIN-SEKAI 新世界

Pour entrer dans un autre monde, flânez dans ce quartier juste à l'ouest de Tennō-ji-kōen. Au cœur, se dresse la vieille **Tsūten-kaku** (carte p. 400), une tour de 103 m de hauteur, qui date de 1912 (elle a été reconstruite en 1969). Lorsque sa tour fut élevée pour la première fois, elle symbolisait tout ce qui était nouveau et excitant dans ce quartier de divertissements, d'où ce nom de *shin-sekai* qui signifie "nouveau monde" en japonais.

Aujourd'hui, Shin-Sekai est un monde en voie d'oubli. Dans ses rues, se succèdent des *pachinko* d'un autre âge, des théâtres délabrés, des restaurants qui tiennent plus de la gargote, et toute une faune interlope.

SPA WORLD スパワールド

À l'extrémité sud de Shin-Sekai, se trouve un immense complexe de bains connu sous le nom de **Spa World** (carte p. 400 ; ☎ 6631-0001 ; 3-4-24 Ebisu higashi, Naniwa-ku ; 3 heures/journée lun-ven 2 400/2 700 ¥, sam, dim et jours fériés 2 700/3 000 ¥ ; ⏰ 24h/24, pas d'entrée entre 8h45 et 10h ; 🚇 ligne de métro Sakai-suji ou Midō-suji, station Dōbutsuen-mae), qui renferme les plus grands thermes du monde : 2 étages de bains, l'un sur le thème asiatique, l'autre sur le thème européen ; sur le toit, bains mais aussi piscines avec toboggans, restaurants et espaces de relaxation.

KANSAI

Les 2 étages de bains, Asie et Europe, ne sont pas mixtes. Un mois durant, les femmes goûtent aux plaisirs du bain asiatique tandis que les hommes goûtent à ceux du bain européen, et vice-versa le mois suivant. Nous avons particulièrement apprécié le *rotemburo* sur le toit, d'où vous apercevez les gens qui s'amusent dans les montagnes russes du Festival Gate et,

au-dessus, la tour Tsūten-kaku. N'oubliez pas d'apporter votre maillot de bain si vous voulez vous baigner dans les piscines sur le toit (on peut en louer un pour 300 ¥).

SHITENNŌ-JI 四天王寺
Fondé en 593, le **Shitennō-ji** (carte p. 400 ; ☎ 6771-0066 ; 1-11-18 Shitennō-ji, Tennōji-ku ;

RENSEIGNEMENTS
- Aprecio アルレシオ **1** C5
- Athens アテネ書店 **2** C2
- Citibank シティバンク **3** B2
- Bureau d'information des visiteurs de la gare de Namba 難波駅観光案内 **4** C5

À VOIR ET À FAIRE
- Parc en triangle de l'Amerika-Mura アメリカ村三角公園 **5** B2
- Pont Ebisū-bashi 戎橋 **6** C3
- Hōzen-ji 法善寺 **7** C4

OÙ SE LOGER
- Cross Hotel Osaka クロスホテル大阪 **8** C3
- Hotel Nikkō Osaka ホテル日航大阪 **9** B1
- Osaka Namba Washington Hotel Plaza 大阪なんばワシントンホテルプラザ **10** D3
- Swissotel Nankai Osaka スイスホテル南海大阪 **11** C5

OÙ SE RESTAURER
- Café Slices カフェスライセス **12** B3
- Chibō 千房 **13** D3
- Doutor ドトール **14** C4
- Ganko Zushi がんこ寿司 **15** C3
- Genroku Sushi 元禄寿司 **16** C4
- Gin Sen 銀扇 **17** C3
- Imai Honten 今井本店 **18** C3
- Kani Dōraku Honten かに道楽本店 **19** C3
- Krungtep クンテープ **20** C3
- Nishiya にし家 **21** C1
- Tonkatsu Ganko とんかつがんこ **22** D5
- Ume no Hana 梅の花 **23** B2
- Zuboraya づぼらや **24** C3

OÙ PRENDRE UN VERRE
- Cellar ザ セラー **25** B3
- Hub ハッブ **26** C3
- Murphy's マーフィーズ **27** D2
- SoulFuckTry ソウルファクトリー **28** A2
- Tavola 36 タヴォラ３６ .... (voir 11)

OÙ SORTIR
- Grand Café グランドカフェ **29** B2

ACHATS
- Bic Camera ビックカメラ **30** C4
- Galerie Dōguya-suji 道具屋筋 **31** D5
- Galerie Dōtombori 道頓堀 **32** D3

200-300 ¥ ; 8h30-16h ; ligne de métro Tanimachi, station Shitennōji-mae, sortie sud) tire sa renommée de son ancienneté. C'est en effet l'un des plus vieux temples bouddhiques du Japon, bien que les bâtiments actuels ne soient pas d'époque, mais malheureusement, comme souvent, des reproductions en béton, hormis le vaste *torii* en pierre. Ce dernier remonte à 1294, et figure donc au nombre des plus anciens du pays. Mais à part ce *torii*, ce temple n'a pas un grand intérêt historique. De plus, dans son enceinte de gravier ratissé, l'absence de verdure ajoute à la tristesse du lieu. Son **musée** (200 ¥) ne mérite pas vraiment qu'on s'y attarde.

Pour vous y rendre, descendez à la station Shitennōji-mae sur la ligne de métro Tanimachi. Là, prenez la sortie sud, traversez pour rejoindre le côté gauche de la rue et entrez dans la petite rue qui bifurque juste après la station. Entrée du temple sur la gauche.

SUMIYOSHI TAISHA 住吉大社

Ce **sanctuaire** (6672-0753 ; 2-9-89 Sumiyoshi, Sumiyoshi-ku ; gratuit ; lever-coucher du soleil ; station Sumiyoshi-taisha sur la ligne principale Nankai) est dédié aux divinités shintoïstes associées à la mer et au voyage en mer, pour les remercier d'avoir accordé à une impératrice du IIIe siècle une traversée sans péril jusqu'en Corée.

Ayant survécu aux bombardements de la Seconde Guerre mondiale, Sumiyoshi Taisha comprend quelques bâtiments qui remontent à 1810. Tous les autres sont des répliques fidèles des originaux édifiés au début du IIIe siècle. C'est l'un des rares exemples de sanctuaires shintoïstes bâtis avant que le style architectural bouddhique chinois exerce son influence.

Ce sanctuaire est proche à la fois de la station Sumiyoshi-taisha sur la ligne principale Nankai et de la station Sumiyoshi-tori-mae sur la ligne Hankai (la ligne de tramway qui part de la gare de Tennō-ji).

Autour de Tempōzan 天保山エリア

En marchant dans les rues de Kita ou de Minami, vous oublierez facilement qu'Ōsaka est une ville portuaire. Or un bon moyen de se rafraîchir la mémoire consiste à aller faire un tour à Tempozan, au bord de la mer. Sur une île de la baie d'Ōsaka, entourée d'installations portuaires et de conteneurs, Tempozan présente plusieurs sites d'intérêt, notamment pour les enfants. Pour vous rendre à Tempōzan, prenez depuis le centre d'Ōsaka la ligne de métro Chūō en direction de l'ouest et descendez à la station Osakakō. Par la sortie 1, gagnez directement le bas des escaliers et marchez pendant 300 m jusqu'aux attractions ci-dessous.

Rien de mieux pour vous donner une idée de l'ensemble du quartier que la vertigineuse **grande roue** (大観覧車 ; Daikanransha ; 6576-6222 ; 1-1-10 Kaigan-dōri, Minato-ku ; 700 ¥ ; 10h-21h30). Culminant à 112 m de hauteur, elle présente des vues époustouflantes sur la ville, la baie d'Ōsaka et Kōbe. Montez-y aussi la nuit pour admirer la vaste conurbation Ōsaka/Kōbe.

Près de la grande roue, le **Tempōzan Marketplace** (天保山マーケットプレース ; 6576-5501 ; 1-1-10 Kaigan-dōri, Minato-ku ; gratuit ; boutiques 11h-20h, restaurants 11h-21h) est une galerie marchande aux nombreux restaurants. Parmi eux, le **Naniwa Kuishinbō Yokochō** (なにわ食いしんぼ横丁 ; 6576-5501 ; 1-1-10 Kaigan-dōri, Minato-ku ; gratuit ; 11h-20h sept-juin, 10h-21h juil-août) est un ensemble d'établissements où vous goûterez les spécialités culinaires d'Ōsaka dans un cadre inspiré de la période d'Edo.

AQUARIUM D'ŌSAKA 海遊館

Cet **aquarium** (Kaiyūkan en japonais ; hors carte p. 400 ; ☎ 6576-5501 ; 1-1-10 Kaigan-dōri, Minato-ku ; adulte/enfant 2 000/900 ¥ ; ☺ 10h-20h), parmi les meilleurs du monde, mérite une visite, surtout si vous avez des enfants. Il est construit autour d'un vaste réservoir central où évoluent les vedettes : deux requins-baleines et deux raies mantas. Mais tourbillonnent également de nombreuses autres espèces : requins léopards, zèbres, marteaux et même un requin-tigre, ainsi que d'autres espèces de raies et d'innombrables poissons.

Le parcours de la visite fait le tour de ce grand réservoir et donne un aperçu de la vie marine à huit niveaux différents de l'océan. Dans la section des grandes profondeurs, les crabes-araignées géants du Japon sont très étonnants. Les commentaires (japonais/anglais) sont axés sur l'écologie. Dernière entrée à 19h.

L'aquarium est à l'extrémité ouest du complexe de Tempōzan, juste après le Tempōzan Marketplace (voir p. 407).

MUSÉE SUNTORY サントリーミュージアム

Sur le côté sud de l'aquarium, le **Suntory Museum** (hors carte p. 400 ; ☎ 6577-0001 ; www.suntory.com/culture-sports/smt ; 1-5-10 Kaigan-dōri, Minato-ku ; environ 1 000 ¥ ; ☺ 10h30-19h30 tlj sauf lun ; ☺ station Ōsakakō sur la ligne de métro Chūō) est doté d'une galerie d'art exhibant une collection de posters d'art moderne et d'objets en verre. Le bâtiment, dessiné par l'architecte Tadao Andō, impressionne autant que les collections. Dernière entrée à 19h. La salle **IMAX en 3D** (1 000 ¥ ; ☺ 10h30-20h tlj sauf lun) présente des projections toutes les heures ; vérifiez la programmation dans *Meet Osaka*.

Autres quartiers
MUSÉE EN PLEIN AIR DES VIEILLES FERMES JAPONAISES 日本民家集落博物館

Dans le Ryokuchi-kōen, ce joli **musée** (hors carte p. 400 ; ☎ 6862-3137 ; 1-2 Hattori Ryokuchi, Toyonaka-shi ; 500 ¥ ; ☺ 9h30-17h, fermé lun ; ☺ ligne de métro Midō-suji, station Ryokuchi-kōen, sortie ouest) présente 11 maisons rustiques et d'autres édifices illustrant l'habitat rural des diverses régions du Japon. Ces demeures, reconstruites avec le plus grand soin, sont emplies d'outils et d'objets correspondant à leur période de construction. La plus impressionnante est la ferme *gasshō-zukuri* (maison au toit de chaume très pentu) du Gifu-ken.

Le parc autour du musée, avec ses nombreux arbres et ses bosquets de bambous, apporte une plaisante note champêtre, surtout à l'automne, lorsque rougissent les érables. Même à quelqu'un qui ne s'intéresse que de très loin à l'architecture traditionnelle japonaise, nous recommandons vivement ce musée. Brochure en anglais. Dernière entrée à 16h30.

Pour vous y rendre, prenez la ligne de métro Midō-suji jusqu'à Ryokuchi-kōen, puis marchez vers le nord-ouest pour atteindre l'entrée du parc.

UNIVERSAL STUDIOS JAPAN
ユニバーサルスタジオジャパン

Ce **parc d'attractions** (☎ 6465-3000 ; Universal City ; adulte/enfant 5 800/3 900 ¥ ; ☺ 10h-17h lun-ven, 10h-18h sam, dim et jours fériés, horaires variables selon la saison ; ☺ ligne circulaire JR Osaka Loop jusqu'à Universal City) est la riposte d'Ōsaka au Disneyland de Tōkyō. Sur le modèle de ses homologues américains, ce parc propose une vaste gamme d'attractions, de spectacles, de restaurants, etc.

Prenez le Loop du JR jusqu'à la station Nishi-kujō. Là, empruntez un train-navette de l'Universal Studio, que vous reconnaîtrez tout de suite à ses couleurs, et descendez à la station Universal City. Depuis la gare d'Ōsaka, le trajet coûte 170 ¥ (20 min). Au même tarif, il existe aussi des trains directs depuis la gare d'Ōsaka (demandez l'horaire à l'office du tourisme).

MUSÉE NATIONAL D'ETHNOLOGIE
国立民族学博物館

Dans l'Ōsaka Banpaku-kōen (parc de l'Exposition internationale), ce **musée** (hors carte p. 400 ; ☎ 6876-2151 ; 10-1 Senri Expo Park, Suita ; 420 ¥ ; ☺ 10h-17h, fermé mer, ou jeudi si le mer précédent est férié ; ☺ ligne de métro Midō-suji jusqu'à la station Senri-chūō, puis le Ōsaka monorail en direction de l'est jusqu'à Banpaku-kinen-kōen) est sans conteste le meilleur musée d'Ōsaka, méritant le voyage depuis le centre-ville d'Ōsaka ou de Kyōto (vérifiez les expositions dans *Kansai Time Out*).

Ce musée vous emmène autour du monde à travers les objets fabriqués par de nombreuses cultures. Des chars de festival japonais se retrouvent au milieu de posters de cinéma de Bollywood, de túk-túk thaïlandais (tricycles motorisés), de textiles aïnous et de mandalas bhoutanais. Il y a peu d'explications en anglais, mais qu'importe, les objets parlent d'eux-mêmes. À l'accueil, vous pourrez emprunter une brochure donnant des informations en anglais. Dernière entrée à 16h30.

Pour vous y rendre en sortant de la station, prenez à gauche, traversez le pont au-dessus de l'autoroute, achetez un billet aux distributeurs automatiques, passez le portillon et marchez vers la gigantesque statue de la *Tour du Soleil*. Après avoir passé la statue, vous verrez le musée à environ 250 m en face de vous au nord-ouest (le bâtiment a plusieurs tours sur le toit qui ressemblent à des tours de refroidissement). Depuis Kyōto, vous pouvez emprunter la ligne Hankyū jusqu'à la gare de Minami Ibaraki, où vous changerez pour l'Ōsaka Monorail.

FÊTES ET FESTIVALS

Tōka Ebisu (entre le 9 et le 11 janvier). Une foule de plus d'un million de personnes se rend au sanctuaire d'Imamiya Ebisu (carte p. 400) pour y recevoir des rameaux de bambou ornés de porte-bonheur. Ce sanctuaire se trouve près de la station Imamiya Ebisu, sur la ligne Nankai.
Tenjin Matsuri (24-25 juillet). C'est l'un des trois grands *matsuri* japonais. Allez-y le second jour, quand les *mikoshi* (autels portatifs), portés en procession par des hommes vêtus de costumes traditionnels, partent du Temman-gū pour arriver à Ō-kawa (dans des bateaux). À la nuit, les festivités se terminent par de magnifiques feux d'artifice.
Kishiwada Danjiri Matsuri (14-15 septembre). C'est la fête la plus déchaînée d'Ōsaka : une course enragée de *danjiri* (chars), dont certains pèsent plus de 3 000 tonnes. Ces *danjiri* sont tirés dans les rues, à l'aide de cordes, par des centaines de personnes. Il est arrivé que, dans l'excitation, il y ait eu des morts ; mieux vaut rester en retrait. L'action bat son plein le second jour. Le meilleur endroit pour y assister est à l'ouest de la station Kishiwada, sur la ligne Nankai Honsen (qui part de la gare Nankai).

OÙ SE LOGER

Dans les deux centres de Kita et Minami Ōsaka, et alentour, vous aurez l'embarras du choix. Sachez qu'à Kyōto (40 min de train), les options petits budgets sont plus abondantes. Toutefois, les trains s'arrêtant un peu avant minuit, si vous voulez goûter aux plaisirs de la nuit d'Ōsaka, mieux vaut y dormir.

Kita
PETITS BUDGETS
Capsule Inn Osaka/Umeda New Japan Sauna (carte p. 403 ; ☎ 6314-2100 ; 9-5 Dōyama-chō, Kita-ku ; capsules hommes seulement 2 600 ¥ ; 🖥 ; 🚇 ligne de métro Hankyū, gare d'Umeda ou ligne JR, gare d'Ōsaka). Dans un quartier de nuit très animé de Kita, voici l'endroit où passer la nuit si vous avez raté le dernier train. Assez propre et bien entretenu, avec sauna (à partir de 525 ¥), Jacuzzi et massages en plus si vous le désirez. Dans ces capsules réservées aux

hommes, il vaut mieux ne pas dépasser 1,80 m, sinon vous aurez du mal à vous allonger.

CATÉGORIE MOYENNE
Hotel Sunroute Umeda (carte p. 403 ; ☎ 6373-1111 ; www.sunroute.jp/SunrouteTopHLE.html ; 3-9-1 Toyosaki, Kita-ku ; s/d/lits jum à partir de 8 820/12 600/15 750 ¥ ; 🖥 ; 🚇 ligne de métro Midō-suji, station Nakatsu). Un bon *business hotel*, sans doute le meilleur rapport qualité/prix dans cette catégorie. Bien situé, chambres propres, et check-in efficace. Certaines des chambres ont même une superbe vue sur Ōsaka. Juste au nord de Hankyū Umeda. Câble LAN dans les chambres.

CATÉGORIE SUPÉRIEURE
Hotel Granvia Osaka (carte p. 403 ; ☎ 6344-1235 ; www.granvia-osaka.jp/english/index.html ; 3-1-1 Umeda, Kita-ku ; s/d/lits jum 16 170/26 565/27 720 ¥ ; 🖥 ; 🚇 ligne JR, gare d'Ōsaka). Le mieux situé, juste au-dessus de la gare d'Ōsaka. Chambres et services de grande qualité ; vues splendides depuis les restaurants, installés dans les étages supérieurs. Câble LAN dans les chambres.
Hilton Osaka (carte p. 403 ; ☎ 6347-7111 ; 1-8-8 Umeda, Kita-ku ; s 18 000-36 000 ¥, d et lits jum 22 000-40 000 ¥ ; 🖥 🖥 ; 🚇 ligne JR, gare d'Ōsaka). Juste au sud de la gare JR d'Ōsaka, un hôtel d'excellence. Chambres impeccables et claires, avec une touche japonaise ; piscine de 15 m et salle de gym. Vues époustouflantes à partir du bar Windows on the World au 35e étage et 2 étages de bons restaurants au-dessous de l'hôtel. Internet par câble LAN dans les chambres.
Ritz-Carlton Osaka (carte p. 403 ; ☎ 6343-7000 ; www.ritzcarlton.com/en/Properties/Osaka/Default.htm ; 2-5-25 Umeda, Kita-ku ; s/d/lits jum à partir de 31 000/37 000/37 000 ¥ ; 🖥 🖥 ; 🚇 ligne Hanshin, gare d'Umeda, sortie ouest ; ou ligne JR, gare d'Ōsaka, sortie Sakurabashi). À quelques pas de la gare JR d'Ōsaka et de la gare Hankyū d'Umeda dans Kita, l'un des plus luxueux de la ville. Chambres joliment aménagées, confortables et spacieuses ; personnel efficace et poli. Piscine, salle de gym ; centre de conférence 24h/24, 6 restaurants.
Hotel Hankyū International (carte p. 403 ; ☎ 6377-2100 ; www.hhi.co.jp/new2002/e-index.html ; 19-19 Chayamachi, Kita-ku ; s/d/lits jum à partir de 34 650/46 200/48 510 ¥ ; 🖥 ; 🚇 ligne de métro Midō-suji, station Nakatsu ; ou ligne Hankyū, gare d'Umeda). Au nord de la gare Hankyū d'Umeda, le grand confort à deux pas du train et du métro. Chambres spacieuses et élégantes, où tout reluit, jusqu'aux marbres de la sdb. Une touche raffinée dans les suites japonaises : le bain en *hinoki* (cyprès). Câble LAN dans les chambres.

Minami
CATÉGORIE MOYENNE

Osaka Namba Washington Hotel Plaza (carte p. 406 ;
☎ 6212-2555 ; http://nanba.wh-at.com, en japonais ;
1-1-13 Nihonbashi, Chūō-ku ; s/d/lits jum à partir de
6 900/13 000/14 000 ¥ ; 🚇 lignes de métro Sakai-suji et
Sennichimae, ligne de train Kintetsu Nara, gare de Nihonmashi).
La chaîne Washington Hotel Plaza propose
dans tout le Japon des établissements fiables,
d'un assez bon standard de confort, comme
celui-ci à Namba. Chambres plutôt petites mais
fonctionnelles et bien tenues. À une courte
distance à pied du tohu-bohu de Minami, mais
(heureusement) pas en plein milieu !

Cross Hotel Osaka (carte p. 406 ; ☎ 6213-8281 ; www.
crosshotel.com/eng_osaka/index.html ; 2-5-15 Shinsaibashisuji,
Chūō-ku ; s/d/lits jum à partir de 16 170/24 255/27 720 ¥ ; 🖳 ;
🚇 ligne de métro Midō-suji, station Namba). À quelques
pas de Dōtombori, un bon choix si voulez
séjourner au cœur de Minami. L'établissement
récemment rénové offre des chambres assez
spacieuses dans cette catégorie de prix. Câble
LAN dans la chambre.

CATÉGORIE SUPÉRIEURE

Hotel Nikkō Osaka (carte p. 406 ; ☎ 6244-1281 ; www.hno.
co.jp/english/index_e.html ; 1-3-3 Nishi-Shinsaibashi, Chūō-ku ;
s/d/lits jum à partir de 21 945/34 650/34 650 ¥ ; 🖳 ; 🚇 ligne
de métro Midō-suji, station Shinsaibashi). Bien situé dans
Shinsaibashi et excellent service. Toutes les
chambres sont de style occidental, impeccables,
de même que leur sdb. Accès direct à la station
de métro Shinsaibashi. Internet par câble LAN
dans les chambres.

Swissotel Nankai Osaka (carte p. 406 ; ☎ 6646-1111 ;
http://osaka.swissotel.com ; 5-1-60 Namba, Chūō-ku ; d/lits jum
à partir de 34 650/48 510 ¥ ; 🖳 ; 🚇 ligne de métro Midō-suji,
station Namba). L'hôtel le plus élégant dans Minami,
avec des vues fabuleuses et un accès direct à
l'aéroport international du Kansai par la ligne
Nankai, dont les trains partent de la gare de
Namba, juste au-dessous. Chambres immaculées
et bien aménagées. Salle de gym et bon choix
de restaurants sur place et dans les environs.
Chambres avec Internet (câble LAN).

Autres quartiers
PETITS BUDGETS

Osaka-fu Hattori Ryokuchi Youth Hostel (大阪府服
部緑地ユースホステル ; hors carte p. 400 ; ☎ 6862-
0600 ; www.osakaymca.or.jp/shisetsu/hattori/hattori.html ;
1-3 Hattori Ryokuchi, Toyonaka-shi ; dort 2 500 ¥ ; 🚇 ligne
de métro Midō-suji, station Ryokuchi-kōen, sortie ouest). Dans le
parc Ryokuchi-kōen, cette auberge de jeunesse
un peu décrépie n'est pas aussi accueillante que

les deux autres. Cependant, si vous avez envie
d'un peu d'air frais le soir, elle vous conviendra.
Il n'est pas nécessaire d'être membre. À environ
15 minutes depuis Kita ou 30 minutes depuis
Minami. Prenez la sortie ouest, entrez dans le
parc et suivez le sentier qui passe devant une
fontaine et contourne à droite un étang.

Osaka Shiritsu Nagai Youth Hostel (大阪市立
長居ユースホステル ; hors carte p. 400 ; ☎ 6699-
5631 ; www.nagaiyh.com/english/index.html ; 1-1 Nagai-kōen,
Higashisumiyoshi-ku ; dort à partir de 2 950 ¥, s 3 450 ¥ ;
🖳 ☒ ; 🚇 ligne JR Hanwa, station Tsurugaoka). Bonne
option que cette auberge de jeunesse, bien
qu'elle soit moins bien située que la Shin-
Ōsaka Youth Hostel. Propre, bien gérée et
non-fumeurs, elle dispose de chambres privées
et d'une chambre familiale hébergeant jusqu'à
4 personnes. Depuis le centre, empruntez la
ligne de métro Midō-suji dans la direction
sud jusqu'à la station Nagai, suivez la sortie 1
et marchez pendant 10 minutes vers le stade.
L'auberge est derrière celui-ci. Les détenteurs
du JR Pass prendront la ligne JR Hanwa jusqu'à
la station Tsurugaoka et marcheront durant
5 minutes en direction du sud-est.

Shin-Osaka Youth Hostel (新大阪ユースホス
テル ; carte p. 400 ; ☎ 6370-5427 ; www.osaka-yha.com/
shin-osaka ; 1-13-13 Higashinakajima, Higashiyodogawa-ku ;
dort 3 300 ¥, lits jum 4 500 ¥/pers ; 🖳 🛜 ; 🚇 ligne JR,
gare Shin-Ōsaka, sortie est). À 5 minutes à pied de
la gare Shin-Ōsaka, cette nouvelle auberge
de jeunesse moderne est la plus proche du
centre-ville. Chambres propres et bien tenues
avec de splendides vues sur la ville. Dans le
choix de chambres privées, l'une est à usage
des handicapés. Prenez la sortie est à la gare
de Shin-Ōsaka (l'auberge n'est indiquée qu'à
partir de l'étage supérieur de la gare) ; traversez
la route et tournez à gauche, passez une petite
supérette et un restaurant de sushis. Après
celui-ci, tournez à droite et continuez sur
200 m : c'est dans le grand immeuble sur votre
gauche, les ascenseurs sont à l'arrière.

CATÉGORIE SUPÉRIEURE

Hotel Nikkō Kansai Airport (☎ 0724-55-1111 ; www.
nikkokix.com/e/top.html ; 1 Senshū Kūkō kita, Izumisano-shi ;
s/d/lits jum 21 945/32 340/32 340 ¥ ; 🖳 🔞 ; 🚇 ligne
JR Kansai Kūkō, station Kansai Kūkō). Le seul hôtel à
l'aéroport international du Kansai, avec des prix
en conséquence. Mais à part cet inconvénient,
les chambres sont spacieuses, certaines avec
une belle vue. Le check-in peut être lent quand
de nombreux vols arrivent en même temps.
Internet par câble LAN dans la chambre.

KANSAI

Imperial Hotel Osaka (carte p. 400 ; ☎ 6881-1111 ; 8-50 Temmabashi 1-chôme, Kita-ku ; s/d/lits jum à partir de 32 340/38 115/53 130 ¥ ; 🖳 🖵 ; 🚇 ligne circulaire JR d'Ōsaka Loop, station Sakuranomiya). À quelques pas d'Ōsaka-jō, cet hôtel classique dispose de chambres plutôt spacieuses et bien aménagées. Service de grande qualité avec du personnel parlant anglais. Club de gym et piscine de 25 m. Sa situation n'est pas vraiment idéale, à moins que vous ne vouliez voir que le château, mais une navette le relie à la gare JR d'Ōsaka. Internet par câble LAN dans la chambre.

OÙ SE RESTAURER
Kita
CUISINE JAPONAISE

Umeda Hagakure (carte p. 403 ; ☎ 6341-1409 ; 1-1-3 Umeda ; nouilles 500-600 ¥ ; ☻ déj et dîner, déj seulement sam et dim ; 🚇 ligne JR, gare d'Ōsaka). Les habitués font la queue à l'extérieur pour ses succulentes pâtes *udon*. Au deuxième sous-sol de l'immeuble Ekimae Daisan. Descendez par l'escalator central et prenez à droite ; après 25 m, tournez à nouveau à droite : sur la gauche, repérez la petite enseigne en anglais. Des photos à l'extérieur vous aident à commander. Le *tenzaru* (plateau comprenant *udon* et *tempura* ; 1 100 ¥) est délicieux. En semaine, évitez de venir entre 12h et 13h (quand s'y précipitent les employés de bureau).

Ganko Umeda Honten (carte p. 403 ; ☎ 6376-2001 ; 1-5-11 Shibata ; formules déj à partir de 780 ¥ ; ☻ 11h30-16h ; 🚇 ligne Hankyū, gare d'Umeda). Un géant de la restauration dans la gare Hankyū d'Umeda, servant les plats habituels japonais, à commencer par les sushis (si vous ne voulez que des sushis, asseyez-vous au comptoir et commandez à la carte). Ambiance populaire et carte en anglais avec photos. L'enseigne de Ganko est un personnage au front enroulé d'une serviette. Juste au sud du complexe DD House.

Dōjima Hana (carte p. 403 ; ☎ 6345-0141 ; 2-1-31 Dōjima, Kita-ku ; repas à partir de 819 ¥ ; ☻ 11h-23h ; 🚇 ligne JR, gare d'Ōsaka). Si vous avez envie de quelque chose de *kotteri* (c'est-à-dire riche et gras), nous vous recommandons le succulent *tonkatsu* (côtelettes de porc panée) de ce restaurant à l'atmosphère conviviale, à quelques pas de l'excellente librairie Junkudō. Le *rōsukatsu teishoku* (menu complet côtelette de porc ; petit/grand plateau 924/1 134 ¥). Menu avec quelques photos et enseigne en anglais.

Isaribi (carte p. 403 ; ☎ 6373-2969 ; 1-5-12 Shibata ; dîner 2000-3000 ¥/pers ; ☻ 17h-23h lun-ven, 16h30-23h sam, dim et jours fériés ; 🚇 ligne Hankyū, gare d'Umeda). Excellent *robatayaki* (restaurant où les mets exposés au comptoir sont grillés devant les convives ; littéralement "cuisine autour de l'âtre"), en bas d'un escalier aux carreaux blancs, en sortant de la gare Hankyū d'Umeda. Comme dans un *yakitori*, saké et *nama beeru* (bière à la pression) accompagnent généreusement tous les mets. Pas facile à trouver ; juste au sud du Ganko Umeda Honten (voir ci-contre).

Un bon endroit pour un déjeuner ou un dîner à moindres frais quand vous êtes à Kita est le Shin-Umeda Shokudō-Gai (carte p. 403), en bas des escalators, à droite de la sortie principale de la gare Hankyū d'Umeda (juste après le McDonald's). Une profusion de restaurants a investi les lieux. C'est à qui offrira le meilleur prix pour la formule déjeuner ou dîner ; les plats sont souvent exposés à l'extérieur, vous facilitant le choix.

Nous avons apprécié l'**Okonomiyaki Sakura** (carte p. 403 ; ☎ 6364-7521 ; 9-10 Kakuda-chô ; okonomiyaki moins de 1 000 ¥ ; ☻ 11h-23h ; 🚇 ligne Hankyū, gare d'Umeda), un spécialiste de l'*okonomiyaki* (galette farcie de divers ingrédients, cuite sur une plaque) chaleureux envers les étrangers, avec carte en anglais. Un plan des restaurants est affiché au centre de l'ensemble de restauration, où l'Okonomiyaki Sakura apparaît sous le n°10. Vous le reconnaîtrez à sa porte vitrée coulissante et à son comptoir.

La galerie couverte Kappa Yokochō (indiquée en anglais "Kappa Plaza"), juste au nord de la gare Hankyū d'Umeda, constitue une autre bonne alternative dans Kita. Vous y découvrirez le **Gataro** (carte p. 403 ; ☎ 6373-1484 ; 1-7-2 Shibata ; dîner environ 3 500-4 000 ¥/pers ; ☻ 16h-23h ; 🚇 ligne Hankyū, gare d'Umeda), un petit endroit confortable qui concocte de belles créations d'après des classiques d'*izakaya*, avec une carte en anglais. Quand vous vous dirigerez vers le nord de la galerie, vous verrez une porte en verre affichant les cartes de crédit acceptées.

Dernier regroupement d'excellents restaurants : le Hilton Plaza, au 2e sous-sol du Hilton Ōsaka. Ici, le **Shinkiraku** (carte p. 403 ; ☎ 6345-3461 ; 1-8-16 Umeda, Kita-ku ; repas à partir de 800 ¥ ; ☻ 11h-14h30 lun-ven, 11h-14h30 et 17h-22h sam, dim et jours fériés ; 🚇 ligne JR, gare d'Ōsaka), spécialiste des *tempura* est littéralement pris d'assaut à midi. Au déjeuner, essayez l'*ebishio-tendon* (*tempura* de crevettes sur du riz ; 880 ¥) et au dîner l'*osusume-gozen* (formule spéciale *tempura* ; 2 079 ¥). Descendez par l'escalator jusqu'au 2e sous-sol et prenez à droite : une petite enseigne en anglais le signale.

KANSAI

CUISINE INTERNATIONALE

Org...Organic Life (carte p. 403 ; ☎ 6312-0529 ; 7-7 Dōyama-chō, Kita-ku ; boissons à partir de 500 ¥, repas 1 000-2 500 ¥ ; 🕙 11h-23h ; 🚇 ligne Hankyū, gare d'Umeda ; ligne JR, gare d'Ōsaka ou ligne de métro Tanimachi, station Higashi Umeda). Une vaste salle, idéale pour une petite faim quand vous explorez Kita. Formule pâtes ou risotto au déjeuner pour 900 ¥, que vous pourrez accompagner d'une pâtisserie et d'un café. Facile à trouver grâce à son enseigne en anglais. Pas de carte en anglais mais des photos des plats. Dites simplement "pasta lunch" ou "risotto lunch" et vous serez servi.

Monsoon Café (carte p. 403 ; ☎ 6292-0010 ; 15-22 Chayamachi, Kita-ku ; repas dans les 1 000 ¥ ; 🕙 11h3-0-16h ; 🚇 ligne Hankyū, gare d'Umeda). Pour une soirée divertissante, essayez le Moonsoon Café, appartenant à une chaîne dont les établissements se retrouvent dans tout le Japon. Cuisine panasiatique correcte et ambiance internationale détendue. Dans le complexe Urban Terrace (le plus à l'ouest des 3 bâtiments), en face de l'Hotel Hankyū International. Carte en anglais.

Minami
CUISINE JAPONAISE

Minami ne manque pas d'excellentes adresses de tables japonaises, dont quelques immenses halls de restauration dans la galerie couverte Dōtombori.

Nishiya (carte p. 406 ; ☎ 6241-9221 ; 1-18-18 Higashi Shinsaibashi, Chūō-ku ; pâtes à partir de 630 ¥, dîner environ 3 000-4 000 ¥ ; 🕙 déj et dîner ; 🚇 lignes de métro Midō-suji, Yotsubashi ou Nagahori Tsurumiryokuchi, station Shinsaibashi). Enseigne réputée d'Ōsaka qui sert des *udon* et de généreux *nabe* (dans une marmite en fonte) à des prix raisonnables. Le *tempura udon* est à 1 155 ¥. Vous remarquerez sa façade semi-rustique et les modèles des plats. Carte en anglais.

Tonkatsu Ganko (carte p. 406 ; ☎ 6646-4129 ; 2-2-16 Nambanaka, Naniwa-ku ; repas à partir de 880 ¥ ; 🕙 déj et dîner ; 🚇 ligne principale Nankai ou les lignes de métro Midō-suji, Yotsubashi et Sennichi-mae, gare de Namba). S'il vous vient l'envie de quelque chose d'un peu plus riche que les nouilles et le riz, n'hésitez pas à essayer un *tonkatsu* (côtelette de porc panée). Ce restaurant populaire, près de la gare de Namba, est facile à trouver (voisin d'une agence de téléphone NTT Docomo). Menu en photos et carte en anglais.

Gin Sen (carte p. 406 ; ☎ 6213-2898 ; 2-4-2 Shinsaibashi-suji, Chūō-ku ; kushikatsu à volonté déj/dîner 2 380/2 680 ¥ ; 🕙 11h30-23h ; 🚇 lignes de métro Midō-suji, Yotsubashi et Sennichi-mae, station Namba). Une atmosphère détendue pour de délicieux *kushikatsu*

(brochettes de beignets de viande et de légumes). Au niveau 2 du bâtiment Gurukas ; au-dessus d'un Lawson. Carte en anglais.

Ume no Hana (carte p. 406 ; ☎ 6258-3766 ; OPA Bldg, 11e niv, 1-4-3 Nishi-Shinsaibashi, Chūō-ku ; dîner à partir de 4 100 ¥ ; 🕙 11h-15h et 17h-21h ; 🚇 ligne de métro Midō-suji, station Shinsaibashi). Enseigne d'une chaîne de qualité spécialisée dans les plats à base de tofu, au 11e niveau du bâtiment OPA. L'ascenseur est sur le côté sud-est de l'immeuble (entrée sur la rue ; repérez l'enseigne : "OPA Restaurant & Café"). Carte en anglais.

Minami est célèbre pour sa multitude de *shōtengai* (galeries commerçantes) ; celle de Sennichi-mae est l'une des plus vastes. Outre les salles de *pachinko*, cette galerie est jalonnée de petits restaurants populaires et bon marché, comme le **Genroku Sushi** (carte p. 406 ; ☎ 6644-4908 ; 2-11-4 Sennichi-mae ; 🕙 10h-23h10 ; 🚇 ligne de métro Midō-suji, station Shinsaibashi ; ligne de métro Sennichi-mae, station Namba), où le tapis roulant une fois parti ne s'arrête plus (130 ¥ l'assiette).

La **galerie Dōtombori** (carte p. 406 ; Dōtombori, Chūō-ku ; 🚇 lignes de métro Midō-suji, Yotsubashi et Sennichi-mae, station Namba), le cœur de Minami, aligne une multitude de restaurants, mais n'y allez pas pour un dîner raffiné. Ici, on vous sert, dans une ambiance joviale, de généreuses portions d'une bonne cuisine sans surprise. Le quartier attirant les touristes étrangers, la plupart des grands restaurants ont ici une carte en anglais. Voici quelques suggestions parmi nos adresses favorites :

Imai Honten (carte p. 406 ; ☎ 6211-0319 ; 1-7-22 Dōtombori, Chūō-ku ; nouilles à partir de 577 ¥ ; 🕙 11h-22h, fermé mer). Une des plus vieilles maisons d'*udon*, de loin la meilleure de tout le quartier. Dans cette oasis de tranquillité au milieu du chaos (les portables doivent être éteints), essayez le *tendon* (*tempura* sur du riz ; 1 575 ¥). Située entre deux *pachinko*, elle n'a pas d'enseigne en lettres latines, mais sa façade traditionnelle, sans néons, repose le regard. Carte en anglais.

Chibō (carte p. 406 ; ☎ 6212-2211 ; 1-5-5 Dōtombori, Chūō-ku ; okonomiyaki à partir de 850 ¥ ; 🕙 11h-13h lun-jeu, jusqu'à 15h ven et sam, jusqu'à minuit dim). Un grand spécialiste de l'*okonomiyaki* (galette farcie cuite sur une plaque). Enseigne entre menu en anglais. Laissez-vous tenter par la *Dōtombori yaki*, la succulente spécialité maison à base de porc, bœuf, crevettes et fromage (1 550 ¥). Certaines tables ont vue sur le canal. Dernières commandes une heure avant la fermeture.

Ganko Zushi (carte p. 406 ; ☎ 6212-1705 ; 1-8-24 Dōtombori, Chūō-ku ; plats à partir de 1 000 ¥ ; 🕙 11h30-23h). Vaste restaurant de sushis (à la carte ou au comptoir) proposant de nombreux assortiments. Menu en anglais.

Zuboraya (carte p. 406 ; ☎ 6211-0181 ;
1-6-10 Dōtombori, Chūō-ku ; sashimis de fugu 1 400 ¥, dîner
à partir de 3 000 ¥ ; 11h-23h). Un spécialiste renommé
du *fugu*, identifiable à l'énorme poisson-globe se balançant
sur la façade. Menu bien illustré et courte carte en anglais.

Kani Dōraku Honten (carte p. 406 ; ☎ 6211-8975 ;
1-6-18 Dōtombori, Chūō-ku ; déj/dîner à partir de
1 995/4 620 ¥ ; 11h-23h). Spécialiste du crabe ; indiqué
par un gigantesque crabe accroché sur la façade. Courte
carte en anglais.

CUISINE INTERNATIONALE

Café Slices (carte p. 406 ; ☎ 6211-2231 ; 2-3-21 Nishi-
Shinsaibashi, Chūō-ku ; pizza part/entière à partir de
400/2 500 ¥ ; 11h-tard ; ligne de métro Midō-suji,
station Namba ou Shinsaibashi). Essayez cet endroit
sans prétention et accueillant qui vous propose
de la pizza. Également, wraps, bagels, salades
et frites. Grande enseigne en anglais.

Krungtep (carte p. 406 ; ☎ 4708-0088 ; 1-6-14 Dōtombori,
Chūō-ku ; buffet déj 1 200 ¥, plats au dîner 1 000 ¥ ; déj et
dîner ; lignes de métro Midō-suji, Yotsubashi et Sennichi-mae,
station Namba). Le restaurant thaïlandais le plus
populaire de Dōtombori, qui sert des plats assez
authentiques comme le célèbre curry vert et les
nouilles frites. Vous verrez une petite enseigne
en lettres latines : au premier sous-sol.

Enfin, si vous avez envie d'un sandwich de
style occidental ou d'une tasse de café, poussez
la porte du Doutor (carte p. 406), à l'entrée de la
galerie couverte Sennichi-mae. Carte illustrée.

OÙ PRENDRE UN VERRE

À Ōsaka, on travaille dur. Mais l'on s'amuse
d'autant mieux à la tombée du jour ! Si un
vendredi soir vous allez au hasard des rues
dans Minami, vous vous direz qu'Ōsaka doit
compter un bar par personne. Quels que soient
vos goûts, vous devriez trouver votre bonheur
parmi ces milliers d'établissements.

Kita キタ

Bien que Mimani-Ōsaka soit le vrai quartier de
la nuit, bars, clubs et *izakaya* ne manquent pas
au sud et à l'est de la gare d'Ōsaka. Mais sachez
que la plupart de ces endroits ont pour habitués
des *salarymen* japonais, chargés de divertir les
clients aux frais de leur société.

Canopy (carte p. 403 ; ☎ 6341-0339 ; 1-11-20
Sonezakishinchi, Kita-ku ; 17h-6h lun-sam, 17h-24h
dim ; ligne JR Tōzai, station Kitashinchi). Bar de
style café qui réunit après le travail une forte
communauté d'expatriés autour de snacks et de
quelques verres. La happy-hour vaut la peine
d'y faire un tour.

Windows on the World (carte p. 403 ; ☎ 6347-7111 ;
1-8-8 Umeda, Kita-ku ; 11h30-0h30 ; gare d'Ōsaka sur
la ligne JR). Pour siroter un verre en profitant des
vues extraordinaires sur Ōsaka ; au niveau 35
du Hilton Osaka. Mais le droit d'entrée y est
de 1 750 ¥ par personne et les boissons sont
autour de 2 000 ¥. *cher*

Minami ミナミ

Le quartier des nuits chaudes à Ōsaka. Vous
ne pourrez même pas y compter les bars, les
clubs et restaurants tant il y en a, serrés les
uns contre les autres, dans les rues et ruelles
de Dōtombori, de Shinsaibashi, de Namba et
d'Amerika-Mura.

Hub (carte p. 406 ; ☎ 6211-8286 ; 2e niv Across Bldg,
2-6-14 Shinsaibashi-suji, Chūō-ku ; environ 700-1 000 ¥/
pers ; 17h-24h dim-jeu, jusqu'à 2h ven, sam et soirée
avant jour férié ; ligne de métro Midō, station Namba ou
Shinsaibashi). Ceux qui sont déjà venus à Ōsaka
et les expatriés se souviendront qu'auparavant
se tenait là le Pig & Whistle de Shinsaibashi. Le
Hub est un bar pour *gaijin* (étrangers) un peu
plus américain, mais les ingrédients principaux
n'ont pas changé : cuisine de pub, bière bon
marché et une foule d'expatriés, de voyageurs
et de Japonais ouverts sur le monde.

Murphy's (carte p. 406 ; ☎ 6282-0677 ; 1-6-31 Higashi-
Shinsaibashi, Chūō-ku ; environ 700-1 000 ¥ ; 17h-1h
dim-jeu, jusqu'à 4h ven et sam ; ligne de métro Sakaisuji,
station Nagahoribashi). C'est l'un des plus vieux
pubs de style irlandais au Japon et vous y
rencontrerez des expatriés mêlés à la clientèle
locale. Murphy's est au niveau 6 du Reed Plaza
Shinsaibashi, un bâtiment futuriste.

SoulFuckTry (carte p. 406 ; ☎ 6539-1032 ; 1-9-14 Minami
Horie, Nishi-ku ; boissons à partir de 700 ¥ ; ligne de métro
Yotsubashi, station Yotsubashi). Ce bar-club promet de
la disco soul… et c'est tout à fait ça. Il attire
des DJ en vue et a récemment accueilli les deux
petits prodiges japonais des platines, Sara et
Ryusei (9 et 7 ans !). Tournez dans la rue étroite
en face de la station-service Eneos.

Cellar (carte p. 406 ; ☎ 6212-6437 ; B1 Shin-sumiya
Bldg, 2-17-13 Nishi-Shinsaibashi, Chūō-ku ; ligne de métro
Midō-suji, station Shinsaibashi). Des musiciens se pro-
duisent souvent dans ce sous-sol populaire de
Nishi-Shinsaibashi (côté ouest de Shinsaibashi).
Prenez l'escalier à quelques mètres au nord du
pâté d'immeubles.

Tavola 36 (carte p. 406 ; ☎ 6646-5125 ; 5-1-60 Namba,
Chūō-ku ; 11h30-23h30 lun-jeu, 11h30-24h ven, 11h-24h
sam, 11h-23h30 dim et jours fériés ; ligne principale Nankai,
gare de Namba). Si vous voulez prendre un verre
ou plusieurs en alliant cadre raffiné et vue

époustouflante, optez pour ce bar-restaurant italien dans Minami, au niveau 36 du Swissotel Nankai Osaka. Il vous en coûtera 1 260 ¥ pour une table après 18h ; les tarifs des consommations démarrent à partir de 1 200 ¥.

OÙ SORTIR

Pour le programme des événements musicaux dans les clubs, consultez le *Kansai Time Out*.

Clubs

Karma (carte p. 403 ; ☎ 6344-6181 ; 1-5-18 Sonezakishinchi, Kita-ku ; 🚇 ligne JR, gare d'Ōsaka). Un très vieux club dans Kita, apprécié à la fois des Japonais et des étrangers. Les soirs du week-end, concerts techno pour environ 2 500 ¥.

Grand Café (carte p. 406 ; ☎ 6213-8637 ; 2-10-21 Nishi-Shinsaibashi, Chūō-ku ; 🚇 ligne de métro Midō-suji ou Yotsubashi, station Shinsaibashi). Club en sous-sol très tendance, avec soirées de musique électronique et DJ. Coin salon agréable et plusieurs pistes de danse. Vous verrez une enseigne bleue dans la rue.

Spectacles traditionnels

Malheureusement, aucun des deux théâtres suivants n'a de programme de représentations fixes. Il faudra vous renseigner auprès des offices du tourisme ou lire le programme du guide *Meet Osaka* ou du *Kansai Time Out*.

Théâtre national de bunraku (carte p. 400 ; ☎ 6212-2531 ; 1-12-10 Nipponbashi, Chūō-ku ; 🚇 ligne de métro Sennichi-mae ou Sakai-suji, station Nipponbashi). Le bunraku (théâtre de marionnettes) n'est pas né à Ōsaka, mais c'est dans ce théâtre (qui reste le meilleur endroit du Japon pour assister à une représentation de bunraku) que cet art s'est popularisé. Le plus fameux écrivain de bunraku, Monzaemon Chikametsu (1653-1724) a écrit des pièces qui se passaient à Ōsaka et dont les personnages appartenaient à des classes qui, traditionnellement, n'avaient pas le droit de cité dans l'art japonais : les marchands et les pensionnaires des quartiers de plaisirs. Rien d'étonnant donc si le bunraku trouva une large audience parmi ces gens. Un théâtre fut édifié à Dōtombori pour recevoir spécialement les pièces de Chikametsu. Aujourd'hui, ce théâtre s'efforce de redonner vie à cet art qui connut tant de succès. Les représentations n'y ont lieu qu'à certaines périodes de l'année ; renseignez-vous auprès des offices du tourisme. Les places les moins chères sont autour de 2 500 ¥ ; des écouteurs ou un livret pour suivre la pièce en anglais sont disponibles. Toutefois, réservez vos places bien à l'avance, car elles partent vite.

Osaka Nōgaku Hall (carte p. 403 ; ☎ 6373-1726 ; 2-3-17 Nakasakinishi, Kita-ku ; 🚇 ligne JR, gare d'Ōsaka). Dans ce théâtre, à 5 minutes à pied à l'est de la gare d'Ōsaka, se tiennent des représentations de nō deux fois par mois environ : entre 5 000 et 6 000 ¥.

ACHATS

Ōsaka offre autant de magasins que de restaurants. Presque toutes les enseignes des grands magasins sont regroupées dans Kita, autour des gares d'Umeda et JR d'Ōsaka. La mode et les grandes marques du luxe international sont représentées dans les boutiques de Midō-suji, l'artère principale de Minami, entre les stations de métro Shinsaibashi et Namba.

Le quartier de Den Den Town (carte p. 406) est l'équivalent d'Akihabara à Tōkyō. Comme l'indique son nom, venu de *denki* (électricité), Den Den Town ne fait que dans l'électronique. Vous serez exempté de taxes dans les magasins annonçant en anglais "Tax free", à condition d'être muni de votre passeport au moment de vos achats. La plupart des magasins sont fermés le mercredi. Prenez la ligne de métro Sakaisuji jusqu'à la station Ebisu-chō et sortez par l'issue 1 ou 2. Vous pouvez aussi marcher 15 minutes vers le sud à partir de la station Nankai Namba.

Si vous cherchez quelque chose en rapport avec la cuisine, de près ou de loin, dirigez-vous vers la galerie Dōguya-suji dans Minami-Ōsaka (p. 405).

Kōjitsu Sansō (carte p. 403 ; ☎ 6442-5267 ; Osaka Ekimae Daisan Bldg, 1-3 Umeda, Kita-ku ; 🕙 10h30-20h ; 🚇 gare d'Ōsaka sur la ligne JR). Si vous avez besoin d'un nouveau sac à dos ou de tout autre équipement de plein air, visitez cet excellent magasin, situé au rez-de-chaussée, à l'angle nord-est de l'immeuble Ekimae Daisan.

Bic Camera (carte p. 406 ; ☎ 6634-1111 ; 2-10-1 Sennichimae, Chūō-ku ; 🕙 10h-21h ; 🚇 ligne JR, ligne Kintetsu ; lignes de métro Midō-suji, Sennichi-mae, Nankai Honsen, Kūkō et Kōya, gare de Namba). Vous trouverez dans ce vaste magasin tout ce qui se rapporte à la photo, l'ordinateur et l'électronique (attention : nombre de produits pour ordinateur sont conçus pour le système japonais). Prix très avantageux.

DEPUIS/VERS ŌSAKA
Avion

Ōsaka est desservie par deux aéroports : l'aéroport Itami d'Ōsaka (ITM), devenu aéroport national, et le nouvel aéroport international du Kansai (KIX), qui assure les liaisons avec l'étranger ainsi que certains vols intérieurs. L'aéroport Itami est facile d'accès dans l'agglomération d'Ōsaka ; l'aéroport international du Kansai se situe beaucoup plus loin, sur une île artificielle, dans la préfecture de Wakayama (pour les transports, voir ci-contre).

Bateau

La **Japan China International Ferry Company** (☎ au Japon 6536-6541, en Chine 021-6325-7642 ; www.shinganjin. com, en japonais) relie Shanghai à Ōsaka ou à Kōbe (aller 2e classe 20 000 ¥/1 300 yuans, environ 48 heures). La **Shanghai Ferry Company** (☎ au Japon 6243-6345, en Chine 021-6537-511 ; www.shanghai-ferry.co.jp, en japonais) offre un service similaire, au même tarif. Les ferries partent du terminal international de ferries d'Ōsaka Nankō. On y accède en prenant la ligne du New Tram qui va de la station Suminoe-kōen à celle de Nankoguchi.

D'autres ferries partent du terminal de Nankō et des quais de Kanome-futō et de Bentenfutō vers Honshū, Kyūshū et Shikoku. Kyūshū comprend les destinations de Beppu (à partir de 10 000 ¥, 11 heures 30), Miyazaki (à partir de 10 800 ¥, 12 heures 45), Shibushi (à partir de 11 500 ¥, 14 heures 45) et Shinmoji (à partir de 6 420 ¥, 12 heures). Vers Shikoku, les destinations sont Shōdo-shima (à partir de 3 800 ¥, 4 heures 30), Matsuyama (7 500 ¥, 9 heures 15) et Niihama (5 700 ¥, 9 heures 15). Ces tarifs s'entendent pour un billet de 2e classe.

Pour les horaires et les réservations sur les lignes maritimes, contactez les offices du tourisme (p. 401).

Bus

Un bus longue distance relie Ōsaka à de nombreuses villes de Honshū et de Shikoku, ainsi qu'à certaines villes de Kyūshū. Parmi les destinations, citons : Tōkyō (à partir de 4 300 ¥, 8 heures), Nagasaki (11 000 ¥, 10 heures) et Kagoshima (12 000 ¥, 11 heures 55). Ces bus partent de la gare JR d'Ōsaka (carte p. 403) ; vous obtiendrez des renseignements supplémentaires auprès de l'office du tourisme.

Train

KŌBE

Le moyen le plus rapide de voyager entre Kōbe et Ōsaka est le *shinkansen* (2 810 ¥, 13 min, de la gare de Shin-Kōbe à la gare de Shin-Ōsaka). Puis vient le JR *shinkaisoku* qui part de la gare JR d'Ōsaka pour rejoindre la gare de Sannomiya de Kōbe et d'autres gares de Kōbe (390 ¥, 24 min).

La ligne privée Hankyū, moins bondée et plus confortable, dessert également Kōbe en un peu plus de temps, mais pour moins cher. Elle part de la gare Hankyū d'Umeda d'Ōsaka (carte p. 403) pour arriver à la gare de Sannomiya de Kōbe (*tokkyū*, 310 ¥, 29 min).

KYŌTO

Le *shinkansen* est le moyen le plus rapide de voyager entre Kyōto et Ōsaka (2 730 ¥, 15 min). Ensuite, vient le JR *shinkaisoku*, de la gare JR Kyōto à la gare JR d'Ōsaka (carte p. 403 ; 540 ¥, 28 min).

Un autre choix plus économique : la ligne Hankyū entre la gare Hankyū d'Umeda, à Ōsaka, et les gares Hankyū Kawaramachi, Karasuma et Ōmiya à Kyōto (*tokkyū* pour Kawaramachi 390 ¥, 44 min).

Troisième option : la ligne principale Keihan entre les gares de Sanjō, de Shijō ou de Shichijō à Kyōto et la gare Keihan Yodoyabashi à Ōsaka (*tokkyū* pour Sanjō 400 ¥, 51 min). Yodoyabashi se situe sur la ligne de métro Midō-suji.

NARA

La ligne JR Kansai relie Ōsaka (gares de Namba et de Tennō-ji) à Nara (gare JR Nara) via Hōryū-ji (*yamatoji kaisoku*, 780 ¥, 42 min).

La ligne privée Kintetsu Nara relie aussi Ōsaka (gare Kintetsu de Namba) à Nara (gare Kintetsu de Nara). Le trajet en *kyūkō* (express) et en *futsū* dure environ 36 minutes et coûte 540 ¥. Le *tokkyū* met 5 minutes de moins, mais pour le double de prix, ce qui n'en fait guère un choix avantageux.

SHINKANSEN

Ōsaka est sur la ligne du Tōkaidō-San-yō *shinkansen* qui relie Tōkyō à Hakata dans l'île de Kyūshū. Le Hikari *shinkansen* met 3 heures d'Ōsaka à Tōkyō (13 550 ¥) et 3 heures jusqu'à Hakata (14 390 ¥). Les autres arrêts sur la ligne sont Hiroshima, Kyōto, Kōbe et Okayama.

COMMENT CIRCULER
Depuis/vers l'aéroport
AÉROPORT ITAMI D'ŌSAKA

De fréquentes **navettes** (Osaka Airport Transport Co ; ☎ 6844-1124 ; www.okkbus.co.jp/eng/index.html) circulent entre l'aéroport et divers points de la ville d'Ōsaka. Entre la gare de Shin-Ōsaka et l'aéroport, elles partent toutes les 20 minutes, de 8h à 21h environ (490 ¥, 25 min). Elles partent aussi à la même fréquence des gares d'Ōsaka et de Namba (620 ¥, 30 min). À Itami, achetez

KANSAI

vos billets au distributeur automatique installé à l'extérieur devant le hall des arrivées. Vous aurez plus de chance d'avoir une place assise si vous montez au terminal sud.

AÉROPORT INTERNATIONAL DU KANSAI (KIX)

Le train le plus rapide entre l'aéroport (KIX) et Ōsaka est l'express Nankai Rapid, de la ligne privée Nankai qui part de la gare Nankai Namba Station sur la ligne de métro Midō-suji (1 390 ¥, 35 min). Le semi-express JR Haruka, spécial pour l'aéroport, part de la gare de Tennō-ji (2 070 ¥, 29 min) et de la gare de Shin-Ōsaka (2 780 ¥, 45 min).

Des express ordinaires JR, appelés *kankū kaisoku*, relient aussi l'aéroport à la gare d'Ōsaka (1 160 ¥, 63 min) ou à celles de Kyōbashi (1 160 ¥, 70 min), de Tennō-ji (1 030 ¥, 49 min) et du JR Namba (1 030 ¥, 56 min).

L'Osaka City Air Terminal (OCAT), dans la gare JR de Namba, est un service qui permet aux passagers de certaines compagnies aériennes japonaises et étrangères de faire enregistrer et déposer leurs bagages à l'avance. Vérifiez auprès de votre compagnie aérienne.

Plusieurs itinéraires de bus sont possibles entre le KIX et Ōsaka. Les **navettes de l'aéroport** (Kansai Airport Transportation Enterprise ; ☎ 0724-61-1374 ; www.kate.co.jp/pc/index_e.html) partent des gares Ōsaka Umeda, OCAT Namba, Uehonmachi et Nankō (Cosmo Square). La plupart des trajets reviennent à 1 300 ¥ (OCAT, 880 ¥), pour une durée moyenne de 50 minutes, selon la circulation.

Bus

Ōsaka possède un réseau de bus, mais le réseau ferroviaire y est nettement plus pratique. Des cartes de bus sont disponibles dans les offices du tourisme.

Train et métro

Comme Tōkyō, Ōsaka possède un excellent réseau de métro, plus une ligne circulaire, le JR Loop (appelée en japonais JR Kanjō-sen). Vous ne devriez pas avoir besoin d'utiliser d'autres moyens de transport pendant votre séjour à Ōsaka, à moins qu'un soir vous ne ratiez le dernier train.

Il y a 8 lignes de métro ; la plus pratique pour les visiteurs est la ligne Midō-suji qui va du nord au sud en passant par les gares de Shin-Ōsaka, Umeda (à côté de la gare d'Ōsaka), Shinsaibashi, Namba et Tennō-ji. Le trajet coûte

entre 200 et 300 ¥. Reportez-vous à la carte de métro et de tram d'Ōsaka dans la section couleur, p. 512.

Si vous comptez beaucoup vous déplacer en métro un jour donné, vous aurez intérêt à acheter un "one day free ticket" *(kyōtsū ichinichi jōsha ken)*. Pour 850 ¥ (ou 600 ¥ le vendredi et le 20 de chaque mois seulement), vous voyagerez autant que vous voudrez sur le réseau du métro, du New Tram et dans tous les bus de la ville (mais pas les lignes JR). On peut acheter ces billets dans certains distributeurs automatiques des gares ; appuyez sur le bouton "one day free ticket" *(kyōtsū ichinichi jōsha ken)*, puis pressez le bouton qui s'allume indiquant "850 ¥".

KŌBE 神戸

☎ 078 / 1,53 million d'habitants

Accrochée à une colline surplombant la mer, Kōbe est l'une des villes japonaises les plus attrayantes. Porte maritime du Kansai depuis les jours reculés des premiers échanges avec la Chine, c'est aussi une cité très internationale. De nombreuses communautés asiatiques, ainsi qu'occidentales, habitent à Kōbe, travaillant souvent dans la ville voisine d'Ōsaka.

Pour un touriste, l'un des principaux attraits de Kōbe tient à sa faible étendue ; on peut accéder à la plupart des sites à pied, à partir de ses grandes gares. Mais autant le dire tout de suite : les sites incontournables sont rares. Ce qui en fait l'attrait, aux yeux des habitants aussi bien que des visiteurs, c'est sa douceur de vivre. Si vous ne supportez plus le tumulte d'Ōsaka, allez passer une soirée détendue à Kōbe.

ORIENTATION

On entre dans Kōbe par les deux gares principales de Sannomiya et de Shin-Kōbe. À la gare Shin-Kōbe, au nord-est de la ville, s'arrêtent les *shinkansen*. Un métro (200 ¥, deux minutes) la relie à la gare de Sannomiya. De cette dernière partent, à une fréquence élevée, les trains vers Ōsaka et Kyōto. Il est possible d'accomplir à pied le trajet entre les deux gares, en 20 minutes environ. La gare de Sannomiya marque le centre de Kōbe, bien que ce centre se déplace peu à peu vers le sud-ouest, en raison de l'expansion de la ville vers les terres gagnées sur la mer de Kōbe Harbor Land. Avant de partir à la découverte de Kōbe, allez chercher un exemplaire de la *Kōbe City Map* à l'un des deux offices du tourisme.

RENSEIGNEMENTS

L'**office du tourisme** principal (☎ 322-0220 ; ☻ 9h-19h) est au rez-de-chaussée sur le côté sud de la porte ouest de la gare JR de Sannomiya (suivre les indications pour Santica, une galerie marchande). Mais un autre comptoir, plus petit, se situe au niveau 2 de la gare Shin-Kôbe, juste avant l'entrée principale du *shinkansen*. Tous les deux mettent gracieusement à votre disposition la carte *Kôbe City Map*.

Citibank (☎ 392-4122 ; ☻ 9h-15h lun-ven, DAB 24h/24 ; ☻ ligne Hankyū Kôbe, ligne principale Hanshin ou ligne JR Kôbe, gare de Sannomiya). Derrière l'hôtel de ville de Kôbe, possède un DAB acceptant les cartes bancaires internationales.

HIS, agence de Motomachi (☎ 335-2505 ; ☻ 10h30-19h, 11h-18h sam, dim et jours fériés, fermé jeu ; ligne principale Hanshin ou ligne JR Kôbe, gare de Motomachi). Agence de voyages au niveau 2 d'un immeuble presque à l'angle d'un carrefour, à la diagonale de la gare de Motomachi.

rw books (☎ 332-9200 ; ☻ 11h-19h ; ☻ ligne JR Kôbe, gare de Motomachi). Dans l'artère commerçante, cette petite librairie, à l'étage, vend des livres en anglais.

À VOIR

Kitano 北野

À 20 minutes à pied au nord de Sannomiya, s'élève à flanc de colline le plaisant quartier de Kitano. C'est là que les touristes japonais viennent goûter au dépaysement du voyage sans avoir à quitter l'archipel. On se croirait un peu en Europe, à parcourir ses petites rues en lacets, au détour desquelles on découvre les *ijinkan* (littéralement : "maisons des étrangers"). Ces dernières abritèrent les premiers résidents occidentaux de Kôbe. Certaines sont en accès libre ; d'autres demandent un droit d'entrée variant entre 300 et 700 ¥. La plupart sont ouvertes de 9h à 17h. Ces maisons de brique aux façades recouvertes de planches ne fascineront sans doute pas autant les voyageurs occidentaux que les touristes venus des quatre coins du Japon. Cependant, ce quartier est agréable pour une promenade et possède en outre d'excellents cafés et restaurants.

Téléphérique Shin-Kôbe et Nunobiki Hābu-kōen 新神戸ロープウェイ・布引ハーブ公園

Le **téléphérique Shin-Kôbe** (Shin-Kôbe Ropeway ; aller/aller-retour 550/1 000 ¥ ; ☻ 9h30-17h30, plus tard juin-août ; ☻ ligne de métro Seishin-Yamate, station Shin-Kôbe) part derrière l'hôtel Crowne Plaza Kôbe près de la gare de Shin-Kôbe, et vous dépose sur la crête de la montagne à 400 m au-dessus de la ville.

La vue sur Kôbe et sa baie est magnifique, surtout au coucher du soleil. Le complexe formé par des jardins, des restaurants et des boutiques au-dessous de la gare du sommet porte le nom de **Nunobiki Nunobiki Hābu-kōen** (jardin des plantes aromatiques ; 200 ¥ ; ☻ 10h-17h, plus tard juin-août ; ☻ ligne de téléphérique Shin-Kôbe, gare de Nunobiki Hābu-kōen). Sachez qu'à partir du Jardin des plantes aromatiques vous pouvez facilement redescendre à pied jusqu'à la gare de départ, en 30 minutes environ.

Musée de la ville de Kôbe 神戸市立博物館

Ce **musée** (Kôbe Shiritsu Hakubutsukan ; ☎ 391-0035 ; 24 Kyō-machi, Chūō-ku ; 200 ¥, plus expositions payantes ; ☻ 10h-17h, fermé lun ; ☻ ligne JR Kôbe, gare de Sannomiya), qui possède une collection de peinture de style dit Namban (littéralement "les barbares du Sud"), organise aussi des expositions temporaires. L'art Namban fait référence aux objets nés du contact des Japonais avec les Portugais : certains des missionnaires jésuites venus au Japon auraient appris à leurs étudiants japonais les techniques picturales occidentales. L'entrée se trouve sur le côté est de l'édifice. Dernière entrée à 16h30.

Nankinmachi (Chinatown) 南京町

Nankinmachi, le Chinatown de Kôbe, quartier clinquant de restaurants et de boutiques pour touristes, est très animé, mais il fait cependant pauvre figure comparé aux autres grands quartiers chinois à travers le monde. Il n'en constitue pas moins un but de promenade agréable, surtout le soir, alors que les lumières du quartier illuminent les façades clinquantes de ses magasins. Hélas, la plupart de ses restaurants pratiquent des prix exagérés et sont plutôt décevants. Toutefois, si vous décidez de dîner en visitant le quartier, nous vous recommandons un restaurant de *gyōza* (raviolis chinois au porc) et deux autres bonnes adresses (voir p. 420).

Kôbe Harbor Land et Meriken Park 神戸ハーバーランド

À 5 minutes à pied au sud-est de la gare de Kôbe, le Kôbe Harbor Land est rempli de centres commerciaux et de complexes de restauration. Cela ne vous plaira peut-être pas autant qu'à la jeunesse locale. Malgré tout, il peut être intéressant d'aller y flâner un après-midi. Pour une vue magnifique sur l'ensemble, prenez l'ascenseur de verre (gratuit) jusqu'au niveau 18 de l'**immeuble Ecoll Marine**.

KANSAI

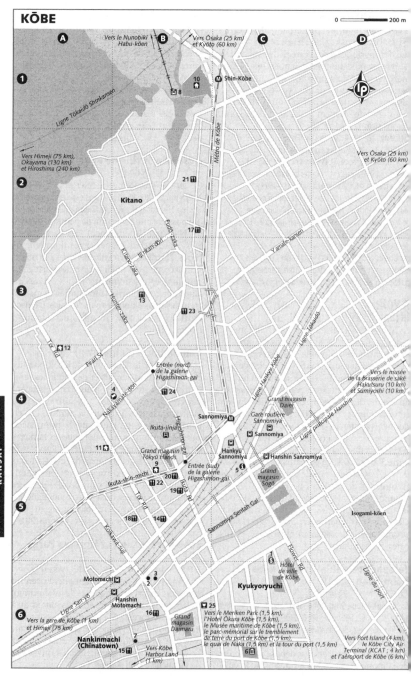

KANSAI

KŌBE

0 ⎯⎯⎯⎯ 200 m

Vers le Nunobiki
Habu-kōen

Vers Ōsaka (25 km)
et Kyōto (60 km)

Ⓜ Shin-Kōbe

10

8

Ligne Tōkaidō Shinkansen

Vers Himeji (75 km),
Okayama (130 km)
et Hiroshima (240 km)

Vers Ōsaka (25 km)
et Kyōto (60 km)

21

Kitano

Métro de Kōbe

17

Fudō-zaka

Ijin-kan-dōri

Yamate-kansen

Kitano-zaka

Hunter-zaka

13

23

Tor Rd

12

Ligne Tōkaidō

Peārl St

Vers le musée
de la brasserie de saké
Hakutsuru (10 km)
et Sumiyoshi (10 km)

Nakayamate-dōri

Entrée (nord)
de la galerie
Higashimon-gai

4

24

Ligne Hankyū Kōbe

Grand magasin
Daiei

Sannomiya Ⓜ

Ikuta-jinja

Gare routière
Sannomiya

Sannomiya

Ligne principale Hanshin

Grand magasin
Tōkyū Hands

11

9

20

22

Ikuta-shin-michi

Entrée (sud)
de la galerie
Higashimon-gai

Hankyū
Sannomiya

Higashimon-gai

Hanshin Sannomiya

Ikuta Rd

19

Tor Rd

Grand
magasin
Sōgō

Sannomiya Sentah Gai

18

14

Isogami-kōen

Kokawa-suji

Flower Rd

Hôtel
de ville
de Kōbe

Ligne San-yō

Motomachi

3

2

Hanshin
Motomachi

Kyukyoryuchi

Ligne du port

16

25

Grand
magasin
Daimaru

Vers le Meriken Park (1,5 km),
l'Hôtel Ōkura Kōbe (1,5 km),
le Musée maritime de Kōbe (1,5 km),
le parc-mémorial sur le tremblement
de terre du port de Kōbe (1,5 km),
le quai de Naka (1,5 km) et la tour du port (1,5 km)

**Nankinmachi
(Chinatown)**

7

15

Vers Kōbe
Harbor Land
(1 km)

Vers la gare de Kōbe (1 km)
et Himeji (75 km)

6

Vers Port Island (4 km),
le Kōbe City Air
Terminal (KCAT ; 4 km)
et l'aéroport de Kōbe (6 km)

Après le Harbor Land, à 5 minutes à pied vers l'est, s'étend le Meriken Park, installé sur une pointe de terre récupérée sur la mer, s'avançant à l'extérieur de la baie. Visitez le **Musée maritime de Kôbe** (Kôbe Kaiyô Hakubutsukan ; ☎ 327-8983 ; 2-2 Hatoba-chô, Chūō-ku ; 500 ¥ ; 🕙 10h-17h tlj sauf lun ; 🚃 ligne JR Kôbe, gare de Motomachi), qui présente une petite collection de modèles de bateaux. Les expositions sont commentées en anglais. Dernière entrée à 16h30.

Musée de la brasserie de saké Hakutsuru 白鶴記念造酒資料館
Le quartier de Nada-ku à Kôbe est un des centres les plus importants au Japon pour la production de saké, dominé par le grand brasseur Hakutsuru. Le **musée de la brasserie de saké Hakutsuru** (☎ 822-8907 ; 4-5-5 Sumiyoshi Minami-machi, Higashinada-ku ; gratuit ; 🕙 9h30-16h30, fermé lun, jour de l'An et O-Bon ; 🚃 gare de Sumiyoshi sur la ligne Hanshin) vous introduit dans l'intéressant univers de la fabrication traditionnelle du saké. Une brochure gratuite en anglais vous donnera un bon aperçu du procédé. Après avoir visité les installations de la brasserie, vous pourrez déguster gratuitement différents sakés (demandez à l'accueil).

Depuis Sannomiya, prenez la ligne Hanshin en direction de l'est jusqu'au 8ᵉ arrêt : gare de Hanshin Sumiyoshi (180 ¥, 6 min ; les trains express ne s'y arrêtent pas). À la sortie de la gare, marchez vers le sud jusqu'à l'autoroute surélevée et traversez par la passerelle piétonnière. Au bas des escaliers, prenez la première rue sur la gauche, puis à droite : la brasserie est sur le côté droit. Vous devrez inscrire votre nom dans un registre à l'entrée. Aucun panneau en lettres latines n'indique la brasserie, mais

il y a un logo, une grue bleu et blanc, au-dessus de l'aile moderne de l'usine.

FÊTES ET FESTIVALS
Les **illuminations** sont l'événement le plus important de l'année à Kôbe. Chaque soir du 4 au 15 décembre (vérifiez auprès de l'office du tourisme les dates exactes, car elles peuvent varier légèrement), les rues s'illuminent pour célébrer la renaissance miraculeuse de la ville après le tremblement de terre de 1995 qui tua près de 6 000 personnes. Celles situées au sud-ouest de l'hôtel de ville de Kôbe sont recouvertes d'arches de métal scintillant de mille lumières qui donnent l'impression de s'engager sous une voûte céleste.

OÙ SE LOGER
B Kôbe (☎ 333-4880 ; fax 333-4876 ; www.ishinhotels.com/theb-kobe/en/index.html ; s/d/lits jum à partir de 8 400/16 800/18 900 ¥ ; 🖳 ; 🚃 ligne de métro Seishin-Yamate, station Sannomiya). Un bon choix que cet établissement central aux chambres propres, idéal pour un séjour d'affaires ou une simple nuit à Kôbe. Les fenêtres étroites rendent les chambres un peu sombres, mais qu'importe si vous n'y passez que la nuit. Internet par câble LAN dans la chambre.

Hotel Tor Road (☎ 391-6691 ; fax 391-6570 ; www.hotel torroad.co.jp, en japonais ; s/d/lits jum 8 400/17 850/17 850 ¥ ; 🖳 ; 🚃 ligne JR Kôbe, gare de Sannomiya ou de Motomachi). Bonne option que le Tor Road pour ceux qui recherchent un peu plus de confort que dans un typique *business hotel*. Les chambres, avec des lits plus grands que dans les hôtels de cette catégorie, sont assez propres. Chambre reliée à Internet par câble LAN.

Crowne Plaza Hotel Kôbe (☎ 291-1121 ; fax 291-1151 ; www.ichotelsgroup.com/h/d/cp/1/en/hotel/osakb ; s/d/lits jum

KANSAI

à partir de 15 015/27 720/27 720 ¥ ; [💻] ; [🚇] ligne de métro Seishin-Yamate ou ligne JR Sanyō shinkansen, gare de Shin-Kōbe). Perché au-dessus de la ville, cet hôtel offre de splendides vues à la nuit tombée. Remarquablement bien situé près de la gare JR de Shin-Kōbe, il possède des chambres impeccables et assez spacieuses. Le personnel parle anglais. En bas, dans le centre commercial Avenue, il y a plusieurs bons restaurants. Internet par câble LAN.

Hotel Ōkura Kōbe (☎ 333-0111 ; fax 333-6673 ; www.okura.com/hotels/kobe/index.html ; s/d/lits jum à partir de 18 480/22 050/28 875 ¥ ; [💻] [📶] ; [🚇] ligne JR Kōbe, gare de Motomachi). L'hôtel le plus confortable et le plus élégant de la ville, merveilleusement bien situé dans le port. Chambres impeccables, grandes et bien entretenues. Évitez les chambres situées au premier niveau côté nord dont la vue se limite à l'autoroute. Bons restaurants sur place. Internet par câble LAN.

Kōbe Kitano Hotel (☎ 271-3711 ; fax 271-3700 ; www.kobe-kitanohotel.co.jp/en/index.html ; 3-3-20 Yamamoto-dōri, Chūō-ku ; d/lits jum à partir de 30 030/32 340 ¥ ; [💻] ; [🚇] ligne JR Kōbe, gare de Sannnomiya ou de Motomachi). Cet hôtel jouant sur le thème britannique est très apprécié des jeunes femmes japonaises. L'atmosphère européenne du quartier de Kitano, ses rues invitant à d'agréables flâneries et ses nombreux cafés composent aussi un cadre romantique pour les mariages qu'a su exploiter l'hôtel ; mais il reste un établissement agréable. Internet par câble LAN.

OÙ SE RESTAURER
Cuisine japonaise

Kintoki (☎ 331-1037 ; 1-7-2 Motomachi-dōri, Chūō-ku ; repas à partir de 500 ¥ ; [🕐] 10h30-21h, jusqu'à 20h sam, fermé jours fériés ; [🚇] Jigne JR Kōbe, station Motomachi). Ce vieux *shokudō*, qui sert les plats les moins chers de la ville, vous plonge dans l'ambiance du Japon d'avant la prospérité. Au menu, bols de pâtes et de riz habituels (*soba* ou *udon* nature à 250 ¥, petit bol de riz à 160 ¥) ; ou choisissez parmi la variété de plats exposés sur le comptoir. Vous verrez un auvent bleu et blanc à 20 m au nord de la galerie commerçante.

Mikami (☎ 242-5200 ; 2-5-9 Kanō-chō, Chūō-ku ; repas à partir de 500 ¥ ; [🕐] 11h-15h et 17h-22h, fermé mer ; [🚇] ligne JR Kōbe ou Hankyū Kōbe, gare de Sannomiya). Restaurant convivial d'un bon rapport qualité/prix au déjeuner ou au dîner pour les plats habituels de la cuisine japonaise. Pâtes à partir de 500 ¥ et *teishoku* (menus fixes) à partir de 1 000 ¥. Vous verrez une grande niche à chien sur le devant et une petite enseigne en lettres latines. Carte en anglais.

Ganko Sushi (☎ 331-6868 ; 2-5-1 Kitanagasa-dōri, Chūō-ku ; déj à partir de 700 ¥, dîner environ 2 000 ¥ ; [🕐] 11h30-23h ; [🚇] ligne JR Kōbe ou ligne principale Hanshin, gare de Motomachi). Pour de bons sushis et presque tous les autres plats japonais, une adresse sans prétention et très décontractée, près de la gare de Motomachi. Ici, nous vous recommandons en particulier les sushis à la carte (en anglais). Le personnel est habitué aux étrangers. Un petit panneau annonce "Japanese food restaurant". Dernière commande 21h 30.

Tanoshiya (☎ 242-1132 ; 1F Matsuda Bldg, 3-14-8 Kanō-chō, Chūō-ku ; déj/dîner à partir de 1 050/4 000 ¥ ; [🕐] 11h30-14h30 et 17h-24h, fermé lun ; [🚇] ligne JR Kōbe ou ligne Hankyū Kōbe, gare de Sannomiya). Ambiance conviviale pour des plats créatifs et amusants qu'on pourrait qualifier de "nouvelle cuisine japonaise". Au menu : sashimis passés au feu vif, brochettes de poulet, accompagnées d'autres petits plats. Petite enseigne en lettres latines. Carte en anglais.

Mon (☎ 331-0372 ; 2-12-2 Ikatsuji, Chūō-ku ; repas à partir de 1 100 ¥ ; [🕐] 11h-21h, fermé 3e lun du mois ; [🚇] ligne JR Kōbe ou ligne Hankyū Kōbe, gare de Sannomiya). Cette institution de Kōbe sert une cuisine particulière appelée *yōshoku* (steaks ou côtelettes de porc). Une bonne idée quand vous avez envie de changer un peu des pâtes et du riz. L'enseigne sur le devant montre deux "barbares" affamés. Carte en anglais.

Toritetsu (☎ 327-5529 ; 1-16-12 Nakayamate-dōri, Chūō-ku ; dîner à partir de 3 000 ¥/pers ; [🕐] 17h-24h ; [🚇] ligne JR Kōbe ou Hankyū Kōbe et ligne principale Hanshin, gare de Sannomiya). Dans l'artère Higashimon-gai, presque en face du Daiichi Grand Hotel, un yakitori animé pour dîner et boire tout en observant les chefs s'activer derrière leurs grils. L'enseigne annonce "yakitori" en lettres latines. Un peu d'anglais sur la carte.

Wakkoqu (☎ 262-2838 ; 3F Shin Kōbe Oriental Ave shopping mall, 1-1 Kitano-chō, Chūō-ku ; déj/dîner à partir de 3 234/8 250 ¥ ; [🕐] 11h45-22h30 ; [🚇] ligne de métro Seishin-Yamate, station Shin-Kōbe). Si vous aimez la bonne viande, il faut absolument essayer ici le célèbre bœuf de Kōbe. Les steaks de l'élégant Wakkoqu sont parmi les meilleurs que nous ayons mangé. Au niveau 3 du centre commercial Avenue, situé au pied du Crowne Plaza Kōbe hotel, juste à l'extérieur des ascenseurs sur le côté sud. Une petite enseigne annonce "Steak Wakkaqu".

Mouriya (☎ 391-4603 ; 2-1-17 Yamate-dōri, Chūō-ku ; déj/dîner environ 4 800/10 000 ¥ ; [🕐] déj et dîner, fermé 1er lun du mois ; [🚇] ligne JR Kōbe ou ligne principale Hanshin, gare de Motomachi). Dans le centre-ville, un spécialiste du bœuf de Kōbe, pas aussi raffiné que le Wakkoqu.

L'ambiance est conviviale et détendue. Menu en anglais. Si vous voulez un vrai bon steak, commandez ici de l'aloyau.

Cuisine internationale

Ganso Gyôza-en (☎ 331-4096 ; 2-8-11 Sakaemachi-dôri, Chūō-ku ; 6 gyôza 420 ¥ ; ⏱ 11h45-15h, 17h-20h30, fermé lun ; 🚉 ligne JR Kôbe ou ligne principale Hanshin ; gare de Motomachi). Le meilleur restaurant de Nankinmachi pour les *gyôza*. Ces raviolis chinois sont délicieux frits *(yaki gyôza)* ou à la vapeur *(sui gyôza)*, assaisonnés à votre goût avec le vinaigre, la sauce de soja et le *miso* posés sur la table. À côté d'un petit parking ; surmonté d'un auvent rouge et blanc et d'une enseigne en lettres latines.

Modernark Pharm (☎ 391-3060 ; 3-11-15 Kitanagasa-dôri, Chūō-ku ; déj et dîner à partir de 850 ¥ ; ⏱ 11h30-22h30, jusqu'à 22h dim, fermeture variable ; 🚉 ligne JR Kôbe, gare de Motomachi). Petit restaurant original qui propose de délicieux menus occidentaux et japonais, y compris des burritos et des plats à base de riz. De plus, quelques spécialités végétariennes. Plantes devant la façade. Carte en anglais.

Sona Rupa (☎ 322-0252 ; 2-2-9 Yamate-dôri, Chūō-ku ; déj/dîner à partir de 850/3 500 ¥ ; ⏱ 11h30-14h30 et 17h30-22h, fermé mer ; 🚉 lignes JR Kôbe, Hankyū Kôbe ou ligne principale Hanshin, gare de Sannomiya). Nous avons apprécié ce petit restaurant indien pour son *naan* (pain) craquant, ses savoureux curries et son atmosphère tranquille. Au niveau 3, signalé par une enseigne au niveau de la rue. Carte en anglais.

Court Lodge (☎ 222-5504 ; 1-23-16 Nakayamate-dôri, Chūō-ku ; repas 1 000-2 000 ¥ ; ⏱ 11h-22h30 ; 🚉 ligne JR Kôbe, Hankyū Kôbe ou ligne principale Hanshin, gare de Sannomiya). Si vous cherchez une table au cœur du quartier de Kitano, ce restaurant sri-lankais vous propose d'appétissants menus, ainsi que du délicieux thé de Ceylan.

Nailey's Café (☎ 231-2008 ; 2-8-12 Kanō-chō, Chūō-ku ; café à partir de 430 ¥, déj/dîner à partir de 1 050/1 200 ¥ ; ⏱ 11h30-24h, jusqu'à 2h ven et sam, fermé mar au déjeuner ; 🚉 ligne de métro Seishin-Yamate, station Shin-Kôbe). Petit café branché qui sert du vrai expresso, des déjeuners et dîners simples. Menu à l'accent européen : pizzas, pâtes et salades. Parfait pour un verre en soirée. Carte en anglais.

OÙ PRENDRE UN VERRE

La population étrangère de Kôbe étant importante ; les voyageurs se sentiront à l'aise dans la plupart des bars. Pour un style purement japonais, essayez les *izakaya* entre la gare JR et Ikuta-jinja. Mais la vie nocturne à Kôbe réside aussi dans les cafés qui se transforment en bar à la tombée du jour (voir ci-dessus).

New Munchen Club (☎ 335-0170 ; 47 Akashi-chō, Chūō-ku ; ⏱ 11h-23h ; 🚉 station Motomachi sur la ligne JR Kôbe). Un établissement de style germanique attirant de nombreux résidents étrangers. Un peu enfumé parfois, mais la bière est bonne et l'atmosphère décontractée. Carte avec photos. Près du grand magasin Daimaru, en sous-sol.

DEPUIS/VERS KÔBE
Bateau

Le **China Express Line** (au Japon ☎ 078-321-5791, en Chine ☎ 022-2420-5777 ; www.celkobe.co.jp en japonais) est un service de ferries qui relie Kôbe et Tientsin (2e classe 22 000 ¥, environ 48 heures). Il part de Kôbe tous les jeudis à minuit.

Des ferries relient chaque jour Kôbe à Shikoku (Imabari et Matsuyama) ou à Kyūshū (Ōita). La plupart de ces lignes, assurées par la **Diamond Ferry Company** (☎ 857-1988 ; www.diamond-ferry.co.jp, en japonais), partent de Rokkō Island. Les destinations les moins chères sont Imabari (6 600 ¥), Matsuyama (7 500 ¥) et Ōita (10 000 ¥).

Bus

Des bus relient Kôbe (gare routière Sannomiya) à Tōkyō (gare routière longue distance de Shinjuku et terminal des bus longue distance JR de la gare de Tōkyō). Le voyage coûte 8 690 ¥ (9 heures 30). Les bus partent le soir et arrivent tôt le lendemain matin dans la capitale.

Train

La gare JR de Sannomiya est sur la ligne JR Tōkaidō. Le JR *shinkaisoku* qui circule sur cette ligne est le train le plus rapide entre Kôbe et la gare d'Ōsaka (390 ¥, 24 min) ou la gare de Kyōto (1 050 ¥, 54 min).

Deux lignes privées, la Hankyū et la Hanshin, assurent également la liaison avec Ōsaka. La ligne Hankyū est la plus pratique des deux, reliant la gare Hankyū de Sannomiya de Kôbe à celle de Hankyū d'Umeda à Ōsaka (*tokkyū* 310 ¥, 29 min). De là, elle relie aussi Ōsaka à Kyōto. Ainsi, de Kôbe, l'express (*tokkyū* 600 ¥) met 65 minutes jusqu'à Kyōto (avec changement à la gare d'Umeda ou de Jūsō).

La gare Shin-Kôbe est sur la ligne du Tōkaidō/San-yō *shinkansen*. Le Hikari *shinkansen* rallie Kôbe à Fukuoka (14 070 ¥, 2 heures 52 min) et à Tōkyō (21 520 ¥, 3 heures 18 min). Les autres gares desservies sur la ligne sont Ōsaka, Kyōto, Nagoya et Hiroshima.

De nombreuses agences de vente de billets à prix réduit opèrent près de la gare Hankyū de Sannomiya.

KANSAI

COMMENT CIRCULER
Depuis/vers l'aéroport
AÉROPORT ITAMI D'ŌSAKA

On peut prendre une navette directe pour aller ou venir de l'aéroport Itami d'Ōsaka (1 020 ¥, 40 min). À Kōbe, ce bus s'arrête sur le côté sud-ouest de la gare de Sannomiya.

AÉROPORT DE KŌBE

Le moyen le plus rapide de rejoindre le nouvel aéroport de Kōbe est le Portliner, reliant la gare de Sannomiya à l'aéroport en 18 minutes (320 ¥). Pour un taxi, comptez entre 2 500 et 3 000 ¥ et 15 à 20 minutes.

AÉROPORT INTERNATIONAL DU KANSAI (KIX)

Plusieurs itinéraires relient Kōbe et le KIX. En train, le moyen le plus rapide est le *shinkaisoku* du JR via la gare d'Ōsaka et, de là, le *kanku kaisoku* du JR entre la gare d'Ōsaka et l'aéroport (coût total 1 550 ¥, 87 min si vous ne ratez pas la correspondance à Ōsaka). Il existe aussi une navette entre l'aéroport et Kōbe (1 800 ¥, 1 heure 15) ; une bonne option si vous avez beaucoup de bagages. L'arrêt se situe sur le côté sud-ouest de la gare de Sannomiya.

Transports locaux

Le centre de Kōbe est assez petit pour s'y déplacer à pied. Les lignes de chemin de fer JR, Hankyū et Hanshin circulent dans Kōbe d'est en ouest, donnant accès aux sites plus éloignés. Une ligne de métro relie la gare Shin-Kōbe à la gare de Sannomiya (200 ¥, 2 min). Une ligne de bus circulaire parcourt un grand tour de la ville, passant par la plupart des sites touristiques (200 ¥ le trajet, 600 ¥ le forfait 1 journée). Ces bus (verts et plutôt vieillots) s'arrêtent aux gares de Sannomiya et de Shin-Kōbe.

HIMEJI 姫路

☎ 079 / 536 500 habitants

Himeji-jō, le plus beau château du Japon, domine la cité paisible de Himeji, à mi-chemin d'Ōsaka et d'Okayama par le *shinkansen*. Outre le château, la ville abrite le musée d'Histoire de la préfecture de Hyōgo et le Kōko-en, un petit jardin jouxtant le château. Si vous vous passionnez pour les châteaux, il ne faut surtout pas manquer celui de Himeji, qui peut facilement se visiter en une journée depuis Kyōto, Nara ou Ōsaka, ou encore en vous arrêtant sur votre

route en partant de l'une de ces villes et en vous dirigeant vers Hiroshima, par exemple.

ORIENTATION ET RENSEIGNEMENTS

La gare de Himeji accueille un **comptoir de l'office du tourisme** (☎ 285-3792 ; ⏰ 9h-17h), dans le hall à votre gauche quand vous vous dirigez vers la sortie centrale, sur le côté nord du bâtiment. Des employés parlant anglais sont présents entre 10h et 15h. Le château est à un peu plus de 1 km, tout droit dans la rue principale, face à la sortie nord de la gare. Des vélos sont mis à votre disposition dans le parking souterrain à mi-chemin entre la gare et le château ; renseignez-vous auprès de l'office du tourisme.

Sur le chemin du château, l'**office du tourisme de Himeji** (☎ 287-3658 ; ⏰ 9h-17h), qui possède une magnifique maquette de l'édifice, fournit notamment des informations sur les films tournés à Himeji et le prêt de vélos ; toilettes publiques sur place.

À VOIR
Himeji-jō 姫路城

Ce **château** (☎ 285-1146 ; 68 Honmachi ; adulte/enfant 600/200 ¥ ; ⏰ 9h-17h sept-mai, jusqu'à 18h juin-août) est une véritable merveille, de loin le plus beau de la poignée de châteaux féodaux à avoir survécu sous

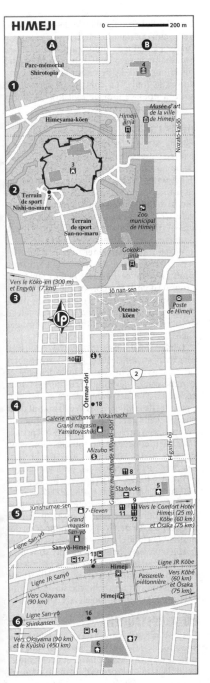

leur forme originale (autrement qu'en béton). En japonais, on donne au château le nom de *shirasagi*, le "héron blanc", en hommage à sa fière silhouette blanche. Himeji était une ville forte depuis 1333, mais le château actuel fut construit en 1580 par Hideyoshi Toyotomi, puis agrandi quelque 30 ans plus tard par Terumasa Ikeda. Ikeda le reçut d'Ieyasu Tokugawa en récompense de la victoire de son armée sur les forces de Toyotomi. Dans les siècles qui suivirent, il fut la demeure successive de 48 seigneurs.

L'édifice se présente sous la forme d'un donjon principal de cinq étages et de trois donjons plus petits, entourés de douves et de murs de ronde percés de meurtrières rectangulaires, circulaires ou triangulaires. Les murs du donjon sont aussi pourvus d'*ishiotoshi* – ouvertures qui permettaient aux défenseurs de jeter de l'eau ou de l'huile bouillante sur les assaillants.

Il faut environ 1 heure 30 pour effectuer la visite du château selon le parcours indiqué. Certains jours (sans horaires fixes malheureusement), des guides parlant anglais sont à la disposition des touristes. Dernière entrée une heure avant la fermeture.

Kōko-en 好古園

De l'autre côté de la douve, sur la façade ouest du Himeji-jō, s'étend le **Kōko-en** (☎ 289-4120 ; 68 Honmachi ; 300 ¥ ; 🕐 9h-17h, plus tard juin-août, fermé 29 et 30 déc), une reconstruction du quartier général des samouraïs occupant le château. Il comprend neuf jardins séparés de style Edo, deux étangs, un ruisseau, un petit pavillon de thé (500 ¥ pour un *matcha* accompagné d'un gâteau) et le restaurant **Kassui-ken**. Dans celui-ci, vous pourrez savourer, tout en admirant les jardins, un *bentō* (boîte-repas, 1 500 ¥) à l'*anago* ou anguille de mer, la spécialité locale. Le jardin n'offre sans doute pas la beauté subtile des compositions plus anciennes, mais il demeure plaisant, tout particulièrement à l'automne.

Notez qu'aux entrées du Kōko-en et de l'Himeji-jō, en achetant pour 720 ¥ un billet valable à la fois pour les deux lieux, vous économiserez 180 ¥. Dernière entrée 30 minutes avant la fermeture.

Musée d'Histoire de la préfecture de Hyōgo 兵庫県立博物館

Ce **musée** (Hyōgo Kenritsu Rekishi Hakubutsukan ; ☎ 288 9011 ; 68 Honmachi ; 200 ¥ ; 🕐 10h-17h, fermé le lundi et le jour suivant une fête nationale) est consacré à l'histoire de l'Himeji-jō et des autres châteaux à travers

RESTAURATION DE HIMEJI-JÔ

Si vous voulez visiter Himeji, sachez que le château est entré dans une grande phase de restauration, qui durera jusqu'en 2014. Pendant cette période, le donjon principal disparaîtra de la vue sous un immense échafaudage. Le reste du château ne sera pas recouvert et l'édifice restera ouvert au public. Certains endroits seront parfois fermés.

le Japon. Mais, en plus de ses collections relatives aux édifices féodaux, il couvre les principales périodes de l'histoire du Japon, expliquées succinctement en anglais. À 10h30, 13h30 et 15h30, vous aurez peut-être même la chance d'essayer une armure de samouraï ou un kimono (demandez à l'accueil de vous inscrire au tirage au sort).

Le musée est à 5 minutes à pied au nord du château. Dernière entrée 30 minutes avant la fermeture.

Engyôji 円教寺

À environ 8 km au nord-ouest de la gare de Himeji, cet **ensemble de temples** (☎ 266-3327 ; 2968 Shosha, Himeji-shi ; 300 ¥ ; ⏰ 8h30-17h), au sommet d'une montagne, mérite une visite. Les temples et leurs environs sont vraiment magnifiques en avril lorsque les cerisiers sont en fleurs ou en novembre à la saison des *momiji* (érables).

Quand vous descendez du téléphérique au sommet, il vous faudra marcher pendant 25 minutes (environ 2 km) jusqu'au Maniden, l'un des bâtiments principaux de l'ensemble de temples dédiés à Kannon, déesse de la Compassion. Si vous poursuivez votre marche durant 5 minutes, vous arriverez au Daikô-dô, une jolie salle en bois où furent tournées certaines scènes du *Dernier Samouraï*, un film américain réalisé par Edward Zwick (2004). Au bord du sentier qui conduit à ces deux édifices s'élèvent des statues de Senjū-Kannon (Kannon aux mille bras).

Pour vous y rendre, prenez le bus 8 à partir de la gare de Himeji (plate-forme de départ Est, 260 ¥, 28 min). Descendez à Shosha Ropeway, et montez dans le téléphérique (500/900 ¥ aller/aller-retour). Cette excursion dure une demi-journée à partir du centre-ville de Himeji.

FÊTES ET FESTIVALS
Le **Nada-no-Kenka Matsuri**, qui a lieu les 14 et 15 octobre, oppose trois *mikoshi* en une féroce

bataille. Essayez d'y aller le deuxième jour, vers midi, lorsque la fête bat son plein. Ce matsuri a lieu à 5 minutes à pied de la gare Shirahamanomiya (à 10 minutes de la gare de Himeji sur la ligne Sanyō-Dentetsu) ; suivez la foule. La compagnie ferroviaire prévoit pour ce jour de *matsuri* des trains supplémentaires.

OÙ SE LOGER
Himeji se visite facilement en une journée à partir d'autres villes du Kansai. Toutefois, voici de bonnes adresses pour y passer la nuit.

Tôyoko Inn (☎ 284-1045 ; 97 Minamiekimae-chô ; s/d/lits jum 5 880/7 980/7 980 ¥ ; 🖥). Ce *business hotel* récent jouit d'un bon emplacement près de la gare. Chambres bien équipées et bien tenues, mais, comme toujours dans ce type d'hôtel, plutôt exiguës. Internet par câble LAN.

Himeji Washington Hotel Plaza (☎ 225-0111 ; 98 Higashiekimae-chô ; s/d 5 800/11 000 ¥ ; 🖥). Situation centrale pour ce *business hotel* bien tenu, propre et doté de chambres d'une taille raisonnable (pour ce genre d'hôtel, il va sans dire). De là, vous pouvez gagner à pied le château et les restaurants. Accès Internet gratuit par câble LAN ; location d'ordinateurs.

Comfort Hotel Himeji (☎ 286-8511 ; 1-50-3 Hojoguchi ; d/lits jum 8 500/10 000 ¥ ; 📶). À trois pâtés de maisons de l'entrée principale des galeries commerçantes de Himeji, ce *business hotel* récent est l'un des moins chers et des plus pratiques de la ville. Accès Wi-Fi gratuit dans chaque chambre et petit-déjeuner continental compris servi en bas. Les chambres sont petites, mais bien conçues avec tous les nouveaux gadgets (TV à écran plat, toilettes hi-tech, distributeurs de shampoing écologique…).

Hotel Nikkō Himeji (☎ 222-2231 ; 100 Minamiekimae-chô ; s/d/lits jum 10 925/20 700/20 700 ¥ ; 🖥). À quelques pas du côté sud de la gare, cet hôtel offre des chambres assez spacieuses et élégantes. Le meilleur choix pour ceux qui désirent quelque chose de plus plaisant qu'un *business hotel*. Chambres et sdb sont plus grandes que dans les établissements précédents. Certaines chambres aux étages supérieurs sur le côté nord ont une belle vue sur le haut du château. Internet par câble LAN.

OÙ SE RESTAURER
Les restaurants situés dans la galerie du sous-sol de la gare JR Himeji servent des plats d'inspiration japonaise et occidentale. Pour la trouver, prenez immédiatement

à votre droite quand vous sortez de la gare par le guichet de sortie nord. Sinon, voici un choix d'établissements dans les rues entre la gare et le château.

Me-n-me (☎225-0118 ; 68 Honmachi ; nouilles à partir de 550¥ ; 11h30-18h, fermé mer). Dans ce petit restaurant convivial, à quelques minutes du château, les pâtes sont faites maison. L'endroit est des plus simples, mais son délicieux bol d'*udon* vous tiendra au corps tout au long de la journée. Une enseigne en lettres latines est posée sur le trottoir. Carte en anglais.

Rāmen-no-Hōryū (☎288-1230 ; 316 Eki-mae-chō ; buta miso rāmen 990¥ ; 11h30-24h lun-sam, jusqu'à 23h dim et jours fériés). Pour de bons *gyōza* et de revigorants bols de *buta miso rāmen* (*miso rāmen* au porc), nous vous recommandons ce sympathique restaurant de *rāmen* près de la gare. Achetez vos tickets au distributeur. Presque en face du Starbucks ; vous verrez une fausse façade en bois peinte de vagues blanches.

Len (☎225-5505 ; 324 Eki-mae-chō ; déj/dîner à partir de 1 000/3 000¥ ; 11h30-15h et 16h45-23h30, fermé 3e lun du mois et 1er jan). Si vous avez envie de vous régaler d'un bon repas asiatique alliant tous les plats du continent, de style *izakaya*, rendez-vous chez Len. Le *yaki soba* indonésien (nouilles sautées ; 850¥) ou le poulet frit chinois (780¥) sont un délice. Enseigne bleue en anglais.

Fukutei (☎222-8150 ; 75 Kamei-chō ; déj/dîner à partir de 1 500/3 000¥ ; 11h30-14h30 et 17h-21h lun-sam, 11h30-14h30 et 17h-20h dim et jours fériés). Raffiné, tout en restant simple et abordable, ce restaurant est parfait pour un déjeuner un peu plus sophistiqué. Il sert une succulente cuisine *kaiseki* : un peu de sashimis, quelques *tempura* et d'autres délicieuses bouchées de la gastronomie japonaise. Au déjeuner, essayez l'excellente formule *omakese-zen* (menu de dégustation ; 1 500¥). Vous verrez une petite enseigne en anglais : "Omotenashi Dining Fukutei". Carte également en anglais.

Uottori (☎225-2729 ; 325 Eki-mae-chō ; repas à partir de 2 000¥ ; 11h30-14h, 17h-24h). Ce sympathique restaurant spécialisé dans le poulet et le poisson propose les habituels assortiments de *yakitori* et de sashimis, mais aussi quelques recettes typiques. L'*oden* (pot-au-feu japonais, 80¥ la portion) surprend ici par sa sauce au soja parfumée au gingembre, et le poulet haché, qui cuit dans un tube de bambou, parfume la pièce quand le bois commence à pétiller dans le feu (700¥). Juste à gauche de Len (plus haut) ; façade en stuc beige. Carte en anglais.

DEPUIS/VERS HIMEJI

Un *shinkaisoku* sur la ligne JR Tōkaidō est la meilleure façon de rejoindre Himeji à partir de Kyōto (2 210¥, 91 min), d'Ōsaka (1 450¥, 61 min) ou de Kōbe (950¥, 37 min). D'Okayama, venant de l'ouest, le *tokkyū* du JR sur la ligne San-yō prend 82 minutes pour un coût de 1 450¥. Vous pouvez aussi, depuis toutes ces villes, aller à Himeji en empruntant la ligne Tōkaidō/San-yō du *shinkansen*, excellente option pour ceux qui possèdent le JR Pass.

Dans le train, sur le chemin de Himeji, n'oubliez pas de jeter un coup d'œil au récent pont suspendu d'Akashi Kaikyō. D'une portée de 3 910 m, le plus long du monde, il relie l'île de Honshū à l'île d'Awaji. Vous l'apercevrez sur le côté sud du train, à 10 km environ à l'ouest de Kōbe.

NARA 奈良

☎0742 / 369 000 habitants

Première capitale permanente dans l'histoire du Japon et, à ce titre, dépositaire de l'héritage culturel japonais, Nara est après Kyōto la deuxième ville à présenter un intérêt majeur. Huit sites y sont inscrits au patrimoine mondial de l'Unesco, dont le plus impressionnant est bien sûr le Daibutsu (Grand Bouddha), qui rivalise avec le mont Fuji et le pavillon d'Or à Kyōto (Kinkaku-ji). Le Tōdai-ji, l'imposant temple de bois qui abrite le Grand Bouddha, domine Nara-kōen, un parc riche d'autres sites fabuleux où il fait bon se promener au milieu de la verdure et des daims domestiqués.

Le premier atout de Nara est sa petite taille, de sorte qu'une journée suffit à visiter les principaux sites. La plupart des visiteurs viennent en excursion depuis Kyōto, des trains express confortables reliant les deux villes en 30 minutes environ. Cependant, il est préférable de consacrer à Nara au moins deux jours : découvrez le parc de Nara-kōen le premier jour et consacrez une seconde journée aux sites de l'ouest et du sud-ouest de Nara.

HISTOIRE

Nara est à l'extrémité nord de la plaine du Yamato. C'est là que les membres du clan Yamato affirmèrent leur hégémonie, devenant les premiers empereurs du Japon. On voit partout dans le paysage leurs tertres funéraires, appelés *kofun*, dont certains remontent au IIIe siècle av. J.-C.

KANSAI

KANSAI

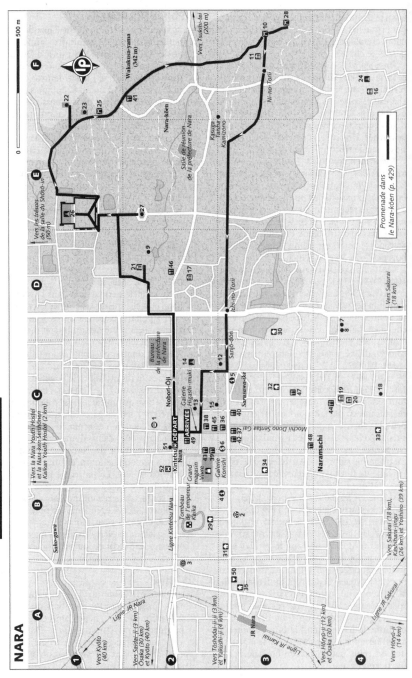

NARA

A **B** **C** **D** **E** **F**

1

2

3

4

0 ——————— 500 m

Vers Kyōto
(40 km)

Vers Saidai-ji (3 km),
Ōsaka (30 km)
et Kyōto (40 km)

Vers Tōshōdai-ji (3 km)
et Yakushi-ji (4 km)

Vers Hōryū-ji (12 km)
et Ōsaka (30 km)

Vers Hōryū-ji
(14 km)

Vers la Nara Youth Hostel
et la Nara-ken Seishōnen
(Kaikan Youth Hostel (2 km)

Saho-gawa

Ligne JR Nara

Ligne Kintetsu Nara

Tombeau
de l'Empereur
Kaika

Ligne JR Kansai

JR Nara

Ligne JR Sakurai

Vers Sakurai (18 km),
Kashihara-jingū
(26 km) et Yoshino (39 km)

Kintetsu
Nara

DÉPART
ARRIVÉE

Galerie
Higashi-muki

Galerie
Vivre

Galerie
Konishi

Mochizuki Dōrō Sentaa Gai

Nobori-Ōji

Bureau
de la
préfecture
de Nara

Vers les trésors
de la salle du Shōsō-in
(60 m)

Nara-kōen

Salle de réunion
de la préfecture de Nara

Kasuga
Kamizono

Kasuga
Taisha

Ni-no-Torii

Ichi-no-Torii

Sanjō-dōri

Sarusawa-ike

Naramachi

Wakakusa-yama
(342 m)

Vers Tsukihi-tei
(200 m)

Grand
magasin

Vers Sakurai
(18 km)

Promenade dans
le Nara-kōen (p. 429)

Jusqu'au VIIe siècle cependant, le Japon n'eut pas de capitale permanente. En effet, dans le culte shintoïste, des tabous relatifs à la mort imposaient de changer de capitale après le décès de l'empereur. Mais l'influence exercée par le bouddhisme ainsi que la promulgation en 646 des codes Taika, qui réformaient le pays sous l'égide impériale, mirent fin à cette pratique.

On décida alors de construire une capitale permanente. Elle occupa d'abord brièvement deux autres sites, puis fut établie à Nara (sous le nom de Heijō-kyō) en 710. Ce statut permanent n'excéda toutefois pas 75 ans. Un moine nommé Dōkyō séduisit alors l'impératrice et fut à deux doigts d'usurper le trône. En réaction, la cour s'éloigna de Nara et de son clergé, qui devenait incontrôlable. On choisit le site de Kyōto pour accueillir la nouvelle capitale. Elle y demeura jusqu'en 1868.

La période de Nara, si brève soit-elle, est d'une extrême importance. Elle correspond à un processus intense d'absorption des idées chinoises, qui présida aux fondements de la civilisation et de la culture japonaise. L'adoption du bouddhisme comme religion d'État eut un impact décisif sur le gouvernement, les arts, la littérature et l'architecture. À l'exception de l'assaut du clan Taira au XIIe siècle, Nara n'a jamais connu de destructions répétées telles qu'en subit Kyōto. Un grand nombre de ses édifices ont donc survécu.

ORIENTATION

Nara a conservé son plan en damier, inspiré de l'urbanisme chinois du VIIIe siècle. La ville compte deux gares principales : la gare JR de Nara et la gare Kintetsu de Nara. La gare JR de Nara est un peu à l'ouest du centre-ville (mais à distance raisonnable à pied des sites) tandis que la gare Kintetsu de Nara est centrale. Nara-kōen, qui renferme la plupart des sites importants, est à l'est, au pied du flanc dénudé du Wakakusa-yama. Les autres sites se situent plus loin au sud-ouest et nécessitent de prendre les bus qui partent des deux gares (ou le train dans le cas de Hōryū-ji). Il est aisé de découvrir le centre-ville à pied et de poursuivre vers les principaux sites de Nara-kōen tout proches, mais certains préféreront peut-être louer un vélo (voir p. 435).

Cartes

Les offices du tourisme de Nara vous offrent la carte *Welcome to Nara Sight Seeing Map*.

KANSAI

NARA AU PATRIMOINE MONDIAL

En 1998, pas moins de huit sites à Nara ont été inscrits au patrimoine mondial de l'Unesco. Ce sont les temples bouddhiques Tōdai-ji, Kōfuku-ji, Gango-ji, Yakushi-ji et Tōshōdai-ji ; le sanctuaire Kasuga Taisha ; la forêt primaire de Kasuga-yama et les vestiges du palais de Heijō-kyō.

Cinq de ces sites sont traités en détail dans ce guide. Les trois autres sont la forêt primaire de Kasuga-yama, située juste derrière le sanctuaire Kasuga Taisha ; le Gango-ji, à Naramachi ; et les ruines du palais de Heijō-kyō, à 10 minutes de marche à l'est de la gare de Saidai-ji sur la ligne Kintetsu.

RENSEIGNEMENTS

Le principal **office du tourisme de la ville de Nara** (☎ 22-3900 ; 23-4 Kamisanjō-chō ; ◷ 9h-21h, fermé congés fin d'année-Nouvel An) se révèle pratique si vous commencez votre visite à partir de la gare JR Nara. Si vous arrivez par la gare Kintetsu de Nara, le **bureau d'informations touristiques de la gare Kintetsu de Nara** (☎ 24-4858 ; ◷ 9h-17h), situé en haut des escaliers au-dessus de la sortie 3, vous fournira également de bons renseignements.

Deux autres offices du tourisme sont présents dans Nara : l'**office du tourisme de la gare JR de Nara** (☎ 22-9821 ; ◷ 9h-17h) et l'**office du tourisme de Sarusawa** (☎ 26-1991 ; ◷ 9h-17h).

Ces différents bureaux peuvent vous mettre en contact avec des guides bénévoles qui parlent anglais ou d'autres langues. Pour obtenir ce service, il suffit de prévenir un jour à l'avance. Certains de ces guides appartiennent à l'association **YMCA Goodwill Guides** (☎ 45-5920 ; www.geocities.com/egg_nara) ou à **Nara Student Guides** (☎ 26-4753 ; www.narastudentguide.org).

À l'extérieur du bureau de l'agence nationale des téléphones NTT dans Sanjō-dōri, on trouve un téléphone fonctionnant avec les cartes internationales. Pour un accès Internet, essayez l'adresse suivante :
Cybercafé Suien (☎ 22-2577 ; 1-58 Aburasaka-chō ; accès Internet 200 ¥/1h, 500 ¥/2h avec boisson ; ◷ 7h30-23h). À l'intérieur de l'Hotel Asyl Nara.

À VOIR
Nara-kōen 奈良公園
De nombreux sites parsèment Nara-kōen, un beau parc qui occupe en grande partie l'est de la ville. La brochure du JNTO intitulée *Walking Tour Courses in Nara* comprend une carte couvrant ce secteur. Nous vous recommandons vivement l'itinéraire de promenade conseillé : c'est sans doute la meilleure façon de tirer tout le bénéfice d'une journée à Nara.

Ce parc est le royaume de quelque 1 200 daims qui, avant l'introduction du bouddhisme, étaient considérés comme les messagers des dieux. Désormais considérés comme des trésors nationaux, ils parcourent nonchalamment le parc et ses environs à la recherche des friandises offertes par les visiteurs. Peu farouches, ils font aussi souvent pleurer les jeunes enfants en s'intéressant de trop près à leur goûter. Si vous voulez les nourrir, des marchands vendent des *shika-sembei* (biscuits pour daims) à 150 ¥. Ne mangez pas ces petits biscuits ronds comme nous avons vu un visiteur étranger le faire !

Notre promenade dans le Nara-kōen (voir l'encadré p. 429) est la meilleure façon de découvrir les sites d'intérêt en une journée.

MUSÉE NATIONAL DE NARA
奈良国立博物館

Le **Musée national** (Nara Kokuritsu Hakubutsukan ; ☎ 22-7771 ; 50 Noborioji-chō ; 500 ¥ ; ◷ 9h30-17h), divisé en deux ailes, est principalement consacré au bouddhisme. La galerie occidentale conserve une splendide collection de *butsu-zō* (statues du Bouddha et de bodhisattvas), tandis que la nouvelle galerie orientale présente sculptures, peintures et calligraphies.

En mai, ainsi que du 21 octobre au 8 novembre, se tient une exposition des trésors de la salle du Shōsō-in, qui inclut les trésors du Tōdai-ji (appelez l'office du tourisme de Nara pour vérifier les dates exactes). Ces expositions sont l'occasion d'admirer de précieuses pièces appartenant aux diverses cultures disséminées le long de la Route de la soie. Si vous êtes à Nara pendant ces périodes et que l'Antiquité japonaise vous passionne, vous devrez absolument visiter ce musée. Soyez prêt à supporter l'affluence ! Dernière entrée à 16h30.

KŌFUKU-JI 興福寺
Ce temple de Kyōto fut transféré à Nara en 710, en tant que sanctuaire principal de la famille Fujiwara. L'ensemble architectural comptait à l'origine 175 bâtiments. Malheureusement, incendies et conflits destructeurs n'en ont laissé subsister qu'une douzaine. Deux **pagodes** – l'une de trois étages et l'autre de cinq – datent de 1143 et de 1426. La plus grande des deux est la deuxième plus haute du Japon, après la pagode

KANSAI

de Tō-ji à Kyōto, qui ne la surpasse que de quelques centimètres.

La **salle des Trésors nationaux du Kōfuku-ji** (☎ 22-7755 ; 48 Noborioji-chō, Kokuhō-kan ; 500 ¥ ; ☺ 9h-17h) expose diverses statues et des objets d'art sauvés du bâtiment d'origine. Dernière entrée à 16h.

ISUI-EN ET MUSÉE D'ART NEIRAKU
依水園・寧楽美術館

Ce **jardin** (☎ 25-0781 ; 74 Suimon-chō ; musée et jardin 650 ¥ ; ☺ 9h30-16h, fermé mar et congés fin d'année-Nouvel An), qui date de l'ère Meiji, est superbe avec ses nombreux bosquets et son étang aux magnifiques carpes ornementales. Il est sans conteste le plus beau jardin de la ville. Allez le contempler en prenant une tasse de thé (450 ¥) sur les tatamis, ou déjeunez dans le restaurant Sanshū tout proche, qui donne lui aussi sur le jardin. Le **musée d'Art** (Neiraku Bijutsukan) voisin renferme des céramiques et des bronzes chinois et coréens.

Le jardin n'est pas indiqué en lettres latines ; vous verrez une imposante porte de bois.

TŌDAI-JI 東大寺
Ce temple imposant abrite le célèbre Daibutsu de Nara, le Grand Bouddha, dans le Daibutsu-den (salle du Grand Bouddha).

PROMENADE DANS LE NARA-KŌEN

- Départ : gare Kintetsu de Nara (voir carte p. 426)
- Arrivée : gare Kintetsu de Nara
- Distance : environ 5 km
- Durée : une demi-journée

Cette promenade, serpentant à travers les agréables collines boisées de Nara-kōen, vous fait découvrir quelques-uns des sites les plus remarquables de Nara. Le parcours débute à la gare Kintetsu. Marchez tout droit jusqu'à Nobori-Ōji ; vous passerez sur votre droite le **Kōfuku-ji** (p. 428), que vous pouvez visiter maintenant ou au retour. Après ce temple, tournez à gauche pour visiter l'**Isui-en** (ci-dessus), l'un des plus beaux jardins de Nara. Quand vous sortirez, marchez environ 100 m vers le nord jusqu'à la prochaine grande rue à droite que vous prendrez en direction de l'est. Elle vous mènera devant le Tōdai-ji. Tournez à droite pour trouver l'imposante **Nandai-mon**, la porte principale du **Tōdai-ji** (ci-dessus). Arrêtez-vous pour admirer les deux gardiens Niō.

Après la visite du Tōdai-ji, prenez la sortie sud-est, tournez immédiatement à gauche et suivez l'enceinte du temple. Juste après l'étang, tournez à droite dans le sentier pavé qui s'élance à flanc de colline. Ce sentier, des plus pittoresques, débouche sur un vaste espace devant les pavillons du **Nigatsu-dō** et du **Sangatsu-dō** (p. 430). Grimpez les escaliers jusqu'au Nigatsu-do. Depuis la galerie, la vue sur la ville est splendide : le regard accroche les gracieuses courbes du Daibutsu-den puis se perd au loin sur la plaine de Nara.

Retournez sur l'esplanade et sortez par le sud. Vous passerez entre une sorte de cabane de rondins et le sanctuaire de **Tamukeyama-hachimangū**. Empruntez le large sentier à travers les sous-bois, descendez deux escaliers et suivez les panneaux indiquant "Kasuga Shrine". Sur votre gauche, prenez la première route à flanc de colline qui vous mène au pied des pentes dénudées du Wakakusa-yama (mont Wakukusa). Au Musashino Ryokan (repérez le petit panneau en lettres latines), descendez les marches face à vous, traversez un pont, tournez à gauche, puis à nouveau à gauche à l'intersection en T. Vous êtes au sanctuaire de **Kasuga Taisha** (p. 430 ; il faudra le contourner pour rejoindre l'entrée principale).

Une fois que vous aurez visité ce sanctuaire, sortez par la porte principale et prenez à gauche le sentier qui monte au sanctuaire **Wakamiya-jinja**, jalonné de plusieurs autres petits sanctuaires. Après la visite du Wakamiya-jinja, revenez sur vos pas en direction du Kasuga Taisha, puis descendez les marches sur la gauche qui vous ramènent au centre-ville. Vous passerez d'abord sous le **Ni-no-Torii**, puis continuerez de descendre par la grande allée sous la voûte des arbres jusqu'à **Ichi-no-Torii**. Bientôt apparaîtra la pagode du **Kōfuku-ji** (p. 428). Franchissez l'enceinte du Kōfuku-ji, en passant entre les pavillons du **Nanen-dō** et du **Hokuen-dō**, puis prenez l'étroite allée descendant vers la **galerie couverte Higashi-muki**. Un dernier tournant à droite, et vous serez de retour au point de départ.

Du Japon entier, la statue attire les visiteurs en voyages organisés, dont de nombreux groupes scolaires, mais le lieu est assez vaste pour absorber les foules.

Soyez sûr d'entrer dans le temple par la **Nandai-mon**, une énorme porte abritant deux **gardiens Niō**, à l'aspect redoutable. Formidablement expressives, ces deux statues de bois, œuvre du sculpteur Unkei au XIIIe siècle, comptent parmi les plus belles du Japon. La porte est à 200 m environ au sud de l'enceinte.

À l'exception de la Daibutsu-den, la plupart des salles de ce temple sont en accès libre.

Daibutsu-den 大仏殿

Le **Daibutsu-den** (salle du Grand Bouddha ; ☎ 22-5511 ; 406-1 Zōshi-chō ; 500 ¥ ; ☺ 8h-16h30 nov-fév, 8h-17h mars, 7h30-17h30 avr-sept, 8h-17h oct) du Tōdai-ji frappe d'abord par sa structure : un vaste édifice en bois. Reconstruit en 1709, le bâtiment actuel ne représente pourtant que les deux tiers de la taille d'origine ! Le Daibutsu (Grand Bouddha) qui s'y tient est par ailleurs l'une des plus grandes statues de bronze au monde. Coulée originellement en 746 et refondue à la période d'Edo, elle mesure 16 m de hauteur pour un total de 437 tonnes de bronze et de 130 kg d'or.

Le Daibutsu est une représentation du Bouddha Dainichi, le Bouddha cosmique qui aurait précédé tous les mondes et leurs Bouddhas respectifs. Les historiens pensent que l'empereur Shōmu ordonna la construction de ce bouddha pour faire cesser une épidémie de variole qui avait ravagé le Japon durant plusieurs années. Au cours des siècles, la statue subit bien des dommages : tremblements de terre, incendies, perte répétée de sa tête (vous remarquerez la légère différence de couleur entre la tête et le corps).

Quand vous contournez la statue, vous apercevez derrière une colonne de bois percée d'un trou à sa base. La croyance populaire veut que celui qui peut passer par ce trou, de la taille exacte d'une des narines du Grand Bouddha, connaisse l'Éveil. Les enfants font souvent la queue pour s'y faufiler, les parents attendant face à eux pour les prendre en photo. Parfois, des adultes s'y essaient aussi, sans le succès des enfants. Voici une astuce : il est plus facile de passer avec les deux bras étendus au-dessus de la tête – et d'avoir quelqu'un qui vous pousse d'un côté et vous tire de l'autre.

Nigatsu-dō & Sangatsu-dō 二月堂・三月堂

Ces deux pavillons sont quasiment des temples annexes du Tōdai-ji. Ils sont à une petite distance de marche à l'est du Daibutsu-den, vers le haut de la colline. Vous pourriez grimper directement par l'est, mais nous vous recommandons de tourner immédiatement à gauche quand vous sortez du Daibutsu-den et de suivre l'enceinte jusqu'à l'étang, d'où vous prendrez le sentier s'élançant dans la colline. C'est une des plus jolies promenades de Nara. Pour plus de détails, voir l'encadré *Promenade dans le Nara-kōen* (p. 429).

Quand vous débouchez sur l'aire qui s'étend en haut de la colline, le **Nigatsu-dō** (☎ 22-5511 ; 406-1 Zōshi-chō ; gratuit) est le pavillon qui comporte une galerie surplombant l'espace, où se déroule le célèbre Omizutori Matsuri (voir p. 431). De cette galerie, la vue sur Nara est splendide, surtout au crépuscule. Les heures d'ouverture sont les mêmes ici qu'au Daibutsu-den.

En continuant de marcher au sud du Nigatsu-dō, vous déboucherez sur le **Sangatsu-dō** (500 ¥), l'édifice le plus ancien de l'ensemble du Tōdai-ji. Cette salle, ouverte aux mêmes heures que le Daibutsu-den, accueille une petite collection d'admirables statues de la période de Nara.

KASUGA TAISHA 春日大社

Ce **sanctuaire** (☎ 22-7788 ; 160 Kasugano-chō ; gratuit ; ☺ lever-coucher du soleil) fut fondé au VIIIe siècle par la famille Fujiwara et reconstruit ensuite tous les 20 ans selon la tradition shintoïste, jusqu'à la fin du XIXe siècle. C'est un endroit plaisant, situé au pied de la colline et en lisière du parc où errent les daims sacrés. Comme dans nombre de sanctuaires de ce type, le bâtiment principal est entouré de plusieurs sanctuaires annexes.

L'allée qui y mène est bordée de centaines de lanternes de pierre, auxquelles s'ajoutent encore les centaines d'autres dans l'enceinte du sanctuaire. Une **fête des lanternes** (Mantōrō Matsuri), qui est l'une des principales curiosités de Nara, s'y tient d'ailleurs deux fois par an (voir p. 431).

Le **Hōmotsu-den** (salle du Trésor ; 420 ¥ ; ☺ 9h-16h), immédiatement au nord du *torii* qui marque l'entrée du sanctuaire, renferme les insignes cérémoniels du shintō et les instruments utilisés pour les représentations de *bugaku*, de nō et de *gagaku*.

Puisque vous êtes dans le coin, allez faire un tour, à quelques minutes à pied vers le sud, du côté du sanctuaire Wakamiya-jinja.

SHIN-YAKUSHI-JI 新薬師寺
Ce **temple** (☎ 22-3736 ; 1352 Takabatake-cho ; 600 ¥ ;
🕙 9h-17h) fut fondé par l'impératrice Kōmyō
en 747, pour remercier le Bouddha d'avoir
permis à son mari de guérir d'une maladie
des yeux. La plupart des bâtiments ont été
détruits ou reconstruits. Seule la grande salle
date du VIIIᵉ siècle ; elle abrite des sculptures
de Yakushi Nyorai (le Bouddha guérisseur) et
une collection de douze généraux célestes.

Le Shin-Yakushi-ji est à 15 minutes à pied
du Kasuga Taisha et du Wakamiya-jinja (voir
p. 429). Suivez le sentier vers le sud à travers les
bois et, quand vous arriverez à la rue principale,
le chemin est indiqué par des petits panneaux
en anglais (côté sud) jusqu'à un quartier un
peu à l'écart du centre.

**MUSÉE DE LA PHOTOGRAPHIE
DE LA VILLE DE NARA** 奈良市写真美術館
À quelques pas du Shin-Yakushi-ji, ce petit
musée (Nara-shi Shashin Bijutsukan ; ☎ 22-9811 ;
600-1 Takabatake-chō ; 500 ¥ ; 🕙 9h30-17h, fermé lun)
mérite une visite si vous passez par là ou si
l'une de ses expositions vous intéresse (il
ne possède pas de collection permanente).
Renseignez-vous auprès d'un des offices du
tourisme avant de vous y rendre. Vous suivrez
le même chemin que pour le Shin-Yakushi-ji.
Dernière entrée à 16h30.

Naramachi ならまち
Au sud de Sanjō-dōri et de l'étang
Sarusawa-ike, s'étend Naramachi, un vieux
quartier aux *machiya* et aux *kura* bien préservés. Il constitue une promenade idéale
avant ou après la visite des grands sites de
Nara-kōen. De bons restaurants y retiendront
les voyageurs affamés.

Le **musée Naramachi Shiryō-kan** (☎ 22-5509 ;
14 Nishishinya-chō ; gratuit ; 🕙 10h-16h sam-dim) rassemble une collection de toutes les trouvailles
faites dans le quartier, et notamment des
monnaies anciennes. **Naramachi Koushi-no-le**
(☎ 23-4820 ; 44 Gangōji-chō ; gratuit ; 🕙 9h-17h, fermé
lun) est une maison traditionnelle japonaise
que vous pouvez visiter.

Pendant que vous êtes dans le quartier, allez
voir le **Naramachi Monogatari-kan** (☎ 26-3476 ;
2-1 Nakanoshinya-cho ; gratuit ; 🕙 10h-17h), une petite
galerie qui renferme une belle collection.

Imanishike Shoin (☎ 23-2256 ; 24-3 Fukuchiin-chō ;
350 ¥ ; 🕙 10h-16h, fermé lun) est une belle demeure
datant de la période de Muromachi (1338-1573),
construite dans le style *shoin*. Contemplez les
petits jardins, parfaitement intégrés à l'édifice,
en dégustant une tasse de thé. Après la visite,
les amateurs de saké entreront dans la boutique
voisine, **Imanishi Seibei Shōten**, l'un des plus
vieux marchands de saké de la ville, où vous
pourrez déguster 5 sortes de saké pour 400 ¥.
Dernière entrée à 15h30.

CIRCUITS ORGANISÉS
La compagnie de transports **Nara Kōtsū**
(☎ 22-5263) offre un programme quotidien de
circuits organisés. Deux ont pour thème les
sites à l'intérieur de la ville de Nara, et deux
autres les sites plus éloignés, tels Hōryū-ji et les
tertres funéraires des environs d'Asuka (voir
p. 438). Les prix de ces circuits d'une journée
s'échelonnent de 2 000 à 9 000 ¥ (pour adulte,
entrée dans les temples et audioguide en anglais
compris). Nara Kōtsū a des bureaux dans la gare
JR de Nara et dans l'immeuble en face de la gare
Kintetsu de Nara. Si vous préférez un circuit plus
personnalisé, essayez les tour-opérateurs privés
basés à Kyōto (voir p. 334) ou les organisations
de Nara qui fournissent des guides volontaires
(voir p. 428).

FÊTES ET FESTIVALS
Voici la liste des fêtes les plus intéressantes de
Nara. Les dates varient un peu chaque année,
aussi renseignez-vous d'abord auprès des offices
du tourisme de Nara ou de Kyōto.

Janvier
Yamayaki (fête de l'embrasement de la montagne ;
début janvier – le jour précédant le Seijin-no-hi).
Cette fête met en scène le conflit historique entre les
moines du Tōdai-ji et du Kōfuku-ji : le mont Wakakusa est
embrasé à 18h, avec feu d'artifice.

Février
Mantōrō (fête des lanternes). Début février, cette
fête se déroule à Kasuga Taisha, à 18h. On y allume les
3 000 lanternes de pierre et de bronze des alentours du
sanctuaire : un spectacle extraordinaire. Le dernier jour,
une représentation de bugaku est donnée dans le jardin des
Pommiers. Elle se tient à nouveau aux environs du 14 août,
à l'occasion de l'O-Bon, période fériée.

Mars
Omizutori (cérémonie du puisage de l'eau ; 12-13 mars).
Le soir du 12 mars, les moines du Tōdai-ji brandissent
d'énormes torches enflammées depuis la galerie du
Nigatsu-dō, faisant pleuvoir les braises sur les spectateurs
afin de les purifier. La cérémonie du puisage de l'eau se
déroule après minuit.

Mai

Takigi Nō (représentations de nō à la lueur des torches ; soirs des 11-12 mai). Des représentations de nō en plein air commencent à la tombée de la nuit et se poursuivent à la lueur des torches, à Kōfuku-ji et à Kasuga Taisha.

Octobre

Shika-no-Tsunokiri (sciage du bois des daims ; dimanches et fêtes en octobre). Dans Nara-kōen, on poursuit les daims en une sorte de subtil rodéo, pour les forcer dans le Roku-en (enclos des daims), près du Kasuga Taisha. On les maintient alors à terre pour scier leurs bois. Dans les brochures à l'intention des touristes, on prétend que c'est pour éviter des blessures, mais s'agit-il des blessures qu'ils s'infligeraient lors des bagarres avec leurs congénères, ou de celles qu'ils pourraient causer aux touristes ?

OÙ SE LOGER

Bien que nombre de voyageurs ne viennent à Nara que pour la journée depuis Kyōto, il est agréable d'y passer la nuit, ce qui permet aussi une visite à un rythme plus détendu.

Petits budgets

Nara-ken Seishōnen Kaikan Youth Hostel (☎/fax 22-5540 ; www6.ocn.ne.jp/~naseikan, en japonais ; 1-3-1 Hōren Sahoyama ; dort à partir de 2 650 ¥ ; 🖳). Cette auberge de jeunesse est plus vieille et pas aussi impeccable que la Nara Youth Hostel (ci-dessous), mais le personnel sympathique et chaleureux fait oublier cet inconvénient. Grandes chambres en assez bon état ; petit-déjeuner/dîner 300/900 ¥. Depuis la gare JR Nara (plate-forme 9), ou Kintetsu Nara (plate-forme 13), prenez le bus 12, 13, 131 ou 140 et descendez à l'arrêt Ikuei-gakuen ; de là, c'est à 5 minutes à pied. Les offices du tourisme vous donneront une carte et tous les renseignements nécessaires.

Nara Youth Hostel (☎ 22-1334; www.jyh.gr.jp/nara/english/neweng.html ; 4-3-2 Hōren Sahoyama ; dort à partir de 3 150 ¥; 🖳). Une auberge de jeunesse propre et bien gérée, facile d'accès. Le personnel de la réception est efficace et l'endroit est assez pratique pour explorer Nara. Depuis la gare JR Nara (plate-forme 7) ou Kintetsu Nara (plate-forme 13), prenez le bus 108, 109, 111, 113 ou 115, et descendez à l'arrêt Shieikyūjō-mae : c'est à une minute.

Ryokan Seikansō (☎/fax 22-2670 ; 29 Higashikitsuji-chō ; ch sans sdb à partir de 4 200 ¥/pers ; 🖳). Ce *ryokan* traditionnel, bien situé à Naramachi, pratique des tarifs très raisonnables. Ses chambres propres et spacieuses

partagent une sdb et un grand bain commun. On y est habitué aux hôtes étrangers. Le joli jardin japonais ajoute au charme du lieu.

Ryokan Matsumae (☎ 22-3686; fax 26-3927 ; www.matsumae.co.jp/english/index_e.html ; 28-1 Higashiterahayashi-chō ; ch sans sdb à partir de 5 250 ¥/pers ; 🖳). Ce petit *ryokan* est très apprécié pour son accueil chaleureux et son excellente situation dans Naramachi, à quelques pas des sites. Chambres typiques de *ryokan* : tatamis, table basse, TV et futons. L'atmosphère conviviale et détendue fait oublier que certaines sont un peu sombres. Le propriétaire parle anglais.

Catégorie moyenne

Super Hotel (☎ 20-9000 ; fax 20-9008 ; www.superhotel.co.jp/s_hotels/jrnara/jrnara.html, en japonais ; 500-1 Sanjō-chō ; s/d 5 280/7 280 ¥ ; 🖳). Juste en face de la gare JR Nara, le Super Hotel appartient à une chaîne qui propose des petites chambres propres de type *business-hotel*, sans superflu, à un prix modique. Comme dans les autres *business hotels*, chaque chambre a sa sdb. Un bon choix si vous n'exigez pas plus qu'une chambre propre pour la nuit. Accès à Internet par câble LAN.

Nara Washington Hotel Plaza (☎ 27-0410 ; http://nara.wh-at.com ; 31-1 Shimosanjō-chō ; s/d/lits jum à partir de 6 900/12 000/12 000 ¥ ; 🖳). Très bien situé dans le centre-ville, cet établissement d'une chaîne de confiance est un autre excellent choix dans cette catégorie. Chambres propres et confortables ; accès Internet par câble LAN. Grand choix de restaurants à proximité.

Hotel Fujita Nara (☎ 23-8111; fax 22-0255 ; www.fujita-nara.com/e/index.html ; 47-1 Shimosanjō-chō ; s/d/lits jum à partir de 7 500/11 000/12 600 ¥ ; 🖳). Au cœur de la ville, proche des deux gares, cet hôtel de catégorie moyenne bien géré a tout pour plaire : chambres propres, tarifs intéressants et personnel parlant anglais. Un excellent choix vu sa situation. Internet par câble LAN.

Catégorie supérieure
HÔTELS

Nara Hotel (☎ 26-3300 ; fax 23-5252 ; www.narahotel.co.jp/english/index.html ; 1096 Takabatake-chō ; s/lits jum à partir de 18 480/33 495 ¥ ; 🖳). Cet hôtel qui a presque cent ans est toujours l'un des plus luxueux de la ville. Un classique aux hauts plafonds et aux parquets patinés exhalant un parfum de cire. Toutes les chambres sont spacieuses et confortables, dotées de grands lits. Seul inconvénient : certaines ont des sdb très étroites. Les chambres du Shinkan (nouvelle aile) sont certes plaisantes, mais nous vous recommandons celles du Honkan (bâtiment principal) pour leur charme rétro. Internet par câble LAN.

RYOKAN

Ryokan Tsubakisō (☎ 22-5330 ; fax 27-3811 ; 35 Tsubai-chō ; ch avec petit déj à partir de 13 000 ¥/pers ; 🖳). Apprécié des hôtes étrangers, ce *ryokan* douillet est parmi les plus agréables de Nara. Les chambres et les sdb sont propres et bien entretenues. Sur commande, le propriétaire peut vous préparer un repas végétarien.

Tsukihi-tei (☎ 26-2021 ; fax 20-3003 ; http://home page3.nifty.com/tukihitei, en japonais ; 158 Kasugano-chō ; ch avec 2 repas à partir de 31,500¥/pers ; 🖳). Niché dans une vallée au-dessus de Nara-kōen, ce *ryokan* traditionnel de grand luxe propose de superbes chambres et un service irréprochable. Un choix tentant si vous ne voyez pas d'inconvénient à être un peu loin du centre-ville. Internet par câble LAN.

OÙ SE RESTAURER

Nara possède une multitude de bons restaurants, la plupart se trouvant dans le voisinage de la gare Kintetsu de Nara. En revanche, il y a très peu d'adresses intéressantes dans Nara-kōen ; nous en avons cependant indiqué un, à mi-chemin entre le Tōdai-ji et Kasuga Taisha.

Don (☎ 27-7080 ; 13-2 Higashimukiminami-machi ; donburi à partir de 480 ¥ ; 🕙 11h-20h). Dans la galerie couverte Higashi-muki, le Don, comme son nom l'indique, sert des *donburi* (un profond bol de riz garni de différents aliments) à bas prix. De la restauration rapide, mais bonne pour la santé. Un menu avec images facilitera votre commande. En face du McDonald's. Carte en anglais.

Nonohana Ohka (☎ 22-1139 ; 13 Nakashinya-chō ; repas à partir de 1 000 ¥, café et thé environ 500-600 ¥ ; 🕙 11h-17h, fermé lun). Avec une salle à l'intérieur et des tables dans un jardin, ce café est une de nos adresses favorites pour prendre un verre ou un repas léger lorsque vous visitez Naramachi. De délicieux gâteaux maison à déguster avec un excellent thé. Facile à trouver, avec une devanture en verre. Carte en anglais.

Kasugano (☎ 26-3311 ; 494 Zōshi-chō ; repas à partir de 600 ¥ ; 🕙 9h-17h ; 🅥). Dans les environs de Nara-kōen, un bon endroit pour déjeuner est le Kasugano, un restaurant-boutique de souvenirs au pied de Wakakusa-yama. Prenez place dans l'agréable coin-café en bois plutôt qu'aux tables disposées dans la boutique (le menu est le même). Le *tempura soba* est à 800 ¥

et on vous propose un menu végétarien. Carte en anglais. Troisième boutique à partir de l'extrémité nord du pâté de maisons.

Kyōshō-An (☎ 27-7715 ; 26-3 Hashimoto-chō ; thé vert et gâteaux à partir de 650 ¥ ; 🕙 11h-19h30, fermé lun). Petite boutique de thé japonais des plus banales mais parfaite pour goûter un thé vert accompagné de gâteaux traditionnels. L'été, durant les mois chauds, nous vous recommandons un *uji gōri* (thé vert sucré sur de la glace pilée ; 600 ¥). Face à la Nanto Bank, en haut d'un escalier blanc. Photos des thés et gâteaux et carte en anglais.

Okaru (☎ 24-3686 ; 13-2 Higashimukiminami-machi ; okonomiyaki à partir de 680 ¥ ; 🕙 11h-22h, fermé mer). De délicieux *okonomiyaki* (galettes farcies) vous attendent dans ce restaurant convivial de la galerie couverte Higashi-muki. Pour faire votre choix, regardez les reproductions en cire dans la vitrine. À quelques pas du Don (ci-contre), indiqué par un petit panneau en anglais.

Tonkatsu Ganko (☎ 25-4129 ; 19-2 Higashimukinaka-machi ; repas à partir de 680 ¥ ; 🕙 11h-22h) est un restaurant populaire de la chaîne spécialiste du *tonkatsu* (côtelettes de porc panées), dans la galerie couverte Higashi-muki, tout près de la gare Kintetsu de Nara. Nous vous recommandons le *hirekatsu zen* (formule filet de porc pané ; 1 080 ¥ au déjeuner, 1 280 ¥ au dîner). Riz, salade de choux et condiments à volonté. Voisin du Mr Donuts. Carte en anglais.

Drink Drank (☎ 27-6206 ; 8 Hashimoto-chō ; smoothies à partir de 650 ¥, déjeuner 750-1 000 ¥ ; 🕙 11h-20h, fermé mer). Un café moderne qui propose toute une variété de jus de fruits frais et des déjeuners diététiques, y compris sandwichs et soupes. Des plats et en-cas légers et simples qui changent de la cuisine japonaise. Carte en anglais.

Ten Ten Café (☎ 26-6770 ; 19 Wakido-chō ; repas à partir de 700 ¥ ; 🕙 11h30-18h). Tenu par un chanteur-compositeur, ce café spacieux et aéré accueille de nombreux concerts. Idéal pour une petite pause relaxante ou un déjeuner léger quand vous visitez Naramachi. La formule spéciale de midi est à 750 ¥. Enseigne en anglais et plantes devant la porte. Carte en anglais.

Shizuka (☎ 27-8030 ; 59-11 Noborioji-chō ; plats à base de riz à partir de 892 ¥ ; 🕙 11h-20h, fermé mar). Un petit restaurant traditionnel chaleureux qui sert une spécialité de Nara, le *kamameshi* (riz mélangé de légumes, viande ou poisson cuit dans une petite marmite de fonte). Bâtiment de 2 étages ressemblant à une maison privée, avec une lanterne blanc et noir en papier servant d'enseigne. Carte en anglais.

KANSAI

Mellow Café (☎ 27-9099 ; 1-8 Konishi-chō ; déjeuner à partir de 980 ¥ ; ☯ 11h-23h30). Installé au bout d'une étroite allée (vous verrez un palmier), ce vaste café ouvert s'efforce de recréer l'ambiance des mers du Sud au cœur de Nara. Cuisine internationale et fusion asiatique. Les formules déjeuner sont exposées pour vous aider à choisir. Enseigne et carte en anglais.

Bikkuri Udon Miyoshino (☎ 22-5239 ; 27 Hashimoto-chō ; repas environ 1 000 ¥ ; ☯ 11h-20h30, fermé mer). Très bonne option que ce petit restaurant qui sert les spécialités japonaises habituelles, surtout des pâtes ou des plats à base de riz. Le plat du jour est exposé à l'extérieur. Carte en anglais.

Tempura Asuka (☎ 26-4308 ; 11 Shōnami-chō ; repas 1 500-5 000 ¥ ; ☯ 11h30-14h30 et 17h-21h30, fermé lun). D'attrayants plateaux de *tempura* et de sashimis dans une atmosphère assez détendue. Au déjeuner, essayez le *yumei-dono bentō* (une boîte remplie d'une variété de mets délicieux) pour 1 600 ¥. Enseigne et carte en anglais.

Beni-e (☎ 22-9493 ; 1 Higashimukiminami-machi ; repas à partir de 1 600 ¥ ; ☯ 11h30-14h30 et 17h-21h, fermé lun). Si vous avez envie de vrais *tempura*, il faut aller en déguster chez ce spécialiste qui sert d'excellents menus à 1 600/2 100/2 600 ¥ (portant les noms de *hana, tsuki* et *yuki*). Un peu en retrait dans la galerie couverte Higashi-muki, derrière un magasin de chaussures Regal. Descendez la ruelle et repérez l'enseigne en lettres rouges au-dessus de la porte. Carte en anglais.

Enfin, si vous avez envie d'une simple tasse de café accompagnée d'un sandwich (que vous pouvez aussi emporter), vous rencontrerez un café de la chaîne Doutor dans la galerie couverte Konishi (à 5 minutes à pied de la gare Kintetsu de Nara).

OÙ PRENDRE UN VERRE

Woo Koo BAR (☎ 27-5959 ; 499-1 Sanjō-chō ; ☯ 18h-tard). Si vous voulez rencontrer les locaux (Japonais ou expatriés), rendez-vous dans ce pub chaleureux. Beau choix de bières, Guinness et belges, à accompagner de plats comme les *fish and chips*. Happy-hour de 18h à 19h. Repérez l'enseigne au niveau de la rue.

DEPUIS/VERS NARA
Bus

Un service de bus de nuit relie Tōkyō Shinjuku (gare routière de l'autoroute de Shinjuku) à Nara (aller/aller-retour 8 400/15 120 ¥). À Nara, appelez le **Nara Kotsu Bus** (☎ 22-5110 ; www.narakotsu.co.jp/kousoku/index.html en japonais) ou renseignez-vous auprès de l'office du tourisme

de la ville de Nara. À Tōkyō, appelez le **Kanto Bus** (☎ 03-3928-6011 ; www.kanto-bus.co.jp en japonais). À Tōkyō, appelez **Kantō Bus** (☎ 03-3371-1225 ; www.kanto-bus.co.jp, en japonais) ou allez directement à la gare routière longue distance de Shinjuku.

Train
KYŌTO

La ligne Kintetsu, qui relie la gare Kintetsu de Kyōto (dans la gare de Kyōto) à la gare Kintetsu de Nara, est le moyen le plus rapide de rejoindre Nara. Il existe des *tokkyū* (1 110 ¥, 33 min) et des *kyūkō* (610 ¥, 40 min). Les *tokkyū* sont directs et très confortables, les *kyūkō* exigent en général un changement à Saidai-ji.

La ligne JR Nara relie aussi la gare JR Kyōto à la gare JR Nara (*JR miyakoji kaisoku*, 690 ¥, 41 min) avec plusieurs départs par heure tout au long de la journée.

ŌSAKA

La ligne Kintetsu Nara relie Ōsaka (gare Kintetsu de Namba) à Nara (gare Kintetsu de Nara). Le trajet en *kaisoku* ou *futsū* prend environ 36 minutes et coûte 540 ¥. Le *tokkyū* met 5 minutes de moins pour accomplir le trajet mais il coûte le double, ce qui n'en fait pas vraiment une bonne option.

La ligne JR Kansai relie Ōsaka (gares de Namba et de Tennō-ji) et Nara (gare JR Nara). Le *kaisoku* partant de Namba arrive à la gare JR Nara en 36 minutes (540 ¥) et celui partant de Tennō-ji en 30 minutes (450 ¥).

COMMENT CIRCULER
Depuis/vers l'aéroport

Nara est desservie par l'aéroport international du Kansai (KIX). Une **navette** (Nara Kōtsū ; ☎ 22-5110 ; www.narakotsu.co.jp/kousoku/limousine/nara_kanku.html, en japonais) circule entre Nara et l'aéroport, avec un départ environ toutes les heures dans les deux directions (1 800 ¥, 85 min). À l'aéroport international du Kansai, renseignez-vous auprès du comptoir général des informations dans le hall des arrivées, et à Nara au bureau de vente des billets dans l'immeuble en face de la gare Kintetsu de Nara. Il vaut mieux réserver.

Pour les vols nationaux, une **navette** (Nara Kotsu ; ☎ 22-5110) circule également entre Nara et l'aéroport Itami d'Ōsaka (1 440 ¥, 70 min).

Bus

Deux lignes de bus circulaires couvrent la zone autour de Nara-kōen. Le bus 1 tourne dans le sens contraire des aiguilles d'une montre, le 2 fait l'inverse. Ticket au coût de 170 ¥. Vous pouvez aisément marcher d'un site à l'autre dans le parc ; si vous êtes pressé par le temps ou fatigué, prenez le bus (comptez 500 ¥ le forfait journalier, ou "one-day free pass").

Vélo
La superficie de Nara est idéale pour la découvrir à vélo. **Eki Renta Car Kansai** (☎ 26-3929 ; 1-1 Honmachi, Sanjō ; ☉ 8h-20h), à proximité de la gare JR Nara, loue des vélos à 500 ¥ par jour. Si vous n'avez pas envie de pédaler dans les rues de Nara, plates presque partout, vous pouvez louer un vélo électrique (1 500 ¥/jour). Au moment de nos recherches, la gare JR de Nara était en travaux ; le bureau d'Eki Renta Car aura peut-être changé d'emplacement, demandez à l'office du tourisme dans la gare.

ENVIRONS DE NARA
奈良周辺

C'est dans le sud du Nara-ken que s'est bâti l'Empire. Les sites, riches d'histoire, se visitent facilement en une journée à partir d'Ōsaka, de Kyōto ou de Nara, à condition de partir tôt le matin. Les plus intéressants du point de vue historique sont les *kofun*, c'est-à-dire les tertres (tumulus) funéraires des premiers empereurs, principalement concentrés autour d'Asuka. Mais, dans les environs, vous découvrirez aussi des temples isolés qui vous reposeront des foules du centre-ville de Nara. Encore plus loin, perché sur la crête d'une montagne, se situe le village de Yoshino, l'un des lieux les plus connus du Japon pour ses cerisiers.

Faciles d'accès par le train, les villes de Yamato-Yagi et de Sakurai sont d'excellents points de départ pour sillonner la région. Gardez à l'esprit cependant que, dans cette région, la ligne Kintetsu est beaucoup plus pratique que la ligne JR. Aux gares Kintetsu vous pourrez acheter toutes sortes de billets spéciaux qui peuvent s'avérer utiles si vous envisagez de beaucoup voyager dans les environs. Le Nara Sekkai Isan Furii Kippu (ou billet gratuit pour les sites du Patrimoine mondial de Nara) permet par exemple des trajets illimités sur les lignes Kintetsu de la région pendant 3 jours, à un tarif de 3 000/2 800/4 848 ¥ au départ respectivement de Kyōto, Ōsaka et Nagoya. Renseignez-vous aux guichets de vente des billets dans les principales gares Kintetsu.

TEMPLES AU SUD-OUEST DE NARA
La ville de Nara possède des temples et des statues du Bouddha parmi les plus impressionnants de la période ancienne. Mais si vous voulez vraiment remonter aux sources du bouddhisme japonais, il faut absolument visiter trois autres temples au sud-ouest de Nara : Hōryū-ji, Yakushi-ji et Tōshōdai-ji.

Le Hōryū-ji est l'un des temples les plus importants du Japon, principalement pour des raisons historiques. Il exerce toutefois un attrait plus intellectuel qu'esthétique, et comme il exige un plus long trajet, nous recommandons plutôt une demi-journée au Yakushi-ji et au Tōshōdai-ji, faciles d'accès depuis Nara et propices à une agréable promenade.

Cependant, si vous tenez à visiter les trois temples, nous conseillons d'aller directement à Hōryū-ji (le point le plus distant à partir du centre de Nara) et de là continuer avec les bus 52, 97 ou 98 (560 ¥, 39 min) jusqu'au Yakushi-ji et au Tōshōdai-ji ; ces deux derniers n'étant qu'à 10 minutes à pied l'un de l'autre (pour plus de détails sur les routes menant à ces temples, voir p. 437). Naturellement, vous pouvez aussi faire le contraire. De tous les bus qui circulent vers les temples du sud-ouest, le n°97 est le plus pratique, avec des annonces en anglais et des cartes du trajet.

Hōryū-ji 法隆寺
Ce **temple** (☎ 0742-75-2555 ; 1 000 ¥ ; ☉ 8h-17h 22 fév-3 nov, jusqu'à 16h30 4 nov-21 fév) fut fondé en 607 par le prince Shōtoku, considéré par beaucoup comme le saint patron du bouddhisme au Japon. La légende veut que Shōtoku, quelques instants après sa naissance, se soit levé et ait commencé à prier. Le Hōryū-ji jouit d'une renommée immense, non seulement parce qu'il est le temple le plus ancien du Japon mais aussi parce qu'il renferme certains de ses plus rares trésors. Plusieurs des bâtiments ont survécu aux tremblements de terre et aux incendies, devenant ainsi les plus vieilles structures de bois au monde.

Le temple est divisé en deux parties : le **Sai-in** (temple de l'Ouest) et le **Tō-in** (temple de l'Est). Le billet d'entrée est valable pour le Sai-in, le Tō-in et le pavillon des Grands Trésors. Une carte détaillée et un petit guide en anglais, et en d'autres langues, sont disponibles à l'accueil.

On accède au temple à partir du sud ; une avenue bordée d'arbres passe sous les portes Nandai-mon et Chū-mon, avant d'arriver

KANSAI

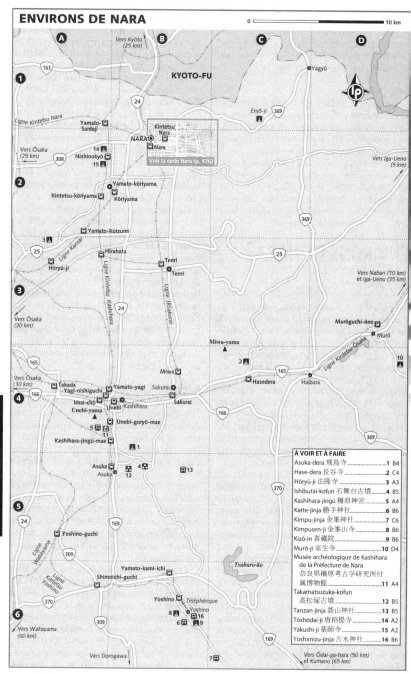

ENVIRONS DE NARA

0   10 km

À VOIR ET À FAIRE

à l'enceinte du Sai-in. Sur votre droite, s'élève le **Kondō** (pavillon principal) et sur votre gauche une pagode.

Le Kondō recèle plusieurs merveilles, dont la triade formée par le **Bouddha Sakyamuni** et les deux bodhisattvas. C'est l'un des plus précieux trésors du bouddhisme japonais. Cependant, vous l'apercevrez à peine dans la pénombre – mieux vaut vous équiper d'une torche. De même, la pagode accueille des sculptures d'argile illustrant des scènes de la vie du Bouddha que l'on ne fait qu'entrevoir.

Sur le côté est du Sai-in se dressent les deux bâtiments en béton du **Daihōzō-den** (pavillon du Grand Trésor), hébergeant les nombreux trésors de la longue histoire de l'Hōryū-ji.

DEPUIS/VERS L'HŌRYŪ-JI

Pour vous rendre à ce temple, prenez à la gare JR de Nara la ligne JR Kansai jusqu'à la gare de Hōryū-ji (210 ¥, 10 min). De là, le bus 72 couvre la courte distance entre la gare et l'arrêt de bus Hōryū-ji Monmae (170 ¥, 8 min). Autre possibilité : prendre les bus 52, 60 ou 97 qui partent de la gare JR de Nara ou de Kintetsu Nara et descendre à l'arrêt Hōryū-ji-mae (760 ¥, 60 min). De là, marchez pendant 50 m vers l'ouest, traversez la route et vous verrez une allée d'arbres annonçant le temple.

Yakushi-ji 薬師寺

Établi par l'empereur Temmu en 680, ce **temple** (☎ 0742-33-6001 ; 500 ¥ ; ☼ 8h30-17h) abrite certaines des plus belles statues du Bouddha au Japon. À l'exception de la **pagode de l'Est** (datant de 730), les bâtiments remontent au XIIIᵉ siècle, et quelques-uns sont des reconstructions plus récentes.

À partir de l'entrée sud, tournez à droite avant la porte flanquée des statues des dieux-gardiens et marchez jusqu'au **Tōindō** (pavillon de l'est), qui renferme la célèbre statue appelée Shō-Kannon, sculptée au VIIᵉ siècle. Son style montre clairement l'influence indienne. En sortant du Tōindō, prenez à l'ouest pour accéder au **Kondō** (pavillon principal).

Dans le Kondō, reconstruit en 1976, vous pourrez admirer la fameuse **triade Yakushi** (le Bouddha Yakushi entouré des deux bodhisattvas, l'un représentant le Soleil, l'autre la Lune), datant du VIIIᵉ siècle. Les statues étaient à l'origine recouvertes d'or, mais un incendie au XVIᵉ siècle leur a donné une patine noire.

Derrière le Kondō (sur le côté nord), le Kōdō (pavillon de lecture) conserve une autre merveille : la triade formée par le Bouddha Miroku et les deux bodhisattvas. Vous pouvez sortir par le nord (à l'arrière du pavillon), puis marcher jusqu'au Tōshōdai-ji.

DEPUIS/VERS LE YAKUSHI-JI

Pour vous rendre au Yakushi-ji, prenez le bus 52, 63, 70, 88, 89 ou 97 à la gare JR de Nara ou à celle de Kintetsu Nara. Descendez à l'arrêt Yakushi-ji Higashiguchi ou Yakushi-ji (240 ¥, 22 min) ; de là, marchez sur 100 m vers le sud (dans le sens du bus) jusqu'à la station d'essence Mobil, traversez la route vers l'ouest et, toujours à l'ouest, passez un canal. Depuis la route principale, l'entrée sud du temple est à 250 m.

Vous pouvez également prendre un *futsū* circulant sur la ligne Kintetsu Kashihara et descendre à la gare de Nishinokyō, qui se trouve à environ 200 m au nord-ouest du Yakushi-ji (et 600 m au sud du temple Tōshōdai-ji). Si vous venez de Nara, vous devrez changer de train à Yamato-Saidaiji (200 ¥, 5 min ; le *kyūkō* et le *tokkyū* ne s'arrêtent pas à Nishinokyō).

Tōshōdai-ji 唐招提寺

Ce **temple** (☎ 0742-33-7900 ; 600 ¥ ; ☼ 8h30-17h) fut établi en 759 par le moine chinois Ganjin (Jian Zhen), invité par l'empereur Shōmu pour enseigner le bouddhisme au Japon. Ganjin n'eut guère de chance lors de ses voyages vers le Japon : son entreprise échoua cinq fois, tant à cause des tempêtes que de la bureaucratie. Enfin, la sixième fois, déjà aveugle car atteint d'une maladie des yeux, il réussit à débarquer au Japon où il commença à répandre le bouddhisme. Dans le pavillon Miei-dō, la statue laquée de Ganjin, aveugle mais semblant solide comme un roc, est un émouvant hommage à cet illustre moine. Cette sculpture n'est montrée qu'une seule fois par an, le 6 juin, le jour anniversaire de sa mort. Dernière entrée dans le temple à 16h30.

Le **Kondō**, le pavillon principal de ce temple, était en cours de restauration au moment de notre passage et sera sans doute rouvert quand vous lirez ces lignes .

Le Tōshōdai-ji est à quelque 600 m à pied en continuant au nord à partir de la porte nord du Yakushi-ji ; reportez-vous p. 434 pour plus de détails sur les transports à partir de Nara.

KANSAI

RÉGION DE YAMATO-YAGI
大和八木周辺

Yamato-Yagi, sur la ligne Kintetsu, facile d'accès à partir d'Ōsaka, de Kyōto ou de Nara, est la plaque tournante menant aux sites du sud du Nara-ken. De Kyōto, prenez la ligne directe Kintetsu Nara/Kashihara (*kyūkō*, 860 ¥, 57 min). De Nara, empruntez la ligne Kintetsu Nara jusqu'à Saidaiji ; là, changez pour la ligne Kintetsu Kashihara (*kyūkō*, 430 ¥, 27 min). De la gare Uehonmachi d'Ōsaka, prenez la ligne directe Kintetsu Ōsaka (*kyūkō*, 540 ¥, 34 min).

Kashihara 橿原

À trois arrêts au sud de Yamato-Yagi, sur la ligne Kintetsu Kashihara, se situe la gare Kashihara-jingū-mae (200 ¥ à partir de Yamato-Yagi, 5 min, omnibus). Dans un rayon facile d'accès à pied à partir de la gare, figurent plusieurs sites dignes d'intérêt.

KASHIHARA-JINGŪ 橿原神宮

Ce **sanctuaire** (☎ 0744-22-3271 ; gratuit), au pied du mont Unebi-yama, date de 1889. Il est constitué en grande partie de bâtiments du Kyōto Gosho (Palais impérial de Kyōto) qui fut transféré ici. Les édifices du sanctuaire constituent un exemple de l'architecture classique shintoïste, d'un style identique à ceux du grand sanctuaire d'Ise-jingū (le lieu le plus sacré du Japon). Ce sanctuaire est dédié au premier empereur mythique du Japon, Jimmu. Le 11 février s'y déroule une fête commémorant le jour où, selon la légende, Jimmu accéda au trône. L'enceinte, qui ressemble à un vaste parc, est un lieu de promenade agréable. À 5 minutes à pied de la gare de Kashihara-jingū-mae ; prenez la sortie centrale et suivez la rue principale en direction de la montagne.

MUSÉE ARCHÉOLOGIQUE DE KASHIHARA DE LA PRÉFECTURE DE NARA 奈良県橿原考古学研究所付属博物館

Si vous vous intéressez à l'histoire du peuple japonais, ne ratez pas ce **musée** (Nara Ken-ritsu Kashihara Kōkogaku Kenkyūjo Fuzoku Hakubutsukan ; ☎ 0744-24-1185 ; 400 ¥ ; gratuit en présentant un passeport étranger ; ☉ 9h-17h tlj sauf lun). Les objets exposés proviennent de différents sites de fouilles archéologiques de la région, y compris de plusieurs *kofun* (tertres funéraires). Si la plupart des explications sont en japonais, des commentaires en anglais vous éclaireront suffisamment. Une brochure en anglais bien conçue est également disponible à l'accueil. L'entrée est gratuite pour les étrangers,

mais pour en bénéficier n'oubliez pas votre passeport. Dernière entrée à 16h30.

Depuis Kashihara-jingū, sortez par la porte nord du sanctuaire (à votre gauche quand vous tournez le dos au pavillon principal), marchez 5 minutes sur l'avenue bordée d'arbres, traversez la route principale et continuez 100 m avant de tourner à gauche, puis de nouveau à gauche après ce tournant.

ASUKA 明日香
☎ 0744 / 6 330 habitants

La plaine du Yamato au centre de la préfecture de Nara est le berceau du clan Yamato, un clan émergeant qui consolida son pouvoir jusqu'à devenir la première dynastie du Japon. Dans ces temps prébouddhiques, les empereurs étaient enterrés dans d'immenses tertres funéraires. Quelques-uns des plus beaux exemples de ces tertres, ou *kofun*, parsèment la ville d'Asuka, à une heure environ au sud de la ville de Nara, sur la ligne Kintetsu.

La meilleure manière d'explorer la région d'Asuka est à vélo – on peut en louer dans plusieurs boutiques à la sortie de la gare (journée en semaine/week-end 9 00/1 000 ¥). L'**office du tourisme** (☎ 54-3624 ; ☉ 8h30-17h), à l'extérieur de la gare, vous fournira une excellente brochure suggérant un parcours des environs à vélo.

Deux tombes sont particulièrement dignes d'intérêt : **Takamatsuzuka-kofun** (高松塚古墳) et **Ishibutai-kofun** (石舞台古墳 ; 250 ¥ ; ☉ 8h30-17h). Le Takamatsuzuka-kofun, ouvert pour la première fois en 1972, est désormais fermé au public, mais peut être observé de l'extérieur. Malheureusement, le site s'est transformé en chantier car on y réalise de nouvelles fouilles (qui ne seront pas terminées avant 2019). Vous aurez la chance cependant de voir l'Ishibutai-kofun, ouvert au public et libre de fouilles. Quoique vide, il aurait renfermé la dépouille de Soga no Umako.

Si vous avez encore du temps, allez jeter un coup d'œil à l'**Asuka-dera** (飛鳥寺 ; ☎ 54-2126 ; 300 ¥ ; ☉ 9h-16h45). Remontant à 596, il est considéré comme le premier véritable temple du Japon. À l'intérieur, s'élève la plus ancienne statue du Bouddha du pays – encore assez belle malgré ses 1 300 ans d'existence.

Enfin, votre visite à Asuka vous aura peut-être éveillé l'appétit. Essayez le **Café Rest Ashibi** (あしびの郷 ; ☎ 0742-26-6662 ; repas simples à partir de 1 000 ¥ ; ☉ 10h-18h, déj jusqu'à 14h). Sortez de la gare et suivez pendant 150 m le canal sur la droite.

Asuka est à cinq arrêts au sud de Yamato-Yagi (changez à Kashihara-jingū-mae) et à deux arrêts au sud de Kashihara-jingū-mae sur la ligne Kintetsu Yoshino (220 ¥ de Yamato-Yagi, 10 min, le *tokkyū* s'arrête à Asuka).

RÉGION DE SAKURAI 桜井周辺

Quelques sites intéressants vous attendent près de la ville de Sakurai, qu'on peut rejoindre directement de Nara par la ligne JR Sakurai (*futsū*, 320 ¥, 28 min). Quand vous venez de Kyōto ou d'Ōsaka, changez à Yamato-Yagi pour la ligne Kintetsu-Ōsaka ; Sakurai est à 5 minutes (*junkyū*, 200 ¥, 7 min).

Tanzan-jinja 談山神社

On accède à ce **sanctuaire** (☎ 0744-49-0001 ; 500 ¥ ; ☯ 8h30-16h30), situé au sud de Sakurai, par le bus 14 partant de la plate-forme n°1 à la sortie sud de la gare de Sakurai (460 ¥, 24 min). Caché dans les forêts du Tōnomine-san, réputées pour leur parure d'automne, il abrite la dépouille de Nakatomi no Kamatari, le patriarche de la lignée Fujiwara, le clan qui gouverna le Japon pendant près de 500 ans. La légende veut que Nakatomi rencontrât ici en secret le prince Naka no Ōe, pour des parties de balle au pied, durant lesquelles ils auraient fomenté l'élimination du clan Soga, alors au pouvoir. Le deuxième dimanche de novembre, des moines jouent à la balle au pied, commémorant cet événement.

Le sanctuaire est construit autour d'une superbe pagode à treize étages, que les érables font flamboyer de mille feux à l'automne.

Hase-dera 長谷寺

À deux arrêts à l'est de Sakurai, sur la ligne Kintetsu Ōsaka, se situe la gare de Hasedera. De là, marchez pendant 20 minutes jusqu'au charmant **Hase-dera** (☎ 0744-47-7001 ; 500 ¥ ; ☯ 8h30-16h30). Vous grimperez des degrés de pierre qui vous paraîtront interminables, pour finalement arriver au pavillon principal, où vous serez récompensé de vos efforts par la vue splendide qu'offre sa terrasse sur pilotis accrochée au flanc de la montagne. Puis montez encore jusqu'au pavillon du haut jeter un coup d'œil à la gigantesque statue de Kannon. La meilleure saison pour visiter ce temple est le printemps, quand les pivoines jalonnent le sentier, ou l'automne lorsque les érables le transforment en un lieu magique. De la gare, passez sous la galerie, traversez la rivière et prenez à droite la rue principale qui mène au temple.

Murō-ji 室生寺

Fondé au IXe siècle, ce **temple** (☎ 0745-93-2003 ; 600 ¥ ; ☯ 8h-17h, 8h30-16h déc-fév) est étroitement lié au bouddhisme ésotérique de l'école Shingon. Les femmes ne furent jamais exclues du Murō-ji comme elles le furent d'autres temples Shingon. Malheureusement, la superbe pagode à cinq étages, qui date du VIIIe ou du IXe siècle, fut sévèrement endommagée par un typhon durant l'été 1999. La nouvelle construction n'a pas le charme rustique de l'ancienne. Néanmoins, le Murō-ji, retiré dans une profonde forêt, est un endroit qui mérite une visite pour son cadre. Dernière entrée 30 minutes avant la fermeture.

Après avoir visité le pavillon principal, montez jusqu'à la pagode et contournez-la en direction de l'**Oku-no-in**, un autre bâtiment du temple situé en haut d'un escalier abrupt. Si vous n'avez pas le courage de gravir les marches, allez au moins à 100 m au-delà de la pagode pour voir le spectacle d'un gigantesque cèdre enlaçant un immense rocher.

La gare de Murōguchi-Ōno sur la ligne Kintetsu Ōsaka est à deux arrêts à l'est de la gare de Hasedera. Les bus 43, 44, 45 ou 46 (400 ¥) mettent 14 minutes de la gare de Murōguchi-Ōno pour rejoindre Murō-ji. Au printemps, un bus direct circule entre Hasedera et Murō-ji (830 ¥, fin avril à début mai, 1 ou 2 bus/heure entre 11h et 15h).

YOSHINO 吉野

☎ 0746 / 9 600 habitants

Yoshino est connue dans tout le Japon pour ses cerisiers en fleurs (*hanami*). Pendant la première quinzaine d'avril, les pentes de la montagne se couvrent des fleurs de milliers de cerisiers. C'est un spectacle merveilleux qui vaut vraiment le déplacement, mais les étroites rues du village sont alors noires de monde. N'allez d'ailleurs pas imaginer que vous pourrez y passer la nuit : tout est complet depuis longtemps ! Cependant, lorsque les pétales de *sakura* (cerisiers) se sont éparpillés, la foule délaisse Yoshino qui retourne à sa vie paisible. Rien ne saurait troubler cette dernière, pas même les petits groupes de visiteurs qui passent la journée à découvrir sa demi-douzaine de sanctuaires et de temples.

Renseignements

L'**office du tourisme de Yoshino** (☎ 32-3081 ; ☯ 9h-17h, fermé jan et fév) est à environ 400 m en montant la rue principale à partir de la

KANSAI

gare du téléphérique, sur votre droite, juste après le Kimpusen-ji (c'est un grand bâtiment brun et blanc). Le personnel peut vous aider à réserver des *minshuku*. Le **site Internet de la ville de Yoshino** (www.town.yoshino.nara.jp/sakura_off/kaika/index.htm, en japonais) indique avec précision les dates de floraison des cerisiers.

À VOIR

Remontez la rue principale sur environ 400 m à partir de la gare du téléphérique et vous arriverez à des marches de pierre menant à la porte Ni-ō-mon du **Kimpusen-ji** (金峯山寺 ; ☎ 32-8371 ; 400 ¥ ; 🕒 8h30-16h30). Jetez un coup d'œil aux **Kongō Rikishi** (statues des gardiens du temple), puis continuez jusqu'au **pavillon Zaō-dō** qui forme le bâtiment principal du temple. Deuxième plus grand édifice de bois au Japon, ce pavillon est intéressant en raison de ses colonnes de bois inachevées. Pendant des siècles, le Kimpusen-ji fut au centre de la pratique Shugendō ; les pèlerins s'arrêtaient ici, demandant aux dieux de les assister dans leur dur voyage jusqu'au mont Ōmine-san.

À 300 m plus haut dans la rue, apparaît une route sur la gauche (tournez juste après la poste) qui mène au **Yoshimizu-jinja** (吉水神社), un petit sanctuaire qui offre une superbe vue sur le Kimpusen-ji en contrebas et les *hito-me-sen-bon* (les 1 000 cerisiers d'un seul coup d'œil). Ce sanctuaire a accueilli des personnages historiques célèbres. En 1185, Yoshitsune Minamoto, le légendaire samouraï et général, vint s'y cacher après avoir déclenché les foudres de son frère, le premier shōgun de l'époque Kamakura. En 1336, suite à une querelle de succession à la cour de Kyōto, l'empereur Go-Daigo installa ici une cour rivale, la cour du Sud. Jusqu'à ce que son palais soit terminé, il résida à Yoshimizu-jinja, où vous pouvez aujourd'hui voir une collection de rouleaux peints, d'armures et de peintures murales datant de son séjour (entrée 400 ¥). Enfin, en 1594, Hideyoshi Toyotomi invita ici 5 000 de ses suivants pour le *hanami*.

À 150 m encore plus haut, s'élève au bord de la route le sanctuaire délabré de **Katte-jinja** (勝手神社), puis, juste au-dessus, la route se divise en deux. L'embranchement à gauche mène au **Nyoirin-ji** (如意輪時 ; ☎ 32-3008 ; 400 ¥ ; 🕒 9h-16h), un temple qui renferme quelques reliques de la cour de l'empereur Go-Daigo, ainsi que son tombeau. Jetez un œil aux sabres anciens et à la porte sur laquelle Masatsura Kusunoki, général de l'armée de l'empereur Go-Daigo, écrivit un poème d'adieu avec la pointe d'une flèche avant de partir pour la bataille où il allait mourir. L'embranchement de droite grimpe vers le sommet de la montagne ; vous verrez bientôt sur votre gauche le **Kizō-in** (喜蔵院), puis sur votre droite le **Chikurin-in** (竹林院), qui possède un merveilleux jardin (voir ci-dessous).

Un peu plus loin, à une autre fourche, se trouvent un *torii* de bois et des marches qui mènent à un sanctuaire. Prenez l'embranchement à gauche, puis celui de droite, et poursuivez jusqu'en haut de la colline. Après avoir grimpé pendant 3 km, vous arriverez au **Kimpu-jinja** (金峯神社), un petit sanctuaire niché dans une montagne boisée. Vous pouvez vous contenter des nombreux sanctuaires, plus modestes, donnant sur les ruelles et les allées qui partent de la rue principale de Yoshino.

Où se loger

Yoshino-yama Kizō-in (吉野山喜蔵院 ; ☎ 32-3014 ; dort avec 2 repas, membre HI/non membre 5 000/8 000 ¥/pers, séjour au temple 10 000 ¥/pers ; 🕒 mars-déc). Le Kizō-in, un temple qui fait aussi office d'auberge de jeunesse locale, est l'option la moins chère du village. L'endroit est sympathique, et plusieurs des chambres de l'auberge donnent sur la vallée. Pour vous rendre au Kizō-in voyez les explications du paragraphe précédent.

Chikurin-in Gumpo en (竹林院群芳園 ; ☎ 32-8081 ; www.chikurin.co.jp/e/home.htm ; ch avec 2 repas avec/sans sbd à partir de 21 000/15 750 ¥ ; 💻). Juste un peu après le Kizō-in, de l'autre côté de la rue, cet exquis petit temple est maintenant avant tout un *ryokan*. Des empereurs ont dormi ici : vous comprendrez pourquoi à la vue qui s'offre de certaines chambres. À la saison des cerisiers, les réservations sont indispensables. Nous les recommandons également aux autres périodes. Même si vous n'avez pas l'intention de séjourner au temple, allez-y pour visiter le splendide jardin (300 ¥).

Où se restaurer

Hōkon-an (芳魂庵 ; ☎ 32-8207 ; 🕒 9h-17h, fermeture variable). Dans cette charmante maison de thé, vous dégusterez votre thé dans une ambiance traditionnelle tout en admirant le merveilleux point de vue sur la vallée. Le *matcha* (650 ¥) est servi avec un gâteau fait maison. Juste après la poste, vous verrez sur votre gauche une façade en bois rustique et une énorme vasque de céramique.

Nakai Shunpūdō (中井春風堂 ; ☎ 32-3043 ; 🕒 9h-17h, fermeture variable). Ce restaurant, au

KANSAI

menu en images, sert au déjeuner un *kamameshi teishoku* (riz agrémenté de divers ingrédients cuit dans une marmite en fonte ; 1 500 ¥) ainsi que des formules classiques. La vue qui se dévoile depuis les fenêtres est magnifique. À 5 m après l'office du tourisme, vous verrez sur le côté opposé un *tanuki* (chien viverrin, sorte de blaireau) de céramique.

Nishizawaya (西澤屋 ; ☎ 32-8600 ; ☾ 9h-17h). Tenu par une sympathique équipe de femmes, ce restaurant sert des menus, tel le *shizuka gozen* : *ayu* (sorte de truite) grillé accompagné d'une petite marmite de légumes et de tofu (1 500 ¥). Juste en face du Katte-jinja : vous verrez les reproductions des mets. Carte en anglais.

Depuis/vers Yoshino

Les visiteurs arrivent d'abord à la gare de Yoshino, puis marchent pendant 15 minutes ou prennent le téléphérique jusqu'au village (350/600 ¥ aller/aller-retour). À pied, il vous faut suivre le sentier qui part sur le côté de la gare du téléphérique. Sachez que le téléphérique s'arrête à 17h ; programmez donc votre journée en fonction de cet horaire ou vous devrez redescendre à pied jusqu'à la gare.

Pour vous rendre à la gare de Yoshino depuis Kyōto ou Nara, prenez la ligne Kintetsu Nara-Kashihara jusqu'à Kashihara-jingū-mae (*kyūkō* à partir de Kyōto, 860 ¥, 66 min ; *kyūkō* à partir de Nara, 480 ¥, 36 min) et changez pour la ligne Kintetsu Yoshino (*kyūkō*, 460 ¥, 52 min).

D'Ōsaka, de la gare d'Abenobashi, proche de la gare de Tennō-ji, vous pouvez prendre un train direct sur les lignes Kintetsu Minami-Ōsaka/Yoshino, jusqu'à Yoshino (*kyūkō*, 950 ¥, 89 min ; *tokkyū*, 1450 ¥, 75 min).

La gare JR la plus proche de Yoshino est Yoshino-guchi, où vous pouvez changer pour Nara, Ōsaka et Wakayama.

KII-HANTŌ 紀伊半島

Le massif montagneux et retiré que forme le Kii-hantō (péninsule de Kii) contraste avec l'activité frénétique de la grande conurbation urbaine au centre du Kansai. La plupart des sites de cette péninsule sont dispersés dans la préfecture de Wakayama, y compris l'ensemble de temples du Kōya-san (mont Kōya), l'un des plus grands centres bouddhiques du Japon. Dans la Wakayama-ken, vous découvrirez aussi des onsen autour du village de Hongū, au centre de la péninsule, la station balnéaire de Shirahama et ses sources chaudes sur la plage, sur la côte ouest, ainsi que la sublime côte rocheuse de Shiono-misaki et de Kii-Ōshima, à l'extrême sud.

La ligne principale du JR Kii (ligne de Kinokuni) fait le tour de la côte du Kii-hantō, reliant la gare de Shin-Ōsaka à celle de Nagoya (certains trains partent de la gare de Kyōto, ou y ont leur terminus). Les *tokkyū* spéciaux Kuroshio et Nankii circulent assez rapidement autour de la péninsule, mais, une fois que vous descendez de ces trains express, vous serez à la merci des trains et des bus locaux. Il vous faudra donc bien programmer votre voyage. Louer une voiture constitue ainsi une bonne solution pour explorer la région.

Dans cette section, nous présentons la péninsule de Kii dans le sens contraire des aiguilles d'une montre, partant de Wakayama-shi (la ville) pour en faire le tour par la pointe jusqu'à Mie-ken. Naturellement, libre à vous de commencer votre voyage dans l'autre sens (en partant d'Ise, par exemple).

WAKAYAMA 和歌山
☎ 073 / 371 100 habitants

Wakayama, la première ville de la préfecture, est une agréable cité qui joue le rôle de plaque tournante pour les voyageurs se dirigeant vers d'autres destinations dans la région. Le principal site d'intérêt de la ville est le château (reconstruit en béton), à une petite marche à l'ouest de la gare.

Il existe un **comptoir de l'office du tourisme** (☎ 422-5831 ; ☾ 8h30-19h lun-sam, 8h30-17h15 sam et jours fériés) à l'intérieur de la gare JR Wakayama, et vous pourrez y retirer une excellente carte *Wakayama City Guide*.

À voir et à faire
WAKAYAMA-JŌ 和歌山城

Le **Wakayama-jō** (☎ 435-1044 ; 3 Ichiban-chō ; enceinte libre, donjon 350 ¥ ; ☾ 9h-16h30) fut d'abord bâti par Hideyoshi Toyotomi en 1585. L'édifice original fut détruit par des bombardements durant la Seconde Guerre mondiale avant d'être reconstruit en béton après la guerre. Pittoresque aperçu de loin, l'édifice actuel est dénué de caractère vu de près. Néanmoins, les jardins autour du château sont l'occasion d'une agréable promenade. Dernière entrée à 16h.

Le château est à 20 minutes à pied (environ 1,8 km) à l'ouest de la gare JR de Wakayama ; ou à 10 minutes (environ 1 km) au sud de la gare de Wakayama-shi.

KANSAI

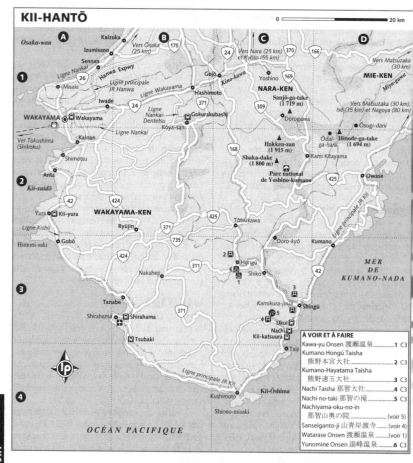

KII-HANTŌ

0 _____ 20 km

Osaka-wan

À VOIR ET À FAIRE

Kawa-yu Onsen 渡瀬温泉 1	C3
Kumano Hongū Taisha	
熊野本宮大社 2	C3
Kumano-Hayatama Taisha	
熊野速玉大社 3	C3
Nachi Taisha 那智大社 4	C3
Nachi-no-taki 那智の滝 5	C3
Nachiyama-oku-no-in	
那智山奥の院 .... (voir 5)	
Sanseiganto-ji 山青岸渡寺 .... (voir 4)	
Watarase Onsen 渡瀬温泉 .... (voir 1)	
Yunomine Onsen 湯峰温泉 6	C3

MUSÉE D'ART MODERNE DE WAKAYAMA
和歌山県立近代美術館

À quelques pas du château, ce **musée** (☎ 436-8690 ;
1-4-14 Fukiage ; 310 ¥, tarif spécial pour les expositions ; ☺ 9h3-
0-17h tlj sauf lun) mérite une visite pour l'originalité
de son bâtiment, conçu par l'architecte Kisho
Kurokawa, et sa petite mais intéressante collection d'art japonais et occidental du XXᵉ siècle.
Cette collection comprend notamment
4 000 estampes et des œuvres de Picasso, de
Miró et de Klee. Le musée fait face au château,
côté sud ; il suffit de traverser la rue.

Où se loger et se restaurer
Hotel Granvia Wakayama (ホテルグランヴィア
和歌山 ; ☎ 425-3333 ; hotel@granvia-wakayama.co.jp ;
5-18 Tomoda-chō ; s/d/lits jum 10 164/17 902/19 635 ¥ ; ☐).

Cet établissement, on ne peut plus central,
se situe juste à la sortie de la gare ; il est
proche des sites d'intérêt et des restaurants
de Wakayama. Les chambres sont récentes
et propres. Internet par câble LAN dans
chaque chambre.

Mendori-tei (めんどり亭 ; ☎ 422-3355 ; 478 Yoshida ;
☺ 10h-22h). Pour calmer une petite faim,
dirigez-vous vers la galerie de restaurants
au sous-sol de la gare JR Wakayama. Une de
nos enseignes préférées est le Mendori-tei,
qui sert d'excellents *tonkatsu*. Essayez le
tonkatsu teishoku (porc pané et frit) à 980 ¥.
Vous verrez des rideaux bruns et un long
comptoir à l'intérieur. Et si vous désirez
quelque chose de plus léger, d'autres choix
s'offrent à vous.

KANSAI

Depuis/vers Wakayama

Les *tokkyū* du JR venant de Shin-Ōsaka et de Kyōto desservent Wakayama, mais, à moins que vous n'ayez un JR Pass, il est plus économique de prendre un train local sur la ligne JR Hanwa à partir de la gare de Tennō-ji à Ōsaka (*kaisoku*, 830 ¥, 65 min). Autre possibilité : de la gare Namba d'Ōsaka, vous pouvez emprunter la ligne privée Nankai jusqu'à la gare de Wakayama-shi (*kyūkō*, 890 ¥, 63 min), qui est reliée à la gare JR Wakayama par la ligne principale JR Kisei (*futsū*, 180 ¥, 6 min).

KŌYA-SAN 高野山

☎ 0736 / 4 090 habitants

Le mont Kōya forme un plateau élevé, au nord du Wakayama-ken, couvert d'épaisses forêts et entouré de huit pics. Sur ce plateau s'étend le fameux ensemble monastique connu sous le nom de Kōya-san. Il s'agit du temple principal de l'école Shingon. Bien qu'il n'apparaisse pas comme le Shangri-la que l'on décrit parfois, c'est l'un des sites les plus intéressants du Kansai. Mis à part son cadre naturel magnifique, l'endroit représente une occasion unique de pouvoir s'immerger dans la vie d'un temple aux traditions religieuses séculaires.

De Nara, de Kyōto ou d'Ōsaka, vous pouvez bien sûr visiter le Kōya-san dans la journée. Cependant, il sera plus agréable de faire l'expérience d'une nuit dans l'un des excellents *shukubō* (logement dans un temple) de la ville. Gardez à l'esprit qu'il fait environ 5°C de plus sur le Kōya-san que dans la plaine ; en hiver, au printemps et à l'automne, emportez des vêtements chauds.

Sitôt dans le train, vous vous apercevrez que le voyage compte déjà pour la moitié du plaisir. Ce dernier vous emmènera à travers d'étroites vallées dans un paysage superbe. Et la dernière étape dans le téléphérique procure encore quelques vertiges !

Histoire

Kūkai (dont le nom posthume fut Kōbō Daishi), le fondateur de l'école Shingon du bouddhisme ésotérique, établit ici une communauté religieuse en 816. Kōbō Daishi, encore jeune moine, partit étudier en Chine. Il en revint deux années plus tard pour fonder l'école Shingon. C'est une des figures religieuses les plus célèbres au Japon ; on le révère notamment comme bodhisattva, lettré, calligraphe et inventeur du syllabaire japonais *Kana*.

Les fidèles de l'école Shingon croient que Kōbō Daishi n'est pas mort, mais repose simplement dans sa tombe de l'Oku-no-in (cimetière du Kōya-san), méditant, en attendant l'arrivée de Miroku (Maitreya, le Bouddha du futur). Selon un rituel immuable, on dépose chaque jour des offrandes de nourriture sur sa tombe, pour le soutenir dans sa méditation. Quand Miroku apparaîtra, on pense que seul Kōbō Daishi sera capable d'interpréter le message divin adressé à l'humanité. Ainsi, l'immense cimetière fait penser à un amphithéâtre, où des milliers d'âmes attendent avec espoir l'instant salvateur.

Au fil des siècles, de nouveaux édifices ont été construits, attirant de nombreux fidèles de l'école bouddhiste Jōdo (de la Terre pure). Au XIe siècle, une coutume se répandit chez les nobles et les gens du commun : à la mort d'un proche, on laissait des cheveux ou des cendres près de la tombe de Kōbō Daishi, dans l'espoir qu'il ne les oublie pas à son réveil.

Au XVIe siècle, Nobunaga Oda affirma son autorité en massacrant un grand nombre de moines du Kōya-san. Par la suite, la communauté se vit confisquer ses terres, puis échappa de justesse à l'invasion de Hideyoshi Toyotomi. À une époque, le Kōya-san comptait quelque 1 500 monastères habités par des milliers de moines. Les membres de la communauté étaient divisés en *gakuryō* (clergé), *gyōnin* (moines laïques) et *hijiri* (fidèles du bouddhisme de la Terre pure).

Au XVIIe siècle, le shogunat Tokugawa anéantit le pouvoir économique des moines laïques, constitué par les immenses domaines qu'ils contrôlaient dans la région. Leurs temples furent détruits, leurs chefs bannis, et les fidèles de la Terre pure durent de gré ou de force intégrer l'école Shingon. Durant la période d'Edo, le gouvernement favorisa la pratique du culte shintoïste et confisqua donc les terres qui assuraient les revenus de la communauté monastique du Kōya-san. Les femmes furent interdites au Kōya-san jusqu'en 1872.

Le Kōya-san est aujourd'hui un centre prospère et dynamique du bouddhisme japonais, avec plus de 110 temples et une population de 7 000 moines. C'est le site principal de l'école Shingon, qui est à la tête de près de 4 000 temples à travers le Japon et rassemble plus de 10 millions de fidèles.

Orientation

Le domaine du Kōya-san est divisé en deux grandes parties : le Garan (enceinte sacrée)

KANSAI

KŌYA-SAN

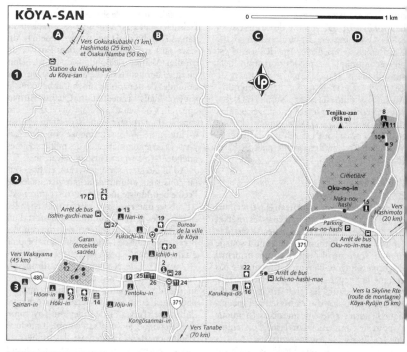

0 _____ 1 km

Vers Gokurakubashi (1 km),
Hashimoto (25 km)
et Osaka/Namba (50 km)

Station du téléphérique
du Kōya-san

Tenjiku-zan
(918 m)

Cimetière
Oku-no-in

Naka-no-
hashi

Vers
Hashimoto
(20 km)

Parking
Naka-no-hashi

Arrêt de bus
Isshin-guchi-mae

Nan-in

Bureau
de la ville
de Kōya

Fukuchi-in

Garan
(enceinte
sacrée)

Vers Wakayama
(45 km)

Arrêt de bus
Oku-no-in-mae

Hōon-in

Sainan-in   Hōki-in

Tentoku-in

Jōju-in

Karukaya-dō

Arrêt de bus
Ichi-no-hashi-mae

Vers la Skyline Rte
(route de montagne)
Kōya-Ryūjin (5 km)

Kongōsanmai-in

Vers Tanabe
(70 km)

KANSAI

à l'ouest, où se dressent d'intéressants temples
et pagodes, et l'Oku-no-in, avec son vaste
cimetière, à l'est. Nous vous recommandons
de visiter les deux sites.

Renseignements

Vous obtiendrez un billet commun
(*shodōkyōtsu-naihaiken* ; 1 500 ¥) couvrant
les entrées au Kongōbu-ji, au Kondō, au Dai-
tō, au musée des Trésors et au mausolée des
Tokugawa dans l'un des bureaux d'information
suivants.

L'**Association touristique du Kōya-san** (Kōya-san
Tourist Association ; ☎ 56-2616 ; fax 56-2889 ;
⏰ 8h30-17h30 juil et août, 8h30-16h30 sept-juin).
Dans le centre-ville en face de l'arrêt de bus Senjūin-bashi,
cette association touristique met à votre disposition
des brochures et des cartes. Certains employés parlent anglais.
Le **Club des interprètes du Kōya-san**
(☎ 080-6148-2588 ; www.geocities.jp/koyasan_i_g_c)
propose des visites guidées du Kōya-san, d'une durée de
4 heures, pour 5 000 ¥ par groupe (jusqu'à 5 personnes). Il
organise aussi des visites régulières chaque mercredi d'avril
à septembre pour 1 000 ¥/personne. La visite du matin,

consacrée à l'Oku-no-in, au Garan et au Kongōbu-ji, débute à Ichi-no-hashi à 8h30 et dure 3 heures. La visite de l'après-midi part du Kongōbu-ji à 13h et fait découvrir le Kongōbu-ji, le Garan et l'Oku-no-in, en 3 heures.

À voir

OKU-NO-IN 奥の院

Tous les bouddhistes convaincus du Japon ont leurs cendres, ou tout au moins une mèche de cheveux, enterrées dans ce **cimetière-temple** (☎ 56-2214 ; Kōyasan, Kōya-chō). Leur espoir est de renaître à la vie au moment du retour du Bouddha Miroku parmi les vivants.

La meilleure façon de se rendre à l'Oku-no-in consiste à marcher ou à prendre le bus dans la direction de l'est jusqu'à l'arrêt Ichi-no-hashi-mae. De là, vous traversez le pont, **Ichi-no-hashi**, et entrez dans le cimetière par un chemin pavé qui serpente parmi de hauts cèdres et des milliers de tombes. Quand la brume descend sur les arbres, l'atmosphère a quelque chose de fantomatique, surtout à la tombée de la nuit.

L'un des monuments les plus curieux est le **mémorial des Termites** (White Ant Memorial), érigé par une société fabriquant des insecticides dans le but de se racheter du crime commis à l'endroit de millions de ces petits insectes dévoreurs de bois…

À l'extrémité nord du cimetière, vous arriverez au **Tōrō-dō** (pavillon des Lanternes), le principal édifice du sanctuaire. Il contient des centaines de lampes, dont deux qui brûleraient depuis plus de 900 ans. Derrière ce bâtiment, vous apercevez les portes closes du mausolée de Kūkai (voir p. 443).

Sur le chemin du pavillon des Lanternes, vous passez le pont **Mimyo-no-hashi**. Les croyants puisent de l'eau dans la rivière avec une sorte de louche et la versent sur les statues du bodhisattva Jizō toutes proches, en tant qu'offrande aux morts. Les plaques de bois portant des inscriptions, visibles dans la rivière, sont à la mémoire des fœtus morts avant terme ou avortés et des morts par noyade. Des bavoirs rouges sont offerts par les mères en deuil.

Entre le pont et le Tōrō-dō, vous remarquerez un petit édifice de bois, pas plus grand qu'une cabine de téléphone, à l'intérieur duquel se situe le **Miroku-ishi**. Les pèlerins, par les ouvertures dans le mur, essaient de soulever cette grosse pierre lisse pour la déposer sur une étagère. Elle est supposée peser plus ou moins lourd selon le poids des péchés de chacun.

De l'arrêt de bus Oku-no-mae, des bus repartent vers le centre-ville, ou vous pouvez revenir en marchant pendant 30 minutes.

KONGŌBU-JI 金剛峯寺

Temple principal de l'école Shingon et résidence du supérieur du Kōya-san, cet **édifice** (☎ 56-2011 ; 500 ¥ ; ☺ 8h30-17h), qui date du XIXᵉ siècle, mérite absolument une visite.

La salle principale Ohiro-ma est décorée de magnifiques paravents peints par Tanyu Kanō au XVIᵉ siècle. La salle Yanagi-no-ma (salle du saule) possède aussi de jolis paravents aux peintures de saules, mais elle est de funeste mémoire : c'est là que Hidetsugu Toyotomi, neveu de Hideyoshi Toyotomi se suicida par *seppuku* (hara-kiri, suicide rituel par éventrement).

Le jardin de pierres est intéressant dans sa composition ; seules quelques pierres ont été utilisées, mais elles donnent pourtant l'effet d'une grande foule de fidèles écoutant avidement les sermons d'un moine.

On vous offrira (c'est inclus dans le prix de l'entrée) une tasse de thé et des gâteaux de riz servis au bord du jardin de pierres. Dernière entrée à 16h30.

GARAN (ENCEINTE SACRÉE) 伽藍

Cet **ensemble de temples** (☎ 56-2011 ; chaque bâtiment 200 ¥ ; ☺ 8h30-16h30) comprend plusieurs pavillons et pagodes. L'édifice le plus important est le **Dai-tō** (grande pagode) et le **Kondō** (pavillon principal). Le Dai-tō, reconstruit en 1934 après un incendie, est censé représenter le centre de la fleur de lotus dans le mandala formé par les huit montagnes entourant le Kōya-san. Il faut entrer dans le Dai-tō pour admirer Dainichi-nyōrai (le Bouddha cosmique) et les quatre bouddhas qui l'assistent. Repeint récemment, le groupe est presque effrayant. À proximité, le **Sai-tō** (pagode de l'ouest), qui fut rebâti pour la dernière fois en 1834, est plus discret. Dernière entrée à 16h30.

MUSÉE DES TRÉSORS 霊宝館

Le **musée des Trésors** (Reihōkan ; 600 ¥ ; ☺ 8h30-17h30 mai-oct, 8h30-16h30 nov-avr) présente une riche collection d'œuvres d'art bouddhiques provenant toutes du Kōya-san : magnifiques statues, rouleaux peints et mandalas.

MAUSOLÉE DES TOKUGAWA 徳川家霊台

Construit en 1643, le **mausolée des Tokugawa** (Tokugawa-ke Reidai ; entrée sans billet commun 200 ¥ ; ☺ 8h30-17h, 8h30-16h de nov à avr) est formé en deux édifices joints, servant de tombe à Ieyasu Tokugawa (à droite) et à Hidetada Tokugawa (à gauche), le premier et le second shogun Tokugawa. Il est richement orné, comme la plupart des monuments associés aux shoguns Tokugawa. Voir p. 444 pour des détails sur le billet commun. Le mausolée n'est pas loin de l'arrêt de bus Namikiri-fudō-mae.

Fêtes et festivals

Aoba Matsuri (15 juin). Il célèbre la naissance de Kōbō Daishi. Diverses cérémonies traditionnelles se déroulent aux temples et dans la ville.

Rōsoku Matsuri (fête des bougies, 13 août). Le plus intéressant des *matsuri*, donné en mémoire des morts. Des milliers de parents ou d'amis des défunts allument alors des bougies le long des allées de l'Oku-no-in.

Où se loger

Il y a plus de 50 temples au Kōya-san qui possèdent des *shukubō*. Il est intéressant d'y passer la nuit, surtout pour essayer la cuisine végétarienne bouddhique *shōjin-ryōri* (sans viande, ni poisson, ni oignon, ni ail). Comme les *shukubō* sont destinés aux pèlerins, on vous demandera le matin de participer à la prière bouddhique. Certes, cela n'a rien d'obligatoire. Mais en prenant part à ces activités, vous comprendrez mieux la vie spirituelle et le travail dans un temple japonais.

Le prix minimum pour la majorité de ces logements est fixé à 9 500 ¥ par personne comprenant 2 repas. En pratique, les prix varient considérablement, pas seulement entre les temples mais aussi à l'intérieur des temples mêmes, selon la chambre, la saison et le repas (il va sans dire que si vous payez plus, vous aurez un meilleur service).

Vous devez absolument réserver par fax via l'Association touristique du Kōya-san (p. 444) ou directement auprès des temples (vous faire aider par un ami japonais facilitera les choses). Même si vous passez par les temples, on vous demandera de retirer votre coupon de réservation à l'Association touristique.

Kōya-san Youth Hostel (☎ 56-3889 ; fax 56-3889 ; dort 4 160 ¥ ; 🖳). Une auberge de jeunesse sympathique et confortable à petit prix pour ceux qui ne peuvent pas s'accorder les tarifs des temples. Fermée à certaines périodes courant décembre et janvier. Téléphonez pour réserver.

Haryō-in (☎ 56-2702 ; fax 56-2936 ; ch avec 2 repas à partir de 6 825 ¥/pers). L'un des *shukubō* les moins chers qui fonctionne comme un *kokumin-shukusha* (sorte de gîte populaire).

Rengejō-in (☎ 56-2233 ; fax 56-4743 ; ch avec 2 repas à partir de 9 500 ¥/pers, voyageur seul 11 550 ¥). Un temple élégant aux superbes chambres. Beaucoup s'ouvrent sur un jardin, ornées de *fusuma* (écran coulissant) aux jolies peintures et d'autres objets décoratifs. On y parle anglais et vous pourrez parfois y assister à un cours sur les pratiques bouddhiques et à une session de méditation. Nous vous recommandons particulièrement le Rengejō-i.

Ekō-in (☎ 56-2514 ; fax 56-2891 ; ekoin@mbox.co.jp ; ch avec 2 repas à partir de 10 000 ¥/pers ; 🖳). Un des temples les plus plaisants de la ville, dirigé par un groupe de jeunes moines sympathiques. Chambres avec vue sur de beaux jardins. C'est aussi l'un des deux temples de la ville (l'autre est le Kongōbu-ji) où vous pouvez pratiquer le *zazen* (méditation zen en position assise). Téléphonez d'abord pour obtenir plus de détails.

Yōchi-in (☎ 56-2003 ; fax 56-3628 ch avec 2 repas à partir de 11 000 ¥/pers). Un temple simple et sympathique, très accueillant, avec un joli jardin à l'entrée. Tout près du Garan et du centre-ville.

Henjōson-in (☎ 56-2434 ; fax 56-3641 ; ch avec 2 repas à partir de 15 750 ¥/pers). Une autre bonne option. Les chambres assez spacieuses donnent aussi sur un beau jardin et les repas particulièrement soignés sont servis dans la salle à manger. Vastes bains communs avec belle vue. L'arrangement floral dans l'entrée est toujours très réussi.

Autres choix judicieux :

Muryōkō-in (☎ 56-2104 ; fax 56-4555 ; ch avec 2 repas à partir de 9 500 ¥/pers). Un bon endroit ; intéressante cérémonie bouddhique le matin.

Shōjōshin-in (☎ 56-2006 ; fax 56-4770 ; ch avec 2 repas à partir de 11 100 ¥/pers). Endroit convivial.

Où se restaurer

La spécialité culinaire du Kōya-san est la cuisine *shōjin-ryōri,* que vous pourrez déguster dans votre logement. Elle comprend deux sortes de tofu : le *goma-tōfu* (tofu au sésame) et le *kōya-tōfu* (tofu du Koya). Si vous ne passez pas la nuit au Koya-san, vous pouvez goûter à la cuisine *shōjin-ryōri* dans n'importe quel temple proposant des *shukubō* (hébergement de temple). Parlez-en à l'Association touristique du Kōya-san (p. 444) ; le personnel fera une réservation pour vous. Les prix sont fixés à 2 700, 3 700 et 5 300 ¥, selon le nombre de plats.

Dans la ville, vous trouverez un peu partout des cafés et des *shokudō,* où vous pourrez prendre un petit-déjeuner ou déjeuner (la plupart ferment avant le dîner).

Maruman (☎ 56-2049 ; nouilles à partir de 370 ¥ ; ◔ 9h-17h, fermeture variable). Ce *shokudô* sans prétention est un bon endroit pour déjeuner de tous les plats habituels. Le *katsu-don* (côtelette de porc panée sur du riz) est à 820 ¥. Juste à l'ouest de l'office du tourisme dans la rue principale ; tous les plats sont reproduits dans la vitrine. Et si celui-ci affiche complet ou ne vous plaît pas, essayez son voisin, le Nankai Shokudô.

Hanabishi Honten (☎ 56-2236 ; 769 Kôyasan ; déj 2 100-5 250 ¥ ; dîner 2 100-16 000 ¥ ; ◔ 11h-18h, fermeture variable). Pour un repas raffiné qui changera du *shokudô*, essayez ce restaurant, au tarif un peu excessif cependant. Au déjeuner, le menu *sankozen* (assortiment de plats végétariens ; 2 100 ¥) est un bon choix. Vous verrez une façade grise et les reproductions des plats dans la vitrine. Carte en anglais ; réservez après 18h.

Depuis/vers le Kôya-san

À moins que vous n'ayez loué une voiture, la meilleure façon de rejoindre le Kôya-san est le train. De la gare de Namba, à Ôsaka, un train vous amène directement, par la ligne Nankai-Dentetsu, au Kôya-san (1 230 ¥, 100 min). Pour le *tokkyû*, un peu plus rapide avec places réservées, vous devrez payer un supplément (760 ¥). Le train s'arrête à Gokurakubashi, au pied de la montagne, où vous prendrez le téléphérique (5 min ; prix inclus dans le billet de train) jusqu'au Kôya-san lui-même. En haut, en descendant du téléphérique, vous devrez emprunter un bus pour rejoindre le centre de la ville, car il est formellement interdit de marcher sur la route.

De Wakayama, le train de la ligne JR Wakayama assure la liaison jusqu'à Hashimoto (820 ¥, 1 heure), où vous changerez pour la ligne Nankai-Dentetsu jusqu'à la gare de Gokurakubashi (430 ¥, 38 min).

De Kyôto, il est certainement plus pratique de passer d'abord par Namba à Ôsaka. De Nara, la ligne JR circule jusqu'à Hashimoto, avec changement en route à Sakurai et à Takadate.

Comment circuler

À partir de la gare au sommet du téléphérique, trois lignes de bus empruntant un itinéraire différent se dirigent, via le centre de la ville, vers Ichi-no-hashi et Oku-no-in. Le trajet, jusqu'à l'arrêt Senjûin-bashi devant l'office du tourisme au centre-ville, coûte 280 ¥ ; jusqu'au terminus d'Oku-no-in, 400 ¥.

Un forfait pour une journée (*ichi-nichi furee kippu* ; 800 ¥) peut être obtenu au bureau des bus à l'extérieur de la gare du téléphérique. Cependant, une fois que vous serez dans le centre-ville, vous pourrez gagner aisément tous les sites à pied (y compris Oku-no-in, 30 min environ). Attention : les bus ne sont pas si fréquents, n'oubliez pas d'en relever les horaires afin de prévoir votre retour.

À défaut de marcher, vous pouvez louer des vélos pour 400 ¥ l'heure ou 1 200 ¥/jour au bureau de l'Association touristique du Kôya-san (p. 444).

SHIRAHAMA 白浜
☎ 0739 / 22 980 habitants

Shirahama, sur la côte sud-ouest de Kii-hantô, est une station balnéaire qui cumule les plaisirs de la plage et des onsen. Il s'agit d'une ville touristique par excellence, où tout est prévu pour attirer les visiteurs : immenses hôtels en bord de mer, aquariums, parc d'attractions, etc. Cependant, elle offre aussi plusieurs onsen accueillants, une magnifique plage de sable blanc et une côte aux rochers fantastiques.

Comme les Japonais aiment faire les choses selon les règles, et que la coutume veut que l'on ne se baigne dans la mer qu'entre le mois de juillet bien entamé jusqu'à la fin août, la plage sera pour vous tout seul en dehors de cette saison. L'endroit est des plus plaisants en juin ou en septembre. Nous y avons nagé jusqu'à la mi-octobre.

Dans la gare, l'**office du tourisme** (☎ 42-2900 ; ◔ 9h30-18h) diffuse une carte qui mentionne les lieux intéressants et les hôtels. Comme la gare est à une certaine distance des sites principaux, vous devrez prendre le bus (330 ¥, 1 000 ¥ pour un forfait journalier ; comptez 12 minutes jusqu'à la plage) ou louer un vélo. Le bureau du JR à la gare loue des vélos pour 500 ¥ la journée ; pas très performants cependant.

À voir et à faire

PLAGE DE SHIRAHAMA 白良浜

Shira-hama, la plage principale, est célèbre pour son sable blanc. La ville a dû l'importer d'Australie pour reconstituer la plage, dont le sable originel avait été emporté par les vagues. En juillet et août, on ne voit plus le sable tant il y a de monde. Mais, le calme revenu, l'endroit est des plus plaisants. Vous ne devriez pas rater cette plage, dont on aperçoit de loin la longue frange blanche bordant tout l'ouest de la ville.

ONSEN

Outre sa superbe plage, Shirahama bénéficie d'onsen qui comptent parmi les plus anciens du Japon – ils sont mentionnés dans le *Nihon Shoki*, l'un des premiers écrits nippons.

Le **Shirasuna-yu** (しらすな湯 ; ☎ 43-1126 ; 864 Shirahama-chō, Nishimuro-gun ; 🕐 10h-15h oct-juin, jusqu'à 19h juil-sept, fermé lun 16 sept-30 juin) est un onsen de plein air gratuit en plein milieu de la plage de Shira-hama, au bord de la promenade de planches. Plongez dedans puis allez vous rafraîchir dans l'océan ; on peut passer ainsi tout l'après-midi !

Sakino-yu Onsen (崎の湯温泉 ; ☎ 42-3016 ; 1688 Shirahama-chō, Nishimuro-gun ; 300 ¥ ; 🕐 7h-19h jeu-mar juil et août, 8h-17h jeu-mar sept-juin) est sensationnel. Son point de vue sur l'océan Pacifique est splendide (et vous pouvez descendre dans les rochers jusqu'à la mer pour vous rafraîchir, si les vagues ne sont pas trop hautes). Venez tôt le matin pour échapper à la foule. À 1 km au sud de la plage principale ; marchez sur la route du bord de mer et vous apercevrez la pointe rocheuse au-dessous du vaste Hotel Seymor. Bains hommes et femmes séparés.

Autres bains : le **Shirara-yu** (白良湯 ; ☎ 43-2614 ; 3313-1 Shirahama-chō, Nishimuro-gun ; 300 ¥ ; 🕐 7h-23h mer-lun, 11h-23h mar), très agréable, à l'extrémité nord de Shira-hama (la plage principale) ; le **Murono-yu** (牟婁の湯 ; ☎ 43-0686 ; 1665 Shirahama-chō, Nishimuro-gun ; 300 ¥ ; 🕐 12-23h jeu, 7h-23h ven-mer), un onsen sympathique, devant la poste de Shirahama, sur la route de Sakino-yu, pas très loin de celui-ci. Entrée jusqu'à 22h30.

SENJŌ-JIKI, SANDAN-HEKI ET ISOGI-KŌEN 千畳敷・三段壁・いそぎ公園

Au sud, juste après la pointe où se trouve le Sakino-yu Onsen, vous attendent les deux merveilles naturelles de Shirahama, le Senjō-jiki et le Sandan-heki. Le **Senjō-jiki** (pointe des mille tatamis) est une pointe tellement érodée qu'elle forme comme des couches de tatamis empilées les unes sur les autres.

Plus impressionnante encore en raison de ses 50 m de hauteur est la falaise **Sandan-heki** (falaise aux trois marches), dont la large paroi tombe à pic dans la mer. Pour 1 200 ¥, vous pouvez descendre par un ascenseur jusqu'à une grotte située à ses pieds. Nous préférons toutefois l'escalade des rochers au nord de la falaise ; de là, la vue est spectaculaire, surtout lorsque les gros rouleaux du Pacifique se brisent en contrebas.

Si vous aimez les paysages déchiquetés, continuez plus au sud pendant 1 km, de Sandan-heki jusqu'à **Isogi-kōen**. Les touristes se font plus rares, mais les rochers sont tout aussi fabuleux.

Vous pouvez visiter ces merveilles naturelles à pied ou à vélo, en 30 minutes environ à partir de la plage principale. Un bus part également de la gare (430 ¥, 25 min jusqu'à l'arrêt Senjō-guchi, où vous continuerez à pied vers les autres sites).

Où se loger

Minshuku Katsuya (民宿かつ屋 ; ☎ 42-3814 ; fax 42-3817 ; 3118-5 Shirahama-chō, Nishimuro-gun ; ch sans repas 4 000 ¥/pers). Meilleur rapport qualité/prix pour ce *minshuku* du centre-ville, à 2 minutes à pied de la plage principale. Construit autour d'un petit jardin japonais, il a son bain avec source chaude. Sur le bâtiment, le nom apparaît en japonais (en rouge et blanc) et est aussi indiqué moins lisiblement en lettres latines sur un petit panneau.

Kokumin-shukusha Hotel Shirahama (国民宿舎ホテルシラハマ ; ☎ 42-3039 ; fax 42-4643 ; 813 Shirahama-chō, Nishimuro-gun ; ch avec 2 repas 6 870 ¥/pers). Bonne option si le Katsuya affiche complet ; même ordre de prix. Un peu sombre et accusant son âge, il dispose toutefois de chambres spacieuses et d'un onsen. Un peu en retrait de Miyuki-dōri, à 100 m après la poste en direction de la plage (vous verrez un parking et son enseigne noir, bleu, rouge et blanc). L'office du tourisme de la gare détaille l'accès à ces deux établissements.

Hotel Marquise (ホテルマーキーズ ; ☎ 42-4010 ; fax 43-2720 ; www.aikis.or.jp/~marquise, en japonais ; 1905 Yuzaki, Shirahama-chō ; ch avec 2 repas à partir de 16 800 ¥/pers). Très proche du Sakino-yu Onsen, cet hôtel a des chambres avec vue splendide sur la mer, certaines avec balcons. Les chambres de style japonais sont spacieuses et impeccables. Les femmes apprécient cet hôtel, qui leur réserve un bain plus grand que celui des hommes (une exception au Japon).

Où se restaurer

Beaucoup de restaurants sont installés dans les rues menant à la plage.

Kiraku (喜楽 ; ☎ 42-3916 ; 890-48 Shirahama-chō, Nishimuro-gun ; 🕐 11h-14h et 16h-21h, fermé mar). Un petit *shokudō* sans prétention mais convivial : il sert des *teishoku* (menus sur un plateau) standard dans les 1 200 ¥. Menu avec photos pour faciliter votre choix.

À 5 minutes de Miyuki-dōri, côté plage, près de la laverie automatique (vous verrez des plantes sur le devant).

Si vous voulez cuisiner vous-même, le supermarché Sakae est à 5 minutes à pied de la plage principale.

Depuis/vers Shirahama

Shirahama est sur la ligne principale JR Kii. De la gare de Shin-Ōsaka circulent les trains *tokkyū* (5 450 ¥, 132 min) et *futsū* (3 260 ¥, 207 min). La même ligne rallie d'autres villes de Kii-hantō, telles que Kushimoto, Nachi, Shingū et Wakayama. Un moyen plus économique de s'y rendre depuis Ōsaka est par la compagnie de transports **Meikō Bus** (☎ 42-3008 ; www13.ocn. ne.jp/~meikobus, en japonais ; ⊗ 9h-18h), qui relie la gare JR d'Ōsaka à Shirahama (2 700/5 000 ¥, aller/aller-retour, environ 3 heures 30).

KUSHIMOTO, SHIONO-MISAKI ET KII-ŌSHIMA
串本・潮岬・紀伊大島
☎ 0735

La pointe sud de Kii-hantō offre des paysages saisissants. Shiono-misaki, relié à la péninsule par un isthme étroit, est un cap magnifique, mais Kii-Ōshima, une île rocheuse accessible par un pont, est plus merveilleuse encore.

L'attrait principal de Kii-Ōshima réside dans les falaises à l'extrémité est de l'île, que l'on peut admirer depuis le parc bordant le **phare de Kashino-zaki** (樫野崎灯台). Devant ce parc, le **musée Toruko-Kinenkan** (トルコ記念館 ; ☎ 65-0628 ; 1025-25 Kashino, Kushimoto-chō, Higashimuro-gun ; 250 ¥ ; ⊗ 9h-17h) commémore le naufrage en 1890 de l'*Ertugrul*, un navire turc.

En revenant sur vos pas, à 1 km en direction du pont, des panneaux en anglais annoncent le **musée-mémorial Japon-États-Unis** (Japan-US Memorial Museum ; 日米修交記念館 ; ☎ 65-0099 ; 1033 Kashino, Kushimoto-chō, Nishimuro-gun ; 250 ¥ ; ⊗ 9h-17h mar-dim), qui célèbre la visite au Japon en 1791 du navire américain *Lady Washington*, soit 62 ans avant que le navire autrement célèbre du commodore Perry accoste à Yokohama, en 1853. D'un belvédère un peu au-dessous du musée, vous pourrez observer les fabuleuses formations rocheuses d'**Umi-kongō** (海金剛), à la pointe orientale de l'île.

Si vous n'êtes pas en voiture, la meilleure façon d'explorer Kii-Ōshima est de louer un vélo à la gare de Kushimoto (600/1 000 ¥ ; 4 heures/jour, avec une réduction pour les voyageurs sur le JR). Mais attention : la route présente des côtes que ces vélos rudimentaires ont du mal à gravir. Sinon, des bus partent de la gare, avec l'inconvénient d'être très espacés.

Misaki Lodge Youth Hostel (みさきロッジ ユースホステル ; ☎ 62-1474 ; fax 62-0529 ; 2864-1 Shionomisaki, Kushimoto-chō ; dort sans repas à partir de 4 200 ¥/pers, minshuku avec 2 repas à partir de 7 350 ¥/pers) est la meilleure auberge de jeunesse des environs, idéalement située, surplombant le Pacifique sur le côté sud du cap. Elle fonctionne comme un *minshuku*, présentant de vastes pièces pour la nuit avec deux repas compris. Prenez un bus pour Shiono-misaki à partir de la gare de Kushimoto (20 min), et descendez à l'arrêt Koroshio-mae.

Kushimoto est à 1 heure de Shirahama par le *tokkyū* du JR, et à 3 heures 30 (6 280 ¥) de Shin-Ōsaka. Les *futsū* sont nettement moins chers mais prennent presque le double de temps.

NACHI ET KII-KATSUURA
那智・紀伊勝浦

La zone de Nachi et de Kii-Katsuura regroupe plusieurs sites autour de la cascade sacrée **Nachi-no-taki** (那智の滝), la plus haute du Japon (133 m). Le sanctuaire **Nachi Taisha** (那智大社), tout proche, fut édifié en hommage au *kami* (divinité shintoïste) de la cascade. C'est l'un des trois grands sanctuaires de Kii-hantō, valant l'effort de la longue montée abrupte qu'il exige. À côté, se dresse **Sanseiganto-ji** (山青岸渡寺), un joli temple ancien méritant aussi un coup d'œil.

Pour apprécier au mieux la cascade et le sanctuaire, prenez le **Daimon-zaka**, un merveilleux chemin boisé. Pour rejoindre le Daimon-zaka, prenez un bus à partir des gares de Nachi ou de Kii-Katsuura et descendez à l'arrêt Daimon-zaka (demandez au chauffeur de vous y arrêter ; il vous montrera le départ du sentier). Le chemin n'est pas indiqué en anglais, mais il monte tout droit dans la montagne depuis la route. De l'arrêt de bus au sanctuaire, il y a environ 800 m, presque toujours en montée. Ce sentier est agréable en hiver ; en été, toutefois, vous serez trempé de sueur, et sans doute vaut-il mieux alors l'emprunter dans l'autre sens (vérifiez bien les heures du bus pour le retour avant de partir).

Le Daimon-zaka vous conduit aux premières marches de l'escalier qui grimpe au sanctuaire. Après la visite du sanctuaire, descendez jusqu'aux cascades, au pied desquelles se trouve **Nachiyama-oku-no-in** (那智山奥の院) où, si vous

KANSAI

vous acquittez de 200 ¥, vous pourrez monter plus haut jusqu'à un point d'observation qui offre une meilleure vue sur les cascades.

Le **Nachi-no-Hi Matsuri** (fête du Feu) se déroule sur le site des cascades le 14 juillet. Durant cette fête très animée, les *mikoshi* sont descendus de la montagne et accueillis par les porteurs de torches.

Des bus vont à la cascade à partir des gares de Nachi (470 ¥, 25 min) et de Kii-Katsuura (600 ¥, 30 min). Les bus pour l'arrêt Daimon-zaka partent des gares de Nachi (330 ¥, 15 min) et de Kii-Katsuura (410 ¥, 20 min).

Où se loger

Vous trouverez quelques hôtels près des gares de Nachi et de Kii-Katsuura.

Hotel Ura-Shima (ホテル浦島 ; ☎ 0735-52-1011 ; www.hotelurashima.co.jp, en japonais ; ch avec 2 repas à partir de 10 650 ¥/pers ;). Soit on adore ce vaste complexe hôtel-onsen offrant, depuis le golfe de Katsuura-wan, une superbe vue sur toute la péninsule, soit on y voit un piège à touristes. Ici deux bains fantastiques, façonnés dans les grottes, s'ouvrent sur le Pacifique et deux autres encore surplombent à une hauteur vertigineuse la péninsule (on y accède par un très long escalator). La joie que procurent ces bains est gâchée par une cuisine sans intérêt, des chambres défraîchies et les bruyantes annonces dans les couloirs.

Depuis/vers Nachi et Kii-Katsuura

Les gares de Nachi et de Kii-Katsuura (à 2 arrêts l'une de l'autre) sont sur la ligne principale JR Kii qui les relient à la gare de Shin-Ōsaka (*tokkyū*, 6 700 ¥, 3 heures 36 ; *futsū*, 4 310 ¥, 5 heures 32) et à la gare de Nagoya (*tokkyū*, 7 510 ¥, 3 heures 33 ; *futsū*, 3 920 ¥, 5 heures 27). Les *futsū* sont bien moins chers mais prennent le double de temps.

SHINGŪ 新宮

☎ 0735 / 33 070 habitants

Shingū joue le rôle de plaque tournante pour les transports dans la région, servant en particulier de relais vers les trois grands sanctuaires shintoïstes de Kii-hantō, regroupés sous le nom de **Kumano Sanzan**. Le premier des trois, le **Kumano Hayatama Taisha** (熊野速玉大社), se trouve dans Shingū même, à 15 minutes à pied au nord-ouest de la gare. Les deux autres sont le Kumano Hongū Taisha (ci-contre) et le Nachi Taisha (p. 449). À la gare, vous trouverez un bon **office du tourisme** (☎ 22-2840 ; 🕐 9h-17h30).

Station Hotel Shingū (ステーションホテル 新宮 ; ☎ 21-2200 ; fax 21-1067 ; station@rifnet.or.jp ; s/d/lits jum à partir de 4 900/10 000/10 000 ¥ ;). Petit *business hotel* aux chambres à l'occidentale convenables. À 200 m au sud-est de la gare de Shingū, c'est un bâtiment blanchâtre visible dès la sortie de la gare. Demandez une chambre dans le *shinkan* (nouvelle aile).

Hase Ryokan (長谷旅館 ; ☎ 22-2185 ; fax 21-6677 ; ch avec 2 repas à partir de 6 300/pers). À 2 minutes à pied au nord de la gare, ce *ryokan* confortable constitue une bonne option pour ceux qui préfèrent le style japonais. Appelez de la gare pour que l'on vienne vous chercher, ou demandez une carte à l'office du tourisme.

La ligne principale JR Kii relie Shingū à la gare de Nagoya (*tokkyū*, 7 190 ¥, 3 heures) et à la gare de Shin-Ōsaka (*tokkyū*, 7 010 ¥, 4 heures).

Des bus circulent entre Shingū et Hongū, dont la moitié fait une boucle par les trois onsen des environs (Watarase, Yunomine et Kawa-yu). Voyez Hongū (ci-dessous) pour plus de détails.

HONGŪ 本宮

La ville de Hongū est un excellent point de départ pour visiter les villages d'onsen alentour. On y trouve aussi le **Kumano Hongū Taisha** (熊野本宮大社), l'un des trois sanctuaires du Kumano Sanzan, proche de l'arrêt de bus Ōmiya Taisha-mae (les bus cités s'y arrêtent).

Pour Hongū, des bus partent de la gare JR de Gojō et de la gare Kintetsu de Yamato-yagi, au nord (4 000 ¥, 4 heures 43), de Kii-Tanabe, à l'ouest (2 000 ¥, 2 heures), et de Shingū, au sud-est (1 500 ¥, 1 heure 20). Shingū est le point d'accès le plus pratique (les départs y sont plus fréquents). La plupart des bus de Hongū s'arrêtent aussi aux onsen Kawa-yu, Watarase et Yunomine (dans cet ordre), mais vérifiez avant d'embarquer. Attention : les départs sont peu fréquents dans les deux directions, notez donc l'horaire pour prévoir votre retour.

YUNOMINE ONSEN, WATARASE ONSEN ET KAWA-YU ONSEN

Ces trois onsen arrivent en tête de tous les onsen du Kansai. Et comme chacun a ses propres caractéristiques, autant faire le circuit des trois. Les *ryokan* et les *minshuku* sont nombreux dans cette région et, si vous voyagez à l'économie, il est aussi possible de camper au bord de la rivière, en amont ou en aval de Kumano Hongū Taisha. Voyez Hongū (ci-dessus) pour les détails sur les transports.

Sachez que vous pouvez couvrir assez facilement la distance entre les trois onsen présentés dans cette rubrique. Le tunnel à l'extrémité ouest du village relie Kawa-yu à Watarase Onsen (moins de 1 km en tout). Depuis Watarase Onsen, le trajet est d'environ 3 km jusqu'à Yunomine en direction de l'ouest le long de la Route 311.

Yunomine Onsen 湯峰温泉

La ville de Yunomine se niche dans une belle vallée boisée où coule une étroite rivière. Presque tous les onsen sont dans des *ryokan* ou des *minshuku*, sauf le charmant petit **Tsubo-yu Onsen** (つぼ湯温泉 ; 250 ¥ ; ☽ 6h-21h30), ouvert à tous, en plein centre de la ville, dans une minuscule hutte bâtie sur l'île au milieu de la rivière. Pour le *sentō* (bain public) jouxtant le **Tōkō-ji** (東光寺), le temple du centre-ville, achetez un billet. Ce *sentō* est ouvert aux mêmes heures que l'onsen et coûte 300 ¥ ; des deux bains dans ce *sentō*, nous suggérons le *kusuri-yu* (eau médicinale, 380 ¥), rempli d'eau de source thermale chaude.

OÙ SE LOGER

Yunomine offre un grand choix de *minshuku* et de *ryokan*.

Minshuku Yunotanisō (民宿湯の谷荘 ; ☎ 0735-42-1620 ; ch avec 2 repas 8 000 ¥/pers). Tout en haut du village, ce *minshuku* est à la fois simple, propre et chaleureux. La cuisine est excellente, ainsi que le onsen.

Ryokan Yoshino-ya (旅館よしのや ; ☎ 0735-42-0101 ; ch avec 2 repas à partir de 8 970 ¥/pers). À proximité du Tsubo-yu, un endroit un peu plus élégant, avec un superbe *rotemburo*. Assez récent et idéalement situé, il est comme le Yunotanisō, accueillant et bien tenu.

Kawa-yu Onsen 川湯温泉

Kawa-yu Onsen est une merveille de la nature. Par un phénomène géothermique, l'eau ruisselle, très chaude, à travers les graviers des rives du cours d'eau qui traverse la ville. Vous pouvez vous y creuser votre propre bain ; rien de plus simple, déplacez quelques pierres et attendez que l'eau remplisse le trou. Et si vous avez trop chaud dans votre baignoire, allez vous rafraîchir dans la rivière. Les meilleurs endroits de la rive pour vous livrer à ce plaisir gratuit se situent devant le *ryokan* Fujiya. N'oubliez pas votre maillot de bain.

L'hiver, de novembre au 28 février, des bulldozers aménagent les berges en un *rotemburo* géant, appelé le **Sennin Buro** (仙人風呂 ; gratuit ; ☽ 6h30/22h), littéralement un "bain pour 1 000 personnes". C'est très amusant et vous ne manquerez pas de faire sensation parmi les autres baigneurs si vous plongez dans la rivière pour vous rafraîchir.

OÙ SE LOGER

Pension Ashita-no-Mori (ペンションあしたの森 ; ☎ 0735-42-1525 ; fax 0735-42-1333 ; ashitanomori-kawayu@za.ztv.ne.jp ; ch avec repas à partir de 8 550 ¥/pers). Plaisant pavillon de bois, installé aux premières loges au bord de la rivière. Vastes chambres bien tenues ; onsen privé à l'extérieur. Tous les bains à l'intérieur sont alimentés par l'eau des sources chaudes.

Fujiya (富士屋 ; ☎ 0735-42-0007 ; fax 0735-42-1115 ; www.fuziya.co.jp/english/index.html ; ch avec repas à partir de 15 900 ¥/pers). Voisin du précédent, ce *ryokan* luxueux loue des chambres spacieuses, impeccables et décorées avec goût. Un endroit raffiné pour se relaxer. Onsen sur place.

Watarase Onsen 渡瀬温泉

Cet **onsen** (☎ 0735-42-1185 ; 700 ¥ ; ☽ 18h-21h30) se niche dans une boucle de la rivière, juste entre Yunomine Onsen et Kawa-yu Onsen. Il n'est pas aussi intéressant que ses deux voisins, mais il s'enorgueillit d'un bon nombre de *rotemburo*. Quand vous entrez dans ceux-ci depuis le bain intérieur, la température de l'eau se rafraîchit progressivement. Achetez votre ticket au distributeur automatique placé à l'entrée du vestiaire. L'onsen de Watarase dispose de son propre restaurant ; cependant, celui du Watarase Onsen Sasayuri Hotel (わたらせ温泉ホテルささゆり), juste à côté, est bien meilleur et possède un menu illustré.

ISE-SHIMA 伊勢志摩

La région d'Ise-Shima, dans la préfecture de Mie (Mie-ken) sur la péninsule de Shima-hantō, doit sa célébrité à Ise-jingū, le sanctuaire shintoïste le plus sacré du Japon, situé à Ise-shi, la ville principale de la région. Jalonnée de très beaux paysages sur la côte aux alentours de Kashikojima et de Goza, Ise-Shima comprend aussi le complexe hypertouristique de Toba. On accède facilement à cette région via Nagoya, Kyōto ou Ōsaka, mais prévoyez quand même au moins 2 jours à partir de n'importe laquelle de ces villes (même si avec les trains express Kintetsu le voyage aller-retour est possible dans la journée).

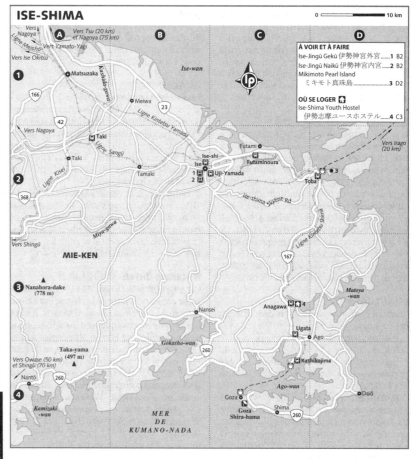

ISE-SHIMA

0 —————— 10 km

À VOIR ET À FAIRE
Ise-Jingū Gekū 伊勢神宮外宮......**1** B2
Ise-Jingū Naikū 伊勢神宮内宮......**2** B2
Mikimoto Pearl Island
　ミキモト真珠島.........................**3** D2

OÙ SE LOGER
Ise-Shima Youth Hostel
　伊勢志摩ユースホステル......**4** C3

KANSAI

ISE 伊勢

☎ **0596 / 135 250 habitants**

La ville d'Ise n'a pas grand-chose pour elle, sinon des sanctuaires, dont le spectaculaire Ise-jingū tout proche. On pourrait affirmer qu'il s'agit du sanctuaire le plus impressionnant du Japon ; l'autre seul prétendant à ce titre étant le Tōshō-gū de Nikkō, aussi décoratif qu'Ise-jingū peut être austère. La ville est cependant dotée d'une jolie rue traditionnelle, la Kawasaki Kaiwai.

À voir et à faire

Si vous avez du temps après la visite des sanctuaires, retrouvez l'atmosphère du passé dans la vieille rue bordée de boutiques et de maisons traditionnelles de **Kawasaki Kaiwai** (河崎界隈), un peu difficile à trouver. Partez du

Ise City Hotel (voir p. 454), traversez la rue, descendez la rue jusqu'au Eddy's Supermarket, tournez à gauche juste avant le canal. Kawasaki Kaiwai est la rue parallèle au canal, du côté ouest, à 5 minutes à pied à partir des premières maisons traditionnelles.

ISE-JINGŪ 伊勢神宮

Remontant au IIIe siècle, Ise-jingū est le **sanctuaire shintoïste** (gratuit ; ☼ lever-coucher du soleil) le plus révéré du Japon. Selon la tradition shintoïste, les bâtiments (environ 200) sont reconstruits tous les 20 ans à l'identique, sur des sites voisins. Les anciennes techniques sont absolument respectées : pas de clous, uniquement des chevilles de bois et des jointures qui s'emboîtent. Lorsque les nouveaux bâtiments sont achevés, le dieu du sanctuaire est transféré dans sa nouvelle demeure, selon la cérémonie rituelle du Sengū No Gi, qui ne fut révélée à des yeux occidentaux qu'en 1953. Le bois du vieux sanctuaire est alors utilisé pour reconstruire le *torii* à l'entrée, ou envoyé dans d'autres lieux sacrés du Japon pour être employé à la reconstruction de leurs édifices. Les bâtiments actuels furent reconstruits en 1993 (pour la 61e fois), moyennant une somme excédant les 5 milliards de yens. Ils seront de nouveau rebâtis en 2013.

Les visiteurs sont souvent étonnés de découvrir que les bâtiments du sanctuaire principal sont presque cachés à la vue, derrière des barrières en bois. Seuls les membres de la famille impériale et certains prêtres sont autorisés à entrer dans l'enceinte sacrée. C'est regrettable, car ces édifices constituent un bel exemple de l'architecture prébouddhique au Japon. À défaut de les contempler à loisir, vous pourrez, en vous hissant au-dessus des enclos sacrés, apercevoir la partie supérieure des bâtiments. Les sanctuaires voisins vous donneront une idée de l'ensemble, puisqu'ils sont la réplique exacte, en plus petit, du sanctuaire principal.

Le sanctuaire est formé de deux parties : le **Gekū** (sanctuaire extérieur) et le **Naikū** (sanctuaire intérieur). Le premier est à 10 minutes de marche de la gare d'Ise-shi ; le second n'est accessible que par le bus qui part de la gare ou de l'arrêt face au Gekū (ci-dessous). Si vous n'avez pas assez de temps pour visiter les deux sanctuaires, privilégiez le Naikū, plus impressionnant.

Il est interdit de fumer dans l'enceinte des deux sanctuaires et de prendre des photographies autour des bâtiments principaux.

Gekū 外宮

Le sanctuaire extérieur, du Ve siècle, est la demeure de Toyouke-no-Ōkami, déesse de la Nourriture, des Vêtements et de la Maison. Les prêtres font des offrandes de riz à cette déesse chargée de nourrir Amaterasu Ōmikami, la divinité qui demeure dans le Naikū. Un stand à l'entrée distribue des brochures en anglais avec une carte.

Le bâtiment principal du sanctuaire est le Goshōden, à environ 10 minutes à pied de l'entrée. Après le Goshōden, de l'autre côté de la rivière, apparaissent trois sanctuaires plus petits, qui méritent aussi un coup d'œil (et sont généralement beaucoup plus tranquilles).

Des gares d'Ise-shi ou d'Uji-Yamada, il faut 12 minutes à pied en descendant la rue principale pour atteindre l'entrée du sanctuaire.

Naikū 内宮

Le sanctuaire intérieur, qui remonterait au IIIe siècle, est la demeure de la déesse du Soleil, Amaterasu Ōmikami, considérée comme la déesse ancestrale de la famille impériale et la gardienne de la nation japonaise. Le Naikū est encore plus révéré que le Gekū, car il renferme le miroir sacré de l'empereur, l'un des trois objets impériaux sacrés (avec les perles et l'épée).

Un stand à l'entrée du sanctuaire distribue la même brochure en anglais qu'au Gekū. Après ce stand, le pont Uji-bashi, enjambant les eaux limpides de l'Isuzu-gawa, délimite l'entrée à l'intérieur du sanctuaire.

Ce sentier continue jusqu'au Goshōden, le bâtiment principal du sanctuaire, le long d'une voie bordée d'immenses cryptomerias. Ici aussi, comme dans le Gekū, vous ne ferez qu'entrapercevoir la structure, gardée par quatre rangs de palissades. Qu'il ne vous vienne pas à l'idée de tenter de les franchir : depuis les arbres, des caméras vous observent !

Pour vous rendre au Naikū, prenez le bus 51 ou 55 à l'arrêt n°11 devant la gare d'Ise-shi ou à l'arrêt dans la rue principale devant le Gekū (410 ¥, 12 min). Sachez que l'arrêt n°11 est à environ 100 m de l'arrêt principal des bus devant la gare d'Ise-shi (marchez vers le sud dans la rue principale). Descendez à l'arrêt Naikū-mae. Du Naikū, des bus reviennent à la gare d'Ise-shi en passant par le Gekū (410 ¥, 18 min à partir de l'arrêt n°2). Un taxi de la gare d'Ise-shi/Gekū au Naikū vous coûtera environ 2 000 ¥.

Fêtes et festivals

Ise-jingū étant le sanctuaire le plus révéré du Japon, il n'est pas étonnant qu'il soit l'une des destinations favorites pour le *hatsu-mōde* (première visite de l'année au sanctuaire). Les trois premiers jours de l'année, la ville connaît une affluence record ; les hôtels affichent complet des mois à l'avance.

Le **Kagura-sai**, célébré au début avril et à la mi-septembre, est l'occasion d'assister à une représentation de *kagura* (danse sacrée), de *bugaku* (spectacle de danse accompagné jadis par les orchestres de cour), de nō et de musique shintoïste.

Où se loger

Ise-Shima Youth Hostel (伊勢志摩ユースホステル ; ☎ 0599-55-0226 ; ise@jyh.gr.jp ; 1219-82 Anagawa, Isobe-chō, Shima-shi ; ch avec petit déj à partir de 4 620 ¥/ pers ; 🖳). Excellent choix pour les voyageurs

KANSAI

au budget serré que cette auberge de jeunesse perchée sur une colline dominant une jolie baie. Proche de la gare d'Anagawa sur la ligne Kintetsu au sud d'Ise-shi (seul le *futsū* s'y arrête). En sortant de la gare, prenez à l'est la route longeant le bord de mer ; sur la colline à droite.

Ise City Hotel (伊勢シティホテル ; ☎ 28-2111 ; 1-11-31 Fukiage ; s/lits jum 6 510/13 650 ¥ ; 🛜). Un *business hotel* appréciable, à moins de 10 minutes à pied de la gare. Chambres petites mais bien tenues ; on y parle un peu anglais. Pour vous y rendre depuis la gare d'Ise-shi, tournez à gauche (est) en sortant de la gare, passez devant l'agence de voyages JTB, prenez à gauche au premier feu, puis traversez la voie ferrée : vous le verrez sur la gauche.

Hoshide-kan (星出館 ; ☎ 28-2377 ; fax 27-2830 ; 2-15-2 Kawasaki ; ch avec/sans 2 repas 7 500/5 000 ¥/pers ; 💻). Toujours dans la ville d'Ise, joli décor traditionnel dans ce *ryokan* original en bois. Allez tout droit jusqu'au Ise City Hotel, le *ryokan* sera sur votre droite (petit panneau en anglais), au deuxième feu (400 m) après la voie ferrée. Vous verrez un grand bâtiment traditionnel avec des cèdres s'élevant au-dessus de petits jardins. Internet gratuit.

Ise Pearl Pier Hotel (パールピアホテル ; ☎ 26-1111 ; www.pearlpier.com ; 2-26-22 Miyajiri ; s/d/lits jum 7 875/12 600/16 800 ¥ ; 🛜). Voisin de l'Ise City Hotel (plus haut), le Pearl Pier est plus récent et un peu plus spacieux, plus cher aussi. Les chambres "deluxe" (simple/lits jum 8 400/18 900 ¥) seront appréciables si vous vous sentez un peu à l'étroit dans un *business hotel*.

Où se restaurer et prendre un verre

Daiki (大善 ; ☎ 28-0281 ; repas à partir de 1 500 ¥ ; 🕙 11h-21h). Notre restaurant favori dans Ise-shi se proclame le "meilleur restaurant du Japon". Exagération mise à part, c'est une excellente adresse pour déguster des fruits de mer, dont l'*ise-ebi* (langouste d'Ise), servie en formule à 5 000 ¥ ; en japonais, vous direz *ise-ebi teishoku*, en spécifiant *yaki* (grillé), *niita* (bouillie) ou *sashimi* (crue). Plus simple, le *tempura teishoku* (formule *tempura*) est à 1 500 ¥. Sur la droite, à la sortie de la gare d'Uji-Yamada ; une petite enseigne annonce "Kappo Daiki" et "Royal Family Endorsed" (approuvé par la famille impériale). Carte en anglais.

Tamaya (珠家 ; ☎ 24-0105 ; 2-17-23 Kawasaki ; 🕙 19h-24h, fermé lun et 3ᵉ jeu du mois). Dans le quartier Kawasaki Kaiwai, vous trouverez ce chaleureux bar-restaurant occupant un vieux *kura* (grenier), idéal pour un verre ou un repas léger. Au bout d'une étroite rue en retrait de la Kawasaki Kaiwai, sur votre gauche quand vous marchez vers le nord, repérez un panonceau rouge et blanc sur un poteau électrique annonçant "Tamaya The Lounge". Carte en anglais.

Près du Naikū, la galerie commerçante couverte Okage-yokochō compte de très bons restaurants. Elle se trouve juste à la sortie des bâtiments du sanctuaire (sur votre gauche quand vous marchez vers le sanctuaire depuis l'arrêt de bus).

Dans cette galerie, **Nikōdōshiten** (二光堂支店 ; ☎ 24-4409 ; 19 Ujiimazaike-chō ; 🕙 11h-16h, fermé jeu) est un bon endroit pour goûter les spécialités locales dans une ambiance un peu fruste d'auberge de bord de route. Ici, on vient pour l'*ise-udon* (larges pâtes dans un épais bouillon ; petit/grand bol 420/570 ¥) ; mais, si vous avez très faim, commandez un *ise-udon teishoku* (*ise-udon* avec du riz et d'autres petits plats ; 1 000 ¥). À 100 m à partir de l'extrémité sud de la galerie (en venant du sanctuaire).

Également dans la galerie Okage-yokochō, l'**Isuzugawa Café** (五十鈴川 ; ☎ 23-9002 ; 52 Ujiimazaike-chō ; 🕙 10h-17h) avec son espace tatami d'où l'on peut déguster son café tout en observant les oiseaux au fil de la rivière Isuzu, est un endroit plaisant et relaxant. Café "strong" "mild" ou "ice" (fort, allongé ou glacé, 400 ¥) et gâteaux à partir de 200 ¥. À 4 minutes à pied de l'extrémité de la galerie à partir du sanctuaire, sur la droite. Repérez un panonceau au niveau de la rue en lettres latines ; dans un bâtiment juste avant un grand camphrier.

Depuis/vers Ise

Ise est bien desservie par les lignes de chemin de fer JR et Kintetsu qui la relient à Nagoya, à Ōsaka et à Kyōto. Pour ceux qui n'ont pas de JR Pass, la ligne Kintetsu est la plus pratique ; les *tokkyū* sont confortables et rapides.

Jusqu'à la gare d'Ise-shi, le *tokkyū* de la ligne Kintetsu met 1 heure 21 (2 690 ¥) depuis Nagoya, 1 heure 46 depuis Ōsaka (gares d'Ue-honmachi ou de Namba, 3 030 ¥) et 2 heures 03 depuis Kyōto (3 520 ¥).

Il y a deux gares à Ise : la gare d'Ise-shi et la gare d'Uji-Yamada, qui ne sont séparées que par une centaine de mètres ; la plupart des trains s'arrêtent aux deux. Pour les sites et les hôtels cités dans cette rubrique, nous vous recommandons de descendre à la gare d'Ise-shi.

TOBA 鳥羽

La côte très découpée de la péninsule de Shima-hantō se prête à merveille à la culture des perles et Toba est justement l'un des centres les plus importants de cette industrie au Japon. C'est aussi une ville touristique créée de toutes pièces pour les citadins des grandes villes. Les deux grandes attractions ici sont le Toba Aquarium et la Mikimoto Pearl Island. En dépit de son côté très touristique, Toba peut se révéler pour certains très divertissante.

L'**aquarium de Toba** (鳥羽水族館 ; Toba Suizoku-kan ; ☎ 0599-25-2555 ; 3-3-6 Toba ; 2 400 ¥ ; ⏰ 9h-17h) présente des expositions intéressantes consacrées aux poissons et aux mammifères marins. Il s'y tient aussi des spectacles (de dauphins, de loutres) qui devraient faire la joie des enfants ; c'est également une bonne idée pour un jour de pluie. À 10 minutes à pied au sud-est des gares Kintetsu ou JR de Toba ; sur le bord de mer, de l'autre côté de la route principale (Route 42).

La **Mikimoto Pearl Island** (ミキモト真珠島 ; ☎ 0599-25-2028 ; 1-7-1 Toba ; 1 500 ¥ ; ⏰ 8h30-17h, 9h-16h30 en déc), l'île des Perles Mikimoto, est un mémorial en hommage à Mikimoto Kokichi, qui consacra toute sa vie à la culture des perles. Les salles de démonstration vous apprennent tout sur cette industrie, depuis l'élevage et la sélection des huîtres jusqu'au perçage et à l'enfilage du produit fini.

Dans une autre pièce, vous verrez les *ama* (plongeuses), dans leur traditionnelle tenue blanche, plonger d'un bateau à la recherche des huîtres perlières. En tout cas, c'est ce que les associations touristiques aimeraient vous faire croire ; or les milliers d'*ama* qui travaillent dans la région ne pêchent que coquillages et algues. L'île est au-delà d'un pont, à 5 minutes à pied au sud-est des gares Kintetsu ou JR Toba. L'île est au-delà d'un pont, à 5 minutes à pied au sud-est des gares Kintetsu ou JR de Toba.

L'**Ise-wan Ferry Co Ltd** (☎ 0599-26-3335 ; www.isewan ferry.co.jp) relie le port de Toba-ko à Irako, préfecture d'Aichi sur la péninsule d'Atsumi-hantō (1 500 ¥, 55 min). Ce ferry part du terminal des ferries d'Ise-wan. Il faut 16 minutes depuis Ise pour rejoindre Toba, par la ligne Kintetsu (*kyūkō*, 320 ¥) ou la ligne JR (*futsū*, 230 ¥). Toba est le terminus sur la ligne JR ; la ligne Kintetsu s'y arrête aussi (avant de continuer jusqu'à Kashikojima au sud de la péninsule).

AGO-WAN, KASHIKOJIMA ET GOZA 英虞湾・賢島・御座

À un court trajet en train au sud de la ville d'Ise-shi, Ago-wan est un superbe golfe, égrenant ses criques et ses chapelets d'îles. Kashikojima, l'île principale, est le terminus sur la ligne Kintetsu. À partir d'Ise-shi, un *futsū* met 50 minutes (1 170 ¥). Kashikojima n'est pas desservie par le JR. L'île en elle-même, dominée par les énormes complexes hôteliers, ne présentera sans doute pas un grand intérêt pour des visiteurs étrangers, mais c'est un point de départ idéal pour explorer Ago-wan.

Les adeptes du calme et de la sérénité prendront le ferry pour Goza, à l'autre extrémité de la baie (600 ¥, 25 min). Le terminal des ferries est en face de la gare de Kashikojima (achetez votre billet au bureau du Kinki Kankōsen, près du terminal). Ce voyage fournit l'occasion de découvrir la baie. Des sorties en bateau dans la baie sont également proposées pour 1 500 ¥.

Goza est un petit village endormi abritant une communauté de pêcheurs, où s'étend une longue plage de sable blanc, Goza Shirahama. À partir du quai du ferry, de petits panneaux en anglais indiquent le chemin jusqu'à cette plage. Suivez la route principale qui enjambe la colline ; la plage est sur l'autre versant. Elle est très fréquentée en juillet et début août ; en dehors de cette période, c'est un havre de paix.

Pour passer la nuit à Goza, vous rencontrerez une profusion de *minshuku*, certains fermés en dehors de la saison d'été. **Shiojisō** (潮路荘 ; ☎ 0599-88-3232 ; ch avec 2 repas à partir de 7 875 ¥/pers, voyageur seul non accepté), au bord de la plage (vous verrez l'enseigne en anglais "Marine Lodge Shiojisō"), est l'un des meilleurs *minshuku*.

SUD DE KAHIKOJIMA 賢島以南

Si vous voulez continuer votre tour de Kii-hantō, revenez sur vos pas à Ise, afin d'y prendre le train JR jusqu'à Taki, où vous devrez changer pour la ligne principale JR Kisei. Cette ligne repasse de Mie-ken à Wakayama-ken, en direction de Shingū, puis fait le tour de la pointe de Kii-hantō, remontant finalement jusqu'à la gare de Tennō-ji à Ōsaka.

Ouest de Honshū
本州の西部

Réputé pour ses très belles céramiques et ses villages de montagne, l'ouest de Honshū (connu sous le nom de Chūgoku) présente bien des attraits. Baignées par la mer Intérieure, les côtes de l'Okayama-ken et du Hiroshima-ken sont ponctuées de charmants villages, d'îles et de villes où l'on échappe à la foule. À Kurashiki, de beaux entrepôts du XVIIIe siècle bordent un canal ombragé. Non loin, Bizen est la fière héritière de l'une des plus anciennes traditions de fabrication de céramiques du Japon. Dans le Yamaguchi-ken, Shimonoseki demeure une destination phare pour les amateurs de poissons et fruits de mer. Quant à la mer Intérieure, qui s'étend entre Honshū et Shikoku, elle est émaillée d'une myriade de petites îles.

Les préfectures de Shimane et de Tottori, jadis considérées comme le "Japon profond", sont particulièrement hospitalières. Si elles étaient autrefois les portes d'accès à la culture du "continent", elles vivent aujourd'hui au rythme nonchalant des petites stations thermales bâties autour des *onsen* (sources chaudes) et des villes d'altitude. Dans cette région, il ne faut surtout pas manquer Matsue (ville féodale où vécut Lafcadio Hearn lorsqu'il arriva au Japon) et Izumo Taisha, l'un des plus anciens et plus importants sanctuaires du pays, qui est aussi le lieu de rassemblement annuel des divinités du shintoïsme.

Le massif montagneux de Chūgoku divise la région en deux zones distinctes. Sur la côte sud, dite San-yō ("le côté ensoleillé des montagnes"), les températures clémentes de la mer Intérieure profitent à des villes animées. Au nord, la mer du Japon, plus froide, baigne la côte San-in ("à l'ombre des montagnes"), beaucoup moins peuplée.

À NE PAS MANQUER

- Une soirée de fête au cœur de la cosmopolite **Hiroshima** (p. 471), et la visite de l'Itsukushima-jinja (le sanctuaire flottant d'Itsukushima), sur l'île voisine de **Miyajima** (p. 478)
- La vue magnifique sur la mer depuis le vieux port de pêche de **Tomo-no-ura** (p. 468)
- Le rythme nonchalant de **Manabe-shima** (île de Manabe ; p. 486), dans la mer Intérieure
- La découverte du village d'**Ōmori** (p. 514) et des anciennes mines d'argent d'Iwami Ginzan
- Une randonnée à vélo sur le **Shimanami Kaidō** (système de ponts routiers, p. 486), entre Honshū et Shikoku
- Le lieu de rassemblement symbolique des divinités shintoïstes à **Izumo Taisha** (p. 514)
- Les installations artistiques en plein air de Honmura, sur l'île de **Naoshima** (p. 484)

OUEST DE HONSHŪ

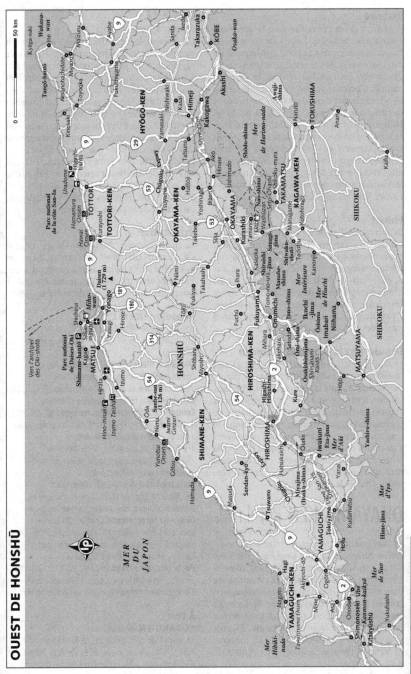

Histoire

En raison de sa proximité avec la péninsule coréenne et la Chine, l'ouest de Honshū est longtemps demeurée la porte par laquelle les influences venues du continent pénétraient au Japon. Le bouddhisme et le système chinois d'écriture furent importés de Chine au VIe siècle. Au cours de ses campagnes dans la péninsule coréenne en 1592 et en 1598, Hideyoshi Toyotomi, général et homme d'État, enleva des familles entières de potiers. L'intérêt croissant porté à la cérémonie du thé avait généré un engouement pour les délicates céramiques coréennes. Les techniques de cuisson et les glaçures datant de cette période se retrouvent encore dans les céramiques japonaises.

Climat

Le climat de l'ouest de Honshū (région de Chūgoku) est en général agréable et tempéré. Sur la côte San-in, au bord de la mer du Japon, les températures sont plus fraîches que sur la côte San-yō de la mer Intérieure, et les hivers sont parfois enneigés. La côte de la mer Intérieure est connue comme le *hare no kuni* ("pays du soleil") en raison de ses températures modérées et d'une faible pluviosité.

Depuis/vers la région de Chūgoku

Le *shinkansen* (train à grande vitesse) qui longe la côte San-yō est le moyen le plus rapide pour circuler dans la région. Sur la côte San-in, on emprunte toutefois les *tokkyū* (trains express) permettent de limiter le nombre de correspondances et de diminuer les temps de transport. Entre ces deux côtes, il est souvent plus rapide de se déplacer en bus. La principale voie ferroviaire relie Okayama, sur la côte de la mer Intérieure, et Yonago dans le Tottori-ken, sur la côte de la mer du Japon.

OKAYAMA-KEN 岡山県

L'Okayama-ken est réputée pour son atmosphère rurale, et la villa située à Hattōji est l'occasion d'une superbe escapade dans la campagne nippone. Kurashiki est appréciée pour ses musées et son quartier historique bien conservé. Plus à l'ouest, la ville de Kasaoka sert de tremplin pour rejoindre les superbes îles sauvages de la mer Intérieure. Depuis Okayama, il existe des liaisons routières et ferroviaires avec Shikoku via le pont de Seto-ōhashi.

OKAYAMA 岡山

☎ 086 / 630 000 habitants

Cette capitale décontractée est à la fois un carrefour des transports et une importante ville régionale. C'est par ailleurs un intéressant site touristique puisqu'elle abrite le Kōraku-en, l'un des trois plus beaux jardins du Japon, installé à l'ombre du château. La ville est fière d'être associée à Momotarō, ce célèbre héros du folklore japonais à l'allure de petit garçon qui pourfend les démons. Son visage souriant est omniprésent dans la ville. Okayama constitue une base idéale pour les excursions d'une journée jusqu'à la cité marchande fort bien préservée de Kurashiki, ou jusqu'à Bizen, réputée pour ses poteries, ainsi que pour faire des balades à vélo dans la campagne de la plaine de Kibi.

Orientation

La rue principale, Momotarō-Ōdōri, traverse Okayama d'ouest en est, de la gare au château et au célèbre jardin, Kōraku-en, à environ 1,5 km. Elle est parcourue par des tramways (100 ¥ pour aller dans le secteur du château).

Renseignements

Bank of Tōkyō-Mitsubishi UFJ (☎ 223-9211 ; 6-36 Honmachi ; ◷ 9h-15h lun-ven). Change les chèques de voyage.

Club Mont Blanc (☎ 224-7050 ; 6e niv, Dai-ichi Central Bldg, 6-30 Honmachi ; Internet 290 ¥ les 30 premières min, au-delà : 100 ¥ les 15 min ; ◷ 24h/24). En face de la gare ferroviaire, à droite en sortant.

Comptoir d'information touristique (☎ 222-2912 ; 1-1 Ekimoto-machi ; ◷ 9h-18h). Dans la gare ferroviaire, à côté de l'accès aux quais du *shinkansen*.

JTB Travel (☎ 232-3810 ; 1-7-36 Omote-chō ; ◷ 10h-18h). Agence de voyages située à proximité de l'arrêt de tramway de Kenchō-dōri.

Maruzen (☎ 233-4640 ; 1-5-1 Omote-chō ; ◷ 10h-20h). Librairie située au rez-de-chaussée du Symphony Building. Bon choix de livres en anglais.

Okayama International Centre (☎ 256-2914 ; www.opief.or.jp/english ; 2-2-1 Hōkan-chō ; ◷ 9h-17h lun-sam). Renseignements en anglais sur les sites touristiques de la préfecture d'Okayama.

Poste centrale d'Okayama (☎ 227-2757 ; 2-1-1 Naka Sange ; ◷ 9h-19h lun-ven, jusqu'à 17h sam, jusqu'à 12h30 dim). À l'angle de Yanagawa-suji et Kenchō-dōri.

À voir

KŌRAKU-EN 後楽園

Dominé par le château, le **Kōraku-en** (☎ 272-1148 ; 1-5 Kōraku-en ; entrée 350 ¥ ; ◷ 7h30-18h avr-sept, 8h-17h oct-mars ; Ⓟ), créé sur l'ordre du daimyo (seigneur provincial) Tsunemasa Ikeda, est considéré depuis son achèvement en 1700 comme l'un des trois plus beaux jardins du Japon. De façon inhabituelle pour un jardin japonais, il est en grande partie composé de pelouses ponctuées d'étangs, de maisons de thé et d'autres édifices de la période d'Edo, notamment une scène de nō (forme de théâtre dansé). Malgré d'importants dégâts dus aux inondations des années 1930 et aux bombardements aériens des années 1940, le Kōraku-en a peu changé depuis l'époque féodale, lorsque le daimyo venait s'y détendre en compagnie de ses domestiques favoris. Le jardin a ouvert au public en 1884. Depuis, il attire de nombreux touristes japonais et étrangers.

Plusieurs étals disséminés dans le parc vendent des boissons ainsi que l'en-cas préféré de Momotarō : des gâteaux blancs sucrés, à base de farine de millet, appelés *kibi-dango*. Pour les maisons de thé sur l'île de Naka-no-shima, voir la rubrique *Où prendre un verre* (p. 462).

Au départ de la gare ferroviaire, le jardin est à 20 minutes de marche en remontant Momotarō-Ōdōri. Sinon, prenez le tramway Higashi-yama jusqu'à l'arrêt Shiroshita (100 ¥), devant l'immeuble cylindrique de l'Okayama Symphony Hall. Ensuite, terminez le court trajet à pied en suivant les panneaux.

OKAYAMA-JŌ岡山城
Connu par les habitants sous le nom d'U-jō (烏城 ; château du Corbeau), l'**Okayama-jō** (château d'Okayama ; ☎ 225-2096 ; 2-3-1 Marunouchi ; entrée 300 ¥, supp pour les expos temporaires ; ☯ 9h-17h) fut construit par le daimyo Hideie Ukita, l'un des hommes les plus puissants du pays durant une courte période à la fin du XVIᵉ siècle. Achevé en 1597, ce château était l'un des plus grands du Japon : il arborait 35 tourelles et 21 portes, et s'étendait jusqu'à Yanagawa-suji, correspondant au trajet actuel du tramway. Au cours des trois siècles suivants, quinze seigneurs l'occupèrent successivement. L'essentiel du bâtiment fut démantelé après la Restauration de Meiji, et ce qu'il en restait fut presque entièrement brûlé par les bombardements des Alliés à la fin de la Seconde Guerre mondiale, à l'exception des murailles en pierre et d'une petite *tsukima-yagura* (tourelle pour admirer la lune). Le château fut rebâti en 1966. L'intérieur est moderne, mais l'extérieur continue d'offrir un spectacle impressionnant. En outre, du haut du donjon central, la vue sur le Kōraku-en est magnifique.

MOMOTARŌ, LE GARÇON NÉ D'UN NOYAU DE PÊCHE

L'Okayama-ken et le Kagawa-ken, sur l'île de Shikoku, sont liées par la légende de Momotarō, le petit garçon qui naquit d'une pêche. En compagnie d'un singe, d'un faisan et d'un chien, il parvint à vaincre un démon cannibale à trois yeux et à trois orteils. Dans la gare JR d'Okayama, des statues représentent Momotarō, et la rue principale de la ville porte son nom. On raconte que c'est sur l'île de Megi-jima, face à la ville de Takamatsu, à Shikoku, qu'aurait eu lieu l'affrontement avec le démon. Il se peut que Momotarō ait été en réalité un prince Yamato, déifié sous le nom de Kibitsuhiko, et dont le sanctuaire, Kibitsu-jinja, se trouve le long de la piste cyclable de la plaine de Kibi (voir l'encadré p. 464).

MUSÉES
Parmi les musées du quartier culturel d'Okayama, le **Musée oriental d'Okayama** (☎ 232-3636 ; 9-31 Tenjin-chō ; entrée 300 ¥ ; ☯ 9h-17h, fermé lun), situé à l'extrémité nord de Momotarō-Ōdōri, à l'endroit où la ligne de tramway bifurque vers le sud, est sans doute le plus intéressant. Il présente 3 000 objets provenant du Moyen-Orient antique et accueille régulièrement des expositions. Il suffit de quelques minutes de marche pour venir de l'arrêt de tramway Shiroshita.

Non loin de l'entrée arrière du château, près de l'angle des douves, le **musée d'Art Hayashibara** (☎ 223-1733 ; 2-7-15 Marunouchi ; entrée 300 ¥ ; ☯ 9h-17h, fermé lun ; ℗) conserve une collection de rouleaux calligraphiés, d'armures et de peintures qui appartenaient jadis au clan Ikeda, lequel gouverna Okayama pendant presque toute la période d'Edo. Face à l'entrée principale du Kōraku-en, le **musée de la Préfecture d'Okayama** (☎ 272-1149 ; 1-5 Kōraku-en ; entrée 200 ¥ ; ☯ 9h-18h avr-sept, 9h30-17h oct-mars, fermé lun ; ℗), légèrement délabré, expose des pièces illustrant l'histoire de la région, dont des sabres et des poteries de Bizen (légendes en japonais uniquement).

Au nord du Kōraku-en, le **musée d'Art Yumeji** (☎ 271-1000 ; 2-1-32 Hama ; entrée 700 ¥ ; ☯ 9h-17h, fermé lun ; ℗) donne à voir les œuvres du célèbre poète et peintre Yumeji Takehisa (1884-1934). Non loin, sur la route principale, le **musée d'Art de la préfecture d'Okayama** (☎ 225-4800 ; 8-48 Tenjin-chō ; entrée 300 ¥ ; ☯ 9h-17h, fermé lun ; ℗),

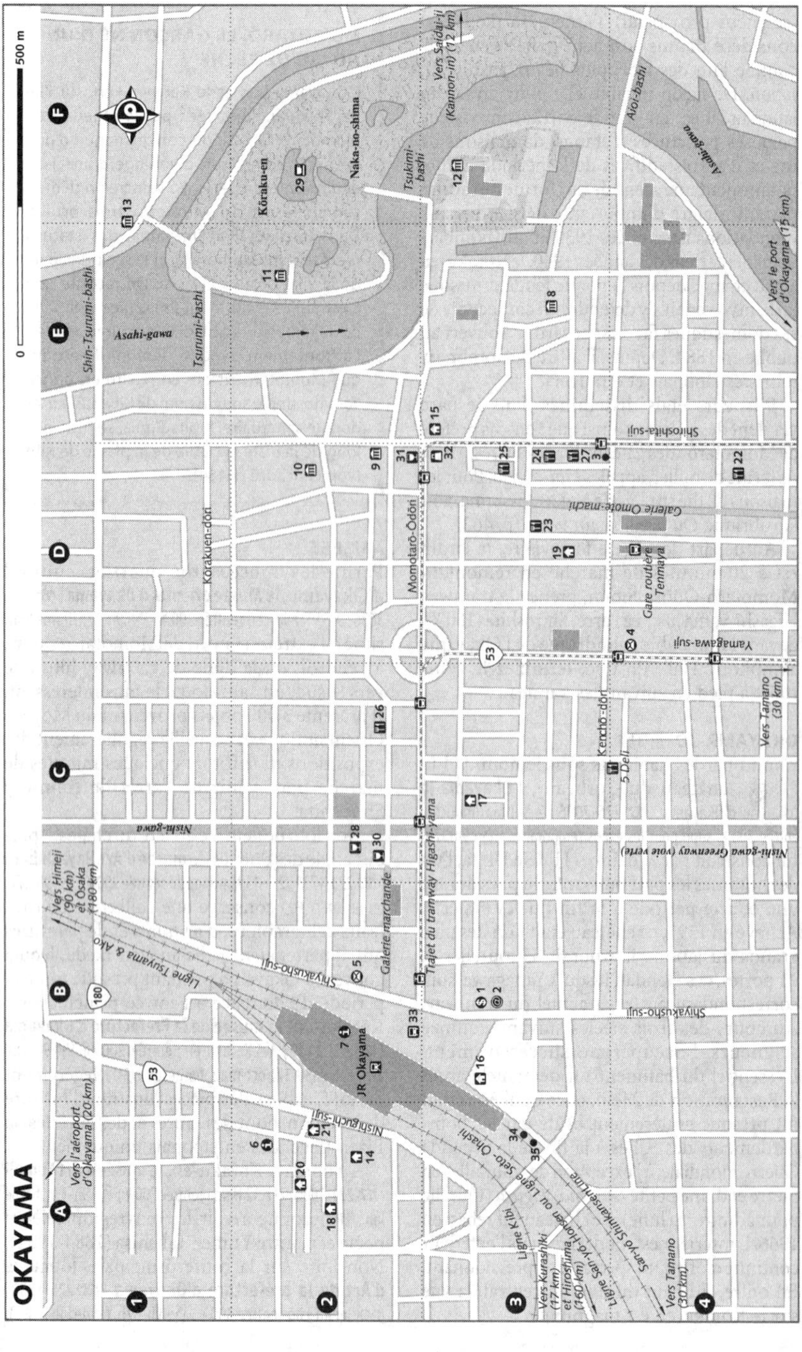

OUEST DE HONSHŪ

OKAYAMA

500 m

0

Vers Saidai-ji
(Kannon-in) (12 km)

Vers le port
d'Okayama (15 km)

Kōraku-en

Naka-no-shima

Tsukimi-bashi

Asahi-gawa

Aioi-bashi

Shin-Tsurumi-bashi

Tsurumi-bashi

Asahi-gawa

Kōrakuen-dōri

Momotarō-Ōdōri

Shirashita-suji

Galerie Omote-machi

Gare routière
Tenmaya

Yamagawa-suji

Vers Tamano
(30 km)

Kenchō-dōri

5 Deli

Nishi-gawa

Nishi-gawa Greenway (voie verte)

Shiyakusho-suji

Shiyakusho-suji

Galerie marchande

Trajet du tramway Higashi-yama

Ligne Tsuyama & Akō

Vers Himeji
(90 km)
et Osaka
(180 km)

Vers l'aéroport
d'Okayama (20 km)

JR Okayama

Nishi-guchi-suji

Ligne San-yō ou Ligne Seto-Ōhashi

service Shinkansen

Vers Kurashiki
(17 km)
et Hiroshima
(160 km)

Ligne Kibi (b)

Ligne San-yō ou Ligne Seto-Ōhashi

Vers Tamano
(30 km)

180

53

53

53

récemment rénové, vient de rouvrir. Hormis les œuvres d'art typiques d'Okayama, on peut y voir des expositions temporaires.

Fêtes et festivals

Le **Saidai-ji Eyō**, aussi appelé le Hadaka Matsuri (fête de la Nudité), se déroule le troisième samedi de février au temple de Kannon-in, dans le quartier de Saidai-ji. Une foule dense d'environ 10 000 hommes, simplement vêtus de pagnes et de *tabi* (chaussettes séparant le gros orteil des autres orteils), s'affronte pour obtenir deux *shingi* (bâtons de bois) sacrés, tandis que l'on verse sur eux de l'eau glacée. Les réjouissances commencent à 22h.

Où se loger

Matsunoki Ryokan (☎ 253-4111 ; www.matunoki.com ; 19-1 Ekimoto-chō ; s/lits jum avec 2 repas 4 200/6 000 ¥, sans sdb 3 900/5 800 ¥ ; 🅿 🈳). À courte distance à pied de la gare, chambres à la japonaise et à l'occidentale, la plupart avec sdb privatives.

Saiwai-sō (☎ 254-0020 ; http://w150.j.fiw-web.net, en japonais ; 24-8 Ekimoto-chō ; s/lits jum à partir de 4 200/7 600 ¥ ; 🅿). À 5 min à pied à l'ouest de la gare, cet établissement autoproclamé premier *business hotel* d'Okayama propose des chambres confortables, certaines avec sdb communes. Le bâtiment est de couleur mauve.

Okayama View Hotel (☎ 224-2000 ; www.okaview. jp, en japonais ; 1-11-17 Naka Sange ; s/lits jum à partir de 5 800/8 400 ¥ ; 🅿 🈳 🖳 📶). Adresse confortable située entre la gare et le château, qui propose

de meilleurs équipements que la moyenne, avec des chambres de style mixte (lits occidentaux, déco et confort japonais).

Comfort Hotel Okayama (☎ 801-9411 ; www.choice-hotels.jp/cfoka ; 1-1-13 Marunouchi ; s/lits jum avec petit déj à partir de 5 800/8 500 ¥ ; 🅿 🈳 🖳 📶). *Business hotel* bien aménagé proche du château et du jardin.

Tōyoko Inn Nishi-Guchi Hiroba (☎ 251-1045 ; www. toyoko-inn.com ; 22-10 Ekimoto-chō ; s/lits jum avec petit déj à partir de 6 090/8 200 ¥ ; 🅿 🈳 🖳). Établissement de chaîne hôtelière fiable situé à quelques minutes de la gare, avec tout le confort d'un *business hotel* standard, notamment la connexion Internet (réseau LAN) dans toutes les chambres.

Kōraku Hotel (☎ 221-7111 ; www.hotel.kooraku. co.jp ; 5-1 Heiwa-chō ; s/lits jum à partir de 6 930/9 200 ¥ ; 🅿 🈳 🖳). À 5 minutes à pied de la gare, luxueux hôtel de catégorie moyenne proposant de grandes chambres. Personnel accueillant. Sur place se trouvent une épicerie, un restaurant et un centre d'affaires (Internet gratuit).

Hotel Granvia Okayama (☎ 234-7000 ; www. granvia-oka.co.jp ; 1-5 Ekimoto-chō ; s/lits jum à partir de 9 817/18 480 ¥ ; 🅿 🈳 🖳). Vous ne pourrez pas manquer ce grand bâtiment qui se dresse au-dessus de la gare. Il abrite des chambres de dimensions correctes équipées d'une connexion Internet (réseau LAN). Plusieurs restaurants, salle de sport et piscine. Il accueille souvent des banquets de mariage le week-end.

ANA Hotel Okayama (☎ 898-1111 ; www.anahotel-okayama.com, en japonais ; 15-1 Ekimoto-chō ; s/lits jum

OUEST DE HONSHŪ

à partir de 13 860/24 255 ¥ ; (P X 🔲). Hôtel moderne et luxueux à moins d'une minute à pied de la sortie ouest de la gare. Chambres ravissantes (avec Internet en réseau LAN), plusieurs restaurants et bars, et une vue magnifique depuis le "Sky Bar" du 20ᵉ niveau.

Où se restaurer

Tori-soba Ōta (☎ 236-0310 ; 1-7-24 Omote-chō ; plats 650-990 ¥ ; 🕑 11h-20h ; X). La spécialité de ce petit restaurant où l'on mange au comptoir est le *tori-soba* (nouilles au poulet dans un bouillon ; 650 ¥). Menu en japonais uniquement. Repérez le grand *noren* en toile bleue (enseigne indiquant que le restaurant est ouvert), face à la Chūgoku Bank.

Quiet Village Curry Shop (☎ 231-4100 ; 1-6-43 Omote-chō ; plats 780-1 000 ¥ ; 🕑 11h30-19h, fermé lun). Ce minuscule restaurant spécialisé dans les curries se résume à une longue table. Le menu est en japonais uniquement, mais le personnel parle un peu anglais. Le curry de poulet et le *dahl* coûtent 780 ¥ chacun.

Okabe (☎ 222-1404 ; 1-10-1 Omote-chō ; plats 800-850 ¥ ; 🕑 11h30-14h30, fermé dim). Ce restaurant situé en angle de rue se reconnaît à une grande enseigne représentant un vendeur de tofu coiffé d'un chapeau de paille. Passez commande au comptoir et regardez les cuisinières qui émincent le tofu et le font frire. Le menu n'offre que deux choix : l'*okabe teishoku* (plusieurs types de tofu ; 800 ¥) et le *nama yuba don teishoku* ("peau de tofu" séchée sur du riz, accompagnée de soupe ; 850 ¥).

Biroku Omote-chō Koroku (☎ 227-0569 ; 2-4-56 Omote-chō ; plats 800-1 500 ¥ ; 🕑 17h-23h, fermé mar). Petit *izakaya* (bar-restaurant) décontracté dans une rue paisible proche de Shiroshita-suji. Les sympathiques propriétaires servent des poissons provenant de la mer Intérieure, notamment de l'*anago tempura* (beignet d'anguille ; 1 000 ¥) et du *shimesaba* (maquereau au vinaigre ; 800 ¥). Au menu également : un *otsukuri moriawase* (assortiment de sashimis ; 1 500 ¥ minimum). Tournez à droite au bout de Momotarō-Ōdōri à côté du Comfort Inn, puis encore à droite à hauteur des seconds feux de circulation. Prenez ensuite la première à gauche. Le restaurant est sur la gauche.

Sakuraya (☎ 223-5318 ; 1-8-21 Nodaya-chō ; plats 800-1 800 ¥ ; 🕑 17h-22h30, fermé dim). Cet *izakaya* bien éclairé est rattaché au restaurant voisin, plus formel. Les excellents poissons de la mer Intérieure dominent la carte (en japonais uniquement), aux côtés des *tempura*, des *kara-age*

(morceaux de poulet frit) et autres classiques. Vous pourrez aussi goûter au *sashimi tenko mori* (assortiment de sashimis) à partir de 1 000 ¥/pers, et à environ 40 *jizake* (sakés locaux) différents, moyennant 500 ¥ minimum. Le restaurant, petit, a une devanture vitrée.

Padang Padang (☎ 223-6665 ; 1-7-10 Omote-chō ; plats 1 000-2 000 ¥ ; 🕑 18h-24h, fermé mar). En dépit de son nom, ce restaurant propose principalement des plats d'influence française et italienne, comme l'*Iberiko-buta hone-tsuki rōsu* (porc rôti ; 1 880 ¥). Situé dans Shiroshita-suji, près du château, il est également très agréable pour boire un verre de vin après une journée de visite. Cherchez le bâtiment vitré en rez-de-chaussée, sur la droite en partant du château.

Où prendre un verre

Izayoi No Tsuki (☎ 222-2422 ; 1-10-2 Ekimae-chō ; 🕑 17h-24h). Ce pittoresque *izakaya* situé à l'angle d'une rue dans la galerie du Sky Mall est à 5 minutes à pied de la gare. Sa carte propose 150 sakés originaires de la préfecture d'Okayama (à partir de 450 ¥) et plusieurs bières brassées localement dans des microbrasseries. Le nom du bar est inscrit en grands caractères sur le mur, à gauche en partant de la gare.

Aussie Bar (☎ 223-5930 ; 1-10-21 Ekimae-chō ; 🕑 19h-3h). Bar décontracté tenu par des Australiens, où se retrouvent les expatriés anglophones de la ville et leurs amis nippons. On peut boire notamment de la Coopers Sparking Ale en provenance d'Adelaïde (600 ¥).

Saudade Na Yoru (☎ 234-5306 ; 2ᵉ niv, Shiroshita Bldg, 10-16 Tenjin-chō ; plats 650-1 000 ¥ ; 🕑 18h-3h). Lounge-bar chic installé au 2ᵉ niveau et donnant sur le bâtiment Symphony Hall. La plupart des boissons coûtent environ 700 ¥ ; choix de plats restreint à disposition également (pâtes et riz au curry, de 700 ¥ à 800 ¥). Un droit d'entrée de 300 ¥ s'applique après 21h.

Fukuda Chaya (1-5 Kōraku-en ; 🕑 7h30-18h avr-sept, 8h-17h oct-mars). Vieille maison de thé située sur la petite île de Naka-no-shima, dans le Kōraku-en, où l'on déguste du *matcha* (thé vert en poudre) moyennant 800 ¥/personne.

Achats

Okayama-ken Kankō Bussan Centre (☎ 234-2270 ; 🕑 10h-20h, fermé 2ᵉ mar du mois). Dans le Symphony Hall, ce centre commercial propose un choix intéressant de souvenirs venus des quatre coins de la préfecture, notamment des poteries Bizen-yaki, des objets artisanaux et du saké.

Depuis/vers Okayama

L'**aéroport d'Okayama** (☎ 294-1811 ; 1277 Nichíyöji ; www.okayama-airport.org/en/) est à 20 km au nord-ouest de la gare. Il y a des vols pour Kagoshima (29 500 ¥, 1 heure 25), Naha (34 200 ¥, 2 heures), Sapporo (44 000 ¥, 1 heure 45) et Tōkyō (30 200 ¥, 1 heure 10), ainsi que Beijing (Pékin), Guam, Séoul et Shanghai. Des bus (680 ¥, 30 min) se rendent à l'aéroport depuis la gare d'Okayama.

Les ferries à destination de Shōdo-shima partent toutes les heures du port (新岡山港 ; 1 000 ¥, 1 heure 10), qui est à 40 minutes en bus du centre-ville. Les bus partent de l'arrêt n°8 situé devant la gare (480 ¥, 2 à 4/heure).

Grâce aux réguliers *shinkansen* de la ligne de San-yō, Okayama est reliée à Hiroshima (5 350 ¥, 35 min) et Hakata (Fukuoka ; 11 550 ¥, 2 heures) vers l'ouest, ainsi qu'à Ōsaka (5 350 ¥, 45 min), Kyōto (6 820 ¥, 1 heure) et Tōkyō (15 850 ¥, 3 heures 30). La ligne JR Hakubi relie Okayama et Yonago (4 620 ¥, 2 heures), dans le Tottori-ken. Il y a fréquemment des trains pour Takamatsu, sur Shikoku ; le plus pratique est le *kaisoku* (train rapide ; 1 470 ¥, 1 heure), qui passe 2 à 3 fois/heure.

Comment circuler

La ligne de tramway Higashi-yama dessert les grands sites touristiques. Le prix du billet est de 100 ¥, quelle que soit votre destination au centre-ville.

JR Eki-Rinkun Rent-a-cycle (☎ 223-7081 ; ⏰ 7h-23h) loue des vélos moyennant 300 ¥ par jour. **Eki Rent-a-Car** (☎ 224-1363 ; 1-1 Ekimoto-chō ; ⏰ 8h-20h), juste à côté, propose la location de voiture à partir de 5 770 ¥ les 24 heures.

BIZEN 備前

☎ 0869 / 42 000 habitants

La région de Bizen est réputée pour ses poteries et céramiques depuis la période de Kamakura (1185-1333). Ses poteries non vernissées aux teintes sobres sont prisées depuis des siècles par les experts de la cérémonie du thé. Cette tradition étant toujours florissante, les amateurs seront intéressés par une excursion d'Okayama jusqu'à la ville d'Imbe et à ses fours.

La "ville" de Bizen est en fait une vaste zone administrative englobant les montagnes, les rizières et les petites agglomérations situées à l'est d'Okayama. La plupart des sites intéressants dans le domaine de la céramique sont à courte distance à pied de la gare d'Imbe

(伊部), elle-même accessible grâce à la ligne Akō depuis Okayama. Le **comptoir d'information touristique** (☎ 64-1100 ; ⏰ 9h-18h) à gauche en sortant de la gare fournit des cartes.

Le 2ᵉ niveau de la gare accueille une galerie gérée par la **société des amis des Bizen-yaki** (岡山県備前焼陶友会 ; ☎ 64-1001 ; entrée libre ; ⏰ 9h30-17h30, fermé mar). Grand choix de céramiques contemporaines mis en vente.

Dans le grand bâtiment en ciment à plusieurs niveaux situé tout de suite à droite en sortant de la gare, le **musée d'Art de la céramique de Bizen de la préfecture d'Okayama** (岡山県備前陶芸美術館 ; ☎ 64-1400 ; entrée 500 ¥ ; ⏰ 9h30-17h, fermé lun) abrite des pièces datant de la période de Muromachi (1333-1568) et de Momoyama (1568-1600). Le 3ᵉ niveau est consacré aux pièces exécutées par plusieurs artistes contemporains qui ont été désignés "Trésors nationaux vivants".

La cheminée du four de **Tōkei-dō** (桃蹊堂 ; ☎ 64-2147 ; 1527 Imbe ; entrée libre ; ⏰ 10h-16h) est visible depuis la gare. Elle se dresse droit devant sur l'artère principale qui part de la gare en direction du nord. On trouve quelques galeries dans cette rue, et quantité d'autres installées tout au bout, à gauche et à droite. En prenant à droite au bout de cette rue, vous rejoindrez l'**Amatsu-jinja** (天津神社), le sanctuaire de la région orné de belles céramiques Bizen-yaki représentant les animaux du zodiaque chinois.

Dans le secteur, plusieurs fours permettent de s'essayer à la fabrication de poteries, mais il faut impérativement réserver à l'avance. On parle un peu anglais à **Bishū Gama** (備州窯 ; ☎ 64-1160 ; bisyu@gift.or.jp ; 302-2 Imbe Bizen-shi ; ⏰ 9h-15h), où une séance de tour de potier vous coûtera de 2 625 ¥ à 3 675 ¥. Pour venir, tournez à droite en sortant de la gare et parcourez environ 800 mètres jusqu'à l'intersection avec la grande artère suivante. Le four se trouve alors à gauche du croisement, dans une petite rue. Il suffit d'une heure à une heure et demie pour réaliser son propre chef-d'œuvre, mais il faut ensuite s'arranger pour se le faire expédier par bateau après cuisson. À la gare, le **centre de poterie traditionnelle Bizen-yaki** (備前焼伝統産業会館 ; cours 3 150-3 675 ¥ ; ⏰ 10h-17h) propose des cours le week-end et pendant les vacances.

Il y a un train direct par heure pour Imbe au départ de la gare d'Okayama (570 ¥, 40 min) sur la ligne Akō (赤穂線). Ce train est à destination de Banshū-Akō (播州赤穂) et Aioi (相生).

LA PISTE CYCLABLE DE LA PLAINE DE KIBI

Ce parcours à travers la campagne des environs d'Okayama englobe plusieurs temples et sanctuaires, un tertre (tumulus) funéraire, et une ancienne brasserie à saké. Pour rejoindre le point de départ de l'itinéraire, prenez un train régional de la ligne JR Kibi à Okayama et arrêtez-vous trois arrêts plus loin à Bizen Ichinomiya (備前一宮). Vous pourrez alors suivre le parcours de 15 km vers l'ouest jusqu'à la gare de Sōja (総社), restituer votre vélo à cet endroit et prendre le train retour pour Okayama. La plus grande partie du trajet s'effectue sur une piste cyclable.

Vous pouvez louer un vélo (1 000 ¥) chez **Uedo Rent-a-Cycle** (☎ 086-284-2311 ; ☯ 9h-18h), juste devant la gare JR de Bizen Ichinomiya, et récupérer sur place une carte de l'itinéraire en japonais. Tournez deux fois sur la droite afin de traverser la ligne de chemin de fer, et arriver au **Kibitsuhiko-jinja** (吉備津彦神社), un sanctuaire devant lequel se tient un petit étang. De là, vous parviendrez très vite à la piste cyclable qui suit un canal à travers champs avant de rejoindre la route, juste avant le temple de Fukudenkai (福田海本部). À 200 m de là se trouve le **Kibitsu-jinja** (吉備津神社). Cet important sanctuaire est dédié à un guerrier du temps jadis qui réussit à soumettre un bandit/démon appelé Ura et à prendre le contrôle de la région. Pour beaucoup de gens, ces exploits sont à l'origine de la légende de Momotarō (voir l'encadré p. 459). Vous verrez d'ailleurs le visage poupin et souriant de Momotarō sur les tablettes votives installées devant le sanctuaire.

En continuant le long du parcours, vous passerez devant le **Koikui-jinja** (鯉喰神社), situé un peu en retrait de l'itinéraire, au bord de la rivière. Un peu plus loin, le **Tsukuriyama-kofun** (造山古墳), tumulus du Vᵉ siècle, s'élève telle une petite colline au-dessus de la plaine environnante. Ce *kofun*, quatrième sépulture du Japon par la taille, marquerait le site où repose le roi qui régnait sur la région de Kibi lorsque celle-ci était une puissance rivale de la cour du Yamato, qui finit par gouverner tout le pays.

La grande étape suivante est le temple **Bitchū Kokokun-ji** (備中国分寺) et sa pagode à cinq étages. L'édifice le plus ancien date de la période d'Edo. Pourtant, le tout premier temple érigé sur le site le fut au VIIIᵉ siècle. En allant vers la porte principale, on passe devant les vestiges excavés de la structure d'origine. Le grand bâtiment blanc de l'autre côté de la route, en face du temple, est le **musée de la brasserie de saké Miyake** (三宅酒造資料館, ☎ 086-692-0075 ; entrée 400 ¥ ; ☯ 9h-16h30, fermé lun). Cette brasserie appartient à la même famille depuis plus de 100 ans. Son petit musée expose des objets anciens en rapport avec la fabrication du saké. Il est possible d'y faire une dégustation et d'acheter du saké.

De là, il ne vous restera plus qu'à pédaler quelques kilomètres pour rejoindre Sōja, où vous pourrez rendre votre vélo chez **Araki Rent-a-Cycle** (☎ 086-692-0233 ; ☯ 9h-18h), devant la gare.

HATTŌJI 八塔寺

☎ 0869 / 42 000 habitants

Hattōji, paisible localité agricole, est située sur un plateau dans l'est de la préfecture. On a l'impression de remonter le temps en venant ici : il n'y a ni boutiques, ni circulation automobile, ni bruit.

La **villa internationale de Hattōji** (八塔寺国際交流ヴィラ ; ☎ 85-0254 ; 1193 Kagami Yoshinaga-chō Bizen-shi), une ferme restaurée, fait partie des établissements fondés à la fin des années 1980 dans le but d'héberger les touristes étrangers. Malgré des coupes budgétaires en 2009, cette villa restera ouverte. Pour réserver, adressez-vous à l'**International Villa Group** (☎ 086-256-2535 ; fax 086-256-2576 ; www.harenet.ne.jp/villa) à Okayama. Le tarif est de 3 500 ¥ par personne.

On peut aussi loger au **Hattōji Furusatokan** (八塔寺ふるさと館 ; ☎ 85-0333 ; cottage 3 500 ¥/pers) qui compte un restaurant. La seule autre adresse où se restaurer s'appelle **Nozomigaoka** (望ヶ丘 ; ☎ 85-0252 ; ⏲ horaires aléatoires, fermé en soirée). Tenu par un cow-boy japonais, elle propose un fameux *nabe* (ragoût) de canard. Si vous logez à la villa, vous devrez vous approvisionner en victuailles à Yoshinaga.

Des bus irréguliers (200 ¥, 30 min) se rendent à Hattōji au départ de la gare de Yoshinaga, sur la ligne JR San-yō, accessible par des trains partant toutes les heures d'Okayama.

KURASHIKI 倉敷

☎ 086 / 476 000 habitants

Le principal atout de Kurashiki est le quartier d'édifices anciens qui s'élèvent au bord du canal. Parmi eux, de pittoresques entrepôts noir et blanc ont été transformés en musées.

À l'époque féodale, ces entrepôts étaient utilisés pour stocker le riz, transporté par bateau depuis la campagne environnante. Plus tard, la ville devint un important centre textile, grâce à la compagnie textile Kurabō. Son propriétaire, Ōhara Magosaburō, rassembla une collection d'art occidental avant d'ouvrir le musée d'Art Ōhara dans les années 1920. Premier des musées de la ville, il reste aujourd'hui le plus beau. La plupart des sites de Kurashiki sont fermés le lundi.

Orientation

Le vieux quartier de Bikan (美観地区), où sont rassemblés bâtiments anciens et musées, se situe à environ 1 km de la gare. Tous les sites touristiques sont installés le long du canal, à quelques minutes à pied les uns des autres.

Renseignements

Le **guichet d'information touristique** (☎ 424-1220 ; 2ᵉ niv, Kurashiki City Plaza, 1-7-2 Achi ; accès Internet gratuit ; ⏲ 9h-19h), à droite en sortant de la gare, a un personnel anglophone. Le **Kurashikikan** (☎ 422-0542 ; 1-4-8 Chūō ; ⏲ 9h-18h avr-oct, 9h-17h15 nov-mars), près du pont Naka-bashi au niveau du coude du canal, abrite un bureau d'information, de même qu'un lieu de repos.

À voir

Entre la gare et le quartier du canal se trouve la **maison Ōhashi** (Ōhashi-ke Jūtaku ; ☎ 422-0007 ; 3-21-31 Achi ; entrée 500 ¥ ; ⏲ 9h-17h, fermé lun), construite en 1793 et superbement restaurée. Appartenant à l'une des plus riches familles de Kurashiki, cette demeure fut édifiée à l'époque où les négociants prospères commencèrent à revendiquer les privilèges autrefois uniquement accordés aux samouraïs. Certains éléments architecturaux utilisés étaient en principe réservés aux membres de la classe dirigeante.

Se distinguant par sa grandiose façade classique, le superbe **musée d'Art Ōhara** (☎ 422-0005 ; 1-1-15 Chūō ; entrée 1 000 ¥ ; ⏲ 9h-17h, fermé lun) abrite une collection d'œuvres d'art européennes pour l'essentiel, constituée par le magnat du textile Magosaburō Ōhara (1880-1943). Ce musée fut l'un des premiers au Japon à être entièrement consacré à l'art moderne européen. On y voit entre autres des œuvres de Picasso, Cézanne, El Greco et Modigliani (généralement une toile par peintre). C'est l'un des sites les plus prisés des touristes japonais.

Le billet, valable toute la journée, donne également accès aux collections d'art populaire et d'art asiatique du musée, ainsi qu'à la collection d'art japonais contemporain installée dans l'**annexe**, derrière le bâtiment principal.

Occupant un bel ensemble d'entrepôts à riz de la fin du XVIIIᵉ siècle, le **musée des Arts populaires de Kurashiki** (☎ 422-1637 ; 1-4-11 Chūō ; entrée 700 ¥ ; ⏲ 9h-17h mars-nov, 9h-16h15 déc-fév, fermé lun) permet d'admirer des céramiques, des objets en verre, des tissus et du mobilier.

Un peu plus bas dans la même rue, le **musée du Jouet rural du Japon** (☎ 422-8058 ; 1-4-16 Chūō ; entrée 400 ¥ ; ⏲ 9h-17h) se compose de 4 salles où sont exposés des cerfs-volants traditionnels, des poupées et des toupies.

À courte distance à pied du quartier du canal, des marches en pierre escarpées mènent à l'**Achi-jinja** (☎ 425-4898 ; 12-1 Honmachi) et au **Tsurugata-yama-kōen**, un parc surplombant la partie ancienne de la ville.

IVY SQUARE アイビースクエア
C'est là que se trouvaient jadis les usines de textile Kurabō, propriété de Magosaburō Ōhara. Il y a longtemps que celles-ci ont déménagé dans des locaux plus modernes, si bien que la bâtisse en brique rouge (datant de 1889) abrite désormais un hôtel, des restaurants, des boutiques et des musées. Les amateurs pourront au choix écouter des **concerts de boîtes à musique** (musée Kurashiki Ivy Square Orgel ; billet 500 ¥ ; toutes les heures à partir de 10h), se plonger dans l'histoire de l'industrie textile japonaise au **musée mémorial Kurabō** (422-0011 ; entrée 300 ¥ ; 9h-17h), ou se familiariser avec la vie de Torajirō Kojima – le peintre au style européen qui aida Ōhara à rassembler sa collection de tableaux – au **musée mémorial Torajirō Kojima** (422-0005 ; entrée 500 ¥ ; 9h-17h, fermé lun).

Où se loger

Kurashiki est un bon endroit pour s'offrir une nuit dans un *ryokan* (auberge traditionnelle). Sinon, un court trajet de 14 minutes en train permet de rejoindre Okayama, où le choix d'hébergements et de restaurants est vaste.

Kurashiki Youth Hostel (422-7355 ; www.jyh.or.jp/ english/chugoku/kurasiki/index.html ; 1537-1 Mukōyama ; dort membres/non-membres 2 940/3 540 ¥ ;). Au sud du quartier du canal, au bout d'une montée en pente raide de 25 minutes qui part d'Ivy Square, cette belle auberge de jeunesse installée au sommet d'une colline surplombe le secteur de Bikan. Possibilité de prendre ses repas sur place. À la gare, prenez le bus 6, descendez à Shimin-kaikan-mae (市民会館前), puis montez en traversant le cimetière.

Dormy Inn Kurashiki (426-5489 ; fax 426-5455 ; in-kurashiki@dormy-hotels.com ; 3-21-11 Achi ; s/lits jum à partir de 5 000/8 000 ¥ ;). Nouvel hôtel situé entre la gare et le quartier touristique. Chambres confortables. Onsen au dernier étage.

Tōyoko Inn (430-1045 ; www.toyoko-inn.com ; 2-10-20 Achi ; s/lits jum 5 250/6 300 ¥ ;). Proche de la gare, à côté d'une épicerie Lawson. L'endroit est assez exigu mais propre et plutôt douillet. Connexion Internet (réseau LAN) dans toutes les chambres, et PC à la réception. Un petit-déjeuner frugal est compris.

Kurashiki Sakura Stay (435-7001 ; www.sakurastay. jp, en japonais ; 1-9-4 Chūō ; s/lits jum 6 300/10 500 ¥ ;). Cet hôtel d'un blanc éclatant, à 5 minutes à pied à l'ouest du canal, est en fait un "centre de mariage" déguisé en *business hotel*. Chambres petites mais propres.

Kurashiki Kokusai Hotel (422-5141 ; www. kurashiki-kokusai-hotel.co.jp ; 1-44-1 Chūō ; s/lits jum à partir de 9 450/14 700 ¥ ;). Quoiqu'un peu défraîchi, cet hôtel Art déco ayant un emplacement idéal s'orne de boiseries, de carreaux de céramique et de fresques murales peintes par des artistes locaux. Certaines chambres ont vue sur le musée Ōhara et ses jardins.

Ryokan Tsurugata (424-1635 ; www.mmd.co.jp/ tsurugata, en japonais ; avec 2 repas 13 800-33 600 ¥/pers ;). Hébergement de style japonais dans un édifice du quartier historique réaménagé. Les chambres donnent sur un jardin. Les repas font la part belle aux poissons et fruits de mer.

Hotel Nikkō Kurashiki (423-2400 ; www. nikko-kurashiki.com ; 3-21-19 Achi ; s/lits jum à partir de 22 000/30 000 ¥ ;). Cet immeuble moderne dominant la maison Ōhashi, à courte distance à pied du quartier historique, abrite un *business hotel* de standing. Chambres confortables et

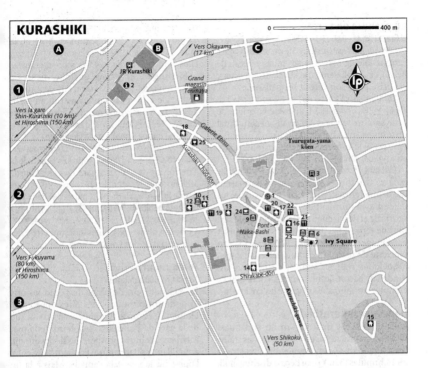

KURASHIKI

0 ————— 400 m

Vers Okayama
(17 km)

JR Kurashiki

Vers la gare
Shin-Kurashiki (10 km)
et Hiroshima (150 km)

Grand
magasin
Tennaya

Galerie Ebisu

Tsurugata-yama
kōen

Kurashiki Chūō-dōri

Pont
Naka-Bashi

Ivy Square

Vers Fukuyama
(80 km)
et Hiroshima
(150 km)

Shirakabe-dōri

Kurashiki-kawa

Vers Shikoku
(50 km)

spacieuses avec jolie vue sur la ville. Plusieurs restaurants et bars sur place.

Ryokan Kurashiki (☎ 422-0730 ; fax 422-0990 ; www.ryokan-kurashiki.jp ; 4-1 Honmachi ; avec 2 repas à partir de 28 000 ¥/pers ; **P**). Au bord du canal, en plein cœur du quartier historique, cet établissement englobe plusieurs édifices de la période d'Edo très bien restaurés. C'est sans doute le plus beau *ryokan* de Kurashiki. Un agréable café donne sur le jardin. Le dîner consiste en un *kaiseki* (haute cuisine japonaise), c'est-à-dire un menu de plusieurs plats dont des spécialités à base de poissons et fruits de la mer Intérieure.

Où se restaurer

Kamoi Restaurant (☎ 422-0606 ; 1-3-17 Chūō ; 🕒 10h-18h, fermé mer). Agréable restaurant au bord du canal, et en face du musée Ōhara. Au menu, illustré par des photos, on trouve un *sashimi teishoku* (2 100 ¥), de l'*unajū* (anguille grillée servie sur du riz, 1 890 ¥) et des *mamakari-zushi* (sushis à la sardine ; 1 050 ¥).

Kana Izumi (☎ 421-7254 ; 8-33 Honmachi ; 🕒 11h-20h, fermé lun). Les plats au *sanuki-udon* (nouille à la farine de blé) comme le *tempura udon* (780 ¥) sont le principal atout de ce restaurant à la

façade traditionnelle situé en retrait du canal. Reproductions en plastique des plats exposées en vitrine. Du côté des menus, vous avez le choix entre le *mamakari teishoku* (840 ¥), le *tempura teishoku* (1 780 ¥), etc.

Iwakura (☎ 427-3100 ; 2-1-18 Chūō ; 🕒 11h-14h et 17h-22h30 lun-sam, jusqu'à 21h30 dim). Établissement modeste aux airs d'*izakaya*, en face de l'hôtel Dormy Inn et spécialisé dans les poissons et fruits de mer de la mer Intérieure. Quelques photos illustrent la carte. Le *sashimi moriawase* (assortiment de sashimis) coûte 2 100 ¥. Pour le *tempura moriawase*, comptez 1 050 ¥.

Mamakari-tei (☎ 427-7112 ; 3-12 Honmachi ; 🕒 11h-14h et 17h-22h, fermé lun). Cette adresse traditionnelle installée dans un entrepôt vieux de 200 ans tire sa réputation du poisson local, proche de la sardine, dont elle a fait sa spécialité. Ce poisson étant supposé déclencher des envies de fête incontrôlables, les convives sont invités à *kari* (emprunter) du *mama* (riz) à leurs voisins de sorte à pouvoir continuer à boire. Menu en japonais. Le *mamakari-zushi* est le plat le moins cher (840 ¥). Parmi les menus servis uniquement au déjeuner figure le *mamakari teishoku* (2 625 ¥).

Où prendre un verre

El Greco (☎ 422-0297 ; 1-1-11 Chūō ; café à partir de 500 ¥ ; ⏰ 10h-17h, fermé lun). Juste à côté du musée Ōhara (impossible de manquer ses murs tapissés de lierre), cet établissement accueillant et spacieux est prisé pour son café et ses pâtisseries.

Coffee-Kan (☎ 424-5516 ; 4-1 Honmachi ; café 500-850 ¥ ; ⏰ 10h-17h mar-dim). L'intérieur en brique de cette sombre taverne, située au bord du canal juste un peu plus bas que le Ryokan Kurashiki, embaume le café fraîchement torréfié. Carte en anglais. On ne sert pas de repas.

SWLABR (☎ 434-3099 ; 2-18-2 Achi ; ⏰ 11h30-3h, fermé jeu). Une fois les établissements du quartier de Bikan fermés, prenez le temps de vous détendre en profitant de l'agréable ambiance musicale et de l'accueil chaleureux. On ne sert plus de repas à partir de 18h, mais le douillet bar-lounge reste ouvert tard. Repérez la maison couverte de planches en bois vertes à l'angle, à quelques rues au sud-est de la gare. Un sandwich bacon/laitue/tomates coûte 800 ¥ ; comptez au moins 600 ¥ pour les cocktails.

Depuis/vers Kurashiki

Kurashiki n'est qu'à 17 km au sud-ouest d'Okayama. Au départ d'Okayama, des trains de la ligne San-yō font régulièrement le trajet en 14 minutes (320 ¥). Au départ de Kurashiki, il faut compter 40 minutes jusqu'à Fukuyama (740 ¥) dans le Hiroshima-ken.

Comment circuler

Depuis la gare, 15 minutes de marche suffisent à rejoindre le quartier du canal, d'où l'on peut facilement explorer la ville à pied.

HIROSHIMA-KEN
広島県

Outre les sites de la capitale cosmopolite de la préfecture, le Hiroshima-ken se distingue notamment par l'île de Miyajima et son sanctuaire, par le ravissant port de pêche de Tomo-no-ura et par les paysages spectaculaires de la gorge de Sandan-kyō, au nord de la préfecture.

SUD DU HIROSHIMA-KEN 広島県南部
Fukuyama 福山
☎ 084 / 462 000 habitants

Fukuyama est une ville industrielle sans grand attrait. Son emplacement sur la principale ligne de *shinkansen* en fait un point de départ très pratique pour visiter le port de pêche de Tomo-no-ura (530 ¥, 30 min en bus) ou la ville d'Onomichi (400 ¥, 20 min en train), elle-même porte d'accès à la mer Intérieure.

Si vous devez passer quelques heures à Fukuyama, vous pouvez visiter l'un des musées de la ville ou le château reconstruit au sortir de la gare. Vous trouverez un **office du tourisme** (☎ 922-2869 ; ⏰ 8h30-17h15) dans la gare principale. Le **musée japonais de la Chaussure** (日本はきもの博物館 ; ☎ 934-6644 ; 4-16-27 Matsunaga-chō ; entrée 1 000 ¥ ; ⏰ 9h-17h), à 5 minutes à pied de la gare voisine de Matsunaga, retrace l'histoire de la chaussure, des sandales aux après-ski. À deux pas de la gare également, le **musée de l'Horloge et de l'Automobile de Fukuyama** (福山自動車時計博物館 ; ☎ 922-8188 ; 3-1-22 Kita-Yoshizu ; entrée 900 ¥ ; ⏰ 9h-18h) abrite de vieilles camionnettes, des bus ainsi que des voitures anciennes.

Tomo-no-ura 鞆の浦
☎ 084 / 5 000 habitants

Le ravissant port de pêche de Tomo-no-ura, doté de pittoresques rues anciennes et de temples, n'est qu'à 30 minutes en bus au sud de la gare de Fukuyama. Au bord de la mer Intérieure, ce port a prospéré des siècles durant, accueillant les bateaux qui faisaient halte entre l'ouest du Japon et la capitale. Mais à la fin du XIXe siècle, l'arrivée des bateaux à vapeur marqua la fin de son âge d'or.

Si la cité portuaire n'est pas restée totalement intacte – plusieurs grands hôtels en béton se sont par exemple chargés de gâcher un peu le paysage – le vieux port et les rues étroites et sinueuses qui l'entourent ont conservé tout le charme de la période d'Edo. Quant à la vue magnifique sur la mer, elle n'a guère changé depuis qu'un émissaire coréen l'a décrite en 1711 comme "la plus belle du Japon".

Vous trouverez brochures et cartes à la gare JR de Fukuyama ainsi que dans divers hôtels de Tomo-no-ura. On peut louer des vélos (300 ¥/2 heures) au kiosque installé à côté du terminal des ferries. La ville étant assez petite, elle se visite aisément à pied en une demi-journée.

Sensui-jima, située à 5 minutes en ferry (dessertes fréquentes, 240 ¥ aller-retour, 5 min), compte un camping et quelques hôtels. La vue y est particulièrement belle au coucher.

À VOIR

Tout en haut de la colline qui s'élève derrière le terminal des ferries se trouve le **Musée historique** de **Tomo-no-Ura** (鞆の浦歴史民俗資料館 ; ☎ 982-1121 ; entrée 150 ¥ ; ☺ 9h-17h, fermé lun). Au même endroit se tenait jadis le château dont il ne reste rien, hormis quelques fondations. De là, des marches descendent vers un labyrinthe de ruelles étroites bordées de maisons anciennes et de boutiques, quartier qui mène ensuite au port. Près du débarcadère des ferries, le **temple Fukuzenji** (福禅寺) date du Xe siècle. Attenant au temple, le **Taichōrō** (対潮楼 ; entrée 200 ¥ ; ☺ 8h-17h) fut construit dans les années 1690. De là, on a vue sur un étroit chenal et plus loin, sur l'île inhabitée de Benten-jima et son sanctuaire. La route qui part d'ici pour longer le littoral aboutit à la principale zone portuaire, dominée par le **Jōyatō** (常夜燈), la lanterne en pierre qui servait jadis de phare. Près de la lanterne se trouve l'ancienne **résidence Ōta** (太田家住宅 ; ☎ 982-3553 ; entrée 400 ¥ ; ☺ 10h-17h, fermé mar), un bel ensemble d'édifices restaurés datant du milieu du XVIIIe siècle. Une visite guidée fait découvrir ce site impressionnant, à la fois résidence familiale et lieu de travail. Brochure explicative en anglais disponible.

Une dizaine de temples sont disséminés dans la zone du port et légèrement en retrait. Au sommet d'une colline escarpée à l'ouest du port, le **Iō-ji** (医王寺) aurait été fondé par Daishi Kōbō vers la fin du premier millénaire. Un sentier mène du temple au sommet d'un escarpement d'où la vue est superbe. Le principal sanctuaire shintō de la ville est le **Nunakuma-jinja** (沼名前神社). Il date de la période de Heian mais l'édifice actuel est une reconstruction moderne. On peut néanmoins admirer quelques éléments intéressants dans l'enceinte du temple, notamment une scène de nō qui a appartenu jadis au seigneur de guerre Hideyoshi Toyotomi. Les éléments de la scène sont numérotés afin de faciliter le démontage. Apparemment, on l'aurait transporté sur le champ de bataille pour y programmer des moments de détente. À droite du sanctuaire principal, on peut voir d'énormes meules gravées de caractères chinois. Lors de certaines fêtes, les manutentionnaires qui chargeaient et déchargeaient les bateaux dans le port se lançaient le défi de les soulever.

Le bâtiment et la boutique de l'**usine de conditionnement des produits de la mer Amo Chinmi** (阿藻珍味) se trouvent à l'extrémité ouest du port. En partant du port, longez le littoral pendant environ 10 minutes jusqu'à atteindre le jardin d'enfants (鞆平保育所) sur la gauche. Là, repérez le grand bâtiment sur la droite portant des kanji et entouré d'un cercle. Dans l'enceinte

de l'usine, **Uonosato** (うをの里 ; ☎ 982-3333 ; 1567-1 Ushiroji Tomo-chō ; entrée libre, cours de cuisine à partir de 600 ¥ ; ☺ 9h-17h, fermé lun) conditionne l'essentiel des poissons pêchés localement. Vous pourrez voir les ouvriers fabriquer des *sembei* (biscuits de riz salés) aux crevettes et des *chikuwa* (saucisses de poisson), et même vous essayer à les imiter. Tomo-no-ura est aussi réputé pour son *homei-shu* (保命酒), liqueur médicinale à base de riz, de *shōchū* (alcool distillé de pomme de terre et d'orge) et de 16 variétés de plantes. Quatre distilleries sont encore en activité. Des étals permettant de goûter à cette liqueur sont installés à quelques rues en retrait du front de mer.

OÙ SE LOGER ET SE RESTAURER
Tomo Seaside Hotel (鞆シーサイドホテル ; ☎ 983-5111 ; www.tomonoura.co.jp, en japonais ; avec/ sans 2 repas à partir de 6 800/4 179 ¥/pers ; ℗). Proche des sites regroupés "sur le continent", cet hôtel un peu défraîchi accueille surtout des familles et des groupes en voyage organisé. Toutes les chambres sont pourvues de tatamis. Vous trouverez un onsen au rez-de-chaussée.

Kokuminshukusha Sensui-jima (国民宿舍仙酔島 ; ☎ 970-5050 ; www.tomonoura.co.jp ; 3373-2 Ushiroji Tomo-chō ; à partir de 7 800 ¥/pers repas compris ; ℗ ✕). Sur la plage, c'est l'hébergement pratiquant les tarifs les plus raisonnables de l'île de Sensui-jima. Chambres à la japonaise et à l'occidentale, et bains très agréables.

Keishōkan Sazanami-tei (景勝館漣亭 ; ☎ 982-2121 ; www.keishokan.com, en japonais ; 421 Tomo Tomo-chō ; avec 2 repas à partir de 17 850 ¥/pers). Sur le front de mer, à proximité du débarcadère des ferries, luxueux *ryokan* proposant un choix impressionnant de bains dans lesquels faire agréablement trempette. Côté nourriture, on déguste du poisson frais de la mer Intérieure. Il y a un spa sur place, et certaines chambres sont pourvues de *rotemburo* (bains extérieurs).

@Cafe (☎ 982-0131 ; Jōyatōmae Tomo-chō ; repas 400-900 ¥ ; ☺ 11h-20h jeu-mar). Café moderne, agréable et spacieux, occupant un édifice vieux de 150 ans à côté du phare en pierre dans le port. Carte de pâtes et autres plats pour environ 1 000 ¥. Comptez, par exemple, 1 000 ¥ pour un plat de pâtes aux olives et aux anchois.

Tabuchiya (田渕屋 ; ☎ 983-5085 ; 838 Tomo Tomo-chō ; ☺ 9h-18h30 jeu-mar). Cet établissement installé en angle de rue sert du café (400 ¥) et des repas légers, notamment du *hayashi raisu* (bœuf en sauce avec du riz ; 1 000 ¥). En partant du port, passez devant la résidence Ōta et repérez le *noren* vert sur la gauche.

OUEST DE HONSHŪ

Chitose (千とせ ; ☎ 982-3165 ; 552-7 Tomo Tomo-chō ; ◷ déj et dîner, fermé mar). Juste après le Tomo Seaside Hotel en s'éloignant du débarcadère des ferries. Les menus à base de poissons et fruits de mer coûtent un minimum de 1 300 ¥. Carte en anglais disponible.

DEPUIS/VERS TOMO-NO-URA
Seulement 14 km séparent Fukuyama de Tomo-no-ura. Des bus circulent toutes les 15 minutes depuis l'arrêt n°11, devant la gare JR de Fukuyama (530 ¥, 30 min).

Onomichi 尾道
☎ 0848 / 150 000 habitants
Onomichi est un port maritime sans grand charme, dont les collines sont ponctuées de temples. Le cinéaste Nobuhiko Ōbayashi est né ici, et la ville apparaît dans plusieurs films japonais, notamment *Le Voyage à Tōkyō* d'Ozu. De là, il est possible de rallier la mer Intérieure et de poursuivre jusqu'à Imabari, dans la Ehime-ken, via le système de ponts routiers Shimanami Kaidō. Si vous avez de l'énergie à dépenser, vous pourrez enfourcher un vélo et pédaler jusqu'à Shikoku à partir d'ici (p. 471). L'**office du tourisme** (☎ 20-0005 ; ◷ 9h-18h) est dans la gare d'Onomichi.

À VOIR
La ville moderne s'étend à l'est de la gare, sur une étroite bande entre la voie ferrée et la mer. La plupart des sites d'intérêt se trouvent de l'autre côté de la voie ferrée, dans les ruelles pavées s'étageant à flanc de colline. La **promenade historique des temples** (古寺めぐり) est un sentier bien balisé qui permet de visiter 25 temples anciens disséminés sur le flanc de la colline. Le point de départ du sentier se trouve toute de suite à l'est de la gare : empruntez la route qui va vers l'intérieur des terres et traversez la voie ferrée à hauteur de la statue de Fumiko Hayashi, un auteur originaire du coin. À proximité du quatrième temple du sentier, le Hōdo-ji, vous verrez le **musée de la Littérature d'Onomichi** (文学記念室 ; 13-28 Tsuchidō ; ☎ 22-4102 ; entrée avec la résidence Shiga Naoya 300 ¥ ; ◷ 9h-17h nov-mars, 9h-18h avr-oct, fermé mar, déc-fév), dont les collections traitent de la vie et de l'œuvre de Fumiko Hayashi et d'autres écrivains ayant des liens avec Onomichi. Tout est légendé en japonais, mais le conservateur parle anglais et se fera un plaisir de vous faire faire une longue visite guidée. Juste à côté, dans la **résidence Shiga Naoya** (志賀

直哉旧居 ; ☎ 23-6243 ; 8-28 Tsuchi-dō ; entrée avec le musée de la Littérature d'Onomichi 300 ¥ ; ◷ 9h-17h nov-mars, 9h-18h avr-oct, fermé mar, déc-fév), vécut de 1912 à 1913 un autre auteur majeur de la littérature japonaise du XXᵉ siècle. À peu près à un tiers du chemin sur la promenade des temples, un **funiculaire** (cable car ; aller/aller-retour 280/440 ¥ ; ◷ toutes les 15 min) permet de rejoindre le sommet de la colline et le Senkō-ji, le temple le plus connu et le plus beau d'Onomichi, doté d'un parc agréable.

OÙ SE LOGER ET SE RESTAURER
Onomichi Royal Hotel (尾道ロイヤルホテル ; ☎ 23-2111 ; www.kokusai-hotel.com, en japonais ; 2-9-27 Tsuchido ; s/lits jum à partir de 5 300/10 500 ¥ ; ℗). Sur la route côtière, à une quinzaine de minutes à pied de la gare (tournez à gauche et longez le front de mer), ce modeste *business hotel* est une adresse correcte pour passer la nuit.

Alpha-1 (アルファワン ; ☎ 25-5600 ; www.alpha-1. co.jp/onomichi/, en japonais ; 1-1 Nishi Gosho-machi ; s/lits jum à partir de 5 400/10 000 ¥ ; ℗ ✕ ▣). Confortable *business hotel* tout proche de la gare. Au sortir de cette dernière, tournez tout de suite à droite. L'hôtel est derrière la galerie marchande Fukuya. Connexion Internet (réseau LAN) dans les chambres. Location d'ordinateurs portables. Prêt de vélos gratuits.

Green Hill Hotel Onomichi (グリーンヒルホテル尾道 ; ☎ 24-0100 ; http://gho.hotwire.jp/index_e.html ; 9-1 Higashi Gosho-machi ; s/lits jum à partir de 7 875/15 750 ¥ ; ℗ ▣). Juste au-dessus du port des ferries, à une minute à pied de la gare. Hôtel confortable et bien aménagé, à l'emplacement imbattable. Connexion Internet (réseau LAN) dans toutes les chambres.

Uonobu Ryokan (魚信旅館 ; ☎ 37-4175 ; fax 37-3849 ; www.uonobu.jp, en japonais ; 2-27-6 Kubo ; avec repas à partir de 16 800 ¥/pers ; ℗). Sur le front de mer, élégant établissement à l'ancienne réputé pour ses poissons et fruits de mer. Les non-résidents peuvent se restaurer sur place, mais il faut réserver la veille avant 17h. Depuis la gare, comptez 20 minutes à pied. Ensuite, repérez l'imposant édifice traditionnel sur la droite, juste après la mairie (市役所). Des lanternes en papier sont suspendues à l'extérieur.

Common (茶房こもん ; ☎ 37-2905 ; 1-2-2 Nagae ; ◷ 9h-19h, fermé mar ; ✕). Décoré en noir et blanc, cet agréable café au pied du funiculaire constitue une excellente étape pour s'offrir un café et une pâtisserie à mi-chemin du circuit des temples. Diverses formules café/pâtisserie à 800 ¥ sont proposées.

Onomichi Rāmen Ichibankan (尾道ラーメン壱
番館 ; ☎ 21-1119 ; 2-9-26 Tsuchidō ; ⏰ 11h-20h, fermé ven).
Face au sanctuaire de Sumiyoshi sur le front
de mer, et à 15 minutes à pied de la gare, ce
restaurant spécialisé est une bonne adresse
pour goûter aux *rāmen* (soupe et nouilles)
d'Onomichi, servies avec d'épaisses tranches de
viande de porc. Les *kaku-ni rāmen* (角煮ラー
メン ; nouilles avec des œufs et des morceaux
de viande de porc), plat le plus apprécié, coûtent
890 ¥. La carte est illustrée de photos.

Yamaneko (やまねこ ; ☎ 21-5355 ; 2-9-33 Tsuchidō ;
⏰ 11h30-22h, jusqu'à minuit sam et dim, fermé lun). Café
détendu, situé en angle de rue le long de la route
côtière, juste après le Royal Hotel. Comptez
15 minutes à pied depuis la gare. Il se repère
à son enseigne en anglais arborant des chats.
Les boissons coûtent 500 ¥ minimum, et le
menu propose des sandwichs et des pâtes. Les
pâtes à la carbonara coûtent 900 ¥.

Yasuhiro Sushi (保広寿司 ; ☎ 22-5639 ;
1-10-12 Tsuchidō ; ⏰ déj et dîner, fermé lun). Ce douillet
restaurant à sushis sur le front de mer sert
d'excellents poissons et fruits de mer. L'édifice,
murs blancs et tuiles noires, et à moins de
10 minutes à pied de la gare. Au déjeuner, on
peut opter pour diverses formules, par exemple
le *sashimi teishoku* et l'*anago-don* (anguille
servie sur du riz), à 1 600 ¥ chacune.

DEPUIS/VERS ONOMICHI

Onomichi se trouve, côté Honshū, au bout du
système de ponts routiers Shimanami-Kaidō
qui conduit de l'île jusqu'à Imabari, sur
Shikoku (p. 653). Ceci fait de la ville la porte
d'accès à Inno-shima (p. 486) et Ikuchi-jima
(p. 486), deux îles qui font officiellement partie
d'Onomichi. Neuf ferries quotidiens rallient le
port de Setoda sur Ikuchi-jima (800 ¥, 40 min,
7h20-19h30) via Inno-shima (400 ¥). Il y a aussi
16 bus/jour d'Onomichi à Imabari, sur Shikoku,
avec changement sur Inno-shima (2 200 ¥,
6h40-16h50). Le trajet dure moins de 2 heures,
mais les horaires des correspondances varient.
Renseignez-vous à l'avance. Vous trouverez un
service de **location de vélos** (☎ 22-5332 ; 500 ¥/jour,
caution 1 000 ¥ ; ⏰ 9h-18h) dans le grand parking
attenant au terminal des ferries.

La gare *shinkansen* de Shin-Onomichi est
située à 3 km au nord de la gare desservie par
la ligne JR San-yō. Un service de bus relie les
deux gares, mais il est plus simple d'arriver à
Onomichi en empruntant la ligne JR San-yō
et d'effectuer la correspondance avec la ligne
shinkansen à Fukuyama ou à Mihara.

NORD DU HIROSHIMA-KEN
広島県北部
Sandan-kyō 三段峡

La gorge de Sandan-kyō, à environ 50 km au
nord-ouest de Hiroshima, est le genre d'endroit
où l'on aimerait se perdre quelques jours
durant. Un sentier presque intégralement pavé
suit la Shiki-gawa le long d'un défilé de 11 km,
permettant aux visiteurs de profiter de la forêt,
des cascades et de l'air frais. Beaucoup de
randonneurs viennent ici à l'automne, lorsque
les arbres se parent de splendides couleurs.

Chaque jour, une douzaine de bus circulent
depuis la gare routière de Hiroshima jusqu'à
la gare de Sandan-kyō (1 200 à 1 400 ¥,
1 heure 30), à l'extrémité sud de la gorge. Il
n'y a plus de service ferroviaire. On peut aussi
se rendre à Sandan-kyō en voiture depuis le
Shimane-ken par la Route 191.

HIROSHIMA 広島
☎ 082 / 1 154 000 habitants

Ville dynamique et florissante se distinguant
par sa vie nocturne pleine de vitalité et sa
population cosmopolite, Hiroshima n'évoque
pourtant qu'une seule chose à beaucoup de
gens. Elle restera à jamais dans les mémoires
pour avoir été la cible du premier bombardement atomique, le 6 août 1945. Le parc du
Mémorial de la paix de Hiroshima rappelle cet
épisode tragique et attire des visiteurs venus
du monde entier. Pourtant, la ville est loin
de s'être laissée submerger par la tristesse.
Ses habitants, survivants de l'holocauste
nucléaire, ont su bâtir une communauté
prospère et internationale. Cela vaut la peine
de passer une nuit ou deux sur place afin de
découvrir son autre visage et profiter de son
effervescence.

La fondation de Hiroshima remonte à
1589, lorsque Terumoto Mōri y édifia son
château.

Orientation

Hiroshima est bâtie sur plusieurs petites îles
sablonneuses du delta de l'Ōta-gawa. La gare JR
de Hiroshima se trouve à l'est du centre-ville.
L'île principale est traversée d'est en ouest par
l'artère très animée Aioi-dōri (où passent les
principales lignes de tramway en provenance
de la gare). Au sud de cette artère s'étend un
autre boulevard d'axe est-ouest, Heiwa-Ōdōri.
La galerie marchande Hon-dōri, ainsi que la
plupart des magasins, bars et restaurants, sont
rassemblés entre ces deux grands axes.

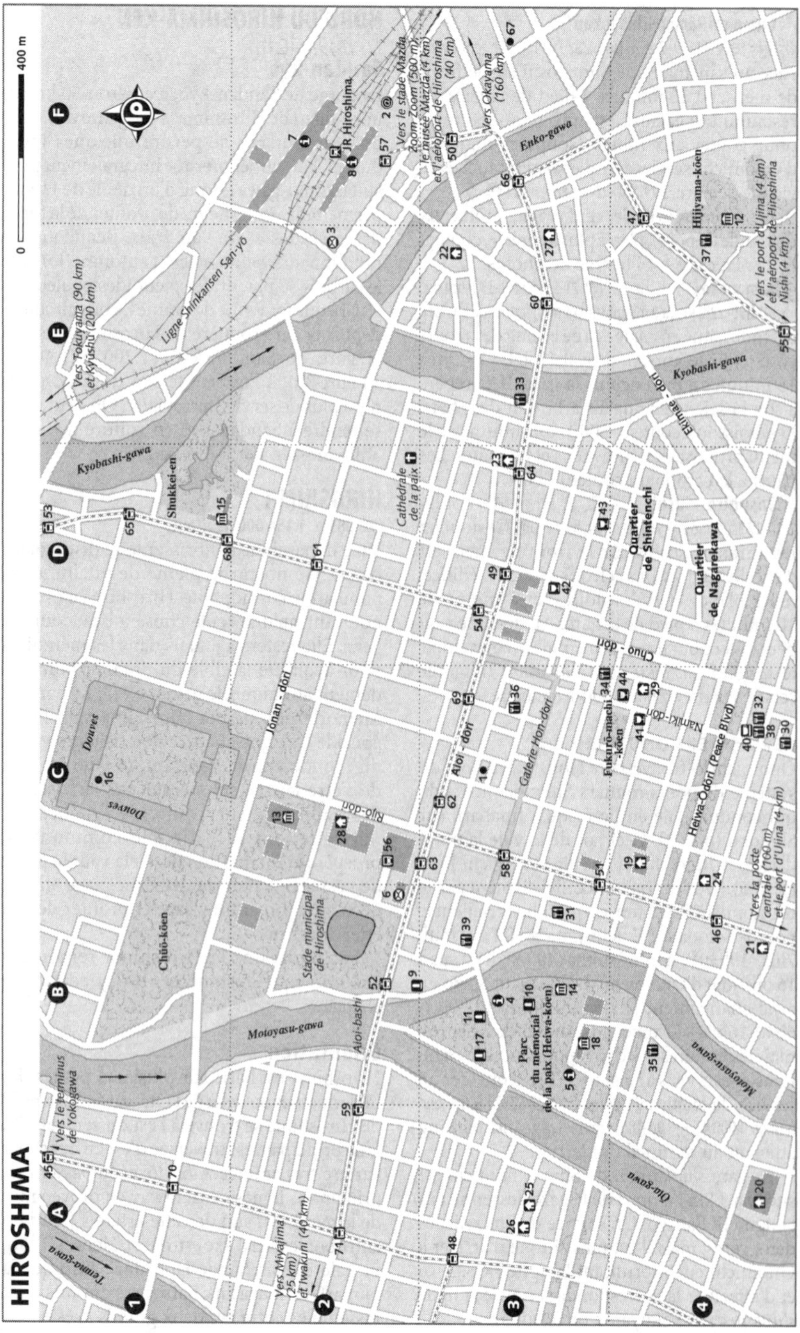

OUEST DE HONSHŪ

HIROSHIMA

0 — 400 m

Vers Tokuyama (90 km) et Kyūshū (200 km)

Vers Miyajima (25 km) et Iwakuni (40 km)

Ligne Shinkansen San-yō

Vers le terminus de Yokogawa

Vers le stade Mazda Zoom Zoom (500 m), le musée Mazda (4 km) et l'aéroport de Hiroshima (40 km)

Vers Okayama (160 km)

Vers le port d'Ujina (4 km) et l'aéroport de Hiroshima

Nishi (4 km)

JR Hiroshima

Enko-gawa

Kyobashi-gawa

Kyobashi-gawa

Shukkei-en

Ōta-gawa

Tenma-gawa

Motoyasu-gawa

Motoyasu-gawa

Ōta-gawa

Chūō-kōen

Stade municipal de Hiroshima

Douves

Douves

Parc du mémorial de la paix (Heiwa-kōen)

Cathédrale de la paix

Quartier de Shintenchi

Quartier de Nagarekawa

Hijiyama-kōen

Rijō-dōri

Jōnan-dōri

Aioi-dōri

Aioi-bashi

Gabriel Hondōri

Chūō-dōri

Namiki-dōri

Fukurō-machi kōen

Heiwa-Ōdōri (Peace Blvd)

Vers la poste centrale (500 m) et le port d'Ujina (4 km)

Le Dôme de la bombe A et le parc du Mémorial de la paix sont à l'extrémité ouest d'Aioi-dôri.

Renseignements

ACCÈS INTERNET

Futaba@Cafe (☎ 568-4792 ; 2-22 Matsubara-chô ; cotisation 105 ¥, 300 ¥ les 30 premières min ; ☽ 24h/24). Au 6ᵉ niveau d'un magasin de livres et de CD ; une enseigne jaune, à gauche en sortant de la gare.

International Exchange Lounge (parc du Mémorial de la paix ; ☽ 9h-19h avr-sept, 9h-18h oct-mars). Internet gratuit.

ARGENT

La poste centrale permet d'échanger des devises en semaine. Le week-end, adressez-vous aux principaux hôtels internationaux (ils disposent de services de change). La Hiroshima Rest House (voir plus bas) possède une liste des banques et des bureaux de poste (service de change : chèques de voyage et espèces).

LIBRAIRIES

Book Nook (☎ 244-8145 ; 5-17 Kamiya-chô ; ☽ 12h-21h lun-jeu, jusqu'à 23h ven et sam ; 📖). Choix correct de livres de poche d'occasion en anglais et cybercafé (200 ¥ les 15 min). La librairie est dans l'école de langues Outsider, derrière l'Iyo Bank et le magasin de musique Yamaha. Repérez l'enseigne du 2ᵉ niveau.

OFFICES DU TOURISME

Ceux qui arrivent par la mer disposent d'un guichet d'information (renseignements de base) au port de Hiroshima, Ujina.

Hiroshima Rest House (☎ 247-6738 ; 1-1 Nakajima-machi, Naka-ku ; ☻ 9h30-18h avr-sept, 8h30-17h oct-mars). Dans le parc du Mémorial de la paix, à côté de Motoyasu-bashi. Vous y trouverez des informations plus complètes sur la ville et sur l'île de Miyajima.

Offices du tourisme Sortie sud de la gare JR de Hiroshima (☎ 261-1877 ; ☻ 9h-17h30) ; sortie nord de la gare JR de Hiroshima (☎ 263-6822 ; ☻ 9h-17h30). Vous trouverez aussi un bureau au rez-de-chaussée.

POSTE

Poste centrale (広島中央郵便局 ; ☎ 245-5335 ; 1-4-1 Kokutaiji-chō, Naka-ku ; ☻ 9h-19h lun-ven, jusqu'à 17h sam, 12h30 dim). Près de l'arrêt de tramway Shiyakusho-mae. Change des devises de 9h à 16h, du lundi au vendredi.

Poste de Higashi (☎ 261-6401 ; 2-62 Matsubara-chō, Minami-ku ; ☻ 9h-19h lun-ven, jusqu'à 17h sam, 12h30 dim). Très pratique. Près de la sortie sud de la gare.

Poste de Naka (☎ 222-1314 ; 6-36 Motomachi, Naka-ku ; ☻ 9h-19h lun-ven, jusqu'à 15h sam). À côté du grand magasin Sogō.

À voir

DÔME DE LA BOMBE A 原爆ドーム
Symbole de la destruction de Hiroshima, le **Dôme de la bombe A** (Gembaku Dōmu) se dresse de l'autre côté de la rivière, en face du parc du Mémorial de la paix. Conçu par un architecte tchèque en 1915, ce bâtiment servit de palais de l'Industrie jusqu'à ce que la tristement célèbre bombe atomique explose juste au-dessus. Tous les gens qui se trouvaient à l'intérieur furent tués. Pourtant, l'édifice est l'un des rares à être restés debout à l'épicentre de l'explosion. Après la guerre, malgré la réticence des habitants, on prit la décision de conserver son armature et d'en faire un mémorial. Inscrites au patrimoine mondial de l'Unesco en décembre 1996, ses ruines, éclairées la nuit, sont les éternels vestiges de la tragédie.

PARC DU MÉMORIAL DE LA PAIX
平和記念公園
Depuis le Dôme de la bombe A, traversez la rivière pour gagner le **parc du Mémorial de la paix** (Heiwa-kōen), parsemé de monuments commémoratifs, parmi lesquels le **cénotaphe** contenant les noms de toutes les victimes connues de la bombe. Ce dernier est situé dans l'alignement de la **Flamme de la paix**, qui ne sera éteinte que le jour où la dernière arme nucléaire restant au monde sera détruite, et du Dôme, de l'autre côté de la rivière.

Au nord de la route qui traverse le parc se trouve le **Monument des enfants pour la paix**, inspiré par la jeune Sadako Sasaki, victime d'une leucémie. En 1955, lorsque Sadako, âgée de 11 ans, développa cette maladie, elle décida de réaliser 1 000 grues de papier plié. Au Japon, la grue est un symbole de longévité et de bonheur, et Sadako était convaincue qu'en atteignant son objectif, elle pourrait guérir. Elle mourut avant d'y parvenir, mais ses camarades de classe réalisèrent les pliages manquants. L'histoire provoqua au Japon un élan vers les grues en papier.

Le **Mémorial coréen de la bombe A** a été récemment déménagé juste à côté de ce monument. Durant la Seconde Guerre mondiale, de nombreux Coréens furent amenés de force par bateau pour travailler dans les usines japonaises, et plus de 10% des victimes de la bombe atomique étaient coréennes.

MUSÉE DU MÉMORIAL DE LA PAIX 平和記念資料館
Le **musée du Mémorial de la paix** (☎ 241-4004 ; 1-2 Nakajima-chō, Naka-ku ; entrée 50 ¥ ; ☻ 8h30-17h, jusqu'à 18h mars-nov, jusqu'à 19h en août) présente les événements qui ont conduit à la guerre et au bombardement. Des expositions montrent toute l'horreur de ce 6 août 1945 et une autre collection traite des armes encore plus destructrices qui ont été mises au point depuis. La visite du musée est très émouvante.

MÉMORIAL NATIONAL DE LA PAIX POUR LES VICTIMES DE LA BOMBE ATOMIQUE DE HIROSHIMA 国立広島原爆死没者追悼平和祈念館
Ouvert en août 2002, le **Mémorial de la Paix** (☎ 543-6271 ; 1-6 Nakajima-chō, Naka-ku ; entrée libre ; ☻ 8h30-18h mars-juillet, 8h30-19h août, 8h30-18h sept-nov, 8h30-17h déc-fév) abrite un lieu de souvenir comprenant un registre, ainsi qu'une pièce où sont conservés les noms et les photographies des victimes de la bombe atomique, mais aussi le témoignage de survivants, en plusieurs langues. Il a été construit par l'architecte Kenzō Tange, tout comme le musée, le cénotaphe et la flamme éternelle. Si le musée de la Bombe A est une réflexion sur l'impact de la bombe et les souffrances qui suivirent, ces témoignages, que l'on peut voir en vidéo, évoquent le chaos de l'époque, ainsi que l'inhumanité dont firent preuve les militaires japonais envers les civils. Ces documents exceptionnels justifient amplement de passer du temps ici.

HIROSHIMA-JŌ 広島城

Également connu sous le nom de "château de la carpe" (Rijō ; 鯉城), le **Hiroshima-jō** (château Hiroshima ; ☎ 221-7512 ; 21-1 Moto-machi, Naka-ku ; 360 ¥ ; ☽ 9h-18h mars-nov, jusqu'à 17h déc-fév) fut édifié en 1589 et presque entièrement démantelé au moment de la Restauration de Meiji. Ne subsistèrent que le donjon, les portes principales et les tourelles. Ces vestiges furent ensuite totalement rasés par la bombe, puis reconstruits en 1958. Il n'y a pas grand-chose à l'intérieur, mais il est très agréable de se promener dans le parc.

SHUKKEI-EN 縮景園

Conçu sur le modèle du Xi Hu (lac de l'Ouest) de Hangzhou, en Chine, le **Shukkei-en** (2-11 Kaminobori-chō ; entrée 250 ¥ ; billet combiné avec le musée 600 ¥ ; ☽ 9h-18h avr-sept, to 17h oct-mars) fut créé en 1620 pour le daimyo Nagaakira Asano. Littéralement, le nom de ce jardin signifie "paysage réduit" ; son but est en effet de reproduire de grandes perspectives en miniature. Il fut entièrement détruit par la bombe, mais nombre d'arbres et de fleurs repoussèrent l'année suivante. Le jardin et ses bâtiments ont été restaurés pour retrouver leur splendeur originelle.

À côté se dresse le **musée d'Art de la préfecture de Hiroshima** (2-22 Kami-nobori-chō ; entrée 500 ¥, billet combiné avec le jardin 600 ¥ ; ☽ 9h-17h, jusqu'à 19h sam, fermé lun), qui expose le *Rêve de Vénus* de Salvador Dali. Si vous possédez un billet combiné, vous pouvez accéder au musée en passant par le jardin.

À VOIR ÉGALEMENT

Le **Hijiyama-kōen**, parc célèbre pour la floraison de ses cerisiers au printemps, se trouve à 20 minutes à pied au sud de la gare JR de Hiroshima. Il abrite le **musée d'Art contemporain de la ville de Hiroshima** (☎ 264-1121 ; 1-1 Hijiyama-kōen, Minami-ku ; entrée 360 ¥, supp pour les expos temporaires ; ☽ 10h-17h, fermé lun), dont les expositions d'œuvres d'artistes contemporains japonais et étrangers changent régulièrement.

Le **musée d'Art de Hiroshima** (☎ 223-2530 ; 3-2 Moto-machi, Naka-ku ; entrée 1 000 ¥ ; ☽ 9h-17h) occupe un intéressant bâtiment des années 1970 construit par la Hiroshima Bank. On peut y admirer des œuvres mineures de peintres réputés, notamment Picasso, Gauguin, Monet et Van Gogh. Le musée se trouve dans le parc Hanover, au sud-ouest du château. Le **musée Mazda** (マツダ ミュージアム ; www.mazda.com/mazdaspirit/museum/ ; ☎ 252-5050 ; ☽ visites guidées en anglais 13h lun-ven) est très populaire car on y voit la plus grande chaîne de montage au monde, longue de 7 km.

Tous les renseignements figurent en anglais sur le site Internet. Réservation obligatoire. Le musée est à une courte distance à pied de la gare JR de Mukainada (向洋), à deux arrêts de Hiroshima sur la ligne San-yō.

À faire

Il n'est pas indispensable d'être passionné de **base-ball** pour passer un bon moment à un match des Hiroshima Carp (www.carp.co.jp, en japonais). L'enthousiasme du public est déjà un spectacle en soi, tout particulièrement si l'équipe locale reçoit les Tōkyō Giants. Après avoir joué pendant plusieurs décennies au cœur de la ville, près du Dôme de la bombe A, les Carp ont "déménagé" au printemps 2009 pour le tout nouveau stade Mazda Zoom-Zoom, à quelques pas au sud-est de la gare.

Miyajima (p. 478), à 25 km à l'ouest de la ville, peut aisément faire l'objet d'une **excursion d'une journée** depuis Hiroshima. Cette destination peut se combiner avec Iwakuni dans le Yamaguchi-ken (p. 488).

Des **croisières** avec déjeuner ou dîner sont organisés entre Hiroshima et Miyajima (aller et retour). En semaine, de mars à septembre, des excursions en bateau ont également lieu en journée sur la mer Intérieure. Vous pouvez acheter vos billets auprès du Japan Travel Bureau (JTB) ou en ligne à l'adresse www.setonaikai kisen.co.jp (en japonais).

Fêtes et festivals

Le 6 août, jour anniversaire du bombardement, une **cérémonie du souvenir** se tient dans le parc du Mémorial de la paix et des milliers de lanternes en papier sont déposées sur les eaux de l'Ōta-gawa, face au Dôme de la bombe, pour les âmes des morts.

Où se loger
PETITS BUDGETS

J-Hoppers Hiroshima (☎ 233-1360 ; http://hiroshima.j-hoppers.com/ ; 5-16 Dobashi-chō, Naka-ku ; dort/lits jum avec sdb commune 2 300/3 000 ¥ par pers ; ℗ 🚭 🖥). Auberge de jeunesse sympathique et très courue, avec dortoirs et chambres privatives équipées de tatamis. Accès Internet dans la salle commune, location de vélos (500 ¥/jour). Le personnel, plutôt jeune, connaît bien la région.

K's House Hiroshima (☎ 568-7244 ; http://kshouse.jp/hiroshima-e/ ; 1-8-9 Matoba-chō ; dort/s/d 2 500/5 500/7 800 ¥ ; 🖥 🚭). Ouverte en septembre 2008 près de la gare, cette excellente adresse pour petits budgets comporte de petits dortoirs ainsi que des chambres individuelles et doubles. Ordinateurs avec Internet dans les parties communes, cuisine et toit en terrasse.

Aster Plaza International Youth House (☎ 247-8700 ; http://hiyh.pr.arena.ne.jp/Hp_eng/indexeng.htm ; 4-17 Kako-machi Naka-ku ; s/lits jum 3 620/6 260 ¥ ; P 🖵). Aux derniers étages d'un vaste édifice, cet hôtel géré par la ville et situé au sud du parc du Mémorial de la paix est d'un excellent rapport qualité/ prix ; chambres spacieuses, petit-déjeuner offert et tarif étudiant. Couvre-feu à minuit.

Ikawa Ryokan (☎ 231-5058 ; fax 231-5995 ; ikawa1961 @go.enjoy.ne.jp ; 5-11 Dobashi-chō, Naka-ku ; s/lits jum à partir de 4 725/8 400 ¥ ; P 🖵). Cet établissement familial et chaleureux, occupe plusieurs bâtiments avec des chambres rénovées. De style japonais ou occidental, elles sont d'une propreté irréprochable. Repas servis dans la cafétéria. Ordinateur avec connexion Internet. On parle un peu anglais.

CATÉGORIE MOYENNE

Hotel Dormy Inn Hiroshima (☎ 240-1177 ; fax 240-1755 ; www.hotespa.net/hotels/hiroshima, en japonais ; 3-28 Komachi Naka-ku ; s/lits jum à partir de 6 000/9 000 ¥ ; P ✕ 🖵). Emplacement pratique dans Heiwa-Ōdōri pour ces chambres confortables bénéficiant d'un bon choix d'équipements, dont un grand onsen. Connexion Internet (réseau LAN) dans les chambres, ordinateurs à la réception.

Hotel Active! (☎ 212-0001 ; fax 211-3121 ; www.hotel-active.com, en japonais ; 15-3 Nobori-chō Naka-ku ; s/d avec petit déj 6 279/7 875 ¥ ; P ✕ 🖵). Hôtel très chic agrémenté de canapés de designer, de dessus-de-lit satinés et d'onsen. Au cœur de l'animation. Internet gratuit à la réception.

Hiroshima Grand Intelligent Hotel (☎ 263-5111 ; fax 262-2403 ; www.intelligenthotel.co.jp, en japonais ; 1-4 Kyōbashi-chō ; s/lits jum 6 300/7 300 ¥ ; P ✕ 🖵). Établissement de style *business hotel* récemment rénové, tout près de la gare. Les chambres offrent tout le confort, y compris la connexion à Internet (réseau LAN). Ordinateurs à la réception, agréable café sur place.

Comfort Hotel Hiroshima Ōtemachi (☎ 545-7811 ; fax 545-7812 ; www.choicehotels.com ; 3-7-9 Ōtemachi Naka-ku ; s/lits jum avec buffet petit déj 6 500/8 500 ¥ ; P ✕ 🖵). Conçu avec goût, cet excellent *business hotel* comporte une réception équipée d'ordinateurs avec accès à Internet.

Sera Bekkan (☎ 248-2251 ; fax 248-2768 ; www.yado. to, en japonais ; 4-20 Mikawa-chō Naka-ku ; avec/sans repas 8 400/12 600 ¥ par pers ; P). *Ryokan* traditionnel très sympathique, à proximité du Fukurō-machi-kōen. Grands bains, et jardin paisible au 2e niveau.

CATÉGORIE SUPÉRIEURE

Rihga Royal Hotel Hiroshima (☎ 502-1121 ; www.rihga.com/en/hiroshima/ ; 6-78 Moto-machi ; s/lits jum 16 170/24 255 ¥ ; P ✕ 🖵). Proche des sites touristiques et de l'animation nocturne, cet hôtel haut de gamme occupe le plus haut immeuble de la ville, et bénéficie d'une vue fantastique, en particulier la nuit. L'accès à la piscine ou à la salle de sport est en supplément.

ANA Crowne Plaza Hiroshima (☎ 241-1111 ; www.anacrowneplaza-hiroshima.jp/en/index.html ; 7-20 Naka-machi Naka-ku ; s/lits jum 16 170/23 677 ¥ ; P ✕ 🖵). Hôtel de luxe du centre-ville abritant des chambres spacieuses, ainsi que des restaurants français, chinois et japonais. La salle de sport et la piscine du 6e étage sont accessibles moyennant un supplément.

Où se restaurer

Hiroshima est réputée pour ses huîtres et ses *okonomiyaki* (crêpes aux légumes et aux fruits de mer ou à la viande, cuites sur un gril) accompagnés de nouilles. Le 6e niveau du grand magasin Asse, dans l'enceinte de la gare, abrite un choix correct de restaurants (tous avec carte illustrée de photos et mets en plastique en devanture), notamment quelques établissements où goûter aux huîtres du coin.

Bakudanya (☎ 245-5885 ; 6-13 Fujimi-chō Naka-ku ; ✆ 11h30-15h et 18h-24h, jusqu'à 1h ven et sam, toute la journée sam et dim). Cette modeste échoppe en angle de rue est l'adresse idéale pour goûter à une autre spécialité de Hiroshima : les *tsukemen*, un plat froid rappelant les *rāmen*, dont les nouilles et le bouillon sont servis séparément. On peut choisir la taille de la portion et la sauce, plus ou moins épicée. C'est l'adresse d'origine, la chaîne de restaurants étant désormais présente dans tout le pays. Une portion *nami* (moyenne) de *tsukemen* coûte 750 ¥. L'échoppe est sous un auvent vert dans Jizō-dori.

Zucchini (☎ 546-0777 ; 1-5-18 Otemachi Naka-ku ; repas 400-2 800 ¥ ; ✆ 17h30-1h). Tapas, jambon, fromage, paellas et autres délices espagnols au poisson (à partir de 1 400 ¥), dans une ambiance animée. Le restaurant à 2 niveaux arbore une devanture vitrée, en angle de rue (impossible de le manquer). Carte en anglais.

Hassei (☎ 242-8123 ; 4-17 Fujimi-chō Naka-ku ; plats 450-1 200 ¥ ; ✆ déj et dîner, dîner uniquement dim, fermé lun). Les murs de ce populaire restaurant d'*okonomiyaki* portent les autographes de visiteurs célèbres. Carte an anglais disponible. À moins d'être un sumotori qui n'a pas mangé depuis une semaine, vous vous satisferez sûrement d'une demi-portion au déjeuner. Le *shīfūdo supeshiaru* (formule spéciale fruits de mer ; 1 300 ¥) fait la part belle au poulpe, aux crevettes et aux seiches. Repérez le soleil levant au-dessus de la porte.

Spicy Bar Lal's (☎ 504-6328 ; 5-12 Tatemachi Naka-ku ; plats 500-4 200 ¥ ; ⊙ déj et dîner). Ce restaurant indo-népalais aux couleurs gaies sert de copieuses formules déjeuner (à partir de 920 ¥). Les curries savoureux, les *naan* et la musique de Bollywood en fond sonore changent agréablement des *okonomiyaki*. Carte en anglais.

Wein Izakaya Banzai (☎ 245-3403 ; 4-20 Fujimi-chō ; 650-1 200 ¥ ; ⊙ 17h-23h, jusqu'à minuit ven et sam). La carte illustrée de photos présente un choix impressionnant : jarret de porc, saucisses et charcuterie allemande. Les bières brunes Wallerstein coûtent 1 030 ¥. Comptez 280 ¥ la saucisse de Nuremberg.

Okonomi-mura (☎ 241-2210 ; 5-13 Shintenchi Naka-ku ; plats 700-1 000 ¥ ; ⊙ 11h-2h). Véritable institution, cet ensemble de 25 échoppes réparties sur 3 niveaux et servant toutes la même chose est une adresse des plus pittoresques pour goûter aux *okonomiyaki*. L'établissement est proche du grand magasin Parco. L'entrée est décorée de lanternes rouges et blanches, et le nom d'enseigne est inscrit en néon rouge.

Ristorante Mario (☎ 248-4956 ; 4-11 Nakajima-chō Naka-ku ; plats 1 000-2 000 ¥ ; ⊙ déj et dîner, 11h30-23h30 sam et dim). Adresse douillette, aux murs couverts de lierre, face au musée du Mémorial de la paix (près des sculptures dressées au bord de la route). Cuisine italienne honnête et savoureuse. Formules déjeuner à partir de 1 900 ¥, carte en anglais (ponctuée de nombreux mots d'italien). Le week-end, pensez à réserver.

Kaki-tei (☎ 090-8062-0378 ; 11 Hashimoto-chō Naka-ku ; ⊙ déj et dîner, fermé mar). Ce bistrot à l'ambiance intimiste, installé sur la berge de la rivière, prépare les huîtres de mille façons. Pour déguster des huîtres chaudes grillées, choisissez les *champagne cream yaki* (850 ¥ pour 2 pers). La formule déjeuner du jour (toujours des huîtres) coûte 1 200 ¥. Le menu n'existe pas en anglais mais le personnel, sympathique, vous aidera à faire votre choix. Repérez le *noren* vert décoré de motifs en forme d'huître et portant les mots anglais "Oyster Conclave".

Tōshō (☎ 506-1028 ; 6-24 Hijiyama-chō Minami-ku ; menus déj/dîner à partir de 1 575/3 000 ¥ ; ⊙ déj et dîner). Situé dans un édifice en bois traditionnel donnant sur un ravissant bassin et un jardin, ce restaurant sert du tofu maison (quelques photos sur la carte). Il est à courte distance à pied de l'arrêt de tramway Danbara 1 chōme, en haut à gauche après le sanctuaire Hijiyama.

Cha Cha Ni Moon (☎ 241-7444 ; 2-6-26 Otemachi Naka-ku ; plats à partir de 3 000 ¥ ; ⊙ 17h-23h30). Le chic minimaliste et sophistiqué est à l'honneur dans cette demeure ancienne à l'éclairage tamisé, qui comporte un bar douillet au rez-de-chaussée, puis deux niveaux de salles de restaurant semi-privatives où dîner en toute intimité. Les plats superbement présentés s'inspirent de la cuisine traditionnelle de Kyōto. Repérez la minuscule enseigne "Moon" en face du petit parc.

Où prendre un verre

Le quartier consacré à la fête et aux sorties nocturnes se trouve dans les ruelles situées entre Aioi-dōri et Heiwa-Ōdori, en centre-ville, où s'entassent de multiples bars, restaurants et bars à karaoké.

Nawanai (☎ 248-0588 ; Fujimi Bldg, 12-10 Kanayama-chō Naka-ku ; ⊙ 18h-24h). Cet *izakaya* animé, installé en sous-sol, est une adresse pleine de cachet où l'on peut se mêler aux habitants tout en dégustant du poisson frais et un choix de sakés de la région. Goûtez aux *ko-iwashi* (bébés sardines), présentées sous forme de sashimis ou de *tempura* (600 ¥). Il n'y a pas de menu en anglais, mais l'endroit est accueillant et les propriétaires veilleront à ce que vous ne repartiez pas le ventre vide, ni complètement assoiffé. Repérez l'enseigne lumineuse en caractères japonais qui pointe vers le sous-sol.

Opium (☎ 504-0255 ; 3e niv, Namiki Curl Bldg, 3-12 Mikawa-chō ; plats à partir de 500 ¥ ; ⊙ 18h-4h). Un bar décontracté à la déco minimaliste, avec vue sur la rue. Cocktails à partir de 600 ¥, happy-hour de 18h à 21h. Le menu en anglais propose des en-cas, des pizzas et des pâtes. Repérez l'enseigne pourpre sur le mur extérieur.

Lotus (☎ 246-0104 ; 5e niv, Namiki Curl Bldg, 3-12 Mikawa-chō ; boissons à partir de 500 ¥ ; ⊙ 18h-3h). Deux niveaux au-dessus de l'Opium (voir ci-dessus), le Lotus est un bar élégant à l'ambiance zen où l'on ôte ses chaussures pour prendre place sur des estrades garnies de coussins. Cocktail (600 ¥) au bar ; carte en anglais.

Koba (☎ 249-6556 ; 3e niv, Rego Bldg, 1-4 Naka-machi ; plats 700-1 200 ¥ ; ⊙ 18h-2h, fermé mer). Établissement sympathique et très décontracté, parfait pour boire un verre et manger un curry sur fond de musique éclectique. Il occupe un bâtiment en béton dont l'entrée jouxte un bassin, juste derrière Stussy.

Kuro-sawa (☎ 247-7750 ; 5e niv, Tenmaya Ebisuclub, 3-20 Horikawa-chō Naka-ku ; plats moins de 1 000 ¥ ;

18h-2h30 lun-jeu, jusqu'à 3h30 ven et sam, jusqu'à 0h30 dim). *Izakaya* chic et branché en béton brut, avec tabourets au bar et fauteuils en velours, proposant tous les classiques (carte en anglais). Ne manquez pas de visiter les toilettes, somptueuses. En venant de Nagarekawa-dōri, tournez à droite dans le passage couvert d'Ebisu-dōri. Le pub est dans le troisième bâtiment à gauche, indiqué par une petite enseigne rouge, face à l'Italian Tomato Café.

J-Café (☎ 242-1234 ; 4-20 Fujimi-chō Naka-ku ; 12h-2h, jusqu'à 3h ven et sam). Café sophistiqué agrémenté de luxueux canapés rouges et de graffitis artistiques sur les murs. De vieux dessins animés passent sur le mur au-dessus du bar. Au menu : grand choix de délicieuses crêpes (600 ¥) et autres en-cas. Carte en anglais. L'enseigne à l'extérieur porte un "J" stylisé.

Depuis/vers Hiroshima

Le principal **aéroport** (☎ 0848-86-8151 ; www. hij.airport.jp ; 64-31 Zennyūji, Hongō-chō, Mihara-shi) est à 40 km à l'est de la ville et un service de bus assure la liaison depuis/vers la gare de Hiroshima (1 300 ¥, 48 min). Il y a des vols depuis/vers Tōkyō (30 800 ¥, 1 heure 15), Sapporo (45 700 ¥, 1 heure 50), Sendai (39 000 ¥, 1 heure 20) et Naha (32 000 ¥, 2 heures), ainsi que pour Séoul, Dalian, Beijing, Shanghai, Taipei (villes desservies chaque jour), Bangkok (lundi et vendredi) et Guam (lundi et jeudi). L'**aéroport Hiroshima Nishi** (☎ 822-95-2650 ; www.hij.airport.jp/nishi/, en japonais ; 4-10-2 Kannon Shin-machi, Nishi-ku), à 4 km au sud-ouest du centre-ville sur la côte, a des vols quotidiens pour Miyazaki (23 700 ¥, 1 heure) et Kagoshima (23 700 ¥, 1 heure) sur Kyūshū. Des bus circulent régulièrement depuis/vers la gare de Hiroshima (240 ¥, 20 min).

Hiroshima est une gare importante sur la ligne du *shinkansen* Tōkyō-Ōsaka-Hakata. Le trajet de Hiroshima à Hakata (Fukuoka) dure environ 1 heure 15 et coûte 8 190 ¥ ; vers Ōsaka, il faut compter 1 heure 30 (9 470 ¥), et vers Tōkyō, 4 heures (17 540 ¥).

La ligne JR San-yō passe par Hiroshima et continue vers l'ouest en direction de Shimonoseki en longeant la côte sur la majeure partie de son trajet. Les services de transport régionaux habituels, assez rapides, sont le meilleur moyen de visiter les sites voisins de Miyajima et d'Iwakuni. Des bus longue distance relient Hiroshima à toutes les autres grandes villes du pays. Ils partent du Hiroshima Bus Center, au 3ᵉ niveau, entre les centres commerciaux Sogo et AQ'A, à côté de l'arrêt de tramway Kamiya-cho Nishi.

Il y a des liaisons régulières avec Matsuyama, sur Shikoku, via la mer Intérieure. Les ferries (3 500 ¥, 2 heures 45, 10/jour) et les hydroglisseurs (6 900 ¥, 1 heure 15, 14/jour) desservent Hiroshima-Matsuyama partent de Ujina (宇品). Le port (広島港) est le terminus des lignes de tramway 1, 3 et 5 venant de la gare.

Comment circuler

Hiroshima possède un vaste réseau de tramway qui vous conduira presque partout pour un forfait de 150 ¥. Un tram circule même jusqu'au port de Miyajima (270 ¥). Si vous devez changer de tramway pour rejoindre votre destination, demandez un billet *norikae-ken* (avec correspondance). Payez à l'arrivée. Un forfait à la journée couvrant un nombre illimité de trajets sur le réseau des tramways coûte 600 ¥.

Deux vélos sont à louer chez **Nippon Rent-a-car** (☎ 264-0919 ; 3-14 Kojin-machi ; 24h/24), à quatre rues au sud-est de la gare. Comptez 263 ¥ pour 2 heures, 735 ¥ pour 1 journée.

MIYAJIMA 宮島
☎ 0829 / 1 970 habitants

La petite île de Miyajima, inscrite au patrimoine mondial de l'Unesco, figure parmi les sites touristiques majeurs du Japon. Le *torii* (porte de sanctuaire) rouge vermillon de l'Itsukushima-jinja est l'une des icônes les plus photographiées du pays. Quant au sanctuaire lui-même, il semble flotter sur les vagues à marée haute. Mis à part ce sanctuaire, l'île possède de beaux chemins de randonnée sur le mont Misen. Et surtout, de nombreux cervidés n'hésitent pas à se promener dans les rues de la localité pour réclamer un peu de nourriture aux touristes.

Renseignements

Le terminal des ferries abrite un **guichet d'information touristique** (☎ 44-2011 ; 1162-18 Miyajima-chō ; 9h-18h). Tournez à droite en sortant et suivez le front de mer pendant 10 minutes pour atteindre le sanctuaire. La rue commerçante, avec ses restaurants et ses magasins de souvenirs, ainsi que la *shakushi* (spatule à riz) la plus grande du monde, sont à une rue du front de mer.

À voir

ITSUKUSHIMA-JINJA 厳島神社
Remontant à la fin du VIᵉ siècle, l'**Itsukushi-ma-jinja** (☎ 44-4020 ; 1-1 Miyajima-chō ; entrée 300 ¥ ;

OUEST DE HONSHŪ

MIYAJIMA (ITSUKU-SHIMA)

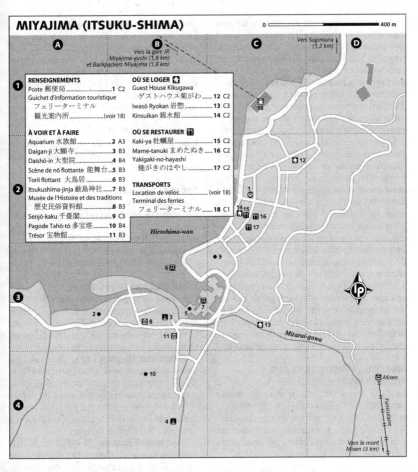

0   400 m

Vers la gare JR
Miyajima-guchi (1,8 km)
et Backpackers Miyajima (1,8 km)

Vers Suginoura
(1,2 km)

RENSEIGNEMENTS
Poste 郵便局 1 C2
Guichet d'information touristique
フェリーターミナル
観光案内所.................................(voir 18)

À VOIR ET À FAIRE
Aquarium 水族館 2 A3
Daigan-ji 大願寺 3 B3
Daishō-in 大聖院....................................4 B4
Scène de nō flottante 能舞台...5 B3
Torii flottant 大鳥居........................6 B3
Itsukushima-jinja 厳島神社......7 B3
Musée de l'Histoire et des traditions
歴史民俗資料館.......................8 B3
Senjō-kaku 千畳閣..............................9 C3
Pagode Tahō-tō 多宝塔..........10 B4
Trésor 宝物館.......................................11 B3

OÙ SE LOGER
Guest House Kikugawa
ゲストハウス菊がわ.......12 C2
Iwasō Ryokan 岩惣..........................13 C3
Kinsuikan 錦水館................................14 C2

OÙ SE RESTAURER
Kaki-ya 牡蠣屋....................................15 C2
Mame-tanuki まめたぬき.....16 C2
Yakigaki-no-hayashi
焼がきのはやし..............................17 C2

TRANSPORTS
Location de vélos...........................(voir 18)
Terminal des ferries
フェリーターミナル.....18 C1

Hiroshima-wan

Mitarai-gawa

Misen

Funiculaire

Vers le mont
Misen (3 km)

6h30-18h mars/mi-oct, jusqu'à 17h30 mi-oct/nov, jan et fév, jusqu'à 17h déc), a donné son véritable nom à l'île. Sous sa forme actuelle, il date de 1168, année où il fut reconstruit sous le patronage de Taira no Kiyomori, chef du malheureux clan Heike. Sa configuration, rappelant celle d'une jetée, est la conséquence du statut sacré de l'endroit : les gens du peuple n'étaient pas autorisés à poser le pied sur l'île, et devaient donc s'approcher du sanctuaire par bateau en passant par le **torii flottant** situé un peu plus avant dans la baie. La plupart du temps, cependant, le sanctuaire et le *torii* sont entourés de boue. Il faut attendre une marée haute pour admirer la porte telle qu'elle est immortalisée dans les milliers de catalogues de voyage.

Sur l'un des côtés du sanctuaire se trouve une **scène de nō flottante** construite par le seigneur Tsunanaga Asano en 1680, et utilisée chaque année pour des représentations du 16 au 18 avril. Le *torii*, qui dans sa forme actuelle remonte à 1875, est éclairé la nuit.

Le **Trésor** (entrée 300 ¥ ; 8h-17h), à l'extérieur de l'enceinte du sanctuaire principal, abrite une collection sans intérêt de vieux objets et de sabres.

TEMPLES ET BÂTIMENTS HISTORIQUES
Dominant la colline juste au nord de l'Itsukushima-jinja, le **Senjō-kaku** (44-2020 ; 1-1 Miyajima-chō ; 100 ¥ ; 8h30-16h30) est un immense bâtiment édifié en 1587 par Hideyoshi Toyotomi. Le hall, impressionnant, est

constitué de piliers et de poutres en bois gigantesques, tandis que des peintures ornent son plafond et ses murs. Il donne sur une pagode (五重塔) à cinq étages, très colorée, construite en 1407. Le Senjō-kaku resta inachevé à la mort de Toyotomi, en 1598.

Miyajima compte plusieurs temples bouddhiques importants, notamment le **Daigan-ji** (☎44-0179 ; 3 Miyajima-chō ; 🕙 9h-17h), datant de 1201 et situé au sud du sanctuaire. Remontant à la période de Heian, il est consacré à Benzaiten, le nom japonais de Saraswati (déesse hindoue de la Bonne Fortune). On pense que le Yakushi Nyorai (bouddha) assis aurait été sculpté par Kōbō Daishi. Le **Daishō-in** (☎44-0111 ; 210 Miyajima-chō ; 🕙 8h-17h), situé au sud de la ville, au pied du mont Misen, fait un arrêt très intéressant sur le chemin, que l'on grimpe la montagne ou que l'on en redescende (ci-dessous). Ce temple de l'école Shingon abrite des icônes bouddhiques, des moulins de prière, des *tengu* (démons à l'allure d'oiseaux à bec pointu et une grotte renfermant les images de chacun des 88 temples de pèlerinage de Shikoku. Une brochure en anglais fournit des explications détaillées. Au sud de l'Itsukushima-jinja se trouve aussi la pittoresque pagode **Tahō-tō**.

MUSÉE DE L'HISTOIRE ET DES TRADITIONS 歴史民俗資料館

Installé dans un joli jardin, ce **musée** (☎44-2019 ; 57 Miyajima-chō ; 210 ¥ ; 🕙 8h30-17h tlj sauf lun) associe une maison de marchand du XIXe siècle à des expositions sur le commerce pendant la période d'Edo ou sur des thèmes liés à l'île.

MISEN 弥山

L'ascension du mont Misen (530 m) est la plus belle **randonnée** de l'île. Il est toutefois possible de s'épargner la majeure partie de la montée la plus raide en prenant le **funiculaire** (ropeway ; billet simple/aller-retour 1 000/1 800 ¥, trajet en deux étapes). Ce dernier vous dépose à environ 20 minutes de marche du sommet. Singes et daims se promènent à proximité de la station de funiculaire. La vue est particulièrement splendide, surtout par beau temps : on aperçoit alors les chaînes montagneuses de Shikoku. Près du sommet se trouve le temple où Kōbō Daishi médita 100 jours à son retour de Chine au IXe siècle. À côté du pavillon principal du temple, près du sommet, vous verrez la flamme qui brûle

sans interruption depuis que Kōbō Daishi l'a allumée il y a 1 200 ans. Du temple, un sentier descend la colline jusqu'au Daishō-in et à l'Itsukushima-jinja. La descente prend un peu plus d'une heure. Le parcours détaillé d'une randonnée de 4 heures vers le sommet du Misen figure dans *Hiking in Japan*, publié par Lonely Planet.

À VOIR ÉGALEMENT

L'**aquarium** (www.sunameri.jp/eng/index.html) de Miyajima est fermé pour rénovation. Il doit rouvrir en août 2011.

Fêtes et festivals

On compte au nombre des fêtes de Miyajima des **rituels de marche sur le feu**, réalisés par les moines de l'île, le 15 avril et le 15 novembre, ainsi que la **fête de Kangensai**, fête de la mer et des bateaux se déroulant en été (le 17e jour du sixième mois du calendrier lunaire).

Où se loger et se restaurer

Cela vaut la peine de loger sur l'île. Vous profiterez ainsi du calme de la soirée après le départ des excursionnistes d'un jour. S'il existe de nombreux restaurants à Miyajima, la plupart ferment dès les touristes repartis.

Backpackers Miyajima (☎ 56-3650 ; www.backpackers-miyajima.com/index_e.html ; dort 2 500-3 000 ¥ ; ✕ 🖳). Ouverte en novembre 2008, cette sympathique auberge de jeunesse à petits prix se trouve à courte distance à pied du terminal des ferries de Miyajima-guchi. Connection à Internet : 100 ¥ les 20 minutes.

Guest House Kikugawa (☎ 44-0039 ; fax 44-2773 ; www.kikugawa.ne.jp ; 796 Miyajima-chō ; s/lits jum à partir de 6 615/11 550 ¥ ; 🅿). Auberge confortable, dotée d'un d'intérieur en bois décoré avec goût. Elle compte 6 chambres à l'occidentale et 2 chambres de style japonais un peu plus grandes. Possibilité de prendre ses repas. Repérez le bâtiment blanc arborant un *noren* rouge, en face du petit temple Zonkō-ji (存光寺).

Kinsuikan (☎ 44-2131 ; www.kinsuikan.jp ; 1133 Miyajima-chō ; s/d à partir de 8 500/12 000 ¥ ; 🅿). Hôtel spacieux de style *ryokan*, situé entre le terminal des ferries et le sanctuaire principal. Grand choix de chambres (dont quelques chambres de style occidental), poissons et fruits de mer régionaux au repas, onsen et jolie vue sur la mer Intérieure.

🌑 **Iwasō Ryokan** (☎ 44-2233 ; www.iwaso.com ; Momijidani Miyajima-chō ; avec 2 repas à partir de 19 950 ¥/pers ; 🅿). Ce *ryokan* ouvert depuis 1854 et installé dans de superbes jardins est l'occasion rêvée de goûter au luxe et au raffinement, sans s'éloigner de l'animation. La dépense se justifie amplement, surtout en automne quand la Momiji-dani (vallée des Érables) se pare de couleurs chatoyantes. Un onsen relaxant se trouve dans le bâtiment principal.

Yakigaki-no-hayashi (☎ 44-0335 ; 505-1 Miyajima-chō ; plats 700-1 400 ¥ ; 🕐 10h30-16h30). Les huîtres que l'on aperçoit dans l'aquarium et sur le barbecue sont la spécialité maison. L'assiette de *nama-gaki* (huîtres crues) coûte 1 300 ¥. Reproductions de plats en plastique exposées en devanture, et carte en anglais.

Kaki-ya (☎ 44-2747 ; 539 Miyajima-chō ; assiette de 4 huîtres 1 000 ¥ ; 🕐 11h-18h). Bar à huîtres sophistiqué, dans un ancien bâtiment rénové de l'artère principale. On y déguste de savoureuses huîtres grillées sur le barbecue installé à côté de l'entrée, de la bière et du vin servi au verre. Carte en anglais disponible.

Mame-tanuki (☎ 44-2131 ; 1113 Miyajima-chō ; 🕐 déj et 17h-23h). Ce sympathique *izakaya* de la principale rue commerçante est l'un des rares établissements fermant tard. Au menu, plusieurs plats dont l'*anago meshi* (congre cuit à la vapeur, accompagné de riz ; 1 575 ¥). Carte en anglais.

Depuis/vers Miyajima

Sur l'île de Honshū, le terminal des ferries pour Miyajima est à une courte distance de la gare de Miyajima-guchi, sur la ligne JR San-yō, à michemin entre Hiroshima et Iwakuni. Depuis Hiroshima, les tramways pour Miyajima s'arrêtent à Hiroden-Miyajima-guchi, à côté du terminal des ferries. Le trajet depuis Hiroshima en tramway (270 ¥, 1 heure 10) est plus long que celui en *futsū* (trains omnibus ; 400 ¥, 25 min), mais il est possible de prendre le premier au centre de Hiroshima.

Des ferries font régulièrement la navette jusqu'à Miyajima-guchi (170 ¥, 10 min). Les titulaires d'un JR Pass ont intérêt à emprunter les ferries de JR. Des ferries rapides (1 800 ¥, 30 min, 6 à 8/jour) assurent une liaison directe entre Miyajima et le port d'Ujina à Hiroshima. Un autre ferry (1 900 ¥, 45 min, 12/jour) assure la liaison entre Miyajima et le parc du Mémorial de la paix à Hiroshima.

Comment circuler

On peut louer des vélos au bureau JR du terminal des ferries. Sinon, l'île se parcourt aisément à pied.

MER INTÉRIEURE
瀬戸内海

De toute beauté, la région de la mer Intérieure (Seto-nai-kai) conserve un rythme beaucoup plus serein que les grands centres urbains trépidants. La partie la plus intéressante est le bras de mer, émaillé d'une foule d'îles, qui sépare Shōdo-shima (accessible depuis Okayama et Takamatsu) et Miyajima, près de Hiroshima. Il y aurait là plus de 3 000 îles et îlots, inhabités pour la plupart.

On peut découvrir la mer Intérieure en ferry depuis les îles principales. Il existe trois systèmes de ponts reliant Honshū à Shikoku ; le plus à l'ouest, le Seto-Uchi Shimanami Kaidō, franchit dix ponts et longe neuf îles.

Renseignements

Il existe de nombreuses brochures, cartes et informations touristiques sur cette région.

La section de ce guide consacrée à la mer Intérieure s'ouvre sur la deuxième plus grande île, Shōdo-shima, puis se déplace vers l'ouest. De temps à autre, une île étroitement associée avec un site particulier du "continent" est traitée dans le chapitre correspondant. Ainsi, Miyajima apparaît dans la rubrique consacrée à Hiroshima, et Megi-jima dans la rubrique sur Takamatsu du chapitre sur Shikoku.

Comment circuler

Outre les services réguliers de ferries entre Honshū, Shikoku et les différentes îles, **SKK** (Seto Naikai-kisen ; 瀬戸内海汽船 ; ☎ 082-253-1212 ; 🕐 billetterie 7h-21h) propose des croisières à la journée sur la mer Intérieure depuis Hiroshima. Celles-ci durent environ 2 heures 30 et comprennent un bref arrêt le temps d'admirer les célèbres portes du temple de Miyajima. Les prix des croisières commencent à 4 800/7 500 ¥ avec déjeuner/dîner sur le bateau.

Le Japan Travel Bureau (JTB) et d'autres tour-opérateurs organisent également des croisières saisonnières en mer Intérieure.

SHŌDO-SHIMA 小豆島
☎ 0879 / 33 000 habitants

Célèbre pour ses oliveraies et pour avoir servi de décor au classique du cinéma japonais *Nijūshino-hitomi* (*Vingt-Quatre Prunelles* ; l'histoire d'une institutrice de village et de ses jeunes élèves), l'île montagneuse de Shōdo-shima

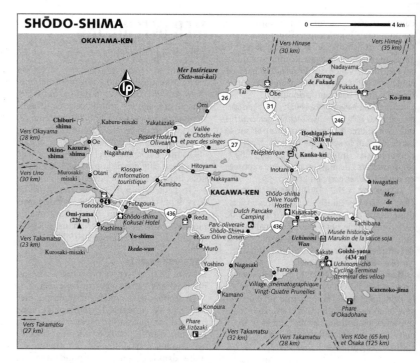

SHŌDO-SHIMA

possède plusieurs sites intéressants et permet de faire une pause loin du Japon des grandes villes. C'est une destination très appréciée des touristes japonais l'été et en octobre/novembre, lorsque les feuilles se parent de chaudes couleurs de l'automne.

Orientation et renseignements

Tonoshō, à l'extrémité ouest de l'île, est la plus grande agglomération et un point d'accès privilégié lorsqu'on arrive de Takamatsu ou d'Okayama. Un petit **kiosque d'information touristique** (☎ 62-5300 ; ✆ 8h30-17h15) est dans le terminal des ferries de Tonoshō. En marchant quelques minutes vers l'intérieur des terres, vous en verrez un autre parmi les stands de souvenirs.

À voir et à faire
ZONE CÔTIÈRE

En suivant la côte sud au départ de Tonoshō dans le sens inverse des aiguilles d'une montre, on passe tout d'abord par le **parc-oliveraie Shōdo-shima** (小豆島オリーブ公園 ; ☎ 82-2200 ; Nishimura-misaki 1941-1 ; entrée libre ; ✆ 8h30-17h), où l'on célèbre la culture des olives. Sur place, vous verrez des bâtisses blanchies à la chaux,

des imitations de ruines grecques, et un stand de souvenirs qui vend des chocolats parfumés à l'olive ainsi que des porte-clés Hello Kitty déclinant le thème de l'olive. Au-delà du moulin à vent et du **musée de l'Olive** (オリーブ記念館 ; entrée libre ; ✆ 8h30-17h), le **Sun Olive Onsen** (サン・オリーブ温泉 ; ☎ 82-2200 ; entrée 700 ¥ ; ✆ 12h-21h, fermé mer) permet d'apprécier la vue sur la "mer Égée du Japon" tout en se prélassant dans des bains aromatisés.

Les premiers oliviers de Shōdo-shima furent plantés en 1908. Toutefois, l'île était réputée depuis déjà bien longtemps pour sa sauce soja. Plusieurs fabriques sont d'ailleurs encore en activité (ce que rappellent les effluves de soja qui viennent régulièrement chatouiller les narines). Le **musée historique Marukin de la sauce soja** (マルキン醤油記念館 ; ☎ 82-0047 ; Nouma ; entrée 210 ¥ ; ✆ 9h-16h) occupe un vieux bâtiment sur la route principale entre Kusakabe et Sakate. D'excellents commentaires en anglais permettent de suivre tout le processus de fabrication et, à l'issue de la visite, vous pourrez même vous offrir une glace à la sauce soja.

Au nord de Sakate, un embranchement mène au pittoresque village de pêcheurs de

Tanoura (田ノ浦), où se tient l'école de village filmée dans *Vingt-Quatre Prunelles*. Ce film, adapté d'un roman de Sakae Tsuboi, remporta un immense succès dans le Japon d'après-guerre. Le film original en noir et blanc a fait l'objet d'un remake dans les années 1980, remake dont le plateau de tournage est devenu le **village cinématographique Vingt-Quatre Prunelles** (二十四の瞳映画村 ; ☎ 82-2455 ; Tanoura ; entrée 630 ¥, billet combiné avec l'école 750 ¥ ; 🕑 9h-17h), où les touristes débarquent par cars entiers pour acheter des souvenirs avant de prendre place devant de vieux extraits du film. Parfaitement conservée, l'ancienne **école** (岬の分教場 ; entrée 200 ¥, billet combiné avec le village cinématographique 750 ¥ ; 🕑 9h-17h) de 1902 mérite amplement la visite. Elle est proche à pied du village cinématographique, sur la route qui repart vers Sakate.

MONTAGNES DU CENTRE
Le **téléphérique de Kanka-kei** (寒霞渓ロープウェイ ; aller/aller-retour 700/1 250 ¥ ; 🕑 8h30-17h, 8h-17h fin oct/fin nov, 8h30-16h30 fin déc/fin mars) est le principal attrait des montagnes du centre. Il offre un trajet spectaculaire à travers la gorge de Kanka-kei. Une fois en haut, la vue sur la mer Intérieure est véritablement magique. Les bons marcheurs pourront grimper le sentier Omote aux 12 Panoramas (表十二景) en partant du pied du téléphérique, et redescendre par le sentier Ura aux 8 Panoramas (裏八景). Depuis le terminus de la station de téléphérique, au sommet de la gorge, on peut rejoindre le sommet oriental de Hoshigajō-yama (星ヶ城東峰 ; 817 m) en une heure. Sept bus vont tous les jours du port de Kusakabe à la station de téléphérique de Kōuntei (紅雲亭 ; 350 ¥, dernier départ de Kusakabe à 15h40, dernier retour à 15h55). Il y a également 3 bus/jour entre Kanka-kei et le port de Tonoshō (840 ¥, dernier départ de Tonoshō à 13h30, dernier départ de Kanka-kei à 16h20). Aucun de ces bus ne circule hors saison.

Le bus de Tonoshō à Kanka-kei s'arrête 30 minutes dans le **parc aux Singes de la vallée de Chōshi-kei** (銚子渓お猿の国 ; ☎ 62-0768 ; Nouma ; entrée 370 ¥ ; 🕑 8h10-16h50), où des bandes de primates viennent se disputer de la nourriture. Ils ont l'habitude des visiteurs et s'approcheront de vous immédiatement.

Fêtes et festivals
Pendant la période d'Edo, Shōdo-shima était réputée pour ses **représentations de kabuki rural** (農村歌舞伎). Deux théâtres au toit de chaume datant du XVIIe siècle existent encore dans les villages de montagne à l'est de Tonoshō, et des représentations ont toujours lieu le 3 mai au sanctuaire Rikyū Hachiman de Hitoyama (肥土山) et le deuxième dimanche d'octobre au sanctuaire Kasuga de Nakayama (中山).

Où se loger et se restaurer
Tonoshō compte divers hôtels et modestes restaurants, en particulier le long de la route qui part tout droit du front de mer vers l'intérieur des terres. Pour rejoindre l'auberge de jeunesse et le Dutch Pancake Camping, le port le plus proche est celui de Kusakabe.

Dutch Pancake Camping (ダッチ・パンケーキ・キャンピング ; ☎ 82-4616 ; ww8.tiki.ne.jp/~dpc-/ ; 1765-7 Nishimura Otsu, Shōdoshima-chō ; tentes 1 800 ¥/pers ; 🅿). Tenu par un Néerlandais et son épouse japonaise, cet établissement sympathique jouit d'un cadre paradisiaque avec vue sur la mer, au bord d'une petite route qui passe derrière le Sun Olive Onsen. Les tarifs sont détaillés sur le site Internet. Le Dutch Café Cupid and Cotton, installé dans un moulin derrière le camping, sert du café et de délicieuses crêpes. Il est ouvert de 11h à 17h, mais fermé le mercredi. Comptez environ 850 ¥ pour le déjeuner. Carte en anglais.

Shōdo-shima Olive Youth Hostel (小豆島オリーブユースホステル ; ☎ 82-6161 ; www4.ocn.ne.jp/~olive-yh/, en japonais ; 1072 Nishimura, Uchinomi-chō ; dort membres/non membres 3 255/3 885 ¥ ; 🅿 ✕). Sur la côte sud, agréable auberge de jeunesse pourvue de dortoirs avec lits superposés, ainsi que de chambres à la japonaise/à l'occidentale. Vous pourrez y prendre vos repas et louer des vélos.

Minshuku Maruse (民宿マルセ ; ☎ 62-2385 ; http://new-port.biz/maruse/1.htm, en japonais ; Tonoshō-kō ; s/lits jum 3 650/7 000 ¥ ; 🅿). Établissement soigné, juste à côté de la poste de Tonoshō et à courte distance à pied du terminal des ferries. Chambres à la japonaise, avec sdb communes. Possibilité de prendre ses repas.

Business Hotel New Port (ビジネスホテル・ニューポート ; ☎ 62-6310 ; www.new-port.biz, en japonais ; s/lits jum à partir de 4 200/7 800 ¥ ; 🅿 🖳). Tenu par les mêmes gérants que le Maruse (voir ci-dessus), ce petit *business hotel* juste à côté du port de Tonoshō propose des chambres correctes, à la japonaise et à l'occidentale, avec connexion Internet (réseau LAN).

Resort Hotel Olivean (リゾートホテルオリビアン ; ☎ 65-2311 ; www.olivean.com ; Yū-higaoka ; s/lits jum avec 2 repas à partir de 13 600/23 000 ¥ ; 🅿 ✕ 🖳). Hôtel doté de tout le confort des grands complexes hôteliers : courts de tennis, onsen, piscine, et plusieurs restaurants. Vue superbe au couchant. Vous le trouverez en direction de la côte nord de l'île, entre Tonoshō et Ōbe. Navettes gratuites en bus depuis Tonoshō.

Shōdo-shima Kokusai Hotel (国際ホテル小豆島 ; ☎ 62-2111 ; www.shodoshima-kh.jp, en japonais ; Gimpa-ura, Tonoshō-chō ; avec 2 repas à partir de 14 000 ¥/pers). Grand complexe hôtelier moderne sur la côte au sortir de Tonoshō. La plupart des chambres ont des lits à l'occidentale et un coin salon pourvu de tatamis. Onsen, vue sur la mer, et piscine extérieure.

Depuis/vers Shōdo-shima

Des ferries express (1 140 ¥, 30 min, 17/jour) et normaux (670 ¥, 1 heure, 15/jour) circulent régulièrement entre Takamatsu et Tonoshō (土庄). Liaisons fréquentes de Takamatsu à Kusakabe (草壁) et Ikeda (池田).

Il est également possible de rallier Tonoshō depuis Okayama (1 000 ¥, 1 heure 10, 13/jour) et Uno (宇野) sur Honshū (1 200 ¥, 1 heure 30, 7/jour). Des trains relient Uno à Okayama.

Plusieurs bateaux vont chaque jour de Himeji au port de Fukuda (福田). En été, **Kansai Kisen** (☎ 06-6572-5181 ; www.kanki.co.jp) assure des liaisons irrégulières entre Kōbe/Ōsaka et Sakate (坂手).

Comment circuler

Si vous avez du temps et que les grimpettes ne vous effraient pas, le vélo est un moyen très agréable de partir à la découverte de l'île. **Yoshida Rent-a-cycle** (吉田レンタサイクル ; ☎ 62-0423 ; vélo de ville sans vitesses 1 000 ¥/jour ; 8h30-17h) est dans l'immense Asahi-ya Hotel (旭屋), en face de la poste et à courte distance à pied du terminal des ferries de Tonoshō. Pour louer des vélos avec vitesses et des motos, allez chez **Ishii Rent-a-Cycle** (石井レンタサイクル ; ☎ 62-1866 ; 8h30-17h ; location de vélo 1 000 ¥/jour), dans Olive-dōri (オリーブ通り). La boutique est indiquée sur les cartes de Tonoshō disponibles à l'office du tourisme. On peut aussi louer des vélos à l'auberge de jeunesse proche de Kusakabe et au Cycling Terminal (station des vélos) dans le port de Sakate.

Des bus circulent de façon irrégulière tout autour de l'île. Il existe des circuits touristiques en bus pour découvrir les principaux sites : 2 circuits quotidiens au départ de Tonoshō (3 280/3 980 ¥, départs à 12h40/9h40) et un au départ de Sakate (2 500 ¥, 13h20). **Nippon Car Rental** (☎ 62-0680 ; 8h30-18h) est sur la gauche en sortant du terminal des ferries de Tonoshō.

NAOSHIMA 直島
☎ 087 / 3 500 habitants

Naoshima est unique en son genre. Il n'y a pas si longtemps, cette petite île ne se distinguait guère de ses homologues de la mer Intérieure : sa population, qui déclinait petit à petit, subsistait grâce aux maigres revenus d'une industrie de la pêche moribonde, et aux pensions de retraite. Aujourd'hui, grâce au **domaine artistique Benesse de Naoshima** (www.naoshima-is.co.jp), l'île est l'une des destinations touristiques majeures de la région, et offre l'occasion unique de voir certaines des plus belles œuvres de l'art contemporain japonais dans un cadre naturel spectaculaire.

Tout a commencé au début des années 1990, lorsque la Benesse Corporation choisit Naoshima comme écrin pour accueillir sa collection d'art moderne. C'est l'architecte Tadao Andō, primé à plusieurs reprises, qui fut désigné pour concevoir la **Benesse House** (ベネッセハウス ; ☎ 892-2030 ; Gotanji Nao-shima-chō ; entrée 1 000 ¥ ; 8h-21h), superbe musée et hôtel installé sur la côte sud de l'île, où sont notamment exposées des œuvres d'Andy Warhol, David Hockney et Jasper Johns.

Non loin se trouve le **musée d'Art Chichū** (地中美術館 ; ☎ 892-3755 ; www.chichu.jp ; 3449-1 Naoshima ; entrée 2 000 ¥ ; 10h-18h mars-sept, jusqu'à 17h oct-fév, fermé lun), autre création de Tadao Andō achevée en 2004. Cette construction en grande partie souterraine mais baignée par la lumière du jour offre un cadre remarquable à certains des Nymphéas de Monet, à de monumentales sculptures de Walter de Maria, et à trois installations inoubliables de James Turrell.

Au **Art House Project** (家プロジェクト ; ☎ 892-2030 ; billet combiné 1 000 ¥ ; 10h-16h30, fermé lun), dans le village de pêcheurs de Honmura (本村), une demi-douzaine d'édifices traditionnels ont été restaurés et confiés à des artistes contemporains qui s'en servent pour y faire de surprenantes installations. Ainsi, dans une ancienne maison de pêcheurs appelée **Kadoya**, l'artiste Tatsuo Miyajima a installé des diodes électroluminescentes rouges, jaunes et vertes qui flottent sur un bassin occupant l'endroit où l'on s'attendrait à voir des tatamis. James Turrell s'est également livré à une expérimentation avec la lumière dans une construction appelée **Minamidera** : le spectateur reste assis dans l'obscurité totale pendant près de 10 minutes puis, ses yeux s'habituant à la pénombre, il commence à entrapercevoir les œuvres d'art. Ailleurs, dans le **Go'o Shrine** (sanctuaire Go'o), l'escalier en verre de Hiroshi Sugimoto relie l'extérieur à une salle souterraine, la "Salle en pierre".

Nombre d'autres œuvres d'art sont installées en extérieur, sur la côte, notamment la **sculpture en forme de citrouille** de Yayoi Kusama, devenue le symbole de l'île.

En partant tôt le matin en ferry de Takamatsu ou Uno, il est possible de tout voir en une journée. Cependant, de plus en plus d'hébergements proposent d'accueillir ceux qui veulent profiter plus longtemps de l'atmosphère très particulière du lieu. Près du port des ferries à Miyanoura, vous logerez dans un cadre très spartiate au **dortoir de Kūron** (ド ミトリー九龍 ; ☎ 892-2424 ; www.kawloon.gozaru. jp/index.html ; dort 2 800 ¥). **Minshuku Oyaji-no-umi** (民宿おやじの海 ; ☎ 892-2269 ; http://mypage. odn.ne.jp/home/stone_ocean/ ; 4 200 ¥/pers avec petit déj) occupe une vieille maison près du Art House Project de Honmura. **Tsutsuji-sō** (つつじ荘 ; ☎ 892-2838 ; fax 892-3871 ; à partir de 3 675 ¥/pers ; P) est un campement de *pao* (yourtes mongoles) en bord de plage, non loin des deux musées. On peut prendre ses repas sur place.

Pour un hébergement haut de gamme, rendez-vous à la **Benesse House** (☎ 892-2030 ; www.naoshima-is.co.jp/english/benessehouse/index.html ; ch à partir de 30 000 ¥ ; P ✕), où vous pourrez admirer les œuvres d'art à loisir, 24h/24.

À Honmura, près des bâtiments du Art House Project, le **Café Maruya** (まるや ; ☎ 892-2714 ; formule déj 800 ¥ ; ⏱ 11h-18h, fermé lun) est agréable pour savourer un café ou bien le *higawari ranchi* (formule du jour le midi).

Le **comptoir d'information touristique** (☎ 892-2299 ; www.naoshima.net/en/accommodations/index.html ; ⏱ 9h-19h) situé dans la gare maritime à côté du port des ferries vous fournira la liste complète des hébergements (indiqués sur le site Internet) et une carte de l'île bilingue, très pratique.

Des minibus relient les sites entre eux (100 ¥) ; vous trouverez aussi des **vélos à louer** (500 ¥/jour ; ⏱ 9h-19h) au port des ferries. Les principaux sites se visitent aisément à pied.

Six à sept ferries se rendent chaque jour au port principal de Miyaura en partant de Takamatsu (高松 ; 510 ¥, 1 heure, de 8h10 à 20h05) sur Shikoku. Quinze ferries partent d'Uno (宇野) dans l'Okayama-ken (280 ¥, 20 min, de 6h10 à 20h25). Uno, terminus de la ligne JR Uno, est à environ 1 heure d'Okayama (570 ¥). Il faudra peut-être changer de train à Chaya-machi (茶屋町). Passer par Naoshima est un bon moyen de faire le trajet Honshū-Shikoku et vice-versa.

ÎLES KASAOKA 笠岡諸島

Situé entre Kurashiki et Fukuyama, le port de Kasaoka est le point de départ vers six petites îles reliées au "continent" par voie maritime uniquement. Les îles de Shiraishi-jima et Manabe-shima, notamment, sont idéales pour goûter à un rythme de vie plus nonchalant évoquant celui de la mer Intérieure d'antan.

En train, Kasaoka est à 40 minutes à l'ouest d'Okayama, à 25 minutes à l'ouest de Kurashiki, ou à 15 minutes à l'est de Fukuyama sur la ligne JR San-yō. De la gare, il suffit de marcher 5 minutes pour rejoindre le port et le terminal des ferries. La compagnie de ferries **Sanyō Kisen** (三洋汽船 ; ☎ 0865-62-2866) assure 8 liaisons quotidiennes avec Shiraishi-jima et Manabe-shima.

Shiraishi-jima 白石島
☎ 0865 / 750 habitants

Shiraishi-jima est très prisée en été pour ses plages, mais l'on peut s'y détendre et profiter d'un rythme plus calme toute l'année. L'île compte plusieurs sentiers de balade. Le saint bouddhiste Kōbō Daishi a fait escale ici en 806 à son retour de Chine ; le temple qui lui est associé, **Kairyū-ji** (開龍寺), comporte un sentier ponctué de petits sanctuaires menant à un énorme rocher, au sommet de la colline, d'où la vue sur la mer est splendide.

Les touristes peuvent loger en hébergement commun à la **villa internationale** (3 500 ¥/pers), installée à flanc de colline en surplomb de la plage. Pour réserver, contactez l'**International Villa Group** (☎ 086-256-2535 ; fax 086-256-2576 ; www. harenet.ne.jp/villa) à Okayama.

Sinon, plusieurs *minshuku* (pensions à prix modiques gérées par des familles) sont installés sur la plage. **San-chan** (民宿さんちゃん ; ☎ 68-3169 ; avec/sans 2 repas 6 000/2 500 ¥/pers), ouvert toute l'année, propose des chambres à la japonaise sans prétention, avec sdb communes. Des repas simples sont servis dans son agréable **restaurant** (⏱ 11h-22h) du front de mer, dont le menu est traduit en anglais. Amy Chavez, l'expatriée qui gère le Mooo! Bar sur la plage (ouvert l'été uniquement), organise des excursions en voilier vers d'autres îles de la mer Intérieure (à partir de 2 500 ¥/pers pour 2 heures).

Pendant la fête bouddhique d'O-bon (du 13 au 16 août), les **Shiraishi-odori**, danses traditionnelles, ont lieu sur la plage.

Au départ de Kasaoka, Sanyō Kisen assure 8 liaisons quotidiennes (de 650 ¥ à 1 130 ¥, 20 à 35 min, de 7h25 à 17h50) ; la compagnie

Shiraishi Ferry, située à 15 minutes de marche en longeant la côte vers la gauche au sortir du terminal Sanyō Ferry, fait quant à elle circuler 4 ferries.

Manabe-shima
☎ 0865 / 300 habitants

Cette petite île tranquille située en plein milieu de la mer Intérieure n'est qu'à un peu plus d'une heure de bateau du "continent", mais à des années-lumière de l'agitation des grandes villes. Son unique petite bourgade, où l'on compte plus de chats que d'habitants, est un pittoresque dédale de vieilles demeures en bois. On n'y trouve qu'une boutique, en activité depuis l'ère Meiji (ce dont on ne saurait douter en la voyant), et l'école reçoit seulement 14 élèves. Comme ailleurs dans cette région du Japon, Kōbō Daishi est venu parmi les premiers et a passé quelque temps dans le temple **Enpukuji** (円福寺).

En bord de plage, la **Santora Youth Hostel** (三虎ユースホステル ; ☎ 68-3515 ; fax 68-3516 ; 2224 Manabe-shima ; avec 2 repas 5 770 ¥/pers) propose un hébergement confortable en chambres privatives équipées de tatamis. Le *ryokan* situé à proximité possède des chambres plus haut de gamme (avec repas à partir de 10 500 ¥/pers). Il faut réserver au **Ryōka** (漁火 ; ☎ 68-3519 ; cours à partir de 5 000 ¥ ; ☺ 11h-18h), restaurant au front de mer installé à l'arrivée des ferries. Le propriétaire, un ancien pêcheur devenu restaurateur, sert des poissons et fruits de mer d'une incroyable fraîcheur. Il n'y a pas de carte puisque l'on savoure ici la pêche du jour. Si l'idée de saisir entre vos baguettes des créatures marines encore frétillantes vous rebute, **Nagisa** (渚 ; ☎ 68-3771), situé un peu plus haut que l'école, sert de bons *okonomiyaki* (600 ¥) et jouit d'une belle vue sur la mer.

Huit bateaux partent chaque jour de Kasaoka (760 ¥ à 1 360 ¥, 44 min à 1 heure 10, de 7h25 à 17h50). Les mardis, jeudis et samedis, un ferry se rend à Sanagi-jima (250 ¥, 15 min, 15h05), où il est possible de prendre une correspondance pour Tadotsu, sur Shikoku (780 ¥, 50 min).

SETO-UCHI SHIMANAMI KAIDŌ
瀬戸内しまなみ海道

Ouvert en mai 1999, le Shimanami Kaidō est un réseau de ponts reliant Onomichi, dans le Hiroshima-ken, à Imabari, dans le Ehime-ken sur Shikoku, et qui passe par six îles, dont trois figurent dans cette rubrique. Sur chaque pont, une piste cyclable distincte de la route est aménagée, de sorte qu'il est possible de parcourir entièrement à vélo les 70 km séparant Honshū de Shikoku, et d'admirer au passage un superbe paysage. On peut louer des vélos (et les laisser à n'importe quel endroit du parcours) près du terminal des ferries de Onomichi, à Imabari, ainsi que sur les îles, qui comptent chacune au moins une agence de location. Le tarif est de 500 ¥/jour, auxquels s'ajoute une caution de 1 000 ¥, que l'on récupère en rendant le vélo à l'agence où on l'a loué. En rendant le vélo dans une autre agence le long du parcours, cette caution est perdue.

Les offices du tourisme des îles fournissent cartes et renseignements. Si vous n'avez pas le courage d'effectuer tout le trajet à vélo, une bonne solution consiste à prendre un ferry pour Setoda, sur Ikuchi-jima, et de poursuivre ensuite à vélo jusqu'à Ōmi-Shima, où bateaux et bus partent pour Imabari, sur Shikoku.

INNO-SHIMA 因島
☎ 0845 / 27 000 habitants

Île réputée pour ses fleurs et ses fruits, Inno-shima est reliée par un pont à Mukai-shima (en face d'Onomichi) à l'est, et à Ikuchi-jima à l'ouest. Au Moyen Âge, elle était la base de l'un des trois clans de pirates Murakami, lesquels contrôlèrent à eux trois tout le trafic maritime en mer Intérieure jusqu'au début de la période d'Edo. Le **château de pirate** (因島水軍城 ; ☎ 24-0936 ; 3228-2 Nakanosho ; entrée 310 ¥ ; ☺ 9h30-17h, fermé jeu), une réplique datant des années 1980, commémore le passé de l'île. Au sommet du Shirataki-yama (白滝山) se trouvent 500 statues de Rakan, le disciple du Bouddha. Durant le dernier week-end d'août, le **Suigun Furusato Matsuri** célèbre le passé corsaire de l'île à grand renfort de feux de joie et de courses de bateaux.

IKUCHI-JIMA 生口島
☎ 0845 / 10 900 habitants

Ikuchi-jima est connue pour ses plantations d'agrumes et ses plages, notamment Sunset Beach, sur la côte ouest. Elle est aussi le berceau du Kōsan-ji, un ensemble de temples bouddhiques aussi kitsch que bigarrés, construit par un ancien homme d'affaire devenu prêtre en mémoire de sa mère. Vous pourriez louer des vélos et obtenir des renseignements touristiques devant le **pavillon Bel Canto** (☎ 27-0051 ; ☺ 9h-17h). Pour venir, sortez du terminal des ferries, prenez à gauche dans la principale artère commerçante, puis encore à gauche au carrefour situé devant le Kōsan-ji.

À voir

Le principal atout de Setoda, une cité assoupie, est l'étonnant ensemble de temples de **Kōsan-ji** (耕三寺 ; ☎ 27-0800 ; 553-2 Setoda ; entrée 1 200 ¥ ; ⏰ 9h-17h). Peu après la mort de sa mère adorée en 1934, le magnat régional de l'industrie du tube d'acier et de l'armement Kōzō Kanemoto décida de devenir prêtre bouddhiste. Il se laissa pousser les cheveux, acheta les droits d'exercer son sacerdoce ainsi que le nom d'un temple de Niigata, et passa l'essentiel des trente années qui suivirent à dépenser sa fortune dans la construction de temples aux couleurs criardes, parmi lesquels figurent plusieurs répliques des plus importants temples anciens du Japon. Le tout – un ensemble de 2 000 édifices – évoque une sorte de Disneyland bouddhique.

L'entrée du Kōsan-ji comprend la visite du **musée d'Art**, de la **grotte aux 1 000 Bouddhas**, du **Trésor** et de la **villa Choseikaku**, où la mère de Kōzō Kanemoto vivait dans une opulence mêlant élégamment les styles japonais et européen. L'extraordinaire grotte aux 1 000 Bouddhas abrite plusieurs représentations de l'enfer. De l'autre côté de la rue, le Trésor renferme des icônes bouddhiques datant des périodes de Heian et de Kamakura.

Pour rejoindre le temple, tournez à droite en quittant le débarcadère, puis à gauche et remontez la rue commerçante. Au milieu de cette rue, un panneau en japonais indique à gauche, à flanc de colline, le **Chōon-zan Kōen** (潮音山公園), ses temples et ses sanctuaires. Plus haut sur la colline s'élèvent la **Kōjō-ji** (向上寺), datant du début du XVᵉ siècle, et sa pagode à trois étages classée trésor national. De là, la vue sur l'île est très belle. Juste après le Kōsan-ji, le **musée Ikuo Hirayama** (平山郁夫美術館 ; ☎ 27-3800 ; entrée 700 ¥ ; ⏰ 9h-17h) retrace la vie et l'œuvre du célèbre artiste qui a grandi à Setoda.

Où se loger et se restaurer

Setoda Shimanami Guest House (瀬戸田しまなみゲストハウス ; ☎ 27-3137 ; www.d1.dion. ne.jp/~sunami/youth/, en japonais ; 58-1 Tarumi Setoda-chō ; 3 000 ¥/pers ; P). Sur Sunset Beach, cette sympathique auberge de jeunesse est appréciée des cyclistes. Elle propose des chambres individuelles pourvues de tatamis. L'établissement possède son propre onsen et il est possible de se restaurer sur place.

Ryokan Tsutsui (旅館つつ井 ; ☎ 27-2221 ; fax 27-2137 ; www.tsutsui.yad.jp, en japonais ; 216 Setoda Setoda-chō ; avec 2 repas à partir de 10 500 ¥/pers ; P).

Cet hôtel de style *ryokan*, récemment rénové et installé devant le terminal des ferries, est l'adresse la plus chic des hébergements de Setoda, dont le nombre est limité. Les chambres de style japonais sont spacieuses, et les ravissants bains en bois flambant neufs jouissent d'une vue exceptionnelle.

Keima (桂馬 ; ☎ 27-1989 ; Setoda 251 ; sushis à partir de 1 260 ¥ ; ⏰ déj et dîner, fermé jeu). Ce modeste restaurant à sushis de la principale artère commerçante sert de copieux repas dans une atmosphère sympathique. L'établissement est proche du terminal des ferries. C'est l'un des premiers bâtiments sur la gauche lorsqu'on descend l'artère commerçante en tournant le dos à la mer. Au menu, entre autres : *sashimi teishoku* (1 890 ¥) et *tai-kamameshi* (daurade sur du riz ; 1 680 ¥).

Depuis/vers Ikuchi-jima

Les ferries pour Setoda partent d'Onomichi (800 ¥, 40 min, 9/jour) et Mihara (800 ¥, 20 min, 18/jour) dans le Hiroshima-ken.

ŌMI-SHIMA 大三島

☎ 0897 / 7 500 habitants

De l'autre côté de la frontière, dans l'Ehime-ken, cette île montagneuse abrite l'un des plus anciens sanctuaires shintoïstes de l'ouest du Japon, l'**Ōyamazumi-jinja** (大山祇神社 ; ☎ 82-0032 ; 3327 Miyaura ; entrée Trésor et musée Kaiji 1 000 ¥ ; ⏰ 8h30-17h). La divinité adorée ici est le frère d'Amaterasu, la déesse du Soleil. Il est révéré comme étant le gardien des montagnes et des mers. La structure actuelle date de 1378, mais l'histoire du sanctuaire est beaucoup plus ancienne. Le camphrier vieux de 2 600 ans qui se dresse dans la cour aurait été planté là au cours de la visite de Jimmu, premier empereur légendaire du Japon. En tant que berceau de la plus importante divinité protectrice du pays, l'Ōyamazumi-jinja était un site prisé des guerriers qui venaient y prier avant de livrer bataille. Le Trésor du sanctuaire renferme la plus grande collection d'armes anciennes du Japon. Près de 80% des armures et des casques considérés comme trésors nationaux sont conservés ici. Dans le bâtiment voisin appelé **musée Kaiji** (海事博物館), vous pourrez découvrir un bateau utilisé par l'empereur Hirohito lors de ses expéditions scientifiques, ainsi qu'une exposition d'histoire naturelle.

Le port de Miyaura (宮浦港) est à quelques pas du sanctuaire. Un comptoir d'information touristique se trouve dans le **Shimanami no**

OUEST DE HONSHŪ

eki mishima (しまなみの駅御島 ; ☎ 82-0002 ; 3260 Miyaura ; ☉ 8h30-17h), juste après le sanctuaire, au bord de la route. Vous trouverez un autre **comptoir d'information touristique** (☎ 87-3855 ; Tatara Shimanami Kōen ; ☉ 9h-17h) à côté du pont Tatara qui mène à Ikuchi-jima, à l'est de l'île. Dans les deux, vous pourrez louer des vélos et vous faire aider pour réserver un *minshuku*.

Depuis/vers Ōmi-shima

Des ferries relient le port de Miyaura, près du sanctuaire, avec Imabari, sur Shikoku (990 à 1 050 ¥, 1 heure à 1 heure 30, 5/jour). Des bus se rendent aussi régulièrement à Imabari (1 140 ¥, 1 heure, 17/jour), où l'on peut prendre une correspondance pour Matsuyama. Ōmi-shima n'est plus desservie par bateau au départ de Honshū. Le bus Shimanami Liner relie Ōmi-shima et Honshū via Ikuchi-jima. Sinon, prenez un ferry à Onomichi ou Mihara à destination de Setoda, sur Ikuchi-jima (voir p. 487), et louez un vélo pour rejoindre Ōmi-shima.

YAMAGUCHI-KEN
山口県

La préfecture de Yamaguchi, à l'extrémité ouest de Honshū, couvre un territoire qui s'étend entre la côte San-yō, au sud, et la côte San-in, au nord. Le pont Kintai-kyō d'Iwakuni est un monument incontournable du sud de la région. À l'ouest, Shimonoseki sert de porte vers Kyūshū et la Corée. Dans la partie nord se trouve la ville de Hagi, d'une grande importance historique, et dans les montagnes du centre, l'immense grotte d'Akiyoshi-dai. La côte comprise entre Tottori et Wakasa-wan est traitée dans le chapitre *Kansai* (p. 330).

IWAKUNI 岩国
☎ 0827 / 151 000 habitants

Le principal intérêt d'Iwakuni est le Kintai-kyō, un pont piétonnier à cinq arches. Cette ville décontractée est également dotée de certains sites intéressants dans le quartier de Kikkō-kōen, non loin du pont. Quelques heures suffisent pour le visiter.

Orientation et renseignements

Iwakuni se compose de trois secteurs bien distincts. L'extrême ouest abrite la gare *shinkansen* de Shin-Iwakuni, à 30 minutes en bus du reste de la ville. Le château reconstruit et les musées sont

situés dans le vieux quartier des samouraïs, sur la rive occidentale de la rivière, de l'autre côté du pont de Kintaikyō. Il faut parcourir 20 minutes en bus à l'est de la rivière pour accéder à la partie moderne de la ville, où se trouvent la gare JR, ainsi que quelques hôtels et restaurants.

Des **offices du tourisme** (gare shinkansen ☎ 46-0655 ; 1055-1 Mishō ; ☉ 10h30-15h30, fermé mer ; gare JR ☎ 21-6050 ; 1-1-1 Marifu-machi ; ☉ 10h-17h, fermé lun) sont installés dans les gares.

À voir
KINTAI-KYŌ 錦帯橋

Principale fierté d'Iwakuni, le **Kintai-kyō** (pont de l'Écharpe de brocart) est un pont à cinq arches construit en 1673 sous le règne du seigneur féodal Hiroyoshi Kikkawa. Il a été restauré plusieurs fois, les travaux les plus récents datant de 2003-2004. À l'époque féodale, seuls les membres de la classe dirigeante pouvaient emprunter ce pont, qui reliait le quartier des samouraïs, sur la rive ouest de la Nishiki-gawa, au reste de la ville. Aujourd'hui, il est ouvert à tous moyennant un droit d'accès de 300 ¥. La billetterie située à l'entrée du pont vend également un forfait *setto-ken* (billet combiné ; 930 ¥) comprenant l'accès au pont, le trajet aller-retour en funiculaire et l'entrée au château, soit une économie de 170 ¥ pour les trois sites. Le billet combiné donne également droit à une réduction au musée d'Art et au musée d'Histoire.

QUARTIER DES SAMOURAÏS

Ce qui reste du vieux quartier des samouraïs forme aujourd'hui l'agréable Kikkō-Kōen (吉香公園), sur la rive occidentale de la rivière, de l'autre côté du pont en face de la ville moderne. À droite de la grande fontaine, la **résidence familiale Mekata** (旧目加田住宅 ; ☎ 41-0452 ; entrée libre ; ☉ 9h30-16h30, fermé lun) est l'ancienne demeure d'une famille de samouraïs remontant au milieu de la période d'Edo. Juste à côté se trouve le petit **vivarium des serpents blancs** (白蛇観覧所 ; ☎ 43-4888 ; 2-6 Yokoyama ; entrée 100 ¥ ; ☉ 9h-17h), où l'on peut observer quelques spécimens de ces étranges serpents albinos, introuvables ailleurs qu'à Iwakuni.

À côté de la station du funiculaire, le **musée d'Art d'Iwakuni** (岩国美術館 ; ☎ 41-0506 ; 2-10-27 Yokoyama ; entrée 800 ¥ ; ☉ 9h-17h mars-nov, jusqu'à 16h déc-fév, fermé jeu) présente au 2e niveau une collection d'armures et de sabres, et au 3e niveau des paravents et des objets en laque. Le **musée d'Histoire de Kikkawa** (吉川資料館 ;

☎ 41-1010 ; 2-7-3 Yokoyama ; entrée 500 ¥ ; ⊗ 9h-17h, fermé mer) abrite quant à lui une vaste collection d'œuvres d'art et d'objets historiques en lien avec la famille Kikkawa, qui régnait sur Iwakuni à l'époque féodale.

IWAKUNI-JŌ 岩国城

À l'origine, l'**Iwakuni-jō** (château d'Iwakuni ; ☎ 41-0633 ; entrée 260 ¥ ; ⊗ 9h-16h45, fermé mi-déc/fin déc) fut édifié par Hiroie, le premier des seigneurs Kikkawa, entre 1603 et 1608. Sept ans plus tard seulement, le shogunat des Tokugawa édicta une loi limitant le nombre de châteaux que les daimyo étaient autorisés à bâtir, si bien que le château d'Iwakuni fut démoli. Il fut rebâti non loin de son site d'origine en 1960. L'intérieur ne présente pas grand intérêt, mais la vue du haut de la colline est assez belle.

Vous pouvez vous y rendre en **funiculaire** (cable car ; aller/aller-retour 320/540 ¥ ; ⊗ toutes les 20 min 9h-17h) ou à pied en empruntant l'agréable sentier qui part à côté de l'auberge de jeunesse.

À VOIR ÉGALEMENT

L'**ukai** (pêche au cormoran ; ☎ 28-2877 ; Yokoyama 2-7-3 ; 3 500 ¥/pers ; ⊗ 12h et 18h30 juin-août) a lieu près du Kintai-kyō tous les jours en été, sauf lorsque la pluie rend l'eau trop boueuse ou par les nuits de pleine lune.

Où se loger et se restaurer

Iwakuni Youth Hostel (岩国ユースホステル ; ☎ 43-1092 ; fax 43-0123 ; www.geocities.jp/iwakuniyouth/englishtml.html ; 1-10-46 Yokoyama ; dort membres/non membres 2 835/3 835 ¥). Grande auberge de jeunesse située dans un coin tranquille mais proche des sites touristiques, sur la rive occidentale de la rivière. Un sentier agréable mène jusqu'au château. Possibilité de se restaurer sur place.

Alpha-One Iwakuni (☎ 21-2244 ; fax 21-2245 ; www. alpha-1.co.jp/iwakuni/index.html, en japonais ; 4-8-2 Marifumachi ; s/lits jum 5 100/8 000 ¥ ; Ⓟ ⊠ 🖳). Grand *business hotel* dans la partie moderne de la ville, à quelques minutes de marche au bord de la route principale, devant la gare JR (ligne principale). Internet (réseau LAN) dans toutes les chambres, ordinateurs à louer au besoin. Location de vélos gratuite.

Hangetsu-an (半月庵 ; ☎ 41-0021 ; fax 43-0121 ; www.gambo-ad.com/iwakuni/hotel/hangetsuan/info.htm, en japonais ; 1-17-27 Iwakuni ; avec 2 repas à partir de 9 900 ¥/pers ; Ⓟ). Cette ancienne maison de thé du début de l'ère Meiji abrite des chambres traditionnelles pourvues de tatamis et bien entretenues. On peut se restaurer sur place. Vous le trouverez

sur la rive opposée au château et au quartier des samouraïs, dans la rue qui prolonge le pont. Repérez la porte ancienne sur la gauche en venant de la rivière.

Midori-no-sato (緑の里 ; ☎ 41-1370 ; 1-4-10 Iwakuni ; repas 630-1 050 ¥ ; ⊗ 10h-18h ; ⊠). Derrière une pâtisserie, agréable restaurant non-fumeur proposant des menus, par exemple la formule *iwakuni-zushi* (sushis à la mode d'Iwakuni ; 1 050 ¥), et la formule *niku udon* (nouilles à la viande ; 630 ¥). Après avoir traversé le Kintai-kyō en venant du quartier des samouraïs, continuez tout droit pendant une minute. Le restaurant est sur la droite.

Campagne (カンパーニュ ; ☎ 43-4477 ; 2-7-25 Kawanishi ; repas 1 000-3 800 ¥ ; ⊗ 11h-23h). L'une des rares adresses fermant tard près de la vieille ville. Ce restaurant italien est à 1,5 km du Kintai-kyō. Au départ du pont, dirigez-vous vers le sud et franchissez le pont Garyō-bashi (臥龍橋) en direction de la rive escarpée de la rivière. Ensuite, tournez à gauche et continuez jusqu'au carrefour situé avant la gare de Kawanishi. Carte en anglais.

Depuis/vers Iwakuni

Iwakuni n'est qu'à 40 km de Hiroshima. La gare de Shin-Iwakuni est sur la ligne du *shinkansen*, tandis que la gare JR d'Iwakuni est située sur la ligne JR San-yō. Le Kintai-kyō se trouve à environ 5 km de chacune d'elles. Des bus font la navette entre la gare JR d'Iwakuni et celle de Shin-Iwakuni (440 ¥, 25 min), marquant un arrêt au pont en chemin (220 ¥, 15 min).

YAMAGUCHI 山口
☎ 083 / 192 000 habitants

Durant les 100 ans de guerre civile qui agitèrent le Japon avant sa réunification au début du XVIIᵉ siècle, sous le règne des Tokugawa, Yamaguchi connut une ère de prospérité en se substituant comme capitale à Kyōto, alors plongée dans le chaos. En 1550, le missionnaire jésuite François-Xavier séjourna deux mois à Yamaguchi sur le chemin qui le menait vers la capitale impériale. Puis il revint bien vite se mettre à l'abri dans ce centre provincial après de vaines tentatives pour retrouver l'empereur à Kyōto ! Aujourd'hui, cette capitale préfectorale étonnamment petite est une ville paisible, comptant plusieurs sites d'intérêt.

Orientation et renseignements

Eki-dōri est la principale rue commerçante de la ville. Elle part de la gare et croise la

490 YAMAGUCHI-KEN •• Yamaguchi

grande galerie marchande avant d'atteindre la Route 9. Pratique, l'**office du tourisme** (☎ 933-0090 ; 2-1 Sodayu-chō ; ☺ 9h-12h30 et 13h30-18h) est au 2ᵉ niveau de la gare. Le Yuda Onsen est à un arrêt sur la ligne ferroviaire locale. Des bus s'y rendent régulièrement.

À voir

CHAPELLE COMMÉMORATIVE SAINT-FRANÇOIS-XAVIER
ザビエル記念聖堂

Yamaguchi fut un important centre d'activité des missionnaires chrétiens avant que le catholicisme soit déclaré illégal en 1589. L'**église** domine le centre-ville depuis le sommet d'une colline, dans le Kameyama-kōen. Édifiée en 1952 en hommage à saint François-Xavier, elle brûla en 1991 et fut reconstruite en 1998. Le **musée du Christianisme** (☎ 920-1549 ; 4-1 Kameyama-chō ; entrée 300 ¥ ; ☺ 9h-17h30, fermé mer) du rez-de-chaussée retrace la vie du saint et les débuts du christianisme au Japon (la plupart des légendes sont en japonais uniquement).

KŌZAN-KŌEN ET RURIKŌ-JI
香山公園・瑠璃光寺

En s'éloignant encore du centre-ville vers le nord, on parvient au **Kōzan-kōen**, où se dresse l'impressionnante **pagode à cinq étages de Rurikō-ji**, un trésor national datant de 1404, à côté d'un petit lac. Le parc accueille également le temple de **Tōshun-ji** et les tombes des seigneurs du clan Mōri.

RENSEIGNEMENTS
Office du tourisme 観光案内所..................................1 B6

À VOIR ET À FAIRE
Pagode à cinq étages 五重塔 2 B1
Rurikō-ji 瑠璃光寺 3 B1
Chapelle commémorative Saint-François-Xavier
  ザビエル記念聖堂 4 A4
Tōshun-ji 洞春寺..5 B2

OÙ SE LOGER 🏠
Sunroute Kokusai Hotel Yamaguchi
  サンルート国際ホテル山口 6 B4
Taiyō-dō Ryokan 太陽堂旅館................................7 B5

OÙ SE RESTAURER 🍴
Frank フランク 8 B5
La Francesca ラフランチェスカ 9 A4
Renkon 蓮根..10 B4
Sabō Kō 茶房 幸 11 A5

TRANSPORTS
Fukutake Rōho (location de vélos)
  福武老舗 貸自転車..12 B6

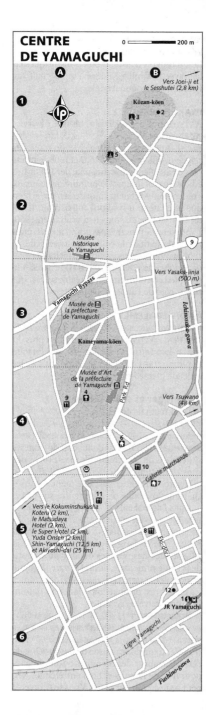

CENTRE DE YAMAGUCHI

Vers Joei-ji et le Sesshutei (2,8 km)
Kōzan-kōen
Musée historique de Yamaguchi
Vers Yasaka-jinja (500 m)
Yamaguchi Bypass
Musée de la préfecture de Yamaguchi
Kameyama-kōen
Musée d'Art de la préfecture de Yamaguchi
Vers Tsuwano (48 km)
Ichinosaka-gawa
Park Rd
Galerie marchande
Vers le Kokuminshukusha Koteru (2 km), le Matsudaya Hotel (2 km), le Super Hotel (2 km), Yuda Onsen (2 km), Shin-Yamaguchi (12,5 km) et Akiyoshi-dai (25 km)
Ekī-dōri
JR Yamaguchi
Ligne Yamaguchi
Fushino-gawa
0 — 200 m

JŌEI-JI 常栄寺

À environ 4 km au nord-est de la gare JR, le **Jōei-ji** est remarquable pour son jardin zen, le **Sesshutei** (☎ 922-2272 ; 2001 Miyano-shimo ; 300 ¥ ; ⊙ 8h-17h), conçu par le peintre Sesshū. Un sentier part du jardin pour grimper la colline à travers bois et rejoindre d'autres sanctuaires.

YUDA ONSEN

À l'ouest de la ville, l'ensemble de sources chaudes **Yuda Onsen**, vieux de 800 ans, aurait été découvert, dit-on, grâce à un renard blanc qui aurait guéri sa patte blessée en la trempant dans ces eaux. Aujourd'hui, les hôtels et bains, conçus pour une clientèle de touristes japonais en voyage organisé, règnent en maîtres. L'**office du tourisme** (☎ 901-0150 ; 2-1-23 Yuda Onsen ; ⊙ 9h-19h), sur la route principale, est à 600 m au nord-ouest de la gare de Yuda Onsen. Au sortir de la gare, empruntez la rue droit devant vous pour rejoindre la route principale, où sont rassemblées la plupart des infrastructures (hôtels et bains). L'**Onsen no Mori** (温泉の 森 ; ☎ 920-1126 ; 4-7-17 Yuda Onsen ; entrée 1 000 ¥ ; ⊙ 10h-24h) possède d'excellents équipements, notamment un bain bouillonnant pour les massages. On peut aussi opter pour les bains du vaste **Hotel Kamefuku** (ホテルかめ福 ; ☎ 922-7000 ; 4-5 Yuda Onsen ; 800 ¥ ; ⊙ 11h30-22h) ou pour ceux du **Kokuminshukusha Koteru** (国民宿舎小 てる ; ☎ 922-3240 ; 4-3-15 Yuda Onsen ; 400 ¥ ; ⊙ 8h-12h, 15h-22h), moins fréquentée. Si vous avez envie d'un repas de luxe, choisissez ceux du *ryokan* **Umenoya** (梅乃屋 ; ☎ 922-0051 ; 4-3-19 Yuda Onsen ; 800 ¥ ; ⊙ 13h-24h). Depuis la gare de Yamaguchi, des bus desservent régulièrement l'arrêt de Yuda Onsen (190 ¥, 10 min). Il est à un arrêt sur la ligne ferroviaire locale (140 ¥).

Fêtes et festivals

Pendant la fête de **Gion Matsuri**, les 20, 24 et 27 juillet, des représentations de Sagi no mai (danse du héron) ont lieu au Yasaka-jinja. Les 6-7 août, lors du **Tanabata Chōchin Matsuri**, 10 000 lanternes décorées illuminent la ville.

Où se loger

Taiyō-dō Ryokan (☎ 922-0897 ; fax 922-1152 ; 2-3 Komeya-chō ; à partir de 3 500 ¥/pers). Dans la galerie marchande située à deux pas d'Eki-dōri, à côté d'une boulangerie au toit vert en pointe, cet établissement assez ancien et charmant propose des chambres confortables. Il se trouve à 7 minutes à pied de la gare de Yamaguchi.

Super Hotel (☎ 921-9000 ; fax 921-9002 ; www.super-rhotel.co.jp ; 4-1-5 Yuda Onsen ; s/d à partir de 4 980/6 980 ¥ ; Ⓟ ⊠ 🖳). Ce *business hotel* de Yuda Onsen n'a rien d'extraordinaire mais possède quantités d'équipements. Accès à l'onsen Kame no Yu pour les clients (200 ¥). Connexion Internet (réseau LAN) dans toutes les chambres.

Sunroute Kokusai Hotel Yamaguchi (☎ 923-3610 ; fax 923-2379 ; www.sunroute.jp ; 1-1 Nakagawara-chō ; s/ lits jum à partir de 6 825/12 180 ¥ ; Ⓟ ⊠ 🖳). Situé au cœur de la ville et à 10 minutes à pied de la gare, cet hôtel géré par un personnel sympathique comporte des chambres élégantes et un restaurant indien au rez-de-chaussée.

Kokuminshukusha Koteru (国民宿舎小てる ; ☎ 922-3240 ; fax 928-6177 ; 4-3-15 Yuda Onsen ; avec/sans repas 7 500/5 400 ¥ par pers ; Ⓟ). À deux pâtés de maisons au nord de la rue principale à Yuda Onsen, cet établissement familial propose un bon rapport qualité/prix. Chambres de style japonais et personnel avenant. L'accès aux bains est situé sur le côté du bâtiment.

Matsudaya Hotel (ホテル松田屋 ; ☎ 922-0125 ; fax 925-6111 ; www.matsudayahotel.co.jp, en japonais ; 3-6-7 Yuda Onsen ; s et lits jum avec 2 repas à partir de 21 150 ¥ ; Ⓟ). Les chambres et les jardins de ce *ryokan* plusieurs fois centenaire sont magnifiques. Le service est impeccable. L'établissement est à 800 m au nord de la gare de Yuda Onsen, dans l'artère principale de Yuda Onsen.

Où se restaurer

Sabō Kō (☎ 928-5522 ; 1-2-39 Dōjōmonzen ; plats 300-900 ¥ ; ⊙ 11h30-19h fermé mar). Atmosphère douillette dans ce charmant petit café toujours plein, où des aquariums à poissons rouges décorent le comptoir. Le menu (en japonais uniquement) présente la spécialité maison : le *wafū omuraisu* (omelette au riz ; 800 ¥). L'extérieur du café est revêtu de bois et décoré de plantes en pot.

Frank (☎ 932-4836 ; 2e niv, 2-4-19 Dōjōmonzen ; repas 700-900 ¥ ; ⊙ 12h-23h, fermé mar). Surplombant la principale artère commerçante, ce spacieux café meublé de canapés propose des boissons et de délicieuses formules du jour au déjeuner (à partir de 700 ¥). L'endroit est signalé par un "F" rouge à côté de la porte, qui fait l'angle quand on vient de la rue principale.

La Francesca (☎ 934-1888 ; 7-1 Kameyama ; ⊙ déj et dîner ; ⊠). On vient dans cette élégante villa toscane, située sur la gauche en montant vers la chapelle commémorative Saint-François-Xavier, pour son excellente cuisine italienne. Au déjeuner, on peut choisir le menu *Pranzo* (1 575 ¥), au dîner le menu *Cena* (5 250 ¥).

Renkon (☎ 921-3550 ; 1-3 Komeyachō ; ☾ 17h-24h). Un bar tout en bois trône à l'intérieur de ce restaurant haut de gamme de style *izakaya*, où le menu (en japonais uniquement) propose entre autres délices du *gyū rebā sashi* (foie de veau cru ; 900 ¥) et des *sashimi moriawase* (1 200 ¥). Pour trouver ce bar, repérez l'enseigne lumineuse entre la galerie marchande et le Sunroute Hotel.

Depuis/vers Yamaguchi

Le service *futsū* de Yamaguchi relie la ville à Shin-Yamaguchi (230 ¥, 25 min). La gare de Shin-Yamaguchi se trouve à 10 km au sud-ouest de Yamaguchi, à Ogōri, à la jonction de la ligne *shinkansen* Ōsaka-Hakata de San-yō et de la ligne JR Yamaguchi, qui traverse Yamaguchi et poursuit vers Tsuwano et Masuda sur la côte San-in.

Au départ de Yamaguchi, des bus JR et Bōchō Kōtsū desservent Hagi (1 680 ¥, 1 heure 10) et Akiyoshi-dai (1 130 ¥, 55 min).

Le train à vapeur *SL Yamaguchi-gō* s'arrête aux gares de Yamaguchi et de Yuda Onsen de mars à novembre (voir p. 513).

Comment circuler

Les sites de Yamaguchi sont assez dispersés (comptez 8 km pour le trajet aller-retour de la gare à Jōei-ji). Vous pourrez louer des vélos en face de la gare chez **Fukutake Rōho** (☎ 922-0915 ; Eki-dōri 1-4-6 ; location 300 ¥ les 2 premières heures, et 100 ¥/ heure supp ; ☾ 8h-19h).

AKIYOSHI-DAI 秋吉台
☎ 0837

Les plateaux onduleux d'Akiyoshi-dai s'étendent presque à mi-chemin entre Yamaguchi et Hagi, au nord de la côte San-in. Ils forment un paysage surprenant fait d'étendues de verdure ponctuées d'étranges aiguilles rocheuses. Sous ce plateau pittoresque se cachent des centaines de grottes de calcaire. La plus vaste, **Akiyoshi-dō** (秋芳洞 ; ☎ 62-0304 ; 1 200 ¥ ; ☾ 8h30-16h30), est ouverte au public. Il s'agit de la plus grande grotte de calcaire du Japon, et certains de ses bassins calcaires étagés sont remarquables. La grotte s'étend sur près de 10 km et fait par endroits 100 m de large. Elle est traversée par une rivière. Pour les visiteurs, l'accès se limite à un tronçon pavé long d'un kilomètre. À mi-chemin de ce sentier, un ascenseur remonte jusqu'à la surface, d'où un panorama s'ouvre sur la campagne environnante.

Où se loger

Rares sont les possibilités d'hébergements aux abords de la grotte. Mieux vaut loger à Hagi ou à Yamaguchi et visiter Akiyoshi-dai dans le cadre d'une journée d'excursion.

Akiyoshi Royal Hotel (秋芳ロイヤルホテル ; ☎ 62-0311 ; fax 62-0231 ; www.shuhokan.co.jp ; Akiyoshidai ; prix par personne avec 2 repas compris 11 550 ¥ ; ℗). Ce vaste hôtel reçoit principalement des groupes venus visiter le plateau. Ses chambres spacieuses sont au choix à la japonaise ou à l'occidentale, et l'onsen a vue sur la plaine. L'hôtel est à 1,5 km au nord de l'entrée principale de la grotte, sur la route principale, ou à courte distance à pied de la sortie d'ascenseur qui permet de quitter la grotte à mi-parcours.

Depuis/vers Akiyoshi-dai

Il faut environ 1 heure de bus pour rejoindre la grotte en partant de Yamaguchi (1 130 ¥, 55 min, 10/jour) ou Higashi-Hagi (1 710 ¥, 1 heure 10, à 10h50 et 13h35). Des bus desservent aussi le site depuis Shin-Yamaguchi (1 140 ¥, 45 min, 9/jour) et Shimonoseki (1 730 ¥, 2 heures, 8/jour). Hormis le bus JR qui part de Yamaguchi, tous les autres itinéraires sont desservis par la compagnie de bus Bōchō (防長バス). Il y a aussi des bus pour Mine (美祢 ; 600 ¥), sur la ligne JR Mine qui va au nord jusqu'à Nagato, et au sud jusqu'à Asa. Descendez à la gare de Nagato Yumoto pour prendre une correspondance en bus et rejoindre Tawarayama Onsen.

SHIMONOSEKI 下関
☎ 0832 / 288 000 habitants

Important carrefour à l'extrême ouest de Honshū, Shimonoseki est séparée de Kyūshū par un mince bras de mer. Ce détroit est resté célèbre dans l'histoire du pays pour avoir été le théâtre d'une bataille décisive entre deux clans de samouraïs rivaux au XIIe siècle. Une voie rapide traverse le détroit de Kanmon-kaikyō sur le pont Kanmon-bashi, tandis qu'une seconde route, la ligne ferroviaire du *shinkansen* et la ligne de chemin de fer des JR empruntent un tunnel sous la mer. Ceux qui le désirent peuvent même se rendre à Kyūshū en traversant à pied un tunnel qui passe sous le détroit ! Shimonoseki est également un point de liaison important avec la Corée du Sud grâce à un service de ferries quotidien depuis/vers Pusan. La ville est réputée pour ses poissons et fruits de mer, notamment le *fugu*, le fameux poisson-globe potentiellement mortel.

Orientation

À côté de la gare JR de Shimonoseki se trouve le grand centre commercial Sea Mall Shimonoseki et, immédiatement à l'est, la tour Kaikyō Yume. La route principale qui part de la gare mène au marché aux poissons de Karato, au mémorial de Dan-no-ura et, au-delà, à l'ancien quartier des samouraïs de Chōfu.

Renseignements

Un **bureau d'information touristique** (☎ 32-8383 ; 4-3-1 Takezaki-chō ; ❂ 9h-19h) se trouve dans la gare JR de Shimonoseki et un **office du tourisme** (☎ 56-3422 ; 1-11-1 Akine Minami-machi ; ❂ 9h-19h) dans la gare *shinkansen* de Shin-Shimonoseki, à deux arrêts au nord de la gare JR sur la ligne JR San-yō.

L'**International Exchange Room 'Global Salon'** (☎ 31-5770 ; 3-3-1 Buzenda-chō ; accès Internet 100 ¥/30 min ; ❂ 10h-20h mar-dim), au 4ᵉ niveau de l'International Trade Building, lui-même proche de la tour Kaikyō Yume, dispose d'un accès Internet et d'une petite bibliothèque. Un **cybercafé** (☎ 28-1638 ; 1-15-33 Takezaki-chō ; 400 ¥/30 min ; ❂ 10h-22h) vous attend au 1ᵉʳ niveau de l'Hotel 38 Shimonoseki, à 2 minutes de marche de la gare.

Si vous venez de Corée, sachez que vous ne trouverez pas de bureau de change dans le terminal des ferries. Le bureau d'information touristique situé dans la gare peut vous fournir une liste des DAB internationaux et des endroits où échanger vos devises. Parmi ces derniers figure la **poste de Shimonoseki** (☎ 22-0957 ; 2-12-12 Takezaki-chō ; ❂ 9h-16h), qui traite les devises et les chèques de voyage.

À voir et à faire

KARATO ICHIBA 唐戸市場

Si vous séjournez à Shimonoseki, autant vous lever de très bonne heure afin de ne pas manquer la visite du **marché au poisson de Karato Ichiba** (☎ 31-0001 ; 5-50 Karato ; ❂ 4h-15h lun-sam, 7h-15h dim ; ℗). Le marché débute à 2h pour les professionnels, mais le public est le bienvenu à partir de 4h. C'est là l'occasion rêvée de faire d'un sashimi votre petit-déjeuner ou votre déjeuner (au restaurant du 2ᵉ niveau) : le poisson ne saurait être plus frais. D'ailleurs, bon nombre d'entre eux frétillent encore.

Le marché se situe à Karato, à mi-chemin entre le centre de Shimonoseki et le Hino-yama. Le premier bus quitte la gare à 5h55 en semaine et à 6h14 le samedi. Le billet coûte 190 ¥ et le trajet dure 7 minutes. Le marché est parfois fermé le mercredi.

Toujours à Karato, l'**aquarium de Kaikyō-kan** (☎ 28-1100 ; 6-1 Arukapóto ; entrée 1 800 ¥ ; ❂ 9h30-17h30 ; ℗) présente de nombreuses espèces de poissons, des spectacles de dauphins et d'otaries, un squelette de baleine bleue et plusieurs aquariums où nagent des *fugu*.

L'ancien **bâtiment du consulat britannique** (☎ 31-1238 ; 4-11 Karato ; entrée libre ; ❂ 9h-17h), qui date de l'ère Meiji, se trouve de l'autre côté de la rue, en face du marché. Il abrite un petit musée où l'on peut voir le bureau du consul, toujours à la même place. Un café unique en son genre, le Shimonoseki Ijinkan (voir p. 495), est situé à l'arrière.

TOUR KAIKYŌ YUME

Haute de 153 m, la **tour Kaikyō Yume** (entrée 600 ¥ ; ❂ 9h30-21h30) évoque un petit gratte-ciel surmonté d'une boule de billard futuriste. Le billet d'entrée donne accès à l'**observatoire** (☎ 31-5600 ; 3-3-1 Buzenda-chō ; ❂ 9h30-21h30) qui offre une impressionnante vue panoramique.

AKAMA-JINGŪ 赤間神宮

D'un vermillon éclatant, l'**Akama-jinjū** (☎ 31-4138 ; 4-1 Amidaiji-chō ; ❂ 24h/24) est un sanctuaire dédié à l'empereur Antoku, mort à l'âge de 7 ans en 1185 pendant la bataille de Dan-no-ura. Dans le pavillon Hōichi se dresse une statue de Mimi-nashi Hōichi (Hōichi-Le-Sans-Oreilles), un barde aveugle qui s'attira par ses talents musicaux des ennuis avec les fantômes – une histoire rendue célèbre par Lafcadio Hearn (voir l'encadré p. 520). Le sanctuaire se trouve entre Karato et Hino-yama. Descendez du bus (230 ¥, 10 min) à l'arrêt Akama-jingū-mae. Près de la statue de Hōichi, vous pourrez voir une **exposition** (entrée 100 ¥) de rouleaux et de manuscrits relatant l'histoire du clan des Heike.

La **fête de Sentei** se déroule ici du 2 au 4 mai en hommage aux femmes du clan Heike qui, au XIIᵉ siècle, se prostituèrent pour payer les rites funéraires de leurs parents défunts. Le 3 mai, des figurantes habillées en courtisanes de l'époque de Heian se rassemblent au sanctuaire pour former une procession colorée.

HINO-YAMA 火の山

Le **Hino-yama** (268 m), à environ 5 km au nord-est de la gare JR de Shimonoseki, surplombe une vue magnifique sur le Kanmon-kaikyō. Pour rejoindre le **funiculaire** (ropeway ; ☎ 31-1351 ; aller simple 300 ¥ ; ❂ 10h-17h, fermé mar et jeu), descendez du bus à l'arrêt Mimususōgawa (御裳川),

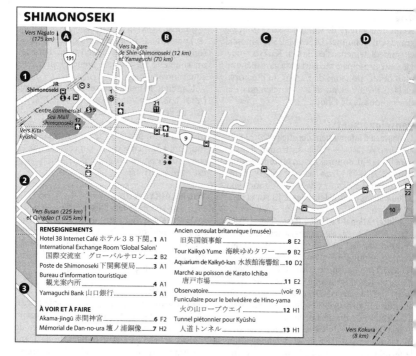

SHIMONOSEKI

Vers Nagato
(175 km)

Vers la gare
de Shin-Shimonoseki (12 km)
et Yamaguchi (70 km)

JR
Shimonoseki

Centre commercial
Sea Mall
Shimonoseki

Vers Kita-
kyūshū

Vers Busan (225 km)
et Qingdao (1 025 km)

Vers Kokura
(8 km)

RENSEIGNEMENTS		Ancien consulat britannique (musée)	
Hotel 38 Internet Café ホテル３８下関 **1** A1		旧英国領事館 **8** E2	
International Exchange Room 'Global Salon'		Tour Kaikyō Yume 海峡ゆめタワー **9** B2	
国際交流室「グローバルサロン」 **2** B2		Aquarium de Kaikyō-kan 水族館海響館 **10** D2	
Poste de Shimonoseki 下関郵便局 **3** A1		Marché au poisson de Karato Ichiba	
Bureau d'information touristique		唐戸市場 **11** E2	
観光案内所 **4** A1		Observatoire (voir 9)	
Yamaguchi Bank 山口銀行 **5** A1		Funiculaire pour le belvédère de Hino-yama	
À VOIR ET À FAIRE		火の山ロープウエイ **12** H1	
Akama-jingū 赤間神宮 **6** F2		Tunnel piétonnier pour Kyūshū	
Mémorial de Dan-no-ura 壇ノ浦銅像 **7** H2		人道トンネル **13** H1	

à côté du mémorial de Dan-no-ura (230 ¥).
Le funiculaire étant parfois fermé plusieurs
jours de suite en hiver, renseignez-vous par
téléphone au préalable. Il est possible de
rejoindre gratuitement Kyūshū en empruntant
un **tunnel piétonnier** long de 780 m qui passe
sous l'eau. Il est très apprécié des joggers.
Près de l'arrêt de bus Mimosusōgawa-kōen,
des ascenseurs (fonctionnant de 6h à 22h)
descendent jusqu'au tunnel.

Au niveau du même arrêt de bus, de l'autre
côté de la route, le **mémorial de Dan-no-ura**
marque l'endroit où se déroula l'affrontement
décisif entre les clans Minamoto et Taira en
1185. C'est là que Taira no Tokiko se jeta dans
la mer, le jeune empereur Antoku serré dans
ses bras, pour ne pas se rendre à l'ennemi. Les
statues représentent Yoshitsune (le général
victorieux du clan des Minamoto) et Taira no
Tomomori, qui attacha une ancre à ses pieds
et se jeta dans la mer à Dan-no-ura lorsqu'il
comprit que son camp avait perdu. D'après
la légende, les crabes Heike qui vivent dans
ces eaux et dont la carapace arbore d'étranges
motifs évoquant des visages humains, seraient
la réincarnation des guerriers du clan Taira.

CHŌFU 長府

Chōfu est l'ancien quartier du château. Bien
qu'il ne reste pas grand-chose du château lui-
même, on y trouve des murs en terre et des
portes de maisons de samouraïs, ainsi qu'un
musée et plusieurs temples et sanctuaires.

Le **musée d'Art de la ville de Shimonoseki**
(下関市立美術館 ; ☎ 45-4131 ; Chōfu Kuromon
Higashi-machi 1-1 ; entrée 200 ¥ ; 🕑 9h30-17h, fermé lun)
présente une collection éclectique d'œuvres
d'artistes locaux ainsi que des expositions
temporaires. Lors de notre passage, des
travaux de rénovation étaient prévus pour
début 2010. Téléphonez au préalable pour
savoir s'il a rouvert. En face du musée d'Art,
c'est **Chōfu-teien** (長府庭園 ; ☎ 46-4120 ; Chōfu
Kuromon Higashi-machi 8-11 ; entrée 200 ¥ ; 🕑 9h-17h),
un jardin réputé pour la beauté de ses fleurs
au printemps et en automne. De là, longez la
côte, sur la route principale, jusqu'à rejoindre
un petit chenal s'enfonçant dans les terres.
En suivant ce bras de mer, vous rejoindrez le
Kōzan-ji (功山時 ; ☎ 45-0258 ; 1-2-3 Chōfu Kawabata ;
🕑 9h-17h), classé trésor national. Ce temple, où
sont inhumés les membres de la famille des
seigneurs Mōri, comporte un pavillon de style

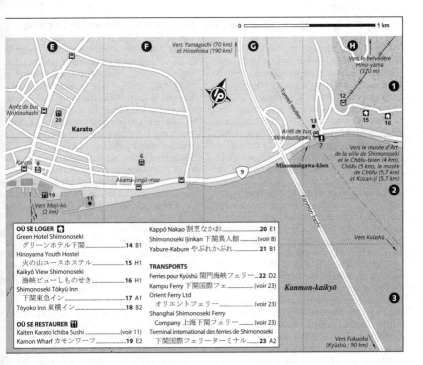

zen datant de 1327. Le **musée de Chōfu** (長府博物館 ; ☎ 45-0555 ; entrée 200 ¥ ; 9h30-17h, fermé lun) est également dans l'enceinte du temple.

Où se loger
Hinoyama Youth Hostel (☎ 22-3753 ; www.e-yh.net/shimonoseki ; 3-47 Mimosusogawa-chō ; d 3 200 ¥ ; P X 🖳). Une vue superbe sur le détroit et un personnel détendu font de cette auberge de jeunesse l'une des meilleures de l'ouest de Honshū. Vous pouvez y accéder en prenant un bus pour Hino-yama à la gare (230 ¥, 26 min). Possibilité de se restaurer sur place.

Green Hotel Shimonoseki (☎ 31-1007 ; fax 31-3603 ; www.greenhotelshimonoseki.jp, en japonais ; 1-16-13 Takezaki-chō ; s/lits jum 4 800/8 800 ¥ ; P 🖳 📶). Les chambres de ce petit établissement de chaîne hôtelière, sympathique, sont petites, mais l'ensemble est bien tenu et à courte distance à pied de la gare et du terminal des ferries. Ordinateur en accès libre à la réception

Tōyoko Inn (☎ 34-1045 ; fax 34-1046 ; www.toyoko-inn.com ; 2-7-10 Buzenda-chō ; s/lits jum 5 565/8 190 ¥ ; P X 🖳). Non loin de la gare, établissement de chaîne hôtelière correct, pourvu des équipements classiques. Connexion Internet (réseau LAN) dans les chambres et ordinateurs à la réception.

Shimonoseki Tōkyū Inn (☎ 33-0109 ; fax 23-0285 ; www.tokyuhotels.co.jp ; 4-4-1 Takezaki-chō ; s/lits jum 6 825/12 600 ¥ ; P X 🖳). Emplacement idéal, à deux pas de la gare et du terminal des ferries, pour cet élégant *business hotel* aux chambres confortables. Connexion Internet (réseau LAN) dans toutes les chambres, et connexion Wi-Fi à la réception.

Kaikyō View Shimonoseki (☎ 29-0117 ; fax 29-0114 ; www.kv-shimonoseki.com, en japonais ; 3-58 Mimosusogawa-chō ; avec 2 repas à partir de 9 975 ¥/ pers ; P). Dans Hino-yama, le Kaikyō View jouit d'une vue exceptionnelle. Le service y est très professionnel. Les chambres, à la japonaise ou à l'occidentale, donnent sur le détroit. L'onsen, qui a vue sur la mer, est ouvert aux non-résidents de 11h à 15h (700 ¥).

Où se restaurer et prendre un verre
Shimonoseki Ijinkan (☎ 22-2262 ; 4-11 Karato ; boissons 500-1 500 ¥ ; 9h30-21h, fermé lun). Niché dans la cour du consulat britannique, ce café est réputé pour les petits spectacles que donne Kanegae Kunio, le maître de cérémonie en nœud papillon. Cela

vaut la peine de commander un café au lait (1 050 ¥) juste pour le spectacle.

Kaiten Karato Ichiba Sushi (☎ 33-2611 ; 2F 5-50 Karato ; à partir de 105 ¥/assiette ; ☼ déj et dîner). Ce restaurant à sushis panoramique, en plein cœur du marché au poisson, est idéal pour savourer des produits de la mer ultra frais. En principe, plus de 60 espèces de poissons sont proposées.

Yabure-Kabure (☎ 34-3711 ; 2-2-5 Buzenda-chō ; menu déj/dîner à partir de 3 150/5 250 ¥ ; ☼ déj et dîner). Un seul ingrédient figure sur la carte de ce restaurant à thème animé : le poisson-globe. Il existe plusieurs menus à base de *fugu*, par exemple le menu Ebisu (5 250 ¥), qui permet de goûter au poisson-globe préparé de diverses façons (cru, sauté, frit ou mariné dans du saké). La formule déjeuner *sashimi setto* (menu de sashimis) coûte 3 150 ¥. Carte en japonais, mais le choix est aisé. Vous verrez un poisson-globe bleu et blanc à l'extérieur.

Kappō Nakao (割烹奈可超 ; ☎ 31-4129 ; 4-6 Akama-chō ; repas 3 800-26 250 ¥ ; ☼ déj et dîner nov-mars, fermé lun avr-oct). À 5 minutes à pied du marché de Karato, ce restaurant sophistiqué spécialisé dans le *fugu* propose des plats divins et un service élégant. Les menus coûtent un minimum de 8 400 ¥, mais il existe des formules plus avantageuses au déjeuner. La devanture arbore une lanterne en pierre et une porte en bois.

Près du marché au poisson, Kamon Wharf est un ensemble de restaurants et de boutiques proposant des spécialités locales. À conseiller à ceux qui veulent goûter à des plats introuvables ailleurs qu'au Japon, comme la glace au *uni* (oursin ; うにソフトクリーム ; 300 ¥) et les burgers au *fugu* (ふぐバーガー ; 350 ¥).

Depuis/vers Shimonoseki

Les trains *shinkansen* s'arrêtent à la gare Shin-Shimonoseki, à deux stations de la gare JR Shimonoseki. Depuis la ville, un pont et des tunnels relient Honshū et Kyūshū. Si vous vous dirigez vers l'est par la route, vous pouvez emprunter la Route 191 qui longe la côte San-in, au nord, la Route 2 qui file le long de la côte San-yō, au sud, ou la voie rapide Chūgoku qui traverse le centre de Honshū.

Les ferries de **Kanmon Kisen** (☎ 083-222-1488) relient 2 à 3 fois par heure le quartier Karato de Shimonoseki à Moji sur Kyūshū (390 ¥, 5 min). Ceux de la compagnie Kanmon Kaikyō assurent la traversée entre Karato et Kokura sur Kyūshū (200 ¥, 13 min). Au départ de Shin-moji, sur Kita-Kyūshū, des ferries desservent Kōbe et Ōsaka, ainsi que Tōkyō.

FERRIES VERS LA CORÉE ET LA CHINE

Kampu Ferry (関釜フェリー ; ☎ à Shimonoseki 24-3000, Pukwan Ferry à Pusan 051-464-2700) assure la liaison Shimonoseki-Pusan depuis le terminal international des ferries de Shimonoseki (下関港国際ターミナル), situé à 5 minutes à pied de la gare. Au sortir de cette dernière, descendez tout droit dans la rue principale et tournez à droite après le grand magasin Daimaru. Il y a tous les jours des départs de Shimonoseki à 19h (arrivée à Pusan à 8h30 le lendemain). L'embarquement a lieu entre 18h et 18h20. Comptez un minimum de 9 000 ¥ pour un aller simple en 2ᵉ classe, dans un espace tatamis ouvert. Les étudiants de moins de 30 ans paieront 7 200 ¥. Il faut acquitter une taxe de départ de 600 ¥.

Dans l'autre sens, les ferries lèvent l'ancre du terminal international des passagers du port de Pusan, à 5-10 minutes de marche de la station de métro Jungang-dong (ligne 1). Ils partent à 20h et arrivent à Shimonoseki à 8h. L'aller simple/aller-retour débute à 85 000/161 500 wons.

Orient Ferry Ltd (www.orientferry.co.jp, en japonais ; ☎ à Shimonoseki 32-6615, à Qingdao 0532-8387-1160) assure la liaison entre Shimonoseki et Qingdao, en Chine (28 heures jusqu'à Qingdao, considérablement plus long dans le sens inverse). Les billets les moins chers coûtent 15 000/27 000 ¥ l'aller simple/aller-retour au départ de Shimonoseki (départ à 12h les mercredis et samedis, arrivée à 16h le lendemain), et 1 100/1 980 yuans depuis Qingdao (départ du terminal des ferries situé au nord de la gare de Qingdao à 20h les lundis et jeudis, arrivée à Shimonoseki à 9h30 deux jours après).

La **Shanghai Shimonoseki Ferry Company** (上海下関フェリー ; ☎ à Shimonoseki 32-9677, à Taicang 512-53-186686 ; www.ssferry.co.jp, en japonais) assure une liaison hebdomadaire avec Taicang, dans le Jiangsu, près de Shanghai. Comptez un minimum de 15 000 ¥ pour un aller simple en 2ᵉ classe. Le ferry quitte Shimonoseki à 17h le dimanche (arrivée à Taicang à 8h le mardi), et part de Taicang à 20h le mardi (arrivée à Shimonoseki à 8h30 le jeudi).

Tawarayama Onsen 俵山温泉
☎ 0837

Niché dans la montagne, le petit village de Tawarayama Onsen a échappé aux promoteurs et reste un lieu de prédilection pour le *tōji* (bain curatif) à l'ancienne. Ici, rien que du sérieux : ni bars à karaoké ni néons, et pratiquement pas de restaurants. Les baigneurs viennent pour prendre soin de leur santé et passent en général 4 à 7 jours dans l'un des 40 *ryokan* établis sur place, dont aucun ne dispose de son propre bain. Les cures se font dans les deux bains publics : **Machi-no-yu** (町の湯 ; ☎ 29-0001 ; 390 ¥ ; ⏰ 6h-22h30) ; et **Hakuen-no-yu** (白猿の湯 ; ☎ 29-0036 ; 700 ¥ ; ⏰ 7h-21h), plus récent. Ce dernier possède l'un des seuls restaurants de la ville, le **Ryōfūtei** (涼 風亭 ; ☎ 29-0001 ; ⏰ 11h-20h30), qui sert des repas simples comme du curry de bœuf, moyennant 950 ¥ (carte illustrée de photos).

Si vous cherchez un endroit où loger, l'**Izumiya** (泉屋 ; ☎ 29-0231 ; fax 29-0232 ; http://member.hot-cha. tv/~htc02178/, en japonais ; avec repas à partir de 8 925 ¥/ pers ; **P**), très prisé, est une auberge ancienne bien entretenue avec parquets, installations d'origine et superbe jardin. Ses sympathiques propriétaires peuvent venir chercher les hôtes à la gare de Nagato-Yumoto.

À courte distance à pied à l'ouest du village d'onsen se trouve le **temple de la fertilité de Mara Kannon** (麻羅観音), qui remonte à l'époque de la guerre civile. Lorsque le puissant daimyo local, Yoshitaka Ōuchi, fut renversé par son vassal Harukata Sue en 1551 et contraint de se faire hara-kiri, ses fils, craignant pour leur vie, s'enfuirent dans les collines. Le benjamin, déguisé en femme, réussit à atteindre Tawarayama mais il fut ensuite pourchassé et tué près de ce site au printemps 1552. Pour le déshonorer, ses assassins émasculèrent son cadavre et rapportèrent son pénis en trophée à leur seigneur, afin de prouver à ce dernier qu'ils avaient accompli leur mission. Les villageois construisirent le sanctuaire pour apaiser l'âme du défunt. Aujourd'hui, le petit temple en bois environné de nombreux lingams est particulièrement fréquenté par les couples qui cherchent à avoir un enfant.

Prenez un train de la ligne locale JR Mine depuis Asa au sud, ou Nagato au nord, jusqu'à Nagato-Yumoto. De là, il y a un bus par heure pour Tawarayama Onsen (510 ¥, 25 min). Vous pouvez aussi prendre un bus direct au départ de Shimonoseki (1 610 ¥, 1 heure 45, 9/jour).

HAGI 萩

☎ 0838 / 56 000 habitants

Parmi ses nombreux attraits, Hagi comporte un ancien quartier des samouraïs bien préservé. Les céramiques fabriquées ici sont parmi les plus belles du Japon. À l'époque féodale, Hagi abritait le château du fief de Chōshū, qui, avec

celui de Satsuma (correspondant à l'actuel Kagoshima, dans le sud de Kyūshū), joua un rôle stratégique fondamental dans la défaite infligée au régime des Tokugawa. Cette défaite précipita l'entrée dans une nouvelle ère, la Restauration de Meiji.

Orientation et renseignements

Hagi se divise en trois parties. Le centre et l'ouest de la ville occupent une île formée par les rivières Hashimoto-gawa et Matsumoto-gawa. La partie orientale (qui comprend la grande gare JR de Higashi-Hagi) s'étend sur la rive est de la Matsumoto-gawa. Il faut descendre à la gare JR Higashi-Hagi pour accéder aux principaux sites touristiques.

La route principale, qui traverse le centre de la ville, part de la gare JR Hagi, dans le sud, passe devant le terminal des bus, dans le centre-ville, et continue en direction du nord. À l'ouest de ce quartier central s'étend le *jōkamachi* (城下町 ; ancien quartier des samouraïs), aux rues pittoresques bordées de bâtiments anciens.

Bibliothèque municipale de Hagi (☎ 25-6355 ; 2ᵉ niv, 552-26 Emukai ; ⏰ 9h30-17h30 mar-dim). Internet gratuit.

Office du tourisme (☎ 25-3145 ; 2997-3 Chintō ; ⏰ 9h-17h). Dans la gare de Higashi-Hagi. Il en existe un autre près de la gare de Hagi.

À voir

FOURS ET POTERIES DE HAGI

Pour les amateurs de céramique japonaise, les *Hagi-yaki* (céramiques de Hagi) figurent parmi les plus belles. Comme dans de nombreux autres centres potiers japonais, la technique fut importée de Corée à l'issue des tentatives d'invasion ratées menées à la fin du XVIᵉ siècle par Hideyoshi Toyotomi, qui enleva des potiers coréens pour les emmener au Japon. Dans de nombreuses boutiques et ateliers, vous pourrez assister à la fabrication de ces pièces d'artisanat et admirer les produits finis. La poterie *Hagi-yaki* est célèbre pour ses glaçures et ses délicates couleurs pastel.

Le **four du Hagi-jō** (Hagi-jō Kiln ; ☎ 22-5226 ; 2-5 Horiuchi ; ⏰ 8h-17h), à Horiuchi (dans l'enceinte des ruines du château), produit des pièces particulièrement raffinées. Plusieurs autres fours intéressants se trouvent du côté ouest de Hagi, près du parc Shizuki-kōen. Vous pourrez aussi vous essayer à la fabrication des *Hagi-yaki* au centre d'artisanat **Jōzan** (☎ 25-1666 ; 31-15 Horiuchi Nishi-no-hama ; cours 1 680 ¥ ; ⏰ 8h-16h).

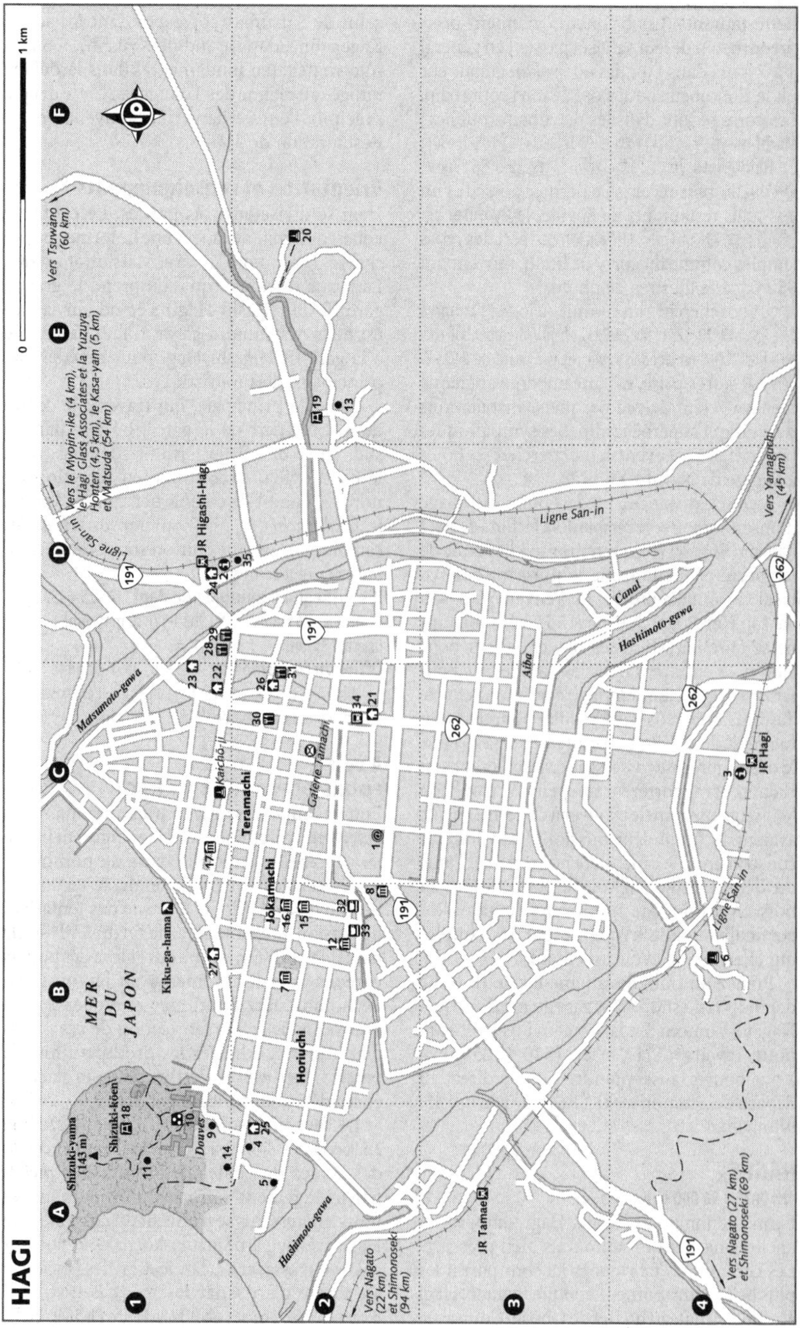

OUEST DE HONSHŪ

HAGI

Shizuki-yama
(143 m)
Shizuki-kōen
18

Kiku-ga-hama

MER
DU
JAPON

Teramachi

Jōkamachi

Horuchi

Kanchō-ji

Galerie Tanachi

Matsumoto-gawa

Vers le Myōjin-ike (4 km),
le Hagi Glass Associates et la Yuzuya
Honten (4,5 km), le Kasa-yam (5 km)
et Matsuda (54 km)

JR Higashi-Hagi

Ligne San-in

Canal

Aiba

Hashimoto-gawa

Ligne San-in

JR Hagi

Vers Yamaguchi
(45 km)

Vers Tsuwano
(60 km)

Ligne San-in

JR Tamae

Hashimoto-gawa

Vers Nagato
(22 km)
et Shimonoseki
(94 km)

Vers Nagato (27 km)
et Shimonoseki (69 km)

1 km

0

Le Suédois **Bertil Persson** (☎ 25-2693), qui vit depuis plus de 30 ans à Hagi et possède son propre four, se fait une joie de rencontrer tous ceux que la céramique intéresse réellement.

RUINES DU HAGI-JŌ ET SHIZUKI-KŌEN
萩城跡指月公園

Il ne reste pas grand-chose à voir de l'ancien Hagi-jō, mis à part les imposants murs extérieurs et les douves qui les entourent. Le **château** (☎ 25-1826 ; Horiuchi Shizuki-kōen-nai ; avec l'entrée de la maison Asa Mōri 210 ¥ ; 🕑 8h-18h30 avril-oct, jusqu'à 16h30 nov-fév, jusqu'à 18h mars) fut construit en 1604 et démonté en 1874, suite à la Restauration de Meiji.

Le domaine accueille aujourd'hui un parc agréable, le Shizuki-kōen, dans lequel vous découvrirez notamment le **Shizukiyama-jinja**, la **maison de thé Hanano-e** (Hanano-e Chatei ; thé 500 ¥), du milieu du XIXᵉ siècle. Depuis les ruines du château, il est possible de grimper au sommet du Shizuki-yama (143 m).

MAISON ASA MŌRI
旧厚狭毛利家萩屋敷長屋

Au sud du parc, la **maison Asa Mōri** (☎ 25-2304 ; Horiuchi Shizuki-Kōen ; avec l'entrée au Hagi-jō 210 ¥ ; 🕑 8h-18h30 avr-août, 8h30-16h30 nov-fév, jusqu'à 18h en mars), une *nagaya* (maison japonaise en longueur) appartenait jadis à une branche du clan Mōri, qui régnait sur la région à l'époque féodale. Il n'y a pas grand-chose à voir hormis quelques éléments d'armures anciennes. Au sud de la maison des samouraïs s'étend le **parc mémorial aux Martyrs catholiques**. Un monument et des

tombes rendent hommage à 40 des "chrétiens cachés" qui moururent à cause de leur foi lorsqu'ils furent exilés de Nagasaki à Hagi dans les premières années de l'ère Meiji.

QUARTIERS DE JŌKAMACHI, DE HORIUCHI ET DE TERAMACHI
城下町·堀内·寺町

Entre le centre-ville et les douves, qui séparent l'ouest et le centre de Hagi, s'étend l'ancien quartier résidentiel des samouraïs, avec ses nombreuses rues aux murs blanchis à la chaux. La promenade dans ce quartier est passionnante : on y découvre un grand nombre de maisons anciennes.

Les Kikuya n'étaient pas des samouraïs, mais la famille de commerçants les plus prospères de la ville. En tant que négociants officiels du daimyo, leur richesse et leurs relations leur permirent de construire une maison bien supérieure aux standards de leur rang. La **maison Kikuya** (☎ 25-8282 ; 1-1 Gofuku-machi ; 500 ¥ ; 🕑 9h-17h30) date de 1604 et possède une belle porte, de charmants jardins et de nombreux éléments architecturaux normalement interdits à la classe des marchands. De l'autre côté de la rue, la **maison Kubota** (☎ 25-3139 ; 1-3 Gofuku-machi ; entrée 100 ¥ ; 🕑 9h-17h), demeure rénovée de la fin de la période d'Edo, servait de boutique de vêtements et de brasserie à saké.

À l'extrémité sud du périmètre de Jōkamachi, avant d'atteindre le petit canal, le **musée Ishii Chawan** (☎ 22-1211 ; 33-3 Minamifuruhagi-machi ; 500 ¥ ; 🕑 9h-12h et 13h-16h45, fermé le lun et de déc à fév),

OUEST DE HONSHŪ

couleur thé vert, expose une vaste collection de bols et d'ustensiles destinés à la cérémonie du thé. Depuis le musée, dirigez-vous vers l'est, franchissez le canal et tournez vers le sud pour atteindre le **musée Uragami de Hagi** (☎ 24-2400 ; 586-1 Hiyako ; à partir de 1 000 ¥ ; 🕙 9h-16h30, fermé lun). Ce dernier accueille une superbe collection de céramiques et d'incunables xylographiques. Il donne également à voir de très belles œuvres de Katsushika Hokusai et d'Utamaro Kitagawa.

À l'entrée principale du quartier de Horiuchi, le **musée de Hagi** (☎ 25-6447 ; 355 Horiuchi ; entrée 500 ¥ ; 🕙 9h-17h) présente diverses expositions sur l'histoire de la ville et de son château, et sur le rôle prépondérant qu'elle joua dans la Restauration de Meiji. Malheureusement, les légendes sont en japonais uniquement.

Le **musée d'Art de Kumaya** (☎ 25-5535 ; 47 Imauono Tanamachi ; entrée 700 ¥ ; 🕙 9h-17h, fermé lun et déc/mi-mars), à Jōkamachi, abrite une petite collection d'objets, de bols à thé et de paravents exposés dans plusieurs petits entrepôts datant de 1768. Le clan Kumaya gérait le commerce du sel pour le compte des Mōri, et dépensa une partie de sa fortune dans l'achat de céramiques, paravents et autres objets d'art visibles dans la collection.

SHŌIN-JINJA 松陰神社
Ce sanctuaire établi en 1890 est dédié au leader du mouvement de la Restauration de Meiji, Shōin Yoshida. Sa vieille maison et l'école où il fit propagande contre la révolution sont également sur ce site. Une salle du Trésor devrait ouvrir à la fin 2009. Au sud du sanctuaire, la **maison de Hirobumi Itō** (伊藤博文旧宅 ; entrée 100 ¥ ; 🕙 9h-17h) fut la première résidence du Premier ministre (qui effectua 4 mandats). Partisan de Shōin Yoshida, il traça par la suite les grandes lignes de la Constitution de Meiji. L'impressionnante demeure qu'il occupa pendant les années où il vécut à Tōkyō se trouve à côté. Construite en 1907, elle fut déplacée à Hagi après sa mort.

TŌKŌ-JI 東光寺
Le joli **Tōkō-ji** (☎ 26-1052 ; 1647 Chintō ; 300 ¥ ; 🕙 8h30-17h) zen, édifié en 1691 à l'est de la rivière, abrite les tombes de cinq seigneurs du clan Mōri. Les seigneurs aux numéros impairs furent enterrés ici (sauf le n°1) ; ceux aux nombres pairs reposent dans le **Daishō-in**. Les allées de pierre, visibles sur la colline derrière le temple, sont flanquées de près de 500 lanternes en pierre, qui furent dressées par les serviteurs de ces puissants personnages.

DAISHŌ-IN 大照院
Au sud du centre-ville, près de la gare JR de Hagi, le temple funéraire **Daishō-in** (☎ 22-2124 ; 4132 Omi ; entrée 200 ¥ ; 🕙 8h-17h avr-nov, jusqu'à 16h30 déc-mars) fut construit en 1656 et dédié au premier seigneur du clan Mōri, Hidenari. Il renferme les sépultures des deux premiers seigneurs, et celles de toutes les générations paires après eux. On dénombre 52 tombes dans le mausolée, dont celles de plusieurs domestiques qui ont accompli le *junshi*, un suicide rituel par éviscération, afin de pouvoir rejoindre leurs maîtres dans l'au-delà.

MYŌJIN-IKE ET KASA-YAMA 明神池・笠山
À environ 5 km à l'est de la ville se situe le **volcan endormi de Kasa-yama**, d'une hauteur de 112 m. Le lac au pied de la montagne, le **Myōjin-ike**, est relié à la mer et abrite de nombreuses variétés de poissons.

Plus haut sur la montagne, le **Hagi Glass Associates** (萩ガラス工房 ; ☎ 26-2555 ; Myōjin-ike Koshigahama ; entrée libre ; 🕙 9h-18h, démonstrations 9h-12h et 13h-16h30) produit avec le quartz du volcan des pièces en verre extrêmement résistantes. On trouve sur place une salle d'exposition ainsi qu'une boutique, et les visiteurs peuvent fabriquer leur propre objet en verre (cours de soufflage de verre 3 150 ¥). À côté, la brasserie de Hagi, **Yuzuya Honten** (柚子屋本店 ; ☎ 25-7511 ; Myōjin-ike Koshigahama ; 🕙 9h-17h) permet d'en savoir plus sur la fabrication de la bière.

La route continue jusqu'au sommet de Kasa-yama, d'où l'on peut profiter de jolis points de vue sur la côte, et où se trouve un petit cratère de 30 m de profondeur. Le Kasa-yama est suffisamment proche de Hagi pour envisager de s'y rendre à vélo.

Où se loger
Hagi Youth Hostel (☎ 22-0733 ; fax 22-3558 ; www.jyh.or.jp/ yhguide/chugoku/hagi/index.html, en japonais ; 109-22 Horiuchi ; dort membres/non membres 2 940/3 540 ¥ ; 🕙 fermé mi-jan/ mi-fév ; 🅿). Proche du château, à l'extrémité ouest de la ville, l'auberge vous attend à 15 minutes de marche de la gare JR de Tamae. Elle est austère, mais le gérant est aux petits soins. Location de vélos (500 ¥/jour) et repas sur place.

Nakamura Ryokan (☎ 22-0303 ; fax 26-0303 ; nakamura-r.ftw.jp, en japonais ; 56 Furuhagi-machi ; s/lits jum 5 250/8 400 ¥ ; 🅿). Établissement accueillant comportant des pavillons anciens et d'autres modernes, avec de vastes chambres garnies de tatamis. Un grand pin se dresse près du *genkan* (entrée) au toit de tuiles.

Business Hotel Hasegawa (☎ 22-0450 ; fax 22-4884 ; www.hagi.ne.jp/004_hasegawa, en japonais ; 17 Karahi-machi ; s/lits jum 5 500/10 500 ¥ ; Ⓟ ⬛). Entre la gare et les sites proches du château de Hagi, chambres ensoleillées de bonnes dimensions, à la japonaise et à l'occidentale. L'établissement est juste à côté de la gare routière. Connexion Internet (réseau LAN) dans les chambres, et ordinateur à la réception du rez-de-chaussée.

Hagi Royal Intelligent Hotel (☎ 21-4589 ; fax 21-4488 ; http://hrih.jp, en japonais ; 3000-5 Chintō ; s/lits jum 5 900/7 400 ¥ ; Ⓟ ⊠ ⬛). Immédiatement à gauche en sortant de la gare de Higashi-Hagi, ce nouvel hôtel abrite des chambres spacieuses confortablement aménagées, avec de petits détails tels que des cibles pour jeu de fléchettes en feutre. Il y a un onsen au rez-de-chaussée, et un centre Internet avec connexion gratuite.

Hagi Grand Hotel Tenkū (☎ 25-1211 ; fax 25-4422 ; www.hagi-gh.com, en japonais ; 25 Furuhagi-machi ; s/lits jum 9 450/17 325 ¥ ; Ⓟ ⊠). Immense hôtel touristique un peu défraîchi, pourvu de grandes chambres et d'un vaste onsen à l'arrière. La galerie marchande du rez-de-chaussée vend toutes sortes de délices locaux.

Well Heart Pia Hagi (☎ 22-7580 ; fax 25-7931 ; www.kjp.or.jp/hp_109, en japonais ; 485-2 Horiuchi ; avec repas à partir de 9 800 ¥/pers ; Ⓟ). À 5 minutes à pied à l'est du château de Hagi, ce grand hôtel moderne propose des chambres immenses avec vue sur la plage de Kiku-ga-hama. L'onsen est ouvert aux non-résidents (500 ¥, de 10h à 21h du jeudi au mardi, et de 15h à 21h le mercredi). Location de vélos pour 1 000 ¥/jour.

Hagi no Yado Tomoe (☎ 22-0150 ; fax 25-0152 ; www.tomoehagi.jp/english01.html ; 608-53 Kōbō-ji Hijiwara ; à partir de 10 500 ¥/pers ; Ⓟ). Auberge la plus raffinée de Hagi, cet ancien édifice comporte de ravissantes chambres de style japonais (vue sur le jardin). Excellente cuisine et bains somptueux.

Où se restaurer et prendre un verre

Don Don Udonya (☎ 22-7537 ; 377 San-ku Hijiwara ; plats 390-700 ¥ ; ⏱ 9h-21h). Adresse populaire servant de savoureux *udon*, avec reproductions en plastique en vitrine. Le *tempura udon* coûte 450 ¥. Le restaurant se trouve dans un bâtiment noir et blanc, à droite en s'éloignant de la gare.

Maru (☎ 26-5060 ; 78 Yoshida-chō ; repas 700-1 200 ¥ ; ⏱ 17h-23h, fermé dim). *Izakaya* moderne, jeune et décontracté qui sert le bœuf local, appelé *kenran-gyū* (見蘭牛), sous forme de sashimis (850 ¥), de sushis (1 000 ¥) ou de steak à l'ail (650 ¥). On peut aussi manger

tous les classiques d'un *izakaya* (pas de carte en anglais). Le *Hagi no kuramoto udedameshi setto* (1 000 ¥) est un assortiment de 6 sakés différents. La grande porte en bois s'orne d'un cercle et des mots "Maru Barrel House".

Nakamura (☎ 22-6619 ; 394 Hijiwara ; repas 1 500-5 000 ¥ ; ⏱ déj et dîner, fermé mer). L'*unidon* (oursin sur du riz ; à partir de 2 639 ¥) est la spécialité maison. Cette adresse à l'aspect vieillot, avec des buissons en façade, se tient derrière un parking au bord d'un petit canal.

Hagi Shinkai (☎ 26-1221 ; 370-71 Hijiwara ; menu 4 000-6 000 ¥ ; ⏱ déj et dîner). Ce restaurant très couru, à quelques minutes de marche de la gare de Higashi-Hagi, est spécialisé dans les poissons et fruits de mer (lesquels sont directement "pêchés" dans des aquariums). Les formules *teishoku* du menu (en japonais uniquement) comprennent entre autres le *sashimi teishoku* (2 415 ¥), le *hotate teishoku* (noix de Saint-Jacques ; 3 675 ¥) et l'*uni teishoku* (oursin ; 3 990 ¥). Cherchez le bâtiment blanc pourvu d'un phare sur le toit.

Kurumayado Tenjuppei (☎ 26-6474 ; 33-5 Minamifuruhagi-machi ; ⏱ 9h-18h). Charmante galerie et maison de thé occupant une demeure de la fin de la période d'Edo, pourvue d'un grand jardin. Comptez 600 ¥ la théière et 400 ¥ l'assiette de scones. Vous la trouverez au bout de la ruelle située juste après la Cafeteria Ijinkan, derrière un portail sur la droite.

Cafeteria Ijinkan (☎ 25-6334 ; 2-61 Gofuku-machi ; ⏱ 9h30-21h30). Café de style japonais, avec murs en brique, lustres et moquettes aux motifs floraux. Le menu (en japonais uniquement) propose des repas simples comme le *yakisoba* (nouilles frites avec viande et légumes, 650 ¥) et les pizzas (800 ¥).

Depuis/vers Hagi

La ligne JR San-in court le long de la côte nord. Elle dessert Tottori, Matsue et Hagi, avant de poursuivre vers Shimonoseki. Les trains régionaux entre Shimonoseki et Higashi-Hagi (1 890 ¥) mettent jusqu'à 3 heures, selon la correspondance.

Des bus longue distance font la liaison entre Hagi et Shin-Yamaguchi (1 970 ¥, 1 heure 30, 21/jour), au sud de Hagi, sur la ligne de *shinkansen* Tōkyō-Ōsaka-Hakata. Des bus desservent Tsuwano (2 080 ¥, 1 heure 45) à l'est, dans le Shimane-ken, ainsi que Tōkyō (12 640 ¥, 12 heures), Ōsaka (6 920 ¥, 11 heures) et Hiroshima (3 700 ¥, 4 heures). Bus pour Hagi au départ de Yamaguchi (1 680 ¥, 1 heure).

Hagi est également desservie par l'aéroport d'Iwami, à 1 heure au nord-est de la ville, près de Masuda, dans le Shimane-ken. Des vols quotidiens sont assurés depuis/vers Tōkyō (35 800 ¥, 1 heure 20, 2/jour) et Ōsaka (25 800 ¥, 1 heure, 1/jour). Un bus (1 560 ¥, 1 heure 10) au départ de la gare de Higashi-Hagi ou de la gare routière de Hagi assure la correspondance avec tous les vols.

Un bus direct peut vous conduire jusqu'à Tsuwano depuis Hagi. Toutefois, si vous possédez un JR Pass, mieux vaut prendre la côte en train jusqu'à Masuda, puis prendre la ligne JR Yamaguchi pour rejoindre Tsuwano.

Comment circuler

Le vélo est un bon moyen de partir à la découverte de Hagi et il existe de nombreuses boutiques de location, dont une à l'auberge de jeunesse et plusieurs autres autour du château et de la gare JR de Higashi-Hagi. L'agence de location de vélos **Hagi Rainbow Cycles** (☎ 25-0067 ; 2960-19 Chintō ; location à l'heure/la journée 150/1 000 ¥ ; ⏱ 8h-17h) est à gauche en sortant de la gare.

Pratique, le *māru basu* (まぁーるバス ; bus à l'itinéraire en boucle) passe par les principaux sites d'intérêt de Hagi. Les bus effectuent deux boucles, l'une vers l'est (東回り), l'autre vers l'ouest (西回り). Il y a 2 services par heure à chaque arrêt. Comptez 100 ¥ pour un trajet, et 500/700 ¥ pour un forfait de 1/2 journées.

SHIMANE-KEN 島根県

Le long de la côte nord San-in, bordant la mer du Japon, la préfecture de Shimane pourrait être à l'écart des sentiers battus, mais les raisons de la visiter ne manquent pas. Les villes y sont peu nombreuses et très espacées, le rythme de vie beaucoup plus lent que sur la côte San-yō et les habitants particulièrement accueillants. Parmi les sites à découvrir en priorité, citons Tsuwano, une petite ville de montagne ; le grand sanctuaire d'Izumo ; et enfin Matsue, où vécut l'écrivain Lafcadio Hearn.

TSUWANO 津和野
☎ 0856 / 9 500 habitants

Tsuwano, paisible bourgade montagnarde vieille de 700 ans, comporte un important sanctuaire, un château en ruine et un pittoresque quartier des samouraïs. Elle occupe l'extrémité ouest du Shimane-ken, 60 km environ à l'est de Hagi par la route.

Orientation et renseignements

Tsuwano est une ville tout en longueur, encaissée dans une profonde vallée. La Tsuwano-kawa, la ligne JR Yamaguchi et la route principale courent toutes trois au milieu de la vallée. L'**office du tourisme** (☎ 72-1771 ; Ekimae ; ⏱ 9h-17h) est à droite en sortant de la gare.

À voir et à faire

TSUWANO-JŌ 津和野城

Les vestiges du Tsuwano-jō dominent la vallée. Il fut édifié en 1295 et utilisé jusqu'à la Restauration de Meiji. Un vieux télésiège vous emmènera jusqu'en haut de la colline pour 450 ¥, et il vous restera 15 minutes de marche pour atteindre le château. Il ne reste rien hormis les murailles, mais la vue sur la ville et les vallées est très belle.

TAIKODANI-INARI-JINJA 太鼓谷稲成神社

Juste au-dessus de la station du télésiège menant au château, le **Taikodani-Inari-jinja** (☎ 72-0219 ; Tsuwano ; ⏱ 8h-16h30), construit en 1773 par le septième seigneur Norisada Kamei, est l'un des cinq principaux sanctuaires japonais dédiés à Inari. Depuis la route principale, vous pouvez y accéder à pied en passant par le tunnel que forme une multitude de *torii* (joliment éclairés le soir). Inari est le dieu du Riz et de la Prospérité dans les affaires. Des fêtes ont lieu ici le 15 mai et le 15 novembre.

QUARTIER DE TONOMACHI 殿町

De l'ancien **quartier des samouraïs** de Tonomachi ne subsistent que les murs et quelques belles portes anciennes. Les canaux qui bordent la route abritent de nombreuses carpes, qui étaient jadis élevées pour servir de nourriture en cas de nécessité.

L'**église catholique** (☎ 72-0251 ; Tonomachi ; ⏱ 8h-17h30 avr-nov, jusqu'à 17h déc-mars) rappelle le passé chrétien de Tsuwano. Les chrétiens cachés de Nagasaki furent en effet exilés ici au début de l'ère Meiji. Dans l'église, des tatamis remplacent les bancs. Au nord de la rivière se trouve le **Yōrō-kan**, une école pour jeunes samouraïs datant de 1786, et reconstruite sur ce site après un incendie en 1855. Ce bâtiment renferme aujourd'hui le petit **musée du Folklore** (☎ 72-1000 ; Tonomachi ; 250 ¥ ; ⏱ 8h30-17h mars-nov) consacré à l'art populaire, qui présente des ustensiles de cuisine et des outils agricoles.

À côté de la poste, le **musée Katsushika Hokusai** (☎ 72-1850 ; 254 Ushiroda-guchi ; 500 ¥ ; ⏱ 9h30-17h) renferme une petite collection des œuvres de

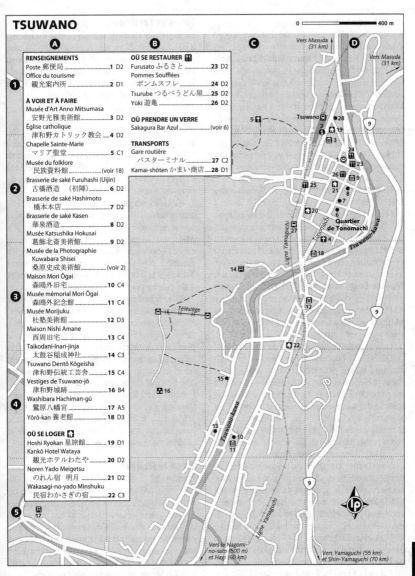

TSUWANO

0 —————— 400 m

Vers Masuda (31 km)

Vers Masuda (31 km)

Télésiège

Quartier de Tonomachi

Vers le Nagomi-no-sato (500 m) et Hagi (60 km)

Vers Yamaguchi (55 km) et Shin-Yamaguchi (70 km)

---

ce peintre de l'ère d'Edo et de ses disciples. On y découvre aussi une exposition très didactique du procédé xylographique.

CHAPELLE SAINTE-MARIE マリア聖堂
La minuscule **Maria-dō** (chapelle de Marie) date de 1951. Elle fut édifiée pour rendre hommage aux chrétiens qui moururent ici à la fin de la période de persécution. Plus de 150 "chrétiens cachés" furent emprisonnés dans un temple bouddhique sur ce site après avoir été découverts à Nagasaki au début de la Restauration de Meiji. Quelque 36 d'entre eux moururent avant que soit votée une loi sur la liberté de culte en 1873. Une procession se déroule ici le 3 mai en mémoire des martyrs.

À VOIR ÉGALEMENT

Au sud de la ville, et à courte distance à pied l'une de l'autre, se trouvent les superbes anciennes demeures d'**Amane Nishi** (Ushiroda ; entrée libre ; ☎ 9h-17h), philosophe et politologue, qui joua un rôle de premier plan dans le gouvernement de la Restauration de Meiji, et de **Ōgai Mori**, romancier réputé qui servit aussi comme médecin dans l'armée impériale. À l'arrière de la seconde résidence, le **musée mémorial Mori Ōgai** (☎ 72-3210 ; 238 Machida ; musée 600 ¥, jardins de la maison 100 ¥ ; ☎ 9h-17h, fermé lun déc-mars), une maison moderne, renferme les effets personnels de l'écrivain. Aucune explication en anglais.

Le **musée Morijuku** (☎ 72-3200 ; 542 Morimura ; entrée 300 ¥ ; ☎ 9h30-16h30) occupe un grand bâtiment qui était la demeure d'un *shōya* (chef de village). On peut voir des croquis de corrida dessinés par Goya et les tableaux d'artistes locaux. Ne manquez pas le sténopé au 2e niveau (le propriétaire se fera une joie de vous en montrer le fonctionnement). La boutique d'artisanat **Tsuwano Dentō Kōgeisha** (☎ 72-1518 ; 8-7 Ushiroda ; entrée libre ; ☎ 9h-17h, fermé mar) est aussi un atelier où l'on fabrique le *washi* (papier japonais). Vous pourrez assister à une démonstration et même vous y essayer (moyennant 600 à 1 000 ¥).

Le **musée de la Photographie Kuwabara Shisei** (☎ 72-3171 ; 71-2 Ushiroda ; entrée 300 ¥ ; ☎ 9h-16h45) est doté d'une petite collection consacrée à l'œuvre de Shisei Kuwabara, photojournaliste né près de Tsuwano en 1936. Le musée est installé dans le même bâtiment que l'office du tourisme, à côté de la gare. De l'autre côté de la rue, le **musée d'Art Anno Mitsumasa** (☎ 72-4155 ; Ekimae ; entrée 800 ¥ ; ☎ 9h-17h) expose les œuvres de l'artiste local du même nom.

Dans la rue principale, on trouve trois vieilles brasseries de saké. La première sur la gauche en partant de la gare est la brasserie **Kasen** (☎ 72-0036 ; 221 Ushiroda) ; plus haut, la brasserie **Furuhashi** (☎ 72-0048 ; 196 Ushiroda) fabrique la marque Uijin (初陣). Entre les deux se trouve la brasserie **Hashimoto** (☎ 72-0055 ; 218 Ushiroda), propriété d'une même famille depuis 1717. On ne brasse plus de saké sur place aujourd'hui.

Au sud de la ville, à environ 4 km de la gare, se trouve le sanctuaire **Washibara Hachiman-gū**, où se déroulent des **yabusame** (tournois de tir à l'arc à cheval) le deuxième dimanche d'avril.

Si l'envie vous prend de barboter dans un bain, rendez-vous au **Nagomi-no-sato** (なごみの里 ; ☎ 72-4122 ; 256 Washibara ; entrée 600 ¥ ; ☎ 10h-21h, fermé jeu), un onsen situé à 15 minutes à pied au sud du musée Mori, sur la route principale.

Fêtes et festivals

Le **Sagi Mai Matsuri** (fête de la Danse du héron) a lieu les 20 et 27 juillet. À cette occasion, une procession de danseurs costumés en hérons emprunte le principal itinéraire au départ de la gare et traverse Tonomachi jusqu'à Yasaka Jinja, près du sanctuaire d'Inari.

Où se loger

Hoshi Ryokan (☎ 72-0136 ; fax 72-0241 ; 53-6 Ushiroda ; avec repas 6 500 ¥/pers ; ⓟ). Accueillant *minshuku* situé en face du magasin de vélos, à moins d'une minute à pied de la gare. L'hébergement s'effectue dans de vastes chambres garnies de tatamis avec sdb communes.

Wakasagi-no-yado Minshuku (☎ /fax 72-1146 ; http://gambo-ad.com/tsuwano/hotel/wakasagi/index.htm, en japonais ; 98-6 Morimura-guchi ; avec 2 repas 7 500 ¥/pers ; ⓟ). *Minshuku* bien tenu sur la route principale, entre Tonomachi et la maison d'Ōgai Mori. En venant à pied de la gare, repérez le bâtiment blanc sur la gauche avec des motifs en damier – un rideau porte l'image d'un héron.

Noren Yado Meigetsu (☎ 72-0685 ; fax 72-0637 ; http://gambo-ad.com/tsuwano/hotel/meigetsu/, en japonais ; 665 Ushiroda-guchi ; avec 2 repas à partir de 10 500 ¥/pers ; ⓟ). Ce *ryokan* traditionnel est situé dans une ruelle près de Tonomachi. Service accueillant et chaleureux. Les chambres tenues avec soin donnent sur un joli jardin. Repérez le bâtiment blanc avec une porte ancienne au toit de tuiles.

Kankō Hotel Wataya (☎ 72-0333 ; fax 72-1543 ; www.tsuwano.jp, en japonais ; 82-3 Ushiroda-guchi ; avec 2 repas 13 650 ¥/pers ; ⓟ). Onsen moderne et sophistiqué comportant des chambres de style japonais et occidental, ainsi que des bains très élégants.

Où se restaurer

Tsurube (☎ 72-2098 ; 384-1 Ushoroda-guchi ; plats 520-840 ¥ ; ☎ 11h-18h30). Restaurant installé dans un bâtiment brun et blanc à côté du cimetière, qui a pour spécialité des pâtes fraîches à la farine de blé faites maison. Vous pourrez goûter par exemple aux *sansai zaru udon* (nouilles aux légumes sauvages ; 840 ¥) et aux *kitsune udon* (nouilles dans du bouillon avec du tofu frit ; 630 ¥). Menu en japonais uniquement.

Pommes Soufflées (☎ 72-2778 ; 284 Ushiroda ; déj 1 200 ¥, plats au dîner 2 000-3 000 ¥ ; ☎ 10h-21h ven-mer, bar jusqu'à minuit ven et sam, fermé jeu). Le seul restaurant européen de Tsuwano propose des menus comportant pâtes, pizzas et risotto. Repérez le bâtiment blanc avec une marquise verte.

(Suite page 513)

1. Couleurs et élégance : une représentation de kabuki (p. 64)

2. La mode japonaise dans tous ses états à Harajuku (p. 154), Tōkyō

3. Mariage des gastronomies japonaise et française à *L'Atelier de Joël Robuchon*, étoilé au Michelin (p. 178), Tōkyō

Vie citadine

1 Une spécialité omniprésente :
les *tempura*, encore meilleures
servies bien chaudes

2 Les nouilles *soba*, à consommer
froides, concentrent toute la saveur
du sarrasin

3 Les *mochi* (gâteaux de riz gluant),
friandises traditionnelles
du Nouvel An

4 Assortiment de sashimis,
emblèmes de la cuisine japonaise

Délices japonais

Activités de plein air

1 Moment de détente dans les eaux riches en minéraux de Tsuru-no-yu Onsen (p. 564), Tazawa-ko

2 Chemin de randonnée vers le Rausu-dake (p. 649), parc national de Shiretoko

1 Les joies du ski sur les pentes enneigées de Hakuba (p. 298), Alpes japonaises

Îles du Japon

1 La végétation dense et les bassins naturels d'Iriomote-jima (p. 802), Okinawa

2 Dragons aux couleurs vives sur un étal de rue

3 Vue depuis l'îlot corallien de Taketomi-jima (p. 804), Okinawa

CARTE DES TRANSPORTS DE KYŌTO

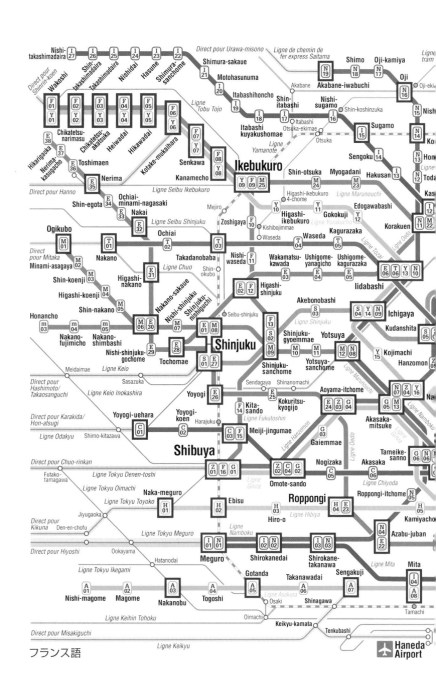

511

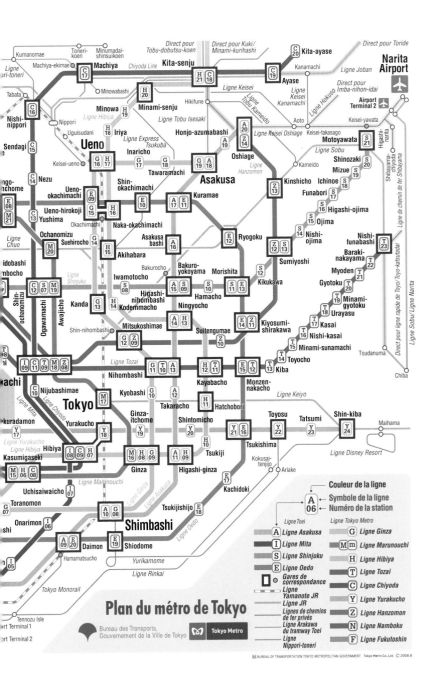

Plan du métro de Tokyo

Information

Legend

Subway

New Tram

- (M) Midosuji Line
- (T) Tanimachi Line
- (Y) Yotsubashi Line
- (C) Chuo Line
- (S) Sennichimae Line
- (K) Sakaisuji Line
- (N) Nagahori Tsurumi-ryokuchi Line
- (I) Imazatosuji Line
- (P) Nanko Port Town Line
- Mutually Served Area
- Private Railways

Line Color

Station Number
Line Symbol

M16

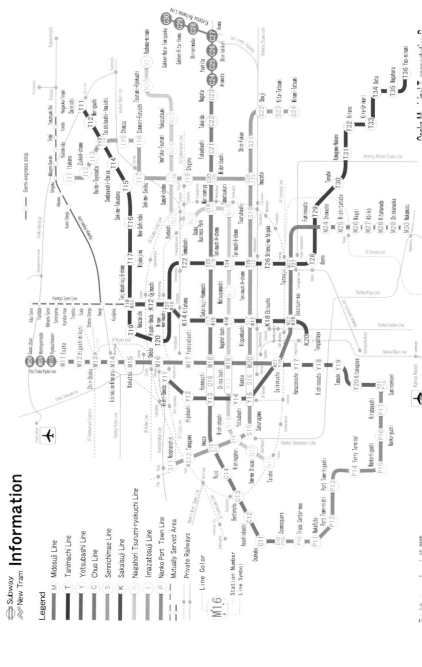

(Suite de la page 504)

Yūki (☎ 72-0162 ; 271-4 Ushiroda ; repas 1 300-3 000 ¥ ; 🕐 10h30-19h, fermé jeu). Mention spéciale pour le *Tsuwano teishoku* (assortiment de spécialités locales ; 2 300 ¥) servi dans ce restaurant chic et rustique, où l'on mange sur des tables en bois avec le bruit de l'eau en fond sonore. Les *koi* (carpe) proposées au menu nagent dans un bassin creusé dans le sol. Le restaurant est installé dans un bâtiment ancien au *noren* marron. Un petit pin se dresse à l'extérieur.

Sakagura Bar Azul (☎ 72-3355 ; Tsuwano Honmachi 1-chōme ; 🕐 17h-2h, jusqu'à 4h ven et sam, fermé dim). Ce petit bar douillet attenant à la brasserie Furuhashi Uijin est une adresse idéale pour passer le temps en goûtant aux sakés fabriqués sur place (à partir de 400 ¥). On peut aussi déguster des cocktails à base de saké, ainsi que quelques en-cas et plats légers.

Depuis/vers Tsuwano

La ligne JR Yamaguchi part de Shin-Yamaguchi, sur la côte sud, passe par Yamaguchi, puis par Tsuwano, avant de continuer jusqu'à Masuda, sur la côte nord. Depuis Tsuwano, des trains desservent Yamaguchi (950 ¥, 1 heure 10, 13/jour), Shin-Yamaguchi (1 150 ¥, 1 heure 45, 5/jour) et Masuda (570 ¥, 35 min, 12/jour). Cinq bus (2 080 ¥, 1 heure 40, de 8h07 à 17h07) vont tous les jours de Tsuwano à Hagi.

De mi-mars à fin novembre, un train à vapeur (SL *Yamaguchi-gō*) relie Shin-Yamaguchi à Tsuwano (1 620 ¥, 2 heures). Cette ligne fonctionne le week-end, durant la Golden Week (fin avril-début mai) et de fin juillet à fin août. Renseignez-vous et réservez vos billets très à l'avance dans les offices de tourisme et les bureaux d'information JR.

Comment circuler

Vous pourrez louer des vélos chez **Kamai-shōten** (☎ 72-0342 ; 🕐 8h-19h), devant la gare. Comptez 500 ¥ pour 2 heures, ou 800 ¥ par jour.

ŌDA 大田

☎ 0854 / 41 000 habitants

Ōda est une ville quelconque, mais sa périphérie recèle plusieurs sites d'intérêt, notamment le village minier d'Iwami Ginzan, classé au patrimoine mondial de l'Unesco en 2007.

À trois arrêts au sud d'Ōda se trouve la gare de Nima (仁万). L'**auberge de jeunesse Jōfuku-ji** (城福寺ユースハウス ; ☎ 88-2233 ; www14.plala.or.jp/joufukuji/, en japonais ; 1114 Nima-machi

Nima-chō ; ch 3 000 ¥/pers ; 🖥) est le meilleur endroit où loger. L'hébergement s'effectue dans un temple bouddhique abritant de confortables chambres pourvues de tatamis. Il est possible de se restaurer sur place et, si vous prévenez un peu à l'avance, on viendra même vous chercher à la gare. Un ordinateur permet d'accéder gratuitement à Internet. Au bout de la rue qui part du temple se trouve le **musée du Sable de Nima** (仁摩サンドミュージアム ; ☎ 88-3776 ; 975 Amagōchi Nima-chō ; entrée 700 ¥ ; 🕐 9h-17h, fermé 1er mer du mois). Le plus grand sablier du monde, suspendu dans une pyramide en verre et piloté par ordinateur, contient la quantité exacte de sable s'écoulant en un an. On le retourne chaque année à la Saint-Sylvestre. Des expositions sont consacrées au "sable chantant" de la région et des bocaux, soigneusement étiquetés, contiennent du sable provenant des déserts et des plages du monde entier.

À trois arrêts au sud de Nima, on atteint la ville côtière de **Yunotsu** (温泉津), ville thermale réputée pour ses onsen. C'est aussi l'un des ports d'où le minerai d'argent partait par bateau pour la capitale et d'autres destinations. Site historique aujourd'hui protégé, il s'agit d'une poignée de rues bordées de bâtiments en bois bien conservés, et de deux bains publics très pittoresques où l'on peut profiter en compagnie des habitants des bienfaits des eaux riches en minéraux. Situé dans l'artère principale et reconnaissable à la statue qui se dresse à l'extérieur ainsi qu'à une grande enseigne bleue, le **Motoyu Onsen** (元湯温泉 ; ☎ 0855-65-2052 ; entrée 300 ¥ ; 🕐 5h30-21h) remonte à 1 300 ans. Un prêtre itinérant aurait vu là un *tanuki* (raton laveur) en train de soigner sa patte blessée dans la source. À courte distance à pied, de l'autre côté de la rue, le plus récent **Yakushinoyu Onsen** (薬師湯温泉 ; ☎ 0855-65-4894 ; entrée 300 ¥ ; 🕐 5h-21h) fut découvert en 1872, lorsque de l'eau bouillonnante surgit du sol après un séisme. Il y a là plusieurs hébergements, dont le **Ryokan Masuya** (☎ 0855-65-2515 ; fax 0855-65-2516 ; www.ryokan-masuya.com ; avec 2 repas à partir de 10 600 ¥/pers ; 🅿), vieux de 100 ans. En partant des bains publics en direction de la mer, il est situé au bout de la rue. Le personnel parle un peu anglais. Chambres pourvues de tatamis (il n'y en a qu'une seule de style occidental).

Iwami Ginzan 石見銀山

À 6 km de la gare de Nima, dans l'intérieur des terres, l'ancienne **mine d'argent d'Iwami Ginzan** produisait, au début du XVIIe siècle,

38 tonnes d'argent chaque année. C'était la plus importante mine du pays à une époque où le Japon réalisait environ un tiers de la production mondiale annuelle. Le shogunat Tokugawa exerçait alors un contrôle direct sur les quelque 500 mines de la région.

La petite ville d'**Ōmori**, près des mines, conserve dans son artère principale des maisons restaurées avec soin. À l'extrémité sud de la rue, le **musée d'Iwami Ginzan** (石見銀山資料館 ; ☎ 89-0846 ; entrée 500 ¥ ; ⏰ 9h-17h, jusqu'à 16h déc-fév) est installé dans l'**Ōmori Daikansho Ato** (大森代官所跡 ; ancien bureau du juge). Un peu plus haut dans la rue ancienne sur la gauche, la **résidence Kumagai** (熊谷家住宅 ; ☎ 89-9003 ; entrée 500 ¥ ; ⏰ 9h30-17h) a été reconstruite et restaurée avec grand soin en 1801, suite au séisme qui avait presque entièrement détruit la ville l'année précédente. La maison appartenait à une famille de marchands qui avaient fait fortune en tant que négociants officiels du commerce de l'argent. Sur la gauche, tout près de la rue principale, se dresse l'intéressant temple **Rakan-ji** (羅漢寺 ; ☎ 89-0005 ; 804 Ōmori-chō ; entrée 500 ¥ ; ⏰ 8h-17h). En face du bâtiment principal du temple, à côté de ponts en pierre, se trouvent deux petites grottes dans lesquelles sont entassées 500 statues en pierre des disciples du Bouddha. La collection fut achevée en 1766 au terme de 25 années de labeur.

Un peu plus de 2 km plus haut dans la rue principale, le **puits de Ryūgenji Mabu** (龍源寺間歩 ; ☎ 89-0347 ; entrée 400 ¥ ; ⏰ 9h-17h, jusqu'à 16h 24 nov-19 mars) a été amplement agrandi par rapport à sa taille d'origine. En jetant un coup d'œil à la galerie originale qui s'étend derrière la barrière marquant la limite de la zone accessible au public, on est soulagé de n'être pas né mineur au XVIIᵉ siècle. Au-delà du puits de mine de Ryūgenji, un sentier de randonnée de 12 km longeant la côte conduit à Yunotsu. Il suit l'ancien chemin par lequel le minerai d'argent était transporté jusqu'au bord.

Le **centre du patrimoine mondial d'Iwami Ginzan** (石見銀山世界遺産センター ; ☎ 89-0183 ; 1597-3 Ōmori-chō ; entrée 300 ¥ ; ⏰ 8h30-17h) propose des expositions sur l'histoire des mines et de la région. Les visites guidées partent d'ici pour rejoindre le **puits minier d'Ōkubo** (大久保間歩 ; ☎ 84-0750 ; visites guidées 3 800 ¥ ; ⏰ 9h30, 10h, 13h30 et 14h ven-dim et jours fériés mars-nov).

L'élégant café **Gungendō** (群言堂 ; ☎ 89-0077 ; 183 Ōmori-chō Ōda-shi ; formule café et tarte 1 000 ¥ ; ⏰ 10h-18h, fermé mer), dans la rue principale,

est situé juste avant l'embranchement menant au Rakan-ji. C'est un grand bâtiment situé en angle. Une boîte aux lettres orange est installée à l'extérieur. Près de l'arrêt de bus, en face du Daikansho-ato, vous pourrez déjeuner à l'**O-shokuji-dokoro Ōmori** (お食事処大森 ; ☎ 89-0106 ; 44-1 Ōmori-chō ; ✗). Le menu *daikan soba* (1 100 ¥) comporte notamment des *warigo soba* (nouilles au sarrasin) et des *tempura*.

L'**office de tourisme** (☎ 89-0333 ; ⏰ 9h-17h mai-sept, jusqu'à 16h oct-avr) est à côté du parking proche du Rakan-ji. Des bus se rendent au Daikansho-ato au départ des gares d'Ōda (560 ¥, 25 min, 18/jour) et de Nima (390 ¥, 15 min, 5/jour) ; certains poursuivent jusqu'au centre du patrimoine mondial. Dans la zone minière, des navettes relient le Daikansho-ato et le centre toutes les 15 minutes (200 ¥).

Sanbe-san 三瓶山

Le mont Sanbe-san, ancien volcan aux pentes herbeuses de 1 126 m d'altitude, se trouve à 20 km d'Ōda, à l'intérieur des terres. Comptez à peu près 1 heure pour l'ascension depuis le **Sanbe Onsen** et 5 heures pour faire le tour de la caldeira. Vous pourrez vous délasser au onsen au retour. Il y a aussi les bains en plein air de **Kokuminshukusha Sanbesō** (国民宿舎さんべ荘 ; ☎ 83-2011 ; www.komachi-web.com/sanbe/, en japonais ; Shigaku Sanbe-chō Ōda-shi ; bains 500 ¥, ch à partir de 7 400 ¥/pers ; ⏰ 10h30-21h ; P), où il est possible de loger. La région est également très appréciée pour le ski en hiver. Des bus circulent entre Ōda et Sanbe Onsen (830 ¥, 40 min).

IZUMO 出雲

☎ 0853 / 148 000 habitants

À seulement 38 km à l'ouest de Matsue, Izumo dispose d'un attrait majeur, le grand **sanctuaire Izumo Taisha** (出雲大社 ; ☎ 53-3100 ; 195 Kizuki Higashi Taisha-chō ; ⏰ 6h-20h), l'un des plus importants du Japon avec l'Ise-jingū (p. 452).

Orientation et renseignements

Izumo Taisha est à 8 km au nord-ouest du centre d'Izumo. Le secteur, qui se résume à une rue principale assoupie, est accessible depuis la gare Taisha Ekimae de la ligne Ichibata et mène aux portes du sanctuaire. Izumo Taisha se visite facilement en une journée depuis Matsue. L'**office du tourisme** (☎ 53-2298 ; 1346-9 Kizuki Minami Shinmondōri Taisha-chō ; ⏰ 9h-17h30) est installé dans la gare. Il fournit brochures et cartes.

À voir

IZUMO TAISHA 出雲大社

Certainement le plus ancien sanctuaire shin-toïste du Japon, Izumo est le plus important après Ise-jingū, berceau de la déesse du Soleil Amaterasu. Le livre le plus ancien du Japon, le *Kojiki*, y fait allusion. Des écrits datant de 970 le décrivent comme le plus haut édifice au monde. On a d'ailleurs la preuve qu'il s'élevait à 48 m de hauteur pendant la période de Heian, et il se pourrait fort bien qu'il ait pâti de cette hauteur vertigineuse : il s'est en effet effondré cinq fois entre 1061 et 1225. De nos jours, ses toits culminent à seulement 24 m.

L'allure actuelle du sanctuaire principal date de 1744. Le pavillon principal est en cours de reconstruction et entre avril 2008 et mai 2013, la divinité prendra ses quartiers dans un sanctuaire provisoire installé devant le pavillon principal.

Le sanctuaire est dédié à Ōkuninushi qui, selon la tradition, céda le contrôle d'Izumo à la lignée de la déesse du Soleil. Il le fit cepen-dant à la condition qu'un temple immense soit construit en son honneur, un temple si haut qu'il atteindrait les cieux. Longtemps révéré comme apportant la bonne fortune, Ōkuninushi est considéré comme le dieu du Mariage. Les visiteurs du sanctuaire invoquent la divinité en frappant quatre fois dans leurs mains, au lieu des deux fois habituelles.

D'immenses *shimenawa* (cordes en paille torsadées) sont suspendues au-dessus de l'entrée des bâtiments principaux. On dit que ceux qui parviennent à lancer une pièce de monnaie de telle sorte qu'elle se coince dans ces cordes sont bénis des dieux. Les visiteurs n'ont pas le droit d'accéder à l'en-ceinte du sanctuaire principal – l'essentiel est caché à la vue par de hautes barrières en bois. Sur les côtés de l'ensemble architectural du sanctuaire, on voit des *jūku-sha*, longs abris où logent les innombrables divinités shintoïstes lorsqu'elles se regroupent pour leur rassemblement annuel.

Du côté sud-est de l'ensemble, le **Shinko-den** (神枯殿 ; Trésor ; entrée 150 ¥ ; 🕙 8h30-16h30) renferme une collection d'objets liés au sanctuaire.

À droite de l'entrée principale du sanctuaire, le **musée Shimane du vieil Izumo** (島根県立古代出雲歴史博物館 ; ☎ 53-8600 ; 99-4 Kizuki Higashi Taisha-chō ; entrée 600 ¥, étrangers munis d'une pièce d'identité 300 ¥ ; 🕙 9h-18h, jusqu'à 17h nov-fév, fermé le 3ᵉ mar du mois ; 🅿) présente des expositions consacrées à l'histoire locale. On voit notamment trois reproductions du sanctuaire dans toute sa splendeur ainsi que les enregistrements vidéo des cérémonies qui s'y tiennent chaque année pour accueillir comme il se doit les dieux à Izumo. Le musée abrite aussi une superbe collection de bronzes datant de la période de Yayoi, et retrouvés à proximité en 1996.

Au **Kodai Izumo Ōyashiro Mokei Tenjikan** (古代出雲大社模型展示館 ; ☎ 53-3100 ; entrée libre ; 🕙 8h30-16h30), une maquette du sanctuaire tel qu'il était il y a 800 ans donne une idée de sa taille initiale.

HINO-MISAKI 日御碕

Moins de 10 km séparent Izumo Taisha du cap **Hino-misaki**, où vous découvrirez un très beau phare, une vue splendide et un autre sanctuaire. En chemin, à seulement 2 km de la gare Taisha Ekimae, vous passerez devant la plage d'**Inasa-no-hama**, où il fait bon se baigner. C'est là que les dieux arrivent par la mer pour leur rassemblement annuel du 10ᵉ mois du calendrier lunaire. Un groupe de prêtres les escorte de nuit jusqu'à leurs logements provisoires à Izumo Taisha. Des bus circulent de la gare au cap en passant par la plage (530 ¥, 35 min, 13/jour). Le **Hinomisaki-jinja**, édifice orange vif proche du terminus des bus, est un ancien sanctuaire dédié à Amaterasu et à son frère Susa-no-o. La structure actuelle fut édifiée sur les ordres de Iemitsu Tokugawa (1604-1651), troisième shogun du clan des Tokugawa. Depuis le parking, des chemins côtiers partent en direction du nord et du sud, offrant de magnifiques panoramas, notamment depuis le sommet du **phare** (日御碕灯台 ; 200 ¥ ; 🕙 9h-16h30), construit en 1903.

Fêtes et festivals

Dans tout le Japon, le dixième mois du calendrier lunaire est connu sous le nom de Kan-na-zuki (mois sans dieux). À Izumo pourtant, il s'agit de Kami-ari-zuki (mois avec les dieux), car c'est à cette période que tous les dieux shintoïstes se rassemblent dans l'Izumo Taisha.

La fête de **Kamiari-sai** consiste en plusieurs manifestations célébrant l'arrivée des dieux à Izumo. Elle dure du 10ᵉ au 17ᵉ jour du calendrier. Les dates varient chaque année.

Où se loger et se restaurer

Izumo est typiquement une destination d'ex-cursion d'une journée : le soir venu, le secteur du sanctuaire est complètement désert. Il y a un peu plus d'animation dans le centre-ville d'Izumo, situé à 30 minutes en bus ou en train. Si vous tenez vraiment à passer la nuit à proximité du sanctuaire, vous aurez le choix entre plusieurs auberges, notamment le **Fujiwara Ryokan** (藤原旅館 ; ☎ 53-2009 ; fax 53-2524 ; Seimonmae Taisha-chō ; s/lits jum avec 2 repas 10 500/21 000 ¥ ; **P**), installé à proximité des portes de l'édifice. Lorsqu'on sort de la gare en direction du sanctuaire, l'auberge est sur la gauche, près d'un grand pin. Vous trouverez les habituels *business hotels* aux abords de la gare JR dans le centre-ville d'Izumo, par exemple le **Tôyoko Inn** (東横イン ; ☎ 25-1044 ; fax 25-2046 ; www.toyoko-inn.com ; 971-13 Imaichi-chō ; s/d 5 250/7 350 ¥ ; **P** ⊗ 🖵) où vous aurez accès à Internet dans la réception.

Yashiroya (☎ 53-2596 ; 72-5 Kizuki-higashi Taisha-chō ; ☀ 10h-19h, fermé mar), un édifice blanc au toit de tuiles en face du musée, est une bonne adresse pour goûter à la spécialité locale, les *warigo soba* (700 ¥). Dans la ville même d'Izumo, **Hanaman** (華満 ; ☎ 21-3913 ; 928-12 Imaichi-chō ; ☀ déj et dîner, fermé mer), agréable établissement évoquant un *izakaya*, propose poisson frais et sakés. Il se trouve sur la droite en descendant la rue principale depuis la gare. Son nom d'enseigne figure en grands caractères noirs.

Depuis/vers Izumo

La ligne privée Ichibata part de la gare Matsue Shinjiko-onsen (à Matsue) et longe la partie nord du lac Shinji-ko (lac Shinsji) jusqu'à la gare de Taisha Ekimae (790 ¥, 1 heure, avec une correspondance à Kawato). La ligne JR part, quant à elle, de la gare JR Matsue pour rejoindre la gare JR Izumo-shi (570 ¥, 42 min), d'où un train de la ligne Ichibata assure la correspondance pour l'Izumo Taisha (480 ¥). Il y a aussi des bus pour le sanctuaire au départ de la gare d'Izumo-shi (490 ¥, 25 min).

L'aéroport d'Izumo a des vols quotidiens depuis/vers Tôkyô (31 400 ¥, 1 heure 20), Ôsaka (19 200 ¥, 55 min), Fukuoka (25 300 ¥, 1 heure 10) et les îles Oki (12 300 ¥, 30 min).

MATSUE 松江

☎ 0852 / 194 000 habitants

Réputée pour son joli château et ses couchers de soleil magnifiques sur le lac Shinji-ko, Matsue est une ville féodale agréable et détendue, avec d'intéressants sites historiques. Elle s'étend de part et d'autre de la rivière Ôhashi-gawa, qui relie le lac Shinji-ko à celui de Nakanoumi-ko, un lac salé. Au nord, un quartier assez limité

rassemble presque tous les sites dignes d'intérêt : le château, une résidence de samouraï et la maison de l'écrivain Lafcadio Hearn.

Renseignements

Office du tourisme (☎ 21-4034 ; 665 Asahi-machi ; ☀ 9h-18h). En face de la gare JR de Matsue.

Shimane International Centre (☎ 31-5056 ; 3e niv, Town Plaza Shimane, 8-3 Tonomachi ; ☀ 9h-19h lun-ven, fermé sam, jusqu'à 17h dim). Renseignements, petite bibliothèque et accès à Internet.

À voir

MATSUE-JŌ 松江城

L'intérieur en bois du pittoresque **Matsue-jō** (château de Matsue ; ☎ 21-4030 ; 1-5 Tonomachi ; entrée 550 ¥, étrangers munis d'une pièce d'identité 280 ¥ ; ☀ 8h30-18h30 avr-sept, jusqu'à 17h oct-mars), datant de 1611, abrite les trésors du Matsudaira. Surnommé le château du Pluvier en raison de la forme gracieuse de ses ornements de pignons, le Matsue-jō est l'une des 12 forteresses féodales d'origine subsistant au Japon.

Les **circuits Horikawa Pleasure Boat** (☎ 27-0417 ; 1 200 ¥, étrangers munis d'une pièce d'identité 800 ¥ ; ☀ toutes les 15-20 min 9h-17h mars-juin et sept/mi-oct, jusqu'à 18h juil et août, jusqu'à 16h mi-oct/fév) font le tour des douves du château puis naviguent sur les canaux de la ville, en passant sous plusieurs ponts.

MAISON DE YAKUMO KOIZUMI (LAFCADIO HEARN) 小泉八雲旧宅

L'Irlandais préféré de Matsue vécut dans cette maison agrémentée d'un joli jardin pendant les 15 mois qui suivirent son arrivée au Japon. La vue depuis son bureau ne semble guère avoir changé par rapport à celle que Hearn a décrite dans son essai de 1892 *In a Japanese Garden*. L'ancienne **maison** (entrée 350 ¥ ; ☀ 9h-16h30) est à l'extrémité nord de Shiomi Nawate.

MUSÉE MÉMORIAL KOIZUMI YAKUMO (LAFCADIO HEARN) 小泉八雲記念館

À côté de l'ancienne maison de l'écrivain, ce **musée mémorial** (☎ 21-2147 ; 322 Okudani-chō ; entrée 300 ¥, étrangers munis d'une pièce d'identité 150 ¥ ; ☀ 8h30-18h30 avr-sept, jusqu'à 17h oct-mars) présente des collections en rapport avec sa vie et son œuvre, ainsi que des objets personnels, notamment ses haltères, ses lunettes, et des journaux japonais sur lesquels il avait écrit des mots et des phrases simples pour apprendre l'anglais à son fils. On peut aussi voir une partie de la correspondance entre Lafcadio Hearn et son épouse. Des lettres écrites en alphabet phonétique car, bien que s'étant illustré dans de nombreux domaines, l'écrivain ne parvint jamais à lire correctement le japonais.

MUSÉE D'ART TANABE 田部美術館

Ce **musée** (☎ 26-2211 ; 310-5 Kitahori-chô ; entrée 600 ¥ ; ☺ 9h-16h30 mar-dim) présente une collection de bols, de parchemins et autres objets en lien avec la cérémonie du thé, dont beaucoup sont étroitement associés au clan Matsudaira qui régna sur Matsue pendant la période d'Edo.

MAISON DE SAMOURAÏ BUKE YASHIKI
武家屋敷

Construite pour une famille de samouraïs de rang intermédiaire au début du XVIIIe siècle, **Buke Yashiki** (☎ 22-2243 ; 305 Kitahori-chô ; entrée 300 ¥, étrangers munis d'une pièce d'identité 150 ¥ ; ☺ 8h30-18h30 avr-sept, jusqu'à 17h oct-mars) est une belle maison superbement préservée, dotée d'un jardin.

MUSÉE D'ART DE LA PRÉFECTURE DE SHIMANE 島根県立博物館

Cet impressionnant **musée** (☎ 55-4700 ; 1-5 Sodeshi-chô ; entrée 300 ¥ ; ☺ 10h-18h30, jusqu'à 30 min après le coucher du soleil mars-sept, fermé mar ; (P)) présente des expositions changeant régulièrement, et élaborées avec les œuvres de sa collection de tableaux européens, de xylogravures et d'art contemporain. Merveilleusement situé en surplomb du lac, il est réputé pour la beauté de sa vue sur le couchant, à admirer depuis la plate-forme d'observation située au 2e niveau, ou depuis la rive. Le musée est à 15 minutes de marche à l'ouest de la gare.

Où se loger

Terazuya (☎ 21-3480 ; fax 21-3422 ; www.mable. ne.jp/~terazuya/english ; 60-3 Tenjin-machi ; avec/sans 2 repas 7 000/4 000 ¥ par pers ; (P) (■)). Ce sympathique *ryokan* situé à côté du sanctuaire Matsue Tenmangū est une excellente adresse pour petits budgets. Les propriétaires parlent un peu anglais. Hébergement dans d'élégantes chambres garnies de tatamis avec sdb communes. Accès Internet gratuit.

Matsue City Hotel (☎ 25-4100 ; fax 25-4102 ; www2.cross talk.or.jp/sobido/dalian/ctyhote.html, en japonais ; 31 Suetsugu Honmachi ; s/lits jum 3 900/5 500 ¥ ; (P) (■)). Juste à côté du pont Matsue-ōhashi, cet hôtel récemment rénové occupe un pavillon traditionnel. Des pendules anciennes décorent chacun des étages. Repérez la tour de l'horloge à gauche en traversant le pont en venant de la gare.

Tōyoko Inn Matsue Ekimae (☎ 60-1045 ; fax 60-1046 ; www.toyoko-inn.com ; 498-10 Asahi-machi ; s/lits jum avec petit déj 5 040/7 700 ¥ ; (P) (✕) (■)). Établissement fiable, proche de la gare. Chambres petites mais confortables, avec Internet (réseau LAN). Il y a aussi des ordinateurs à la réception.

Hotel Route Inn Matsue (☎ 20-6211 ; fax 20-6215 ; www.route-inn.co.jp/english/pref/shimane.html/matsue ; 2-22 Higashi Honmachi ; s/lits jum 5 000/10 500 ¥ ; (P) (✕) (■)). De l'autre côté de la rivière, en face de la gare JR de Matsue, dans le quartier des sorties et loisirs, cet hôtel bénéficie d'une vue sur le centre-ville. Connexion Internet (réseau LAN) dans toutes les chambres, ordinateurs à la réception.

Hotel Ichibata (☎ 22-0188 ; fax 22-0230 ; www. ichibata.co.jp/hotel, en japonais ; 30 Chidōri-chô ; s/lits jum 9 390/17 100 ¥ ; (P) (✕) (■)). Au bord du lac, près de la gare de Matsue Shinjiko-onsen, adresse luxueuse avec vue superbe et service impeccable. L'établissement possède un onsen avec bains extérieurs (vue magnifique). Connexion Internet (réseau LAN) dans toutes les chambres, connexion Wi-Fi à la réception.

Où se restaurer

Pasta Factory (☎ 28-0101 ; 82 Suetsugu Honmachi ; ☺ 11h30-22h). Traiteur chic à la devanture vitrée, spécialisé dans les pâtes et les sandwichs. Au déjeuner, comptez 980 ¥ pour le plat du jour (des pâtes) et 880 ¥ pour le sandwich chaud du jour. Le menu comporte quelques explications en anglais.

Yakumo-an (☎ 22-2400 ; 308 Kita Horiuchi ; ☺ 9h-16h30). À côté de la maison du Samouraï, ce restaurant de *soba* (nouilles de sarrasin) et son beau jardin font une excellente adresse où goûter à la spécialité locale, les *warigo soba*. Des nouilles et du *kamo nanban* (nouilles avec du canard dans un bouillon) coûtent 1 130 ¥. Repérez la grande porte ancienne surmontée d'une lanterne. Menu en partie en anglais.

Tsurumaru (☎ 22-4887 ; 1-79 Higashi Honmachi ; plats 600-1 050 ¥ ; ☺ 17h30-22h30, fermé dim). L'odeur du poisson grillé sur la braise flotte délicieusement dans ce restaurant qui propose une cuisine typique des îles Oki. Au menu (en japonais uniquement) : *eri-yaki konabe* (soupe épicée cuisinée à la table des convives ; 630 ¥) et *sashimi moriawase* (1 260 ¥) entre autres. Vous saurez que vous êtes à la bonne adresse en voyant le *noren* orné d'une grue et en entendant les chants folkloriques dans la rue.

Kawa-kyō (☎ 23-1312 ; 65 Suetsugu Honmachi ; repas 800-1 300 ¥ ; ☺ 18h-22h30, fermé dim ; (✕)). L'accueil est très sympathique dans ce restaurant évoquant

OUEST DE HONSHŪ

LES METS DÉLICATS TIRÉS DU LAC À MATSUE

La cuisine régionale (*kyodo ryōri*) de Matsue fait la part belle à "sept mets délicats du Shinji-ko" :

- *suzuki* ou *hōsho-yaki* – perche en papillote, cuite à la vapeur
- *shirauo* – blanchaille en *tempura* (beignet) ou en sashimi
- *amasagi* – éperlan en *tempura* ou mariné en sauce *teriyaki*
- *shijimi* – clams d'eau douce dans une soupe *miso*
- *moroge ebi* – crevettes vapeur
- *koi* – carpe au four
- *unagi* – anguille d'eau douce grillée

un *izakaya*, et qui est spécialisé dans les "sept délices" de Shinji-ko (voir ci-dessus). La fille de la famille parle bien anglais. Menu en anglais. Repérez la lanterne suspendue à l'extérieur et portant les caractères 川京.

Yamaichi (☎ 23-0223 ; 4-1 Higashi Honmachi ; 16h30-21h30, jusqu'à 21h dim). Ce pittoresque *izakaya* est parfait pour goûter aux spécialités locales. C'est un établissement à l'ancienne muni d'un petit sanctuaire shintoïste au-dessus du bar. Vous pourrez déguster les "sept délices" ainsi que d'autres plats comme les *sashimi moriawase* (au prix du marché). Le menu est écrit à la main au-dessus du comptoir, en japonais. Le restaurant est immédiatement à droite après avoir franchi le pont Shin-ōhashi ; un panneau blanc porte le nom du restaurant en caractères noirs : やまいち.

Minamikan (☎ 21-5131 ; 14 Suetsugu Honmachi ; repas 1 500-10 000 ¥ ; déj et dîner). Une cuisine japonaise de très grande qualité à savourer dans un ravissant *ryokan* installé au bord de la rivière. Le *kisetsu bentō* (*bentō* de saison) coûte environ 3 360 ¥, et le *tai meshi gozen* (menu daurade ; 3 780 ¥) est délicieux. Les formules déjeuner reviennent à 1 575 ¥ minimum. La carte est illustrée de quelques photos. Une allée carrossable mène à l'entrée.

Naniwa (☎ 21-2835 ; 21 Suetsugu Honmachi ; déj et dîner). À côté du pont Matsue-ōhashi, cet élégant restaurant est parfait pour savourer un *unameshi* (anguille et riz ; 2 625 ¥). Comptez à partir de 4 200 ¥ pour les spécialités locales, par exemple le menu *Shinji-ko*.

Où prendre un verre

Filaments (☎ 24-8984 ; 5 Hakkenya-chō ; boissons à partir de 600 ¥ ; 19h30-tard). Petit bar à l'atmosphère décontractée, près de la rivière. Idéal pour se détendre et bavarder avec le propriétaire jusqu'au petit matin.

Cafe Bar EAD (☎28-3130 ; 36 Suetsugu Honmachi ; boissons à partir de 525 ¥ ; 17h-24h jeu et lun, jusqu'à 1h ven-dim). La terrasse de cet établissement décontracté, que l'on croise lorsqu'on s'éloigne du pont, bénéficie d'une jolie vue sur la rivière. Parmi les en-cas proposés, on trouve des pizzas maison (par exemple tomates et anchois pour 735 ¥). Prenez l'escalier qui jouxte la boutique de vêtements d'occasion EAD à côté du pont et montez jusqu'au 3e niveau.

Depuis/vers Matsue

Matsue se situe sur la ligne JR San-in, qui longe la côte du même nom. Vous pouvez aller jusqu'à Okayama en passant par Yonago sur

RENSEIGNEMENTS
Poste 郵便局 1 D3
Shimane International Centre しまね国際センター 2 B2
Office du tourisme 観光案内所 3 D3

À VOIR ET À FAIRE
Maison de samouraï Buke Yashiki 武家屋敷 4 B1
Circuits Horikawa Pleasure Boats 堀川めぐり 5 B2
Musée-mémorial Koizumi Yakumo (Lafcadio Hearn) 小泉八雲記念館 6 B1
Maison de Koizumi Yakumo (Lafcadio Hearn) 小泉八雲旧宅 7 B1
Matsue-jō 松江城 8 B1
Musée d'Art de la préfecture de Shimane 島根県立美術館 9 B4
Musée d'Art Tanabe 田部美術館 10 B1

OÙ SE LOGER
Hotel Ichibata ホテル一畑 11 A3
Hotel Route Inn Matsue ホテルルートイン松江 12 C3
Matsue City Hotel 松江シティホテル 13 B3
Terazuya 旅館寺津屋 14 B4
Tōyoko Inn Matsue Ekimae 東横イン松江駅前 15 C3

OÙ SE RESTAURER
Kawa-kyō 川京 16 C3
Minamikan 皆美館 17 B3
Naniwa なにわ 18 B3
Pasta Factory パスタファクトリー 19 B2
Tsurumaru 鶴丸 20 C2
Yakumo-an 八雲庵 21 B1
Yamaichi やまいち 22 C3

OÙ PRENDRE UN VERRE
Cafe Bar EAD カフェバーEAD 23 B3
Filaments フィラメンツ 24 C3

TRANSPORTS
Mazda Rent-a-Car マツダレンタカー 25 D3

la ligne JR Hakubi. Le billet coûte 480 ¥ pour Yonago (35 min), puis 4 620 ¥ pour Okayama en *tokkyū* (2 heures 15).

Matsue est desservie à la fois par les aéroports d'Izumo et de Yonago. Il y a des vols pour Tōkyō, Ōsaka, Nagoya, Fukuoka, les îles Oki et Séoul. Des bus circulent également depuis/vers les principaux centres urbains du pays.

Comment circuler
Les bus rouges Lake Line, qui ressemblent à des tramways, suivent un itinéraire fixe passant par les sites touristiques de la ville toutes les 20 minutes de 8h40 à 17h40. Comptez 200 ¥ pour 1 trajet, ou 500 ¥ (forfait à la journée).

Le vélo est un bon moyen de partir à la découverte de Matsue. Vous pourrez en louer

près de la gare de Matsue chez **Mazda Rent-a-Car** (☎ 26-8787 ; 466-1 Asahimachi ; ⏰ 8h30-18h). Comptez 300 ¥/jour.

ENVIRONS DE MATSUE ET D'IZUMO
Shimane-hantō 島根半島
Au nord de Matsue, la côte de Shimane-hantō (péninsule de Shimane) offre des panoramas spectaculaires, surtout aux alentours de Kaga. D'avril à octobre, des circuits en bateau de 50 minutes partent du **Marine Plaza Shimane** (☎ 0852-85-9111 ; circuit 1 200 ¥/pers, 3 pers minimum) à destination de la grotte sous-marine de Kaga-no-Kukedo. À la gare de Matsue, prenez un bus Ichibata pour Marine Gate, où vous pourrez prendre une correspondance, en bus également, pour le Marine Plaza.

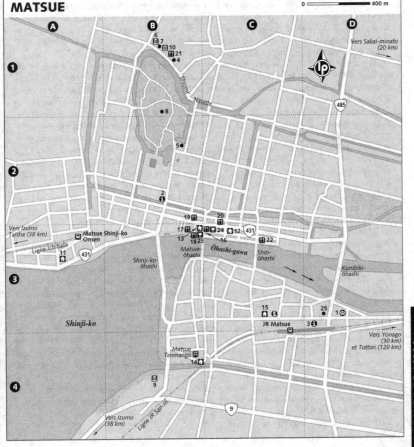

OUEST DE HONSHŪ

Musée d'Art Adachi 足立美術館

Dans la ville de Yasugi, cet excellent **musée** (☎ 0854-28-7111 ; 320 Furukawa-chō, Yasugi-shi ; entrée 2 200 ¥, étrangers munis d'une pièce d'identité 1 100 ¥ ; ⊙ 9h-17h30, jusqu'à 17h oct-mars ; **P**) a été fondé par l'homme d'affaires et collectionneur Zenkō Adachi. La collection comprend plus de 100 tableaux de Taikan Yokoyama (1868-1958), ainsi que des superbes œuvres d'autres grands peintres japonais du XXᵉ siècle. Toutefois, le véritable atout du lieu réside dans ses jardins, classés parmi les plus beaux du Japon. Prenez la ligne JR jusqu'à Yasugi (安来), d'où une navette gratuite vous conduira au musée (9/jour de 9h40 à 16h05).

OKI-SHOTŌ 隠岐諸島

☎ 08512 / 24 000 habitants

Au nord de Matsue, les Oki-shotō (îles Oki), réservées aux visiteurs en quête d'évasion, offrent à la vue des panoramas spectaculaires et des falaises escarpées. Des prisonniers politiques (et même deux empereurs) vaincus à l'issue des querelles de pouvoir étaient autrefois exilés ici. L'ensemble comprend notamment l'île de Dōgo, la plus vaste, et les trois îles plus petites de Dōzen. Sur la côte Oki Kuniga de **Nishi-no-shima**, 7 km de falaises remarquables tombent parfois de près de 250 m à pic dans la mer. Sur Dōgo, le **Kokobun-ji** remonte au

---

LE FILS ADOPTIF DU JAPON

Si, pour les Occidentaux, le nom de Lafcadio Hearn (1850-1904) n'évoque pas grand-chose, au Japon en revanche, où il est connu sous le nom de Yakumo Koizumi, il est un personnage incontournable. Plus de 100 ans après sa mort, Lafcadio Hearn demeure en effet très apprécié dans son pays d'adoption. On aime ses livres parce qu'ils évoquent le Japon à l'époque où il était en train de devenir une puissance moderne – un monde aussi étranger aux actuels habitants d'Ōsaka et de Tōkyō qu'il l'était aux lecteurs de Boston ou de Londres il y a 100 ans.

Au tournant du XXᵉ siècle, le nom de Lafcadio Hearn était immanquablement associé au Japon. On pourrait même dire que, pour beaucoup d'Occidentaux, Lafcadio Hearn *incarnait* le Japon. Cependant, sa vie aurait été tout aussi remarquable s'il n'avait jamais posé le pied sur la "terre féerique" qui le rendit célèbre. Patrick Lafcadio Hearn était né sur l'île de Leucade, dans la mer Ionienne, d'une mère grecque et d'un père anglo-irlandais qui officiait comme chirurgien militaire. Il grandit à Dublin et fit ses études en Angleterre avant d'être envoyé en Amérique, à l'âge de 19 ans, avec pour tout bagage un aller simple en poche et la consigne de tenter sa chance dans le Nouveau Monde. Malgré une allure étrange (renforcée par le fait qu'il avait perdu un œil à l'âge de 13 ans), il trouva à s'employer comme journaliste à Cincinnati, jusqu'à ce qu'il fasse scandale en épousant une femme noire, ce qui lui valut d'être rejeté de la bonne société. Il trouva alors refuge à la Nouvelle-Orléans, où il écrivit sur le vaudou et commença à développer le goût prononcé pour l'exotisme qui allait caractériser ses ouvrages sur le Japon. Après avoir passé deux ans aux Antilles françaises, il accepta le contrat que lui proposait le magazine *Harper's* pour travailler comme correspondant au Japon. Il arriva à Yokohama en 1890, et ne repartit plus jamais.

Lafcadio Hearn était arrivé au Japon alors que le monde occidental connaissait un véritable engouement pour ce pays. Très vite, il devint célèbre grâce aux articles et aux livres dans lesquels il présentait au monde les merveilles que recelait cette terre lointaine. Très désireux de rester sur place après la fin de son contrat avec *Harper's*, il devint professeur d'anglais. Pendant quinze mois, il vécut dans la ville féodale de Matsue, où il épousa Setsu Koizumi, fille d'une famille de samouraïs. La maison qu'ils habitèrent est aujourd'hui l'une des destinations touristiques majeures de l'ouest du Japon. Après un bref séjour à Kumamoto, il exerça quelque temps comme journaliste à Kobe, puis s'installa à Tōkyō – "le lieu le plus horrible du Japon" – où il fut nommé professeur de littérature anglaise à l'université impériale. Il devint citoyen japonais en 1895 et mourut moins de 10 ans plus tard, à l'âge de 54 ans.

Bien que, en un siècle, le Japon soit devenu méconnaissable, les meilleures œuvres de Lafcadio Hearn ont résisté à l'épreuve du temps et méritent d'être lues aujourd'hui. Son ouvrage sur le Japon, *Le Japon inconnu (Esquisses psychologiques)*, de 1894, contient son célèbre essai sur la ville de Matsue, "capitale de la province des dieux", ainsi qu'un récit sur le voyage qu'il fit à Izumo, où il fut le premier Européen autorisé à franchir les portes du sanctuaire. Son ouvrage *Kwaidan ou Histoires et études de choses étranges*, un recueil d'histoires de fantômes, a été adapté avec succès à l'écran par Masaki Kobayashi en 1964.

VIIIe siècle. Toujours sur la plus grande des îles, des **combats de taureaux** constituent une attraction pendant les mois d'été.

Si vous désirez vous rendre sur place, prévoyez d'y passer au moins deux jours et faites un saut à l'office du tourisme de la gare de Matsue pour faire toutes les réservations nécessaires et prendre quelques renseignements avant de partir. Munissez-vous de la brochure en anglais *Oki National Park*, qui contient une carte des îles. Consultez aussi le site Internet www.e-oki.net (en japonais).

Les îles comptent des *minshuku*, d'autres formes d'hébergement et des endroits où camper.

Des ferries de la compagnie **Oki Kisen** (☎ 0851-22-1122) desservent les îles Oki depuis Shichirui et Sakai-minato, au nord-est de Matsue. Pour Dōgo-shima, prenez le bus de 7h55 à destination de Shichirui (七類 ; 1 000 ¥, 40 min) au terminal de bus de Matsue, puis le ferry de 9h (3 050 ¥, 2 heures 30). Un autre ferry quitte Shichirui dans l'après-midi. L'horaire varie selon les moments de l'année. Des vols pour Dōgo partent d'Izumo et Ōsaka.

TOTTORI-KEN 鳥取県

Bien que le Tottori-ken soit la moins peuplée des 47 préfectures du Japon, il est connu pour ses paysages côtiers grandioses, ses dunes, ses onsen et ses volcans. La saison la plus appropriée pour le visiter est l'été. La grande ville de Yonago (米子) est un important carrefour des transports : des trains se rendent au sud, à Okayama, sur la côte de San-yō.

DAISEN 大山
☎ 0859

Bien que n'étant pas la plus haute montagne du Japon, le mont Daisen, un volcan haut de 1 729 m, est impressionnant, car il se dresse depuis le niveau de la mer, à une dizaine de kilomètres de la côte.

Très appréciée, l'ascension du volcan demande 5 à 6 heures de marche aller-retour depuis le temple **Daisen-ji** (大山寺). En haut d'un sentier pierreux se dresse le sanctuaire **Ōgamiyama-jinja** (大神山神社), plus vieux bâtiment dans l'ouest du Tottori-ken. Du sommet, vous profiterez d'une jolie vue sur la côte et, par beau temps, vous apercevrez même les îles Oki-shotō. Si vous souhaitez pratiquer la randonnée sur le mont Daisen, procurez-vous

le guide *Hiking in Japan* de Lonely Planet. Des bus partent de Yonago pour le temple (800 ¥, 50 min, 8/jour de 7h20 à 18h10). Près du temple se trouve le **centre d'information touristique de Daisen-ji** (☎ 52-2502 ; ⏰ 8h30-17h lun-ven, jusqu'à 18h30 sam-dim), qui propose des brochures, des cartes et des renseignements en anglais sur les randonnées. Le personnel peut vous aider à effectuer des réservations dans les *ryokan* de la région.

Pendant l'hiver, la montagne reçoit les vents de mousson venus du nord-ouest et se couvre d'une épaisse couche de neige, se transformant alors en meilleur domaine skiable de l'ouest du Japon. Le **Daisen Kokusai Ski Resort** (大山国際スキー場 ; ☎ 52-2321 ; www.daisen.net) compte parmi les quatre stations de ski (reliées entre elles) installées sur les pentes inférieures.

LA CÔTE JUSQU'À TOTTORI

À 6 km au nord de la gare de Kurayoshi (倉吉), le **lac Tōgo** est bordé à l'ouest par **Hawai Onsen**, et à l'est par **Tōgo Onsen**. Des bus s'y rendent au départ de la gare de Kurayoshi, où l'**office du tourisme** (⏰ 8h30-17h, fermé mer) loue gratuitement des vélos. Les lieux d'hébergement ne manquent pas à Hawai Onsen, parmi lesquels **Bōkorō** (望湖楼 ; ☎ 0858-35-2221 ; fax 0858-35-2675 ; www.bokoro.com ; 4-25 Hawai Onsen ; avec 2 repas à partir de 12 600 ¥/pers), grand complexe hôtelier au bord du lac comportant des chambres de style japonais et d'élégants bains intérieurs et extérieurs. À proximité se tient un *sentō* (bain public) accueillant, **Hawai Yūtown** (ハワイゆ〜たうん ; ☎ 0858-35-4919 ; 350 ¥ ; ⏰ 9h-21h mer-lun), doté d'un plafond de verre. La similarité entre le nom de la ville et les célèbres îles du Pacifique ne vous aura pas échappé ; mais bien que la plage soit très agréable, elle ne vaut pas la baie de Waimea.

En continuant vers l'est jusqu'à la ville de Tottori, vous passerez le long d'une succession de très belles **plages propices à la baignade**, séparées par des promontoires rocheux. Les plus connues sont celles d'Ishiwaki, d'Ide-gahama, d'Aoya et de Hakuto (particulièrement prisée). Les surfeurs s'y donnent rendez-vous le week-end l'été. Il vaut mieux découvrir la région en voiture qu'en train : ce dernier circulant assez loin à l'intérieur des terres, vous passeriez à côté d'une grande partie de ce qui fait le charme de la région.

Vous pourrez aussi faire trempette au **Hamamura Onsen Kan** (浜村温泉 ; ☎ 0857-82-4567 ; 420 ¥ ; ⏰ 10h-22h, fermé 1er mer du mois). Au sortir de la gare de Hamamura, allez tout droit et prenez le premier grand embranchement à droite. L'établissement, qui dispose de charmants bains intérieurs et extérieurs, se trouve sur la gauche, à 7 minutes à pied de la gare.

TOTTORI 鳥取
☎ 0857 / 201 000 habitants

Selon les standards japonais, Tottori fait figure d'agglomération de taille moyenne. Une foule de touristes nippons vient pour le plaisir de se faire photographier à côté d'un chameau sur ses célèbres dunes de sable. À l'intérieur de la gare, un **kiosque d'information touristique** (☎ 22-3318 ; 🕑 9h30-18h30) distribue cartes et prospectus en anglais. Pour surfer sur Internet, essayez **Comic Buster Dorothy** (☎ 27-7775 ; 2-27 Tomiyasu ; les 30 premières min/15 min supplémentaires 260/100 ¥ ; 🕑 24h/24), au sud-est de la gare.

À voir

La plupart des sites touristiques de Tottori son concentrés dans un périmètre restreint, à environ 1,5 km au nord-est de la gare, au pied du mont Kyūshō.

Le **Tottori-jō** dominait autrefois la ville, mais seules les fondations du château subsistent aujourd'hui. En dessous, l'élégante **villa Jinpū-kaku** (☎ 26-3595 ; 2-121 Higashi-machi ; entrée 150 ¥ ; 🕑 9h-17h, fermé lun) fut construite pour loger l'empereur Taishō lors de sa visite en 1907, alors qu'il n'était encore que prince héritier. La villa est devenue un musée.

Le petit **musée des Arts populaires** (☎ 26-2367 ; 651 Sakae-machi ; entrée 500 ¥ ; 🕑 10h-17h, fermé mer), à 5 minutes de marche de la gare JR, abrite de belles pièces de mobilier ancien et des tissus de kimono. À l'est de la gare, le **Kannon-in** (☎ 24-5641 ; 162 Ue-machi ; entrée avec dégustation de thé matcha 600 ¥ ; 🕑 9h-17h ; P) se compose d'un temple et d'un jardin du XVIIᵉ siècle.

Vous trouverez plusieurs onsen dans l'enceinte de la ville, à courte distance à pied de la gare. Si l'eau brûlante ne vous effraie pas, venez vous baigner avec les habitants des environs au *sentō* **Hinomaru Onsen** (☎ 22-2648 ; 401 Suehiro Onsen-chō; 350 ¥ ; 🕑 6h-24h, fermé 2ᵉ lun du mois).

TOTTORI-SAKYŪ (LES DUNES) 鳥取砂丘

Décor du film de Hiroshi Teshigahara, *La Femme des sables* (1964), les dunes de Tottori se trouvent sur la côte, à environ 5 km de la ville. Un belvédère installé sur une colline voisine domine le paysage et offre un joli point de vue. Le site dispose d'un parking et

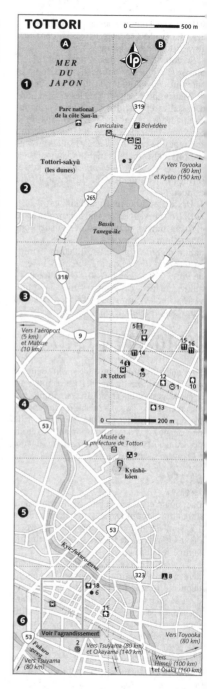

TOTTORI

des aménagements touristiques habituels. Les dunes bordent la mer sur plus de 10 km et atteignent à certains endroits jusqu'à 2 km de large. Vous pourrez même poser, au côté d'un chameau, pour une photographie souvenir dans le pur style *Lawrence d'Arabie*. Le **centre d'information des dunes de Tottori** (☎ 20-2231 ; 2083-17 Yūyama, Fukube-chō ; 🕑 9h-18h) fournit cartes et brochures, et loue des vélos (310 ¥ pour 4 heures).

Des bus partent régulièrement de la gare de Tottori à destination des dunes (360 ¥, 20 min). L'arrêt le plus proche de ces dernières est Sakyū-Sentā (砂丘センター ; centre des dunes).

Où se loger

Matsuya-sō (☎ 22-4891 ; 3-814 Yoshikata Onsen ; s/lits jum 3 500/6 000 ¥ ; 🅿). À 15 minutes à pied de la gare, derrière un immeuble d'appartements, cet établissement de type *minshuku* est sympathique et confortable. Il propose de modestes chambres de style japonais avec sdb communes. Au sortir de la gare, allez tout droit puis tournez

à droite dans Eiraku-dōri (永楽通り). Repérez l'enseigne jaune sur la gauche.

Tōyoko Inn Tottori Eki Minami-guchi (☎ 36-1045 ; www.toyoko-inn.com ; 2-153-3 Tomiyasu ; s/lits jum avec petit déj 5 460/7 560 ¥ ; 🅿 ✖ 🖳). *Business hotel* propre et agréable, à une minute à pied de la gare. Accès à Internet grâce aux ordinateurs de la réception.

Tottori Washington Hotel Plaza (☎ 27-8111 ; fax 27-8125 ; 102 Higashi Honji-chō ; s/lits jum à partir de 6 900/13 500 ¥ ; 🅿 ✖ 🖳). Chambres confortables pour ce grand bâtiment blanc à côté de la gare. Ceux qui ont un ordinateur portable pourront accéder à Internet (réseau LAN dans toutes les chambres).

Hotel Monarque (☎ 20-0101 ; fax 27-8181 ; http://hotel-monarque.jp/, en japonais ; 403 Eiraku Onsen-chō ; s/lits jum à partir de 7 080/18 780 ¥ ; 🅿 ✖ 🖳). Cet élégant hôtel accueillant mariages et réceptions, à courte distance à pied de la gare, possède son propre onsen au rez-de-chaussée. Connexion à Internet (réseau LAN) dans toutes les chambres.

Où se restaurer et prendre un verre

Daizen (☎ 27-6574 ; 715 Sakae-machi ; 🕑 11h-24h). Cet *izakaya* bon marché attire une clientèle jeune. Le menu (en japonais uniquement) propose les classiques de ce genre d'établissement, *tempura moriawase* (735 ¥) et *honjitsu no o-tsukuri santen* (3 sortes de sashimis ; 945 ¥) notamment. Il se trouve à droite en entrant dans la galerie marchande en face de la gare. Des lanternes et des bannières ornent sa devanture.

Tottori-ya (☎ 26-5858 ; 585-1 Yamane ; 🕑 17h-24h). Ce restaurant de *yakitori* (brochettes de poulet grillé) animé, au cœur du quartier des sorties nocturnes, sert des *yakikushi moriawase* (assortiments de poulet grillé) pour 609 ¥ les 6 brochettes, ou 1 207 ¥ les 12. Repérez la devanture en bois avec un *nawa-noren* (rideau de cordes) au-dessus de la porte.

Jujuan (☎ 21-1919 ; 751 Suehiro Onsen-chō ; 🕑 déj et dîner). Les poissons et fruits de mer frais, ainsi que le bœuf *sumibiyaki* (grillé sur la braise) sont les spécialités de ce restaurant spacieux, où l'on peut aussi se régaler d'*awabi* (ormeau ; 2 000 ¥) et de *shira-ika* (poulpe ; 800 ¥). Il est situé dans le quartier des sorties, près de la gare. Cherchez un bâtiment blanc avec un toit en pente sur la droite en s'éloignant de la gare.

Chocolate (☎ 37-2227 ; 611 Sakae-machi ; boissons à partir de 550 ¥ ; 🕑 10h-24h, jusqu'à 2h ven et sam, fermé mar). Ce café-bar, long et étroit, est parfait pour un moment de détente. Vous pourrez y savourer des pâtes à la carbonara (800 ¥) et des *ebi-iri* *nama harumaki* (rouleaux de printemps aux crevettes ; 600 ¥).

Falkenstein (☎ 27-4610 ; 318 Suehiro Onsen-chō ; 🕐 18h-24h, fermé dim). Ce pub douillet, tenu depuis 30 ans par un Allemand, est idéal pour se prélasser et regarder des matchs de football. Bières allemandes à partir de 680 ¥ ; saucisses à partir de 850 ¥.

Depuis/vers Tottori

La ligne côtière JR San-in traverse Tottori depuis Matsue (2 210 ¥, 2 heures 15) jusqu'à Toyooka (*futsū*, 1 450 ¥, 2 heures 30) et Kyōto. Les trains express relient Tottori à Okayama (4 270, 2 heures), en passant par Yonago.

L'**aéroport** (☎ 28-1150 ; 4-110-5 Koyama-chō Nishi) de Tottori, au nord-ouest de la ville, a quatre vols par jour depuis/vers Tōkyō. Des bus circulent entre la gare de Tottori et l'aéroport (450 ¥).

Comment circuler

Un Loop Bus (trajet 300 ¥, forfait journée 600 ¥), très efficace, circule le week-end, les jours fériés et du 20 juillet au 31 août. Il relie la gare aux dunes. Des minibus au toit rouge et bleu (trajet 100 ¥) décrivent des boucles plus courtes dans le centre-ville, toujours depuis la gare, toutes les 20 minutes environ. Des bus urbains normaux se rendent aussi de la gare aux dunes (360 ¥, 20 min). L'office du tourisme distribue des plans et des horaires.

On peut louer des vélos à l'extérieur de la gare moyennant 500 ¥/jour (de 8h à 18h30). Tournez à droite après le comptoir d'information touristique, puis encore à droite pour vous engager dans le parking à vélos.

PARC NATIONAL DE LA CÔTE SAN-IN
山陰海岸国立公園

La côte aux panoramas spectaculaires qui se déroule à l'est des dunes de Tottori jusqu'à Tango-hantō, dans le Kyōto-fu, est connue sous le nom de San-in Kaigan Kokuritsu Kōen

ou parc national de la côte San-in. L'endroit se caractérise par ses plages de sable, ses promontoires déchiquetés et ses pins élancés sur fond de ciel bleu.

Uradome Kaigan 浦富海岸

Le premier site d'intérêt est Uradome Kaigan. Des **croisières** (☎ 0857-73-1212 ; croisière 1 200 ¥ ; 🕐 toutes les 20 min 9h10-16h10 mars-nov) de 40 minutes partent du port de pêche d'Ajiro (網代), à 35 minutes à l'est de Tottori en bus au départ de la gare JR. Le bus traverse les dunes ; vous pouvez donc prévoir une excursion d'une journée au départ de Tottori comprenant à la fois la visite des dunes et la croisière. Prenez un bus en direction d'Iwami et d'Iwai Onsen et descendez à Kutsui-Ōhashi (沓井大橋). La promenade en bateau est le seul moyen d'admirer les îlots et les falaises abruptes, où s'accrochent quelques pins, en équilibre précaire.

Uradome (浦富) et **Makidani** (牧谷), deux plages très populaires, sont à quelques kilomètres à l'est. La gare la plus proche est celle d'Iwami sur la ligne JR San-in, à 2 km de la côte. On y trouve un **office du tourisme** (☎ 0857-72-3481 ; 🕐 9h-18h tlj sauf lun) qui loue des vélos et s'occupe des réservations hôtelières. Le petit hôtel **Seaside Uradome** (シーサイドうらどめ ; ☎ 0857-73-1555 ; fax 0857-73-1557 ; www.seasideuradome. com, en japonais ; 2475-18 Uradome Iwamichō ; à partir de 4 200 ¥/pers ; 🅿) abrite des chambres de style japonais et un restaurant surplombant la mer. Il est à 15 minutes à pied de la gare d'Iwami.

Iwai Onsen, un petit ensemble de *ryokan*, est réputé pour ses eaux curatives et serait le plus vieil onsen de la région. Il se trouve à moins de 10 minutes en bus de la gare d'Iwami, le long de la Route 9. Les excursionnistes peuvent se détendre à l'**Iwai Yukamuri Onsen** (岩井ゆかむり温泉 ; ☎ 0857-73-1670 ; 300 ¥ ; 🕐 6h-22h), un *sentō* moderne, qui se cache derrière une façade bleu et blanc juste à côté de l'arrêt de bus.

Nord de Honshū
本州の北部

La mer houleuse, s'étendant jusqu'à Sado, la Voie lactée

Matsuo Bashō, *La Sente étroite du bout du monde* (1689)

Partant de l'ancienne cité d'Edo, la route vers le nord déroule ses lacets le long de montagnes escarpées et de vallées reculées. Cette célèbre route de voyageurs suit des cours d'eau irriguant des rizières fertiles ou contourne de puissants massifs volcaniques qui alimentent les *onsen* (sources chaudes). Au temps de Matsuo Bashō, le légendaire poète itinérant du haïku, un voyage jusqu'à ces régions lointaines de Honshū était une véritable expédition.

Le *shinkansen* (train à grande vitesse) a accéléré le développement et la modernisation du nord de Honshū, région communément appelée Tōhoku. Cependant, il suffit de s'éloigner un peu des rails pour se retrouver au cœur d'une nature sauvage, où l'on peut pratiquer randonnée, ski, rafting ou partir à la découverte des onsen. Quelques heures de train seulement séparent Tōkyō du nord de Honshū, une situation qui convient fort bien à ses fiers habitants.

L'anglais est peu parlé dans le Tōhoku et son dialecte est difficile à comprendre, même pour les Japonais. Toutefois, les habitants sont d'une gentillesse peu commune, et grâce à un excellent réseau ferroviaire et routier, la région est beaucoup plus accessible qu'on ne peut l'imaginer. À vous de choisir entre le train express et la voiture de location.

À NE PAS MANQUER

- Une escapade, loin de la foule de Honshū, sur **Sado-ga-shima** (p. 583), cette île terre d'exil, à explorer à pied ou en voiture

- Une randonnée à vélo dans la **vallée de Tōno** (p. 546), en prenant garde aux petits lutins appelés *kappa*

- Un slalom entre les arbres gelés ou "monstres de neige" de **Zaō Onsen** (p. 575), ou sur les pistes des autres **stations de ski** de la région (p. 576)

- Un bain relaxant dans les eaux citronnées du **Sukayu Onsen Ryokan** (p. 556), d'une capacité de 1 000 personnes, ou dans les autres **onsen** brûlants de la région (p. 535)

- Une randonnée vers les trois pics sacrés des **Dewa Sanzan** (p. 572), où l'on peut devenir disciple des célèbres *yamabushi* (ascètes montagnards)

- Une visite aux temples du **Chūson-ji** (p. 544), témoignage du fabuleux passé de Hiraizumi

- La fameuse baie de **Matsushima** (p. 538) sur laquelle il faut composer un haïku comme l'a fait le poète Bashō

NORD DE HONSHŪ

0 |====== 100 km

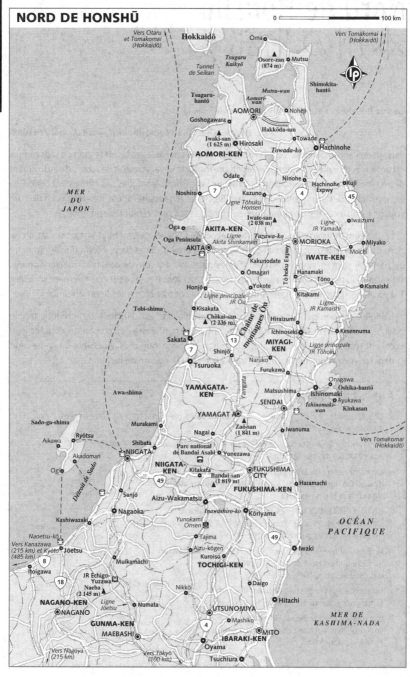

Vers Otaru
et Tomakomai
(Hokkaidō)

Hokkaidō

Ōma

Vers Tomakomai
(Hokkaidō)

*Tsugaru
Kaikyō*

Ōsore-zan
(874 m) Mutsu

Shimokita-
hantō

Tunnel
de Seikan

Mutsu-wan

Tsugaru-
hantō

*Aomori-
wan*

AOMORI Nobeji

Goshogawara

Hakkōda-san

Iwaki-san
(1 625 m) Hirosaki

Towada Hachinohe

AOMORI-KEN

Towada-ko

MER
DU
JAPON

Ōdate

Kazuno

Ninohe

Hachinohe
Expwy Kuji

(7)

Noshiro

(4)

(45)

*Ligne Tōhoku
Honsen*

Iwate-san
(2 038 m)

*Ligne
JR Yamada* Iwaizumi

Oga

AKITA-KEN

*Ligne
Akita Shinkansen*

Tazawa-ko

MORIOKA Miyako

Oga Peninsula

AKITA

Kakunodate

IWATE-KEN

Moichi

Ōmagari

Hanamaki

Honjō

Yokote

Tōno

Kamaishi

*Ligne principale
JR Ōu*

Kitakami

Tobi-shima

Kisakata

Chōkai-san
(2 236 m)

Hiraizumi

*Ligne
JR Kamaishi*

Kesennuma

Sakata

(13)

Ichinoseki

(7)

Shinjō

**MIYAGI-
KEN**

*Ligne principale
JR Tōhoku*

Tsuruoka

Naruko

Onagawa

Furukawa

Oshika-hantō

**YAMAGATA-
KEN**

Matsushima

Ishinomaki

Ayukawa

Kinkasan

Awa-shima

SENDAI

*Ishinomaki-
wan*

YAMAGATA

Zaō-san
(1 841 m)

Sado-ga-shima

Murakami

Iwanuma

Vers Tomakomai
(Hokkaidō)

Aikawa Ryōtsu

Nagai

Akadomari

Shibata

NIIGATA

Parc national
de Bandai Asahi

Yonezawa

FUKUSHIMA
CITY

Ogi

**NIIGATA-
KEN**

Kitakata

Bandai-san
(1 819 m)

FUKUSHIMA-KEN

Haramachi

(49)

Sanjō

Aizu-Wakamatsu

OCÉAN
PACIFIQUE

Nagaoka

Inawashiro-ko Kōriyama

Kashiwazaki

*Yunokami
Onsen*

Iwaki

Naoetsu-kō

Tajima

Vers Kanazawa
(215 km) et Kyōto
(485 km) Jōetsu

Aizu-kōgen

(8)

Kuroiso

Itoigawa

Muikamachi

TOCHIGI-KEN

(18)

JR Echigo-
Yuzawa

Daigo

Naeba
(2 145 m)

Nikkō

Hitachi

NAGANO-KEN

*Ligne
Jōetsu*

Numata

MER DE
KASHIMA-NADA

NAGANO

UTSUNOMIYA

GUNMA-KEN

(4)

Mashiko

MAEBASHI

MITO

IBARAKI-KEN

Vers Nagoya
(215 km)

Ōyama

Vers Tōkyō
(100 km)

Tsuchiura

Histoire

Initialement occupé par les Ezo, qui auraient des origines communes avec les Aïnous de Hokkaidō, le Tōhoku aurait été colonisé entre le VIIe et le IXe siècle par les Japonais venus du sud, en quête de nouvelles terres arables.

Au XIe siècle, le clan nordique des Fujiwara régnait depuis Hiraizumi, cité dont l'opulence et la splendeur rivalisaient avec celles de Kyōto. Aizu-Wakamatsu et Morioka étaient également d'importantes villes féodales.

Le célèbre daimyo (seigneur féodal) Masamune Date (1567-1636) est le personnage clé dans l'histoire féodale du Tōhoku. En 1601, il fit ériger son château sur le site d'un ancien village de pêcheurs et le clan Date resta au pouvoir pendant près de 300 ans, un règne qui inaugura l'âge d'or de Tōhoku.

Malheureusement, avec la Restauration de Meiji, le clan fut chassé du pouvoir et le Tōhoku retomba dans l'oubli. Négligée pendant des années, la région éveilla un certain intérêt après la Seconde Guerre mondiale, en raison de sa politique fondée sur le développement industriel. À l'heure actuelle, le tourisme joue un rôle majeur dans l'économie locale.

Climat

Selon la saison, le temps peut être très agréable ou d'un froid glacial. Les étés (juin à août) sont doux et bien plus plaisants que dans le Sud, la nature resplendissant de mille couleurs. En hiver (décembre à février), un froid mordant descend de Sibérie, provoquant une nette chute des températures. La neige confère alors aux montagnes une blancheur sereine, invite à de fabuleuses glissades sur les pistes de ski et garantit de splendides *yukimiburo* (admirer la neige depuis un *onsen*).

Depuis/vers le nord de Honshû

Le meilleur moyen de se rendre dans la région consiste à emprunter la ligne *shinkansen* Tōhoku, qui relie Tōkyō à Sendai en 2 heures, et continue jusqu'à Hachinohe. De là, des trains semi-directs ou régionaux passent par Aomori avant de gagner Hokkaidō.

Comment circuler

Les transports régionaux s'articulent autour de trois lignes JR. Deux d'entre elles circulent entre la côte ouest et la côte est, et la troisième serpente au centre selon un axe nord-sud, suivant de près la ligne *shinkansen* Tōhoku. Avec la ligne *shinkansen* Akita reliant Akita à

BIENVENUE AU NORD DU TŌHOKU

La Northern Tōhoku Welcome Card a été créée pour les touristes et les étudiants étrangers vivant au Japon. Cette carte offre des réductions (10% en général) sur les transports, le logement et les entrées sur les sites touristiques de la région. Repérez l'autocollant rouge et blanc affiché par les partenaires de l'opération Welcome Card.

Pour obtenir cette carte, imprimez-la à partir du site "www.northern-tohoku.gr.jp/welcome" ou remplissez un formulaire disponible dans les offices du tourisme. Pour bénéficier des réductions, présentez la carte (valable un an) avec votre passeport ou votre carte d'étudiant international.

Morioka, et l'extension de la ligne *shinkansen* Yamagata jusqu'à Shinjō au nord, les transports régionaux et les correspondances se sont grandement améliorés.

Si l'on peut explorer les régions les plus reculées du Tōhoku en train ou en bus, mieux vaut quand même louer une voiture : il y a très peu de circulation, et la plupart des véhicules possèdent un GPS. En hiver, le mauvais temps peut survenir soudainement et rendre difficile la circulation sur certaines routes.

Les titulaires d'un JR Pass peuvent investir dans un JR East Pass (p. 842), qui permet de voyager sur le réseau JR de façon illimitée dans la région du Tōhoku pendant 4 journées de son choix, ou 5 ou 10 jours consécutifs. Contrairement au JR Pass, vous pouvez l'acheter après votre arrivée.

FUKUSHIMA-KEN 福島県

Troisième préfecture du Japon par sa superficie, Fukushima-ken sert de porte d'accès au Tōhoku. S'il n'est pas aussi riche en sites touristiques que ses voisins septentrionaux, il mérite tout autant que vous descendiez du *shinkansen*. Il comblera les amateurs de randonnée et de ski, et les buveurs de saké pourront comparer les diverses productions locales, dont certaines de très haute qualité. À la ville de Fukushima, capitale administrative de la région, le voyageur préférera l'ancienne capitale féodale d'Aizu-Wakamatsu qui, avec son château reconstruit, constitue un lieu de séjour bien plus attrayant.

AIZU-WAKAMATSU 会津若松

☎ 0242 / 130 000 habitants

Durant la période d'Edo, Aizu-Wakamatsu était la capitale du clan Aizu, dont le règne s'acheva lors de la guerre civile de Bōshin en 1868, quand leur château de Tsuruga fut pris par l'ennemi. L'alliance avec le shogunat des Tokugawa contre le pouvoir impérial s'était révélée vaine. Cet événement a été rendu célèbre par les *Byakkotai* (les Tigres blancs), des samouraïs encore adolescents qui commirent le *seppuku* (suicide rituel par éventrement) en voyant le château envahi par la fumée.

Pourtant, ce n'étaient que les environs qui brûlaient et il se passa encore des semaines avant que le clan Aizu soit complètement défait. Tragi-comique, cette histoire révèle pourtant une réelle sensibilité japonaise. Aujourd'hui, l'impressionnant château de Tsuruga reconstruit fait d'Aizu une halte intéressante sur votre route vers le Nord.

Renseignements

L'accès à Internet est gratuit (1 heure) au bureau d'information de Tsuruga-jō.

Information touristique. Gare d'Aizu-Wakamatsu (☎ 32-0688 ; 9h-17h30) ; Tsuruga-jō (鶴ヶ城 ; ☎ 29-1151 ; 8h30-17h). Le personnel, très serviable, vous fournira des cartes et des brochures en anglaisr.

Police (☎ 22-1877, poste principal 22-5454). Juste à côté de la gare.

Poste d'Aizu-Wakamatsu (1-2-17 Chūō). Dans la grande rue. Il dispose d'un DAB international.

À voir

Les sites principaux d'Aizu sont commodément situés sur un cercle qui entoure la ville. En outre, une bonne signalisation en anglais permet de les découvrir facilement à pied. Cependant, si vous ne faites pas confiance à votre GPS interne, ou si le temps n'est pas de la partie, un bon vieux bus effectue le circuit complet : pour plus d'informations, voir p. 529.

En commençant la balade par le côté est de la ville, à l'extrémité de Byakkotai-dori, s'élève l'**Iimori-yama** (飯盛山), montagne sur laquelle se suicidèrent des samouraïs Tigres blancs pendant la guerre civile de Bōshin. Un escalier roulant mène jusqu'au sommet (250 ¥ ; 8h-17h mars-nov), où se trouvent leurs tombes, ainsi qu'une statue d'aigle, don du parti fasciste italien en 1928.

Au pied de la montagne, le **mémorial aux Byakkotai** (白虎隊記念館 ; ☎ 24-9170 ; Iimori-yama, Ikki-machi ; 400 ¥ ; 8h-17h avr-nov, 8h30-16h30 déc-mars)

retrace l'histoire de ces suicides. Juste à côté, le **Sazae-dō** (さざえ堂 ; ☎ 22-3163 ; Iimori-yama, Ikki-machi ; 400 ¥ ; 8h15 au coucher du soleil avr-oct, 9h au coucher du soleil nov-mars), un édifice hexagonal du XVIIIe siècle, abrite 33 statues de Kannon, déesse bouddhique de la Compassion.

Si vous marchez sur l'Iimori-dori vers le sud pendant environ 2 km, vous arrivez à l'**Aizu Bukeyashiki** (会津武家屋敷 ; ☎ 28-2525 ; Innai Higashiyama-machi ; 850 ¥ ; 8h30-17h avr-oct, 9h-16h30 nov-mars), une superbe reconstruction du *yashiki* (villa) de Saigō Tanomo, le seigneur du clan Aizu. Découvrez les 38 pièces, dont une spécialement conçue pour recevoir le seigneur d'Aizu, une maison pour la cérémonie du thé, les quartiers du juge du clan et un moulin – en état de fonctionnement – permettant de trier le riz (gare aux oreilles !).

En direction du nord-ouest, après 1 km en suivant la Route 325, vous ne pouvez manquer l'**Oyaku-en** (御薬園 ; ☎ 27-2472 ; Hanaharu-machi ; 310 ¥ ; 8h30-17h, dernière entrée 16h30), un vaste ensemble de jardins de méditation occupé en son centre par un paisible bassin où évoluent des carpes. Dédié à l'origine au repos des membres du clan Aizu, ce lieu comprend une section destinée à la culture des plantes médicinales (en vente sur place), pratique encouragée par les seigneurs du clan.

De là, on voit se détacher le **Tsuruga-jō** (鶴ヶ城 ; château de la grue ; ☎ 27-4005 ; Oute-machi ; 400 ¥, avec thé 500 ¥ ; 8h30-17h, dernière entrée 16h30), surplombant au sud-est les jardins. L'édifice actuel date de 1965, mais certains murs sont d'origine, de même que les douves. À l'intérieur, un musée présente des objets d'époque liés à la guerre ou à la vie quotidienne. Du 5e étage, le panorama embrasse la ville, la vallée et le mont Iimori.

Dans les jardins du château, **Rinkaku** (茶室麟閣 ; ☎ 27-4005 ; 200 ¥, billet incluant la visite du château 500 ¥ ; 8h30-17h, dernière entrée à 16h30) est une maison de thé datant de 400 ans, qui a échappé à la destruction grâce à une famille de la région – elle fut déplacée avant de retrouver son emplacement initial en 1990.

Si vous prenez la sortie nord du château, vous vous retrouverez juste à deux pâtés de maisons au sud du **musée du saké d'Aizu** (会津酒造歴史館 ; ☎ 26-0031 ; 8-7 Higashisakae-machi ; 300 ¥ ; 8h30-17h avr-nov, 9h30-16h30 déc-mars), qui revient en détail (et en anglais) sur l'histoire du brassage dans la région. Des dioramas grandeur nature et de vieilles publicités pour le saké ajoutent à l'intérêt de la visite. Le billet d'entrée donne droit à une dégustation.

Fêtes et festivals

Quatre grandes fêtes, coïncidant avec les quatre saisons, ont lieu à Aizu-Wakamatsu. La plus importante est la **fête d'automne d'Aizu** (会津秋祭り ; du 22 au 24 sept). Pendant 3 jours, des processions extraordinaires traversent la cité jusqu'au Tsuruga-jō, accompagnées d'une fanfare, du défilé des enfants et d'une parade de lanternes à la nuit tombée. Vous pouvez aussi assister au **Higanjishi** lors de l'équinoxe de printemps, à la **fête d'été**, le premier samedi d'août, et au **Sainokami** en hiver, le 14 janvier.

Où se loger

Aizuno Youth Hostel (会津野ユースホステル ; ☎ 55-1020 ; fax 55-1320 ; www.aizuno.com, en japonais ; 88 Kakiyashiki, Terasaki Aizu-Takada-chō ; dort/ch à partir de 3 200/4 200 ¥). Cette auberge de jeunesse immaculée, qui propose dortoirs et chambres privées, représente l'une des meilleures options petit budget de la région. Elle bénéficie d'un cadre bucolique, loin de l'encombrement qui règne dans le centre d'Aizu, à 20 minutes de marche de la gare d'Aizu-Takada sur la ligne Tadami en provenance d'Aizu-Wakamatsu (230 ¥, 20 min). Attention : 7 trains circulent chaque jour, mais un seul l'après-midi. Vérifiez vos horaires et prévenez l'auberge à l'avance : le gérant viendra vous chercher à la gare.

Minshuku Takaku (民宿多賀来 ; ☎ 26-6299 ; fax 26-6116 ; www.naf.co.jp/takaku, en japonais ; 104 Innai Higashiyama-machi ; ch avec/sans demi-pension à partir de 6 300/4 200 ¥ ; 🖳). À la japonaise, ce *minshuku* (équivalent du B&B) n'est pas trop grand ; il dispose de modestes chambres à tatamis, d'un agréable petit *sentō* (bain commun) et d'une jolie salle à manger en bois. De l'arrêt du bus Aizu Bukeyashiki, suivez la route vers l'est et tournez à gauche à la poste. Le Takaku se trouve juste derrière à gauche.

Aizu Wakamatsu Washington Hotel (会津若松ワシントンホテル ; ☎ 22-6111 ; fax 24-7535 ; www.aizu-wh.com, en japonais ; 201 Byakko-machi ; s/d à partir de 7 350/13 650 ¥ ; 🅿 🖳 🛜). Les *business hotels* abondent autour de la gare. Ici, les chambres fonctionnelles sont agrémentées d'une large gamme de services : Wi-Fi haut débit, bon choix de bars, restaurants sophistiqués, etc. À 3 minutes de marche à l'est de la gare, dans la Byakkotai-dori : repérez le grand immeuble, à l'enseigne en lettres romanes, sur le côté gauche de la rue. Internet par câble LAN.

Où se restaurer

Aizu est réputée pour ses *wappa meshi*, du poisson servi sur un lit de riz, cuit à la vapeur dans une boîte ronde en écorce, ce qui donne au plat un agréable goût boisé.

Mitsutaya (満田屋 ; ☎ 27-1345 ; 1-1-25 Ômachi ; brochette à partir de 200 ¥ ; 🕙 10h-17h, fermé 1ᵉʳ et 3ᵉ mer du mois d'avr à déc et tous les mer de jan à mars). Cet ancien moulin datant de 1834, destiné à la fabrication de la pâte de soja, est une institution. Sa spécialité est le *dengaku* : des brochettes de bambou garnies de tofu frit et de légumes, arrosées de *miso* sucré et cuites au barbecue. Un menu illustré facilite le choix. Descendez Nanokomachi-dōri en marchant vers l'ouest depuis la poste, et prenez la seconde à gauche ; le moulin est tout proche du carrefour de Nanokomachi-dōri.

Takino (田季野 ; ☎ 25-0808 ; 5-31 Sakae-machi ; wappa meshi à partir de 1 420 ¥ ; 🕙 déj et dîner). Adresse des plus réputées pour goûter le sublime *wappa meshi*, dont on propose ici plusieurs versions : au saumon, au crabe ou aux champignons sauvages. Depuis la poste centrale, en allant vers le sud, tournez à gauche dans Nanokomachi-dōri. Tournez ensuite à droite au premier feu, puis à gauche dans la seconde allée : une vieille ferme apparaît sur votre droite, c'est le Takino. Le menu est en anglais.

Vous pouvez aussi aller déjeuner ou dîner dans la ville voisine de Kitakata qui propose l'un des *rāmen* (nouilles aux œufs) les plus savoureux du Japon.

Depuis/vers Aizu-Wakamatsu

Le *shinkansen* JR Tōhoku relie toutes les heures Tōkyō à Kōriyama (¥7 970, 1 heure 15), d'où la ligne JR Banetsu-saisen dessert ensuite Aizu-Wakamatsu. Chaque heure, un *kaisoku* (train rapide, 1 110 ¥, 1 heure 15) s'élance sur cette portion très pittoresque.

Chaque jour, plusieurs *kaisoku* des lignes JR Bansetsu et Shinetsu relient Aizu-Wakamatsu à Niigata (2 210 ¥, 2 heures 45). Et si vous les ratez, 4 à 6 bus express JR (2 000 ¥, 1 heure 45) relient également les deux gares.

Le vieux **bus touristique d'Aizu** (まちなか周遊バス「」ハイカラさん」 ; ticket/forfait journée 200/500 ¥), au départ de la gare, fait le tour de tous les principaux sites touristiques de la ville. Les bureaux d'information touristiques pourront vous aider à louer un vélo (1 500 ¥/jour).

Si vous êtes en voiture, le Tōhoku Expressway (東北自動車道) relie Tōkyō à Kōriyama, et le Banetsu Expressway (磐越自動車道) Kōriyama à Aizu-Wakamatsu.

KITAKATA 喜多方

☎ 0241 / 55 000 habitants

Un vieil adage local reflète le dynamisme commercial propre à cette ville : "On ne devient véritablement un homme qu'après avoir construit au moins un *kura*" (entrepôt à grain aux murs de boue). Aujourd'hui, les quelque 2 500 *kura* colorés que compte Kitakawa servent d'habitations, de brasseries pour le saké ou d'ateliers. Ils sont aussi le principal attrait touristique de la ville, avec les quelque 120 échoppes de *rāmen* (soupe de nouilles).

Le **kiosque d'information touristique** (☎ 24-2633 ; ⏱ 8h30-17h15), à gauche en sortant de la gare, fournit des plans illustrés de la ville en anglais, indispensables pour trouver les adresses indiquées ci-dessous, souvent cachées dans le dédale de petites rues de Kitakata.

Goûtez le délicieux saké local au **musée du saké de Yamatogawa** (大和川酒造北方風土館 ; ☎ 22-2233 ; Teramachi ; gratuit ; ⏱ 9h-16h30, jours de fermeture variables), à 5 minutes de marche au nord de la gare, derrière la poste.

La plus célèbre *kura* est **Genraiken** (源来軒 ; ☎ 22-0091 ; 7745 Ippongiue Kitakata City ; menus à partir de 550 ¥ ; ⏱ 10h-20h mer-lun, dernières commandes 19h30), forte de 75 ans d'expérience. Un menu détaillé illustre ses créations originales. Vous la trouverez à un pâté de maisons au nord puis à l'est de la gare : devant sa façade rouge se forme une longue queue.

Mais si voulez faire fi de la tradition, laissez-vous guider par votre odorat dans l'une des nombreuses échoppes de *rāmen*. À Kitakata, cette soupe prend la forme de nouilles épaisses et frisées dans un généreux bouillon de porc et de poisson (à base d'eau de source), relevé de sauce de soja et de saké. Un délice !

La plupart des voyageurs en visite à Kitakata reviennent passer la nuit à Aizu, mais rien ne vous empêche de vous attarder en descendant au **Sasaya Ryokan** (笹屋旅館 ; ☎ 22-0008 ; Chūō-dōri ; ch par pers avec/sans demi-pension à partir de 8 800/5 500 ¥ ; 🖥), auberge traditionnelle sur deux étages avec quelques chambres à tatamis, à 10 minutes seulement au nord-est de la gare. Mieux vaut cependant demander au kiosque d'information touristique de la situer sur votre carte.

Kitakata constitue une excursion plutôt facile depuis Aizu-Wakamatsu, accessible par des trains réguliers sur la ligne du JR Banetsu-saisen (320 ¥, 25 min). Les conducteurs emprunteront la Route 121, reliant Aizu à Kitakata.

On peut louer des **vélos** (2 heures/journée 500/1 500 ¥) à l'extérieur de la gare de Kitakata.

Une **calèche tirée par des chevaux** (☎ 24-4111 ; circuit de 1 heure 20, 1 300 ¥), en forme de *kura*, part de la gare et effectue un circuit des *kura* les plus intéressants.

PLATEAU DE BANDAI 磐梯高原

☎ 0241 / 4 000 habitants

Le 15 juillet 1888, le **Bandai-san** (磐梯山 ; 1 819 m), un volcan endormi, se réveilla soudain, projetant de faramineuses quantités de débris hors de son cratère – ce qui aurait fait diminuer sa hauteur de 600 m. La force de l'éruption détruisit des dizaines de villages, provoquant la mort de plus de 400 personnes. Le relief en fut complètement modifié : apparut le vaste plateau parsemé de lacs qu'on appelle aujourd'hui Bandai-kōgen. Cet immense espace sauvage, à la frontière des préfectures de Fukushima, Niigata et Yamagata, offre des paysages merveilleux et de superbes possibilités pour pratiquer la randonnée, l'alpinisme, la pêche, le ski ou le snowboard.

Renseignements

Bandai-kōgen englobe la partie méridionale du **parc national de Bandai-Asahi** (磐梯朝日国立公園), le deuxième espace protégé le plus vaste du Japon.

Des sentiers de randonnée partent des arrêts de bus Goshiki-numa Iriguchi et Bandai-kōgen, les deux grands carrefours des transports locaux, en bordure du lac Hibara-ko. Les bus desservant cette route partent de la ville d'Inawashiro.

Un **bureau d'accueil** (☎ 32-2850 ; ⏱ 9h-16h mer-lun déc-mars, jusqu'à 17h mer-lun avr-nov) est installé à proximité du sentier de Goshiki-numa Iriguchi, et vous trouverez un **office du tourisme** (☎ 0242-62-2048 ; ⏱ 8h30-17h) à gauche en sortant de la gare JR Inawashiro.

À faire
RANDONNÉE

La randonnée la plus appréciée part de l'arrêt de bus Goshiki-numa Iriguchi et suit un sentier de 3,7 km autour de **Goshiki-numa** (五色沼), secteur comportant une douzaine de plans d'eau, connue sous le nom de "lacs aux Cinq Couleurs". Après l'éruption, les sédiments qui se sont déposés ont en effet donné à l'eau des teintes extraordinairement diverses – bleu cobalt, vert émeraude, rouge brun, etc. –, qui changent en fonction du temps.

Il est possible de faire l'ascension du **Bandai-san** en une journée, en partant tôt le matin. Le chemin généralement emprunté

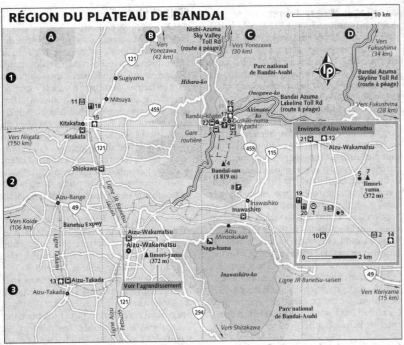

RÉGION DU PLATEAU DE BANDAI

part de l'arrêt du bus Bandai-kōgen et grimpe à travers les pistes de ski jusqu'au sommet. La descente conduit à la ville d'Inawashiro.

SKI ET SNOWBOARD

Sur le plateau de Bandai, **Inawashiro-suki-jō-chūō** (☎ 62-3800 ; www.g-jmt.com/inawashiro/eng/index.php ; forfait remonte-pente à la journée en semaine/week-end 3 000/3 500 ¥ ;

(Y) déc-avril) est la station de ski la plus réputée. La plupart de ses 15 pistes sont destinées aux débutants et aux skieurs moyens, mais il y a également deux pistes noires. Des restaurants, indiqués en anglais, jalonnent le site. La station est située dans les collines surplombant Inawashiro. En saison, une navette circule depuis la gare d'Inawashiro (380 ¥, 20 min).

Où se loger et se restaurer

Urabandai Youth Hostel (☎ 32-2811 ; http://homepage3. nifty.com/urabandai/indexe.html ; camping à partir de 1 000 ¥, dort avec/sans demi-pension à partir de 4 400/2 900 ¥ ; chalet à partir de 5 000 ¥ ; 🕐 fin avril-nov ; Ⓟ 🖳). Véritable institution locale, cette vieille auberge de jeunesse montagnarde est idéalement située près du départ du sentier de Goshiki-numa. À 7 minutes à pied de l'arrêt de bus Goshiki-numa Iriguchi : repérez les panneaux en anglais. Optez pour les dortoirs à l'atmosphère conviviale ou louez une tente dans le camping pour une nuit plus rustique. Les couples pourront aussi partager un chalet romantique dans les bois.

Urabandai Royal Hotel (☎ 32-3111 ; fax 32-3130 ; www.daiwaresort.co.jp/english/04_uraba.html ; ch en pension complète à partir de 12 600 ¥/pers ; Ⓟ 🖳). De loin l'option la plus raffinée de la région, proposant des séjours tout inclus dont les prix varient selon la saison. On obtient parfois un meilleur tarif en contactant l'hôtel à l'avance. Chambres élégantes avec vastes vues sur le parc national et restaurants sophistiqués mettant à l'honneur le meilleur des traditions locales et des produits de saison. Onsen en plein air, gratuit pour les hôtes (500 ¥ si vous ne faites que passer). Internet par câble LAN.

Depuis/vers le plateau de Bandai

Des *kaisoku* express empruntent fréquemment la ligne JR Banetsu-saisen (480 ¥, 30 min) entre Aizu-Wakamatsu et d'Inawashiro. À l'extérieur de la gare d'Inawashiro, de nombreux bus partent de l'arrêt n°3, passent par l'arrêt de Goshiki-numa Iriguchi (750 ¥, 25 min) et continuent jusqu'à l'arrêt de Bandai-kōgen (820 ¥, 30 min).

MIYAGI-KEN 宮城県

Miyagi-ken marque en quelque sorte la limite entre les régions rurales du nord et les zones densément urbanisées du sud de Honshū. Sa capitale, Sendai, est la plus cosmopolite des villes du Tohokū. Elle s'enorgueillit d'une excellente infrastructure touristique, de restaurants raffinés et d'une scène nocturne animée, sans oublier les nombreuses attractions culturelles. Toutefois, si vous voulez échapper aux artifices de la vie urbaine et retrouver la nature, que vous êtes à coup sûr venu chercher lors de ce voyage, ne manquez pas les eaux de Naruko Onsen, une randonnée sur l'île de la "Montagne dorée" et la baie de Matsushima, réputée offrir l'un des plus beaux paysages du Japon.

SENDAI 仙台

☎ 022 / 1 020 000 habitants

Fondée par Masamune Date, Sendai, la ville des "1 000 générations", fut une capitale féodale qui contrôlait les routes commerciales approvisionnant une grande partie du Tôhoku en sel et en farine. Masamune n'accéda jamais au shogunat, mais ses partisans lui restèrent fidèles. Aujourd'hui encore, le célèbre daimyo continue de régner sur la ville : le toit du côté ouest du stade Miyagi épouse la forme d'un croissant, symbole qu'il portait sur son casque de guerre. Son mausolée et son château en ruines attestent également de son omniprésence.

Sendai fut en grande partie détruite par les bombardements alliés pendant la Seconde Guerre mondiale. Les larges avenues qu'on y aménagea, bordées d'arbres, invitent aujourd'hui à la promenade. Ville la plus importante par sa population et premier centre commercial de la région, Sendai joue le rôle de plaque tournante pour le Tôhoku.

Même si vous n'y passez pas la nuit, prenez le temps, entre deux trains, d'explorer cette cité compacte à l'atmosphère détendue. Ajoutons que Sendai est célèbre, à juste titre, pour son Tanabata Matsuri, l'un des festivals les plus remarqués du Tôhoku et du Japon.

Orientation

Depuis la gare de Sendai, située à l'est de la plupart des sites intéressants, la large avenue Aoba-dōri, bordée par les principaux centres commerciaux, banques et hôtels, mène jusqu'au parc Aoba-yama, à l'extrême ouest de la ville. La plupart des commerces sont concentrés sous les arcades, le long de Chūō-dōri (ou CLIS Road) et d'Ichibanchō-dōri. Ces deux rues se croisent juste à l'est de Kokubunchō-dōri, l'axe principal du quartier des bars et boîtes de nuit, le plus important quartier de ce type dans le Tôhoku. Au nord de la ville, Jōzenji-dōri est plantée d'arbres luxuriants.

Renseignements

ACCÈS INTERNET

Sendai International Centre (carte p. 536 ; ☎ 265-2450 ; Aoba-yama, Aoba-ku ; 🕐 9h-20h). Gratuit.

Kiosques Internet (2e niv, gare JR Sendai ; 100 ¥/15 min). En sortant du bureau d'information.

AGENCES DE VOYAGES

IACE Travel (carte p. 536 ; ☎ 211-0489 ; 1-6-24 Chūō ; 🕐 10h-19h lun-ven, 🕐 10h-16h sam, fermé dim). Agence très appréciée qui peut réserver des vols internationaux.

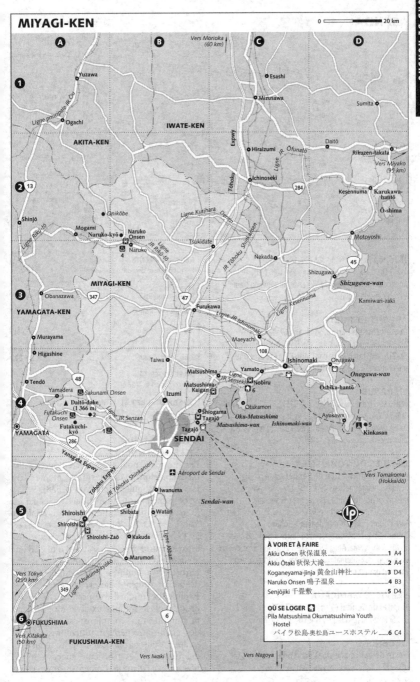

MIYAGI-KEN

0 ——— 20 km

IWATE-KEN

AKITA-KEN

MIYAGI-KEN

YAMAGATA-KEN

Vers Morioka (60 km)

Vers Miyako (95 km)

Yuzawa
Esashi
Mizusawa
Sumita
Ogachi
Hiraizumi
Daitō
Rikuzen-takata
Ligne principale JR Ōu
Ichinoseki
Kesennuma
Karukawa-hantō
Ō-shima
Shinjō
Ōnikōbe
Mogami
Naruko-kyō
Naruko Onsen
Naruko
Tsukidate
Motoyoshi
Obanazawa
Nakada
Shizugawa
Shizugawa-wan
Kamiwari-zaki
Murayama
Furukawa
Higashine
Maeyachi
Tendō
Taiwa
Ishinomaki
Onagawa
Yamadera
Sakunami Onsen
Matsushima
Yamato
Nobiru
Onagawa-wan
Daitō-dake (1 366 m)
Izumi
Matsushima-Kaigan
Oku-Matsushima
Oshika-hantō
Futakuchi Onsen
Otakamori
Ayukawa
YAMAGATA
Futakuchi-kyō
Shiogama
Tagajō
Matsushima-wan
Ishinomaki-wan
Kinkasan
SENDAI
Aéroport de Sendai
Vers Tomakomai (Hokkaidō)
Iwanuma
Sendai-wan
Shiroishi
Shibata
Watari
Shiroishi
Shiroishi-Zaō
Kakuda
Marumori
Vers Tōkyō (290 km)
FUKUSHIMA
Vers Kitakata (50 km)
FUKUSHIMA-KEN
Vers Iwaki
Vers Nagoya

Vers Ōfunato
Dainen
Ligne Kurihara
Ligne Riku-tō
Ligne JR Tōhoku Shinkansen
Ligne Kesennuma
Ligne JR Ishinomaki
Ligne JR Senzan
Ligne Senseki
JR Tōhoku Shinkansen
Ligne JR Senzan
Yamagata Expwy
Tōhoku Expwy
Ligne Jōban
Ligne Abukumakyōkō
Tōhoku Expwy

13
284
45
347
47
108
48
286
349
6

À VOIR ET À FAIRE

Akiu Onsen 秋保温泉	1 A4
Akiu Ōtaki 秋保大滝	2 A4
Koganeyama-jinja 黄金山神社	3 D4
Naruko Onsen 鳴子温泉	4 B3
Senjōjiki 千畳敷	5 D4

OÙ SE LOGER

Pila Matsushima Okumatsushima Youth Hostel
パイラ松島・奥松島ユースホステル 6 C4

NORD DE HONSHŪ

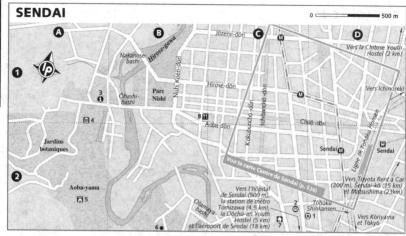

SENDAI

0 — 500 m

Vers la Chitose Youth Hostel (2 km)

Jōzenji-dōri

Nakanose-bashi

Hirose-gawa

Vers Ichinoseki

Hirose-dōri

Ōhashi-bashi

Parc Nishi

Nishi Kōen-dōri

Aoba-dōri

Kokubunchō-dōri

Ichibanchō-dōri

Chūō-dōri

Jardins botaniques

Voir la carte Centre de Sendai (p. 536)

Sendai

Ligne JR Tōhoku Honsen

Sendai

Aoba-yama

Vers Toyota Rent a Car (200 m), Sendai-kō (15 km) et Matsushima (23km)

Ōtamaya-bashi

Vers l'hôpital de Sendai (500 m), la station de métro Tomizawa (4,5 km), la Dōchū-an Youth Hostel (5 km) et l'aéroport de Sendai (18 km)

Tōhoku Shinkansen

Vers Kōriyama et Tōkyō

JTB Shop (carte p. 536 ; ☎ 722-1895 ;
1-2-3 Chūō-ku, 5ᵉ niv, Parco Bldg ; ⊙ 10h-19h).
Agence de voyages réputée. Réservation avion ou train
à l'intérieur du Japon.

ARGENT ET POSTE
Poste centrale (carte p. 534 ; ☎ 267-8035 ;
1-7 Kitame-machi, Aoba-ku ; ⊙ DAB 7h-23h lun-ven,
9h-21h sam, jusqu'à 19h dim). Aussi, bureau avec DAB
international à la gare de Sendai (carte p. 536).

LIBRAIRIE
Maruzen (carte p. 536 ; ☎ 264-0151 ;
1-3-1 Chūō, Aoba-ku ; ⊙ 10h-21h, jusqu'à 20h dim et
fêtes). Magazines et livres en anglais dans l'immeuble AER,
proche de la gare.

OFFICES DU TOURISME
Bureau d'information de Sendai (carte p. 536 ;
Sendai City Information Office ; ☎ 222-4069 ; www.
stcb.or.jp/eng/tbic.html ; 2ᵉ niv ; gare JR Sendai ;
⊙ 8h30-20h). À la sortie ouest de la gare, ce bureau est
sans doute le plus efficace de tout le Tōhoku.
Sendai International Centre (carte p. 534 ; ☎ 265-
2471 ; Aoba-yama, Aoba-ku ; ⊙ 9h-20h). Informations en
anglais, presse internationale, tableau d'affichage, accès
Internet gratuit et DAB Visa.

SERVICES MÉDICAUX
Hôpital de Sendai (仙台市立病院 ; ☎ 266-7111 ;
3-1 Shimizu-kōji, Wakabayashi-ku ; ⊙ 7h-18h).

URGENCES
Poste de police principal de Sendai (carte p. 534 ;
☎ 222-7171 ; 1-3-19 Itsutsubashi, Aoba-ku).

À voir et à faire
VILLE DE SENDAI
Les sites de Sendai se découvrent aisément à
pied. Toutefois, si vous êtes pressé, montez dans
le bus touristique Loople (voir p. 538).

Le principal site touristique de Sendai est
le mausolée de Masamune Date, le **Zuihō-den**
(carte p. 534 ; ☎ 262-6250 ; 23-2 Otamayashita, Aoba-ku ;
550 ¥ ; ⊙ 9h-16h30 fév-nov, jusqu'à 16h déc et janv ; arrêt n°4
du Loople), qui se dresse au sommet d'une colline
couverte d'arbres, à proximité de la rivière
Hirose-gawa. Édifié en 1637, il fut détruit lors
des bombardements alliés et reconstruit en 1979.
Réplique de l'original, il respecte dans les moindres détails le somptueux style Momoyama :
une architecture complexe, caractérisée par
des enchevêtrements multicolores de bois
sculpté. Vous verrez également les mausolées
des deuxième et troisième successeurs de
Masamune, Tadamune Date et Tsunamune Date.

Bien que moins réputé, le **Sendai-jō Ato** (carte p. 534 ; entrée libre ; ⏱ 24h/24 ; arrêt du bus Loople n°6 et arrêt du bus de la ville Sendai Jō Ato Minami), appelé aussi Aoba-jō (château des feuilles vertes) ne possède plus que quelques murs monumentaux, recouverts de mousse, qui n'ont cependant rien perdu de leur grandeur. Édifié sur les hauteurs du mont Aoba-yama en 1602 par Masamune Date, ce château fut détruit durant les bombardements alliés de la Seconde Guerre mondiale. Le site offre aujourd'hui une belle vue d'ensemble sur la ville et permet d'admirer la statue équestre de Masamune.

Sur la colline se trouve également la **salle d'exposition du château Aoba** (carte p. 534 ; ☎ 227-7077 ; Aobajō Ato, Tenshudai, Aoba-ku, 700 ¥ ; ⏱ 9h-17h avr-oct, jusqu'à 16h nov-mars), qui explique cette période historique, présentant le contexte de ces ruines sacrées.

Si vous voulez en savoir encore plus sur Masamune, le **musée de Sendai** (carte p. 534 ; ☎ 225-3074 ; Sendai Jō Sannomaru Ato, 26 Kawauchi, Aoba-ku ; 400 ¥ ; ⏱ 9h-16h45 mar-dim ; arrêt du bus Loople n°5) présente des informations détaillées sur la vie des samouraïs et plus de 13 000 objets confiés au musée par la famille Date. Détail intéressant : bien que Masamune ait perdu un œil, ce qui lui valut le surnom de "Dragon borgne", ses portraits le représentent presque toujours avec ses deux yeux !

ENVIRONS DE SENDAI

Akiu Onsen (秋保温泉 ; carte p. 533) était la source chaude préférée du clan Date. Dotée d'une eau salée naturelle, elle était réputée soulager les douleurs de dos et l'arthrite.

Ce village fait également un point de départ idéal pour explorer les montagnes et découvrir les cascades d'**Akiu Ōtaki** (秋保大滝 ; p. 533) : avec leurs 6 m de large et leurs 55 m de haut, elles comptent parmi les trois chutes d'eau les plus réputées du pays (les Japonais adorent ce type de tiercé gagnant). On peut les observer depuis un belvédère ou à partir du bassin.

Akiu Onsen offre aussi un accès facile aux gorges de **Futakuchi-kyō** (二口渓), et à ses *banji-iwa* (colonnes de pierre). Des sentiers de randonnée longent la rivière, dans la vallée, et un sentier qui part de Futakuchi Onsen permet de rallier le sommet du Daitō-dake (1 366 m) en 3 heures de marche environ.

Une liste des bains et des cartes de randonnée sont disponibles à l'**office du tourisme** (☎ 398-2323 ; ⏱ 9h30-18h) d'Akiu Onsen, situé près de l'arrêt de bus du village.

SOURCES CHAUDES DE HONSHŪ

- **Naruko Onsen** (p. 542)
- **Sukayu Onsen** (p. 556)
- **Nyūtō Onsen** (p. 564)
- **Zaō Onsen** (p. 575)
- **Echigo-Yuzawa Onsen** (p. 587)

Akiu Onsen représente une simple excursion d'une journée depuis Sendai, mais il peut être agréable d'y passer la nuit dans l'une des petites auberges ou maisons d'hôtes. Vous prolongerez ainsi votre bain tout en vous imprégnant de l'atmosphère du village.

Des bus partent toutes les heures de l'arrêt n°8 de la gare de Sendai (parking ouest) pour Akiu Onsen (780 ¥, 50 min). Seuls certains vont jusqu'à Akiu Ōtaki (1 070 ¥, 1 heure 30).

Fêtes et festivals

Donto-sai (どんと祭 ; 14 janvier). À l'occasion de cette fête, des hommes affrontent vaillamment des températures au-dessous de zéro en se promenant à moitié nu. Un rituel censé porter chance pour la nouvelle année.

Sendai Tanabata Matsuri (仙台七夕まつり ; fête des étoiles ; 6-8 août). La fête la plus importante de Sendai tire ses origines de la légende chinoise des étoiles Vega et Altair. Vega, fille d'un roi, tomba amoureuse d'un modeste berger nommé Altair, et l'épousa. Le roi, qui s'opposait à cette union, créa la Voie lactée pour les séparer. La légende veut qu'une fois par an, le 7 juillet, des pies ouvrent tout grand leurs ailes à travers l'univers, afin de permettre aux amoureux de se retrouver. La ville célèbre l'événement en grande pompe, en décorant les principales rues de bambous ornés de bannières multicolores, et en organisant des défilés, l'après-midi, sur Jōzenji-dōri. Avec plusieurs millions de visiteurs, les hébergements sont pris d'assaut.

Festival de jazz de rue de Jōzenji (定禅寺ストリートジャズフェスティバル). Durant le deuxième week-end de septembre, 600 musiciens et artistes venus des quatre coins du Japon jouent dans les rues et sous les arcades. Pensez à réserver votre hébergement longtemps à l'avance.

Sendai Pageant of Starlight (SENDAI光のページェント ; 12-31 décembre). Durant cette "fête des illuminations", Aoba-dōri et Jōzenji-dōri sont joliment mises en lumière.

Où se loger
PETITS BUDGETS

Dōchū-an Youth Hostel (道中庵ユースホステル ; ☎ 247-0511 ; 31 Kita-yashiki, Ōnoda, Taihaku-ku ; dort à partir de 3 150 ¥ ; 🖥). Cette ancienne ferme réaménagée en auberge de jeunesse, tenue par un personnel affable, dispose d'une cuisine, d'un magnifique vieux bain en cèdre, de l'Internet gratuit, et propose des vélos à louer. Seul inconvénient : elle est passablement éloignée du centre-ville, au sud de Sendai. Depuis le terminus de la ligne de métro à Tomizawa (290 ¥, 12 min), vous devrez encore marcher 15 minutes. Demandez à examiner le plan du secteur au personnel de la station puis suivez les petits panneaux. En sortant de la station, prenez tout droit et suivez la route jusqu'au grand carrefour (quatre voies). Traversez-le, puis prenez la première (petite) rue à droite. L'auberge est tout proche, sur la gauche.

Sendai Chitose Youth Hostel (仙台千登勢 ユースホステル ; 🕾 222-6329 ; 6-3-8 Odawara, Aoba-ku ; dort à partir de 3 255 ¥ ; 🖥). Hébergement bon marché proche du centre-ville. Cette auberge de jeunesse confortable – chambres japonaises – est à 20 minutes de la gare de Sendai : de l'arrêt n°17, devant la sortie ouest, prenez n'importe quel bus pour Miyamachi et descendez à l'arrêt "Miyamachi 2 Chōme" ; l'auberge est dans une ruelle, trois rues à l'est.

CATÉGORIE MOYENNE

Aisaki Ryokan (carte p. 534 ; 🕾 264-0700 ; fax 227-6067 ; http://aisakiryokan.com, en japonais ; 5-6 Kitame-machi, Aoba-ku ; s/d/lits jum 3 990/6 720/7 350 ¥). Si vous ne voyez pas d'inconvénient à dormir dans une chambre minuscule, ce *ryokan* bon marché

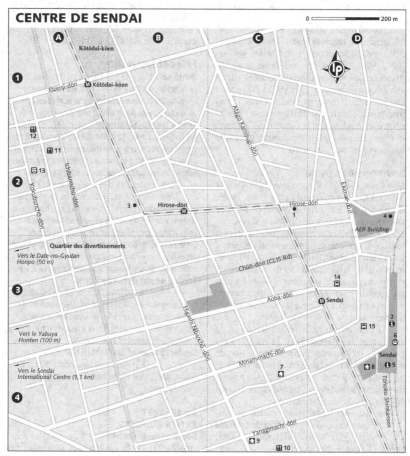

CENTRE DE SENDAI

0 ⊢——⊣ 200 m

offre des chambres traditionnelles simples mais fonctionnelles, propres et modernes. À une courte distance à pied de la gare, dans une petite allée juste derrière la poste.

Hotel Central Sendai (carte p. 536 ; ☎ 711-4111 ; fax 711-4110 ; www.hotel-central.co.jp/english.html ; 4-2-6 Chūō, Aoba-ku ; s/d à partir de 7 140/12 600 ¥ ; 🖳). Comme son nom le suggère, cet hôtel est situé au centre de Sendai, à 2 rues à l'ouest de l'Hotel Metropolitan Sendai et de la gare JR. *Business hotel* au confort standard, c'est un bon choix pour ceux qui recherchent l'intimité, à un prix beaucoup plus intéressant que ses concurrents aux noms plus connus. Internet par câble LAN.

CATÉGORIE SUPÉRIEURE

Sendai Kokusai Hotel (carte p. 536 ; ☎ 268-1112 ; www. tobu-skh.co.jp/english/english.htm ; 4-6-1 Chūō, Aoba-ku ; s/d à partir de 13 282/20 790 ¥ ; 🖳). Cet hôtel se distingue par une somptueuse salle à manger baroque, dans des tons apaisants brun et crème, et de belles chambres au décor européen. À quelques pâtés de maisons à l'ouest de la gare, il est voisin du building SS30, le deuxième édifice le plus haut de Sendai, donc facilement repérable. Internet par câble LAN.

Hotel Metropolitan Sendai (carte p. 536 ; ☎ 268-2525 ; www.s-metro.stbl.co.jp/english/index.html ; 1-1-1 Chūō, Aoba-ku ; s/lits jum/d à partir de 14 437/25 410/27 142 ¥ ; 🖳 📶). Sans surprise, le Metropolitan de Sendai, situé dans le complexe de la gare, présente tous les avantages d'un hôtel de luxe. Chambres élégantes, bien équipées et confortables. Également, restaurants internationaux, bars et cafés. Internet par câble LAN.

Où se restaurer et prendre un verre

Le *gyūtan* (langue de bœuf) est un mets apprécié des habitants de Sendai – une habitude qui daterait, comme souvent dans le Tōhoku, des années de restriction qui suivirent la guerre. La viande étant rare, le bœuf était alors une source de protéines très recherchée.

Les restaurants et les bars au dernier étage du SS30, couvrant toute une gamme de prix, sont le meilleur endroit pour contempler la ville de nuit. Vous pourrez également choisir votre menu dans la galerie commerciale sous la gare du JR, qui abrite la "Restaurant Avenue", bordée de restaurants japonais et étrangers.

Yabuya Honten (carte p. 534 ; ☎ 222-5002 ; 2-2-24 Ōmachi, Aoba-ku ; plats à partir de 400 ¥ ; ⌚ 11h30-18h lun-sam). Renommé pour ses *soba* (nouilles de blé noir), le Yabuya Honten existe depuis 1847. Goûtez au succulent *kamo-zaru soba* (600 ¥), servi avec du canard. En retrait d'Aoba-dōri, juste avant la courbe du parc.

Umami Tasuke (carte p. 536 ; ☎ 262-2539 ; 1er niv, Sen chimatsushima Bldg, 2-11-11 Kokubunchō, Aoba-ku ; gyūtan à partir de 800 ¥ ; ⌚ 11h30-22h mar-dim). Ce restaurant, l'un des plus fameux de Sendai pour le *gyūtan*, propose un menu en anglais. Juste à l'extérieur du marché couvert d'Ichibanchō-dori. On y fait généralement la queue.

Aji Tasuke (carte p. 536 ; ☎ 225-4641 ; 4-4-13 Ichiban-chō, Aoba-ku ; gyūtan à partir de 900 ¥ ; ⌚ déj et dîner mer-lun). Dans cette autre institution de Sendai, essayez le *gyūtan* au barbecue ou le menu (*teishoku*, 1 400 ¥). À l'extérieur du marché d'Ichibanchō-dori, à côté d'un petit *torii* (portique de sanctuaire).

30View (carte p. 536 ; ☎ 267-8818 ; 4-6-1 Chūō, Aoba-ku, 30e niv, SS30 ; cocktails à partir de 1 000 ¥ ; ⌚ 11h-1h). Au 30e étage du building SS30, le 30View est l'un des meilleurs bars (cocktails composés avec art) de la ville, d'où l'on peut contempler les lumières scintillantes de Sendai. Carte en anglais.

Où sortir

Kokubunchō, ce dédale de gargotes peu reluisantes, de boîtes de strip-tease et de bars à hôtesses, est la plus vaste scène nocturne du Tōhoku, bruyante et colorée à souhait. Vous pouvez retirer à l'office du tourisme une brochure qui vous renseignera sur les clubs, d'une existence ici souvent éphémère.

Club Shaft (carte p. 536 ; ☎ 722-5651 ; www.clubshaft. com ; 4ᵉ niv, Yoshiokaya Dai 3 Bldg, Kokubunchō, Aoba-ku). Cet établissement ouvert de longue date attire les jeunes et toute la faune branchée de Sendai. Hip-hop américain, musique house européenne et bonne musique pop japonaise.

Depuis/vers Sendai

AVION

De l'aéroport de Sendai, à 18 km au sud du centre, des vols desservent Tōkyō, Ōsaka, Nagoya, Hiroshima, Sapporo et de nombreuses autres destinations. Pour les vols internationaux, voir p. 833.

BATEAU

Du port de Sendai-kō, **Taiheyo Ferry** (☎ 259-0211) rallie chaque jour Tomakomai sur Hokkaidō (à partir de 8 100 ¥, 15 heures) et 3 ou 4 fois par semaine Nagano (à partir de 7 200 ¥, 21 heures). Guichet de vente de billets sur le quai.

Pour aller à Sendai-kō, il faut prendre un *futsū* (train local) sur la ligne JR Senseki, jusqu'à la gare de Tagajō (230 ¥) ; de là, un taxi vous conduira au port en 10 minutes. Sinon, 5 bus directs (490 ¥, 40 min, le dernier à 18h) partent de l'arrêt n°34 à la gare de Sendai.

BUS

Les bus JR et ceux empruntant la voix express Tōhoku Kyuko partent du terminal est de la gare ferroviaire de Sendai. Vous y trouverez un guichet où acheter vos billets pour toutes les grandes villes du Japon. Les départs les plus fréquents sont à destination de Tōkyō (6 210 ¥, 6 heures), Morioka (2 850 ¥, 3 heures), Akita (4 000 ¥, 4 heures), Aomori (5 700 ¥, 5 heures) et Niigata (4 500 ¥, 4 heures).

VOITURE

Si vous venez d'arriver dans le Tōhoku, Sendai est un bon endroit pour louer une voiture et entamer votre périple dans le Nord. Nous vous recommandons **Toyota Rent a Car** (☎ 291-0100 ; 2-4-8 Tsutsujygaoka ; ☽ 8h-20h) qui a une agence à quelques pâtés de maisons à l'est de la gare. Le Tōhoku Expressway (東北自動車道) relie Tōkyō à la grande banlieue de Sendai.

TRAIN

Toutes les heures, le *shinkansen* de la ligne JR Tōhoku dessert Tōkyō (10 590 ¥, 2 heures) et Morioka (6 290 ¥, 45 min). Sendai est également desservie par de fréquents *kaisoku* empruntant la ligne JR Senzan à destination de

Yamagata (1 110 ¥, 1 heure 15) et la ligne JR Senseki, à destination de Matsushima-kaigan (400 ¥, 35 min).

Comment circuler

Des navettes (*bus limousine*) desservent régulièrement l'aéroport (700 ¥, 40 min) au départ de l'arrêt JR Sendai, entre 6h25 et 18h40.

Le bus touristique Loople démarre son circuit à l'arrêt n°15-3, toutes les 30 minutes entre 9h et 16h ; le circuit se fait dans le sens des aiguilles d'une montre (250 ¥/trajet). Pour 600 ¥, un pass valable toute la journée (en vente au guichet de l'arrêt n°15-3) permet en outre d'obtenir des réductions pour la visite de certains monuments, ainsi qu'un livret explicatif (en anglais) détaillant l'itinéraire.

Sendai dispose d'une unique ligne de métro, qui va d'Izumi-chūō au nord, jusqu'à Tomizawa au sud, mais qui ne dessert pas les principaux sites touristiques. Un billet coûte entre 200 et 350 ¥ selon le trajet effectué.

MATSUSHIMA ET OKU-MATSUSHIMA
松島・奥松島
☎ 022 / 20 000 habitants

Quelques siècles auparavant, Bashō, le maître du haïku, était parti pour le Tōhoku, non sans appréhension. "Il semblerait que j'ai atteint le bout du monde", se plaignait-il. Mais les charmes des paysages du Nord le laissèrent sans voix. À son arrivée dans la baie de Matsushima, il ne put qu'écrire : "Matsushima, ah ! Matsushima ! Matsushima !"

On comprend aisément le ravissement qui saisit Bashō lorsqu'il arriva ici : disséminées dans la baie de Matsushima, quelque 250 îles sont couvertes de pins noueux sculptés par les vents et de formations rocheuses étranges dessinées par les perpétuels assauts des vagues. Cet archipel fait partie des Nihon Sankei (les "trois plus beaux paysages") du Japon, les deux autres étant le *torii* flottant de l'île de Miyajima et la langue de sable d'Amanohashidate.

Ce lieu prestigieux attire les foules à Matsushima, mais les îles demeurent néanmoins très pittoresques. Masamune Date fut tellement ébloui par une des formations rocheuses de la baie de Matsushima qu'il offrit une récompense à quiconque pourrait la lui rapporter dans son château. Mais personne n'y parvint.

Sur le côté est de la baie, Oku-Matsushima, moins fréquentée, compte de nombreux chemins propices à l'exploration des environs à pied ou à vélo.

Orientation et renseignements

Il y a une gare à Matsushima, mais celle de Matsushima-kaigan est plus proche des principaux sites présentant de l'intérêt. À l'extérieur, un **office du tourisme** (☎ 354-2618 ; ◌ 8h30-17h avr-nov, jusqu'à 16h30 déc-mars) fournit des cartes.

À l'intérieur de la gare Nobiru d'Oku-Matsushima, l'**office du tourisme** (☎ 588-2611 ; ◌ 9h-18h) propose quelques vélos à louer.

À voir et à faire

MATSUSHIMA

Matsushima n'est en fait qu'un village, dont les sites ci-après sont à une courte distance à pied les uns des autres.

Le **Zuigan-ji** (1 000 ¥ ; ◌ 8h-15h30 déc-janv, jusqu'à 16h fév et nov, jusqu'à 16h30 mars et oct, jusqu'à 17h avr-sept), l'un des plus beaux temples zen du Tōhoku, a été fondé en 828. Les bâtiments actuels furent édifiés par Masamune Date en 1606, pour servir de temple à sa famille. Ne manquez pas le **Seiryū-den** (青龍殿, salle du trésor), où sont exposées des œuvres d'art ayant une relation avec la famille Date. Pour accéder au temple, il faut longer une avenue plantée de hauts cèdres et bordée d'autels et de bouddhas portant les marques des intempéries. Le tout crée une atmosphère un peu irréelle, qui invite à la contemplation.

Le pavillon **Kanran-tei** (200 ¥ ; ◌ 8h30-17h avr-oct, 8h30-16h30 nov-mars) fut présenté à la famille Date par Hideyoshi Toyotomi, à la fin du XVIᵉ siècle. Le lieu, très raffiné, était utilisé pour la cérémonie du thé ou pour admirer la lune. Son nom signifie "l'endroit pour regarder les ondulations de l'eau". Désormais, on y sert le *matcha* (thé vert en poudre). Dans le jardin, le **Matsushima Hakubutsukan**, un petit musée, abrite des reliques de la famille Date.

L'intérieur du **Godai-dō**, un petit temple en bois, est ouvert au public une fois tous les 33 ans seulement. Si vous avez raté la dernière ouverture, en 2006, vous pourrez néanmoins admirer la vue sur la mer et les douze animaux du zodiaque chinois sculptés sur l'avant-toit, avant de revenir, en 2039.

Île reliée à la terre ferme par un pont en bois rouge long de 252 m, **Fukuura-jima** (福浦島 ; 200 ¥ ; ◌ 8h-17h mars-oct, jusqu'à 16h30 nov-fév) et ses jardins botaniques sont l'occasion d'une agréable promenade.

Ōjima (雄島) est une autre île rattachée à la côte par un pont. Il s'agissait jadis d'une retraite de moines. Elle est aujourd'hui renommée pour

ses sculptures bouddhiques dans la roche, ses grottes de méditation et les diverses reliques qui y ont été découvertes.

OKU-MATSUSHIMA

Cet endroit recèle de véritables bijoux de la nature. **Sagakei** est une impressionnante falaise de 40 m de haut cernée par les eaux du Pacifique, et sur laquelle déferlent des vagues particulièrement puissantes. Du haut d'**Ōtakamori** (大高森), petite colline au centre de l'île de Miyato, le panorama est exceptionnel, avec de superbes vues sur les monts Zaō et Kinkasan. Enfin, la **plage de Nobiru** (野蒜海岸), propice à la baignade, constitue une excursion très prisée au départ de Sendai.

MATSUO BASHŌ

Une autre année a passé
chapeau de paille sur la tête
sandales aux pieds

Matsuo Bashō, *Nozarashi-kikō (Notes d'un voyage à Kashima)*, 1685

Considéré comme le grand maître japonais du haïku, Matsuo Munefusa, dit Bashō (1644-1694), a su élever cet art de son aspect comique à une dimension zen beaucoup plus spirituelle.

Né dans une famille de samouraïs, Bashō travailla durant son adolescence au service du seigneur Yoshitada. Il s'installa par la suite à Kyōto, puis à Edo, et connut le succès grâce à la publication de ses poèmes. Cependant, les louanges provoquèrent chez lui un certain trouble spirituel et il se tourna vers le zen, philosophie qui marqua profondément son œuvre. On a ainsi établi beaucoup de liens entre ses haïkus et les *kōan* zen (courtes anecdotes), qui sont censés provoquer une soudaine réaction de compréhension chez celui qui les écoute. Bashō fut également influencé par la philosophie naturelle de Zhuangzi, sage taoïste chinois. Il commença alors à observer la nature, sans regard critique, et développa plus tard ses propres principes poétiques en définissant le concept de *sabi*, sorte de beauté simple et solitaire.

À l'âge de 40 ans, Bashō abandonna sa carrière de poète et se consacra à des voyages à travers le Japon, pour lier des amitiés et être en osmose avec la nature. Il publia des récits de voyage particulièrement évocateurs, tels que *Récit d'un squelette bravant les intempéries* et *Récit d'un bagage usé par les voyages*. Le plus célèbre est toutefois *La Sente étroite du bout du monde*, qui narre son périple à travers le Tōhoku, en 1689.

EXCURSIONS EN BATEAU

Les **bateaux** (pont inférieur/supérieur 1 420/2 220 ¥, 50 min) à destination de Matsushima, sur la baie du même nom, partent de l'embarcadère Shiogama, toutes les 30 minutes, entre 9h30 et 15h, du 21 avril à novembre, et toutes les heures le reste de l'année. Descendez du train deux gares avant Matsushima-kaigan, à Hon-Shiogama. L'embarcadère est à 10 minutes à pied de Hon-Shiogama : tournez à droite à la sortie de la gare.

Il existe également des **circuits** au départ de l'embarcadère du Marine Gate Ferry à Matsushima (1 400 ¥, 50 min) entre 9h30 et 15h. Les bateaux toutefois sont souvent bondés, surtout les week-ends et les jours fériés.

Fêtes et festivals

Matsushima Kaki Matsuri (松島牡蠣祭り ; fête des huîtres de Matsushima ; 1ᵉʳ week-end fév). Les amateurs de coquillages se donnent rendez-vous à Matsushima pour déguster des huîtres à cuire sur un gril de 100 m de long.

Zuigan-ji Tōdō (6-8 août). L'allée menant au Zuigan-ji est éclairée par des chandelles à cette occasion, qui célèbre l'ancien sanctuaire.

Matsushima Tōrō Nagashi Hanabi Taikai (17 août). Cette fête rend hommage aux âmes des disparus avec le rituel d'O-Bon (fête des morts). Des lanternes allumées sont déposées sur la mer et un feu d'artifice illumine le ciel.

Où se loger et se restaurer

Pila Matsushima Okumatsushima Youth Hostel (carte p. 533 ; ☎ 0225-88-2220 ; 89-48 Minami-Akazaki, Nobiru, Matsushima ; dort à partir de 1 905 ¥ ; Ⓟ). Dans un cadre idyllique, tout près de la plage d'Oku-Matsushima, voici une base idéale pour la randonnée pédestre ou cycliste sur les sentiers alentour, une activité dans laquelle ne manqueront pas de vous entraîner vos nouveaux amis de dortoir. Pour vous rendre à l'auberge de jeunesse depuis la gare de Nobiru, traversez le pont et marchez pendant 15 minutes vers l'océan, jusqu'à un carrefour où un panneau bleu pointe l'auberge en bas de la route, à droite. De là, c'est à 800 m. À l'office du tourisme, on vous fournira une carte indiquant la direction à suivre.

Hotel Daimatsusō (☎ 354-3601 ; fax 354-6154 ; www. daimatsuso.co.jp, en japonais ; 25 Matsushima ; à partir de 8 400 ¥/ pers en demi-pension ; Ⓟ). À quelques pas de la gare (à gauche en sortant, au bout du parking). Une entrée verdoyante accueille les visiteurs dans cet hôtel, modeste, mais aussi propre que pratique. Cuisine savoureuse, service attentionné et belle vue sur la baie depuis les étages.

Matsushima Century Hotel (☎ 354-4111 ; www. centuryhotel.co.jp, en japonais ; 8 Aza-Senzui ; d à partir de 12 700 ¥ ; Ⓟ 🖥 📶). Le plus luxueux des complexes hôteliers bénéficie d'un magnifique emplacement. Élégamment installé sur l'une des îles de la baie de Matsushima, il offre des chambres occidentales et japonaises dont le prix dépend de la décoration et de la situation (les chambres les plus chères ont un balcon sur la mer). Tout le monde cependant peut profiter de la vue panoramique depuis le bain commun. Internet par câble LAN.

Santori Chaya (☎ 353-2622 ; dîner plat 1 500-2 500 ¥ ; 🕐 déj et dîner ; jeu-mar, fermé 2ᵉ et 4ᵉ mer du mois ; 🖳). Petit et intimiste, ce restaurant de style japonais est apprécié des habitants du coin. En saison, nous vous recommandons les huîtres grillées (*kaki yaki*, 650 ¥) ou le *sanma sashimi* (balaou cru, 750 ¥). Depuis la gare de Matsushima-kaigan, tournez à gauche en sortant du parking et suivez la route principale jusqu'au 3ᵉ feu. Le Santori Chaya se trouve à gauche du grand parking. Internet par câble LAN.

Depuis/vers Matsushima

De fréquents *kaisoku* sur la ligne JR Senseki circulent entre Sendai et Matsushima-kaigan (400 ¥, 35 min). Pour se rendre à Oku-Matsushima depuis la gare de Matsushima-kaigan, il faut prendre la ligne JR Senseki en direction de l'est jusqu'à Nobiru (230 ¥, 10 min), qui est la 6ᵉ gare (2 arrêts seulement par le *kaisoku*).

Les conducteurs rejoindront Matsushima depuis Sendai par la Sendai Matsushima Highway (仙台松島道路).

ISHINOMAKI 石巻

☎ 0225 / 170 000 habitants

Étape incontournable des fans de mangas, Ishinomaki recèle quantité de références au dessinateur Ishinomori Shōtarō (1938-1998), créateur de certains des personnages les plus populaires du pays. Mais, à moins de faire étape ici sur la route de Kinkasan, rien d'autre ne vous retiendra ici.

L'**office du tourisme** (☎ 93-6448 ; 🕐 9h-17h30), à l'extérieur de la gare, fournit les horaires des bus et des ferries pour Kinkasan, des renseignements sur la ville (parfois en anglais) et un plan sur le thème des mangas. Sendai n'est qu'à 1 heure de route, si bien qu'il n'y a pas vraiment de raison de passer la nuit ici. N'oubliez pas de prendre le plan de la ville (dessiné sur le thème des mangas), très utile, car les sites sont assez éparpillés. Sendai et Matushima étant tout proches, il n'y a pas vraiment de raison de passer la nuit ici.

Avec ses allures de vaisseau spatial, le **musée Ishinomaki Mangattan** (石ノ森萬画館 ; ☎ 96-5055 ; 2-7 Nakase ; 1ᵉʳ et 3ᵉ niv gratuit, 2ᵉ niv 800 ¥ ;

🕐 9h-18h mar-nov, jusqu'à 17h, mer-lun déc-fév, fermé 3ᵉ mardi mars-nov) est essentiellement consacré à l'œuvre d'Ishinomori Shōtarō, et s'adresse en priorité à ceux qui connaissent *Cyborg 009*, l'une de ses nombreuses BD.

L'**ancienne église orthodoxe d'Ishinomaki** (旧石巻ハリストス正教会教会堂 ; ☎ 95-1111 ; 3-18 Nakase ; entrée libre ; 🕐 9h-17h avr-oct, jusqu'à 16h lun-ven nov-mars), fondée en 1880, est la plus vieille église en bois du Japon. Elle n'est plus utilisée. Il est indispensable de réserver (par téléphone) pour la visiter.

Une impressionnante réplique du galion **San Juan Bautista** (宮城県慶長使節船ミュージアム ; ☎ 24-2210 ; www.santjuan.or.jp en japonais ; 30-2 Ōmori Watanoha ; entrée ¥700 ; 🕐 9h30-16h30 mer-lun) est ancrée près du quai. Témoignant du règne éclairé de Masamune Date, le *San Juan* conduisit à Rome la première mission diplomatique japonaise, composée de 20 hommes (voir aussi p. 532).

De nombreux *kaisoku* circulent sur la ligne JR Senseki entre Sendai et Ishinomaki (820 ¥, 1 heure 15) via Matsushima-kaigan et Nobiru. Les sites touristiques sont accessibles à pied, mais le vélo, qu'on trouvera à louer juste en face de la gare, est idéal pour explorer la ville.

KINKASAN 金華山

☎ 0225

L'île de Kinkasan, ou "Montagne dorée", est un ancien site d'exploitation aurifère. On prétend que si vous venez ici en pèlerinage trois années de suite, vous pourrez dire adieu aux problèmes d'argent pour le restant de vos jours. Le filon a beau être épuisé depuis longtemps, le flot de visiteurs est toujours constant. Il faut savoir que jusqu'à la fin du XIXᵉ siècle, les femmes étaient interdites sur l'île. Aujourd'hui, tous ceux qui recherchent les grands horizons, l'air pur et le calme apprécieront un séjour à Kinkasan.

Orientation et renseignements

Kinkasan est accessible en ferry depuis Ayukawa, un petit port absorbé par la ville d'Ishinomaki. Toutefois, comme il n'y a sur l'île aucun bureau de renseignement, allez à l'office du tourisme d'Ishinomaki avant de partir pour obtenir des brochures et les horaires des ferries.

À voir et à faire

Il est indispensable de s'informer avant d'entreprendre une randonnée : un chemin côtier (24 km) permet de faire le tour de l'île mais, désormais, certains habitants déconseillent de marcher du côté nord, suite à un glissement de terrain. Le côté sud ne présente a priori aucun danger. Si vous êtes perdu, dirigez-vous vers le sud tout en redescendant la colline vers la mer.

À gauche de l'embarcadère, un chemin très pentu mène en 20 minutes au **Koganeyama-jinja** (小金山神社), édifié en 794 par l'empereur Shōmu, en remerciement de l'or trouvé sur l'île qui permit d'achever le Grand Bouddha de Tōdai-ji, à Nara.

Du Koganeyama-jinja, il faut redescendre la colline et marcher 50 minutes pour arriver à **Senjōjiki** (千畳敷 ; mille tatamis de pierre), un grand ensemble de pierres blanches sur le côté est de l'île. Après 1 heure de marche supplémentaire, on arrive au phare, à la pointe sud-est. Il faut environ 1 heure 30 pour longer ensuite le chemin côtier, repasser par le sommet de la colline et regagner l'embarcadère.

Fêtes et festivals
Ryūjin Matsuri (龍神祭り ; fête du dragon ; dernier week-end juillet). Lors de ce *matsuri*, 50 danseurs promènent un char figurant un dragon géant.
Cérémonie de la coupe des bois (1er et 2e dimanches octobre). Cette tradition a pour but d'essayer d'empêcher les cerfs de se blesser pendant la saison des amours.

Où se loger et se restaurer
La plupart des visiteurs ne passent à Kinkasan que la journée, d'où le calme magique qui règne sur l'île très tôt le matin et en fin d'après-midi. Il est conseillé de réserver par téléphone car les auberges sont peu nombreuses et il n'y a aucun restaurant. Si vous ne parlez pas japonais, l'office du tourisme d'Ishinomaki peut le faire pour vous.

Koganeyama-jinja (黄金山神社 ; ☎ 45-2301 ; dort 5 000 ¥/pers). Un hébergement simple, dans des chambres à tatamis communes aménagées dans le sanctuaire. Repas végétariens (à partir de 500 ¥). Les courageux se lèveront avant 6h pour participer aux prières matinales.

Minshuku Shiokaze (民宿潮風 ; ☎ 45-2666 ; fax 45-2244 ; ch 6 300 ¥/pers en demi-pension). Ce *minshuku*, à 500 m au sud du port en suivant la jetée, est plus confortable, mais n'offre pas l'atmosphère particulière du sanctuaire. Chambres sommaires, mais spacieuses, avec vue sur la mer. Les sympathiques propriétaires vous préparent des repas délicieux et connaissent les chemins les plus sûrs pour partir en balade.

Si vous devez passer la nuit à Ayukawa, le **Minami-sō** (みなみ荘 ; ☎ 45-2501 ; ch avec/sans demi-pension à partir de 6 300/4 200 ¥/pers), derrière la gare routière, est un *minshuku* sympathique, idéal pour se reposer avant de prendre le bus ou le ferry le lendemain.

Depuis/vers Kinkasan
Sept bus assurent chaque jour la liaison entre la gare JR d'Ishinomaki et le port d'Ayukawa (1 460 ¥, 1 heure 30). En été, la compagnie **Dream** (☎ 44-1055) affrète des ferries entre Ayukawa et Kinkasan (aller 900 ¥, 25 min). Ces ferries partent presque toutes les heures entre 8h30 et 15h45. Pour le retour, le dernier ferry lève l'ancre à 16h. Attention, le service est considérablement réduit hors saison.

NARUKO ONSEN 鳴子温泉
☎ 0229 / 8 570 habitants
À Naruko Onsen (carte p. 533), station thermale au charme tranquille et régénérant, vous vous joindrez aux baigneurs qui, vêtus de *yukata* (kimono léger en coton), trottinent de bain en bain en faisant claquer leurs *geta* (socques). Vous admirerez, dans les vitrines, les *kokeshi* (poupées en bois, à la tête ronde sur un simple tronc mince, et aux couleurs vives), de fabrication artisanale, les poteries et les laques. Vous ne manquerez pas non plus de vous emplir les poumons des effluves sulfureux qui émanent des caniveaux. Arrêtez-vous pour tremper vos pieds fatigués dans les *ashiyu* (bains de pieds) gratuits ou allez prendre un bain dans les eaux sulfureuses du onsen, connues pour leurs propriétés curatives. En un mot, Naruko offre des plaisirs simples, et un vrai bain de jouvence.

Dans la gare JR Naruko Onsen, l'**office du tourisme** (☎ 83-3441 ; 8h30-18h), très utile, dispose de cartes et de brochures en anglais. Le personnel peut réserver un hébergement.

Un passage au **Taki-no-yu** (滝の湯 ; 150 ¥ ; 7h30-22h) s'impose ; le décor de ces bains publics, entièrement en bois, n'a quasiment pas changé depuis 150 ans. L'eau acheminée par des canalisations en *hinoki* (cyprès japonais) est chargée de divers éléments et minéraux comme le soufre, le chlorure de sodium et le bicarbonate de sodium. Ce onsen, en particulier, est réputé améliorer les problèmes d'hypertension ou d'artériosclérose.

Naruko-kyō (鳴子郷), une impressionnante gorge de 100 m de profondeur, se trouve à 20 minutes à pied de la gare. Elle est également desservie par des bus (200 ¥, 5 min) entre 8h50 et 16h. À l'entrée de la gorge, un agréable sentier longe la rivière sur 4 km et mène à Nakayama-daira. Si vous tournez à droite juste après le pont, sans aller jusqu'à l'entrée de la gorge, vous trouverez le point de passage Shitomae, site historique et départ d'une balade de 5 km qui permet de marcher sur les traces de Bashō dans une nature sereine. Le dernier bus pour la gare part à 16h29.

Le **musée japonais des Kokeshi** (日本こけし館 ; ☎ 83-3600 ; 320 ¥ ; ☼ 8h30-17h avr-nov, 9h-16h déc) présente quelque 5 000 poupées *kokeshi* (poupées traditionnelles japonaises en bois, aux lignes et aux motifs très simples) venant des quatre coins du pays. Pendant l'ère Meiji, le Tōhoku fut complètement négligé, ce qui entraîna un exode massif d'hommes et de femmes vers le sud. Certains expliquent que les poupées *kokeshi* symbolisent ces jeunes filles, souvent à peine sorties de l'enfance et déjà arrachées à leur terre natale.

Les hôtels où vous pourriez profiter d'une source chaude sont nombreux. Nous avons particulièrement apprécié le **Yusaya Ryokan** (ゆさや旅館 ; ☎ 83-2565 ; www.yusaya.co.jp, en japonais ; s/d en demi-pension à partir 13 000/23 400 ¥ ; **P**), petite auberge traditionnelle à l'atmosphère intime, organisée autour d'un superbe *rotemburo* (bain en plein air) qui se détache sur un épais rideau de verdure.

Autre endroit charmant, le **Gin-no-shō** (吟の庄 ; ☎ 83-4355 ; www.hds-net.jp/ginnosho, en japonais ; ch en demi-pension à partir de 18 900 ¥ ; **P**), dont la rusticité des matériaux naturels crée une agréable ambiance relaxante et minimaliste.

Ces deux adresses, ainsi que d'autres options plus modernes, sont d'accès facile à pied depuis la gare. Demandez à l'office du tourisme de vous les indiquer sur le plan.

Depuis/vers Naruko Onsen

Chaque heure, un *shinkansen* sur la ligne JR Tōhoku relie Sendai à Furukawa (2 300 ¥, 15 min). Toutes les heures également, un train sur la ligne JR Rikū-tō assure la liaison Furukawa-Naruko Onsen (1 750 ¥, 45 min). De Naruko Onsen, des trains moins fréquents partent pour Shinjō (950 ¥, 1 heure 15), relié à la ligne *shinkansen* Yamagata et à un petit réseau de trains locaux.

IWATE-KEN 岩手県

Deuxième préfecture du Japon par la taille, Iwate-ken est une région tranquille et bucolique qui abrite de paisibles vallées et de magnifiques chaînes de montagnes. On y pratique une agriculture prospère. Elle conserve quelques vestiges de l'époque féodale, où des clans se livraient une guerre sans merci, ainsi que les splendides temples de Hiraizumi. À Iwate-ken, l'atmosphère est délicieusement provinciale. La vallée de Tōno, par exemple, qui a inspiré une riche collection de récits folkloriques, semble tout droit surgie du passé.

HIRAIZUMI 平泉
☎ 0191 / 9 000 habitants

La splendeur de Hiraizumi était autrefois comparable à celle de Kyōto. Le récit de sa déchéance est pourtant l'un des plus dramatiques de l'histoire du Tōhoku. Entre 1089 et 1189, Kiyohira Fujiwara, puis trois générations du clan Fujiwara, se sont succédé au pouvoir et ont fait de Hiraizumi un véritable centre politique et culturel. Kiyohira avait fait fortune grâce aux mines d'or des environs et, sur ordre des prêtres de Kyōto, il avait mis sa richesse et son pouvoir au service de la construction d'un "paradis sur terre" entièrement dédié aux principes du bouddhisme – une réaction face aux guerres féodales qui laminaient le pays.

Si le fils et le petit-fils de Kiyohira suivirent les traces de leur ancêtre, son arrière-petit-fils, Yoshihira, cédant à des pressions aussi bien internes qu'externes, mit fin à ce siècle de prospérité et de gloire. Aujourd'hui, seuls quelques monuments, éparpillés aux alentours de cette ville rurale, témoignent du glorieux passé d'Hiraizumi. D'une grande importance pour la région, ils méritent le détour pour l'atmosphère singulière qui s'en dégage.

Renseignements

Demandez une brochure en anglais à l'**office du tourisme** (☎ 46-2110 ; ☼ 8h30-17h), à droite en sortant de la gare de Hiraizumi. À 400 m au nord-ouest de la gare, en direction de Mōtsū-ji, le **bureau de poste** est équipé d'un DAB international. Accès Internet gratuit à la **bibliothèque municipale** (☼ 9h-17h mar-dim), à 1 500 m au sud-ouest de la gare.

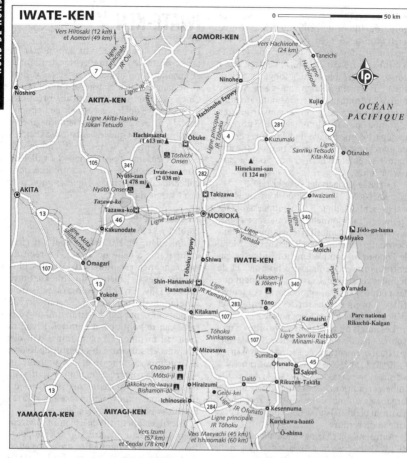

À voir et à faire

Hiraizumi est une ville très modeste, aisée à découvrir à pied. À vélo, les distances qui séparent les sites sembleront moins longues (voir p. 549 pour la location de vélos). La signalisation en anglais des principaux monuments facilite également les déplacements.

CHŪSON-JI 中尊寺

Cet **ensemble de temples** (☎ 46-2211 ; entrée incluant l'accès aux Konjiki-dō, Sankōzō et Kyōzō 800 ¥ ; ⏰ 8h-17h avr-oct, 8h30-16h30 nov-mar) fut édifié en 850 par le moine Ennin, mais c'est Kiyohira Fujiwara qui décida, au début du XIIᵉ siècle, d'agrandir l'ensemble architectural, portant le nombre des édifices à environ 300, dont 40 temples. Tous les efforts furent mis en œuvre pour qu'Hiraizumi devienne l'incarnation de l'utopie bouddhiste. Ironie du sort, un incendie détruisit la plupart des édifices en 1337. Il reste tout de même deux constructions d'origine au milieu des temples plus récents. Pour accéder au site, il faut monter le long d'une voie escarpée bordée d'arbres et de monuments dédiés à Jizō.

Le chemin passe par le **Hondō** (pavillon principal) et arrive dans un espace clos où se dresse le splendide **Konjiki-dō** (salle dorée ; ⏰ 8h-16h30 avr-oct, 8h30-16h nov-mars), dont la construction remonte à 1124. Le Konjiki-dō est un monument époustouflant, débordant d'ornementations en or, d'objets en bois noir laqué et d'incrustations de nacre (les ressources naturelles en or et bois laqué étaient très importantes dans la région). La statue du Bouddha Amida et de sa suite est un véritable chef-d'œuvre. Les dépouilles momifiées de trois générations de la famille Fujiwara reposent sous chacun des trois autels.

À côté du Konjiki-dō, le **Sankōzō**, ou temple du trésor, abrite les cercueils et les parures funéraires des membres du clan Fujiwara : manuscrits, épées et images religieuses, qui se trouvaient à l'origine dans des salles ou des temples détruits depuis longtemps. Le trésor des sutra, ou **Kyōzō**, construit en 1108, est le plus vieil édifice de l'ensemble.

MŌTSŪ-JI 毛越寺

Il fut un temps où le **Mōtsū-ji** (☎ 46-2331 ; 500 ¥ ; 🕗 8h30-17h avr-oct, 8h30-16h30 nov-mars), qui date de 850, était le plus vaste sanctuaire de temples du Tōhoku, devant le Chūson-ji. Il ne reste aujourd'hui de cet ensemble, qui fut lui aussi fondé par Ennin, que ses jardins. Remontant à l'époque de Heian, ils ont été aménagés selon le principe bouddhiste consistant à tout faire pour imprégner son esprit du "paradis".

TAKKOKU-NO-IWAYA BISHAMON-DŌ 達谷窟毘沙門堂

À 5 km au sud-ouest du Mōtsū-ji, cette **grotte** (☎ 46-4931 ; 300 ¥ ; 🕗 8h-17h, horaire pouvant varier selon la saison) abrite un petit temple pittoresque dédié au dieu Bishamon (le protecteur des guerriers dans la religion bouddhiste), construit par le célèbre général Sakanoue no Tamuramaro en 801, après sa victoire sur les Ezo, premiers habitants du nord de Honshū. L'édifice actuel est une réplique datant de 1961. Du Mōtsū-ji, vous pouvez vous rendre à vélo jusqu'à la grotte par une route goudronnée en 30 minutes.

Takadachi Gikei-dō 高館義経堂

À environ 700 m de l'entrée du Chūson-ji, **Takadachi Gikei-dō** (☎ 46-3300 ; 200 ¥ ; 🕗 8h30-17h avr-oct, 8h30-16h30 nov-mars) est un petit mémorial en l'honneur de Yoshitsune Minamoto. Une complainte de Bashō, *Herbe d'été*, y est gravée sur un monument. Le mémorial se trouve en haut d'une petite colline qui offre de superbes vues sur la Kitakami-gawa.

GEIBI-KEI 猊鼻渓

Geibi-kei est une immense gorge naturelle. Dans des **barques à fond plat** (☎ 47-2341 ; 1 500 ¥ pour 1 heure 30 ; 🕗 8h30-16h30 avr-oct, 9h-15h nov-mars), des bateliers réjouissent les passagers de

leurs chansons traditionnelles, dont les échos résonnent le long des falaises abruptes, hautes de 100 m. Pour vous y rendre, prenez le bus à l'arrêt n°7, devant la gare d'Ichinoseki (620 ¥, 40 min, toutes les heures) ou le train depuis Ichinoseki jusqu'à la gare de Geibi-kei, sur la ligne JR Ōfunato (*kaisoku* 480 ¥, 30 min).

Fêtes et festivals

Haru-no-Fujiwara Matsuri (春の藤原まつり ; fête de printemps de Fujiwara ; 1ᵉʳ-5 mai). On assiste à un défilé costumé et à des performances de nô, ainsi qu'à des *ennen-no-mai* (danses de la longévité). Aussi, compétition consistant à transporter un énorme gâteau de riz.

Aki-no-Fujiwara Matsuri (秋の藤原まつり ; fête d'automne de Fujiwara ; 1ᵉʳ-3 novembre). Manifestation semblable à la précédente.

HIRAIZUMI   0 ———— 1 km

RENSEIGNEMENTS
Poste 郵便局 1 B4
Bibliothèque municipale 図書館 2 B4
Office du tourisme
  松島観光案内所 3 B4

À VOIR ET À FAIRE
Chūson-ji 中尊寺 4 A3
Hon-dō 本堂 5 A3
Konjiki-dō 金色堂 6 A3
Kyōzō 経蔵 7 A3
Mōtsū-ji 毛越寺 8 B4
Sankōzō 讃衡蔵 9 A3
Takadachi Gikei-dō 高館義経堂 10 B3

OÙ SE LOGER 🏠
Hotel Musashibō ホテル武蔵坊 11 B4
Mōtsū-ji Youth Hostel
  毛越寺ユースホステル 12 B4

OÙ SE RESTAURER 🍴
Ekimae-bashōkan 駅前芭蕉館 13 B4

Où se loger et se restaurer

Mōtsū-ji Youth Hostel (☎46-2331 ; 58 Ōsawa ; dort/ch à partir de 2 800/4 200 ¥ ; 🖳). Installée dans l'enceinte du Mōtsū-ji, cette auberge de jeunesse permet d'assister aux prières du matin et à des séances de *zazen* (méditation assise). Bain commun et couvre-feu à 21h. Une attitude respectueuse est exigée (la sérénité des lieux toutefois calmera sans doute même les plus chahuteurs).

Hotel Musashibō (☎46-2241; fax 46-2250 ; www. musasibou.co.jp, en japonais ; ch en demi-pension à partir de 8 550 ¥/pers ; 🖳). Si vous recherchez un peu plus d'intimité, le Musashibō offre les avantages du *business hotel* et du *ryokan*. Il possède des chambres japonaises, son propre onsen, une salle à manger et un petit snack-bar. Depuis la gare, parcourez 500 m tout droit avant de prendre à droite. Longez le temple, puis avancez jusqu'au coin de la deuxième rue à gauche. Internet par câble LAN.

Ekimae-bashōkan (☎46-5555 ; formule soba à partir de 1 050 ¥ ; 🕐 déj et dîner). Agréable échoppe de nouilles, juste en face de la gare (repérez-la avec son toit en tuiles bleues), où il faut commander un *wanko-soba* (1 750 ¥). Cette spécialité de Morioka, toute proche, consiste en plusieurs minuscules bols de *soba* à déguster avec différentes garnitures (les vrais amateurs de *wanko-soba* cependant ne touchent jamais à ceux-ci, engloutissant bol après bol !)

Depuis/vers Hiraizumi

Toutes les heures, un *shinkansen* sur la ligne JR Tōhoku relie Sendai à Ichinoseki (3 320 ¥, 30 min). De là, chaque heure ou toutes les deux heures, des trains locaux sur la ligne principale JR Tōhoku rejoignent Hiraizumi (190 ¥, 10 min). Vous pouvez aussi prendre un des bus fréquents pour Chūson-ji (350 ¥, 20 min), via la gare JR d'Hiraizumi.

Ichinoseki est relié à Morioka par la ligne *shinkansen* JR Tōhoku (3 920 ¥, 40 min) et par la ligne principale JR Tōhoku (*futsū*, 1 620 ¥, 1 heure 30).

Si vous conduisez, le Tōhoku Expressway (東北自動車道) relie Sendai à Hiraizumi.

Comment circuler

De nombreux bus locaux circulent entre la gare JR d'Hiraizumi et Chūson-ji, mais il est également possible de **louer un vélo** (1 000 ¥/jour ; 🕐 9h-16h avr-nov) à un petit kiosque près de la gare.

VALLÉE DE TŌNO 遠野
☎ 0198 / 31 000 habitants

Entourée de rizières et de spectaculaires montagnes, la verdoyante vallée de Tōno est le berceau de bien des légendes parmi les plus chères au cœur des Japonais. Région relativement pauvre et exposée aux caprices de la nature, elle fut au cours des siècles le théâtre de redoutables famines dues à la sécheresse. Cette histoire cruelle, mêlée aux nombreuses superstitions des habitants, a donné naissance à un sentiment d'effroi et d'admiration pour les choses de la nature, qui a mené jusqu'à la création d'un monde de créatures fantastiques, qui vont de l'étrange au pervers (voir l'encadré, p. 547).

Formée d'un regroupement de huit villages agricoles, la cité actuelle est encore imprégnée d'une ambiance rurale et l'on y trouve toujours quelques *magariya*, ces fermes d'architecture traditionnelle en forme de L, où les fermiers vivaient sous le même toit que leurs précieux chevaux – mais dans des pièces différentes (contrairement à Oshira-sama, la déesse de la Fertilité ; voir l'encadré p. 547). Tōno connaît la plus forte concentration de *kappa*, ces malicieux esprits des eaux qui figurent en bonne position dans la mythologie japonaise.

Si vous recherchez l'air pur, la vallée de Tōno est un lieu merveilleux à explorer à vélo, mais prévoyez au moins 2 jours pour en profiter.

Dernière chose : si vous rencontrez un *kappa*, n'oubliez pas de le saluer – il ne manquera pas de s'incliner à son tour, renversant du même coup l'eau contenue dans sa tête – perdant ainsi temporairement son pouvoir !

Orientation et renseignements

Vous devrez choisir un moyen de transport pour profiter au mieux de la région, car vous aurez vite fait le tour des centres d'intérêt de la ville. Le vélo est une excellente solution pour découvrir la campagne : ne manquez surtout pas la magnifique piste cyclable qui longe la rivière. Vous pouvez aussi louer une voiture, ou opter pour les circuits en bus qui sont organisés de temps à autre (renseignez-vous auprès du bureau d'information touristique).

Bibliothèque municipale (☎ 62-2340 ; 🕐 9h-17h mar-dim). Accès Internet gratuit.

Office du tourisme (☎ 62-1333 ; 🕐 8h-18h avr-oct, 8h30-17h30 nov-mars). À droite en sortant de la gare. Le personnel parle l'anglais et propose une brochure utile en anglais, ainsi qu'un plan des 3 principales routes cyclables.

Poste (遠野郵便局 ; ☎ 62-2830 ; 6-10 Chūō-dōri). Guichet DAB International.

LES ÉTRANGES LÉGENDES DU TŌHOKU

Au début du XXᵉ siècle, un ensemble de contes traditionnels de la région fut publié sous le titre *Tōno Monogatari* (*Légendes de Tōno*). Les histoires avaient été compilées par Yanagita Kunio (1875-1962), écrivain et chercheur éminent, considéré comme le père du folklore japonais. Le recueil s'appuyait sur des entretiens avec un habitant de Tōno, Sasaki Kyōseki, né dans une famille de paysans, et qui avait été capable de se souvenir de plus de cent *densetsu* (légendes locales). Le fruit de la collaboration entre Yanagita et Sasaki éveilla immédiatement l'imaginaire de tout le pays, remettant au goût du jour la tradition des conteurs et attirant l'attention sur cette région ignorée.

Les personnages de ce recueil sont à la fois étranges et merveilleux. Ces contes reposent en grande partie sur l'animisme, système de croyance selon lequel tout ce qui existe possède une âme, y compris les animaux et les objets inanimés. Une des histoires les plus étonnantes traite du mariage entre une villageoise et son cheval. Le père, qui s'opposait naturellement à cette union, pendit le cheval à un mûrier et lui trancha la tête. La jeune fille prit la tête du cheval dans ses bras et s'en alla au paradis, où elle devint Oshira-sama, la déesse de la Fertilité (aujourd'hui, les poupées Oshira-sama sont encore des objets rituels pour les devins *itako* ; voir *Osore-zan* p. 557).

Les autres contes mettent en scène des renards qui changent de forme, des vieillards abandonnés à une mort certaine dans la nature sauvage, des *kappa*, malicieux esprits des eaux, clouant leurs victimes au sol à la façon des sumotoris et leur faisant sortir les intestins par l'anus, des esprits *zashiki warashi* vivant dans les recoins des maisons et jouant des tours aux habitants, et des hommes sauvages qui vivent dans les montagnes et mangent les enfants. Un thème est commun à tous les contes : la bataille contre la nature, la lutte pour dominer les éléments naturels, qui est l'un des traits du monde rural dont Tōno a longtemps fait partie.

Legends of Tōno est disponible en anglais, au prix de 2 000 ¥, au magasin de souvenirs à côté du bureau d'information touristique de Tōno (voir p. 546).

À voir

VILLE DE TŌNO

Les deux sites ci-dessous se visitent facilement à pied depuis la gare JR de Tōno.

Au-dessus de la bibliothèque, le **musée municipal de Tōno** (☎ 62-2340 ; 3-9 Higashidate-chō ; 310 ¥, billet combiné avec le village traditionnel de Tōno Mukashibanashi-mura 520 ¥ ; ☺ 9h-17h, fermeture le dernier jour de chaque mois) propose des expositions sur le folklore et les traditions, et d'intéressantes présentations audiovisuelles sur les légendes de Tōno.

Le village traditionnel de **Tōno Mukashibanashi-mura** (☎ 62-7887 ; 2-11 Chūō-dōri ; 310 ¥, billet combiné avec le musée municipal 520 ¥ ; ☺ 9h-17h) comprend un *ryokan* restauré où séjourna Kunio Yanagita (voir l'encadré ci-dessus) et une salle d'exposition d'art populaire.

VALLÉE DE TŌNO

Si certains des sites présentés ci-après sont accessibles par des bus locaux plutôt rares, il est bien plus agréable de louer un vélo et de partir à leur découverte muni d'une carte obtenue à l'office du tourisme. Même s'il est facile de se perdre en chemin (attention, les *kappa* sont partout !), vous ne serez jamais vraiment loin de la ville.

À 2,5 km au sud-ouest de la gare de Tōno, apparaît le **sanctuaire Unedori-sama** où les femmes enceintes se rendent pour attacher un morceau d'étoffe rouge aux pins qui l'entourent – uniquement de la main gauche – pour s'assurer que la naissance de leur enfant se passera bien. Dans les collines qui surplombent le sanctuaire, 500 disciples du Bouddha ont été gravés sur des rochers. Ce sont les **Gohyaku Rakan**, qui furent réalisés par un moine pour consoler les âmes des victimes de la famine de 1754.

Si vous continuez vers l'ouest pendant environ 8 km sur la route 283 en direction de Morioka, vous verrez se dresser le **Tsuzuki Ishi**. Cet étrange rocher au milieu d'une forêt de cèdres odorants est soit un phénomène naturel soit un dolmen. Quand vous aurez grimpé l'abrupt raidillon, vous serez récompensé par une belle vue sur la vallée.

Un kilomètre après ce rocher, la **Magariya de la famille Chiba** (☎ 62-9529 ; 350 ¥ ; ☺ 8h30-17h avr-oct, 9h-16h nov-mars), une ferme traditionnelle en forme de L, a été restaurée pour reconstituer le mode de vie d'une riche famille de fermiers du XVIIIᵉ siècle.

À quelque 6 km au nord-ouest de la gare de Tōno, sur la Route 340 en direction de Miyako, le petit village traditionnel de **Denshōen** (☎ 62-

NORD DE HONSHŪ

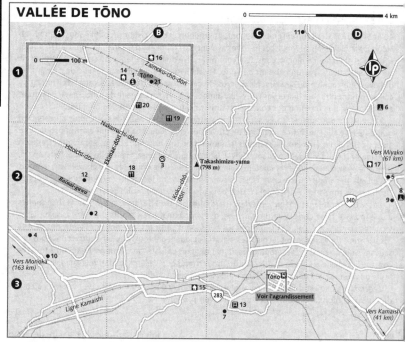

VALLÉE DE TŌNO

0 ⊢━━━━━━━━┥ 4 km

8655 ; 520 ¥ ; 9h-17h, dernière entrée 16h30) possède une salle d'exposition comptant 1 000 poupées Oshira-sama.

Quelques centaines de mètres au sud-ouest de Denshōen, le **Jōken-ji** est un petit temple paisible dédié à la divinité Obinzuru-sama. Certaines personnes espèrent y trouver la guérison en frottant la partie de la statue correspondant à l'endroit où ils souffrent.

À l'arrière du temple s'écoule une petite rivière, appelée bassin des **Kappa-buchi**. Une légende veut que les malicieux *kappa* aient éteint un incendie qui menaçait le temple. Une statue de lion fut érigée en hommage à cette bonne action. On raconte aussi que si une femme enceinte se recueille dans ce petit temple en bordure de rivière, elle sera sûre d'avoir du lait en abondance, à condition toutefois de donner au préalable une offrande en forme de sein. Le temple est ainsi jalonné d'innombrables petits sacs de tissu rouges ou blancs, la plupart contenant des tétines.

À 2,5 km au nord de Denshōen, en suivant les petites routes, on découvre le **Fukusen-ji** (☎ 62-3822 ; 7-57 Komagi, Matsuzaki ; 300 ¥ ; 8h-16h30 avr-déc). Fondé en 1912, ce temple possède la Fukusen-ji

Kannon, une statue en bois de 17 m de haut et pesant 25 tonnes, dont la fabrication dura 12 ans. On dit que c'est la plus grande statue de la déesse Kannon de ce type au Japon.

Près de 3,5 km après le Fukusen-ji, **Tōno Furusato-mura** (☎ 64-2300 ; 5-89-1 Kami-tsukimoushi, Tsukimoushi-chō ; 520 ¥ ; 9h-17h), plus grand village traditionnel des environs de Tōno, qui compte plusieurs fermes, une roue à eau et une galerie d'artisanat, est passionnant pour ceux qui s'intéressent au mode de vie traditionnel.

Ces sites sont les plus importants, mais en vous éloignant un peu, vous en découvrirez d'autres. À l'est de Denshōen, la vallée de Tōno s'ouvre sur de magnifiques paysages de campagne – toutes sortes de démons et d'esprits habiteraient les collines et les ruisseaux.

Fêtes et festivals

Le 14 septembre, on célèbre le **Tōno Matsuri** (遠野祭り), avec *yabusame* (tir à l'arc à cheval, discipline vieille de 700 ans), danses traditionnelles et défilés costumés à travers la ville. Ce spectacle aux couleurs chatoyantes, très lié aux légendes de Tōno, se veut également une prière en vue de récoltes abondantes.

Où se loger et se restaurer

À part à l'auberge de jeunesse, les prix de l'hébergement dans la vallée de Tôno varient considérablement en fonction du jour de la semaine et de la saison.

🟢 **Tôno Youth Hostel** (☎ 62-8736 ; www1.odn.ne.jp/tono-yh/index-e.htm ; 13-39-5 Tsuchibuchi, Tsuchibuchi-chô ; dort à partir de 3 200 ¥ ; P). Cette rutilante auberge de jeunesse est une base idéale pour découvrir la vallée. Le gérant parle un peu anglais et connaît de nombreuses légendes locales. Location de vélos, bibliothèque bien fournie en mangas, pas de couvre-feu. Repas possibles (petit déj/dîner 550/1 150 ¥). Depuis la gare de Tôno, prenez un bus à destination de Sakanoshita et descendez à Nitagai (290 ¥, 12 min). L'auberge est à 10 minutes à pied : il suffit de suivre les (nombreux) panneaux.

Minshuku Tôno (☎ 62-4395 ; fax 62-4365 ; www.minshuku-tono.com ; 2-17 Zaimoku-chô ; ch en demi-pension à partir de 6 300 ¥/pers). Ce petit *minshuku* tranquille derrière la gare se détache nettement du lot des quelques adresses bon marché de Tôno. Pas très éloigné de la pittoresque ferme Magariya. Ses propriétaires utilisent les produits du terroir pour faire la cuisine.

Folkloro Tôno (☎ 62-0700 ; fax 62-0800 ; 5-7 Shinkoku-chô ; ch en demi-pension 8 800 ¥/pers). *Business hotel* standard, dont les chambres à l'occidentale surplombent bizarrement la gare JR de Tôno. Emplacement central mais bruyant – les trains sont toutefois peu fréquents.

Minshuku Magariya (☎ 62-4564 ; 30-58-3 Niisato, Ayaori-chô ; ch en demi-pension à partir de 9 750 ¥ ; P). Si vous êtes venu à Tôno pour échapper à l'urbanisation japonaise, prenez sans hésiter la direction de cette ferme-auberge, à 3 km au sud-ouest de la gare, au bord de la Route 283 – si n'avez pas de voiture, prenez un taxi (environ 1 000 ¥). Attachée à ses racines, Magariya s'organise autour d'un vaste âtre ouvert où se regroupent les hôtes pour un généreux souper campagnard. Ses chambres d'antan s'ouvrent pratiquement sur la forêt.

Umenoya (☎ 62-2622 ; 650 ¥ ; 🕙 11h30-20h). Sur la route principale qui part de la gare, Umenoya est une adresse populaire pour un repas léger ou un en-cas. Choisissez à partir du menu illustré entre *rāmen, soba, udon*, omelettes, riz au curry ou sandwichs.

Ichiriki (☎ 62-2008 ; repas à partir de 800 ¥ ; 🕙 11h-20h, jours de fermeture aléatoires). Dans ce cadre douillet, tapissé d'affiches qui donnent des conseils à l'éventuel chasseur de *kappa*, il faut savourer le *hitsuko soba* (1 000 ¥), spécialité locale de nouilles fraîches servies avec du poulet, de l'œuf cru et des légumes. À 4 pâtés de maisons au sud de la gare.

Pour préparer un pique-nique ou un *bentō* (boîte-repas), vous trouverez votre bonheur dans les étals de nourriture du grand magasin Topia, en face de la gare.

Depuis/vers la vallée de Tôno

Des trains circulent toutes les heures sur la ligne JR Tôhoku entre Hiraizumi et Hanamaki (820 ¥, 45 min). De Hanamaki, la ligne JR Kamaishi dessert Tôno (1 330 ¥, 1 heure) et la ligne JR Tôhoku, Morioka (650 ¥, 45 min).

Plusieurs trains sont aussi au départ chaque heure sur la ligne *shinkansen* entre Sendai et Shin-hanamaki (550 ¥, 1 heure). La ligne JR Kamaishi relie Shin-hanamaki à Tôno (1 250 ¥, 45 min), tandis que la ligne *shinkansen* assure la liaison avec Morioka (2 950 ¥, 15 min).

Il peut s'avérer pratique de louer une voiture à Tôno, mais vous aurez absolument besoin d'un GPS. Essayez **Kankô Rent-a-Car** (☎ 62-1375), à l'intérieur de la gare. On peut louer des vélos auprès de l'office du tourisme (1 000 ¥/jour), ou de l'auberge de jeunesse.

MORIOKA 盛岡

☎ 019 / 305 000 habitants

Fief du clan Nambu, aujourd'hui capitale de la préfecture d'Iwate, Morioka est une superbe ville-château ancienne entourée de trois rivières impétueuses et d'un volcan menaçant. Vous passerez à un moment ou un autre de votre voyage par cette plaque-tournante importante des transports dans le Tōhoku. Descendez alors du train pour une visite qui en vaut la peine. En plus de servir d'accès aux sentiers qui se dirigent vers le mont Iwate, Morioka est également la ville d'origine du *wanko-soba,* un plat de nouilles bien garni qui requiert un solide appétit !

Orientation

Le centre-ville s'étend à l'est de la gare, qui se trouve à l'angle sud-ouest des quartiers animés, de l'autre côté de la Kitakami-gawa. La principale rue commerçante, Ōdōri, traverse le pont Kaiun-bashi avant de monter jusqu'à l'Iwate-kōen.

Renseignements

ACCÈS INTERNET

L'Iwate International Plaza et l'office du tourisme proposent un accès gratuit.

ARGENT ET POSTE

Poste centrale de Morioka (盛岡中央郵便局 ; ☎ 624-5353 ; 1-13-45 Chūō-dōri ; 🕒 9h-19h lun-ven, jusqu'à 17h sam, jusqu'à 12h30 dim, DAB 7h-23h lun-ven, 9h-21h sam, jusqu'à 19h dim). Agence équipée d'un DAB international.

OFFICES DU TOURISME

Iwate International Plaza (☎ 654-8900 ; 5ᵉ niv, AIINA, 1-7-1 Moriokaekinishi-dōri ; 🕒 9h-21h30). Une excellente adresse pour les visiteurs. Personnel serviable, presse étrangère, informations sur les événements locaux et accès gratuit à Internet.

Office du tourisme de Morioka (☎ 604-3305 ; 1-1-10 Nakanohashi-dōri ; 🕒 9h-20h, fermé 2ᵉ mar de chaque mois). Au 2ᵉ niveau de l'Odette Plaza. Propose un accès gratuit à Internet, des brochures touristiques, des cartes téléphoniques et des timbres.

Office du tourisme du nord du Tōhoku (☎ 625-2090 ; 🕒 9h-17h30). Au 2ᵉ niveau de la gare de Morioka, près de la sortie nord, à côté du guichet des *shinkansen*. Personnel efficace parlant anglais, nombreuses brochures.

SERVICES MÉDICAUX

Iwate Medical University Hospital (☎ 651-5111 ; 19-1 Uchi-maru).

À voir

VILLE DE MORIOKA

Relativement modeste, Morioka se prête bien à une découverte à pied. Il peut cependant être pratique de prendre le bus touristique (voir p. 552), qui effectue un circuit en boucle entre les sites principaux indiqués ci-dessous.

Si vous marchez 20 minutes vers l'est à partir de la gare, le long de Kaiun-bashi, vous arriverez à **Iwate-kōen**, un parc où se dressait jadis Morioka-jō. Il ne reste désormais que des ruines du château ; ses fondations, recouvertes de mousses, sont les seuls vestiges qui demeurent de la période d'Edo. Toutefois, le parc offre de belles vues sur la ville. On y trouve également un totem offert par une ville de Colombie Britannique jumelée avec Morioka, fruit d'une collaboration entre le chef d'un peuple d'Indiens d'Amérique et un ébéniste local.

Les Japonais sont friands des démonstrations de bravoure, en témoignent les nombreuses légendes de samouraïs gravées à jamais dans les cœurs et les esprits, à travers tout le pays. Ils les apprécient même quand ce sont des

RENSEIGNEMENTS

Iwate Medical University Hospital 岩手医科大学附属病院	1	C2
Poste centrale de Morioka 盛岡中央郵便局	2	C1
Office du tourisme de Morioka 盛岡観光案内所	3	D3
Office du tourisme du nord du Tōhoku 北東北観光案内所	4	A3

À VOIR ET À FAIRE

Iwate-kōen 岩手公園	5	C2
Cerisier fendant un rocher 石割桜	6	C2

OÙ SE LOGER

Hotel Metropolitan Morioka ホテルメトロポリタン盛岡	7	A2
Kumagai Ryokan 熊ケ井旅館	8	B3
Morioka New City Hotel 盛岡ニューシティホテル	9	A2

OÙ SE RESTAURER

Azumaya Honten 東家本店	10	D3
Chokurian 直利庵	11	D3
Hot JaJa ホットジャジャ	12	A2

OÙ PRENDRE UN VERRE

Fukakusa 深草	13	D3

ACHATS

Kamasada Honten 釜定本店	14	D2

TRANSPORTS

Arrêt de bus Dendenmushi でんでんむし号バス乗り場	(voir 15)	
Gare routière JR ＪＲバス乗り場	15	A2

objets ou des éléments naturels qui en sont à l'origine. Quelques rues au nord du parc, en face du tribunal de Morioka, le **cerisier fendant un rocher** fait la fierté des habitants. Cet arbre vieux de 300 ans a poussé dans une fissure d'un énorme bloc de granit ; les habitants se plaisent à raconter que c'est lui qui a fendu le rocher en grandissant, année après année. Le phénomène est de toute manière extraordinaire.

En prenant cette même rue vers le nord, après 1,5 km, vous arrivez à *teramachi* (le quartier des temples). Ce quartier de Morioka s'organise autour du **Hōon-ji** (報恩寺), un paisible temple zen que distingue son impressionnante San-mon (porte principale). Quant au petit pavillon **Rakan-dō** (羅漢堂 ; don 300 ¥ ; ☽ 9h-16h), il contient des statues des 500 disciples du Bouddha, datant du XVIIIe siècle.

ENVIRONS DE MORIOKA
Iwate-San 岩手山
La "molaire déchiquetée" de l'Iwate-san (2 038 m) qui domine le paysage au nord-ouest de Morioka était autrefois une destination très appréciée des randonneurs. Théoriquement, sept chemins sont ouverts entre juillet et octobre ; en réalité, ils sont souvent fermés en raison de l'intense activité volcanique. Si l'accès à la montagne est ouvert, des bus partent de la gare JR de Morioka en direction des différents sentiers. Vous pourrez obtenir les informations les plus fraîches et les horaires de bus auprès de l'office du tourisme de Morioka.

Fêtes et festivals
Chagu-Chagu Umakko Matsuri (2e sam juin). Défilé bigarré de chevaux parés, accompagnés d'enfants vêtus de costumes traditionnels.
Hachiman-gū Matsuri (14-16 septembre). Des *mikoshi* (sanctuaires ou autels portatifs) sont portés en procession, tandis que des chars défilent au rythme des *taiko* (tambours).

Où se loger
Kumagai Ryokan (☎ 651-3020 ; fax 626-0096 ; http://kumagairyokan.com ; 3-2-5 Ōsawakawara ; s/d à partir de 4 700/8 400 ¥ ; ⌨). À environ 8 minutes à l'est de la gare (derrière la grande église), une auberge japonaise très accueillante avec les hôtes étrangers. Chambres propres et bien tenues ; joli jardin japonais. Expositions d'artisanat.
 Morioka New City Hotel (☎ 654-5161 ; fax 654-5168 ; www.moriokacityhotel.co.jp/newcity, en japonais ;

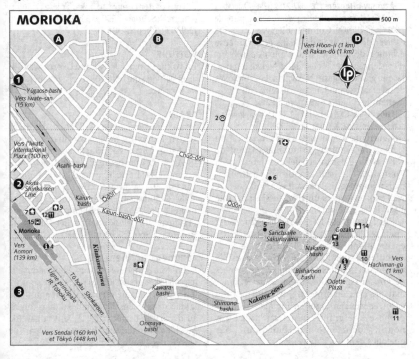

13-10 Ekimae-dōri ; ch à partir de 5 670 ¥ ; 🖳 🛜). Idéalement situé en face de la gare, ce *business hotel* à l'ambiance décontractée est surtout destiné aux personnes voyageant seules. Chambres simples mais pratiques et restaurants aux prix raisonnables. Internet par câble LAN.

Hotel Metropolitan Morioka (☎ 625-1211 ; fax 625 1210 ; www.metro-morioka.co.jp/morioka/index.html ; 1-44 Ekimae-dōri ; s/d avec petit déj à partir de 9 240/17 325 ¥ ; 🖳 🛜). Les *business hotels* sont concentrés vers la sortie est de la gare. Celui-ci, haut de gamme, qui jouxte le grand magasin Fezan, se démarque des autres. Chambres confortables, à l'équipement ultramoderne, et service impeccable. Également beau choix de bars, de restaurants et de salons. Internet par câble LAN.

Où se restaurer et prendre un verre

Une fringale ? Avalez autant de bols que vous le pouvez d'un plat de nouilles local, le *wanko-soba*. Et essayez de battre la serveuse de vitesse tandis qu'elle remplit votre bol à toute allure. C'est une tradition qu'il est bon d'essayer au moins une fois. Vous aurez toutefois besoin d'un sérieux entraînement pour battre le record actuel de quelque 550 bols !

Azumaya Honten (☎ 622-2252 ; 2ᵉ niv, Miurabiru Bldg, 1-8-3 Naka-no-hashi-dōri ; wanko-soba à partir de 2 600 ¥ ; 🕙 11h-20h). Comptez bien vos bols pour essayer de relever le défi dans cette fameuse échoppe de nouilles, qui a plus de 100 ans d'existence. Juste à l'est de la Nakatsu-gawa, face au grand magasin Nakachan. Les employés de cet établissement, reconnaissable entre tous, mettent les clients étrangers à l'aise.

Chokurian (☎ 624-0441 ; 1-12-13 Naka-no-hashi-dōri ; wanko-soba à partir de 2 600 ¥ ; 🕙 11h-22h). Concurrente d'Azumaya Honten, une autre légendaire échoppe de nouilles, datant de 1884. Nichée dans une ruelle en retrait de la Route 106, elle peut être difficile à trouver, mais n'importe quel passant vous indiquera le vieil édifice. Le personnel ici aussi est habitué à servir les étrangers.

HOT JaJa (☎ 606-1068 ; 9-5 Eki-mae-dōri ; reimen à partir de 580 ¥ ; 🕙 11h-22h). Si vous n'avez pas encore mangé assez de nouilles, une autre succulente spécialité de Morioka est le *reimen*, des nouilles de blé noir accompagnées de *kimchi* (spécialité coréenne de légumes marinés avec du piment). Juste en face de la gare (repérez l'enseigne en anglais). HOTJaJa propose une grande assiette (*dai*) de ces nouilles délicieusement piquantes pour quelques centaines de yens.

Fukakusa (☎ 622-2353 ; 1-2 Konya-chō ; boissons 400-700 ¥ ; 🕙 déj et dîner lun-sam, déj dim). Ce bar minuscule, ouvert depuis 40 ans, est situé derrière la vieille Iwate Bank et occupe un beau site sur les rives de la Nakatsu-gawa. Ses murs habillés de boiseries, son piano, son éclairage tamisé et ses gravures artisanales composent un cadre douillet.

Achats

La région de Morioka est célèbre pour ses *nanbu tetsubin* (objets en fer moulé).

Kamasada Honten (☎ 622-3911 ; 2-5 Konya-chō ; 🕙 9h-17h30 lun-sam), qui propose un bon choix de *nanbu tetsubin*, vend des articles abordables à côté de théières à prix exorbitant. L'endroit se trouve sur l'autre rive de la Nakatsu-gawa, à côté de Gozaku, une zone marchande où sont concentrés *kura* traditionnels (entrepôts aux murs de boue), grossistes, cafés et artisans.

Depuis/vers Morioka
BUS

Des bus JR empruntant l'autoroute partent d'un terminal aménagé en face de la gare ferroviaire. Un guichet permet d'acheter des billets pour toutes les grandes villes du Japon. Chaque jour, des bus partent pour Morioka, Tōkyō (7 800 ¥, 6 heures), Sendai (2 850 ¥, 3 heures) et Hirosaki (2 930 ¥, 2 heures 30).

VOITURE

En voiture, prenez le Tōhoku Expressway (東北自動車道) qui relie Tōkyō à l'agglomération de Morioka.

TRAIN

Sur la ligne *shinkansen* JR Tōhoku, des trains relient toutes les heures Morioka à Tōkyō (13 640 ¥, 2 heures 30). Sur la ligne *shinkansen* JR Akita, chaque heure également, des trains assurent la liaison avec Akita (4 300 ¥, 1 heure 30) via Tazawa-ko (1 780 ¥, 30 min) et Kakunodate (2 570 ¥, 50 min). Chaque heure, un *tokkyū* (express) emprunte la ligne principale JR Tōhoku pour relier Morioka à Aomori (5 960 ¥, 1 heure 45).

Comment circuler

Le bus touristique, joliment appelé **Dendenmushi** (trajet/forfait journalier 100/300 ¥), ce qui signifie "escargot", effectue un circuit tout autour de la ville, dans le sens des aiguilles d'une montre, au départ de l'arrêt n°15, devant la gare de Morioka (dans le sens inverse au départ de l'arrêt n°16), entre 9h et 19h.

AOMORI-KEN 青森県

L'Aomori-ken, à l'extrémité nord de Honshū, est divisé en deux parties par les baies de Mutsu, de Noheji et d'Aomori, qui s'étirent dans le coude de la péninsule de Shimokita – dont la forme évoque celle d'une hache. Les transports publics se faisant rares, louer une voiture vous permettra de découvrir des zones parmi les plus isolées et les plus sauvages du Japon. Dans les paysages fantomatiques de l'Osore-zan, les habitants d'Aomori communiquent avec les morts. En revanche, la nature verdoyante des rives du lac Towada-ko ramène bien le voyageur dans ce monde.

AOMORI 青森
☎ 017 / 315 000 habitants

Presque effacée de la carte par les bombardements alliés durant la Seconde Guerre mondiale, Aomori a été reconstruite de façon résolument moderne (mais le résultat est plutôt ennuyeux…) pour devenir un carrefour des transports dans la région. Elle sert d'étape aux voyageurs entre Tōkyō et Hokkaidō. Durant le Nebuta Matsuri, lors de la première semaine d'août, Aomori change de visage lorsque les chars traditionnels défilent dans les rues, suivis par la foule en liesse. Si vous ne pouvez pas assister à cette fête ancestrale, l'une des plus spectaculaires du Japon, consolez-vous en passant quelques heures dans les musées de la ville, modestes mais intéressants.

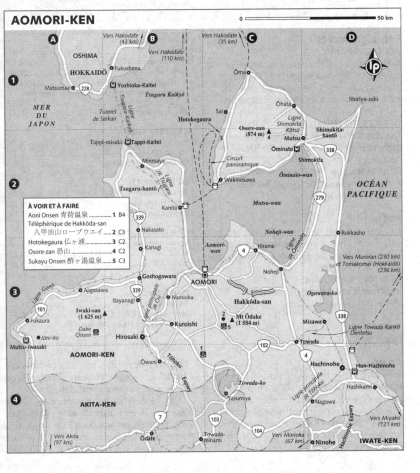

AOMORI-KEN

0   50 km

À VOIR ET À FAIRE
Aoni Onsen 青荷温泉 1 B4
Téléphérique de Hakkōda-san
八甲田山ロープウエイ 2 C3
Hotokegaura 仏ヶ浦 3 C2
Osore-zan 恐山 4 C2
Sukayu Onsen 酢ヶ湯温泉 5 C3

NORD DE HONSHŪ

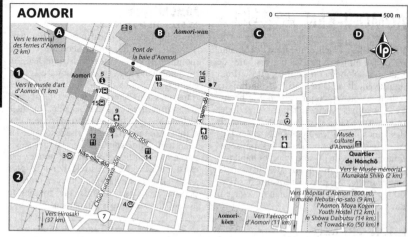

Renseignements

ACCÈS INTERNET

Ai Plaza (☎ 734-1111 ; www.city.aomori.aomori.jp/
contents/english/01-1location.html ; 1-3-7 Shin-machi ;
1 heure gratuite ; 🕙 10h-21h). Au 4ᵉ niv de l'immeuble
AUGA. Fournit également des informations touristiques.

OFFICES DU TOURISME

**Comptoir d'information touristique de la
préfecture** (☎ 734-2500 ; 2ᵉ niv, ASPAM Bldg, 1-1-40
Yasukata ; 🕙 9h-18h)
Office de tourisme (☎ 723-4670 ; 🕙 8h30-17h30).
À gauche de la sortie centrale de la gare. Brochures utiles
en anglais et plan de la ville.

POSTE

La poste principale se trouve à l'est du centre-
ville. Une petite annexe est installée près de
la gare. Les deux disposent de DAB acceptant
les cartes étrangères.

SERVICES MÉDICAUX

Hôpital de la ville d'Aomori (青森市民病院 ;
☎ 734-2171 ; 1-14-20 Katsuda)

URGENCES

Police (☎ 723-4211 ; 2-3-1 Shinmachi)

À voir

Surplombant la baie d'Aomori, le futuriste
immeuble ASPAM (1-1-40 Yasukata), en forme de
pyramide, est le symbole du modernisme de la
ville. Au dernier étage, une **terrasse panoramique**
(accès 400 ¥, diaporama 800 ¥) offre une superbe vue
sur la baie – notez que la vue est aussi belle
depuis les étages inférieurs (gratuits).

RENSEIGNEMENTS

Ai Plaza アイ プラザ **1** B2
Police d'Aomori 青森県警察 **2** C1
Poste (annexe) 郵便局 **3** A2
Poste principale 中央郵便局 **4** B2
Comptoir d'information touristique de la préfecture
  青森県観光案内所 ....(voir 7)
Office du tourisme 観光案内所 **5** A1

À VOIR ET À FAIRE

Pont de la baie d'Aomori 青森ベイブリッジ **6** B1
ASPAM Building アスパム **7** C1
Hakkōda-maru 八甲田丸 **8** B1

OÙ SE LOGER 🏠

Aomori Grand Hotel 青森グランドホテル **9** B1
Hotel JAL City Aomori ホテルJALシティ青森 **10** B2
Tako Ryokan 田子旅館 **11** C2

OÙ SE RESTAURER 🍴

Marché au poisson et aux fruits et légumes 市場 ...**12** A2
Jintako 甚太古 **13** B1
Kakigen 柿源 **14** B2
Nishimura 西村 .... (voir 7)

TRANSPORTS

Bus municipaux 青森駅前市営バス停 **15** A1
Gare routière バス乗り場 **16** B1
Arrêt de bus face à la gare ferroviaire JR
  ハイウエイ バス乗り場 **17** A1

L'autre symbole de la ville est le **pont de la baie
d'Aomori**. Grimpez les escaliers à l'extrémité de
la gare pour une vue époustouflante.

Amarré de façon permanente dans la baie
d'Aomori, le ferry **Hakkoda-maru** (☎ 735-8150 ;
500 ¥ ; 🕙 9h-17h nov-mars, jusqu'à 18h avr-oct) fut,
durant 25 ans, le navire-amiral de la célèbre
ligne Seikkan entre Honshū et Hokkaidō,

avant la construction du tunnel sous-marin. Aujourd'hui musée maritime, il se transforme en été en un excellent *beer garden*.

Si vous ne pouvez pas assister au festival, le **musée Nebuta-no-sato** (ねぶたの里 ; ☎ 738-1230 ; 1 Yaegiku, Yokouchi ; 630 ¥ ; 🕑 9h-17h30) raconte l'histoire du légendaire Nebuta Matsuri d'Aomori. Des bus fréquents partent de l'arrêt n°9, devant la gare ferroviaire, et vont jusqu'à l'arrêt Nebuta-no-sato Iriguchi (450 ¥, 30 min).

À environ 5 km de la gare, le **musée mémorial Munakata Shikō** (棟方志功記念館 ; ☎ 777-4567 ; 2-1-2 Matsubara ; 500 ¥ ; 🕑 9h30-17h mar-dim) expose une collection de gravures, de peintures et de calligraphies de Shikō Munakata, un artiste originaire d'Aomori, de réputation internationale. Prenez un bus à destination de Nakatsutui de l'arrêt n°2, devant la gare ferroviaire, et descendez à l'arrêt Munakata Shikō Kinenkan-dōri (190 ¥, 15 min).

Les expositions du **musée d'art d'Aomori** (青森県立美術館 ; ☎ 783-3000 ; 185 Yasuta-Aza Chikano ; 500 ¥ ; 🕑 9h-18h juin-sept, 9h30-17h oct-mai, fermé 2ᵉ et 4ᵉ lun du mois), situé à 1 km à l'ouest de la gare, présentent des œuvres variées. L'une d'elles rassemble en extérieur des répliques d'œuvres de la période Jōmon, redonnant vie à cette époque historique ancienne. Il n'est qu'à 15 minutes à pied de la gare. L'office du tourisme vous l'indiquera sur le plan.

Au sud de la ville, le **Shōwa Daibutsu** (昭和大仏 ; ☎ 726-2312 ; 458 Yamazaki, Kuwabara ; 400 ¥ ; 🕑 8h-17h30 avr-oct, 9h-16h30 nov-mars), plus grande statue de Bouddha en extérieur du pays, mesure 21 m de haut et pèse 220 tonnes. Au départ de la gare de JR Aomori, les horaires des 5 bus quotidiens sont calculés pour que vous puissiez passer environ 1 heure sur place avant de prendre un autre bus pour le retour (540 ¥, 45 min).

Fêtes et festivals

Le **Nebuta Matsuri** (ねぶた祭 ; 2-7 août ; www.nebuta. or.jp/english/index_e.htm) est réputé pour ses défilés de chars éclairés, que des milliers de danseurs, chantant à tue-tête, accompagnent. La parade débute au coucher du soleil et dure des heures. Le dernier jour, les animations commencent vers midi. Comme c'est un festival très couru, il faudra réserver très longtemps à l'avance pour obtenir une chambre pour une nuit ou deux.

Où se loger

Aomori Moya Kogen Youth Hostel (青森雲谷高原 ユースホステ ; ☎ 764-2888 ; 9-5 Yamabuki, Moya ; dort à partir de 3 360 ¥ ; 🖳). Voici une conviviale auberge

de jeunesse, à 12 km de la gare JR d'Aomori, agréable alternative à un hébergement en ville. Depuis l'arrêt n°9 devant la gare, prenez un bus qui vous déposera devant l'auberge (590 ¥, 40 min, dernier bus 20h20). Le propriétaire anglophone qui nourrit une passion pour l'Irlande accueille souvent ses hôtes avec une pinte de Guinness bien mousseuse.

Tako Ryokan (☎ 722-4825 ; Yasukata 2-chôme ; ch en demi-pension à partir de 6 800 ¥/pers). À 1 km à l'est de la gare, et à une rue au sud du quartier général de la police, un *ryokan* facilement identifiable. Chambres japonaises spacieuses et excellents repas, surtout à base de fruits de mer.

Aomori Grand Hotel (☎ 723-1011 ; www.agh.co.jp ; 1-1-23 Shin-machi ; s/d à partir de 6 500/10 000 ¥ ; 🖳 🛜). Juste à l'est de la gare, en face du Ai Plaza, ce *business hotel* de catégorie moyenne est la meilleure option de la ville. Chambres spacieuses, certaines avec vue sur la mer, meublées dans un style moderne. Emplacement imbattable. Internet par câble LAN.

Hotel JAL City Aomori (☎ 732-2580 ; fax 735-2584 ; http://jalhotels.com ; 2-4-12 Yasukata ; s/lits jum 9 400/16 100 ¥ ; 🖳 🛜). À quelques pâtés de maisons au sud de l'ASPAM, l'hôtel le plus luxueux d'Aomori est étonnamment abordable. Il est pourtant sophistiqué, des chambres à l'occidentale aux salles de réunion d'affaires. Internet par câble LAN.

Où se restaurer

Le meilleur endroit pour un en-cas est le **marché au poisson et aux fruits et légumes** (🕑 5h-18h30), dans l'immeuble Auga près de la gare. Aomori est réputée pour ses pommes, ses légumes marinés, ses coquilles Saint-Jacques, sa morue et bien d'autres produits régionaux. On passera facilement une heure à faire le tour des étals, en s'arrêtant çà et là.

Kakigen (☎ 727-2933 ; 1-8-9 Shinmachi ; plats à partir de 1 300 ¥ ; 🕑 10h30-21h). Ce minuscule restaurant, au cœur de la ville, près de l'Hotel Sunroute est renommé pour sa spécialité : les Saint-Jacques d'Aomori. Menu illustré très appétissant.

Jintako (☎ 722-7727 ; 1-6-16 Yasukata ; formule à partir de 5 000 ¥ ; 🕑 dîner, fermé les 1ᵉʳ et 3ᵉ dim du mois). Installé dans un immeuble quelconque du bord de mer (cherchez l'enseigne en bois), ce restaurant propose un dîner raffiné de fruits de mer au son du *tsugaru jamisen*, une variante du traditionnel *shamisen*, un instrument à trois cordes. Il faut absolument réserver : si vous ne parlez pas japonais, demandez au personnel de l'office du tourisme de le faire pour vous.

Nishimura (☎ 734-5353 ; 10ᵉ niv, ASPAM, 1-1-40 Yasukata ; formule à partir de 1 500 ¥ ; ☻ déj et dîner). Ce restaurant de poissons et fruits de mer, près du sommet de l'immeuble ASPAM, offre une vue inégalée, surtout quand les lumières multicolores commencent à former une guirlande sur le pont de la baie d'Aomori. Le personnel qui parle anglais peut vous aider à faire votre choix parmi la grande variété de formules, dont le prix varie selon la rareté des espèces pêchées.

Depuis/vers Aomori
AVION
Des vols partent régulièrement de l'aéroport d'Aomori vers Tōkyō, Kyōto, Ōsaka, Nagoya et d'autres villes japonaises, ainsi que vers Séoul. Les horaires des bus pour l'aéroport sont alignés sur ceux des vols ; départs devant l'immeuble ASPAM et la gare d'Aomori (560 ¥, 40 min).

BATEAU
Du port d'Aomori, les 8 ferries quotidiens de l'**Higashi Nihon** (☎ 0120-756-564) relient Hakodate (à partir de 2 150 ¥, 3 heures 45) tout au long de l'année. D'avril à décembre, un ferry de la même compagnie part vers 13h30 pour arriver à Muroran à 20h le même jour (à partir de 3 460 ¥). Le terminal des ferries, où vous pouvez acheter votre billet, se trouve à l'ouest de la ville, à 10 minutes en taxi de la gare d'Aomori (environ 1 300 ¥).

BUS
Les bus JR longue distance, très pratiques, quittent Aomori de l'arrêt bien aménagé en face de la gare ferroviaire JR. Un petit comptoir, à l'intérieur de la gare, vend les billets. Les départs quotidiens les plus fréquents sont à destination de Tōkyō (10 000 ¥, 8 heures) et Sendai (5 700 ¥, 5 heures). Des bus régionaux desservent également Shimokita-hantō, Hakkōda et Towada-ko ; voir à chacune de ces rubriques pour plus d'information.

TRAIN
Des *tokkyū* fréquents empruntent la ligne JR Tsugaru Kaikyō pour rallier Hakodate sur Hokkaidō (5 140 ¥, 2 heures), via le tunnel Seikan (voir l'encadré p. 610). Les trains sont également nombreux sur la ligne principale JR Tōhoku, qui relie Morioka à Aomori (5 960 ¥, 1 heure 45).

Chaque jour, par la ligne principale JR Ōu, plusieurs *Kamoshika* rallient Akita (5 250 ¥, 2 heures 45). Des *futsū* (trains omnibus)

empruntent également la même ligne jusqu'à Akita (3 570 ¥, 3 heures 45), en passant par Hirosaki (650 ¥, 45 min).

Pour plus d'informations sur les bus locaux qui mènent aux principaux sites, voir à la rubrique de ceux-ci.

HAKKŌDA-SAN 八甲田山
☎ 017

Au sud d'Aomori, les pics élancés du Hakkōda-san attirent pour la journée randonneurs et skieurs, mais autant y passer la nuit puisque de la montagne jaillit un des meilleurs onsen du Tōhoku : le Sukayu.

Le **téléphérique de Hakkōda-san** (ropeway ; 八甲田山ロープウエイ ; aller simple/aller-retour 1 150/1 800 ¥, forfait 5 trajets 4 900 ¥ ; ☻ 9h-16h.20) vous dépose au sommet du Tamoyachi-dake, à 1 324 m d'altitude, d'où partent de nombreux sentiers de randonnée. Une balade particulièrement agréable passe par trois sommets, Akakura-dake (1 548 m), Ido-dake (1 550 m) et Ōdake (1 584 m), puis redescend jusqu'à Sukayu Onsen. Il faut compter 4 heures pour faire cette marche de 8 km.

En hiver, vous pouvez louer du matériel pour le ski ou le snowboard (3 500 ¥/jour) au sommet du Tamoyachi-dake. Comparé aux autres montagnes du Tōhoku et d'Hokkaidō où se pratique le ski, le domaine du Hakkōda-san est plutôt modeste, mais les sapins couverts de givre y sont très jolis et la neige abondante. En outre, il n'y a pas foule et juste ce qu'il faut de boutiques et services. Pistes surtout de difficulté moyenne.

◎ **Sukayu Onsen Ryokan** (酸ヶ湯温泉 ; ☎ 738-6400 ; www.sukayu.jp, en japonais ; ch avec/sans demi-pension à partir de 9 600/5 925 ¥/pers, bain seulement 600 ¥ ; ☻ 7h-17h30 ; ℗) semble tout droit sorti d'une ancienne estampe *ukiyo-e* : un véritable paradis des sens. Le bois sombre, l'eau laiteuse et la vapeur flattent l'œil, la musique de l'eau berce l'oreille tandis que toute fatigue fond dans une chaleur bienfaisante et que l'*utase-yu* (massage à l'eau) soulage les épaules fourbues. Les narines sont chatouillées par le soufre. Goûtez l'eau : son goût citronné rappelle le *ponzu* (sauce aux agrumes). Par une fraîche journée, l'expérience est mémorable. L'un des bassins peut accueillir jusqu'à 1 000 personnes (mais vous en croiserez rarement plus de 25 en même temps).

De l'arrêt n°8, devant la gare d'Aomori, 2 bus JR desservent chaque jour l'arrêt du téléphérique de Hakkōda (1 070 ¥, 50 min) et atteignent leur terminus à l'arrêt suivant, Sukayu Onsen

(1 300 ¥, 1 heure). Une fois encore, une voiture se révèle pratique car les transports publics pour accéder à cette zone sont limités.

SHIMOKITA-HANTŌ 下北半島
☎ 0175 / 120 000 habitants

Parfois appelée Masakari-hantō (péninsule de la Hache) en raison de sa forme caractéristique, cette péninsule isolée se compose de vastes étendues côtières presque inhabitées et de vallées de montagnes reculées. Au centre s'élève le Osore-zan (874 m), un massif volcanique montagneux et aride, considéré comme l'un des lieux les plus sacrés du Japon. Les eaux jaunes des torrents sulfureux qui se déversent dans le lac **Usori-ko** (宇曽利湖) et les colonies de corbeaux contribuent à faire de ce site une sorte de purgatoire bouddhique. Le nom Osore signifie d'ailleurs "peur" ou "terreur".

Comparée au reste du pays, la péninsule de Shimokita est une région très sauvage : faites le plein de provisions avant de partir, car les commerces sont rares. Si les bus publics circulent, une voiture vous sera très utile.

Orientation et renseignements
La ville la plus importante de Shimokita est Mutsu, accessible en train depuis Aomori. De là partent les bus qui desservent la péninsule. Le cap de Shiriya-zaki se trouve à l'est, et Ōma, le point le plus au nord de Honshū, à l'ouest. À l'extrême sud de la péninsule se trouve Wakinosawa, qui est reliée à Aomori par ferry.

Le minuscule **office du tourisme** (☎ 22-0909; 9h-18h tlj mai-oct, 9h-18h mer-lun nov-avr), à l'intérieur du Masakari Plaza à Mutsu, distribue de la documentation mais vous trouverez plus d'information à l'office du tourisme d'Aomori.

À voir et activités
Osore-zan 恐山
Ce massif volcanique montagneux et aride fait partie des régions les plus sacrées du Japon. Des pèlerins désireux de communiquer avec les défunts se rendent au temple **Osorezan-Bodaiji** (恐山菩提寺 ; 500 ¥ ; 6h-18h mai-oct). Là, des statues en pierre représentant Jizō, le dieu protecteur des enfants, surplombent un paysage de collines escarpées et de roches volcaniques qui exhalent des vapeurs sulfureuses. Les visiteurs ajoutent des pierres sur les différents cairns pour soulager l'âme de ceux qui ont rejoint l'au-delà. On peut se baigner aux "portes de l'enfer", dans un *onsen* qui jouxte le bâtiment principal du temple (les bains non mixtes se trouvent à gauche).

HOTOKEGAURA 仏ヶ浦
L'extrémité ouest de la péninsule forme un extraordinaire tronçon de côte avec des falaises de 100 m de haut sculptées par les vents, qu'on dit ressembler à des bouddhas. Entre avril et octobre, des bateaux font le tour d'Hotokegaura au départ de Wakinosawa, à 10h45 et 14h45 (3 800 ¥, 2 heures), excursion souvent annulée toutefois en raison du mauvais temps.

OBSERVATION DE LA VIE SAUVAGE
La péninsule abrite une population de primates, la plus septentrionale de la planète. Ces singes "des neiges", des macaques japonais au nombre d'environ 400, s'observent plus généralement en hiver quand ils s'approchent des villes et des villages à la recherche de nourriture. Les habitants, surtout ceux qui travaillent dans le tourisme, sont au fait de leurs habitudes et sauront vous indiquer où vous aurez la possibilité d'en voir un ou deux groupes.

Fêtes et festivals
Chaque année, les deux **fêtes Osore-zan Taisai** (20-24 juillet et 9-11 octobre) attirent des foules de visiteurs venus consulter les *itako* (médiums) et communiquer avec les défunts de leurs familles.

Où se loger et se restaurer
Murai Ryokan (むらい旅館 ; ☎ 22-4755 ; 9-30 Tanabu-chō, Mutsu ; ch en demi-pension à partir de 7 000 ¥). Près du Masakari Plaza à Mutsu, un ryokan sommaire aux chambres standard, mais le repas chaud et l'accueil aimable sont revigorants.

Wakinosawa Youth Hostel (脇野沢ユースホステル ; ☎ 44-2341 ; 41 Wakinosawasenokawame, Mutsu ; dort à partir de 3 990 ¥, petit déj/dîner 525/945 ¥ ; P). Perchée sur une colline du village de Wakinosawa, à 15 minutes à l'ouest du quai des ferries (si vous n'êtes pas en voiture, téléphonez pour qu'on vienne vous chercher). Dortoirs à l'occidentale ou à la japonaise, au joli style rustique en bois. Les propriétaires, très serviables, conduisent les clients jusqu'à un onsen des environs avant le dîner et organisent des excursions pour observer les singes des neiges dans les proches forêts.

Depuis/vers Shimokita-Hantō
BUS
Chaque jour, quelques bus directs relient la gare JR d'Aomori au terminal des bus de Mutsu (2 520 ¥, 2 heures 30).

VOITURE

Vous aurez vraiment besoin d'un véhicule de location pour profiter au mieux de Shimokita-hantō. Un réseau routier bien entretenu (quoique limité) permet de longer de fabuleuses portions de côtes. Vous devrez louer votre véhicule plus au sud, car il n'y a pas d'agences ici.

FERRY

Chaque jour, plusieurs *kaisoku* circulent sur la ligne JR Tsugaru entre Aomori et Kanita (1 290 ¥, 25 min), d'où 2 à 3 ferries de la compagnie **Mutsuwan** (☎ 422-3020) lèvent l'ancre pour Wakinosawa (1 420 ¥, 1 heure). Au départ d'Ōma, la compagnie **Higashi Nihon** (☎ 0120-756-564) affrète aussi 2 ou 3 ferries quotidiens pour Hakodate sur Hokkaidō (1 370 ¥, 1 heure 45).

TRAIN

Plusieurs *kaisoku* sur la ligne JR Ōminato relient Aomori à Shimokita (2 700 ¥, 2 heures 30 à 4 heures) via Noheji. De la gare JR de Shimokita, des bus locaux desservent la gare routière de Mutsu (230 ¥, 10 min).

TRANSPORTS LOCAUX

De la gare routière de Mutsu, différents bus sillonnent la péninsule. En hiver toutefois, le trafic est sérieusement réduit. Les trois grandes routes qu'empruntera le voyageur sans voiture relient Mutsu à Wakinosawa (1 790 ¥, 1 heure 30), à l'Osore-zan (750 ¥, 40 min) et à Ōma (1 880 ¥, 2 heures).

HIROSAKI 弘前
☎ 0172 / 185 000 habitants

Fondée au XVIIe siècle par le seigneur Tamenobu Tsugaru, la ville d'Hirosaki fut jadis l'un des grands centres urbains les plus importants du Tōhoku sur le plan culturel. Mais lors de la Restauration de Meiji, les territoires des clans Tsugaru et Nambu fusionnèrent, créant la préfecture d'Aomori, avec Aomori pour capitale. Le pouvoir s'y étant déplacé, ce fut donc Aomori qui fut bombardée pendant la Seconde Guerre mondiale et non Hirosaki, qui a ainsi conservé la citadelle féodale des Tsugaru.

Aujourd'hui, Hirosaki se concentre autour de son château, dont il existe encore le donjon et les remparts avec des tours de guet qu'entourent de majestueux cerisiers. La ville est également le point de départ d'un pèlerinage vers le sommet de l'Iwaki-san, qui exige autant d'efforts physiques que spirituels.

Renseignements

Centre d'information touristique de Hirosaki (☎ 37-5501 ; 9h-18h). À l'intérieur du Kankōkan (bâtiment du tourisme), sur le côté sud du Hirosaki-kōen.

Office du tourisme (☎ 26-3600 ; 8h45-18h). À droite en sortant de la gare de Hirosaki. Internet gratuit.

Poste principale (☎ 232-4104 ; 18-1 Kita Kawarake-chō). DAB international.

À voir et à faire
VILLE D'HIROSAKI

L'artère principale, en face de la gare JR d'Hirosaki, continue tout droit pendant près de 1 km vers l'ouest avant de bifurquer vers **Hirosaki-kōen** (弘前公園), un vaste parc public aménagé au cours des siècles autour des trois douves du château surplombées par plus de 500 cerisiers. Pour vous y rendre, usez un peu vos semelles ou prenez n'importe quel bus local à l'arrêt n°2 pour Shiyaku-sho-mae (100 ¥, 20 min), l'arrêt juste en face du parc.

Au cœur du parc s'élèvent les vestiges du **Hirosaki-jō**, le château édifié en 1611, mais détruit 16 ans plus tard par le feu, après avoir été frappé par la foudre. Deux siècles plus tard, l'une des tours d'angle fut reconstruite et abrite aujourd'hui un petit **musée** (300 ¥ ; 9h-17h avr-nov), consacré aux armes des samouraïs.

À l'angle nord-est du parc, le **Neputa-mura** (☎ 39-1511 ; 61 Kamenoko-machi ; 500 ¥ ; 9h-17h avr-nov, jusqu'à 16h déc-mars) est un musée interactif divertissant qui présente la célèbre fête d'Hirosaki, le Neputa Matsuri (voir ci-dessous).

Juste en dessous de l'angle sud-ouest s'étend le **Fujita Kinen Tei-en** (☎ 37-5525 ; 300 ¥ ; 9h-17h mar-dim avr-nov), un jardin japonais méticuleusement entretenu, conçu en 1919 pour un riche homme d'affaires local.

Outre son parc, la ville compte d'autres sites intéressants comme le **quartier des temples de Zenrin-gai** (禅林街), qui évoque à merveille le Japon d'autrefois. Il se trouve à 10 minutes à pied au sud-ouest des vestiges du château (suivez la signalisation en anglais pour le temple Chōshō). Son avenue centrale, bordée de temples, mène au **Chōshō-ji** (長勝寺 ; 500 ¥ ; 8h-17h avr-oct, 9h-16h nov à mi-déc), qui aligne plusieurs rangées de mausolées édifiés pour les premiers seigneurs du clan Tsugaru.

Fêtes et festivals

Du 1er au 7 août, Hirosaki célèbre le **Neputa Matsuri**, réputé pour ses défilés de chars éclairés qui ont lieu chaque soir au son des flûtes et des tambours. On dit souvent que cette fête

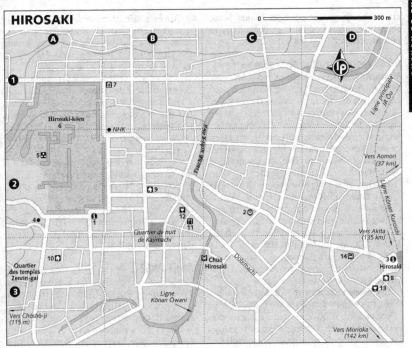

HIROSAKI

0 ————— 300 m

est une cérémonie de préparation au combat, destinée à surmonter les épreuves vécues et à forger la bravoure.

Où se loger

Hirosaki Youth Hostel (☎ 33-7066 ; 11 Mori-machi ; dort à partir de 3 045 ¥ ; 💻). Nichée dans une ruelle à 2 pâtés de maisons au sud de la douve extérieure, cette auberge de jeunesse s'annonce par un grand "YH" sur sa façade. Sympathique mais un peu trop réglementée, elle n'en est pas moins pratique de par sa situation à proximité des sites principaux.

Hirosaki Grand Hotel (☎ 32-1515 ; fax 32-1810 ; www.ehotel.co.jp/hotels/hirosaki/index.html ; 1 Ichiban-chō ; s/d à partir de 6 000/9 000 ¥ ; 💻). Un *business hotel* très abordable au service soigné. Restaurants corrects et chambres de taille modeste. À quelques pas du château, dans un immeuble gris quelconque : repérez le grand "G". Internet par câble LAN.

Best Western Hotel New City Hirosaki (☎ 37-0700 ; fax 37-1229 ; 1-1-2 Ōmachi ; s/d à partir de 8 500/12 000 ¥ ; 💻 📶). Oubliez tout ce que vous savez sur la chaîne Best Western : ce petit hôtel de charme possède des chambres à l'occidentale très raffinées. La surprise est agréable après les chambres sans personnalité des *business hotel*. Rattaché à la gare JR d'Hirosaki et à son centre commercial. Internet par câble LAN.

Où se restaurer et prendre un verre

Manchan (☎ 35-4663 ; 36-6 Dotemachi ; douceurs environ 750 ¥ ; ⏲ 9h30-20h, fermé 1er et 3e jeu). Ravissant petit café, qu'on dit être le plus vieux de la région, Manchan est l'endroit idéal pour un thé dans l'après-midi accompagné d'un délicieux gâteau feuilleté (pas de carte en anglais, montrez ce dont vous avez envie). En face du grand magasin Nakasan : repérez le violoncelle à deux manches qui monte la garde.

Bīru-tei (☎ 37-7741 ; Hokusaikan, 26-1 Dote-machi ; ⏲ déj et dîner). Sur l'avenue qui mène au château, ce temple de la consommation réparti sur 3 niveaux a de quoi satisfaire tous les goûts : au 1er niveau, un pub irlandais est ouvert de 11h à 23h, au 2e niveau un bar américain sert des bières internationales, tandis qu'un *izakaya* (bar-restaurant) est ouvert de 12h à 1h au 3e niveau. Carte en anglais.

Live House Yamauta (☎ 36-1835 ; 1-2-7 Ōmachi ; dîner-spectacle à partir de 3 000 ¥/pers ; ⏲ 17h-23h, fermé un lundi sur deux). À quelques pas de la gare sur l'artère principale (l'enseigne est en anglais), cet *izakaya* populaire propose chaque soir un concert de musique traditionnelle à écouter en dégustant des petits plats locaux. Appelez auparavant pour réserver : le personnel est habitué aux clients étrangers.

Depuis/vers Hirosaki

La gare de Hirosaki se trouve sur la ligne principale JR Ōu, sur laquelle circulent toutes les heures des *tokkyū* à destination d'Aomori (1 460 ¥, 35 min) et d'Akita (4 130 ¥, 2 heures). Des bus réguliers partent également pour Aomori (2 930 ¥, 2 heures 30) de la gare routière, à côté du grand magasin Itō Yōkadō (2 930 ¥, 2 heures 30).

IWAKI-SAN 岩木山

Dominant Hirosaki, l'**Iwaki-san** (岩木山 ; 1 625 m) est un volcan sacré qui attire marcheurs et pèlerins. D'avril à fin octobre, 8 bus quotidiens partent de la gare routière de Hirosaki pour **Iwaki-san-jinja** (岩木山神社 ; 880 ¥, 50 min), le sanctuaire marquant le point de départ traditionnel de l'ascension. Une fois que vous aurez présenté vos offrandes au dieu-gardien, passez sous le *torii* et cheminez sur le sentier derrière les autres pèlerins jusqu'au sommet.

Après avoir admiré depuis la cime le massif de Shirakami, vous pourrez prendre le chemin de la descente qui contourne le pic plus petit du **Tori-no-umi-san** (鳥ノ海山) pour se terminer à **Dake-onsen** (岳温泉). De là, jusqu'à 8 bus par jour vous reconduisent à la gare routière de Hirosaki (900 ¥, 1 heure). La randonnée de 9 km au total dure environ 6 heures 30, ce qui signifie que vous pouvez facilement faire l'ascension de l'Iwaki-san en une journée à partir de Hirosaki, à condition de partir tôt.

Cependant, si vous voulez passer la nuit dans la montagne, l'**Asobe no Mori Iwakisō** (国民宿舎岩木荘アソベの森いわき荘 ; ☎ 0172-83-2215 ; ch en demi-pension à partir de 7 350 ¥/pers), à Hyakuzawa Onsen, est une bonne option. De l'arrêt n°3 de la gare routière de Hirosaki, prenez un bus à destination d'Iwaki-sō et descendez au dernier arrêt (660 ¥, 1 heure).

AONI ONSEN 青荷温泉

Perdu dans un paysage somptueux, le **Ryokan d'Aoni Onsen** (青荷温泉旅館 ; ☎ 0172-54-8588 ; fax 54-2655 ; www.yo.rim.or.jp/~aoni/html/index.htm, en japonais ; ch en demi-pension à partir de 9 600 ¥/pers, bain 500 ¥ ; Ⓟ) semble appartenir à une autre époque. Ici, le long de la Route 102, entre Hirosaki et Towada-ko, des lampes à huile remplacent l'électricité et les foyers creusés dans le sol sont toujours utilisés pour faire la cuisine. Quant au bain, il est élevé au rang d'art. Il est indispensable de réserver bien à l'avance.

Si vous n'êtes pas motorisé, le voyage va se révéler ardu. Prenez la ligne privée Kounan Tetsudō d'Hirosaki à Kuroishi (420 ¥, 30 min, 6 trains/jour) : les bus Kounan assurent la correspondance avec Niji-no-ko (750 ¥, 10 min), d'où des navettes relient Aoni (gratuit, 30 min, 6/jour).

TOWADA-KO 十和田湖

☎ 0176 / 6 000 habitants

Certes, ce **lac de cratère** de 327 m de profondeur (et 52 km de circonférence) offre sans conteste un paysage impressionnant et des eaux célèbres pour leur transparence, mais il est un peu difficile d'accès si vous n'avez pas de voiture, et bien moins développé sur le plan touristique que le lac Tazawa-ko dans la même région. Cela dit, si vous en avez assez de l'autoroute, il offre la possibilité d'une belle balade en voiture et d'une promenade tranquille sur ses rives, loin de la foule.

Le **sentier nature de la vallée d'Oirase** débute à Nenokuchi, petit avant-poste touristique situé sur la rive est. Après avoir parcouru 14 km autour du lac (3 heures), vous arriverez à Yakeyama, d'où des bus assez fréquents retournent à Nenokuchi (660 ¥, 30 min) et à Yasumiya (1 100 ¥, 1 heure). Partez tôt le matin ou en fin de journée afin d'éviter la foule.

De Yasumiya, véritable centre touristique, de nombreuses excursions en bateau permettent de découvrir le lac – la plus agréable étant une traversée de 1 heure entre Yasumiya et Nenokuchi (aller simple 1 400 ¥). D'avril à début novembre, les bateaux partent toutes les heures entre 8h et 16h. Il est possible de louer des VTT au port pour 1 500 ¥/jour, également d'avril à novembre.

Au nord de la gare routière JR, le petit **office du tourisme** (☎ 75-2425 ; ◷ 8h-17h) peut vous aider à trouver un hébergement.

Plusieurs campings bordent les rives du lac, dont le **camping de Towada-ko Oide** (☎ 75-2368 ; emplacement 300 ¥ ; ◷ 25 avr-5 nov ; **P**), à 4 km à l'ouest de Yasumiya.

BELLES BALADES EN VOITURE

Louer une voiture permet non seulement de gagner du temps, mais vous laisse libre d'explorer des régions pittoresques difficiles d'accès autrement. Voici notre sélection :

- **Vallée de Tōno** (p. 546)
- **Shimokita-hantō** (p. 557)
- **Towada-ko** (p. 560)
- **Tazawa-ko** (p. 563)
- **Sado-ga-shima** (p. 583)

Où se loger

Au sud du quai du ferry, dans Yasumiya, le **Towada-ko Grand Hotel** (☎ 75-1111 ; Yasumiya-sanbashi-mae, Towada-kohan, Towada-chō, Kamikita-gun ; ch en demi-pension à partir de 6 800 ¥/pers ; **P**) est un agréable établissement entre chalet européen et auberge japonaise.

La **Hakubutsukan Youth Hostel** (☎ 75-2002 ; dort à partir de 3 360 ¥ ; **P**) représente une option un peu moins chère avec ses dortoirs installés dans l'aile ancienne du Towada-ko Grand Hotel.

Les *minshuku* au bord du sentier qui s'éloigne de Yasumiya et du lac sont presque tous fermés de novembre à mars.

Où se restaurer

Le **Mangetsu** (満月 ; ☎ 0186-37-3340 ; 20-1 Towada Ōyu Kaminoyu, Kazunoshi ; repas à partir de 650 ¥ ; ◷ déj et dîner mar-dim), géré par un jeune chef, présente d'excellentes spécialités culinaires, dont les *soba* faites à la main, les *tempura* et d'autres plats japonais. Vous ne trouverez pas de carte en anglais mais le personnel attentionné se fera un plaisir de vous aider. À 25 km en direction d'Akita-ken, sur la Route 103.

Depuis/vers Towada-ko

Sur la ligne JR Hanawa, des *kaisoku* fréquents relient la gare de Towada-Minami à Morioka (2 080 ¥, 2 heures 30) et à Hachinmantai (230 ¥, 20 min). Des bus locaux, sporadiques, rallient aussi Yasumiya (330 ¥, 1 heure).

D'avril à novembre, des bus JR assurent la liaison Aomori-Yasumiya (3 000 ¥, 3 heures) et Morioka-Yasumiya (2 420 ¥, 2 heures 15).

Les bus peuvent vous déposer devant tous les campings du lac ou au Towda-ko Grand Hotel, mais ils ne sont pas nombreux. Mieux vaut avoir son propre véhicule.

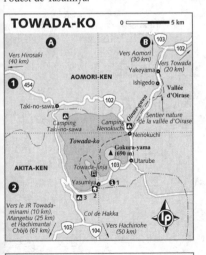

TOWADA-KO 0 —————— 5 km

Vers Hirosaki (40 km)
Vers Aomori (30 km)
Vers Towada (20 km)
Ⓐ **Ⓑ** 103 102
454 ❶ Yakeyama
AOMORI-KEN Ishigedo
Vallée d'Oirase
Taki-no-sawa 102
Camping Taki-no-sawa Camping Nenokuchi Sentier nature de la vallée d'Oirase
Nenokuchi
Towada-ko
Gokura-yama ▲ (690 m)
Utarube
AKITA-KEN Towada-jinja 103
❷ Yasumiya ❸❶
▲ 3 2
Vers le JR Towada-minami (10 km), Mangetsu (25 km) et Hachimantai Chōjō (61 km) Col de Hakka
103 104 Vers Hachinohe (50 km)

RENSEIGNEMENTS
Office du tourisme 観光案内所 **1** B2

OÙ SE LOGER 🏠
Hakubutsukan Youth Hostel
博物館ユースホステル...(voir 2)
Towada-ko Grand Hotel
十和田湖グランドホテル...**2** A2
Camping Towada-ko Oide
十和田湖生出キャンプ場...**3** A2

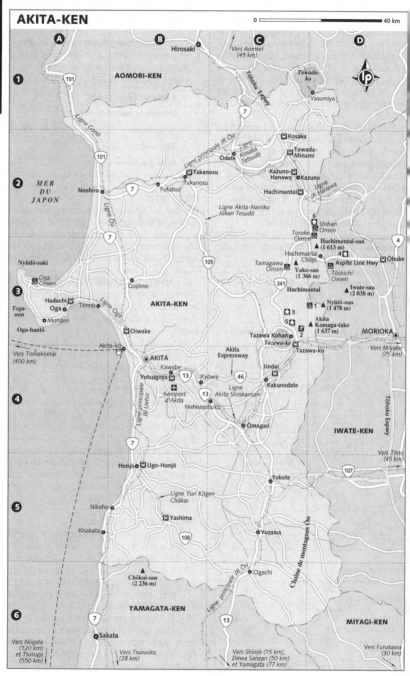

AKITA-KEN

0 _____ 40 km

AOMORI-KEN

101

Hirosaki

Vers Aomori
(45 km)

Tohoku Expwy

Towada-ko

Yasumiya

7

Kosaka

Ligne principale JR Ōu

Ligne Gonō

Ligne
Kosaka
Tetsudō

Ōdate

Towada-
Minami

Kazuno
Hanawa

Kazuno

101

Takanosu

Ligne Ōu

Takanosu

Hachimantai

Ligne
JR Hanawa

**MER
DU
JAPON**

Noshiro

7

Futatsui

Ligne Akita-Nairiku
Jūkan Tesudō

Shibari
Onsen

6

Toroko
Onsen

Hachimantai-san
(1 613 m)

Ōbuke

4

Hachimantai
Chōjō

4

Nyūdō-zaki

Oga
Onsen

Gojōme

105

Tamagawa
Onsen

Yake-san
(1 366 m)

Tōshichi
Onsen

Aspite Line Hwy

Iwate-san
(2 038 m)

AKITA-KEN

341

Hachimantai

Hadachi

Oga

Tennō

Ligne Oga

3

Nyūtō-zan
(1 478 m)

*Toga-
wan*

Monzen

5

1

Akita
Komaga-take
(1 637 m)

MORIOKA

Oga-hantō

Oiwake

Tazawa Kohan

2

Akita-ko

Tazawa-ko

Tazawa-ko

Vers Miyako
(75 km)

Vers Tomakomai
(400 km)

AKITA

Kawabe

Akita
Expressway

Jindai

Yotsugoya

13

Kyōwa

46

Kakunodate

Aéroport
d'Akita

13

Ligne
Akita Shinkansen

Ligne principale JR Uetsu

Nishisemboku

Omagari

IWATE-KEN

7

Vers Tōno
(45 km)

Honjō

Ugo-Honjō

Yokote

107

Nikaho

Ligne Yuri Kōgen
Chōkai

Yashima

Kisakata

108

Yuzawa

Chôkai-san
(2 236 m)

Ogachi

Chaîne de montagnes Ōu

YAMAGATA-KEN

7

Sakata

13

Ligne principale JR Ōu

MIYAGI-KEN

Vers Niigata
(120 km)
et Tsuruga
(550 km)

Vers Tsuruoka
(28 km)

Vers Shinjō (15 km),
Dewa Sanzan (50 km)
et Yamagata (77 km)

Vers Furukawa
(30 km)

AKITA-KEN 秋田県

Sixième préfecture du Japon par la taille, Akita-ken est façonnée par les monts Oū et Dewa où, par de hauts sentiers alpins, on peut accéder à certains des sommets et des sanctuaires les plus sacrés de la région. À plus basse altitude, villes et villages se sont créés autour des eaux aux vertus thérapeutiques des onsen. La préfecture est également très attachée à son histoire féodale, notamment dans des villes comme Kakunodate, musée vivant de la culture des samouraïs.

HACHIMANTAI 八幡平

Au sud du Towada-ko, ce plateau volcanique aux nombreux sommets crénelés évoquant d'immenses molaires attire amateurs de marche et d'onsen. Toutefois, son accès difficile tient la foule à distance. Il offre la possibilité de randonnées dans des secteurs sauvages au relief escarpé ou d'une rude ascension jusqu'au sommet du **Hachimantai-san** (八幡平山 ; 1 613 m).

Un petit **bureau d'accueil** (☎ 0186-31-2714 ; 🕙 9h-17h, fermé nov-avr) se trouve près du parking à Hachimantai Chōjō. Toutefois, pour une bonne documentation en anglais, rendez-vous à l'office du tourisme de Morioka (p. 550).

Depuis **Hachimantai Chōjō**, principal point de départ pour l'ascension du Hachimantai-san, partent quelques balades plutôt faciles qui rejoignent le sommet en une heure. Pour des randonnées plus ardues de plusieurs jours – qui supposent que vous disposez de l'équipement adéquat et de cartes topographiques – préférez le réseau de sentiers qui quadrille le plateau de Hachimantai au départ de **Tōshichi Onsen**, plus bas, à 2 km du parking de Hachimantai Chōjō.

Si vous avez loué une voiture, le gîte d'étape **Yuki-no-Koya** (ゆきの小舎 ; ☎ 0186-31-2118 ; dort en demi-pension 5 550 ¥ ; 🕙 fermé mi-nov à Noël et fév-fin avr ; 🅿) est un lieu chaleureux et convivial, construit entièrement à base de matériaux locaux. Le cadre est tranquille en bordure de rivière, à **Shibari Onsen**, sur la Route 341, au nord de l'intersection avec la route de l'Aspite Line menant à Hachimantai.

Si vous être tributaire du bus, l'**Hachimantai Youth Hostel** (☎ 0195-78-2031 ; 5-2 Midorigaoka, Matsuomura ; dort à partir de 3 360 ¥, petit déj/dîner 760/1 260 ¥ ; 🅿), plus moderne, se trouve à 20 minutes à l'est du sommet. Demandez au chauffeur de vous déposer à l'arrêt Hachimantai Kankō Hoteru-mae.

D'avril à octobre, 5 bus quotidiens circulent dans les deux sens entre Hachimantai Chōjō et Morioka (1 320 ¥, 2 heures), et 3 autres entre Hachimantai Chōjō et Tazawa-ko (1 990 ¥, 2 heures 15).

Si vous êtes en voiture, à l'ouest du sommet, la route en lacets de l'Aspite Line, ouverte de fin avril à novembre, passe par une succession de stations thermales avant de rejoindre la Route 341, qui conduit vers le sud au Tazawa-ko et vers le nord au Towada-ko.

TAZAWA-KO 田沢湖
☎ 0187 / 13 000 habitants

Lac le plus profond du Japon (423 m), le Tazawa-ko est doté de plages de sable blanc et de rives boisées. Des familles en vacances font de la barque sur ses eaux tranquilles ou, en hiver, glissent sur les pentes enneigées des montagnes. Au terme d'une succession de lacets se niche le pittoresque Nyūtō Onsen, réputé pour ses eaux d'une blancheur de lait, riches en minéraux. Et si tous ces atouts ne sont pas suffisants, sachez que le Tazawa-ko a sa propre gare de *shinkansen*, ce qui en fait une destination d'escapade champêtre à portée de tous.

Orientation et renseignements

La gare JR de Tazawa-ko, à quelques kilomètres au sud-est du lac, sert d'accès principal. Des bus relient la gare à Tazawa Kohan, village et carrefour routier sur la rive est du lac. De là, il faut encore 40 minutes en bus (ou en voiture) en direction de l'ouest pour rallier Nyūtō Onsen et les pistes de ski. Tazawa Kohan est aussi le point de départ pour l'ascension de l'Akita Komaga-take.

Dans la gare, l'**office du tourisme Folake** (☎ 43-2111 ; 🕙 8h30-18h30) fournit d'excellentes cartes bilingues et un accès Internet gratuit.

Une route de 20 km fait le tour du lac, que l'on peut ainsi découvrir à vélo (400 ¥/heure) ou à scooter (1 200 ¥/heure), loués à Tazawa Kohan. Une voiture permet de circuler plus librement, bien qu'il existe ici un bon réseau de transports publics.

À voir et à faire
TAZAWA-KO

Des plages publiques bordent les rives du lac, où l'on ne se baigne que durant les jours les plus chauds de l'été. Si vous ne craignez pas le froid, vous pouvez louer toutes sortes de bateaux à Tazawa Kohan, du printemps jusqu'à l'automne. Le coucher du soleil est ravissant en toute saison.

NYŪTŌ ONSEN 乳頭温泉
Cette source chaude parmi les plus belles du Japon constitue une étape incontournable pour tout amateur d'onsen. La station compte 7 *ryokan* rustiques, chacun d'un caractère distinct et aux bains différents. Bien que partout l'eau ait les mêmes propriétés bienfaisantes, il est amusant de les essayer tous. Les meilleurs établissements offrent des chambres pour la nuit et de nombreux bains sont *konyoku* (mixtes). Les deux maisons de bains les plus renommées sont le Tsuruno-Yu et le Kuroyu (voir ci-contre pour plus d'informations).

SKI ET SNOWBOARD
Station la plus appréciée de la région, **Tazawako-Sukī-Jō** (☎ 46-2011 ; http://www.snowjapan.com/e/spotlight/tazawako.html ; forfait journée remonte-pente 4 200 ¥ ; ☽ déc-avr) compte 13 pistes, très larges, surtout de niveau moyen et avancé, avec vue splendide sur le lac. On peut y manger dans trois grands restaurants, dont le personnel est habitué aux skieurs parlant anglais. Tazawako-Sukī-Jō est sur la route de Nyūtō Onsen, desservie par le bus local durant l'hiver.

AKITA KOMAGA-TAKE 秋田駒ヶ岳
Les marcheurs prendront un bus à la gare de Tazawa-ko jusqu'à Komaga-take Hachigōme (8ᵉ arrêt), d'où ils grimperont en 2 ou 3 heures jusqu'au sommet de l'Akita Komago-take (1 637 m). Un chemin fréquenté mène au pic de Nyūtō-zan (1 478 m) en 7 heures environ, d'où l'on peut redescendre jusqu'à Nyūtō Onsen (quelques heures de plus). Cette randonnée nécessite 2 jours ; prévoyez l'équipement et l'entraînement nécessaire. Des refuges jalonnent le sentier.

Où se loger et se restaurer
TAZAWA-KO
Des campings se trouvent à proximité du lac, parmi lesquels le **camping de Nyūtō** (☎ 46-2244 ; emplacement 1 000 ¥, plus 500 ¥/pers) dans le village de Nyūtō Onsen.

Tazawa-ko Youth Hostel (☎ 43-1281 ; fax 43-0842 ; 33-8 Kami-Ishigami, Obonai ; ch à partir de 3 090 ¥ ; Ⓟ). Option d'hébergement des plus modestes autour du lac, cette auberge de jeunesse offre cependant des chambres propres et fonctionnelles, et un joli onsen. Les repas japonais, cuisinés sur place, sont d'excellente qualité (petit déj/dîner 630/1 050 ¥). De la gare, prenez le bus pour Tazawa Kohan et descendez à l'arrêt Kōen-iriguchi : il ne vous reste qu'à traverser la rue en diagonale.

Cafe+Inn That Sounds Good! (☎ 43-0127 ; fax 43-0578 ; www.hana.or.jp/~takko, en japonais ; 160-58 Tazawakohan ; ch en demi-pension à partir de 8 800 ¥ ; Ⓟ 🖳). Charmante petite auberge aux chambres campagnardes. L'ambiance est chaleureuse et les propriétaires, férus de jazz, régalent souvent leurs hôtes de concerts improvisés en soirée. À 30 minutes à pied au nord de la gare routière de Tazawa Kohan, sur la route principale. Vous pouvez téléphoner, on viendra vous chercher.

NYŪTŌ ONSEN
Tous les *ryokan* ci-dessous sont desservis par le bus local qui va de Tazawa Kohan à Nyūtō Onsen. Vous n'aurez qu'à indiquer votre destination au chauffeur.

Ⓞ **Tsuru-no-yu Onsen** (鶴の湯温泉 ; ☎ 46-2139 ; fax 46-2100 ; 50 Kokuyurin, Sendatsuzawa ; www.tsurunoyu.com ; ch 8 400 ¥/pers, bain 500 ¥ ; Ⓟ). Le plus grand onsen de Nyūtō était jadis la maison de bains du clan Akita. Aujourd'hui encore, on peut s'y relaxer dans un pavillon au toit de chaume qui accueillait les samouraïs. La source de Tsuru-no-yu, qui contient sulfure, chlorure de sodium, chlorure de calcium et acide carbonique, est d'une belle couleur laiteuse.

Kuroyu Onsen (黒湯温泉 ; ☎ 46-2214 ; fax 46-2280, www.kuroyu.com, en japonais ; 2-1 Aza-kuroyuzawa, Obonai ; ch en demi-pension à partir de 11 700 ¥/pers, bain 500 ¥ ; Ⓟ). Au Kuroyu, établi au bord de la rivière, on se croirait dans une estampe japonaise. L'art du bain remonte ici à plus de 300 ans. La source riche en sulfure d'hydrogène est réputée améliorer l'hypertension, le diabète et l'artériosclérose.

Depuis/vers Tazawa-Ko
BUS
Des bus réguliers circulent entre la gare JR de Tazawa-ko et Tazawa Kohan (350 ¥, 10 min), et entre Tazawa Kohan et Nyūtō Onsen (650 ¥, 40 min). Le service se termine juste après le coucher du soleil.

D'avril à octobre, chaque jour, 3 bus, dans les deux sens, assurent la liaison entre la gare JR de Tazawa-ko et Hachimantai Chōjō (1 990 ¥, 2 heures 15), et 6 bus font de même entre la gare et Komaga-take Hachigōme (1 000 ¥, 1 heure).

VOITURE
Le réseau routier local bien entretenu est connecté à l'Akita Expressway (秋田自動車道), qui relie Morioka à Akita.

TRAIN
Chaque heure, plusieurs trains de la ligne Akita *shinkansen* assurent la liaison Tazawa-ko-Tōkyō (14 900 ¥, 3 heures) via Morioka (13 640 ¥, 2 heures 30), et Tazawa-ko-Akita (3 080 ¥, 1 heure) via Kakunodate (1 360 ¥, 15 min). Des trains locaux irréguliers circulent aussi sur la ligne JR Tazawako entre Tazawa-ko et Kakunodate (320 ¥, 25 min).

KAKUNODATE 角館
☎ 0187 / 30 000 habitants

Fondée en 1620 par le seigneur Ashina Yoshikatsu, chef du clan Satake, Kakunodate, surnommée "petite Kyōto" est fascinante pour quiconque s'intéresse au Japon d'antan. Si le château qui gardait la ville n'est plus, le *bukeyashiki* – le quartier des samouraïs – est soigneusement préservé. Ses résidences entourées de cerisiers et de superbes jardins sont un véritable musée de la culture et de l'histoire japonaise. Le *bukeyashiki*, que l'on découvre en flânant (une heure environ), fournit l'occasion d'une halte agréable à Kakunodate, sur le chemin de Tazawa-ko à Akita.

Orientation et renseignements
Le *bukeyashiki* se trouve à 15 minutes à pied au nord-ouest de la gare de Kakunodate. Il est possible de louer un **vélo** (300 ¥/heure) à la station de taxis en face de la gare.

Bibliothèque (Sōgō Jōhō Centre ; 9h-17h mar-dim). Internet gratuit.

Poste (☎ 54-1400). DAB international.

Office du tourisme (☎ 54-2700 ; 9h-18h mi-avr à sept, jusqu'à 17h30 oct à mi-avr). Ce petit édifice aux allures de *kura*, à l'extérieur de la gare, dispose de cartes en anglais. Certains employés parlent anglais.

À voir
Retirez une carte en anglais à l'office du tourisme, puis partez à la découverte de la ville à pied ou à vélo. Vous aurez rapidement tout vu, alors prenez votre temps, imprégnez-vous de l'atmosphère féodale.

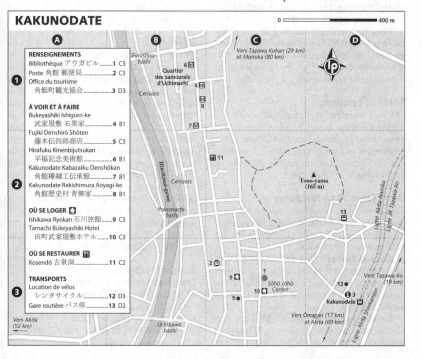

Si chaque résidence de samouraï est intéressante, la **Kakunodate Rekishimura Aoyagi-ke** (☎ 54-3257 ; www.samuraiworld.com/english/index.html ; 3 Omotemachi, Shimochō ; 500 ¥ ; 🕙 9h-17h avr-oct, jusqu'à 16h nov-mars) retient particulièrement l'attention. À l'intérieur, les différentes expositions sont consacrées à l'héritage de la famille Aoyagi, à l'artisanat traditionnel ou à de précieux objets anciens comme les premiers appareils photo, gramophones et disques de jazz.

Construit en 1809, le **Bukeyashiki Ishiguro-ke** (☎ 55-1496 ; Omotemachi ; 300 ¥ ; 🕙 9h-17h) fut la résidence de la famille Isihiguro, conseillère du clan Satake. C'est l'une des plus anciennes du quartier, encore habitée par un descendant de la famille qui a ouvert des salles au public.

Le musée **Kakunodate Kabazaiku Denshōkan** (☎ 54-1700 ; 10-1 Omotemachi Shimochō ; simple/combiné 300/510 ¥ ; 🕙 9h-17h avr-oct, jusqu'à 16h30 nov-mars) présente différentes expositions et propose des démonstrations de *kabazaiku* (travail de l'écorce de cerisier qui recouvre des objets fonctionnels ou décoratifs), artisanat pratiqué à l'origine par les samouraïs désargentés. Le billet combiné donne accès à l'**Hirafuku Kinenbijutsukan** (☎ 54-3888 ; 4-4 Kamichō Omotemachi ; 🕙 9h-17h avr-oct, jusqu'à 16h30 nov-mars), dédié à l'art moderne japonais et occidental.

Vous trouverez partout en ville des *kabazaiku* bon marché. Des articles de qualité sont en vente au **Fujiki Denshirō Shōten** (☎ 54-1151 ; 45 Shimoshinmachi ; 🕙 9h-17h30, fermé dim en hiver), une boutique qui possède son propre atelier.

Fêtes et festivals

Du 7 au 9 septembre, Kakunodate célèbre le **Hikiyama Matsuri**, durant lequel les participants prient pour la paix en tirant d'énormes *yama* (charrettes en bois pesant jusqu'à 7 tonnes). Les cortèges sont accompagnés de musique traditionnelle et de danseurs.

Où se loger et se restaurer

La majorité des voyageurs préfèrent loger à Tazawa-ko ou à Akita, et visiter Kakunodate en une journée. La ville offre pourtant des hébergements attrayants.

Ishikawa Ryokan (☎ 54-2030 ; 32 Iwasemachi ; ch en demi-pension à partir de 9 000 ¥). Dans ce *ryokan* de l'époque d'Edo, qui n'a rien perdu de son caractère, vous serez reçu comme jadis les samouraïs en voyage.

Tamachi Bukeyashiki Hotel (☎ 52-2030 ; fax 52-1701 ; www.bukeyashiki.jp, en japonais ; 52 Tamachi ; ch avec/sans demi-pension à partir de 17 850/13 125 ¥). Hôtel

de style occidental d'une grande opulence, installé dans une résidence de samouraïs à la structure et au caractère original préservés.

Plusieurs anciennes maisons du *bukeyashiki* servent des nouilles. L'établissement le plus prisé pour le déjeuner est le **Kosendō** (☎ 53-2902 ; nouilles à partir de 750 ¥ ; 🕙 déj et dîner), une ancienne école en bois chargée d'histoire. Essayez l'*inaniwa udon* (des nouilles *udon* dans un bouillon transparent aux champignons ; 850 ¥).

Depuis/vers Kakunodate

Chaque heure, plusieurs trains assurent par la ligne *shinkansen* Akita la liaison entre Kakunodate et Tazawa-ko (1 360 ¥, 15 min), et entre Kakunodate et Akita (2 740 ¥, 45 min). Des trains locaux peu fréquents empruntent aussi la ligne JR Tazawako pour relier Kakunodate à Tazawa-ko (320 ¥, 25 min) ; et à Akita (1 280 ¥, 1 heure 45), avec changement à Ōmagari pour la ligne JR Ōu.

Des bus circulent entre Kakunodate et Tazawa Kohan (840 ¥, 52 min) ou la gare de Tazawa-ko (490 ¥, 35 min), et jusqu'à Akita (1 330 ¥, 1 heure 30). De décembre à mars, ils ne s'arrêtent pas à Tazawa Kohan. La gare routière de Kakunodate se situe à 10 minutes au nord de la gare ferroviaire.

AKITA 秋田
☎ 018 / 336 000 habitants

Terminus nord de la ligne *shinkansen*, à juste titre appelée ligne d'Akita, cette capitale de préfecture est un pôle commercial tentaculaire et l'une des plaques tournantes de la région. Vous remarquerez peut-être que les femmes ont ici le teint particulièrement clair. Elles en ont en tout cas la réputation, ce qui justifie l'expression *Akita-bijin* ("beauté d'Akita"). La ville, anéantie pendant la Seconde Guerre mondiale par les bombardements alliés, ne présente par ailleurs aucun intérêt esthétique. Au mois d'août, cependant, le spectaculaire Kantō Matsuri la transforme en cité joyeuse. Durant votre voyage, vous passerez sûrement au moins une fois par Akita : profitez-en pour déguster les délicieuses spécialités culinaires locales.

Renseignements

Comic Buster (☎ 884-7472 ; 2ᵉ niv, ALVE Bldg, 4-1 Higashidōri Nakamachi ; accès Internet 320 ¥/30 min ; 🕙 24h/24). Accès par la sortie est de la gare JR.

Hôpital de la Croix-Rouge d'Akita (秋田赤十字病院 ; Akita Red Cross Hospital ; ☎ 829-5000 ; 222-1 Naeshirosawa Aza Kamikitatesaruta).

Office du tourisme (☎ 832-7941 ; www.akitafan.com/
language/en/index.html ; ☻ 9h-19h). Face au quai
du *shinkansen*, au 2ᵉ niveau de la gare d'Akita.
Poste centrale (秋田中央郵便局 ; ☎ 823-2900 ;
5-1 Hodono Teppōmachi). À 5 minutes à l'ouest de la sortie
ouest de la gare, dans les ruelles proches du marché.
Poste de police principal (☎ 835-1111 ;
1-9 Meitoku-chō, Senshū).

À voir

Les quelques sites dignes d'intérêt se visitent
aisément à pied. Regroupés dans le centre-ville,
près de la gare, ils sont faciles à trouver.

Édifié en 1604, le château d'Akita, le
Kubota-jō, comme beaucoup d'édifices de
la période féodale, fut détruit pendant la
Restauration de Meiji. Ses vestiges vénérés
dominent toujours le **Senshū-kōen** (千秋公
園), un parc verdoyant à 10 minutes à l'ouest
de la gare, protégé par d'étranges murailles,
des tourelles et des pavillons de garde. Une
plate-forme d'observation y offre des vues
imprenables sur la ville.

Au centre du parc se trouve également
le **musée d'art Masakichi Hirano** (☎ 833-5809 ; 3-7
Senshū Meitoku-chō ; 610 ¥ ; ☻ 10h-17h30 mar-dim mai-sept,
jusqu'à 17h mar-dim oct-avr), qui est connu pour
son immense tableau intitulé *Les Événements
d'Akita*, œuvre réputée être la plus grande
peinture sur toile au monde. Elle mesure
3,65 m sur 20,5 m, et représente des scènes de
vie traditionnelles d'Akita, au fil des saisons.

Vous accéderez aux deux derniers sites
importants de la ville en prenant la sortie ouest
du parc. Après avoir traversé la rivière, passez
deux pâtés de maisons et tournez au sud : vous
apercevrez le **centre du Kantō Matsuri** (☎ 866-7091 ;
Neburi Nagashi-kan ; 100 ¥ ; ☻ 9h30-16h30, 9h-21h pendant la
fête), qui présente des expositions et des vidéos
mettant à l'honneur le célèbre Kantō Matsuri
d'Akita. Vous pourrez essayer d'y voir les
imposants mâts de *kantō*, qui mesurent 10 m
de long pour un poids d'environ 60 kg – voir
aussi *Fêtes et festivals* plus loin.

En poursuivant vers le sud au-delà du grand
magasin Akita New CityDaiei, on accède au
musée Akarengakan (☎ 864-6851 ; 3-3-21 Ōmachi ; 200 ¥ ;
☻ 9h30-16h30), un bâtiment en brique rouge de
style Renaissance, qui remonte à l'ère Meiji.
À l'intérieur, les xylographies représentant le
mode de vie traditionnel d'Akita sont l'œuvre
de Tokushi Katsuhira (1904-1971), un artiste
autodidacte. Billet combiné donnant accès au
centre du Kantō Matsuri en vente dans l'un
ou l'autre des musées (250 ¥).

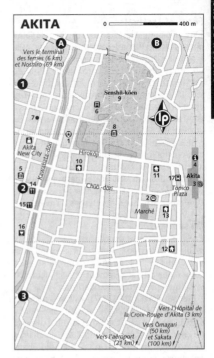

AKITA   0 ———————— 400 m

Vers le terminal
des ferries (6 km)
et Noshiro (69 km)

Senshū-kōen 9

Akita
New City

Hirokōji

Kawabata-dōri

Chūō-dōri

Marché

Topico
Plaza

Akita

Vers l'Hôpital de
la Croix-Rouge d'Akita (3 km)

Vers Ōmagari
(50 km)
et Sakata
(100 km)

Vers l'aéroport
(21 km)

Fêtes et festivals

Du 3 au 6 août, Akita fête superbement le **Kantō Matsuri** (fête des mâts et des lanternes ; www.kantou.gr.jp/english/index.htm). Les célébrations commencent en soirée, le long de Kantō Ōdori. Plus de 160 hommes placent alors en équilibre sur leur tête, leur menton, leurs hanches ou leurs épaules des mâts pouvant peser jusqu'à 60 kg et auxquels sont accrochées des lanternes. Le cortège est accompagné par des percussionnistes jouant du *taiko*. Ce *matsuri* est censé assurer une bonne récolte, d'où les lanternes assemblées à la façon d'épis de riz. Dans la journée, des concerts et des démonstrations de port de mâts ont lieu dans le Senshū-kōen. Réservez votre hôtel longtemps à l'avance.

Où se loger

Près de la gare se concentrent les nouveaux *business hotels* bon marché, appréciables si votre budget est serré. Toutefois, si vous recherchez un hébergement plus chaleureux, voici quelques recommandations.

Naniwa Hotel (☎ 832-4570 ; www.hotel-naniwa.jp, en japonais ; 6-18-27 Nakadōri ; d avec/sans demi-pension 6 200/3 500 ¥/pers ; 🖳). Cet hôtel familial dispose de chambres à tatamis douillettes, de chaises de massage gratuites et d'un splendide bain en cyprès japonais, accessible 24h/24. Les repas sont préparés à base de riz cultivé par le propriétaire. Depuis la gare, tournez à gauche au Topico Plaza, puis marchez vers le sud jusqu'à une grande voie : c'est le bâtiment rouge avec une entrée en bois.

Ryokan Chikuba-sō (☎ 832-6446 ; 4-14-9 Nakadōri ; ch avec/sans demi-pension 6 800/4 200 ¥/pers). Ce *ryokan* confortable et accueillant propose des chambres assez spacieuses. Le généreux dîner composé de spécialités locales est proposé à un prix abordable. Bien situé, près de la sortie ouest de la gare.

Akita View Hotel (☎ 832-1111 ; www.akitaviewhotel.jp ; 2-6-1 Naka-dōri ; s/lits jum à partir de 9 500/18 000 ¥ ; 🖳 📶 🛆). Près du grand magasin Seibu, sur l'avenue principale qui mène au parc, cet élégant hôtel est le plus luxueux de la ville. Réception imposante, impressionnants restaurants et gigantesque piscine. Les chambres modernes, avec dessus-de-lit moelleux, sont d'un grand confort. Internet par câble LAN.

Akita Castle Hotel (☎ 834-1141 ; www.castle-hotel.co.jp, en japonais ; 1-3-5 Nakadōri ; s/d à partir de 11 000/18 000 ¥ ; 🖳). Dans la catégorie luxe, cet hôtel se démarque grâce à son superbe emplacement. Côté sud, vous pouvez savourer une

excellente cuisine française tout en contemplant les douves du château. Les chambres occidentales et japonaises, ainsi que le service, sont très raffinés. Internet par câble LAN.

Où se restaurer et prendre un verre

Pour choisir votre menu, faites du lèche-vitrines dans l'arcade de restaurants au 3e niveau du Topico Plaza, le complexe commercial de la gare d'Akita.

Vous ne pouvez quitter la ville sans avoir goûté le *kiritanpo*, riz pétri puis enroulé autour d'une brochette de bambou que l'on fait griller sur des charbons de bois. La brochette mijote ensuite dans un bouillon de poulet au soja, avec des nouilles, des oignons, du persil japonais et des champignons sauvages. On s'en régale dans tous les restaurants. Une autre spécialité d'Akita : le *shottsuru*, du *hatahata* (poisson local) salé et fermenté, mijoté avec des oignons verts et du tofu.

Kawabata-dōri, la principale artère nocturne d'Akita, parallèle à la rivière du même nom, concentre tous les lieux de plaisir.

Otafuku (☎ 862-0802 ; 4-2-25 Ōmachi ; kiritanpo à partir de 2 000 ¥ ; 🕙 déj et dîner). Le spécialiste du *kiritanpo-nabe* (2 520 ¥), ce délicieux ragoût de riz gluant. Bâtiment traditionnel en bois noir et beige, sur la rive ouest de la Kawabata-gawa.

Bekkan (☎ 62-7481 ; 4-2-11 Ōmachi ; formules environ 3 000 ¥ ; 🕙 déj et dîner). Un restaurant dont la réputation n'est plus à faire, ou vous pourrez goûter le *shottsuru* ou le *kiritanpo*, ou bien d'autres spécialités régionales. Il peut être un peu difficile de commander ici : dites simplement le nom de ce que vous voulez et le serveur fera de son mieux pour vous satisfaire. Dans une maison traditionnelle en bois, sur la rive, face à l'hôtel Albert Hotel.

Green Pocket (☎ 863-6917 ; 5-1-7 Ōmachi ; 🕙 19h-24h lun-sam). Cette enseigne, qui se fiche pas mal des néons de Kawabata-dōri, est un petit bijou, à l'extrémité sud de la rue. Elle arbore un décor en bois d'époque, réhaussé par un vieux piano, des photos de Vivien Leigh et une stupéfiante collection de whiskies et de bons vins. Très classe !

Depuis/vers Akita
AVION

De l'aéroport d'Akita, à 21 km au sud de la ville, des vols rallient différentes villes du Japon : Tōkyō, Ōsaka, Nagoya, Sapporo, etc. Des bus fréquents relient la gare JR d'Akita à l'aéroport (890 ¥, 40 min).

BATEAU

Du port d'Akita, les ferries de la **Shin Nihonkai** (☎ 880-2600) lèvent l'ancre à 7h (mar, mer, ven, sam et dim) pour Tomakomai sur Hokkaidō (à partir de 4 300 ¥, 12 heures 30). À 9h, (mar, mer, jeu, sam et dim), la même compagnie dessert Niigata (à partir de 3 900 ¥, 8 heures 30), les ferries du dimanche et du mercredi poursuivant jusqu'à Tsuruga (à partir de 6 600 ¥, 20 heures 30). Chaque jour, un bus part à 6h05 de la gare JR d'Akita pour Akita-kō, situé à 8 km au nord-ouest de celle-ci (390 ¥, 30 min). Petite billeterie sur la jetée.

BUS

Des bus de nuit JR, empruntant l'autoroute, desservent Tōkyō (gare de Nihombashi). Ils partent chaque soir à 21h30 de la gare routière, en face de la sortie est de la gare ferroviaire, arrivant le lendemain matin à 6h (9 100 ¥). Les bus en provenance de Tōkyō arrivent également dans cette même gare routière.

VOITURE

Les conducteurs automobiles emprunteront l'Akita Expressway (秋田自動車道), qui relie la route de Morioka à Akita.

TRAIN

Toutes les heures, plusieurs trains circulent sur la ligne JR Akita *shinkansen*, entre le terminus nord d'Akita et le terminus sud de Tōkyō (16 470 ¥, 4 heures) via Morioka (4 300 ¥, 1 heure 30), Tazawako (3 080 ¥, 1 heure) et Kakunodate (2 740 ¥, 45 min). Quelques trains locaux, peu fréquents, au départ d'Akita circulent aussi sur la ligne JR Ōu pour desservir Kakunodate (1 280 ¥, 1 heure 45), avec changement à Ōmagari pour la ligne JR Tazawako. Enfin, quelques *tokkyū* relient chaque jour Akita à Niigata (6 820 ¥, 3 heures 45) par la ligne JR Uetsu.

YAMAGATA-KEN 山形県

Si les préfectures voisines lui ont volé la vedette, Yamagata-ken abrite certaines des curiosités les plus intéressantes du Tōhoku. Citons tout d'abord le minuscule Zaō Onsen, renommé pour son gigantesque *rotemburo* et ses pistes de ski pour champions. Les trois pics sacrés du Dewa Sanzan, vénérés des *yamabushi* (ascètes montagnards), séduiront les randonneurs, tandis que Yamadera plaira aux amoureux des temples et aux admirateurs

de Bashō, qui pourront prendre de merveilleuses photos. Plus calmes, Tobi-shima et Tendō dégagent également un charme particulier.

TOBI-SHIMA 飛島
☎ 0234

Atteindre la minuscule île de Tobi-shima flottant dans la mer du Japon va vous demander des efforts, mais vous en serez récompensé. Vous pourrez profiter égoïstement de ses falaises déchiquetées et de ses immenses grottes sous-marines. Moins de 100 habitants peuplent ses petits hameaux de pêcheurs, répartis sur les quelque 8 km² que compte l'île. C'est dire que la nature est ici comme au premier jour. Elle ravira tous ceux qui aiment profiter des plages sauvages, observer les oiseaux ou pratiquer le snorkeling (en été).

L'hébergement est assez limité sur l'île. Nous vous conseillons le **Sawaguchi Ryokan** (沢口旅館 ; ☎ 95-2246 ; fax 96-3052 ; 73 Ko-katsūra ; ch en demi-pension à partir de 8 400 ¥), modeste auberge installée de longue date, où les dîners de fruits de mer sont un festin. Marchez 5 minutes depuis le quai : le bâtiment est marqué d'un gouvernail de bateau peint en rouge. Les îliens sont chaleureux et se feront un plaisir de vous l'indiquer, mais vous pouvez aussi demander qu'on vienne vous chercher.

Le point d'embarquement pour Tobi-shima est la ville côtière de Sakata, facilement accessible par le train. Chaque jour, quelques *tokkyū* relient, par la ligne principale JR Uetsu, Akita à Sakata (3 500 ¥, 1 heure 30), et Sakata à Niigata (4 930 ¥, 2 heures 15) via Tsuruoka (1 290 ¥, 20 min). Quelques *futsū* circulent également sur la même ligne entre Akita et Sakata (1 890 ¥, 2 heures), et entre Sakata et Tsuruoka (480 ¥, 45 min).

Près de la gare de Sakata, un efficace petit **office du tourisme** (☎ 24-2233 ; ☼ 9h-18h) vous donnera des informations sur les ferries et appellera la compagnie pour réserver vos billets.

Les ferries **New Tobishima** (☎ 22-3911) assurent une (souvent deux) traversée par jour, dans les deux sens, entre le port de Sakata-kō et l'île (2 040 ¥, 1 heure 30). En été, réservez bien à l'avance, ou achetez directement votre billet sur le port. Des bus locaux assez fréquents font la navette de la gare JR Sakata à Sakata-kō (100 ¥, 10 min) ; en taxi, comptez dans les 1 000 ¥.

NORD DE HONSHŪ

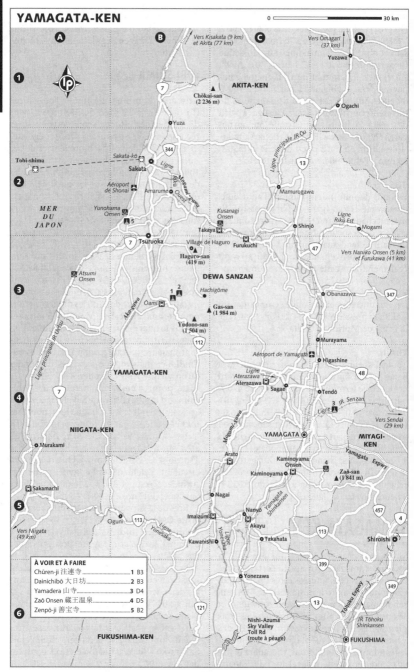

YAMAGATA-KEN

0   30 km

Vers Kisakata (9 km)
et Akita (77 km)

Vers Ōmagari
(37 km)

Yuzawa

AKITA-KEN

Chōkai-san
(2 236 m)

Ogachi

Yuza

Tobi-shima

Sakata-kō

Sakata

Aéroport
de Shonai

Amarume

Mamurogawa

**MER
DU
JAPON**

Yunohama
Onsen

Kusanagi
Onsen

Takaya

Shinjō

Mogami

Ligne
Rikū Est

Tsuruoka

Furukuchi

Village de Haguro

Haguro-san
(419 m)

Vers Naruko Onsen (5 km)
et Furukawa (41 km)

Atsumi
Onsen

DEWA SANZAN

Hachigōme

Ōami

Gas-san
(1 984 m)

Obanazawa

Yudono-san
(1 504 m)

Murayama

Aéroport de Yamagata

Higashine

YAMAGATA-KEN

Ligne
Aterazawa

Aterazawa

Sagae

Tendō

Vers Sendai
(29 km)

NIIGATA-KEN

YAMAGATA

**MIYAGI-
KEN**

Murakami

Arato

Kaminoyama
Onsen

Zaō-san
(1 841 m)

Kaminoyama

Sakamachi

Nagai

Imaizumi

Nanyō

Akayu

Shiroishi

Oguni

Kawanishi

Takahata

Vers Niigata
(49 km)

Yonezawa

Vers Sendai

À VOIR ET À FAIRE

FUKUSHIMA-KEN

Nishi-Azuma
Sky Valley
Toll Rd
(route à péage)

JR Tōhoku
Shinkansen

FUKUSHIMA

TSURUOKA 鶴岡

☎ 0235 / 144 000 habitants

Cette ville est assez plaisante pour passer la nuit et prendre un peu de repos, ce dont vous aurez besoin si vous projetez de partir à l'assaut du Dewa Sanzan, tout proche. Aujourd'hui, Tsuruoka est en effet le principal point d'accès à ces trois montagnes regroupées, les plus célèbres du Tōhoku. Jadis, elle était une importante cité fortifiée vivant autour son château qui s'élevait au beau milieu de la plaine de Shōnai. Établie par le clan Sakai, l'un des plus puissants de Yamagata, Tsuruoka conserve précieusement quelques reliques de son fier passé féodal.

Renseignements

Accès Internet (鶴岡市ネットワークコミュ ニティセンター ; ☎ 29-7775 ; 1 heure gratuite ; ⊙ 9h-19h30). Au 3ᵉ niveau de l'immeuble Marica, face à la gare JR Tsuruoka.

Poste. À 300 m au sud de la gare, équipée d'un DAB.

Office du tourisme (☎ 25-7678 ; ⊙ 10h-17h nov-fév, 9h30-17h30 mars-oct). À droite en sortant de la gare JR Tsuruoka ; on peut vous y aider à réserver une chambre et vous fournir des informations sur les Dewa Sanzan.

À voir et à faire

CHIDŌ HAKUBUSTUKAN 致道博物館

L'ancien seigneur Shōnai fonda le **musée Chidō** (☎ 22-1199 ; 10-18 Kachu-shinmachi ; 700 ¥ ; ⊙ 9h-16h30) en 1950, afin de développer et de préserver les traditions culturelles locales. Outre des objets de la famille Sakai, ce musée comprend une résidence familiale, deux édifices de l'ère Meiji, un entrepôt traditionnel et un *kabuto-zukuri* (ferme dont le toit en chaume évoque la forme de casque de samouraï).

Le musée se trouve au sud-ouest du Tsuruoka-kōen, le parc qui abritait l'ancien château des Sakai. Depuis la gare JR de Tsuruoka, marchez vers l'ouest pendant 15 minutes environ ou prenez un bus à l'arrêt n°1 : de nombreux bus à destination de Yunohama Onsen passent par l'arrêt Chidō Hakubutsukan-mae (200 ¥, 10 min).

ZENPŌ-JI 善寶寺

À 7 km à l'ouest de Tsuruoka, le **Zenpō-ji** est un temple bouddhique zen, doté d'une pagode à cinq niveaux et d'une grande porte d'entrée. Sa construction, en l'honneur du roi des dragons, gardien des mers, remonte au Xᵉ siècle. Non loin du temple se trouve un étang abritant le fameux *jinmen-gyo*, un poisson dont la tête, vue de dessus, évoque curieusement le visage humain. De la gare, prenez un bus pour Yunohama Onsen et descendez à l'arrêt Zenpō-ji (580 ¥, 30 min).

Fêtes et festivals

Tenjin Matsuri (25 mai). Également appelée Bakemono Matsuri (fête des visages masqués), c'est la plus réputée des fêtes de Tsuruoka. Autrefois, les habitants se promenaient masqués et costumés durant 3 jours, se servant du saké et tâchant de repérer des amis ou des connaissances. Le but consistait à ne pas se faire démasquer durant trois fêtes d'affilée, ce qui était censé vous porter chance pour le restant de vos jours.

Où se loger et se restaurer

Narakan (奈良館 ; ☎ 22-1202 ; 2-35 Hiyoshimachi ; ch en demi-pension à partir de 6 300 ¥/pers). Marchez 5 minutes vers le sud sur l'artère principale depuis la gare et vous verrez la haute cheminée de cette auberge moderne à l'occidentale. Chambres plutôt exigues mais repas très revigorants (nécessaires avant un départ pour le Dewa Sanzan).

Tsuruoka Washington Hotel (鶴岡ワシントン ホテル ; ☎ 25-0111 ; fax 25-0110 ; www.tsuruoka-wh.com, en japonais ; 5-20 Suehiro-machi ; s/d à partir de 6 930/10 972 ¥ ; 🖳). Juste en face de la sortie sud de la gare, le Washington Hotel de Tsuruoka ne déroge pas aux standards de la chaîne : chambres impeccables à prix raisonnable dans un lieu pratique. Internet par câble LAN.

Tokyo Daiichi Hotel Tsuruoka (東京第一ホテル 鶴岡 ; ☎ 24-7662 ; fax 24-7610 ; www.tdh-tsuruoka.co.jp, en japonais ; 2-10 Nishiki Machi ; s/d à partir de 8 662/12 705 ¥ ; 🖳). Un *business hotel* de grande classe, dans un vaste édifice en briques jaunes, à une minute au sud-ouest de la gare, à côté de la gare routière. Chambres spacieuses au bel éclairage, agréable *onsen* en plein air et sauna. Internet par câble LAN.

Sanmaian (三昧庵 ; ☎ 24-3632 ; 10-18 Kachū-shinmachi ; formules à partir de 1 000 ¥ ; ⊙ 9h-16h30). Jouxtant le Chidō Hakubutsukan, cette petite échoppe de nouilles propose des menus fixes, parfaits pour un déjeuner léger ou une collation dans l'après-midi. Le *soba setto*, ou l'*udon setto*, varie chaque jour. Prix raisonnables.

Depuis/vers Tsuruoka

BUS

De Tsuruoka, les bus de nuit Shoko partent du Tokyo Dai-ichi Hotel pour rallier Shibuya Mark City à Tōkyō (7 390 ¥, 8 heures). Chaque jour, quelques bus régionaux desservent aussi Yamagata (2 400 ¥, 1 heure 45), sauf en hiver lorsque les congères bloquent les routes.

Pour de plus amples informations sur l'accès au Dewa Sanzan, voir p. 574.

TRAIN

Quelques *tokkyū* quotidiens empruntent la ligne principale JR Uetsu pour rejoindre Akita (3 820 ¥, 1 heure 45), et Niigata (4 130 ¥, 1 heure 45). De rares *futsū* circulent également sur la même ligne jusqu'à Akita (2 210 ¥, 2 heures 45) via Sakata (480 ¥, 35 min).

DEWA SANZAN 出羽三山
☎ 0235

Le Dewa Sanzan est un ensemble de trois montagnes sacrées : le Haguro-san, le Gas-san et le Yudono-san, qui symbolisent respectivement la naissance, la mort et la renaissance. Cette triade est vénérée depuis des siècles par les *yamabushi* et les disciples de l'école Shugendō. Pendant la période des pèlerinages, aux fidèles vêtus de blanc (et équipés de bâtons de bois, de sandales et de chapeau de paille) se mélangent des randonneurs en gilet de mouton, avec canne, chaussures de marche et bandana.

Naturellement, ce sont les *yamabushi*, reconnaissables à leurs conques, leurs vestes à carreaux et leurs larges pantalons blancs, qui perpétuent les traditions. Ces anachorètes gravissent les montagnes ou se tiennent assis sous l'eau glacée des cascades – des exercices d'ascétisme destinés à forger le corps et l'esprit.

Orientation et renseignements

En théorie, en marchant au pas de course et en suivant des horaires de bus précis, vous devriez pouvoir gravir les trois montagnes en une journée. Mais cela ne laisse pas le temps d'admirer le paysage, et il est fort possible que vous ratiez un des bus. Si vous voulez gravir les trois montagnes, prévoyez au moins deux ou trois jours, surtout si vous préférez marcher qu'utiliser le bus entre les trois.

Avant de partir, nous vous recommandons de passer à l'office du tourisme de Tsuruoka qui vous aidera à réserver votre hébergement et vous fournira des cartes. Les trois montagnes sont ouvertes aux randonneurs de juillet à septembre ; en hiver, dès que la neige commence à s'accumuler, le transport est interrompu.

À voir et à faire

La tradition veut que l'on commence par le Haguro-san et que l'on finisse par le Yudono-san. Nous présentons donc le pèlerinage dans cet ordre, mais vous pouvez bien sûr réaliser le circuit dans l'autre sens, ce qui permet d'éviter la foule.

Haguro-san 羽黒山

Montagne la plus facile d'accès, le Haguro-san (419 m) attire, de fait, une foule de visiteurs. Au pied du mont, le village de Haguro est constitué d'un groupe de *shukubō* (logements dans les temples). L'**Ideha Bunka Kinenkan** (☎ 62-4727 ; 400 ¥ ; ⊙ 9h-16h30 mer-lun avr-nov, 9h30-16h mer-lun déc-mars), un petit musée historique, diffuse des films sur les rituels des *yamabushi* et les fêtes.

Pour faire les choses dans les règles de l'art, les pèlerins doivent gravir les 2 446 marches menant au sommet (des bus s'y rendent aussi). Il faut compter 1 heure pour arriver en haut, en prenant son temps et en profitant du panorama.

Depuis la gare routière de Haguro, traversez le *torii* puis le pont. Vous passerez devant le **Gojū-no-tō**, une pagode à cinq étages du XIVe siècle malmenée par les intempéries, dont la structure en bois se mêle aux arbres voisins de façon étonnante. C'est ensuite que commence l'ascension des centaines de marches en pierre ; la montée est raide. À mi-chemin, la **maison de thé** (☎ 62-4287 ; ⊙ 8h30-17h avr-nov) permet de reprendre son souffle. Vous pouvez ensuite faire un petit détour en prenant à droite juste après la maison de thé, pour aller jusqu'aux ruines du temple **Betsu-in**, visité par Bashō lors de son pèlerinage dans la région.

L'arrivée en haut est un peu décevante et le panorama souvent gâché par la foule. Depuis le **Gosaiden**, un sanctuaire d'un vermillon étincelant qui renferme les divinités des trois montagnes, vous réussirez cependant à le contempler plus au calme.

Du sommet du Haguro-san, plusieurs options s'offrent à vous : en été, quelques bus partent le matin pour rejoindre directement le 8e arrêt du Gas-san. Si vous les ratez, vous pouvez rejoindre à pied le village ou passer la nuit au Saikan (voir p. 574). Les puristes, eux, s'engagent dans le chemin de crête de 20 km qui mène à la cime du Gas-san.

Gas-san 月山

Accessible de juillet à septembre, le Gas-san (1 984 m) est le plus haut des trois sommets sacrés. Depuis le Haguro-san, on y accède généralement en empruntant un sentier à **Hachigōme** (8ᵉ arrêt), qui traverse un plateau alpin et mène à **Kyūgōme** (9ᵉ arrêt) en 1 heure 45, puis grimpe jusqu'au sommet (1 heure 45). Là, les pèlerins se rendent en masse au **Gassan-jinja** (entrée avec rituel de purification 500 ¥ ; ☯ 6h-17h), après s'être d'abord purifiés : inclinez la tête pour que le prêtre shinto vous donne sa bénédiction, puis frottez votre tête et vos épaules avec un papier sacré, qui est ensuite placé dans une fontaine.

Du sommet, vous pouvez redescendre par le même sentier jusqu'au 8ᵉ arrêt, bien que la descente abrupte jusqu'au Yudono-san-jinja (environ 3 heures) est plus prisée. Vous devrez emprunter des échelles rouillées, fixées par des chaînes à la montagne, et, vers la fin, vous frayer un chemin dans le lit du ruisseau.

YUDONO-SAN 湯殿山
Ouvert de mai à octobre, le Yudono-san (1 504 m) représente l'apogée spirituelle du pélerinage au Dewa Sanzan. En venant du Gas-san, il n'est qu'à une courte marche du lit du ruisseau dans le dernier tronçon de la descente jusqu'au **Yudono-san-jinja** (湯殿山神社 ; 500 ¥ ; ☯ 6h-17h fermé nov-avr), un sanctuaire sacré qui n'est pas un édifice mais un gros bloc de roche orange, sur lequel ruisselle en permanence l'eau d'une source chaude. Ici, le rituel est encore plus strict que sur les deux autres sommets, et les pèlerins doivent effectuer un circuit pieds nus dans l'eau.

Pour terminer le pélerinage, il ne reste qu'à descendre (10 min) jusqu'au sentier du **Yudono-san-sanrōsho**, marqué par un *torii*, ou reposer tout de suite ses pieds endoloris en prenant la navette.

Là, un certain nombre d'options s'offrent à vous : passer la nuit au Yudono-san Sanrōjo (voir p. 574), prendre un bus direct pour Tsuruoka, marcher 3 km jusqu'à la route à péage menant au Yudono-san Hotel ou faire un détour par Dainichibō et Chūren-ji.

DAINICHIBŌ & CHŪREN-JI 大日坊・注連寺
En retrait de la Route 112, à mi-chemin entre Yudono-san et Tsuruoka, dans le village d'Ōami, ces deux temples de campagne très simples renferment les momies d'anciens moines qui sont devenus "bouddhas dans leurs propres corps". La pratique ascétique consistant à se momifier soi-même est interdite depuis le XIXᵉ siècle – il s'agissait d'approcher au plus près de la mort en se laissant mourir de faim, puis de se faire enterrer vivant, en état de méditation.

Les deux temples se trouvent près de l'arrêt de bus d'Ōami, indiqués par des panneaux en couleur. La momie du **Dainichibō** (500 ¥ ; ☯ 8h-17h), au cuir tanné et vêtue d'étoffes orange vif, est plutôt macabre. De l'arrêt du bus, dirigez-vous vers le village, tounez à gauche à hauteur de la poste et continuez à marcher 10 minutes.

La momie du **Chūren-ji** (500 ¥ ; ☯ 8h30-17h) donne aussi des frissons : il s'agirait d'un assassin repenti, qui devint un moine bouddhique respecté. Depuis l'arrêt du bus, continuez sur la route vers le nord, en faisant attention à la signalisation à chaque intersection. Comme il se doit, le temple est après le cimetière.

Il faut attendre environ deux heures entre les bus aller et retour, ce qui vous laisse assez de temps pour découvrir les environs sans vous faire rater votre correspondance pour Tsuruoka.

Fêtes et festivals
Le sommet du Haguro-san accueille plusieurs fêtes importantes. Au cours du **Hassaku Matsuri** (八朔祭り, 31 août et 1ᵉʳ sept), les *yamabushi* pratiquent des rituels du feu ancestraux et prient pour des récoltes fructueuses. Les cérémonies du **Shōrei-sai** (松例祭, réveillon du jour de l'An) donnent lieu à des rituels semblables, au cours desquels les *yamabushi* se défient. Cette compétition est précédée d'une période de 100 jours lors de laquelle ils observent des règles de vie particulièrement austères.

Cours
Vous cherchez encore votre vocation ? Avez-vous songé à devenir *yamabushi* ?
Dewa Sanzan-jinja (☎ 62-2355). Ce sanctuaire au sommet du Haguro-san vous propose de devenir un "vrai" *yamabushi*. Les trois cours sont extrêmement intensifs, les petites natures n'y résisteront pas. Mieux vaut déjà bien parler japonais, avoir du temps devant soi et de l'argent.
Ideha Bunka Kinenkan (☎ 62-4727). Destiné à ceux qui seront heureux de n'être qu'un *yamabushi* "à l'entraînement", ce centre dans le village d'Haguro organise des minisessions comprenant jeûne, courses en montagne et réveil au petit jour. Parler japonais est ici aussi indispensable ; téléphonez pour obtenir les dates et les tarifs des stages.

Où se loger et se restaurer
Il y a plus de 30 *shukubō* (hébergement dans un temple) dans le quartier Tōge du village de Haguro, ainsi que quelques autres sur le Haguro-san et autour du Yudosan-jinja, facturant dans les 7 000 à 8 000 ¥ par personne, en demi-pension. Ces endroits préparent aussi

des déjeuners végétariens pour les non-résidents (environ 1 500 ¥, réservation recommandée).

Saikan (☎ 62-2357 ; ch en demi-pension 7 350 ¥/pers). Le plus réputé des *shukubō*, au sommet du Haguro-san, ne manque pas de caractère et offre des vues spectaculaires sur la vallée. L'endroit idéal pour une bonne nuit de repos avant de poursuivre le pèlerinage.

Yudono-san Sanrōjo (☎ 54-6131 ; ch en demi-pension à partir de 7 350 ¥/pers ; ☾ fermé nov-avr). À la fin de votre deuxième journée, faites connaissance avec les autres pèlerins dans cet endroit charmant et pratique, à proximité de la gare routière de Sennin-zawa.

Yudono-san Hotel (☎ 54-6231 ; ch à partir de 8 500 ¥). Par le bus ou à pied, vous pouvez descendre la route jusqu'à cet hôtel, option beaucoup plus moderne que l'hébergement dans les temples. Après une longue journée de marche, un bain chaud et une bière fraîche, et vous serez au nirvana.

Depuis/vers les Dewa Sanzan
Les transports indiqués ci-dessous peuvent être affectés par les conditions météorologiques très variables de la région. Avant votre départ, il est donc conseillé de vérifier les derniers horaires de bus à l'office du tourisme de Tsuruoka.

Les informations suivent l'ordre des étapes du pèlerinage.

Chaque heure, des bus partent de Tsuruoka à destination de la gare routière de Haguro (680 ¥, 45 min), plusieurs poursuivants jusqu'au Haguro-sanchō (sommet de Haguro, 990 ¥, 1 heure).

De début juillet à fin août, puis les week-ends et jours fériés jusqu'à fin septembre, 4 bus quotidiens vont de Haguro-sanchō jusqu'à Hachigōme, départ du Gas-san (1 240 ¥, 1 heure).

Entre juin et début novembre, 4 bus quotidiens partent du départ du sentier Yudono-san Sanrōjo, à Yudono-san, pour rallier Tsuruoka (1 480 ¥, 1 heure 30), via le Yudono-san Hotel (100 ¥, 5 min) et Ōami (910 ¥, 45 min). Le service de bus régulier entre Tsuruoka et Yamagata dessert aussi le Yudono-san Hotel.

YAMAGATA 山形
☎ 023 / 255 000 habitants
Ville industrielle prospère qui accueille une importante communauté d'étudiants, Yamagata offre une atmosphère plus branchée que celle des autres villes *inaka* (rurales). Plutôt pauvre en sites touristiques, elle est cependant une bonne base pour une excursion d'une journée à

Yamadera, Tendō ou Yonezawa, et constitue le principal point d'accès pour Zaō Onsen.

Renseignements
Office du tourisme (山形市観光案内センター ; ☎ 647-2266 ; ☾ 8h30-20h). Au 2ᵉ niveau de la gare de Yamagata, dans un kiosque en verre.

Office du tourisme préfectoral (やまがた観光情報センター ; ☎ 647-2333 ; www.yamagatakanko.com/english/index.html ; ☾ 10h-18h). Au 1ᵉʳ niveau du Kajō Central (relié à la gare par une passerelle).

Poste (山形郵便局 ; ☎ 622-9600). Au 1ᵉʳ niveau de l'immeuble Kajō Central. Dispose d'un DAB international.

WIP (☎ 615-0788 ; www.wip-fe.com/yamagata, en japonais ; 410 ¥/h ; ☾ 24h/24). Accès Internet. De la sortie est de la gare JR Akita, prenez en diagonale à gauche.

À voir et à faire
Les fours remis en service récemment dans le **quartier des potiers d'Hirashimizu** (平清水陶器地域), le long de la Hazukashii-kawa (rivière timide), permettent la réalisation de belles pièces vernies gris-bleu, appelées *nashi-seiji* (peau de pêche), vendues dans les ateliers voisins. Le **Shichiemon-gama** (七右衛門釜 ; ☎ 642-7777 ; 153 Hirashimizu ; ☾ 8h30-15h30, réalisation de poteries 9h-15h) a une solide réputation et propose des cours de poterie soutenus (en japonais). Pour vous y rendre, prenez un bus à destination de Nishi-Zaō ou de Geikō-dai (départ toutes les heures ou demi-heures, de l'arrêt n°5 devant la gare de Yamagata) et descendez à l'arrêt Hirashimizu (200 ¥, 15 min).

Fêtes et festivals
Hanagasa Matsuri (début août). C'est l'occasion d'admirer une foule de danseurs coiffés de *hanagasa* (chapeaux de paille ornés de fleurs) et d'écouter des chants traditionnels.

Festival international du film documentaire de Yamagata (www.yidff.jp). Une fois tous les deux ans, pendant une semaine en octobre, ce festival projette des films de plus de 70 pays, des rétrospectives, des forums et un panorama du cinéma japonais.

Où se loger et se restaurer
Tōyoko Inn Yamagata Eki Nishiguchi (東横イン山形駅西口 ; ☎ 644-1045 ; 1-18-13 Jōnan-machi ; s/d 5 250/7 770 ¥ ; 💻). Des *business hotels*, tous plus ou moins similaires, se concentrent aux abords de la gare JR Yamagata, permettant de se loger économiquement. Celui-ci, représentant d'une chaîne de qualité, se trouve à une 1 minute à pied de la sortie ouest de la gare. Internet par câble LAN.

Hotel Metropolitan Yamagata (ホテルメトロポリタン山形 ; ☎ 628-1111 ; fax 628-1166 ; www.jrhotelgroup.com/eng/hotel/eng108.htm ; 1-1-1 Kasumicho ; s/d 10 972/19 635 ¥ ; 🖳 🛜). Plus haut de gamme, ce *business hotel* bénéficie d'un emplacement pratique, encadré d'un côté par la gare et de l'autre par le centre commercial S-PAL. Internet par câble LAN.

Sakaeya Honten (栄屋本店 ; ☎ 623-0766 ; 2-3-21 Honchō ; hiyashi rāmen 700 ¥ ; 🕙 11h30-19h30 jeu-mar). Venez goûter une délicieuse spécialité de Yamagata, le *hiyashi rāmen* (*rāmen* froid), servie ici très généreusement. En vous dirigeant vers l'est depuis le magasin AZ, prenez la première ruelle à votre droite.

Depuis/vers Yamagata

Chaque heure, plusieurs trains relient, par les lignes JR Yamagata et Tōhoku *shinkansen*, Yamagata à Tōkyō (11 030 ¥, 3 heures) et à Yonezawa (2 060 ¥, 35 min). Sur la ligne JR Senzan, des *kaisoku* fréquents desservent Sendai (1 110 ¥, 1) et Yamadera (230 ¥, 20 min). Enfin, empruntant la ligne JR Ōu, des *futsū* réguliers rallient Yonezawa (820 ¥, 45 min) et Tendo (230 ¥, 20 min).

Quelques bus, au départ de la gare JR de Yamagata, desservent Tsuruoka (2 400 ¥, 1 heure 45), et Zaō Onsen (860 ¥, 40 min).

TENDŌ 天童

☎ 023 / 62 000 habitants

Il peut être intéressant de passer une demi-journée à Tendō, ville où sont fabriquées près de 90% des pièces d'échecs du Japon. Cet artisanat raffiné était à l'origine pratiqué par les samouraïs sans le sou, au cours de la période d'Edo (leurs salaires ayant été diminués par le seigneur Tendō, lui-même en grande difficulté financière).

L'**office du tourisme** (天童市観光物産協会 ; ☎ 653-1680 ; 🕙 9h-18h, fermé 3ᵉ lun du mois), au 2ᵉ niveau de la gare JR Tendō, vous indiquera les sites touristiques, comme l'excentrique **Tendō Mingeikan** (天童民芸館 ; ☎ 653-5749 ; 500 ¥ ; 🕙 9h-17h), un musée du folklore aménagé dans une ferme *gasshō-zukuri* (au toit très pentu en chaume). Le **musée Tendō Shōgi** (天童市将棋資料館 ; ☎ 653-1690 ; 1-1-1 Hon-chō ; 300 ¥ ; 🕙 9h-18h jeu-mar), dans la gare JR Tendō, expose des jeux d'échecs japonais et étrangers.

Pour observer le processus de fabrication des pièces d'échecs, rendez-vous à **Eishundō** (栄春堂 ; ☎ 653-2843 ; 1-3-28 Kamatahonchō ; entrée libre ; 🕙 8h-18h mer-lun), à 15 minutes de marche, tout droit en sortant de la gare, après le Tendō Park Hotel. En face, le **musée Hiroshige** (広重美術館 ; ☎ 654-6555 ; 1-2-1 Kamatahonchō ; 600 ¥ ; 🕙 8h30-17h30 mer-lun avr-oct, 9h-16h30 mer-lun nov-mars) présente une collection d'estampes de Hiroshige, grand maître de la période d'Edo.

Le dernier week-end d'avril, le Tendō-kōen accueille le **Ningen Shōgi**, durant lequel des parties d'échecs se jouent en plein air, avec des personnes utilisées comme pièces.

À intervalles réguliers, des *futsū* circulent sur la ligne JR Ōu entre Yamagata et Tendō (820 ¥, 45 min).

ZAŌ ONSEN 蔵王温泉

☎ 023 / 14 000 habitants

Cette petite ville de sources chaudes, dotée des plus belles pistes de ski de la région, est le principal attrait du parc (quasi) national de Zaō. Si les champions préfèrent se mesurer, plus au nord, aux pistes de Hokkaidō, Zaō Onsen est réputé pour ses "monstres de neige", d'immenses conifères gelés par les vents de Sibérie. Même en dehors de l'hiver, la ville est très visitée : on vient faire de superbes randonnées, profiter de l'atmosphère détendue et, surtout, essayer le *dai-rotemburo*, un gigantesque bain à ciel ouvert qui peut accueillir des centaines de baigneurs.

Orientation et renseignements

Près de la gare routière de Zaō, l'**office du tourisme** (☎ 694-9328 ; 🕙 9h-17h30) vous renseignera sur l'hébergement, le ski et les transports. Zaō possède un réseau de 14 pistes avec plus de 30 remonte-pentes. Repartez avec le plan illustré de la station, *The Skier's Guide* (en japonais), qui vous aidera à vous y retrouver.

La saison de ski débute en décembre pour se terminer fin avril. Le *dai-rotemburo* est ouvert de mai à octobre.

À voir et à faire
SKI ET SNOWBOARD

Bien que petite, la station de Zaō n'en offre pas moins de nombreuses pistes de niveau débutant et intermédiaire, plus quelques intéressantes pistes noires. De toute façon, quel que soit son niveau, on vient avant tout ici pour glisser (à ski ou en snowboard) dans le paysage irréel que composent les monstres de neige. Ils sont le plus impressionnants en février et c'est à **Juhyō Kōgen** (樹氷高原), ou "plateau des monstres de glace", qu'ils sont le plus nombreux.

SKI

Pour des informations sur les stations, les cartes et les brochures, consultez le site www.snowjapan.com/e/index.php.

Le forfait journée qui démarre à 4 800 ¥ garantit l'accès aux pistes et aux remonte-pentes ainsi qu'à la navette gratuite qui les dessert. Le **téléphérique du Zaō-san** (ropeway ; 蔵王山ロープウェイ ; aller simple/aller-retour 750/1 400 ¥ ; 8h30-17h), à 10 minutes à pied au sud-ouest de la gare routière, s'élève jusqu'au Juhyō-kōgen, offrant une belle vue sur les monstres. Sachez que le forfait journée ne comprend ni le téléphérique, ni le funiculaire.

RANDONNÉE

En été, vous pourrez grimper jusqu'à l'**Okama** (御釜), un lac de cratère d'un bleu cobalt étincelant, au sommet du Zaō-san. Par beau temps, c'est un bonheur de s'y promener et de découvrir les statues bouddhistes et les monuments cachés dans la végétation.

L'accès le plus simple se fait par le parking Katta Chūsha-jō, d'où part le **funiculaire de Zaō** (蔵王スカイケーブル ; aller simple/aller-retour 750/1 200 ¥ ; 8h30-17h) qui vous mènera au plus près de l'Okama.

ONSEN

Si en hiver, le bain est une affaire intime, pris à l'hôtel ou dans les quelques petites maisons de bains éparpillées dans la ville, il en est autrement en été. Les randonneurs assiègent en masse le **Dai-rotenburo du Zaō Onsen** (蔵王温泉大露天風呂 ; entrée 450 ¥ ; 6h-19h mai-oct), où chacun des bassins à ciel ouvert a une capacité de 200 personnes. Des rochers maculés de sulfure plantent le décor.

Où se loger et se restaurer

Il existe une multitude d'hébergements qu'il faut s'empresser de réserver pour la saison de ski ou les week-ends d'été. Si vous parlez japonais, il vaut mieux appeler

avant de venir, ce que l'office du tourisme peut faire pour vous.

Ginrei Honten (銀嶺本店 ; ☎ 694-9120 ; www.community-i.com/zao/ginrey.html ; 940-5 Zaō Onsen ; ch avec/sans demi-pension 6 500/3 500 ¥/pers ; P). Excellente option petits budgets que ce modeste *minshuku* où règne une belle convivialité entretenue par les sympathiques propriétaires. Chambres simples et toilettes communes. Pour vous y rendre, tournez à droite depuis la gare routière, puis franchissez le pont : il se trouve au coin sur la droite, avant un grand parking d'hôtel.

Le **Lodge Chitoseya** (ロッジちとせや ; ☎ 694-9145 ; fax 694-9145 ; 954 Zaō Onsen ; ch avec/sans demi-pension à partir de 6 825/4 515 ¥/pers ; P 💻), tout proche de la gare routière, est une autre option économique et chaleureuse, appréciée des jeunes skieurs et randonneurs. Le charmant couple qui tient la maison sert avec fierté des repas originaux, où se mêlent inspiration japonaise et classiques de la cuisine fusion.

Pension Boku-no-Uchi (ペンションぼくのうち ; ☎ 694-9542 ; www.bokunouchi.com ; 904 Zaō Onsen ; ch en demi-pension à partir de 7 200 ¥/pers ; P). Près de la supérette Lawson, une pension familiale accueillante, compromis parfait entre le style occidental et japonais. Accueillantes chambres à tatamis, bain sulfureux ouvert 24h/24 et repas dans la salle à manger rustique.

🅞 **Takamiya** (高見屋 ; ☎ 694-9333 ; fax 694-2166 ; www.zao.co.jp/takamiya ; 54 Zaō Onsen ; ch en demi-pension à partir de 15 900 ¥/pers ; P). La ville compte de nombreux *ryokan* de luxe, parmi lesquels le Takamiya qui nous a séduit par son attachement à la tradition. Les somptueux repas de *kaiseki ryōri* (cuisine japonaise de banquet dont les plats défilent les uns après les autres) se prolongent agréablement, tandis que le bain se prend dans le cadre serein de plusieurs *onsen*, chargés de siècles d'histoire. Le prix des chambres varie selon la décoration, bien que chacune allie élégamment la rusticité de l'ancien à des touches modernes.

Shinzaemon-no-Yu (新左衛門の湯 ; ☎ 693-1212 ; www.zaospa.co.jp/top.html ; 905 Kawa-mae Zaō Onsen ; bain 600 ¥, repas à partir de 1 500 ¥ ; onsen 10h-21h30, déj et dîner, jours de fermeture variables). Ce bain luxueux fait aussi office de salle de banquet. Idéal pour se relaxer après une longue journée de ski et savourer le convivial plat d'hiver qu'est le *shabu-shabu* (fines tranches de bœuf, accompagnées de légumes, qu'on plonge dans l'eau bouillante ; 3 600 ¥), dans un cadre d'une élégante sobriété, en bois naturel. Le restaurant occupe un édifice en bois traditionnel en face du téléphérique.

Depuis/vers Zaō Onsen

Chaque heure, de nombreux bus font la navette entre la gare routière de Zaō Onsen et la gare JR de Yamagata (860 ¥, 40 min). Pour satisfaire la demande en hiver, lorsque plus d'un million de visiteurs affluent dans la région, des bus de nuit partent de Tōkyō (gare de Hamamatsuchō) à 21h pour arriver à Zaō le lendemain matin aux alentours de 6h30, et repartent pour la capitale à 14h (aller-retour 9 500¥).

YAMADERA 山寺

☎ 023 / 1 500 habitants

Silence
imprégnant les pierres
stridulation des cigales.
Matsuo Bashō, *La Sente étroite
du bout du monde* (1689)

Le **Risshaku-ji** (立石寺 ; ☉ 8h-17h ; 300 ¥), plus communément appelé Yamadera, est un magnifique ensemble de temples et de sanctuaires perchés sur des versants couverts de bois et d'une végétation luxuriante. Les rochers de Yamadera sont supposés représenter la frontière entre le monde des vivants et l'au-delà. La fondation de ce monastère remonte à 860, lorsqu'une flamme sacrée (c'est prétendument la même qui brûle actuellement) y fut apportée de l'Enryaku-ji, près de Kyōto.

Dans la montagne, à chaque détour de sentier, apparaît un nouvel édifice, différent en caractère du précédent ; malheureusement, Yamadera est souvent envahi de touristes. Pour pouvoir y goûter le silence propre à la méditation qui a tant inspiré Bashō, arrivez tôt le matin depuis Yamagata ou en fin d'après-midi.

Un petit **office du tourisme** (☎ 695-2816 ; ☉ 9h-17h), à côté du pont, distribue des brochures en anglais.

Après vous êtes frayé un chemin dans la foule au-delà de la porte **San-mon** (山門), commencez à grimper l'escalier abrupt qui, au bout de centaines de marches, donne accès à l'**Oku-no-in** (奥の院), le sanctuaire intérieur. De là, des sentiers mènent de part et d'autre à de petits sanctuaires et à des points de vue.

Avant de repartir pour Yamagata, visitez le **Bashō Kinenkan** (山寺芭蕉記念館 ; ☎ 695-2221 ; 400 ¥ ; ☉ 9h-16h30, fermé le lun déc-fév), dans le village, près de la gare. Vous découvrirez dans ce plaisant petit musée des manuscrits et des calligraphies relatant le célèbre voyage de Bashō dans les territoires du Nord, ainsi que des présentations audiovisuelles sur les différents lieux visités par le poète.

Des *kaisoku* fréquents relient, par la ligne JR Senzan, Yamadera à Yamagata (230 ¥, 20 min).

YONEZAWA 米沢

☎ 0238 / 91 000 habitants

Les amateurs de viande, durant leur excursion de la journée depuis Yamagata, pourront apprécier le bœuf de Yonezawa, réputé pour la tendreté et la saveur de sa chair, similaires à celles du bœuf de Kobe. Yonezawa abrite également les vestiges du château (XVIIe siècle) du clan Uesugi, dont les membres transformèrent la ville féodale en un grand centre de tissage de la soie.

Vous trouverez renseignements et cartes à l'**office du tourisme** (☎ 24-2965 ; ☉ 8h-18h), à l'intérieur de la gare. Devant, des vélos à louer (1 000 ¥/jour) vous rapprocheront des douves extérieures du château, à 1 km à l'est de la gare. Pour vous y rendre, vous pouvez aussi prendre un bus local à destination de Shirabu Onsen, depuis l'arrêt n°2, devant la gare, et descendre à Uesugi-jinja-mae (190 ¥, 10 min).

Les fondations du château forment aujourd'hui l'enceinte de **Matsugasaki-kōen** (松ヶ崎公園), un joli parc entouré d'une paisible douve. À l'intérieur, le **musée Uesugi** (米沢市上杉博物館 ; ☎ 26-8001 ; 400 ¥ ; ☉ 9h-16h30, fermé 4e mer, fermé lun, déc-mars) expose des objets provenant du clan Uesugi. L'**Uesugi-jinja** (上杉神社), petit sanctuaire datant de 1923, et le **Keishō-den**, (稽照殿 ; ☎ 22-3189, ☉ 9h-16h), ou trésor, présentent des armures et des œuvres d'art de plusieurs générations de la famille Uesugi.

Fêtes et festivals

L'**Uesugi Matsuri** commence avec des chants traditionnels le 29 avril, puis une reconstitution des préparatifs militaires de la bataille de Matsugasaki-kōen a lieu le soir du 2 mai. Mais le moment fort se déroule le 3 mai, avec une mise en scène de la gigantesque bataille de Kawanakajima, rassemblant plus de 2 000 participants.

Où se loger et se restaurer

La plupart des visiteurs viennent à Yonezawa en fin d'après-midi pour visiter le château, puis vont déguster le délicieux bœuf, avant de retourner à Yamagata.

Hotel Otowa (ホテルおとわ ; ☎ 22-0124 ; www.hotel-otowa.com ; s/lits jum 4 500/8 400 ¥ ; ☐). À quelques minutes à l'est de la gare, sur la route principale, ce bel édifice aux allures de château a plus d'un siècle. Ce fut la seule auberge de Yonezawa à ne pas être détruite durant la Seconde Guerre mondiale.

Tokiwagyū-nikuten (登起波牛肉店 ; ☎ 24-5400 ; 2-3 Chūō ; repas à partir de 3 500 ¥ ; ☽ déj et dîner). Le bœuf de Yonezawa est au menu de tous les restaurants, mais celui-ci, datant de l'époque d'Edo, est le plus célèbre de tous pour déguster cette succulente viande persillée. Ses spécialités sont le *shabu-shabu* (3 700 ¥) et le *sukiyaki* (4 500 ¥). Une fois que vous serez dans la bonne rue au nord du quartier Chūō (le centre), cet édifice historique est facile à trouver. Demandez à l'office du tourisme de vous en indiquer l'emplacement sur la carte.

Depuis/vers Yonezawa

Des *futsū*, sur la ligne JR Ōu, relient régulièrement Yonezawa à Yamagata (820 ¥, 45 min).

NIIGATA-KEN 新潟県

Si Niigata-ken ne fait pas officiellement partie du Tōhoku, il constitue une belle introduction à ces magnifiques régions septentrionales et offre toute la gamme d'activités de plein air qu'on trouve habituellement dans le nord de Honshū. La ville d'onsen d'Echigo-Yuzawa est le cadre du célèbre roman de Kawabata, *Pays de neige*, tandis que Myōkō Kōgen reste la destination de ski la plus appréciée de tout le Tōhoku. Enfin, Sado-ga-shima, l'île aux kakis, où étaient envoyés jadis les exilés, est le fleuron touristique de la préfecture.

NIIGATA 新潟
☎ 025 / 813 900 habitants
Pour la plupart des voyageurs, la capitale de la préfecture n'est qu'un carrefour pour les transports et une porte d'accès vers l'île toute proche de Sado-ga-shima. Vous ne vous y attarderez sans doute que le temps de prendre un train ou d'embarquer à bord d'un ferry, car il n'y a pas grand-chose pour vous retenir à Niigata. C'est pourtant une cité plaisante, où l'espace ne manque pas : la rivière Shinano, qui la partage en deux, ménage de grandes étendues de ciel bleu dans toutes les directions. Niigata est également réputée pour la qualité de son riz, de ses poissons et fruits de mer, et de ses sakés. Avant de la quitter, prenez le temps de découvrir tous ces délices.

Orientation

La gare JR Niigata se trouve au cœur de la ville. La plupart des sites touristiques sont regroupés entre la gare et la rivière Shinano. Higashi Ōdori, l'artère principale, court vers le nord à partir de la gare. En traversant le Bandai-bashi, on arrive dans le quartier de Furumachi qui accueille le bouillonnant marché Honchō.

Renseignements
Centre international de rencontre de Niigata
(Niigata International Friendship Centre ; ☎ 225-2777 ; Kurosuparu Niigata Bldg, 3-2086 Ishizuechōdōri ; ☽ 9h-21h30 lun-sam, jusqu'à 17h dim et fêtes, fermé tous les 4ᵉ lundis). Possède une petite bibliothèque et un personnel serviable pour les informations touristiques générales.
Hôpital médical et dentaire de l'université de Niigata (☎ 223-6161 ; 1-757 Asahimachi-dōri).
Office du tourisme (☎ 241-7914 ; ☽ 9h-18h). À gauche de la gare de Niigata (sortie Bandai). Les meilleures informations sur Sado-ga-shima.
Poste centrale (☎ 244-3429 ; 2-6-26 Higashi Ōdori ☽ 7h-23h lun-ven, 9h-19h sam, dim et fêtes). Équipée d'un DAB.
Stock + Niigata (☎ 246-1370 ; www.stockplus-n.com ; 1-2-23 Ōdōri ; 157 ¥/15 min ; ☽ 9h30-18h lun-ven).

À voir
Le centre-ville se visite facilement à pied. Sinon, des bus circulent dans toute l'agglomération (180 ¥). Si le temps est de la partie, les rives de la Shinano-gawa et ses terrasses sont un poste d'observation idéal.

Si l'on traverse la Shinano-gawa par le pont Shōwa-ōhashi-bashi, on arrive au **pavillon d'honneur du gouvernement préfectural** (accès libre ; ☽ 9h-16h30, ouvert de façon irrégulière), un superbe bâtiment ancien qui a survécu au tsunami de 1964, qui détruisit une grande partie de la ville. Vous pouvez prendre les bus à l'arrêt n°13 devant la gare pour Showa Ōhashi (15 min), en direction d'Irihonechō.

Derrière le pavillon d'honneur s'étend le **Hakusan-kōen** (☽ lever-coucher du soleil), un petit parc qui renferme le sanctuaire Hakusan-jinja, dédié à une divinité locale, protectrice du mariage. Ses jardins abritent un bassin avec des lotus, ainsi qu'un pavillon de thé historique de l'époque Meiji, l'**Enkikan** (entrée gratuite, thé 300 ¥ ; ☽ 9h-17h), transplanté ici depuis Kyōto.

Le **musée de la Culture du Nord** (北方文化博物館 ; ☎ 385-2001 ; 2-15-25 Sōmi ; 800 ¥ ; ☽ 9h-17h avr-nov, jusqu'à 16h30 déc-mars), à 10 km au sud-est

NIIGATA-KEN

0   50 km

Vers Otaru
(Hokkaidō)
(712 km)

Vers Sakata
(32 km)

YAMAGATA-KEN

Atsumi

Awa-shima

Ligne principale JR Uetsu

7

Vers Vladivostok (Russie)
(800 km)

Murakami
Murakami

Iwafune-kō

Sakamachi
Nakajō

Ligne Yonesaka

Sado-ga-shima

Ryōtsu

350

Aikawa

Sawata

Vers Yonezawa
(50 km)

Niigata-kō
NIIGATA

Aéroport
de Niigata

Shibata

Akadomari

Ogi

Sado Kaikyō

MER
DU
JAPON

8

Toyosaka

Suibara

Shirone Niitsu

Maki

Gosen

Kamo

Yahiko

Tsubame

Vers Aizu-
Wakamatsu
(22 km)

49

Teradomari

Ligne principale Shinetsu

Sanjō

NIIGATA-KEN

Mitsuke

Hokuriku
Expressway

Tochio

Nagaoka

Kashiwazaki

Ojiya

Kawaguchi

Koide
Koide

FUKUSHIMA-KEN

Naoetsu-kō Naoetsu

Nō Jōetsu

Tōkamachi

Ligne principale
Hokuriku Itoigawa

Vers Toyama (54 km)
et Kanazawa (113 km)

148

Arai

Myōkō
Kōgen Imori-ike

Echigo-Yuzawa

Mt Myōkō Myōkō Kōgen

Muikamachi

JR Jōetsu Shinkansen

Tsunan

18

Nakano

NAGANO-KEN

NAGANO

Suzaka

Vers Matsumoto
(50 km)

17

Naeba

GUMMA-KEN

Hokuriku
Expressway

Tsukiyono

Agatsuma

Numata

Vers Tōkyō
(186 km)

Imaichi

Kanuma

de Niigata, consiste en un joli parc paysager où sont installés des entrepôts traditionnels aux murs de terre et des petits pavillons de thé. Des bus partent à peu près toutes les heures de l'arrêt n°7 du centre des bus de Bandai (et non de la gare ferroviaire) et s'arrêtent à l'arrêt Nishi Ohata, devant le musée (500 ¥, 45 min).

Fêtes et festivals

Sake-no-jin (酒の陣) Grand rendez-vous annuel des amateurs de saké, le troisième week-end de mars. Au programme des festivités : saké à volonté, plus de 175 variétés de tout le Japon à déguster. *Kanpai !*
Niigata Matsuri (新潟祭り ; 1er ou 2e week-end d'août, selon l'année). L'après-midi, des défilés colorés de chars et de sanctuaires prennent possession des rues.

NIIGATA

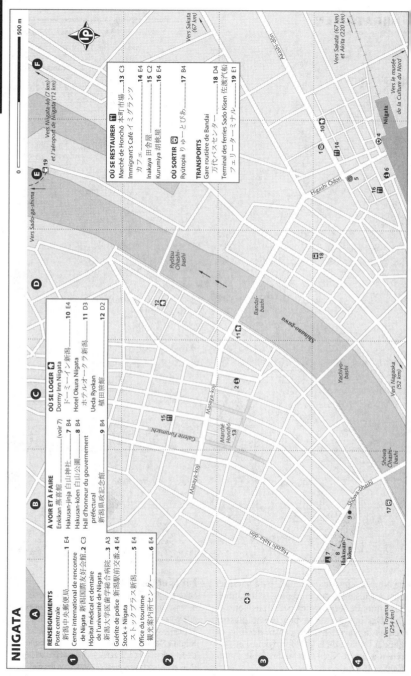

RENSEIGNEMENTS
Poste centrale 新潟中央郵便局.............................1 E4
Centre international de rencontre de Niigata 新潟国際友好会館..2 C3
Hôpital médical et dentaire de l'université de Niigata 新潟大学医歯学総合病院.....3 A3
Guérite de police 新潟駅前交番.....4 E4
Stock + Niigata ストックプラス新潟.......5 E4
Office du tourisme 観光案内所センター.....6 E4

À VOIR ET À FAIRE
Enkikan 燕喜館..............................(voir 7)
Hakusan-jinja 白山神社.....7 B4
Hakusan-kōen 白山公園.....8 B4
Hall d'honneur du gouvernement préfectural 新潟県政記念館.....9 B4

OÙ SE LOGER
Dormy Inn Niigata ドーミーイン新潟.....10 E4
Hotel Okura Niigata ホテルオークラ新潟.....11 D3
Ueda Ryokan 植田旅館.....12 D2

OÙ SE RESTAURER
Marché de Honchō 本町市場.....13 C3
Immigrant's Café イミグランツ カフェ.....14 E4
Inakaya 田舎屋.....15 C2
Kurumiya 胡桃屋.....16 E4

OÙ SORTIR
Ryūtopia リゅートぴあ.....17 B4

TRANSPORTS
Gare routière de Bandai 万代バスセンター.....18 D4
Terminal des ferries Sado Kisen 佐渡汽船 フェリーターミナル.....19 E1

Vers Sado-ga-shima

Vers Niigata-kō (7 km) et l'aéroport de Niigata (12 km)

Vers Sakata (67 km)

Vers Sakata (67 km) et Akita (220 km)

Vers le musée de la Culture du Nord

Niigata

Vers Toyama (254 km)

Vers Nagaoka (52 km)

Hakusan-kōen

Ryūtsū Ōhashi-bashi

Bandai-bashi

Shinano-gawa

Yachiyo-bashi

Shōwa Ōhashi-bashi

Shōwa-ōhashi

Marché Honchō

Galerie Furumachi

Masaya-kōji

Higashi Naka-dōri

Higashi Ōdōri

Asahi-dōri

500 m
0

Le soir, des milliers de danseurs traversent le pont de Bandai. La dernière nuit, un superbe feu d'artifice illumine la Shinano-gawa, tandis que des bateaux décorés transportent l'autel du dieu local jusqu'à la mer.

Où se loger

Ueda Ryokan (☎ 225-1111 ; fax 225-1110 ; www. uedaryokan.com, en japonais ; 2120 Yonnochō ; ch avec/sans demi-pension à partir de 7 350/3 780 ¥/pers ; ☐). Agréable alternative aux *business hotels* impersonnels des abords de la gare que cette charmante auberge japonaise, sans chichis, paisiblement installée sur la rive nord. Depuis le Lawson, à côté du pont de Bandai, traversez Ōdōri, et empruntez la petite rue latérale après le troisième carrefour. Lorsque la rue se resserre, prenez la première à droite. Le *ryokan* est sur votre gauche, à mi-chemin.

Dormy Inn Niigata (☎ 247-7755 ; fax 247-7789 ; 1-7-14 Akashi ; s/d à partir de 4 500/7 350 ¥ ; ☐). À quelques minutes à pied de la gare, en face de l'immeuble NTT, un nouveau concept avantageux de *business hotel*. Tarif réduit assuré pour de petites chambres, quelconques, et sans sdb, mais avec superbe onsen et sauna sur place, ainsi qu'une vaste et conviviale cafétéria. Internet par câble LAN.

Hotel Okura Niigata (☎ 244-6111 ; fax 224-7060 ; www. okura-niigata.com/english/index.html ; 53 Kawabata-cho ; s/d à partir de 8 925/14 700 ¥ ; ☐ ☎). Sans conteste l'hôtel le plus luxueux de Niigata. Joliment situé près du pont de Bandai, il offre un superbe panorama sur la Shinano-gawa, à savourer par exemple du grand restaurant français installé au 15ᵉ niveau. Chambres à l'élégance classique et sobre. Internet par câble LAN.

Où se restaurer et prendre un verre

Marché de Honchō (本町市場 ; ⏱ 10h-17h, jours de fermeture irréguliers). Fête pour les yeux et les papilles, ce marché occupe plusieurs arcades piétonnières partant de Masa-koji. Spécialisé dans le poisson et les produits frais, c'est aussi l'endroit où se régaler de la savoureuse cuisine de Niigata dans de petits restaurants.

Inakaya (☎ 223-1266 ; 1457 Kyūban-chō ; plats à partir de 800 ¥ ; ⏱ déj et dîner). Célèbre restaurant de fruits de mer, très apprécié des employés de bureau, dont la spécialité est le *wappa meshi* : du poisson à la vapeur sur du riz, servi dans une boîte en bois. Un menu illustré aide les non-initiés, mais la pêche est si riche et si fraîche à Niigata que tous les choix sont bons. Dans une petite rue dans le quartier des restaurants de Furu-machi, en face de la supérette Daily Yamazaki.

Kurumiya (☎ 290-6556 ; 1ᵉʳ niv, Tōkyū Inn, 1-2-4 Benten ; plats à partir de 800 ¥ ; ⏱ déj et dîner). Voisin de la gare (repérez l'enseigne en bois en lettres romaines), ce restaurant propose une belle sélection de sakés locaux, des menus de produits de la mer appétissants et un vaste choix de spécialités locales et régionales. Il n'y a aucune illustration. Notre conseil : commandez un *osusume* (suggestion du chef) ou pointez ce que vous voyez dans l'assiette des voisins.

Immigrant's Cafe (☎ 242-2722 ; www.immigrantscafe. com, 1-7-10 Higashi Ōdori ; boissons à partir de 600 ¥ ; ⏱ 17h30-jusqu'à tard). Expatriés et habitués apprécient l'ambiance internationale de cet établissement, installé au sous-sol de l'immeuble Niigata Central. Plats mexicains, musique électronique et boissons en tous genres.

Où sortir

Ryūtopia (☎ 224-5622 ; www.ryutopia.or.jp, en japonais ; 3-2 Ichibanbori-dōri ; ⏱ 9h-22h, fermé 2ᵉ et 4ᵉ lun du mois). Cet immense complexe est dédié aux arts du spectacle. Il comprend une salle de concert de 1 900 places, un théâtre de 900 sièges et un théâtre nō (théâtre classique japonais qui se joue sur une scène dépouillée) pouvant accueillir jusqu'à 400 personnes. Renseignez-vous sur le programme auprès de l'office du tourisme.

Depuis/vers Niigata

AVION

De l'aéroport de Niigata, à 13 km au nord du centre, partent des vols nationaux à destination, entre autres, de Tōkyō, Ōsaka et Fukuoka. Pour les vols internationaux, voir p. 833. Les bus pour l'aéroport partent de l'arrêt n°11, devant la gare de Niigata, toutes les demi-heures entre 6h40 et 18h40 (370 ¥, 25 min). Comptez environ 2 000 ¥ en taxi.

BATEAU

Les ferries **Shin-Nihonkai** (☎ 273-2171) relient Niigata à Otaru sur Hokkaidō (6 200 ¥, 18 heures ; départ à 10h30 tlj sauf lun ; retour tlj sauf lun). Pour vous rendre au port (Niigata-ko), prenez le bus pour Rinkonichōme, à l'arrêt n°3, devant la gare, et descendez à Suehiro-bashi (200 ¥, 20 min). Petite billetterie sur le quai.

Du terminal Sado Kisen, de nombreux ferries et hydroglisseurs assurent la traversée jusqu'à Ryōtsu, sur Sado-ga-shima (p. 583). Des bus (200 ¥, 15 min) partent de la gare (arrêt n°6) pour le terminal 45 minutes avant que le bateau ne lève l'ancre. Un taxi pour

Niigata-kō ou le terminal Sado Kisen vous coûtera aux environs de 1 200 ¥.

BUS

Les bus Niigata Transit et longue distance JR partent de la gare routière couverte de Bandai. Là, un guichet vend des billets à destination de la majorité des grandes villes du Japon. Départs fréquents pour Tōkyō (5 250 ¥, 6 heures), Sendai (4 500 ¥), Aizu-Wakamatsu (2 000 ¥, 1 heure 45), etc.

VOITURE

Les conducteurs emprunteront le Hokuriku Expressway (北陸自動車道), qui relie Tōkyō à la région de Niigata.

TRAIN

Chaque heure, plusieurs trains empruntant la ligne Jōetsu *shinkansen* relient Niigata à Tōkyō (10 070 ¥, 2 heures 15) via Echigo-Yuzawa Onsen (5 040 ¥, 50 min). Tous les jours, quelques *tokkyū* de la ligne JR Uetsu relient Niigata à Tsuruoka (4 130 ¥, 1 heure 45), et à Akita (6 820 ¥, 3 heures 45).

Pour accéder à Naoetsu-kō, le port qui dessert Ogi, sur Sado-ga-Shima, par le ferry ou l'hydroglisseur, prenez à la gare de Niigata l'un des quelques *tokkyū* quotidiens, sur la ligne JR Shinetsu, jusqu'à Naoetsu (4 300 ¥, 1 heure 45). De cette gare, il faut prendre un bus (160 ¥) durant 10 minutes, puis marcher 15 minutes jusqu'au port.

Chaque jour, plusieurs *kaisoku*, sur les lignes JR Bansetsu et Shinetsu, circulent entre Niigata et Aizu-Wakamatsu (2 210 ¥, 2 heures 45).

MYŌKŌ KŌGEN 妙高高原
☎ 0255

Très étendue, la région de Myōkō Kōgen rassemble plus de 50 stations de ski sur la chaîne montagneuse de Myōkō-shi. Facilement accessible depuis Tōkyō, c'est la destination la plus fréquentée par les voyages organisés de ski et de snowboard, qui peut réserver de mauvaises surprises au voyageur indépendant, car la plupart des stations n'accueillent que les groupes. Qu'à cela ne tienne, avec un peu de temps devant vous, vous trouverez un voyage organisé bon marché.

Vous obtiendrez de nombreux renseignements sur la région, le ski et des cartes à l'**office du tourisme de Myōkō Kōgen** (☎ 86-3911 ; 291-1 Ōaza Taguchi ; ☼ 8h30-18h), à 100 m sur votre droite à la sortie de la gare de Myōkō Kōgen.

Pour réserver un voyage organisé à Myōkō Kōgen, adressez-vous de préférence à une agence de Tōkyō (voir p. 123), où souvent le personnel parle anglais. Les prix varient considérablement en fonction de la saison, l'importance du groupe, la longueur du séjour et la qualité de la station. Cependant, Myōkō Kōgen reste l'une des destinations les plus abordables du pays, moins chère en transport que la plus lointaine île de Hokkaidō.

Myōkō Suginohara Suki-jō (妙高杉の原スキー場 ; ☎ 86-6211 ; http://ski.princehotels.co.jp/myoko, en japonais ; ch en demi-pension avec forfait remonte-pente 9 600 ¥/pers), la plus renommée des stations de ski, est gérée par la chaîne Prince, à la solide réputation. Offrant de belles vues sur le mont Myōkō, cette immense station compte 17 pistes (la majorité est de niveau débutant et intermédiaire, avec quelques noires et un parc de snowboard). Larges et bien entretenues, elles sont couvertes d'une belle couche de poudreuse, éclairées la nuit, et moins fréquentées que celles des autres stations du Tōhoku et de Hokkaidō. La station propose un hébergement en *minshuku* (pension de style japonais) ou en chalets évoquant l'Europe, et de nombreux restaurants et cafétérias. Un *onsen*, tout proche, est idéal pour consoler les muscles endoloris après une journée sur les pistes.

Pour savourer les joies du hors-piste, adressez-vous aux spécialistes locaux du télémark. La **Myōkō Backcountry Ski School** (妙高バックカントリースキースクール ; ☎ 87-2392 ; fax 87-3278 ; www.myokokogen.com/mbss/english.php) organise des circuits dans les alentours boisés, accompagnés par un guide anglophone. Cette école de ski propose aussi des leçons particulières (tarifs variables ; contactez-la pour plus d'informations). Si vous vous inscrivez pour un stage, elle peut aussi vous aider à trouver un hébergement pour la durée de votre séjour à Myōkō Kōgen.

Depuis/vers Myôkô Kôgen

Le Nagano *shinkansen* relie une à deux fois par heure Tōkyō à Nagano (7 770 ¥, 1 heure 45). De là, la ligne JR Shinetsu rejoint Myōkō Kōgen au rythme d'un *kaisoku* par heure (960 ¥, 45 min).

De la gare JR de Myōkō Kōgen, une navette relie les différentes stations de ski entre elles. En voiture, la chaîne de Myōkō-shi est desservie par un réseau de routes étroites mais très praticables.

SADO-GA-SHIMA 佐渡島

☎ 0259 / 69 500 habitants

Sixième île du pays par la taille, Sado-ga-shima est longtemps demeurée pour les visiteurs une destination du bout du monde. Pendant la période féodale, c'était un lieu de bannissement très connu, où l'on reléguait jusqu'à leur mort les intellectuels tombés en disgrâce. Parmi ceux qui furent exilés ici figurent des personnes célèbres, comme l'empereur Juntoku, le maître de nō Ze-Ami, ainsi que Nichiren, fondateur d'une des plus importantes écoles bouddhiques du Japon. En 1601, on découvrit de l'or à côté du village d'Aikawa, et les orpailleurs affluèrent sur l'île. Il s'agissait souvent de vagabonds, recrutés sur le continent et exploités comme des esclaves.

Malgré sa sombre histoire, Sado est aujourd'hui une des destinations touristiques les plus recherchées du Tōhoku. Comparée à Honshū, l'île est relativement peu développée, caractérisée par sa beauté tourmentée et les souvenirs d'un riche passé, peu ordinaire mais évocateur. La majorité des randonneurs la découvrent au plus chaud de l'été, l'affluence étant à son comble durant la troisième semaine d'août, lorsqu'on y célèbre la fête de la Terre, accompagnée par la troupe de tambours Kodo, mondialement réputée.

Même si vous n'êtes pas un fou de la randonnée, Sado vous séduira par sa merveilleuse beauté champêtre. Dans la campagne, dans un décor de montagnes, se détachent de vastes vergers de plaquemiers (arbres à kakis), tandis que les petits villages de pêcheurs animent les côtes découpées de la mer du Japon. Serpentez sur les routes au fil de l'océan, grimpez jusqu'aux sommets des cols, en faisant halte ici et là pour vous imprégner de ces paysages du Japon ancien qui n'existent plus depuis longtemps sur l'île principale.

Sado est une grande île, dont les chaînes de montagnes au sud et au nord s'étendent en parallèle, séparées par une vaste plaine fertile. De petits villages de pêcheurs émaillent la route qui en fait le tour, mais la majorité de la population, isolée à l'intérieur des terres, pratique l'agriculture.

La meilleure période pour aller sur l'île s'étend d'avril à mi-octobre ; durant l'hiver rigoureux, le temps est maussade, la plupart des hôtels ferment, et les transports n'assurent qu'un service minimal.

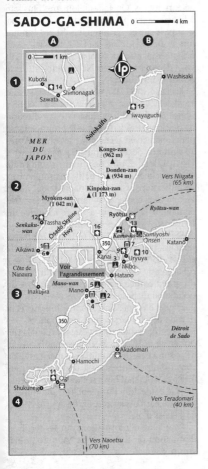

SADO-GA-SHIMA 0 ▭▬▬ 4 km

Sado compte quantité d'auberges de jeunesse, d'hôtels et de campings, mais il est préférable de réserver pendant l'été. Nous n'avons sélectionné que quelques options. Pour plus d'informations, adressez-vous aux offices du tourisme.

Si les villes les plus importantes de Sado-ga-shima sont bien reliées, à intervalles assez réguliers, par un réseau de bus, une voiture est indispensable pour découvrir les plus beaux panoramas de l'île ou accéder à bon nombre d'options d'hébergement, situées loin des arrêts de bus. Il est facile de louer une voiture à Ryōtsu, la ville qui sert d'accès principal à l'île et au réseau de transports publics.

Fêtes et festivals

Parmi les grands événements de Sado, la **fête de la Terre** (アースセレブレーション ; www. kodo.or.jp), 3 jours de musique, de danses et de manifestations artistiques, a généralement lieu la 3ᵉ semaine d'août. On assiste à des *okesa* (danses folkloriques), des *onidaiko* (danses des tambours du diable) et des *tsuburosashi* (une danse phallique avec deux déesses), mais le point fort de fête est la performance des tambours Kodo, réputés dans le monde entier pour être une troupe d'élite. Ces hommes qui vivent dans un petit village au nord d'Ogi sont en tournée presque toute l'année et doivent respecter un entraînement physique, mental et spirituel très stricts. Si vous voulez assister à leur performance, il est impératif de réserver bien à l'avance vos billets et votre hébergement.

Autres fêtes importantes :
Kōzan Matsuri (鉱山祭, 4ᵉ semaine de juillet). Feux d'artifice, *okesa* et parades de chars.
Ogi Minato Matsuri (小木港祭り, 28-30 août). Danses du lion, chants folkloriques, courses de bateaux et feux d'artifice.
Ryōtsu Tanabata Kawabiraki (両津七夕・川開き, 7-8 août). Le plus important feu d'artifice d'Onidaiko et de Sado.
Shishi-ga-jō Matsuri (獅子ケ城まつり, 11 août). *Beach volley* et feux d'artifice.

Ryōtsu et ses environs 両津

Principale ville de Sado, le port de Ryōtsu, qui s'inscrit dans un cadre d'une rare beauté, annonce la splendeur rustique de l'île. S'il n'y a pas grand-chose à découvrir, vous y trouverez tout ce qu'il faut pour préparer votre voyage sur l'île et un hébergement pour la nuit.

Le principal **office du tourisme** de l'île (☎ 23-3300 ; ✪ 8h30-17h, jusqu'à 18h50 juin-août) est situé dans une rue derrière le café et le magasin de souvenirs, de l'autre côté du terminal des ferries. Faites provision de cartes détaillées, horaires des bus et brochures touristiques concernant l'île tout entière.

Pour consulter Internet, rendez-vous au minuscule **Clever Cat** (☎ 23-3158 ; 138-1 Minato ; 30 min, 1 boisson comprise/500 ¥ ; ✪ 10h-21h mer-lun), près du terminal des ferries.

Intéressante introduction à la culture ancienne de l'île, le **Sado Nōgaku-no-sato** (☎ 23-5000 ; ✪ 8h30-17h ; 500 ¥), à 3 km à la sortie de Ryōtsu, est un musée ultramoderne du théâtre nō, où l'on peut admirer des masques et des costumes, et assister à des représentations jouées par des acteurs-robots. Quelques kilomètres plus loin à l'ouest, le temple de **Konpon-ji** (300 ¥ ; ✪ 8h-16h) occupe le site où Nichiren fut d'abord conduit lors de son exil sur Sado en 1271. Tous les bus de la ligne Minami entre Ryōtsu et Sawata peuvent vous déposer aux arrêts Nōgaku-no-sato-mae ou Konpon-ji-mae.

Kunimisō (☎ 22-2316 ; Niibo-Shomyōji ; en demi-pension à partir de 7 000 ¥/pers ; **P**) est un des plus célèbres *minshuku* de Sado, en raison de sa collection de marionnettes *bunya*, que le propriétaire se plaît à mettre en scène pour ses hôtes. Après 15 minutes de bus depuis Ryōtsu, à l'arrêt Uryūya, longez un bon moment une route de campagne jusqu'à la petite maison (suivez les indications). Sinon, téléphonez pour qu'on vienne vous chercher au terminal du ferry ou demandez la direction à suivre à l'office du tourisme si vous êtes en voiture.

Sado Seaside Hotel (☎ 27-7211 ; fax 27-2713 ; http:// sadoseasidehotel.yuyado.net, en japonais ; 80 Sumiyoshi ; s/d à partir de 5 925/10 800 ¥, petit déj/dîner 840/1 575 ¥ ; **P** **💻**). À Sumiyoshi Onsen, à 2 km de Ryōtsu, repérez un grand édifice blanc. Ce motel de style de occidental dispose de chambres avec vue sur l'océan et d'un plaisant *onsen*. L'Internet et la navette depuis/vers le port sont gratuits.

De petits restaurants et cafés bordent la rue principale de Ryōtsu, spécialisés dans la cuisine de saison à base de produits de la mer. Les kakis sont omniprésents dans l'alimentation : les *hoshi-gaki* (kakis d'hiver séchés) entrent même dans la confection du *yōkan*, la traditionnelle gelée de haricots sucrée, parfois rehaussée ici de pétales d'or.

Pour plus d'informations sur les ferries à destination de Ryōtsu et de Sado-ga-shima, voir p. 586.

Sawata et ses environs 佐和田

À 15 km au sud-ouest de Ryōtsu, Sawata est le principal centre administratif de l'île, concentrant la plus forte population. Depuis que Kyokushin Air a cessé ses activités, début 2008, l'aéroport semble plutôt déserté, mais la ville toujours aussi décontractée et plaisante constitue une bonne base pour explorer l'île.

Au centre de Sawata, à côté de la gare routière, le paisible complexe touristique de **Silver Village Sado** (☎ 52-3961; fax 52-3963 ; 981-3 Kubotahama ; ch en demi-pension à partir de 7 500 ¥ ; (P) (🖳)), entouré de jardins méticuleusement entretenus, dispose de chambres de style occidental au confort rustique. Tout le monde peut y assister à des spectacles de marionnettes traditionnelles (750 ¥), 4 fois par jour durant l'été.

◯ Green Village (☎ 22-2719 ; www.e-sadonet. tv/~gvyh/eng/index.html ; 750-4 Niibo Uryuya ; s/d à, partir de 4 100/7 200 ¥, repas 700-1 500 ¥ ; (P) (🖳)), l'un de nos établissements préférés sur l'île, est une adorable petite chaumière, qui semble avoir été transportée jusqu'ici depuis un lointain village européen. Ses propriétaires, d'une rare amabilité, peuvent vous aider à organiser toutes sortes d'activités et ne vous laisseront pas partir sans vous avoir servi de la tarte aux pommes maison. De Ryōtsu, les bus pour Sawata sur la ligne Minami vous déposent à l'arrêt Uryūya, d'où vous continuerez à marcher 10 minutes avant de tourner à gauche au niveau du premier virage. Si vous prévenez le chauffeur que vous allez au Green Village, il vous laissera un peu plus près.

Tōkaen (☎ 63-2221 ; fax 61-1051 ; www.on.rim. or.jp/~toukaen, en japonais ; 1636-1 Otsu ; s avec/sans demi-pension à partir de 8 400/4 200 ¥ ; (P)) est un autre petit *minshuku* plaisant, isolé au milieu des plaines centrales. Vous ne regretterez pas cette escapade car les propriétaires, passionnés de nature, connaissent chaque sentier de l'île et vous inviteront, après une longue journée de marche, à partager leur *shiogama-buro* (bain au sel de mer dans un tonneau de fonte). Tous les bus de la ligne Hon entre Ryōtsu et Aikawa, via Kanai, vous déposeront à l'arrêt Shinbo Undōkōen-mae, d'où il faut encore marcher 3 km vers le nord. Ici aussi, prévenez le chauffeur que vous allez au Tōkaen et il vous en rapprochera un peu.

Des bus circulent régulièrement sur la ligne Minami entre Ryōtsu et Sawata (570 ¥, 40 min), et sur la ligne Hon entre Aikawa et Sawata (390 ¥, 20 min).

Mano et ses environs 真野

Capitale provinciale et principal pôle culturel de l'île jusqu'au début du XIVe siècle, Mano a été aujourd'hui reléguée au second plan par Sawata. Ce petit village sans prétention possède toutefois une grande richesse de sites historiques, éparpillés dans la campagne.

L'**office du tourisme** (☎ 55-3589 ; ◷ 9h-17h30 avr-oct), au carrefour des Routes 350 et 65, vous fournira des informations sur les sentiers de randonnée et les temples alentour.

Un paisible sentier nature de 7 km commence juste à l'ouest de Konpon-ji, sur la ligne de bus Minami entre Ryōtsu et Sawata, près de l'arrêt Danpū-jō. Du départ du sentier, on accède rapidement au temple de **Myōsen-ji** (entrée gratuite ; ◷ 9h-16h), fondé par un disciple de Nichiren, et doté d'une belle pagode à 5 étages.

Le sentier traverse ensuite des rizières, puis il faut gravir quelques marches en bois sur le flanc d'une colline pour atteindre le splendide **Kokubun-ji** (entrée gratuite ; ◷ 8h-16h), plus vieux temple de Sado-ga-shima (741). Le sentier se poursuit, menant 3 km plus loin au **Mano Go-ryō**, tombeau de l'empereur Juntoku. Vous n'êtes pas loin alors du **Sado Rekishi Densetsukan** (☎ 55-2525 ; 700 ¥ ; ◷ 8h-17h30 avr-nov, jusqu'à 17h déc-mars), où des robots animent inlassablement des dioramas sur l'histoire et les fêtes de Sado. Juste à côté, le **Mano-gū** est un petit temple honorant l'empereur Juntoku. Comptez 15 minutes de marche pour retourner à la route principale.

Les bus circulent à intervalles réguliers sur la ligne Minami entre Mano et Ryōtsu (630 ¥, 45 min), et entre Mano et Sawata (260 ¥, 13 min). D'autres bus relient Mano à Ogi (810 ¥, 50 min).

Ogi 小木

Village des célèbres tambours Kodo, le petit port d'Ogi voit beaucoup moins de ferries que Ryōtsu. Assoupi la plus grande partie de l'année, il se transforme le temps de la fête de la Terre en une ville trépidante.

L'**office du tourisme** (☎ 86-3200 ; ◷ 9h-17h30 avr-oct) est à l'ouest de la gare routière.

Les visiteurs japonais viennent à Ogi pour ses fameux *taraibune*, des bateaux construits dans des tonneaux, habilement dirigés au moyen d'une perche par des femmes vêtues d'une tenue de pêche traditionnelle. Servant jadis à la pêche aux coquillages, ils ne sont plus utilisés qu'à des fins touristiques : au terminal du port, on vend des billets pour une **balade** (450 ¥, 10 min, 8h30-16h30).

Voguez un peu plus loin en prenant un **bateau d'excursion** (1 400 ¥, 45 min, 8h30-16h30 avr-nov), qui vous mènera jusqu'au phare de Sawa-zaki avant de revenir sur le port.

Les voyageurs disposant d'une voiture, ou d'un vélo pourront découvrir la côte qui, en ces parages, est sculptée de jolies criques et de grottes isolées.

Si vous revenez sur Honshū, le **Minshukū Sakaya** (☎ 86-2535 ; fax 86-2145 ; 1991 Ogi-chō ; ch en demi-pension 7 350 ¥/pers ; **P**) est bien situé, à quelques minutes de marche à l'est du terminal des ferries d'Ogi. Petites chambres sommaires mais confortables, succulents dîners de fruits de mer et accueil chaleureux.

En dépit de sa morne façade au centre-ville, l'**Hotel New Kihachiya** (ホテル ニュー 喜八屋 ; ☎ 86-3131 ; www.kihachiya.com, en japonais ; 1935-21 Ogi-chō ; ch en demi-pension à partir de 10 000 ¥/pers ; **P ▯**), sur 5 niveaux, surprend par son luxe. Chambres à l'occidentale et à la japonaise, jolies et spacieuses, avec vue sur la mer. Plus un *onsen* rutilant et une vaste salle à manger pour les réceptions.

Des bus réguliers relient, par la ligne Ogi, Ogi à Sawata (910 ¥, 1 heure 15) via Mano (810 ¥, 50 min).

Pour plus de détails sur les ferries vers Ogi et Sado-ga-shima, voir ci-contre.

Aikawa 相川

En 1601, à la suite de la découverte d'or dans les environs, le petit hameau d'Aikawa s'est transformé du jour au lendemain en une cité bouillonnante de 100 000 habitants. Des exploitations privées, dont les employés travaillaient dans des conditions effroyables, étaient encore en activité à la fin de la période d'Edo. Aujourd'hui, cette ville sur le déclin n'est plus que l'ombre d'elle-même.

Un petit **office du tourisme** (☎ 74-2220 ; ☺ 9h-17h30 avr-oct) se trouve à côté de la gare routière.

De là, une marche difficile de 40 minutes mène à la **mine d'or de Sado Kinzan** (☎ 74-2389 ; 1305 Shimoaikawa ; 700 ¥ ; ☺ 8h-17h avr-oct, 8h30-16h30 nov-mars), d'où furent extraites de grandes quantités de minerai d'or et d'argent jusqu'à son abandon en 1989. Dans les profondeurs de la mine, une armada de robots reproduit les rudes conditions de vie des anciens mineurs. Quelques bus s'y rendent aussi en haute saison. Trois cents mètres plus haut dans la montagne se trouve une mine à ciel ouvert d'époque, Dōyū-no-Wareto. Comptez environ 30 minutes pour

redescendre à pied le long de la route de montagne jusqu'à Aikawa. En chemin, vous passerez devant plusieurs temples ainsi que par l'**Aikawa Kyōdo Hakubutsukan** (☎ 74-4312 ; Sakashita Machi ; 300 ¥ ; ☺ 8h30-17h), un musée folklorique qui fait revivre l'ancienne ville minière.

Sur le bord de mer côté sud, l'**Hotel Ōsado** (ホテル大佐渡 ; ☎ 74-3300 ; www.oosado.com ; 288-2 Aikawakabuse ; ch en demi-pension à partir de 9 000 ¥/pers ; **P ▯**) offre de jolis couchers de soleil sur la mer du Japon, à savourer longuement dans le *rotemburo*. Dans la gamme de chambres, occidentales et japonaises, les plus agréables ont également vue sur l'océan.

Des bus de la ligne côtière Nanaura Kaigan relient à intervalles réguliers Aikawa à Ryōtsu (780 ¥, 1 heure) via Sawata (390 ¥, 20 min).

Sotokaifu 外海府

On appelle ainsi la côte déchiquetée du nord de Sado dont les falaises coupées au fil du rasoir tombent à pic dans les profondes eaux bleues. Les routes sont étroites et sinueuses, éprouvantes pour le conducteur et les passagers, mais promettent de superbes excursions. Dans cette partie de Sado, une voiture de location fera toute la différence.

Pour vraiment apprécier la beauté de la côte, il faut partir en mer. Pendant l'été, depuis le village de **Tassha** (達者), des bateaux à fond de verre proposent une croisière de 30 minutes dans le golfe **Senkaku-wan** (尖閣湾, 850 ¥).

De merveilleuses auberges de jeunesse jalonnent cette portion de côte. Dans le hameau de pêcheurs d'**Iwayaguchi** (岩谷口), juste au sud de l'arrêt du bus, la **Sotokaifu Youth Hostel** (☎ 78-2911 ; fax 78-2931 ; 131 Iwayaguchi ; dort à partir de 3 360 ¥, petit déj/dîner 760/1 260 ¥ ; **P**) est une maison dans le style traditionnel de Sado, reconvertie en une auberge des plus plaisantes.

Autre excellente option, la **Sado Belle Mer Youth Hostel** (☎ 75-2011 ; http://sado.bellemer.jp, en japonais ; 369-4 Himezu ; dort à partir de 3 360 ¥, petit déj/dîner 760/1 260 ¥ ; **P**), bâtiment plus moderne mais joliment perché au-dessus du rivage, à 5 minutes à pied de l'arrêt de bus Minami-Himezu.

Quelques bus locaux, sur la ligne Kaifu, vont d'Iwayaguchi à Aikawa (1 010 ¥, 70 min).

Depuis/vers Sado-ga-shima

Des ferries et des hydroglisseurs de la compagnie **Sado Kisen** (☎ 03-5390-0550) relient Niigata et Ryōtsu. Il y a jusqu'à 6 ferries par jour (aller simple à partir de 3 170 ¥, 2 heures 30). Dix hydroglisseurs quotidiens assurent la traversée (1 heure ; aller simple/aller-retour 6 340 ¥/11 490 ¥), mais le service est très réduit de décembre à février. Avant d'embarquer, il faut acheter un billet au guichet automatique et remplir un formulaire d'identification des passagers.

De Naoetsu-kō, à quelque 90 km au sud-ouest de Niigata, des liaisons existent vers Ogi, au sud-ouest de Sado-ga-shima. D'avril à fin novembre, 4 ferries réguliers (au minimum) partent chaque jour (2 heures 30), ainsi que 2 hydroglisseurs (1 heure). Le reste de l'année, les hydroglisseurs restent au port et il n'y a que 2 ferries par jour. Les tarifs sont les mêmes que ceux de la liaison Niigata-Ryōtsu. De la gare JR de Naoetsu, comptez 10 minutes de bus (160 ¥), puis 15 minutes à pied pour rallier le port.

Comment circuler

Les bus locaux conviennent parfaitement pour circuler sur les routes principales. Cependant, pour se rendre ailleurs sur l'île, il n'y a souvent que 2 ou 3 bus quotidiens, encore moins en hiver.

Pour explorer les zones moins touristiques, il est donc préférable de louer un véhicule. Comparez les prix des nombreuses agences de location de voiture situées près du terminal de Ryōtsu ; les tarifs commencent à 7 000/9 000 ¥ par jour/24 heures. Renseignez-vous avant de partir auprès du loueur sur les éventuels travaux, ponts fermés ou chutes de neige afin d'éviter de vous retrouver bloqué sur la route.

Si vous prévoyez de beaucoup utiliser les bus locaux, des horaires en anglais sont disponibles dans les terminaux de ferries et les offices du tourisme. Pour 2 000 ¥, le forfait de bus illimité (valable 2 jours consécutifs pendant un week-end) est une bonne solution.

Le vélo est un excellent moyen de sortir des sentiers battus. Vous pouvez en trouver à plusieurs endroits dans les principales villes (400 ¥ à 1500 ¥/jour).

NAEBA 苗場
☎ 025

Avec le Fuji Rock Festival et certaines des plus belles pistes de ski du Tōhoku, Naeba est une petite ville débordante d'animation.

Elle est reliée à la station de ski de **Tashiro** (田代) par l'une des lignes de téléphérique les plus longues du monde (5 481 m !), offrant deux domaines skiables pour le prix d'un. Appelé **Dragondola** (ドラゴンドラ ; aller-retour 2 000 ¥), ce téléphérique peut transporter jusqu'à 8 personnes en haut des pistes, de tous niveaux, couvertes de poudreuse légère et duveteuse. Quant aux snowboarders, ils ne manqueront pas le half-pipe, à une journée de Tōkyō. Cette proximité à son revers : les files d'attente pour le remonte-pente et les restaurants sont parfois interminables.

Fin juillet, pendant 3 jours, le **Fuji Rock Festival** (www.fujirockfestival.com ; entrée à partir de 42 000 ¥), sorte de Woodstock avec plus de confort et moins de boue, accueille jusqu'à 100 000 personnes. Au programme : orgie musicale, groupes formidables et ambiance festive. Malgré le prix, c'est un véritable pèlerinage pour les amoureux de musique.

Toute l'activité de la station se concentre autour du **Prince Hotel Naeba** (プリンスホテル苗場 ; ☎ 789-2211 ; fax 789-3140 ; www.princehotels.co.jp/naeba ; San-goku ; ch en demi-pension et forfait remonte-pente à partir de 14 000 ¥/pers ; P 🖳), un immense établissement qui satisfait à toutes les attentes de ses clients par une vaste gamme de chambres et de suites de luxe, complétée par force restaurants et autres équipements haut de gamme. Prix très fluctuants et réservations bien à l'avance indispensables. Pour un voyage organisé, visitez n'importe quelle agence de Tōkyō où vous pourrez parler en anglais (voir p. 123). Internet par câble LAN.

Chaque heure, des trains sur la ligne Jōetsu *shinkansen* relient Echigo-Yuzawa Onsen à Tōkyō (5 980 ¥, 1 heure 30), ainsi qu'à Niigata (5 040 ¥, 55 min). D'Echigo-Yuzawa Onsen, un service de bus local dessert la station de Naeba (1 600 ¥, 40 min). Les navettes gratuites du Prince Hotel empruntent également la même route, réservées aux clients pré-enregistrés à l'hôtel.

ECHIGO-YUZAWA ONSEN
越後湯沢温泉
☎ 025 / 8 660 habitants

Cette station de sources chaudes aux belles auberges rustiques est le décor dans lequel évolue la geisha de *Pays de neige*, le roman de Yasunari Kawabata, Prix Nobel de littérature. Outre le souvenir de Kawabata et les plaisirs du bain, les visiteurs viennent surtout ici pour pratiquer le ski.

La gare JR d'Echigo-Yuzawa abrite un petit **office du tourisme** (☎ 785-5505 ; 🕑 9h-17h30), et, c'est plus original, un **onsen** (800 ¥ ; 🕑 9h-18h avr-22 déc, 9h-20h 23 déc-mars) non loin d'**un bar à saké** (ぽんしゅ館 ; ☎ 784-3758 ; www.ponshukan. com, en japonais ; dégustation 500 ¥).

FESTIVALS ROCK AU JAPON *Simon Bartz*

Fin juillet, le **Fuji Rock Festival** (www.fujirockfestival.com) attire des foules d'amoureux de musique. La station de ski de Naeba, dans la préfecture de Niigata, est en effet un emplacement rêvé : les différentes scènes sont installées dans une vallée boisée, des montagnes se dressant de part et d'autre. Le festival est consacré au rock local ou venu d'ailleurs, au hip-hop, au jazz expérimental, à la techno, au punk et au reggae. Tout cela à seulement 2 heures de train de Tôkyô.

Plus de 100 000 personnes participent chaque année au Fuji Rock. Comme les lieux d'hébergement sont pris d'assaut, les spectateurs campent généralement dans la montagne. Inutile d'emporter vos après-skis ; en revanche, munissez-vous d'un bon écran total et de vos bottes en caoutchouc. On peut généralement compter sur 2 jours de beau temps pour un jour de pluie, et l'on se retrouve souvent pataugeant dans la boue.

Fin septembre, le festival **Asagiri Jam** (www.asagirijams.org, en japonais) qui se tient pendant 2 jours dans les superbes collines qui entourent le mont Fuji, mérite peut-être plus que le précédent le nom de "Fuji Rock Festival". C'est un festival au style dépouillé, dont le programme n'est pas annoncé à l'avance. L'accent est davantage mis sur la qualité du son et de l'ambiance que sur les grands noms du show-biz. Dub, techno, jazz et, bien sûr, rock sont à l'honneur. Les hôtels libres dans les parages seront très rares : apportez votre tente ou préparez-vous à passer une nuit blanche.

Le **Summer Sonic** (www.summersonic.com, en japonais), organisé début août, réunit des stars internationales pendant 2 jours à Chiba, près de Tôkyô, et à Ôsaka. Les têtes d'affiche de Chiba jouent le lendemain à Ôsaka, et vice-versa. Citons aussi le festival **Rock in Japan** (www.rock-net.jp, en japonais), qui se déroule durant 3 jours sur des hectares de verdure dans la préfecture d'Ibaraki, à 2 heures de train de Tôkyô. Ce festival incarne parfaitement la scène musicale japonaise contemporaine – tous les groupes sont japonais, des stars de la J-Pop aux crooners sur le retour.

Le **Yukiguni-kan** (雪国館 ; musée d'histoire et de folklore ; ☎ 784-3965 ; 500 ¥ ; ☾ 9h-16h30 jeu-mar), à 500 m au nord de la gare, expose dans un joli cadre des objets ayant appartenu à Kawabata et met en lumière ses classiques.

Gala Yuzawa (ガーラ湯沢スキー場 ; ☎ 785-6543 ; www.galaresort.jp/winter/anglais ; forfait journée remonte-pente 4 300 ¥ ; ☾ déc-mai) est une des plus fameuses stations de la région, sans grand intérêt cependant pour les skieurs confirmés. Ce gigantesque complexe hôtelier possède son propre onsen, un spa et un centre de remise en forme ainsi qu'une pléthore de bars et de restaurants, au pied et au sommet de la montagne. Navette depuis la gare JR Echigo-Yuzawa Onsen.

En été, la région fournit l'occasion de superbes randonnées aux environs de **Yuzawa Kôgen** (湯沢高原), un plateau alpin relié à la ville par un téléphérique (aller-retour ; 1 300 ¥).

Devant le petit rond-point, à la sortie ouest de la gare, vous trouverez le **Hatago Isen** (旅籠井仙 ; ☎ 784-3361 ; www.isen.co.jp, en japonais ; demi-pension à partir de 11 550 ¥ ; P ▣), un *ryokan* décoré avec un goût exquis, qui recrée l'atmosphère d'une auberge de style ancien. Malgré l'équipement moderne et les TV, l'effet est spectaculaire.

Dominant la ville et ses propres pistes, le **NASPA New Ôtani** (NASPAニューオータニ ; ☎ 780-6111, 0120-227-021 ; www.naspa.co.jp/english ; ch à partir de 8 000 ¥/pers ; P ▣) dispose de luxueuses chambres occidentales offrant une vue magnifique. Un petit *rotemburo* fera du bien à vos membres endoloris. Une navette gratuite relie la gare à cette station, mais aussi à d'autres grands domaines skiables en hiver, laissant un vaste choix de destinations aux skieurs. Internet par câble LAN.

Asahikan (あさひ館 ; ☎ 787-3205 ; www.asahikan-yuzawa.com/english.html ; 1760 Tsuchitaru, Yuzawa-machi, Minamiuonuma-gun ; demi-pension à partir de 8 000 ¥/pers ; P) est un sympathique *minshuku* occupant une maison japonaise à l'ancienne proche du domaine skiable Yuzawa Park. Repas maison, thé et café... Prévenez pour que l'on vienne vous chercher.

Chaque heure, plusieurs trains de la ligne Jôetsu *shinkansen* relient Echigo-Yuzawa Onsen à Tôkyô (6 690 ¥, 1 heure 30), ainsi qu'à Niigata (5 040 ¥, 55 min).

Hokkaidō 北海道

Représentant 20% de la surface totale du pays, pour seulement 5% de sa population, Hokkaidō va bousculer vos préjugés sur le Japon. Avec son arrière-pays gelé et sa culture aïnoue en pleine renaissance, Hokkaidō est en tout point différente des autres îles du Japon. Hormis quelques villes, cette région du Nord est une étendue sauvage d'une beauté envoûtante, composée de majestueux massifs montagneux, de volcans et de rivières poissonneuses.

Sillonnée par un remarquable réseau d'autoroutes, l'île attire toutes sortes d'aventuriers, de nomades et de rêveurs. Dans l'esprit des Japonais, la traversée des paysages spectaculaires de Hokkaidō est souvent associée à une liberté sans entrave.

Pour les amateurs de sensations fortes en quête de panoramas infinis, d'une faune et d'une flore sortant de l'ordinaire, de larges routes et de solitude, Hokkaidō offre un contraste rafraîchissant après la densité souvent étouffante de Honshū. De novembre à mars, un froid sibérien sévit sur l'île, offrant les meilleures pistes de ski du Japon et de tout l'hémisphère Est. Au moment du dégel, lorsque les ours se réveillent de leur hibernation, l'île attire les randonneurs avides de terres escarpées et d'*onsen* (sources chaudes) isolés.

Sur l'île de Hokkaidō, il est préférable de voyager en voiture ou à moto, car les transports en commun laissent à désirer. Il vous faudra du temps pour découvrir cette terre encore peu développée mais vous serez récompensé par une expérience de grand air unique au Japon.

À NE PAS MANQUER

■ Une bière bien fraîche, directement à la source à **Sapporo** (p. 594)

■ Une descente dans la poudreuse parfaite de **Niseko** (p. 613) ou sur une autre **piste de ski** (p. 614) de l'île

■ Une randonnée à travers les étendues sauvages de l'immense **parc national de Daisetsuzan** (p. 635)

■ La détente absolue dans les bains sulfureux de **Noboribetsu Onsen** (p. 619) ou dans un autre **onsen** (p. 615) de la région

■ Les énormes et ancestrales boules d'algues *marimo* dans les mystérieux lacs de caldeira du **parc national d'Akan** (p. 642)

■ Les rues du XIXᵉ siècle dans les villes historiques de **Hakodate** (p. 604) et **Otaru** (p. 609)

■ Le "bout du monde" dans le **parc national de Shiretoko** (p. 649)

■ Les fleurs estivales sur les îles reculées du **parc national de Rishiri-Rebun-Sarobetsu** (p. 628)

HOKKAIDŌ

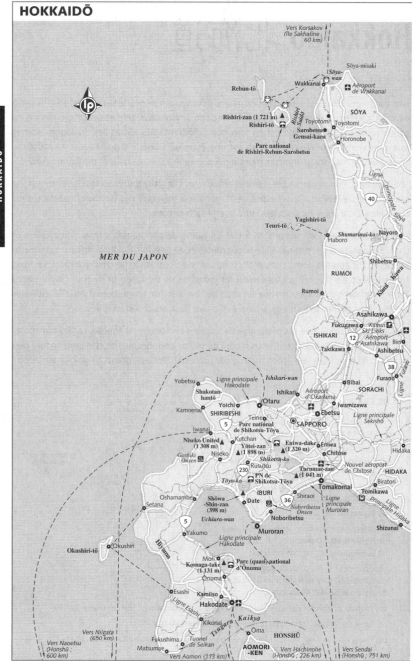

Vers Korsakov
(Île Sakhaline ;
60 km)

Sōya-misaki

Sōya-wan

Wakkanai

Aéroport
de Wakkanai

Rebun-tō

SŌYA

Rishiri-zan (1 721 m)
Rishiri-tō

Rishiri
Suidō

Toyotomi

Toyotomi

Sarobetsu
Gensai-kaen

Horonobe

Parc national
de Rishiri-Rebun-Sarobetsu

Ligne
principale
Sōya

40

Teuri-tō

Yagishiri-tō

Shumarinai-ko
Haboro

Nayoro

MER DU JAPON

Rumoi

Shibetsu

RUMOI

Kami
Kawa

Asahikawa

Fukugawa

Kamui
Ski Links

Aéroport
d'Asahikawa

Bibai

ISHIKARI

12

Bibai

Ashibetsu

Takikawa

38

Furano

Ligne
Furano

Yobetsu

Ligne principale
Hakodate

Ishikari-wan

Ishikari

SORACHI

Shakotan-
hantō

Yoichi

Otaru

Aéroport
d'Okadama

Iwamizawa

Ebetsu

Ligne principale
Sekishō

Kamoenai

SHIRIBESHI

Teine

SAPPORO

Iwanai

5

Parc national
de Shikotsu-Tōya

Niseko United
(1 308 m)

Kutchan

Yōtei-zan
▲(1 898 m)

Eniwa-dake
▲(1 320 m)

Eniwa

Goshiki
Onsen

Niseko

Shikotsu-ko

Chitose

230

Rusutsu

Tōya-ko

PN de
Shikotsu-Tōya

Tarumae-zan
▲(1 041 m)

Nouvel aéroport
de Chitose

HIDAKA

Hidaka

Oshamambe

Shōwa
-Shin-zan
(398 m)

Date

Shiraoi

Tomakomai

Biratori

Tomikawa

IBURI

Ligne Hidaka

Setana

Uchiura-wan

Noboribetsu
Onsen

Ligne
principale
Muroran

Shizunai

5

Yakumo

Noboribetsu

36

Usu

Okushiri-tō

Okushiri

Ligne principale
Hakodate

Muroran

Iwuyama

Mori

Komaga-take
▲(1 131 m)

Parc (quasi national
d'Ōnuma

Ōnuma

Esashi

Kamiiso

Hakodate

Ligne Esashi

Kikonai

Tsugaru
Kaikyō

Ōma

HONSHŪ

Vers Niigata
(650 km)

Fukushima

Tunnel
de Seikan

Matsumae

AOMORI
-KEN

Vers Aomori (113 km)

Vers Hachinohe
(Honshū ; 226 km)

Vers Sendai
(Honshū ; 751 km)

Vers Naoetsu
(Honshū ;
600 km)

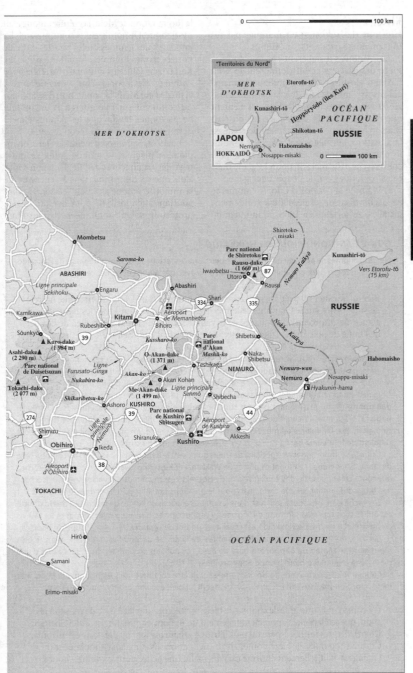

0   100 km

"Territoires du Nord"

MER D'OKHOTSK

Etorofu-tō

Kunashiri-tō

Hoppoyōdo (îles Kuri)

OCÉAN PACIFIQUE

JAPON

Shikotan-tō

RUSSIE

Nemuro   Habomaisho

HOKKAIDŌ

Nosappu-misaki

0   100 km

MER D'OKHOTSK

Mombetsu

Saroma-ko

ABASHIRI

Shiretoko-misaki

Parc national de Shiretoko

Rausu-dake (1 660 m)

Iwaobetsu

Utoro   Rausu

87

Ligne principale Sekihoku

Engaru

Abashiri

334

335

Nemuro Kaikyō

Kunashiri-tō

Vers Etorofu-tō (15 km)

Kamikawa

Rubeshibe

Kitami

Aéroport de Memanbetsu

Bihoro

Shari

RUSSIE

Sōunkyō

Kuro-dake (1 984 m)

39

Kussharo-ko

Parc national d'Akan

Mashū-ko

Shibetsu

Naka-Shibetsu

Nokke-Kaikyō

Habomaisho

Asahi-dake (2 290 m)

Parc national de Daisetsuzan

Ligne Furusato-Ginga

Nukabira-ko

O-Akan-dake (1 371 m)

Akan-ko

Akan Kohan

Teshikaga

NEMURO

Nemuro-wan

Nemuro

Nosappu-misaki

Hyakunin-hama

Tokachi-dake (2 077 m)

Shikaribetsu-ko

Me-Akan-dake (1 499 m)

Ligne principale Senmō

Shibecha

Ashoro

KUSHIRO

Parc national de Kushiro Shitsugen

44

274

Ligne principale Nemuro

Shimizu

39

Shiranuka

Aéroport de Kushiro

Akkeshi

Kushiro

Obihiro

Ikeda

38

Aéroport d'Obihiro

TOKACHI

Hirō

OCÉAN PACIFIQUE

Samani

Erimo-misaki

Histoire

L'histoire de Hokkaidō est marquée par ses tout premiers habitants, les Aïnous.

Les Aïnous s'installèrent sur l'île après la fonte des glaciers et lui donnèrent le nom d'Ainou Moshiri – Ainou signifiant "humain" et Moshiri "monde". Jusqu'à la période d'Edo (1600-1868), les Aïnous et les Japonais n'eurent que peu de contacts. Mais l'arrivée du clan Matsumae dans le sud-ouest de l'île changea la situation : en négociant avec les Aïnous, ils réussirent à mettre en place un monopole commercial très lucratif pour le clan, mais catastrophique pour le peuple aborigène.

À la fin de la période d'Edo, le commerce et la colonisation étaient déjà solidement installés, de sorte qu'en 1868, au moment de la Restauration de Meiji, la culture aïnoue était moribonde. De nombreuses coutumes, tels les tatouages des femmes ou les boucles d'oreille portées par les hommes, furent interdites. Le Kaitakushi (Bureau colonial) fut créé pour encourager les Japonais à migrer vers le nord. À la fin de l'ère Meiji, la population des Japonais du continent sur l'île atteignait un million de personnes tandis que les Aïnous étaient devenus des citoyens de seconde zone.

En 1972, Sapporo accueillit les Jeux olympiques d'hiver, et le monde entier se mit à regarder en direction de l'île. Le Japon sentit alors que les discriminations à l'encontre de la minorité aïnoue devaient cesser. Il fallut pourtant attendre 1997 pour que des lois de protection soient appliquées. Aujourd'hui,

GUIDE GASTRONOMIQUE DE HOKKAIDŌ

Les gastronomes ne peuvent que déplorer le peu de traces restant de la cuisine originale de Hokkaidō. En 1878, Isabella Bird, originaire du Yorkshire, dîna avec des Aïnous et écrivit ces lignes :

Bientôt, le dîner fut préparé par la première femme du chef. Dans une marmite noircie de suie, posée sur les flammes, elle mélangea des racines sauvages, des haricots, des algues, des morceaux de poisson, de la viande séchée, de la pâte de millet, de l'eau et de l'huile de poisson, et laissa mijoter le tout pendant trois heures.

Hokkaidō est restée un véritable paradis des gourmets. Le **ruibe** (ルイベ), plat aïnou ayant résisté au passage du temps, est un saumon qui a été conservé dans le froid. Il est ensuite tranché à la manière des sashimis et servi avec une délicieuse sauce de soja et du poivre d'eau.

Par ailleurs, la tradition des ragoûts aïnous se perpétue et vous aurez l'occasion de déguster des **nabemono** (鍋物) rasséranant partout sur l'île. Variante particulièrement savoureuse, l'**ishikari-nabe** (石狩鍋) est un riche ragoût à base de dés de saumon, *miso*, mirin, pommes de terre, chou, tofu, poireaux, laminaires (algues), champignons sauvages et sel marin. Les habitants de Sapporo raffolent de leur **sūpu-karē** (スープカレー), la version soupe du curry japonais.

Outre le saumon, une autre spécialité des mers froides est le **kani-ryōri** (かに料理) ou cuisine à base de crabe. Si les crabes aux longues pinces de Wakkanai et Kushiro peuvent être très onéreux, sachez que toute créature sortie des eaux glaciales de Hokkaidō est savoureuse. Diverses spécialités à base de crabe sont annoncées à la carte, mais nous le préférons bouilli avec un bol de beurre fondu.

Les vaches laitières sont à leur aise dans les grands espaces de l'île, et de fait, le **lait de Hokkaidō** est utilisé sous toutes ses formes, de la glace au cappuccino en passant par les soupes et les sauces crémeuses. Le beurre de Hokkaidō est idéal avec un bol de **rāmen** (ラーメン ; soupe de nouilles).

Sur l'île, on trouve d'innombrables variantes de la soupe de nouilles nationale, mais la plus réputée est le **rāmen de Sapporo**, à base de *miso*. Les puristes accompagneront leur repas d'une pinte de la légendaire bière blonde **Sapporo bīru** (札幌ビール).

Enfin, une revue culinaire de Hokkaidō ne saurait être complète sans mentionner le chouchou de Sapporo ou **jingisu-kan** (ジンギスカン), décrit ici par l'écrivain britannique Alan Booth :

J'ai commandé une grande choppe de bière pression et un plat à base de mouton et de chou, que les Japonais apprécient tellement qu'ils l'ont baptisé *jingisu kan* (Ghenghis Khan), d'après le grand-père du plus illustre barbare qui leur ait été donné d'affronter. Comme toujours, la bière contenait un tiers de mousse mais la simple portion de Ghenghis était tellement énorme qu'il m'a fallu une heure pour en venir à bout !

les Aïnous s'attachent fièrement à maintenir leurs traditions et continuent à se battre pour la reconnaissance de leur culture.

Les principales industries développées à Hokkaidō sont le tourisme, l'exploitation forestière et l'agriculture. Dans certaines parties de Hokkaidō, vous pourrez même vous croire dans des fermes et des prairies d'Occident plutôt qu'au Japon. La région est un fournisseur majeur de crabes des neiges, d'œufs de saumon et d'oursins, qui comptent parmi les mets japonais les plus fins. La production de laminaires (algues) reste l'activité principale de nombreuses petites villes.

Enfin, Hokkaidō est une destination touristique très prisée tout au long de l'année.

Climat

Sur Hokkaidō, les températures sont douces et agréables en été, et chutent en dessous de zéro en hiver. Le temps peut se révéler particulièrement maussade et humide au printemps et au début de l'été. Pour les randonnées, la meilleure saison se situe entre mai et octobre. L'affluence touristique est maximale en juillet et en août, quand les feuilles commencent à changer de couleur ; durant ces deux mois, les prix augmentent de 20 à 30%, et il est souvent difficile de trouver un hébergement dans les endroits très fréquentés. Les typhons touchent le Japon à partir du mois d'août et sévissent parfois jusqu'à mi-octobre. Bien que rares sur Hokkaidō, ils provoquent des retards de trains, des coupures d'électricité, voire des glissements de terrain. En septembre et octobre, il commence à faire frais, surtout dans les montagnes, où il peut geler. Dès novembre, l'hiver s'installe et, avec lui, les chutes de neige et le grand froid. Ici plus qu'ailleurs, il faut veiller à prévoir des vêtements adaptés.

Parcs nationaux

Hokkaidō s'enorgueillit de compter les plus anciens et les plus beaux parcs nationaux du pays. Le parc national de Daisetsuzan, au centre de l'île, à proximité d'Asahikawa, se doit d'être visité. Ce merveilleux ensemble de massifs montagneux, de volcans, de lacs et de chemins de randonnée s'étend sur 2 309 km^2, offrant mille et une opportunités de ski et de marche – en prévoyant plusieurs jours pour sortir des sentiers battus.

Le parc national d'Akan, à côté de Kushiro, se prête également à la randonnée, sur fond de volcans, d'onsen et de paysages enchanteurs. Au printemps, des milliers de grues se rassemblent dans le parc national de Shitsugen, une des plus grandes étendues de marais du Japon où la faune est particulièrement variée – cerfs, renards, *shima-risu* (ou tamia, petit écureuil), ainsi que de nombreuses espèces d'oiseaux. Dans les îles de Rebun et de Rishiri, au nord, des balades vous feront découvrir d'incroyables falaises surplombant la mer, de magnifiques volcans et des collines qui se remplissent de fleurs au printemps.

Au nord-est, le parc national de Shiretoko est complètement isolé et les deux tiers de sa superficie ne sont desservis par aucune route. Les étangs aux eaux miroitantes, les délicates chutes d'eau et les rivières au bord desquelles des ours bruns attrapent des saumons composent un paysage superbe. Toutefois, les visiteurs qui s'aventurent hors des zones délimitées s'exposent à une amende – ou à se faire dévorer par des *higuma* (ours bruns).

Depuis/vers Hokkaidō

Sapporo est le principal carrefour pour les transports, mais il y a également des vols directs à destination des grandes villes japonaises depuis Hakodate et certaines autres villes de l'île – renseignez-vous sur Internet ou auprès des agences de voyages.

Si vous venez de Tōkyō, vous pourrez prendre le train de nuit Hokutosei ou le plus luxueux Cassiopeia pour gagner du temps. Il n'y a pas de *shinkansen* (TGV) direct pour Hokkaidō ; il faut le prendre direction nord jusqu'à Hachinohe, puis emprunter un *tokkyū* (train à vitesse limitée).

Pour plus d'informations sur l'accès à Hokkaidō par le train, voir p. 594.

Si vous n'avez pas opté pour le Japan Rail (JR) Pass, les ferries coûtent moins cher. Ils accostent à Hakodate (p. 604), à Otaru (p. 609), à Muroran (p. 621) et à Tomakomai, toutes relativement proches de Sapporo. Pour des renseignements sur les ferries à destination de la Russie, voir l'encadré, p. 627.

Comment circuler

Hokkaidō est divisée en cinq sous-préfectures : Dō-nan (sud), Dō-ō (centre), Dō-hoku (nord), Dō-tō (est) et Tokachi.

De Sapporo, des vols desservent les principaux sites, mais le train, la voiture ou la moto sont recommandés car la beauté de l'île réside dans ses paysages. Cependant, les distances peuvent être trompeuses, il vaut donc mieux voyager tôt le matin, surtout en hiver.

HOKKAIDŌ

Les trains sont fréquents sur les principales lignes, mais les liaisons beaucoup moins régulières et les bus onéreux pour rallier des villes lointaines. On peut aussi acheter un Hokkaidō Rail Pass, réservé aux étrangers : le forfait de 3/5 jours revient à 14 000/18 000 ¥.

En ville, les bus sont pratiques et bon marché. Un *norihōdai* (forfait à la journée) permet de circuler autant que l'on veut.

Si vous possédez un permis de conduire international, la location d'une voiture ou d'une moto permet de gagner du temps. Les tarifs de location varient. Si vous vous présentez directement dans une agence de location, prévoyez quelque 7 000 ¥/jour, ainsi qu'un budget conséquent pour le carburant.

Hokkaidō est une région agréable à parcourir à vélo. De nombreux *charida* (cyclistes) circulent sur les routes. Les hébergements destinés aux motards et les stations cyclistes (voir p. 823) sont également des lieux sympathiques et bon marché où vous pourrez rencontrer d'autres cyclistes.

SAPPORO 札幌

☎ 011 / 1,89 million d'habitants

Cinquième plus grande ville du Japon et capitale régionale de Hokkaidō, Sapporo est très dynamique malgré sa latitude septentrionale. Conçue par des architectes européens et américains à la fin du XIXᵉ siècle, la ville est quadrillée de rues bordées d'arbres et ponctuée d'espaces verts. Si le froid est de la partie, vous aurez tout le loisir de vous réchauffer en goûtant à la délicieuse cuisine de Sapporo.

Principal point d'accès et centre de transit de l'île, Sapporo constitue un excellent point de départ pour découvrir les étendues naturelles qui s'épanouissent aux portes de la ville. Même s'il est difficile de résister à l'attrait des splendides parcs nationaux de Hokkaidō, ne faites pas l'impasse sur Sapporo. Vous serez surpris par la qualité de vie de la capitale du nord du pays. Sapporo constitue en elle-même une destination touristique importante, en particulier pour les amateurs de bière. Avant de vous lancer dans de longues randonnées en solitaire, ne passez pas à côté de l'animation nocturne de Susukino.

En février, la ville accueille la fête de la Neige, connue dans le monde entier, où vous pourrez admirer de gigantesques sculptures de glace d'ours bruns, de tanuki, de Hello Kitty et d'autres personnages de mangas.

Histoire

Sapporo étant une ville récente, vous n'y trouverez donc pas les temples et les châteaux de ses voisines du sud. Elle a cependant été longtemps occupée par les Aïnous, qui avaient nommé la région *Sari-poro-betsu* : une rivière qui coule le long d'une plaine couverte de roseaux.

La métropole actuelle était autrefois un petit village tranquille de chasseurs et de pêcheurs dans la plaine Ishikari de Hokkaidō. Les Aïnous y vécurent en paix jusqu'à ce que le shogunat Tokugawa (gouvernement militaire) établisse en 1821 un comptoir de commerce qui devint Sapporo. La ville fut déclarée capitale de Hokkaidō en 1868. Dès lors, son développement fut planifié avec soin, à l'inverse de ce qui se pratiquait dans le reste du pays. En 1880, la construction de la 3ᵉ ligne de chemin de fer du Japon permit de relier Sapporo à la cité portuaire d'Otaru.

Au cours du XXᵉ siècle, Sapporo s'affirma en tant qu'important centre de production agricole. La première brasserie fut créée en 1876 et la bière de Sapporo (p. 599) devint rapidement le symbole de la ville. En 1972, Sapporo accueillit les Jeux olympiques d'hiver. La fête de la Neige, lancée en 1950, attire chaque année plus de deux millions de visiteurs.

Au cours des dernières années, Sapporo a connu une sorte de renaissance culturelle et spirituelle, notamment parce que de plus en plus de jeunes quittent les régions de Tōkyō et Ōsaka pour s'installer ici.

Orientation

Un plan urbain en forme de damier facilite les déplacements dans Sapporo. Les édifices sont désignés selon deux axes, Est-Ouest et Nord-Sud, en prenant comme point de repère la tour de la télévision du centre-ville. Par exemple, la célèbre Tokei-dai (tour de l'horloge) se situe dans l'édifice Nord 1, Ouest 2 *(Kita Ichi-jo, Nishi Ni-chōme)*, soit N1W2. Les rues sont également nommées en fonction des points cardinaux (par exemple Kita 3).

Ōdōri-kōen, longue et étroite bande plantée de verdure qui aboutit au pied de la tour de la télévision, joue un rôle important. Elle divise la ville en deux parties, nord et sud. Le quartier des commerces et des galeries marchandes s'étend au sud d'Ōdōri. Encore plus au sud, on arrive à Susukino, le secteur des bars et des discothèques, entre les rues Sud 2 et Sud 6.

Renseignements
AGENCES DE VOYAGES
IACE Travel (☎ 219-2796 ; fax 219-2766 ; N3W3 Chūō-ku, 9ᵉ niv, Kita San Jō Bldg ; ☯ 10h-19h lun-ven, 10h-16h sam, fermé dim). Une bonne agence de voyages japonaise qui accueille également les étrangers. Très utile pour organiser des voyages internationaux.
JTB Shop (☎ 241-6201 ; N3W3 Chūō-ku ; ☯ 10h-19h). Cette agence de voyages japonaise est utile pour organiser vos déplacements à l'intérieur du pays (avion et train).

ARGENT
En ville, la plupart des DAB n'acceptent que les cartes de crédit japonaises. Pour retirer des espèces, il faut utiliser le DAB d'une poste ; "Visitor Withdrawal" (retrait pour les étrangers) devrait vous guider.

INTERNET (ACCÈS)
Une connexion Internet est disponible dans les offices du tourisme (100 ¥, 10 min).
Comic Land (☎ 200-3003 ; 2ᵉ niv, Hinode Bldg, S1W4 Chūō-ku ; à partir de 200 ¥ les 30 min ; ☯ 24h/24). Équipé de douches. Forfaits ou tarifs à la demi-heure.
i-café (☎ 221-3440 ; http://sapporocrh.i-cafe.ne.jp, en japonais ; N5W5 Gochōme 2-12, Chūō-ku ; à partir de 200 ¥ les 30 min ; ☯ 24h/24) À côté de la gare. Outre le café et les boissons, les en-cas sont gratuits. En allant vers le sud, regardez du côté droit, près de la librairie Kinokuniya.

LIBRAIRIE ET BIBLIOTHÈQUE
Kinokuniya (☎ 231-2131 ; N5W7 Chūō-ku, 5-7 Kita-Gojō-nishi, Chūō-ku). À deux pas de la sortie sud de la gare de Sapporo. Regardez à droite en sortant, la librairie est de l'autre côté de la rue. Les livres étrangers sont au 2ᵉ niveau.
Bibliothèque municipale (札幌中央図書館 ; ☎ 512-7320 ; www.city.sapporo.jp/tosyokan/ht/ english.html ; S22W13 Chūō-ku ; ☯ 9h15-20h lun-ven, 9h15-17h sam et dim, fermé 2ᵉ et 4ᵉ mer du mois). Nombreux livres en anglais, journaux, magazines, dont certains en français. Arrêt de tramway Chūō-Toshokan-mae.

OFFICES DU TOURISME
Hokkaidō-Sapporo Food et office du tourisme (北海道さっぽろ食と観光情報館 ; ☎ 213-5088 ; fax 213-5089 ; www.welcome.city.sapporo.jp/english/ index.html ; N5W3 Chūō-ku, gare JR Sapporo Nishi-dōri Kita-guchi ; ☯ 8h30-20h). Au 1ᵉʳ niveau de Sapporo Stellar Place, dans la gare de Sapporo. Cartes, horaires, prospectus et brochures. Personnel fiable et bilingue.
Sapporo International Communication Plaza Foundation (☎ 211-3670 ; www.plaza-sapporo.or.jp/ english/index_e.html ; 1F MN Bldg, N1W3 Chūō-ku ; ☯ 9h-17h30). Documentation complète en anglais, en face de la tour de l'horloge (Tokei-dai).

POSTE
Poste de Sapporo Chūō (☎ 748-2313 ; N6 E1-2-1 Higashi-ku). À l'est de la gare de Sapporo. Prenez la sortie nord, tournez à droite et marchez vers l'énorme quille blanche : le bâtiment fait face au premier grand carrefour. Il est ouvert le soir et le week-end et assure de nombreux services. Les DAB ferment plus tard que les guichets.
Poste de Sapporo Ōdōri (☎ 221-4280 ; 2-9 Ōdōri-nishi, Chūō-ku). Attenante à l'hôtel de ville de Sapporo à côté de Ōdōri-kōen.

SERVICES MÉDICAUX
En cas d'urgence, composez-le ☎ 119. À l'hôpital municipal et à l'hôpital de la gare, les cas non urgents doivent se présenter avant midi.
Hôpital de la gare JR Sapporo (JR Sapporo Railway Hospital ; JR 札幌鉄道病院 ; ☎ 241-4971 ; N3E1 Chūō-ku). Proche de la gare JR Sapporo, mais dépourvu d'un service d'urgences.
Medical Plaza Sapporo (☎ 209-5410 ; N5W2 Chūō-ku). Aux 7ᵉ et 8ᵉ niveaux de la tour du JR, dans la gare. Ouvert jusqu'à 19h.
Hôpital municipal de Sapporo (Sapporo City General Hospital ; 市立札幌病院 ; ☎ 726-2211 ; N11W13 1-1 Chūō-ku). Tous types de services médicaux, y compris les soins d'urgence 24h/24.

À voir
Le froid peut être intense à Sapporo, surtout quand les vents de l'Arctique soufflent et que la neige s'amoncelle. Cependant, si vous êtes habillé chaudement, vous pourrez sans problème arpenter la ville à pied. Les rues quadrillées, fait rare au Japon, permettent de s'orienter facilement ; la plupart des sites importants sont regroupés dans le centre-ville. Vous trouverez des lignes de métro, de tramway et de bus ; reportez-vous p. 603.

HOKUDAI SHOKUBUTSUEN 北大植物園
Ce magnifique **jardin botanique** (☎ 221-0066 ; N3W8 Chūō-ku ; adulte 400 ¥ ; ☯ 9h-16h30 avr-sept, 9h-15h30 oct-nov) constitue l'une des visites incontournables de Sapporo. Il présente plus de 4 000 espèces de plantes, disposées élégamment sur un espace sinueux de 14 ha, à seulement 10 minutes à pied au sud-ouest de la gare. Le parc a été gravement endommagé par un typhon en 2004 mais a depuis été presque entièrement restauré.

Le Hokudai abrite également deux musées : le **musée d'Histoire naturelle**, un somptueux bâtiment datant de 1882, qui conserve une collection taxidermique de la faune de l'île et le **Musée aïnou**, plus petit, où sont exposés de nombreux objets des premiers habitants de Hokkaidō.

HOKKAIDŌ

HOKKAIDŌ

SAPPORO

0 — 500 m

Vers l'hôpital municipal de Sapporo (500 m)

Vers Teine Highland (10 km), Otaru (33 km) et Niseko (106 km)

Ligne Sassho

Ligne principale Hakodate

Université de Hokkaidō
13

Vers l'aéroport d'Okadama (7 km)

Nord 8
Vers le Sapporo Beer-en (1 km)

Nord 7

Vers Asahikawa (136 km)

Petites rues non représentées

27
31

Gare JR de Sapporo et centre commercial
Paseo
24 29
20 48 4 @ 7
3 28 25 45

Ligne principale Hakodate
Ligne Chitose
Vers la gare Shin-Sapporo (10,5 km), la brasserie Hokkaidō (40 km) et le Nouvel aéroport de Chitose (47 km)

Hokudai Shokubutsuen
14 22 11

Sapporo Grand magasin Seibu Grand magasin Tōkyū Sapporo

Nord 4

30 5 26 6 Nord 3

Ligne Nanboku
Eki-mae-dōri
Ligne Tōhō

19 Nord 2

Vers le consulat de Corée du Sud (500 m)

Vers le consulat des États-Unis (500 m)

Vers le musée d'Art moderne de Hokkaidō (300 m), la station Maruyama-kōen (1,5 km), le musée du Saumon (1,5 km) et le Musée des sports d'hiver de Sapporo (1,5 km)

23 9 12 Nord 1

1 16 37
10 Ōdōri Ōdōri Nord

Ouest 14 Ouest 13 Ouest 12 Ouest 11 Ouest 10 Ouest 9 Ouest 8 Ouest 7 Ouest 6 Ouest 5 Ouest 4 Ouest 3 Ouest 2 Ouest 1

17 Vers l'Ino's Place Est 1 (3,5 km)

Nishi-Juitchōme Ōdōri-kōen Ōdōri

Ligne Tōzai

Chūō-kuyakusho-mae Nishi-hatchōme Nishi-yonchōme

Grand magasin Mitsukoshi Grand magasin Marui Imai Ōdōri Sud

Nishi-jūgochōme 42 38 41 43 Grand magasin Parco Sud 1

Vers le funiculaire du Moiwa-yama (1,5 km)

M's Space Building Galerie Tanuki-kōji 15 Sud 2

Sōsei Shōgakkō-mae 33 47 18 Sud 3

46 35 Susukino 34 Susukino Sud 4

32 Hōsui Susukino Sud 5

Higashi Honganji-mae 39 36 Sud 6

Sud 7 Quartier des "Love Hotels" 21

Sud 8

49 Sud 9

Yamahana-kuiō Sud 10 Nakajima-kōen Vers la Sapporo International Youth Hostel (1 km)

Nakajima-dōri 40 Nakajima-kōen Toyohira-gawa

Vers le consulat de Russie (500 m), le consulat de Chine (1 km), le funiculaire du Moiwa (1 km), la bibliothèque municipale (1,5 km) et le Shōjin Restaurant (1,5 km)

Vers le musée de la littérature de Hokkaidō (100 m) et le Hokkaidō Jingu (2 km)

HOKKAIDŌ

En hiver, les jardins botaniques sont gelés et les musées fermés mais les **serres** (110 ¥ ; ☼ 10h-15h lun-ven, 10h-midi sam, fermé dim) sont ouvertes.

De l'autre côté de la rue, l'**Association aïnoue de Hokkaidō** (☎ 221-0462, 221-0672 ; www.ainu-assn. or.jp/english/eabout01.html ; 7ᵉ niv, Kaderu 2.7 Community Centre, N2W7 Chūō-ku ; ☼ 9h-17h lun-sam) milite pour les droits des Aïnous au Japon. Le bâtiment est ouvert aux visiteurs et comprend une exposition intéressante de vêtements et d'outils ainsi que des informations historiques.

TOUR DE L'HORLOGE 札幌市時計台
Pour un touriste japonais, il est impensable de quitter Sapporo sans prendre une photo de l'emblème de la ville, la **tour de l'horloge** (Tokei-dai ; ☎ 231-0838 ; www.15.ocn.ne.jp/~tokeidai/ english.html ; N1W2 Chūō-ku ; 200 ¥ ; ☼ 8h45-17h mar-dim). Construite en 1878, l'horloge n'a jamais manqué de sonner une heure depuis plus de 130 ans. Si ce monument est impressionnant, il est également l'un des trois lieux les plus *gakkari* (décevants) du Japon car sur les photos

des brochures, on a souvent fait disparaître les immeubles de la métropole qui "écrasent" le petit bâtiment. La tour de l'horloge se trouve tout proche de la sortie 7 de la station Ōdōri. Ouvrez l'œil car vous risquez de passer devant sans la voir !

TOUR DE LA TÉLÉVISION さっぽろテレビ塔
Impossible de manquer cet édifice de 90 m de haut en forme de tour Eiffel, qui se trouve à l'est d'Ōdōri-kōen et qui appartient comme la tour de Tōkyō (p. 157) à la catégorie des monuments mal placés. La vue du haut de la **tour de la télévision** (☎ 241-1131 ; www.tv-tower. co.jp/en/index.html ; Ōdōri-nishi 1-chōme, Chūō-ku ; 700 ¥ ; ☼ 9h30-22h avr, 9h-22h mai-oct, 9h30-21h30 nov-mars) est tout de même fascinante, surtout lorsque Sapporo s'illumine pour la nuit.

Si vous voulez faire des économies, vous pourrez profiter gratuitement de la **terrasse panoramique de l'hôtel de ville** (Kita 1-jo Nishi 2-chôme, Chūō-ku ; ☼ 9h30-16h30 lun-ven, mai-nov), au nord-ouest de la tour de télévision, au 19ᵉ niveau.

Université de Hokkaidō 北海道大学

Fondée en 1876, l'**université** (www.hokudai.ac.jp/en/index.html ; ☺ lever-coucher du soleil) est un lieu pittoresque où vous pourrez flâner au milieu de remarquables édifices, comme le mémorial Furukawa et le Seikatei. Le buste de William S. Clark, vice-président de l'université, est un bon point de repère. En 2004, un typhon a endommagé les plus grands et les plus vieux arbres du campus, mais les dommages ont été en grande partie réparés. Plusieurs musées du campus sont ouverts au public.

MARCHÉ AU POISSON DE NIJŌ 二条市場

Le **marché au poisson de Nijō** (S3E1&2 Chūō-ku ; ☺ 7h-18h, chaque échoppe a ses propres horaires) est l'un des meilleurs de Hokkaidō. Achetez un bol de riz, à accompagner de sashimis, ou prenez place dans une échoppe pour vous restaurer – mieux vaut arriver tôt pour avoir les poissons les plus frais. Quelques morceaux de choix : l'oursin, les œufs de saumon, et une variante du "mère et enfant" (*Oyakodon*) propre à Hokkaidō : un bol de riz couvert de saumon et d'œufs de poisson.

MUSÉE DES SPORTS D'HIVER DE SAPPORO
札幌ウィンタースポーツミュージアム

Installé dans le stade de saut à ski construit pour les Jeux olympiques, ce **musée** (☎ 631-2000 ; www.sapporowintersportsmuseum.com, en japonais ; 1274 Miyano-mori Chūō-ku ; 600 ¥ ; ☺ 8h30-18h avr-oct, 9h-17h nov-mars) amusant possède un simulateur de saut à ski qui vous permettra de tester vos capacités en toute sécurité. Après quelques sauts virtuels, un tour en télésiège (500 ¥) vous permettra d'atteindre le point de départ du véritable tremplin de ski utilisé pendant les Jeux de 1972. Pour arriver au musée, empruntez la ligne Tozai jusqu'à Maruyama, puis prenez la sortie 2 qui débouche sur la station de bus de Maruyama. Ensuite, prenez le bus 14 jusqu'à Okurayama-iriguchi (15 min, 200 ¥) ; enfin, marchez 10 minutes en montée pour atteindre le stade.

FUNICULAIRE DU MOIWA-YAMA
藻岩ロープウェイ

Ce **funiculaire** (ropeway ; ☎ 561-8177 ; www.sapporo-dc.co.jp/eng ; 600 ¥ ; ☺ 10h30-21h30 9 avr-mai et 1er oct-19 nov, 10h30-22h juin-sept, 11h-20h 10 déc-mars, fermé 1er-8 avr, selon conditions météorologiques) offre une vue panoramique de Sapporo. Il passe à 120 m au-dessus des pistes de Moiwa-san. Vous y accéderez facilement en prenant le tram jusqu'à l'arrêt Rōpuwei-iriguchi puis en marchant vers l'ouest en direction de la colline pendant environ 10 minutes.

HOKKAIDŌ JINGU 北海道神宮

Ce **temple** (☎ 611-0261 ; www.hokkaidojingu.or.jp/eng/index.html ; gratuit) est caché au cœur d'une forêt touffue – de quoi oublier que la ville se trouve juste derrière les jardins du temple. Des plaques informatives servent à identifier arbres et oiseaux. Si vous faites des achats dans le petit magasin de souvenirs (à droite du temple, à côté des toilettes), on vous offrira du thé vert (*ocha*) et des bonbons. Ce temple s'élève à quelques pâtés de maisons à l'est de la station Maruyama-kōen (sortie 1).

AUTRES MUSÉES

Le **musée de la Littérature de Hokkaidō** (北海道立文学館 ; ☎ 511-7655 ; www.h-bungaku.or.jp, en japonais ; Nakashima-kōen 1-4 Chūō-ku ; 250 ¥ ; ☺ mar-dim, fermé 29 déc-3 jan) permet d'en savoir plus sur la vie privée de beaucoup d'auteurs japonais, en particulier ceux qui ont un lien avec Hokkaidō. Des lettres, des objets, des livres et des films permettent de comprendre comment et pourquoi ces écrivains ont marqué la littérature japonaise. Le musée est joliment situé dans le parc de Nakajima, dans le quartier sud.

Mi-aquarium mi-musée, l'intéressant **musée du Saumon** (豊平さけ科学館 ; ☎ 582-7555 ; 2-1 Makomanai-kōen ; www.sapporo-park.or.jp/sake/english/e_index.html ; gratuit ; ☺ 9h15-16h45 mar-dim), permet d'observer plus de 20 espèces de saumons à différents stades de leur croissance, sans oublier quelques étranges salamandres, des tortues et des grenouilles. Ce musée se trouve en face du musée des Sports d'hiver de Sapporo. Une visite idéale pour les enfants !

Le **musée d'Art moderne de Hokkaidō** (北海道立近代美術館 ; ☎ 644-6881 ; N1W17 Chūō-ku ; adulte/étudiant 450/220 ¥ ; ☺ 9h30-17h mar-dim) renferme une riche collection d'œuvres contemporaines, principalement d'artistes japonais. Des expositions temporaires accueillent les œuvres d'artistes japonais et étrangers. Le musée se trouve à quelques pâtés de maisons au nord de la station Nishi-18-chōme (sortie 4) sur la ligne Tozai.

À faire

SKI ET SNOWBOARD

Avec la célèbre station de Niseko (p. 613) à deux pas, les fanatiques de ski ne s'éterniseront pas à Sapporo. Mais si vous avez besoin d'une petite remise en forme, vous apprécierez les pistes pour débutants situées juste à côté de la ville.

Teine Highland (サッポロテイネ ; ☎ 681-3191 ; www.sapporo-teine.com, en japonais ; forfait journée 4 600 ¥ ; ☺ 9h-16h) est une petite station dotée d'une

LA BIÈRE DE SAPPORO

Qu'on se le dise : "Sapporo" est synonyme de bière. Après un voyage en Allemagne, source de belles découvertes, Kihachirō Ōkura revint au Japon et choisit Sapporo pour fonder, en 1876, ce qui allait devenir la plus importante brasserie du pays.

En partie musée et en partie *beer garden*, le **Sapporo Beer-En** (サッポロビール園 ; ☎ musée 731-4368, beer garden 0120-15-0550 ; www.sapporo-bier-garten.jp ; N7E9 Higashi-ku ; ⏰ beer garden 11h30-22h, visites 9h-15h40) occupe les locaux de la brasserie originale de Sapporo Beer, juste à l'est de la gare de Sapporo. Les voyageurs peuvent opter pour la visite gratuite d'une heure (avec audiophone en anglais) qui comprend une dégustation (200 ¥/bière). Le *beer garden* attenant se compose de 4 restaurants – mais pour les puristes, les pintes de Sapporo mousseuses se doivent d'accompagner la spécialité régionale à base de mouton grillé, le *jingisu-kan* (Genghis Khan ; voir l'encadré p. 592). Il y a une excellente boutique de souvenirs où vous trouverez des reproductions d'affiches publicitaires du début du XXe siècle.

Pour vous y rendre, empruntez la ligne de métro Tōhō jusqu'à la station Higashi-Kuyakusho-mae, et prenez la sortie 4. Marchez ensuite vers le sud le long de Higashi-Nana-Chōme-dōri, jusqu'à N8E8 (environ 10 min), et regardez sur votre gauche. Impossible de manquer l'imposante cheminée en briques rouges, marquée de l'étoile symbolisant la marque Sapporo. Le bâtiment lui-même est au N7E9. Autre itinéraire : prenez le bus Chūō Higashi 63, et descendez à l'arrêt Kitahachi Higashishinana (N8E7), en face de l'entrée de la brasserie. La réservation est souhaitable – si vous ne parlez pas japonais, demandez de l'aide à l'office du tourisme ou à votre hôtel pour téléphoner.

Les passionnés prendront le train (40 min) pour se rendre à la brasserie **Hokkaidō Brewery** (サッポロビール北海道工場 ; ☎ 0123-32-5811 ; Toiso 542-1 Eniwa-shi ; ⏰ visites 9h-15h30, jours de fermeture irréguliers). Cette énorme unité de production semble sortie tout droit d'un film de science-fiction : les techniciens en blouse blanche ont l'œil rivé sur des éprouvettes, les cuves en acier sont recouvertes d'appareils de mesures informatisés, et les bouteilles se remplissent sous la haute surveillance des caméras. La visite, gratuite, n'est pas guidée et les indications en anglais sont rares, mais les 40 minutes de dégustation sauront vous réconforter. Réservez quelques semaines à l'avance.

Prenez la ligne JR Chitose en direction de l'aéroport et descendez à l'arrêt Sapporo Beer Teien. Dirigez-vous vers l'énorme silo blanc marqué du logo Sapporo ; l'entrée est à 10 minutes à pied.

douzaine de remontées mécaniques et de pistes, qui conviendra certainement mieux aux familles avec enfants qu'aux véritables amateurs de ski alpin. Située à 10 minutes de Sapporo en train, Teine est souvent bondée, mais demeure une belle escapade si vous avez envie d'un peu de poudreuse ou si vous avez besoin de vous habituer à vos skis ou à votre snowboard. De nombreux trains de la ligne JR Hakodate relient Sapporo à Teine (260 ¥, 10 min). De la gare JR de Teine, des navettes permettent de rejoindre les pistes de Teine Highland.

Fêtes et festivals

⭘ **Sapporo Yuki Matsuri** (さっぽろ雪まつり ; fête de la Neige ; www.snowfes.com/english). Attirant plus de 2 millions de visiteurs, le Sapporo Yuki Matsuri a lieu tous les ans, en février. C'est l'une des fêtes les plus importantes du Japon. Son origine remonte à 1950 lorsque des élèves du lycée local construisirent 6 statues de neige. Cinq ans plus tard, la Force japonaise d'auto-défense de la base voisine de Makomanai passa à la vitesse supérieure en construisant les premières sculptures de neige géantes.

En 1974, l'événement devint une compétition internationale. Les sculpteurs travaillent plusieurs semaines pour réaliser des statues à taille humaine de Hideki Matsui, des scènes accueillant des concerts, des toboggans et des labyrinthes glacés pour les enfants et, bien sûr, une ou deux statues de l'incontournable Hello Kitty. On peut voir ces sculptures à Ōdōri-kōen et dans d'autres lieux de la ville. Cette fête est également l'occasion de goûter aux spécialités régionales et aux boissons venant de toute l'île. Attendez-vous à des réjouissances alcoolisées, surtout après le coucher du soleil (qui a lieu assez tôt sous de telles latitudes !) Réservez votre hébergement longtemps à l'avance car les prix flambent.

Ōdōri Nōryō Garden (大通納涼ガーデン). La fête de la Bière estivale (de mi-juillet à mi-août) se tient dans Ōdōri Kōen. Sapporo, Asahi et d'autres petits brasseurs installent des cafés en plein air, et servent bières et autres boissons, en-cas et plats.

Hokkai Bonodori (盆踊り祭り ; mi-août). Les familles rendent hommage aux esprits des disparus. Chants, danses traditionnelles et *yukata* d'été (kimono de coton léger) sont mis à l'honneur. C'est la fête d'été la plus importante de Hokkaidō.

Où se loger

Si vous avez besoin de faire un somme, les cybercafés (voir p. 595) sont ouverts 24h/24. Ils offrent des fauteuils inclinables et des douches chaudes et sont souvent moins chers que n'importe quel hôtel. Les *love hotels* de Susukino, hauts en couleur, sont aussi propres sinon plus que les auberges de jeunesse et les hôtels. Arrivez après 23h pour profiter des tarifs les plus avantageux.

PETITS BUDGETS

Capsule Inn Sapporo (☎ 251-5571 ; www.capsuleinn-s.com/english.html ; S3W3-7 Chūō-ku ; 3 200 ¥/pers). Hôtel réservé aux hommes. Il vaut mieux ne pas être claustrophobe pour dormir dans une capsule ! Sauna, grande sdb, laverie avec machine à pièces et coin lecture avec fauteuils inclinables. Juste à côté de la station Susukino de la ligne Nanboku : prenez la sortie 1, dirigez-vous vers le KFC et tournez à droite, vous verrez l'hôtel sur la gauche, à mi-chemin un peu plus bas. Vous pouvez également louer une capsule de 6h à 18h pour vous reposer (1 200 ¥).

Sapporo International Youth Hostel (札幌国際ユースホステル ; ☎ 825-3120 ; www.youth hostel.or.jp/kokusai ; 6-5-35 Toyohira-ku ; dort/s/lits jum à partir de 3 200/3 800/6 600 ¥ ; 🖳 📶). Installée dans un bâtiment étonnamment moderne et élégant, cette auberge de jeunesse bien conçue offre des chambres simples mais impeccables. Des chambres privées de style occidental et japonais sont disponibles ainsi que des dortoirs de 4 grands lits. La station de métro la plus proche est Gakuen-mae (sortie 2) sur la ligne Toho. L'auberge se trouve à 2 minutes de la station, derrière le Centre universitaire international de Sapporo. Les couples non mariés ne sont pas autorisés à partager une chambre.

Ino's Place (イノーズプレイス ; ☎ 832-1828 ; http://inos-place.com/e/ ; dort/s/d à partir de 3 400/4 800/8 600 ¥ ; 🖳 📶). Ino's Place est un vrai repaire de voyageurs avec toutes les commodités. Les sympathiques employés parlent anglais et rendront votre séjour agréable. Chambres propres, casiers privés, Internet gratuit, pas de couvre-feu, bain chaud japonais, laverie, cuisine et espace salon. Prenez la ligne Tōzai jusqu'à la station Shiroishi (4 arrêts après Ōdōri) ; sortie 1, puis marchez quelques minutes le long de la rue principale en direction de la station-service Eneos. Tournez à droite au supermarché Marue et vous verrez un bâtiment blanc de 2 étages.

Sapporo House Youth Hostel (☎ 726-4235 ; www.youthhostel.or.jp/English/c_sapporohouse.htm ; N6W6-3-1 Kita-ku ; dort à partir de 3 750 ¥ ; 🖳). Emplacement pratique juste à l'ouest de la gare de Sapporo, mais bruyant car proche de la voie ferrée. Si les dortoirs sont vétustes, cette option pourra vous dépanner en particulier lors de la fête de la Neige, lorsque les chambres se font rares.

CATÉGORIE MOYENNE

Marks Inn Sapporo (☎ 512-5001 ; www.marks-inn.com/sapporo/english.html ; S8W3 Chūō-ku ; s/d à partir de 4 500/6 000 ¥ ; 🖳). Bon marché, ce *business hotel* situé près du quartier de divertissements de Susukino, de l'autre côté du canal, possède des chambres un peu exiguës mais les lits en plume sont moelleux, parfait après une nuit festive et arrosée à Susukino. Connexion Internet par réseau LAN.

Tōyoko Inn Sapporo-eki Kita-guchi (☎ 728-1045 ; fax 728-1046 ; www.toyoko-inn.com/e_hotel/00066 ; N6W1-4-3 Kita-ku ; s/d nov-mai 4 800/6 800 ¥, juin-oct 6 800/8 800 ¥ ; 🖳 📶). Aux abords de la gare, plusieurs enseignes de la chaîne Tōyoko Inns proposent un hébergement économique et fiable. L'un des établissements les plus récents est un ensemble de tours gris et marron près de la sortie nord, qui offre d'importantes réductions sur ses chambres d'affaires très demandées en hiver. Connexion Internet par réseau LAN.

Nakamuraya Ryokan (☎ 241-2111, 241-2118 ; www.nakamura-ya.com/english.html ; N3W7-1 Chūō-ku saison haute à partir de 7 875 ¥/pers, saison basse 7 350 ¥ ; 🖳 📶). Située juste en face du jardin botanique, cette charmante auberge de style japonais est idéale pour découvrir les plaisirs de l'île. Chambres avec tatamis de différentes tailles et copieux festins offrant les saveurs uniques de Hokkaidō. Vous pourrez vous détendre dans les grands bains. Les propriétaires sauront répondre aux besoins des voyageurs étrangers.

Keiō Plaza Hotel Sapporo (☎ 271-0111 ; www.keioplaza-sapporo.co.jp/english/index2.html ; N5W7 Chūō-ku ; s/d à partir de 7 000/11 000 ¥ ; 🗶 🖳 📶). Un des établissements les plus élégants dans cette gamme de prix, situé au nord-est du jardin botanique. Superbes équipements : grande piscine, sauna et salle de sport. Le prix des chambres augmente en fonction de l'étage. Choisissez une chambre standard au 12ᵉ étage ou plus bas si vous voulez minimiser les frais. Connexion Internet par réseau LAN.

Si l'hôtel Kita-guchi est plein, essayez les autres enseignes de la chaîne Tōyoko :

Tōyoko Inn Sapporo-eki Nishi-guchi Hokudai-mae
(☎ 717-1045 ; fax 717-1046 ; www.toyoko-inn.
com/e_hotel/00018 ; N8W4 Chūō-ku ; s/d nov-mai
4 200/6 600 ¥, juin-oct 6 200/8 300 ¥ ; 🖳 🛜).
Connexion Internet par réseau LAN.

Tōyoko Inn Sapporo-eki Minami-guchi
(☎ 222-1045 ; fax 222-1046 ; www.toyoko-inn.
com/e_hotel/00059 ; N3W1 Chūō-ku ; s/d nov-mai
4 800/6 800 ¥, juin-oct 6 800/8 800 ¥ ; 🖳 🛜).
Connexion Internet par réseau LAN.

CATÉGORIE SUPÉRIEURE
Les hôtels suivants peuvent être réservés à
l'avance sur leurs sites Internet en anglais.
Il est recommandé de le faire car les tarifs
peuvent augmenter de manière significative
si vous arrivez sans réservation.

Sapporo Grand Hotel (☎ 261-3311 ; fax 231-0388 ;
www.grand1934.com/english/index.html ; s/d à partir de 14 000/17 000 ¥ ; 🖳 🛜). Fondé en 1934,
c'est le premier hôtel de style européen de
Sapporo. Il occupe désormais 3 bâtiments
adjacents à l'angle sud-est de l'ancien édifice
du gouvernement de Hokkaidō. Chambres
discrètes aux styles et aux prix variés. Tous les
hôtes bénéficient du service VIP tout au long
de leur séjour. Connexion au réseau LAN.

Hotel Monterey Edelhof Sapporo (☎ 242-7111 ;
fax 232-1212 ; www.hotelmonterey.co.jp/eng/index.htm ;
N2W1 Chūō-ku ; s/d à partir de 17 000/32 340 ¥ ; 🖳 🛜). À
quelques minutes au sud de la gare, en face
du JR Sapporo Railway Hospital, cet hôtel
domine la rue comme un monolithe de béton.
L'intérieur, très confortable, est décoré dans
un style autrichien (!). Les chambres et le
hall somptueux sont d'inspiration occidentale
tandis que les différents restaurants et onsen
sont de style japonais. Réseau LAN.

JR Tower Hotel Nikko Sapporo (JRタワーホテル
日航札幌 ; ☎ 251-2222 ; fax 251-6370 ; www.jrhotelgroup.
com/eng/hotel/eng101.htm ; N5W2 Chūō-ku ; s/d à partir de
18 000/26 000 ¥ ; 🖳 🛜). Cette tour immense
bénéficie d'une situation imbattable, juste à
côté de la gare de Sapporo. Chambres cossues
dont le prix varie en fonction de l'étage, spa
avec point de vue au 22e niveau et restaurants
occidentaux et japonais perchés au sommet, au
35e niveau. Connexion au réseau LAN.

Où se restaurer
Outre la bière, Sapporo est célèbre pour
son *miso-rāmen* (soupe de nouilles) à base
de délicieux beurre et de blé de Hokkaidō.
Vous pourrez également déguster de délicieux
fruits de mer, des ragoûts parfaits pour se
réchauffer en hiver et le *jingisukan*, un plat
de mouton grillé qui rend hommage au plus
célèbre guerrier mongol, Genghis Khan.

Pour une description plus détaillée de la
cuisine de l'île, voir l'encadré p. 592.

L'un des meilleurs endroits de la ville pour
manger des sushis et des sashimis bien frais est
le marché au poisson de Nijō (voir p. 598).

Les fines bouches adeptes de lèche-vitrines ne
manqueront pas l'**Esta** (🕑 7h-21h), un immense
espace de restauration qui fait partie du centre
commercial Paseo Shopping Centre à la gare
de Sapporo ; un des accès principaux au métro
y mène directement. Laissez-vous guider par
le brouhaha des "*Ikagadeshou~~ka* ?" ("Vous
voulez jeter un coup d'œil ?").

Rāmen Yokochō (🕑 11h-3h). Pas facile à dénicher, cette célèbre ruelle de Susukino concentre
des dizaines d'échoppes de *rāmen*, idéales pour
un lendemain de fête. Prenez la ligne Nanboku
jusqu'à Susukino et dirigez-vous vers le sud
jusqu'au premier carrefour. Tournez à gauche
(vers l'est) ; Rāmen Yokochō est à mi-chemin
sur la droite. Horaires et fermeture variables
d'un établissement à l'autre.

Kushidori (☎ 758-2989 ; www.sapnet.ne.jp/kusidori, en
japonais ; N7W4-8-3, Kita-ku ; brochettes à partir de 150 ¥, bière
500 ¥ ; 🕑 16h30-0h30). Cette fameuse chaîne de
restauration n'existe qu'à Sapporo et propose
un choix de yakitoris et de légumes grillés.
L'endroit est souvent investi par des collégiens
et des jeunes. Il n'y a pas de menu en anglais
mais vous pourrez montrer du doigt ce que vous
désirez. Choisissez entre *tare* (sauce) et *shio*
(sel). Un autre établissement de la chaîne est
à quelques rues au nord de la gare de Sapporo
(cherchez l'enseigne en anglais).

Hirihiri-dō (☎ 643-1710 ; N2-27-5W2 Nishu-ku ; 2-27 5
chōme Kotoni Nijō Nishi-ku ; soupes à partir de 850 ¥ ; 🕑 déj
et dîner mar-dim). Aliment de base de Sapporo, la
soupe au curry est un plat épicé idéal pour se
réchauffer en hiver. Ici, pas de menu en anglais
mais vous pourrez vous fier à votre odorat pour
choisir le plat qui dégage le meilleur fumet.
Le restaurant se trouve à la sortie ouest de
la gare de Sapporo. Cherchez l'enseigne en
anglais "soup curry".

Yosora-no-Jingisukan (☎ 219-1529 ; 10e niv, S4W4
Chūō-ku ; plats à partir de 850 ¥ ; 🕑 17h-2h30). Dans ce
restaurant installé au 10e niveau du bâtiment
My Plaza, en face d'un 7-Eleven, vous pourrez
faire griller des tranches d'agneau élevé dans la
région, ainsi que des morceaux plus exotiques
provenant d'Australie ou d'Islande. Pas de carte
en anglais mais un menu illustré.

HOKKAIDŌ

Shōjin Restaurant Yō (精進レストラン葉 ; ☎ 562-7020 ; S17W7-2-12 Chūō-ku ; plats à partir de 1 000 ¥ ; ⏰ 11h30-16h30 lun-mar, 11h30-20h jeu-dim). Plats macrobiotiques, bio et végétaliens très savoureux. Belle déco avec lanternes en papier, bar à sushis et compositions florales zen. Menu en anglais. Pour arriver, prenez la ligne Nanboku et descendez à Horohirabashi. En sortant, tournez à gauche, puis à droite après le premier feu. La rue en courbe longe un parc (sur la droite). Continuez tout droit au feu suivant et, au prochain, tournez à gauche (près de la ligne de tramway). Le restaurant est un peu plus bas dans la rue sur le côté droit.

Kani-honke (☎ 222-0018 ; N3W2 Chūō-ku ; menu à partir de 3 625 ¥ ; ⏰ 11h30-22h) Les mers froides baignant Hokkaidō fournissent quelques-uns des meilleurs crustacés de la planète. Il n'existe pas de meilleur endroit pour déguster un crabe exotique que le célèbre Kani-honke, qui propose un *kaiseki ryōri* sophistiqué (cuisine japonaise suivant les règles strictes de l'étiquette), faisant la part belle à ces petites bêtes. Le prix des plats de saison varie selon la taille et la rareté des crabes, faites votre choix en fonction de votre budget.

Où sortir et prendre un verre

Les habitants de Sapporo sont connus pour leur penchant pour la boisson. Il est vrai qu'ici, la bière semble vraiment meilleure qu'ailleurs. Des centaines de bars et de discothèques sont réparties dans toute la ville, mais le cœur battant de la vie nocturne est Susukino, le plus grand lieu de divertissement au nord de Tōkyō.

Les établissements ci-après sont aisément accessibles à pied de la station Susukino et comptent parmi les repaires de fêtards. Vous pourrez aussi suivre la foule pour découvrir les lieux les plus branchés. Le prix d'entrée de certains bars et de la plupart des discothèques va de 1 000 à 3 000 ¥ les vendredi et samedi soir et inclut souvent une ou deux boissons.

Pour déguster une délicieuse bière blonde de Sapporo directement à la source, rendez-vous au Sapporo Beer-En (voir p. 599.)

500 Bar (☎ 562-2556 ; 1ᵉʳ niv, Hoshi Bldg, S4W2 Chūō-ku ; ⏰ 18h-5h lun-sam, 18h-2h dim et jours fériés). Généralement bondé même en semaine, par une clientèle mixte de Japonais et d'étrangers. Toutes les boissons coûtent 500 ¥, d'où le nom de l'établissement ("gohyakubaa" en japonais). Sapporo compte plusieurs établissements de cette chaîne et celui-ci fait face à la station de métro Susukino (ligne Nanboku).

Booty (☎ 521-2366 ; www.booty-disco.com ; S7W4 Chūō-ku ; ⏰ à partir de 20h). Discothèque et bar lounge, qui sert des plats de style fast-food occidental. Vous pourrez danser sur les meilleurs tubes de hip-hop, de R&B et de reggae, qui attirent une foule de jeunes clubbeurs.

alife (☎ 533-6633 ; www.alife.jp/pc ; B1F Tailki Bldg, S4W6 Chūō-ku ; ⏰ 20h-fermeture). Ce club ultrachic et sophistiqué apporte une touche de la vie mondaine tokyoïte dans le grand nord. Même lorsque le thermomètre descend, il fait toujours bien chaud dans ce sous-sol, alors n'hésitez pas à mettre votre tenue de soirée !

Depuis/vers Sapporo
AVION

Le principal aéroport de Sapporo est le **nouvel aéroport de Chitose** (新千歳空港 ; Shin-Chitose Kūkō), situé à environ 40 km au sud de la ville. Vols intérieurs pour Tōkyō, Ōsaka, Nagoya, Hiroshima, Sapporo et bien d'autres destinations. Voir p. 833 pour des détails concernant les vols internationaux.

Il existe un aéroport plus petit à **Okadama** (丘珠空港 ; Okadama Kūkō), à environ 10 km au nord de la ville, qui dessert uniquement les villes de Hokkaidō.

BUS

Les bus relient Sapporo au reste de Hokkaidō. Ils sont généralement moins chers que les trains et parfois aussi rapides sur certains itinéraires. Sapporo Eki-mae est la principale gare routière, au sud-est de la gare JR de Sapporo, en dessous d'Esta. Vous pourrez également partir de la gare routière de Chūō (au sud-est de la gare JR de Sapporo) ou de celle d'Ōdōri. Vous trouverez des guichets dans les trois gares, où vous pourrez acheter des billets pour les principales villes de Hokkaidō.

Les villes desservies chaque jour depuis Sapporo Eki-mae incluent : Wakkanai (6 000 ¥, 6 heures), Asahikawa (2 000 ¥, 2 heures), Muroran (2 250 ¥, 2 heures 15), Noboribetsu Onsen (1 900 ¥, 2 heures), Tōya-ko Onsen (2 700 ¥, 2 heures 45), Niseko (2 300 ¥, 3 heures), Furano (2 100 ¥, 3 heures) et Otaru (590 ¥, 1 heure).

Depuis la gare routière de Chūō, des bus partent tous les jours pour Obihiro (3 670 ¥, 4 heures 15) et Abashiri (6 210 ¥, 6 heures 15). Pour se rendre à Hakodate, il faut prendre un bus au départ de la gare routière de Chūō ou de celle d'Ōdōri (4 680 ¥, 5 heures 15).

La plupart du temps, des réductions sont offertes sur les voyages aller/retour.

TRAIN

Le Hokutosei (北斗星) est un *tokkyū* avec couchettes qui relie la gare JR Ueno de Tōkyō à la gare JR de Sapporo. Il y a deux départs dans chaque direction tous les soirs ; le trajet prend environ 16 heures 30 (vous arrivez à votre destination le matin). Le prix des billets dépend de la distance parcourue et du type de couchette choisi.

Le tarif de base pour un voyage entre Tōkyō et Sapporo est de 16 080 ¥, plus un supplément de 2 890 ¥ pour le train à vitesse limitée. De plus, vous devrez payer des frais supplémentaires pour la couchette, de 6 300 ¥ pour une couchette privée à 17 180 ¥ pour la "chambre royale". Ce prix ne dépend pas du point de départ ni d'arrivée. Si vous voyagez avec le JR Pass, vous ne devrez payer ni le tarif de base ni le supplément pour le train à vitesse limitée mais seulement le supplément pour la couchette. De délicieux plats français et japonais sont disponibles à bord sur réservation mais le repas n'est pas compris dans le prix du billet.

Beaucoup plus luxueux, le Cassiopeia (カシオペア), un *tokkyū* avec couchettes, assure la liaison Tōkyō-Sapporo trois fois par semaine. Le train part trois soirs par semaine dans les deux sens et le temps total de trajet est d'environ 16 heures 30 également. Le tarif de base et les suppléments pour le train à vitesse limitée sont équivalents à ceux du Hokutosei et ne s'appliquent pas si vous avez le JR Pass. Les couchettes sont plus chères : de 13 350 ¥ pour une chambre à deux lits à 25 490 ¥ pour une suite. Ces prix sont comparables à ceux d'un hôtel haut de gamme et les wagons-lits sont une sorte de complexe hôtelier 4 étoiles monté sur roues. Le train de nuit dispose également de wagons-restaurants sophistiqués proposant des plats gastronomiques, qui ne sont pas inclus dans le prix du billet et doivent être réservés à l'avance. Les voyageurs solo doivent payer le prix complet d'une chambre, il est donc recommandé d'avoir un compagnon de voyage.

Les réservations pour le Hokutosei et le Cassiopeia peuvent être effectuées à tous les guichets JR ou dans une agence de voyages. Ces trains sont très prisés et souvent bondés, surtout l'été. Réservez le plus tôt possible.

Des *shinkansen* de la ligne JR Tōhoku relient toutes les heures Tōkyō et Hachinohe (15 150 ¥, 3 heures). Hachinohe est reliée à Sapporo par la ligne JR Tsugaru Kaikyō et les lignes Hakodate. Des *tokkyū* partent toutes les heures et passent par le tunnel Seikan pour relier Hachinohe à

Hakodate (7 030 ¥, 3 heures), et Hakodate à Sapporo (8 390 ¥, 3 heures 30).

Des *kaisoku* (trains rapides) de la ligne JR Hakodate relient toutes les heures Sapporo à Otaru (620 ¥, 40 min). Enfin, les *tokkyū* Super Kamui partent deux fois par heure de Sapporo pour Asahikawa (4 480 ¥, 1 heure 30).

VOITURE

Le meilleur endroit pour louer une voiture à Hokkaidō est le nouvel aéroport de Chitose. Vous devrez revenir sur vos pas si vous vous dirigez au nord mais cette solution permet d'éviter la traversée du centre-ville de Sapporo, dont le trafic est intense. Une dizaine d'agences de location sont installées dans la zone d'arrivée au premier niveau. Vous pourrez donc facilement comparer les prix.

Si vous préférez louer une voiture à Sapporo, il est recommandé de vous adresser à **Toyota Rent a Car** (☎ 281-0100 ; N5E2-1 Chūō-ku ; ☺ 8h-22h). Située près de la gare JR de Sapporo, cette agence se montre un peu plus compétente pour traiter avec les touristes étrangers, mais il n'est pas garanti que le personnel parle anglais. En cas de problème, vous pouvez toujours essayer de vous organiser à l'avance par le biais de l'office du tourisme.

Comment circuler
DEPUIS/VERS LES AÉROPORTS

Le nouvel aéroport de Chitose est accessible en *kaisoku* (train rapide, 1 340 ¥, 35 min) ou en bus (1 000 ¥, 1 heure 15) depuis Sapporo. Depuis l'aéroport, des lignes de bus desservent de nombreuses villes de Hokkaidō, dont Shikotsu-ko, Tōya-ko Onsen, Noboribetsu Onsen et Niseko.

Pour l'aéroport Okadama, un service de bus est assuré, toutes les 20 minutes environ, depuis le guichet ANA, en face de la gare de Sapporo (400 ¥, 30 min).

BUS ET TRAMWAY

La gare de Sapporo est également la principale gare routière pour les bus locaux. De fin avril à début novembre, des bus touristiques proposent un circuit des principales curiosités touristiques, entre 9h et 17h30. Le trajet simple coûte 200 ¥ (tarif de base), et le forfait journalier 750 ¥.

Une unique ligne de tramway dessert l'ouest de la ville le long d'Ōdōri, puis le sud, avant de terminer sa boucle à Susukino. Très utile pour se rendre à Moiwayama, pour un prix modique de 170 ¥.

HOKKAIDŌ (vertical tab)

HOKKAIDŌ EN HABITS DE FÊTE !

▥ De spectaculaires sculptures de glace ornent les rues lors du **Yuki Matsuri** de Sapporo (p. 599)

▥ Le **Marimo Matsuri** (p. 645), une fête aïnoue, est censée encourager le retour des *marimo*, une algue verte en forme de boule, dans le lac Akan

▥ Au cours de l'**Orochon-no-Hi** (fête du Feu ; p. 640), à Abashiri, les danseurs tournoient au milieu des flammes

▥ Le **Championnat national de courses de chiens de traîneau** (p. 626) à Wakkanai : une course folle avec les aboiements des chiens en fond sonore

▥ Durant le **Kyōkoku Hi Matsuri** (fête du Feu ; p 638) à Sōunkyō Onsen, des flèches enflammées sont tirées dans la gorge de Sōunkyō

▥ La **nuit du retour du saumon** (p 641) à Abashiri est l'occasion de manger du poisson grillé, et d'observer les saumons qui viennent se reproduire

▥ Le **Heso Matsuri** (p. 634), à Furano, est une fête en l'honneur du nombril

---

MÉTRO

Les trois lignes de métro de Sapporo sont très pratiques. Les billets sont vendus à partir de 200 ¥, et le forfait journalier 800 ¥ (seulement 500 ¥ le week-end). Le forfait à 1 000 ¥ permet d'utiliser librement métro, bus et tramway. Avec la carte prépayée "With You" (d'autres dénominations existent), vous profiterez des bus de ville, métro, tramway, bus Jōtetsu et bus Chūō. Au contraire des forfaits journaliers, la carte "With You" reste valable après minuit.

DŌ-NAN (SUD DE HOKKAIDŌ) 道南

Les voyageurs descendant à Sapporo évitent souvent le sud de Hokkaidō et profitent du réseau de transport de la capitale pour atteindre des destinations plus isolées. C'est dommage, car Hakodate, port important de l'ère Meiji, est de loin la ville la plus intéressante de Hokkaidō. Le Dō-nan abrite également quelques petites villes intéressantes du point de vue historique, qui possèdent de superbes vestiges architecturaux de la période d'Edo.

HAKODATE 函館

☎ 0138 / 288 000 habitants

Construite sur une étroite bande de terre entre le port de Hakodate à l'ouest et le détroit de Tsugaru à l'est, cette ville en forme de sablier est la porte sud de l'île de Hokkaidō. Après le traité de Kanagawa de 1854, Hakodate fut l'un des premiers ports à s'ouvrir au commerce international et à accueillir une petite communauté étrangère. Cette influence se fait encore sentir dans le quartier de Motomachi, un coteau escarpé parsemé de bâtiments en bois et d'églises en briques. Vous pourrez également vous plonger dans le passé en prenant les vieux trams qui sillonnent les rues ordonnées ou en observant les bateaux de pêche au calmar, avec leurs lanternes traditionnelles, qui ondulent doucement dans la baie.

Orientation et renseignements

Hakodate s'étend en bord de mer, et la plupart des sites intéressants sont accessibles à pied depuis les divers arrêts de tramway. Trams, bus et trains quittent régulièrement la gare. À l'ouest vous découvrirez le mont Hakodate (Hakodate-yama ; 344 m), le quartier de Motomachi et la plupart des monuments historiques. Le Goryō-kaku, premier fort japonais de style occidental, s'élève à l'est.

Office du tourisme de Hakodate (carte p. 606 ; ☎ 23-5440 ; www.city.hakodate.hokkaido.jp/kikaku/english ; ◷ 9h-19h avr-oct, 9h-17h nov-mars). Dans la gare JR de Hakodate. Cartes en anglais de Motomachi.

Cybercafé Hot Web (carte p. 606 ; ☎ 26-3591 ; www.hotweb.or.jp/cafe/shop.html en japonais ; ◷ 10h-20h mer-lun ; 400 ¥/heure avec une boisson). Accès Internet. À la sortie de la gare, après WAKO, juste avant Lotteria.

À voir

QUARTIER DE MOTOMACHI 元町

Situé sur les versants du mont Hakodate, ce quartier abrite de nombreux sites du XIXᵉ siècle et offre de beaux panoramas sur la baie. Tous les sites suivants sont situés à proximité les uns des autres et sont facilement accessibles à pied.

La belle et ancienne **église orthodoxe russe** (carte p. 606 ; ☎ 23-7387 ; 3-13 Motomachi ; 200 ¥ ; ☺ 10h-17h lun-ven, 10h-16h sam, 13h-16h dim) a été restaurée en 1916. Elle est ornée de dômes et de flèches en cuivre caractéristiques.

Le **musée municipal des Peuples du Nord de Hakodate** (carte p. 606 ; ☎ 22-4128 ; 21-7 Suehiro-chô ; 300 ¥ ; ☺ 9h-19h avr-oct, 9h-17h nov-mars) permet de se familiariser avec la culture aïnoue. Des légendes en anglais ont été ajoutées dans certaines salles d'exposition.

L'**ancien hôtel de ville de Hakodate** (☎ 22-1001 ; 11-13 Motomachi ; 300 ¥ ; ☺ 9h-19h avr-oct, 9h-17h nov-mars) est une demeure richement décorée dans les tons bleu clair et jaune qui dominent le quartier. Vous y trouverez des objets liés à l'histoire de la ville mais son principal attrait est sa superbe architecture de style colonial.

Laissez-vous tenter par un thé à l'anglaise et un après-midi de détente à l'**ancien consulat britannique** (carte p. 606 ; ☎ 27-8159 ; 33-14 Motomachi ; 300 ¥, thé en après-midi à partir de 550 ¥ ; ☺ 9h-19h avr-oct, 9h-17h nov-mars).

Le **cimetière des Étrangers** (carte p. 606) abrite la dernière demeure de navigateurs, d'hommes d'Église et d'anonymes, tous morts loin de leur terre natale. Beaucoup de tombes portent des épitaphes en anglais, russe ou français, et sont autant de petits bouts d'histoire locale.

Le tramway n°5 mène à Motomachi. Il faut descendre à l'arrêt Suehirō-chō, puis monter à pied sur la colline pendant environ 10 minutes. Autre possibilité : descendre au terminus, longer le bord de mer et grimper jusqu'à Suehirō-chō après la visite des cimetières.

HAKODATE-YAMA 函館山

Du haut de ce petit mont (334 m), la vue sur Hakodate est superbe, surtout la nuit lorsque les lumières scintillantes de la ville contrastent avec les eaux sombres. Un **funiculaire** (ropeway ; carte p. 606 ; ☎ 23-6288 ; www.334.co.jp/en/index.html ; aller simple/aller-retour 640/1 160 ¥ ; ☺ 10h-22h mai-oct, jusqu'à 21h nov-avr) se rend au sommet en quelques minutes. Prenez le tramway n°2 ou 5 jusqu'à l'arrêt Jūjigai, puis montez à pied quelques minutes jusqu'au départ du funiculaire. Un autre itinéraire consiste à prendre le bus qui part de la gare et mène au sommet (360 ¥, 30 min), en s'arrêtant à différents points de vue en cours de route. Les plus courageux choisiront le chemin de randonnée (accessible de mai à fin octobre).

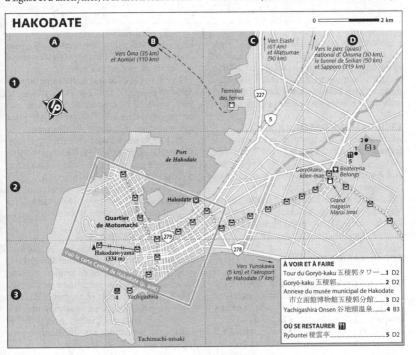

HAKODATE

0 — 2 km

Vers Ōma (35 km) et Aomori (110 km)

Vers Esashi (61 km) et Matsumae (90 km)

Vers le parc (quasi) national d'Ōnuma (30 km), le tunnel de Seikan (50 km) et Sapporo (319 km)

Terminal des ferries 227

5

Port de Hakodate

Hakodate

Quartier de Motomachi

Goryōkaku-kōen-mae

Beaterería Belongs

Grand magasin Marui-Imai

279

Hakodate-yama (334 m)

Voir la carte Centre de Hakodate (p. 606)

278

Vers Yunokawa (5 km) et l'aéroport de Hakodate (7 km)

Yachigashira

Tachimachi-misaki

À VOIR ET À FAIRE
Tour du Goryō-kaku 五稜郭タワー......**1** D2
Goryō-kaku 五稜郭.................................**2** D2
Annexe du musée municipal de Hakodate 市立函館博物館五稜郭分館......**3** D2
Yachigashira Onsen 谷地頭温泉..........**4** B3

OÙ SE RESTAURER
Ryōuntei 稜雲亭.....................................**5** D2

HOKKAIDÔ

HOKKAIDŌ

À 10 minutes de marche depuis le sommet, vous arriverez au parking Tsutsuji-yama ; à son extrémité, un chemin envahi de végétation aboutit à des murs couverts de mousse, vestiges du très ancien **Hakodateyama Yōsai**. La balade au milieu des immenses fougères est agréable.

YACHIGASHIRA ONSEN 谷地頭温泉

Au sud de Hakodate-yama, cette immense **source chaude** (carte p. 605 ; ☎ 22-8371 ; 20-7 Yachigashira ; 390 ¥ ; ☼ 6h-21h30, fermé tous les 2e et 4e mardis du mois) aux eaux ferreuses et sombres est l'une des plus anciennes de Hokkaidō. Prenez le tram n°2 et descendez à Yachigashira, le terminus. Marchez jusqu'au premier carrefour et tournez à droite : vous verrez le complexe de l'onsen immédiatement après, sur la gauche.

GORYŌ-KAKU 五稜郭

Premier fort japonais de style occidental (1864), le **Goryō-kaku** (carte p. 605), directement inspiré des plans de Vauban, fut construit en forme d'étoile (*goryō-kaku* signifie "fort aux cinq côtés"), de sorte que les assaillants n'aient aucune chance d'échapper aux tirs croisés. S'il ne reste rien de l'édifice original, vous pourrez

flâner dans les jardins paysagers et autour des douves, à moins que vous ne préfériez grimper sur les murs couverts de mousse.

Non loin de là, l'**annexe du musée municipal de Hakodate** (carte p. 605 ; ☎ 51-2548 ; 44-2 Goryōkakumachi ; 100 ¥ ; ☼ 9h-16h30 avr-oct mar-dim, 9h-16h nov-mars mar-dim) vous dévoilera l'histoire du fort, avec une collection d'armes et d'uniformes.

La **tour du Goryō-kaku** (carte p. 605 ; ☎ 51-4785 ; 43-9 Goryōkakumachi ; 840 ¥ ; ☼ 8h-19h avr-oct, 9h-18h nov et mars, 9h-19h déc-fév) offre une jolie vue sur le fort en contrebas et la ville environnante.

Pour vous rendre au fort, prenez le tram n°2 ou n°5 jusqu'à l'arrêt Goryōkaku-kōen-mae ; de là, il reste 10 minutes de marche.

Environs de Hakodate

Si vous avez une voiture, vous pourrez découvrir le **parc (quasi) national d'Ōnuma** (大沼国定公園) au nord-est de la ville. Un grand lac et des marécages permettent de faire du canoë, de pêcher ou de se promener dans un cadre superbe. Les collines voisines abritent de nombreuses sources chaudes, assez difficiles à dénicher. Demandez à un habitant de vous indiquer le chemin de son coin favori.

HOKKAIDŌ

Esashi et **Matsumae**, deux villes historiques de la période d'Edo, constituent de belles excursions à partir de Hakodate. Pour plus d'informations, voir p. 609.

Fêtes et festivals
Hakodate Goryōkaku Matsuri (函館五稜郭祭り ; 3ᵉ week-end de mai). Les habitants défilent dans les rues, revêtus d'uniformes des soldats qui participèrent à la bataille de la Restauration de Meiji, en 1868.
Hakodate Minato Matsuri (函館港祭り ; fête du port de Hakodate ; début août). Jusqu'à 20 000 personnes effectuent la danse du calmar dans les rues ; feux d'artifice.

Où se loger
Niceday Inn (carte p. 606 ; ☎ 22-5919 ; 9-11 Ōtemachi ; dort à partir de 3 000 ¥). Proche du marché du matin Asa-ichi, ce minuscule hôtel tenu par une charmante propriétaire loue des chambres avec lits superposés. Parfait pour les voyageurs à petit budget, l'établissement se trouve juste en face du Kokusai Hotel dans une petite rue.
Hakodate Youth Guesthouse (carte p. 606 ; ☎ 26-7892 ; www12.ocn.ne.jp/~hakodate, en japonais ; 17-6 Hōraimachi ; dort oct-juin 3 800 ¥, juil et sept 4 200 ¥, août 4 500 ¥). Cette auberge à l'ambiance décontractée est idéale pour les familles et les voyageurs à petit budget, avec glaces maison à partir de 9h et couvre-feu à 23h. Il se trouve près de l'arrêt de tram Hōrai-chō. En descendant du tram, tournez à gauche au premier feu, passez deux autres feux et tournez à droite. En face d'un supermarché et d'un parking.
Kokian (carte p. 606 ; ☎ 26-5753 ; 13-2 Suehirochō ; ch avec/sans repas à partir de 8 000/4 000 ¥/pers). Construite en 1897, cette auberge bien conservée illustre parfaitement le style architectural de l'ère Meiji, avec une façade de style japonais.

Les chambres à l'occidentale sont plutôt petites mais ne manquent pas de personnalité. L'auberge est tout proche de l'arrêt de tramway Jūjigai. Une fois descendu du tram, longez 3 pâtés de maison en direction de l'eau (quartier des quais). L'auberge est derrière un vieil entrepôt.
Tōyoko Inn Hakodate Eki-mae Asaichi (carte p. 606 ; ☎ 23-1045 ; www.toyoko-inn.com/e_hotel/00063/index.html ; 22-7 Ōtemachi ; s/d nov-mai 4 600/6 800 ¥, juin-oct 5 600/7 800 ¥ ; 🅿 🖥 🛜). S'il ne soutient pas la comparaison avec l'auberge Kokian, cet hôtel de la chaîne Tōyoko reste une bonne option pour les voyageurs d'affaires souhaitant une connexion Internet fiable (réseau LAN). Il se trouve à deux pas du marché Asa-ichi et à 3 minutes de marche de la gare Hakodate.
Hakodate Kokusai Hotel (carte p. 606 ; ☎ 23-5151, 23-0239 ; www.hakodate-kokusai.jp ; 5-10 Ōtemachi ; s/lits jum 11 500/23 000 ¥ ; 🅿 🖥 🛜). Le meilleur hôtel de Hakodate est relativement modeste par rapport aux offres haut de gamme de Sapporo. C'est tout de même un endroit moderne et luxueux, doté d'un élégant salon à ciel ouvert, où vous pourrez siroter un verre tard le soir (le bar est ouvert aux non-résidents). Chambres plutôt communes. Connexion au réseau LAN.

Où se restaurer et prendre un verre
Nishi-hatoba (carte p. 606), quartier assez branché du front de mer, compte des restaurants installés dans d'anciens entrepôts et dans des bâtiments de style britannique.
Asa-ichi (marché du matin ; carte p. 606 ; 🕐 5h-midi). Situé juste à droite de la gare de Hakodate, ce marché plaira aux amateurs de fruits de mer. Vous pourrez y goûter des calmars frais

et luisants emballés dans du polystyrène. La plus grande partie des ventes se termine à 8h, les touristes arrivent ensuite pour acheter un en-cas ou des souvenirs.

Hishī (carte p. 606 ; ☎ 27-3300; 9-4 Hōraichō ; en-cas à partir de 525 ¥ ; ☺ 10h-17h). Hishi-sabō est une boutique d'antiquités-café installée dans un ancien *kura* (entrepôt aux murs en boue) recouvert de lierre qui se trouve à une rue à l'ouest de l'arrêt de tram Hoari-chō. Même si vous n'êtes pas à la recherche d'un kimono d'occasion, vous pourrez toujours déguster une tasse de thé anglais et une gaufre (*waffuru-setto* 890 ¥). Prenez votre temps et imprégnez-vous des 80 ans d'histoire de ce bâtiment.

Hakodate Rāmen Kamome (carte p. 606 ; ☎ 22-1727 ; 8-2 Wakamatsuchō ; rāmen à partir de 580 ¥ ; ☺ 6h30-15h30). Célèbre échoppe de nouilles (cherchez l'auvent bleu), où vous pourrez tester vos compétences culinaires. Commencez par un simple bol de *miso-rāmen* (580 ¥), ajoutez du crabe (*kani*), des crevettes (*ebi*), du calmar (*ika*), des coquilles Saint-Jacques (*hotate*) ou même de l'oursin (*uni*) pour quelques centaines de yens supplémentaires. L'échoppe se trouve en face du marché au poisson, gage de fraîcheur des produits.

Ryōuntei (carte p. 605 ; ☎ 54-3221 ; 8-20 Honchō ; plats 650-1 250 ¥ ; ☺ déj et dîner lun-sam). Cet *izakaya* se trouve non loin de la tour du Goryō-kaku et sert des fruits de mer frais pêchés dans les mers environnantes. Installez-vous au comptoir ou sur un tatami et commandez les mets alléchants du menu illustré. Tout ce qui contient des calmars (*ika*) arrive directement du port ; vous pourrez les goûter crus ou grillés.

Hakodate Beer (carte p. 606 ; ☎ 23-8000 ; 5-22 Ōtemachi ; plats à partir de 650 ¥ ; ☺ 11h-22h). À côté du Hakodate Kokusai Hotel, ce restaurant programme des concerts et accueille une foule bruyante. Un menu en anglais est disponible et annonce un grand choix de bières blondes et brunes, des pizzas maison et des grillades.

Depuis/vers Hakodate
AVION
De l'aéroport de Hakodate, à quelques kilomètres à l'est du centre-ville, partent des vols pour Séoul et des vols nationaux pour diverses destinations dont Sapporo, Tōkyō et le Kansai.

Des bus fréquents assurent la liaison avec l'aéroport de Hakodate depuis la gare JR de Hakodate (300 ¥, 20 min). Vous pourrez également prendre un taxi (2 000 ¥).

BATEAU
Depuis Hakodate-kō, 8 ferries **Higashi Nihon** (☎ 0120-756-564) desservent tous les jours Aomori (à partir de 2 150 ¥, 3 heures 45), et 2 à 3 ferries par jour desservent Ōma (1 370 ¥, 1 heure 45) sur la péninsule de Shimokita-hantō. Le terminal de ferries, où vous pourrez également acheter vos billets, se trouve à l'angle nord-est du port de Hakodate.

Des navettes (250 ¥, 15 min) et des taxis (1 500 ¥) desservent le terminal des ferries depuis la gare.

BUS
Cinq à 6 bus par jour partent de la gare JR de Hakodate pour les gares routières de Chūō et d'Ōdōri à Sapporo (4 680 ¥, 5 heures 15).

Pour plus de renseignements sur les transports, voir également Matsumae (p. 609) et Esashi (p. 609).

TRAIN
De fréquents *tokkyū* de la ligne JR Tsugaru Kaikyō desservent Aomori (5 140 ¥, 2 heures) par le tunnel Seikan (voir l'encadré p. 610). De fréquents *tokkyū* de la ligne JR Hakodate circulent entre Hakodate et Sapporo (8 390 ¥, 3 heures 30). Enfin, une combinaison de *tokkyū* et de *kaisoku* (train rapide) de la ligne JR Hakodate relie Hakodate à Niseko en passant par Oshamambe (5 410 ¥, 3 heures 30).

Pour plus de renseignements sur les trains entre Hakodate et Tōkyō, voir p. 603.

VOITURE
Si vous venez d'arriver sur Hokkaidō, Hakodate est un bon endroit pour louer une voiture et partir à la découverte de l'île. L'agence que nous recommandons, **Toyota Rent a Car** (carte p. 606 ; ☎ 26-0100 ; 19-2 Ōtemachi ; ☺ 8h-20h) dispose d'un comptoir à quelques pâtés de maisons au sud-ouest de la gare, près du Aqua Garden Hotel. À partir de Hakodate, vous pourrez vous rendre en voiture pour une journée à Matsumae ou à Esashi.

Comment circuler
Les billets de tramway/bus coûtent 200/250 ¥ selon la distance parcourue. Les forfaits à la journée (1 000 ¥) ou pour deux jours (1 700 ¥) donnent droit à des trajets illimités en bus et tramway (600 ¥ pour le tram seul), y compris pour le bus menant au sommet du Hakodate-yama. Vous pouvez les acheter à l'office du tourisme ou directement auprès du chauffeur.

MATSUMAE 松前

☎ 01394 / 10 000 habitants

Avant le début de l'ère Meiji, cette ville était le fief du clan Matsumae et le centre du pouvoir politique japonais sur Hokkaidō. C'est pourquoi Matsumae abrite le seul château de l'île, le **Matsumae-jō** (松前城 ; ☎ 42-2216 ; 270 ¥ ; 9h-17h mi-avr à déc). La structure actuelle date du XIXe siècle et accueille aujourd'hui quelques vestiges féodaux et une collection d'objets archéologiques aïnous.

Un peu plus haut sur la colline, on découvre le site funéraire des membres du clan Matsumae, ainsi qu'un ensemble de temples du XVIIe siècle. Plus loin encore, le **Matsumaehan Yashiki** (松村藩屋敷 ; 350 ¥ ; 9h-16h30 mi-avr à déc), intéressante réplique d'un village de la période d'Edo, a été construit avec les techniques et les matériaux de l'époque.

De fréquents *tokkyū* de la ligne JR Esashi relient Hakodate à Kikonai (1 620 ¥, 35 min). De la gare de Kinokai, des bus directs desservent Matsumae (1 220 ¥, 1 heure 30). Les sites mentionnés sont accessibles depuis l'arrêt Matsumae-jō ; les bus continuent jusqu'à la gare routière de Matsumae, d'où vous pourrez prendre un bus pour Esashi d'avril à novembre (2 720 ¥ ; 2 heures, 4 bus/jour).

ESASHI 江差

☎ 0139 / 10 000 habitants

Si Matsumae était le centre politique de Hokkaidō pendant la période d'Edo, Esashi en était le centre économique. Avant l'épuisement des stocks de pêche au début du XXe siècle, un grand nombre de *nishingoten* (demeures des barons du hareng) dominaient le bord de mer. Nombre d'entre elles sont encore visibles et ont été assez bien préservées. Les villas **Yokoyama** (横山家 ; ☎ 52-0018 ; 300 ¥ ; 9h-17h) et **Nakamura** (旧中村家住宅 ; ☎ 52-1617 ; 300 ¥ ; 9h-17h) figurent parmi les plus remarquables. Elles sont ouvertes toute l'année, sauf le lundi en hiver. Pour visiter la maison Yokoyama entre novembre et avril, il faut prendre rendez-vous par téléphone.

Des concerts d'Esashi Oiwake sont donnés au **musée Esashi Oiwake** (江差追分会館 ; ☎ 52-0920 ; 500 ¥ ; fermé lun en hiver) à 11h, 13h et 14h30. Le chant nasal et aigu de cette musique traditionnelle vous envoûtera certainement, mais peut être un peu agaçant à la longue…

Lors du festival de l'**Ubagami Matsuri** (姥神祭り ; 9-11 août), des chars – certains d'époque – défilent dans les rues en l'honneur de l'Ubagami

Daijingu, plus ancien sanctuaire de Hokkaidō, édifié il y a 350 ans, pour invoquer une pêche au hareng fructueuse.

De fréquents *tokkyū* de la ligne JR Esashi relient Hakodate à Kikonai (1 620 ¥, 35 minutes). Kikonai est également relié à Esahi par la ligne JR Esahi : quelques *kaisoku* font la navette tous les jours sur cet itinéraire (900 ¥, 1 heure 15).

Des bus relient toute l'année Hakodate à Esashi (1 830 ¥, 2 heures 15, fréquents). D'avril à novembre, quelques bus circulent entre Esashi et Matsumae (2 720 ¥, 2 heures, 4 bus/jour).

Depuis la gare d'Esashi, il faut descendre la colline (20 min à pied) pour accéder aux sites touristiques.

DŌ-Ō (CENTRE DE HOKKAIDŌ) 道央

Le centre de Hokkaidō possède de superbes parcs nationaux, des pistes de ski de niveau international et des stations thermales rustiques. Bien que la charmante ville portuaire d'Otaru soit la zone la plus peuplée de la région, l'épicentre en est certainement Niseko, dont la légendaire poudreuse attire des skieurs et des snowboardeurs du monde entier. Si les Européens ont inventé le concept de la détente après le ski, les Japonais ont su l'élever au rang d'art : après une longue journée sur les pentes gelées, quel bonheur de plonger dans un onsen bien chaud en sirotant une bouteille de saké !

OTARU 小樽

☎ 0134 / 138 000 habitants

Résistez à la tentation de vous rendre directement à Niseko et faites une escapade à Otaru le temps d'un week-end, d'une journée ou d'un après-midi. Otaru est l'une des destinations touristiques les plus appréciées des Japonais. Cette ville portuaire romantique possède une riche histoire remontant aux jours glorieux où elle jouait un rôle important dans l'industrie du hareng. Otaru fut le terminus de la première ligne ferroviaire de Hokkaidō et aujourd'hui encore, les anciens entrepôts bordent le pittoresque quartier du canal.

Orientation et renseignements

Une grande partie de la ville peut être découverte à pied. Des bus touristiques desservent la plupart des sites.

HOKKAIDŌ

LE TUNNEL DE SEIKAN 青函トンネル

Merveille moderne de l'ingénierie japonaise, ce tunnel ferroviaire passe sous le détroit de Tsugaru et relie les îles de Honshū et Hokkaidō. D'une longueur totale de 53,85 km, avec un tronçon sous-marin de 23,3 km à 240 m de profondeur, c'est le tunnel sous-marin le plus long et le plus profond du monde. Avant 2006, il était possible de descendre du train et de visiter les installations du tunnel (à condition de ne pas être claustrophobe). Actuellement, les visites sont interrompues en raison des travaux du *shinkansen* de Hokkaidō qui devraient se poursuivre jusqu'en 2015. Aucun circuit privé n'est autorisé. Lorsque tout sera achevé et que le train à grande vitesse commencera à circuler, les voyageurs pourront probablement descendre du train pour visiter le site comme dans le passé.

Cybercafé La Fille (カフェ・ラ・フィーユ ; ☎ 32-1234 ; Inaho 1-12-5 ; 400 ¥ pour 30 min ; ☽ 9h-18h mer-lun). Accès Internet ; tournez à droite en sortant de la gare, passez 4 feux, puis repérez le café sur la droite juste après le pont piétonnier.

Office du tourisme (☎ 29-1333 ; ☽ 9h-18h). Dans la gare d'Otaru.

À voir

Promenez-vous sous les vieux réverbères de style victorien qui bordent le **canal d'Otaru** (小樽運河) et admirez les anciens entrepôts qui datent de l'ère Meiji et de l'ère Taishō – beaucoup portent des indications en japonais, en anglais et en russe.

Le petit **musée d'Otaru** (☎ 33-2439 ; 300 ¥ ; ☽ 9h30-17h) occupe un bel entrepôt restauré qui date de 1893 et propose des expositions sur l'histoire naturelle de Hokkaidō, les vestiges aïnous, l'industrie du hareng, la céramique et la littérature.

À l'extrémité nord du canal, derrière le parc, se trouve le **bâtiment de l'ancienne Nippon Yūsen Company** (旧日本郵船株式会社小樽支店 ; ☎ 22-3316 ; 300 ¥ ; ☽ 9h30-17h mar-dim). Dans le passé, une grande partie des bordereaux d'expédition de Hokkaidō était traitée dans ce bâtiment, qui a été restauré avec soin et a retrouvé son prestige d'antan.

Vous découvrirez d'autres bâtiments historiques le long de **Nichigin-dōri** (日銀道り), artère autrefois connue sous le nom de "Wall Street du Nord". Ne manquez pas la **Bank of Japan** (☎ 21-1111 ; gratuit ; ☽ 9h30-17h mar-dim), un bâtiment de brique à l'élégance classique qui fut conçu par l'architecte de la gare de Tōkyō. La façade est ornée de clés de voûte en forme de chouettes, hommage à la divinité gardienne des Aïnous. L'intérieur comporte un impressionnant plafond de 100 m de haut.

Otaru, surnommée la "Venise du Japon", tente de se faire un nom dans le soufflage du verre. **K's Blowing** (☎ 31-5454 ; www.ks-blowing.net ;

cours 1 800-2 500 ¥ ; ☽ 9h-16h30) est une galerie renommée et propose des cours en anglais : tasses simples et élégantes, bols ou vases. Plusieurs boutiques artisanales ont pignon sur rue dans le quartier.

De fin avril à mi-octobre, des bateaux partent en excursion (1 550 ¥, 1 heure 25), en boucle le long de la côte, à partir du quai 3 d'Otaru. Vous pouvez aussi débarquer au village de Shukutsu et prendre un bus pour retourner en ville.

À quelques kilomètres au nord d'Otaru, le long de la côte dans le village de Shukutsu, **Otaru Kihinkan** (小樽貴賓館 ; ☎ 24-0024 ; www. otaru-kihinkan.jp, en japonais ; 1 000 ¥ ; ☽ 9h-18h avr-oct, 9h-17h nov-mars) est une demeure construite grâce aux bénéfices de l'industrie du hareng. Édifié en 1918 par la famille Aoyama, cet édifice dispose

RENSEIGNEMENTS	
Poste principale 中央郵便局	**1** C3
Poste 郵便局	**2** A2
Office du tourisme 観光案内所	**3** A3

À VOIR ET À FAIRE	
Bank of Japan 日本銀行	**4** C3
K's Blowing ケーズブローイング堺町工房	**5** C3
Musée d'Otaru 小樽市博物館	**6** B2

OÙ SE LOGER 🏠	
Hotel Nord Otaru ホテルノルド小樽	**7** B2
Hotel Vibrant Otaru ホテルヴィブラントオタル	**8** C3
Otaru Grand Hotel Classic 小樽グランドホテルクラシック	**9** C3

OÙ SE RESTAURER 🍴	
Denuki-kōji 出抜小路	**10** C2
Kita no Ice Cream Yasan 北のアイスクリーム屋さん	**11** C2
Otaru Sōko No 1 小樽倉庫 No 1	**12** C2
Sushi-toku すし徳	**13** C2
Uminekoya 海猫屋	**14** B2

TRANSPORTS	
Gare routière バスターミナル	**15** A3

de tous les éléments traditionnels japonais : *uguisu-bari* (couloir avec un plancher bruyant pour repérer les intrus), somptueuse pièce recouverte de 100 tatamis, boiseries sculptées et latrines en luxueuse porcelaine d'Arita.

Une courte promenade vous permettra d'atteindre **Nishin Goten** (鰊御殿; ☎ 22-1038; 300¥; ◷ 9h-17h mi-avr à nov), une immense propriété où vivaient des barons du hareng avec leurs travailleurs saisonniers pendant les ères Meiji et Taishō.

Prenez le bus 11 à la gare d'Otaru et descendez au terminus Otaru-suizokukan (Otaru Aquarium, 200 ¥, 25 min) pour accéder à Otaru Kihinkan et Nishin Goten.

Où se loger

Plusieurs établissements à Otaru et dans les environs proposent un hébergement bon marché (1 000-1 500¥) aux cyclistes et aux motards. Demandez les adresses exactes à l'office du tourisme car certains peuvent être difficiles à trouver.

Otarunai Backpackers' Hostel Morinoki (おたるないバックパッカーズホステル杜の樹; ☎ 23-2175; 4-15 Aioi-chō; http://backpackers-hostel. infotaru.net; dort 3 200¥; 💻). Ce petit repaire de routards n'a rien de commun avec les habituelles auberges de jeunesse japonaises. Dortoirs femmes et hommes séparés, cuisine, laverie, Internet, salon commun. Le personnel parle anglais, l'ambiance est agréable et décontractée. L'auberge se trouve à environ 20 minutes de marche de la gare JR d'Otaru. Au sortir de la gare, prenez à droite et passez une série de feux jusqu'à un magasin de téléphones portables sur la gauche. Tournez à gauche et continuez tout droit jusqu'au grand portail en pierre; tournez ensuite à droite. Vous verrez l'auberge sur votre gauche à environ 100 m.

Otaru Tengu-yama (小樽天狗山; ☎ 33-6944; www.tengu.co.jp/english/index.html; 2-13-1 Mogami; ch à partir de 3 800 ¥/pers; 💻). Un peu en dehors du centre-ville, les 3 établissements adjacents, Honkan, Villa et Sanrokukan, appartiennent à l'enseigne Otaru Tengu-yama. Ils offrent un hébergement bon marché et agréable destiné aux voyageurs à petit budget et peu exigeants. Prenez le bus 9 à la gare d'Otaru jusqu'au terminus (200 ¥, 20 min). Il vous déposera tout près de la propriété, au pied du mont Tengu. Demandez au chauffeur de vous l'indiquer.

HOKKAIDŌ

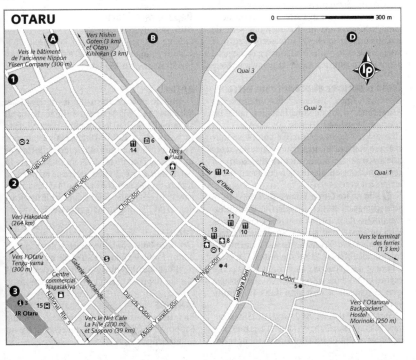

◐ **Hotel Vibrant Otaru** (☎ 31-3939 ; www.vibrant-otaru.jp ; 1-3-1 Ironai ; s/d à partir de 5 500/6 500 ¥, ch voûtée à partir de 10 500 ¥ ; 🖳). Ancienne banque rénovée avec élégance, face à la poste principale. La réception est superbe avec ses meubles d'époque, notamment des tables en fer forgé. Le prix des chambres dépend de leur taille et de leur aménagement. Pour quelques yens de plus, offrez-vous un séjour mémorable dans l'ancienne salle des coffres de la banque ! Connexion au réseau LAN.

Hotel Nord Otaru (☎ 24-0500 ; www.hotelnord.co.jp/english/index.htm ; 1-4-16 Ironai ; s/d à partir de 7 350/12 600 ¥ ; 🖳). Hôtel de caractère, de style européen, et un point de vue sur les entrepôts bordant le canal d'Otaru. Cet établissement propose des chambres aux éclairages doux et aux lignes épurées. Excellent restaurant méditerranéen préparant avec goût les légendaires fruits de mer d'Otaru. Réseau LAN.

Otaru Grand Hotel Classic (☎ 22-6500 ; http://otaru-grand-hotel.tabite.jp, en japonais ; 1-8-25 Ironai ; s/d à partir de 8 400/16 800 ¥ ; 🖳 📶). Également installé dans une ancienne banque, à côté de la poste. L'hôtel dispose de chambres de style occidental décorées avec goût et ornées de vitraux donnant sur les rues de la ville. Connexion au réseau LAN. En sortant de la gare, tournez à droite et passez une série de feux jusqu'à apercevoir l'intersection entre la voie ferrée et la route. Tournez à gauche juste avant et continuez tout droit jusqu'à l'hôtel.

Où se restaurer et prendre un verre

Si vous aimez observer les vitrines des restaurants avant de vous installer, faites un tour au **Denuki-kōji** (1-1 Ironai ; 🕑 10h-20h), sur la rive sud d'Asakusa-bashi. Ce complexe touristique comporte une dizaine de restaurants à la cuisine variée. Beaucoup disposent de reproductions en plastique à l'extérieur pour attirer les indécis.

◐ **Kita no Ice Cream Yasan** (☎ 23-8983 ; 1-2-18 Ironai ; glace à partir de 350 ¥ ; 🕑 9h30-19h). Institution légendaire d'Otaru, en face du Denuki-kōji, Kita propose des glaces aux saveurs très étonnantes : nattō (graines de soja fermentées), tofu, crabe, bière… et même oursin. La glace à l'encre de seiche est tout aussi étrange. Le menu, en anglais, japonais et coréen, prouve que ce glacier a des fans dans le monde entier.

Sushi-toku (すし徳 ; ☎ 22-3457 ; 1-4-23 Hanazono ; menu sushis à partir de 630 ¥ ; 🕑 11h-21h). Les touristes japonais ont pour mot d'ordre de manger des sushis à Otaru. Les spécialités de Hokkaidō comprennent le saumon (sake), les œufs de saumon (ikura), les œufs d'oursin (uni) et le crabe (kani). Les menus illustrés indiquent les différents plats de saison disponibles. Le restaurant se trouve en face de l'Otaru Grand Hotel Classic (voir ci-contre).

Uminekoya (☎ 32-2914 ; Ironai 2-2-14 ; plats à partir de 750 ¥ ; 🕑 déj et dîner). Installé dans un entrepôt dont la façade délabrée est couverte de lierre, ce célèbre bar-restaurant situé en face du musée a servi de cadre à plusieurs romans japonais célèbres. Le menu en anglais pourra vous aider à faire votre choix mais rien ne vaut les osusume (recommandations) du serveur sur la prise du jour et les bières et sakés locaux.

Otaru Sōko No 1 (☎ 21-2323 ; 5-4 Minato-machi ; plats à partir de 800 ¥ ; 🕑 11h-22h). Jolie petite brasserie proposant un choix de bières à la pression et des plats allemands et japonais servis dans un cadre de style bavarois. Les généreuses portions de saucisses et pommes de terre sont très appréciées mais vous pourrez choisir un plat un peu moins riche sur le menu en anglais. Il y a parfois des concerts. Une enseigne "Otaru Beer" indique la brasserie, au bord du canal.

Depuis/vers Otaru

BUS

Des bus fréquents desservent Sapporo (590 ¥, 1 heure) et dans une moindre mesure Niseko (1 600 ¥, 1 heure 45, 3 bus/jour).

BATEAU

Depuis le port d'Otaru-kō, les ferries **Shin-Nihonkai** (☎ 22-6191) partent à 10h30 du mardi au samedi et à 7h30 le dimanche pour Nijigata (à partir de 6 200 ¥, 18 heures). Le retour s'effectue tous les jours sauf le lundi. Les ferries rallient également tous les jours Maizuru (à partir de 9 600 ¥, 20 heures), juste au nord de Kyōto. Prenez le bus à l'arrêt n°4 en face de la gare (210 ¥, 30 min) pour rejoindre le terminal des ferries. Petit guichet sur le quai.

TRAIN

Des kaisoku de la ligne JR Hakodate font la liaison toutes les heures entre Otaru et Sapporo (620 ¥, 40 min), et quelques kaisoku desservent Niseko depuis Otaru (1 410 ¥, 2 heures).

VOITURE

En voiture, vous pourrez emprunter l'autoroute Sapporo (札幌自動車道) qui relie Otaru au grand Sapporo.

NISEKO ニセコ

☎ 0136 / 6 000 habitants

Niseko est l'une des principales stations de ski de Hokkaidō. Simple village, Niseko ne comprend pas moins de quatre stations reliées les unes aux autres : Hirafu, Higashiyama, Annupuri et Hanazono, l'ensemble représentant 800 ha de domaine skiable. Niseko bénéficie des fronts sibériens du nord-ouest et du sud-est, qui lui prodiguent une poudreuse souple et légère dans laquelle skieurs et snowboardeurs adorent laisser leurs traces. Niseko a récemment été nommé deuxième station de ski la plus enneigée du monde, avec des chutes de neige annuelles moyennes de plus de 15 m ! (le record appartient à la station de mont Baker, dans l'État de Washington, États-Unis, selon le magazine *Forbes*.)

Évidemment, le site n'est plus un secret pour personne et Niseko connaît actuellement un boom sans précédent. De nouveaux complexes poussent un peu partout et le minuscule village de Hirafu est en train de devenir un site de renommée internationale. Pour certains, Niseko tend à perdre son caractère japonais traditionnel en se développant de manière exponentielle, pour d'autres elle devient plus cosmopolite et prospère grâce à l'augmentation des investissements étrangers. Quelle que soit votre opinion, skier à Niseko, dans ce cadre époustouflant, est une expérience unique.

Orientation

Les stations de ski de Hirafu, Higashiyama, Annupuri et Hanazono sont gérées comme une seule unité administrative, surnommée Niseko United. Au pied des pistes se trouvent plusieurs villes et villages où vivent les habitants de Niseko. La plupart des hôtels, restaurants et bars se regroupent, comme les touristes, à **Hirafu** (ひらふ), alors que Higashiyama, Annupuri et Hanazono sont beaucoup plus paisibles.

Plus à l'est se trouvent **Kutchan** (倶知安) et **Niseko** (ニセコ). La gare JR de Hirafu est loin de la ville et mal desservie par les bus. Les arrivants débarquent donc aux gares JR de Kutchan ou Niseko et empruntent ensuite les bus locaux. En hiver, des bus directs desservent le centre d'accueil du village de Hirafu au départ du nouvel aéroport de Chitose à Sapporo.

À l'est de la vallée s'élève le **Yōtei-zan** (羊蹄山), un volcan parfaitement conique rappelant le Fuji-san. Le Yōtei-zan attire les randonneurs en été mais son cratère couvert de neige prend des allures sacrées en hiver.

Renseignements

Dans les gares JR de Niseko et Kutchan, de petits **offices du tourisme** (Niseko ☎ 44-2468, Kutchan 22-5151 ; www.niseko.gr.jp/eigo.html ; ☾ 10h-19h) vous fourniront brochures, plans, horaires de bus et vous aideront à effectuer vos réservations.

Pour faire face à la cohue hivernale, le **centre d'accueil de Hirafu** (ひらふウエルカムセンター ; ☎ 22-0109 ; www.grand-hirafu.jp/winter/en/index.html ; ☾ 8h30-21h), d'où transitent les bus depuis/vers le nouvel aéroport de Chitose, fournit également des informations en anglais.

La région de Niseko est bondée pendant toute la saison de ski. Si vous arrivez de Sapporo, il est recommandé de vous rendre d'abord dans un grand office du tourisme régional pour réserver votre hébergement. Sur Internet, il vous sera facile de réserver bien à l'avance un hébergement à Niseko.

Une alternative consiste à se rendre dans une agence de voyages japonaise pour tenter d'obtenir un forfait à prix réduit. Même si vous êtes un voyageur farouchement indépendant, vous pourrez faire ainsi d'importantes économies et vous offrir une chambre à un prix abordable dans un hôtel généralement cher.

À voir et à faire

SKI ET SNOWBOARD

Niseko United (www.niseko.ne.jp/en ; ☾ journée 8h30-16h30, soir 16h30-21h, nov-avr) est le nom générique qui regroupe 4 stations : Niseko Annupuri, Niseko Higashiyama, Niseko Grand Hirafu et la zone de Hanazono.

Le grand avantage de Niseko United est l'accès aux pistes des 4 stations auquel vous donne droit l'achat du seul **All-Mountain Pass** (journée/soir 4 300/1 900 ¥). Ce forfait électronique donne accès à 20 remontées mécaniques et téléphériques et aux navettes entre les montagnes. Si vous prévoyez de skier plusieurs jours, une semaine ou même une saison, vous pouvez acheter un pass pour plusieurs jours à tarif réduit.

L'équipement, de très grande qualité, peut être loué presque partout à un prix abordable. De nombreux magasins de location livrent et reprennent les équipements directement sur votre lieu d'hébergement. Comme pour le All-Mountain Pass, vous pouvez faire des économies en louant votre équipement pour une période assez longue.

Les pistes s'adressent aux skieurs et snowboardeurs de tous niveaux, et vous pourrez passer plusieurs jours sans faire deux fois la même descente. Le complexe comprend près

HOKKAIDÔ

STATIONS DE SKI

Pour des informations récentes avec des statistiques, des cartes et des comptes-rendus, consultez le site www.snowjapan.com/e/index.php.

- **Niseko** (p. 613)
- **Furano** (p. 633)
- **Rususutu** (p. 616)
- **Abashiri** (p. 639)
- **Sapporo** (p. 594)

---

de 60 pistes pour skieurs débutants, intermédiaires et confirmés, sur des terrains variés. L'enneigement minimum est de 2 à 3 m. Même s'il est difficile de donner un avis général, Niseko United est certainement le meilleur domaine skiable du Japon et d'Asie.

Les files d'attente sont longues aux remontées mécaniques – surtout à Grand Hirafu et Higashiyama – et la musique d'ascenseur omniprésente, comme dans les autres stations de ski japonaises. À Annupuri ou Hanazono, vous aurez plus d'espace sur les pistes.

Consultez le *Local Rules Guide* à l'office du tourisme, car des accidents se produisent de temps à autre. Après d'intenses chutes de neige, des avalanches sont possibles.

RANDONNÉE

Les mois d'été constituent la basse saison à Niseko mais également le meilleur moment pour découvrir ses chemins de randonnée.

Un circuit de 16 km commence à l'ouest du sommet de Niseko Annupuri à l'**Onsen Goshiki** (五色温泉) et passe par plusieurs sommets de la chaîne de montagnes occidentale de Niseko. Ce circuit prend de 6 à 7 heures ; le début du chemin est accessible par les bus locaux.

Depuis l'onsen Goshiki, vous pouvez également faire une randonnée de 2 heures jusqu'au sommet du **Niseko Annupuri** (ニセコアンヌプリ ; 1 308 m). Par temps clair, le point de vue embrasse toute la station de ski de Niseko United ainsi que le Yōtei-zan.

L'une des randonnées les plus difficiles est le chemin qui mène au sommet du volcan parfaitement conique **Yōtei-zan** (1 893 m). Surnommé "Ezo Fuji" en hommage à son cousin plus célèbre du sud, le Yōtei-zan est recouvert de fleurs alpestres en été, mais il faut marcher 10 heures sur 10 km pour atteindre le sommet.

Le départ pour le Yōtei-zan, accessible par les bus locaux, se fait à Yōtei-zan Tozan-guchi, au sud de Kutchan près de la gare JR de Hirafu.

SPORTS D'AVENTURE

Le ski et le snowboard sont certes les principaux attraits de Niseko, mais d'autres activités s'offrent à vous : escalade sur glace, balades en raquette et chiens de traîneau en hiver, canoë, kayak et rafting en été. Le **Niseko Outdoor Centre** (ニセコアウトドアセンター ; ☎ 44-1133 ; www.noc-hokkaido.jp/e/index.html), à côté de la piste de ski Annupuri et le **Niseko Adventure Centre** (ニセコアドベンチャーセンター ; ☎ 23-2093 ; www.nac-web.com/e_index.htm), dans le village de Hirafu, organisent toutes sortes d'activités.

ONSEN

Soyez-en sûr : il n'y a rien de tel que de plonger dans un onsen bouillant après une bonne journée sur les pistes. La plupart des hôtels possèdent leur propre source chaude ou pourront vous indiquer les bains les plus proches.

Si vous attendez un bus ou un train à la gare JR de Niseko, traversez la rue et entrez à **Kiranoyu** (綺羅乃湯 ; ☎ 44-1100 ; bain 500 ¥ ; ⏰ 10h-21h30 jeu-mar), où vous pourrez plonger au choix dans un bassin en *hinoki* (cyprès) ou en pierre avant d'attraper votre correspondance.

Où se loger et se restaurer

Niseko est très étendue et il n'y a aucun établissement à proximité de la gare. La plupart des hébergements proposent de venir vous chercher et il existe par ailleurs un service de bus et de navettes. Plus on s'approche des pistes, plus le choix s'élargit. En allant tout droit près des remontées mécaniques, vous croiserez une ou deux pensions.

Notez que cette liste est loin d'être exhaustive. Nous avons tenté de choisir les établissements favoris des voyageurs mais bien d'autres hébergements pourraient être recommandés à Niseko.

Niseko Kōgen Youth Hostel (ニセコ高原ユースホステル ; maison de l'ourson ; ☎ /fax 44-1171 ; http://www13.ocn.ne.jp/~kogenyh/index2.html, en japonais ; 336 Aza Niseko ; dort hiver/été 3 200/3 000 ¥, petit déj/dîner 500/1 000 ¥ ; Ⓟ 🖳). Installée dans une ancienne école, cette auberge a pour thème Winnie l'Ourson – et est connue des touristes pour les talents d'accordéoniste du propriétaire. Elle se trouve à 5 km de la gare de Niseko et à environ 1 km à l'ouest des pistes d'Annupuri. Le personnel pourra aller vous chercher.

Niseko Tourist Home (ニセコツーリストホ ーム ; ☎ 44-2517 ; http://niseko-th.com, en japonais ; dort nov-avr/mars-oct 3 500/2 500 ¥, avec 2 repas 5 500/4 500 ¥ ; **P** **⬚**). À 4 km de la gare, un hôtel propre et bon marché à la charpente en bois bâtie en forme de A. La clientèle est plus japonaise que dans les auberges de jeunesse à l'esprit international. Les charmants propriétaires sont très fiers de leur petite station de ski.

Niseko Annupuri Youth Hostel (ニセコアンヌプ リユースホステル ; ☎ 58-2084 ; www.annupuri-yh. com, en japonais ; 470-4 Niseko ; dort avec 2 repas 5 380 ¥ ; **P**). Chalet de montagne de style occidental proche du domaine d'Annupuri. Entre deux descentes sur une poudreuse parfaite, les hôtes peuvent se rassembler autour de la cheminée pour échanger des conseils et déguster de délicieux repas.

Jam Garden (ジャムガーデン ; ☎ 22-6676 ; www.jamgarden.com, en japonais ; 37-89 Kabayama, Kucchan-chô ; ch avec 2 repas 7 000 ¥/pers, tarifs de groupe). À côté de la remontée mécanique de Hirafu, cette ferme de grand standing avec Jacuzzi et sauna offre des chambres occidentales et des plats régionaux.

Pension Forest Green (ペンションフォレス トグリーン ; ☎ 44-2868 ; www3.ocn.ne.jp/~forest-g, en japonais ; 7 000 ¥/pers avec 2 repas ; **P**). Cette pension rustique de 5 chambres est située au cœur de la forêt. Délicieux repas chinois compris dans le tarif et billard, où vous pourrez faire la connaissance des autres clients. Les propriétaires sont des passionnés de pêche et peuvent organiser des excursions de pêche à la mouche en été.

Hilton Niseko Village (ニセコヒルトンヴィレ ジ ; ☎ 44-1111 ; fax 44-3224 ; www.hiltonworldresorts.com/ Resorts/Niseko ; Higashiyama Onsen ; ch à partir de 19 000 ¥ ; **P** **⬚** **⬚**). Le Hilton bénéficie du meilleur emplacement. Il est collé au téléphérique Niseko à Higashiyama. De nombreuses activités dispersées dans un véritable village viennent compléter le confort des chambres à l'occidentale. Consultez le site Internet avant votre arrivée car des offres spéciales sont souvent proposées. Connexion au réseau LAN.

ONSEN

- **Tōya-ko Onsen** (p. 616)
- **Noboribetsu Onsen** (p. 619)
- **Asahidake Onsen** (p. 635)
- **Sōunkyō Onsen** (p. 637)
- **Kawayu Onsen** (p. 642)

Annupuri Village (アンヌプリ・ヴィレジ ; ☎ 59-2111 ; fax 59-2112 ; www.annupurivillage.com ; 432-21 Niseko ; chalets de ski 4-8 pers à partir de 74 000-98 000 ¥ ; **P** **⬚** **⬚**). Si vous voyagez à plusieurs, pensez à ce complexe hôtelier où vous pourrez louer un chalet dans le village d'Annupuri, au pied des pistes. Bois naturel et baies vitrées du sol au plafond. Somptueuses cheminées en pierre, sdb dignes d'un spa, cuisine professionnelle et écran plasma. Réductions en été.

Un grand nombre de pavillons et de *ryokan* proposent de délicieux repas préparés sur commande et vous trouverez sur les pistes de quoi satisfaire les petits creux : pizzas, *rāmen* et autres en-cas. Après la fermeture des pistes, les choses se compliquent car les logements sont dispersés et les bus peu pratiques. Mais il y a de nombreux bars à Hirafu, habituellement remplis d'Australiens bruyants et pleins d'entrain.

Depuis/vers Niseko
BUS

En hiver, plusieurs compagnies de bus desservent régulièrement Niseko depuis la gare de Sapporo et le nouvel aéroport de Chitose ; certains d'entre eux s'arrêtent à Rusutsu. Le voyage dure 3 heures 15, coûte 2 300 ¥ (aller-retour 3 850 ¥) et offre un accès direct aux différentes pistes.

Les réservations sont nécessaires et il est recommandé de s'organiser à l'avance. Si vous ne parlez pas japonais, demandez au personnel des offices du tourisme ou de votre hébergement d'effectuer la réservation pour vous.

Chūō Bus (☎ 011-231-0500 ; www.chuo-bus.co.jp, en japonais)

Donan Bus (☎ 0123-46-5701 ; www.donanbus.co.jp, en japonais)

Hokkaidō Resort Liner (☎ 011-219-4411)

Trans Orbit Hokkaidō (☎ 011-242-2040)

TRAIN

De fréquents *futsū* de la ligne JR Hakodate relient Sapporo à Otaru (620 ¥, 40 min), et Otaru à Niseko (1 410 ¥, 1 heure 30) en passant par Kutchan (1 040 ¥, 1 heure 15). Pendant la saison haute, quelques *tokkyū* desservent tous les jours Niseko au départ de Sapporo (4 560 ¥, 2 heures).

La gare JR de Hirafu est loin de la ville et mal desservie par les bus locaux. Des gares JR de Niseko et Kutchan, vous pourrez prendre un bus pour accéder aux villages au pied des pistes.

HOKKAIDŌ

VOITURE

La pittoresque Route 5 serpente de Sapporo à Otaru le long de la côte puis coupe à travers les terres par les montagnes pour descendre à Niseko. En voiture, vous pourrez vous déplacer plus facilement entre les différentes pistes. En été (basse saison), les transports en commun sont moins fréquents, il est donc recommandé de louer une voiture à Sapporo.

Comment circuler

Deux fois par heure, des bus locaux relient les gares JR de Kutchan et Niseko aux villages de Hirafu, Higashiyama et Annupuri. Consultez les horaires dans les offices du tourisme afin de ne pas rater votre correspondance.

Si vous avez un All-Mountain Pass, vous pourrez emprunter gratuitement la navette qui passe toutes les heures entre Hirafu, Higashiyama et Annupuri.

RUSUTSU ルスツ

☎ 0136 / 2 000 habitants

Comparée à sa voisine Niseko, Rusutsu est une petite station, beaucoup moins développée et moins étendue. Les points forts : les pistes ne sont pas aussi bondées et l'absence d'étrangers crée une ambiance plus traditionnelle.

Le domaine skiable de **Rusutsu Resort** (ルスツリ ゾート ; ☎ 46-3111 ; http://en.rusutsu.co.jp ; forfait journée/ soir 5 100/2 000 ¥ ; ☽ journée 9h-17h, soir 16h-21h, nov-avr) est splendide. Les pistes sont bien entretenues et lors d'une balade en forêt, on est souvent l'un des premiers à passer dans la poudreuse ! Elles affichent différents niveaux de difficulté et sont fréquentées par des skieurs et des snow-boardeurs. Avec 18 remontées mécaniques, un half-pipe de 100 m (demi-tube de neige utilisé pour le ski free-style et le snowboard) et de nombreuses possibilités de hors-piste, tout le monde y trouvera son compte. Il y a également 3 restaurants avec menus en anglais, comportant des plats variés allant du *rāmen* et des sushis aux hamburgers et riz au curry.

L'hébergement le moins cher et le mieux situé est le **Rusutsu Powder Lodge** (ルスツパウダ ーロッジ ; ☎ 22-4611 ; fax 22-4613 ; dort 3 150 ¥ ; Ⓟ), doté de lits fermes et de draps impeccables, de sdb communes. Ambiance sympathique. Idéal pour les mordus de ski, il se trouve juste à côté des pistes, près du magasin Seicomart.

La **Pension Lilla Huset** (ペンションリッラヒ ューセット ; ☎ 46-3676 ; fax 46-3435 ; www.youtei.org/ selection/english/english.htm ; avec 2 repas à partir de 7 000 ¥/ pers ; Ⓟ 🖥) est un établissement plus haut de gamme. Cette auberge de style occidental aux lambris rouges propose des chambres basiques et des repas simples. Emplacement imbattable au pied des remontées mécaniques.

Durant la saison de ski, plusieurs compagnies de bus desservent Niseko en passant par Rusutsu au départ de Sapporo et du nouvel aéroport de Chitose (1 990 ¥, 2 heures). Pour des détails sur les réservations, voir p. 614.

En voiture, empruntez la Route 230 qui relie Sapporo à Tōya-ko en passant par le village de Rusutsu.

PARC NATIONAL DE SHIKOTSU-TŌYA
支笏洞爺国立公園

☎ 0142

Bien plus vaste que les autres parcs nationaux de l'île, le parc national de Shikotsu-tōya (993 km²) est relativement facile d'accès en transport en commun ou en voiture. Le parc est constitué d'une étendue largement montagneuse sillonnée de chemins de randonnée escarpés et dotée de deux superbes lacs volcaniques. Il abrite deux des plus grandes stations thermales de Hokkaidō.

Tōya-ko Onsen 洞爺湖温泉

La station thermale de Tōya-ko, qui s'étend sur les rives du lac Tōya, a attiré l'attention du monde entier en accueillant le 34e sommet du G8 en 2008. Si l'effervescence est retombée depuis, le lac Tōya reste, du fait de sa proximité avec Sapporo et le nouvel aéroport de Chitose, l'une des destinations les plus prisées des amateurs d'onsen à Hokkaidō. Vous aurez peut-être du mal à vous détendre en apprenant que les volcans sont encore en activité !

ORIENTATION ET RENSEIGNEMENTS

Attention à ne pas confondre la gare de Tōya, Tōya Onsen (sur la rive sud du lac), la ville de Tōya, sur la rive nord et, bien sûr, le lac Tōya-ko.

L'**office du tourisme** (☎ 75-2446 ; www.laketoya. com/en ; 144 Tōyako Onsen ; ☽ 9h-17h lun-ven) est en contrebas de la gare routière : dirigez-vous vers le lac, puis repérez-le en face de l'Hotel Grand Tōya.

À VOIR ET À FAIRE

En 1943, à la suite de plusieurs tremblements de terre, une colline se forma au milieu des champs de légumes, au sud-est de Tōya-ko Onsen. Ainsi naquit le **Shōwa-Shin-zan** (昭和新山 ; 398 m), qui allait "grandir" pendant encore deux ans avant

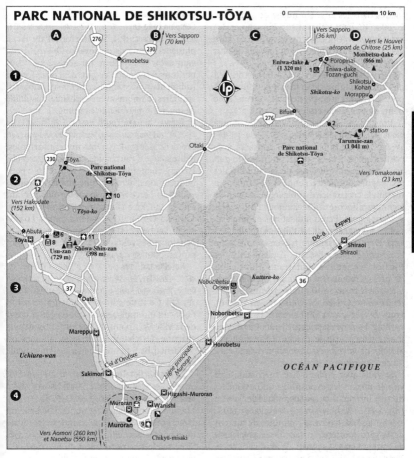

PARC NATIONAL DE SHIKOTSU-TŌYA

d'atteindre sa hauteur actuelle. À l'époque, les autorités japonaises gardèrent le secret sur ce phénomène, car ils l'interprétaient comme un présage de mauvais augure pour le dénouement de la Seconde Guerre mondiale. Les autorités de la région reçurent l'ordre d'éteindre les flammes du volcan (ce qui fut impossible), afin que les avions alliés ne puissent s'en servir comme point de repère. Le Shōwa-Shin-zan produit encore des émanations sulfureuses, pour la plus grande joie des visiteurs, mais au grand dam des autorités locales qui redoutent la prochaine éruption.

Juste à côté, l'**Usu-zan** (有珠山 ; 729 m) est un volcan encore plus impressionnant. Sa dernière éruption, en 2000, fut très violente et projeta des pierres à plusieurs centaines de mètres dans les airs. Un nuage de cendre de 2 700 m de haut s'abattit sur Tōya-ko et des explosions volcaniques menacèrent de faire s'écraser des hélicoptères. Pour le voir de plus près, un **téléphérique** (有珠山ロープウェイ ; ☎ 75-2401 ; aller-retour 1 450 ¥ ; ☉ 8h-17h) part du pied de l'Usu-zan (après le magasin de souvenirs) pour arriver à une petite plate-forme avec point de vue sur le cratère fumant.

Près du téléphérique, visitez le **musée mémorial de Mimatsu Masao** (☎ 75-2365 ; 300 ¥ ; ☉ 8h-17h avr-oct, 9h-16h nov-mars), consacré à ce postier qui acheta le volcan Shōwa-Shin-zan en 1946, le sauvant ainsi de la cupidité des compagnies minières. Pendant des années, il mesura la croissance du volcan, au moyen de techniques encore utilisées aujourd'hui par les vulcanologues. Peu d'indications en anglais.

La **promenade du Nishiyama** (gratuit ; ☉ fermé 10 nov-20 avr) semble traverser une zone bombardée. Des ruisseaux coulent entre les fissures, les sources souterraines font jaillir de petites retenues d'eau d'un bleu intense. L'entrée se trouve à 10 minutes de bus (160 ¥) de Tōya-ko Onsen. Si vous êtes en voiture, vous devrez payer 300 ¥ pour la garer au parking. La zone est ponctuellement fermée en fonction du niveau de toxicité de l'air ambiant. Si vous ne voyez personne en arrivant, vous saurez pourquoi !

Si vous avez envie d'être au chaud, allez voir le film et les expositions audiovisuelles du très instructif **musée scientifique des Volcans** (☎ 75-2555 ; www.toyako-vc.jp/en/volcano ; 600 ¥ ; ☉ 9h-17h). Il se trouve à 2 minutes de marche de la gare routière, en face de la **promenade du cratère Kompira** (gratuit ; ☉ fermé du 10 nov au 20 avr), zone qui a été dévastée par l'éruption de l'Usu-zan en 2000.

Le Tōya-ko, d'une circonférence de 37 km, est à la fois magnifique et intimidant. Les **croisières** (1 320 ¥ ; ☉ 8h-16h) à destination d'Ōshima, île située au milieu du lac, partent toutes les heures depuis la jetée en ville. De mi-avril à fin octobre, vous pourrez vous asseoir sur les rives du lac pour contempler les **feux d'artifice** (☉ 20h45-21h environ) organisés tous les soirs. Une croisière nocturne est un moyen un peu plus excitant de profiter du spectacle (1 500 ¥) ; les tickets sont en vente à l'embarcadère.

La rive du lac est jalonnée d'hôtels. La plupart proposent un accès à leurs **bains** dans la journée. Les tarifs varient de 500 à 1 000 ¥ ; apportez votre serviette pour économiser les frais de location.

OÙ SE LOGER

Camping Naka-tōya (☎ 66-7022 ; empl à partir de 330 ¥/ pers ; ☉ mai-sept ; **P**). Sur la rive est du lac, à plusieurs kilomètres de Tōya-ko Onsen. Mieux vaut avoir une voiture car seuls 2 ou 3 bus par jour arrivent de la gare de Tōya. Terrain rudimentaire avec emplacements sur pelouse et sanitaires communs avec eau chaude. Possibilité de louer du matériel de camping.

Shōwa-Shin-zan Youth Hostel (☎ 75-2283 ; fax 75-2872 ; 103 Soubetsu-onsen, Soubetsu-chō, Usu-gun ; dort à partir de 3 150 ¥ ; **P**). Dortoirs confortables, petite source d'eau chaude, cuisine impeccable. Hébergement idéal pour les voyageurs à petit budget qui recherchent une ambiance conviviale. L'auberge se trouve sur la route menant à l'Usu-zan. En bus, comptez 8 minutes depuis Tōya-ko Onsen ; descendez à l'arrêt Tozanguchi, l'auberge est à 1 minute de marche. On peut louer des vélos pour 1 000 ¥/jour, un bon moyen pour se déplacer.

Hotel Grand Tōya (ホテルグランドトーヤ ; ☎ 75-2288 ; fax 75-3434 ; www.grandtoya.com ; 144 Tōyako Onsen, Tōyako-chō, Abuta-gun ; ch avec 2 repas 7 900 ¥/pers ; **P** 🖥). Ce vaste complexe hôtelier en béton dispose d'un emplacement imbattable au cœur de la ville. Joli point de vue sur le lac depuis chacune des chambres de style japonais ou occidental, bain coloré en plein air et minuscule café avec terrasse en été.

🄲 **Windsor Hotel International** (☎ 0120--29-0500 ; www.windsor-hotels.co.jp/en/toya ; Shimizu Abuta-chō ; saison basse/haute à d à partir de 35 700/46 200 ¥ ; **P** 🖥 🛜 🎥). Membre du prestigieux groupe "The Leading Hotels of the World", ce complexe en forme de navire a accueilli le 34ᵉ sommet du G8. Situé sur la rive nord-ouest du lac, c'est certainement le plus luxueux établissement de Hokkaidō. Les chambres varient considérablement en termes de taille et de prix. De somptueuses suites coûtent plus de 1 000 $ US la nuit. L'hôtel dispose de plus d'une dizaine de restaurants, dont une brasserie tenue par le chef français Michel Bras. Des navettes gratuites desservent l'hôtel depuis la gare de Tōya. Connexion au réseau LAN.

COMMENT S'Y RENDRE ET CIRCULER

Les *tokkyū* de la ligne JR Muroran circulent fréquemment entre Tōya et Hakodate (5 340 ¥, 1 heure 45), Tōya et Sapporo (5 760 ¥, 1 heure 45), et Tōya et Noboribetsu (2 650 ¥, 35 min). Les bus locaux font la navette toutes les 30 minutes entre la gare de Tōya et Tōya-ko Onsen (320 ¥, 25 min).

Les bus, moins chers, circulent fréquemment entre Tôya et Sapporo (2 700 ¥, 2 heures 45) ou Muroran (1 170 ¥, 1 heure 45).

D'avril à novembre, certains bus passent par le pittoresque col d'Orofure pour se rendre à Noboribetsu Onsen depuis Tôya (1 530 ¥, 1 heure 15). Ils continuent parfois jusqu'au nouvel aéroport de Chitose (2 140 ¥, 2 heures 30).

Si vous êtes en voiture, vous pourrez emprunter le réseau bien entretenu des routes locales à partir de l'autoroute de Dô-ô (道央自動車道) qui relie Sapporo et Hakodate.

Noboribetsu Onsen 登別温泉
☎ 0143

Noboribetsu est la plus fréquentée des stations thermales de l'île, avec pas moins de 30 bains publics, serrés le long d'une étroite rue sinueuse. Toutefois, les nombreux hôtels en béton, épiceries et magasins de souvenirs clinquants donnent un côté Disneyland à cette petite ville rustique. Mais si vous réussissez à oublier la commercialisation de masse, vous ferez une merveilleuse expérience des onsen. L'eau régénérante provient d'un massif volcanique des environs, véritable "enfer" sulfureux. Certains établissements haut de gamme comptent parmi les meilleurs de Hokkaidô.

RENSEIGNEMENTS

L'**office du tourisme** (☎ 84-3311 ; 60 Noboribetsu onsen-machi ; ☼ 9h-18h lun-ven, 10h-16h sam-dim) distribue des plans en anglais avec l'emplacement des hôtels et les heures d'ouverture des bains.

À VOIR ET À FAIRE

Le plus vieil établissement thermal est le **Dai-ichi Takimoto-kan** (第一滝本館 ; ☎ 84-3322 ; www.takimotokan.co.jp/english ; bain onsen 2 000 ¥ ; ☼ 9h-17h). Impossible de manquer ce bâtiment massif, un peu extravagant pour certains, qui propose plus de 15 bains différents du glacial au brûlant. Plusieurs *rotemburo* (bains à ciel ouvert) offrent de beaux points de vue sur la vallée. Il y a même une piscine (maillot de bain obligatoire).

Vous bénéficierez du même luxe (la vue en moins) pour moitié prix au **Noboribetsu Grand Hotel** (登別グランドホテル ; ☎ 717-8899 ; www.nobogura.co.jp/english ; bain 1 000 ¥ ; ☼ 12h30-17h et 18h30-20h), à deux pas de la gare routière. L'établissement compte un superbe bassin en cyprès, et un bain au plafond voûté évoquant de

spacieux thermes romains. Les coins hommes et femmes alternent afin que tout le monde puisse apprécier les deux.

La courte ascension du **Jigokudani** (地獄谷 ; vallée de l'Enfer) se fait dans un environnement très étrange : gaz sulfureux, vents hurlants et rochers aux couleurs vives. Ne manquez pas les bassins d'eau bouillante d'**Ôyu-numa** (大湯沼 ; marécage aux eaux bouillantes).

Pour vous détendre en toute simplicité, rendez-vous aux **bains publics** (夢元さぎり湯 ; ☎ 84-2050 ; 60 Noboribetsu onsen-machi ; bain 390 ¥ ; ☼ 7h-22h), au 1er niveau d'un immeuble de bureaux à côté de l'office du tourisme. Cet établissement possède 3 bains rudimentaires.

OÙ SE LOGER

Dai-ichi Takimoto-kan (☎ 84-3322 ; www.takimotokan.co.jp/english ; 55 Noboritsu Onsen ; ch avec 2 repas à partir de 11 175 ¥ ; Ⓟ 🖳). La source chaude la plus célèbre de la ville se double d'un hôtel. Chambres de style occidental ou japonais occupant plusieurs ailes au luxe variable. Les plats changent selon les saisons et sont servis en buffet dans la salle à manger principale ou en chambre. Accès à l'établissement thermal 24h/24. Consultez le site Internet avant d'arriver car d'importantes réductions sont parfois proposées, surtout en semaine et hors saison.

Noboribetsu Grand Hotel (☎ 717-8899 ; fax 84-2543 ; www.nobogura.co.jp, en japonais ; 154 Noboritsu Onsen ; ch avec 2 repas à partir de 12 600 ¥/pers ; Ⓟ 🖳). Cet établissement était autrefois l'hôtel favori de la famille impériale. Il accueille aujourd'hui principalement des touristes en voyage organisé. Superbes chambres de style occidental et japonais, accès aux superbes bains 24h/24. Avant de partir, pensez à consulter le site Internet (en japonais) pour bénéficier de réductions.

Kashôtei Hanaya (花鐘亭はなや ; ☎ 84-2521 ; fax 84-2240 ; www.kashoutei-hanaya.co.jp/english/index.htm ; 134 Noboritsu Onsen ; ch avec 2 repas à partir de 12 750 ¥/pers ; Ⓟ 🖳). Excellent *ryokan* de catégorie moyenne avec des chambres de style japonais (certaines donnent sur la rivière), Kashôtei Hanaya offre un cadre plus intimiste que les hôtels thermaux plus grands et souvent bondés. Il se trouve près de l'extrémité sud de la station thermale et dispose d'un charmant petit onsen réservé aux hôtes.

Ryotei Hanayura (旅亭花ゆら ; ☎ 84-2322 ; fax 84-2035 ; http://hanayura.com/en/index.html ; 100 Noboritsu Onsen ; ch avec 2 repas à partir de 23 000 ¥ ; Ⓟ 🖳). Les tarifs sont deux fois plus élevés que dans les autres hôtels de la ville mais c'est l'incarnation de l'établissement thermal par excellence. Style et service japonais, attention personnalisée et luxe discret. Seulement 37 chambres, dont certaines disposent de bains extérieurs privés. L'hôtel se trouve près de l'extrémité nord de la station thermale. Si vous réservez à l'avance, on viendra vous chercher à Sapporo.

DEPUIS/VERS NOBORIBETSU ONSEN

Des *tokkyū* circulent fréquemment sur la ligne JR Muroran entre la gare de Noboribetsu et Hakodate (6 700 ¥, 2 heures 30), entre Noboribetsu et Sapporo (4 360 ¥, 1 heure 15), et entre Noboribetsu et la gare de Tôya (2 650 ¥, 35 min). Des bus locaux relient la gare de Noboribetsu à Noboribetsu Onsen (330 ¥, 15 min) toutes les 30 minutes.

Des bus, moins chers, circulent fréquemment entre Noboribetsu et Sapporo (1 900 ¥, 2 heures), et entre Noboribetsu et Muroran (710 ¥, 1 heure 15).

D'avril à novembre, des bus passent par le pittoresque col d'Orofure et vont jusqu'à Tôya (1 530 ¥, 1 heure 15). Certains continuent jusqu'au nouvel aéroport de Chitose (1 330 ¥, 1 heure 15).

En voiture, Noboribetsu est facilement accessible par l'autoroute Dô-ô (道央自動車道) qui relie Sapporo à Hakodate.

Shikotsu-ko 支笏湖
☎ 0123

Entouré de volcans en activité, Shikotsu-ko est le deuxième lac de caldeira le plus profond du Japon. Relégué au second plan derrière Tôya-ko, Shikotsu-ko attirera les amateurs de grands espaces. L'activité des onsen y est plus réduite mais Shikotsu-ko offre de superbes itinéraires de randonnée dans le parc national et le site est beaucoup moins commercial.

ORIENTATION ET RENSEIGNEMENTS
La région est desservie au départ de Shikotsu Kohan (支笏湖畔), une bourgade se résumant à une gare routière, un **centre des visiteurs** (支笏湖ビジターセンター ; ☎ 25-2404 ; www15.ocn. ne.jp/~sikotuvc, en japonais ; 🕙 9h30-17h30 mer-lun avr-oct, 9h30-16h30 mer-lun nov-mars), une jetée, quelques magasins de souvenirs et des restaurants.

Morappu (モラップ), à 7 km au sud, compte également quelques restaurants, hôtels et magasins. Mais le site est difficile d'accès car il n'y a pas de bus locaux autour du lac. Il est préférable d'avoir une voiture.

À VOIR ET À FAIRE
La plupart des visiteurs viennent ici pour faire des randonnées en montagne. Renseignez-vous au centre des visiteurs, car les chemins sont souvent fermés à cause du mauvais temps ou de l'érosion. Les randonneurs japonais portent une cloche pour effrayer les ours. Mieux vaut ne pas s'écarter des chemins principaux pour éviter une rencontre inattendue.

Monbetsu-dake (紋別岳 ; 866 m) est l'un des chemins les plus faciles. Il commence à l'extrémité nord de Shikotsu Kohan. Il faut environ 1 heure 30 pour atteindre le sommet.

L'ascension de l'**Eniwa-dake** (恵庭岳 ; 1 320 m), qui domine le côté nord-ouest du lac, est plus difficile. Il vous faudra 3 heures 30 pour atteindre le cratère mais renseignez-vous sur place car l'état du chemin près du sommet peut être dangereux.

Sur la rive sud du lac, le volcan en activité **Tarumae-zan** (樽前山 ; 1 041m) est la destination préférée des randonneurs de la région. En raison des émanations de gaz toxique, le cratère n'est généralement pas accessible. On peut toutefois s'approcher du bord depuis la 7e station (accessible en voiture uniquement) en à peu près 40 minutes.

Spectaculaire gorge couverte de mousse, **Koke-no-dômon** (carte p. 617 ; 🕙 9h-17h juin-oct) a malheureusement été endommagée par l'érosion et les visiteurs ne peuvent plus l'admirer que depuis une zone balisée par des cordes.

Un sentier naturel traversant une forêt peuplée d'oiseaux et dotée de deux postes d'observation mène à la jetée de Morappu en à peu près 1 heure de marche. En chemin, des panneaux illustrés de photos vous aident à identifier les espèces.

Pour vous détendre après une randonnée, **Itô Onsen** (☎ 25-2620 ; 700 ¥ ; 🕙 10h-16h), situé sur les rives nord du lac, est un lieu idéal pour vous baigner en profitant de l'atmosphère des environs. Ce modeste onsen est connu pour son point de vue superbe sur le lac. Vous pourrez vous y relaxer en pleine nature.

Blue Note (ブルーノート ; ☎ 0120-43-3340 ; 107 Shikotsuko Onsen ; www2.ocn.ne.jp/~bluenote ; plongée 1/2 bouteilles 12 390/17 640 ¥, location de combinaison 9 240 ¥) propose des séances de plongée dans le lac. Les plantes aquatiques, les falaises de 100 m de haut et les différentes espèces de poissons d'eau douce contribuent à l'intérêt du site. Vous serez bien au chaud dans une combinaison étanche. Le personnel parle un peu anglais.

Des **croisières touristiques** (☎ 25-2031 ; 1 100 ¥ ; ☺ avr-nov) partent régulièrement de la jetée de Shikotsu Kohan.

OÙ SE LOGER

Camping de Morappu (モラップキャンプ 場 ; ☎ 25-2439 ; empl à partir de 500 ¥ ; ☺ fin avr à fin oct). Accessible en voiture, ce site propre et pratique est situé à Morappu, au bord du lac.

Shikotsu-ko Youth Hostel (支笏湖ユースホス テル ; ☎ 25-2311 ; fax 25-2312 ; dort à partir de 2 900 ¥ ; **P**). Ce chalet de montagne de style européen offre des dortoirs rustiques et des chambres privatives pour les familles. Repas maison (petit déj/dîner 600/1 000 ¥), onsen privé, location de vélos et excursions en ski de fond l'hiver. À 3 minutes de marche du centre des visiteurs, en face d'un parking.

Lapland (ラップランド ; ☎ 25-2239 ; www. north-wind.ne.jp/~lapland, en japonais ; dort/ch avec 2 repas 4 900/5 900 ¥ ; **P**). Même si on est bien loin de la Scandinavie, ce ravissant petit chalet situé à Morappu ne dépareille pas à ces latitudes septentrionales. Chambres privées et dortoirs, *rotemburo*. Les charmants propriétaires offrent un service personnalisé. Ils assurent la navette avec la gare routière et accompagnent les clients au départ des sentiers de randonnée.

Log Bear (ログベアー ; ☎ 25-2738 ; http://web. mac.com/logbear ; ch avec 1/2 repas 5 000/7 000 ¥/pers ; **P** 🖳). Autre chalet pittoresque dans le centre de Shikotsu Kohan, ce café-chambre d'hôtes est fréquenté par les Japonais comme par les étrangers. Le propriétaire parle anglais, prépare un bon café et cuisine des plats délicieux. Depuis le centre des visiteurs marchez tout droit vers l'est en direction de la ruelle située de l'autre côté de la rue. Le chalet est sur la gauche, juste après le restaurant Tonton. Si vous arrivez au Tôya-ko Kankô Hotel, vous êtes allé trop loin.

Shikotsu-sô (支笏荘 ; ☎ 25-2718 ; www.shikotsuko. com/s-shikotsusou.htm, en japonais ; ch avec 2 repas 5 800 ¥/ pers ; **P**). Chaleureux *minshuku* (chambre d'hôtes de style japonais) juste derrière la gare routière. La propriétaire a une passion pour les fleurs séchées avec lesquelles elle orne des cartes postales, assiettes et autres souvenirs disponibles à la vente. Chambres douillettes et plats de poissons locaux et de légumes servis dans une salle à manger à l'ambiance décontractée. Il y a également une petite échoppe de *rāmen* qui sert des *miso-rāmen* (650 ¥) façon Sapporo.

DEPUIS/VERS SHIKOTSU-KO

De mi-juin à mi-octobre, 3 ou 4 bus quotidiens relient la gare JR de Sapporo et Shikotsu Kohan dans les deux sens (1 330 ¥, 1 heure 30). Tout au long de l'année, des bus plus fréquents desservent le nouvel aéroport de Chitose depuis Shikotsu Kohan (920 ¥, 55 min).

En voiture, vous pourrez emprunter les Routes 276, 78 et 453 qui desservent le périmètre du lac. En l'absence de bus locaux, mieux vaut avoir sa propre voiture pour profiter au maximum de la région.

MURORAN 室蘭
☎ 0143 / 96 000 habitants

Cette cité industrielle en déclin est en train de trouver une nouvelle identité. Les ferries assurent une liaison efficace avec Honshū, et la côte spectaculaire est idéale pour une balade en voiture. L'été, vous pourrez également faire des excursions en bateau pour observer les baleines.

Si la zone industrielle de la vallée n'a rien de bien réjouissant, la côte entre Wanishi (où se trouve le Muroran Youth Hostel) et le **cap Chikyū** (地球岬) est absolument splendide. Une route bien indiquée suit la côte d'où vous pourrez profiter de la vue en faisant halte sur une aire d'observation. Quant au cap lui-même, il offre un panorama de choix, presque à 360° ; il est aussi connu pour son couple d'*hayabusa* (faucons pèlerins), qui y revient régulièrement.

En été, un bateau pour l'observation des baleines, de la compagnie **KK Elm** (☎ 27-1822 ; www.kk-elm.jp/index.htm en japonais ; 6 000 ¥ pour 3 heures), quitte le port 3 fois par jour. Les excursions sont souvent réservées des semaines à l'avance de mai à juillet, meilleure période pour observer baleines, dauphins, marsouins et phoques.

Auberge un peu formelle et ancienne mais propre et pratique, la **Muroran Youth Hostel** (☎ 44-3357 ; www.jyh.gr.jp/muroran en japonais ; dort 3 990 ¥ ; **P** 🖳) jouit d'une vue fantastique sur la baie et offre un accès facile aux sentiers de randonnée du sommet de la falaise. La splendide plage de sable noire qui s'étend derrière l'auberge de jeunesse est idéale pour une balade matinale au lever du soleil. À la gare de Wanishi, tournez à gauche et suivez la Route 36 jusqu'à l'épicerie Lawson sur la droite. Tournez à droite et continuez jusqu'au bout de cette rue qui se termine après une pente escarpée. En diagonale sur la gauche, une petite enseigne indique l'auberge. De là, il ne reste plus que 3 minutes de marche jusqu'à l'entrée de garage de l'établissement.

DEPUIS/VERS MURORAN

Les trains longue distance partent de la gare Higashi-Muroran, trois arrêts à l'est de la gare de Muroran. Le transfert entre les deux gares est compris dans le prix des billets. Des *tokkyū* de la ligne JR Muroran desservent régulièrement Hakodate (6 180 ¥, 2 heures 45) et Sapporo (4 680 ¥, 1 heure 45).

En bus, les liaisons sont fréquentes avec Sapporo (2 250 ¥, 2 heures 15), Tōya-ko Onsen (1 170 ¥, 1 heure 45) et Noboribetsu Onsen (710 ¥, 1 heure 15).

Au départ de Muroran-kō, les ferries **Higashi Nihon** (☎ 0120-756-564) partent tous les jours d'avril à décembre ; ils lèvent l'ancre vers 23h30 de Muroran et arrivent à Aomori le lendemain à 6h30 (à partir de 3 460 ¥). L'embarcadère du ferry, où vous pourrez également acheter vos billets, se trouve à une dizaine de minutes à pied de la gare de Muroran.

Les ferries **Shosen Mitsui** (☎ 029-267-4133) partent de la préfecture d'Ibaraki pour Tomakomai sur Hokkaidō (8 500 ¥, 19 heures).

DŌ-HOKU (NORD DE HOKKAIDŌ) 道北

Au nord de Hokkaidō, les dernières traces de civilisation cèdent la place à la grandeur majestueuse de la nature. Au sud-est d'Asahikawa, la deuxième ville de l'île, le parc national de Daisetsuzan offre de grandes immensités vierges et rudes. À l'ouest de Wakkanai, dans l'ombre de la Sibérie, le parc national de Rishiri-Rebun-Sarobetsu englobe des îles spectaculaires, célèbres pour leur flore. Et si la foule vous manque, vous pourrez vous rendre à Furano, l'une des plus célèbres stations de ski de Hokkaidō qui accueille l'un des seuls festivals du monde à célébrer le nombril !

ASAHIKAWA 旭川

☎ 0166 / 355 000 habitants

Située dans une plaine traversée par la rivière Ishikari, Asahikawa fut jadis l'un des plus importants territoires aïnous. La ville détient deux records : celui du plus grand nombre de jours enneigés et celui des températures les plus basses (-40°C). Durant l'ère Meiji, Asahikawa devint l'une des principales villes industrielles de l'île et son plus grand centre de brassage du saké.

Moins pittoresque que d'autres villes de Hokkaidō, Asahikawa sert principalement aux voyageurs de zone de transit vers Wakkanai au nord, le parc national de Daisetsuzan au sud-est, Biei et Furano au sud. Toutefois, vous y passerez certainement une nuit et la ville possède quelques brasseries et musées intéressants à visiter avant de poursuivre votre route.

Orientation et renseignements

La gare JR d'Asahikawa se situe du côté sud de la ville. De là part une grande avenue piétonnière qui s'étend sur quelques pâtés de maisons. La plupart des hôtels et des restaurants répertoriés ici sont facilement accessibles à pied. En revanche, les musées et les sites intéressants sont éparpillés partout en ville, ce qui implique souvent de prendre un bus.

Dans la gare d'Asahikawa, un **comptoir d'information** (☎ 22-6704 ; 8h30-19h juil-sept, 10h-17h30 oct-juin) distribue des brochures en anglais et une carte des bus particulièrement utile.

Des DAB internationaux sont disponibles à la **poste d'Asahikawa Chūō** (☎ 26-2141 ; 6-28-1 Rokujō).

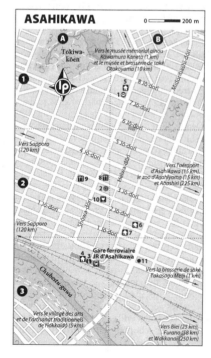

Des cybercafés sont concentrés autour de la gare, notamment **Compa37** (☎ 21-3249 ; 7-5 Sanjō ; à partir de 250 ¥ pour 30 min ; ☺ 24h/24), qui offre également des forfaits nocturnes si vous voulez faire un somme à moindre frais.

À voir et à faire

VILLAGE DES ARTS ET DE L'ARTISANAT TRADITIONNELS DE HOKKAIDÔ
北海道伝統美術工芸村
À environ 5 km au sud-ouest de la gare ferroviaire, cet ensemble de 3 **musées** (www.yukara ori.co.jp, en japonais ; 3-1-1 Minamigaoka ; billet combiné 1 200 ¥) offre un extraordinaire panorama des arts traditionnels de l'île.

Le **musée international des Arts du tissage et de la teinture** (国際染織美術館 ; ☎ 61-6161 ; 550 ¥ ; ☺ 9h-17h avr-nov) présente des tissus venus des quatre coins du monde, ainsi que des productions japonaises (étoffes aïnoues incrustées d'écorce, splendides kimonos en soie…).

Le **musée d'artisanat traditionnel Yukara Ori** (優佳良織工芸館 ; ☎ 62-8811 ; 450 ¥ ; ☺ 9h-17h30 avr-nov, 9h-17h déc-mars) s'intéresse avant tout aux techniques de tissage de la région, avec une intéressante collection de tissus aïnous.

Semblable à un château européen, le **musée des Flocons de neige** (雪の美術館 ; ☎ 63-2211 ; 650 ¥ ; ☺ 9h-17h30 avr-nov, 9h-17h déc-mars) renferme d'immenses salles froides où l'on pénètre pour admirer des glaçons d'un mètre de long.

Une navette gratuite circule toutes les heures (ou toutes les 2 heures) entre le village et le Kureyon Parking, à côté de l'Asahikawa Washington Hotel.

RENSEIGNEMENTS		
Poste d'Asahikawa Chūō 旭川中央郵便局	1	B1
Compa37 コンパ37	2	A2
Comptoir d'information 観光案内所	3	A3

OÙ SE LOGER 🏠		
Asahikawa Terminal Hotel		
旭川ターミナルホテル	4	A3
Loisir Hotel Asahikawa ロワジールホテル旭川	5	B1
Tokiya Ryokan 時屋旅館	6	B2
Tōyoko Inn Asahikawa Ekimae		
東横イン旭川駅前	7	B2

OÙ SE RESTAURER 🍴		
Ganso Asahikawa Rāmen Ichikura		
元祖旭川らーめん一蔵	8	A2
Saroma-ko サロマ湖	9	A2

OÙ PRENDRE UN VERRE 🍺		
Den ザデン	10	A2

TRANSPORTS		
Toyota Rent a Car トヨタレンタカー	11	B3

MUSÉE MÉMORIAL AÏNOU KAWAMURA KANETO 川村カ子トアイヌ記念館
Le chef aïnou Kaneto Kawamura devint un géomètre de talent et contribua à l'aménagement de plusieurs voies ferrées à Hokkaidō. En 1916, des problèmes de vue mirent fin à sa carrière et il utilisa le fruit de son labeur pour créer le premier **musée aïnou** (☎ 51-2461 ; 11 Kitamonchō ; 500 ¥ ; ☺ 8h-18h juil-août, 9h-17h sept-juin). Le guichet de vente propose un excellent livret en anglais, *Living in the Ainu Moshir* (Vivre au pays des Aïnous), dont l'auteur, Kawamura Shinrit Eoripak Ainu, est l'actuel conservateur du musée et le fils de son fondateur. Prenez le bus 24 à l'arrêt n°14 devant la gare et descendez à l'arrêt Ainu Kinenkan-mae (170 ¥, 15 min).

BRASSERIES
Pour boire un verre gratuitement, effectuez la visite de 30 minutes du **musée et brasserie de saké Otokoyama** (男山酒造 ; ☎ 48-1931 ; www.otokoyama.com/english/index.html ; 2-7 Nagayama ; ☺ 9h-17h), une brasserie légendaire qui apparaît sur d'anciennes *ukiyo-e* (estampes) et dans des œuvres littéraires historiques. Prenez le bus 67, 68, 70, 71, 667 ou 669 à l'arrêt n°18 en face de la gare, et descendez à l'arrêt Nagayama 2-jō 6-chōme (200 ¥, 20 min) ; de là, il faut marcher 2 minutes (repérez le gros cube blanc sur le toit de l'immeuble).

Si vous désirez consacrer votre après-midi au saké, la **brasserie de saké Takasago Meiji** (高砂明治酒造 ; ☎ 23-2251 ; http://takasagoshuzo.com, en japonais ; 17 Miyashitadōri ; ☺ 9h-17h30 lun-sam ; ☺ 9h-17h30) organise sa propre visite gratuite de 30 minutes. De janvier à mars, elle dispose d'un *aisudōmu*, dôme de glace rempli de saké où l'on peut se réchauffer avec un petit verre. Prenez le bus 1, 3 ou 17 à l'arrêt n°17 devant la gare et descendez à l'arrêt 1-jō 18-chōme (150 ¥, 10 min). C'est un immense bâtiment blanchi à la chaux et la porte d'entrée est surmontée d'une boule en cèdre.

Grâce à la brochure en anglais et à la prévenance du personnel, les deux visites sont plaisantes, même sans parler japonais.

ZOO D'ASAHIYAMA 旭山動物園
Le **zoo** (☎ 36-1104 ; http://www5.city.asahikawa.hokkaido.jp/asahiyamazoo/zoo/English/top.html ; Kuranuma ; 800 ¥ ; ☺ 9h30-17h15 mai-oct, 10h30-15h30 nov-avr) le plus septentrionnal du pays attire plus de visiteurs que le zoo d'Ueno à Tōkyō ! Comme on peut s'y attendre, les vedettes sont les animaux du grand froid, notamment les ours polaires,

LA RENAISSANCE AÏNOUE

Il n'y a pas si longtemps, certains annonçaient la mort de la culture aïnoue. Toutefois, depuis quelques décennies, les descendants des Aïnous n'ont de cesse de revendiquer leur identité, à la fois culturellement et politiquement.

En 1899, la "loi de protection des anciens aborigènes de Hokkaidō" officialisa les mauvais traitements infligés aux Aïnous pendant l'ère Meiji. Ainsi, on leur refusait tout droit de posséder une terre, et le gouverneur de Hokkaidō pouvait disposer à sa guise des ressources de leur communauté. Le groupe ethnique devint alors complètement dépendant des aides sociales accordées par l'État japonais. Bien que la loi ne soit plus en vigueur aujourd'hui, les Aïnous continuent de la critiquer, dénonçant notamment son intitulé, qui utilise le mot *kyūdo-jin* (peuple "sale", ou "de la terre"). Il fut un temps où beaucoup d'Aïnous dissimulaient leur origine, de peur de subir des discriminations dans les domaines du logement, de l'école et du travail. Alors que la population aïnoue était estimée à 100 000 personnes, seuls 25 000 individus s'affirmaient publiquement comme tels.

Dans les années 1980, plusieurs associations aïnoues ont réclamé le retrait de la loi. En 1997, le gouvernement japonais l'a remplacée par une autre loi accordant des fonds pour la recherche et la promotion de la langue et de la culture aïnoues, et permettant un meilleur enseignement de la tradition aïnoue dans les écoles.

Si vous voulez en savoir plus sur les Aïnous, nous vous conseillons les sites suivants :

À Shiraoi, **Poroto Kotan** (ポロトコタン), village en bordure de lac, a été reconstruit selon la tradition aïnoue, près du **Musée aïnou** (アイヌ民族博物館 ; Ainu Minzoku Hakubutsukan ; ☎ 0144-82-3914 ; www.ainu-museum.or.jp/english/english.html ; 750 ¥ ; 🕗 8h45-17h), dont les expositions sont légendées en japonais et en anglais. Dans le village, vous pourrez assister à des démonstrations d'artisanat et à des manifestations culturelles. Des trains *tokkyū* et *kaisoku* circulent fréquemment sur la ligne JR Muroran entre Shiraoi et Sapporo (3 400 ¥, 1 heure) via Noboribetsu (350 ¥, 20 min).

Dans le village de Nibutani, dans le secteur nord de Biratori, les collections du **musée de la Culture aïnoue de Nibutani** (二風谷アイヌ文化博物館 ; ☎ 01457-2-2892 ; www.ainu-museum-nibutani. org en japonais ; 400 ¥ ; 🕗 9h-17h mi-avr/mi-nov, 9h-17h mar-dim mi-nov/mi-avr, fermé mi-déc/mi-jan) sont sans doute de meilleure qualité mais les légendes sont en japonais. Une demi-journée n'est pas de trop pour visionner les documentaires sur l'artisanat, les danses, les chants épiques et les cérémonies traditionnelles. À ne pas manquer non plus : un métier à tisser pour faire des tissus en écorce, et d'énormes canoës creusés dans des troncs d'arbre entiers.

De l'autre côté de l'artère principale de Nibutani, au milieu de huttes traditionnelles, le **Musée aïnou Kayano Shigeru** (萱野茂二風谷アイヌ資料館 ; ☎ 01457-2-3215 ; 400 ¥ ; 🕗 9h-17h avr-nov, sur rendez-vous déc-mars) abrite la collection personnelle de Kayano Shigeru, premier homme d'ascendance aïnoue à avoir été élu à la Diète (Parlement japonais).

Un billet combiné pour les deux musées de Nibutani coûte 700 ¥. Malheureusement, il est très difficile de se rendre à Nibutani en transports en commun. En voiture, c'est simple et rapide : la Route 237 se rend directement en ville.

Autres sources d'information utiles : la **Fondation pour la recherche et le développement de la culture aïnoue** (アイヌ文化振興研究推進機構 ; ☎ 011-271-4171 ; www.frpac.or.jp/eng/index.html) à Sapporo, le **Centre de la culture aïnoue** (アイヌ文化交流センター ; ☎ 03-3245-9831) à Tōkyō et l'**Association aïnoue de Hokkaidō** (北海道ウタリ協会 ; ☎ 011-221-0462) à Sapporo.

les pingouins et les phoques. En outre, ce zoo se distingue par ses efforts pour offrir à ses pensionnaires un cadre naturel. Les bus 41, 42 et 47 circulent entre l'arrêt n°5 devant la gare et l'entrée du zoo (400 ¥, 40 min).

Fêtes et festivals

Yuki Matsuri (雪祭り ; février). Le Yuki Matsuri d'Asahikawa est moins important que celui de Sapporo (p. 599), mais les sculptures de glace n'en sont pas moins

impressionnantes et magnifiques.
Un grand moment célébré dans la bonne humeur, avec mets et boissons.
Kotan Matsuri (コタン祭り ; fin septembre).
Sur les berges de la Chubetsu gawa, au sud de la ville. Ce *matsuri* est l'occasion d'écouter de la musique, d'assister à des danses traditionnelles, ainsi qu'à des *kamui-nomi* et *inau-shiki* – cérémonies de prières en l'honneur des dieux du feu, de la rivière, du *kotan* (village) et des montagnes.

Où se loger

Comme dans la plupart des grandes villes japonaises, de nombreux *business hotels* sont rassemblés autour de la gare JR.

Tōyoko Inn Asahikawa Ekimae (☎ 27-1045 ; fax 27-1046 ; www.toyoko-inn.com/e_hotel/00069/index.html ; Ichijō-dōri 9-164-1 ; s/d saison haute 6 400/8 800 ¥, saison basse 4 800/6 800 ¥ ; ⌨). Un établissement propre et pratique de la populaire chaîne hôtelière Tōyoko Inn. Connexion Internet par réseau LAN.

Asahikawa Terminal Hotel (旭川ターミナルホテル ; ☎ 24-0111 ; fax 21-2133 ; www.asahikawa-th.com/contents/intl/Index_english.htm ; 7 Miyashita ; s/d à partir de 5 800/7 600 ¥ ; ⌨). Une adresse fiable, bien située dans la gare JR d'Asahikawa. Connexion par réseau LAN.

Tokiya Ryokan (☎ 23-2237 ; fax 26-3874 ; www.tokiya.net/english.html ; Nijō-dōri 9-6 ; ch avec sdb commune/privée 4 725/5 250 ¥/pers, avec 2 repas 6 300/7 350 ¥ ; ⌨). Au nord de la gare, de l'autre côté de la rue par rapport à la banque d'Asahikawa, cette auberge traditionnelle est très appréciée et s'avère beaucoup plus pittoresque que les *business hotels* classiques. Les chambres, joliment décorées dans le style japonais, sont dotées de sdb privatives ou communes. On peut également opter pour les petits mais rafraîchissants *sento* (bains publics).

Loisir Hotel Asahikawa (☎ 25-8811 ; fax 25-8200 ; www.solarehotels.com/english/loisir/hotel-asahikawa/guestroom/detail.html ; Nanajō-dōri ; s/d saison haute à partir de 16 800/18 900 ¥, saison basse à partir de 9 800/11 400 ¥ ; Ⓟ ⌨ 🛜). Cette tour blanche dominant le parc municipal est facile à repérer et abrite le plus bel hôtel de la ville, avec des chambres minimalistes aux tons doux et naturels. Les infrastructures de grande qualité comprennent une grande salle de sport, un spa et 4 restaurants raffinés dont un bistrot français au 15e niveau. Connexion au réseau LAN.

Où se restaurer et prendre un verre

À Asahikawa, on trouve une échoppe de *rāmen* à tous les coins de rue et c'est une bonne nouvelle quand on sait que la spécialité de la ville est une variante légère mais savoureuse du *shōyu* (sauce de soja).

Ganso Asahikawa Rāmen Ichikura (☎ 24-8887 ; 7-3 Sanjō, Yamada Bldg 1F ; nouilles à partir de 700 ¥ ; 🕐 11h-4h, fermé mer). L'une des adresses les plus populaires de la ville : le *shōyu-rāmen* (700 ¥) est servi avec une profusion d'oignons et on peut manger (très) tard. En face d'un 7-Eleven, mais laissez-vous guider par les effluves.

🅥 **Saroma-ko** (☎ 22-6426 ; 6-1 Sanjō ; petite assiette à partir de 500 ¥ ; 🕐 dîner). Le chef ne prépare que des poissons et des fruits de mer parfaitement frais. Goûtez le *hotate-no-sashimi* (sashimi de Saint-Jacques) ou le *kaki-no-sakemushi* (huîtres mijotées dans le saké). Les prix varient selon la qualité et la saison (et peuvent atteindre des sommets), mais cela vaut le coup, sachant que le propriétaire va chercher lui-même ses coquilles Saint-Jacques fraîches. On repère facilement le restaurant grâce à la guirlande de lanternes japonaises traditionnelles.

Den (☎ 27-0999 ; 5e niv, Yoshitaka 2 Bldg, Nijō-dori ; boissons à partir de 500 ¥ ; 🕐 17h30-1h). Ce bar international tenu par un Australien est chaudement recommandé pour prendre un verre, rencontrer du monde et faire la fête. Le propriétaire habite depuis longtemps à Hokkaidō et pourra vous donner des conseils sur l'île. Le bar est au 5e niveau, mais un grand panneau en anglais indique l'entrée dans la rue.

Comment s'y rendre et circuler

Pour plus de renseignements sur l'accès au parc national de Daisetsuzan, reportez-vous p. 635.

AVION

Le petit aéroport d'Asahikawa se situe à environ 15 km de la ville. Des vols nationaux desservent entre autres Tōkyō, Ōsaka, Nagoya. Les bus entre l'aéroport et la gare JR Asahikawa (570 ¥, 35 min) coïncident avec les horaires de départ et d'arrivée.

BUS

Tous les jours, des bus fréquents partent des arrêts devant la gare JR d'Asahikawa et desservent notamment Sapporo (2 000 ¥, 2 heures), Furano (860 ¥, 1 heure 30), Biei (520 ¥, 50 min) et Wakkanai (4 700 ¥, 4 heures 45).

TRAIN

Des *tokkyū* Super Kamui circulent 2 fois par heure entre Asahikawa et Sapporo (4 480 ¥, 1 heure 30). Chaque jour, quelques *tokkyū* opèrent sur la ligne JR Sōya entre Asahikawa et Wakkanai (8 070 ¥, 3 heures 45) et sur la ligne JR Sekihoku entre Asahikawa et Abashiri (7 750 ¥, 4 heures). Enfin, des *kaisoku* circulent régulièrement sur la ligne JR Furano entre Asahikawa et Furano (1 040 ¥, 1 heure 15), via Biei (530 ¥, 40 min).

HOKKAIDŌ

VOITURE

Si vous désirez louer une voiture avant de partir au nord, au sud ou à l'est, il est conseillé de s'adresser à **Toyota Rent a Car** (☎ 23-0100 ; 9-396-2 Miyashitadôri, 8h-20h avr-oct, 8h-19h nov-mars ; 19-2 Ôtemachi, 8h-20h) qui dispose d'un bureau juste à la sortie de la gare.

WAKKANAI 稚内

☎ 0162 / 41 000 habitants

Wakkanai, la plus septentrionale des villes de l'archipel nippon, change de caractère au fil des saisons. De novembre à mars, elle s'apparente à un bastion sibérien isolé, où vivent de robustes pêcheurs, des exploitants de laminaires (algues) et une colonie de phoques. En dehors des mois d'hiver, il s'agit d'une agréable cité portuaire d'où partent des ferries pour la ville russe de Karsakov (à condition d'avoir votre visa) ou pour Rishiri-tô et Rebun-tô, deux belles îles couvertes de fleurs sauvages qui comptent parmi les joyaux de Hokkaidô.

Orientation et renseignements

La gare JR de Wakkanai se situe juste à côté de la gare routière, à 10 minutes à pied du port des ferries. Si vous partez pour les îles (ou la Russie), il est prudent de vous procurer des espèces au DAB international du **bureau de poste** (8h45-19h lun-ven, 9h-17h sam-dim). Récupérez également des cartes et des informations à l'**office du tourisme** (☎ 22-1216 ; www.welcome. wakkanai.hokkaido.jp, en japonais ; 10h-18h), dans la gare ferroviaire.

Wakkanai est une petite ville où la plupart des sites sont accessibles à pied ou à vélo. La location de vélo revient à 500 ¥ par jour (juin à sept) auprès de la **Wakkanai Town Management Organization** (TMO ; ☎ 29-0277 ; 9h30-17h30 lun-ven). En semaine, les vélos sont disponibles auprès du bureau de la TMO sous les arcades commerçantes à 2 rues au nord de la gare ; le samedi et le dimanche, il faut aller chez l'opticien **Megane-no-Nagano** (長野めがね ; ☎ 22-7070 ; 10h-17h), également sous les arcades.

À voir et à faire

En haut d'une colline herbeuse, à quelques pâtés de maisons de la gare, **Wakkanai-kōen** (稚内公園 ; lever-coucher du soleil) est un parc verdoyant au milieu duquel s'élève la **tour de commémoration du Centenaire** (稚内開基百年記念塔 ; ☎ 24-4019 ; 400 ¥ ; fermé nov-avr). Du haut de la tour, par temps clair, on peut voir la Russie. Un autre monument rend hommage

aux 22 chiens qui ont accompagné la première expédition japonaise au pôle Sud.

Le **Noshappu-misaki** (carte p. 629), à l'extrémité de l'île, est un cadre idéal pour un pique-nique ou un moment de détente au bord de l'eau. Si le temps est dégagé, essayez d'apercevoir un flash de lumière verte lorsque le soleil se couche à l'horizon. Le cap Noshappu offre la possibilité d'une belle balade à pied (35 min) ou à vélo (15 min). Tout au long de la route, le bord de mer est jalonné de **parcelles pour le séchage des laminaires** (ressemblant à des parkings couverts de graviers, lorsque les algues ne sont pas étalées).

Le **Sōya-misaki** (carte p. 629), 30 km plus loin, est plus grandiose encore – on ne peut aller plus loin au nord du Japon. Parmi les divers monuments qui se dressent autour du cap Sōya, il en est un qui rend hommage aux victimes du Boeing sud-coréen, abattu en plein vol par un avion de guerre soviétique, en 1983. Les ornithologues en herbe seront ravis d'observer faucons, mouettes et sternes sur la plage de sable. Chaque jour, 4 bus font l'aller-retour depuis la gare JR de Wakkanai (2 430 ¥, 1 heure dans chaque sens).

Chaque année, de novembre à fin mars, l'**observation des phoques du Groenland** (carte p. 629) constitue un moment fort, avec quelque 200 phoques élisant domicile à Bakkai. Une cabane d'observation permet de s'abriter et contient des informations sur les phoques ainsi que des toilettes. De fréquents *futsū* circulent sur la ligne JR Sōya entre Wakkanai et Bakkai (260 ¥, 15 min). Habillez-vous chaudement car la cabane est à 30 minutes de marche de la gare JR de Bakkai, et les températures sont parfois glaciales.

En théorie, **Sarobetsu Genya** (サロベツ原 ; carte p. 629) fait partie du parc national de Rishiri-Rebun-Sarobetsu (p. 628), mais il est plus facile d'y accéder depuis Wakkanai. À environ 35 km au sud de la ville, ces marécages se parent de splendides couleurs au printemps, lorsque s'épanouissent toutes sortes de fleurs – rhododendrons, iris ou lilas. De fréquents *futsū* circulent sur la ligne JR Sōya entre Wakkanai et Toyotomi (900 ¥, 45 min). Toyotomi est régulièrement relié à l'entrée du parc par des bus locaux (430 ¥, 15 min).

Fêtes et festivals

Fin février, Wakkanai accueille le **championnat national japonais de courses de chiens de traîneau** (全国犬ぞり稚内大会), le plus important

PRENDRE LE FERRY DEPUIS/VERS LA RUSSIE

De mi-mai à fin octobre, une excursion originale consiste à prendre le ferry depuis Wakkanai jusqu'à la ville de Korsakov, sur l'île russe de Sakhaline. La plupart des Japonais font le voyage en circuit organisé, mais un séjour individuel est parfaitement envisageable en s'organisant à l'avance.

Pour obtenir un visa de touriste russe, une lettre d'invitation émanant d'un hôtel ou d'une agence de voyages en Russie est nécessaire. En réservant à l'avance, cette lettre peut généralement vous être envoyée par e-mail sans problème.

Vous pourrez alors faire une demande de visa auprès de l'**ambassade de Russie** (carte p. 140 ; ☎ 03-3583-4445 ; www.rusconsul.jp ; 2-1-1, Azabudai, Minato-ku, Tôkyô ; ☺ 9h30-12h30 lun-ven) à Tôkyô ou du **consulat russe** (在札幌ロシア連邦総領事館 ; ☎ 064-0914 ; Nishi 12-chôme Minami 14-jo, Chûō-ku ; ☺ 9h30-12h30 lun-ven) à Sapporo. Sachez que les frais varient considérablement selon les nationalités, et que le délai d'attente peut atteindre 2 semaines.

Depuis Wakkanai-kô, **Heartland Ferry** (ハートランドフェリー ; ☎ 011-233-8010) assure 4 à 9 ferries par mois (de mai à octobre) dans les deux sens entre Wakkanai et Karsakov (7 heures 30). Les billets sont en vente à l'agence derrière le port des ferries. Un billet aller simple/aller-retour/ en 2ᵉ classe coûte 24 000/38 000 ¥. Si vous ne retournez pas au Japon, les douanes russes exigeront peut-être que vous ayez un billet pour la sortie de Russie.

événement de ce type au Japon. Le parcours serpente à travers des terres gelées plutôt hostiles, mais tout le monde se réchauffe en ville où les festivités se poursuivent tard dans la nuit.

Où se loger et se restaurer

Les auberges de jeunesse sont parfois fermées l'hiver, il est prudent de téléphoner au préalable.

Wakkanai Youth Hostel (carte p. 629 ; ☎ 23-7162 ; www7.plala.or.jp/komadori-house ; 3-9-1 Komadori ; dort à partir de 3 360 ¥). Le meilleur hébergement de la ville est perché au sommet d'une colline et offre un beau point de vue sur la cité et l'océan. Il s'agit d'une auberge de jeunesse à l'ambiance très conviviale, comme dans un *minshuku*. Le petit-déjeuner/dîner coûte 630/1 050 ¥. À 15 minutes à pied de la gare Minami-Wakkanai station – suivez les panneaux.

Wakkanai Moshiripa Youth Hostel (carte p. 629 ; ☎ 24-0180 ; www.moshiripa.net en japonais ; 2-9-5 Chūō ; dort/ch à partir de 3 360/4 200 ¥, petit déj/dîner 630/1 000 ¥). Entre la gare de Wakkanai et le port des ferries, ce bâtiment bleu foncé à trois étages renferme des dortoirs et des chambres très rudimentaires. Le personnel chaleureux saura vous faire oublier les températures sibériennes.

Saihate Ryokan (carte p. 629 ; ☎ 23-3556 ; 2-11-16 Chūō ; avec/sans 2 repas à partir de 6 500/3 700 ¥/pers). Juste à côté des gares routière et ferroviaire, cet établissement est parfait pour passer la nuit avant de prendre un bateau à destination de Rishiri-Reburn-Sarobetsu. Les chambres de style japonais et occidental sont parfois un peu bruyantes mais elles sont bien tenues et les repas comportent souvent des oursins et des œufs de saumon célèbres dans la région.

ANA Hotel Wakkanai (carte p. 629 ; ☎ 23-8111 ; www.ana-hotel-wakkanai.co.jp, en japonais ; ch à partir de 7 000 ¥/pers ; Ⓟ 🖥 🛜). Ce haut édifice étroit et élégant semble un peu hors contexte à Wakkanai – marchez jusqu'au front de mer et vous le verrez. Le luxe proposé est un peu incongru, mais cela conviendra aux voyageurs souhaitant mener la grande vie dans ces terres hostiles. Si vous lisez le japonais, consultez le site Internet car des réductions sont proposées selon la saison. Connexion au réseau LAN.

Takechan (竹ちゃん ; ☎ 22-7130 ; 2-8-7 Chūō ; menu à partir de 1 000 ¥ ; ☺ déj et dîner). Ce restaurant réputé propose du *tako-shabu*, une variante du *shabu-shabu* traditionnel avec du poulpe. Choisissez un menu sur la carte illustrée puis trempez vos morceaux de tentacules dans le bouillon fumant. À la sortie de la gare JR de Wakkanai, marchez tout droit jusqu'au premier feu rouge, puis tournez à droite à l'angle suivant. Longez encore deux pâtés de maisons et vous verrez un bâtiment en bois blanc bordé de noir, du côté gauche.

Comment s'y rendre et circuler

AVION

Chaque jour, quelques vols pour Sapporo et Tôkyô partent de l'aéroport de Wakkanai, à environ 10 km à l'est du centre-ville. Des bus circulent régulièrement entre la gare JR de Wakkanai et l'aéroport (590 ¥, 35 min).

BUS
Quelques bus quotidiens circulent dans les deux sens entre Wakkanai et Sapporo (5 500 ¥, 6 heures) ou Asahikawa (4 700 ¥, 4 heures 45).

BATEAU
Pour des détails concernant les ferries pour Rishiri-tō et Rebun-tō, consulter respectivement les p. 630 et p. 631.

Pour des renseignements sur les liaisons avec la Russie, lire l'encadré p. 627.

TRAIN
Seuls quelques *tokkyū* opèrent chaque jour sur la ligne JR Sōya entre Asahikawa et Wakkanai (8 070 ¥, 3 heures 45).

VOITURE
La Route 40, longue et déserte, relie Asahikawi et Wakkanai. Si vous vous rendez au parc national de Rishiri-Rebun-Sarobetsu, il est possible de vous garer dans le parking du terminal des ferries (1 000 ¥/nuit).

PARC NATIONAL DE RISHIRI-REBUN-SAROBETSU
利尻礼文サロベツ国立公園
Si Hokkaidō n'est pas assez isolé pour vous, tentez une escapade sur les îles de Rishiri-tō et de Rebun-tō, principaux attraits de ce parc national, juste au large de Wakkanai. Les îles sont quasiment abandonnées en hiver, mais de mai à août, la vie reprend ses droits sur Rishiri-tō et Rebun-tō. La profusion de fleurs colorées attire alors une foule de visiteurs. Le pic de fréquentation a lieu en juin et juillet, qui sont également les meilleurs mois pour se lancer dans l'ascension du Rishiri-zan (1 721 m), un cône de scories presque parfait s'élevant de la mer tel un mont Fuji. Sachez que le parc comprend également le Sarobetsu Genya, un jardin de fleurs naturelles plus facile d'accès depuis Wakkanai.

Rishiri-tō 利尻島
☎ 0163 / 5 000 habitants
Rishiri-tō n'offre peut-être pas la même concentration de fleurs que sa voisine plus fréquentée, mais l'île est l'occasion de faire une superbe randonnée jusqu'au sommet du mont Rishiri-zan. Si vous êtes en forme et que la météo est favorable, vous pourrez atteindre la cime et redescendre en un jour,

mais il peut être judicieux de prolonger votre séjour pour traverser entièrement cet îlot isolé en pleine mer du Japon.

RENSEIGNEMENTS
La route qui entoure l'île passe par de petits villages de pêcheurs ; elle est parcourue par un bus. Oshidomari et Kutsugata sont les principaux ports de Rishiri-tō ; tous deux assurent un service de ferry et disposent de **guichets d'information** (Oshidomari ☎ 82-2201 ; 8h-17h30 15 avr-15 oct ; Kutsugata ☎ 84-3622 ; 10h-16h30 mai-sept) fournissant cartes et renseignements sur les transports, les sites intéressants et la randonnée. Le personnel peut aussi vous aider à réserver un hébergement, ce qui est conseillé pendant l'affluence estivale.

À FAIRE
Pour gagner le sommet du **Rishiri-zan**, les deux **sentiers de randonnée** les plus praticables démarrent à Oshidomari et à Kutsugata (tous deux à 3 km du centre-ville, à partir du port des ferries). À moins d'emprunter l'une des rares navettes au départ de chaque sentier ou de marcher (environ 1 heure), il faut faire du stop, prendre un taxi ou vous organiser avec l'hôtel pour qu'on vous dépose.

Il est primordial d'être bien préparé et équipé pour une randonnée en montagne. Partez tôt et prévoyez 5 heures pour la montée, et 5 heures pour la descente. La meilleure période s'échelonne de fin juin à mi-septembre. Des cartes et des informations sur les randonnées (le plus souvent en japonais) sont disponibles aux guichets d'information et dans les auberges de jeunesse avant le départ.

Juste après la 8ᵉ station, le **Rishiri-dake Yamagoya** (利尻岳山小屋), perché au bord d'un ravin, est un refuge de montagne sommaire (il n'y a pas de personnel ni d'eau) pour passer la nuit, mais il y fait très froid. Le point de vue est splendide, surtout par temps clair, lorsque l'île Sakhaline se détache à l'horizon.

Ceux qui ne souhaitent pas aller jusqu'au sommet choisiront une randonnée moins fatigante. L'une suit le sentier depuis Oshidomari pendant 1 heure jusqu'au camping Hokuroku, en direction du sommet, puis passe devant des chalets à l'extrémité d'une route goudronnée et 10 minutes après, tourne à gauche et pénètre dans une épaisse forêt.

En 1 heure 45, on rejoint alors Hime-numa, avec la possibilité de prolonger jusqu'à Ponyama (30 min). Hime-numa et Oshidomari sont distants de 6 km par la Route 108.

Le **Rishiri-Fuji Onsen** (利尻富士温泉 ; ☎ 82-3288 ; 500 ¥) dispose de Jacuzzi, de *rotemburo* donnant sur la montagne, de saunas et de bains intérieurs. L'onsen est à 30 minutes de marche d'Oshidomari, sur la route menant au camping Hokuroku et au chemin du Rishiri-zan. Au départ d'Oshidomari, quelques bus (150 ¥, 10 min) passent par là.

Rien de mieux que le vélo pour découvrir l'île – à louer dans les auberges de jeunesse ou dans les magasins à côté du terminal des ferries d'Oshidomari. Pour faire tranquillement le tour de l'île (56 km), prévoyez 5 à 7 heures. Une piste cyclable de 29 km coupe à travers champs et bois et relie Oshidomari à Kutsugata.

OÙ SE LOGER ET SE RESTAURER

En hiver, mieux vaut téléphoner à l'avance car les établissements cités ferment ponctuellement. L'offre de restaurants est limitée sur l'île et les hôtels constituent souvent la meilleure option.

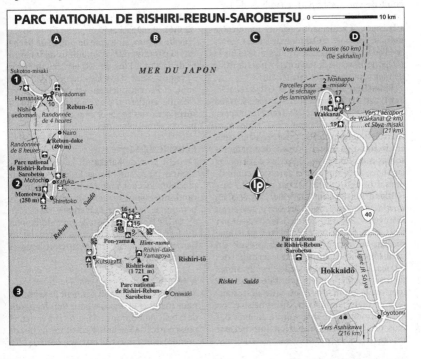

Camping

Rishiri-tō compte une demi-douzaine de campings ouverts de mai à octobre (certains sont gratuits).

Le plus pratique est le **Camping Hokuroku** (☎ 82-2394 ; empl/bungalow 300/3 000 ¥/pers), situé juste au départ du chemin pour le Rishiri-zan.

Si vous vous trouvez à Kutsugata, le **Camping Kutsugata-Misaki** (☎ 84-2345), juste au sud du terminal des ferries, est gratuit (mais le vent souffle fort).

Hôtels

Rishiri Green Hill Youth Hostel (☎ 82-2507 ; www.youthhostel.or.jp/English/n_rishiri.htm ; dort à partir de 3 360 ¥ ; ☺ mars-sept). À environ 25 minutes de marche du port d'Oshidomari ou à quelques minutes en bus jusqu'à l'arrêt Gurīn-Hiru-Yūsu-Hosuteru-mae, l'auberge de jeunesse de l'île est une excellente adresse pour organiser un groupe de randonnée et partir à l'assaut du Rishiri-zan. Dortoirs immaculés, point de vue sur la mer et personnel agréable et festif.

Pension Misaki (☎ 82-1659 ; fax 82-2176 ; www.misaki.burari.biz/sub01.htm en japonais ; ch avec 2 repas sept-mai 7 875 ¥/pers, juin-août 8 925 ¥/pers). Ambiance décontractée, point de vue sur le port, chambres de style japonais et bain japonais : cette pension blanchie à la chaux, à seulement quelques minutes de marche du port d'Oshidomari, n'est certes pas l'adresse la plus chic de l'île, mais dans la catégorie moyenne, le service et les plats de fruits de mer sont tout à fait satisfaisants.

Rishiri Fuji Kankō Hotel (☎ 82-1531 ; fax 82-1897 ; www15.plala.or.jp/fujikan en japonais ; à partir de 15 900 ¥/pers avec 2 repas ; ☺ fermé déc-fév ; 🖳). Tout près du port, l'hôtel le plus haut de gamme d'Oshidomari (parfois bondé en été) est prisé par les groupes en circuits organisés. Il propose des chambres sobres mais luxueuses, de style occidental et japonais, ainsi que toutes sortes de commodités. Connexion Internet par réseau LAN.

Island Inn Rishiri (☎ 84-3002 ; fax 84-3340 ; www.island-inn-rishiri.com en japonais ; ch avec 2 repas 16 500 ¥/pers ; 🖳). Peu de touristes passent par Kutsugata, pourtant ce complexe sophistiqué est une raison suffisante pour prévoir un petit séjour ici. Juste derrière le terminal des ferries, l'Island Inn possède des chambres de style occidental avec point de vue sur la mer ou la montagne, une salle de restauration (plats japonais traditionnels) et un bain alimenté par une source chaude des plus revigorantes. Connexion Internet par réseau LAN.

COMMENT S'Y RENDRE ET CIRCULER

Avion

De l'aéroport de Rishiri-tō, à quelques kilomètres à l'ouest d'Oshidomari, quelques avions s'envolent chaque jour à destination de Wakkanai ; il y a plus de vols pendant la saison touristique en été. Les bus locaux desservent l'aéroport de façon irrégulière, et il vaut mieux prendre un taxi pour se rendre en ville (environ 1 200 ¥).

Bateau

Depuis Wakkanai-kō, **Heartland Ferry** (ハートランドフェリー ; ☎ 011-233-8010) assure 2 à 4 ferries par jour (toute l'année) entre Wakkanai et Oshidomari (à partir de 1 980 ¥, 1 heure 45). Des bateaux un peu moins fréquents circulent dans les deux sens d'Oshidomari-kō et Kutsugata-kō jusqu'à Kafuka (780 ¥, 45 min) sur Rebun-tō. Tous les billets de ferry sont vendus dans les différents ports.

Bus

Des **bus** font le tour de l'île, dans les deux sens, en 2 heures (2 200 ¥). Pour aller d'Oshidomari à Kutsugata (730 ¥), il faut de 30 à 50 minutes, car le bus s'arrête soit à l'aéroport soit à l'onsen.

Rebun-tō 礼文島

☎ 0163 / 3 300 habitants

L'île de Rebun, en forme de pointe de flèche, est un paradis pour les amoureux de la nature et de la flore. Plus de 300 espèces de fleurs s'épanouissent dans les champs, de mai à août, et l'environnement est des plus variés. Chaque sentier ou plage apporte son lot de surprises – des fruits de mer comestibles aux pierres semi-précieuses.

RENSEIGNEMENTS

Le petit port de **Kafuka** est la seule localité d'importance sur l'île, et le ferry y accoste plusieurs fois par jour. De là, les chemins de randonnée sont facilement accessibles ; le personnel de l'**office du tourisme** (☎ 86-2655 ; ☺ 8h-17h mi-avr à oct), installé près de la jetée des ferries, vous conseillera sur les plus beaux parcours, et vous fournira cartes et horaires des transports en anglais.

À FAIRE

Beaucoup de visiteurs viennent à Rebun-tō pour marcher et il y en a pour tous les goûts, de la belle randonnée de 8 heures aux variantes plus courtes de 3 heures. Rien de mieux que de prendre le bus jusqu'à l'extrême nord de l'île, le cap Sukoton, et de revenir à pied en longeant de superbes falaises, en traversant des champs de fleurs et de bambous nains, d'épaisses forêts et de villages de pêcheurs lovés dans des criques. Vous serez isolé la plupart du temps, et pas à l'abri d'une anicroche (entorse ou pire) ; s'il arrive un problème, vous devrez être évacué par bateau ; on ne peut donc que vous conseiller de cheminer en groupe.

Une randonnée de 4 heures part du cap Sukoton et passe par Nishi-uedomari, puis mène au nord-est à l'arrêt de bus de Hamanaka – l'itinéraire classique traverse l'île du nord au sud. Le Momoiwa-sō Youth Hostel ainsi que d'autres établissements donnent des informations fiables sur les randonnées et l'accès aux chemins.

Une autre randonnée très recherchée débute à Nairo, au milieu de la côte est, pour rejoindre le sommet du Rebun-dake, à seulement 490 m d'altitude, soit une agréable marche de 3 heures 30 (aller-retour). À côté du port de Kafuka, un chemin couvert de fleurs sauvages court à travers d'époustouflants paysages de montagne, jusqu'au Momo-iwa (dit "rocher de la pêche", mais la ressemblance avec le fruit n'est pas flagrante), puis redescend par des champs de fleurs et de bambous nains, pour aboutir au phare du cap Shiretoko. Ceux qui disposent de peu de temps choisiront cette option de 2 heures pour avoir un aperçu des trésors de l'île.

Il faut absolument surveiller la météo et être bien organisé. Prévoyez des vêtements chauds et imperméables. Ne buvez jamais d'eau non purifiée, car les excréments des renards contaminent les ruisseaux (ils furent introduits de Russie dans les années 1930).

OÙ SE LOGER ET SE RESTAURER

Les établissements répertoriés ferment ponctuellement en hiver. Pensez à téléphoner à l'avance pour éviter de trouver porte close ; votre transfert depuis l'aéroport ou le port pourra également être organisé. Comme à Rishiri-tō, les hôtels constituent la meilleure option pour déjeuner ou dîner.

Rebun-tō offre moins de possibilités pour camper, mais le **camping Kushokohan** (☎ 87-3110 ; 600 ¥/pers, tente 500 ¥, bungalow 4 pers 2 000 ¥ ; ◯ mai-oct) dispose d'un agréable terrain en bord de lac et de bungalows en bois.

◯ **Momoiwa-sō Youth Hostel** (☎ 86-1421 ; dort 3 045 ¥, petit déj/dîner 630/1 050 ¥ ; ◯ juin-sept). Réputée pour les soirées en chanson jusqu'à l'extinction

des feux à 22h, cette auberge de jeunesse cosmopolite (installée dans une ancienne maison de séchage de harengs) accueille des habitués. Superbe emplacement au sud-ouest de Rebun, près de plusieurs chemins de randonnée. Accès facile à la mer et aux rochers. Dortoirs à la japonaise (avec tatamis) ou lits superposés. On peut venir vous chercher au port : repérez les personnes qui crient "okae-rinasai !" (bienvenue à la maison !). Sinon, prenez un bus pour Motochi et descendez à l'arrêt Yūsu-mae (15 min), à 15 minutes à pied de l'auberge.

Field Inn Seikan-sō (☎ 87-2818 ; http://homepage1. nifty.com/seikanso/main/p030000.htm, en japonais ; dort avec 2 repas 6 000 ¥ ; ◯ mai-oct). Plus tranquille que l'auberge Momoiwa-sō et également pratique pour partir en randonnée, avec un amusant thème champêtre. Prenez un bus pour cap Sukoton et demandez au chauffeur de vous déposer à Seikan-sō. Là, suivez le chemin de terre vers l'ouest. Si vous téléphonez à l'avance, on viendra vous chercher à l'arrivée du ferry.

Kāchan Yado (☎ 86-1406 ; fax 86-2188 ; http:// web-kutsurogi.net/kaachan/index.html, en japonais ; ch avec 2 repas 8 000 ¥/pers ; ◯ juin-août). L'enseigne signifie "Chez maman". Cette auberge douillette et chaleureuse est dotée de la touche personnelle qui manque à bien des *minshuku* au Japon. Les chambres de style japonais sont équipées de tatamis et le menu annonce une cuisine familiale. Descendez du bus à l'arrêt Shiretoko, marchez 5 minutes le long de la route et vous verrez l'auberge sur votre droite.

Hana Rebun (☎ 86-1177 ; www.hanarebun.com, en japonais ; ch avec 2 repas à partir de 17 850 ¥ ; ▯). Cet hôtel prestigieux propose dans chaque chambre un balcon donnant sur Rishiri-tō avec *rotemburo* (au choix : en porcelaine, ou pour quelques yens de plus en *hinoki* – un bois de cyprès japonais odorant), *kotatsu* (table avec chauffage d'appoint et couverture permettant d'avoir les pieds au chaud), superbes tatamis et repas savoureux. À droite à la sortie du port, puis à environ 10 minutes à pied sur la gauche.

COMMENT S'Y RENDRE ET CIRCULER
Avion

À l'extrémité nord de l'île, l'aéroport de Rebun-tō sert de base aux quelques vols quotidiens desservant Wakkanai (plus fréquents en été). L'arrêt de bus le plus proche de l'aéroport est Kūkō-shita ("sous l'aéroport"), à 15 minutes à pied du terminal.

Bateau

Depuis Wakkanai-kō, **Heartland Ferry** (ハートランドフェリー ; ☎ 011-233-8010) assure 2 à 5 ferries par jour (toute l'année) entre Wakkanai et Kafuka (à partir de 2 200 ¥, 2 heures). Des bateaux un peu moins fréquents circulent dans les deux sens de Kafuka ou Oshidomari-kō jusqu'à Kutsugata-kō (780 ¥, 45 min) sur Rebun-tō. Tous les billets de ferry sont vendus dans les différents ports.

Bus

Cinq bus quotidiens environ circulent sur la route principale de l'île entre Kafuka au sud et le cap Sukoton au nord (1 180 ¥, 1 heure 10). D'autres bus se rendent à Shiretoko (280 ¥, 13 min) et à Motochi (440 ¥, 16 min) depuis Kafuka. À votre arrivée, renseignez-vous au terminal des ferries de Kafuka.

Biei 美瑛

☎ **0166 / 11 700 habitants**

Avec les majestueux monts du parc national de Daisetsuzan (voir p. 635) en arrière-plan, Biei séduira aussi bien les artistes que les amoureux de la nature. Les champs de lavande et de coquelicots ne sont pas sans évoquer le sud de la France, et vous ne verrez rien de semblable ailleurs au Japon ! Un bus touristique offre un aperçu rapide de cet environnement magnifique en juin et en juillet, lorsque les fleurs sont au sommet de leur beauté. Cependant, la région est agréable à tout moment de l'année : vous pourrez vous balader à pied ou à vélo l'été, contempler la floraison du printemps ou les couleurs flamboyantes de l'automne, faire du ski de fond ou des raquettes l'hiver.

RENSEIGNEMENTS

L'**office du tourisme** (☎ 92-4378 ; www.biei-hokkaido. jp, en japonais ; ◷ 8h30-19h mai-oct, 8h30-17h nov-avr) est installé à l'extérieur de la gare JR de Biei. Le personnel distribue des cartes et des brochures touristiques et pourra vous aider à trouver un logement en ville ou dans d'autres localités autour du parc national de Daisetsuzan.

À VOIR ET À FAIRE

La région abrite de nombreux musées et galeries d'art. L'un des plus célèbres est **Takushinkan** (拓真館 ; carte p. 636 ; ☎ 92-3355 ; gratuit ; ◷ 9h-17h mai-oct, 10h-16h nov-avr), un joli musée dédié à Shinzō Maeda (1922-1998), photographe de renommée internationale. Ses remarquables clichés de la région de Tokachi se distinguent

par leurs couleurs et leurs compositions inhabituelles. Le musée est à 10 km (en voiture ou taxi) de Biei, en direction de Bibaushi. Quelle que soit la saison, vous profiterez en chemin de panoramas superbes : collines couvertes de tournesols, de lavande et de bouleaux blancs, ou de neige en hiver.

Tout le charme de Biei réside dans les possibilités de se perdre dans la nature magnifique aux alentours de la ville. Que vous soyez à pied ou en vélo, ne vous écartez pas des routes et des sentiers : ne traversez pas les terres des fermiers et ne chapardez pas les productions qui sont une source de revenus pour les habitants.

Il est possible de louer un vélo à divers endroits, notamment à **Gaido no Yamagoya** (ガイドの山小屋 ; ☎ 95-2277 ; www.yamagoya.jp ; ◷ 8h-18h), juste à l'extérieur de la gare, où l'on peut obtenir un vélo électrique (idéal en côte !) pour 600 ¥/heure, ainsi que des vélos classiques pour 200 ¥/heure. Si la neige est de la partie, l'agence peut organiser des excursions en ski de fond ou en raquettes, à partir de 2 500 ¥ par personne (hors location du matériel).

Où se loger et se restaurer

La plupart des hébergements bénéficient d'un cadre somptueux au milieu des champs et des fleurs, mais ils sont assez éloignés de la gare. On pourra souvent venir vous chercher à la gare si vous téléphonez à l'avance, car il n'est pas facile de se repérer dans les environs.

◉ **Biei Potato-no-Oka Youth Hostel** (美瑛ポテトの丘 ; ☎ 92-3255 ; www.potatovillage.com/eng/top. html ; dort/ch à partir de 4 620/6 080 ¥/pers, cottage 4 pers 19 950 ¥, chalet 3-5 pers 13 650/18 900 ¥ ; Ⓟ). Perchée au sommet d'un champ de pommes de terre, à environ 15 minutes de marche à l'ouest de la gare, cette auberge de jeunesse est chaudement recommandée. Personnel sympathique et parlant anglais. Parmi les options : dortoirs, chambres avec sdb, adorables cottages ou chalets. Le soir, tout le monde se rassemble pour dîner (en supplément) autour de produits régionaux. Point fort : l'étonnante liste d'activités proposées, telles que randonnée, vélo, ski, raquette et même observation des étoiles.

Hotel L'Avenir (ホテルラヴニール ; ☎ 92-5555 ; www.biei-lavenir.com, en japonais ; 1-9-21 Honchō, s/d avec 2 repas à partir de 6 000/11 000 ¥ ; Ⓟ ▭). Cet hôtel de style occidental est un croisement entre un motel américain et une auberge de campagne européenne. La modernité des chambres contraste avec les activités traditionnelles proposées : fabrication du beurre, du fromage, lu pain ou de la glace. Tournez à gauche au sortir de la gare JR de Biei et passez devant le comptoir d'information touristique : L'Avenir est juste derrière. Réseau LAN.

Auberge Hermitage (オーベルジュ・エルミタージュ ; ☎ 92-0991 ; http://lilac.hokkai.net/~erumi, en japonais ; ch avec 2 repas à partir de 18 375 ¥/pers ; **P**). Une adresse douillette nichée au milieu de champs magnifiques au sud-est de la gare. Les jolies chambres de style occidental sont sophistiquées et de délicieux fumets s'échappent de la cuisine (tous les plats sont mitonnés sur place par le chef). Le Jacuzzi avec une grande baie vitrée, accessible 24h/24, est d'autant plus appréciable qu'il peut être réservé pour un usage privé. Cet établissement haut de gamme compte seulement 6 chambres ; pensez à réserver.

Niji (carte p. 636 ; ☎ 95-2492 ; repas à partir de 800 ¥ ; déj et dîner ven-mer). Un bon exemple d'influences internationales : chalets de style américain dans des terres agricoles de Biei et plats typiquement coréens (*bibimbap* brûlant ou soupes épicées). Le panorama est également époustouflant. Il n'y a pas de menu en anglais, mais le propriétaire se fera un plaisir de vous conseiller les spécialités du jour. Niji se trouve après la gare de Bibaushi.

Depuis/vers Biei
De nombreux *futsū* circulent sur la ligne JR Furano entre Biei et Asahikawa (530 ¥, 40 min), et entre Biei et Furano (620 ¥, 30 min). Nombre de bus empruntent l'autoroute entre Biei et Asahikawa (520 ¥, 50 min). En voiture, la Rte 237 relie Asahikawa et Biei, mais il convient d'être prudent en hiver en raison du verglas.

FURANO 富良野
☎ 0167 / 25 230 habitants
Connue sous le sobriquet de *Heso-no-machi* (ville du nombril), Furano se situe en plein centre de Hokkaidō. Ce particularisme géographique a donné naissance à la fameuse fête du Nombril ! Ceci dit, Furano reçoit un enneigement exceptionnel et demeure l'une des meilleures destinations du pays pour le ski et le snowboard.

En dehors de l'hiver, la région bénéficie d'un climat continental propice à l'épanouissement des champs de lavande et à la production de vin et de fromages de grande qualité.

Orientation et renseignements
En hiver, l'animation se concentre autour des hôtels Furano Prince et New Furano Prince (voir p. 634). En dehors de la saison de ski,

les regards se tournent vers la sortie de la ville où les fabuleux paysages sont à explorer à pied ou à vélo.

Devant la gare JR de Furano, l'**office du tourisme** (☎ 23-3388 ; www.furanotourism.com/english/home.htm ; 9h-18h) permet de se procurer des cartes et des brochures. On vous aidera également à réserver un hébergement à la dernière minute et vous pourrez louer un vélo ou consulter Internet gratuitement.

À voir et à faire
Si la campagne autour de Furano est attrayante, certaines visites gastronomiques méritent également un détour. Des bus fréquents partent de l'arrêt n°4 en face de la gare JR de Furano et s'arrêtent aux différents sites répertoriés (150 ¥/trajet).

Les routes autour de Furano connaissent le plus fort taux d'accidents dans le pays ; la prudence est donc de mise si vous vous déplacez en voiture ou à vélo, à plus forte raison si les chaussées sont verglacées. Par ailleurs, assurez-vous d'emporter une bonne carte de l'office du tourisme car il est facile de se perdre dans les montagnes.

Si vous ne prévoyez ni de skier ni de conduire, la **cave viticole de Furano** (carte p. 636 ; ☎ 22-3242 ; 9h-16h30, fermée week-end nov-avr), à environ 4 km au nord-ouest de la gare, propose des visites expliquant le processus de fabrication du vin avec dégustation gratuite.

Si vous souhaitez rester sobre, découvrez à 1,5 km la **fabrique de jus de raisin de Furano** (carte p. 636 ; ☎ 23-3033 ; 9h-16h30, fermée les week-ends sept-mai) et dégustez gratuitement ce breuvage.

Les gourmands poursuivront avec la visite de la **fabrique de fromages de Furano** (carte p. 636 ; ☎ 23-1156 ; 9h-17h mai-oct, 9h-16h nov-avr, fermée 1er et 3e sam et dim du mois nov-avr), avec des saveurs étonnantes comme le brie à l'encre de seiche. Attenante, la **fabrique de glaces de Furano** (carte p. 636) est particulièrement bienvenue en été.

De juin à septembre, pour répondre à l'afflux de touristes, JR met en place une gare supplémentaire nommée **Lavender Batake** (ferme de lavande ; carte p. 636). Les quelques trains entre Biei et Furano s'y arrêtent, ce qui permet d'accéder facilement aux fabuleux champs de lavande de la **ferme Tomita** (carte p. 636 ; ☎ 39-3939 ; www.farm-tomita.co.jp/en ; gratuit ; 9h-16h30 oct à fin avr, 8h30-18h fin avr à sept).

HOKKAIDÔ

SKI ET SNOWBOARD

Chaque année, les Coupes du monde de ski et de snowboard se tiennent au **Furano Ski-jô** (carte p. 636 ; ☎ 22-1111 ; www.princehotels.co.jp/ski/furano_e/index.html ; forfait journée/soir 4 000/1 500 ¥ ; ☺ journée 8h30-17h, soir 17h-21h), entre les deux hôtels Prince. Les pistes conviennent aux débutants et aux skieurs moyens, quelques-unes aux skieurs confirmés. Le téléphérique le plus rapide du Japon conduit au sommet où 24 pistes, couvrant 3 flancs de montagne, sont toutes couvertes d'une poudreuse parfaite. Il est possible de skier en soirée et de pratiquer le snowboard sur toutes les pentes.

Furano n'est pas aussi onéreuse que Niseko (p. 613) et vous serez peut-être déçu par le choix limité de pistes pour skieurs confirmés et le peu d'options hors-piste. Cependant, cette station est assez peu connue des étrangers et l'ambiance y est beaucoup plus authentique. Outre la location du matériel, les deux hôtels Prince prennent en charge les soirées après le ski, avec des repas délicieux et des bars animés.

Fêtes et festivals

Heso Matsuri (へそ祭り ; fête du Nombril). La fête la plus importante de Furano se tient les 28 et 29 juillet. C'est l'occasion de quitter votre chemise, de vous faire peindre un masque traditionnel sur le torse et de vous amuser. Des danses *tobiiri odori* ("sautez au milieu") sont au programme, de même que des combats de sumos.

La **foire au vin de Furano** (富良野ウィン祭り) organisé chaque année en septembre, coïncide avec les vendanges. Dégustation et barbecue où l'on achète des produits locaux à faire griller soi-même pendant que les vendangeurs costumés foulent le raisin, pieds nus.

Où se loger et se restaurer

Alpine Backpackers (アルパインバックパッカーズ ; ☎ 22-1311 ; fax 23-4385 ; www.alpn.co.jp/english/index.html ; dort avr-oct/déc-mars 2 500/2 700 ¥ ; ℗ 🖳). Idéal si vous comptez passer tout votre temps libre sur les pistes, Alpine Backpackers se trouve à quelques minutes à pied de la remontée mécanique de Kitanomine, à côté du Prince Hotel. Les voyageurs à petit budget ont accès à la cuisine, à la laverie et à l'onsen brûlant pour se détendre après le ski.

Furano Youth Hostel (富良野ユースホステル ; hors carte p. 636 ; ☎ 44-4441 ; www4.ocn.ne.jp/~furanoyh/english.htm ; 3-20 Okamati Naka-Furano-Cho ; dort/s/d avec petit déj et dîner 3 360/5 460/8 820 ¥ ; ℗ 🖳). Juste à l'ouest de la gare JR de Naka-furano, cette auberge de jeunesse est installée dans une grande ferme dotée d'une immense terrass donnant sur la campagne. Le petit-déjeune et le dîner (hormis le lundi soir, le chef s repose !) sont concoctés avec de délicieu produits de la région et servis sous form de buffet.

Rokugô Furarin Youth Hostel (ろくごうふらりんユースホステル ; carte p. 636 ; ☎ 29-2172 ; www.furalin.jp, en japonais ; dort avec 2 repas à partir de 5 040 ¥ ℗ 🖳). Décoration simple et espace généreux une excellente auberge de jeunesse où l'on se sent comme à la maison, presque comme dan une chambre d'enfants. Là aussi, les repas son proposés sous forme de buffet, et les produit régionaux frais et bio sont à l'honneur. Un bus part devant la gare de Furano et mène à Rokugô, le terminus, en 15 minutes. Si vous téléphonez à l'avance, on viendra vous chercher gratuitement à la gare.

Si vous prévoyez de skier, les deux adresse les plus pratiques (et agréables) sont le **Prince Furano Hotel** (carte p. 636 ; ☎ 23-4111 ; fax 22-3430 www5.princehotels.co.jp/en/furano ; ch à partir de 16 000 ¥, pers ; ℗ 🖳 🛜) et le **New Furano Prince Hotel** (carte p. 636 ; ☎ 22-1111 ; http://www5.princehotels.co.jp/en/newfurano/ ; ch à partir de 18 000 ¥/pers ; ℗ 🖳 🛜). Installés aux extrémités opposées des pistes, à côté des téléphériques, les deux hôtels Prince sont des établissements clinquants offran divers restaurants, bars et salons. Sachez que vous obtiendrez des réductions significatives par rapport aux prix publiés si vous réservez longtemps à l'avance via une agence de voyages. Ils proposent des offres intéressantes avec forfaits remontées mécaniques, hébergement et billet de train. Connexion par réseau LAN dans les deux hôtels.

Où prendre un verre

Il y a quantité de bars et de restaurants dans le centre-ville ainsi qu'à proximité des pistes, autour des hôtels Prince. Petit bar à l'ambiance internationale où les soirées sont toujours une réussite, le **Furano Bar Bocco** (☎ 22-1010 ; www10.plala.or.jp/bocco/English/index.htm ; 12-1 Hinode-cho ; cocktails à partir de 500 ¥ ; ☺ 20h-2h lun-sam) est une institution à quelques pâtés de maisons à l'est de la gare, dans la rue principale. Le personnel parle anglais.

Depuis/vers Furano

BUS

Des bus fréquents circulent entre Furano et Sapporo (2 100 ¥, 3 heures), ainsi qu'entre Furano et Asahikawa (860 ¥, 1 heure 30).

TRAIN

De nombreux *kaisoku* circulent sur la ligne JR Furano entre Furano et Asahikawa (1 040 ¥, 1 heure 15) via Biei (530 ¥, 40 min). Il y a également de fréquents *futsū* sur la ligne JR Nemuro entre Furano et Takikawa (1 040 ¥, 1 heure) - toutes les heures, le *tokkyū* Super Kamui opère entre Takikawa et Sapporo (3 210 ¥, 50 min). Le *Lavender Express*, un train saisonnier direct, relie tous les jours, de début juin au 31 août, Furano et Sapporo (à partir de 4 340 ¥, 2 heures). Il circule également les week-ends et les jours fériés de septembre à fin octobre.

VOITURE

La Route 237 relie Asahikawa et Furano. Encore une fois, soyez très prudent en hiver car cette route peut être verglacée et dangereuse.

PARC NATIONAL DE DAISETSUZAN
大雪山国立公園

Connu sous le nom de Nutakukamushupe en aïnou, Daisetsuzan (ou Grande Montagne enneigée) est le plus vaste parc national du Japon, avec une superficie de plus de 2 300 km². Vaste étendue sauvage englobant montagnes vertigineuses, volcans actifs, onsen isolés, lacs cristallins et forêts denses, Daisetsuzan fait partie des paradis naturels auxquels rêvent les travailleurs stressés de Tōkyō ou d'Ōsaka.

Dans ce parc, l'intervention humaine est quasiment inexistante et le tourisme est très limité, d'autant que la plupart des visiteurs établissent leur base dans les villes thermales en périphérie. Abandonnez le confort de votre hôtel-onsen le temps d'une courte escapade dans le parc ou d'une randonnée exaltante pour grimper au sommet d'une montagne ou arpenter les vallées.

Si vous êtes bien équipé et que vous avez organisé votre aventure à l'avance, vous pourrez vous lancer dans la plus éprouvante des randonnées de plusieurs jours au Japon, la Grande Traversée de Daisetsuzan (lire l'encadré p. 638). Si le Japon a la réputation d'être petit et densément peuplé, ce parc vous prouvera tout le contraire, que vous effectuiez une petite balade ou un véritable trek.

Asahidake Onsen 旭岳温泉
☎ 0166

Ce complexe boisé émaillé de sources chaudes comprend une dizaine de petites auberges installées au pied de l'Asahi-dake. Les férus de marche s'y rendent pour débuter la Grande Traversée de Daisetsuzan, mais il y a bien d'autres possibilités de balades, souvent à travers un terrain varié offrant un mélange de roches volcaniques, de champs et de bois. Dans tous les cas, n'oubliez pas de bichonner votre corps en passant suffisamment de temps dans les *onsen* revigorants.

RENSEIGNEMENTS

Les randonneurs ont tout intérêt à passer par le **centre des visiteurs d'Asahidake** (☎ 97-2153 ; www. town.higashikawa.hokkaido.jp/vc, en japonais ; 🕐 9h-17h tlj juin-oct, 9h-16h mar-dim nov-mai), qui distribue d'excellentes cartes. Le personnel vous donnera les dernières informations quant à l'état des sentiers. Une carte des onsen est également disponible, avec une liste des adresses, des prix et des horaires des différents bains.

De juin à août, c'est la saison des fleurs ; les arbres prennent ensuite des tons rouges et dorés durant la deuxième quinzaine de septembre. Asahidake Onsen est moins fréquentée que d'autres villes d'*onsen* au Japon, mais il peut lui arriver d'être bondée en haute saison.

À VOIR ET À FAIRE
Randonnée

Au pied de l'Asahidake, le **téléphérique d'Asahidake** (ropeway ; ☎ 68-9111 ; aller/aller-retour juil à mi-oct 1 500/2 800 ¥, mi-oct à juin 1 000/1 800 ¥ ; 🕐 6h-16h30 juil à mi-oct, 9h-16h mi-oct à juin) mène à un point d'où le sommet est accessible à pied.

Une fois en haut de l'Asahidake, vous pouvez reprendre le téléphérique, vous lancer dans la Grande Traversée de Daisetsuzan ou descendre à Sōunkyō Onsen. Si vous disposez de peu de temps, choisissez la boucle de 1,7 km (50 min), avec retour en haut du téléphérique.

Un peu en retrait de la route menant au nord à Nakadake Onsen, on trouve de nombreux *rotemburo* ; tournez à gauche à Nakadakebunki, juste avant d'arriver à Nakadake. Ne vous baignez surtout pas à Yudoku Onsen, car l'eau est contaminée.

D'Asahidake Onsen, un chemin de 5,5 km passe à travers bois et mène à Tenninkyō Onsen, petite station thermale, avec une gorge impressionnante et la belle **Hagoromo-no-taki** (cascade de la robe des anges).

Onsen

La région est réputée, à raison, pour ses nombreux onsen. La plupart sont ouverts au public la journée, même dans les hôtels de catégorie supérieure, à des prix et à des horaires variant

HOKKAIDÔ

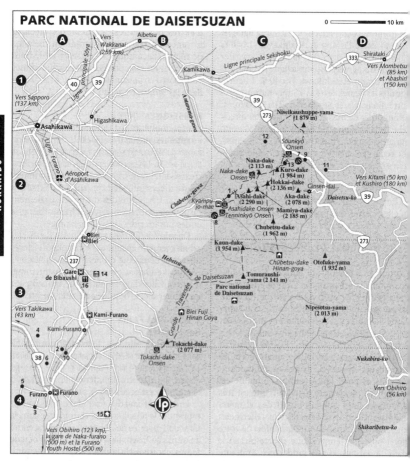

PARC NATIONAL DE DAISETSUZAN

beaucoup d'un endroit à l'autre, soit entre 500 et 1 500 ¥. Apportez votre serviette, car elles sont louées entre 200 et 500 ¥.

OÙ SE LOGER ET SE RESTAURER

Daisetsuzan Shirakaba-sō (大雪山白樺荘 ; ☎ 97-2246 ; fax 97-2247 ; http://park19.wakwak. com/~shirakaba/english.html ; dort 5 720 ¥, dort/ch 6 890/7 940 ¥/pers avec 2 repas ; Ⓟ). Mélange entre une auberge de jeunesse et un *ryokan*, ce refuge de montagne se situe au pied du téléphérique et comporte des chambres de style japonais et occidental ainsi que des bains alimentés par des sources chaudes. Les hôtes ont accès à la cuisine, mais la pension complète est intéressante car les repas sont savoureux. Le personnel parle anglais.

Lodge Nutapukaushipe (ロッジ・ヌタプカ ウシペ ; ☎ 97-2150 ; ch à partir de 7 500 ¥/pers avec 2 repas, rāmen à partir de 750 ¥ ; Ⓟ). Juste à côté de Shirakaba-sō, cet hébergement de style chalet est une adresse intimiste, avec seulement quelques chambres privatives. La propriété est agrémentée d'un merveilleux onsen en bois précieux et d'une échoppe de *rāmen* où l'on déguste les traditionnelles soupes de nouilles mélangées aux légumes locaux – le menu évolue au fil des saisons, demandez les *osusume* (recommandations).

Hotel Beamonte (ホテルベアモン テ ; ☎ 97-2321 ; www.bearmonte.jp, en japonais ; ch à partir de 10 650 ¥/pers avec 2 repas ; Ⓟ). En face du centre des visiteurs, l'hôtel le plus sophistiqué d'Asahidake est un complexe de style européen, avec des chambres élégantes (parfois dotées d'un plancher ciré), un formidable onsen et différents bains intérieurs et extérieurs en pierre. Les tarifs varient considérablement selon la saison et l'hôtel est souvent complet ; pensez à téléphoner. L'accès aux bains coûte 1 500 ¥ pour les non-résidents.

DEPUIS/VERS ASAHIDAKE ONSEN

Du 15 juin à début octobre, 5 bus circulent dans les deux sens entre l'arrêt n°4 devant la gare JR d'Asahikawa et Asahidake Onsen (1 320 ¥, 1 heure 30). Le premier bus, qui part d'Asahikawa et d'Asahidake à 9h10 et 9h15, est direct alors que les autres nécessitent une rapide correspondance à Higashikawa. Le reste de l'année, il n'y a qu'un ou 2 bus par jour dans chaque direction.

En voiture, suivez les Routes 237, 213 et 160 entre Asahikawa et Asahidake Onsen. En hiver, la neige rend ces routes très dangereuses et une extrême prudence est de rigueur.

Sōunkyō Onsen 層雲峡温泉
☎ 01658

Au nord-est du parc, cette ville thermale constitue la deuxième grande porte d'accès à Daisetsuzan et à la Grande Traversée (lire l'encadré p. 638). Même si vous ne prévoyez

pas de parcourir l'ensemble du parc, Sōunkyō Onsen est une base agréable pour des escapades plus courtes, et la région comporte des sites naturels impressionnants, que vous apprécierez entre deux bains dans les sources chaudes.

RENSEIGNEMENTS

L'**office du tourisme** (☎ 5-3350 ; www.sounkyo.net/english/index.html ; ☯ 8h30-17h), installé au 1er étage du bain public Kurodake-no-yu, fournit cartes et brochures en anglais et offre un service de réservation, parfois très utile en haute saison. Pour des informations sur les conditions d'accès au parc, rendez-vous au **centre des visiteurs** (☎ 9-4400 ; http://sounkyovc.town.kamikawa.hokkaido.jp en japonais ; ☯ 8h-15h30 juin oct, 9h-17h mar-dim nov-mai), à côté de l'arrivée du téléphérique.

À VOIR ET À FAIRE
Sōunkyō 層雲峡

Cette **gorge** qui s'étend sur près de 8 km, après Sōunkyō Onsen, est réputée pour ses cascades – notamment **Ryūsei-no-taki** (流星の滝 ; cascade des étoiles filantes) et **Ginga-no-taki** (銀河の滝 ; cascade de la voie lactée) – et ses deux formations rocheuses qui s'élèvent perpendiculairement, donnant l'impression d'être enfermé. D'où leur nom : **Ōbako** (大箱 ; grande boîte) et **Kobako** (小箱 ; petite boîte). Si vous n'avez pas de voiture de location, quelques boutiques dans la rue principale louent des **VTT** (2 000 ¥/jour).

Randonnée

Si vous prévoyez une randonnée, ou si vous voulez simplement profiter du panorama, le **téléphérique** et le **télésiège** (☎ 5-3031) permettent d'accéder rapidement au **Kuro-dake** (黒岳 ; 1 984 m). L'aller simple et l'aller-retour coûtent respectivement 900/1 750 ¥ et 400/600 ¥. Les horaires varient selon la saison (8h-19h juil-août, parfois fermé en hiver).

De juillet à fin-septembre, un bus relie chaque jour Ginsen-dai, où se trouve l'**Aka-dake** (赤岳 ; 2 078 m), point de départ du sentier de randonnée. Le bus part de Sōunkyō Onsen à 6h. Dans le sens inverse, départ de Ginsen-dai à 14h15 (800 ¥, 1 heure), ce qui laisse largement assez de temps pour monter et redescendre.

Un sentier court et escarpé mais ravissant monte jusqu'à Soūbakudai, d'où l'on bénéficie d'une vue magnifique sur deux cascades, Ryūsei-no-taki et Ginga-no-taki. Repérez les marches montant à flanc de colline juste derrière l'arrêt de bus. Il faut environ 20 minutes pour atteindre le sommet.

HOKKAIDŌ

LA GRANDE TRAVERSÉE DE DAISETSUZAN

La **Grande Traversée de Daisetsuzan** est une expérience unique à Hokkaidō : cette randonnée de 5 jours et 55 km permet de relier deux volcans actifs, l'**Asahi-dake** (旭岳 ; 2 290 m) et le **Tokachi-dake** (十勝岳 ; 2 077 m), qui s'élèvent respectivement au nord et au sud du parc. L'itinéraire suit un chemin clairement balisé, mais il vous faudra emporter toute la nourriture nécessaire car il n'est pas possible d'en acheter dans les refuges. Il est également nécessaire d'être en bonne condition physique pour accomplir cette marche très éprouvante.

Les randonnées sont possibles de début juillet à fin octobre, et vous êtes assuré de trouver de l'eau potable (voire de la neige !) durant toute cette période. Il est préférable d'avoir une tente et du matériel de camping-car les refuges sont très rudimentaires ; emportez également de la nourriture et un réchaud. N'oubliez pas que vous êtes au pays des ours : ne partez pas sans accrocher une cloche à votre sac à dos. Procurez-vous une carte topographique de la région – nous vous conseillons celles de l'entreprise japonaise Yama-to-kogen-chizu (山と高原地図) – et prévenez impérativement le personnel au **centre des visiteurs d'Asahidake** (voir p. 635).

Le 1er jour, la grande traversée démarre en haut du téléphérique au village d'**Asahidake Onsen** et mène au sommet de l'Asahi-dake, la plus haute montagne de Hokkaidō, avant de se poursuivre sur l'autre versant. Vous pourrez passer la nuit au pied du **Kuro-dake** (黒岳 ; 1 984 m), puis continuer le 2e jour jusqu'à **Chūbetsu-dake Hinan-goya** (忠別岳避難小屋), ou couper une partie de la randonnée en prenant un téléphérique et un télésiège pour descendre au village de **Sōunkyō Onsen** (voir p. 637).

Le 3e jour, poursuivez au sud et passez la nuit au pied du **Tomuraushi-yama** (トムラウシ山 ; 2 141 m), l'une des 100 montagnes les plus renommées du Japon, qui s'apparente à un énorme tas de rochers. Le 4e jour, l'étape de 17 km jusqu'à **Biei Fuji Hinan Goya** (美瑛富士避難小屋) est bien connue pour sa difficulté, et peut être réalisée sur 2 jours si vous avez suffisamment de nourriture.

Enfin, le dernier jour, vous affronterez le Tokachi-dake avant de redescendre au village de **Tokachi-dake Onsen** (voir p. 639), où vous pourrez vous offrir une détente bien méritée dans les sources chaudes. Bonne randonnée !

Après une journée de marche ou de vélo, rien ne vaut un plongeon dans un bain chaud (comprenant un *rotemburo*) au **Kurodake-no-yu** (黒岳の湯 ; ☎ 5-3333 ; 600 ¥ ; ⏱ 10h-21h jeu-mar), dans la principale rue piétonne de la ville. Vos pieds fatigués apprécieront l'**ashi-no-yu** (bain chaud pour les pieds) gratuit, à côté du Ginsenkaku Hotel.

FÊTES ET FESTIVALS
Hyōbaku Matsuri (氷爆祭り ; fête des Cascades gelées ; de fin janvier à fin mars). Sculptures de glace, tunnels et dômes, parfois illuminés. Une merveille.
Kyōkoku Hi Matsuri (峡谷火祭り ; fête du Feu Kyōkoku ; dernier samedi de juillet). Le but de cette fête est de purifier les onsen et d'apaiser les dieux de la montagne et du feu. Les participants effectuent la danse aïnoue de la chouette, au son des tambours. Des flèches enflammées sont ensuite tirées dans la gorge.

OÙ SE LOGER
Sōunkyō Youth Hostel (層雲峡ユースホステル ; ☎ 5-3418 ; www.youthhostel.or.jp/sounkyo ; dort 4 830/3 150 ¥/pers avec/sans 2 repas ; ⏱ juin-oct ; P). Éclipsée par les grands complexes hôteliers, cette modeste auberge en bois est à 10 minutes à pied de la gare routière, un peu plus haut sur la colline. Hébergements en dortoirs, repas simples mais copieux, c'est l'adresse idéale pour rencontrer d'autres randonneurs avant de braver les intempéries et d'explorer le parc.

Ginsenkaku (銀泉閣 ; ☎ 5-3003 ; www.ginsen-kaku.com en japonais ; ch saison haute/basse à partir de 15 900/10 500 ¥/pers avec 2 repas ; P). Cette auberge japonaise aux airs de chalet alpin est un établissement très professionnel, au cœur du village. Les chambres confortables sont dotées des traditionnels tatamis. Plongez vite dans les bains communs très chauds ; il y a notamment un *rotemburo* avec un beau point de vue.

DEPUIS/VERS SŌUNKYŌ ONSEN
Il y a jusqu'à 7 bus par jour dans les deux sens entre Sōunkyō Onsen et Asahikawa (1 950 ¥, 1 heure 45) via Kamikawa. Les titulaires du JR Rail Pass peuvent voyager gratuitement entre Asahikawa et Kamikawa, puis prendre le bus entre Kamikawa et Sōunkyō Onsen (800 ¥, 35 min). Ces bus circulent également entre Sōunkyō Onsen et Akan Kohan (3 260 ¥, 3 heures 30) dans le parc national d'Akan.

Chaque jour, quelques bus desservent Kushiro (4 790 ¥, 5 heures 15) via Akan Kohan (3 260 ¥, 3 heure 30). Enfin, 2 bus par jour se rendent à Obihiro (2 200 ¥, 1 heure 20) et empruntent une superbe route via Nukabira-ko.

En voiture, la Route 39 relie Sōunkyō Onsen avec Asahikawa à l'ouest et Abashiri à l'est.

Tokachi-dake Onsen 十勝岳温泉

Au nord-est de Furano, ce village thermal isolé est traditionnellement la destination finale de la Grande Traversée (lire l'encadré, p. 638). Il est beaucoup moins fréquenté qu'Asahidake et Sōunkyō Onsen, mais constitue une bonne base pour des randonnées dans le parc national de Daisetsuzan. Ainsi, si vous ne vous lancez pas dans la Grande Traversée, rien ne vous empêche de gravir le **Tokachi-dake** (十勝岳 ; 2 077 m) lors d'une longue journée de marche.

Avec Furano à proximité, beaucoup de voyageurs sont tentés de poursuivre leur route d'autant que l'offre de logements est très limitée à Tokachi-dake. Cependant, après plusieurs jours de randonnées, vous pourrez vous détendre dans un îlot de luxe au **Kamihoro-sō** (カミホロ荘 ; ☎ 0167-45-2970 ; http://tokachidake.com/kamihoro, en japonais ; s/d à partir de 15 700/25 400 ¥ avec 2 repas ; **P**) avec de vastes chambres de style japonais et d'agréables bains chauds donnant sur les montagnes avoisinantes. Si vous arrivez en bus, descendez à Kokumin-shukusha-mae, quasiment en face de Kamihoro-sō.

Des *futsū* circulent fréquemment sur la ligne JR Furano entre Furano et Kami-Furano. La gare de Kami-Furano est reliée à Tokachi-dake Onsen par des bus réguliers (500 ¥, 20 min). En voiture, abordez avec prudence les virages de la Route 291.

DŌ-TŌ (EST DE HOKKAIDŌ) 道東

L'est de Hokkaidō est l'équivalent japonais du territoire du Yukon au Canada, un espace rude à la beauté lancinante, soumis à des températures extrêmes. En hiver, d'impressionnants blocs de glace peuvent être observés au large d'Abashiri, depuis le pont d'un brise-glace. En revanche, les deux mois d'été se prêtent parfaitement à la découverte d'Akan Kohan, bastion de la culture aïnoue, et à Shiretoko, un parc national vierge. C'est également en été que les ours sont les plus actifs !

ABASHIRI 網走
☎ 0152 / 40 000 habitants

Comme Alcatraz ou Cayenne dans les esprits occidentaux, Abashiri est associée, dans l'imaginaire japonais, au mot prison – il fut un temps où l'évocation de ce pénitencier (toujours en activité) frappait d'angoisse les criminels les plus endurcis. Les hivers sont très rudes, mais c'est précisément ce qui fait le succès touristique de la région.

La vue de la banquise du pont d'un brise-glace et les gémissements sourds des icebergs dont la glace craque sous la force des courants marins sont une expérience inoubliable. Ici, on prend véritablement toute la mesure du caractère grandiose de la nature.

Au plus froid de l'hiver, la mer est à 80% prisonnière de la glace, mais Abashiri demeure une destination populaire le reste de l'année. Une station de ski est ouverte de décembre à avril, et la ville est envahie de touristes en septembre, lorsque les champs de corail de mer s'épanouissent. S'agissant de la grande ville la plus proche du parc national de Shiretoko, Abashiri constitue également une bonne base pour les randonneurs.

Renseignements

Devant la gare d'Abashiri, l'**office du tourisme** (☎ 44-5849 ; 🕐 9h-17h) distribue des cartes en anglais et de nombreuses brochures concernant l'est de Hokkaidō.

À voir et à faire

L'ascension du **Tento-zan**, colline de 207 m dominant Abashiri, vous laissera sur les rotules (il s'agit de 5 km seulement, mais avec un fort dénivelé), à moins d'opter pour le bus ou la voiture. Une fois en haut, on peut profiter d'un magnifique panorama, et il y a un parc et plusieurs musées intéressants.

Aussi, une piste cyclable qui part d'Abashiri court sur 25 km, offrant des vues splendides sur des lacs, des forêts et des champs de potirons, avant d'atteindre la côte où s'étendent les champs de corail de mer (voir p. 640).

En été, la côte nord, superbe, se prête à de jolies promenades pour ramasser oursins et autres coquillages.

CROISIÈRE EN BRISE-GLACE
流氷観光砕氷船

De fin janvier à mi-mars, le brise-glace **Aurora** (オーロラ ; ☎ 43-6000 ; croisières 3 000 ¥) lève l'ancre 4 à 6 fois par jour depuis le port d'Abashiri

HOKKAIDŌ

LES PLUS BELLES ROUTES

- De **Hakodate** (p. 604) à **Sapporo** (p. 594)

- **Parc national de Shikotsu-Tōya** (p. 616)

- D'**Asahikawa** (p. 622) à **Wakkanai** (p. 626)

- Autour de **Biei** (p. 632) et de **Furano** (p. 633)

- À peu près partout dans le **Dō-tō** (est de Hokkaidō ; p. 639)

---

pour des sorties de 1 heure en mer d'Okhotsk. Couper à travers la glace sur cet énorme navire est une expérience inoubliable. Inutile de préciser qu'il est essentiel de s'habiller chaudement pour profiter de cette croisière sibérienne.

TRAIN TOURISTIQUE 観光列車

Circulant pendant hiver à la même époque qu'Aurora, le **Ryūhyō Norokko-gō** (流氷ノロッコ号 ; 810¥) couvre deux fois par jour le trajet entre Abashiri et Shari à travers un véritable champ de neige immaculée. Admirez ce paysage gelé tout en dégustant du succulent *surume* (calmar) grillé accompagné d'une bière de Sapporo.

SKI ET SNOWBOARD

La poudreuse de **Kamui Ski Links** (カムイスキーリンクス ; ☎ 72-2311 ; www.kamui-skilinks.com ; forfait 2 500¥ ; 9h-17h déc-avr) comblera les amateurs de sports d'hiver. Cette station haut de gamme accueille des compétitions de snowboard, et ses pentes, parmi lesquelles figure la plus longue du Japon (3 500 m), s'adressent aux skieurs de tous niveaux. Au sommet, le vent souffle parfois fort. Grâce aux 8 téléphériques et 10 remonte-pentes, la foule n'est jamais trop dense. Les pistes ne sont pas ouvertes la nuit mais la station est moins chère que ses homologues du sud, et beaucoup moins bondée que n'importe quelle stations des environs de Sapporo.

MUSÉES

Un billet (900 ¥) permet de monter et descendre à loisir à bord du bus touristique qui relie les gares routière et ferroviaire aux différents musées de la ville.

Le **musée de la prison d'Abashiri** (網走監獄博物館 ; ☎ 45-2411 ; www.kangoku.jp/world/index.htm ; 1 050¥ ; 8h-18h avr-oct, 9h-17h nov-mars) permet de saisir pourquoi cet établissement carcéral était si redouté. Les prisonniers y vivaient dans des conditions dramatiques, avec de misérables couvertures pour se protéger du froid hivernal. Pas de chauffage non plus, car les conduits longeant le couloir n'apportaient qu'un peu de chaleur aux gardiens.

De l'autre côté de la rivière, la **prison d'Abashiri** (網走刑務所) est toujours en activité. L'artisanat fabriqué par les détenus est en vente au **magasin de souvenirs**, à côté du petit **musée** (☎ 43-3167 ; 9h-16h). Si l'on peut faire le tour de l'enceinte à pied, l'entrée dans le bâtiment et les photos sont interdites.

À côté du musée de la prison, le **musée Okhotsk Ryūhyō** (オホーツク流氷館 ; musée de la Glace flottante ; ☎ 43-5951 ; www.ryuhyokan.com en japonais ; 520¥ ; 8h-18h avr-oct, 9h-16h30 nov-mars) est unique en son genre, car tous les éléments exposés ont un rapport avec la glace. Une des parties les plus intéressantes est consacrée au minuscule *kurione*, cousin amusant de la limace de mers, et mascotte d'Abashiri.

À quelques minutes de marche en descendant du sommet du Tento-zan, le superbe **musée des Peuples du Nord** (北方民族博物館 ; ☎ 45-3888 ; www.hoppohm.org/english/index.htm ; 450¥ ; 9h30-16h30 mar-dim) présente de multiples éléments de la culture aïnoue et d'autres peuples, notamment Indiens d'Amérique et Aléoutiens.

OBSERVATION DU CORAIL DE MER サンゴ草群落地

La plante connaît son heure de gloire à la mi-septembre lorsqu'elle prend une belle couleur rouge. Des bus entiers de touristes s'amassent alors sur les plates-formes d'observation. Les amateurs d'ornithologie seront aussi gâtés, avec mouettes, courlis cendrés, hirondelles de mer et aigrettes.

PLONGÉE SOUS-MARINE

Pour un face à face sous la glace avec le *kurione*, un étrange mollusque, **Tartaruga** (タルタルーガ ; ☎ 61-5201 ; www.tar2uga.co.jp ; 2 plongées 30 000 ¥) organise des plongées mémorables en mer d'Okhotsk.

Fêtes et festivals

Orochon-no-Hi (オロチョンの火 ; dernier samedi de juillet). Cette fête du feu a pour origine les rites chamaniques du peuple gilyak, qui vivait jadis dans la région d'Abashiri.

Nuit du retour du saumon

カムバックサーモンナイト ; mi-octobre
et mi-décembre, selon l'horloge biologique des
poissons !). Une façon de fêter le retour du plus délicieux
poisson du lac. Chaque année, les saumons remontent le
courant, scintillant sous les éclairages lorsqu'ils pénètrent
dans le lac Abashiri. Tout autour, de petites échoppes
ont goûter, souvent gratuitement, le *sanma* (poisson
à chair grasse et foncée, qui s'apparente au maquereau
et qu'on ne trouve qu'à cette période), pétoncles,
calmars et gibier divers.

Où se loger

Abashiri Gensei-kaen Youth Hostel (網走原生花
園ユースホステル ; ☎ 46-2630 ; http://sapporo.cool.
ne.jp/genseikaen, en japonais ; dort avec petit déj à partir de
1 600 ¥/pers ; ☼ fermé nov-janv ; P ⌨). Cette ferme
transformée en auberge de jeunesse est installée
au cœur de Wakka Gensei-kaen (ワッカ原生
花園), un champ côtier de 20 km de long et
700 m de large abritant plus de 300 espèces
de fleurs. À environ 15 minutes en voiture à
l'est d'Abashiri, dans le village de Kitahama ;
vous pouvez aussi prendre un *futsū* sur la ligne
JR Senmō entre Abashiri et Kitahama (260 ¥,
20 min). L'auberge est à 10 minutes à pied au
sud-est de la gare.

Hotel Route Inn (ホテルルートイン ; ☎ 44-
5511 ; fax 44-5512 ; www.route-inn.co.jp/search/hotel/
index.php?hotel_id=502, en japonais ; 1-2-13 Shin-chō ; s/d
6 000/10 000 ¥ ; P ⌨). Juste en face de la gare
JR d'Abashiri, cette succursale de la chaîne
Route Inn propose les habituelles chambres
d'affaires. Les points forts : l'emplacement
pratique et le grand onsen réservé aux hôtes,
parfait pour se réchauffer en hiver. Connexion
Internet par réseau LAN.

Abashiri Central Hotel (網走セントラルホテ
ル ; ☎ 44-5151 ; www.abashirich.com ; Minami-ni-jō-nishi,
San-chōme ; s/lits jum 7 350/12 000 ¥ ; P ⌨). À quelques
minutes de marche à l'est de la gare en face du
pont Chūō, voici le meilleur hôtel de la ville.
Les chambres sont parées de couleurs douces
propices à la détente et le restaurant propose
de délicieux plats de saison, à base de produits
provenant des mers d'Abashiri, le tout dans une
ambiance des plus décontractées. Connexion
par réseau LAN.

Où se restaurer et prendre un verre

Marché au poisson Kandō Asa-ichi (感動朝市 ; ☎ 43-
7670 ; ☼ 6h30-9h30 lun-ven, 6h30-10h30 sam-dim mi-juil
au 15 oct). Le choix rêvé pour les amateurs :
choisissez votre poisson et faites-le griller sur
l'un des barbecues en plein air. Des navettes

circulent entre plusieurs grands hôtels et le
marché, en périphérie de la ville. Renseignez-
vous auprès de votre hôtel.

Murakami (むらかみ ; ☎ 43-1147 ; www.drive-net.
com/murakami, en japonais ; Minami-san-jō-nishi, Ni-chōme ;
plateau à partir de 1 000 ¥ ; ☼ déj et dîner). Deux pâtés
de maison à l'est et un au sud en partant du
Central Hotel. Ce petit bar à sushis (repérez
l'enseigne bleu et rouge) est très apprécié des
habitants pour son poisson de grande qualité.
Le propriétaire change la carte tous les jours en
fonction de la pêche ; demandez les *osusume*
(suggestions).

Abashiri Bīru-kan (網走ビール館 ; www.taka
hasi.co.jp/beer/yakiniku/index.html, en japonais ; ☎ 45-5100 ;
Minami-ni-jō-nishi, Yon-chōme ; repas à partir de 750 ¥, bière à
partir de 375 ¥ ; ☼ déj et dîner). Cette petite brasserie
de Hokkaidō est réputée pour son choix de
bières à la pression et ses plats d'inspiration
allemande ou japonaise. Photos des plats.

Depuis/vers Abashiri
AVION

Depuis l'aéroport de Memanbetsu, à environ
15 km au sud du centre-ville, des vols nationaux
desservent entre autres Sapporo, Tōkyō et
Ōsaka. Les bus pour l'aéroport (750 ¥, 30 min)
s'alignent sur les horaires des bus ; ils partent
de la gare routière et passent par la gare
ferroviaire.

BUS

Chaque jour, quelques bus empruntent
l'autoroute dans les deux sens entre la gare
routière d'Abashiri (1 km à l'est de la gare
ferroviaire) et la gare routière de Chūō à
Sapporo (6 210 ¥, 6 heures 15). De juin à
mi-octobre, 3 bus quotidiens circulent
entre l'aéroport de Memanbetsu et Utoro
dans le parc national de Shiretoko (3 000 ¥,
2 heures 30), via la gare routière d'Abashiri.
Enfin, un bus direct assure chaque jour la
liaison entre Abashiri et Shiretoko-shari
(1 120 ¥, 1 heure 15).

TRAIN

Les *tokkyū* circulent fréquemment sur la ligne
JR Sekihoku entre Abashiri et Asahikawa
(7 750 ¥, 4 heures) via Bihoro (530 ¥, 35 min),
où vous pourrez prendre un bus pour le
parc national d'Akan. Seuls quelques *futsū*
circulent chaque jour sur la ligne principale JR Senmō entre Abashiri et Kushiro
(3 570 ¥, 3 heures 30) via Shiretoko-shari
(810 ¥, 50 min).

HOKKAIDÔ

VOITURE

Louer une voiture est la meilleure solution pour atteindre les secteurs les plus isolés des parcs nationaux de Shiretoko et d'Akan. De nombreuses agences, notamment **JR Hokkaido Rent a Lease** (ジェイアール北海道レンタリース ; ☎ 43-6197 ; ☼ 8h-18h janv-avr et nov-déc, 8h-20h mai-oct), sont installées devant la gare.

COMMENT CIRCULER

Des bus réguliers relient la gare à différents sites en ville, notamment le Tento-zan. Il n'est pas possible de louer de vélo mais si vous en possédez un vous pourrez circuler sur les 25 km de la piste cyclable.

PARC NATIONAL D'AKAN
阿寒国立公園

Cet immense parc (905 km²) comporte des volcans, de grands lacs de caldeira, des forêts épaisses et des onsen revigorants. Cependant, ce sont surtout les algues qui semblent séduire les 6 millions de visiteurs annuels. Soyons clair : il ne s'agit pas d'une vulgaire plante aquatique, mais du *marimo* (*Cladophora aegagropila*), une jolie algue en forme de boule, de plus en

plus rare, qui a été déclarée trésor national. Si le *marimo* vous laisse de marbre, Akan est suffisamment vaste pour vous offrir de randonnées sensationnelles en forêt ou en montagne, loin de la foule, même en période de forte fréquentation.

Orientation et renseignements

Les principaux points d'accès sont Bihoro et Abashiri au nord et Kushiro au sud. Au sein du parc, vous pourrez établir vos quartiers dans les villes de Kawayu Onsen et Akan Kohan, tandis que Teshikaga (également appelé Mashū Onsen) est un important carrefour de transports. Certes, il est possible d'accéder au parc en transports en commun, mais un véhicule personnel permet de se déplacer beaucoup plus aisément entre les différents sites. Note aux randonneurs : le parc abrite beaucoup d'ours et surtout des renards, qui sont assez malins pour voler de la nourriture, voire des sacs de couchage.

Kawayu Onsen 川湯温泉
☎ 015

Kawayu est une paisible petite ville thermale renfermant plus de 20 sources chaudes,

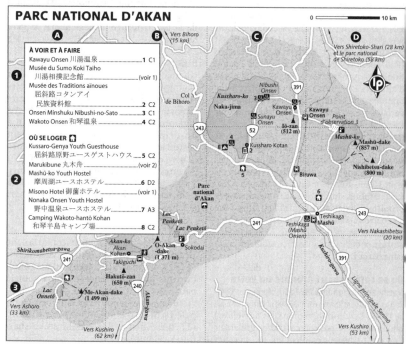

PARC NATIONAL D'AKAN

0 ——— 10 km

À VOIR ET À FAIRE
Kawayu Onsen 川湯温泉 1 C1
Musée du Sumo Koki Taiho
　川湯相撲記念館 .... (voir 1)
Musée des Traditions aïnoues
　屈斜路コタンアイ
　民族資料館 2 C2
Onsen Minshuku Nibushi-no-Sato 3 C1
Wakoto Onsen 和琴温泉 4 C2

OÙ SE LOGER
Kussaro-Genya Youth Guesthouse
　屈斜路原野ユースゲストハウス 5 C2
Marukibune 丸木舟 .... (voir 2)
Mashū-ko Youth Hostel
　摩周湖ユースホステル 6 D2
Misono Hotel 御薗ホテル .... (voir 1)
Nonaka Onsen Youth Hostel
　野中温泉ユースホステル 7 A3
Camping Wakoto-hantō Kohan
　和琴半島キャンプ場 8 C2

t c'est sans doute la zone la plus animée du parc national Akan. Entre la recherche du monstre de Naka-jima et la dégustation d'œufs durs cuits dans les bassins d'eaux sulfureuses, vous n'aurez aucun risque de vous ennuyer entre deux bains.

ORIENTATION ET RENSEIGNEMENTS

À environ 10 minutes à pied de la gare routière dans le village de Kawayu Onsen, l'**office du tourisme** (☎ 483-2255 ; www.kawayuonsen.com, en japonais ; ☺ 9h-18h30 juin-sept, 9h-17h oct-mai) est une bonne source d'informations, propose une connexion Internet gratuite et loue des vélos. La bicyclette est un bon moyen de se déplacer, mais vérifiez les distances avant d'entreprendre une longue balade.

Autre adresse utile dans le village, l'**écomusée Kawayu** (川湯エコミュージアムセンター ; ☎ 483-4100 ; www6.marimo.or.jp/k_emc, en japonais ; ☺ 8h-17h mai-oct, 9h-16h nov-avr) s'apparente à un centre de visiteurs. Vous pourrez vous procurer des cartes des randonnées du parc (en japonais) et obtenir des conseils pour explorer le secteur à pied.

La gare routière de Kawayu Onsen est à 10 minutes en bus de la gare JR de Kawayu Onsen, l'un des principaux points d'accès au parc national. Un peu plus au sud, la gare JR de Mashū et la ville attenante de Teshikaga constituent une alternative pour atteindre certains des sites répertoriés ci-dessous.

À VOIR ET À FAIRE
Onsen

Tous les onsen de Kawayu Onsen appliquent un droit d'entrée de 200 à 1 000 ¥. Vous économiserez quelques yens en emportant votre serviette et votre savon personnels.

Toutes les sources chaudes sont plaisantes, mais ne passez pas à côté de **Wakoto Onsen** dont le charme tout particulier tient à sa simplicité. Rien de plus simple en effet que ce bassin fumant au milieu de nulle part, sur la rive sud d'un lac magnifique. Plus aisément accessible en voiture ou à vélo, cet onsen n'affiche aucun des équipements de la plupart des autres bains. Ici, pas d'électricité, pas de savon, pas de seaux, pas même de portes. Il suffit de se déshabiller et de se plonger dans l'eau. Tout le monde n'appréciera pas mais les vrais amateurs seront aux anges. On a vue sur la rive occidentale du lac Kussharo et, en saison, des oies des neiges survolent les baigneurs tandis que le soleil disparaît derrière les montagnes. Bon à savoir :

il s'agit d'un bain *konyoku* (mixte) et les algues qui les recouvrent rendent les rochers glissants. Si l'eau vous paraît trop chaude, éloignez-vous un peu en direction du lac et faites une autre tentative : la température de l'eau devrait être légèrement plus fraîche.

Iō-zan 硫黄山

Cette **montagne** (512 m) se caractérise par ses fumerolles, la couleur jaune vif du soufre et ses œufs à la vapeur d'onsen. Avant même d'atteindre le parking, vous entendrez les cris des vendeurs : *Tamago ! Tamago ! Tamago !* (œufs !). Il n'y a pas grande différence avec un œuf dur classique, hormis la couleur marron-vert. La balade de 4 km entre la gare JR de Kawayu et Kawayu Onsen passe par l'Iō-zan.

Lacs

Beaucoup considèrent que le **Mashū-ko** (摩周湖), splendide lac de caldeira, est le plus beau lac du Japon – ses eaux pures laissent passer la lumière jusqu'à près de 35 m de profondeur. Au milieu du lac, émerge l'île, baptisée "île des Dieux" par les Aïnous.

Parmi les autres grands lacs du parc, citons le **Kussharo-ko** (屈斜路湖), célèbre pour son sable réchauffé par les volcans et propice à la baignade et aux balades en bateau. **Naka-jima** (ce qui signifie "île du Milieu") abrite son propre monstre du loch Ness, qui s'appelle ici Kusshi.

Musées

Les fans de sumo apprécieront le petit **musée du Sumo Koki Taiho** (川湯相撲記念館 ; ☎ 483-2924 ; 400 ¥ ; ☺ 9h-18h30 juin-sept, 9h-17h oct-mai) à Kawayu Onsen, consacré à ce véritable héros, natif de Kawayu.

Le **musée des Traditions aïnoues** (屈斜路コタンアイヌ民族資料館 ; ☎ 484-2128 ; 310 ¥ ; ☺ 9h-17h mi-avr/oct), à Kusshario Kotan, expose des outils et des objets artisanaux.

OÙ SE LOGER ET SE RESTAURER

Camper est une bonne option car le parc dispose de plusieurs campings impeccables. L'un des plus beaux est le **camping Wakoto-hantō Kohan** (☎ 484-2350 ; empl 450 ¥ ; bungalow 4 500 ¥ ; ☺ mi-mai à oct), qui loue aussi des bungalows rudimentaires ainsi que des canoës et des kayaks. Situé le long de la Route 234, au sud du col de Bihoro, il est accessible en véhicule personnel ou en bus au départ de Mashū, Bihoro et Kawayu Onsen.

HOKKAIDÔ

Mashū-ko Youth Hostel (☎ 482-3098 ; www.masyuko. co.jp/english/yhe.htm ; dort 3 000-3 500 ¥, s 4 500-7 400 ¥, d 5 000-9 000 ¥, petit déj/dîner 760/1 260 ¥ ; P 🖥). À 10 minutes en voiture du centre-ville de Teshikaga, cette auberge de jeunesse moderne et confortable est une base parfaite pour explorer le parc national d'Akan. Chambres de style occidental assez classiques et sdb communes. Le bonus : le restaurant voisin, Great Bear, d'inspiration européenne, où l'on peut dîner entre voyageurs autour de la grande table. Si vous n'avez pas de véhicule, réservez bien à l'avance et on viendra vous chercher à la gare de Mashū. Le personnel parle anglais.

© Kussharo-Genya Youth Guesthouse (☎ 484-2609 ; www.gogogenya.com/intro/e-intro.htm ; dort/ch à partir de 4 700/5 200 ¥/pers, petit déj/dîner 600/1 300 ¥ ; P 🖥). Juste en bordure de la Route 243 sur la rive sud du Kussharo-ko, cette magnifique auberge de jeunesse est un joyau architectural, à l'extérieur comme à l'intérieur. Telle une grande église de bois dominant des champs de légumes, Kussharo-Genya séduit ses hôtes avec ses plafonds voûtés, ses hautes lucarnes et ses planchers cirés. D'innombrables activités sont proposées et les repas gastronomiques mettent à l'honneur les produits de Hokkaidō. Si vous n'êtes pas véhiculé, réservez bien à l'avance et on viendra vous chercher à la gare de Mashū. Le personnel parle anglais.

Onsen Minshuku Nibushi-no-Sato (☎ 483-2294 ; www1.ocn.ne.jp/~kussie ; ch 8 550 ¥/pers avec 2 repas ; P 🖥 🛜). Sur la rive nord du Kussharo-ko, en bordure de la Route 52, ce *minshuku* familial accueille chaleureusement les voyageurs étrangers. L'ambiance du chalet est tout à fait décontractée et il y a un petit mais superbe onsen privé. Les propriétaires pourront vous indiquer de magnifiques balades dans les environs, des pistes cyclables et des points d'observation des oiseaux. Nibushi-no-Sato est à quelques minutes en voiture de la gare routière de Kawayu Onsen ; téléphonez pour que l'on vienne vous chercher.

Misono Hotel (御薗ホテル ; ☎ 483-2511 ; www. misonohotel.com, en japonais ; ch avec 2 repas saison haute/ basse à partir de 10 650/8 550 ¥ ; P 🖥). Installé au milieu du village de Kawayu, ce luxueux *ryokan* dispose d'un *ashiyu* (bain de pied) gratuit. Les chambres de style occidental et japonais sont spacieuses et douillettes, mais vous passerez sans doute le plus clair de votre temps dans les sources soufrées intérieures et extérieures, réputées pour soulager les muscles endoloris et effacer toute trace de fatigue.

Marukibune (丸木舟 ; ☎ 484-2644 ; plats à partir de 650 ¥ ; 🕙 11h-19h30). Juste à côté du musée de la Culture aïnoue à Kussharo Kotan, ce restaurant très populaire parmi la population et les touristes sert des spécialités régionales dont le *howaito-rāmen* (nouilles dans un bouillon au lait ; 1 000 ¥) et les sashimis de *parimono* (poisson de rivière de la région ; 1 000 ¥) parfaitement frais. Des concerts de musique aïnoue (3 000 ¥) sont organisés certains samedis soirs : réservez au téléphone car les places sont limitées.

COMMENT S'Y RENDRE ET CIRCULER
Bus
Selon la saison – les liaisons sont très limitées en hiver – il y a jusqu'à 3 bus par jour entre la gare routière de Kawayu Onsen et Bihoro (1 920 ¥, 2 heures 30), via le magnifique col de Bihoro.

De mai à octobre, un bus touristique circule 4 fois par jour de la gare routière de Kawayu Onsen à Akan Kohan (à partir de 2 100 ¥, 2 heures 15) en passant par les principaux sites du parc. Il s'arrête pour laisser aux voyageurs le temps d'admirer le paysage et de prendre des photos. Une bonne idée si vous avez peu de temps et que l'ambiance voyage organisé ne vous dérange pas.

Train
De nombreux *tokkyū* circulent sur la ligne JR Sekihoku entre Abashiri et Bihoro (1 640 ¥, 25 min) et entre Asahikawa et Bihoro (7 020 ¥, 3 heures 30). De Bihoro, vous pourrez notamment prendre un bus jusqu'à la gare routière de Kawayu.

Des *kaisoku* partent fréquemment sur la ligne principale JR Senmō direction nord entre Kawayu Onsen et Shiretoko-shari (900 ¥, 45 min), et direction sud entre Kawayu Onsen et Kushiro (1 790 ¥, 1 heure 45) via Mashū (350 ¥, 15 min).

La gare JR de Kawayu Onsen est à 10 minutes en bus du centre-ville (280 ¥) ; les horaires des bus s'alignent généralement sur ceux des trains.

Voiture
Kawayu Onsen est accessible par la Route 319, qui relie Abashiri et Kushiro. Le tronçon de la Route 241 entre la gare de Mashū et Akan Kohan est particulièrement beau, avec une vue splendide sur les lacs Penketō et Panketō à Sokodai.

Akan Kohan 阿寒湖畔

☎ 0154

Abritant l'un des plus grands *kotan* (village) aïnous de Hokkaidô, Akan Kohan est un lieu incontournable pour quiconque s'intéresse à cette culture. On peut également y observer les *marimo*, puis abandonner les hordes de touristes pour aller se balader dans le parc national.

ORIENTATION ET RENSEIGNEMENTS

Les touristes arrivent à la gare routière d'Akan Kohan à l'est du village. Vous y trouverez l'**office du tourisme** (☎ 67-3200 ; www.lake-akan.com/en/index.html ; 2-1-15 Akan-ko Onsen ; ◷ 9h-18h) où l'on distribue des cartes topographiques d'O-Akan-dake et de Me-Akan-dake.

À VOIR ET À FAIRE

Ainu Kotan アイヌコタン

Certes il s'agit avant tout d'un site touristique, mais le *kotan* à l'ouest du village abrite l'une des plus importantes communautés aïnoues de Hokkaidô. En réalité, de façon générale, rien ne distingue les Aïnous des Japonais, du fait des mariages mixtes qui ont eu lieu depuis des générations. Il n'en reste pas moins que la richesse de cette culture s'exprime pleinement dans son artisanat : admirez les superbes objets en bois, cuir et autres vendus dans des boutiques partout dans le *kotan*.

Au sommet de la colline, l'**Ainu Seikatsu Kinenkan** (アイヌ生活記念館 ; mémorial de la tradition aïnoue ; ☎ 67-2727 ; 300 ¥ ; ◷ 10h-22h mai-oct) est si petit que vous risquez d'être déçu si vous avez visité d'autres musées consacrés aux Aïnous.

Juste à côté, l'**Onnechise** (オンネチセ ; 1 000 ¥) est plus intéressant, avec des spectacles de danse aïnoue six fois par jour en haute saison (à 11h, 13h, 15h, 20h, 21h et 22h d'avril à octobre) et au moins une fois par jour le reste de l'année.

Le **musée culturel de la Forêt et du lac Akan** (森と湖の藝術館 ; ☎ 67-2001 ; 500 ¥ ; ◷ 10h-17h mai-oct) présente d'autres aspects de la culture et de l'histoire des Aïnous et de la région du parc national d'Akan.

Observation du marimo まりも観光

L'**Akan-ko** (lac Akan) est également réputé pour ses *marimo* (*Cladophora aegagropila*), une algue verte en forme de boule (la boule atteint 15-20 cm de diamètre au bout de 200 ans). Le *marimo* ne pousse que dans de

très rares endroits sur la planète. À Akan, l'algue a failli disparaître lorsqu'elle fut déclarée trésor national : tous les Japonais semblaient vouloir posséder une boule. Et la construction d'une centrale électrique (qui a fait baisser le niveau du lac de plusieurs centimètres) n'a pas arrangé les choses.

Les Aïnous ont fini par créer le **Marimo Matsuri** (まりも祭り), qui a lieu mi-octobre, afin que les *marimo* regagnent petit à petit leur place à Akan-ko. Mais, si la situation s'est améliorée, il arrive qu'un typhon expulse 50% des algues hors du lac. Heureusement, les habitants se hâtent de les remettre à l'eau dès que les vents se calment. Résistez à la tentation d'acheter un *marimo* dans une petite bouteille sur un porte-clés, même si cet article est vendu partout à Akan Kohan – et dans toute la région de Hokkaidô d'ailleurs.

L'**écomusée d'Akan Kohan** (阿寒湖畔エコミュージアムセンター ; ☎ 67-4100 ; gratuit ; ◷ 9h-17h mer-lun), à l'est de la ville, contient de nombreuses photos et ses aquariums abritent divers *marimo*. Il propose en outre des cartes de randonnée et des expositions sur la faune et la flore de la région. La visite des *bokke* (bains de boue bouillonnants) permet de faire une balade à l'ombre et en plein air jusqu'au lac, et de revenir à travers une forêt de pins, dans laquelle on peut apercevoir écureuils, tamias et oiseaux.

Pour admirer le *marimo* au plus près, le mieux est d'embarquer pour une **croisière** (☎ 67-2511 ; www.akankisen.com/_eng/index.html, en japonais ; circuit 1 heure 1 750 ¥), de 45 minutes autour du lac, au départ des quais. Tous les bateaux s'arrêtent un petit quart d'heure au Centre d'observation et d'exposition du *marimo*, où avec un peu de chance vous verrez quelques boules d'algue dans leur action de photosynthèse à la surface.

Randonnée

L'**O-Akan-dake** (雄阿寒岳 ; montagne mâle ; 1 371 m) s'élève à environ 6 km à l'est d'Akan Kohan. Les bus à destination de Kushiro passent par le départ du sentier Takiguchi, à 5 minutes d'Akan Kohan. L'ascension, assez rude, se fait en 3 heures 30 ; il faut compter 2 heures 30 pour la descente. Couvert de fleurs sauvages en été, le sommet offre un beau panorama sur les lacs Penketô et Panketô et, lorsque le temps est dégagé, la vue porte jusqu'au parc national de Daisetsuzan.

HOKKAIDÔ

Le plus haut sommet du parc est le **Me-Akan-dake** (雌阿寒岳 ; montagne femelle ; 1 499 m), un volcan en activité dont l'accès est souvent interdit en raison des émanations de gaz toxiques. Renseignez-vous à l'office du tourisme, et prenez garde aux effets nocifs des vapeurs de soufre.

Il faut une heure pour accéder au point de vue du Hakutō-zan (650 m), d'où l'on distingue parfaitement les lacs et les sommets voisins. Le chemin part des pistes de ski d'Akan Kohan, à 2 km au sud de la ville, serpente à travers des forêts de bouleaux et de sapins et longe aussi de bouillonnantes sources d'eau sulfureuse (beaucoup trop chaudes pour s'y baigner !).

OÙ SE LOGER

Comme à Kawayu Onsen, le camping est une bonne idée à Akan Kohan et dans les environs. Les possibilités ne manquent pas, mais l'adresse la plus pratique est l'**Akan Lakeside Campsite** (阿寒湖畔キャンプ場 ; ☎67-3263 ; 5-1 Akan Onsen ; empl 630 ¥/pers ; ⌣ juin-sept ; P), à environ 5 minutes de marche à l'ouest du village. Vous y trouverez des emplacements de camping ombragés et même un *ashiyu* (bain de pied…pour détendre vos pieds boueux.

Nonaka Onsen Youth Hostel (☎0156-29-7454 ; http://www.youthhostel.or.jp/English/e_nonaka.htm ; Ashoro-chō Moashoro 159 ; dort à partir de 2 835 ¥, petit déj/dîner 630/1 050 ¥ ; P). Cet établissement dispose de son propre onsen et connaît un grand succès auprès des randonneurs en été. Il est niché entre le flanc d'une colline boisée et les rives de l'Onneto-ko, en retrait de la Route 241. Mieux vaut disposer d'un véhicule, mais les bus à destination de Meakan Onsen peuvent vous déposer ici si vous le demandez au chauffeur.

Yamaguchi (山口 ; ☎67-2555 ; www.tabi-hokkaido.co.jp/~yamaguchi/english ; 5-3-2 Akan Onsen ; ch avec 2 repas 5 925 ¥/pers ; P). Dans le centre-ville d'Akan Kohan, cette auberge familiale de style japonais est étonnamment bon marché et convient très bien aux voyageurs étrangers. La cuisine traditionnelle japonaise est délicieuse de même que les bains chauds alimentés par une source riche en minéraux.

New Akan Hotel Shangri-la (ニュー阿寒ホテルシャングリラ ; ☎67-2121 ; http://www.newakanhotel.co.jp/english/index.htm ; d avec 2 repas à partir de 12 000 ¥ ; P 🖳). Voici l'un des plus grands hôtels de la ville, qui n'a pas le charme des petites auberges mais dispose de luxueux bains

dotés de plusieurs bassins, les meilleurs de la région. Dans le hall, le faux planétarium est certes impressionnant mais un peu tape-à-l'œil. Sachez que les tarifs varient considérablement selon la période de l'année et la disponibilité.

❂ **Akan Yuku-no-sato** (阿寒遊久の里 ; ☎67-2531 ; http://www.tsuruga-g.com/english/01tsuruga/01tsuru-facility.html ; 4-6-10, Akan Onsen ; ch avec 2 repas à partir de 12 600 ¥/pers ; P 🖳). Si vous êtes prêt à faire des folies, ce somptueux *ryokan* offre la quintessence de l'élégance japonaise. Différentes chambres dotées de tatamis sont proposées, certaines disposent de bains privés, de rocking-chairs disposés devant les baies vitrées et de coussins harmonieusement installés sur les planchers. Les repas sont autant de festins interminables, tandis que deux étages offrent toute une gamme d'onsen, des baignoires en céramique aux bassins en pierre dans le jardin.

DEPUIS/VERS AKAN KOHAN

Il y a jusqu'à 7 bus par jour dans les deux sens entre Asahikawa et Akan Kohan (5 210 ¥, 4 heures 30) via Sōunkyō Onsen (3 260 ¥, 3 heures 30) dans le parc national de Daisetsuzan. Quelques bus quotidiens circulent également entre Akan Kohan et Kushiro (4 790 ¥, 5 heures 15).

De mai à octobre, un bus touristique circule 4 fois par jour entre la gare routière d'Akan Kohan et Kawayu Onsen (à partir de 2 100 ¥, 2 heures 15) en passant par les principaux sites du parc.

En voiture, Akan Kohan se situe en bordure de la Route 240, qui a été rebaptisée **Marimo Kokudō** (まりも国道).

KUSHIRO 釧路

☎0154 / 189 000 habitants

Kushiro est une grande ville portuaire dépourvue de sites notoires, qui ne séduit guère les touristes mais constitue l'accès sud au parc national d'Akan ainsi que le point de départ pour le **parc national de Kushiro Shitsugen** (釧路湿原国立公園). Kushiro Shitsuge, le plus grand marais non aménagé au Japon (269 km²), égale quasiment la superficie de Tōkyō et abrite des milliers d'espèces animales.

Pour atteindre Kushiro Shitsugen, on peut prendre un train depuis Kushiro jusqu'à l'**observatoire de Hosooka** (細岡展望台 ; ☎40-4455 ; gratuit ; ⌣ 9h-19h été, 9h-17h hiver) à l'est du parc, ou un bus (660 ¥, 40 min) jusqu'à **l'observatoire de Kushiro** (釧路湿原展望台 ; ☎ 56-2424 ; 360 ¥ ; ◷ 8h30-18h été, 9h-17h hiver) à l'ouest. Le premier observatoire est perché sur un promontoire d'où l'on peut apprécier l'immensité de cette réserve marécageuse.

La gare de Kushiro dispose également d'un **comptoir d'information** (☎ 22-8294 ; www. kushiro-kankou.or.jp/english ; ◷ 9h-17h30) et d'un **DAB postal** (◷ 9h-19h lun-ven, 9h-17h sam-dim).

Beaucoup de visiteurs japonais se rendent à Kushiro Shitsugen pour admirer le *tanchō-zuru* (grue à crête rouge), qui symbolise à la fois le Japon et la longévité. De nombreux points d'observation permettent d'admirer ces énormes oiseaux en train de prendre tranquillement leur envol, d'atterrir, de nourrir leurs petits ou d'effectuer des parades amoureuses. La saison des grues culmine en hiver et au début du printemps, mais même au mois d'août, les plus chanceux en verront peut-être quelques-unes.

Les cerfs sont si nombreux dans cette zone que les trains sont équipés de *shika-bue* (sifflets) spéciaux, afin de les effrayer. Les renards arpentent également le sous-bois en quête de proies, donc ouvrez l'œil – voir un *kitsune* dans la nature portebonheur car ils étaient jadis considérés comme des divinités.

Juste à l'angle de la gare JR de Kushiro Shitsugen, l'auberge **Kushiro Shitsugen Tōro Youth Hostel** (釧路湿原とうろユースホステル ; ☎ 87-2510 ; www.sip.or.jp/~tohro/sub1.htm, en japonais ; dort à partir de 3 360 ¥) propose des repas délicieux à prix raisonnable (petit déj/dîner 630/1 050 ¥), des lits superposés dans des dortoirs assez spacieux et une superbe terrasse d'où le point de vue embrasse le parc national d'Akan.

À côté de la gare ferroviaire de Kushiro, le **Kushiro Royal Inn** (釧路ロイヤルイン ; ☎ 31-2121 ; www.royalinn.jp, en japonais ; s/d à partir de 5 100/7 300 ¥ ; P ▯) est un *business hotel* petit mais efficace, avec une agréable salle à manger au dernier étage.

À droite de la gare de Kushiro, à l'angle après l'épicerie Lawson, le **marché Washō** (和商市場 ; ☎ 22-3226 ; www.washoichiba.com, en japonais ; 25-13 Kurokane-chō ; produits à partir de 200 ¥ ; ◷ 8h-18h lun-sam) est des plus impressionnants : on y trouve tous les poissons et fruits de mer imaginables, ainsi qu'un espace de restauration où acheter des *bentō* (boîte-repas) et autres plats cuisinés.

Depuis/vers Kushiro

AVION
Le petit aéroport de Kushiro est situé à environ 10 km au nord-ouest de la ville. De là, des vols nationaux desservent notamment Tôkyô, Ōsaka et Nagoya. Les horaires des bus reliant l'aéroport et la gare JR de Kushiro (910 ¥, 45 min) s'alignent sur ceux des départs et des arrivées.

BUS
Quelques bus circulent chaque jour entre Sōunkyō Onsen et Kushiro (4 790 ¥, 5 heures 15) via Akan Kohan (1 530 ¥, 2 heures 15).

TRAIN
Seuls quelques *futsū* circulent chaque jour sur la ligne principale JR Senmō entre Kushiro et Abashiri (3 570 ¥, 3 heures 30) via Shiretoko-shari (2 730 ¥, 2 heures 30), Kawayu Onsen (1 790 ¥, 1 heure 30) et Kushiro Shitsugen (350 ¥, 20 min).

VOITURE
La Route 319 court du nord au sud entre Abashiri et Kushiro.

Nemuro 根室
☎ 0153 / 3 100 habitants

Le principal attrait de cette petite bourgade est son superbe panorama sur plusieurs îles appartenant désormais à la Russie, en dépit de vives controverses. Par temps clair, on peut admirer les Hoppōryōdo (îles Kuri), entourées d'eaux très poissonneuses, qui sont en grande partie l'objet de la querelle. Les indications en anglais sont rares, il s'agit surtout de plaque dénonçant le don de ces îles à la Russie. Avis aux amateurs de records : ce village constitue le point le plus oriental du Japon.

À Nosappu-misaki, à la pointe du cap, vous trouverez une boutique de souvenirs (très chère), un **musée** (根室市観光物産センター ; ☎ 28-2445 ; ◷ 9h-17h mars-oct, 9h-16h nov-fév) d'histoire locale avec légendes en japonais uniquement, quelques monuments près de la falaise, une **tour d'observation** (ノサップ岬平和の塔 ; ☎ 28-3333 ; 900 ¥ ; ◷ 8h30-15 min après le coucher du soleil) et quelques restaurants.

Le bus reliant la gare JR de Nemuro et Nosappu-misaki passe devant d'intéressantes **parcelles pour le séchage des laminaires** ; on croirait des bandes de cuir torsadé étalées en rang à même le sol. Lorsqu'il n'y a pas de laminaires en train de sécher, les parcelles ressemblent à des parkings couverts de graviers.

HOKKAIDŌ

POURQUOI AIMEZ-VOUS HOKKAIDŌ ? *Matthew D. Firestone*

Lors de mes recherches pour mettre à jour le chapitre Hokkaidō de ce guide, j'ai passé beaucoup de temps à discuter avec des inconnus. Glaner et vérifier des informations de voyage demande beaucoup de temps et d'énergie, mais c'est également un excellent moyen d'entrer en contact avec les habitants. En fait, j'ai systématiquement posé la même question à chaque personne rencontrée : "Pourquoi aimez-vous Hokkaidō ?" Et voici quelques exemples de réponse :

Hokkaidō, ce n'est pas le Japon. Vraiment. Est-ce que vous êtes déjà allé prendre le bus à Tōkyō en vous demandant si vous alliez croiser un ours ?

Tomo de Furano

Avez-vous goûté notre crabe ? C'est le meilleur du monde. Je ne suis jamais allé en Alaska, et je n'ai pas besoin d'y aller. Le crabe, nous le pêchons ici même, et nous le mangeons sur place. C'est pour cela que c'est le meilleur.

Daisuke de Wakkanai

Trouve-t-on des *uni* (œufs d'oursin) dans votre pays ? J'adore acheter des *uni* frais au marché. Je les mélange avec de la crème et je les mange avec des pâtes. C'est délicieux !

Mariko d'Otaru

Nous avons inventé la bière, ici, à Sapporo ! Bon, j'imagine qu'elle venait d'abord d'Allemagne, mais avant, les Japonais buvaient du saké, jusqu'à ce qu'on vole à leur secours !

Haruki de Sapporo

Cette île vous rend fort. Les Tokyoïtes se plaignent lorsque leurs chaussures sont mouillées par la pluie. Nous nous plaignons lorsque nos maisons sont enfouies sous la neige.

Ichiro de Kushiro

Quelques *futsū* circulent chaque jour sur la ligne JR Nemuro entre Kushiro et Nemuru (2 420 ¥, 2 heures 30). Les bus s'alignent sur les horaires d'arrivée des trains et relient la gare avec Nosappu-misaki (aller/aller-retour 1 040/1 900 ¥, 50 min). Les bus partent de Nosappu-misaki toutes les 2 heures environ jusqu'à 18h35.

Shari 斜里
☎ 0152 / 13 000 habitants
Shari est la ville la plus proche du parc national de Shiretoko et il n'y a guère de raison de ne pas se rendre au parc. Avant le parc cependant, l'**office du tourisme** (☎ 23-2424 ; 17 Minato-machi ; ⏰ 10h-17h mi-avr à mi-oct) pourra compléter les informations que vous recevrez au centre de la nature du parc. La gare routière de Shari est sur la gauche en sortant de la gare JR de Shiretoko-shari.

Koshimizu Gensei Kaen (小清水原生花園 ; ☎ 63-4187 ; gratuit ; ⏰ fermé nov-avr) est une bande de fleurs sauvages de 8 km le long de la côte, à seulement 20 minutes de Shari. En juin, la floraison est à son point culminant et plus de 40 espèces s'épanouissent simultanément. Un véhicule est nécessaire.

Quelques établissements pratiques sont installés juste à côté de la gare. Le **Ryokan Tanakaya** (旅館たなかや ; ☎ 23-3165 ; ch avec 2 repas à partir de 7 350 ¥/pers ; **P**) est une auberge japonaise très sobre mais convenable, tandis que le **Shari Central Hotel** (斜里セントラルホテル ; ☎ 23-2355 ; ch à partir de 5 800 ¥/pers) offre une version un peu plus modeste des chambres classiques de *business hotel*.

DEPUIS/VERS SHARI
Bus
Un bus quotidien direct relie Abashiri et Shari (1 120 ¥, 1 heure 15). Il y a 5 à 9 bus par jour entre Shari et Utoro (1 490 ¥, 50 min). L'été, 3 de ces bus poursuivent jusqu'à Iwaobetsu (1 770 ¥, 1 heure 15).

Train
Seuls quelques *futsū* circulent chaque jour sur la ligne principale JR Senmō entre Shari et Abashiri (810 ¥, 50 min), et entre Shari et Kushiro via Teshikaga (2 730 ¥, 2 heures 30).

Voiture

Étonnamment bien entretenue, la Route 334 longe la côte d'Abashiri à Shari et se prolonge jusqu'au village d'Iwaobetsu.

PARC NATIONAL DE SHIRETOKO
知床国立公園

Shiretoko-hantō, la péninsule qui forme le parc national de Shiretoko, signifie en aïnou le "bout du monde". Cette vaste étendue est l'une des régions les plus isolées et sauvages du Japon. Il n'y a aucune route goudronnée à l'intérieur du parc. Quant aux chemins de randonnée, ils sont réservés à des marcheurs aguerris, car à l'écart de tout, en mauvais état et passant parfois par des rochers glissants ou à flanc de falaise. Si la météo se détériore, ou si vous vous blessez, priez pour qu'un bateau de pêcheurs vous repère avant les ours !

Il convient aussi d'être bien équipé pour affronter l'une des dernières zones véritablement sauvages du Japon. Ne sous-estimez pas la difficulté de l'entreprise qui vous attend. Cependant, vous serez largement récompensé : Shiretoko se targue d'offrir les meilleures randonnées du pays et vient d'être classé au patrimoine mondial de l'Unesco.

Orientation et renseignements

Le parc ne compte aucune route goudronnée, à l'exception d'un petit tronçon nord-ouest/sud-ouest qui relie la ville d'Utoro (au nord-ouest) à Rausu (au sud) ; les deux tiers du parc ne comportent aucune route.

Les randonnées doivent absolument être organisées à l'avance : tout marcheur surpris hors des limites autorisées ou en-dehors des horaires se voit infliger une lourde amende. Faites-vous enregistrer auprès du **centre de la nature de Shiretoko** (☎ 24-2114 ; www.shiretoko.or.jp/snc_eng/en_about.htm ; diaporama 500 ¥ ; ⏰ 8h-17h40 mi-avr à mi-oct, 9h-16h mi-oct à mi-avr), où vous trouverez des cartes, des conseils et un diaporama de 20 minutes présentant la péninsule.

Désagréments et dangers

Les visiteurs sont tellement rares que la nature est encore parfaitement préservée : magnifiques forêts, aucune trace d'habitation humaine et une faune extraordinaire avec, entre autres, des ours et des renards. Ces derniers sont parfois dangereux et connus pour voler la nourriture et les sacs de couchage – et leurs excréments transmettent le parasite échinocoque (parfois mortel), par le biais de l'eau. Ne buvez que de l'eau soigneusement purifiée.

À voir et à faire

Jadis prospère grâce à l'industrie du hareng, le petit village de pêcheurs de **Rausu** (羅臼) n'a désormais plus grand-chose à offrir, si ce n'est de fabuleuses randonnées, dont un itinéraire éprouvant mais bien indiqué qui mène à **Rausu-dake** (羅臼岳 ; 1 661 m). Le chemin démarre quelques kilomètres à la sortie du village, en direction de Shiretoko-Toge, à côté du camping (gratuit) de **Kuma-no-yu Onsen** (熊の湯温泉) – ce qui signifie l'"eau bouillante de l'ours".

HOKKAIDÔ

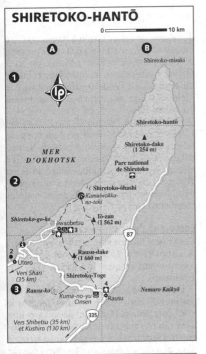

SHIRETOKO-HANTŌ

0 — 10 km

Ⓐ Ⓑ

❶

Shiretoko-misaki

MER D'OKHOTSK

Shiretoko-hantō

▲ Shiretoko-dake (1 254 m)

Parc national de Shiretoko

❷ Shiretoko-ōhashi

Kamuiwakka-no-taki

Iō-zan (1 562 m)

Shiretoko-go-ko

Iwaobetsu

5 🏕️🏕️3

87

▲ Rausu-dake (1 660 m)

❶
❷
Utoro
Vers Shari (35 km)

Shiretoko-Toge

4

❸ Rausu-ko

Kuma-no-yu Onsen

Rausu

Nemuro Kaikyō

Vers Shibetsu (35 km) et Kushiro (130 km)

335

RENSEIGNEMENTS

Centre de la nature de Shiretoko
知床ネイチャーセンター...1 A3

À VOIR ET À FAIRE

Excursions en bateau 遊覧船...................................2 A3

OÙ SE LOGER 🏠

Kinoshita-goya 木下小屋..3 A2
Marumi まるみ...4 B3
Shiretoko Iwaobetsu Youth
  Hostel..5 A2

GARE AUX OURS À SHIRETOKO !

Quelque 600 ours bruns vivent dans la péninsule de Shiretoko – c'est l'une des plus importantes communautés d'ours du pays. À l'entrée du parc national de Shiretoko, des brochures sont distribuées aux visiteurs, afin qu'ils soient conscients que des ours peuvent se manifester à tout moment. Shiretoko Go-ko (Cinq Lacs de Shiretoko) et les cascades de Kamuiwakka-no-taki (fermées au public temporairement) comptent parmi les sites les plus appréciés des ours.

Il est conseillé aux randonneurs d'éviter de se rendre en forêt au lever du jour ou à la tombée de la nuit, et surtout de ne pas marcher seuls. Il est également prudent de porter une cloche ou clochette, ou tout autre objet produisant un bruit (les ours n'aiment pas être surpris). Si vous campez, attachez votre nourriture en hauteur et n'enterrez pas vos détritus. Les ours sont particulièrement actifs au début de l'automne, lorsque tous les animaux préparent des réserves de nourriture avant l'hibernation. Une extrême prudence est donc particulièrement de mise à cette époque de l'année.

Pour vous rendre à Rausu-dake depuis Rausu, dirigez-vous vers la péninsule en suivant le chemin balisé et repérez une grosse saillie sur la gauche, avec un petit parking. En jetant un coup d'œil sous la roche en surplomb, vous verrez de la **mousse phospho-rescente**, dont la lueur vert vif est observable même en journée.

Il n'est désormais plus possible de randonner jusqu'à la pointe de la péninsule. Vous vous exposez à une lourde amende si les gardes vous surprennent sur le chemin non entretenu, que l'érosion a pratiquement effacé en maints endroits.

Tout autour, la région de **Shiretoko-go-ko** (知床岬 ; Cinq Lacs de Shiretoko) offre de belles randonnées agrémentées de points de vue sur les lacs et les montagnes en arrière-plan.

Les **excursions en bateau** (☎ 24-2147 ; 6 000 ¥, 3 heures 30) partent du port au village d'**Utoro** (ウトロ) et permettent d'admirer le cap et les falaises spectaculaires qui font la renommée de Shiretoko. Sinon, vous devrez vous contenter des cartes postales.

Où se loger

Shiretoko Iwaobetsu Youth Hostel (☎ 24-2311 ; www4. ocn.ne.jp/~iwayh, en japonais ; dort à partir de 1 800 ¥ ; ☺ mars-nov). Dans le petit village d'Iwaobetsu, juste en bordure de la Route 334, cette auberge est appréciée des marcheurs car elle offre un accès aisé à la région de Shiretoko-go-ko. Des randonnées sont organisées et les employés connaissent bien les habitudes des ours, cerfs et renards qui vivent dans les bois avoisinants. Ils vous aideront à les observer.

Marumi (☎ 88-1313 ; www.shiretoko-rausu.com, en japonais ; ch avec 2 repas 9 300 ¥/pers; 💻). Il y a peu de raisons de passer la nuit à Rausu, mais ce *ryokan* situé juste au bord de la mer propose de belles chambres avec tatamis, de bons plats de fruits de mer, un *rotemburo* et même un sauna. C'est l'endroit idéal pour faire le plein d'énergie avant ou après l'ascension du Rausu-dake.

Kinoshita-goya (木下小屋 ; ☎ 24-2824 ; dort 1 575 ¥ ; ☺ juin-sept). Si vous avez un coup de fatigue avant d'atteindre le sommet du Rausu-dake, vous pourrez passer la nuit dans ce refuge de montagne rudimentaire, juste au départ du chemin de randonnée du Rausu-dake. Téléphonez car ce refuge est souvent complet en été.

Comment s'y rendre et circuler

Cinq à neuf bus par jour circulent entre Shari et Utoro (1 490 ¥, 50 min) ; en été, seuls 3 continuent jusqu'à Iwaobetsu (1 770 ¥, 1 heure 15).

De fin avril à octobre, des bus partent 4 fois par jour d'Utoro (900 ¥, 50 min), longent le nord de la péninsule, passent devant le centre de la nature, l'auberge de jeunesse, Shiretoko-go-ko et Kamuiwakka-no-taki avant d'arriver à Shiretoko-ōhashi. À la même époque, 4 bus par jour circulent également entre Utoro et Rausu via l'impressionnant col de Shiretoko-Toge (1 310 ¥, 55 min).

Enfin, jusqu'à 5 bus par jour assurent la liaison entre Rausu et Kushiro (4 740 ¥, 3 heures 30).

Une voiture n'est pas indispensable mais facilite l'accès au parc et les déplacements le long de la côte, mais n'oubliez pas que la grande majorité du parc de Shiretoko est dépourvue de routes.

TOKACHI 十勝

Au Japon, le nom de Tokachi est associé au vin autant que peut l'être le Beaujolais en France, et au contraire des autres sous-préfectures de Hokkaidō, cette appellation ne donne aucune indication géographique. Tokachi fut une province éphémère fondée à la fin du XIXe siècle. La région est aujourd'hui largement agricole et renferme peu de sites touristiques, même si sa campagne plantée de vignes odorantes peut être l'occasion de conclure agréablement un voyage.

OBIHIRO 帯広
☎ 0155 / 171 000 habitants
Jadis fief des Aïnous, la ville moderne d'Obihiro fut fondée en 1883 par les *Banseisha*, groupe de colons venus de la préfecture de Shizuoka. Coincée entre les chaînes montagneuses du Hidaka et du Daisetsuzan, Obihiro est un lieu tranquille et accueillant, offrant peu d'attrait pour les touristes, mais que vous traverserez sans doute pour rejoindre Ikeda ou Erimo-misaki.

L'**office du tourisme du Tokachi** (☎ 23-6403 ; 9h-19h), au 2e niveau du centre commercial Esta, dans la gare JR d'Obihiro, est la meilleure source d'information sur Tokachi – procurez-vous des brochures en anglais.

Toipirka Kitaobihiro Youth Hostel (トイピルカ北帯広ユースホステル ; ☎ 30-4165 ; http://homepage1.nifty.com/TOIPIRKA/english/main_eng.htm ; dort à partir de 3 200 ¥, petit déj/dîner 600/1 000 ¥ ; **P**) est un beau chalet avec des lits à l'occidentale et organise de sympathiques soirées autour d'un thé. L'établissement est situé à côté de Tokachigawa Onsen, un ensemble d'onsen et d'hôtels le long de la rivière Tokachi. Téléphonez à l'avance et on viendra vous chercher à la gare d'Obihiro.

Pour séjourner à Obihiro même, vous n'avez qu'à sortir de la gare : presque toutes les grandes chaînes hôtelières ont une enseigne à proximité.

Le *butadonburi butadonburi* (porc cuit au barbecue, servi sur du riz) est une spécialité de la région. En face de la gare, consultez le menu en images de **Panchō** (ぱんちょう ; ☎ 22-1974 ; plats à partir de 850 ¥).

Depuis/vers Obihiro
AVION
Le minuscule aéroport d'Obihiro est à environ 25 km au sud-ouest de la ville. De là, des vols nationaux desservent notamment Tōkyō, Ōsaka et Nagoya. Les horaires des bus entre l'aéroport et la gare JR d'Obihiro (1 000 ¥, 45 min) coïncident avec les départs et les arrivées des vols.

BUS
Quelques bus assurent chaque jour la liaison dans les deux sens entre la gare routière attenante à la gare JR d'Obihiro et la gare routière de Chūō à Sapporo (3 670 ¥, 4 heures 15). Il y a aussi des bus réguliers entre Obihiro et Kushiro (2 240 ¥, 2 heures 30), Asahikawa (3 150 ¥, 3 heures 45), Sōunkyō Onsen (2 200 ¥, 1 heure 20) et Ikeda (590 ¥, 1 heure).

TRAIN
De fréquents *tokkyū* circulent sur la ligne JR Nemuro entre Obihiro et Sapporo (7 020 ¥, 2 heures 30) et entre Obihiro et Kushiro (4 680 ¥, 1 heure 30). Les *kaisoku* opèrent sur la même ligne entre Obihiro et Ikeda (440 ¥, 30 min).

VOITURE
La Route 274 relie Sapporo et Obihiro, tandis que la Route 38 va d'Obihiro à Kushiro.

IKEDA 池田
☎ 015 / 8 470 habitants
Nichée au milieu des vignes à l'est de la plaine de Tokachi, Ikeda est une petite bourgade agricole qui devint célèbre dans les années 1960, lorsque les autorités municipales commencèrent à fabriquer du vin. Les œnophiles avertis seront peut-être surpris, mais rien ne vous empêche de vous faire votre propre opinion en goûtant le vin d'Ikeda. Le tire-bouchon géant dans le hall de la gare prouve que les habitants ont foi en leur cuvée.

Des cartes de la ville sont disponibles à l'**office du tourisme** (☎ 572-2024 ; 10h-17h avr-oct) dans la gare JR d'Ikeda.

De bons vins sont produits au **Wain-jō** (ワイン城 ; château du vin ; ☎ 572-2467 ; www.tokachi-wine.com en japonais ; 83 Kiyomi, Ikeda-chō ; visite de la fabrique 9h-17h), qui domine la ville à flanc de colline. Une visite guidée (en japonais uniquement) vous éclairera sur les procédés de fabrication, avant dégustation, bien sûr. Depuis la gare, suivre la voie ferrée direction sud, la colline est sur la gauche ; dirigez-vous vers la grande roue.

Pour accompagner le vin, rien de tel que le fromage ! **Happiness Dairy** (ハッピネスデーリィ ; ☎ 572-2001 ; http://happiness.presen.to/index.html, en japonais ; 104-2 Kiyomi, Ikeda-chō ; gratuit ; 🕑 9h30-17h30 lun-ven, 9h30-18h sam, dim et jours fériés en été, 9h30-17h lun-ven, 9h30-17h30 sam, dim et jours fériés en hiver) vous fera découvrir tout le processus de fabrication : champs de blé, vaches laitières et produit final, qu'il s'agisse de fromage frais ou de glace rhum-raisin. Au départ du Wain-jō, dirigez-vous à l'est par la Route 39 sur environ 200 m puis tournez à gauche à l'intersection en T, continuez 500 m au nord et tournez à droite au carrefour. Le magasin est à 300 m sur la droite.

Ikeda abrite également une florissante communauté d'artistes produisant de jolies pièces. Le **Moon Face Gallery & Cafe** (画廊喫茶ムーンフェイス ; ☎ 572-2198 ; 132 Kiyomi, Ikeda-chō ; gratuit ; 🕑 10h-18h mer-lun) expose des œuvres d'artistes locaux et sert de délicieux cappuccinos et expressos, tandis que le **Spinner's Farm Tanaka** (スピナーズファーム・タナカ ; ☎ 572-2848 ; www12.plala.or.jp/spinner/ en japonais ; 🕑 10h-18h avr-oct, 10h-17h30 nov-mars, fermé 2ᵉ sam du mois) est un atelier de tissage de la laine d'Ikeda.

L'accueil sympathique et les savoureux dîners (1 000 ¥ avec un verre de vin) de l'**Ikeda Kita no Kotan Youth Hostel** (池田北のコタンユースホステル ; ☎ 572-3666 ; www11.plala.or.jp/kitanokotan/ en japonais ; dort avec 2 repas à partir de 5 000 ¥ ; 🅿 ⊗) sont un véritable plaisir. Pour vous y rendre, louez un vélo, ou marchez depuis la gare de Toshibetsu (rue principale en direction du sud, puis à gauche à la première intersection, l'auberge est à la fin de cette rue), un arrêt à l'est d'Ikeda (200 ¥, 5 min).

Des *futsū* circulent fréquemment sur la ligne JR Nemuro entre Obihiro et Ikeda (440 ¥, 30 min).

ERIMO MISAKI 襟裳岬
☎ 01466

Ce cap reculé est bien loin des sentiers battus, pourtant ses falaises balayées par les vents, sa vue fantastique sur l'océan, et ses rangs d'algues, pareils à des lacets géants en train de sécher, font l'objet d'une belle excursion à la journée, pour peu que l'on dispose d'une voiture et de temps. L'histoire de cet endroit unique tient du miracle écologique. Pendant l'ère Meiji, les hommes se mirent à couper beaucoup d'arbres dans les collines voisines, à tel point que dans les années 1950, le cap

fut surnommé "désert d'Erimo". Conséquence directe : le sable glissait directement dans la mer, détruisant les laminaires. Les habitants n'eurent pas vraiment le choix : il leur fallait reboiser, ou partir. Leurs efforts ont été récompensés, puisque les collines sont aujourd'hui couvertes d'une forêt de pins noirs japonais. Les vents violents et les puissants rouleaux font de l'endroit un spectaculaire spot de surf pour les courageux qui ont prévu planche et combinaison. Renseignez-vous auprès des habitants sur les courants et les conditions de sécurité avant de vous jeter à l'eau. Le petit promontoire situé en face de l'arrêt de bus désaffecté du Japan Rail est idéal pour prendre une photo des bateaux de pêche en contrebas. Il y a une poste équipée d'un DAB près de la mairie.

À 10 minutes en voiture, sur le cap lui-même, le **Kaze-no-Yakata** (襟裳岬「風の館」 ; ☎ 3-1133 ; www9.ocn.ne.jp/~kaze, en japonais ; 366-3 Tōyō, Erimo-chō ; 1 000 ¥ ; 🕑 8h30-18h mai-sept, 9h-17h oct-avr, fermé déc-fév) est un musée entièrement consacré au vent. Il présente des films et expositions traitant de la météorologie, mais son attrait principal est le tunnel artificiel dans lequel on peut se mesurer à la force du vent.

Quand le vent est calme, des phoques – appelés *zenigata-azarashi* ("en forme de pièces de monnaie") à cause des taches blanches sur leur peau noire, qui ressemblent à d'anciennes pièces de monnaie japonaises – se prélassent toute l'année sur les rochers. On peut ramasser soi-même un crabe ou une conque à faire griller dans l'une des cabanes/restaurants installées à côté du parking. N'oubliez pas d'apporter un coupe-vent car le vent souffle aussi violemment que dans le tunnel du musée.

Lorsque les températures s'adoucissent après l'hiver, on peut planter sa tente au **camping** (百人浜オートキャンプ場 ; ☎ 4-2168 ; empl 300 ¥/pers ; 🕑 20 avr-20 oct) sur la plage de Hyakunin-hama, à 8 km au nord-est du cap, juste à côté du phare.

À la pointe du cap, juste à l'angle du musée du Vent, **Minshuku Misaki-sō** (民宿みさき荘 ; ☎ 3-1316 ; www.goodinns.com/misakiso, en japonais ; Erimo-misaki Tōdaimoto, Erimo-chō ; ch avec/sans 2 repas 6 300/4 200 ¥/pers ; 🅿) est un hôtel très chaleureux compte tenu de son emplacement isolé.

Shikoku 四国

Depuis plus de mille ans, des pèlerins arpentent Shikoku dans le sens des aiguilles d'une montre sur les traces du sage bouddhiste Kōbō Daishi (774-835), qui atteignit ici l'illumination. Le fameux pèlerinage des 88 temples forme un périple de près de 1 400 kilomètres. C'est sans conteste le plus ancien sentier de randonnée du Japon.

À l'époque où il n'existait ni guides de voyages ni cartes fiables, il arrivait fréquemment que des pèlerins disparaissent à jamais dans l'arrière-pays rude et montagneux de Shikoku. Désormais, les conditions ne sont plus aussi hasardeuses et de nombreux pèlerins modernes arpentent joyeusement l'île dans des voitures climatisées. Ces dernières années cependant, de plus en plus de visiteurs affrontent à pied ces sentiers ancestraux, en quête de dépassement de soi ou d'un cheminement spirituel.

L'image de terres sauvages et rurales qu'on lui prête souvent ne correspond pas vraiment à la réalité de Shikoku. La côte septentrionale est reliée à Honshū par des ponts, et les bouillonnantes cités de Matsuyama et Takamatsu incarnent la frénésie urbaine du Japon moderne. Loin des villes en revanche, la vie se déroule à un rythme plus lent que dans le reste du pays. À la campagne, des trains à un seul wagon traversent paisiblement rizières et vallées montagneuses, et sur les caps de la côte sud, il n'y a plus de train du tout (fait exceptionnel au Japon).

Peu d'étrangers visitent Shikoku, et ceux qui tenteront l'expérience peuvent s'attendre à un accueil chaleureux. Outre les innombrables temples et les excellents produits de la mer (ainsi que le fameux *Sanuki udon* de la préfecture de Kagawa), Shikoku offre la possibilité de pratiquer la randonnée, le rafting et le surf, et la chance d'observer des baleines. C'est également l'occasion de saisir certains aspects du Japon authentique qui ont peut-être disparu dans les néons et l'agitation des métropoles.

À NE PAS MANQUER

- Les chemins ancestraux du pèlerinage des **88 temples** (p. 661)

- La superbe **vallée de l'Iya** (p. 661), loin des sentiers battus

- Un bain relaxant dans le cadre historique du **Dōgo Onsen** (p. 682), dans la cité fortifiée de Matsuyama

- La montée des 1 368 marches du sanctuaire de **Kompira-san** (p. 685) à Kotohira, pour rendre hommage au dieu des marins

- Après un bol de nouilles, une promenade digestive dans le **Ritsurin-kōen** (p. 687), merveilleux jardin de la période d'Edo, à Takamatsu

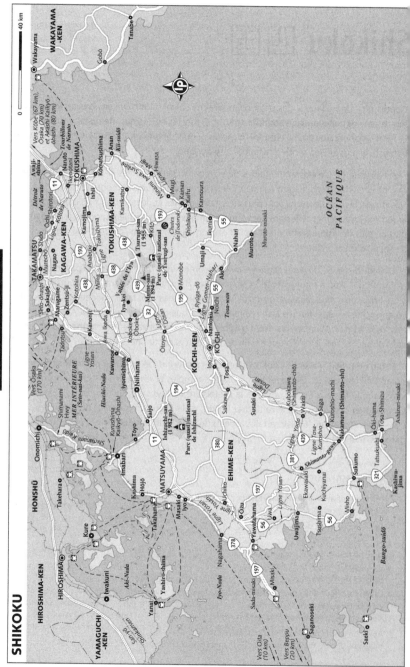

SHIKOKU

Histoire

Durant la majeure partie de l'histoire nipponne, l'île de Shikoku était divisée en quatre régions, d'où son nom *"shi"* (quatre) et *"koku"* (provinces). Après la Restauration de Meiji en 1868, les anciennes provinces d'Awa, Tosa, Iyo et Sanuki devinrent les préfectures de Tokushima-ken, Kōchi-ken, Ehime-ken et Kagawa-ken. Cependant, les anciens noms sont encore communément utilisés.

En dépit de sa proximité avec les centres historiques du pouvoir, Ōsaka et Kyōto, Shikoku a toujours été considérée comme une île quelque peu isolée. Par ailleurs, c'est un territoire au relief accidenté. Au XIIᵉ siècle, les guerriers vaincus du clan Heike (Taira) disparurent dans l'arrière-pays montagneux pour fuir leurs assaillants Genji (Minamoto) après les batailles décisives de Yashima (p. 690) et Dan-no-ura (p. 493). Jusqu'à une époque récente, les pèlerins des 88 temples ramenaient de Shikoku des récits des épreuves extrêmes qu'ils avaient dû affronter dans leur quête de l'illumination.

Climat

Le climat de Shikoku est tempéré, avec des températures généralement supérieures de plusieurs degrés à celles enregistrées à Tōkyō. Le printemps et l'automne sont les meilleures périodes pour y aller : en été, la chaleur peut être étouffante et la côte Pacifique est souvent touchée par des typhons de juin à octobre. Si les pluies sont abondantes, la neige est rare (sauf en montagne).

Depuis/vers Shikoku

Il y a 20 ans, il fallait prendre l'avion ou le bateau pour se rendre à Shikoku. Dorénavant, trois ponts relient l'île à Honshū. À l'est, l'Akashi Kaikyō-ōhashi relie Tokushima à Kōbe dans le Hyōgo-ken via Awaji-shima (île Awaji). Le Seto-ōhashi est le seul pont où circulent des trains ; il s'étend d'Okayama à Sakaide, à l'ouest de Takamatsu. Proche de la pointe ouest de la côte septentrionale, le Shimanami Kaidō (p. 672) est une série de neuf ponts (avec piste cyclable) passant d'île en île, d'Imabari dans l'Ehime-ken à Onomichi à côté de Hiroshima.

Depuis l'amélioration des infrastructures routières, les lignes de ferries sont moins nombreuses. Shikoku reste toutefois reliée à plusieurs ports importants de Kyūshū et de la côte sud de Honshū. La plupart des visiteurs arrivent par le train en provenance d'Okayama ou en bus d'Ōsaka, Kyōto ou Tōkyō. Des vols desservent aussi les principales villes de Shikoku au départ de Tōkyō, d'Ōsaka et d'autres grandes villes.

Comment circuler

Ce chapitre décrit les sites de Shikoku dans l'ordre que suivent les pèlerins depuis mille ans : en décrivant une boucle à partir de Tokushima et procédant dans le sens des aiguilles d'une montre via les préfectures de Kōchi, d'Ehime et de Kagawa.

Pour plus de détails sur les 88 temples de Shikoku, voir l'encadré p. 664.

TOKUSHIMA-KEN
徳島県

Traditionnel point de départ pour des générations de pèlerins en partance pour un tour de l'île, Tokushima-ken renferme les 23 premiers des 88 temples. Parmi les attraits de la région, citons la très animée Awa-odori Matsuri (fête d'Awa-odori), qui se déroule à Tokushima en août, les puissants remous du détroit de Naruto entre Tokushima et Awaji-shima, les paysages splendides de la vallée de l'Iya ainsi que les plages de surf sur la côte méridionale.

TOKUSHIMA 徳島

☎ 088 / 270 000 habitants

Sise au milieu de montagnes, la ville moderne de Tokushima est aménagée autour d'une promenade plantée de palmiers. Connue pour la fête d'Awa-odori qui s'y déroule en août, elle possède aussi d'autres points d'intérêt et constitue une base pratique pour se rendre au détroit de Naruto. C'est également ici que la plupart des pèlerins débarquent dans l'île pour partir à la découverte du premier groupe de temples.

Orientation

Le principal point de repère de Tokushima est le mont Bizan (眉山), qui domine la ville à l'ouest. Les vestiges de l'ancien château constituent désormais un agréable parc juste derrière la gare ferroviaire. La route principale s'étend de la gare au téléphérique du mont Bizan et traverse la Shinmachi-gawa (rivière Shinmachi). Le plus important quartier de divertissements se trouve de l'autre côté de la rivière à Akita-machi.

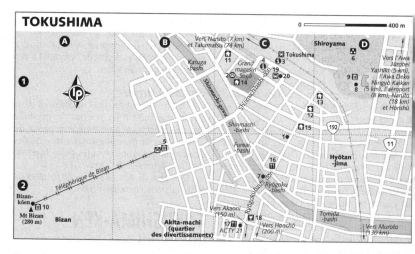

Renseignements

La gare dispose de consignes à pièces et les DAB de la poste acceptent les cartes internationales.

JTB (Japan Travel Bureau ; ☎ 623-3181 ; 1-29 Ryōgoku Honmachi ; ⏰ 10h-18h fermé mer). Agence de voyages située près de Tōyoko Inn.

Utile, l'**Association d'échange international de la préfecture de Tokushima** (Tokushima Prefecture International Exchange Association, ou TOPIA ; ☎ 656-3303 ; www.topia. ne.jp ; ⏰ 10h-18h), au 6ᵉ niveau du bâtiment de la gare, a un accès Internet (50 ¥/10 min) et un endroit pour laisser les bagages durant la journée. Personnel anglophone.

L'**office du tourisme** (☎ 622-8556 ; ⏰ 9h-20h), dans un kiosque à l'extérieur de la gare, délivre des brochures et des cartes en anglais.

À voir et à faire

BIZAN 眉山

À l'extrémité sud-ouest de Shinmachibashi-dōri, l'**Awa Odori Kaikan** (☎ 611-1611 ; 2-20 Shinmachibashi ; 300 ¥ ; ⏰ 9h-17h, fermé 2ᵉ et 4ᵉ mer du mois) présente une importante collection autour du thème de la danse et du festival d'Awa-odori.

Toute l'année, vous pourrez assister au spectacle de danse, tous les jours à 14h, 15h et 16h (représentation supplémentaire à 11h le week-end), et le soir à 20h (spectacle après-midi/soir 500/700 ¥). Du 5ᵉ niveau, un **téléphérique** (ropeway ; ☎ 652-3617 ; aller/aller-retour nov-mars 600/1 000 ¥, aller-retour avr-oct 600 ¥ ; ⏰ 9h-17h30 nov-mars, 9h-21h avr-oct et pendant la saison de floraison des cerisiers, 9h-22h pendant la fête d'Awa-odori) conduit à toute allure au sommet (280 m), d'où le point

de vue sur la ville est imprenable. Le billet combiné pour le musée, le téléphérique et le spectacle de danse coûte 1 500 ¥.

Le petit parc en haut de la colline renferme une pagode de la paix et le **musée Wenceslao de Moraes** (☎ 623-5342 ; Mosukegahara Bizan-chō ; 200 ¥, gratuit avec le billet de téléphérique ; ⏰ 9h30-17h, fermé 2ᵉ et 4ᵉ mer du mois). Moraes était un officier de marine portugais qui travailla comme consul à Kōbe et vécut à Tokushima de 1893 jusqu'à sa mort en 1929. Il écrivit plusieurs livres sur Tokushima et ses traditions. Des chemins rocailleux redescendent au pied de la colline en 20 minutes environ.

THÉÂTRE DE MARIONNETTES AWA
人形浄瑠璃

Pendant des siècles, le théâtre de marionnettes a fait le bonheur des communautés rurales autour de Tokushima. Si la plupart des théâtres sont désormais fermés, on peut encore assister à des spectacles traditionnels à l'**Awa Jūrobei Yashiki** (阿波十郎兵衛屋敷 ; ☎ 665-2202 ; 184 Honura ; musée 400 ¥ ; ⏰ 9h30-17h). Ce petit musée propose une exposition de marionnettes et des explications en anglais sur l'histoire du théâtre. Il occupe l'ancienne résidence de Jūrobei Bandō, un samouraï qui se laissa exécuter pour un crime qu'il n'avait pas commis, afin de préserver le nom de son maître. Ce destin inspira la pièce *Keisei Awa no Naruto*, jouée pour la première fois en 1768. Des extraits de l'œuvre sont interprétés à 11h tous les jours, et à 11h et 14h le week-end. Pour voir d'autres marionnettes, rendez-vous à l'**Awa Deko Ningyō Kaikan** (阿波木

SHIKOKU

偶人形会館 ; salle des marionnettes d'Awa ; ☎ 665-5600 ; 1-84 Honura ; 400 ¥ ; ☺ 9h-17h, fermé 1ᵉʳ et 3ᵉ mer du mois).

Pour aller au musée, prenez le bus pour Tomiyoshi Danchi (富吉団地) depuis la gare Tokushima et descendez à l'arrêt Jūrobei Yashiki-mae (270 ¥, 20 min).

CHŪŌ-KŌEN 中央公園
Au nord-est de la gare ferroviaire, sur les pentes du Shiroyama, le **Chūō-kōen** abrite les ruines du Tokushima-jō (château de Tokushima). En 1585, après avoir reçu le fief d'Awa des mains de Hideyoshi Toyotomi, Iemasa Hachisuka construisit ce château qui fut en grande partie détruit en 1875, à la suite de la Restauration de Meiji. Désormais, il ne reste que quelques remparts et des douves, ainsi qu'un joli jardin qui appartenait jadis au domaine des *daimyo* (seigneurs des provinces à l'époque féodale). Le parc est idéal pour pratiquer la marche et le jogging. Si vous n'arrivez pas à imaginer la splendeur originale du site, le **musée du château de Tokushima** (☎ 656-2525 ; 1-8 Jōnai ; 300 ¥ ; ☺ 9h-17h, fermé lun) contient une impressionnante reconstruction du château à son apogée, ainsi que le bateau du *daimyo*, quelques armures et des lettres de Hideyoshi et d'Ieyasu, le premier shogun Tokugawa, adressées au seigneur local. Toutes les explications sont en japonais. Juste au sud des ruines, le ravissant **Senshūkaku-teien** (千秋閣庭園 ; 50 ¥, inclus dans l'entrée du musée) est un jardin à l'atmosphère intime, conçu à la fin du XVIᵉ siècle.

Circuits organisés
Les week-ends de mi-mars à mi-octobre (et tous les jours du 20 juillet au 31 août), des bateaux naviguent sur la rivière autour de la Hyōtan-jima (île Hyōtan) en forme de calebasse qui constitue le centre de Tokushima – un agréable moyen de prendre ses repères. Le circuit gratuit de 25 minutes part du Ryōgoku-bashi (両国橋 ; pont Ryōgoku) sur la Shinmachi-gawa. Les bateaux partent toutes les 20 minutes de 13h à 15h40 le samedi et le dimanche de mi-mars à mi-octobre, et tous les jours du 20 juillet au 31 août. En juillet et août, il y a des départs supplémentaires toutes les 40 minutes de 17h à 19h40.

Fêtes et festivals
Tous les mois d'août, Tokushima accueille l'une des plus grandes fêtes du Japon : l'**Awa-odori Matsuri** (fête d'Awa-odori ; 阿波踊り) marque les célébrations de l'O-bon (voir p. 32). L'Awa-odori est la plus grande et la plus célèbre danse *bon* au Japon. Tous les soirs du 12 au 15 août, hommes, femmes et enfants revêtent leur *yukata* (kimono léger en coton) et leur chapeau de paille et descendent dans les rues pour danser sur la chanson "Awa Yoshikono", au rythme proche de la samba, au son des *shamisen* (guitares à 3 cordes), des *taiko* (tambours) et des *fue* (flûtes). Sachez qu'il faudra vous organiser à l'avance pour être de la fête : plus d'un million de personnes se rendent chaque année à Tokushima à cette occasion, et les hébergements se font rares.

Où se loger
Sakura-sō (☎ 652-9575 ; fax 652-2220 ; 1-25 Terashima-honchō-higashi ; sans sdb 3 300 ¥/pers ; Ⓟ). La meilleure adresse petits budgets de la ville est proche de la voie ferrée, à quelques pâtés de maisons à l'est de la gare (quelques minutes à pied). Ce sympathique *minshuku* (chambre d'hôte) loue des chambres de style japonais. Il se trouve en face d'un parking ; repérez l'enseigne en japonais sur la droite (さくら荘).

SHIKOKU

LES 88 TEMPLES SACRÉS DE SHIKOKU

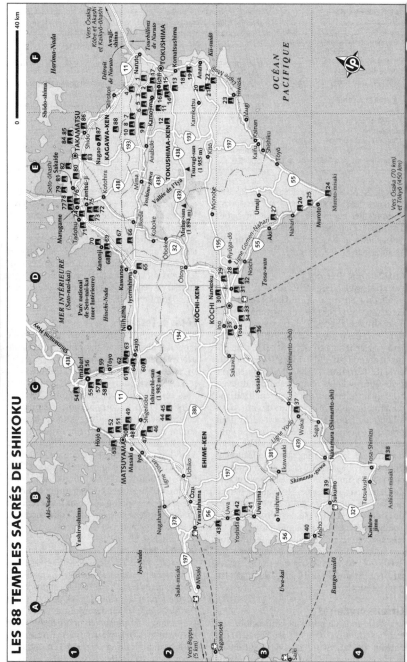

Dai-ichi Hotel (☎ 655-5005 ; fax 655-5003 ; www.tokushima-daiichihotel.co.jp, en japonais ; s/lits jum 5 200/7 300 ¥ ; Ⓟ ⊠ ▣ 🛜). Un bon *business hotel*, à courte distance de marche, à gauche en sortant de la gare routière (face à la gare ferroviaire). Connexion Internet par réseau LAN dans les chambres et ordinateurs dans le hall.

Tôyoko Inn (☎ 657-1045 ; fax 657-1046 ; www.toyoko-inn.com ; 1-5 Ryôgoku Honchô ; s/lits jum avec petit déj léger 6 300/8 400 ¥ ; Ⓟ ⊠ ▣ 🛜). Ce nouvel hôtel propose des chambres petites mais propres et confortables. Connexion Internet par réseau LAN dans les chambres et ordinateurs dans le hall.

Agnes Hotel Tokushima (☎ 626-2222 ; fax 626-3788 ; www.agneshotel.jp, en japonais ; 1-28 Terashima-honchô-nishi ; s/d à partir de 6 300/12 600 ¥ ; Ⓟ ⊠ ▣ 🛜). À quelques pâtés de maison de la gare, cet hôtel chic loue des chambres spacieuses au design moderne et minimaliste. Petit-déjeuner dans l'élégant salon de thé. Accès Internet dans le hall et réseau LAN dans les chambres.

Tokushima Tôkyû Inn (☎ 626-0109 ; fax 626-0686 ; www.tokyuhotelsjapan.com ; 1-24 Motomachi ; s/d à partir de 7 600/13 000 ¥ ; Ⓟ ⊠ ▣ 🛜). À côté du centre commercial Sogô, ce *business hotel* appartient à la chaîne Tôkyû Inn. Chambres de style occidental petites mais fonctionnelles. Connexion Internet par réseau LAN dans les chambres et ordinateurs à pièces dans le hall.

Hotel Clement Tokushima (☎ 656-3111 ; www.hotelclement.co.jp ; 1-61 Terashima-honchô-nishi ; s/d 10 164/19 635 ¥ ; Ⓟ ⊠ ▣). Au-dessus de la gare, le luxueux Hotel Clement s'étale sur 18 étages, avec 250 chambres de style occidental, spacieuses et confortables. Un peu cher, mais vous y trouverez une foule de services, notamment un spa et plusieurs bars et restaurants.

Où se restaurer et prendre un verre

La vie nocturne de Tokushima se concentre à Akita-machi, de l'autre côté de la rivière, autour de l'ACTY 21.

SHIKOKU

Masala (☎ 654-7122 ; Terashima-honchō-nishi ; ⏱ 11h-21h30). Au 5ᵉ niveau du Clement Plaza, ce restaurant de curry dont le personnel est indien propose des déjeuners bon marché (à partir de 750 ¥). Menu en anglais.

Tori-kō (☎ 657-0125 ; 2-19 Ryōgoku Honchō ; ⏱ 16h-22h30, fermé lun). Ce restaurant authentique est empli des fumets odorants du poulet grillé. Vous paierez 300 ¥ pour 2 brochettes de *tsukune* (boulettes de poulet) ou de *tebasaki* (ailes de poulet), et 3 000 ¥ pour un menu *awa-odori Sanmai* (sélection de divers morceaux de poulet fermier). Repérez le menu en bois qui habille la façade extérieure.

Honchō (ほんちょう ; ☎ 622-1239 ; 1-25-1 Chūō-dōri ; ⏱ 16h-23h, fermé dim). Cet *izakaya* (bar-restaurant) traditionnel est spécialisé dans le saké régional et dans les produits de la mer que l'on peut déguster au comptoir ou sur un petit espace tatamis. Pour accompagner l'*otsukuri moriawase* (assortiment de sashimis de saison ; 2 000 ¥), choisissez entre le Hōsui ou un autre *jizake* (saké local). Depuis le pont Ryōgoku, prenez la 3ᵉ rue à gauche après l'ACTY 21, puis à nouveau à gauche. Un panneau en japonais signale le restaurant sur la gauche.

Uoroman (☎ 657-7477 ; 12-1 Konya-machi ; ⏱ 17h-1h). Dans ce restaurant proche de l'ACTY 21, le poisson à prix raisonnable attire une clientèle jeune. Le *honjitsu no sashimi san-shu mori* (assortiment de sashimis du jour) revient à 980 ¥. La façade en bois est décorée de grandes photos de poissons et d'un dessin de pêcheur. La plupart des serveurs parlent anglais.

Akaoni (赤鬼 ; ☎ 652-5099 ; 2-34 Akita-machi ; ⏱ 17h-3h). Le nom de ce sympathique *izakaya* signifie "Diable Rouge" : vous reconnaîtrez les lieux grâce au démon en plastique à l'air fourbe à l'extérieur. Les plats classiques d'*izakaya* démarrent autour de 600 ¥ ; le personnel parle un peu anglais.

Ray Charles (☎ 652-0878 ; 3F Tōjō Bldg, 20-1 Ryōgokubashi ; ⏱ 19h-3h, 19h-4h ven-sam). Un bar à la lumière tamisée où les clients viennent discuter avec les serveurs en nœud papillon et écouter des classiques américains. La Carlsberg à la pression coûte 700 ¥. Dans un bâtiment en diagonale par rapport à l'ACTY 21.

Hung Loose (☎ 623-3255 ; 3F Tōjō Bldg, 20-1 Ryōgokubashi ; cocktails 650 ¥ ; ⏱ 9h-6h). Au 2ᵉ niveau de l'immeuble abritant le Ray Charles (voir ci-dessus), ce bar de surfeurs est décoré de planches de surf et de tables sorties tout droit d'une plage tropicale.

Depuis/vers Tokushima

L'**aéroport** de Tokushima (☎ 699-2831 ; www.tokushima-airport.co.jp) est desservi par des bus (430 ¥, 25 min, horaires coïncidant avec les vols) qui partent de la gare. Il y a des vols pour Tōkyō (29 600 ¥, 1 heure 15, 6 vols/jour), Nagoya (19 900 ¥, 1 heure, 2 vols/jour) et Fukuoka (24 700 ¥, 1 heure 10, 2 vols/jour).

Tokushima est à un peu plus d'une heure de train de Takamatsu (2 560 ¥ en *tokkyū* – train à vitesse limitée). Pour la vallée de l'Iya et Kōchi, il faut changer de train à Awa Ikeda (阿波池田, 1 580 ¥, 1 heure 30).

Des bus JR relient Tokushima à Tōkyō (10 000 ¥, 9 heures) et Nagoya (6 600 ¥, 4 heures 30) ; vous trouverez aussi des bus pour Takamatsu (1 600 ¥, 1 heure 30), Hiroshima (6 000 ¥, 3 heures 45, 2 bus/jour) et l'aéroport du Kansai (4 000 ¥, 2 heures 45).

Nankai Ferry (南海フェリー ; ☎ 636-0750 ; www.nankai-ferry.co.jp) assure des liaisons quotidiennes entre Tokushima et Wakayama (2 400 ¥, 2 heures, 8 bateaux/jour). Il y a un bateau quotidien depuis/vers Tōkyō avec **Ocean Tōkyū Ferry** (オーシャン東九フェリー ; ☎ 662-0489 ; www.otf.jp) ; les billets 1ʳᵉ classe/2ᵉ classe/cabine privée coûtent 19 290/9 900/22 350 ¥ (18 heures). Les ferries partent et arrivent au port d'Okinosu (沖洲), à 3 km à l'est du centre-ville ; des bus assurent la liaison avec la gare (200 ¥, 30 min).

Comment circuler

Il est assez facile de se déplacer à pied à Tokushima – il y a moins de 1 km entre la gare et le téléphérique de Bizan. On peut **louer un vélo** (地下自転車駐輪所 ; demi-journée/journée 300/500 ¥, caution 3 000 ¥ ; ⏱ 9h-17h) au parc à vélos souterrain, à gauche en sortant de la gare, ou auprès d'**Awa Odori Kaikan** (demi-journée/journée 500/1 000 ¥ ; ⏱ 9h30-17h) ; voir aussi p. 464.

ENVIRONS DE TOKUSHIMA
Tourbillons de Naruto 鳴門のうず潮

Au cours du changement de marée, l'eau de mer s'engouffre dans le mince détroit entre Shikoku et Awaji-shima, à une vitesse telle que se forment de violents **tourbillons**. Les Naruto-no-Uzushio constituent l'un des attraits majeurs de la région. L'office du tourisme de Tokushima pourra vous fournir les horaires des marées : les tourbillons apparaissent deux fois par jour et atteignent leur intensité maximale à la pleine lune.

Si vous souhaitez approcher de près les remous, aventurez-vous dans le détroit de Naruto à bord d'un des **bateaux touristiques** partant du front de mer de Naruto. **Naruto Kankō Kisen** (鳴門観光汽船 ; ☎ 088-687-0101 ; 1 530-2 200 ¥/pers) est l'une des nombreuses compagnies assurant des sorties (toutes les 20 min de 9h à 16h20) depuis le port, à proximité de l'arrêt de bus de Naruto Kankō-kō. Pour avoir une vue plus en hauteur, suivez à pied l'**Uzu-no-michi** (渦の道 ; ☎ 088-683-6262 ; 500 ¥ ; ☺ 9h-18h, 9h-17h oct-fév), un chemin de 500 m de long sous le Naruto-ōhashi (pont de Naruto) : vous serez juste au-dessus des flots.

Le meilleur moyen de se rendre aux tourbillons de Naruto est de prendre un bus à destination de Naruto-kōen (鳴門公園) depuis l'arrêt n°1 en face de la gare de Tokushima (600 ¥, 1 heure, toutes les heures à partir de 9h) et de descendre à Naruto Kankō-kō (鳴門観光港). Une alternative consiste à prendre un train régional entre Tokushima et la gare de Naruto (350 ¥, 40 à 50 min, parfois un changement à Ikenotani), puis de prendre un bus.

Les cinq premiers temples : de Ryōzen-ji à Jizō-ji

Naruto est le point de départ du pèlerinage des 88 temples de Shikoku. Les 5 premiers temples sont tous à distance de marche les uns des autres : une excursion d'une journée au départ de Tokushima permet de se faire une idée du chemin des henro (pèlerin effectuant le circuit des 88 temples).

Pour vous rendre au Temple 1, le **Ryōzen-ji** (霊山寺), prenez un train entre Tokushima et Bandō (板東 ; 260 ¥, 25 min). Le temple est à 10-15 minutes de marche (environ 700 m) le long de la route principale ; la carte à la gare de Bandō vous aidera à trouver la bonne direction. Ryōzen-ji est un beau temple édifié sur ordre de l'empereur Shōmu au VIIIᵉ siècle, avec un pavillon principal illuminé de centaines de lanternes. Kōbō Daishi y aurait passé de longues semaines à méditer. C'est là que les marcheurs se ravitaillent : à l'extérieur vous verrez plusieurs magasins avec des mannequins portant des robes blanches et des chapeaux de paille – la tenue caractéristique des pèlerins.

De Ryōzen-ji, une courte marche le long de la route principale mène au temple 2, le **Gokuraku-ji** (極楽寺), tandis que le temple 3, le **Konsen-ji** (金泉寺) est encore 2 km plus loin. Des panneaux plus ou moins réguliers (en japonais) signalent

la direction. En bordure de route, repérez les indications henro-michi (へんろ道 ou 遍路道), souvent ornées d'une silhouette de henro rouge. De là, comptez environ 5 km le long d'un sentier de plus en plus rustique pour atteindre le **Dainichi-ji** (大日寺), puis encore 2 km jusqu'au **Jizō-ji** (地蔵寺), où vous découvrirez un impressionnant **ensemble de statues** (200 ¥) des 500 Rakan, disciples du Bouddha. À l'arrêt de bus Rakan (羅漢), sur la route principale en face du temple, prenez un bus pour la gare d'Itano (板野), d'où un train vous ramènera à Tokushima (350 ¥, 30 min).

VALLÉE DE L'IYA 祖谷渓

La vallée de l'Iya est un havre de paix à mille lieux de la cacophonie des grandes villes. Avec ses paysages de montagne et ses gorges impressionnantes, elle fut longtemps un refuge pour qui souhaitait disparaître de la planète.

Les premiers descriptifs de la vallée parlent d'un groupe de chamans ayant fui des persécutions à Nara au IXᵉ siècle. À la fin du XIIᵉ siècle, Iya devint le dernier refuge des membres du clan vaincu des Heike, après leur défaite face aux Minamoto au cours des guerres Gempei. On prétend que leurs descendants vivent encore dans la vallée à ce jour.

La région de l'Iya est un paradis pour les amateurs de nature, avec de superbes randonnées autour du mont Tsurugi et des possibilités de rafting en eaux blanches dans les fabuleuses gorges d'Ōboke et de Koboke. À la fin de la journée, les randonneurs épuisés pourront se prélasser dans des onsen (sources chaudes) et goûter les soba d'Iya (nouilles de sarrasin).

L'accès à la région se fait par la gare d'Ōboke, desservie par des trains en provenance de Takamatsu, Kōchi ou Tokushima, avec un changement à Awa Ikeda. Pour se déplacer dans la vallée, il faut s'organiser à l'avance, car les sites sont éloignés les uns des autres tandis que liaisons en bus sont sporadiques, voire inexistantes. De rares bus circulent entre Awa Ikeda, Ōboke et Iya, mais pour explorer au mieux la région, mieux vaut être véhiculé – des voitures de location sont disponibles dans les grandes villes de Shikoku.

Ōboke et Koboke 大歩危・小歩危

Ōboke et Koboke sont deux splendides gorges sur la Yoshino-gawa. Au sud d'Ikeda, sur l'ancienne Route 32 entre Koboke et Ōboke, des excursions de rafting et de kayak sont organisées d'avril à fin novembre. Géré par

SHIKOKU

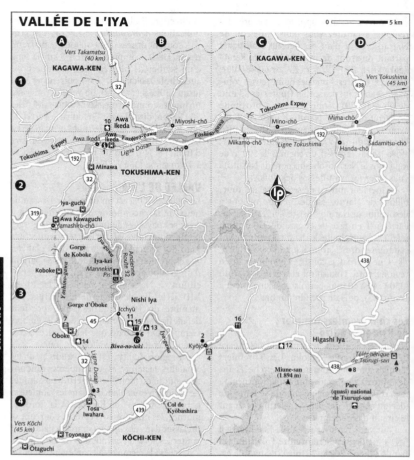

VALLÉE DE L'IYA

un Australien, proche de la gare JR de Tosa Iwahara de l'autre côté de la frontière avec le Kōchi-ken, **Happy Raft** (☎ 0887-75-0500 ; www.happyraft.com) propose des sorties (demi-journée 5 500 à 7 500 ¥, journée 10 000 à 15 500 ¥) avec des guides anglophones.

Superbe endroit pour se réchauffer après des activités sportives, l'**Iya Onsen** (☎ 0883-75-2311 ; Matsuo Matsumoto 367-2 ; 1 500 ¥ ; 7h30-17h) se situe sur l'ancienne Route 32, où un téléphérique descend le long de la falaise face à des bains sulfureux en plein air qui dominent la rivière.

Logement (www.iyaonsen.co.jp, en japonais ; 16 950 ¥/ pers repas compris) disponible. Quelques bus partent de la gare d'Awa Ikeda à destination de Kazura-bashi.

Le **Lapis Ôboke** (☎ 0883-84-1489 ; 500 ¥), au nord de la gare JR d'Ôboke, est un musée de géologie qui fait également office de bureau d'information touristique.

À 3 km de la gare JR d'Ôboke, au bord de la rivière, l'excellente auberge **Ku-Nel-Asob** (☎ 090-9778-7133 ; www.k-n-a.com ; dort 2 600 ¥ ; **P**) comprend des chambres communes simples et agréables, recouvertes de tatamis. Les sympathiques propriétaires (anglophones) peuvent venir vous chercher à la gare. Cuisine à disposition et ravitaillement possible au Bokemart, à 30 m de la gare ferroviaire. L'établissement n'ayant pas de bains, le transport jusqu'à l'Iya Onsen revient à 500 ¥ (entrée du bain incluse).

Autre possibilité : l'**Awa Ikeda Youth Hostel** (☎ 0883-72-5277 ; dort non-membres 3 850 ¥ ; **P**) fait partie du complexe religieux de Mitsugon-ji, à environ 5 km de la gare d'Awa Ikeda. L'établissement est un peu isolé et les chambres avec tatamis sont rudimentaires, mais son attrait tient à la présence du temple-montagne. Réservez à l'avance si vous avez besoin que l'on vienne vous chercher à la gare JR d'Awa Ikeda (à 18h seulement). Repas possibles.

Le paysage est spectaculaire dans les canyons profonds le long de l'ancienne Route 32 – de rares bus (880 ¥, 55 min, 7h15, 10h15 et 12h15) circulent sur la route étroite entre Awa Ikeda et la vallée de l'Iya. Cependant, un véhicule personnel permet d'aller à son rythme et d'apprécier toute la beauté des environs.

Nishi Iya 西祖谷

Nishi Iya est célèbre pour le **Kazura-bashi** (500 ¥ ; ☽ lever-coucher du soleil), l'un des trois seuls ponts de lianes qui subsistent dans la vallée (les deux autres sont plus à l'est à Higashi Iya). Non loin, **Biwa-no-taki** est une impressionnante cascade de 50 m de haut.

Le **Kazura-bashi Camping Village** (☎ 090-1571-5258 ; empl 500 ¥ plus 200 ¥/pers, bungalow 4-5 pers à partir de 5 200 ¥ ; ☽ avr-nov ; **P**) est un camping à 500 m du pont de lianes, en amont de la rivière. Ambiance rustique et installations rudimentaires mais bien entretenues.

Pour un logement de meilleur standing, tentez l'**Hotel Kazura-bashi** (☎ 0883-87-2171 ; www.kazurabashi.co.jp ; à partir de 15 900 ¥/pers repas compris ; **P**), à environ 1 km au nord du pont. Les confortables chambres avec tatamis offrent de superbes points de vue sur les montagnes et il y a un onsen en haut de la colline.

Pour goûter les *soba* d'Iya, **Iya Bijin Keikoku-ten** (☎ 0883-87-2009 ; 9-3 Zentoku ; repas 600-1 000 ¥ ; ☽ 8h-17h) occupe un beau bâtiment noir et blanc décoré de lanternes. Une assiette de *zaru soba* (nouilles froides aux algues) coûte 700 ¥.

Higashi Iya 東祖谷

Pour échapper aux groupes de touristes du pont de lianes de Nishi Iya, préférez le spectaculaire **Oku Iya Ni-jū Kazura-bashi** (500 ¥, ☽ lever-coucher du soleil), à Higashi Iya, à 30 km à l'est : bien isolés, deux ponts de lianes se tiennent côte à côte au-dessus des gorges. Le téléphérique en bois autopropulsé est un autre moyen amusant de traverser la rivière ; il y a un petit camping public de l'autre côté.

Dans un grand bâtiment rouge à Kyōjō, le **musée du Folklore de Higashi Iya** (☎ 0883-88-2286 ; 300 ¥ ; ☽ 9h30-17h) conserve des objets historiques et des pièces liées à la légende de Heike.

Quelques kilomètres en amont, par une étroite route sinueuse proche de Kyōjō, **Buke Yashiki** (☎ 0883-88-2893 ; 300 ¥ ; ☽ 9h-17h, fermé mar et déc-mars) est une maison-musée de samouraï au toit de chaume, avec une vue époustouflante sur la vallée. À côté, un sanctuaire shintoïste abrite un cèdre massif, vieux de plus de 800 ans.

Iyashi no Onsen-kyō (☎ 0883-88-2975 ; fax 0883-76-7080 ; www.sobanoyado.jp, en japonais ; à partir de 13 800 ¥/ pers repas compris, bungalows à partir de 4 350 ¥/pers ; **P**). En retrait de la route principale entre Kyōjō et les ponts de lianes de Higashi Iya, ce complexe hôtelier avec sources chaudes a 6 chambres de style japonais et 6 chambres de style occidental, un bungalow et un restaurant. L'onsen est ouvert aux non-résidents (8h30-15h30 oct-nov, 8h30-16h avr-sept, fermé mer) moyennant 1 500 ¥. En été, un monorail part de l'hôtel et monte à flanc de montagne.

Au **Soba Dōjō** (☎ 0883-88-2577 ; ☽ 11h-17h ven-mer), toujours sur la Route 438, vous pourrez déguster un bol de *zaru soba* (800 ¥) voire préparer les vôtres (2 500 ¥ ; réservation obligatoire). Le restaurant se distingue par son toit rouge et son rideau jaune devant la porte.

Tsurugi-san 剣山

Culminant à 1 955 m, le Tsurugi-san ("pic du Sabre") est le second plus haut sommet de Shikoku. D'excellentes randonnées courtes ou longues, et la possibilité de faire du snowboard en hiver s'offrent à vous. Un télésiège monte quasiment jusqu'en haut, puis une marche

LE CHEMIN DES HENRO *Paul Warham*

Lors d'un séjour à Shikoku, vous croiserez partout des pèlerins, dans les rues animées des villes comme sur les crêtes des vallées perdues. Appuyés sur leurs bâtons colorés, ces personnages solitaires, vêtus de blanc, bravent la canicule ou les pluies torrentielles de la mousson pour aller de temple en temple. Qui sont ces gens et qu'est-ce qui les pousse à abandonner le confort de leur foyer pendant plusieurs mois pour accomplir "cette équipée" de plus 1 400 km à pied ?

Avant d'entreprendre moi-même ce voyage en dilettante, je me les représentais comme des ascètes modernes, engagés dans une quête solitaire de l'illumination. Mais j'ai bien vite changé d'opinion. Les premiers *henro* (pèlerins du circuit de 88 temples) que j'ai rencontrés ont été un couple d'étudiants de Tōkyō, arrivés en même temps que moi dans un complexe religieux hébergeant les pèlerins. La responsable de l'accueil leur avait désigné deux chambres séparées aux deux extrémités du bâtiment. Le lendemain matin, alors que j'attendais que la pluie cesse, à l'abri sous la corniche du temple, je vis les amoureux sortir de la même chambre avant de se diriger tranquillement au temple suivant sous leur parapluie.

De tous les pèlerins croisés, seul un homme de Kawasaki, dont le crâne chauve étincelait au soleil, ressemblait au portrait que je m'étais fait des *henro*. Toutes mes interrogations avaient d'abord déclenché chez lui un sourire béat et un "ah" proche d'un soupir. Puis soudain, il me donna une foule de réponses à des questions que je ne lui avais pas posées. Alors que nous traversions un pont, il se lança dans un exposé sur l'histoire du pèlerinage et de Kōbō Daishi, lequel continuerait de dormir dans un état de méditation sur les pentes du Kōya-san (mont Kōya). J'ai ainsi appris que les bâtons des pèlerins étaient une incarnation de Daishi, que sculpter avec un couteau un bâton endommagé par les aléas de la route était sacrilège ou que les pèlerins ne devaient jamais frapper le sol de leur bâton en traversant un pont, au risque de perturber l'esprit de Daishi, qui dormait souvent sous les ponts au cours de ses expéditions.

Pour beaucoup, ce voyage est l'aboutissement de plusieurs années de préparation. Un soir, dans le Kagawa-ken, j'ai rencontré un retraité, originaire de Kotohira, qui était rentré chez lui pour accomplir le pèlerinage. Désormais âgé de près de 80 ans, il effectuait le circuit par petits bouts depuis plusieurs années. Maintenant qu'il l'avait presque achevé, il se sentait prêt à "tirer le rideau" de sa vie, m'a-t-il expliqué prosaïquement.

tranquille (30 min) mène au sommet. Si vous décidez d'effectuer toute l'ascension à pied, vous passerez par le Tsurugi-jinja (sanctuaire de Tsurugi), proche d'une source d'eau potable.

Le guide de Lonely Planet en anglais *Hiking in Japan* fournit des renseignements sur des randonnées de plusieurs jours entre le Tsurugi-san et le Muine-san (1 894 m), ainsi que sur l'hébergement en montagne.

SUD DU TOKUSHIMA-KEN
徳島県南部

La côte méridionale du Tokushima-ken présente une succession de paysages rocheux, de plages de sable blanc, de charmants villages de pêcheurs et plusieurs des meilleurs spots de surf de l'île. La région abrite également le dernier temple de Tokushima.

La ligne JR Mugi longe la côte jusqu'à Kaifu, à la frontière de la préfecture de Kōchi. Depuis Kaifu, la ligne privée Asa Kaigan dessert encore 2 arrêts jusqu'à Kannoura, juste après la frontière. De là, vous pourrez continuer en bus ou faire du stop jusqu'au cap de Muroto-misaki, puis rejoindre la ville de Kōchi. Dans l'autre sens, les trains relient Kōchi et Nahari – mais seuls des bus desservent la péninsule.

Hiwasa 日和佐
☎ 0884

Dans la petite ville côtière de Hiwasa, le site majeur est le **Yakuō-ji** (薬王寺), le temple 23 et le dernier du Tokushima-ken. Le Yakuō-ji date de 726 et fait office de *yakuyoke no tera* : il éloigne le mauvais sort durant les années de malchance. Pour les hommes, la pire année de malchance est celle des 42 ans, et pour les femmes celle des 33 ans. Kōbō Daishi aurait d'ailleurs visité le temple en 815, l'année de son 42e anniversaire. Le long escalier de pierre menant au temple principal se compose de deux parties : 33 marches pour les femmes puis 42 pour les hommes. La tradition veut que les pèlerins déposent une pièce sur chaque marche – en période d'affluence, l'escalier est couvert de pièces d'un yen.

Pour d'autres, la principale motivation peut être le défi physique. Deux étudiants d'Ōsaka, avec qui j'ai partagé une chambre une nuit, avaient décidé d'étrenner leurs vélos flambant neuf en bouclant le circuit des 88 temples en une semaine. J'ai émis l'idée qu'ils pourraient battre un record, cela les a fait sourire et ils ont promis de vérifier les statistiques sur Internet à leur retour.

À Hiwasa (p. 664), je suis tombé sur une femme très mal en point qui se traînait dans le couloir pour atteindre le distributeur de bières (il y a des distributeurs de bières dans les temples japonais). Le matin suivant, je n'étais guère surpris de voir qu'elle était la seule personne à prendre avec moi un petit-déjeuner "tardif" à 7h. Elle venait de Yamagata et tentait de réaliser le circuit complet pendant la basse saison – le reste de l'année elle travaillait dans une station de ski. Il n'y a pas de temple à Yamagata ? Si, mais le Shikoku est un endroit spécial. Elle m'a raconté qu'elle s'était rendue dans une clinique la veille, pour soigner les blessures qu'elle s'était faites en marchant trop longtemps et trop vite. "Ils n'ont pas voulu que je paye. *O-settai*. Parce qu'ils voyaient que j'étais une *henro*. J'ai compris que les choses se présentaient bien quand j'ai vu le portrait de Daishi dans la salle d'attente. Là j'ai réalisé qu'il veillait vraiment sur moi."

Si le passé et les motivations des pèlerins diffèrent parfois totalement, le quotidien sur la route est le même pour quiconque entreprend l'aventure. Les vêtements sont identiques pour tous : les *hakue* (habits blancs), qui symbolisent la sincérité du projet et la pureté de l'esprit, le *sugegasa* (chapeau de paille), qui protège les pèlerins de la pluie et du soleil depuis la nuit des temps et le *kongōzue* (bâton coloré). Pour les pèlerins, le *kongōzue* incarne Daishi lui-même, qui les accompagne tout au long du chemin – d'où l'inscription sur de nombreux sacs à dos ou effets personnels : 同行二人 *(dōgyō ninin)*, qui signifie "deux personnes dans le même voyage". Dans chaque temple, le même rituel se met en place : on fait sonner la cloche et on psalmodie le sutra du cœur au Daishi-dō (l'un des deux principaux bâtiments dans chaque ensemble religieux) avant de se diriger au *nōkyōsho* (bureau), où le livre des pèlerins est enjolivé de beaux caractères décrivant le nom du temple et la date du pèlerinage.

Si vous souhaitez devenir un *aruki henro* (pèlerin marcheur), prévoyez environ 60 jours (pour une distance moyenne de 25 km par jour) pour accomplir l'ensemble du circuit. Si vous n'avez pas le temps ou l'envie, vous pourrez avoir un aperçu en réalisant l'une des étapes d'une journée mentionnées aux rubriques *Environs de Tokushima* (p. 660) et *Uwajima* (p. 673). Par ailleurs, les villes de Matsuyama (p. 677) dans l'Ehime-ken et de Zentsū-ji (p. 684) dans le Kagawa-ken offrent un accès aisé à de nombreux temples.

À environ 1,6 km du centre-ville, la plage d'Ōhama (大浜) est une longue étendue de sable où les tortues viennent pondre leurs œufs chaque année de mai à août. À côté de la plage, le **musée chélonien Caretta de Hiwasa** (日和佐うみがめ博物館カレッタ ; ☎ 77-1110 ; 600 ¥ ; 🕑 9h-17h, fermé lun) expose de superbes pièces ainsi que des tortues de tous âges. Le château de la ville, une reconstruction, est actuellement fermé aux visiteurs.

Pour se loger à proximité du Yakuō-ji, la meilleure option est le **shukubō** (☎ 77-1105 ; fax 77-1486 ; 7 300 ¥/pers repas compris ; **P**), situé dans un immeuble moderne, face au temple, en traversant la route. Chambres spacieuses et bien tenues avec tatamis et repas copieux.

Sud jusqu'à Muroto-misaki

Depuis Hiwasa, un court trajet en train mène à la paisible ville de pêcheurs de **Mugi** (牟岐), où les rues sinueuses du vieux port constituent une étape intéressante si vous avez quelques heures devant vous avant de poursuivre au sud. Après le port de pêche, une marche de 45 minutes (3 km) le long de la côte vous conduira au **musée des Mollusques et Coquillages de Mugi** (貝の資料館モラスコむぎ ; ☎ 0884-72-2520 ; 400 ¥ ; 🕑 9h-16h30, fermé lun), où vous découvrirez une impressionnante collection de coquillages et de poissons tropicaux dans un cadre idyllique, sur une plage tranquille. Il y a un ancien sanctuaire Hachiman dans le centre-ville, et des bateaux se rendent sur l'île de Teba-jima (出羽島).

La ligne JR s'arrête à Kaifu (海部) ; la ligne privée Asa Kaigan continue plus au sud jusqu'à Shishikui (宍喰) et Kannoura (甲浦).

Cette partie de la côte est le haut lieu du surf à Shikoku, avec plusieurs belles plages et des paysages somptueux. Les possibilités ne manquent pas pour louer du matériel de surf dans la petite ville balnéaire d'Ikumi (生見) à l'atmosphère décontractée. Il y a une seule rue et c'est là que vous trouverez la plupart des meilleurs hébergements du coin. Un DAB international est installé à la poste de Kaifu et il y en a un autre à Kannoura.

Les bateaux à fond vitré de **Blue Marine** (ブルーマリン ; ☎ 0884-76-3100 ; croisières 1 800 ¥ ; ☯ 9h-16h, fermé mar) voguent autour de l'île de Takegashima à côté de Shishikui. Des **kayaks de mer** (マリンジャム ; ☎ 0884-76-1401 ; 2 500 ¥/ pers ; ☯ 10h et 14h) sont disponibles au même endroit, dans le Marine Jam Building.

Un grand choix d'hébergements s'offre à vous sur la côte. À Kannoura, **Shirahama White Beach Hotel** (白浜ホワイトビーチホテル ; ☎ 0887-29-3344 ; www.wbhotel.net, en japonais ; à partir de 6 000 ¥/pers) est un complexe hôtelier légèrement défraîchi, directement sur la plage. En été, on peut camper sur la plage juste à côté de l'hôtel. Pour se restaurer et boire une bière, **Aunt Dinah** (☎ 0887-29-2080 ; repas 750-1 500 ¥ ; ☯ 9h30-21h30, fermé mar), juste à côté, propose un large choix de curries (notamment un curry de la mer, à partir de 890 ¥) sur fond de musique country.

À Shishikui, des chambres de style occidental et japonais sont disponibles au chic **Hotel Riviera** (ホテルリビエラししくい ; ☎ 0884-76-3300 ; fax 0884-76-3910 ; www.hotel-riviera.co.jp, en japonais ; 12 000 ¥/ pers repas compris), où les non-résidents peuvent profiter de l'onsen (600 ¥ ; de 11h à 22h) avec point de vue sur la mer.

À Ikumi, juste après la frontière avec le Kōchi-ken, **Minami Kaze** (南風 ; ☎ 0887-29-3638 ; 3 675 ¥/pers) est installé sur la plage et possède des chambres rudimentaires de style japonais, avec toilettes et douches communes ; repas possibles. **Minshuku Michishio** (民宿みちしお ; ☎ 0887-29-3471 ; fax 0887-29-3470 ; 5 775 ¥/pers repas compris) est une autre bonne adresse sur la plage, avec des chambres de style japonais et occidental et un restaurant servant de savoureux *okonomiyaki* (crêpes au beurre, chou, fruits de mer ou viande cuite sur une plaque). Non loin, le **White Beach Hotel Ikumi** (ホワイトビーチホテル生見 ; ☎ 0887-29-3018 ; www. wbhotel.net/ikumi, en japonais ; 4 000-5 000 ¥/pers) compte des chambres occidentales et japonaises et le restaurant Oluolu en bord de mer (à partir de 800 ¥, ouvert midi et soir – carte illustrée).

Les trains se rendent jusqu'à Kannoura au sud. Par ailleurs, les bus entre Mugi et Kannoura (770 ¥, 45 min, 14 bus/jour) s'arrêtent à Kaifu et à Shishikui. Sept bus par jour circulent entre Kannoura et Muroto-misaki, via Ikumi (1 390 ¥, 40 min). Les bus vont jusqu'à Aki (安芸 ; 2 880 ¥, 2 heures), d'où vous pourrez prendre un train pour Kōchi. Sur les derniers 40 km menant à la péninsule, la route longe la côte, bordée par les montagnes d'un côté et la mer de l'autre.

KŌCHI-KEN 高知県

Le Kōchi-ken, la plus étendue des quatre préfectures de Shikoku, embrasse toute la côte pacifique entre les caps de Muroto-misaki et Ashizuri-misaki. Coupée du reste du Japon par les montagnes et la mer, la province de Tosa a toujours été considérée comme l'une des plus sauvages du pays.

Bien que le voyage à travers Tosa représente plus d'un tiers du pèlerinage, la province ne rassemble que 16 des 88 temples sacrés. Près de 84 km séparent le dernier temple du Tokushima-ken, à Hiwasa, du premier temple du Kōchi-ken, à Muroto-misaki. Il faut en outre parcourir 87 km du temple 37 (Iwamoto-ji) à Kubokawa au temple 38 (Kongōfuku-ji) à Ashizuri-misaki, soit le plus long trajet entre deux sanctuaires de tout le pèlerinage. Peu de régions sont aussi retirées au Japon, si bien que la plupart des pèlerins poussent un soupir de soulagement lorsqu'ils quittent le Kōchi.

La région est idéale pour les activités de plein-air : observation des baleines, rafting, randonnée et camping. En outre, le Kōchi-ken compte de splendides paysages, en particulier le long de la Shimanto-gawa, l'une des dernières rivières sans barrage du pays.

DE TOKUSHIMA À KŌCHI
Muroto-misaki 室戸岬
☎ 0887

Réputé pour être l'un des sites les plus sauvages du pays, aux portes du royaume des morts, Muroto-misaki est l'un des deux grands caps de la façade pacifique sur la côte sud. Pour les pèlerins, c'est là que Kōbō Daishi atteignit l'illumination. Par beau temps, l'océan est d'huile, mais Muroto est parfois balayé par de gigantesques lames et des vents violents. On peut visiter l'endroit où Kōbō Daishi se baignait, et la grotte Shinmeikutsu (神明窟) où il méditait.

Au nord du cap, une énorme statue blanche représente le saint face à la mer. Fondé par Kōbō Daishi au début du IXe siècle, le temple 24, le **Hotsumisaki-ji** (最御崎寺 ; également appelé Higashi-dera) surplombe le cap du haut de la colline. À côté du sanctuaire, le **shukubō du temple** (☎ 23-0024 ; avec/sans repas 5 775/3 885 ¥/pers) est un bâtiment moderne abritant des chambres immaculées avec tatamis.

Sept bus par jour partent du cap vers Nahari ou Aki (安芸 ; 1300 ¥, 1 heure 30), d'où vous pourrez prendre un train JR pour Kōchi (1 heure). Le trajet en train Aki et Kōchi dure de 45 minutes à 1 heure 30, en fonction du temps de correspondance à Gomen (billets 1 150/1 460 ¥). Côté est, des bus circulent jusqu'à Kannoura et Mugi, dans le Tokushima-ken.

Ryūga-dō 龍河洞
☎ 0887

Accessible en bus depuis la gare de Tosa-Yamada sur la ligne Dosan, la grotte calcaire de **Ryūga-dō** (☎53-2144 ; www.ryugadou.or.jp, en japonais ; 1 000 ¥ ; ☽ 8h30-17h, 8h30-16h30 déc-fév) a été déclarée monument naturel national. Elle renferme d'intéressantes stalactites et stalagmites ainsi que des traces d'habitation de l'époque préhistorique. La route est assez escarpée par endroits. La grotte s'étend sur 4 km mais seul 1 km est ouvert pour la visite. Il faut réserver et payer un supplément de 500 ¥ pour effectuer le *bōken kōsu* (parcours aventure ; 冒険コース) ; vêtu d'un casque et d'une combinaison, vous suivrez un guide pendant 1 heure 30 dans tous les recoins de la grotte.

Chaque jour, 5 bus partent de la gare de Tosa-Yamada et se rendent à Ryūga-dō (440 ¥, 20 min). La gare de Tosa-Yamada est à 30 minutes de Kōchi en train régional (350 ¥), ou à 15 minutes en *tokkyū* (600 ¥).

KŌCHI 高知
☎ 088 / 335 000 habitants

Le chef-lieu préfectoral est une ville agréable aux nuits animées, qui possède l'un des rares châteaux au Japon à avoir conservé sa structure d'origine presque intacte. La ville joua un rôle important lors de la Restauration de Meiji, lorsqu'un jeune samouraï du nom de Ryōma Sakamoto contribua de manière décisive à faire tomber le gouvernement féodal. Le portrait de ce jeune homme sérieux en tenue de samouraï est exhibé un peu partout en ville.

Orientation
Harimayabashi-dōri est la route principale qui part de la gare. Les tramways circulent le long de cet axe, qui passe par la galerie marchande d'Obiyamachi et croise la ligne de tram principale orientée est-ouest près du pont Harimaya-bashi.

Renseignements
La gare dispose d'une consigne et de casiers à pièces ; des DAB internationaux sont installés à la poste, juste à côté de la gare.

Association Internationale de Kōchi (☎ 875-0022 ; www.kochi-kia.or.jp ; 4-1-37 Honmachi ; ☽ 8h30-17h30, fermé dim). Du côté sud du château, cette association donne des conseils et informe sur les événements à venir. Accès Internet gratuit, bibliothèque et journaux en anglais.

JTB (☎ 823-2321 ; 1-21 Sakai-chō ; ☽ 10h-18h, fermé mer). À proximité du carrefour de Harimaya-bashi.

Office du tourisme (☎ 826-3337 ; ☽ 9h-17h). Dans la gare JR de Kōchi.

À voir et à faire

KŌCHI-JŌ 高知城
Le **Kōchi-jō** (château de Kōchi ; ☎ 824-5701 ; 1-2-1 Marunouchi ; 400 ¥ ; ☽ 9h-17h) est au Japon l'un des rares châteaux – tout au plus une dizaine –, ayant conservé son *tenshu-kaku* (donjon) d'origine en bon état. Il fut édifié au début du XVIIᵉ siècle par Katsutoyo Yamanouchi, nommé daimyo par Ieyasu Tokugawa après avoir pris les armes au côté des Tokugawa lors de la bataille de Sekigahara en 1600. Un grave incendie détruisit une grande partie de l'édifice en 1727, et le château fut largement reconstruit de 1748 à 1753.

L'harmonie architecturale du château tient sans doute au fait qu'il fut conçu dans une période de paix sans être jamais attaqué par la suite. De fait, à la fin du règne des Tokugawa, l'édifice tenait plus du manoir que d'une forteresse militaire. À l'intérieur sont exposés des éléments sur l'histoire et l'évolution du château et sur la ville qui s'est développée autour – toutes les explications sont en japonais. Dans ce quartier, beaucoup de rues modernes suivent leur tracé historique, et du haut du château, il est très facile d'imaginer l'agencement traditionnel d'une cité-château à l'époque des Tokugawa.

GODAISAN 五台山
À quelques kilomètres à l'est du centre-ville s'élève la montagne de Godaisan, sur laquelle est aménagé un parc avec un poste d'observation (展望台) sur la ville. Au sommet, le **Chikurin-ji** (竹林寺 ; ☎882-3085) est le temple 31 du pèlerinage ; le sanctuaire principal fut édifié par le deuxième *daimyo* de Tosa, Tadayoshi Yamanouchi, en 1644. Les grands jardins sont agrémentés d'une pagode à cinq niveaux et de milliers de statues de Jizō Bodhisattva, divinité protectrice des enfants et des voyageurs. Le **pavillon du Trésor** (宝物館 ; 400 ¥ ; ☽ 9h-17h) renferme une fascinante

KÔCHI

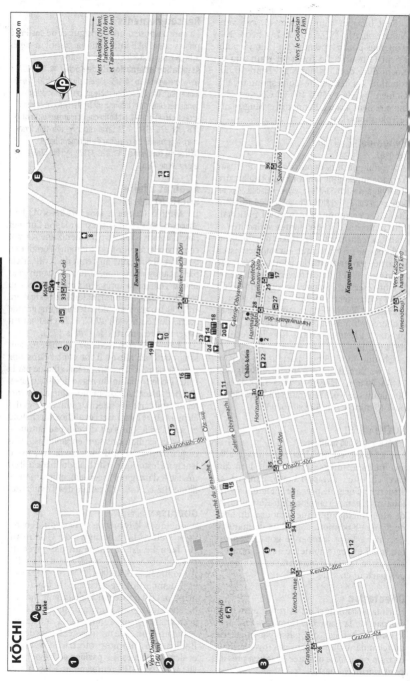

SHIKOKU

400 m

0

Vers Nankoku (10 km),
l'aéroport (10 km)
et Takamatsu (90 km)

Vers le Godaisan
(3 km)

Vers Katsura-
hama (12 km)
Umenotsuji

Vers Uwajima
(160 km)

Saenbachō

Kagami-gawa

Enokuchi-gawa

Hasuike-machi Dōri

Galerie Obiyamachi

Dentetsu
Taminaru-bíru Mae

Harimayá-
bashi

Hariyamabashi-dōri

Chūō-kōen

Horizume

Ōhashi-dōri

Ōte-suji

Galerie Obiyamachi

Nakanohashi-dōri

Marché du dimanche

Kōchi-jō

Kōchijō-mae

Kenchō-mae

Kenchō-dōri

Grando-dōri

Grando-dōri

Iriake

Vers l'aéroport

Kōchi-eki

Kōchi

1 ❌
3 ❗
4 ❗
5 ●
2 ●
6 ❗
7 ↗
8 ❗
9 ❗
10 ❗
11 ❗
12 ❗
13 ❗
14 ❗
15 ❗
16 ❗
17 ❗
18 ❗
19 ❗
20 ❗
21 ❗
22 ❗
23 ❗
24 ❗
25 ❗
26 ❗
27 ❗
28 ❗
29 ❗
30 ❗
31 ❗
32 ❗
33 ❗
34 ❗
35 ❗
36 ❗
37 ❗

collection de sculptures bouddhiques des périodes de Heian et de Kamakura ; le même ticket permet d'accéder en face à un joli jardin de la fin de la période de Kamakura. En descendant les marches à côté du pavillon du Trésor, on débouche sur la porte du **jardin botanique Makino de la préfecture de Kōchi** (高知県立牧野植物園 ; ☎882-2601 ; 500￥ ; ⏱ 9h-17h), un bel ensemble de jardins, serres et espaces verts rassemblant plus de 3 000 espèces de plantes. Les jardins portent le nom de Tomitarō Makino, le "père de la botanique japonaise" Né dans le Kōchi-ken, Tomitarō rédigea la première encyclopédie scientifique de la flore japonaise, répertoriant plus de 2 500 espèces. Le bus circulaire **My-Yū** s'arrête à Godaisan à destination de Katsura-hama et au départ de la gare de Kōchi (billet journée 600 ￥, 25 min). Généralement, ce bus ne circule que le week-end mais il fonctionne tous les jours pendant la Golden Week (19 juillet au 31 août) et les vacances du Nouvel An. Le reste du temps, il faut prendre un taxi.

KATSURA-HAMA 桂浜
Katsura-hama est une **plage** très fréquentée, à 13 km au sud du centre-ville, là où le port de Kōchi s'ouvre sur la baie. Juste avant d'arriver à la plage, le **musée mémorial Sakamoto Ryōma** (坂本龍馬記念館 ; ☎841-0001 ; 830 Jōsan ; 400 ￥ ; ⏱ 9h-17h) est consacré à ce héros local qui joua un rôle clé dans la Restauration de Meiji dans les années 1860. Né à Kōchi en 1835, Ryōma parvint à réconcilier les clans Satsuma (Kagoshima) et Chōshū (Yamaguchi), ce qui aboutit à la chute du shogunat des Tokugawa. Il fut tué à Kyōto en 1867, à l'âge de 32 ans. Le musée conserve quelques-uns de ses effets personnels et des copies de ses lettres, mais tout est en japonais – sachez cependant que le 2ᵉ niveau offre un point de vue imprenable sur l'océan. Une statue en bronze de Ryōma se dresse près de la plage, tandis que son portrait sévère est omniprésent sur les cartes postales et autres souvenirs vendus dans les échoppes pour touristes autour de l'arrêt de bus.

Par ailleurs, il y a un **aquarium** (桂浜水族館 ; ☎ 841-2437 ; 1 100 ￥ ; ⏱ 9h-17h30) sur la plage, et un petit sanctuaire à flanc de colline qui surplombe l'océan. Des bus desservent Katsura-hama au départ de la gare de Kōchi (610 ￥, 30 min, 6 bus/jour) et de Harimaya-bashi (560 ￥, 25 min, fréquents).

MARCHÉ DU DIMANCHE 日曜市
Ne manquez pas le **marché en plein air** (⏱ 5h-18h dim avr-sept, 6h-17h dim oct-mars), chaque dimanche, le long d'Ōte-suji, la rue menant au château. Voilà près de 300 ans qu'il offre un déballage de fruits, de légumes et de poissons rouges, mais aussi d'antiquités, de couteaux ou de rochers pour jardin.

Fêtes et festivals
Le très animé **Yosakoi-Matsuri** (fête de Yosakoi ; よさこい祭り) a lieu en août et complète parfaitement la fête d'Awa-odori de Tokushima (12-15 août ; p. 657). Les festivités commencent la veille au soir, le 9 août, et continuent jusqu'au soir du 12 août, mais la fête bat son plein les 10-11 août.

SHIKOKU

Où se loger

Tosa Bekkan (とさ別館 ; ☎ 883-5685 ; fax 884-9523 ; 1-11-34 Sakura-chō ; 3 800 ¥/pers ; P). Ce *minshuku* douillet, dans une zone résidentielle à 15 minutes à pied (900 m) de la gare, offre le meilleur rapport qualité/prix de la ville. Les chambres spacieuses de style japonais sont tenues par une famille accueillante. Suivez les lignes de tramway devant la gare et tournez à gauche lorsque vous voyez le Green Hotel sur votre droite. Le nom en japonais est indiqué sur des panneaux sur les poteaux télégraphiques.

Comfort Inn (☎ 883-1441 ; fax 884-3692 ; 2-2-12 Kita-Honmachi ; s/lits jum avec petit déj 5 400/7 200 ¥ ; P X 💻 📶). Chambres classiques de *business hotel*, dans un établissement confortable et bien tenu, à quelques minutes de marche de la gare. Des ordinateurs avec connexion Internet sont installés dans le hall.

Hotel No 1 Kōchi (☎ 873-3333 ; fax 875-9999 ; www. hotelno1.jp/kochi/, en japonais ; 16-8 Nijūdai-machi ; s/lits jum 5 140/7 870 ¥ ; P X 💻 📶). Ce *business hotel* se trouve dans un quartier tranquille entre la gare et le château. Les chambres à l'occidentale sont un peu petites, mais l'onsen sur le toit est appréciable. Connexion par réseau LAN dans toutes les chambres, et ordinateurs avec Internet dans le hall.

Kōchi Palace Hotel (☎ 825-0100 ; www.kochipalace. co.jp, en japonais ; 1-18 Nijūdai-machi ; s/d 6 500/8 500 ¥ ; P 💻 📶). Ce vaste hôtel comporte des chambres confortables, un restaurant français et un *beer garden*. Il domine tout le quartier, à deux pâtés de maisons à l'ouest de la ligne de tram Harimayabashi-dōri, sur la rive sud de la rivière. Connexion LAN dans toutes les chambres.

Richmond Hotel (☎ 820-1122 ; www.richmond hotel.jp/e/kochi/index.htm ; 9-4 Obiyamachi ; s 11 000 ¥, d 16 000-20 000 ¥ ; P X 💻 📶). Dans sa catégorie de prix, cet hôtel aux chambres immaculées et au service professionnel sort du lot. Il est situé juste à côté de la principale galerie marchande, en plein centre-ville. Ordinateurs avec Internet à disposition gratuite, location d'ordinateurs portables et connexion par réseau LAN dans toutes les chambres.

Sansuien (☎ 822-0131 ; www.sansuien.co.jp, en japonais ; 1-3-35 Takajō-machi ; à partir de 13 800 ¥/pers repas compris ; P). À trois pâtés de maisons au sud du château, le long de la Kenchō-mae Dōri, cet hôtel classique à plusieurs étages est agrémenté d'onsen luxueux et d'un jardin renfermant des bâtiments qui faisaient jadis partie de la résidence du daimyo. Les bains sont accessibles aux non-résidents de 10h à 16h (900 ¥).

Où se restaurer

Le principal quartier de divertissements se situe autour de la galerie marchande d'Obiyamachi et près du carrefour de Harimaya-bashi, où se croisent les lignes de tram. Parmi les spécialités locales, citons le *katsuo tataki* (bonite légèrement saisie), au menu de presque tous les restaurants de la ville.

Hirome Ichiba (☎ 822-5287 ; 2-3-1 Obiyamachi ; 🕒 8h-23h, 7h-23h dim). Jute à l'est du château, ce marché animé est une destination de choix pour manger et boire sans se ruiner. Ne manquez pas les *gomoku rāmen*, un plat nourrissant à base de *rāmen* (nouilles) et de fruits de mer de Kōchi.

Jidorian (☎ 871-5008 ; 1-7-27 Ôte-suji ; 🕒 18h-1h). Restaurant de yakitoris (brochettes de poulet grillé) très prisé, avec ambiance musicale jazzy. Le yakitori *moriawase* (7 sortes de brochettes de poulet ; 740 ¥) est un bon choix. À l'angle de Green Rd, une petite rue bordée de stands de nouilles en soirée.

Hakobe (☎ 823-0084 ; 1-2-5 Obiyamachi ; 🕒 11h-24h). Dans la galerie d'Obiyamachi, une adresse modeste parfaite pour un repas copieux et bon marché. Composez votre *okonomiyaki* (630 ¥) à base de *buta* (porc), *ika* (calmar), *ebi* (crevette) ou *tori* (poulet) et cuisez-le vous-même à table sur un réchaud. Menu illustré et modèles en plastique dans la vitrine.

Uofuku (☎ 824-1129 ; 2-13 Nijūdai-chō ; 🕒 17h-23h, fermé dim). Installez-vous à une table dans le petit espace tatamis surélevé ou au comptoir de ce sympathique *izakaya*, où le poisson vient tout droit du grand aquarium à l'entrée. Le menu est en japonais : demandez le *katsuo tataki* (environ 1 200 ¥) ou les *osusume* (suggestions). Les plus curieux goûteront le *shutō* – parties de bonite fermentées au vinaigre (450 ¥), dont raffolent les habitants.

Tosa-han (☎ 821-0002 ; 1-2-2 Obiyamachi ; 🕒 11h30 -22h). Cet élégant restaurant de la galerie d'Obiyamachi est spécialisé dans la cuisine traditionnelle. Les *bentō* (boîte-repas) coûtent à partir de 900 ¥ ; le *katsuo* (bonite) est servi sous différentes formes, sashimi (cru, 1 200 ¥) ou *katsuo tataki* (saisi, 1 300 ¥) notamment. Le menu illustré montre un grand choix de poissons frais. L'enseigne extérieure est ornée d'un portrait de Ryōma Sakamoto.

Tokugetsurō (☎ 882-0101 ; 1-17-3 Minami-harimaya-chō ; 🕒 déj et dîner). Ouvert depuis 1870, ce restaurant traditionnel est l'occasion de savourer la *Tosa-ryōri* (cuisine de Tosa) dans des salles équipées de tatamis et dominant un jardin.

La carte comporte quelques menus mettant à l'honneur les poissons régionaux comme la bonite ou la brème, selon la saison. Si vous ne voulez pas manger de baleine, évitez tous les plats comportant le mot *kujira* (鯨), "baleine" en japonais. Le restaurant occupe une édifice avec une imposante façade en bois en face de l'arrêt de tram Dentetsu Tāminaru-biru Mae. Pour les budgets serrés, les *bentō* spéciaux démarrent à 2 625 ¥ ; comptez au moins le double le soir.

Où prendre un verre

Tosa-no-izakaya Ippon-zuri (☎ 825-3676 ; 2F Sunshine Fujiwara Bldg, 1-5-5 Obiyamachi ; ◷ 17h-24h). Dans la galerie d'Obiyamachi (repérez les lanternes et les menus à l'extérieur), cet *izakaya* propose un bon choix de spécialités locales (comme le *katuso tataki*, 980 ¥) et de sakés (à partir de 440 ¥) brassés dans le Kōchi-ken – consultez la carte à la page "Tosa no Ji-zake" (土佐の地酒).

Tonchan (☎ 823-6204 ; 1-3-8 Obiyamachi ; ◷ 17h-23h, fermé dim). Dans un bâtiment de deux étages qui fait l'angle, ce lieu intemporel est empli de fumée et de vapeur, de rires et de conversations. Les clients réguliers se rassemblent autour du bar en fer à cheval et les serveuses affairées réchauffent le saké et envoient les commandes à l'étage via un vieux système de leviers et poulies. Bon choix d'en-cas : *tsukemono moriawase* (assortiments de cornichons, 320 ¥), *tan* (langue de bœuf, 420 ¥), *wafū sarada* (salade japonaise, 480 ¥) et *eda-mame* (jeunes graines de soja bouillies et légèrement salées ; 320 ¥).

Habotan (☎ 872-1330 ; 2-21 Sakai-machi ; ◷ 11h-23h). Des lanternes rouges signalent cet *izakaya* doté d'un grand bar et de tables et compartiments à l'arrière. Le menu affiché aux murs est en japonais mais vous pourrez montrer du doigt les plats présentés sur le comptoir. Le *sashimi moriawase* (assortiment de sashimis) coûte 1 050 ¥. Goûtez les alcools locaux comme le saké Tosa-tsuru et le Dabada Hiburi, un *shōchū* (alcool de graines) de châtaignes. En face de Chūō Kōen, à côté de plusieurs banques.

Amontillado Pub (☎ 875-0899 ; 1-1-17 Obiyamachi ; ◷ 17h-1h). Ce bar irlandais propose un jeu de fléchettes et des pintes de Guinness pour 900 ¥. Des concerts de musique irlandaise sont parfois organisés.

Boston Cafe Bar (☎ 875-7730 ; 1-7-9 Ōte-suji ; ◷ 17h30-2h, après 2h sam-dim). Ambiance américaine avec des matchs de base-ball à la télévision et un personnel jeune et sympathique derrière le bar. Une bière pression coûte 600 ¥ et une pizza au bacon 700 ¥.

Depuis/vers Kōchi

L'aéroport Ryōma de Kōchi, à 10 km à l'est de la ville, est accessible en bus (700 ¥, 35 min) depuis la gare. Il y a tous les jours des vols depuis/vers Tōkyō (31 500 ¥, 1 heure 20, 8 vols/jour), Nagoya (25 800 ¥, 1 heure, 2 vols/jour), Ōsaka (17 500 ¥, 45 min, 6 vols/jour) et Fukuoka (23 700 ¥, 45 min, 3 vols/jour).

Sur la ligne JR Dosan, Kōchi est relié à Takamatsu (*tokkyū* 4 760 ¥, 2 heures 10) via Awa Ikeda (*tokkyū* 2 730 ¥, 1 heure 10), point d'accès à la vallée de l'Iya dans le Tokushima-ken. Des trains partent également vers l'ouest jusqu'à Kubokawa (*tokkyū* 2 560 ¥, 1 heure), où l'on peut prendre une correspondance pour Nakamura (et la Shimanto-gawa) et Uwajima sur la côte ouest.

Comment circuler

Le pittoresque tramway de Kōchi (190 ¥/trajet) est en service depuis 1904. Il y a deux lignes : la ligne nord-sud part de la gare et croise la ligne est-ouest au carrefour de Harimaya-bashi. On paie en descendant ; demandez un *norikae-ken* (ticket de correspondance) si vous devez faire un changement.

Le bus circulaire My-Yū (voir Godaisan, p. 669) dessert Godaisan et Katsurahama au départ de la gare de Kōchi.

DE KŌCHI À ASHIZURI-MISAKI

Entre Kōchi et Ashizuri-misaki, la côte réserve quelques sites intéressants. La Tosa-wan (baie de Tosa) était jadis un important centre baleinier et désormais les excursions pour observer les cétacés connaissent un succès croissant. On peut faire du kayak sur la Shimanto-gawa, l'une des dernières rivières du Japon à s'écouler sans barrage, ou se détendre sur la superbe plage d'Ōki-hama. Le cap lui-même renferme des paysages sauvages et le temple 38 du pèlerinage de Shikoku.

La ligne ferroviaire en provenance de Kōchi bifurque à Wakai. La ligne JR Yodo se dirige au nord-ouest à travers les montagnes jusqu'à Uwajima dans le Ehime-ken, tandis que la ligne privée Tosa-Kuroshio part au sud jusqu'à Nakamura et Sukumo. En outre des bus desservent Ashizuri-misaki au départ de la gare de Nakamura (1 930 ¥, 1 heure 40, 9 bus/jour). Pour aller jusqu'à Sukumo et Uwajima, il faut prendre le bus ou faire du stop (pour plus de détails sur l'auto-stop, voir p. 840).

SHIKOKU

Du printemps à la mi-septembre, des sorties pour observer les baleines sont proposées par divers prestataires sur la côte. À Kuroshio-machi, non loin de Nakamura, **Ōgata Whale Watching** (☎ 0880-43-1058 ; fax 0880-43-1527 ; http://sunabi.com/kujira, en japonais ; 5 000 ¥/pers) organise chaque jour trois excursions de 4 heures entre fin avril et octobre ; départ à 8h, 10h et 13h. Il faut réserver bien à l'avance car l'agence part de trois ports différents. Tosa Irino et Tosa Kamikawaguchi sont les gares les plus proches de Kuroshio-machi sur la ligne ferroviaire Tosa-Kuroshio.

Pour se loger, la meilleure adresse de la région est la **Shimanto-gawa Youth Hostel** (四万十川ユースホステル ; ☎ 0880-54-1352 ; www16.plala.or.jp/shimanto-yh, en japonais ; non-membres 5 980 ¥/pers avec 2 repas ; P ⊠), superbement située en bordure de la Shimanto-gawa. L'hébergement se fait en dortoirs. Les propriétaires organisent régulièrement des sorties en canoë (8 400 ¥ la journée, formule d'initiation moins onéreuse pour les débutants).

Située à 4,5 km de Kuchiyanai (口屋内), l'auberge de jeunesse est accessible en bus (peu fréquents) au départ de la gare d'Ekawasaki et de Nakamura. En prévenant à l'avance, on viendra vous chercher.

Nakamura 中村
☎ 0880 / 37 900 habitants

Tout le monde l'appelle Nakamura, mais depuis sa fusion avec le village de Nishitosa en 2005, son nom officiel est Shimanto-shi, c'est-à-dire "Ville de Shimanto". C'est une bonne base pour organiser une excursion sur la belle **Shimanto-gawa** (四万十川), l'une des dernières rivières sans barrage au Japon. Le personnel de l'**office du tourisme** (☎ 35-4171 ; ⊗ 8h30-17h), en face de la gare de Nakamura, distille des informations sur les sorties en kayak et en canoë, le camping et les autres activités de plein air. Plusieurs agences organisent des croisières sur des bateaux de pêche traditionnels appelés Yakata-bune (2 000 ¥, 50 min) ; l'office du tourisme dispose d'une liste. Par ailleurs, l'office loue des vélos (5 heures/journée 600/1 000 ¥) si vous souhaitez remonter la rivière à votre rythme.

À quelques kilomètres de la gare de Nakamura, le **Shimanto-gawa Gakuyūkan** (四万十川学遊館 ; ☎ 37-4111 ; 840 ¥ ; ⊗ 9h-17h, fermé le lun) est un musée dédié aux libellules. Vous verrez ces insectes évoluer un peu partout dans un parc de 6 ha agrémenté d'étangs.

Devant la gare, le **Dai-ichi Hotel Nakamura** (第一ホテル中村 ; ☎ 0880-34-7211 ; fax 0880-34-7463 ;

s/d 5 000/10 500 ¥) loue des chambres de style occidental correctes. À deux pas, la poste est dotée d'un DAB international.

À environ 40 minutes au sud de Nakamura en bus (direction Ashizuri-misaki), **Ōki-hama** (大岐浜) est une belle étendue de sable blanc bordée de pins. Le site est très apprécié des surfeurs mais il n'y a pas d'hébergement à proximité.

ASHIZURI-MISAKI 足摺岬
☎ 0880

Comme Murato-misaki, Ashizuri-misaki est une pointe sauvage et magnifique au bout de laquelle se dresse un phare.

Sur le cap s'élève une grande statue à la mémoire du héros local, "John" Manjirō. Né Nakahama Manjirō en 1836, ce jeune pêcheur échoua en 1841 avec ses compagnons sur la côte désolée de l'île de Tori-shima, à 600 km au large de la baie de Tōkyō, et fut sauvé cinq mois plus tard par un baleinier américain qui l'emmena à Hawaï. Après avoir appris l'anglais dans le Massachusetts, "John" rentra au Japon et, à la fin de la période des Tokugawa, joua un rôle crucial dans les relations diplomatiques avec les États-Unis et d'autres pays.

Ashizuri-misaki est également le site du temple 38, le **Kongōfuku-ji** (金剛福寺 ; ☎ 88-0038), dont le point de vue imprenable embrasse le promontoire et l'océan Pacifique. Si vous désirez vous attarder dans ce lieu perdu et désolé, l'**Ashizuri Youth Hostel** (足摺ユースホステル ; ☎ 88-0324 ; 3 960 ¥/pers ; P) est à quelques pas et propose des chambres avec tatamis, rudimentaires mais bien tenues. En prévenant à l'avance on pourra vous servir des repas. L'**Ashizuri Kokusai Hotel** (足摺国際ホテル ; ☎ 0880-88-0201 ; fax 0880-88-1135 ; www.ashizuri.co.jp, en japonais ; à partir de 13 650 ¥ repas compris) est une adresse plus haut de gamme, avec des onsen surplombant la mer.

EHIME-KEN 愛媛県

Occupant le nord-ouest de Shikoku, Ehime-ken renferme 27 temples du pèlerinage, soit le plus grand nombre de l'île. À l'instar de Tosa, le sud de la préfecture a depuis toujours l'image d'une contrée sauvage et reculée ; lorsque les pèlerins arrivent à Matsuyama, la plus grande ville de Shikoku, ils savent que le plus dur est derrière eux. De nombreux temples sont concentrés autour de Matsuyama et du pont de Shimanami-kaidō, qui relie Shikoku et Honshū.

Parmi les sites dignes d'intérêt figurent le musée du Sexe et le sanctuaire d'Uwajima, le château féodal parfaitement préservé et le Dōgo Onsen de Matsuyama, sans oublier le pic sacré de l'Ishizuchi-san (1 982 m), point culminant du Japon occidental.

UWAJIMA 宇和島

☎ 0895 / 62 000 habitants

Uwajima est une charmante ville rurale, connue parmi les voyageurs étrangers pour son musée du Sexe imagé et son petit sanctuaire shintoïste dédié à la fertilité. Uwajima est également réputée pour ses combats de taureaux traditionnels et ses délicieux produits de la mer.

Renseignements

La gare dispose de consignes à pièces et juste à côté de l'office du tourisme, la poste est équipée de DAB internationaux.

Office du tourisme (☎ 22-3934 ; ☯ 8h30-17h lun-ven, 9h-17h sam-dim). De l'autre côté de la rue en face de la gare JR d'Uwajima, avec accès Internet gratuit.

À voir et à faire

TAGA-JINJA ET MUSÉE DU SEXE 多賀神社
Autrefois, nombre de sanctuaires shintoïstes étaient liés à des rites de fertilité. Parmi ceux qui ont survécu, le **Taga-jinja** est l'un des plus connus. Les jardins du temple sont émaillés de troncs d'arbre phalliques et d'autres statues ou sculptures, mais le **musée du Sexe** (☎ 22-3444 ; www3.ocn.ne.jp/~dekoboko, en japonais ; 800 ¥ ; ☯ 8h-17h) constitue la principale curiosité.

Ce musée expose sur 3 étages un ensemble hétéroclite : poteries péruviennes, vases grecs, *Kama-sutra* illustré, sculptures tantriques tibétaines, dieux de la fertilité du Pacifique Sud, vitrine remplie de gadgets SM en cuir, anciens *shunga* (gravures érotiques) et leurs équivalents victoriens, sans oublier des magazines pornographiques.

Le sanctuaire, bien indiqué (en anglais et en japonais), est immédiatement de l'autre côté du pont qui enjambe la Suka-gawa.

UWAJIMA-JŌ 宇和島城

Remontant à 1601, ce **château** (☎ 22-2832 ; 200 ¥ ; ☯ 9h-16h) est un petit édifice sur trois niveaux au sommet d'un monticule haut de 80 m au beau milieu de la ville. L'édifice actuel fut reconstruit en 1666 par le daimyo Munetoshi Date. Le château se dressait jadis en bord de mer et offre toujours un beau point de vue sur la

ville. Le donjon est l'un des 12 éléments originaux de ce type encore présents au Japon ; il n'y a pas grand-chose à voir à l'intérieur. Le parc qui l'entoure, le **Shiroyama Kōen** (城山公園), est ouvert du lever au coucher du soleil et se prête à une agréable promenade.

MUSÉE DATE 伊達博物館

L'excellent **musée Date** (☎ 22-776 ; 9-14 Goten-machi ; 500 ¥ ; ☯ 9h-17h, fermé lun) est consacré à la famille Date, qui gouverna Uwajima pendant 250 ans au cours du règne des Tokugawa. La plupart des explications sont en japonais mais beaucoup de pièces exposées (épées, armures, palanquins et objets laqués) peuvent être appréciées pour leur aspect visuel.

COMBATS DE TAUREAUX 闘牛

Le *tōgyū* est une version bovine du sumo : une des bêtes essaie de pousser l'autre hors de l'arène (la victoire revient à l'animal qui force l'autre à se mettre à genou, ou à le mettre en fuite). Les combats ont lieu dans l'**arène municipale de combats de taureaux** (3 000 ¥) d'Uwajima, le 2 janvier, le 1er dimanche d'avril, le 24 juillet, le 14 août et le 4e dimanche d'octobre. À l'office du tourisme, on pourra vous indiquer comment se rendre à l'arène.

TEMPLES 41 ET 42

Pour vous faire une idée du pèlerinage des 88 temples sans emprunter les routes principales très fréquentées, prenez un bus direct depuis la gare d'Uwajima jusqu'au temple 42, le **Butsumoku-ji** (仏木寺 ; 510 ¥, 40 min). Après avoir admiré le clocher au toit de chaume et les statues des sept dieux de la Chance, suivez le chemin des *henro* clairement signalé à travers de pittoresques villages agricoles et des rizières jusqu'au temple 41, le **Ryūkō-ji** (龍光寺). Ici, un escalier de pierre escarpé mène à un ravissant temple et un sanctuaire dominant les champs. Au total, la balade fait un peu plus de 5 km. Du Ryūkō-ji, des panneaux indiquent la gare de Muden (務田駅), à 15 minutes à pied (800 m). De là, un bus ou un train vous ramènera à Uwajima.

Où se loger et se restaurer

Uwajima Youth Hostel (宇和島ユースホステル ; ☎ 22-7177 ; fax 22-7176 ; www2.odn.ne.jp/~cfm91130 ; dort tarif voyageur étranger 2 100 ¥ ; P X 🖳). Il faut marcher 2 km depuis la gare pour trouver cette adresse accueillante offrant un beau point de vue depuis le sommet de la colline et un

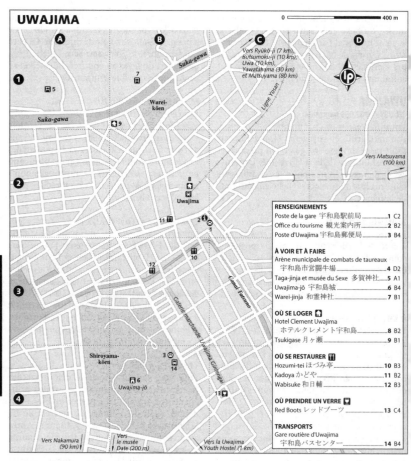

UWAJIMA

0 — 400 m

Vers Ryūkō-ji (7 km),
Butsumoku-ji (10 km),
Uwa (10 km),
Yawatahama (30 km)
et Matsuyama (80 km)

Suka-gawa

Warei-kōen

Suka-gawa

Vers Matsuyama
(100 km)

Uwajima

Galerie marchande Uwajima Gintengai

Canal Tatsu

Shiroyama-kōen

Uwajima-jō

Vers Nakamura
(90 km)

Vers le musée
Date (200 m)

Vers la Uwajima
Youth Hostel (1 km)

RENSEIGNEMENTS
Poste de la gare 宇和島駅前局 1 C2
Office du tourisme 観光案内所 2 B2
Poste d'Uwajima 宇和島郵便局 3 B4

À VOIR ET À FAIRE
Arène municipale de combats de taureaux
　宇和島市営闘牛場 4 D2
Taga-jinja et musée du Sexe 多賀神社 5 A1
Uwajima-jō 宇和島城 6 B4
Warei-jinja 和霊神社 7 B1

OÙ SE LOGER
Hotel Clement Uwajima
　ホテルクレメント宇和島 8 B2
Tsukigase 月ヶ瀬 9 B1

OÙ SE RESTAURER
Hozumi-tei ほづみ亭 10 B3
Kadoya かどや 11 B2
Wabisuke 和日輔 12 B3

OÙ PRENDRE UN VERRE
Red Boots レッドブーツ 13 C4

TRANSPORTS
Gare routière d'Uwajima
　宇和島バスセンター 14 B4

emplacement paisible à proximité de plusieurs temples. Dortoirs de 4 lits. Suivez n'importe quelle grande rue de la ville direction sud-est jusqu'à atteindre l'Uwatsuhiko-jinja (panneau en anglais). De là, un petit sentier grimpe à flanc de colline jusqu'à l'auberge. Accès Internet et location de vélos gratuits.

Hotel Clement Uwajima (☎ 23-6111 ; fax 23-6666 ; www.shikoku.ne.jp/clement-uwajima/index.shtml, en japonais ; s/d 6 930/8 662 ¥ ; P ⊠ ▯ 🛜). Dans le complexe de la gare, ce *business hotel* distingué propose des chambres à l'occidentale et un *beer garden* sur le toit. Connexion Internet par réseau LAN dans toutes les chambres.

Tsukigase (☎ 22-4788 ; fax 22-4787 ; avec/sans repas à partir de 10 000/6 000 ¥ ; P). Entre le parc Warei-kōen et le pont qui mène à Taga-jinja,

ce *ryokan* familial se compose de chambres traditionnelles avec tatamis et d'un fabuleux onsen avec vue sur la montagne. Le restaurant adjacent sert une cuisine savoureuse.

Kadoya (☎ 22-1543 ; 🕐 déj et dîner ; ⊠). Non loin de la gare, cette adresse est très courue pour ses spécialités régionales comme le *tai-meishi* (brème au riz ; 1 790 ¥). Le menu de midi coûte 1 200 ¥ et la carte est illustrée.

Wabisuke (☎ 24-0028 ; 1-2-6 Ebisu-machi ; 🕐 déj et dîner). Ce restaurant raffiné est l'occasion de découvrir le *tai* (brème), spécialité locale servie dans le *tai-meshi go-zen* (menu à base de brème, 1 880 ¥). La musique de l'eau est plaisante et le personnel parle un peu anglais. Menu illustré et bon choix de sakés locaux.

SHIKOKU

Hozumi-tei (☎ 22-0041 ; 2-3-8 Shinmachi ; plats 750-1 500 ¥ ; 🕐 déj et dîner lun-sam). À la fois *izakaya* et restaurant plus chic, cet établissement est en activité depuis plus de 70 ans. Le menu est en japonais mais le propriétaire se fait un plaisir de partager son amour des plats régionaux avec ses clients. Prononcez les mots "Kyōdo ryōri" (郷土料理 , cuisine locale) et il vous livrera tous ses secrets. Un plat de *tai-meishi* coûte 2 100 ¥.

Où prendre un verre

Red Boots (☎ 25-3506 ; 2-6-1 Honmachi Ôte ; bière 600 ¥ ; 🕐 17h-2h, fermé lun). L'activité nocturne est assez limitée à Uwajima, mais ce bar agréable est parfait pour se détendre en fin de journée. À 15 minutes de marche de la gare (700 m) ; au bout de la galerie marchande, prenez la deuxième à droite et repérez l'enseigne.

Comment s'y rendre et circuler

Uwajima, sur la ligne JR Yosan, est accessible depuis Matsuyama (*tokkyū* 2 900 ¥, 1 heure 30) via Uchiko (*tokkyū* 2 210 ¥, 1 heure). Vous pourrez louer un vélo (100 ¥/heure) auprès de l'office du tourisme.

D'UWAJIMA À MATSUYAMA

Entre Uwajima et Matsuyama, la côte ouest est jalonnée de bourgades intéressantes, notamment Ōzu, avec son château récemment reconstruit, ou Uchiko, une ville qui prospéra grâce à l'industrie de la cire au XIXᵉ siècle et qui renferme plusieurs beaux édifices anciens. En venant du sud, les lignes ferroviaires reprennent à Uwajima : la ligne JR Yodo retourne vers Kubokawa et Kōchi tandis que la ligne JR Yosan se dirige vers le nord jusqu'à Matsuyama.

Yawatahama 八幡浜
☎ 0894 / 41 200 habitants
Pendant des siècles, les pèlerins des 88 temples qui venaient de Kyūshū en bateau débarquaient traditionnellement à Yawatahama puis commençaient et achevaient leur circuit au temple 43, le **Meiseki-ji** (明石寺).

Les ferries de **Nankai Ferry** (☎ 0120-732-156) assurent la liaison entre Yawatahama et Beppu (3 120 ¥, 3 heures, 6 bateaux/jour) ou Usuki (2 320 ¥, 2 heures 15, 6 à 7 bateaux/jour) sur Kyūshū. Le port de Yawatahama-kō est à 5 minutes de bus (150 ¥) ou à 20 minutes (1,5 km) de marche de la gare de Yawatahama. Tournez à gauche en sortant de la gare puis marchez tout droit jusqu'à la mer.

Si vous devez passer la nuit sur place, le **Yawatahama Century Hotel** (八幡浜センチュリーホテル ; ☎ 22-2200 ; www.c-itoh.com, en japonais ; 1-1460-7 Tenjin-dōri ; s/lits jum 6 090/10 080 ¥), sur la droite en direction du port (en venant de la gare), propose des chambres à l'occidentale correctes.

Ōzu 大洲
☎ 0893 / 50 000 habitants
Au nord-est de Yawatahama sur la ligne Yosan, Ōzu est réputé pour son traditionnel **ukai** (鵜飼) ; pêche au cormoran en rivière) qui se pratique sur la Hiji-gawa du 1ᵉʳ juin au 20 septembre. Des **bateaux d'excursion** (☎ 24-2029 ; 3 000 ¥/pers ; 🕐 départ 18h30, retour 21h) suivent les bateaux de pêche qui attirent les cormorans. Réservation nécessaire.

Ōzu s'enorgueillit aussi de son **Ōzu-jō** (大洲城 ; ☎ 24-1146 ; billet combiné avec le Garyūsansō 800 ¥ ; 🕐 9h-17h), le château le plus récent du Japon, achevé en 2004. Plutôt que le béton armé utilisé dans la plupart des châteaux reconstruits au XXᵉ siècle, on a préféré recourir aux techniques de construction traditionnelle et au bois. Dans les jardins, d'autres bâtiments ont traversé les siècles depuis la période d'Edo. À l'intérieur, un diorama représente la vie quotidienne à l'époque féodale. En bordure de rivière, le château est impressionnant, surtout la nuit lorsqu'il est illuminé.

De l'autre côté de la ville par rapport au château, le **Garyūsansō** (臥龍山荘 ; 500 ¥, billet combiné avec l'Ōzu-jō 800 ¥ ; 🕐 9h-17h) est une élégante maison de thé de la période de Meiji avec un jardin. L'ensemble forme un lieu idyllique qui surplombe la rivière. Excellente brochure en anglais.

Le meilleur hébergement est l'**Ōzu Kyōdokan Youth Hostel** (大洲郷土館ユースホステル ; ☎ 24-2258 ; http://homepage3.nifty.com/ozuyh ; San-no-maru ; 3 200 ¥/pers), avec d'immenses chambres dotées de tatamis et un intéressant musée conservant des objets de l'âge d'or de la cité fortifiée, sous le règne des Tokugawa. Cette auberge familiale est au pied du château.

Uchiko 内子
☎ 0893 / 20 300 habitants
À la fin de la période d'Edo et au début de la Restauration de Meiji, Uchiko fut un important centre de production de cire. Tandis que la ville prospérait, de riches marchands construisirent de somptueuses maisons le long de la rue Yōkaichi – la plupart de ces demeures ont été conservées.

RENSEIGNEMENTS

Il y a des consignes à pièces dans la gare.
Office du tourisme (☎ 43-1450 ; ☽ 9h30-17h
jeu-mar). Procurez-vous une carte en anglais à ce comptoir
d'information, à droite en sortant de la gare JR d'Uchiko.

À VOIR

Uchiko-za 内子座

À mi-chemin entre la gare et Yōkaichi (ci-
dessous), à 50 m dans une rue transversale,
l'**Uchiko-za** (☎ 44-2840 ; 300 ¥ ; ☽ 9h-16h30) est
un superbe théâtre de kabuki traditionnel.
Construit en 1916, il fut complètement restauré et doté d'une scène pivotante en 1985.
Le théâtre accueille encore des spectacles ;
téléphonez pour connaître le programme.

Musée du Commerce et de la Vie
domestique 商いと暮らし博物館

En prenant la rue principale et en marchant
vers le nord pendant quelques minutes à
partir de Uchiko-za (ci-dessus), on arrive
au **musée du Commerce et de la Vie domestique**
(☎ 44-5220 ; 200 ¥ ; ☽ 9h-16h30), qui contient des
objets historiques et des personnages de cire
représentant une scène de marchands de l'ère
Taishō (1912-1926).

Yōkaichi 八日市

La pittoresque rue d'Uchiko, est composée
d'une série d'anciens bâtiments faisant
parfois office de musées, de boutiques de
souvenirs et d'artisanat et de maisons de thé.
Les immeubles de cette rue ont des murs en
plâtre couleur crème et des "ailes" sous les
corniches qui empêchaient les incendies de
gagner les maisons voisines. Les habitants se
sont récemment regroupés pour préserver
la rue et s'assurer que les rénovations res-
pectaient les caractéristiques traditionnelles
des édifices.

Sur la gauche en remontant la rue, **Ōmori
Rōsoku** (☎ 43-0385 ; ☽ 9h-17h, fermé lun et ven) est
la dernière fabrique de bougies à Uchiko. Les
bougies y sont encore fabriquées à la main,
selon les techniques traditionnelles, et vous
pourrez observer les artisans au travail.

Dans la courbe de la rue apparaissent
plusieurs bâtiments austères et bien conservés
de l'ère Edo, notamment l'**Ōmura-tei** et le **Hon-
Haga-tei**, qui était la résidence d'un commerçant
aisé. La famille Hon-Haga établit la production
de cire fine à Uchiko, et remporta des prix aux
Expositions universelles de Chicago (1893)
et de Paris (1900).

Plus loin, la superbe **Kami-Haga-tei** est une
maison de marchand située dans un vaste
ensemble de bâtiments liés à la fabrication de
la cire. Elle est fermée pour rénovation jusqu'en
novembre 2010. Attenante, la **salle d'exposition de
la cire** (☎ 44-2771 ; 400 ¥ ; ☽ 9h-16h30) comporte de
bonnes explications en anglais sur la fabrication
de la cire et le passé fastueux de la ville.

OÙ SE LOGER ET SE RESTAURER

Matsunoya Ryokan (☎ 44-5000 ; www.dokidoki.
ne.jp/home2/matunoya, en japonais ; avec/sans 2 repas
12 600/7 500 ¥/pers ; Ⓟ). Installé entre la gare et
les principaux sites, cet accueillant *ryokan*
loue des chambres bien tenues avec tatamis.
Il se double du restaurant Poco a Poco, où
l'on peut déguster des pâtes ou un déjeuner
simple pour 1 000 ¥.

COMMENT S'Y RENDRE ET CIRCULER

Uchiko est à 25 minutes de Matsuyama en
tokkyū (1 250 ¥, toutes les heures) et à 1 heure en
futsu (740 ¥). Bien signalée en anglais, Yōkaichi
est à 1 km au nord de la gare d'Uchiko.

MATSUYAMA 松山

☎ 089 / 513 000 habitants

La plus grande ville de Shikoku est un carrefour de transports qui n'a rien à envier à ses
semblables de Honshū. Matsuyama s'enorgueillit de sites exceptionnels, en particulier
un château incroyablement bien conservé
et le Dōgo Onsen Honkan (lire l'encadré,
p. 682), un luxueux établissement de bains
publics construit au XIXᵉ siècle sur l'une des
plus anciennes sources chaudes du Japon.
Matsuyama abrite également sept temples
du pèlerinage, notamment l'Ishite-ji, l'une
des étapes les plus réputées du circuit.

Orientation

La plupart des visiteurs arrivent à la gare JR
de Matsuyama, à 500 m à l'ouest des douves
extérieures du château. Le centre-ville s'étend
immédiatement au sud, autour de la gare de
Matsuyama-shi (ligne privée Iyo-tetsudō).
Le Dōgo Onsen se trouve à 2 km à l'est du
centre. Le port des ferries est installé au nord
de Matsuyama, dans la ville de Takahama.

Renseignements

Des DAB acceptant les cartes internationales
sont installés à la poste centrale et au bureau
de poste, à quelques minutes de marche au
nord de la gare JR de Matsuyama.

Centre international de la préfecture d'Ehime
(Ehime Prefectural International Centre, ou EPIC ;
☎ 943-6688 ; www.epic.or.jp ; 1-1 Dōgo Ichiman ;
🕑 8h30-17h, fermé dim). Conseils, accès Internet et
location de vélos. Près de l'arrêt de tram Minami-machi ou
Kenmin Bunkakaikan-mae, il est reconnaissable à son gros
point d'interrogation rouge.

JTB (☎ 931-2281 ; 4-12-10 Sanbanchō ; 🕑 10h-18h,
fermé dim). Dans le centre-ville.

Office du tourisme gare JR de Matsuyama
(☎ 931-3914 ; 🕑 8h30-20h30) Dōgo Onsen-mae
(☎ 921-3708 ; 🕑 8h-16h45). L'office principal est
installé dans la gare JR de Matsuyama. Succursale au
Dōgo Onsen, à côté du terminus du tram.

À voir

MATSUYAMA-JŌ 松山城

Perché au sommet du mont Katsuyama dans
le centre-ville, le château domine la cité depuis
des siècles. Le **Matsuyama-jō** (☎ 921-4873 ; 500 ¥ ;
🕑 9h-17h, 9h-17h30 août, 9h-16h30 déc-janv) est l'un des
plus beaux châteaux d'origine du Japon, et l'un
des seuls offrant un réel attrait à l'intérieur :
on y découvre d'excellentes expositions sur
l'histoire de la ville et de l'édifice d'où elle fut
gouvernée (la plupart des commentaires sont
traduits en anglais).

Un funiculaire (*ropeway* ; aller/aller-retour
260/500 ¥) pourra vous conduire au sommet en
un éclair, mais il y a un agréable sentier si vous
préférez marcher. N'hésitez pas à redescendre
à pied à l'arrière du château pour passer par le
Ninomaru Shiseki Tei-en (100 ¥ ; 🕑 9h-17h, 9h-17h30 août,
9h-16h30 déc-janv). Ces jardins anciens aménagés
dans la citadelle extérieure sont agrémentés
de pièces d'eau modernes. De là, une courte
marche mène au **musée d'Art d'Ehime** (☎ 932-0010 ;
Horinouchi ; 500 ¥ ; 🕑 9h40-18h30, fermé lun), un peu
décevant, où sont conservés un tableau de
Monet et de nombreuses œuvres d'inspiration
européenne réalisées par des artistes locaux.

ISHITE-JI 石手寺

À l'est de Dōgo Onsen, l'**Ishite-ji**, le temple 51, est
l'un des plus grands et des plus impressionnants
du pèlerinage. *Ishite* signifie "main de pierre",
allusion à une légende impliquant Kōbō Daishi
(lire l'encadré, p. 681). À flanc de colline, une
statue de Kōbō Daishi surplombe le temple.

AUTRES SITES

Juste au sud de la gare de Matsuyama-shi,
dans les jardins du temple de Shōjūzen-ji,
le **Shiki-dō** (☎ 945-0400 ; 16-3 Suehiro-chō ; 50 ¥ ;
🕑 8h30-17h) est une partie de la maison où
Masaoka Shiki (1867-1902), légendaire poète
auteur de haïkus, passa les 17 premières années
de sa vie. Présentant sa vie et son œuvre de
façon plus approfondie, le **musée mémorial Shiki**
(☎ 931-5566 ; 1-30 Dōgo-kōen ; 400 ¥ ; 🕑 9h-18h, 9h-17h
nov-avr, fermé lun), dans les jardins de Dōgo-kōen,
est à quelques minutes à pied à l'est de l'arrêt
de tram. Le musée comporte d'excellentes
expositions et vidéos concernant le poète et

SHIKOKU

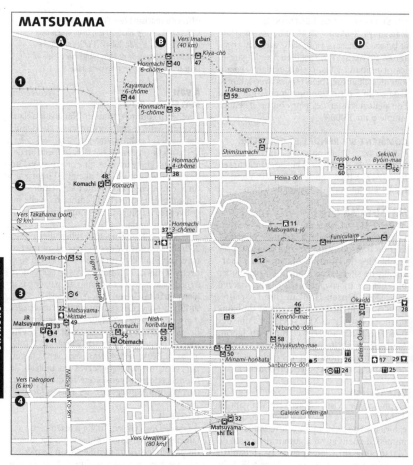

MATSUYAMA

son ami écrivain Sōseki Natsume, mais seul un petit dépliant est traduit en anglais. En téléphonant la veille, un guide bénévole parlant anglais pourra accompagner votre visite.

Le **Dōgo-kōen** (道後公園) est un petit parc renfermant le site du Yuzuki-jō, l'ancienne résidence du clan des Kōno, qui supervisait la province d'Iyo aux temps féodaux. Des pièces mises au jour lors de fouilles récentes sont présentées dans le **musée du Yuzuki-jō** (☎ 941-1480 ; gratuit ; 9h-17h, fermé lun), à côté de l'entrée ouest du parc.

L'**Isaniwa-jinja** (☎ 947-7447), à quelques minutes de marche à l'est du Dōgo Onsen, fut construit en 1667. Classé trésor culturel national, le sanctuaire a été conçu sur le modèle de l'Iwashimizu-Hachimangū de Kyōto.

Où se loger
PETITS BUDGETS

Matsuyama Youth Hostel (☎ 933-6366 ; www.matsuyama-yh.com/english/index.html ; 22-3 Dōgo-himezuka ; dort 2 625 ¥, ch privée 3 360 ¥ ; P X 📖). En haut de la colline, cette excellente auberge est réputée pour ses dortoirs immaculés, son service irréprochable et son atmosphère conviviale. En outre, c'est une base idéale pour fréquenter le Dōgo Onsen, à 10 minutes à pied, en montant à l'est. Pensez à réserver. Repas possibles.

Check Inn Matsuyama (☎ 998-7000 ; fax 998-7801 ; www.checkin.co.jp/matsuyama, en japonais ; 2-7-3 Sanban-chō ; s/lits jum à partir de 4 380/7 700 ¥ ; P X 📖). Cet hôtel offre un excellent rapport qualité/prix. Chambres modernes et bien équipées, lustres dans le hall et onsen sur le toit. Non loin de

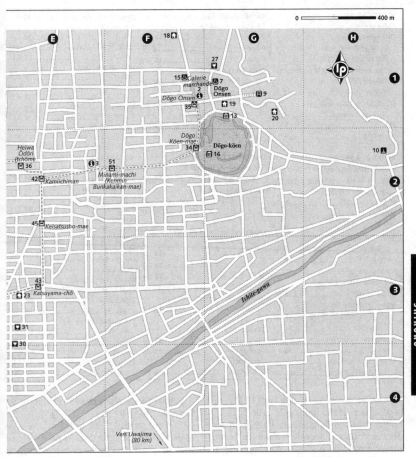

la galerie d'Ōkaidō, l'hôtel est bien placé pour profiter des restaurants et de la vie nocturne de la ville. Connexion par réseau LAN dans toutes les chambres et ordinateurs dans le hall.

Tōyoko Inn (☎ 941-1045 ; fax 941-2046 ; www. toyoko-in.com ; 1-10-8 Ichiban-chō ; s/d avec petit déj 5 460/8 190 ¥ ; (P) ⊠ 🖵). Cet hôtel de la célèbre chaîne propose des chambres petites mais confortables, à 1 minute de l'arrêt de tram Katsuyama-chō et à proximité des restaurants et des bars. Connexion LAN dans toutes les chambres et ordinateurs dans le hall.

Terminal Hotel Matsuyama (☎ 947-5388 ; fax 947-6457 ; www.th-matsuyama.jp, en japonais ; 9-1 Miyata-chō ; s/lits jum 5 775/10 500 ¥ ; (P) ⊠ 🖵). Juste en face de la gare, ce *business hotel* défraîchi dispose de chambres assez grandes et des services

classiques, notamment un ordinateur avec Internet dans le hall. Idéal si vous devez prendre un train tôt le matin.

CATÉGORIE MOYENNE
Millennia Hotel Matsuyama (☎ 943-1011 ; fax 921-4111 ; 2-5-5 Honmachi ; s/lits jum 6 800/10 900 ¥). Chambres spacieuses et confortables, TV sat, restaurant de *dim-sum* : cet hôtel proche des douves du château est une bonne option. Juste en face de l'arrêt de tram Honmachi 3-chōme.

CATÉGORIE SUPÉRIEURE
Dans les *ryokan* répertoriés, les réservations sont obligatoires.

Dōgo Kan (☎ 941-7777 ; www.dogokan.co.jp, en japonais ; 7-26 Dōgo Takōchō ; lun-mar à partir de 15 000 ¥/

pers repas compris, sam-dim à partir de 21 000 ¥ ; (P)). Sur la pente derrière les bains publics de Tsubaki-no-yu, cet hôtel de plusieurs étages propose des chambres raffinées avec tatamis dotées de somptueuses sdb ; quelques chambres de style occidental sont disponibles à moindre coût.

Funaya (☎ 947-0278 ; fax 943-2139 ; www.dogo-funaya.co.jp, en japonais ; 1-33 Dōgo Yunomachi ; à partir de 22 050 ¥/pers repas compris ; (P)). À quelques pas de l'arrêt de tram de Dōgo Onsen, sur la route menant à l'Isaniwa-jinja, ce luxueux hôtel est en activité depuis plus de 350 ans. Sōseki Natsume et divers membres de la famille royale ont même séjourné ici. Derrière la sobriété extérieure se dissimulent un jardin exquis, de belles chambres avec tatamis (il y a quelques chambres à l'occidentale) et un onsen privé alimenté par la célèbre source.

Où se restaurer

Dans le centre-ville, le quartier des galeries marchandes de Ginten-gai et d'Ōkaidō regroupe de multiples options intéressantes.

Goshiki Sōmen Morikawa (☎ 933-3838 ; 3-5-4 Sanban-chō ; repas 700-1 500 ¥ ; ⊙ 11h-20h30). À côté de la poste centrale, cette belle institution de Matsuyama, spécialisée dans les *goshiki sōmen* (nouilles fines de 5 couleurs différentes), est reconnaissable aux paquets de nouilles colorées dans la vitrine qui attendent d'être rapportés comme souvenirs par les touristes. Menu autour de 1 500 ¥ ; la carte est illustrée.

Tori-sen (☎ 908-5565 ; 3-2-22 Niban-chō ; ⊙ 17h30 -24h). Les amateurs de yakitoris vont adorer ces en-cas à base de poulet fermier à accompagner d'une bière. Le restaurant se trouve dans une rue bondée jalonnée de restaurants et de bars, parallèle à la galerie d'Ōkaidō. Le choix est illimité, et en l'absence de menu en anglais, le personnel se fera une joie de vous aider. Le *tori sashimi* (assortiment de sashimis de poulet cru ; 2 000 ¥) est savoureux, de même que le *kōchin setto* (menu poulet gourmand ; 2 000 ¥). Repérez le rideau rouge devant la porte ornée de l'idéogramme japonais signifiant "poulet" : 鶏.

Tengu no Kakurega (☎ 931-1009 ; 2-5-17 Sanban-chō ; ☺ 17h-24h, 17h-1h ven-sam). Cet *izakaya* chic fréquenté par une clientèle jeune sert des yakitoris dans un cadre plaisant. Les cloisons en papier cachent un petit jardin à l'arrière. Pas de menu en anglais. Quelques exemples de yakitoris : *tsukune* (boulettes de poulet ; 150 ¥), *asuparamaki* (poulet aux asperges ; 200 ¥), *nira-maki* (poulet aux échalotes ; 150 ¥) et *uzura* (œufs de caille ; 150 ¥). Il y a 100 sortes de sakés et de *shōchū*. L'établissement est un peu difficile à trouver : en partant du bureau de poste, cherchez la petite enseigne sur la droite dans le 2ᵉ pâté de maisons après la galerie d'Ōkaidō.

Où prendre un verre

Vous ne mourrez pas de soif à Matsuyama. Un grand nombre de bars sont concentrés à Ichiban-chō et Niban-chō, dans les rues éclairées de néons de chaque côté de la galerie d'Ōkaidō.

Rockbar Hoshizora Jett (☎ 933-0001 ; 1-8-4 Niban-chō ; boissons à partir de 500 ¥ ; ☺ 17h30-4h). Ce charmant bar un rien défraîchi fait la part belle au rock américain. Concerts fréquents le week-end. À côté du Washington Hotel, en remontant la rue en direction de la galerie d'Ōkaidō. Enseigne en anglais.

Monk (☎ 945-9512 ; 2F Aihara Bldg, 1-10-16 Sanban-chō ; boissons à partir de 700 ¥ ; ☺ 18h-2h). Un bar agréable pour prendre un verre avec le sympathique propriétaire musicien et découvrir son énorme collection de disques de jazz. Des concerts sont régulièrement organisés.

Peggy Sue Saloon (☎ 934-5701 ; 2F, 1-2-9 Nibanchō ; boissons à partir de 700 ¥ ; ☺ 20h30-3h, fermé lun). Tenu par un fanatique de musique country, ce bar convivial décline le thème du cow-boy américain. Le jukebox Wurlitzer est opérationnel et les guitares et mandolines accrochées au mur n'attendent que les clients musiciens. L'enseigne du 2ᵉ niveau est visible depuis la rue.

Dōgo Biiru-kan (☎ 945-6866 ; 20-13 Dōgo Yunomachi ; ☺ 11h-22h). Juste à côté du Dōgo Onsen Honkan, cet établissement brasse sa propre bière. Vous y prendrez un verre et mangerez un morceau après une séance aux bains. Les noms des bières font références à Sōseki Natsume. Il y a une kölsch Botchan, une alt Madonna et une brune Sōseki (toutes à 840 ¥). En outre les plats sont corrects, avec un menu illustré (les *iwashi no karaage* – sardines frites – coûtent 550 ¥).

Kuramoto-ya (☎ 934-5701 ; 1-11-7 Ichiban-chō ; ☺ 12h-21h, fermé lun ; ✗). Dans ce vaste établissement vitré, installez-vous à table et dégustez des sakés provenant de toutes les brasseries de l'Ehime-ken (environ 100-200 ¥/verre). Il n'y a pas de carte en anglais mais on pourra vous aider à faire votre choix.

Depuis/vers Matsuyama

À 6 km à l'ouest de la ville, l'aéroport de Matsuyama est facilement accessible en bus (330 ¥, 20 min, toutes les heures) au départ de la gare JR de Matsuyama. Il y a des vols directs depuis/vers Tōkyō (32 000 ¥, 1 heure 25, 10 vols/jour), Nagoya (23 700 ¥, 1 heure, 3 vols/jour),

---

D'APRÈS LA LÉGENDE...

L'Ishite-ji (temple Ishite ; *Ishite* signifie "main de pierre") de Matsuyama doit son nom à une légende sur Kōbō Daishi. Emon Saburō, un homme riche, refusa plusieurs fois de donner l'aumône au maître lorsque celui-ci vint frapper à sa porte. Un jour, il alla jusqu'à user de violence pour le faire partir. Peu après, les fils de cet homme commencèrent à mourir. Sept d'entre eux avaient disparu avant que Saburō ne réalise qu'il avait agi de façon stupide en accordant si peu de respect à Daishi. Plein de remords et en quête désespérée du pardon, il entama un grand voyage à travers le Shikoku de Kōbō Daishi.

Saburō effectua plusieurs fois le circuit du pèlerinage avant de retrouver Daishi, et lorsque ce moment se présenta enfin, il était sur le point de rendre son dernier souffle.

Avant de mourir, il quémanda une faveur à Kōbō Daishi en lui demandant de renaître sous la forme du seigneur de la province d'Iyo (actuelle préfecture d'Ehime), afin de pouvoir aider les pauvres gens et ainsi se racheter du mal qu'il avait causé au cours de son existence. Kōbō Daishi inscrivit le nom de Saburō sur une pierre et la glissa dans ses mains. Saburō s'éteignit, la pierre dans les mains. Quelques jours après, la première femme du seigneur du domaine donna naissance à un petit garçon dont le poing était fermement serré. On fit venir un prêtre en on sollicita les prières les plus puissantes pour que le poing du bébé s'ouvre enfin. Lorsque le petit garçon lâcha prise, ses parents stupéfaits trouvèrent entre ses doigts la pierre portant le nom du défunt homme.

SHIKOKU

PLAISIR DES BAINS AU DŌGO ONSEN 道後温泉

Selon la légende, Dōgo Onsen (道後温泉) aurait été découvert à l'époque des dieux, grâce à un héron guéri par ses eaux. Réputée pour ses vertus curatives, cette source chaude naturelle figure dans plusieurs classiques de la littérature japonaise. Comprenant du soufre, ses eaux mono-alcalines sont sensées être efficaces dans le traitement des rhumatismes, des névralgies, voire de l'hystérie.

Le bâtiment principal, **Dōgo Onsen Honkan** (道後温泉本館 ; ☎ 089-921-5141 ; 5-6 Dōgo-yunomachi ; ☑ 6h-23h), construit en 1894, a été désigné site culturel important en 1994. Il s'agit d'une construction sur 3 niveaux, évoquant un château, qui comporte des éléments d'architecture traditionnelle. La statue de héron blanc qui le surmonte rappelle son origine mythique. Bien que d'innombrables baigneurs célèbres aient franchi ses portes, le Dōgo Onsen Honkan ne gagna sa véritable renommée qu'après la parution du roman *Botchan* (1906) de Sōseki Natsume, qui raconte son expérience de professeur à Matsuyama au début du XXᵉ siècle.

Même si vous connaissez bien les us et coutumes en matière d'onsen (sources chaudes), le Dōgo peut déconcerter car il comporte deux bains séparés (et quatre formules tarifaires). Le *kami-no-yu* (神の湯 ; eau des dieux), le plus grand et le plus fréquenté des bains, comprend une partie pour les hommes, une autre pour les femmes et s'ornent de mosaïques représentant des hérons. Comptez 400 ¥ pour un simple bain, ou 800 ¥ pour un bain accompagné de thé et de *senbei* (galettes de riz) dans la salle du 2ᵉ étage recouverte de tatamis. Le prix comprend la location du *yukata* (kimono en coton léger), mais vous devrez débourser 50 ¥ de plus pour avoir une serviette et du savon. Plus intime, le *tama-no-yu* (魂の湯 ; eau de l'esprit) dispose aussi de sections non mixtes décorées de carreaux. Avec des formules à 1200 ou 1 500 ¥, vous aurez droit à un bain suivi d'un thé et d'un *dango* (chausson sucré) au 2ᵉ étage ou dans une salle privée au 3ᵉ étage.

Certes, le Dōgo Onsen peut intimider quand on ne parle pas japonais, mais des prospectus (en anglais) expliquent la marche à suivre. Après avoir payé à l'extérieur, entrez dans le bâtiment et laissez vos chaussures dans un casier. Si vous avez opté pour le simple bain (formule à 400 ¥), rendez-vous au vestiaire du *kami-no-yu* (indiqué en anglais) et équipé de casiers gratuits pour

Ōsaka (17 000 ¥, 50 min, 15 vols/jour) et Fukuoka (28 000 ¥, 50 min, 3 vols/jour).

La ligne JR Yosan relie Matsuyama à Takamatsu (*tokkyū* 5 500 ¥, 2 heures 30) et des trains traversent le Seto-ōhashi jusqu'à Okayama (*tokkyū* 6 120 ¥, 2 heures 45) sur Honshū.

Des bus JR circulent depuis/vers Ōsaka (6 700 ¥, 5 heures, 5 bus/jour) et Tōkyō (12 200 ¥, 12 heures, 1 bus/jour), et des bus fréquents desservent les grandes villes de Shikoku.

Les hydroptères de **Setonaikai Kisen ferry** (☎ 082-253-1212, réservations à Matsuyama 089-953-1003 ; ☑ 9h-19h) assurent des liaisons régulières entre Matsuyama et Hiroshima (6 300 ¥, 1 heure 15, 14 bateaux/jour). Le ferry Hiroshima-Matsuyama (2 900 ¥, 2 heures 45, 10 bateaux/jour) est également un moyen emprunté pour rallier ou quitter Shikoku. Par ailleurs, Matsuyama constitue une étape pour les ferries de **Diamond Ferry** (☎ 951-0167 ; www.diamond-ferry.co.jp) circulant entre Ōsaka ou Kōbe et Ōita (Kyūshū). Il y a un bateau par jour dans chaque sens. De Honshū, le ferry part de Matsuyama à 20h30 (2ᵉ classe, 7 500 ¥) – il met 9 heures 20 pour atteindre Kōbe et 12 heures pour Ōsaka. Pour Ōita, le bateau lève l'ancre à 8h30 à Matsuyama et arrive à 12h05 (2ᵉ classe,

3 800 ¥). Pour atteindre le port de Matsuyama, prenez la ligne privée Iyo-tetsudō au départ des gares de Matsuyama-shi ou d'Ōtemachi et descendez au terminus à Takahama (400 ¥, 25 min, toutes les heures). De là, un bus (gratuit) fait la navette avec le port.

Comment circuler

Matsuyama possède un bon système de tramway, dont le tarif fixe coûte 150 ¥ (on paie en sortant) et le billet d'une journée 300 ¥. Les trams à destination du Dōgo Onsen partent des gares JR et Matsuyama-shi. Pratique, l'arrêt Ōkaidō est devant le centre commercial Mitsukoshi.

Les lignes 1 et 2 circulent en boucle, dans le sens des aiguilles d'une montre et l'autre sens autour du Katsuyama (la colline où se trouve le château) ; la ligne 3 part de la gare de Matsuyama-shi et dessert le Dōgo Onsen ; la ligne 5 va de la gare JR de Matsuyama au Dōgo Onsen, et la ligne 6 de Kiya-chō au Dōgo Onsen.

Si vous avez de la chance, vous pourrez monter à bord d'un **Botchan Ressha** (坊ちゃん列車), petit train importé à l'origine d'Allemagne en 1887. Baptisés d'après le roman mettre les vêtements. Si vous avez choisi les formules à 800 ou 1200 ¥, allez d'abord à l'étage pour prendre votre *yukata*, puis retournez au vestiaire du *kami-no-yu* ou du *tama-no-yu*, également signalé en anglais. Après le bain, revêtez votre *yukata* et délassez-vous sur les tatamis au 2e étage, sirotez votre thé et regardez les baigneurs qui passent en faisant claquer leurs *geta* (socques de bois traditionnels). Si vous avez choisi le haut de gamme, montez directement au 3e étage où l'on vous conduira jusqu'à votre salle particulière. Là, vous pourrez enfiler votre *yukata* avant de rejoindre le vestiaire du *tama-no-yu*, puis revenir après le bain pour boire un thé dans une parfaite intimité.

Quelle que soit la formule, vous aurez la possibilité de découvrir le bâtiment. Au 2e étage, une salle d'exposition présente des objets relatifs aux bains, dont des billets d'entrée traditionnels en bois. Si vous avez choisi l'une des options plus onéreuses à l'étage, vous pourrez réaliser une visite guidée (en japonais) des **bains impériaux** privés, utilisés par la famille royale jusqu'en 1950. Au 3e niveau, la salle garnie de tatamis qui fait l'angle (la préférée de Sōseki Natsume) présente une petite **exposition** (en japonais) sur la vie de l'écrivain.

À 2 km à l'est du centre-ville de Matsuyama, le Dōgo Onsen est accessible en tram ; ce dernier s'arrête au début de la galerie marchande, jalonnée de petits restaurants et de boutiques de souvenirs, qui mène directement à l'entrée du Honkan.

Le Dōgo est parfois pris d'assaut, surtout le week-end et pendant les vacances ; l'heure du dîner, en revanche, est plutôt calme car la plupart des touristes japonais rentrent manger dans leurs auberges respectives. Pour échapper à l'affluence, le **Tsubaki-no-yu** (椿の湯 ; 360 ¥ ; ⏰ 6h-23h), une annexe fréquentée essentiellement par les gens du coin, vous attend à 1 minute à pied de Honkan, par la galerie marchande. Pour ceux qui préfèrent barboter, il existe aussi 9 *ashi-yu* (足湯 ; bains de pieds), gratuits, disséminés autour du Dōgo Onsen ; il suffit d'ôter chaussures et chaussettes pour y plonger les pieds. Le plus fameux se trouve sur la place Hojoen, en face de la gare, au début de la galerie. Au même endroit, remarquez l'**horloge Botchan Karakuri** (坊っちゃんからくり時計), érigée en 1994 à l'occasion du centenaire du Dōgo Onsen Honkan. Toutes les heures de 8h à 22h, elle affiche une scène basée sur les principaux personnages du roman *Botchan*.

Botchan de Sōseki Natsume, ils ont desservi les rues de Matsuyama pendant 67 ans et reprennent occasionnellement du service.

On peut **louer un vélo** (300 ¥/jour ; ⏰ 9h-18h lun-sam) dans le grand parc à vélos, à droite en sortant de la gare JR.

ENVIRONS DE MATSUYAMA
Ishizuchi-san 石鎚山
Plus haut sommet de l'ouest du Japon, avec ses 1 982 m, l'Ishizuchi-san est une montagne sacrée. De nombreux pèlerins en font l'ascension, surtout en juillet-août. En hiver, Ishizuchi se transforme en station de ski.

Pour rejoindre la gare du téléphérique de Nishi-no-kawa (sur la face nord de la montagne), prenez un bus direct (990 ¥, 55 min, au moins 4/jour) à la gare d'Iyo-Saijō.

On peut monter d'un côté et redescendre sur l'autre versant, ou suivre le circuit complet depuis Nishi-no-kawa jusqu'au sommet, redescendre à Tsuchi-goya puis rentrer à Nishino-kawa. Pour le circuit complet, prévoyez une journée en partant tôt le matin. Tous les détails sur l'Ishizuchi-san sont dans le guide *Hiking in Japan* de Lonely Planet.

KAGAWA-KEN 香川県

Anciennement appelé Sanuki, le Kagawa-ken est la plus petite des quatre préfectures de Shikoku.

Le climat hospitalier de la région et sa population chaleureuse ont toujours incarné un grand réconfort pour les pèlerins qui approchent de la fin de leur périple. Aujourd'hui, c'est encore un point d'arrivée important, puisque la seule liaison ferroviaire avec Honshū se fait par le Seto-ōhashi menant à Okayama. Parmi les hauts-lieux de la région, citons le sanctuaire de Kompira-san à Kotohira, le beau jardin de Ritsurin-kōen à Takamatsu et la remarquable île de Naoshima (p. 484), dans la mer Intérieure.

DE MATSUYAMA À TAKAMATSU
La région possède plusieurs temples notables du circuit de pèlerinage, dont les temples jumeaux de Kanonji, ainsi que l'importante ville de Zentsū-ji, où Kōbō Daishi passa son enfance.

La ligne JR Yosan longe la côte entre Takamatsu et Matsuyama. À Tadotsu, la ligne JR Dosan se scinde et part au sud jusqu'à Zentsū-ji et Kotohira, à travers la vallée de l'Iya (p. 661) avant d'atteindre Kōchi (p. 667).

Kanonji 観音寺
☎ 0875 / 65 000 habitants

En arrivant de l'Ehime-ken à l'est, la première grande ville du Kagawa-ken est Kanonji, connue pour renfermer deux des temples sacrés dans le même espace : le temple 68, le **Jinne-in** (神恵院), et le temple 69, le **Kanon-ji** (観音寺). La cité est également connue pour l'étrange **Zenigata** (銭形), forme d'une pièce de monnaie de 350 m de circonférence creusée dans le sable, datant de 1633. La pièce et son inscription sont dessinées par d'énormes tranchées qui auraient été faites pendant la nuit par des habitants comme cadeau à leur seigneur. Pour une belle perspective sur la sculpture, montez au sommet de la colline Kotohiki-kōen, à 1,9 km au nord-ouest de la gare de Kanonji (non loin des deux temples). De l'autre côté du pont par rapport à la gare, le petit **office du tourisme** (☎ 25-3839) distribue des cartes. Kanonji est beaucoup plus proche de Takamatsu (*tokkyū* 2 210 ¥, 48 min) que de Matsuyama (*tokkyū* 4 130 ¥, 1 heure 38).

Marugame 丸亀
☎ 0877 / 110 700 habitants

Intéressant détour au cours de l'itinéraire des 88 temples, cette ville renferme le **Marugame-jō** (丸亀城 ; ☎ 24-8816 ; 200 ¥ ; ⏰ 9h-16h30). Ce château datant de 1597 est l'un des 12 derniers au Japon à avoir conservé son donjon d'origine en bois.

Au **musée Uchiwa-no-Minato** (うちわの港ミュージアム ; ☎ 24-7055 ; gratuit ; ⏰ 9h30-17h, fermé lun), on peut admirer des *uchiwa* (éventails traditionnels en papier) et assister à leur fabrication. Marugame produit 90% des éventails en papier du pays, c'est donc l'endroit idéal pour en acheter un. Le musée est sur le port, à quelques minutes de marche de la gare.

On peut **louer un vélo** (☎ 25-1127 ; 200 ¥/jour, caution 500 ¥) au parking à vélos en face de la gare. À vélo, il faut moins d'une heure pour aller de Marugame à Zentsū-ji (voir p. 684). Des cartes sont distribuées à l'office du tourisme à la gare. Marugame constitue une bonne excursion à la journée au départ de Takamatsu (*tokkyū* 1 050 ¥, 25 min).

Zentsū-ji 善通寺
☎ 0877 / 34 000 habitants

Le temple 75, le **Zentsū-ji** (善通寺 ; ☎ 62-0111) revêt une importance particulière, car c'est le lieu de naissance de Kōbō Daishi. C'est également, et de loin, le plus grand des 88 temples. Il se distingue par une magnifique pagode à 5 niveaux et par ses camphriers géants, qui remonteraient à l'enfance de Daishi. Les visiteurs peuvent s'aventurer dans le sous-sol du **Mie-dō** (御影堂 ; 500 ¥) et traverser un couloir (戒壇めぐり) de 100 m de long plongé dans l'obscurité : en avançant lentement avec la main appuyée sur le mur (peint de mandalas, d'anges et de fleurs de lotus), on suivrait la voie du Bouddha. Un sanctuaire se dresse à mi-chemin, et la profonde voix de Kōbō Daishi lui-même accueille les pèlerins dans la maison de son enfance. Si vous êtes à vélo, plusieurs autres temples sacrés sont accessibles, notamment le temple 73, le **Shusshaka-ji** (出釈迦寺). C'est à Shusshaka-ji que le jeune Kūkai, âgé de 7 ans, se jeta d'une falaise, jurant de consacrer sa vie à sauver des âmes si le Bouddha le protégeait. Par chance, des anges gardiens arrivèrent à temps pour lui assurer un atterrissage en douceur.

Kotohira 琴平
☎ 0877 / 10 900 habitants

Le bourg montagnard de Kotohira abrite le Kompira-san, un sanctuaire shintoïste dédié au dieu des marins, qui fait partie des sites touristiques majeurs de Shikoku. Quand vous dites à un Japonais que vous y êtes allé, il vous demande immanquablement si vous avez réussi à monter jusqu'en haut. Vous devrez gravir 1 368 marches pour arriver au sanctuaire ; des vendeurs de bâtons de marche et de boissons sont prêts à vous aider dans cette entreprise.

ORIENTATION
Toutes les rues de Kotohira mènent au sanctuaire. Débutant à quelques rues au sud-est des deux gares, un axe marchand animé, bordé des incontournables boutiques de souvenirs, s'étend jusqu'au pied du grand escalier de pierre conduisant au sanctuaire.

RENSEIGNEMENTS
Il existe un **office du tourisme** (☎ 75-3500 ; ⏰ 9h30-20h) sur la rue principale, entre la gare JR de Kotohira et celle de Kotoden Kotohira. Brochure en anglais et renseignements sur l'hébergement. On peut aussi louer des vélos (100/500 ¥ heure/jour).

SHIKOKU

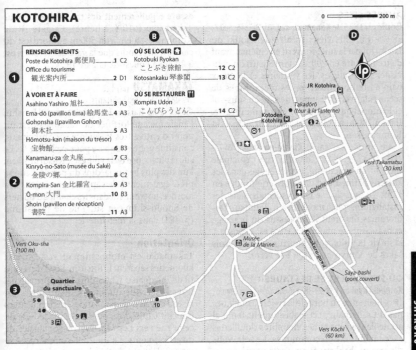

KOTOHIRA

0 ⊏━━━━━ 200 m

RENSEIGNEMENTS
Poste de Kotohira 郵便局..........**1** C2
Office du tourisme
　観光案内所..........................**2** D1

À VOIR ET À FAIRE
Asahino Yashiro 旭社.............**3** A3
Ema-dō (pavillon Ema) 絵馬堂..**4** A3
Gohonsha ((pavillon Gohon)
　御本社..................................**5** A3
Hōmotsu-kan (maison du trésor)
　宝物館.................................**6** B3
Kanamaru-za 金丸座..............**7** C3
Kinryō-no-Sato (musée du Saké)
　金陵の郷..............................**8** C2
Kompira-San 金比羅宮...........**9** A3
Ō-mon 大門.........................**10** B3
Shoin (pavillon de réception)
　書院...................................**11** A3

OÙ SE LOGER
Kotobuki Ryokan
　ことぶき旅館.....................**12** C2
Kotosankaku 琴参閣.............**13** C2

OÙ SE RESTAURER
Kompira Udon
　こんぴらうどん...................**14** C2

SHIKOKU

Il y a des casiers automatiques à la gare, et les DAB de la poste principale acceptent les cartes internationales.

À VOIR

Kompira-san 金刀比羅宮

Appelé aussi Kotohira-gū, Kompira-san était à l'origine un temple à la fois bouddhiste et shintoïste, dédié au protecteur des marins ; il devint un sanctuaire exclusivement shintoïste après la Restauration de Meiji. Situé en haut d'une colline, il offre une vue superbe sur la campagne et a gardé quelques références intéressantes à ses racines maritimes.

Ne vous laissez pas intimider par l'ascension des 1 368 marches ! Pour 6 500 ¥ aller/retour, ceux qui ne souhaitent pas monter à pied peuvent louer un palanquin.

Le premier repère de cette longue ascension est l'**Ō-mon**, un portail de pierre s'ouvrant sur le **Hōmotsu-kan** (maison du trésor ; 500 ¥ ; ☺ 8h30-17h), où les trésors sont un peu décevants. Sous de grands parasols blancs, à proximité, se tiennent cinq vendeurs de friandises traditionnelles. Symbole de temps révolus, ces Gonin Byakushō (cinq fermiers) descendent des familles autorisées

à commercer dans l'enceinte du sanctuaire. Plus haut, le **Shoin** (500 ¥ ; ☺ 8h30-16h30) est le pavillon de réception. Érigé en 1659, ce trésor national a quelques intéressants panneaux peints et un petit jardin.

On parvient enfin au grand **Asahino Yashiro** (sanctuaire du Soleil levant), construit en 1837 et dédiée à la déesse du Soleil Amaterasu. Il est particulièrement remarquable pour ses sculptures sur bois. De là, au terme d'une ultime et superbe ascension, apparaît le **Gohonsha** (pavillon principal) et l'**Ema-dō** (pavillon Ema) ; ce dernier est rempli d'objets maritimes : images de bateaux, modèles réduits, et même des moteurs de navires modernes. Il y a également une coque de monoplace fabriquée à partir de 22 000 boîtes en aluminium recyclées et alimentée par des panneaux solaires – son propriétaire en fit don au temple après avoir navigué d'Équateur jusqu'à Tōkyō en 1996. À ce niveau, le panorama s'étend jusqu'à la côte et la mer Intérieure.

Les marcheurs infatigables pourront encore grimper les 500 marches qui les séparent de l'**Oku-sha** (sanctuaire intérieur), agrémenté de sculptures de *tengu* (démons de montagne à long nez) en pierre, sur la falaise.

AUTRES SITES

Édifié en 1835, le **Kanamaru-za** (☎ 73-3846 ; 500 ¥ ; ⏰ 9h-17h), plus vieux théâtre de kabuki du Japon, fut par la suite converti en cinéma, avant d'être restauré en 2003. À l'intérieur, on peut visiter les coulisses, les vestiaires et le vieux bain en bois, et observer les mécanismes de scène rotative, les trappes menant au sous-sol et le tunnel qui conduit à l'entrée du théâtre. Il est à 200 m à l'ouest de l'accès principal du Kompira-san.

Le musée du saké, **Kinryō-no-Sato** (☎ 73-4133 ; 310 ¥ ; ⏰ 9h-17h), dans la rue principale menant au sanctuaire, est aménagé dans les anciens bâtiments d'une brasserie fondée en 1789. Le brassage se fait désormais dans des installations plus modernes à Tadotsu. Des dioramas illustrent le processus du brassage et beaucoup de matériel ancien est exposé. À la fin de la visite, vous pourrez déguster trois sakés de Kinryō pour 100 ¥ le verre.

OÙ SE LOGER ET SE RESTAURER

Kotobuki Ryokan (☎ 73-3872 ; 6 800 ¥/pers avec 2 repas ; Ⓟ). Bien situé au bord de la rivière à quelques pas du sanctuaire, cet établissement familial accueillant propose des chambres douillettes avec tatamis et sdb communes. Le soir, vous dînerez probablement au *ryokan* car les rues de Kotohira sont désertes une fois la nuit tombée.

Kotosankaku (☎ 75-1000 ; fax 75-0600 ; www.kotosankaku.jp/index/english.html ; lun-ven à partir de 9 600 ¥/pers, sam-dim à partir de 17 850 ¥ ; Ⓟ 🍴). Avec environ 225 chambres, cette adresse est le plus grand *ryokan* de Shikoku. Les belles chambres de style japonais et occidental sont agrémentées d'une piscine (en été seulement) et d'un fantastique complexe d'onsen (non-résidents 1 200 ¥, 10h30-15h).

Kompira Udon (☎ 73-5785 ; repas 500-950 ¥ ; ⏰ 8h-17h). Juste avant les premières marches qui montent au Kompira-san, c'est l'un des nombreux restaurants de *Sanuki udon* (lire l'encadré, p. 689) à Kotohira. La maison a pour spécialité le *shōyu udon* (nouilles blanches épaisses à tremper dans une sauce de soja spéciale). Repérez le bol géant à l'extérieur.

DEPUIS/VERS KOTOHIRA

On peut rejoindre Kotohira en train par la ligne JR Dosan depuis Kōchi (*tokkyū* 3 810 ¥, 1 heure 38) et Ōboke. Pour Takamatsu et d'autres villes sur la côte nord, il faut changer de train à Tadotsu. La ligne privée Kotoden

assure régulièrement des trains directs pour Takamatsu (610 ¥, 1 heure). La gare JR de Kotohira est à environ 500 m au nord-est du centre-ville, tandis que la gare de Kotoden est à 200 m à l'ouest de la gare JR.

TAKAMATSU 高松
☎ 087 / 425 000 habitants

Grâce à sa liaison ferroviaire avec Honshū, l'ancienne cité fortifiée de Takamatsu est un point d'entrée très fréquenté sur Shikoku, et constitue une bonne base pour explorer l'île. Le site le plus couru de la ville est le Ritsurin-kōen, l'un des plus beaux jardins du pays. La cité se prête également à de superbes excursions à la journée, notamment dans les champs d'oliviers de Shōdo-shima et sur l'île de Naoshima (p. 484) dans la mer Intérieure.

Orientation

Takamatsu est étonnamment vaste. Deux kilomètres séparent le Ritsurin-kōen de la gare JR de Takamatsu. Chūō-dōri, la rue principale, traverse la ville du sud jusqu'au port. Un réseau de galeries marchandes très fréquentées franchit Chūō-dōri, puis continue le long de cette rue vers l'est, traversant le quartier de divertissements. Le quartier commerçant se trouve plus au sud, près de la gare de Kotoden Kawaramachi.

Le quartier entourant l'impressionnante gare JR de Takamatsu change à vue d'œil à mesure des progrès du Sunport Takamatsu, immense projet d'extension sur la mer pour moderniser le port. La nouvelle Takamatsu Symbol Tower domine l'horizon juste au nord de la gare.

Renseignements

La ville est très bien équipée pour accueillir les visiteurs étrangers. La Kagawa Welcome Card est distribuée gratuitement au Centre d'échanges internationaux de Kagawa ou à l'office du tourisme (présentez votre passeport) ou peut être imprimée en vous connectant sur le site www.21kagawa.com/visitor/kanko/index.htm. Elle offre quelques réductions en ville ou dans les environs, et est accompagnée d'un miniguide et d'un plan de la ville. La gare JR de Takamatsu dispose de casiers automatiques et d'une consigne. DAB internationaux à la poste centrale, proche de la sortie nord de Marugame-machi Arcade.

Centre d'échanges internationaux de Kagawa (I-PAL Kagawa ; ☎ 837-5901 ; www.i-pal.or.jp,

en japonais ; 1-11-63 Banchō ; 9h-18h mar-dim).
Dans l'angle nord-ouest du parc Chūō-kōen, il dispose d'une petite bibliothèque, de la TV satellite et d'un accès Internet gratuit.

JTB (851-2117 ; 7-6 Kajiyamachi ; 10h-18h, fermé dim).

Office du tourisme (851-2009 ; 9h-18h). Sur la place devant la gare.

À voir
RITSURIN-KŌEN 栗林公園

L'un des plus beaux jardins du pays, le **Ritsurin-kōen** (833-7411 ; 1-20-16 Ritsurinchō ; 400 ¥ ; lever-coucher du soleil) date du milieu des années 1600. Il fallut plus d'un siècle pour achever ce parc conçu comme un lieu de promenade pour le *daimyo*, avec des étangs, des maisons de thé, des ponts et des îles. À l'ouest, le Shiun-zan (mont Shiun) dessine une impressionnante toile de fond. La perspective sur le pont d'Engetsu-kyō avec la montagne en arrière-plan est l'une des plus harmonieuses du Japon.

Dans le jardin, le **musée folklorique Sanuki** (entrée libre ; 8h45-16h30) présente des objets régionaux remontant au shogunat des Tokugawa. Si vous aimez le *matcha* (thé vert) et les friandises japonaises, plusieurs maisons de thé sont disséminées dans le parc, dont le **Kikugetsu-tei**, datant du XVIIe siècle (un matcha

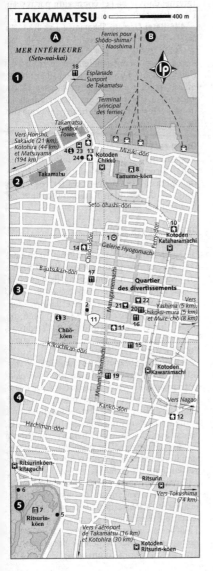

SHIKOKU

revient à 710 ¥), et le ravissant **Higurashi-tei** au toit de chaume, qui date de 1898.

Des bus fréquents desservent directement le Ritsurin-kōen (230 ¥, 15 min) depuis la gare JR de Takamatsu.

TAKAMATSU-JŌ 高松城

Le site du château de Takamatsu est désormais occupé par le ravissant **Tamamo-kōen** (玉藻公園 ; ☎ 851-1521 ; 2-1 Tamamo-chō ; 200 ¥ ; ☼ lever-coucher du soleil), un parc dans lequel ont survécu les murs et les douves (remplies d'eau de mer), ainsi que plusieurs tourelles d'origine. Édifié en 1588 pour le daimyo Chikamasa Ikoma, le château fut le siège régional du pouvoir militaire jusqu'à la Restauration de Meiji, près de 300 ans plus tard. En 2008 a débuté la reconstruction du donjon principal, qui devrait être achevée en 2010. Le parc est à une petite marche de la gare principale JR.

Où se loger

Castle Hotel Takamatsu (☎ 851-0606 ; fax 851-0607 ; 4-8 Tsuruya-machi ; s/d 3 990/5 250 ¥ ; P 🖳). À côté de la gare de Kataharamachi sur la ligne Kotoden, cet hôtel est un peu défraîchi, mais les chambres de style japonais ou occidental sont vastes et confortables et présentent un bon rapport qualité/prix. Connexion Internet par réseau LAN dans toutes les chambres.

Takamatsu Station Hotel (☎ 821-6989 ; fax 851-5575 ; 1-1 Kotobukichō ; s/d 5 000/8 000 ¥ ; P). Le bâtiment commence à prendre de l'âge et les chambres sobres ne retiennent pas l'attention, mais l'emplacement, à une minute de marche de la gare et du terminal des ferries, est parfait pour un départ matinal.

Hotel No 1 Takamatsu (☎ 812-2222 ; fax 812-0002 ; www.hotelno1.jp/takamatsu, en japonais ; 2-4-1 Kankō-dōri ; s/d 5 140/7 870 ¥ ; P ☒ 🖳). À 3 pâtés de maisons à l'est et 3 pâtés au sud depuis la gare de Kotoden Kawaramachi, ce *business hotel* étincelant propose des chambres classiques et un *rotemburo* (bain extérieur) réservé aux hommes, sur le toit, avec un point de vue imprenable sur la ville (les bains des femmes sont au 2ᵉ niveau). Accès Internet dans le hall et connexion par réseau LAN dans toutes les chambres.

Tōyoko Inn Hyōgomachi (☎ 821-1045 ; fax 821-1046 ; www.toyoko-inn.com ; 3-1 Hyōgomachi ; s/lits jum 6 090/8 190 ¥ ; P ☒ 🖳). À environ 5 minutes à pied de la gare, un bon *business hotel* aux chambres douillettes, avec petit-déjeuner offert et Internet gratuit dans le hall.

Dormy Inn Takamatsu (☎ 832-5489 ; fax 835-5657 ; www.hotespa.net/hotels/takamatsu, en japonais ; 1-10-10 Kawaramachi ; s/d 6 500/9 000 ¥ ; P ☒ 🖳). Ouvert en été 2008, cet hôtel immaculé dispose de chambres spacieuses et bien agencées. Un onsen et un *rotemburo* sont aménagés au dernier étage. L'emplacement est idéal, à proximité des restaurants et des bars. Ordinateurs avec Internet dans le hall et connexion par réseau LAN dans toutes les chambres.

ANA Hotel Clement Takamatsu (☎ 811-1111 ; fax 811-1100 ; ww.anaclement.com ; 1-1 Hamano-chō ; s/d 12 474/23 100 ¥ ; P ☒ 🖳). Cet hôtel ultramoderne attire incontestablement le regard et c'est d'ailleurs l'un des premiers bâtiments qu'on aperçoit en sortant de la gare JR de Takamatsu. Chambres spacieuses et bon choix de bars et restaurants avec beau panorama sur la mer Intérieure.

Où se restaurer

Restaurants et bars sont installés dans les galeries couvertes et le quartier des divertissements à l'ouest des voies ferrées, entre les gares de Kotoden Kataharamachi et de Kawaramachi.

RESTAURANTS À UDON

Goemon (☎ 821-2711 ; 13-15 Furubaba-chō ; ☼ 18h-3h, fermé dim). Dans ce restaurant sans chichis, au cœur du quartier des divertissements, le menu en japonais annonce une longue liste de plats à base d'*udon*, notamment le *tsukimi udon* (*udon* aux œufs crus ; 600 ¥) et l'*asari udon* (*udon* aux palourdes ; 700 ¥). En face du club "Heaven's Door" (indiqué en anglais) ; une enseigne lumineuse à l'extérieur signale "te-uchi udon".

Kanaizumi (☎ 822-0123 ; 9-3 Konyamachi ; ☼ 9h3-0-17h). Un self-service qui a du succès, situé à côté du musée d'Art de Takamatsu. Choisissez une portion *shō* (petite), *chū* (moyenne) ou *dai* (grande) de *kake udon* (*udon* dans un bouillon) ou de *zaru udon* (*udon* froides, à tremper dans une sauce), puis choisissez parmi les multiples accompagnements. Une portion moyenne de nouilles avec deux ingrédients supplémentaires revient à moins de 500 ¥.

Tsurumaru (☎ 821-3780 ; 9-34 Furubaba-chō ; ☼ 20h-3h, fermé dim). Installez-vous au comptoir et assistez à la fabrication à la main des nouilles dans ce bar fréquenté par des noctambules. Le délicieux *karē udon* (curry d'*udon* ; 700 ¥) est le plus demandé. Repérez la porte d'entrée avec un rideau orné d'une grue.

SANUKI UDON

Les habitants de Takamatsu sont très fiers de leurs *udon* (nouilles blanches épaisses et délicieuses, à base de blé). Un séjour dans cette ville ne saurait être complet sans déguster un bol de la spécialité locale, le *Sanuki udon*. Pourquoi "Sanuki" ? C'est l'ancien nom de la province devenue aujourd'hui Kagawa-ken.

Comme souvent dans la culture japonaise, une anecdote fait intervenir Kōbō Daishi : selon la légende, le grand maître aurait été le premier à ramener des nouilles au Japon, à son retour de la Chine des Tang il y a 1 200 ans. On trouve des échoppes d'*udon* à tous les coins de rue et vous apprendrez vite à reconnaître les caractères japonais des mots *te-uchi udon* (手打ちうどん), qui signifient "nouilles fabriquées à la main".

AUTRES RESTAURANTS

Bijin-tei (☎ 861-0275 ; 2-2-10 Kawara-machi ; ❤ 17h-22h, fermé dim). Chaque matin, le propriétaire de cet *izakaya* authentique et sans prétention va chercher des produits de la mer au marché. Le menu varie au jour le jour, mais la plupart des poissons sont visibles depuis le comptoir. Les prix sont raisonnables. Au rez-de-chaussée d'un bâtiment comportant plusieurs snack-bars et karaokés. L'enseigne indique le nom du restaurant en japonais : 美人亭.

Mikayla (☎ 811-5357 ; 8-40 Sunport ; menus à partir de 4 200 ¥ ; ❤ 11h-22h). Une adresse romantique sur l'esplanade Sunport de Takamatsu, au nord de la gare. Ce bar-restaurant est parfait pour siroter un verre au coucher du soleil, face à la mer Intérieure. La cuisine à base de produits de la mer témoigne d'influences européennes et le menu est en anglais.

Tokiwa Saryō (☎ 861-5577 ; 1-8-2 Tokiwa-chō ; ❤ déj et dîner). Cet ancien *ryokan* est un lieu élégant pour déjeuner ou dîner, dans des salles couvertes de tatamis et organisées autour d'un beau jardin avec étang. Le menu en japonais accorde une large place aux produits de la mer et comporte quelques photos. Les *o-susume kōsu* (marché du chef) coûtent 3 500 à 4 500 ¥, et il y a plusieurs *seto sashimi moriawase* (assortiments de sashimis de saison de la mer Intérieure ; 1 800 ¥). Entrez dans la galerie de Tokiwa au niveau de Ferry Dōri et prenez la 2e à gauche ; il s'agit du bâtiment sur la droite avec une grosse lanterne blanche.

Où prendre un verre

Anbar (☎ 822-1339 ; 1F Dai-ichi Bldg, 8-15 Furubaba-chō ; ❤ 20h-24h, fermé jeu). Ce bar agréable décoré sur le thème des félins s'enorgueillit d'une impressionnante collection de whiskies. Enseigne en anglais à l'extérieur.

Cancun (☎ 821-1550 ; 6-23 Furubaba-chō ; ❤ 18h-3h, fermé dim). Chaque cm² est envahi de babioles dans ce bar à l'atmosphère détendue, en plein quartier de divertissements. Grand choix de boissons (la plupart 700 à 800 ¥) et personnel jeune et chaleureux parlant un peu anglais.

Depuis/vers Takamatsu

À 16 km au sud de la ville, l'aéroport de Takamatsu est facilement accessible en bus (740 ¥, 35 min, toutes les heures, départ devant la gare JR de Takamatsu). Vols directs depuis/vers Tōkyō (29 600 ¥, 1 heure 15, 10 vols/jour).

Grâce au Seto-ōhashi, achevé en 1988, Takamatsu est la seule ville de Shikoku à bénéficier de liaisons ferroviaires régulières avec Honshū. Des trains se rendent fréquemment à Okayama (1 470 ¥, 55 min, toutes les 30 min), d'où vous pourrez prendre un *shinkansen* (train à grande vitesse) qui vous mènera en quelques heures dans n'importe quelle grande ville.

De Takamatsu, les *tokkyū* de la ligne JR Kōtoku se dirigent au sud-est jusqu'à Tokushima (2 560 ¥, 1 heure 07, toutes les heures) ; la ligne JR Yosan part à l'ouest vers Matsuyama (5 500 ¥, 2 heures 30, toutes les heures) et la ligne JR Dosan dessert Kōchi (4 760 ¥, 2 heures 30, toutes les heures). La ligne privée Kotoden assure des trains directs pour Kotohira (610 ¥, 1 heure, fréquents).

Il y a des bus depuis/vers Tōkyō (10 000 ¥, 9 heures 30, 1 bus/jour), Nagoya (6 800 ¥, 5 heures 30), Kyōto (4 800 ¥, 3 heures 40) et la plupart des grandes villes.

Les ferries de **Jumbo Ferry** (☎ 811-6688) font la liaison entre Takamatsu et Kōbe (1 800 ¥, 3 heures 40, 5 bateaux/jour). Ils lèvent l'ancre au port de Takamatsu, juste à l'est du centre-ville. Le port est desservi par une navette gratuite qui part de la gare JR de Takamatsu 30 minutes avant l'heure de départ du ferry. Les bateaux pour les îles de la mer Intérieure de Naoshima, Shōdo-shima et Megi-jima partent du terminal Sunport, non loin de la gare JR.

Comment circuler

La manière la plus simple de se déplacer en ville consiste à emprunter les trains régionaux. La principale correspondance est Kotoden

*(texte en marge verticale : **SHIKOKU**)*

Kawaramachi, mais le terminus se situe à Kotoden Chikkō, près de la gare JR de Takamatsu.

Ville plate, Takamatsu se prête parfaitement au cyclotourisme. La ville propose la formule avantageuse des "bicyclettes bleues" (200 ¥/jour, sur présentation d'une pièce d'identité avec photo), qui peuvent être empruntées auprès de **Takamatsu-shi Rental Cycles** (☎ 821-0400 ; 7h-22h), dans le parc à vélos souterrain, à l'extérieur de la gare JR de Takamatsu. Il y a d'autres lieux pour emprunter un vélo en ville, mais celui-ci est le plus pratique.

ENVIRONS DE TAKAMATSU

Les alentours de Takamatsu peuvent faire l'objet de plusieurs excursions. Outre les propositions suivantes, Takamatsu est un excellent point de départ pour explorer les champs d'oliviers de Shōdo-shima (p. 481) et le fabuleux environnement artistique de Naoshima (p. 484) dans la mer Intérieure. Dans les deux cas, il faut moins d'une heure de bateau, au départ du port des ferries, à côté de la gare de Takamatsu.

Yashima 屋島

À environ 5 km à l'est de Takamatsu, le plateau de Yashima, à 292 m d'altitude, est coiffé par le **Yashima-ji** (屋島寺 ; ☎ 087-841-9418), le temple 84. À la fin du XIIᵉ siècle, ce site fut le théâtre de luttes titanesques entre le clan des Genji et celui des Heike. Le **Trésor du temple** (500 ¥ ; 9h-17h) abrite des objets témoignant de la bataille. Juste derrière le trésor, c'est dans l'**étang de Sang** que les guerriers Genji victorieux lavaient leurs sabres ensanglantés.

Au pied de Yashima, à environ 500 m au nord de la gare, **Shikoku-mura** (四国村 ; ☎ 087-843-3111 ; 9-1 Shimanaka ; 800 ¥ ; 8h30-18h, 8h-30-17h30 nov-mars) est un excellent musée qui rassemble des bâtiments anciens provenant de toute la région de Shikoku et des îles voisines. Le joli théâtre de kabuki provient de Shōdo-shima (p. 481), réputé pour ses spectacles de kabuki traditionnels campagnards. À voir également : une maison de garde-frontières de l'époque des Tokugawa (les voyages étaient alors réglementés), un pont de lianes semblables à ceux de la vallée de l'Iya et plusieurs phares de la Restauration de Meiji. L'excellent restaurant installé dans une ancienne ferme sert des *Sanuki udon*.

Yashima est à six arrêts de Kawaramachi sur la ligne privée Kotoden (270 ¥). Les bus font la navette depuis la gare jusqu'au sommet de la montagne (100 ¥) – départ chaque demi-heure

de 9h30 à 16h30 ; dans l'autre sens, le dernier bus part à 17h20. Le funiculaire a cessé de fonctionner en 2004.

Musée-jardin Isamu Noguchi
イサムノグチ庭園美術館

Ne manquez pas de faire une excursion jusqu'à Mure-chō, à l'est de Takamatsu, pour découvrir le legs du sculpteur Isamu Noguchi (1904-1988). Né à Los Angeles, d'un père poète japonais et d'une mère écrivain américain, Noguchi installa son studio et sa maison à Mure-chō en 1970. Aujourd'hui, le **complexe** (☎ 087-870-1500 ; www.isamunoguchi.or.jp ; 3-5-19 Murechō ; 2 100 ¥ ; visite 1 heure 10h, 13h et 15h mar, jeu et sam, sur rdv), véritable installation artistique en soi, réunit des centaines d'œuvres de Noguchi. Les bâtiments, magnifiquement restaurés, et les jardins environnants contiennent d'intéressantes sculptures. Le musée vaut indéniablement le détour, mais il faut bien prévoir sa venue ; les visiteurs doivent réserver par téléphone ou par fax au moins deux semaines plus tôt (voir le site Internet).

Prenez le train Kotoden jusqu'à la gare de Yakuri (330 ¥, 30 min, toutes les heures) ; le musée est à 20 minutes de marche ou à 5 minutes en taxi.

Megi-jima 女木島

Au large de Yashima, cette petite île de 250 habitants est également connue sous le nom d'Oniga-shima, ou île du Démon. Plusieurs maisons y sont entourées d'*ōte* (hauts murs de pierre destinés à les protéger des vagues, du vent et des embruns). C'est là que Momotarō, le légendaire garçon né d'une pêche (p. 459), rencontra et défit le redoutable démon. On peut visiter les impressionnantes **grottes** (☎ 087-873-0728 ; 500 ¥ ; 8h30-17h) où les démons se seraient cachés. Désormais, elles sont habitées par une multitude de grands démons grimaçants et colorés. Chaque jour, 5 ou 6 bateaux se rendent à Megi-jima au départ de Takamatsu (aller-retour 720 ¥, 20 min) ; ils partent des quais au nord de la ville. Un bus vous conduira de la descente du bateau directement à la grotte (600 ¥) et vous passerez sans doute moins d'une heure sur l'île. À côté des grottes, les collines offrent un beau point de vue et par beau temps la balade en ferry est plaisante, mais l'île ne mérite pas de faire un gros détour sur votre itinéraire.

Kyūshū 九州

C'est de l'île de Kyūshū que les jeunes intellectuels de la Restauration de Meiji poussèrent le Japon vers la modernité, mettant fin à un système féodal séculaire et à la tradition des samouraïs. La plus grande ville du Kyūshū, Fukuoka, est devenue une métropole dynamique et un carrefour important d'Asie. À l'ouest, Nagasaki fut la première ville nippone ouverte au monde extérieur.

L'activité géothermique de l'île réchauffe une terre fertile. De verdoyantes collines vallonnées laissent la place à des pics déchiquetés et aux cratères de volcans actifs. Quatre parcs nationaux se prêtent à la randonnée et enchanteront les photographes. Outre le paysage lunaire de la caldeira de l'Aso, vous pourrez découvrir le majestueux Sakurajima, qui domine Kagoshima et arrose fréquemment la ville d'une cendre qu'utilisent les potiers de Karatsu et d'Arita.

Sur la côte, Beppu est la station thermale la plus courue du pays, mais Yufuin, Kurokawa Onsen et Unzen possèdent également des forêts paisibles et des bains. Une ambiance différente règne dans les villes de Kagoshima et de Miyazaki, où fleurissent des modes de vie alternatifs.

Malheureusement, les petites villes de Kyūshū se dépeuplent rapidement. Les jeunes partent vers les métropoles et les traditions risquent de disparaître. Les grandes villes possèdent des galeries et des musées qui œuvrent à la préservation de la culture et de l'histoire de l'île.

Kyūshū est réputée pour son climat tempéré, ses habitants accueillants et la qualité du *shōchū* régional, à boire dans une petite tasse réchauffée sur des braises.

À NE PAS MANQUER

- En soirée, une bière et des yakitoris dans un *yatai* (stand de restauration) de **Fukuoka** (p. 694)
- L'activité volcanique du **Sakurajima** (p. 746)
- Un bain dans un onsen naturel à **Beppu** (p. 758), dans les collines
- Une randonnée parmi les azalées rares et les vues sublimes du **parc national Kirishima-Yaku** (p. 735)
- La visite émouvante de **Nagasaki** (p. 710), encore hantée par le souvenir de la bombe atomique
- Un séjour dans la paisible **Unzen** (p. 722) pour reprendre des forces
- Un bain chaud dans le sable volcanique d'**Ibusuki** (p. 748)
- La détente à **Aoshima** (p. 753) et sur la côte de Nichinan
- Un verre de *shōchū* (alcool à base de patate douce) à **Kagoshima** (p. 738)

KYŪSHŪ

KYŪSHŪ

KYŪSHŪ

0   50 km

Vers Hiroshima

MER DE SUO

MER DE GENKAI

MER DE SUMŌ

Détroit de Kanmon

Honshū

Hōfu
Tokuyama
Kudamatsu
Ube
Onoda

Shimonoseki
Kitakyūshū
Yahata
Kokura
Aéroport de Kitakyūshū
Shikanoshima
Ashiya
Nakama
Okagaki
Munakata
Koga
Kanda
Yukuhashi
Buzen

FUKUOKA-KEN

Nogata
Tagawa
Iizuka
Fukuma
Nakatsu

Aéroport de Fukuoka
FUKUOKA
Dazaifu
Futsukaichi
Onsen
Tachiarai
Amagi
Usa
Bungo-takada

Nokonoshima
Parc (quasi) national de Genkai
Péninsule d'Itoshima
Hakata-wan

Kasuga
Nakagawa
Chikushino
Tosu
Kurume
Yame
Chikugo
Hita

Hakata-wan

SAGA-KEN
SAGA
Okawa
Yanagawa
Omuta
Arao
Tamana

Maebaru

Karatsu-wan
Péninsule de Higashi-Matsuura
Karatsu
Yobuko
Imari
Taku
Takeo Onsen
Kashima
Takaki
Ōki

Kasuga
Nagayo
NAGASAKI
Isahaya
Omura
Aéroport de Nagasaki
Higashisonogi
Sasebo
Saikai
Péninsule de Nishisonogi
Omura-wan

NAGASAKI-KEN

Hirado-shima
Hirado
Hirado-guchi
Cap Hatomi
Imari-wan
Huis-Ten-Bosch
Kujūkū-shima
Cap Shijiki
Parc national de Saikai

Katsumoto
Iki
Gonoura
Indōji

Ariake-kai
Shimabara
Unzen-dake (1 359 m)
Unzen
Obama
Péninsule de Shimabara
Kazusa
Fukae
Misumi
Péninsule de Nagasaki
Nomo-zaki

Tachibana-wan

OITA
Beppu
Beppu-wan
Saganoseki
Usuki
Usuki Buddhas
Notsu
Mie
Saeki
Tsukumi
Kamae
Nobeoka

OITA-KEN

Kunisaki
Aéroport d'Oita
Péninsule de Kunisaki
Futago-san (721 m)
Aki
Kakaji
Kunimi
Matama
Hiji
Kitsuki

Yufuin
Yufu-dake (1 584 m)
Yufu
Kujū-san (1 787 m)
Kokonoe
Kurokawa Onsen
Oguni
Aso Senomoto Youth Hostel
Senomoto
Taketa
Oka-jō
Takamori
Takachiho

Parc national d'Aso
Ichinomiya
Aso
Taka-dake (1 592 m)
Aso-san
Ubuyama
Hakusui
Gorge de Kikuchi
Yamaga Onsen
Kikuchi Onsen
Ueki
Ōzu

KUMAMOTO
Mashiki
Aéroport de Kumamoto
Yabe
Parc national Kyūshū-Chūōsanchi

Piste cyclable de Yamaga
Tamana
Uto

Kusu
Parc (quasi) national de Yaba-Hita-Hikosan

Ligne JR Nippo
Usa-jingū
Futago-ji

Ligne JR Hōhi

Nomo-zaki

Ariake-kai

Vers Fukue-jima et Nakadōri-shima (îles du Gotō Rettō) approx. 25 km

Routes: 3, 10, 11, 25, 34, 35, 37, 38, 39, 57, 202, 213, 442

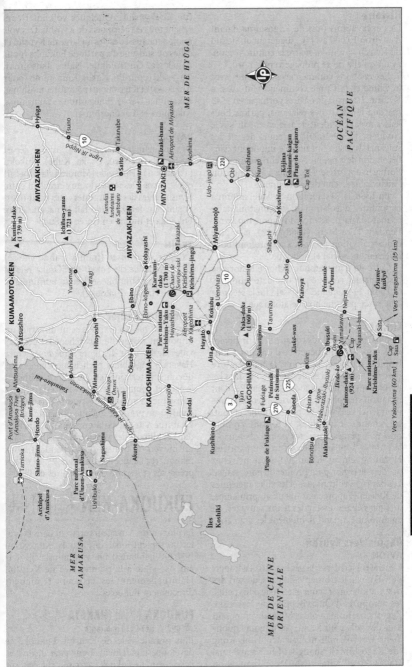

KYŪSHŪ

Histoire

Des excavations près de Kagoshima datant d'environ 10 000 av. J.-C. suggèrent que le sud de Kyūshū aurait vu naître la culture Jōmon, avant qu'elle ne se propage vers le nord.

Les relations commerciales séculaires avec la Chine et la Corée commencèrent aussi à Kyūshū. L'arrivée de navires portugais en 1543 marqua le début des relations, parfois houleuses, avec l'Occident et l'avènement du "siècle chrétien" (1549-1650). Au cours des siècles suivants, Kyūshū tint un rôle important dans l'évolution de la nation. Avec le christianisme, les Portugais apportèrent les armes à feu, amorçant l'inéluctable déclin des samouraïs.

En 1868, la Restauration de Meiji mit fin à la politique d'isolation du shōgunat militaire et marqua la naissance du Japon moderne. Pendant l'ère Meiji (1868-1912), la rapide industrialisation provoqua un profond bouleversement social et politique.

Cette île d'une grande richesse historique reste surtout connue par une date fatidique, le 9 août 1945, quand Nagasaki fut la seconde ville rasée par une bombe atomique.

Climat

La plus méridionale des quatre îles principales du Japon, Kyūshū, bénéficie d'un climat subtropical tempéré. En hiver, la température descend facilement en dessous de 0°C dans les montagnes, où il neige abondamment. Pendant la saison des pluies, de fortes précipitations inondent l'île. Évitez les mois de juillet et août, très chauds et humides. Si Kyūshū compte quelques plages correctes pour la baignade, la plupart sont polluées ou trop urbanisées. Hormis quelques îles au sud-ouest, ne venez pas dans la région pour profiter du bord de mer. Les paysages volcaniques et les villes anciennes de Kyūshū s'apprécient mieux au printemps, lorsque s'épanouissent les fleurs sauvages, ou en automne, quand flamboient les érables.

Depuis/vers Kyūshū

AVION

Central et bien desservi par le métro, l'aéroport de Fukuoka, le troisième du pays, dessert des destinations intérieures et en Asie. Plus petits, les aéroports d'Ōita (Beppu), de Nagasaki, Kagoshima, Kumamoto et Miyazaki proposent tous des vols pour Séoul, pas toujours quotidiens. Des vols rallient également Hong Kong (de Kagoshima), Shanghai (de Kagoshima, Nagasaki et Kitakyūshū) et Guangzhou (de Kitakyūshū). Quelques vols intérieurs relient tous les aéroports de Kyūshū. Des vols rejoignent aussi des îles au large de Kyūshū et celles du sud-ouest à partir de Fukuoka (pour Amakusa, Gotō-Fukue, Naha, Tsushima), Nagasaki (pour Iki, Naha), Kumamoto (pour Amakusa) et Kagoshima (pour Amamioshima, Kikaijima, Naha, Tanegashima, Yakushima, Kikaijima et Tokunoshima).

BATEAU

Des liaisons maritimes rallient Kyūshū au départ de Honshū (Tōkyō, Ōsaka, Kōbe), Shikoku (Tokushima), Hokkaido (Muroran via Naoetsu) et Okinawa. Des ferries locaux circulent entre Kyūshū et les îles au large des côtes nord-ouest et sud. Un ferry rapide fait la navette entre Fukuoka et Busan, en Corée du Sud.

TRAIN

La ligne *shinkansen* (train à grande vitesse) en provenance de Tōkyō et d'Ōsaka rejoint Kyūshū via Shimonoseki et se termine à la gare de Hakata (Fukuoka).

Comment circuler

Des trains *tokkyū* (express semi-direct) et un important réseau de bus relient les grandes villes de Kyūshū. La ligne *shinkansen* entre Hakata et Kagoshima, partiellement en service, devrait être terminée en 2011. Si votre budget le permet, combiner train et voiture de location constitue la meilleure option. Conduire à Kyūshū ne présente aucune difficulté et l'on s'habitue vite au GPS en japonais, installé dans la plupart des voitures de location. Sans un moyen de transport indépendant, vous manquerez beaucoup des paysages les mieux préservés et les plus spectaculaires de l'île.

FUKUOKA-KEN 福岡県

La plupart des voyageurs arrivent dans la préfecture septentrionale de Fukuoka. Kitakyūshū (990 585 habitants), une ville industrielle sans âme, se situe à la pointe nord de Kyūshū. Habituellement, les visiteurs rejoignent directement Fukuoka.

FUKUOKA 福岡 (HAKATA 博多)
☎ 092 / 1 414 420 habitants

Plus grande ville de Kyūshū, Fukuoka se développe rapidement. Deux cités distinctes, la seigneuriale Fukuoka avec son château, sur

KYŪSHŪ

la rive ouest de la Naka-gawa, et Hakata, la bourgade populaire à l'est, fusionnèrent en 1889 en conservant le nom de Fukuoka. Toutefois, Hakata a connu la plus forte expansion et nombre d'habitants utilisent ce nom. Ainsi, l'aéroport est appelé Fukuoka et la gare ferroviaire, Hakata.

En soirée, cette métropole dynamique se pare d'un charme cosmopolite, influencé par ses voisines asiatiques, telles Séoul et Shanghai. Art, architecture, shopping et gastronomie comptent parmi ses principaux atouts.

Dans le pays, la ville est renommée pour ses *bijin* (jolies femmes), son équipe de base-ball ainsi que ses *rāmen* (nouilles).

Orientation

La gare JR de Hakata est entourée d'hôtels, avec le meilleur choix du côté de la Chikushi-*guchi* (porte). À trois stations de métro, le quartier de Tenjin constitue le cœur de la ville et regroupe des boutiques, des restaurants et quelques bons hébergements. En surface, Tenjin suit Watanabe-dōri. En sous-sol court parallèlement Tenjin Chikagai, une longue galerie marchande. Son éclairage tamisé et ses plafonds en fer forgé la distingue des autres centres commerciaux et c'est un refuge plaisant dans la chaleur estivale. La station de métro Tenjin, la gare routière de Nishitetsu Tenjin et la gare Nishitetsu Fukuoka, le terminus de la ligne privée Nishitetsu Ōmuta, sont ici.

À l'ouest de Tenjin, Daimyo est l'équivalent d'Omote-sandō (p. 154) à Tōkyō, moins la foule. Promenez-vous dans ce quartier branché, idéal pour le shopping.

Enjambée par plusieurs ponts, la Naka-gawa et l'île de Nakasu – aujourd'hui indiscernable et remplie de clubs de strip-tease, de bars à hôtesses et de *yatai* (stands de restauration) – séparent Tenjin, à l'ouest, de Hakata, à l'est.

CARTES

Le **Rainbow Plaza** (☎ 733-2220 ; www.rainbowfia.or.jp ; 8F, IMS Bldg, 1-7-11 Tenjin, Tenjin ; ⏰ 10h-20h) de la Fukuoka International Association propose diverses cartes. Le comptoir d'information touristique, à la gare JR de Hakata, vend une carte bilingue de Fukuoka (30 ¥).

Renseignements
ACCÈS INTERNET

Le Wi-Fi est disponible partout. Les grands cyber-cafés disposent souvent de sièges inclinables, d'un snack-bar et parfois de douches. Vous pouvez éventuellement y passer la nuit.

Cybac Café (☎ 739-1500 ; www.cybac.com, en japonais ; 2ᵉ niv, Kawamura Bldg, 3-2-22 Tenjin ; enregistrement 300 ¥, 300 ¥ les 30 premières min, puis 100 ¥ les 15 min ; ⏰ 24h/24). Forfait accès illimité 12 heures 1 980 ¥, disponible toute la journée, 7 jours sur 7.
FedEx Kinko's Akasaka (☎ 724-7177 ; 1ᵉʳ niv, Akasaka Sangyo Bldg, 2-12-12 Daimyo ; ⏰ 24h/24) ; Chikushi-guchi (☎ 414-3399 ; 2-5-28 Hakata-eki higashi ; ⏰ 24h/24) ; Hakata-ekimae (☎ 473-2677 ; 2-19-24 Hakata-ekimae ; ⏰ 8h-22h). 210 ¥ les 10 min.
Media Café Popeye (www.media-cafe.net, en japonais). Hakata-ekimae (☎ 432-8788 ; 8ᵉ niv, Fukuoka Kōtsū Centre Bldg ; ⏰ 24h/24) ; Nakasu (☎ 283-9393 ; 8ᵉ niv, Spoon Bldg, 5-1-7 Nakasu ; ⏰ 24h/24) ; Tenjin (☎ 737-7744 ; 2ᵉ niv, Nishitetsu Imaizumi Bldg, 1-12-23 Imaizumi ; ⏰ 24h/24). Bar avec un soda gratuit, fauteuils de massage et box pour couples. 230 ¥ les 30 ʳᵉˢ min, puis 60 ¥ les 10 min.

AGENCES DE VOYAGES

HIS Travel (☎ 415-6121 ; 1ᵉʳ niv, FK Bldg, 2-6-10 Hakata-ekimae ; ⏰ 10h-18h30 lun-ven, 11h-16h30 sam). La succursale de Hakata de cette chaîne internationale offre des réductions sur les transports internationaux et nationaux.
Joy Road (☎ 431-6215 ; 1-1 Chuo-gai, Hakata-eki ; ⏰ 10h-20h lun-ven, 10h-18h week-end). Réservation de transports et nombreux conseils. Dans la gare JR de Hakata.
No 1 Travel (☎ 761-9203 ; www.no1-travel.com/fuk/ index.html ; 3ᵉ niv, ACROS Fukuoka Bldg, 1-1-1 Tenjin ; ⏰ 10h-18h30 lun-ven, 11h-16h30 sam). Vols internationaux à prix réduits et informations en anglais.
Rakubus (www.rakubus.jp/english). Excellent site Internet pour des réservations dans les bus longue distance.

ARGENT

Les DAB de la poste et de la Seven Bank (dans les supérettes 7-Eleven) sont les plus pratiques pour retirer de l'argent, avec instructions en anglais, et acceptent les cartes Visa, MasterCard, Plus, Maestro et Cirrus.

L'aéroport de Fukuoka compte plusieurs DAB et des banques qui changent les devises. À Tenjin, un DAB Citibank est accessible 24h/24. La plupart des banques proches de la gare JR de Hakata et dans Tenjin disposent d'un service de change.

LIBRAIRIES

Junkudō Fukuoka (☎ 738-3322 ; 1ᵉʳ-4ᵉ niv, Media Mall, Tenjin ; ⏰ 10h-20h30). Vend des livres de poche étrangers.
Kinokuniya (☎ 434-3100 ; 6ᵉ niv, Fukuoka Kōtsū Centre Bldg, Hakata-eki ; ⏰ 10h-21h). Vaste sélection de livres, de magazines et de DVD en japonais et en anglais.
Maruzen (☎ 731-9000 Kumamoto City ; 2ᵉ-3ᵉ niv, Fukuoka Bldg, Tenjin ; ⏰ 9h30-22h). Livres en langues étrangères et manuels de langue.

KYŪSHŪ

MÉDIAS

Diffusé de Tenjin, Love 76.1FM propose des émissions en 10 langues. Des animateurs bilingues présentent les émissions de divertissement de Cross 78.7FM et Free Wave 77.7.

Fukuoka Now (www.fukuoka-now.com). Un mensuel urbain en anglais avec des cartes détaillées de la ville. La première source à consulter pour les sorties.

OFFICES DU TOURISME

ACROS Fukuoka (☎ 725-9100 ; www.acros. or.jp/r_facilities/information.html, en japonais ; Centre d'information culturel, 2ᵉ niv, ACROS Bldg, 1-1-1 Tenjin ; ☻ 10h-18h, fermé 29 déc-3 jan). Nombreuses informations en anglais sur la préfecture. Le bâtiment mérite le coup d'œil pour son architecture.

Bureaux d'information (terminal international ☎ 621-0303, terminal national ☎ 621-6059 ; ☻ 8h-21h30 ou dernier vol). Au rdc de l'aéroport de Fukuoka ; réservation d'hôtels et location de voitures.

Rainbow Plaza (☎ 733-2220 ; www.rainbowfia.or.jp ; 8F, IMS Bldg, 1-7-11 Tenjin ; ☻ 10h-20h). Le Rainbow Plaza de la Fukuoka International Association dispose d'un personnel bilingue. Accès gratuit à Internet et de nombreuses documentations en langues étrangères.

Bureau d'information touristique (gare JR de Hakata ; ☻ 8h-20h). Nombreuses informations. Demandez le *Fukuoka Welcome Card Guide Book*, gratuit, qui comprend des cartes et des réductions pour les hôtels, les divertissements, les boutiques et les restaurants affiliés.

POSTE

La poste principale se situe à un pâté de maisons au nord-est de la station de métro Tenjin. La poste de Hakata se trouve à la sortie de la gare JR de Hakata, côté Hakata-guchi.

SERVICES MÉDICAUX

International Clinic Tojin-machi (☎ 717-1000 ; http://internationalclinic.org ; 1-4-6 Jigyo, Chūō-ku ; 🚇 ligne Kūkō de Tenjin à Tōjin-machi, 3 arrêts, sortie 1). Médecine générale, urgences et personnel polyglotte. De la station de métro, montez l'escalier et continuez dans la même direction sur deux pâtés de maisons.

À voir et à faire

CANAL CITY キャナルシティ

À côté de Nakasu, **Canal City** (☎ 282-2525 ; www. canalcity.co.jp/world/english/urban.html ; 1-2 Sumiyoshi), jadis futuriste, accuse déjà les ans. Surplombant un canal artificiel ponctué de fontaines, le complexe regroupe l'hôtel Grand Hyatt, un cinéma multiplexe, une salle de spectacle et des centaines de boutiques, de bars et de restaurants. Il se situe à 15 minutes de marche de la gare JR de Hakata et

des stations de métro Gion et Nakasu-Kawabata. Vous pouvez aussi prendre un bus "¥100 city loop" jusqu'à Canal City-mae.

TENJIN 天神

Toutes les grandes enseignes et d'innombrables magasins et restaurants sont installés dans Tenjin. Prenez le métro à la station Hakata jusqu'à Tenjin-Chikagai, choisissez un point de repère et flânez dans ce quartier sûr et amusant, bien plus facile à explorer que les quartiers similaires de Tōkyō ou d'Ōsaka.

Tenjin compte aussi de beaux édifices anciens. L'**ancien hôtel préfectoral et résidence officielle** (☎ 751-4416 ; 6-29 Nishi-nakasu ; 240 ¥ ; ☻ 9h-17h mar-dim, fermé 29 déc-3 jan), de style Renaissance française, fut bâti en 1910 dans Tenjin Chūō-kōen. Doté de tourelles en cuivre, le **Centre culturel d'Akarenga** (Akarenga Bunka-kan ; ☎ 722-4666 ; Tenjin ; entrée libre ; ☻ 9h-21h mar-dim, fermé 28 déc-3 jan) fut construit en 1909 par l'architecte qui conçut la gare de Tōkyō. Il renferme une exposition historique et un charmant café.

HAKATA RIVERAIN 博多リバレイン

Cet élégant **complexe commercial et culturel** (☎ 282-1300 ; www.riverain.co.jp/english.html ; Hakata Riverain, 3-1 Shimokawabata-machi), au-dessus de la station de métro Nakasu-Kawabata, comprend plus de 70 boutiques et restaurants, un bel atrium, l'Hotel Okura, un musée et un théâtre.

Aux étages supérieurs, le **musée d'Art asiatique de Fukuoka** (☎ 263-1100 ; http://faam.city.fukuoka. lg.jp/eng/home.html ; 7ᵉ et 8ᵉ niv, Riverain Centre Bldg, 3-1 Shimokawabata-machi ; 200 ¥, prix variables ; ☻ 10h-20h jeu-mar) abrite l'Asia Gallery, mondialement réputée, et d'autres galeries pour les expositions temporaires et les artistes résidents.

Le **théâtre Hakata-za** (☎ 263-5858 ; www.hakataza. co.jp, en japonais ; Riverain Centre Bldg, 3-1 Shimokawabata-machi) est l'un des meilleurs théâtres de kabuki (théâtre japonais) du pays et propose aussi des concerts et des versions japonaises de comédies musicales de Broadway (voir p. 703).

HAKATA MACHIYA FURUSATO-KAN
博多町家ふるさと館

Ce petit **musée folklorique** (☎ 281-7761 ; www. hakatamachiya.com, en japonais ; 6-10 Reisen-machi ; 200 ¥ ; ☻ 10h-17h30, fermeture 29-31 déc), en face du sanctuaire Kushida, recrée un village hakata de la fin de l'ère Meiji. Les bâtiments reproduits contiennent des photos anciennes et des expositions sur la culture hakata traditionnelle, dont des enregistrements de *hakata-ben* (dialecte).

FUKUOKA REKISHI NO MACHI KOTTŌ-MURA 福岡歴史の町骨董村

Ce rustique **village historique et coopérative d'antiquaires** (☎ 806-0505 ; 439-120 Tokunaga, Nishi-ku ; entrée libre ; ☯ 10h-18h mar-dim ; 🚊 ligne JR Chikuhi de Tenjin à Kyūdai-gakkentoshi) réunit plus de 30 potiers, tisserands et papetiers qui présentent et vendent leurs créations. L'endroit est excentré mais constitue un agréable détour et les prix sont intéressants. Il se situe à 15 minutes en taxi de la gare Kyūdai-gakkentoshi.

SANCTUAIRES ET TEMPLES

Le **Tōchō-ji** possède le plus grand bouddha en bois du pays et de spectaculaires statues de Kannon, la déesse de la Compassion.

Le **Shōfuku-ji**, un temple zen, fut fondé en 1195 par Eisai, qui introduisit le zen et le thé au Japon.

Le **Kushida-jinja**, qui accueille le Hakata Gion Yamakasa Matsuri, expose les chars de la fête et possède un **musée d'Histoire** (☎ 291-2951 ; 1-41 Kami-kawabata ; 300 ¥ ; ☯ 10h-16h30).

Le **Sumiyoshi-jinja** (☎ 262-6665 ; 2-10-7 Sumiyoshi, Hakata) serait le premier sanctuaire de Sumiyoshi Taisha au Japon. Du côté nord, le **Rakusuien** (100 ¥ ; ☯ 9h-16h30 mer-lun) est un joli jardin avec une maison de thé, construit par un marchand de l'ère Meiji. Vous pouvez participer à une cérémonie du thé en plein air.

FUKUOKA-JŌ ET ŌHORI-KŌEN 福岡城・大濠公園

Seuls demeurent les murs du Fukuoka-jō dans l'actuel Maizuru-kōen, mais son emplacement, sur la colline, offre une belle vue sur la ville.

L'Ōhori-kōen, à côté du domaine du château, comprend un jardin japonais de style traditionnel, le **Nihon-teien** (☎ 741-8377 ; 240 ¥ ; ☯ 9h-16h45 sept-mai, 9h-17h45 juin-août, fermé lun).

À proximité, le **musée d'Art de Fukuoka** (☎ 714-6051 ; www.fukuoka-art-museum.jp ; 1-6 Ōhori-kōen Chūōku ; 200 ¥ ; ☯ 9h30-17h mar-dim sept-mai, 9h30-19h mar-sam, 9h30-17h dim juil-août) présente d'anciennes poteries et des gardiens bouddhistes au 1er niveau, des œuvres d'Andy Warhol et de Salvador Dalí à l'étage et comprend un jardin intérieur.

QUARTIER DE MOMOCHI 百浜

Dans l'ouest de la ville se dresse la **Fukuoka Tower** (☎ 823-0234 ; www.fukuokatower.co.jp/english/index.html ; 2-3-26 Momochi-hama, Sawara-ku ; 800 ¥ ; ☯ 9h30-22h avr-sept, 9h30-21h oct-mars), haute de 234 m. À 120 m, l'élégant café **Sky Lounge Refuge** (☎ 833-8255) offre une superbe vue, notamment en soirée.

Le **musée de la Ville de Fukuoka** (☎ 845-5011 ; http://museum.city.fukuoka.jp/english/index_e.html ; 3-1-1 Momochi, Sawara-ku ; 200 ¥ ; ☯ 9h30-17h mar-dim) expose des artefacts se rapportant à l'histoire et la culture locale. La pièce maîtresse est un ancien sceau en or représentant un serpent, avec une inscription attestant les liens historiques entre le Japon et la Chine.

HAWK'S TOWN ホークスタウン

Ce **centre commercial et de loisirs** (www.hawkstown.com/eng/index.html) est construit sur un terrain gagné sur la mer près du Momochi-kōen. Il abrite le luxueux **JAL Resort Sea Hawk Hotel** et l'immense **Yahoo! Japan Dome**. Hawks Town se situe à moins de 1 km au nord-ouest de la station Tōjin-machi. De la gare routière de Tenjin, des bus directs desservent le Yahoo! Dome (15 min environ).

ÎLES PROCHES

Souvent ignorée, **Nokonoshima** (能古島), est une île charmante, avec des champs de fleurs sauvages, ainsi qu'une **plage** et un **camping** (pointe nord). Prenez le bus 300 ou 301 à la gare routière de Nishitetsu Tenjin (360 ¥, 20 min) ou un ferry au port municipal des ferries de Meinohama, à l'ouest du centre-ville, près de la station Meinohama (220 ¥, 10 min).

De Bayside Place, des bateaux desservent chaque heure **Shikanoshima** (志賀島 ; 650 ¥, 33 min), une île délicieusement rurale avec de petits restaurants de poisson. Des croisières partent pour la baie de Hakata. Shikanoshima possède également un **sanctuaire de pêcheurs** (志賀海神社 ; ☎ 603-6501), décoré de bois de cerfs, et une **plage** à 5 km à l'est du sanctuaire.

Fêtes et festivals

Hakozaki-gū Tamatorisai (Tamaseseri) (箱崎宮). Le 3 janvier, deux groupes rivaux de jeunes gens en pagnes courent après une balle de bois pour obtenir de la chance au sanctuaire Hakozaki-gū.

Hakata Dontaku Matsuri (博多どんたく祭り). Les 3 et 4 mai, le Meiji-dōri résonne du battement des *shamoji* (spatules en bois utilisées pour servir le riz) frappés ensemble au son du *shamisen* (instrument à 3 cordes). Le terme *dontaku* est dérivé du hollandais *zontag* (jour férié).

Hakata Gion Yamagasa Matsuri (博多山笠祭り). La principale fête de la ville se déroule du 1er au 15 juillet et atteint son apogée le dernier jour à 4h59 : sept groupes d'hommes convergent au Kushida-jinja, au nord de Canal City, puis courent sur 5 km en portant d'énormes *mikoshi* (autels portatifs). Selon la légende, cette fête remonte au XIIIe siècle, quand un moine bouddhiste fut transporté ainsi pour arroser d'eau bénite des victimes de la peste.

CENTRE DE FUKUOKA

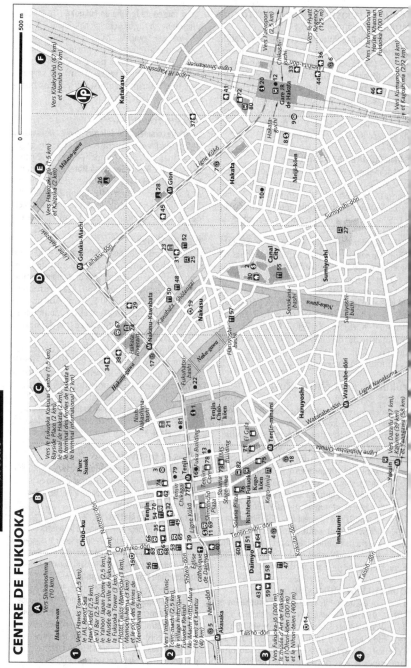

Tournoi de sumo de Kyūshū Bashō (大相撲九州場所). Il se tient pendant 2 semaines à la mi-novembre au Fukuoka Kokusai Centre. Un nombre limité de billets *(tōjitsu-ken* ; 3 400-15 000 ¥) est mis en vente le jour même dès 8h et les files se forment dès l'aube.

Où se loger

Destination de voyages d'affaires et de loisir, Fukuoka compte pléthore d'hébergements d'un bon rapport qualité/prix. Le quartier de la gare JR de Hakata est pratique si vous déplacez en train, mais Tenjin, avec ses boutiques et ses divertissements, se révèle plus plaisant pour un séjour de quelques jours.

PETITS BUDGETS

International Hostel Khaosan Fukuoka (☎ 404-6035 ; www.khaosan-fukuoka.com ; 11-34 Hiemachi, Hakata-ku ; dort/s/lits jum à partir de 2 400/3 500/5 200 ¥ ; ✉ 🖥). Cette auberge de jeunesse, idéale pour rencontrer d'autres voyageurs, possède 19 chambres sommaires, claires et spacieuses.

Hotel New Simple (☎ 411-4311 ; fax 411-4312 ; www.hotel-newsimple.jp ; 1-23-11 Hakata-ekimae ; dort/s/lits jum 3 000/4 200/7 140 ¥). L'un des hôtels les moins chers de Fukuoka, à 10 minutes de marche de la gare de Hakata, offre des chambres propres (dont 1 chambre familiale pour 6 pers).

Hakata JBB (☎ 263-8300 ; fax 263-8301 ; 6-5-1 Reisen-machi, Hakata-ku ; s/d 4 725/6 000 ¥). Le personnel parle un peu anglais dans ce petit hôtel privé, accueillant et chaleureux, au décor un peu daté. Il se tient dans un quartier plaisant, près du temple de Kushida et de Nakasu.

Amenity Hotel in Hakata (☎ 282-0041 ; fax 282-0044 ; www.amenityhotel.com ; 14-25 Kami-kawabata ; ch avec petit déj à partir de 4 900 ¥ ; ⊠ 💻). Un *business hotel* classique, bien situé près de Hakata Riverain et du métro. Accès Internet LAN gratuit.

Hotel Etwas Tenjin (☎ 737-3233 ; fax 737-3266 ; 3-5-18 Tenjin ; s/d avec petit déj 5 800/7 800 ¥ ; ⊠ 💻). Récemment rénové, ce *business hotel* constitue un excellent choix au cœur de Tenjin, paisible malgré la proximité d'Oyafuko-dōri. Bien équipées, toutes les chambres disposent d'une TV LCD et certaines de l'accès Internet LAN.

Ryokan Kashima Honkan (☎ 291-0746 ; fax 271-7995 ; 3-11 Reisen-machi ; ch sans sdb à partir de 6 000 ¥/pers ; 💻). Dans le quartier de Gion, près de Canal City, ce *ryokan* délicieusement désuet ouvre sur un jardin clos de l'ère Meiji – une adresse pleine de charme pour découvrir le Japon traditionnel. Le sympathique propriétaire accueille volontiers nos lecteurs et parle anglais.

Hotel Century Art (☎ 473-2111 ; fax 473-2112 ; 5-15 Chuo-gai, Hakata-eki ; s/d/lits jum à partir de 6 500/9 900/12 000 ¥ ; ⊠ 💻 ; 🚆 JR Hakata, Chikushi-guchi). Derrière la gare JR de Hakata (côté Chikushi-guchi), cet hôtel ancien propose de grandes chambres (dont certaines avec accès Internet LAN) et une profusion de marbre.

Hotel Éclair (☎ 283-2000 ; fax 283-6292 ; 1-1 Susaki-machi, Hakata-ku ; s/lits jum à partir de 6 800/13 500 ¥ ; ⊠ 💻). En face de l'Hotel Okura (p. 701), cet hôtel moderne comprend des chambres très claires et un agréable pub à l'irlandaise au rez-de-chaussée. Accès Internet LAN gratuit et location d'ordinateur portable.

Nishitetsu Inn Hakata (☎ 413-5454 ; fax 413-5466 ; 1-17-6 Hakata-ekimae ; s/lits jum à partir de 6 900/13 300 ¥ ; ⊠ 💻). Pimpant hôtel de 500 chambres (avec accès Internet LAN) à côté du Fukuoka Kōtsū Centre, il a un sauna et un bain thermal.

CATÉGORIE MOYENNE

Hotel Twins Momochi (☎ 852-4800 ; fax 845-8637 ; www.twinsmomochi.jp, en japonais ; 1-7-4 Momochi-hama, Sawara-ku ; s/d à partir de 5 800/7 800 ¥ ; Ⓟ ⊠ 💻). Proche du Yahoo! Dome, cet hôtel d'un excellent rapport qualité/prix propose des chambres diverses, agrémentées de touches personnelles. Bonne adresse pour les couples et les familles, il comprend des kitchenettes communes et une laverie à pièces.

Hotel Ascent (☎ 711-1300 ; fax 711-1717 ; 3-3-14 Tenjin ; s/d à partir de 7 245/13 650 ¥ ; ⊠ 💻). Au cœur de Tenjin, ce grand hôtel bien tenu constitue une bonne affaire pour les voyageurs seuls bien que le personnel parle peu anglais. Certaines chambres bénéficient de l'accès Internet LAN.

Richmond Hotel Hakata Station (☎ 433-0011 ; fax 433-0166 ; 6-17 Chuo-gai, Hakata-eki ; s/d/lits jum à partir de 7 900/10 800/14 800 ¥ ; ⊠ 💻 ; 🚆 JR Hakata, Chikushi-guchi). Derrière la gare près de Yodobashi Camera, cet hôtel d'affaires possède un peu plus de cachet et toutes les chambres disposent de l'accès Internet LAN gratuit.

Plaza Hotel Tenjin (☎ 752-7600 ; fax 752-7550 ; www.plaza-hotel.net ; 1-9-63 Daimyo, Chūō-ku ; s/lits jum à partir de 7 300/12 000 ¥ ; Ⓟ ⊠ 💻). Bien que les chambres ne soient pas aussi somptueuses que les parties communes, cet établissement bien situé reste un excellent choix ; toutes les chambres sont équipées de l'accès Internet câblé.

♡ **Plaza Hotel Premier** (☎ 734-7600 ; fax 734-7601 ; www.plaza-hotel.net ; 1-14-13 Daimyo, Chūō-ku ; s/lits jum à partir de 8 200/14 000 ¥ ; Ⓟ ⊠ 💻). Dans le quartier branché de Daimyō, le grand frère du Plaza Hotel Tenjin voisin rivalise avec des hôtels beaucoup plus coûteux. Sa Trattoria Bal Musette évoque le Paris d'antan et une ambiance plaisante règne dans la rue à la nuit tombée.

Hotel Leopalace Hakata (☎ 482-1212 ; fax 482-1289 ; www.leopalacehotels.jp/hakata_top.html ; 2-5-33 Hakataeki-higashi ; s/d à partir de 12 000/15 000 ¥ ; Ⓟ ⊠ 💻 ; 🚆 JR Hakata, Chikushi-guchi). Proche de la gare, ce nouvel hôtel stylé vise une clientèle de jeunes cadres japonais. L'élégante réception, au décor minimaliste, mène à des chambres high-tech soignées, toutes avec TV LCD, accès Internet câblé gratuit et certaines dotées de grandes baies vitrées. Un restaurant italien et une laverie à pièces complètent les équipements. Le personnel parle peu anglais.

CATÉGORIE SUPÉRIEURE

Si votre budget le permet, Fukuoka est l'endroit où faire une folie à Kyūshū.

Nishitetsu Grand Hotel (☎ 771-7171 ; fax 751-8224 ; www.grand-h.jp/english/index.html ; 2-6-60 Daimyo ; s/lits jum/d à partir de 12 705/25 410/27 720 ¥ ; Ⓟ ⊠ 💻).

Cet hôtel imposant, l'un des plus anciens de Fukuoka, s'adresse principalement aux Japonais, avec un standing et des services haut de gamme. Chambres avec accès Internet câblé.

La Sœur Hotel Monterey (☎ 726-7111 ; fax 726-7100 ; https://www.hotelmonterey.co.jp/eng/index.html ; 2-8-27 Daimyo ; s/d et lits jum à partir de 13 860/19 635 ¥ ; ⊠ ▯). Prisé pour les lunes de miel, cet hôtel très bien situé offre des chambres confortables et bien aménagées, avec prises Internet câblées. Consultez le site Internet pour profiter des promotions et évitez les week-ends.

Hyatt Regency (☎ 412-1234 ; fax 414-2490 www.hyatt.com ; 2-14-1 Hakataeki-higashi, Hakata-ku ; d et lits jum à partir de 18 000 ¥ ; P ⊠ ▯). À 5 minutes de marche de la gare JR de Hakata, ce Hyatt majestueux renferme de somptueux salons et chambres. Des réductions sont parfois proposées pour une réservation en ligne.

Hotel Okura (☎ 262-1111 ; fax 262-7701 ; www.okura.com ; 3-2 Shimokawabata-machi ; s/d/ste à partir de 19 950/25 200/84 000 ¥ ; P ⊠ ▯). Cet immense cinq-étoiles offre des chambres spacieuses, parfaitement équipées, et un service exceptionnel. Il fait partie du complexe Hakata Riverain.

Grand Hyatt Fukuoka (☎ 282-1234, 282-2817 ; http://fukuoka.grand.hyatt.com ; 1-2-82 Sumiyoshi ; d/lits jum à partir de 20 000 ¥ ; P ⊠ ▯ ☎). À côté de Canal City, ce grand hôtel cinq-étoiles international a des chambres claires et chaleureuses, qui allient l'esthétique japonaise traditionnelle et le confort moderne. Les suites occidentales et japonaises sont superbes.

◯ With the Style (☎ 433-3900 ; www.withthestyle.com ; 1-9-18 Hakataeki-minami ; d/ste avec petit déj à partir de 31 185/63 525 ¥ ; ⊠ ▯). Venez en couple pour savourer le charme exquis de cet hôtel de designer, au cœur de la ville. Il compte 16 chambres raffinées (avec minibar). Les hôtes peuvent réserver le spa privé sur le toit ou le bar au dernier étage. L'établissement comprend un bar à sushis, un restaurant et un bar à cocktails, tous parfaits.

Où se restaurer

Pour la plupart des Japonais, Hakata évoque les *tonkotsu-rāmen*, des nouilles dans un bouillon préparé avec des os de porc. Fukuoka est également réputée pour ses *yatai* (stands de restauration), installés en bordure de rivière à Nakasu, devant Canal City et dispersés dans Tenjin, notamment au croisement d'Oyafuko-dōri et de Shōwa-dōri. Ils ouvrent au coucher du soleil et se remplissent rapidement.

Hakata-ya (☎ 291-3080 ; 9-151 Kami-kawabata ; plats à partir de 290 ¥ ; ⏲ 24h/24). Au coin de la Kawabata-*shōtengai* (artère commerçante), cette gargote, avec une enseigne rouge et jaune entre deux ventilateurs fatigués, sert les *rāmen* les moins chers de Fukuoka. Le *rāmen teishoku* (580 ¥) comprend un bol de nouilles, du riz, des pickles et 5 petits Hakata *gyōza* (raviolis).

Hakata Rāmen Shibaraku (☎ 714-0489 ; 3-2-13 Tenjin ; *rāmen* à partir de 600 ¥ ; ⏲ déj et dîner). En face de l'Hotel Ascent, cette échoppe sympathique, d'une propreté irréprochable et spacieuse, vaste et aérée propose un *wantanmen* (*wonton* et *tonkotsu-rāmen*) à 930 ¥ et de la bière fraîche.

Jet Diner (☎ 716-9070 ; 101 CePa Bldg, 1-12-52 Daimyo ; burgers à partir de 400 ¥ ; ⏲ déj 11h-3h). Burgers, hot-dog, soupes et salades composent la carte de ce pimpant restaurant rétro, bien situé près de Nishi-dōri, en face de Beans. Prisé de la jeunesse, il sert aussi des cocktails et ne désemplit pas. Comptez 680 ¥ pour un hamburger avec frites et *coleslaw* (salade de chou).

Pik's Coffeehop (☎ 781-0246 ; http://members3.jcom.home.ne.jp/piks ; 3-2-18 Tenjin ; repas à partir de 495 ¥ ; ⏲ 12h-1h lun-ven, 18h-2h sam, fermé dim). Pour un repas ou un petit-déjeuner à l'américaine, rendez-vous dans cet amusant *diner* à l'ancienne où tout vient de Kansas City – excepté le personnel et la clientèle.

Murata (☎ 291-0894 ; 2-9-1 Reisen-machi ; soba à partir de 550 ¥ ; ⏲ 11h30-20h30, fermé dim ; Ⓥ). En face de l'hôtel Hakata JBB, ce charmant restaurant propose diverses délicieuses préparations de *soba*, des nouilles de blé noir provenant de la région de Shinshū, au centre du Japon. Goûtez l'*oroshi-soba* (nouilles froides saupoudrées de *daikon* râpé ; 950 ¥).

Curry Honpo (☎ 262-0010 ; www.curry-honpo.com ; 6-135 Kami-kawabata ; curry à partir de 670 ¥ ; ⏲ déj et dîner ; Ⓥ). Les clients se pressent dans ce restaurant de Kawabata-shōtengai pour savourer ses succulents curries à la japonaise, comme le *pooku no yaki karee* (curry de porc ; 870 ¥). Repérez la devanture en faux bois dans la galerie marchande et déchiffrez la carte "Japanenglish".

Nanak's Indian (☎ 713-7900 ; 1-1-14 Maizuru ; curries à partir de 680 ¥ ; ⏲ déj et dîner ; Ⓥ). Une carte en anglais répertorie tous les curries classiques, dont les effluves embaument le croisement proche d'Oyafuko-dōri et de Shōwa-dōri.

Yamasaki (☎ 762-6668 ; 1F Chestnut Bldg, 1-8-11 Maizuru ; repas à partir de ¥1500 ; ⏲ déj et dîner). Près d'Oyafuko-dōri, il propose d'excellents poissons, salades et *teishoku* (menus). Un *sanma* (maquereau) ou un *netsuke* (vivaneau rouge) grillé, une salade et une bière vous reviendront à 1 750 ¥ environ. L'enseigne en japonais comporte une petite châtaigne. Carte illustrée.

CHINA (☎ 282-1234 ; 1er niv, Grand Hyatt Hotel, Canal City ; dim sum semaine/week-end 2 900/3 300 ¥ ; 🕑 déj). Cette charmante salle de banquet cantonaise offre des *dim sum* à volonté, préparés sur commande (carte en anglais) et servis avec le style d'un hôtel cinq-étoiles.

Aux 12e et 13e niveaux de l'**IMS Building** (1-7-11 Tenjin), des restaurants ont une vue panoramique. Le **No No Budo** (☎ 714-1441 ; buffet déj/dîner 1 575/2 100 ¥ ; 🕑 déj et dîner ; Ⓥ) propose un buffet gastronomique avec des plats occidentaux et japonais (poissons, viandes, nouilles, salades, soupes et desserts), ainsi que des boissons alcoolisées à volonté pendant 2 heures (suppl. 1 400 ¥). Le **Rāmen Stadium** (☎ 282-2525 ; 5F, Canal City ; 🕑 11h-22h30) regroupe des échoppes de *rāmen* et en offre de multiples variétés.

Les grands magasins proches de Tenjin-Chikagai possèdent des espaces de restauration et des restaurants, habituellement au sous-sol et aux derniers étages.

Où prendre un verre

Les festivités du week-end commencent le jeudi dans cette ville cosmopolite. La plupart des établissements restent ouverts jusqu'à 3h. Le nom de l'artère principale, Oyafuko-dōri, signifie "rue des enfants turbulents" en raison des écoles qui la bordaient jadis, et cette appellation lui convient toujours. Les rues de Tenjin et Daimyo, sûres et faciles à explorer, sont idéales pour profiter de l'animation. Les voyageurs gay en quête de nouveaux amis se dirigeront de préférence au sud de Nakasu et de Canal City, dans le quartier de Sumiyoshi. Internet constitue la meilleure source d'information sur cette scène confidentielle.

International Bar (☎ 714-2179 ; 4e niv, Urashima Bldg, 3-1-13 Tenjin). Ce petit bar international, le premier de Fukuoka, accuse son âge et organise des soirées karaoké gratuites le jeudi.

Off Broadway (☎ 724-5383 ; www.offbroadwayjapan. com ; 2e niv, Beans Bldg, 1-8-40 Maizuru). L'un des plus anciens bars de Fukuoka et toujours l'un des plus plaisants, il surplombe Oyafuko-dōri. La clientèle et le personnel sont sympathiques et la carte comporte de nombreux plats américains.

Craic & Porter Beer Bar (☎ 090-4514-9516 ; http:// craic.mine.nu ; 3-5-16 Tenjin). Un petit bout d'Irlande avec de grandes fenêtres et des bières

importées à la pression. Mike, le sympathique propriétaire, connaît bien le Japon. En face du FUBAR, au-dessus du fleuriste ABC dans Oyafuko-dōri.

British Pub Morris (☎ 771-4774 ; 7e niv, Stage 1 Nishidōri Bldg, 2-1-4 Daimyo ; 🕑 à partir de 17h ; 🖳). L'un des meilleurs pubs du pays. Il séduit une clientèle variée de Japonais et de *gaijin* (étrangers). Il offre un bon choix de bières et une savoureuse cuisine de pub. Le superbe patio en plein air, haut perché au-dessus de Daimyo, est un endroit idéal pour commencer la soirée, surtout durant le happy-hour de 17h à 19h (cocktails à partir de 250 ¥).

Small Spaces (☎ 724-3443 ; 1-13-12 Daimyo). Mieux vaut parler japonais pour fréquenter ce bar résolument décontracté, prisé de la jeunesse japonaise. La porte ouverte et les fenêtres aux volets blancs laissent filtrer dans la rue la lumière douce de ce petit refuge en bois, niché au milieu des boutiques des grandes marques. Repérez l'enseigne en vinyle bleu et entrez, ne serait-ce que pour le coup d'œil.

VJ Bar (☎ 844-8000 ; 34e niv, JAL Resort Sea Hawk Hotel Fukuoka, 2-2-3 Jigyo-hama, Chuo-ku ; 🕑 18h-1h ; consommations à partir de 800 ¥). Si vous disposez de temps et d'argent, et si vous êtes en bonne compagnie, faites un tour dans cet élégant bar d'hôtel à plusieurs niveaux, perché à 123 m, où la vue et les saveurs internationales justifient la note.

Original et spacieux, l'**Ashok's Bar** (☎ 522-0663 ; 2e niv, Sakura Bldg, Sun-road Shōtengai, 1-10-19 Kiyokawa), ouvert par Ashok, un expatrié népalais, fut l'un des premiers bars internationaux de Fukuoka. L'**Ashok's Bar2** (☎ 732-3281 ; 203 Tenjin Bacchus-kan, 3-4-15 Tenjin), une succursale plus récente et centrale, sert des plats népalais et japonais. Appréciés des Japonais, ces deux endroits sont de bonnes adresses pour rencontrer les habitants et ferment tous deux le dimanche.

LE QUARTIER DE DAIMYO 大名地区

Les bars et les restaurants les plus chics de Fukuoka bordent les rues étroites de Daimyo. Le **Bar Garasu** (☎ 712-8251 ; 1-12-28 Daimyo) attire une clientèle aisée et branchée. À proximité, l'**Alohana** (☎ 724-0111 ; Donpa Bldg, 1-11-4 Daimyo) sert une cuisine fusion hawaïenne et japonaise. Pour une ambiance raffinée, rejoignez le **Bar Oscar** (☎ 7721-5352 ; 6e niv, 1-10-29 Daimyo), du nom du jazzman Oscar Peterson.

Où sortir

CLUBS ET DISCOTHÈQUES

L'île de Nakasu est l'un des lieux de divertissement les plus fréquentés du pays, mais vous devez savoir ce que vous recherchez. Le quartier autour d'Oyafuko-dōri est plus sûr. Les clubs font souvent payer l'entrée le week-end (1 000-3 000 ¥), incluant 1 ou 2 boissons.

Juke Joint (☎ 762-5596 ; http://juke-records.net/juke joint, en japonais ; 1-9-23 Maizuru). Les clients peuvent choisir la musique dans le premier club avec DJ de Fukuoka. L'éclectique collection de disques est l'œuvre du disquaire "Kinky" Ko Matsumoto. Boissons à partir de 500 ¥, gombo de poisson épicé et entrée gratuite.

Dark Room (☎ 725-2989 ; www.thedarkroom.biz ; 8ᵉ niv, Tenjin Bacchus-kan, 3-4-15 Tenjin ; ☺ 18h-2h). Une excellente sono diffuse le rock à plein volume dans cette salle décontractée, avec de sympathiques serveurs, un billard, un baby-foot et un escalier en colimaçon jusqu'au toit-terrasse.

Voodoo Lounge (☎ 732-4662 ; 3ᵉ niv, Tenjin Centre Bldg, Tenjin ; ☺ 21h-3h). Détendu et spacieux, le Voodoo Lounge est réputé pour ses boissons de qualité et offre musique live ou DJ presque tous les soirs.

Sam & Dave (☎ 713-2223 ; www.samanddave.jp ; 3ᵉ niv, West Side Bldg, Tenjin Nishidōri). Comme les autres clubs du même nom dans le pays, le Sam & Dave oscille entre la sympathique discothèque et le night-club bruyant où drague une clientèle alcoolisée. Croisez les doigts et espérez que l'ambiance correspondra à vos attentes.

FUBAR (☎ 722-3006 ; 4ᵉ niv, Okabi Bldg II, 3-6-12 Tenjin, Chūō-ku). Près du Family Mart dans Oyafuko-dōri, ce club privilégie la musique et reste ouvert jusqu'à l'aube.

KABUKI

Hakata-za (☎ 263-5858 ; www.hakataza.co.jp, en japonais ; Riverain Centre Bldg, 3-1 Shimokawabata-machi ; 5 000-18 600 ¥ ; ☺ horaires variables). Au-dessus de la station de métro Nakasu-Kawabata, dans Hakata Riverain, ce théâtre de 1 500 places, l'un des meilleurs du pays, enchantera les amateurs de kabuki classique.

Achats

Les poupées d'argile Hakata (*Hakata ningyō*), représentent des femmes, des enfants, des samouraïs et des geishas, constituent un artisanat réputé de Fukuoka. Les *obi* (ceintures de soie pour kimonos) Hakata sont une autre spécialité. Vous en trouverez dans les grands magasins Mitsukoshi ou Daimaru, à Tenjin.

Daisou (4ᵉ niv, Fukuoka Kōtsū Centre Bldg ; ☺ 10h-22h). Pour des achats de dernière minute (à partir de 100 ¥), explorez cette immense boutique, à côté de la gare JR de Hakata (Hakata-guchi).

Le shopping dans les tours et les labyrinthes souterrains de Tenjin est un passe-temps prisé. Concentrés sur trois pâtés de maisons dans Watanabe-dōri, **Tenjin Core** (☎ 721-7755), **Mitsukoshi** (☎ 724-3111), **Daimaru** (☎ 712-8181), **Solaria Plaza** (☎ 733-7004), **Tenjin Chikagai** (☎ 721-8436) en sous-sol, **mina tenjin** (☎ 713-3711) et l'**IMS building** (☎ 733-2001) font partie des favoris.

Depuis/vers Fukuoka-Hakata

AVION

Fukuoka est un carrefour international en Asie. Des vols nationaux rallient notamment Tōkyō (36 700 ¥, 1 heure 30, 45 vols/jour de l'aéroport Haneda et 4 vols/jour de l'aéroport international de Narita), Ōsaka (21 900 ¥, 1 heure, 6 vols/jour) et Okinawa (Naha, à partir de 27 500 ¥, 1 heure 30, 12 vols/jour). ANA et JAL possèdent des agences en ville.

Seule compagnie japonaise low-cost indépendante, **Skymark** (☎ 736-3131, à Tōkyō 03-3433-7026 ; www.skymark.co.jp/en) propose 10 vols quotidiens vers l'aéroport Haneda à Tōkyō (à partir de 12 000 ¥).

BATEAU

Des ferries relient Hakata à Okinawa et à d'autres îles au large de Kyūshū. Un service international d'hydroptère à grande vitesse appelé **Beetle** (Scarabée ; ☎ 092-281-2315, en Corée 051-465-6111 ; www.jrbeetle.co.jp/english) circule entre Fukuoka et Pusan en Corée (13 000 ¥, 3 heures, 4/jour). La **Camellia line** (☎ 092-262-2323, en Corée 051-466-7799 ; www.camellia-line.co.jp, en japonais et coréen) offre un service régulier de Fukuoka à Pusan (9 000 ¥, 6 heures, tlj à 12h). À Fukuoka, le *Beetle* et le *Camellia* partent du terminal des ferries du port de Hakata, desservi par les bus 11, 19 et 50 de la gare JR de Hakata (220 ¥), ou par le bus 80 de Tenjin (Solaria Stage-mae ; 180 ¥). À Pusan, le *Beetle* (9 000 wons, 3 heures, 4/jour) et le *Camellia* (80 000 wons, 7 heures 45, traversée de nuit) partent du terminal international, à 200 m de la station de métro Jungang-dong.

BUS

Les **bus longue distance** (renseignements en anglais ☎ 733-3333) partent du Fukuoka Kōtsū Centre Building à côté de la gare JR de Hakata (Hakata-guchi) et de la gare routière de Tenjin.

KYŪSHŪ

Ils desservent, entre autres, Tōkyō (15 000 ¥, 14 heures 30), Ōsaka (à partir de 7 000 ¥, 9 heures 30), Nagoya (10 500 ¥, 11 heures) et de nombreuses villes dans Kyūshū. Consultez le site en anglais www.rakubus.jp/english.

TRAIN

La **gare JR de Hakata** (☎ renseignements en anglais 471-8111, JR English info-line 03-3423-0111) est le terminus ouest du *shinkansen* Tōkyō-Ōsaka-Hakata. Les trains circulent depuis/vers Tōkyō (21 210 ¥, 5 heures), Ōsaka (14 690 ¥, 2 heures 30-3 heures) et Hiroshima (8 900 ¥, 1 heure 30).

Dans Kyūshū, la ligne Nippō dessert Beppu et Miyazaki. La ligne Kagoshima rejoint Kagoshima via Kumamoto. La ligne Sasebo passe par Saga et rejoint Sasebo. La ligne Nagasaki rallie Nagasaki. La ligne *shinkansen* de Kyūshū court de Shin-Yatsushiro jusqu'à Kagoshima (5 490 ¥, 1 heure) et devrait être prolongée jusqu'à Hakata. Vous pouvez également prendre le métro ou un train JR jusqu'à Karatsu, puis un train pour Nagasaki.

Comment circuler
DEPUIS/VERS L'AÉROPORT

L'aéroport de Fukuoka, proche du centre-ville, comprend trois terminaux domestiques et un terminal international (navette gratuite).

Des terminaux domestiques, le métro rejoint la gare JR de Hakata en 5 minutes (250 ¥) et Tenjin en 11 minutes (250 ¥). Des bus circulent fréquemment entre la gare JR de Hakata et le terminal international.

De l'aéroport, la course en taxi jusqu'à Tenjin/Hakata revient à 1 600 ¥.

BUS

Des bus municipaux partent du Fukuoka Kōtsū Centre Building, qui jouxte la gare JR de Hakata, et de la gare routière de Nishitetsu Tenjin. Beaucoup font halte devant la gare (Hakata-guchi). Les bus signalés Nishitetsu pratiquent un tarif unique de 100 ¥ pour les trajets dans le centre-ville.

De l'arrêt E au Fukuoka Kōtsū Centre Building, les bus 11 et 19 desservent le terminal international de Hakata Pier (220 ¥) et les bus 47 et 48 rallient Bayside Place pour les ferries vers les îles.

MÉTRO

Fukuoka possède 3 lignes de métro qui circulent de 5h30 à 0h25. La ligne Kūkō (aéroport) court du terminal de l'aéroport des vols domestiques

jusqu'à la station Meinohama via les stations Hakata, Nakasu-Kawabata et Tenjin. La ligne Hakozaki relie la station Nakasu-Kawabata à Kaizuka. La ligne Nanakuma circule entre Tenjin-minami et Hashimoto. En ville, les billets coûtent 200 ¥ et plus. Le forfait d'une journée coûte 600/300 ¥ par adulte/enfant 6-11 ans.

DAZAIFU 太宰府
☎ 092 / 67 830 habitants

Ancienne capitale administrative de Kyūshū, Dazaifu possède le plus récent musée national du pays, un superbe ensemble de temples et un sanctuaire célèbre. La ville constitue une agréable excursion d'une journée de Fukuoka. À l'**office du tourisme** (☎ 925-1880 ; ☺ 9h-17h30), dans la gare de Nishitetsu-Dazaifu, le personnel serviable vous remettra une carte en anglais.

À voir
MUSÉE NATIONAL DE KYŪSHŪ
九州国立博物館

Le quatrième **Musée national** (☎ 918-2807 ; www. kyuhaku.com ; 4-7-2 Ishizaka, Dazaifu City ; adulte/étudiant 420/210 ¥ ; ☺ 9h30-17h mar-dim) du pays a ouvert en 2005. Ce bâtiment saisissant, niché dans les collines de Dazaifu, ressemble à une station spatiale. Ne manquez pas l'exposition sur la Route de la soie, les sculptures en pierre de cavalières armées de lances du Ier siècle av. J.-C., et un délicat bol à thé *tenmoku* du XIIIe siècle. Audioguide et vidéo dans l'auditorium gratuits.

TENMAN-GŪ 天満宮

Poète et érudit, Sugawara-no-Michizane était un personnage éminent de la cour de Kyōto jusqu'à ce qu'il soit victime d'une intrigue politique et exilé à Dazaifu, où il mourut deux ans plus tard. Les catastrophes qui frappèrent Kyōto par la suite furent attribuées à cette injustice, et le poète fut déifié sous le nom de Tenman Tenjin, le dieu de la Culture et des Érudits. Le **Tenman-gū** (☎ 922-8225 ; www. dazaifutenmangu.or.jp ; 4-7-1 Saifu), son sanctuaire et sa sépulture, attire d'innombrables visiteurs, dont beaucoup d'étudiants espérant réussir leur examen d'entrée à l'université. Le *hondō* (salle principale) fut reconstruit en 1591.

Derrière le sanctuaire, le **musée d'Histoire de Kankō** (菅公歴史館 ; 200 ¥ ; ☺ 9h-16h30 mer-lun) présente des dioramas sur la vie de Tenjin ; le **Trésor** (宝物殿 ; 300 ¥ ; ☺ 9h-16h30 mar-dim) renferme des objets lui ayant appartenu.

Tous les deux mois, le sanctuaire accueille un *omoshiro-ichi* (marché intéressant), qui vend toutes sortes de choses, des kimonos anciens aux gadgets kitsch. Les dates varient : renseignez-vous à l'office du tourisme dans la gare.

KŌMYŌZEN-JI 光明禅寺
À la lisière sud de Dazaifu dans ce petit **temple** (☎ 922-4053 ; don à l'entrée 200 ¥ ; 🕐 9h-16h30), un délicieux jardin zen offre un contraste frappant avec les foules dans le sanctuaire voisin.

AUTRES CURIOSITÉS
Le **musée d'Histoire de Kyūshū** (九州歴史資料館 ; ☎ 923-0404 ; entrée libre ; 🕐 9h-16h mar-dim), non loin du Kōmyōzen-ji, présente des artefacts de l'âge de la pierre au Moyen Âge.

Niché parmi des rizières, le **Kaidan-in** (戒壇院) date de 761 et fut l'un des plus importants séminaires du pays. À côté, le **Kanzeon-ji** (観世音寺 ; ☎ 922-1811) remonte à 746 av. J.-C. mais la grande cloche, qui serait la plus vieille du pays, est le seul vestige de la construction d'origine. La **salle du Trésor** (宝蔵 ; 500 ¥ ; 🕐 9h-16h30) renferme une impressionnante collection de statues, d'influence indienne ou tibétaine et en bois pour la plupart, datant du Xe au XIIe siècle.

La **salle d'exposition de Dazaifu** (大宰府展示館 ; ☎ 922-7811 ; 150 ¥ ; 🕐 9h-16h30 mar-dim) présente des objets mis au jour lors de fouilles archéologiques locales. À proximité, les **ruines de Tofurō** (都府楼) sont les fondations des anciens bâtiments administratifs. **Enoki-sha** (榎社) est l'endroit où mourut Sugawara-no-Michizane. Son corps fut transporté jusqu'au lieu de sépulture, le Tenman-gū, sur le char à bœufs souvent représenté dans l'iconographie locale.

Comment s'y rendre et circuler
La ligne privée Nishitetsu relie Nishitetsu-Fukuoka (Tenjin ; p. 696) et Dazaifu (390 ¥, 25 min) ; changez de train à la gare Nishitetsu-Futsukaichi. Location de vélo à la gare Nishitetsu de Dazaifu (3 heures/jour 300/500 ¥).

FUTSUKAICHI ONSEN 二日市温泉
☎ 092
À 300 m au sud de la gare JR de Futsukaichi, cette ville *onsen* (sources thermales) sans prétention comporte des bains publics, regroupés dans l'ancienne rue principale. Les traditionalistes préfèrent le **Gozen-yu** (御前湯 ; ☎ 928-1126 ; 200 ¥ ; 🕐 9h-21h, fermé 1er et 3e mer du mois), le plus caractéristique. De la gare JR de Futsukaichi, revenez sur vos pas, traversez les rails, suivez la route sous le *torii* (porte de sanctuaire) et traversez le cours d'eau.

TACHIARAI 大刀洗
☎ 0942
Peu d'habitants connaissent le **Tachiarai Heiwa Kinenkan** (太刀洗平和記念館 ; ☎ 23-1227 ; 500 ¥ ; 🕐 9h30-17h), un petit musée mémorial fondé par d'anciens aviateurs et des résidents de Tachiarai, un modeste village proche d'Ogōri. Le musée commémore des Japonais tués durant la Seconde Guerre mondiale, dont des pilotes kamikazes et des villageois, victimes d'un bombardement américain le 27 mars 1945.

Malgré la rareté des explications en anglais, le musée est émouvant, avec ses souvenirs de guerre et un avion de combat japonais abattu en 1942 et retrouvé dans la baie de Hakata.

KURUME 久留米
☎ 0942
Au sud de Dazaifu, Kurume est connue pour son artisanat - tissus teintés à l'indigo, papiers, laques et objets en bambou – et également à cause de Bridgestone, le fabricant de pneus.

Narita-san (成田山 ; ☎ 21-7500 ; 🕐 7h-17h), une annexe du temple proche de Tōkyō (voir p. 240), constitue le principal site de la ville. Haute de 62 m, sa statue de Kannon, la déesse de la Compassion, se tient à côté d'une réplique miniature de Borobudur. On peut grimper dans la statue jusqu'au front de la divinité, découvrant au passage des trésors bouddhiques et des dioramas religieux.

Le **musée d'Art d'Ishibashi** (石橋美術館 ; ☎ 39-1131 ; www.ishibashi-museum.gr.jp ; adulte/enfant 500/300 ¥ ; 🕐 10h-17h mar-dim) présente une collection privée d'art asiatique et occidental rassemblée par le fondateur de Bridgestone, qui souhaitait que l'art soit accessible à tous. À 1 km de la gare Nishitetsu-Kurume.

Kurume se trouve à 40 minutes de Fukuoka sur la ligne JR Kagoshima (720 ¥).

SAGA-KEN 佐賀県

Karatsu se tient à la base de la belle péninsule de Higashi-Matsūra, dont la côte a été découpée par les vagues de la mer de Genkai.

KARATSU 唐津
☎ 0955 / 130 150 habitants
Ville en bord de mer mondialement réputée pour sa poterie, Karatsu se vide néanmoins de ses habitants et n'a plus l'attrait touristique d'antan.

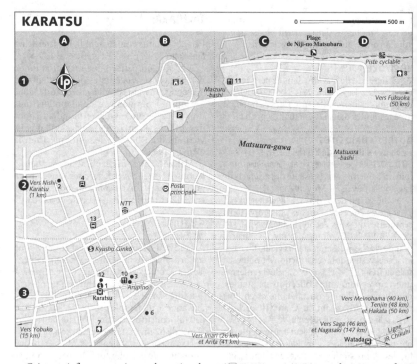

Grâce aux influences coréennes, les potiers de Karatsu élevèrent cet artisanat utilitaire au rang d'art. Si la poterie de Karatsu reste d'une qualité exceptionnelle, la plage est sale, le château est une reconstruction et la ville dépérit. À la gare JR de Karatsu, l'**office du tourisme** (☎ 72-4963 ; 9h-17h) dispose de diverses brochures et cartes en anglais, et peut réserver des hébergements.

À voir et à faire

Le **Karatsu-jō** (☎ 72-5697 ; 400 ¥ ; 9h-17h), joliment perché sur une colline qui surplombe la mer, est une reconstruction moderne. Il renferme d'antiques céramiques et armures de samouraïs, ainsi que des objets archéologiques.

Le **Karatsu-jinja** (☎ 72-2264), un beau sanctuaire au centre de la ville, avoisine la **salle d'exposition des chars de la fête de Hikiyama** (☎ 72-8278 ; 300 ¥), qui abrite les 14 chars du Karatsu Kunchi Matsuri (voir plus loin). Certains représentent l'Aka-jishi (Lion rouge), des casques de samouraïs, un dragon ou une poule.

En ville, plusieurs **fours et ateliers** permettent d'observer le travail des potiers. Des boutiques de céramiques bordent la rue entre la gare de Karatsu et le centre-ville. Le **Nakazato Tarōuemon**

(☎ 72-8171 ; entrée libre), une galerie avec un four, se situe à 350 m au sud-est de la gare.

Jouxtant la gare de Karatsu, la **salle d'exposition de la fédération artisanale de Karatsu** (☎ 73-4888 ; 2ᵉ niv, Arupino Bldg) présente des créations de potiers locaux, avec leurs coordonnées. Articles en vente à partir de 500 ¥.

Une **piste cyclable** traverse la pinède derrière la plage de Niji-no Matsubara, longue de 5 km.

Fêtes et festivals

Doyō-yoichi (土曜夜市 ; marché de nuit du samedi). Il se tient dans le centre-ville quatre samedis consécutifs, à partir de la fin juillet.

Karatsu Kunchi Matsuri (唐津くんち祭り). Du 2 au 4 novembre, Karatsu s'anime lors de cette fête spectaculaire, qui existe depuis 1592 et est considérée comme un grand événement culturel. À l'apogée des festivités, des habitants transportent les grands *hikiyama* (chars) de la plage de Nishinohama jusqu'au centre-ville.

Où se loger et se restaurer

Business Hotel SOLA (☎ 72-3003 ; www.hotel-sola.com en japonais ; s avec petit déj-buffet 4 900 ¥ ; P ⊠ ▣). Cet hôtel d'affaires banal offre uniquement des chambres simples et l'accès Internet LAN.

Niji-no-Matsubara Hotel (☎ 73-9111, 0120-73-9100 ; fax 75-9991 ; s/d/lits jum à partir de 5 000/8 400/10 500 ¥ ; 🅿 ⊠ 🖥). S'il jouit d'un emplacement privilégié en bord de mer, la plage aurait besoin d'un nettoyage et les chambres d'une rénovation. Ces dernières jouissent toutes d'une belle vue, sur la mer ou la pinède. L'hôtel se situe à courte distance en bus (160 ¥) ou en taxi (900 ¥) de la gare de Karatsu. Prêt gracieux de vélos jusqu'à 18h.

Kiage (☎ 73-8080 ; gare de Karatsu ; 🕐 déj et dîner). Près des tourniquets, le Kiage sert des nouilles et des *gyōza* savoureux, ainsi que d'autres plats roboratifs. Un menu à 750 ¥ comprend un copieux *rāmen* et du riz sauté. Carte illustrée.

Mambō (☎ 75-1881 ; gare de Karatsu ; plats à partir de 800 ¥ ; 🕐 déj et dîner). Achetez un repas à emporter ou installez-vous dans la salle pour déguster un *tenzaru udon* (tempura et nouilles froides, 1 260 ¥), à choisir au comptoir.

Ajidokoro Sakamoto (☎ 72-2842 ; 4-2-19 Higashi-Karatsu, plats à partir de 600 ¥ ; 🕐 dîner). Sa carte illustrée propose tous les classiques : tempura, *katsudon*, sushis et sashimis. Les sympathiques propriétaires de ce restaurant paisible accueillent souvent les étrangers qui séjournent dans les hôtels voisins.

Kawashima Tōfu (☎ 72-2423 ; www.zarudoufu.co.jp en japonais ; menus 1 575-2 675 ¥ ; 🕐 8h-12h). Proche de la gare et établi durant la période d'Edo, il sert sa spécialité, le *zaru-dōfu*, sur de ravissantes assiettes Karatsu-yaki (voir p. 708).

Sur réservation uniquement, 10 personnes au maximum.

Un **marché** se tient habituellement de l'aube jusqu'à 9h à l'extrémité ouest de la plage.

Comment s'y rendre et circuler

De Fukuoka (p. 694), prenez la ligne de métro Kūkō de Hakata ou Tenjin jusqu'au terminus à Meinohama, puis la ligne JR Chikuhi jusqu'à Karatsu (1 110 ¥, 1 heure 10). De Karatsu à Nagasaki (2 420 ¥, 3 heures 30), empruntez la ligne JR Karatsu jusqu'à Saga, puis la ligne JR Nagasaki.

De la **gare routière d'Ōtemachi**, des bus longue distance rallient Fukuoka (1 000 ¥, 1 heure 10) et Nagasaki (2 400 ¥, 2 heures).

Les touristes peuvent emprunter gratuitement des vélos à l'**Arupino Building** (☎ 75-5155). Pour explorer le Saga-ken, louez une voiture une demi-journée ou une journée auprès d'**Eki-mae Rent-a-Car** (☎ 74-6204), devant la gare de Karatsu.

YOBUKO 呼子

Ce joli port de pêche sur le déclin possède un superbe **marché** de poissons et de produits alimentaires, essentiellement actif avant 8h. Une série de *ryokan* en bois (à partir de 9 500 ¥ par personne en pension complète) borde une étroite allée le long du front de mer. Les chambres donnent sur la baie, où dansent le soir les lumières des bateaux de pêche en partance. Parmi les spécialités locales figurent les sashimis et *tempura* de calamar. Des bus Shōwa circulent entre Karatsu et Yobuko (730 ¥, 30 min).

IMARI 伊万里
☎ 0955 / 57 900 habitants

Bien que la porcelaine de la région soit couramment appelée Imari, elle est fabriquée en dehors de la ville. **Imari City Information** (☎ 23-3479 ; 🕐 8h30-18h), à la gare JR d'Imari, dispose de brochures touristiques.

Ōkawachiyama (大川内山), qui compte 20 fours en activité, se situe à 20 minutes de bus d'Imari (150 ¥). Les bus circulent uniquement en semaine. Prévoyez une demi-journée de visite. L'arrêt du bus se trouve près du **pont** décoré de tessons de poteries, à l'entrée d'Ōkawachiyama. Le village s'étend à flanc de colline, de part et d'autre de la rivière. Au pied de la colline, la galerie **Kataoka Tsurutarō Kōgeikan** (片岡鶴太郎工芸館 ; ☎ 22-3080 ; 300 ¥), dans un bâtiment austère, est consacrée à Chitōjin Sawada, un potier de génie. Plus haut, le **Nabeshima**

KYŪSHŪ

LES VILLES DE POTIERS DE KYŪSHŪ

Dans le Kyūshū montagneux, de nombreux villages ne parvenaient pas à vivre de la culture du riz et se tournèrent vers d'autres activités. L'argile de bonne qualité, les forêts et les cours d'eau firent de la poterie un choix évident. Plusieurs styles de poterie très attrayants proviennent de cette région, souvent d'origine coréenne.

Karatsu, Arita et Imari sont les principales villes de poterie du Saga-ken. Dès le début du XVIIᵉ siècle, des céramiques furent produites dans la région par des potiers coréens captifs, jalousement gardés afin qu'aucun des secrets de fabrication ne puisse se propager. La poterie de cette région, avec ses couleurs vives vernissées, est très prisée au Japon comme à l'étranger.

- **Arita** (p. 708) : porcelaine très décorée, habituellement avec des carrés bleus, rouges, verts ou dorés.

- **Imari** (p. 707) : porcelaine bleu et blanc très réputée.

- **Karatsu** (p. 705) : reconnaissable à ses subtils tons ocre, appréciée pour la cérémonie du thé.

Hanyō-kōen (鍋島藩窯公園 ; ☎ 23-1111) présente les techniques et les conditions de vie des potiers de l'époque féodale.

Dans une galerie marchande proche de la gare, l'**Akira Kurosawa Memorial Satellite Studio** (黒澤明記念館サテライトスタジオ ; ☎ 22-9630 ; 500 ¥ ; 9h-17h30, fermé 2ᵉ et 4ᵉ lun du mois) plaira aux admirateurs de ce grand metteur en scène malgré les rares explications en anglais. Regardez les documentaires sur le tournage de ses films et les rares plans coupés et découvrez les souvenirs, exposés sur 3 étages. Un restaurant-bar à vins est installé sur place.

La ligne JR Chikuhi relie Karatsu et Imari (630 ¥, 50 min). Du principal terminus de bus, à quelques pâtés de maisons à l'ouest de la gare ferroviaire, des bus locaux desservent Ōkawachiyama et des bus directs rallient Fukuoka (2 250 ¥, 2 heures).

ARITA 有田

☎ 0955 / 21 390 habitants

La découverte du kaolin à Arita en 1615 par Ri Sampei, un potier coréen naturalisé, marqua le début de la fabrication de la porcelaine au Japon. Au milieu du XVIIᵉ siècle, elle était exportée en Europe. La ville constitue un bel exemple de la façon dont le tourisme peut aider à la préservation de l'histoire et de la culture. Le personnel sympathique du modeste **bureau d'information touristique** (☎ 42-4052 ; www.arita. or.jp/index_e.html ; 9h-17h), dans la gare d'Arita, fournit des cartes, des horaires et peut réserver des hébergements, principalement dans des petits *minshuku* (chambres d'hôte japonaises) privés et des *ryokan*.

Une **foire de la Poterie** a lieu tous les ans, du 29 avril au 5 mai.

Des boutiques bordent l'artère principale, qui conduit de la gare au **musée de la Céramique de Kyūshū** (九州陶磁文化館 ; ☎ 43-3681 ; entrée libre ; 9h-16h30 mar-dim), un entrepôt reconverti qui retrace le développement des arts de la céramique à Kyūshū. Les connaisseurs ne manqueront pas l'**Imaemon Gallery** (今衛門ギャラリー ; ☎ 42-5550 ; 300 ¥ ; 9h30-16h30 mar-dim), le **four de Kakiemon** (柿右衛門窯 ; ☎ 43-2267 ; entrée libre ; 9h-17h) et le **four de Genemon** (源衛門窯 ; ☎ 42-4164 ; entrée libre ; 8h-17h30 lun-sam) et pourront explorer des dizaines d'autres ateliers et boutiques de poterie.

Afin de parfaire vos connaissances, rejoignez un groupe de Japonais pour la visite de l'**Arita Porcelain Park** (有田ポーセリンパーク ; ☎ 41-0030 ; adulte/étudiant 1 000/500 ¥ ; 10h-17h mars-nov, 10h-16h déc-fév), à 10 minutes de bus (150 ¥) de la gare ferroviaire. À une **China on the Park Gallery** (チャイナオンザパーク ; ☎ 46-3900 ; 9h-17h30), à 5 km à l'ouest de la ville sur la Route 202, vous pourrez acheter de la porcelaine **Fukagawa** et observer la cuisson. D'Arita, un bus rallie les mines d'argile (150 ¥, 4/jour à partir de 9h30), d'où l'on peut revenir à la gare à pied en 1 heure environ, à condition de ne pas entrer dans les nombreuses galeries en chemin. Au passage, remarquez les murs des maisons qui bordent les petites rues, souvent composés de tessons de poterie recyclés.

À courte distance à l'est d'Arita, **Takeo Onsen** (武雄温泉) est une ville thermale moderne. Les armées de Hideyoshi Toyotomi seraient venues se rafraîchir dans les bains traditionnels. Remarquez le portail laqué de style chinois, construit sans clou.

Le **Takeo Onsen Youth Hostel** (武雄温泉ユースホステル ; ☎ 0954-22-2490 ; fax 0954-20-1208 ; dort avec petit déj membre/non membre 3 300/3 900 ¥) est une auberge de jeunesse confortable, mais le dernier bus qui la dessert (250 ¥) quitte la gare de Takeo Onsen à 16h.

À l'extérieur de la gare d'Arita, des trains privés Matsūra-tetsudō se rendent à Imari (410 ¥, 25 min). Les trains JR *tokkyū* qui relient Hakata (2 690 ¥, 80 min) et Sasebo (1 050 ¥, 30 min) font halte à Arita et Takeo Onsen. Des trains locaux circulent également entre Arita et Takeo Onsen (270 ¥, 20 min). En ville, des bus municipaux (150 ¥) desservent la plupart des sites et partent toutes les heures de la gare d'Arita, où l'on peut louer des vélos (300 ¥ par jour).

ÎLES DU NORD-OUEST

Au nord-ouest de Kyūshū, cinq grandes îles et de nombreuses îles plus petites sont accessibles de Fukuoka, Sasebo et Nagasaki, mais la traversée est coûteuse. Certaines font partie du Saga-ken et les autres du Nagasaki-ken. Si leur visite procure une sensation d'éloignement, vous n'y trouverez pas l'ambiance du Japon d'antan.

IKI 壱岐
☎ 09204 / 33 310 habitants
Au large de la côte nord de Kyūshū et plus proche de Karatsu que de Fukuoka, Iki s'étend sur 138 km². Relativement plate, elle se prête au cyclotourisme et compte quelques belles plages. Hideyoshi Toyotomi fortifia **Gonoura**, le port le plus animé et une bonne base pour explorer l'île. L'**Ondake-jinja**, au nord d'Ashibe, possède des statues en pierre dédiées à une divinité mi-homme mi-singe. Ces personnages érodés furent sculptés par un seigneur local afin de préserver le bétail de l'île. **Yunomoto Onsen**, sur la côte ouest, est la seule source thermale d'Iki. Parmi d'autres sites mineurs figurent des tertres funéraires, des sculptures rupestres bouddhiques et des ruines historiques.

La petite **plage** proche de Katsumoto, sur la côte nord, avoisine un camping. Aux sources thermales, le *kokumin-shukusha* (village de vacances) **Ikishima-sō** (壱岐島荘 ; ☎ 43-0124 ; ch demi-pension 6 660 ¥) offre un bon rapport qualité/prix. À Gonoura, essayez le **Tomita-sō** (富田荘 ; ☎ 47-0011 ; ch demi-pension 5 800 ¥). Au terminal des ferries de Gonoura, le **bureau d'information** (☎ 47-3700) peut vous aider à réserver un hébergement dans l'île.

ORC Air propose des vols de Nagasaki à Iki (9 300 ¥, 30 min, 2/jour). Toute l'année, des hydroglisseurs relient Hakata et Gonoura ou Ashibe (4 900 ¥, 1 heure 10, 3/jour), sur Iki.

Le car-ferry ordinaire met deux fois plus de temps (2 400 ¥, 2/jour). Sur Iki, vous pourrez louer une voiture dans tous les ports de ferries (à partir de 3 000 ¥ pour 3 heures, ou 10 000 ¥ pour 2 jours) ; essayez **Genkai Kōtsū Rent-a-Car** (☎ 44-5658). **Kawabe Motors** (☎ 44-6636 ; 1 000 ¥), près du terminal des ferries, loue des vélos ; moyennant un supplément de 1 000 ¥, on vous livrera la bicyclette n'importe où sur l'île.

HIRADO-SHIMA 平戸島
☎ 0950 / 39 080 habitants
La proximité de Kyūshū rend Hirado-shima facilement accessible et abordable. Si les autorités locales encouragent le tourisme, les hébergements restent limités et la population décline. Reliée à Kyūshū à hauteur de Hirado-guchi par un pont suspendu à péage (100 ¥), cette île possède une histoire fascinante. Des navires portugais y accostèrent pour la première fois en 1549 et les Portugais y établirent un comptoir commercial en 1584, bientôt suivis par les Néerlandais et les Britanniques. En 1618, les Japonais durent rétablir la loi et l'ordre dans l'île !

Près du terminal des bus, le **Tourist Information Centre** (TIC ; ☎ 22-2015 ; ☉ 8h-17h) dispose de nombreuses brochures en anglais et peut réserver des hébergements.

Hirado, la ville principale, est assez petite pour se parcourir à pied. Le **musée historique Matsūra** (松浦史料博物館 ; ☎ 22-2236 ; 500 ¥ ; ☉ 8h-17h30) occupe la splendide résidence du clan Matsūra, qui dirigea l'île du XIᵉ au XIXᵉ siècle. Parmi les trésors figure le **Kanun-tei**, une maison de *chanoyu* (cérémonie du thé) réservée à la cérémonie Chinshin-ryū de style samouraï, toujours pratiquée sur l'île. Le **musée chrétien de Hirado** (平戸切支丹資料館 ; ☎ 28-0176 ; 200 ¥ ; ☉ 8h-17h jan-nov) contient, entre autres, une statue de Marie-Kannon, utilisée par les chrétiens clandestins pour remplacer la Vierge Marie.

L'**Hirado-jō** (平戸城 ; ☎ 22-2201 ; 500 ¥ ; ☉ 8h30-17h30), largement reconstruit, domine la ville. Il renferme des armures et des costumes traditionnels, ainsi que quelques objets de l'époque chrétienne. Le **cap Shijiki** offre une belle vue sur les îles du Gotō-rettō. Vers le milieu de la superbe côte ouest, la **plage de Neshiko** est une longue et charmante grève de sable, tandis que **Senri-ga-hama** est renommée pour la planche à voile. L'**Hotel Ranpū** (ホテル蘭風 ; ☎ 23-2111), près de la plage, loue des planches.

Jangara Matsuri (ジャンガラ祭り), une pittoresque fête folklorique qui a lieu le 18 août, diffère des fêtes classiques et rappelle Okinawa ou la Corée. Arrivez à Hirado en fin de matinée pour assister aux festivités de l'après-midi. Durant l'**Okunchi Matsuri** (おくんち祭り), du 24 au 27 octobre, des danses du dragon et du lion se déroulent au Kameoka-jinja.

Dans Hirado-guchi, la ville de Kyūshū la plus proche, une excellente **auberge de jeunesse** (たびら平戸口ユースホステル; ☎ 57-1443; dort 3 360 ¥; P 🖳) comprend deux charmants *rotemburo* (bains en plein air), un grand camping verdoyant, des chambres privées (à partir de 8 400 ¥) et un restaurant.

Hirado-guchi (ou Tabira) est accessible en bus de Sasebo (1 300 ¥, 1 heure 15), et en train (1 190 ¥, 1 heure 30). Des bus locaux traversent le pont jusqu'à Hirado (260 ¥, 10 min). Des bus express (1 450 ¥, 1 heure 30) et des trains (1 600 ¥, 1 heure 30) relient Nagasaki et Sasebo.

GOTŌ-RETTŌ 五島列島

Fukue-jima et **Nakadōri-shima** sont les deux plus grandes îles de l'archipel de Gotō-rettō, qui compte plus de 100 îles et îlots. Elles servirent de refuge aux chrétiens japonais qui fuyaient la répression du gouvernement d'Edo. Aujourd'hui, leur beauté naturelle et leur isolement constituent leurs principaux attraits. Elles méritent le détour si vous avez du temps et si votre budget le permet.

Fukue, le port de pêche de l'île du même nom, est la principale ville de l'archipel. Son château, l'**Ishida-jō**, a été reconstruit dans les années 1860. Une rue bordée de maisons de samouraïs se situe à proximité. L'**Ondake** (315 m), à 800 m de Fukue, est un volcan cotyloïde (en forme de coupe) couvert d'herbe et doté d'un observatoire astronomique. La **Dozaki Tenshudō** (堂崎天主堂; ☎ 0959-73-0705; 300 ¥; 🕙 9h-16h30), la plus ancienne église de l'archipel, contient des objets de l'époque des chrétiens clandestins; elle se situe à 30 minutes de bus de Fukue. Les **plages** les plus fréquentées bordent le centre de la côte nord.

All Nippon Koku (ANK) dessert l'aéroport de Gotō-Fukue au départ de Fukuoka (18 380 ¥, 35 min, 3/jour). Des hydroglisseurs partent de Nagasaki pour Fukue 2 à 5 fois par jour (7 070 ¥, 1 heure 30); un car-ferry effectue la traversée 3 fois par jour (2 700 ¥, 3 heures 30). On peut louer vélos et voitures sur Fukue-jima.

NAGASAKI-KEN 長崎県

NAGASAKI 長崎
☎ 095 / 451 740 habitants

La destruction tragique de Nagasaki par la bombe atomique a occulté son riche passé commerçant. Aujourd'hui, cette ville a beaucoup à offrir : un éventail de musées fascinants, des églises, des sanctuaires et des temples, une délicieuse cuisine et des paysages qui n'ont rien à envier à ceux d'autres régions plus touristiques. Consacrez au moins quelques jours à cette ville unique pour rencontrer ses habitants et apprécier son ambiance chaleureuse.

Histoire
Nagasaki joua un rôle crucial et tragique dans l'émergence du Japon moderne. En 1543, l'arrivée d'un navire chinois égaré transportant des armes à feu et des aventuriers portugais marqua le début d'une longue période durant laquelle Nagasaki fut le principal lien du pays avec l'Asie et l'Occident. Ces premiers visiteurs furent suivis du missionnaire saint François-Xavier en 1560 et de bien d'autres au cours de la période dramatique qui fut appelée le "siècle chrétien" (1549-1650).

Quoique brefs, les contacts avec les Portugais eurent des conséquences considérables. Parmi les premiers Japonais convertis au christianisme, Ōmura Sumitada, un daimyo (seigneur provincial), fit de Nagasaki le principal port marchand. Si les Portugais servaient surtout d'intermédiaires entre le Japon, la Chine et la Corée, le commerce profitait à tous et Nagasaki devint bientôt une cité réputée et prospère.

En 1587, les autorités japonaises commencèrent à considérer le christianisme comme une menace et entamèrent l'expulsion des Jésuites. En 1597, elles firent crucifier 26 chrétiens européens et japonais. Elles chassèrent les marchands catholiques portugais et espagnols, épargnant les protestants néerlandais, qui semblaient moins enclins au prosélytisme qu'au commerce. Le christianisme fut officiellement interdit en 1614.

Ultime épisode du "siècle chrétien", la révolte paysanne de Shimabara en 1637-1638, perçue comme un soulèvement chrétien, amena les autorités à bannir tout contact avec l'étranger et tout voyage en dehors du pays. Seule exception, l'enclave néerlandaise de Dejima, dans le port de Nagasaki, était étroitement surveillée. Par ce minuscule avant-poste, des bribes de science et de culture occidentales parvinrent à s'infiltrer au Japon. En 1859, quand le pays s'ouvrit de nouveau à l'Occident, Nagasaki avait acquis un poids économique majeur, notamment dans la construction navale, l'activité qui provoqua sa tragique destruction le 9 août 1945 (voir l'encadré p. 714).

Orientation

À 2 km au sud-est de la gare JR de Nagasaki, les habitants viennent faire du shopping et se restaurer dans la galerie marchande de Hamano-machi et dans Shianbashi, le quartier des divertissements. Les sites sont éparpillés sur une vase superficie, mais il est possible d'aller à pied de Shianbashi à Chinatown, puis jusqu'aux Pentes hollandaises et au jardin Glover au sud. L'épicentre de l'explosion atomique se situe dans la direction opposée, à Urakami, à 2,5 km au nord de la gare JR de Nagasaki.

Renseignements

ACCÈS INTERNET

Chikyū-shimin Hiroba (carte p. 712 ; ☎ 842-2002 ; www1.city.nagasaki.nagasaki.jp/kokusai/people_hi roba/people_hiroba_e.html ; 2ᵉ niv, Nagasaki Brick Hall, 2-38 Morimachi ; 100 ¥/h ; ⏰ 9h-20h, fermé 29 déc-3 jan). "La salle des citoyens internationaux" a été fondée pour promouvoir les échanges culturels. Elle se situe à 5 min de marche de la gare d'Urakami, derrière le Mirai Cocowalk Nagasaki.

Cybac Café (carte p. 716 ; ☎ 818-8050 ; 3ᵉ et 4ᵉ niv, Hashimoto Bldg, 2-46 Aburaya-chō ; enregistrement 300 ¥, 300 ¥ les 30 première min, puis 100 ¥ les 15 min). Immense cybercafé avec douches, jeux de fléchettes, boissons, etc.

Internet Café Shin (carte p. 716 ; ☎ 822-7824 ; 5-25 Furukawamachi, Hamano-machi ; 210 ¥/30 min ; ⏰ 8h-20h). Cybercafé paisible, en face du parc Minato près de Chinatown, réputé pour son omelette turque servie avec des *tonkatsu* (côtelettes de porc panées) et une sauce.

Kinko's (carte p. 712 ; ☎ 818-2522 ; 1ᵉʳ niv, Amu Plaza, 1-1 Onoue-machi ; 210 ¥/10 min ; ⏰ 8h-22h sam-lun, 24h/24 mar-ven). Près de la 18-Bank.

AGENCE DE VOYAGES

Joy Road Nagasaki (carte p. 712 ; ☎ 822-4813 ; gare JR de Nagasaki ; ⏰ 10h-17h30). Voyages dans le pays et réservation d'hôtels.

ARGENT

Tous les DAB postaux et Seven Bank acceptent les cartes internationales (Visa, MasterCard, Plus, Maestro ou Cirrus) et affichent les instructions en anglais. Plusieurs branches de la 18-Bank (carte p. 716) changent les devises.

LIBRAIRIE

Kinokuniya (carte p. 712 ; ☎ 811-4919 ; 4ᵉ niv, Yume-saito Bldg, 10-1 Motofune-chō). Livres en langues étrangères, CD, DVD, cartes.

OFFICES DU TOURISME

Centre des visiteurs et des congrès de la préfecture de Nagasaki (carte p. 712 ; ☎ 828-7875 ; 8ᵉ niv, 14-10 Motofuna-machi ; ⏰ 9h-17h30, fermé 27 déc-3 jan). Informations détaillées sur la ville et la préfecture et un personnel serviable, qui parle anglais.

Office du tourisme de Nagasaki (Tourist Information Centre – TIC ; carte p. 712 ; www.at-nagasaki.jp/foreign/english ; ☎ 823-3631 ; 1ᵉʳ niv, gare JR de Nagasaki ; ⏰ 8h-20h). Dispose de nombreuses brochures et cartes en anglais et peut vous aider à trouver un hébergement.

À voir

URAKAMI 浦上

Urakami, l'épicentre de l'explosion atomique, est une banlieue paisible et prospère avec des boutiques, des restaurants et même quelques *love hotels* à courte distance du point zéro. Le désastre nucléaire semble à des années-lumière.

Le **parc de l'Épicentre de la bombe atomique** (parc du Point zéro ; carte p. 712) renferme une colonne noire en pierre lisse qui marque le point au-dessus duquel la bombe a explosé. Elle est entourée de vestiges du bombardement, dont un pan de mur de la cathédrale d'Urakami. Matsuyama-cho est l'arrêt de tramway le plus proche.

Musée de la Bombe atomique de Nagasaki (carte p. 712 ; ☎ 844-1231 ; www1.city.nagasaki.nagasaki.jp/na-bomb/museum/museume01.html ; 7-8 Hirano-machi ; 200 ¥, audio guide 150 ¥ ; ⏰ 8h30-17h, fermé 29-31 déc). Visite incontournable, ce musée retrace la destruction de la ville et les pertes humaines après l'explosion. L'exposition décrit aussi les 15 années de mobilisation militaire japonaise avant la guerre, le combat engagé par la suite pour le désarmement nucléaire et se termine par une description effrayante des nations qui possèdent des armes nucléaires.

Mémorial national de la paix de Nagasaki aux victimes de la bombe atomique (carte p. 712 ; ☎ 814-0055 ; www.peace-nagasaki.go.jp ; 7-8 Hirano-machi ; entrée libre ; ⏰ 8h30-17h30 sept-avril, 8h30-18h30 mai-août, 8h30-20h 7-9 août, fermé 29-31 déc). À côté du musée de la Bombe atomique et inauguré en 2003, ce mémorial hautement symbolique et émouvant rend hommage aux victimes des effets de l'explosion. Lisez les inscriptions gravées et promenez-vous autour du bassin sculpté avant de pénétrer dans la salle souterraine.

KYŪSHŪ

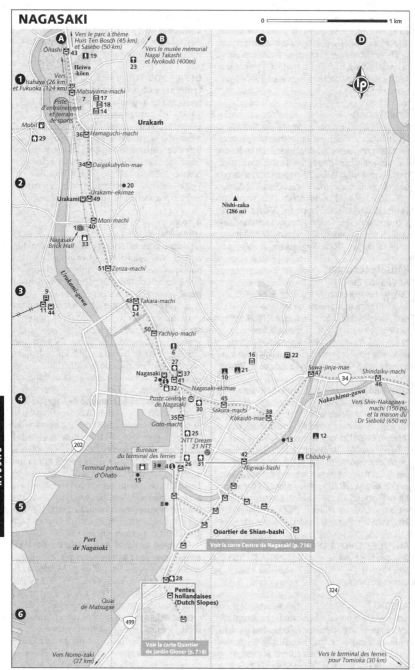

NAGASAKI

0 — 1 km

Ⓐ   **Ⓑ**   **Ⓒ**   **Ⓓ**

Ōhashi 43

Vers le parc à thème
Huis Ten Bosch (45 km)
et Sasebo (50 km)

19

Vers le musée mémorial
Nagai Takashi
et Nyokodō (400m)

Heiwa
-kōen

23

❶ Isahaya (26 km)
et Fukuoka (124 km)

Vers
39

Matsuyama-machi
7

17
18
14

Urakam

Piste
d'entraînement
et terrain
de sports

Mobil 29

36 Hamaguchi-machi

34 Daigakubyōin-mae

❷

20

Urakami-ekimae

Urakami 49

Nishi-zaka
(286 m)

Mori-machi
1@ 40

Nagasaki
Brick Hall

33

51 Zenza-machi

❸

9
11 44

48 Takara-machi
24

50 Yachiyo-machi

6

27
Nagasaki 41
2 5
32

16
10 21

22

Suwa-jinja-mae
47

Shindaiku-machi
46

34

Nakashima-gawa

Poste centrale
de Nagasaki
30

45

Nagasaki-ekimae

❹

Sakura-machi
Kōkaidō-mae

38

Vers Shin-Nakagawa-
machi (150 m)
et la maison du
Dr Siebold (650 m)

35
Goto-machi

25
NTT Dream
21 NTT
@

13

12

Chōshō-ji

❺

202

Bureaux
du terminal des ferries

Terminal portuaire
d'Ōhato

3 4

42

26 31

Nigiwai-bashi

15

8

Quartier de Shian-bashi

Voir la carte Centre de Nagasaki (p. 716)

Port
de Nagasaki

28

**Pentes
hollandaises
(Dutch Slopes)**

❻

Quai
de Matsugae

499

Voir la carte Quartier
de jardin Glover (p. 718)

Vers Nomo-zaki
(27 km)

324

Vers le terminal des ferries
pour Tomioka (30 km)

KYŪSHŪ

Musée d'Histoire et des traditions populaires de Nagasaki

(carte p. 712 ; ☎ 847-9245 ; 7-8 Hirano-machi ; entrée libre ; ◷ 9h-16h30 mar-dim). Dans le bâtiment du mémorial de la paix, ce musée présente des objets anciens de la vie quotidienne. Une salle interactive amuse les enfants de tout âge.

L'**Heiwa-kōen** (平和公園 ; parc de la Paix), au nord de l'épicentre, est dominé par la **statue de la Paix de Nagasaki** (carte p. 712) et comprend le "Peace Symbol Zone," un inhabituel jardin de sculptures provenant du monde entier. Chaque année, le 9 août, une manifestation antinucléaire a lieu dans le parc, à courte distance de la cérémonie officielle, plus solennelle.

La **cathédrale d'Urakami** (carte p. 712 ; 浦上天主堂 ; ☎ 844-1777 ; 1-79 Motō-machi ; ◷ 9h-17h mar-dim), autrefois la plus vaste d'Asie, fut terminée en 1914 après 30 ans de travaux et réduite à néant en trois petites secondes. La nouvelle cathédrale a été construite en 1959. Contrairement à l'église catholique d'Ōura, l'entrée est libre.

L'émouvant **musée mémorial Nagai Takashi** (永井隆記念館 ; hors carte p. 712 ; ☎ 844-3496 ; 22-6 Ueno-chō ; 100 ¥ ; ◷ 9h-17h) rend hommage au courage et à la foi exemplaires du Dr Nagai face à l'adversité. Souffrant de leucémie et ayant perdu sa femme dans l'explosion, ce médecin se consacra aux soins des survivants jusqu'à sa mort en 1951. Jusqu'aux derniers jours, il écrivit sans relâche et rassembla des fonds pour les malades et les orphelins. À côté, **Nyokodō** (如己堂 ; hors carte p. 712), la modeste cabane où il travaillait, a été conservée en mémoire de ce héros local.

Le **torii à un pilier** (carte p. 712) se dresse à 800 m au sud-est de l'épicentre. L'explosion a détruit la moitié de l'arche en pierre à l'entrée du Sanno-jinja, mais l'autre pilier demeure.

QUARTIER DE LA GARE DE NAGASAKI

Le **mémorial des 26 martyrs** (carte p. 712) comporte des reliefs qui commémorent les 6 Espagnols et les 20 Japonais crucifiés en 1597, quand les autorités réprimèrent le christianisme. Les plus jeunes victimes étaient des garçons de 12 et

KYŪSHŪ

L'EXPLOSION ATOMIQUE

Lorsque le bombardier B-29 *Bock's Car* de l'US Air Force décolla des îles Mariannes, le 9 août 1945, pour larguer une seconde bombe atomique sur le Japon, la cible était Kokura, sur la côte nord-est de Kyūshū. Faute de visibilité, l'équipage mit le cap sur la cible secondaire, Nagasaki.

Le B-29 arriva sur la ville à 10h58 parmi d'épais nuages. Une brève éclaircie laissa apparaître l'usine d'armement Mitsubishi, et "Fat Man", la bombe de 4,57 tonnes équivalente à 21,3 kilotonnes de TNT (une puissance presque deux fois supérieure à celle de "Little Boy" lâché sur Hiroshima), fut larguée sur la population de Nagasaki.

La bombe manqua sa cible et explosa à 11h02, à une altitude de 500 m, quasiment au-dessus de la plus grande église catholique d'Asie, la cathédrale d'Urakami (p. 713). En un instant, elle souffla le faubourg d'Urakami et tua 75 000 des 240 000 habitants de Nagasaki. La plupart des victimes étaient des hommes, des femmes et des personnes âgées, ainsi que 13 000 travailleurs forcés coréens et 200 prisonniers de guerre alliés. Les blessés étaient au nombre de 75 000, et on estime qu'au moins autant de personnes périrent des suites de l'explosion. Tout ce qui se trouvait dans un rayon de 1 km de l'explosion fut intégralement détruit, et les incendies qui s'ensuivirent ravagèrent un tiers de la ville.

13 ans. Derrière le mémorial, un modeste **musée** (☎ 822-6000 ; 7-8 Nishisaka-machi ; 250 ¥) est consacré au christianisme. Le mémorial se situe à 5 minutes de marche de la gare JR de Nagasaki.

Le **Fukusai-ji Kannon** (temple universel de Kannon ; carte p. 712 ; ☎ 823-2663 ; 2-56 Chikugo-machi ; 200 ¥ ; ⏰ 8h-16h) a la forme d'une gigantesque tortue portant une statue de la déesse Kannon, haute de 18 m. À l'intérieur, un pendule de Foucault, suspendu au sommet, démontre la rotation de la Terre. Seuls Paris et Saint-Pétersbourg en possèdent de plus grands. Le temple, construit en 1628, fut entièrement brûlé par la bombe A. Celui-ci date de 1976. Sa cloche sonne tous les jours à 11h02, l'heure précise de l'explosion (voir ci-dessus).

Non loin, le jardin du **Shōfuku-ji** (carte p. 712 ; ☎ 823-0282 ; 3-77 Tamazono-machi), à ne pas confondre avec le Sōfuku-ji (voir ci-contre), comprend une porte voûtée en pierre de 1657. Le bâtiment principal fut reconstruit en 1715 dans le style chinois de l'époque. L'*onigawara* (mur couvert de démons) et le "four à livres" sont particulièrement intéressants. L'endroit offre une jolie vue sur le port de Nagasaki.

Juste à l'ouest, un autre temple, le **Kanzen-ji** (carte p. 712), possède l'un des plus grands camphriers de Nagasaki.

SUWA-JINJA 諏訪神社
Au sommet d'une colline boisée, cet immense **sanctuaire** (carte p. 712 ; ☎ 824-0445 ; 18-15 Kaminishiyama-machi), construit en 1625, s'anime du 7 au 9 octobre lors des danses du dragon de Kunchi Matsuri (p. 718), la fête annuelle la plus importante de Nagasaki. À l'intérieur, vous découvrirez plusieurs jolis *komainu* (chiens de prière). Remarquez le *kappa-komainu* (chien de l'esprit de l'eau), que l'on prie en versant de l'eau dans l'assiette posée sur sa tête, et le *gan-kake komainu* (chien tournant), souvent invoqué par les prostituées pour qu'un orage retarde le départ des marins. Les tramways 3, 4 et 5 desservent l'arrêt Suwa-jinja-mae.

TERA-MACHI (ALLÉE DES TEMPLES) 寺町
Entre Shianbashi et la Nakajima-gawa, la plus petite des deux rivières de la ville, Tera-machi, réputée à juste titre, relie les deux temples les plus connus de Nagasaki, le Sōfuku-ji et le Kōfuku-ji, tous deux d'origine chinoise. Entre eux, plusieurs temples plus petits et des tombeaux célèbres rendent la promenade fascinante. Malgré les influences chinoises, l'ambiance reste profondément japonaise.

Temple Ōbaku (troisième école zen du pays après les écoles Rinzai et Sōtō), le **Sōfuku-ji** (carte p. 716 ; ☎ 823-2645 ; 7-5 Kajiya-machi ; 300 ¥ ; ⏰ 8h-17h) fut édifié en 1629 par le moine chinois Chaonian. Son portail rouge (*Daiippo-mon*) est un exemple d'architecture Ming. Dans le temple trône une statue de Maso, la déesse de la Mer ; l'immense chaudron servait à préparer de la nourriture pour les victimes de la famine en 1681.

Du Sōfuku-ji, en suivant l'allée vers le nord, des marches escarpées grimpent au **Daikō-ji** (carte p. 716 ; ☎ 822-2877 ; 5-74 Kajiya-machi), fondé en 1614 et renommé pour avoir échappé aux incendies (même atomiques). Près du bout de la rue, tournez à droite et faites quelques pas jusqu'à la **cloche de l'Hosshin-ji** (☎ 823-2892 ; 5-84 Kajiya-machi), la plus ancienne cloche de temple de

Nagasaki, fondue en 1438. Montez ensuite les marches jusqu'à l'énorme arbre *kuroganemochi* à l'entrée du **Daion-ji** (carte p. 716 ; ☎ 824-2367 ; 5-87 Kajiya-machi), et suivez le chemin qui mène au tombeau de Zushonokami Matsudaira, le magistrat qui ne put s'opposer aux demandes d'approvisionnement des Britanniques en 1808 et se suicida.

Un peu plus loin, tournez dans le chemin qui rejoint le **Kôtai-ji** (carte p. 716 ; ☎ 823-7211 ; 1-1 Tera-machi), le seul temple de la ville qui accueille des novices. Prisé des artistes locaux, il possède une belle cloche de 1702. Dernier temple de l'allée, le **Kôfuku-ji** (carte p. 712 ; ☎ 822-1076 ; 4-32 Tera-machi ; 200 ¥ ; ☯ 6h-18h) date des années 1620 et se distingue par l'architecture Ming de la salle principale. Comme le Sôfuku-ji, il s'agit d'un temple zen Ôbaku, le plus vieux du Japon.

Parallèle à Tera-Machi, la Nakashima-gawa est traversée par une série de jolis ponts en pierre du XVIIe siècle, qui jadis débouchaient tous sur un temple différent. Le plus connu, le **Megane-bashi** (めがね橋 ; pont aux Lunettes ; carte p. 712), doit son nom au reflet de ses deux arches dans l'eau, qui ressemble à des lunettes de l'ère Meiji ! Six de ces dix ponts, dont le Megane-bashi, ont été emportés par une inondation en 1982, puis restaurés avec les pierres d'origine.

MUSÉE D'HISTOIRE ET DE CULTURE DE NAGASAKI 長崎歴史文化博物館

À l'est du Shôfuku-ji, ce beau **musée** (carte p. 712 ; ☎ 818-8366 ; www.nmhc.jp ; 1-1-1 Tateyama ; 600 ¥ ; ☯ 8h30-19h, fermé 3e mar du mois), ouvert en 2005, est consacré à la longue tradition d'échanges maritimes entre Nagasaki et l'étranger. La galerie principale est une fabuleuse reconstitution d'une section du bureau des magistrats de Nagasaki à l'époque d'Edo, qui contrôlait le commerce et la diplomatie. Audio guide en anglais gratuit. Sakura-machi est l'arrêt de tramway le plus proche.

SHIANBASHI 思案橋

L'arrêt de tramway Shianbashi marque l'emplacement de l'ancien pont qu'il fallait traverser pour entrer dans Shianbashi, le quartier des plaisirs. Le nom du pont peut se traduire par "pont de l'hésitation" ; les hommes pouvaient en effet s'y arrêter et choisir entre une nuit de débauche ou un retour au foyer. Le pont et les élégantes maisons closes ont disparu depuis longtemps, mais le quartier reste le cœur de la vie nocturne de Nagasaki.

Shianbashi conserve quelques souvenirs de son passé truculent. Au sud de l'arrêt du tramway, la **pâtisserie Fukusaya Castella** (carte p. 712 ; ☎ 821-2938 ; www.castella.co.jp, en japonais ; 3-1 Funadaiku-machi), fondée en 1624, intéressera les passionnés d'histoire et les gourmands. Tournez à gauche à ce carrefour, passez le poste de police et empruntez l'allée qui mène au **Ryôtei Kagetsu** (p. 720), une maison de passe haut de gamme devenue un restaurant raffiné et onéreux.

DEJIMA 出島

Du milieu du XVIIe siècle à 1855, le petit comptoir néerlandais de Dejima fut la seule fenêtre du Japon sur le monde extérieur. Les voyageurs et résidents néerlandais y étaient confinés et n'avaient de contacts qu'avec les courtisanes et les commerçants japonais. Les alentours du **quai de Dejima** (carte p. 712) constituaient le centre de ces activités. Le quartier a été récemment transformé en un bel ensemble de restaurants en plein air, de bars et de galeries.

Le **musée de Dejima** (carte p. 716 ; ☎ 822-2207 ; www1.city.nagasaki.nagasaki.jp/dejima/main.html, en japonais ; 8-21 Dejima ; 300 ¥ ; ☯ 9h-17h) est consacré à l'histoire marchande de Nagasaki. Au XIXe siècle, des travaux ont rattaché l'île à la ville, mais le comptoir, devenu un site historique national, a été restauré.

SHINCHI CHINATOWN 新地中華街

Durant la longue période d'isolement du Japon, les commerçants chinois étaient soumis aux mêmes restrictions que les Hollandais, mais jouissaient en fait d'une relative liberté. S'il ne reste que quelques édifices de l'ancien quartier (carte p. 716), Nagasaki possède une communauté chinoise dynamique, dont l'influence est évidente dans la culture, l'architecture, les fêtes et la cuisine de la ville. Les visiteurs viennent de loin pour manger dans le quartier.

JARDIN GLOVER グラバー園

À l'extrémité sud de la ville, quelques demeures des premiers Européens installés à Nagasaki pendant l'ère Meiji ont été transférées dans ce **jardin** (Glover Garden ; carte p. 718 ; ☎ 822-8223 ; www.glover-garden.jp ; 8-1 Minami-yamatemachi ; adulte/étudiant 600/300 ¥ ; ☯ 8h-21h30 27 avr-9 oct, 8h-18h 10 oct-26 avr) à flanc de colline. Il doit son nom à Thomas Glover (1838-1911) qui fit construire le premier chemin de fer du pays et participa à la création du chantier naval. Ses importations d'armes jouèrent un rôle important dans la Restauration de Meiji.

KYŪSHŪ

CENTRE DE NAGASAKI

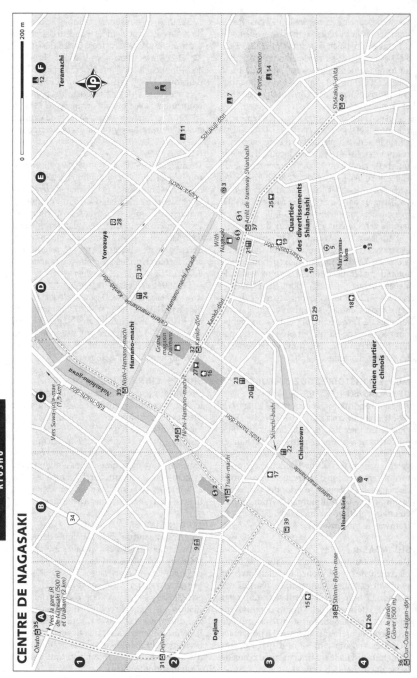

KYŪSHŪ

200 m

0

A Ohato □ 35
Vers la gare JR
de Nagasaki (500 m)
et Urakami (2 km)

B 34

C Vers Suwa-jinja-mae
(1,5 km)
Edo-machi-dōri

D Nishi-Hamano-machi
Hamano-machi
Galerie marchande Kankō-dōri
Grand
magasin
Daimaru
Hamano-machi Arcade

E Kaji-ya-machi

F 12
Teramachi

Sōfuku-ji-dōri

8

11

Yorozuya
28
30
24

Nishijima-gawa

32
27
16
23
20

34
Tsuki-machi
41 2

Kankō-dōri

Nishi-hama-dōri
Shinchi-bashi
22
Chinatown
17
Galerie marchande

39

9

15

38 Shimin-Byōin-mae
Vers le jardin
Glover (500 m)
26
36 Ōura-kaigan-dōri

Dejima
31 Dejima

Porte Sanmon
14

Shōkakuji-shita
40

7

Arrêt de tramway Shianbashi
25
Quartier
des divertissements
Shian-bashi

3
With
Nagasaki
6
1
37
19
21
5
Maruyama-
kōen
10
13
29
18
Ancien quartier
chinois

4
Minato-kōen

La meilleure façon de visiter ce jardin escarpé consiste à emprunter les escaliers mécaniques jusqu'au sommet puis à descendre à pied. Le **Mitsubishi n°2 Dock Building**, le plus haut, renferme une exposition sur le chantier naval de Nagasaki. Viennent ensuite les **maisons Walker**, **Ringer** et **Alt** puis la **maison Glover**. À mi-chemin s'élève la **statue** de la chanteuse d'opéra Miura Tamaki, souvent surnommée Madame Butterfly. On sort du jardin par le **musée des Arts du spectacle traditionnels de Nagasaki**, qui présente des dragons et des chars du Kunchi Matsuri.

ÉGLISE CATHOLIQUE D'ŌURA 大浦天主堂

Peu après que cette **église** (carte p. 718 ; ☎ 823-2628 ; 300¥ ; ☽8h30-17h), perchée sur une colline, eut ouvert ses portes aux résidents étrangers de Nagasaki en 1864, un groupe de Japonais se présenta et affirma que le christianisme se pratiquait secrètement à Urakami depuis son interdiction, 250 ans auparavant. Lorsque le gouvernement, toujours méfiant des influences occidentales, apprit la nouvelle, il exila des milliers d'habitants d'Urakami aux quatre coins du pays jusqu'à la légalisation du christianisme en 1873. Cette église, dédiée aux 26 chrétiens crucifiés en 1597 (voir p. 710), est plus un musée qu'un lieu de culte et fait payer l'entrée. Pour prier gratuitement, entrez dans l'église en face.

PENTES HOLLANDAISES オランダ坂

Les rues pavées en pente douce appelées Pentes hollandaises (*Dutch Slopes* ; *Oranda-zaka* ; carte p. 718) étaient jadis bordées de **maisons hollandaises** en bois. Plusieurs d'entre elles ont été superbement restaurées et offrent un aperçu de l'intérêt de l'Occident pour le Japon. Les pittoresques **Koshashin-shiryōkan** et **Maizō-shiryōkan** (carte p. 718 ; ☎ 820-3386 ; 6-25 Higashi-yamatemachi ; billet combiné 100¥ ; ☽9h-17h mar-dim) contiennent des photos d'époque et des artefacts archéologiques. La splendide **Higashi-yamate Chikyūkan** (www.h3.dion.ne.jp/~chikyu/e_frame.htm ; ☎ 820-3386) abrite un fabuleux "restaurant de cuisines du monde" ; chaque jour, un chef différent vient préparer un repas de son pays à prix doux.

Derrière le **Kōshi-byō**, un sanctuaire confucéen coloré, le **musée d'Histoire de la Chine** (carte p. 718 ; ☎ 824-4022 ; 10-36 Ōuramachi ; 525¥ ; ☽8h30-17h) expose des collections prêtées par Beijing (Pékin). Le sanctuaire d'origine, construit en 1893, fut détruit par les incendies provoqués par l'explosion atomique.

MUSÉE SIEBOLD シーボルト記念館

À 500 m de l'arrêt de tramway Shin-Nakagawa-machi, la **maison du Dr Siebold** (hors carte p. 712 ; ☎ 823-0707 ; 2-7-40 Narutaki ; 100¥ ; ☽9h-17h mar-dim) est une imposante demeure de style européen dans un quartier verdoyant, sillonné d'étroites rues fleuries. Ce médecin contribua à l'introduction des sciences et de la médecine occidentales au Japon dans les années 1820, puis fut expulsé pour avoir tenté de sortir frauduleusement des marchandises japonaises. Sa fille, Ine, fut l'une des premières obstétriciennes du pays.

KYŪSHŪ

QUARTIER DU JARDIN GLOVER

POINT DE VUE D'INASA-YAMA
稲左山展望台

Du côté ouest du port, un **funiculaire** (ropeway; carte p. 712; ☎ 861-6321; 1 200 ¥ aller-retour; ⏲ 9h-22h mars-nov, 9h-21h déc-fév) grimpe toutes les 20 minutes jusqu'au sommet de l'Inasa-yama (333 m), qui offre une vue magnifique sur Nagasaki, en particulier la nuit. Pour vous y rendre, prenez les bus n°3 ou 4 qui s'arrêtent devant la gare JR de Nagasaki et descendez à l'arrêt Ropeway-mae, puis montez les marches en pierre dans le jardin du Fuchi-jinja.

Circuits organisés

Nagasaki Harbour Cruises (carte p. 712; ☎ 822-5002; Nagasaki Harbour Terminal Bldg) propose d'agréables croisières dans le port de Nagasaki, une excellente façon de découvrir cette ville pittoresque (adulte/enfant 1 980/1 300 ¥ avec réduction, 1 heure). Renseignez-vous sur les horaires au terminal des ferries.

Fêtes et festivals

Courses nautiques du dragon Peiron. Introduites au milieu du XVIIe siècle par les Chinois pour apaiser le dieu de la Mer, ces courses se déroulent dans le port de Nagasaki fin juillet.

Shōrō-nagashi. Le 15 août, des bateaux éclairés aux lanternes sont transportés jusqu'au port en l'honneur des ancêtres. Fabriqués à la main, ils sont réalisés en divers matériaux (bambou, bois, tiges de riz, etc.) et varient en taille. Ils sont ensuite déposés sur la mer et emportés par les vagues. Ôhato constitue le meilleur point d'observation (carte p. 716).

Kunchi Matsuri. Du 7 au 9 octobre, cette fête s'accompagne de danses de dragons chinois à travers toute la ville, en particulier au Suwa-jinja (carte p. 712). Costumes élaborés, feux d'artifice, cymbales et marionnettes géantes de dragons.

Où se loger

Où que vous logiez, vous ne serez jamais bien loin des sites et des activités. Les quartiers de la gare JR de Nagasaki et de Shianbashi permettent de se déplacer facilement à pied et en transports publics, tandis que le sud de la ville, près de Chinatown et du jardin Glover, se distingue par son atmosphère plaisante.

PETITS BUDGETS

Nagasaki Ebisu Youth Hostel (carte p. 712; ☎ 824-3823; www5a.biglobe.ne.jp/~urakami; 6-10 Ebisumachi; dort avec/sans pension complète à partir de 4 300/2 500 ¥; 💻). Tenue par une famille chaleureuse qui reçoit depuis longtemps des voyageurs étrangers, cette petite auberge de jeunesse comprend 3 dortoirs à la japonaise et une chambre avec des lits superposés. Couvre-feu à 23h.

Minshuku Tanpopo (carte p. 712; ☎ 861-6230; www.tanpopo-group.biz/tanpopo; 21-7 Hoeimachi; s/d/tr sans sdb 4 000/7 000/9 000 ¥; 💻). Vers Urakami et le parc de la Paix, ce chaleureux établissement jaune vif est affilié au Japanese Inn Group. Petit-déjeuner (600 ¥) et dîner (1 500 ¥) en option.

Fukumoto Ryokan (carte p. 716; ☎ 821-0478; 3-8 Dejimamachi; ch avec/sans demi-pension à partir de 6 500/4 500 ¥). Dans le quartier de Dejima, cet ancien *ryokan* possède des chambres de styles japonais et occidental. Il se situe près de l'arrêt de tramway Shiminbyōin-mae.

Nishiki-sō Bekkan (carte p. 716 ; ☎ 826-6371 ; 1-2-7 Nishikojima ; s/lits jum avec petit déj à partir de 4 500/8 925 ¥). Perchée sur une falaise et tenue par la charmante famille Ōmura, cette auberge désuète offre la chaleur d'une maison tout en préservant l'intimité des hôtes. Bain commun et laverie sont à disposition et certaines chambres comportent une sdb privée. Les divertissements de Shianbashi sont à deux pas.

Hotel BelleView (carte p. 712 ; ☎ 826-5030 ; www.hotel-belleview.com, en japonais ; 1-20 Edo-machi ; s/d/lits jum à partir de 5 800/7 000/10 000 ¥ ; ✗ 💻). Près de l'artère principale, à proximité de Dejima et de Chinatown, cet hôtel d'affaires rénové est équipé de TV à écran plat, de connexions Internet LAN et d'une salle de petit-déjeuner.

Hotel Cuore (carte p. 712 ; ☎ 818-9000 ; www.hotel-cuore.com, en japonais ; 7-3 Daikoku-chō ; s/d/lits jum avec petit déj à partir de 6 100/8 000/10 000 ¥ ; 💻 ; 🚉 JR Nagasaki). En face de la gare JR de Nagasaki, cet hôtel d'un excellent rapport qualité/prix offre l'accès Internet LAN gratuit.

CATÉGORIE MOYENNE

Nagasaki Washington Hotel (carte p. 716 ; ☎ 825-8023 ; www.nagasaki-wh.com, en japonais ; 9-1 Shinchi ; s/d à partir de 6 800/13 000 ¥ ; 🅿 ✗ 💻). À côté de Chinatown, cet hôtel à multiples étages est une bonne adresse avec son décor séduisant et des connexions Internet haut débit.

JR Kyushu Hotel Nagasaki (carte p. 712 ; ☎ 832-8000 ; fax 832-8001 ; www.jrhotelgroup.com/eng/hotel/eng148.htm ; 1-1 Onoue-chō ; s/lits jum/tr 6 900/12 600/16 200 ¥ ; 🅿 ✗ 💻 ; 🚉 JR Nagasaki). Jouxtant la gare et de l'AMU Plaza, il compte des chambres standard, jouissant pour la plupart d'une belle vue sur Nagasaki.

Hotel Monterey Nagasaki (carte p. 712 ; ☎ 827-7111 ; www.hotelmonterey.co.jp/nagasaki, en japonais et anglais ; 1-22 Ōura-machi ; s/d à partir de 9 000/18 000 ¥ ; ✗ 💻). Ce charmant hôtel au décor portugais, proche des Pentes hollandaises et du jardin Glover, peut se réserver en ligne. Il offre de chambres spacieuses et claires aux lits confortables et l'accès Internet LAN gratuit. Le personnel courtois est rompu aux exigences de la clientèle étrangère.

Holiday Inn Nagasaki (carte p. 716 ; ☎ 828-1234 ; fax 828-0178 ; 6-24 Dōza-machi ; s/d/lits jum à partir de 10 000/14 000/15 000 ¥ ; 🅿 ✗ 💻). Dans une rue tranquille près de Shianbashi, cet hôtel de chaîne vieillissant reste une bonne affaire, avec un excellent café-bar et l'accès Internet LAN.

Richmond Hotel Nagasaki Shianbashi (carte p. 716 ; ☎ 832-2525 ; fax 832-2526 ; www.richmondhotel.jp/e/naga saki/index.htm ; 6-38 Motoshikkui-chō ; d à partir de 11 000 ¥ ; ✗ 💻). En plein cœur de Shianbashi, cet hôtel a ouvert en 2007 et propose des chambres ultramodernes aux couleurs sombres, avec TV à écran plat et connexion Internet LAN. Les deluxe, vastes selon les standards japonais, s'agrémentent d'un mur décoré.

Chisun Grand Nagasaki (carte p. 712 ; ☎ 826-1211 ; fax 826-1238 ; www.solarehotels.com/english/chisun/grand-naga saki/guestroom/detail.html ; 35-5 Goto-chō ; s/d à partir de 12 000/16 000 ¥ ; ✗ 💻). Dans l'artère principale à quelques pas de la gare JR de Nagasaki, ce nouvel hôtel possède des petites chambres élégantes et modernes, ornées de bois sombre, avec TV à écran plat et connexion Internet LAN haut débit.

CATÉGORIE SUPÉRIEURE

Best Western Premier Hotel Nagasaki (carte p. 712 ; ☎ 821-1111 ; www.bestwestern.com/premier ; 2-26 Takara-machi ; s/d/ste à partir de 15 000/23 000/45 000 ¥ ; 🅿 ✗). L'hôtel le plus somptueux de la ville comprend une vaste réception en marbre. Nombre des chambres confortables donnent sur le port et disposent de l'accès Internet LAN. Il fait face à l'arrêt de tramway Takara-machi.

Sakamoto-ya (carte p. 712 ; ☎ 826-8210 ; www.sakamotoya.co.jp ; 2-13 Kanaya-machi ; ch demi-pension à partir de 15 750 ¥/pers). Un splendide ryokan ancien bien tenu, avec des touches traditionnelles, un superbe jardin et seulement 12 chambres.

Hotel New Nagasaki (carte p. 712 ; ☎ 826-8000 ; www.newnaga.com ; s/d/lits jum à partir de 21 700/27 700/30 000 ¥ ; 🅿 ✗ 💻 🍴 ; 🚉 JR Nagasaki). Près de la gare JR de Nagasaki, cet hôtel prisé propose des grandes chambres, pour la plupart avec vue sur la baie ou sur la colline ; celles de style japonais sont fantastiques mais chères. Une belle piscine et plusieurs restaurants font partie des équipements.

Où se restaurer

Nagasaki est un carrefour gastronomique. Les influences chinoises et portugaises se retrouvent dans le *shippoku-ryōri*, un repas de style banquet à partager à plusieurs. Le *champon*, la préparation locale des *rāmen*, comprend calamars, poulpe, porc et légumes dans un bouillon-blanc. Le s*ara-udon* est son équivalent sauté.

Hyōuntei (carte p. 716 ; ☎ 821-9333 ; 1-8 Motoshikkui-machi ; assiette de gyōza 300 ¥ ; 🌙 dîner). Cet *izakaya* (bar-restaurant) bien tenu, proche de l'arrêt de tramway Shianbashi, se repère à sa devanture rustique en bois. Dans la salle du même style, régalez-vous de *gyōza* accompagnés d'une bière fraîche, et goûtez le *butaniratoji* (sorte d'omelette au porc et aux échalotes, 520 ¥). Carte en anglais.

Kairaku-en (carte p. 716 ; ☎ 822-4261 ; 10-16 Shinchi-chō ; plats 700-1 000 ¥). Il mitonne des spécialités de Chine du Sud depuis 1950 et certains serveurs, en costume noir et tablier blanc, travaillent peut-être ici depuis l'ouverture. Comptez de 1 500 à 3 000 ¥ pour quelques plats ou offrez-vous un canard laqué avec miso à 5 000 ¥. La plupart des plats sont exposés en vitrine. Le restaurant est situé juste après la porte Nord de Chinatown.

Shikairō (carte p. 718 ; ☎ 822-1296 ; 4-5 Matsuga-machi ; champon 950 ¥). Établi en 1899 près du jardin Glover, cet immense restaurant chinois serait l'inventeur du *champon* et propose un *sara-udon* à 900 ¥. Carte en anglais.

Sweet Marjoram (carte p. 716 ; ☎ 821-3700 ; 7-9 Dōza-machi ; pizza à partir de 1 000 ¥ ; ☾ déj et dîner). Les menus à prix raisonnables et les pâtes délicieuses font de cette trattoria centrale une bonne adresse pour un repas italien. À midi, la formule pâtes avec soupe et salade commence à 1 000 ¥. Carte de vins.

Yosso (carte p. 716 ; ☎821-0001 ; 8-9 Hama-machi ; menu à partir de 1 350 ¥ ; ☾ déj et dîner, fermé 2e et 4e mar du mois ; ☗ ☒). On vient s'y régaler de *chawanmushi teishoku* (menu flan japonais aux œufs ; 1 785 ¥) depuis 1866. Repérez la guirlande de lanternes rouges et la façade traditionnelle.

Ginnabe (carte p. 716 ; ☎ 821-8213 ; www.ginnabe. com/home.html, en japonais ; 7 Dōza-machi ; menu à partir de 1 500 ¥ ; ☾ déj et dîner). Combinant modernisme et tradition, ce grand établissement, juste au-dessus de la galerie marchande Hamano-machi, sert de copieux *teishoku* (menus) à partir de 1 365 ¥. Carte illustrée.

Ryōtei Kagetsu (carte p. 716 ; www.ryoutei-kagetsu. co.jp, en japonais ; ☎822-0191 ; 2-1 Maruyama-machi ; menu 5 200-15 000 ¥ ; ☾ déj et dîner). Ancienne maison close haut de gamme, ce restaurant de *shippoku* date de 1642. Si vous parlez japonais, si vous êtes un fin gourmet et si vous venez à plusieurs, l'addition vous semblera moins extravagante. Un *kaiseki* (menu dégustation) de style et dans un cadre purement japonais revient à 18 900 ¥. L'établissement se situe à moins de 500 m au sud de l'arrêt de tramway Shianbashi, après l'hôtel Richmond.

À côté de la gare JR de Nagasaki, l'Amu Plaza (carte p. 712) comprend un bon espace de restauration au 5e niveau, Gourmet World. **Sushi Katsu** (☎ 808-1501 ; 5e niv ; sushis à partir de 200 ¥), repérable à ses lanternes blanches, propose des sushis frais sur un tapis roulant. **Daichi no Table** (☎ 818-2388 ; 5e niv ; déj/dîner 1 200/1 500 ¥ ; ☾ déj et dîner ; ☒ ☗ ☒), très fréquenté, offre un buffet à volonté de sashimis, *champon*, soupes, plats de légumes et salades. **Kōjōkō** mitonne d'innombrables spécialités cantonaises. Au sous-sol de l'Amu Plaza, **Dragon Deli** est une épicerie de produits importés d'Asie et d'Occident.

Où prendre un verre

Bien que Nagasaki ne soit plus aussi animée en soirée qu'autrefois, une vie nocturne perdure dans les rues étroites de Hamano-machi.

Country Road (carte p. 716 ; ☎ 827-2090 ; 7-34 Maruyama-machi ; boissons à partir de 400 ¥ ; ☾ 18h-24h). Tenu par une famille, ce bar de musique country évoque l'Amérique avec une touche japonaise. L'accueil est chaleureux et les plats de brasserie, alléchants.

Vingt et un (carte p. 716 ; ☎ 828-1234 ; 1er niv, Holiday Inn Nagasaki, 6-24 Dōza-machi ; boissons à partir de 400 ¥ ; ☾ 10h-23h30, happy-hour 18h-20h). Café dans la journée et bar en soirée, il est prisé des habitants et des expatriés pour son ambiance joviale et son happy-hour quotidien. Habitué à une clientèle diverse, le personnel japonais prépare d'excellents cocktails et vous renseigne sur la ville.

Hotel New Tanda Beer Garden (carte p. 716 ; ☎827-6121 ; toit-terrasse, Hotel New Tanda, 2-24 Tokiwa-machi ; ☾ 18h-21h mai-sept). Très apprécié des habitants, ce *beer garden* sur le toit offre une vue splendide sur la baie. Un forfait de 3 800 ¥ permet de commander à volonté pendant 2 heures de la bière à la pression, du *chuhai* (soda alcoolisé), des boissons sans alcool et de profiter d'un buffet de divers amuse-gueules.

Où sortir

Panic Paradise (carte p. 716 ; ☎ 824-6167 ; sous-sol, Nagatoshokai Bldg, 5-33 Yorozuya-machi ; boissons à partir de 600 ¥ ; ☾ 21h-tard). Détendu et sympathique, ce bar sombre est une sorte d'institution locale, remplie de souvenirs rock. L'énorme collection de disques, les box douillets et l'éclairage tamisé garantissent une soirée plaisante. Le personnel veille jalousement à l'entretien du lieu.

Ayer's Rock (carte p. 716 ; ☎ 828-0505 ; sous-sol, Hananoki Bldg, 6-17 Marya-machi ; entrée ven-sam 1 500 ¥ ; ☽ 20h-tard). Autre bar en sous-sol avec DJ, bongos et bière, il est apprécié des musiciens locaux et donne un bon aperçu de la scène de Nagasaki. L'animation commence tard.

International Club Sparkle (carte p. 716 ; ☎ 824-2676 ; 2ᵉ niv, NK Kagomachi Bldg, 9-31 Kagomachi ; boissons à partir de 600 ¥ ; ☽ 21h-tard). Difficile à trouver, ce vaste club récent mérite le détour si vous avez envie de faire la fête. La salle en béton, au décor minimaliste, comprend une table de billard, des canapés, de hauts tabourets et une piste de danse. Musique essentiellement hip-hop et R&B.

Achats

Vous trouverez de l'artisanat et des produits locaux aux alentours de la gare JR de Nagasaki et dans de nombreuses boutiques de la galerie marchande de Hamano-machi. N'achetez pas d'objets en écaille de tortue : les tortues ont besoin de leur carapace pour survivre ! L'Amu Plaza, à la gare, est un endroit pratique et plaisant.

Ouvert en octobre 2008, le **Mirai Cocowalk Nagasaki** (carte p. 712 ; ☎ 848-5599 ; www.cocowalk. jp, en japonais ; 1-55 Morimachi ; ☽ 10h-21h), un vaste complexe de commerces et de loisirs, abrite la première grande roue permanente de Nagasaki, haute de 70 m ; le tour dure 11 min (500 ¥). À l'intérieur du complexe se regroupe des cinémas ultramodernes et des centaines de boutiques et de restaurants. L'arrêt de tramway le plus proche est Mori-machi et la station JR d'Urakami se situe à deux pas.

Depuis/vers Nagasaki

Des vols relient Nagasaki à Tōkyō (aéroport de Haneda ; 38 900 ¥), Ōsaka (aéroport d'Itami ; 25 700 ¥), Okinawa (28 500 ¥) et Nagoya (31 900 ¥).

De la gare routière de Kenei en face de la gare JR de Nagasaki, des bus desservent Unzen (1 900 ¥, 1 heure 45), Sasebo (1 450 ¥, 1 heure 30), Fukuoka (2 500 ¥, 2 heures 45), Kumamoto (3 600 ¥, 3 heures) et Beppu (4 500 ¥, 3 heures 30). Des bus de nuit pour Ōsaka (11 000 ¥, 10 heures) partent de la gare routière de Kenei et de celle de la nationale, près de l'arrêt de tramway Irie-machi.

De Nagasaki, les lignes JR rallient Sasebo (*kaisoku* ; 1 600 ¥, 1 heure 45) ou Fukuoka (*tokkyū* ; 4 410 ¥, 2 heures).

Des ferries partent de quelques endroits à Nagasaki, dont le terminal d'Ōhato, au sud de la gare JR de Nagasaki.

Pour rejoindre l'archipel d'Amakusa, prenez le bus n°10 à la sortie sud de la gare JR de Nagasaki jusqu'au port de Mogi (160 ¥, 30 min), puis le ferry jusqu'à Tomioka sur l'île d'Amakusa (aller simple 1 600 ¥, 1 heure 10).

Comment circuler

DEPUIS/VERS L'AÉROPORT

L'aéroport de Nagasaki se situe à 40 km du centre-ville. Des bus partent pour l'aéroport (800 ¥, 45 min) du quai n°4 de la gare routière de Kenei, en face de la gare JR de Nagasaki (carte p. 712). Un taxi coûte environ 9 000 ¥,

VÉLO

À la **gare JR de Nagasaki** (carte p. 712 ; ☎ 826-0480), Eki Rent-a-Car loue des bicyclettes, et même quelques vélos électriques, à des prix raisonnables (2 heures/journée 500/1 500 ¥ ; remise de 40% aux titulaires du JR Pass).

BUS

Les bus desservent un périmètre plus vaste que les tramways, mais leur utilisation est plus difficile pour ceux qui ne parlent pas japonais.

TRAMWAY

Le tramway constitue le meilleur moyen de circuler dans Nagasaki. Il existe quatre itinéraires, indiqués par des couleurs différentes et numérotés 1, 3, 4 et 5 (la ligne n°2 ne circule que pour des événements particuliers). Les arrêts sont indiqués en anglais. N'importe quel trajet en ville coûte 100 ¥ ; vous pouvez changer de ligne gratuitement à l'arrêt Tsuki-machi si vous possédez un billet illimité d'une journée (500 ¥), disponible à l'office du tourisme de Nagasaki (p. 711) et dans de nombreux hôtels. La plupart des tramways cessent de circuler avant 23h30.

ENVIRONS DE NAGASAKI

Huis Ten Bosch ハウステンボス

Ce **parc à thème** (hors carte p. 712 ; ☎ 095-627-0526 ; http://english.huistenbosch.co.jp ; adulte/enfant/étudiant à partir de 3 200/1 000/2 000 ¥ ; ☽ 9h-21h), sorte de "Hollande virtuelle", illustre la fascination des Japonais pour l'Occident. Vaste et très détaillé, avec calèches et moulins, le Huis Ten Bosch (Maison dans la forêt) n'offre guère d'intérêt pour les touristes étrangers.

KYŪSHŪ

PÉNINSULE DE SHIMABARA 島原半島

Les routes vallonnées du Shimabara *hondō* (itinéraire principal) constituent l'itinéraire favori entre Nagasaki et Kumamoto. Des bus locaux assurent la correspondance avec les ferries de Shimabara à la côte de Kumamoto ; des bus touristiques qui circulent entre Nagasaki et Kumamoto font le tour de la péninsule.

Un soulèvement à Shimabara entraîna l'interdiction du christianisme au Japon et la fermeture du pays durant deux siècles. Les 37 000 paysans rebelles livrèrent leur dernier combat contre 120 000 soldats à Hara-jō, quasiment à la pointe sud de la péninsule, et résistèrent 80 jours avant d'être massacrés.

Le 3 juin 1991, après 199 ans de sommeil, le volcan Unzen-dake (1 359 m) entra en éruption tuant 43 journalistes et scientifiques, dont les volcanologues français Katia et Maurice Krafft. Plus de 12 000 habitants furent évacués des villages voisins et la lave atteignit les abords de Shimabara.

UNZEN 雲仙

☎ 0957 / 49 460 habitants

Unzen est un centre volcanique actif qui abrite le **parc national d'Unzen-Amakusa**, le premier du Japon. Vous pouvez explorer la localité et les chemins alentour en une demi-journée ; ces derniers sont clairement indiqués en anglais. Le parc se révèle idéal pour la randonnée et la bourgade est un endroit paisible où passer la nuit, une fois l'odeur du soufre dissipée. Les visiteurs venus pour la journée partent vers 18h et les rues retrouvent leur calme. Pour des cartes de la ville et la réservation d'hébergement, adressez-vous à l'**Unzen Tourist Association** (雲仙観光協会 ; ☎ 73-3434 ; ⏰ 9h-17h).

Si l'on se contente aujourd'hui de cuire des œufs (*onsen tamago*) dans les *jigoku* (enfers ; sources d'eau minérale brûlante), ce sort fut réservé il y a quelques siècles à 30 martyrs chrétiens, précipités dans l'Oito Jigoku.

Unzen compte quelques hébergements superbes, pour la plupart avec *rotemburo*. Si vous venez pour la journée, vous pourrez utiliser les trois bains publics, tous à courte distance de la gare routière :

Kojigoku (小地獄温泉館 ; ☎ 73-3273 ; 400 ¥ ; ⏰ 9h-21h).

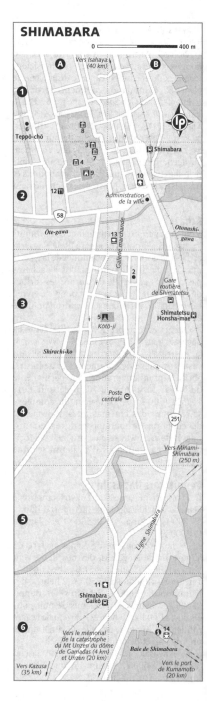

SHIMABARA

0 — 400 m

Vers Isahaya (40 km)

Teppō-chō

Shimabara

Administration de la ville

Ōte-gawa

Otonashi-gawa

Galerie marchande

Gare routière de Shimatetsu

Shimatetsu Honsha-mae

Kōtō-ji

Shirachi-ko

Poste centrale

Vers Minami-Shimabara (250 m)

Ligne Shimabara

Shimabara Gaikō

Vers le mémorial de la catastrophe du Mt Unzen du dôme de Gamadas (4 km) et Unzen (20 km)

Vers Kazusa (35 km)

Baie de Shimabara

Vers le port de Kumamoto (20 km)

Shin-yu (新湯温泉 ; ☎ 73-3545 ; 100 ¥ ;
🕒 9h-23h, fermé mer).
Yunosato (湯の里温泉 ; ☎ 73-2576 ; 100 ¥ ;
🕒 9h-22h30, fermé 10 et 20 du mois).

À voir et à faire

L'**Unzen Spa House** (雲仙スパハウス ; ☎ 73-3131 ; 800 ¥ ; 🕒 9h-18h), près de l'Unzen Tourist Association, possède un atelier de soufflage de verre (2 000-3 000 ¥ la leçon de 10-15 min).

De la ville, les promenades qui conduisent à Kinugasa, Takaiwa-san et Yadake, tous dans le parc national, ont du succès. Le **centre des visiteurs d'Unzen** (雲仙お山の情報館 ; ☎ 73-3636 ; 🕒 7h-18h 10 avr-2 nov, 9h-17h 3 nov-9 apr, fermé jeu), en face du Kyūshū Hotel, présente des expositions sur la flore et la faune et fournit des informations en anglais. En ville, le **Manmyō-ji** (満明寺 ; ☎ 73-3422), un temple vieux de 1 300 ans et reconstruit en 1638, et le geyser **Daikyōkan Jigoku** méritent le coup d'œil.

En dehors de la ville, de l'autre côté du col de Nita, le **Fugen-dake** (1 359 m) fait partie de la chaîne de l'Unzen-dake. Une randonnée prisée conduit au sommet, où l'on découvre une vue époustouflante sur la coulée de lave.

Le bus jusqu'au parking de Nita-tōge (370 ¥, 20 min), le point de départ de l'ascension du Fugen-dake, circule régulièrement entre 9h et 15h depuis la **gare routière de Shimatetsu** (☎ 74-3131) à Unzen ; en sens inverse, le dernier bus quitte le parking à 16h30.

Un **funiculaire** (☎ 73-3572 ; 610 ¥ aller ; 🕒 8h55-17h23) grimpe en 3 minutes près d'un sanctuaire et du sommet du **Myōken-dake** (1 333 m), d'où la marche aller-retour jusqu'au Fugen-dake via **Kunimi-wakare** prend à peine 2 heures. Vous pouvez aussi revenir à pied du sanctuaire à Nita via le village et la vallée d'Azami-dani (3,5 km). Pour une excursion plus longue (3 heures), faites un détour par le **Kunimi-dake** (1 347 m). En chemin, vous pourrez admirer la montagne la plus jeune du Japon, le dôme de lave fumant de l'**Heisei Shinzan** (1 486 m ; littéralement nouvelle montagne), né en novembre 1990 lors de l'éruption du Fugen-dake.

Où se loger et se restaurer

Unzen compte de nombreux hôtels, *minshuku* et *ryokan*, dont les tarifs débutent à 8 500 ¥ en demi-pension. Un supplément s'applique souvent le week-end.

Camping Shirakumo-no-ike (白雲の池キャンプ場 ; ☎ 73-2642 ; empl à partir de 300 ¥ ; 10 juil-31 août). Ce joli camping se situe près de l'étang Shirakumo, à 600 m en contrebas de la poste et à quelques centaines de mètres de la route. Location de tente possible (500 ¥).

Unzen Sky Hotel (雲仙スカイホテル ; www.unzen-skyhotel.com, en japonais ☎ 73-3345 ; ch avec/sans demi-pension à partir de 9 000/6 000 ¥ par pers ; 🅿 ✕). Entre Yunosato Onsen et Manmyō-ji, cet hôtel bon marché possède essentiellement des chambres de style japonais et un beau *rotemburo* à l'eau soufrée.

Kyūshū Hotel (九州ホテル ; ☎ 73-3234 ; www.kyushuhtl.co.jp/language/en/ ; ch demi-pension à partir de 16 950 ¥/pers ; 🅿 ✕). Grand hôtel vieillot, il a été joliment rénové dans les tons chocolat, avec des tissus somptueux et une touche zen. Il offre diverses chambres attrayantes, certaines avec bain en plein air et balcon, et des prix parfois plus intéressants.

Unzen Kankō Hotel (雲仙観光ホテル ; ☎ 73-3263 ; www.unzenkankohotel.com en japonais ; s/d et lits jum à partir de 10 500/18 900 ¥ ; 🅿 ✕). Prestigieux hôtel de 1936 superbement entretenu, il justifie à lui seul le détour avec sa ravissante bibliothèque, ses chambres splendides et un spa somptueux.

Unzen Tabi-no-biiru-kan (雲仙旅の麦酒館 ; ☎ 73-3113 ; 🕒 10h-18h, fermé mar). Surplombant la localité boisée, ce pub-brasserie sert l'*unzen yuagari biiru* (bière après le bain) locale, ainsi que des pizzas ou un curry à la bière avec salade à partir de 950 ¥.

KYŪSHŪ

Depuis/vers Unzen

Des bus circulent entre Nagasaki et Unzen (1 900 ¥, 2 heures). Ils sont plus fréquents d'Isahaya (1 400 ¥, 1 heure 20), à 35 minutes de train de Nagasaki (450 ¥). Les bus qui continuent d'Unzen à Shimabara (810 ¥, 45 min) s'arrêtent au port de Shimabara (ci-dessous) et au château avant d'arriver à la gare ferroviaire de Shimabara.

SHIMABARA 島原

☎ 0957 / 49 480 habitants

Port des ferries pour Kumamoto, Shimabara est connu pour ses sources claires, apparues après l'éruption du mont Unzen en 1792. L'**office du tourisme** (☎ 62-3986 ; 8h30-17h30) est installé dans le terminal des ferries-gare routière. Le château de Shimabara – une reconstruction –, une rue de maisons de samouraïs et un bouddha couché constituent les principales curiosités. Si vous manquez de temps, rejoignez directement Unzen ou au-delà.

À voir

Édifié entre 1618 et 1625, le **Shimabara-jō** (島原城 ; ☎ 62-4766 ; 9h-17h) joua un rôle durant la révolte de Shimabara et fut rebâti en 1964. Il est entouré d'étangs à carpes, de jardins broussailleux, de murs moussus et de beaux pins.

Le château renferme plusieurs **musées** (☎ 62-4766 ; billet combiné adulte/enfant 520/260 ¥ ; 9h-17h). La **salle culturelle de Shimabara** présente des objets se rapportant au soulèvement chrétien. Le **musée du Fugen-dake** retrace les éruptions du volcan, dont celle de 1792 qui fit 15 000 victimes, pour la plupart lors du tsunami consécutif. Le **musée de la Sculpture** est consacré aux œuvres de Seibō Kitamura, qui réalisa la statue de la Paix de Nagasaki. Un autre petit **musée du Folklore** expose des antiquités.

Dans le quartier de Teppō-chō, au nord-ouest du château, plusieurs **maisons de samouraïs** bordent une jolie rue. Trois d'entre elles sont ouvertes au public et une aire de repos sert du thé.

Près de la gare routière de Shimatetsu, un **cours d'eau** contient plus de 1 500 carpes.

Le Kōtō-ji possède le splendide **Nehan-zō** (statue du Nirvana), le plus long **bouddha couché** du pays (8,60 m).

Le **mémorial de la catastrophe du Mt Unzen du dôme Gamadas** (がまだすドーム雲仙岳災害記念館 ; ☎ 65-5555 ; www.udmh.or.jp, en japonais ;

1-1 Heisei-machi ; 9h-17h) est un musée high-tech aménagé au pied de la coulée de lave et dédié aux victimes de l'éruption de 1991. Il offre un excellent aperçu de la volcanologie.

Fête

La **fête de l'Eau** se déroule début août.

Où se loger et se restaurer

Shimabara Youth Hostel (☎ 62-4451 ; 7938-3 Shimokawashiri-machi ; dort membre/non membre HI 2 850/3 450 ¥). Une petite marche au nord de la gare de Shimabara-Gaikō conduit à ce curieux chalet alpin, qui offre des lits superposés et des futons.

Hotel & Spa Hanamizuki (☎ 62-1000 ; 548 Nakamachi ; s/lits jum 5 800/9 800 ¥ ; P ⊠ 🖳). Ce bel hôtel de 42 chambres possède un grand onsen et sert un bon petit-déjeuner (840 ¥). Le personnel parle un peu anglais.

Spécialité la plus connue de Shimabara, le *guzōni* est une soupe épaisse de poisson, de légumes et de *mochi* (riz écrasé).

Himematsu-ya (☎ 63-7272 ; repas à partir de 800 ¥ ; 10h-20h ; ♿). Devant le Shimabara-jō, il propose du *guzōni* (980 ¥) et divers *rāmen*, dont le *robuke-e soba*. Carte illustrée.

Où prendre un verre

Plusieurs *izakaya* entourent le château.

Shimabara Mizuyashiki (☎ 62-8555 ; www.mizuyashiki.com, en japonais ; entrée libre ; thé & gâteaux à partir de 500 ¥ ; 11h-17h). Cette maison de thé de l'ère Meiji comporte un musée, un ravissant jardin japonais et une collection de *maneki-neko* (chats porte-bonheur).

Comment s'y rendre et circuler

Les trains JR de Nagasaki à Isahaya (450 ¥, 25 min) assurent la correspondance avec la ligne privée Shimabara-tetsudō ; les trains partent toutes les heures pour Shimabara (1 450 ¥, 1 heure 15). La gare de Shimabara se situe à 350 m à l'est du château.

Des ferries pour la côte de Kumamoto partent fréquemment du port de Shimabara entre 7h et 19h. Le ferry rapide (adulte/enfant 800/400 ¥, 30 min) et le car-ferry plus lent (adulte/enfant 680/340 ¥, 1 heure) accostent au port de Kumamoto, à 30 minutes de bus du centre-ville (420 ¥).

Des bus locaux circulent entre la gare de Shimabara et le terminal des ferries (100 ¥). Vous pouvez louer un vélo au terminal des ferries et à la gare (150 ¥ l'heure).

KUMAMOTO-KEN
熊本県

KUMAMOTO 熊本

☎ 096 / 670 100 habitants

Porte de la région d'Aso et berceau du *kobori* (une nage verticale qui permettait aux samouraïs de conserver leur torse en armure hors de l'eau), Kumamoto est aujourd'hui plus connue pour son château, reconstruit. Elle offre un bon choix de restaurants et de galeries et sa population augmente. C'est l'une des villes les plus chaudes du pays en été, ce qui explique peut-être le dynamisme de sa vie nocturne.

Orientation et renseignements

Mal située, la gare JR de Kumamoto se trouve à quelques kilomètres au sud-est du centre. Le quartier de la galerie marchande Shimotōri constitue le cœur de la ville, avec la gare routière, le château et d'autres curiosités.

Un DAB de la poste est installé du côté nord-ouest de la gare JR de Kumamoto. La Higo Bank, dans le centre-ville, possède un service de change.

Cybac Café (carte p. 728 ; ☎ 24-3189 ; www.cybac. com ; 5ᵉ-6ᵉ niv, Carino Shimotōri, 1-2 Ansei-machi ; adhésion/15 min 300/100¥ ; 🕐 24h/24). Dans le centre-ville.

Kumamoto City International Centre (carte p. 728 ; ☎ 359-2020 ; 4-8 Hanabata-chō ; 🕐 9h-20h lun-sam, 9h-19h dim et jours fériés). Internet gratuit durant 30 minutes, CNN et magazines en anglais au 2ᵉ niveau.

Bureau d'information touristique Gare JR Kumamoto (carte p. 726 ; ☎ 352-3743 ; 🕐 8h30-19h) ; parking du château (carte p. 728 ; ☎ 322-5060 ; 🕐 9h-17h). Personnel anglophone et liste des hébergements.

À voir

KUMAMOTO-JŌ 熊本城

L'imposant **château** (carte p. 728 ; ☎ 352-6820 ; Honmaru ; 500¥ ; 🕐 8h30-17h30 avr-oct, 8h30-16h30 nov-mars) de Kumamoto domine la ville. Construit entre 1601 et 1607, il fut assiégé et incendié durant la révolte de Satsuma en 1877, l'un des derniers soulèvements des samouraïs contre le nouvel ordre. Les rebelles résistèrent 50 jours avant d'être vaincus. Pour plus de détails sur la révolte et son dirigeant, Saigō Takamori, lisez l'encadré p. 740. Une visite guidée gratuite (en anglais, ☎ 322-5900) de cette reconstruction du XIXᵉ siècle est offerte.

Derrière le château, l'**ancien Hosokawa Gyōbutei** (carte p. 726 ; ☎ 352-6522 ; 3-1 Kyō-machi ; avec/sans le château 640/300¥ ; 🕐 8h30-17h30 avr-oct, 8h30-16h30 nov-mars) est une vaste demeure de samouraï avec un jardin, construite pour le clan Hosokawa. Celui-ci arriva au pouvoir vers 1632 et resta influent jusqu'à la Restauration de Meiji.

Plus près de l'artère principale, le **musée d'Art de la préfecture de Kumamoto** (carte p. 726 ; ☎ 352-2111 ; 2 Ninomaru ; 260¥ ; 🕐 9h30-16h30 mar-dim, fermé 25 déc-4 jan) possède des bouddhas anciens et des peintures modernes. Son **annexe de Chibajo** (carte p. 728 ; ☎ 351-8411 ; 2-18 Chibajō-machi ; 🕐 9h30-18h30 mar-dim, fermé 25 déc-4 jan), érigée dans le cadre du projet de reconstruction urbaine Artpolis, est reconnue par des architectes du monde entier.

Le **Centre d'artisanat traditionnel de la préfecture de Kumamoto** (carte p. 726 ; ☎ 324-4930 ; 3-35 Chibajō-machi ; 200¥ ; 🕐 9h-17h mar-dim, fermé 28 déc-4 janv) présente des réalisations locales d'incrustation Higo, des lanternes Yamaga, des porcelaines et des sculptures sur bois.

SUIZENJI-KŌEN 水前寺公園

Au sud-est du centre-ville, ce grand **jardin** (☎ 383-0074 ; www.suizenji.or.jp, en japonais ; 8-1 Suizenjikōen ; 400¥ ; 🕐 7h30-18h mars-nov, 8h30-17h déc-fév) reproduit les 53 étapes du Tōkaidō, l'ancienne route qui reliait Tōkyō et Kyōto. Le mont Fuji miniature se reconnaît sans peine. La **maison de thé Kokindenju-no-ma** (carte p. 726 ; thé et gâteaux Hosokawa 500-600¥), transférée ici du Palais impérial de Kyōto en 1912, s'agrémente d'une vue sur le lac ornemental. Le jeune empereur y apprenait jadis la poésie.

HONMYŌ-JI 本妙寺

Au nord-ouest du centre, sur les collines qui dominent la rivière, se dressent le temple et le mausolée de **Katō Kiyomasa** (carte p. 726), l'architecte du château de Kumamoto. Un escalier escarpé de 176 marches grimpe au mausolée, conçu pour atteindre la même hauteur que le donjon du château. Près du temple, un **Trésor** (carte p. 726 ; ☎ 354-1411 ; 4-13-20 Hanazono ; 300¥ ; 🕐 9h-17h mar-dim) recèle la couronne de Kiyosama et d'autres objets personnels.

Le **musée d'Art Shimada** (島田美術館 ; carte p. 726 ; ☎ 352-4597 ; 4-5-28 Shimazaki ; 500¥ ; 🕐 9h-17h jeu-mar), accessible à pied de Honmyō-ji, présente des œuvres de Miyamoto Musashi, notamment des calligraphies et des manuscrits.

KYŪSHŪ

KUMAMOTO

KYŪSHŪ

0 — 800 m

Vers Yamaga Onsen (27 km),
Kikuchi Onsen (30 km)
et le parc national
d'Aso (45 km)

Vers Ōita
(140 km)
et Beppu
(152 km)

Vers Tatsuda
Shizen-kōen
(300 m)

Vers Kurume
(64 km)

Vers Omuta (46 km),
Hakata (115 km)
et le tramway
de Kumamoto

Vers Yatsushiro (36 km)
et Kagoshima (173 km)

Vers Yatsushiro
(40 km)

Vers Heisei
(800 m)

Université
de Kumamoto

Tōkaigakuen-mae

Kumamoto Electric

Kami-Kumamoto

Kaini-Kumamoto Eki-mae

Kenritsu-Taiikukan-mae

Honmyōji-mae

Kurokami-machi

Tramway de Kumamoto

Fujisaigu-mae

Denpōkyoku-mae

Kotsukyoku-mae

Misotenjin-mae

Suizen-ji

Suizenji-ekidōri

Shin-
Suizenji

Suizenji-kōen

Kokubu

Shiritsu-Taiikukan-mae

Shōgyōkōkō-mae

Hatchobaba

Kamezu-ko

Minami-Kumamoto

Ligne JR Hōhi

Nishi-
karashima-
chō

Ketokukko-mae

Nagaramachi

Gofuku-machi

Shin-machi

Uesan-machi

Senba-bashi

Sugidome

Danjyama-machi

Shin-Kumamoto

Ligne JR Kagoshima

Tsubot-kawa

Tsubot-kawa

Shira-kawa

Shira-kawa

Rue 3

Gare JR
de Kumamoto

Kumamoto Eki-mae

Shirakawa-
bashi

Gion-bashi

Honyama-dōri

Voir la carte
Centre de Kumamoto (p. 728)

A B C D E F
1 2 3 4

MAISONS D'ÉCRIVAINS

Dans le centre-ville, derrière le grand magasin Tsuruya, se tient l'**ancienne maison de Lafcadio Hearn** (carte p. 728 ; ☎ 354-7842 ; 2-6 Ansei-machi ; 200 ¥ ; ⏲ 9h30-16h30 mar-dim, fermé 29 déc-3 jan), connu au Japon sous le nom de Yakumo Koizumi. Hearn possédait une autre résidence à Matsue (voir p. 516).

L'ancienne maison de Sōseki Natsume, un écrivain réputé de l'ère Meiji, est aujourd'hui le **mémorial Sōseki** (carte p. 718 ; ☎ 325-9127 ; 4-22 Tsubomachi ; 200 ¥ ; ⏲ 9h30-16h30 mar-dim). Sōseki n'y vécut que quelques années et était alors professeur d'anglais (pour plus de détails sur Sōseki, voir p. 68).

AUTRES CURIOSITÉS

Continuez au-delà des *minshuku* et des *love hôtels* jusqu'au **Bussharito**, un stupa blanc traditionnel au sommet de la colline, qui contiendrait les cendres du Bouddha (carte p. 726) ; il offre une vue superbe sur la ville.

Le **Tatsuda Shizen-kōen** (立田自然公園 ; parc naturel de Tatsuda ; hors carte p. 726 ; ☎344-6753 ; 4-610 Kurokami ; 200 ¥ ; ⏲ 8h30-16h30, fermé 29-31 déc) abrite des arbres séculaires, des bosquets de bambous et les vestiges d'un temple. Prenez un bus de la ligne Kusushiro Saisen à la gare routière Kumamoto Kōtsū, descendez à Tatsuda Shizen Kōen Iriguchi (190 ¥, 15 min) et marchez 10 minutes.

Fêtes et festivals

Takigi Nō (薪能). Des spectacles traditionnels ont lieu à la lueur des torches dans le Suizenji-kōen le 1er samedi d'août (à partir de 18h), habituellement dans le Kumamoto-jō.

Hi-no-kuni Matsuri (火の国まつり ; fête de la Terre de Feu). Feux d'artifice et danses dans toute la ville à la mi-août.

Fête de l'Automne. De mi-octobre à début novembre, la grande fête du Kumamoto-jō s'accompagne du grondement des tambours *taiko* et d'événements culturels.

Où se loger
PETITS BUDGETS

Suizen-ji Youth Hostel (carte p. 726 ; ☎ 371-9193 ; fax 371-9218 ; 1-2-20 Hakuzan ; dort membre/non membre 3 045/3 645 ¥ ; ✗). Cette auberge de jeunesse bien tenue compte 5 chambres et se situe à 5 minutes de marche de la gare JR de Shin-Suizen-ji. Couvre-feu à 22h.

Youth PIA Kumamoto (Kumamoto Seinen-kaikan) (carte p. 726 ; ☎ 381-6221 ; fax 382-2715 ; 3-17-15 Suizenji ; dort membre/non membre HI 3 045 ¥/3 600-4 800 ¥ ; ✗ 💻). À 10 minutes de marche de la gare JR de Shin-Suizen-ji, cette auberge de jeunesse offre des dortoirs et des chambres privées. Couvre-feu à 23h.

Minshuku Kajita (carte p. 726 ; ☎ /fax 353-1546 ; 1-2-7 Shinmachi ; s/d 4 000/7 200 ¥ ; ✗). Propre et calme, cette petite auberge privée dispose de sdb communes. Repérez l'enseigne "Minshuku" en lettres latines.

KYŪSHŪ

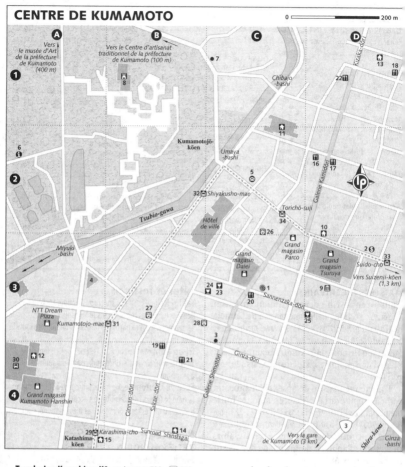

CENTRE DE KUMAMOTO

0 ————— 200 m

Toyoko Inn Karashima Kō-en (carte p. 728 ; ☎ 322-1045 ; fax 322-2045 ; 1-24 Kouyaima-machi ; s/d 5 145/7 700 ¥ ; ✕ 🖥 📶). Bon marché et accueillant, cet établissement se trouve à 2 arrêts de tramway du château et à quelques minutes de marche de la gare routière.

CATÉGORIES MOYENNE ET SUPÉRIEURE

JR Kyūshū Hotel Kumamoto (carte p. 726 ; ☎ 354-8000 ; www.jrhotelgroup.com/eng/hotel/eng150.htm ; 3-15-15 Kasuga ; s/lits jum 6 900/12 600 ¥ ; ✕ 🖥). À côté de la gare JR de Kumamoto, une adresse pratique pour un court séjour si vous êtes chargé.

Kumamoto Kōtsū Centre Hotel (carte p. 728 ; ☎ 326-8828 ; www.kyusanko.co.jp/hotel, en japonais ; 3-10 Sakuramachi ; s/d/tr à partir de 7 500/16 000/19 500 ¥ ; ✕ 🖥). Bien situé, ce *business hotel* rénové propose des chambres avec connexion Internet LAN et des tarifs en ligne très intéressants.

Kumamoto Castle Hotel (carte p. 728 ; ☎ 326-3311 ; fax 326-3324 ; 4-2 Jōtō-machi ; s/d/lits jum à partir de 9 345/17 850/16 800 ¥ ; ch japonaise 31 500 ¥ ; 🅿 ✕ 🖥). Surplombant le château, cet hôtel haut de gamme offre un service stylé et des chambres avec accès Internet LAN ; certaines donnent sur le château. Les superbes compositions florales et les œuvres d'art dans le foyer en font un endroit prisé pour les mariages.

Maruko Hotel (carte p. 728 ; ☎ 353-1241 ; 11-10 Kamidōri-machi ; s/lits jum demi-pension à partir de 12 600/19 600 ¥). Central, cet hôtel de style japonais comprend un *o-furo* (bain traditionnel) et jouit d'une belle vue. Enseigne en anglais dans la galerie marchande.

KYŪSHŪ

Richmond Hotel Kumamoto Shinshigai (carte p. 728 ; ☎ 312-3511 ; 6-16 Shinshigai ; s/d/lits jum à partir de 13 000/19 000/23 000 ¥ ; ✕ 🖭 📶). Ce nouvel établissement, au cœur de l'animation, possède de belles chambres bien équipées. L'emplacement, les prix et les prestations sont imbattables.

Hotel Nikko Kumamoto (carte p. 728 ; ☎ 211-1111 ; www.nikko-kumamoto.co.jp/english/en_index.html ; 2-1 Kamitori-chō ; s/d/lits jum à partir de 17 325/43 890/31 185 ¥ ; 🅿 ✕ 🖭). Le plus bel hôtel de Kumamoto jouxte le musée d'Art contemporain. Les chambres sont spacieuses et confortables, hautes de plafond, avec de grandes sdb et la vue sur la ville, mais bien trop chères. Accès Internet LAN.

Où se restaurer

Les plus intrépides goûteront le *basashi* (viande de cheval crue), les *karashi-renkon* (racines de lotus sautées à la moutarde) ou l'*higo-gyū* (bœuf de Higo). Les cartes comportent parfois du *kujira* (viande de baleine ; 鯨), que nous ne saurions trop vous déconseiller.

Kōran-tei (carte p. 728 ; ☎ 352-7177 ; 5-26 Anseimachi ; repas à partir de 735 ¥ ; 🌙 déj et dîner). Dans la galerie marchande Shimotōri, en face de Daiei, cet immense restaurant possède une carte interminable, avec un menu *hi-mawari* au déjeuner, différent chaque jour (750 ¥).

Ramen Komurasaki (carte p. 728 ; ☎ 325-8972 ; 8-16 Kamidōri ; repas à partir de 900 ¥ ; 🌙 déj et dîner). Cette gargote de *rāmen* fréquentée fait face à l'Higo Ban, dans la galerie marchande.

Commencez par une assiette de *gyōza* (400 ¥), puis savourez un bol de *rāmen* avec du porc et des champignons frais (560 ¥).

Capricciosa (carte p. 728 ; ☎ 323-8622 ; 7-10 Kamidōri ; pâtes/pizza à partir de 950/1 060 ¥ ; 🌙 déj et dîner). Facile à repérer dans la galerie, ce bâtiment à l'européenne, avec des stores rouges et une façade d'angle, abrite un restaurant italien aux influences japonaises.

Cafe Anding (carte p. 728 ; ☎ 352-6701 ; 4ᵉ niv, 4-10 Kamidōri ; plats à partir de 1 000 ¥). Ce café-pâtisserie en étage séduira les gourmands. Enseigne et carte en anglais.

Izakaya Yokobachi (carte p. 728 ; ☎ 351-4581 ; 11-40 Kaminoura, Kamidōri ; repas avec bière 2 000-3 000 ¥ ; 🌙 dîner). La carte de ce restaurant sélect comprend du *basashi* (1 000 ¥). Installez-vous dans la salle pour observer la cuisine ouverte ou dans la cour ombragée. L'enseigne porte un "8"rouge sur le côté.

Jang Jang Go (carte p. 728 ; ☎ 323-1121 ; 12-10 Hanahata-chō ; environ 2 500 ¥/pers ; 🌙 déj et dîner). Ce restaurant branché mitonne des plats chinois revisités dans sa cuisine ouverte et se spécialise dans les *taipīen* (nouilles *harusame* avec seiche et légumes ; 735 ¥). La longue carte offre un choix impressionnant.

Okonomiyaki Arashiyama (carte p. 728 ; ☎ 395-2003 ; Sakai Bldg, 1-11-5 Shimotōri ; 🌙 dîner lun-sam). Dans une petite rue en face du grand magasin Core21, ce minuscule restaurant de 10 couverts maîtrise à la perfection l'art de l'*okonomiyaki* (crêpe ; à partir de 700 ¥).

KYŪSHŪ

Où prendre un verre

Kumamoto est une ville plaisante et animée en soirée. Le quartier de Namikizaka-dōri, à l'extrémité nord de la galerie marchande Kamidōri, est particulièrement vivant, de même que les rues proches de la galerie marchande Shimotōri.

Shark Attack (carte p. 728 ; ☎ 090-6299-1818 ; 8ᵉ niv, 6-3 Ansei-machi ; boissons à partir de 500 ¥ ; ☯ fermé mar). Sol sablonneux, planches de surf et lampes hawaïennes derrière le bar donnent le ton de ce bar détendu, sans aucun requin à l'horizon !

Jungle Hearts (carte p. 728 ; ☎ 356-1655 ; 1-5-10 Shimotōri ; ☯ fermé mar). Ce bar en rez-de-chaussée donne l'impression de pénétrer dans un autre monde avec son décor de jungle kitsch. La clientèle est essentiellement japonaise. Soirées open bar et gigantesques verres de bière.

Jeff's World Bar (carte p. 728 ; 2ᵉ niv, 1-4-3 Shimotōri). Essentiellement fréquenté par des habitants et des *gaijin* expatriés, ce pub, avec TV sat et canapés, peut être accueillant ou glauque. Il propose une bonne sélection de bières et on y danse parfois le week-end.

Où sortir

Rock Bar Days (carte p. 728 ; ☎ 323-7110 ; www.rockbardays.com, en japonais ; 3ᵉ niv SMILE Bldg, 1-7-7 Shimotōri ; boissons environ 600 ¥). Une collection hétéroclite de CD orne le mur derrière le bar. La boîte de nuit la plus détendue de Kumamoto séduit une clientèle sympathique, qui danse, se repose sur les canapés ou sympathise au bar.

Euro Dance Bar (carte p. 728 ; ☎ 354-0803 ; sous-sol, Shanse Shinagawa Bldg, 11-18 Hanabata ; 400 ¥ ; ☯ 20h-6h). La salsa règne en maître le vendredi, mais les autres soirs on entend toutes sortes de musiques, du disco au hip-hop, dans cette boîte intime de Ginza-dōri. Si l'ambiance ne vous convient pas, vous trouverez beaucoup d'autres adresses à proximité.

Bar Sanctuary (carte p. 728 ; ☎ 325-5634 ; 4-16 Tetorihon-machi ; boissons à partir de 300 ¥). Cette immense discothèque à plusieurs niveaux, avec jeux de fléchettes et karaoké, attire des jeunes d'une vingtaine d'années et ne désemplit pas le week-end.

Depuis/vers Kumamoto

De Kumamoto, des vols rejoignent Tōkyō (36 700 ¥, 1 heure 30) et Ōsaka (23 500 ¥, 1 heure 15), mais la plupart des voyageurs prennent le train. La ligne JR Kagoshima circule au nord vers Hakata (*tokkyū* ; 3 440 ¥, 1 heure 30), et au sud vers la gare de Kagoshima-Chūō (*tokkyū/*

shinkansen ; 6 350 ¥, 1 heure 10, changez à Shin-Yatsushiro). La ligne JR Hōhi dessert Beppu (*tokkyū* ; 5 130 ¥, 3 heures) via Aso.

Les bus longue distance partent de la gare routière de Kumamoto Kōtsū et rallient notamment Fukuoka (2 000 ¥, 2 heures), Kagoshima (3650 ¥, 3 heures 30), Nagasaki (3 600 ¥, 3 heures 15) et Miyazaki (4 500 ¥, 3 heures).

Comment circuler

DEPUIS/VERS L'AÉROPORT
Les bus depuis/vers l'aéroport (670 ¥, 50 min) s'arrêtent à la gare routière de Kumamoto Kōtsū et à la gare JR de Kumamoto.

BUS
Le forfait d'une journée du tramway permet d'utiliser les bus verts Shiei (mais pas les autres bus urbains), pratiques pour circuler entre la gare JR de Kumamoto et la gare routière.

Le Castle Loop Bus (130 ¥) relie la gare routière et les sites du quartier du château toutes les 30 minutes entre 8h30 et 17h. Un forfait d'une journée (300 ¥) donne droit à une réduction dans le musée et d'autres établissements.

TRAMWAY
Le tramway dessert les principaux sites. Les billets coûtent de 130 à 200 ¥. Un forfait d'une journée (500 ¥) permet des trajets illimités et peut s'acheter dans les tramways.

VOITURE
Louer une voiture est un excellent moyen de rejoindre Aso et de continuer au-delà. **Toyota Renta Lease** (☎ 311-0100 ; http://rent.toyota.co.jp/en/index.html ; 1-14-28 Haruka, Kumamoto-ekimae ; 12 heures à partir de 5250 ¥ ; ☯ 8h-20h) offre d'excellentes prestations mais le personnel parle peu anglais.

YAMAGA ET KIKUCHI ONSEN
山鹿温泉・菊池温泉
☎ 0968

Jolies villes thermales au nord-est de Kumamoto, Yamaga Onsen (57 300 habitants) et Kikuchi Onsen (51 620 habitants) s'animent lors du spectaculaire **Yamaga Chōchin Matsuri**, les 15 et 16 août. Des tambours *taiko* signalent le début de cette fameuse fête des lanternes à Yamaga Onsen. Pendant deux nuits, les femmes de la ville, vêtues de kimonos colorés et portant une lanterne *washi* (papier artisanal) sur la tête, dansent dans les rues au son du *shamisen*. L'**office du tourisme de Yamaga** (☎ 43-2952) vous renseignera et vous aidera à trouver un hébergement.

Le **Yamaga Cycling Terminal** (山鹿サイクリ
ングターミナル; ☎ 43-1136; www.city.yamaga.
kumamoto.jp/kankoh/02-shizen/02-15saikuru.html, en
japonais; ch 2 940¥/pers; **P**), sur une belle piste
cyclable de 34 km provenant de Kumamoto via
Ueki, possède des chambres communes avec
tatamis et des bains, et sert des repas.

Près de la gare routière, **le centre d'information
de Kikuchi** (☎ 23-1155) dispose de cartes et de
brochures en anglais. Les *ryokan*, les *minshuku*
et plusieurs hôtels se regroupent dans un
dédale de ruelles paisibles, en contrebas d'une
imposante **statue équestre**. Délicieusement
rustique, l'**Iwakura ryokan** (☎ 27-0026; www.
iwakura0026.com, en japonais; 2224-8 Omomi, Kikuchi-shi;
ch demi-pension à partir de 17 000¥/pers) possède aussi
un **onsen** en bordure de rivière ouvert aux
non-résidents (500 ¥).

En dehors de la ville, la **gorge de Kikuchi** (菊
池渓谷; don 100¥; ☺ mi-avr à nov), formée par
l'arête extérieure du mont Aso, comprend des
chemins de randonnée ombragés d'ormes et de
camphriers le long de la Kikuchi-gawa.

Comment s'y rendre et circuler

Des bus partent de la gare JR de Kumamoto
et la gare routière de Kumamoto Kōtsū pour
Yamaga Onsen (870 ¥, 1 heure 10) et Kikuchi
Onsen (820 ¥, 1 heure 10). Pour une excursion
d'une journée à Yamaga Onsen, demandez un
ichi nichi furii joshaken (forfait aller-retour,
1 200 ¥). Des bus fréquents circulent du lundi
au samedi entre les deux villes thermales
(430 ¥, 30 min).

RÉGION DE L'ASO-SAN 阿蘇山
☎ 0967 / 29 370 habitants,

Au centre de Kyūshū, à mi-chemin entre
Kumamoto et Beppu, s'étend la gigantesque et
splendide caldeira de l'Aso-san. Des éruptions
se sont succédé au fil des 300 000 ans passés,
mais celle qui a formé le cratère extérieur,
il y a quelque 90 000 ans, fut colossale.
D'une circonférence de 128 km, le cratère
est aujourd'hui parsemé de villes, de villages
et de lignes ferroviaires.

Il s'agit de la plus grande caldeira en activité
au monde. En 1979, une éruption du Naka-
dake tua une jeune mariée. La dernière forte
éruption a eu lieu en 1993, mais le sommet est
fréquemment interdit en raison des émissions
de gaz toxiques. Renseignez-vous au Tourist
Information Centre (ci-dessous). La fermeture peut durer une heure ou une journée,
selon le vent.

Orientation et renseignements

Au premier abord, il est difficile est difficile
d'appréhender la forme et la taille du cratère.
Une voiture constitue le meilleur moyen
d'explorer la région, qui compte des routes
superbes, des paysages divers et de paisibles
retraites. Les routes 57, 265 et 325 forment une
boucle le long de la caldeira extérieure et la
ligne JR Hōhi traverse le secteur nord. Si vous
êtes motorisé, le point de vue de Daikanbō est
l'un des meilleurs endroits pour découvrir
l'ensemble, mais les bus touristiques s'y
pressent souvent. Shiroyama Tembōdai, sur
la nationale Yamanami, constitue une bonne
alternative. Aso est la ville principale. Parmi les
autres localités figure Takamori, au sud.

Près de la gare JR d'Aso, l'accueillant
Tourist Information Center (☎ 34-0751; ☺ 9h-18h)
fournit gratuitement des cartes routières et de
randonnée et des informations sur la région.
Des consignes automatiques sont disponibles.
Un DAB postal est installé à 100 m au sud,
de l'autre côté de la nationale 57.

À voir
ASO-GOGAKU 阿蘇五岳

Les **cinq montagnes d'Aso**, les moins élevées à
l'intérieur de la caldeira, sont l'Eboshi-dake
(1 337 m), le Kijima-dake (1 321 m), le Naka-
dake (1 506 m), le Neko-dake (1 408 m) et
le Taka-dake (1 592 m). Le Naka-dake est
actuellement le seul volcan actif du groupe.
Le Neko-dake, le plus à l'est, se reconnaît à
son pic escarpé.

MUSÉE VOLCANIQUE D'ASO
阿蘇火山博物館

Ce **musée** (☎ 34-2111; www.asomuse.jp, en japonais;
entrée avec/sans téléphérique aller-retour 1 480/840 ¥;
☺ 9h-17h) unique permet d'observer l'activité
du volcan en temps réel grâce à une caméra
installée à l'intérieur du cratère, que l'on peut
orienter du musée. Des brochures en anglais
sont disponibles et une vidéo présente d'autres
volcans actifs.

KUSASENRI ET KOME-ZUKA 草千里・米塚
En face du musée volcanique, **Kusasenri** est une
prairie verdoyante avec deux "lacs" dans le
cratère aplani d'un ancien volcan. Le paysage
est splendide par temps clair, sauf en cas de
sécheresse.

Près de la route qui relie le musée et la ville
d'Aso s'élève le cône parfait du **Kome-zuka**
(954 m), un autre volcan éteint.

NAKA-DAKE 中岳

Le Naka-dake (1 506 m) a été très actif ces dernières années. Des éruptions ont provoqué la fermeture du téléphérique d'août 1989 à mars 1990 et il n'avait rouvert que depuis quelques semaines quand une nouvelle éruption, en avril 1990, projeta des cendres sur une vaste superficie.

En 1958, après une éruption qui provoqua la mort de 12 visiteurs, des bunkers en béton furent construits autour de la crête pour protéger les spectateurs. Cependant, une nouvelle éruption en 1979 tua trois touristes à plus de 1 km du cône, dans une zone considérée sûre.

La station du téléphérique se situe à 3 km au-dessus du musée volcanique d'Aso. Quand le Naka-dake est inactif, le **téléphérique** (aller simple 410 ¥ ; ☉ 9h-17h) grimpe au sommet en 4 minutes. Comptez 560 ¥ de péage et de parking si vous montez en voiture. De là, une marche de moins de 30 minutes conduit au sommet. Le cratère, profond de 100 m, varie en largeur de 400 à 1 100 m ; un chemin suit la lisière sud du cratère. Venez tôt le matin pour voir une mer de nuages flotter à l'intérieur du cratère, avec le Kujū-san (1 787 m) à l'horizon.

À faire

À l'arrivée du téléphérique, vous pouvez marcher le long du cratère jusqu'au pic du Naka-dake, grimper au sommet du Taka-dake et descendre vers la **gorge de Sensui** (Sensui-kyō), couverte d'azalées en fleurs à la mi-mai, ou vers la route qui relie le Taka-dake et le Neko-dake. Ces itinéraires conduisent à Miyaji, la 1re gare ferroviaire à l'est d'Aso. La descente vers la gorge de Sensui est abrupte et il est plus facile de rebrousser chemin du Taka-dake jusqu'à la crête du Neko-dake, puis de suivre l'ancien itinéraire du téléphérique d'Aso-higashi jusqu'à la gorge. Comptez 4 à 5 heures de la station du téléphérique d'Aso-nishi pour grimper jusqu'à la gorge de Sensui, puis 1 heure 30 pour la descente.

Parmi d'autres randonnées plus courtes, l'ascension facile du **Kijima-dake** à partir du musée se fait en 25 minutes. Vous pouvez ensuite revenir au musée ou suivre le sentier qui conduit au téléphérique du Naka-dake en 30 minutes. Monter au sommet de l'Eboshi-dake demande environ 50 minutes.

Parfait après une longue marche, le **Yume-no-yu Onsen** (☎ 35-5777 ; entrée 400 ¥ ; ☉ 10h-22h), devant la gare JR d'Aso, possède de superbes bassins couverts et en plein air, un grand sauna et des bains familiaux (1 000 ¥ l'heure).

Fête

Une fête du feu spectaculaire, l'**Hi-furi-matsuri**, se déroule à l'**Aso-jinja** (☎ 22-0064) durant une journée à mi-mars ; la date varie. Le sanctuaire, dédié aux 12 dieux de la montagne, se situe à 300 m au nord de la gare JR de Miyaji. C'est l'un des trois sanctuaires du pays à avoir conservé sa porte d'origine. Au crépuscule, les visiteurs remplissent des bidons de son eau, réputée délicieuse.

Où se loger et se restaurer

Aso, Akamizu ou Takamori regroupent la plupart des hébergements et on trouve facilement une chambre dans la région. En dehors des villes, les restaurants et les hôtels sont dispersés et difficilement accessibles en transports publics. Plusieurs gargotes bordent la nationale 57 près de la gare JR d'Aso, mais mieux vaut emporter des provisions.

ASO

Bōchū Kyampu-jo (☎ 34-0351 ; empl 310 ¥/pers ; ☉ juin-sept). Facilement accessible en voiture, ce vaste camping, proche de la nationale en direction de la montagne, bénéficie d'un bel emplacement, de bons équipements et loue des tentes (à partir de 2 040 ¥).

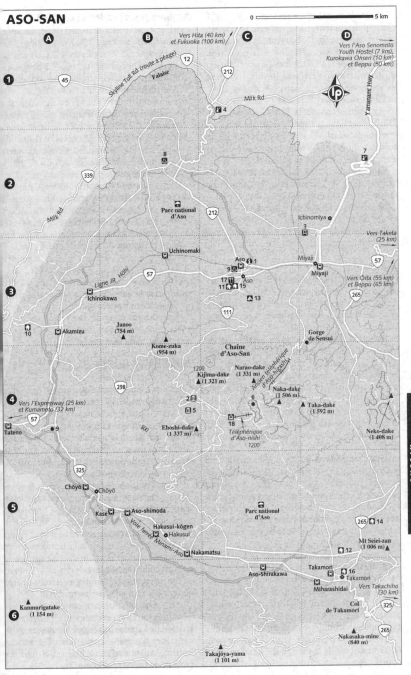

ASO-SAN

0 _____ 5 km

Vers Hita (40 km)
et Fukuoka (100 km)

Vers l'Aso Senomoto
Youth Hostel (7 km),
Kurokawa Onsen (10 km)
et Beppu (50 km)

45

Skyline Toll Rd (route à péage)

Falaise

12

212

Milk Rd

4

339

8

Milk Rd

Parc national
d'Aso

212

Ichinomiya

3

Vers Taketa
(25 km)

Ligne JR Hôhi

Uchinomaki

57

Aso 1

9

Miyaji

Miyaji

57

17

Aso

15

11

Vers Ōita (55 km)
et Beppu (65 km)

265

Ichinokawa

13

111

10

Akamizu

Janoo
(754 m)

Kome-zuka
(954 m)

Chaîne
d'Aso-San

Gorge
de Sensui

1200

Kijima-dake
(1 321 m)

Narao-dake
(1 331 m)

Naka-dake
(1 506 m)

Ancien téléphérique
d'Aso-higashi

298

2

5

Ehoshi-dake
(1 337 m)

6

18

Taka-dake
(1 592 m)

Téléphérique
d'Aso-nishi
1200

Neko-dake
(1 408 m)

Vers l'Expressway (25 km)
et Kumamoto (32 km)

57

9

Tateno

325

Chōyō

Chōyō

Kase

Aso-shimoda

Hakusui-kôgen

Hakusui

Voie ferrée Minami-Aso

Nakamatsu

Parc national
d'Aso

265

14

12

Mt Seiei-zan
(1 006 m)

Aso-Shirakawa

Takamori

16

Takamori

Miharashidai

Vers Takachiho
(30 km)

Kanmurigatake
(1 154 m)

Col
de Takamori

325

265

Nakasaka-mine
(840 m)

Takajōya-yama
(1 101 m)

KYŪSHŪ

Aso Youth Hostel (☎34-0804 ; dort 2 450 ¥ ; **P**). Cette petite auberge de jeunesse jouxte un terrain de camping à 20 minutes de marche de la gare JR d'Aso, après le joli Saigenden-ji, un temple de 726. Des bus pour la station du téléphérique s'arrêtent devant l'auberge de jeunesse. Cuisine à disposition.

💠 **Shukubou Aso** (☎34-0194 ; fax 34-1342 ; ch avec/sans demi-pension à partir de 11 000/5 000 ¥ par pers ; **P**). D'un excellent rapport qualité/prix, ce charmant *minshuku* rustique, agrémenté de touches modernes, est au milieu des arbres à moins de 500 m de la gare d'Aso.

Sanzoku-Tabiji (☎34-2011 ; menu à partir de 950 ¥ ; 🕙 11h-19h ; 🔥 **V**). Réputé pour son *dangojiru* (soupe *miso* aux raviolis) et son copieux *teishoku* aux légumes de montagne, il borde la nationale 57, en face du Villa Park Hotel, à 10 minutes de marche de la gare JR d'Aso. Carte en anglais.

TAKAMORI

Takamori-Murataya Ryokan Youth Hostel (☎62-0066 ; dort membre/non membre HI 2 625/3 225 ¥). Cette petite auberge de jeunesse, à 800 m de la gare de Takamori, est équipée de toilettes à la japonaise uniquement.

Bluegrass (☎62-3366 ; www.aso-bluegrass.com, en japonais ; ch avec/sans demi-pension 7 000/3 500 ¥ par pers ; **P**). Ranch et auberge, il possède de belles chambres bien tenues et un Jacuzzi. Le restaurant propose un barbecue occidental et de la cuisine japonaise (repas à partir de 1 150 ¥ ; ouvert de 11h à 20h, fermé le premier et troisième mardi du mois). Il est situé sur la nationale 325, à 20 minutes de marche de la gare.

Kyūkamura Minami-Aso (☎62-2111 ; www.qkamura. or.jp/aso, en japonais ; 3219 Takamori, Takamori-machi ; ch demi-pension à partir de 8 400 ¥/pers ; **P**). Ce village de vacances national, que l'on rejoint plus facilement en voiture, est généralement bondé en juillet et août. Très bien équipé, il bénéficie d'une vue fabuleuse sur les trois principaux pics.

AKAMIZU

Aso YMCA (☎35-0124 ; www.kumamoto-ymca.or.jp/ aso, en japonais ; dort 3 300-4 000 ¥ ; **P**). À flanc de colline avec vue sur les bois, cette grande auberge de jeunesse possède un lodge principal, des bungalows confortables et de nombreux équipements. Vous la trouverez à 600 m à l'ouest de la gare JR d'Akamizu, sur l'autre rive.

Comment s'y rendre et circuler

Aso se trouve sur la ligne JR Hōhi entre Kumamoto (*tokkyū* ; 1 980 ¥, 1 heure 10) et Ōita (*tokkyū* ; 3 290 ¥, 1 heure 45). Certains bus en provenance de Beppu (3 080 ¥, 2 heures 45) continuent jusqu'à la station du téléphérique d'Aso-nishi (supplément 1 130 ¥).

Pour rejoindre Takamori du côté sud du cratère, prenez le train JR Hōhi jusqu'à Tateno (360 ¥, 30 min), puis la ligne privée Minami-Aso jusqu'à Takamori (470 ¥, 30 min), le terminus. De Takamori, des bus continuent vers le sud-est jusqu'à Takachiho (1 280 ¥, 1 heure 10, 3/jour).

Des bus partent environ toutes les 90 minutes de la gare JR d'Aso à partir de 8h37 pour la station du téléphérique d'Aso-nishi (470 ¥, 35 min) et passent par l'auberge de jeunesse et le musée du Volcan. Au retour, le dernier bus part de la station du téléphérique à 17h.

Vous pouvez louer des vélos à la gare JR d'Aso (300 ¥, 2 heures). **Eki Rent-a-Car** (☎34-1001 ; www.ekiren.co.jp, en japonais), en face du TIC qui jouxte la gare, loue des voitures à partir de 6 000 ¥ la journée.

En voiture, vous devrez régler un péage (560 ¥) sur la route qui fait le tour du cratère entre Aso-nishi et Kato-nishi.

KUROKAWA ONSEN 黒川温泉
☎ 0967 / 400 habitants

Quelques dizaines de *ryokan* longent une vallée encaissée près de la Kurokawa (Rivière noire), à 6 km à l'ouest de la nationale Yamanami. Considéré comme l'un des meilleurs villages onsen du Japon, Kurokawa est une station idyllique qui a su préserver sa tranquillité malgré sa renommée nationale, et l'endroit rêvé pour loger dans un *ryokan*.

Si vous venez pour la journée, un "passeport onsen" (1 200 ¥), délivré par le **bureau d'information touristique** (☎44-0076 ; 🕙 9h-18h), donne accès à 3 bains de votre choix (8h30-21h). Kurokawa est particulièrement renommé pour ses 23 *rotemburo*. Yamamizuki, Kurokawa-sō et Shimmei-kan, avec des bains dans des grottes et des *rotemburo* en bordure de rivière, comptent parmi les favoris. De nombreux établissements offrent des *konyoku* (bains mixtes).

Au village d'Ubuyama, entre Kurokawa et Senomoto près du croisement des routes 11 (nationale Yamanami) et 442, vous verrez des centaines d'oiseaux et d'animaux grandeur nature, taillés dans des haies. Un parking permet de prendre des photos.

Où se loger

S'ils ne sont pas bon marché, les *ryokan onsen* de Kurokawa méritent la dépense pour une expérience hors du commun.

Aso Senomoto Youth Hostel (阿蘇瀬の本ユースホステル ; ☎ 44-0157 ; www.jyh.gr.jp/aso/next.html ; dort membre/non membre HI 2 940/3 540 ¥). Entre Miyaji et Kurokawa Onsen, cette auberge de jeunesse sympathique sert le petit-déjeuner et le dîner, et fournit des informations en anglais sur les randonnées au Kujū-san et à d'autres sommets de la région.

Camping Chaya-no-hara (茶屋の原キャンプ所 ; ☎ 44-0220 ; empl à partir de 600 ¥/pers). Un peu plus loin sur la route vers le village, ce camping occupe une verdoyante prairie en pente, avec une vue superbe.

Sanga Ryokan (山河旅館 ; ☎ 44-0906 ; www.sanga-ryokan.com, en japonais ; ch demi-pension à partir de 14 300 ¥/pers ; P). Dans ce *ryokan* romantique, plusieurs des 15 chambres charmantes disposent d'un onsen privé. Les délicieux repas *kaiseki*, le souci du détail et un service attentif en font un modèle d'hospitalité japonaise.

Okyakuya Ryokan (御客屋旅館 ; ☎ 44-0454 ; fax 44-0551 ; ch demi-pension à partir de 12 500 ¥/pers ; P). À proximité, cet autre excellent *ryokan* donne sur un paisible jardin. Le personnel parle anglais dans les deux *ryokan*, qui peuvent organiser le transfert de la gare.

Depuis/vers Kurokawa Onsen

Une voiture est idéale pour explorer la région. Cependant, 5 bus quotidiens circulent tous les jours entre la gare JR d'Aso et Kurokawa Onsen (960 ¥, 1 heure). En sens inverse, le dernier bus pour Aso part à 17h55, pour Kumamoto à 20h30 (1 430 ¥, 1 heure) et pour Beppu à 19h (2 350 ¥, 2 heures).

ARCHIPEL D'AMAKUSA 天草諸島
☎ 0969

Au sud de la péninsule de Shimabara, les îles de l'Amakusa-shotō furent un bastion de la chrétienté durant le "siècle chrétien". L'extrême pauvreté qui y régnait alors fut l'un des principaux facteurs de la révolte de Shimabara en 1637-1638, et la région reste l'une des moins développées du pays.

L'archipel offre des possibilités de plongée et des croisières d'observation des dauphins. **Hondo**, la ville principale, compte des salles d'exposition consacrées à l'ère chrétienne. L'**Amakusa Youth Hostel** (天草ユースホステル ; ☎ 22-3085 ; dort membre/non membre HI 2 783/3 383 ¥)

se situe à 300 m au-dessus de la gare routière. Tamioka, où accostent les ferries de Nagasaki, possède un château en ruine. Des ferries desservent les îles depuis plusieurs ports de Nagasaki-ken ou de la côte de Kumamoto. L'Amakusa Five Bridges relie directement l'île à Misumi, au sud-ouest de Kumamoto.

KAGOSHIMA-KEN
鹿児島県

La préfecture la plus méridionale de Kyūshū possède un charme particulier. Au bord d'une baie, la jolie ville de Kagoshima s'étend à l'ombre d'un volcan très actif, indissociable de l'identité locale. Les habitants célèbrent la vie, conscients de sa fragilité. Les plaines côtières fertiles de la péninsule de Satsuma s'étendent au sud. Au nord, le parc national Kirishima-Yaku, ponctué de volcans, offre de superbes randonnées.

PARC NATIONAL KIRISHIMA-YAKU
霧島屋久国立公園

La randonnée d'une journée entre Ebino-kōgen (à ne pas confondre avec la ville d'Ebino, dans les plaines) et les sommets d'une série de volcans est l'une des plus belles du pays. Quinze kilomètres séparent le sommet du Karakuni-dake (1 700 m) de celui du Takachiho-no-mine (1 574 m). Si les pics ne sont pas battus par les orages ou enveloppés de brouillard, ce qui est courant à la saison des pluies, de mi-mai à fin juin, les vues sont magnifiques. Parmi les marches plus courtes, un chemin fait le tour d'un lac sur le plateau. Vous pouvez aussi parcourir en voiture les routes de montagnes venteuses. La région est réputée pour ses azalées sauvages, ses sources thermales et la **Senriga-taki**, une chute de 75 m enlaidie par un barrage et des renforts en béton.

Orientation et renseignements

À chaque extrémité de la randonnée des volcans, un centre fournit des cartes bilingues et des informations.

Centre de l'écomusée d'Ebino-kōgen (☎ 0984-33-3002 ; 9h-17h). Renseignements gratuits sur les possibilités d'hébergement et de restauration et vente de cartes topographiques. Salle de repos avec des distributeurs et des expositions sur la faune, la flore et la géologie.

Centre d'accueil des visiteurs de Takachiho-gawara (☎ 0995-57-2505 ; 9h-17h). Informations sur l'environnement, la faune et la flore de la région.

KYŪSHŪ

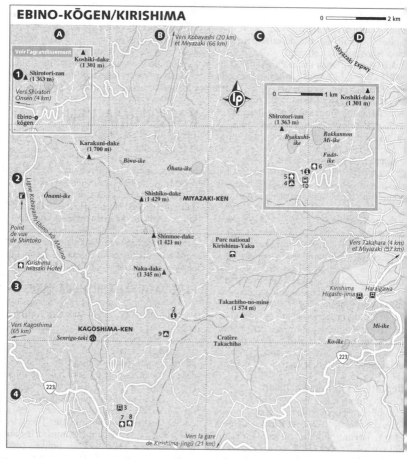

EBINO-KŌGEN/KIRISHIMA

À voir et à faire

MARCHES SUR LE PLATEAU D'EBINO

Le circuit des lacs Ebino-kōgen est une promenade facile de 4 km autour d'une série de lacs volcaniques, dont le **Rokkannon Mi-ike**, d'un bleu-vert intense. De l'autre côté de la route par rapport au lac, le Fudō-ike, au pied du Karakuni-dake, est un *jigoku* (source thermale) bouillant. La grimpée escarpée jusqu'au sommet du **Karakuni-dake** (1 700 m) contourne le bord du profond cratère avant de rejoindre le point le plus haut, à l'est. La vue panoramique vers le sud est fabuleuse, avec le lac de cratère parfaitement circulaire d'Ōnami-ike, le Shinmoe-dake arrondi et le cône du Takachiho-no-mine. Par temps clair, on distingue Kagoshima et le sommet fumant du Sakurajima. Le Naka-dake est une autre marche plaisante d'une demi-journée de marche, avec de belles vues sur les azalées de Miyama-Kirishima en mai et juin. Des cerfs sauvages peu farouches se promènent dans la ville d'Ebino-kōgen et se laissent photographier.

RANDONNÉES PLUS LONGUES

Les paysages lunaires au sommet des volcans sont extraordinaires. Si vous êtes en bonne forme physique et que vous disposez de 6 ou 7 heures, continuez du Karakuni-dake jusqu'aux Shishiko-dake, Shinmoe-dake, Naka-dake et jusqu'à Takachiho-gawara, où vous pouvez faire l'ascension du Takachiho-no-mine, un formidable volcan avec un immense cratère. Le chemin, qui serpente au-dessus et en dessous de la ligne des arbres, peut être boueux ou sec, dégagé ou brumeux ; des moines novices de Kagoshima l'empruntent tous les jours.

Si vous manquez le bus de l'après-midi (15h49) de Takachiho-gawara à Kirishima-jingū, une marche de 7 km descend vers le sanctuaire du village (ou 1 200 ¥ en taxi). Un taxi jusqu'à Ebino-kōgen revient à 3 750 ¥.

KIRISHIMA-JINGŪ 霧島神宮

Le **Kirishima-jingū** (☎ 0995-57-0001), un pittoresque sanctuaire orange vif, constitue un bon point de vue. Fondé au VIe siècle, le sanctuaire actuel date de 1715. Il est dédié à Ninigi-no-mikoto qui, selon le *Kojiki* (une chronique écrite en 712), aurait fait sa légendaire apparition au sommet du Takachiho-no-mine.

Le sanctuaire est accessible par bus (240 ¥, 15 min) de la gare JR de Kirishima-jingū. Les fêtes de **Saitan-sai** (1er janvier), d'**Ota-ue-sai** (mi-mars) et de **Kontō-sai** (fête des Lanternes ; 5 août) méritent le détour. Les amateurs de temples visiteront le Kirishima Higashi-jinja, entouré de cèdres vénérables et offrant une belle vue.

Où se loger et se restaurer

Le village d'Ebino-kōgen possède de bons hébergements et peu de restaurants. La plupart des commerces ferment à 17h ; pensez à faire des provisions.

Camping et lodge Ebino-kōgen (☎ 0984-33-0800, 0984-35-1111 ; empl/tente/bungalow à partir de 800/1 100/1 130 ¥/pers ; **P**). Un joli cours d'eau traverse ce charmant

camping, à 500 m du centre de l'écomusée. Il ouvre toute l'année et le prix des bungalows grimpe à 6 490 ¥ en juillet-août.

Camping Takachiho-gawara (☎ 0995-57-0996 ; empl 1 100 ¥ ; ⌚ juil-août ; **P**). La location d'une tente, avec couvertures et ustensiles de cuisine pour 5 personnes revient à 2 760 ¥.

Shiratori Onsen (白鳥温泉 ; ☎ 0984-33-1104 ; ch à partir de 2 850 ¥/pers ; **P**). Ce charmant onsen avec *rotemburo* (300 ¥) se tient à flanc de colline sur la route 30, entre Ebino ville et Ebino Kōgen. À l'automne, les *kōyō* (feuilles rougeoyantes) embrasent les arbres.

Kirishima Jingū-mae Youth Hostel (☎ 0995-57-1188 ; dort membre/non membre HI 3 200/3 800 ¥ ; **P**). Au sud-est de Kirishima-jingū, cette auberge de jeunesse propre et confortable sert le petit-déjeuner (500 ¥) et le dîner (1 000 ¥). Couvre-feu à minuit.

Minshuku Kirishima-ji (☎ 0995-57-0272 ; ch 4 500 ¥/pers). Accueillant et rudimentaire, cet établissement de 6 chambres avec sdb communes se situe près du sanctuaire et accueille nos lecteurs depuis des années. Petit-déjeuner à 700 ¥.

Karakuni-sō (☎ 0984-33-0650 ; fax 0984-33-4928 ; demi-pension 8 600 ¥/pers, annexe s/d/tr 5 200/8 200/9 200 ¥). Ce coquet *ryokan* d'Ebino-kōgen possède un merveilleux onsen, ouvert au public de 11h à 15h (300 ¥).

🏠 **Ebino-kōgen Onsen Hotel** (☎ 0984-33-0161 ; www. ebinokogenso.jp en japonais ; s/lits jum demi-pension à partir de 9 200/10 800 ¥ par pers ; **P** 🗙 💻). Les sympathiques réceptionnistes de ce grand "hôtel du peuple" parlent bien anglais. Les équipements sont excellents, l'emplacement superbe et le restaurant prépare de savoureux repas à prix raisonnables. Le charmant rotemburo est ouvert au public de 11h30 à 19h30 (500 ¥).

Depuis/vers le parc national Kirishima-yaku

Les principaux carrefours ferroviaires sont la gare JR de Kobayashi, au nord-est du plateau d'Ebino, et la gare de Kirishima-jingū, au sud. Le bus direct de Kagoshima à Ebino-kōgen (1 570 ¥, 1 heure 45) constitue le meilleur transport public ; les horaires changent fréquemment.

KIRISHIMA-SHI KOKUBU
霧島市国分

Au nord de Sakurajima, Kokubu est deuxième plus grande ville de la préfecture. Elle reste rurale malgré une population croissante et l'implantation de filiales des géants technologiques Kyōcera et Sony.

KYŪSHŪ

À voir

SITE JŌMON D'UENOHARA
上の原縄文遺跡

Les amateurs d'archéologie ne manqueront pas Uenohara, jadis un site isolé avec un parking vide et quelques distributeurs. Son aspect a changé depuis la découverte, lors de fouilles de routine, des plus anciens tessons de poteries de l'ère Jōmon, bouleversant les théories sur le développement de la civilisation au Japon. Il semble maintenant que les premiers humains soient arrivés du sud plutôt que du nord, à bord de canoës ou de radeaux le long des îles du Ryūkyū. Une reconstitution d'un village de l'époque Jōmon, avec démonstrations, outils et artefacts, font de ce beau **musée** (上野原縄文の森; ☎ 48-5701; 300¥; 9h-17h mar-dim) un endroit fascinant.

Comment s'y rendre et circuler

Kokubu se rejoint facilement en train de Kagoshima (voir p. 745). De la gare de Kokubu, des bus (400¥, 6/jour) rejoignent le site Jōmon d'Uenohara en 24 minutes. En sens inverse, le dernier bus part à 17h35. **Toyota Renta Lease** (☎ 0995-47-0600; 8h-20h), à 3 minutes de marche de la gare de Kokubu, loue des voitures ; tournez à gauche dans la première rue après la gare.

KAGOSHIMA 鹿児島
☎ 099 / 604 480 habitants

Ensoleillée et détendue, Kagoshima, la "Naples de l'Orient", est la ville la plus méridionale de Kyūshū. De l'autre côté de la baie, un volcan très actif crache régulièrement des cendres qui obscurcissent le soleil et recouvrent la cité. Imperturbables, les habitants se contentent d'ouvrir leurs parapluies pour se protéger.

Prévoyez quelques jours dans cette ville qui offre de nombreux sites et activités.

Histoire

Durant la majeure partie de son histoire, la préfecture de Kagoshima fut dominée par le clan Shimazu, qui conserva le pouvoir pendant près de 700 ans jusqu'à la Restauration de Meiji. En 1865, la famille aida une dizaine de jeunes gens à partir au Royaume-Uni pour étudier les technologies occidentales. Une statue devant la gare JR de Kagoshima commémore ces aventuriers qui bravèrent l'interdiction de quitter le pays.

Longtemps ouverte aux contacts avec l'étranger, la région de Kagoshima (ou Satsuma) fut pendant des années un important comptoir de négoce avec la Chine. L'arrivée de saint François Xavier en 1549 fit de Kagoshima, à l'instar de Nagasaki, un avant-poste de la chrétienté et de l'Occident. Des contacts furent aussi établis avec la Corée, dont les techniques de poterie influencèrent la création du Satsuma-yaki (voir p. 62).

Orientation

Kagoshima s'étend du nord au sud le long de la baie et possède deux gares JR ; Kagoshima Chūō, au sud, est la plus importante. Le centre-ville se situe au croisement de la galerie marchande de Tenmonkan-dōri et des lignes de tramway. Le jardin de Sengan-en (p. 738), l'un des principaux sites de la ville, se tient au nord de la gare JR de Kagoshima (l'autre gare). L'activité se concentre autour de Tenmonkan au nord de la Kōtsuki-gawa, qui offre souvent la vue sur le Sakurajima.

Renseignements

Plusieurs endroits en ville, dont le TIC, proposent un excellent guide en anglais : *Kagoshima*. Il répertorie de nombreuses activités et des excursions de 3 heures, une demi-journée, une journée, avec des cartes détaillées. Le bon site en anglais, www.synapse.ne.jp/update, n'est pas toujours mis à jour.

La poste principale (carte p. 742), près de la gare de Kagoshima-Chūō, possède un DAB.
Internet Café Aprecio (carte p. 742; ☎ 226-2077; 17-28 Nishisengoku-chō ; 300¥/30 min; 24h/24). À Tenmonkan.
Joy Road (carte p. 742; ☎ 253-2201; gare JR de Kagoshima-Chūō ; 10h-18h). Réservations de transports dans le pays.
Kagoshima International Exchange Plaza (carte p. 739; ☎ 221-6620 ; www.synapse.ne.jp/kia/e/index.htm ; 14-50 Yamashita-chō ; accès gratuit 30 minutes, ; 9h-17h, fermé lun). Proche de la gare JR de Kagoshima, une bonne adresse pour les étrangers : TV sat, magazines et livres à consulter.
Tourist Information Centre (TIC ; carte p. 742 ; ☎ 253-2500 ; gare JR de Kagoshima-Chūō ; 8h30-19h). De nombreuses informations en anglais et le guide *Kagoshima*.

À voir

SENGAN-EN (ISO-TEIEN) 仙巌園（磯庭園）
En 1658, le 19e seigneur Shimazu fit tracer en 1658, ce magnifique **jardin** (hors carte p. 739 ; ☎ 274-1551 ; 9700-1 Yoshinochō ; entrée avec/sans visite guidée villa et cérémonie du thé 1 500/1 000¥ ; 8h30-17h15) près de la baie, incorporant l'un des plus spectaculaires

KAGOSHIMA

0 _____ 1 km

Voir la carte Centre de Kagoshima (p. 742)

TRANSPORTS
Kagoshima eki-mae
鹿児島駅前............................ **7** C2
Terminal de Kita-futō
北埠頭................................... **8** D3
Kōtsūkyoku-mae 交通局前...... **9** B5
Embarcadère de Minami-futō
南埠頭................................ **10** D3
Nakasu-do 中洲通................. **11** A5
Sakurajima Sambashi-do
桜島桟橋通......................... **12** C2
Shiyakusho-mae 市役所前..... **13** C3
Suizokukan-guchi 水族館口... **14** C2
Takenohashi 武之橋.............. **15** B5

RENSEIGNEMENTS
Kagoshima International
Exchange Plaza
国際交流プラザ...................... **1** C3

À VOIR ET À FAIRE
Kagomma Onsen
かごしま温泉....................... **2** C2
Aquarium de Kagoshima
かごしま水族館................... **3** C3

OÙ SE LOGER
Nakazono Ryokan
中薗旅館............................. **4** C3

ACHATS
Dolphin Port
ドルフィンポート............... **5** C3
Futaya ふたや...................... **6** C3

KYŪSHŪ

"paysages empruntés" du pays : le pic fumant du Sakurajima. Remarquez le cours d'eau où le 21e seigneur Shimazu organisait des rencontres de poésie : les participants devaient composer un poème avant que la prochaine tasse de saké flotte jusqu'à eux. La villa de **Shimazu-ke** était jadis une autre résidence du clan Shimazu. Des femmes en kimono vous guident à travers la villa, puis vous servent un thé et des friandises traditionnels. Dans le jardin, d'autres maisons de thé vendent des *jambo* (gâteau de riz sur un bâton).

Le musée de **Shōko Shūseikan** (尚古集成館 ; entrée libre avec billet du jardin ; 🕐 8h30-17h15), à côté du Sengan-en, abritait autrefois la première usine du Japon, construite dans les années 1850. Les collections se rapportent au clan Shimazu. La plupart des 10 000 objets proviennent de la famille, dont d'anciens manuscrits, des souvenirs militaires et des poteries. Un atelier ressuscite l'art du *kiriko* (cristal taillé).

MUSÉES

Le **musée de la Restauration de Meiji** (carte p. 742 ; ☎ 239-7700 ; 23-1 Kaijiya-chō ; 300 ¥ ; 🕐 9h-18h 15 juil-31 août, 9h-17h 1er sept-14 juil) propose toutes les heures un spectacle de robots incarnant les réformateurs Meiji, dont Saigō Takamori (voir l'encadré ci-contre). Les expositions et les dioramas historiques évoquent les innovations de Kagoshima à l'ère Meiji. Commentaires essentiellement en japonais.

Le **musée d'Art de Kagoshima** (carte p. 742 ; ☎ 224-3400 ; 4-36 Shiroyama-chō ; 200 ¥ ; 🕐 9h30-18h mar-dim) présente une petite collection permanente d'œuvres de peintres modernes de Kagoshima, ainsi que des porcelaines et des estampes du XVIe siècle et de superbes peintures du Sakurajima.

Le **Reimeikan** (musée de la Culture de la préfecture de Kagoshima ; carte p. 742 ; 300 ¥ ; 🕐 9h-16h30 mar-dim) se tient sur l'ancien site du **Tsurumaru-jō**. Seuls restent les murs et la douve du château de 1602, avec des impacts de balles dans les pierres. À l'intérieur, d'intéressantes expositions retracent l'histoire de Satsuma et expliquent l'ancienne technique de fabrication de sabres.

AUTRES CURIOSITÉS

Kagoshima ne compte pas moins de 50 bains publics. À quelques minutes de marche de la gare JR de Kagoshima-Chūō, le **Nishida Onsen**

SAIGŌ TAKAMORI 西郷隆盛

Après avoir joué un rôle déterminant dans la Restauration de Meiji en 1868, Saigō Takamori fit volte-face en 1877 face à la limitation du pouvoir des samouraïs. Ce revirement provoqua la désastreuse révolte de Satsuma, au cours de laquelle le splendide château de Kumamoto fut réduit en cendres. Lorsque la défaite apparut inévitable, Saigō se retira à Kagoshima et se fit hara-kiri.

Malgré son statut controversé, à la fois héros et traître de la Restauration de Meiji, Saigō est un personnage majeur de l'histoire du Japon. Ses traits carrés et sa silhouette massive se reconnaissent instantanément. Kagoshima, comme l'Ueno-kōen à Tōkyō, possède une statue du grand homme (carte p. 742 ; voir p. 150), ainsi qu'un mémorial en l'honneur du samouraï.

(carte p. 742 ; 西田温泉 ; ☎ 255-6354 ; 12-17 Takasu 360 ¥), prisé des habitants, ne présente pas grand intérêt. Le **Kagomma Onsen** (carte p. 739 ; かごっま 温泉 ; ☎ 226-2688 ; 3-28 Yasui-chō ; 360 ¥ ; 🕐 10h-1 fermé 15 du mois), à 5 minutes de marche du port de Sakurajima, propose aussi l'hébergement (4000 ¥ la nuit).

L'**aquarium de Kagoshima** (carte p. 739 ; ☎ 22 2233 ; 3-1 Hon Minato Shinmachi ; adulte/enfant 1 500/750 ¥ 🕐 9h-17h) a recréé de splendides paysage marins où évoluent de multiples poissons Non loin, la plage d'**Iso-hama**, fréquentée e sans danger pour les enfants, offre la vue su le Sakurajima.

Agrandi en 2007, le **pavillon municipal de Sciences de Kagoshima** (carte p. 739 ; ☎ 250-8511 www.synapse.ne.jp/~kmsh-science/top.html, en japonais 2-31-18 Kamoike ; planétarium inclus adulte/enfant 900/350 ¥ 🕐 9h30-17h30) amusera petits et grands avec se expositions interactives, essentiellement e japonais. Le planétarium IMAX est réellemen extraordinaire.

Fêtes et festivals

Sogadon-no-Kasayaki (fête des Ombrelles en feu ; fin juillet). L'un des plus étranges événements de Kagoshima. Les garçons brûlent des ombrelles sur les berges de la Kōtsuki-gawa en mémoire de deux frères qui firent des torches de leurs ombrelles dans l'un des plus anciens récits de vengeance du pays.

Fête de l'Île du feu. Fin juillet sur le Sakurajima.

Festival Ohara. Le 3 novembre, danses folkloriques dans les rues ; les visiteurs sont invités à participer.

Où se loger

Kagoshima compte de nombreuses adresses d'un bon rapport qualité/prix. Mieux vaut séjourner vers Tenmonkan, car la gare est un peu excentrée.

PETITS BUDGETS

Kagoshima Little Asia Guesthouse (carte p. 742 ; ☎ 251-8166 ; www.cheaphotelasia.com ; Yamano Bldg, 2-20-8 Nishida ; dort/s 1 500/2 500 ¥ ; ☒ ☐ ; ☒ JR Kagoshima). Vous ne trouverez pas moins cher au Japon. Cette pension très simple, propre et chaleureuse se situe à deux pas de la gare. Prêt de vélo (1 heure) et accès Internet gratuits. Laverie.

Hotel Ishihara-sō (carte p. 742 ; ☎ 254-4181 ; 4-14 Chūō-chō ; s/d 3 990/7 980 ¥ ; ☒ JR Kagoshima-chuō). Les chambres propres et soignées et le restaurant Satsuma au rez-de-chaussée en font une excellente adresse à prix doux près de la gare.

Nakazono Ryokan (carte p. 739 ; ☎ 226-5125 ; 1-8 Yasui-chō ; s/d/tr 4 200/8 400/11 970 ¥ ; ☒). Affilié au Japanese Inn Group, cet établissement traditionnel accueille nos lecteurs depuis des années et vous fera découvrir l'hospitalité locale. Central et confortable, il reflète la personnalité du propriétaire.

Hotel Gasthof (carte p. 742 ; ☎ 252-1401 ; www.gasthof.jp, en japonais ; 7-1 Chūō-chō ; s/d/lits jum/tr 5 565/8 400/8 925/12 600 ¥ ; ☒ ☐ ; ☒ JR Kagoshima-chuō). La vieille Europe rencontre le Japon urbain dans cet hôtel de 48 chambres spacieuses, aux meubles en bois massif. Les triples et les chambres communicantes séduiront les familles. Il se tient près de la gare.

Plaza Hotel Tenmonkan (carte p. 742 ; ☎ 222-3344 ; fax 222-9911 ; 7-8 Yamanokuchi-chō ; s/d/lits jum avec petit déj à partir de 5 700/10 300/11 000 ¥ ; ☒ ☐). Très bien situé, cet hôtel d'affaires compte 224 petites chambres pimpantes et propose un buffet généreux au petit-déjeuner.

CATÉGORIE MOYENNE

Sun Days Inn Kagoshima (carte p. 739 ; ☎ 227-5151 ; fax 227-4667 ; www.sundaysinn.com, en japonais ; 9-8 Yamanokuchi-chō ; s/d/lits jum 6 300/9 300/10 300 ¥ ; ☒ ☐). Élégant, moderne, de style européen, il présente un excellent rapport qualité/prix. Les chambres sont compactes, mais joliment décorées et bien aménagées, avec des lits confortables et une douche. L'immense deluxe, avec deux lits doubles et un canapé, revient à 25 000 ¥. Des tarifs plus avantageux sont proposés en ligne, en japonais.

Chisun Inn Kagoshima (carte p. 742 ; ☎ 227-5611 ; fax 227-5612 ; www.solarehotels.com/english/chisun/inn-kagoshima/guestroom/detail.html ; 1-3 Gofuku-chō ; s/d 6 800/12 000 ¥ ; ☒ ☐). Très bien situé et facile à trouver en face de l'arrêt de tramway Tenmonkan-dōri, ce nouvel hôtel offre des petites chambres fraîches et certaines avec lits superposés pour les familles. Connexion Internet LAN gratuite.

Lexton Hotel (carte p. 742 ; ☎ 222-0505 ; www.nisikawa.net/lexton/english ; 4-20 Yamanokuchi-chō ; s/d à partir de 7 350/11 550 ¥ ; ☒ ☒ ☐). Apprécié pour les réceptions de mariage, ce bel hôtel date un peu mais reste séduisant. Les chambres, de bonne taille, sont disposées autour d'un atrium baigné de lumière. Un onsen est à disposition. Le site Internet donne un aperçu des chambres.

Blue Wave Kagoshima (☎ 224-3211 ; fax 224-3212 ; www.bluewaveinn.jp/kagoshima, en japonais ; 2-7 Yamanokuchi-chō ; s/lits jum 7 665/15 225 ¥ ; ☒ ☐). Au cœur de Tenmonkan, cet hôtel moderne constitue une bonne adresse pour les voyageurs d'affaires et les touristes. Une supérette Family Mart est installée sur place.

Onsen Hotel Nakahara Bessō (carte p. 742 ; ☎ 225-2800 ; fax 226-3688 ; 15-19 Terukuni-chō ; ch avec/sans demi-pension à partir de 12 600/8 400 ¥/pers ; ☒ ☒). En face d'un joli parc et tenu par une famille, l'établissement existe depuis 1904. Ignorez la façade sans grâce et entrez pour découvrir de grandes chambres de style japonais, un *rotemburo* moderne, des œuvres d'art traditionnelles et un bon restaurant de *satsuma-ryōri*.

Où se restaurer

L'agréable climat de Kagoshima invite à sortir. Le quartier de la gare JR de Kagoshima-Chūō et les petites rues de Tenmonkan abritent quantité de restaurants, proposant pour la plupart de la cuisine régionale *satsuma-ryōri*. Essayez les *tonkotsu* (côtes de porc avec miso et sucre noir) et le *satsuma-age* (gâteau de poisson frit au saké).

Ōshō (carte p. 742 ; ☎ 253-4728 ; 1-4 Chūō-machi ; plats 200-570 ¥ ; ☺ déj et dîner). Juste au nord de la gare, ce restaurant sans prétention sert du *kara-age* (poulet frit), du riz sauté, des *gyōza* et des soupes. La cuisine est savoureuse, le service rapide et les prix très raisonnables. Carte illustrée à l'entrée.

◐ Kumatora Ikka (carte p. 742 ; ☎ 219-3948 ; 2ᵉ niv, Horie Bldg, 14-17 Sennichi-chō ; plats à partir de 300 ¥ ; ☺ dîner, fermé lun). Une excellente ambiance règne dans cet *izakaya*, décoré d'éclectiques souvenirs pop de l'ère Shōwa (1926-1989).

CENTRE DE KAGOSHIMA

Ⓐ Ⓑ Ⓒ Ⓓ

1

Shiroyama-kōen

Ⓜ 7

Terukuni-jinja

Ⓜ 10

Shinban-bashi

Ⓗ 18

2

22

Église Saint-
François-Xavier

32

Mémorial à saint
François-Xavier

**Parc Saint-
François-Xavier**

Hirata-bashi

Caparvo
Hall

Nishida-hondōri

I'm
Building   45

Nigiwai-dōri

Rte 1

3

Ⓜ 9

Nishida-bashi

Takami-baba

Ⓗ 12

28
Ⓗ

Ⓗ 53

Kajiya-chō

17 Ⓗ

Ⓘ 35

48

Statue of Ōkubo
Toshimichi

Rte 2

4

Ⓗ 30 Ⓜ
16   26

15
Ⓗ

Takami-
bashi

Shiritsubyōin-mae Ⓗ 52

Ligne Kagoshima

Takamibashi

54

Kōtsuki-gawa

Ⓗ 23

Ⓧ
1

Shiritsu-
byōin
Ⓗ

Ōgan-dōri

Grand
magasin
Daiei

47

Vers le JR Kyūshū
Hotel Kagoshima
(30 m)

41

46 Gare
de Kagoshima
Chūō

Ⓗ
14

8 Ⓜ

Nanshū-
bashi

Kōrai-
bashi

5

Kagoshima
Chūō

Statue des
17 jeunes
pionniers

Ⓗ 6

56

Kōtsuki-
bashi

21 Ⓜ Amu Plaza

Ⓢ
4

Ⓢ
DAB
postal

● 3

50

37

Naples-dōri

Kyōken-
kōen

6

Miyako-dōri

Miyako-dō   49

KYŪSHŪ

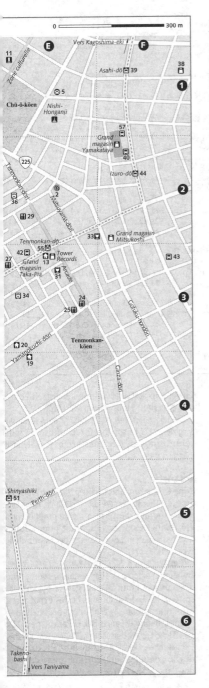

Les jeunes Japonais viennent boire quelques bières et se régaler d'une cuisine roborative. Essayez par exemple les *hitokuchi-gyōza* (750 ¥ les 20). Repérez la devanture en bois sombre et l'escalier qui mène à l'étage. De la rue, on voit des visages à travers les fenêtres.

Izakaya Wakana (carte p. 742 ; ☎ 286-1501 ; 2-21-21 Nishida-chō ; plats à partir de 600 ¥ ; ☽ déj et dîner). La succursale de Kagoshima-Chūō de cette célèbre enseigne locale se situe à 2 minutes de marche de la sortie ouest de la gare. Goûtez le *kushiage moriawase* (assortiment de 5 brochettes, 650 ¥) ou le *miso oden moriawase* (fondue ; 4 variétés, 700 ¥). Repérez le *noren* rouge (court rideau en tissu).

Xiang Xiang (carte p. 742 ; ☎ 255-0468 ; 1-11 Chuō-machi ; plats à partir de 735 ¥ ; ☽ déj et dîner, fermé lun). À côté de l'Ōshō, ce restaurant bien tenu sert une cuisine vietnamienne délicatement parfumée. Quelques serveurs parlent anglais. Carte en anglais.

Sunny Public Market (carte p. 742 ; ☎ 219-9550 ; 1-30 Higashi-sengoku-chō ; plats à partir de 850 ¥ ; ☽ déj et dîner). Les créateurs de la marque Wakana ont ouvert cette belle trattoria en plein air qui mitonne une délicieuse cuisine européenne. À midi, le menu *obentō* à l'occidentale (*Himawari yōfū bokkusu*) est une excellente affaire à 950 ¥ (1 300 ¥ le week-end).

No No Budo (carte p. 742 ; ☎ 206-7585 ; 5ᵉ niv, Amu Plaza ; buffet déj/dîner 1 480/1 980 ¥ ; ☽ déj et dîner ; ⊠ ⚥ Ⓥ). À l'Amu Plaza, près de la gare JR de Kagoshima-Chūō, ce sympathique buffet à volonté permet de se régaler de plats alléchants, en self-service.

Meigetsu (carte p. 742 ; ☎ 225-5174 ; 9-1 Sennichi-chō ; viande pour 2 à partir de 3 000 ¥ ; ☽ dîner). Réputé le meilleur *yakiniku* (barbecue à cuire soi-même) de la ville, ce beau restaurant-bar à bière se tient au cœur du quartier des loisirs, près de la principale galerie marchande de Yamanokuchi. Remarquez le décor rouge et blanc des années 1980. Commandez un *nimei-moriawase* (assortiment de 500 g de viande pour deux, 3 000 ¥), ou grimpez à l'étage pour un *sukiyaki*.

Curryteria Sara (carte p. 742 ; ☎ 223-8240 ; 5-26 Higashi-sengoku-chō ; curries à partir de 1 300 ¥ ; ☽ déj et dîner, fermé lun). Facile à trouver près de la galerie marchande Tenmonkan, ce restaurant détendu prépare de délicieux curries rouges et noirs. Goûtez le *kagoshima kuro-karee* (curry noir), avec du porc noir, des légumes et des épices locaux (1 350 ¥).

KYŪSHŪ

À Tenmonkan, le **Tontoro** (carte p. 742 ; ☎ 222-5857 ; 9-41 Yamanokuchi ; rāmen à partir de 500 ¥ ; ⓧ jusque tard) et le **Wadaya** (carte p. 742 ; ☎ 226-7773 ; 11-2 Higashi-sengoku-chō ; bols 630-800 ¥ ; ⓧ déj et dîner) sont deux bonnes adresses pour les *rāmen*. L'Amu Plaza, à la gare JR de Kagoshima-Chūō, possède de bons restaurants dans les étages supérieurs et un excellent espace de restauration au sous-sol.

Où prendre un verre

Tenmonkan, le cœur de l'action, regroupe bars, discothèques et karaokés. La plupart des boîtes de nuit s'animent à partir de 23h, et de nombreux bars font payer l'entrée (de 500 à 1 000 ¥).

Salisbury Pub (carte p. 742 ; ☎ 223-2389 ; 2ᵉ niv, Shigenobu Bldg, 1-5 Gofuku-chō ; ⓧ 18h30-1h, fermé mar). En face du grand magasin Mitsukoshi, ce bar tranquille et élégant attire une clientèle trentenaire et propose un bon choix de bières et de vins importés. Carte des plats en japonais.

Beer Reise (carte p. 742 ; ☎ 227-0088 ; sous-sol, Hirata Bldg, 9-10 Sennichi-chō ; ⓧ 18h-1h). Ce petit bar

chaleureux sert de la Guinness et de la Kilkenny à la pression. Happy-hour de 18h à 19h.

Kanejō (carte p. 742 ; ☎ 223-0487 ; 2ᵉ niv, 7-20 Higashi-sengoku-chō). Maison de thé chinoise dans la journée, le Kanejō se transforme en charmant bar jazzy en soirée.

Où sortir

Wine & Jazz Pannonica (carte p. 742 ; ☎ 216-3430 ; 2ᵉ niv, 7-10 Higashi-sengoku-chō ; ⓧ 18h-2h, fermé lun). Le Pannonica d'origine a fermé en 2000 et a été remplacé par ce restaurant pour adultes avertis, avec concerts de jazz occasionnels le week-end.

Recife (carte p. 742 ; ☎ 258-9774 ; 2-1-5 Takashi). Bohème et détendu, ce bar-restaurant comprend une console pour DJ et organise parfois des soirées. Prisé des habitants et des expatriés, il offre une ambiance résolument brésilienne.

Latin Dining & Sports Bar El Para (carte p. 742 ; ☎ 223-3464 ; 2ᵉ niv, Diamond Bldg, 11-7 Yamanokuchi-chō ; ⓧ 18h-1h, fermé lun). Une fabuleuse carte de tapas, des box douillets, du sport sur grand écran et des jeux de fléchettes.

KYŪSHŪ

Achats

Parmi les spécialités régionales figurent des poupées particulières et des cartes imprimées avec des encres fabriquées avec les cendres du Sakurajima. Les cendres servent également à confectionner les poteries Sakurajima, bien que les céramiques soient principalement des Satsuma-yaki (terme désignant les diverses poteries de la région de Satsuma) blanches et noires. L'*imo jōchū* (voir l'encadré ci-contre) est la boisson locale.

Futaya (carte p. 739 ; ☎ 222-5261 ; 5-20 Yasui-chō). Vend des kimonos anciens et des souvenirs à petits prix. Près du Nakazono Ryokan.

Asa-ichi (carte p. 742 ; ☺ 6h-12h lun-sam). Le marché du matin de Kagoshima s'installe juste au sud de la gare JR de Kagoshima-Chūō.

Dolphin Port (carte p. 739 ; ☎ 226-2233 ; 5-4 Honminato-shinmachi). Sur le front de mer, un endroit plaisant pour flâner entre des boutiques et des restaurants séduisants.

Vous trouverez des articles traditionnels et des produits régionaux au Sengan-en (Isoteien ; p. 738) et à la **Kagoshima Brand Shop** (carte p. 742 ; ☎ 225-6120 ; 1ᵉʳ niv, Sangyo Kaikan bldg, 9-1 Meizan-chō ; ☺ 9h-17h), à Tenmonkan.

L'Amu Plaza, à la gare JR de Kagoshima-Chūō, compte d'innombrables boutiques.

Depuis/vers Kagoshima

AVION

L'aéroport de Kagoshima offre des liaisons avec Hong Kong, Shanghai et Séoul et des vols intérieurs pour Tōkyō (38 900 ¥, 1 heure 30), Ōsaka (26 800 ¥, 1 heure), Fukuoka (18 600 ¥, 45 min), Yakushima (13 900 ¥, 30 min) et Okinawa (Naha ; 26 300 ¥, 1 heure 25).

BATEAU

Des ferries traversent la baie toutes les 10 à 30 minutes jusqu'à Sakurajima (150 ¥, 15 min). Des hydroptères partent de Kita-futō (embarcadère nord) pour Yakushima (à partir de 7 000 ¥, 3 heures). Les ferries réguliers pour Yakushima partent de Minami-futō (embarcadère sud ; à partir de 4 200 ¥, 13 heures). À Kagoshima Shin-kō (nouveau port de Kagoshima), **Queen Coral Marix Line** (☎ 225-1551) propose des ferries pour Naha (Okinawa) *via* l'archipel d'Amami (14 600 ¥, 25 heures).

BUS

Les bus longue distance partent de l'Express Bus Center, en face de l'Amu Plaza. Ils font

> **LE SHŌCHŪ**
>
> Le *shōchū*, un alcool fort distillé, est la boisson de prédilection à Kyūshū. Le sud de l'île enregistre la plus forte consommation, ce qui contribue peut-être à l'ambiance détendue ! Chaque préfecture possède sa propre variante. À Kumamoto, on le fabrique habituellement avec du riz, et à Oita, avec de l'orge. Dans les *izakaya* (bar-restaurant) du Sud, on ne jure que par l'*imo-jōchū*, à base de patate douce. Le *shōchū* peut se boire sec, avec du soda ou des glaçons. Cependant, le mode le plus traditionnel (*oyu-wari*, soit avec de l'eau chaude) consiste à le boire dans une petite tasse après l'avoir chauffé dans un récipient en pierre sur des braises.

halte près de la gare de Kagoshima-Chūō et à Yamakataya (carte p. 742), dans Tenmonkan.

Ils desservent notamment Miyazaki (2 700 ¥, 2 heures 45), Fukuoka (5 300 ¥, 4 heures), Ōita (5 500 ¥, 6 heures) et Ōsaka (12 000 ¥, 12 heures, bus de nuit).

Les bus Hayashida pour Ebino-kōgen (1 550 ¥, 2 heures) partent de la gare JR de Kagoshima-Chūō.

TRAIN

La plupart des trains passent par la gare JR de Kagoshima-Chūō. La ligne JR Kagoshima file vers le nord jusqu'à Kumamoto (*shinkansen/ tokkyū* ; 6 350 ¥, 1 heure 10, correspondance à Shin-Yatsushiro) et Fukuoka (*shinkansen/ tokkyū* ; 8 920 ¥, 2 heures 30, correspondance à Shin-Yatsushiro). La ligne JR Nippō dessert Miyazaki (*tokkyū* ; 3 790 ¥, 2 heures) et Beppu (9 460 ¥, 5 heures).

Des trains partent également au sud jusqu'à la station thermale d'Ibusuki (p. 748) et continuent autour d'une partie de la péninsule de Satsuma (*kaisoku* ; 970 ¥, 55 min).

Comment circuler

DEPUIS/VERS L'AÉROPORT

Des bus express partent toutes les 20 minutes de la gare JR de Kagoshima Chūō pour l'aéroport de Kagoshima (1 200 ¥, 40 min).

BUS

La ville possède un vaste réseau de bus, mais les tramways sont plus pratiques.

Le City View Bus (180 ¥) fait le tour des principaux sites et part toutes les 30 minutes de

KYŪSHŪ

9h à 17h, tous les jours. Vous pouvez monter et descendre du bus quand vous le désirez. Le forfait d'une journée (600 ¥) est également valable dans les tramways. Le billet à l'unité vaut 180 ¥.

TRAMWAY

Le tramway est le moyen de transport le plus pratique en ville. La ligne 1 part de la gare de Kagoshima, traverse le centre et continue vers la banlieue. La ligne 2 diverge à Takami-baba vers la gare JR de Kagoshima-Chūō et aboutit à Korimoto. Vous pouvez acheter un billet (180 ¥) ou un forfait d'une journée (600 ¥) au TIC ou dans les tramways.

VÉLO

Vous pouvez louer un vélo (2 heures/jour 500/1 500 ¥) à la gare JR de Kagoshima-Chūō et le rendre à l'un des hôtels affiliés (300 ¥). Une remise de 40% est accordée aux détenteurs du forfait JR. Renseignez-vous au TIC (p. 738).

VOITURE

Pour des excursions dans la péninsule de Satsuma, louez une voiture auprès de **Nankyu Senpaku** (☎ 422-1083) ou de **Kagoshima Shosen** (☎ 334-0012). Pour de plus longs trajets, préférez **Eki Rent-a-Car** (carte p. 742 ; ☎ 258-1412 ; www.ekiren. co.jp, en japonais ; 2ᵉ niv, TIC, gare JR de Kagoshima-Chūō ; 12 heures à partir de 4 720 ¥ ; ☼ 8h-20h) ou **Toyota Renta Lease** (carte p. 742 ; ☎ 268-0100 ; http://rent.toyota.co.jp/en/index.html ; 5-46 Chūō-machi, gare JR de Kagoshima-Chūō ; 12 heures à partir de 525 ¥ ; ☼ 8h-20h).

SAKURAJIMA 桜島
☎ 099 / 5 800 habitants

Dominant l'horizon de Kagoshima, le cône menaçant de ce volcan actif émet fumées et cendres presque continuellement depuis 1955. L'éruption la plus violente a eu lieu en 1914, quand le volcan a déversé trois milliards de tonnes de lave, engloutissant de nombreux villages et transformant l'île en presqu'île. Si vous séjournez suffisamment longtemps, vous observerez probablement une activité volcanique, en espérant qu'elle restera modérée.

Actuellement, le Sakurajima reste suffisamment calme pour pouvoir s'en approcher. Des trois pics, seul le Minami-dake (1 040 m) est actif. Les visiteurs ne peuvent pas escalader le volcan, mais plusieurs points de vue sont accessibles et des chemins traversent un coin de l'immense coulée de lave. Si certaines parties du Sakurajima sont couvertes d'une épaisse couche de cendres volcaniques ou de lave, d'autres endroits possèdent un sol exceptionnellement fertile. D'énormes *daikon* (radis blanc), pesant jusqu'à 35 kg, et de minuscules *mikan* (oranges), de 3 cm de diamètre, sont cultivés localement.

Renseignements

Bureau d'information (terminal des ferries ; ☼ 8h30-17h). Cartes et horaires à disposition.
Centre d'accueil des visiteurs de Sakurajima (☎ 293-2443 ; ☼ 9h-17h). Près du terminal des ferries ; expositions sur le volcan, avec une maquette animée qui montre sa croissance.

À voir et à faire

Une voiture constitue le meilleur moyen pour explorer l'île et quelques heures suffisent pour visiter tous les sites. Les plus sportifs pourront faire le tour de l'île à vélo en une journée. Au sud du centre des visiteurs, le **point de vue de Karasujima** est l'endroit où la lave combla le chenal de 500 m entre l'île et Kyūshū. La coulée de lave recouvrit trois villages, détruisant plus de 1 000 maisons.

En continuant le tour de l'île dans le sens inverse des aiguilles d'une montre, vous arriverez au **Furusato Kankō Hotel** et à son **rotemburo** (☎ 211-3111 ; 1 050 ¥, casier et serviette 410 ¥ ; ☼ clients de l'hôtel 6h-22h, visiteurs 8h-20h, fermé lun et jeu matin), niché parmi les rochers en bord de mer. Comme il s'agit aussi d'un sanctuaire, on vous remettra un *yukata* (kimono en coton) à porter dans le bain, mixte. Vous atteindrez ensuite **l'observatoire de la lave d'Arimura**, l'un des meilleurs endroits pour regarder la chape de fumée sur le Minami-dake et la coulée de lave. Plus loin, le **torii enseveli de Kurokami**, haut de 3 m, est au deux tiers noyé dans la cendre volcanique. Sur la côte nord, vous pourrez vous baigner dans les eaux chaudes et terreuses du **Shirahama Onsen Centre** (☎ 293-4126 ; 300 ¥ ; ☼ 10h-21h), arrosé de cendres la majeure partie de l'année.

Circuits organisés

Des bus touristiques pour Sakurajima partent de la gare JR de Kagoshima-Chūō à 8h50 (adulte/enfant 4 000/2 000 ¥, 6 heures). Les circuits sont commentés en japonais et une transcription en anglais est disponible. Ils constituent le seul moyen de découvrir l'île si vous n'avez pas de voiture et peu de temps.

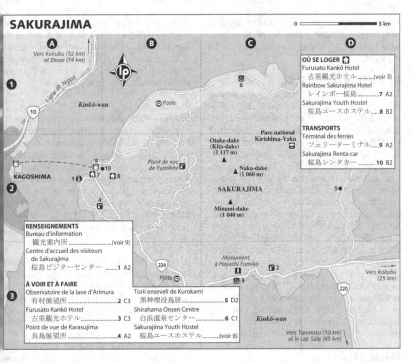

SAKURAJIMA

0 ▭ 3 km

Vers Kokubu (52 km)
et Ebino (74 km)

Ligne JR Nippo

Kinkō-wan

⊠ Poste

Parc national
Kirishima-Yaku

Otake-dake
(Kita-dake)
(1 117 m)

Naka-dake
(1 060 m)

Point de vue
de Yunohira

SAKURAJIMA

Minami-dake
(1 040 m)

KAGOSHIMA

Monument
à Hayashi Fumiko

Pôste ⊗

Vers Kokubu
(25 km)

Kinkō-wan

Vers Tarumizu (10 km)
et le cap Sata (65 km)

OÙ SE LOGER
Furusato Kankō Hotel
古里観光ホテル ....(voir 3)
Rainbow Sakurajima Hotel
レインボー桜島 **7** A2
Sakurajima Youth Hostel
桜島ユースホステル....**8** B2

TRANSPORTS
Terminal des ferries
フェリーターミナル.....**9** A2
Sakurajima Renta-car
桜島レンタカー **10** B2

RENSEIGNEMENTS
Bureau d'information
観光案内所 ....(voir 9)
Centre d'accueil des visiteurs
de Sakurajima
桜島ビジターセンター **1** A2

À VOIR ET À FAIRE
Observatoire de la lave d'Arimura
有村展望所 **2** C3
Furusato Kankō Hotel
古里観光ホテル...............**3** C3
Point de vue de Karasujima
烏島展望所 **4** A2

Torii enseveli de Kurokami
黒神埋没鳥居..............................**5** D2
Shirahama Onsen Centre
白浜温泉センター...................**6** C1
Sakurajima Youth Hostel
桜島ユースホステル............(voir 8)

Où se loger

Si vous restez quelques jours à Kagoshima, essayez de passer une nuit à Sakurajima. Un camping sans prétention, ouvert en saison, fait face au centre des visiteurs.

Sakurajima Youth Hostel (☎ /fax 293-2150 ; dort avec/sans demi-pension 3 870/2 650 ¥ ; P ⊠ 🖳). À moins de 500 m du terminal des ferries, cette sympathique auberge de jeunesse possède un onsen pour hommes et femmes (à la porte, tournez l'écriteau en anglais pour indiquer votre sexe et le bain est à vous). Prenez le ferry de 21h à Kagoshima pour arriver avant la fermeture de la réception.

Rainbow Sakurajima Hotel (☎ 293-2323 ; www.rainbow-sakurajima.com, en japonais ; d et lits jum demi-pension à partir de 10 185 ¥/pers). À côté du terminal des ferries, cet hôtel charmant offre la vue sur le volcan fumant d'un côté, et sur la baie et Kagoshima de l'autre. La plupart des chambres, de style occidental, donnent sur la mer. L'établissement comprend un onsen ouvert au public (300 ¥ ; 8h-20h) et un *beer garden* au bord de la baie, ouvert en été.

Furusato Kankō Hotel (☎ 221-3111 ; www.furukan. co.jp, en japonais ; ch demi-pension à partir de 10 150 ¥/pers).

Ce superbe hôtel ancien en bordure de mer est progressivement rénové et ses nouvelles chambres, avec *rotemburo* privé sur le balcon, sont fantastiques. Celles côté mer, plus vieillottes, sont aussi plus abordables. Cette adresse exceptionnelle, les pieds dans l'eau à l'ombre d'un volcan actif, sort de l'ordinaire.

Comment s'y rendre et circuler

Un car-ferry fait fréquemment la navette 24h/24 entre Kagoshima et Sakurajima (150 ¥, 15 min). Le terminal est à courte distance en bus de la gare JR de Kagoshima-Chūō. Prenez le City View Bus, ou n'importe quel bus en direction de l'aquarium, et descendez à Suizokukan-mae (180 ¥, toutes 30 min).

Il est difficile de circuler dans Sakurajima sans un moyen de transport indépendant. **Sakurajima Renta Car** (☎ 293-2162), près du terminal des ferries, loue des vélos (1 heure/2 heures 400/600 ¥) et des voitures (2 heures 6 500 ¥).

Des bus locaux circulent régulièrement dans l'île jusqu'à 20h. Du terminal des ferries, des bus JR passent par Furusato Onsen (¥290) et grimpent jusqu'à l'observatoire de la lave d'Arimura. Par ailleurs, le Furusato Kankō

KYŪSHŪ

Hotel offre une navette gratuite depuis/ vers le port environ toutes les demi-heures, sauf pendant le déjeuner et quand l'onsen est fermé.

PÉNINSULE DE SATSUMA 薩摩半島

La péninsule au sud de Kagoshima mérite le détour pour son joli paysage rural, la paisible bourgade de Chiran et les bains de sable d'Ibusuki. De l'autre côté de la baie de Kagoshima (Kinkō-wan), le cap Sata est le point le plus méridional du Japon "continental".

Explorer la péninsule en train et en bus demande du temps. La ligne JR Ibusuki-Makurazaki file vers le sud de Kagoshima jusqu'à Ibusuki, puis tourne à l'ouest vers Makurazaki, où l'on peut revenir à Kagoshima avec un bus local. Louer une voiture à Kagoshima est une bonne idée (voir p. 746) et permet de découvrir des vues splendides le long de la route panoramique d'Ibusuki, au sud de Chiran.

Des circuits en bus partent tous les jours de la gare JR de Kagoshima-Chūō pour Ibusuki et Chiran. Un bus touristique (4 550 ¥) part pour Chiran à 8h50, fait le tour des sites, se rend ensuite à Ibusuki, et termine l'excursion par un bain dans une source thermale.

Chiran 知覧

☎ 0993 / 13 453 habitants

À 34 km au sud de Kagoshima, Chiran est une charmante bourgade avec une jolie rivière, des maisons de samouraïs restaurées et un mémorial aux pilotes kamikazes de la Seconde Guere mondiale. Chiran était l'une des bases d'où ils partaient pour leur dernière mission.

Datant du milieu de la période d'Edo, les sept **maisons de samouraïs** (武家屋敷 ; ☎ 83-2511 ; 500 ¥ ; ◷ 9h-17h), le long de la même rue, possèdent de remarquables jardins avec "paysage emprunté". L'eau est habituellement symbolisée par du sable ou des graviers. Un cours d'eau peuplé de carpes coule le long de la rue.

Dans la rue des samouraïs, le **Taki-An** (高城庵) est une maison traditionnelle avec un jardin où vous pouvez vous asseoir sur des tatamis pour déguster un bol de *soba* (600 ¥) et boire le célèbre thé vert de Chiran.

Le **musée de la Paix des kamikazes** (知覧特攻平和会館 ; ☎ 83-2525 ; 500 ¥ ; ◷ 9h-16h30), à 2 km à l'ouest de la ville, présente une collection d'avions, de souvenirs et de photos ayant appartenu à ces jeunes gens enrôlés dans les unités spéciales d'attaque pendant la Seconde Guerre mondiale.

Des bus Kōtsū partent de la gare JR de Kagoshima-Chūō et de la gare routière de Yamakataya, à Tenmonkan, pour Chiran (920 ¥, 1 heure 20). De Chiran, des bus peu fréquents desservent Ibusuki (940 ¥, 65 min) et s'arrêtent le long de la nationale.

Ibusuki 指宿

☎ 0993 / 46 250 habitants

À la pointe sud-est de la péninsule de Satsuma, à 50 km de Kagoshima, la station thermale d'Ibusuki est un havre de paix en basse saison, surtout à la nuit tombée. La gare d'Ibusuki se situe à 1 km du front de mer et de la plupart des hébergements. Les quelques restaurants se regroupent près de la gare. Le **comptoir d'information** (☎ 22-2111 ; ◷ 8h30-17h) de la gare dispose de cartes sommaires et vous renseignera.

À FAIRE

Devant la plage, les bains de sable du **Tennen Sunamushi Kaikan** (天然砂蒸し会館 ; ☎ 23-3900 ; 900 ¥ ; ◷ 8h30-12h et 13h-21h), supposés purifier le sang, ont fait la réputation d'Ibusuki. Payez l'entrée, enfilez le *yukata* fourni et descendez jusqu'à la plage où des femmes attendent pelle à la main pour vous enterrer dans le sable volcanique. Les réactions vont de la panique à l'euphorie. Quinze minutes est la durée recommandée, mais beaucoup restent plus longtemps. Ensuite, revenez pour plonger dans l'onsen.

Yoshi-no-yu (吉の湯 ; ☎ 22-3556 ; 300 ¥ ; ◷ 14h-21h, fermé jeu) est un charmant onsen avec un délicieux *rotemburo* dans le jardin.

OÙ SE LOGER ET SE RESTAURER

Tamaya Youth Hostel (圭屋ユースホステル ; ☎ 22-3553 ; dort avec demi-pension/petit déj 4 915/3 970 ¥). Cette auberge de jeunesse, la plus proche des bains de sable, accueille volontiers nos lecteurs. Repérez le palmier à l'avant.

Minshuku Marutomi (民宿丸富 ; ☎ 22-5579 ; fax 22-3993 ; ch demi-pension à partir de 7 500 ¥). Cet établissement chaleureux, au coin du Ryokan Ginshō, sert de délicieux repas de poisson à ses hôtes.

Iwasaki Hotel (いわさきホテル ; ☎ 22-2131 ; http://ibusuki.iwasakihotels.com/en ; lits jum à partir de 15 015 ¥ ; P X &). De style années 1980, cet immense complexe hôtelier comprend un golf, un onsen, des piscines et des hectares de jardins paysagers. Les enfants sont les bienvenus. Toutes les chambres font face à l'océan. Un bar de plage festif ouvre en été.

Ryokan Ginshō (旅館吟松 ; ☎ 22-3231 ; www. ginsyou.co.jp, en japonais ; ch demi-pension à partir de 15 750 ¥/pers ; **P**). En bord de plage, ce *ryokan* haut de gamme possède un délicieux *rotemburo* au 9e niveau, avec des douches éclairées aux lanternes et un charmant jardin de détente. Comptez à partir de 17 850 ¥ pour une chambre face à la mer ; certaines chambres disposent d'un bain installé sur le balcon.

Aoba (青葉 ; ☎ 22-3356 ; plats à partir de 480 ¥ ; ◷ déj et dîner, fermé mer). À 2 minutes de marche à gauche de la gare, ce joli bâtiment gris comporte un *noren* blanc et des plantes à l'entrée. Le menu *kurobuta roosukatsu* (côtelettes de porc noir panées) à 1 320 ¥ est excellent et les gourmets essaieront le *jidori sashimi* (poulet cru émincé) Satsuma à 780 ¥.

DEPUIS/VERS IBUSUKI

De Kagoshima, les bus rallient Ibusuki en moins de 2 heures (850 ¥). Le train JR Deluxe Nano-Hana est plus rapide (1 000 ¥, 1 heure).

ENVIRONS DE LA PÉNINSULE DE SATSUMA

Peuplé d'anguilles géantes, l'**Ikeda-ko** est un lac de cratère à l'ouest d'Ibusuki. Au sud du lac, le **cap Nagasaki-bana** offre, par temps clair, la vue sur les îles au large.

De l'arrêt de bus Kaimon-dake ou des gares JR de Jamakawa ou de Kaimon, vous pourrez grimper en 2 heures le cône parfaitement symétrique du **Kaimon-dake** (924 m). En partant tôt, vous aurez plus de chances d'apercevoir le Sakurajima, le cap Sata et les îles de Yakushima et de Tanegashima.

À la pointe sud-ouest de la péninsule de Satsuma, le port affairé de **Makurazaki** est renommé pour le *katsuo* (bonite, thon) ; c'est aussi le terminus de la ligne ferroviaire de Kagoshima. Juste après Makurazaki, le village de pêcheurs de **Bōnotsu** fut un comptoir d'échanges officieux avec le monde extérieur via Okinawa durant les deux siècles d'isolement du Japon.

PÉNINSULE D'ŌSUMI

Le plus ancien phare du pays se dresse au **cap Sata**, au bout de la péninsule d'Ōsumi, de l'autre côté de la baie de Kagoshima. Point le plus méridional des quatre grandes îles japonaises, le cap est accessible en prenant un ferry de Yamakawa, au sud d'Ibusuki du côté de Kagoshima, à Nejime (600 ¥, 50 min) de l'autre côté ; au-delà, les transports publics sont quasi inexistants. Comptez au moins 1 heure en voiture pour rejoindre la piste cyclable et piétonne de 8 km qui conduit à l'extrémité du cap. Le mieux consiste à louer une voiture (voir p. 746).

Le **Sata-Day-Go** (☎ 0994-27-3355 ; circuit 30 min adulte/enfant 2 000/1000 ¥), un bateau à fond de verre, propose des croisières dans la journée pour observer les coraux, les tortues de mer, les *fugu* (poissons-globe), les dauphins et les requins.

MIYAZAKI-KEN 宮崎県

La région de Miyazaki est la demeure mythique d'Amaterasu, la déesse du Soleil, qui se serait réfugiée dans une grotte isolée, plongeant le monde dans les ténèbres. Les autres dieux auraient réussi à l'en faire sortir par la ruse, et c'est ainsi que la lumière et la chaleur revinrent au pays du Soleil-Levant (voir aussi l'encadré p. 756).

La route 222, de Miyakonojō à Obi et Nichinan, serpente dans les collines près de la mer. Bien qu'elle soit desservie par des trains et des bus, cette préfecture diverse s'explore bien mieux en voiture.

MIYAZAKI 宮崎

☎ 0985 / 311 098 habitants

Miyazaki bénéficie d'un climat doux et possède certaines des meilleures plages de surf du pays, notamment à Kizaki-hama et au nord vers Hyūga. De nombreux endroits alentour ont joué un rôle important dans les débuts de la civilisation japonaise et sont mentionnés dans le *Kojiki*, la plus ancienne chronique du Japon. D'intéressantes excavations peuvent se visiter à Saitobaru (p. 756).

Renseignements

Dans la gare JR de Miyazaki, le **Tourist Information Centre** (TIC ; ☎ 22-6469 ; ◷ 9h-18h30) fournit des cartes de la ville et des environs. Des DAB internationaux sont installés au sud de la gare et à la poste principale, à 5 minutes de marche à l'ouest dans Takachiho-dōri. En face de la poste, le **Miyazaki Prefectural International Plaza** (☎ 32-8457 ; 8e niv, Carino Bldg ; ◷ 10h-19h lun-sam) possède une TV par satellite ainsi que des journaux et des magazines en langues étrangères.

KYŪSHŪ

CENTRE DE MIYAZAKI

Plus loin dans Takachiho-dōri, **Emutto Internet & Comics** (☎ 28-2266 ; 3ᵉ niv, Maruya Bldg, 1-2-4 Shimizu ; open space 180 ¥/30 min, après 21h forfait 12 heures en cabine 2 000 ¥ ; 24h/24) offre l'accès à Internet. Le **Cybac Café** (☎ 61-7562 ; 2ᵉ niv, Drug 11 Bldg, 3-4-26 Ōhashi ; à partir de 280 ¥ ; 24h/24) se situe dans une ruelle avant le pont.

À voir

CENTRE DES SCIENCES DE MIYAZAKI
宮崎科学技術館

À courte distance de la gare de Miyazaki, ce **musée des Sciences** (☎ 23-2700 ; 38-3 Miyawakichō ; entrée et spectacle planétarium 730 ¥ ; 9h-16h mar-dim) interactif possède l'un des plus grands planétariums au monde. Brochures en anglais disponibles.

MIYAZAKI-JINGŪ 宮崎神宮
ET MUSÉE 宮崎総合博物館

Ce **sanctuaire** (☎ 27-4004 ; 2-4-1 Jingū) est dédié à l'empereur Jimmu, le premier souverain semi-légendaire et le fondateur de la dynastie Yamato. Des glycines spectaculaires, vieilles de 600 ans, couvrent les arbres alentour. Le sanctuaire se situe à 500 m de la gare de Miyazaki-jingū.

Au nord du sanctuaire, le **musée d'Histoire naturelle et d'Histoire de la préfecture de Miyazaki** (☎ 24-2071 ; 2-4-4 Jingū ; entrée libre ; 9h-16h30 mer-lun) présente des expositions sur l'histoire, l'archéologie, les fêtes et l'artisanat locaux. Derrière le musée, l'intéressant **Minka-en** (民家園 ; entrée libre) comprend quatre fermes traditionnelles de Kyūshū.

HEIWADAI-KŌEN 平和台公園
Le joyau de l'**Heiwadai-kōen** (parc de la Paix ; ☎ 24-5027 ; entrée libre) est une tour de 37 m construite en 1940, alors que la paix était sur le point de disparaître au Japon. Le **jardin Haniwa**, dans le parc, contient des reproductions de *haniwa* (statues en argile de la période de Kōfun), mis au jour dans les tumulus funéraires de Saitobaru (p. 756).

L'Heiwada-kōen se situe à 1,5 km au nord du Miyazaki-jingū. Des bus fréquents s'arrêtent dans Tachibana-dōri (270 ¥, 20 min).

Fêtes et festivals
Yabusame (tir à l'arc équestre, technique samouraï). Démonstrations au Miyazaki-jingū (voir plus haut) les 2 et 3 avril.

Feu d'artifice (début août). Le plus important feu d'artifice de Kyūshū illumine le ciel au-dessus de l'Oyodo-gawa.

Erekocha Matsuri (えれこっちゃみやざき). La dernière fête de Miyazaki, avec des danseurs et des tambours *taiko* dans Tachibana-dōri à la mi-août.

Grande fête de Miyazaki-jingū (*Jimmu-Sama*). Fin octobre, célébration de l'automne avec des chevaux et des *mikoshi* portés en procession dans les rues.

Où se loger
Fujin-kaikan Youth Hostel (☎ 24-5785 ; 1-3-10 Asahi ; dort 3 350 ¥ ; ✗). Cette auberge de jeunesse à la japonaise devient un centre de loisirs en journée, obligeant à des départs avant 10h et des arrivées après 15h. Couvre-feu à 22h. Un restaurant est installé au rez-de-chaussée.

Business Hotel Royal (☎ 25-5221 ; fax 29-1103 ; 2-5-20 Segashira ; s/d/lits jum à partir de 4 095/5 460/6 300 ¥ ; P 🖳). Dans une rue paisible près de la gare de Miyazaki, un petit hôtel vieillot, bon marché et accueillant.

Green Rich Hotel Miyazaki (☎ 27-9991 ; fax 27-0023 ; 1-5-8 Tachibana-dōri-higashi ; s/d/tr 5 000/9 000/10 500 ¥ ; P ✗ 🖳). Proche de la préfecture et encadré de palmiers, cet hôtel imposant possède des chambres modernes et stylées, toutes avec accès Internet LAN gratuit et dotées pour la plupart d'un canapé ou d'un fauteuil de massage. De grandes salles de réunion sont disponibles. Excellent rapport qualité/prix.

Toyoko Inn Miyazaki Ekimae (☎ 32-1045 ; 2-2-31 Oimatsu ; s/lits jum avec petit déj 5 250/7 770 ¥ ; P ✗ 🖳 📶). À deux pas de la gare de Miyazaki (sortie ouest), cet hôtel d'affaires offre des chambres bien tenues, toutes avec accès Internet LAN gratuit. Wi-Fi dans le foyer.

Hotel Route Inn (☎ 61-1488 ; fax 611-492 ; www.route-inn.co.jp/english ; 4-1-11 Tachibana-dōri-nishi ; s/d avec petit déj 5 900/9 500 ¥ ; P ✗ 🖳). À 800 m à l'ouest de la gare, cet hôtel constitue un excellent choix : délicieux petit déjeuner-buffet, beau décor intérieur et connexion Internet LAN gratuite dans les chambres.

Hotel Kensington (☎ 20-5500 ; www.kensington.jp, en japonais ; 3-4-4 Tachibanadōri-higashi ; s/d 6 600/11 500 ¥ ; P ✗ 🖳 📶). Récemment rénové, le Kensington loue de petites chambres joliment meublées, toutes avec accès Internet LAN

KYŪSHŪ

gratuit. Wi-Fi dans le foyer. Les buffets du petit-déjeuner et du déjeuner sont avantageux.

Miyazaki Kankō Hotel (☎ 32-5920 ; www.miyakan-h.com/english ; 1-1-1 Matsuyama ; s/d à partir de 7 500/13 000 ¥, ch japonaise à partir de 10 000 ¥ ; P X 🖵). Au bord de la rivière, cet hôtel international de grand standing pratique des prix raisonnables. Les chambres, spacieuses et joliment aménagées, disposent toutes de l'accès Internet LAN. L'établissement comprend un onsen, des restaurants, des salles de banquet et de conférence et des boutiques.

Richmond Hotel Miyazaki Ekimae (☎ 60-0055 ; fax 60-2000 ; www.richmondhotel.jp/e/miyazaki ; 2-2-3 Miyazaki-ekihigashi ; s/d avec petit déj à partir de 7 800/13 650 ¥ ; P X 🖵). Derrière la gare de Miyazaki, ce *business hotel* lumineux propose des chambres décorées de beaux meubles ; avec connexion Internet LAN gratuite. Location d'ordinateurs portables pour 800 ¥.

Sheraton Grande Ocean Resort (☎ 21-1133 ; fax 21-1144 ; www.starwoodhotels.com ; Hamayama, Yamazaki-cho ; d/lits jum à partir de 22 880 ¥ ; P X 🖵 👶). Ce cinq-étoiles, doté d'excellentes infrastructures, offre souvent des promotions avantageuses en ligne. La tour haute de 154 m, face à l'océan, jouxte le complexe de loisirs SeaGaia. Les chambres immenses sont parfaitement aménagées, mais l'accès Internet est trop cher. Une navette gratuite dessert le centre-ville, à 20 minutes en voiture, et l'hôtel possède un grand parking.

Où se restaurer

L'*hiya-jiru* est une soupe froide d'été à base de tofu cuit, de poisson, de pâte de miso et de concombres, servie sur du riz. Miyazaki est aussi renommé pour le *yuzu-kosho*, une épice relevée à base d'agrumes. À la gare de Miyazaki, le *shiitake ekiben*, un repas avec des champignons à emporter, remporte un franc succès.

La Dish Gourmet & Deli (☎ 32-7929 ; 1-1 Chūōdōri ; ⏲ 11h-3h lun-sam, 18h-1h dim). Dans l'effervescence du quartier des loisirs, cette épicerie de produits importés vend des plats de traiteur chauds ou froids, ainsi qu'un bon choix de vins, de fromages et de desserts.

Don Don Ju (☎ 26-6126 ; 1er niv, Dai 2 Yoshino Bldg, 2-11 Chūōdōri ; plats 300-1 950 ¥ ; ⏲ dîner). À deux pâtés de maisons au sud du grand magasin Bon Belta, ce restaurant animé est spécialisé dans le *Miyazaki-gyū* (bœuf de Miyazaki). Les amateurs de fromage goûteront le *butaniku-no-mottsarera-chiizu-age* (roulé de porc pané

à la mozzarella, 600 ¥). Enseigne en japonais avec caractères blancs sur fond noir et carte illustrée.

Restaurant-bar De-meté-r (☎ 29-0017 ; 2e niv, 3-8-18 Tachibana-dōri-nishi ; plats/pizzas à partir de 470/750 ¥ ; ⏲ dîner, fermé mar). Apprécié pour ses pizzas cuites dans un four en briques et ses bières étrangères, il possède une carte en anglais.

Izakaya Seoul (☎ 29-8883 ; 1er niv, Dai 1 Yoshino Bldg, 7-26 Chūōmachi ; nabe à partir de 1 200 ¥ ; ⏲ dîner). Ce restaurant coréen-japonais mitonne d'excellents *nabe* (marmites). Carte en anglais.

Pari No Asaichi (☎ 0120-28-6137 ; 2e niv, Nihonbashi Bldg, 1-6-8 Hiroshima ; menu déj à partir de 1 575 ¥ ; ⏲ déj et dîner). Ce petit restaurant charmant sert de la cuisine française depuis plus de 20 ans et propose un choix de vins correct. Carte en anglais. Un bel arbre jouxte le bâtiment en briques marron.

Grand magasin Bon Belta (☎ 26-6126 ; 3-10-32 Tachibana-nishi). Au 8e niveau, une galerie de restaurants offre des déjeuners à moins de 1 000 ¥. Au sous-sol, le rayon alimentation propose divers plats à emporter et comporte un comptoir de succulents *onigiri* (boulettes de riz).

Où prendre un verre

L'animation se prolonge jusqu'à l'aube, surtout en été, et des centaines de petits bars attirent une clientèle d'habitués. L'action tend à se concentrer du côté ouest de Tachibana-dōri (appelée localement "Nishitachi") et dans la galerie marchande Ichibangai. En été, le grand magasin Bon Belta ouvre un café sur le toit.

One Coin Bar (☎ 31-1152 ; 8-21 Chūō-dōri ; ⏲ fermé mar). Toutes les boissons sont à 500 ¥ dans ce joli petit bar doté de 8 tabourets et fréquenté par des habitués. L'aimable patron parle anglais et apprécie la compagnie des voyageurs.

Suntory Shot Bar 4665 (☎ 25-4665 ; 1-12 Chūōdōri ; ⏲ fermé lun). Sombre et paisible, ce bar de style Art déco est un bel endroit pour siroter tranquillement un verre. Le propriétaire parle un peu anglais.

Igokochiya Anbai (☎ 27-4117 ; 3-1-24 Tachibana-dōri-nishi ; ⏲ 18h-2h, fermé lun). Dans Tachibana-dōri en face de l'Hotel Merieges, cet *izakaya* typique offre plus de 350 variétés de *shōchū* et de délicieux amuse-gueules.

Bar (☎ 71-0423 ; www.thebarmiyazaki.com ; 3e niv, Paul Smith Bldg, 3-7-15 Tachibana-dōri-higashi ; ⏲ 19h-tard). Rendez-vous des expatriés et de leurs amis japonais, ce bar attire une joyeuse clientèle, fière de sa ville et heureuse d'accueillir les visiteurs autour de quelques bières. Une table de billard est à disposition.

Où sortir

Jazz Spot Lifetime (☎ 27-8451 ; 2ᵉ niv, 2-3-8 Hiroshima ; entrée ven 500 ¥ ; ⏱ 11h45-14h et 17h-0h30, fermé dim). Le modern jazz est à l'honneur dans ce bistrot en étage, avec des concerts presque tous les soirs. Boissons à partir de 600 ¥, café, en-cas et grillades.

Café Lanai (☎ 23-3412 ; 2-1-1 Shimizu ; ⏱ 18h-24h). Cet établissement détendu à l'ambiance des îles diffuse des vidéos de surf au-dessus du bar. Les plats (à partir de 700 ¥) évoquent également les tropiques.

Planet Café Sports (☎ 32-5064 ; 8-25 Kamino-machi ; ⏱ 19h-2h). Venez pour regarder le sport en grignotant du *jidori* (poulet grillé), accompagné d'une bière fraîche.

Achats

La **salle d'exposition pour la promotion des produits de la préfecture de Miyazaki** (☎ 22-7389 ; 1-6 Miyata-chō ; ⏱ 9h30-19h lun-ven, 10h-18h30 sam-dim) vend des textiles *tsumugi* en soie tissés main aux couleurs particulières, des *haniwa* en argile et des masques *kagura* de Takachiho (voir l'encadré p. 756).

Depuis/vers Miyazaki
AVION
Des vols relient Miyazaki à Tōkyō (36 700 ¥, 1 heure 30), Ōsaka (23 500 ¥, 1 heure 30), Okinawa (25 600 ¥, 1 heure 30) et Fukuoka (19 700 ¥, 50 min).

BATEAU
Des ferries circulent entre Miyazaki, Ōsaka (2ᵉ classe, 11 600 ¥, 13 heures) et Kawasaki (14 440 ¥, 21 heures). Pour réserver, contactez **Marine Express** (☎ 22-8895).

BUS
La plupart des bus longue distance partent de la **gare routière de Miyakō City** (☎ 52-2200), au sud de la rivière, près de la gare JR de Minami-Miyazaki. Parmi les destinations figurent Kagoshima (2 700 ¥, 2 heures 45), Kumamoto (4 500 ¥, 3 heures 15), Nagasaki (6 500 ¥, 5 heures 30) et Fukuoka (6 000 ¥, 4 heures).

TRAIN
La ligne JR Nippō va jusqu'à Kagoshima (*tokkyū*, 3 790 ¥, 2 heures) dans un sens et Beppu (*tokkyū*, 6 070 ¥, 3 heures) dans l'autre. La ligne JR Nichinan suit lentement la côte sud jusqu'à Aoshima (360 ¥, 30 min) et Obi (910 ¥, 65 min).

Comment circuler
De l'aéroport de Miyazaki, vous pouvez rejoindre le centre-ville en bus (400 ¥, 30 min) ou en train jusqu'à la gare JR de Miyazaki (340 ¥, 10 min). La plupart des bus urbains partent de la **gare routière de Miyazaki Ekimae** (Bus Centre ; ☎ 53-1000), en face de la gare, et beaucoup empruntent Tachibana-dōri.

Louer une voiture permet notamment de rejoindre Aoshima et Nichinan. **Eki Rent-a-Car** (☎ 24-7206 ; www.ekiren.co.jp, en japonais ; sortie Ouest, Miyazaki-eki ; 12 heures à partir de 4 720 ¥ ; ⏱ 8h-20h) est l'agence la plus pratique.

AOSHIMA ET KAEDA 青島・加江田
☎ 0985
Petite île couverte de palmiers, Aoshima est frangée de spectaculaires formations rocheuses lamellées. Une étroite chaussée la relie à Kyūshū. Également appelée Aoshima, la petite ville semble à première vue touristique, mais abrite une population détendue et non conformiste. L'île est un endroit charmant, parfait pour affronter la chaleur estivale, et une bonne alternative à un séjour dans Miyazaki.

À quelques minutes de marche de la gare, sur la route du sanctuaire, le kiosque d'information touristique fournit des cartes locales ; le personnel parle peu anglais.

À voir et à faire
Sur l'île, juste à l'est de la gare d'Aoshima et très photogénique, l'**Aoshima-jinja** (青島神社 ; ☎ 65-1262) favoriserait les rencontres (voir plus loin *Fêtes et festivals*). À proximité, un **jardin botanique** (青島熱帯植物園 ; ☎ 65-1042 ; 200 ¥) contient 64 variétés d'arbres fruitiers.

GORGE DE KAEDA 加江田渓谷
Long de 8 km et bien entretenu, un **chemin de randonnée** serpente à travers la gorge de Kaeda le long de la Kaeda-gawa, un cours d'eau limpide jalonné de rochers et de bassins propices à la baignade. Bananiers et genévriers font partie de la végétation luxuriante. Pour accéder au parking, suivez la route 220 et tournez dans la départementale 339.

Fêtes et festivals
Deux fêtes pittoresques se déroulent à l'Aoshima-jinja (ci-dessus). Le deuxième lundi de janvier, des îliens vêtus de pagne plongent cérémonieusement dans l'océan. Fin juillet, des *mikoshi* (autels portatifs) sont transportés dans les bas-fonds jusqu'au sanctuaire.

KYŪSHŪ

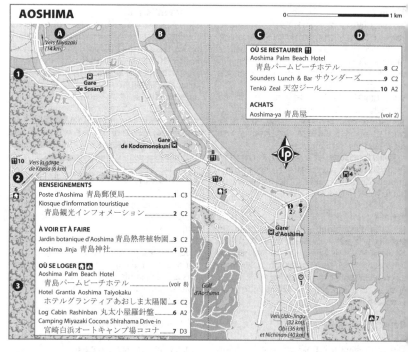

AOSHIMA

0 ————— 1 km

Où se loger et se restaurer

Camping Miyazaki Cocona Shirahama Drive-in (宮崎白浜オートキャンプ場ココナ ; ☎ 65-2020 ; location tente 1 570 ¥, empl à partir de 2 940 ¥, bungalow jusqu'à 4 pers 9 970 ¥ ; 🛁). Face à la plage de Shirahama, ce complexe moderne offre un vaste espace et quelques jolis bungalows rustiques à l'écart des installations principales.

🌟 Log Cabin Rashinban (丸太小屋羅針盤 ; ☎ 65-0999 ; dort 3 500 ¥ ; Ⓟ ✖). Pour changer d'ambiance, rendez-vous dans ce fantastique chalet, construit par le propriétaire au bord d'un paisible cours d'eau. Sosanji est la gare la plus proche. Malgré les panneaux indiquant la propriété, vous aurez besoin d'indications complémentaires, ou d'un taxi si vous n'avez pas de voiture, au moins la première fois. Cet hébergement atypique dans un endroit paisible vous séduira si vous voulez vous isoler. Le propriétaire parle un peu anglais.

Hotel Grantia Aoshima Taiyokaku (ホテルグランティアあおしま太陽閣 ; ☎ 65-1531 ; www.route-inn.co.jp/english ; s/d à partir de 5 500/10 000 ¥ ; Ⓟ ✖ 🖥). À flanc de colline, à mi-chemin entre les gares d'Aoshima et de Kodomo-no-kuni, cet hôtel présente un excellent rapport qualité/prix et l'aile ouest a été achevée fin 2008. Toutes les chambres disposent de l'accès Internet LAN. Location d'ordinateurs portables pour 1 000 ¥.

Aoshima Palm Beach Hotel (青島パームビーチホテル ; ☎ 65-1555 ; s à partir de 6 000 ¥). Pimpant hôtel moderne sur la plage, il pratique des prix raisonnables. Son restaurant, le Tsuki-no-shizuku, prépare d'excellents tempura et sashimis avec la pêche du jour et propose des menus à partir de 1 500 ¥ ; pour un vrai festin, commandez l'*omakase* du chef, un assortiment des délices du jour (3 000 ¥ par personne).

Sounders Lunch & Bar (☎ 65-0767 ; 1-6-23 Aoshima ; menu à partir de 650 ¥ ; 🕐 déj dim-lun et mer-ven, dîner ven-sam ; 🛁). Vous apprécierez l'ambiance détendue de cette petite paillote de surfeurs, qui sert des salades d'épinards et bacon, de savoureux burgers et des tacos de poisson. Carte en anglais et musique live presque tous les week-ends.

Tenkū Zeal (天空ジール ; ☎ 65-1508 ; http://tenku-zeal.jugem.jp ; 6411 Kaeda ; buffet adulte/enfant 1 300/800 ¥ ; 🕐 déj sam-dim et jours fériés ; Ⓥ). Non loin du Rashinban, à flanc de colline, ce merveilleux restaurant macrobiotique comprend une

KYŪSHŪ

terrasse ensoleillée et offre un menu sans cesse renouvelé, à base de produits cultivés sur place. Un endroit délicieusement hippie, anglophone et une cuisine saine.

Achats
À côté du kiosque d'information touristique, dans un imposant bâtiment noir, la boutique et restaurant Aoshima-ya vend des produits et des souvenirs locaux.

Depuis/vers Aoshima et Kaeda
Aoshima se situe sur la ligne JR Nichinan de Miyazaki (360 ¥, 30 min). Des bus en provenance de la gare ferroviaire de Miyazaki s'arrêtent à Aoshima (670 ¥, 40 min, toutes les heures) puis continuent vers Udo-jingū.

UDO-JINGŪ 鵜戸神宮
Suivez jusqu'au bout le chemin qui traverse ce **sanctuaire** (☎ 0987-29-1001) côtier, peint de couleurs vives, pour arriver dans une caverne ouverte surplombant une curieuse formation rocheuse. La coutume veut que l'on achète cinq *undama* (pierres de chance), que l'on fasse un vœu et que l'on essaie d'atteindre la dépression peu profonde au sommet d'un des rochers en forme de tortue. Les vœux concernent généralement un mariage ou une naissance car les rochers devant la grotte représenteraient les seins de la mère de l'empereur Jimmu.

Des bus d'Aoshima (990 ¥, 40 min) et de Miyazaki (1 440 ¥, 1 heure 30) s'arrêtent toutes les heures sur la nationale, à 700 m du sanctuaire. La marche permet d'admirer d'intéressantes formations rocheuses et des bateaux de pêche.

OBI 飫肥
À partir de 1587, le riche clan Ito dirigea la ville depuis le château pendant 14 générations et survécut à la règle "Un royaume, un château" de 1615. Il finit par renoncer au pouvoir en 1869, quand la Restauration de Meiji mit fin à la période féodale.

À voir et à faire
Seuls demeurent les murs du château, mais le domaine d'**Obi-jō** (飫肥城 ; ☎ 0987-25-4533 ; billet combiné 600 ¥ ; ⏰ 9h30-16h30) comporte plusieurs bâtiments intéressants, dont l'**Ōte-mon**, la porte imposante. Le **musée** du château possède une collection évoquant le long règne du clan Ito. Le **Matsuo-no-Maru**, la résidence privée du seigneur, a été reconstruit.

Le **Yōshōkan**, l'ancienne demeure du chef des domestiques du clan, se tient juste à l'extérieur de l'entrée du château et son grand jardin intègre l'Atago-san en tant que "paysage emprunté".

Le **Shintōku-dō**, la salle voisine du château, fut construit pour accueillir une école de samouraïs en 1831. Derrière, un escalier grimpe vers le très beau **Tanoue Hachiman-jinja**, un sanctuaire entouré d'arbres vénérables. Sur la rive ouest de la rivière, l'**Ioshi-jinja** comprend un joli jardin et le mausolée de la famille Ito.

Comment s'y rendre et circuler
La ligne JR Nichinan relie Obi et Miyazaki (*kaisoku* ; 910 ¥, 65 min) via Aoshima. De la gare d'Obi, un court trajet en bus (140 ¥) et une marche brève conduisent au château. Des bus en provenance de Miyazaki (1 990 ¥, 2 heures 15, dernier retour à 16h) s'arrêtent en contrebas de l'entrée du château. Une fois sur place, le vélo constitue cependant le meilleur moyen de se déplacer et peut se louer à la gare (300 ¥ les 3 heures).

NICHINAN-KAIGAN ET CAP TOI
日南海岸・都井岬
Entre Nichinan et Miyazaki, la route côtière offre sur plus de cinquante kilomètres des vues tout à fait splendides. Au cap Toi, le panorama est époustouflant et une spectaculaire **fête du Feu** s'y déroule le dernier week-end de septembre. Le cap est également réputé pour ses hardes de chevaux sauvages, qui semblent peu farouches.

À courte distance de la plage d'**Ishinami-kaigan**, l'îlot de **Kō-jima** abrite des singes réputés rincer leurs aliments dans l'océan avant de les manger ; ils sont capricieux et difficiles à repérer. La baignade sur cette plage séduisante est interdite.

Pour passer la nuit dans le secteur, rejoignez **Koigaura Beach**, un repaire de *surf-zoku* (tribus de surfeurs), à quelque 5 km du cap Toi et 7 km de Kōjima. Dans cet endroit isolé, le choix se limite aux très rudimentaires **Minshuku Tanaka** (☎ 0987-76-2096 ; demi-pension à partir de 6 000 ¥/pers) et **Koigaura Minshuku** (☎ 0987-76-1631 ; demi-pension à partir de 4 500 ¥/pers). L'escapade se révèle un peu décevante toutefois à moins de rechercher l'isolement. La construction d'une route nationale dénature le paysage à certains endroits.

KYŪSHŪ

SAITOBARU 西都原
☎ 0983

Au nord de Miyazaki, le **parc des Tertres funéraires de Saitobaru** s'étend sur plusieurs hectares de champs et de forêts, parsemés de plus de 300 *kofun* (tertres ou tumulus funéraires). Ces derniers datant de 300 à 600, ces tumulus varient du renflement insignifiant aux buttes suffisamment imposantes pour ressembler à des formations naturelles.

Le petit **musée archéologique de Saitobaru** (西都原考古博物館 ; ☎ 41-0041 ; entrée libre ; ⏰ 10h-18h mar-dim) expose des trouvailles archéologiques, dont des épées, des armures, des bijoux et des *haniwa*.

Le parc est ouvert en permanence. Des bus desservent fréquemment Saitobaru de la gare routière de Miyakō City (1 040 ¥, 1 heure). Vous aurez besoin d'un moyen de transport indépendant pour explorer le parc, ou de prévoir une longue marche.

Saitobaru se situe juste à la sortie de Saito, où se tient le **Festival de danse Usudaiko** début septembre, avec des groupes de percussionnistes aux curieux couvre-chefs. Également intéressants, les spectacles de **Shiromi Kagura**, les 14 et 15 décembre, font partie de la fête des moissons, qui s'échelonne du 12 au 16 décembre.

TAKACHIHO 高千穂
☎ 0982 / 15 840 habitants

Jolie ville de montagne, Takachiho se situe à mi-chemin entre l'Aso-san et Nobeoka, sur la côte est. Au nord de la gare routière de Miyakō, la **Takachiho Tourism Association**

LES LÉGENDES DE TAKACHIHO

Les habitants de Takachiho affirment que Ninigi-no-mikoto, le petit-fils de la déesse du Soleil Amaterasu, descendit sur Terre au sommet du légendaire mont Takachiho-no-mine. Ils revendiquent aussi l'Ama-no-Iwato, la grotte où Amaterasu, contrariée par les agissements de son frère, se réfugia, plongeant le monde dans les ténèbres. La déesse du Soleil fut attirée hors de sa cachette par la danse lubrique d'une autre divinité, Ama no Uzume, et la lumière revint sur la Terre.

Les danses masquées *iwato kagura*, pratiquées de nos jours à Takachiho, dériveraient de cette danse...

(☎ 72-1213 ; ⏰ 8h30-17h) offre des informations en anglais sur les événements et les hébergements à Takachiho et alentour.

À voir

TAKACHIHO-KYŌ 高千穂峡
Cette gorge splendide, avec une cascade, des surplombs rocheux et des à-pics, a été formée il y a plus de 100 000 ans par une double éruption volcanique. Un chemin-nature, long de 1 km, passe au-dessus de la gorge ; vous pouvez l'admirer de près en louant un **canot** (☎ 73-1213 ; 1 500 ¥ /30 min ; ⏰ 8h30-17h). L'affluence touristique varie selon la saison.

TAKACHIHO-JINJA 高千穂神社
Proche de la gare routière, le Takachiho-jinja se niche au cœur d'un bosquet de cèdres du Japon et accueille régulièrement des danses (voir plus bas *Fêtes et festivals*).

AMANO IWATO-JINJA 天岩戸神社
L'Iwato-gawa divise l'**Amano Iwato-jinja** (☎ 74-8239) en deux parties. Nishi Hongū, le sanctuaire principal, se dresse sur la rive ouest. Sur la rive est, Higashi Hongū est la grotte où, selon la légende shintoïste, la déesse du Soleil Amaterasu se serait cachée, plongeant le monde dans l'obscurité, avant d'être attirée dehors par la danse lascive de la déesse Ama no Uzume.

Une courte promenade le long d'un cours d'eau mène à la grotte d'**Amano Yasugawara**, où des milliers de divinités auraient conspiré pour faire sortir Amaterasu de sa cachette. À la gare routière de Miyakō, prenez le bus Iwato (300 ¥, 20 min, toutes les heures environ), puis marchez 15 minutes.

Fêtes et festivals
D'importants festivals d'*iwato kagura* ont lieu à Takachiho (voir l'encadré ci-contre).

De novembre à février, des **spectacles de danse** (☎ 73-2413 ; 500 ¥) d'une heure ont lieu tous les soirs à 20h au Takachiho-jinja (ci-dessus).

En mai, septembre et novembre (les dates changent chaque année), des danses se déroulent à l'Amano Iwato-jinja (ci-dessus) de 10h à 22h.

Des fermes accueillent aussi des performances d'une nuit de novembre à février. En tout, 33 danses se succèdent de 18h à 9h. Une expérience mémorable, si vous supportez la froidure du petit matin. Renseignez-vous à l'Amano Iwato-jinja.

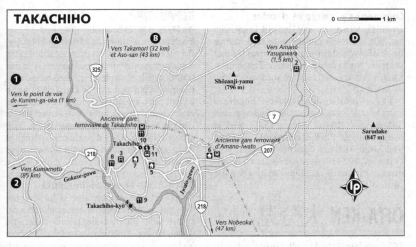

TAKACHIHO

Où se loger et se restaurer

Takachiho compte plus de 30 hôtels, *ryokan*, *minshuku* et pensions, souvent complets durant les périodes de congés.

Si les visiteurs dînent souvent dans leur *ryokan* ou *minshuku*, il existe de nombreuses *yakitori-ya* où l'on peut commander du *kappo-zake,* un saké local chauffé dans les tiges de bambou.

Takachiho Youth Hostel (☎ 72-3021 ; 5899-2 Mitai, Takachiho ; dort membre/non membre HI 2 800/3 400 ¥ ; ℗). À 5 minutes de marche de l'ancienne gare d'Amano-Iwato, une grande auberge de jeunesse propre et bien gérée. Petit-déjeuner en option.

Yamatoya Ryokan (☎ 72-2243 ; fax 72-6868 ; ch demi-pension 8 000-15 000 ¥/pers ; ℗ ⊠). Toutes les chambres sont de style ryokan traditionnel et le personnel serviable parle anglais. Repérez le danseur masqué d'*iwato kagura* peint sur la façade.

Folkcraft Ryokan Kaminoya (☎ 72-2111 ; www. kaminoya.jp/english.html ; ch demi-pension à partir de 9 975 ¥ ; ℗ ⊡). En contrebas de la gare routière dans le centre-ville, ce *ryokan* offre une ambiance chaleureuse et des grandes chambres aux fenêtres dotées de volets. Des boiseries ornent la façade chaulée de l'établissement.

Young Echō (☎ 72-4948 ; plats à partir de 600 ¥ ; ☽ petit déj, déj et dîner ; ⊡). Ce restaurant accueillant, proche de l'ancienne gare, propose une carte en anglais, des plats japonais et occidentaux, un accès Internet gratuit et un *beer garden* ouvert en été de 17h à 22h. Les pâtes à la carbonara sont délicieuses et bon marché (740 ¥).

Chiho-no-ie (千穂の家 ; ☎ 72-2115 ; repas à partir de 500 ¥ ; ☽ déj). Ce restaurant sert des spécialités régionales saisonnières et des *sōmen-nagashi* (600 ¥), des nouilles à attraper avec ses baguettes dans une barquette en bambou. Il occupe un bâtiment d'angle de 3 étages, avec un auvent rouge.

Onoroko Chaya (おのころ茶屋 ; ☎ 72-3931 ; repas à partir de 500 ¥ ; ☽ déj et dîner). Des lanternes traditionnelles éclairent les tables installées parmi les arbres. Commandez des *sōmen-nagashi* (500 ¥) ou essayez le *masu-zushi* (sushi de truite ; 800 ¥).

KYŪSHŪ

Comment s'y rendre et circuler

Depuis la fermeture de la ligne JR Takachiho en 2008, la route constitue le seul moyen de se déplacer dans la région. Vous pouvez marcher jusqu'à la gorge et au Takachiho-jinja, mais les autres sites sont assez loin de la ville.

La gare routière de Miyakō est le nouveau carrefour des transports. Des bus desservent Takamori (1 280 ¥, 1 heure 15, 3/jour) et Kumamoto (2 300 ¥, 2 heures 45). Des bus touristiques partent également de là : le "circuit A" (2 000 ¥) couvre tous les sites, tandis que le "circuit B" (1 500 ¥) évite l'Amano Iwato-jinja.

ŌITA-KEN 大分県

Pour les Japonais, la préfecture d'Ōita est synonyme d'onsen. Elle comprend Beppu, une ville très touristique, et Yufuin, une cité traditionnelle. La péninsule de Kunisaki conserve des traces des premières civilisations du pays.

USUKI 臼杵

☎ 0972 / 43 051 habitants

À proximité d'Usuki, se dresse un superbe ensemble (très prisé des touristes japonais et étrangers) d'**effigies du Bouddha** (臼杵石仏 ; ☎65-3300 ; 530 ¥ ; ⏰ 8h30-16h30), qui seraient vieilles de près de 1 000 ans. Réparties en quatre groupes, 59 statues sont disposées dans des niches le long d'un ravin ; certaines sont entières, d'autres ne possèdent plus que la tête.

Usuki possède plusieurs temples ainsi que des maisons traditionnelles bien conservées. Le dernier samedi d'août, la ville accueille une **fête du feu** et d'autres festivités ont lieu tout au long de l'année ; renseignez-vous à l'**office du tourisme** (☎64-7130 ; ⏰ 8h30-17h), à côté de la gare d'Usuki. Le **Sala de Usuki** (サーラデ臼杵 ; ☎64-7271) offre l'accès gratuit à Internet.

Les restaurants locaux affirment préparer le meilleur *fugu* du Japon ; comptez environ 8 000 ¥ pour un menu, saké compris.

La ville d'Usuki se situe à 40 km au sud-est de Beppu. Prenez la ligne JR Nippō jusqu'à la gare d'Usuki (*tokkyū* ; 1 430 ¥, 55 min), où un bus relie le site des bouddhas en 20 minutes. Des vélos gratuits sont à disposition dans la **gare d'Usuki** (☎63-8955).

BEPPU 別府

☎ 0977 / 126 781 habitants

En dépit (ou à cause) du battage publicitaire, Beppu déçoit un peu au premier abord, puis son charme opère progressivement. À la fois traditionnelle et moderne, pittoresque et touristique, Beppu demeure un lieu d'évasion ; on y vient pour son quartier des divertissements et ses bains innombrables. L'ouverture de l'**université Asie-Pacifique Ritsumeikan** en 2000 a provoqué un afflux d'étudiants japonais et étrangers, augmentant d'autant la population de la ville.

Orientation et renseignements

Beppu est une ville étendue et les secteurs des sources thermales sont assez éloignés du centre-ville. Plus grande, la ville adjacente d'Ōita n'offre d'intérêt que lors du Tanabata Matsuri (p. 761), animé et pittoresque. Le joli village de Myōban (p. 759) est un endroit plus paisible pour profiter des onsen.

Dans la gare de Beppu, l'**office du tourisme pour les étrangers** (carte p. 762 ; ☎ 21-6220 ; 12-13 Ekimae-machi ; ⏰ 9h-17h) vous fournira d'innombrables informations et conseils en anglais. À 5 minutes de marche en descendant, le **Beppu International Plaza** (carte p. 762 ; ☎ 23-1119 ; angle Ekimae-dōri/galerie Ginza ; ⏰ 9h-17h), une filiale de l'office du tourisme, offre l'accès Internet gratuit.

Des DAB internationaux sont installés à la poste de Kitahama (carte p. 762) et au centre commercial Cosmopia, voisin. L'Ōita Bank possède un service de change.

À voir et à faire

SOURCES THERMALES

Beppu compte deux types de sources thermales, qui fournissent plus de 100 millions de litres d'eau chaude par jour : les *jigoku* (enfers), que l'on contemple, et les onsen, pour les bains. De Myōban (p. 759) et d'autres points de vue, on aperçoit les volutes de vapeur blanche qui s'échappent de centaines de cheminées.

Jigoku

Attraction phare de Beppu, les *jigoku* sont une série de **sources chaudes** (carte p. 760 ; 400 ¥/enfer ; ⏰ 8h-17h) où l'eau jaillit en bouillonnant du sol, souvent avec des effets inattendus. Un billet groupé à 2 000 ¥ permet de tous les visiter, sauf deux. Contrairement à Unzen (p. 722), où ces prodiges géothermiques sont à l'état naturel, les enfers de Beppu ont été transformés en mini-parcs à thème.

Les enfers se répartissent en deux groupes, à Kannawa, à plus de 4 km au nord-ouest de la gare de Beppu, et deux plus au nord. Dans le groupe de Kannawa, l'**Umi Jigoku** (enfer de la Mer), d'un bleu irréel, et le **Shira-ike Jigoku** (enfer de l'Étang blanc) méritent le coup d'œil. Dragons et démons surplombent le bassin du **Kamado Jigoku** (enfer du Four). Boycottez l'**Oni-yama Jigoku** (enfer de la Montagne du diable) et le **Yama Jigoku** (enfer de la Montagne), où divers animaux sont maintenus dans des conditions indignes. Le plus petit groupe comprend le **Chi-no-ike Jigoku** (enfer de la Piscine de sang), à l'eau rouge photogénique, et le **Tatsumaki Jigoku** (enfer de la Trombe), où un geyser jaillit régulièrement.

Les deux enfers non compris dans le billet groupé sont le **Hon Bōzu Jigoku** (enfer du Moine), avec une série de bassins de boues chaudes bouillonnantes, et le **Kinryū Jigoku** (enfer du Dragon doré), avec un dragon qui recrache la vapeur.

De l'arrêt de bus à la gare JR de Beppu, les bus 5, 9, 41 et 43 desservent le principal groupe d'enfers à Kannawa toutes les 20 minutes. L'aller-retour (820 ¥) coûte presque aussi cher qu'un forfait d'une journée (1 000 ¥).

Des bus touristiques Jigoku partent régulièrement devant la gare (3 000 ¥, entrée de tous les enfers comprise).

Onsen

Dispersés dans la ville, les huit secteurs d'onsen constituent le principal attrait de Beppu. Les amateurs passent leur temps à aller d'un bain à l'autre, prenant au moins trois bains par jour. Les prix s'échelonnent de 100 à 1 000 ¥, mais beaucoup sont gratuits (dont deux des meilleurs). Apportez votre savon, votre linge de toilette et votre serviette car certains établissements n'en louent pas. Quelques onsen alternent l'accès tous les jours pour les hommes et les femmes afin que tous puissent en profiter. La plupart des *ryokan* et des *minshuku* possèdent aussi des bains publics.

Près de la gare JR de Beppu, le **Takegawara Onsen** (carte p. 762 ; ☎ 23-1585 ; 16-23 Moto-machi ; 100 ¥, bain de sable 1 000 ¥ ; ☉ 6h30-22h30, bain de sable 8h-21h30), classique et très chaud, date de l'ère Meiji. Prenez de l'eau dans un baquet, lavez-vous, puis plongez dans le bain. Pour le bain de sable, un *yukata* est fourni pour s'allonger dans une tranchée étroite et se faire recouvrir jusqu'au cou de sable chaud. L'**Ekimae Kōtō Onsen** (carte p. 762 ; ☎ 21-0541 ; 13-14 Ekimae-machi ; 300 ¥), tout aussi simple, se situe à courte distance de la gare.

Au nord de la ville, près des enfers de Kannawa (carte p. 760), le **bain de vapeur Mushi-yu** (carte p. 760 ; ☎ 67-3880 ; 1 Furomoto, Kannawa ; entrée/yukata 500/210 ¥ ; ☉ 9h-18h) est très apprécié. Le **Hyōtan Onsen** (carte p. 760 ; ☎ 66-0527 ; 159-2 Kannawa ; entrée/yukata 700/200 ¥ ; ☉ 8h-21h) comprend un *rotemburo* et des bains de sable.

Le **Shibaseki onsen** (carte p. 760 ; ☎ 67-4100 ; 4 Noda ; 210 ¥ ; ☉ 7h20-20h, fermé 2e mer du mois) avoisine les deux petits enfers. Location d'un *kazoku-buro* (bain familial) privé pour 1 570 ¥ l'heure.

Entre la gare JR de Beppu et le quartier d'onsen de Kamegawa, le **bain de sable Shōnin-ga-hama** (carte p. 760 ; ☎ 66-5737 ; 1 000 ¥ ; ☉ 8h30-18h avr-oct, 9h-17h nov-mars) bénéficie d'un superbe emplacement sur la plage et le personnel parle anglais.

Au nord-ouest de la ville, le **quartier d'onsen de Myōban** (carte p. 760), vallonné et plus calme, compte de nombreux bains, ainsi que des reconstitutions des huttes à toit de chaume de la période d'Edo, où l'on fabriquait les sels de bain. À proximité, l'**Onsen Hoyōland** (carte p. 760 ; ☎ 66-2221 ; 5-1 Myōban ; 1 050 ¥ ; ☉ 9h-20h) possède des bains de boue géants, des bains mixtes et en plein air.

Sur le front de mer, le **Kitahama Termas Onsen** (carte p. 760 ; ☎ 24-4126 ; 500 ¥ ; ☉ 10h-20h) comporte un *rotemburo* mixte en plein air (maillot de bain obligatoire).

BAINS SECRETS
Tsuru-no-yu, Hebi-no-yu et Nabeyama-no-yu

鶴の湯・へびん湯・鍋山の湯

Le secteur de Myōban recèle de merveilleux bains naturels isolés, parfaits pour les puristes. Construit et entretenu par les habitants, le **Tsuru-no-yu** (le plus facile d'accès) est un charmant rotemburo gratuit à la lisière d'Ogiyama. En juillet et août, un cours d'eau surgit et forme ce bain d'un bleu laiteux. Prenez un bus jusqu'à l'arrêt Konya Jigoku-mae (25 min au nord-ouest de la gare JR de Beppu). Montez jusqu'au bout la petite route à droite du cimetière ; le bain est niché dans les fourrés sur la gauche. Plus haut dans la montagne verdoyante, un autre rotemburo gratuit, le **Hebi-no-yu** (bain du Serpent), doit son nom à sa forme et non à ses occupants ! Continuez sur 1 km environ pour rejoindre le **Nabeyama-no-yu**, le dernier onsen naturel. L'office du tourisme de la gare de Beppu fournit des cartes dessinées à la main.

KYŪSHŪ

KYÜSHÜ

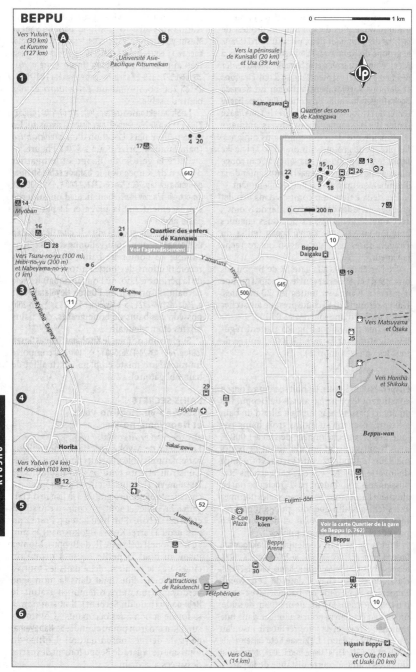

BEPPU

0 ———————————— 1 km

Vers Yufuin
(30 km)
et Kurume
(127 km)

Université Asie-
Pacifique Ritsumeikan

Vers la péninsule
de Kunisaki (20 km)
et Usa (39 km)

Kamegawa

Quartier des onsen
de Kamegawa

17

4 20

642

22

9
15 10
5
18 27
13
26 2
7

Myôban 14

16

28

21

Quartier des enfers
de Kannawa
Voir l'agrandissement

0 ——— 200 m

Vers Tsuru-no-yu (100 m),
Hebi-no-yu (200 m)
et Nabeyama-no-yu
(1 km)

6

Beppu
Daigaku

10

Haruki-gawa

Yamanami Hwy

500

645

19

Trans-Kyūshū Expwy

11

25

Vers Matsuyama
et Ōsaka

Vers Honshū
et Shikoku

29

3

Hôpital

1

Horita

Sakai-gawa

Beppu-wan

Vers Yufuin (24 km)
et Aso-san (103 km)

12

11

23

52

Fujimi-dōri

Asami-gawa

B-Con
Plaza

Beppu-
kōen

Voir la carte Quartier de la gare
de Beppu (p. 762)
Beppu

8

Beppu
Arena

30

Parc
d'attractions
de Rakutenchi

Téléphérique

24

10

Higashi Beppu

Vers Ōita
(14 km)

Vers Ōita (10 km)
et Usuki (20 km)

RENSEIGNEMENTS
Poste principale 中央郵便局.........**1** D4
Poste 郵便局....................................**2** D2

À VOIR ET À FAIRE
Centre de l'artisanal traditionnel
du bambou de Beppu
別府市竹細工伝統会館..............**3** C4
Chi-no-ike Jigoku
血の池地獄....................................**4** B2
Musée du sexe Hihōkan
別府秘宝館....................................**5** D2
Hon Bōzu Jigoku 坊主地獄 **6** A3
Hyōtan Onsen
ひょうたん温泉............................**7** D2
Ichinoide Kaikan
いちのいで会館............................**8** B5
Kamado Jigoku (enfer du Four)
かまど地獄....................................**9** C2
Kinryū Jigoku 金龍地獄..............**10** D2

Kitahama Termas Onsen
北浜温泉テルマス **11** D5
Mugen-no-sato 夢幻の里 **12** A5
Bain de vapeur Mushi-yu
むし湯...**13** D2
Quartier des onsen de Myōban
明礬温泉..**14** A2
Oni-yama Jigoku 鬼山地獄 **15** D2
Onsen Hoyōland
温泉保養ランド............................**16** A2
Shibaseki Onsen 柴石温泉...........**17** B2
Shira-ike Jigoku 白池地獄 **18** D2
Bain de sable Shōnin-ga-hama
上人ヶ浜.......................................**19** D3
Tatsumaki Jigoku 龍巻地獄.........**20** B2
Umi Jigoku 海地獄.......................**21** B2
Yama Jigoku 山地獄.....................**22** C2

OÙ SE LOGER 🏠
Suginoi Hotel 杉乃井ホテル......**23** B5

OÙ SE RESTAURER 🍽
Tomonaga Panya
友永パン屋..................................**24** D6

TRANSPORTS
Port des ferries フェリーのり場..**25** D3
Gare routière Kamenoi (bus pour
la gare de Beppu)
亀の井バスターミナル
(至別府駅).................................**26** D2
Gare routière Kamenoi (bus pour
Chi-no-ike Jigoku)
亀の井バスターミナル
(至血の池地獄).........................**27** D2
Arrêt de bus Konya Jigoku-mae
紺屋地獄前バス停.......................**28** A3
Arrêt de bus Minami-baru
南原バス停..................................**29** B4
Arrêt de bus Yakyū-jō-mae
野球場前バス停...........................**30** C6

Mugen-no-sato 夢幻の里
Ces *rotemburo* privés sont parfaits pour un bain romantique. Demandez un **kazoku-buro** (bain privé ; carte p. 760 ; ☎ 22-2826 ; 6 Hotta ; 600 ¥ ; 🕑 9h-21h). Prenez le bus 33, 34, 36 ou 37 jusqu'à Horita, puis marchez vers l'ouest pendant 10 minutes.

Ichinoide Kaikan いちのいで会館
Le propriétaire de l'**Ichinoide Kaikan** (carte p. 760 ; ☎ 21-4728 ; 14-2 Uehara-machi) aime tellement l'onsen qu'il a construit trois grands *rotemburo* dans son arrière-cour, avec une vue splendide sur Beppu jusqu'à la mer. Les clients commandent un délicieux *teishoku* (menu ; 1 200 ¥), préparé pendant qu'ils se baignent. Demandez l'itinéraire à l'office du tourisme (p. 758) car l'endroit est assez éloigné.

AUTRES CURIOSITÉS
Dans cette débauche de bains chauds, le **musée du sexe Hihōkan** (carte p. 760 ; ☎ 66-8790 ; 338-3 Shibuyu, Kannawa ; 1 000 ¥ ; 🕑 9h-18h) n'a rien d'incongru. Parmi les enfers de Kannawa, il renferme une collection bizarre d'objets liés au sexe, des *ukiyo-e* (estampes) érotiques aux jouets les plus loufoques. La boutique vend un grand choix de souvenirs qui surprendront les douaniers à votre retour.

Près du Takegawara Onsen, la **bibliothèque Hirano** (carte p. 762 ; ☎ 23-4748 ; 11-7 Motomachi ; entrée libre ; 🕑 tlj) est une institution privée, avec des photos et des objets anciens de la région de Beppu.

Interactif, le **Centre de l'artisanat traditionnel du bambou de Beppu** (carte p. 760 ; ☎ 23-1072 ; 8-3 Higashi-sōen) présente des œuvres de la période d'Edo,

ainsi que des exemples des usages multiples de ce matériau polyvalent. De la gare de Beppu, prenez le bus Kamenoi n°25 jusqu'à Dentō Sangyō-mae, en face du centre.

Fêtes et festivals
Fête des onsen. Le premier week-end d'avril.
Tanabata Matsuri. Dans la ville adjacente d'Ōita, cette fête dure trois jours à partir du premier vendredi d'août.

Où se loger
Beppu Guest House (carte p. 762 ; ☎ 76-7811 ; www.beppu-g-h.net ; 1-12 Ekimae-chō ; dort/s 1 500/2 500 ¥ ; ❌ 💻). L'hébergement le moins cher de Beppu offre une ambiance chaleureuse et de plaisantes parties communes où rencontrer d'autres voyageurs. Le personnel vous recommandera (en anglais) les meilleurs onsen de Beppu.

Spa Hostel Khaosan Beppu (carte p. 762 ; ☎ 23-3939 ; www.khaosan-beppu.com ; 3-3-10 Kitahama ; dort/s 2 500/3 500 ¥ ; ❌ 💻). Une nouvelle adresse pour les petits budgets d'un excellent rapport qualité/prix, avec des chambres modernes et propres, l'accès Internet gratuit et pas de couvre-feu.

Kokage International Minshuku (carte p. 762 ; ☎ 23-1753 ; http://ww6.tiki.ne.jp/~kokage/index.html ; 8-9 Ekimae-machi ; s/d 4 350/7 650 ¥). Cette vieille pension accueillante, remplie d'antiquités et de bibelots, comprend un onsen et 10 chambres douillettes ; celles au-dessus de l'entrée sont les plus calmes.

💟 **Yamada Bessou** (carte p. 762 ; ☎ 21-2424 ; www.yamadabessou.jp ; 3-2-18 Kitahama ; ch à partir de 5 400 ¥/pers ; 🅿 ♨). Tenue par une famille, cette superbe auberge de 1930 offre un voyage dans le temps avec ses chambres merveilleusement

KYŪSHŪ

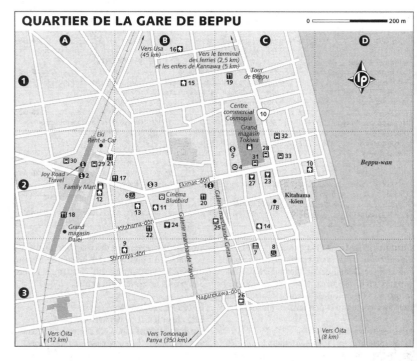

QUARTIER DE LA GARE DE BEPPU

préservées, ses meubles et ses éléments Art déco. Petite et intime, elle s'agrémente d'un charmant *rotemburo*.

Hotel Seawave Beppu (carte p. 762 ; ☎ 27-1311 ; www.coara.or.jp/seawave en japonais ; 12-8 Ekimae-chō ; s/ lits jum/ste à partir de 5 800/8 400/17 800 ¥ ; P X). En face de la gare, le Seawave propose de belles chambres modernes et un petit déjeuner-buffet (600 ¥). Le personnel parle anglais.

Hotel Aile (carte p. 762 ; ☎ 21-7272 ; 2-14-35 Kitahama ; s/d/lits jum 6 240/9 540/10 590 ¥ ; P X 💻). Le splendide *rotemburo* sur le toit et les jolies chambres bien aménagées, avec vue pour certaines, en font un excellent choix à 5 minutes de marche de la gare. Accès Internet LAN.

Nogami Honkan Ryokan (carte p. 762 ; ☎ 22-1334 ; www008.upp.so-net.ne.jp/yuke-c/english.html ; 1-12-1 Kitahama ; ch avec/sans petit déj 6 400/5 500 ¥ par pers ; P X 💻). La plupart des chambres disposent d'une sdb et cinq petits bains peuvent se réserver pour un usage privé. Ken, le propriétaire, est un hôte cultivé et affable. Proche du Takegawara Onsen.

Hotel Arthur (carte p. 762 ; ☎ 25-2611 ; 1-2-5 Kitahama ; s/d à partir de 6 700/10 000 ¥ ; X). À moins de 5 minutes de marche de la gare de Beppu,

cet hôtel est propre et bien aménagé. Certaines chambres ont une connexion Internet LAN.

Suginoi Hotel (carte p. 760 ; ☎ 24-1141 ; www. suginoi-hotel.com/english ; 1 Kankaiji ; ch demi-pension à partir de 15 900 ¥/pers ; P X 💻). Ce somptueux hôtel comprend des chambres haut de gamme et un extraordinaire *rotemburo* à plusieurs niveaux sur le toit. Si votre budget vous permet une folie, offrez-vous une chambre à l'étage Ceada.

Où se restaurer

Beppu est renommée pour les poissons d'eau douce, le *fugu* et les légumes de montagne sauvages utilisés dans le *dango-jiru*, une soupe miso aux raviolis.

Eki Ichiba (marché de la gare ; carte p. 762 ; ☽ 9h-17h). Nul besoin de maîtriser le japonais pour apprécier ce marché animé, installé sous les voies ferrées derrière la gare de Beppu. Flânez d'un étal à l'autre et savourez un *yobuko-ika* (*tempura* de calamar) ou un *futomaki sushi* (rouleau de riz et algue) parmi la profusion de produits frais. Vous pourrez acheter des repas à emporter pour un pique-nique sur la plage à Kitahama-kōen.

Tomonaga Panya (carte p. 760 ; ☎23-0969 ; Chiomachi 2-29 ; petit déj et déj lun-sam). Fraîchement sortis du four, les pains et les pâtisseries de Tomonaga justifient un réveil matinal car ils partent rapidement ! Les murs sont couverts de photos qui remontent à 1917.

Gyôza Kogetsu (carte p. 762 ; ☎21-8062 ; 3-7 Ekimaehonmachi ; 14h-21h30, fermé mar). Cette petite gargote propose uniquement des *gyôza* et de la bière pour 630 ¥, une collation parfaite après un bain en fin d'après-midi. Demandez votre chemin au Beppu International Plaza.

Dekadon (carte p. 762 ; ☎21-8062 ; 3-7 Ekimaehonmachi ; plats à partir de 400 ¥ ; déj et dîner). En contrebas de la gare sur la gauche, ce comptoir d'*obentô* offre des repas à emporter savoureux et bon marché, à choisir dans la vitrine réfrigérée.

Toyotsune (carte p. 762 ; ☎22-2083 ; 3-7 Ekimaehonmachi ; plats à partir de 650 ¥ ; déj et dîner, fermé jeu). En face de la gare de Beppu, ce restaurant, excellent et accueillant, possède une carte en anglais. Choisissez un copieux *ebi-tendon* (*tempura* de crevettes sur du riz) ou un délicieux *teishoku* de sashimis (à partir de 1 080 ¥).

Ureshi-ya (carte p. 762 ; ☎22-0767 ; 7-12 Ekimaehonmachi ; plats à partir de 750 ¥ ; dîner, fermé lun). Fréquenté et sympathique, ce *shokudô* (restaurant bon marché) mitonne *donburi* (plats avec du riz), sashimis, *oden* (marmites) et plats de nouilles. Des reproductions des plats sont exposées en devanture.

Fugu Matsu (carte p. 762 ; ☎21-1717 ; 3-6-14 Kitahama ; fugu à partir de 4 000 ¥ ; déj et dîner). Les plus téméraires viendront dans ce restaurant stylé pour déguster un *fugu*. La carte est en anglais.

Où prendre un verre

Jin Robata & Beer Pub (carte p. 762 ; ☎21-1768 ; 1-15-7 Kitahama). Un néon en forme de poisson signale ce chaleureux pub international. Il propose d'excellents plats pour accompagner votre boisson. Choisissez parmi les poissons frais présentés et regardez votre repas griller derrière le comptoir.

World Sports Bar Small Eye (carte p. 762 ; ☎ 21-3336 ; 2ᵉ niv, 1-10-12 Kitahama ; boissons/en-cas à partir de 500/400 ¥ ; fermé jeu). Une clientèle jeune fréquente ce bar à l'américaine, avec de hauts plafonds, des jeux de fléchettes et des parasols.

Natsume Kissa (carte p. 762 ; ☎ 21-5713 ; 1-4-23 Kitahama ; fermé mer). Bonne adresse pour les en-cas et les desserts, il est connu pour son *onsen kôhî* (530 ¥), un café préparé avec de l'eau thermale.

Shingai Coffee Shop (carte p. 762 ; ☎ 24-1656 ; 10-2 Kusu-machi ; fermé lun). Un établissement détendu, décoré de cartes anciennes et de vieilles photos de Beppu, qui sert un bon café.

Kuishinbô (carte p. 762 ; ☎ 21-0788 ; 1-1-12 Kitahama-dôri ; 18h-2h). Cet *izakaya* convivial offre d'inhabituels steaks de tofu et de daikon, du *chawan-mushi* (flan salé) et des yakitoris (brochettes) revenant à 100 ¥ pour accompagner l'alcool.

KYÛSHÛ

Depuis/vers Beppu

De l'aéroport d'Ôita, des vols desservent Tôkyô (aéroport Haneda ; 35 600 ¥, 1 heure) et Ôsaka (19 300 ¥, 1 heure). Des vols rallient également Séoul.

La ligne JR Nippô circule de Hakata (Fukuoka) à Beppu (*tokkyū* ; 5 550 ¥, 2 heures) via Kitakyūshū, et Miyazaki (5 770 ¥, 3 heures 15). La ligne JR Hôhi relie Beppu et Kumamoto (4 830 ¥, 3 heures) via l'Aso-san (3 440 ¥, 2 heures).

Un bus Beppu Kyūshū Odan rejoint la gare d'Aso (2 950 ¥, 3 heures).

Le **Ferry Sunflower Kansai Kisen** (☎ 22-1311) fait une traversée de nuit entre Beppu, Ôsaka et Kôbe (9 600 ¥, 11 heures), avec escale à Matsuyama (4 heures 30). Le bateau du soir part à 19h pour l'ouest de Honshū, traverse la mer Intérieure et arrive à 6h le lendemain. Pour rejoindre le port, prenez le bus n°20 ou 26 à la sortie ouest de la gare de Beppu.

Comment circuler
DEPUIS/VERS L'AÉROPORT

Hovercraft (☎ 097-558-7180,0120-81-4080) circule entre la gare JR d'Ôita et l'aéroport d'Ôita (2 950 ¥, 25 min), sur la péninsule de Kunisaki.

À Beppu, les bus qui desservent l'arrêt de l'aéroport Ôita-ken font halte devant le grand magasin Tokiwa (1 450 ¥, 45 min, 2/jour) et la gare de Beppu.

BUS

Kamenoi (☎ 23-5170) est la principale compagnie de bus. Le forfait illimité "My Beppu Free" existe en deux versions : le "minipass" (adulte/étudiant 900/700 ¥), qui couvre tous les sites locaux, y compris les enfers, et le "wide pass" (1/2 jours 1 600/2 400 ¥), qui s'étend jusqu'à Yufuin et l'université Asie-Pacifique Ritsumeikan. Ils sont disponibles à l'office du tourisme (p. 758) et dans divers hôtels. Les bus 5, 9 et 41 desservent Myôban (20 min).

PÉNINSULE DE KUNISAKI 国東半島

Au nord de Beppu, Kunisaki-hantô forme un renflement sur la côte est de Kyūshū. La région est connue pour l'influence précoce du bouddhisme et possède des statues rupestres reliées à celles plus fameuses d'Usuki (p. 758).

À voir
USA 宇佐

Dans les premières années de l'après-guerre, quand "made in Japan" n'incitait pas encore

à l'achat, des sociétés se seraient enregistrées à Usa pour pouvoir inscrire "made in USA" sur leurs produits ! L'**Usa-jinja** (宇佐神社 ; ☎ 0978-37-0001 ; salle du Trésor 300 ¥ ; ⏰ mer-lun), dont la fondation remonte à plus de 1 000 ans, est lié au roi-guerrier Hachiman. Il se situe à 10 minutes de bus de la gare d'Usa, sur la ligne JR Nippô de Beppu.

AUTRES SITES

À Bungo-takada, le **Fuki-ji** (富貴寺 ; ☎ 0978-26-3189 ; 200 ¥), du XIe siècle, est la plus ancienne construction en bois de Kyūshū et l'un des plus vieux temples en bois du pays. Des bus Ôita Kôtsū relient la gare d'Usa et Bungo-takada (810 ¥, 35 min) ; de là, prenez un taxi pour le trajet de 10 minutes (environ 1 000 ¥).

Au centre de la péninsule, près du sommet du Futago-san (721 m), le **Futago-ji** (両子寺 ; ☎ 0978-65-0253 ; 200 ¥) est dédié à Fudô-Myô-o, une divinité féroce enveloppée de feu et brandissant un sabre, capable de repousser les attaques sans perdre son calme.

Non loin, le **Taizô-ji** (☎ 0978-26-2070 ; 200 ¥ ; ⏰ 8h30-17h) est connu pour ses escaliers irréguliers. Selon la légende, des *oni* (démons) auraient taillé les marches en une nuit, ce qui expliquerait leur forme.

Sculptées dans une falaise derrière le Taizô-ji, à 2 km au sud de **Maki Ôdô**, 2 statues du Bouddha datent au VIIIe siècle : celle de 6 m de haut représente le bouddha Dainichi et celle de 8 m, Fudô-Myô-o. Appelées **Kumano Magaibutsu**, ce sont les plus grandes représentations bouddhiques de ce type au Japon. D'autres statues de pierre dateraient de la période de Heian. Prenez un taxi de Fuki-ji à Bungo-takada, puis un bus pour Usa (260 ¥).

YUFUIN 湯布院
☎ 0977 / 36 407 habitants

À 25 km de Beppu à l'intérieur des terres, la charmante Yufuin offre une vue sur les pics jumeaux du Yufu-dake. Réputée pour son artisanat de qualité, la ville compte quelques temples et sanctuaires intéressants. Malgré l'accroissement du tourisme, une loi empêche toute expansion, protégeant ainsi le caractère de la cité. Toutefois, mieux vaut éviter Yufuin les jours fériés et le week-end. Si vous passez la nuit sur place, arrivez avant le crépuscule, quand partent les excursionnistes et que les Japonais fortunés se réfugient dans leur ryokan.

Le **Tourist Information Office** (TIC ; ☎ 84-2446 ;
☉ 9h-19h), dans la gare ferroviaire, dispose de
quelques brochures en anglais et d'une carte
détaillée indiquant les galeries, les musées et
les onsen. Un DAB postal jouxte la gare, qui
abrite une petite galerie d'art.

Comme à Beppu, aller d'un onsen à l'autre
constitue une activité prisée. Le **Shitan-yu** (下ん
湯 ; 200 ¥ ; ☉ 10h-21h) est un établissement de bains
à toit de chaume sur la rive nord du Kirin-ko,
un lac alimenté par des sources thermales.

Le **Yufu-dake** (1 584 m), un volcan à double
sommet, domine Yufuin et peut se gravir en
1 heure 30. De Yufuin, quelques bus s'arrêtent
au pied du Yufu-dake, à Yufu-tozanguchi (由
布登山口 ; 360 ¥, 16 min).

Où se loger et se restaurer

Yufuin compte de nombreux *ryokan* haut de
gamme, où les clients prennent généralement
leurs repas. Quelques restaurants sont installés
près de la gare.

❤ Yufuin Country Road Youth Hostel (由布院
カントリーロードユースホステル ; ☎ 84-
3734 www4.ocn.ne.jp/~yufuinyh/ en japonais ; dort membre/
non-membre HI 2 835/3 435 ¥ ; ⓟ ⊠ ⊡). Sur une
colline boisée qui domine la ville, cette auberge
de jeunesse pleine de cachet possède un onsen
et bénéficie d'une vue superbe. Les charmants
propriétaires parlent anglais et viendront
peut-être vous chercher à la gare si vous avez
raté l'un des rares bus (200 ¥). Comptez 1 680 ¥
de plus pour la demi-pension.

Pension Yufuin (ペンション由布院 ; ☎ 85-
3311 ; ch avec petit déj à partir de 6 500 ¥ ; ⓟ). Joliment
située en bordure de rivière, cette pension
douillette frôle le kitsch. L'aimable propriétaire
parle un peu anglais.

Makiba-no-ie (牧場の家 ; ☎ 84-2138 ; ch demi-
pension 8 000-13 500 ¥/pers ; ⓟ). Des huttes à toit
de chaume entourent un grand *rotemburo*. Le
restaurant, dans un jardin rempli d'antiquités,
propose du poulet *jidori* et un *teishoku* de
sanglier à partir de 1 500 ¥. Les non-résidents
peuvent utiliser le *rotemburo* pour 525 ¥.

Hanayoshi (花吉 ; ☎ 84-5888 ; ☉ 11h-16h ;
⬥ ⓥ). En face du magasin de cycles, dans
la première rue à droite après la gare, il sert
de délicieux bols de *soba* et d'*udon* à partir de
550 ¥. Carte illustrée.

Aji-ichi Sugitaya (味一すぎた屋 ; ☎ 84-5644 ;
☉ déj et dîner, fermé mar). De la gare, marchez tout
droit sur 400 m pour rejoindre ce restaurant,

repérable à la lanterne suspendue et à la
carte illustrée en façade. Essayez la copieuse
spécialité, un *teishoku* de *toriten* (tempura
de poulet) et de *dangojiru* (soupe miso aux
raviolis) à 1 200 ¥. Tous les menus sont d'un
excellent rapport qualité/prix.

Depuis/vers Yufuin

Les trains locaux de la ligne JR Kyūdai relient
Beppu et Yufuin (1 080 ¥, 1 heure 15), via
Ôita. Vous pouvez aussi prendre le "Yufuin
no Mori", un express qui circule plusieurs fois
par jour (4 400 ¥, 2 heures 15).

Des bus partent dans la journée de la gare
JR de Beppu pour Yufuin (900 ¥). Au-delà,
les choses se compliquent. Des bus desservent
Aso et Kumamoto, mais pas toute l'année. Des
bus express (Kyūshū Sanko) rallient Fukuoka
(3 100 ¥).

DE YUFUIN À L'ASO-SAN

La nationale Yamanami s'étire sur 63 km des
abords de Yufuin à l'Aso-san. Cette belle route
traverse un haut plateau et longe plusieurs
sommets, dont le **Kujū-san** (1 787 m), le point
culminant de Kyūshū.

À côté de la nationale, le **Kokonoe "Yume"
Ôtsuribashi** (九重'夢'大吊橋 ; ☎ 0973-73-3800 ; 500 ¥ ;
☉ 9h-16h), un pont suspendu achevé en 2006,
est le plus grand de ce type au Japon. À 173 m
au-dessus de la Naruko-gawa (777 m d'altitude),
c'est une traversée spectaculaire de 390 m d'un
côté à l'autre de la gorge, déconseillée à ceux qui
souffrent du vertige. La vue est extraordinaire
mais le pont est souvent bondé. Le rejoindre sans
voiture se révèle très difficile. Bungo-Nakamura
est la gare la plus proche.

Taketa 竹田

Au sud de Yufuin, près de la ville somnolente de
Taketa, les **ruines de l'Oka-jō**, juchées sur une crête,
offrent une vue superbe. Elles sont situées à plus
de 2 km de la gare JR de Bungo-Taketa. Taketa
possède d'intéressants vestiges de la période
chrétienne, ainsi que des temples et des maisons
traditionnelles bien préservés. Le **Taketa Onsen
Hanamizuki** (花水月温泉 ; ☎ 0974-64-1126 ; 500 ¥ ;
☉ 9h-22h) est à côté de la gare.

De l'Aso-san, le train met moins de 1 heure
sur la ligne JR Hōhi pour rejoindre Bungo-
Taketa (*futsū* ; 820 ¥) ; de là, les trains rallient
Ôita en 1 heure (1 250 ¥). Le trajet en bus est
à peine plus long.

Okinawa et les îles du Sud-Ouest

沖縄 南西諸島

Les îles du Sud-Ouest, ou Nansei-shotō, constituent l'*autre Japon*, un chapelet d'îles semitropicales qui évoque davantage Hawaï ou le Sud-Est asiatique que le reste du pays. S'étirant de Kyūshū au nord jusqu'au large de Taïwan au sud, ces îles frangées de corail séduisent immanquablement les visiteurs.

Les Nansei-shotō sont avant tout un paradis pour les amoureux de la nature. Parmi les îles de Kagoshima-ken, au nord, Yakushima recèle de luxuriantes forêts primaires parmi les sommets escarpés. Dans la même préfecture, Amami-Ōshima se distingue par ses jolies plages et une côte très découpée. Également dans l'archipel des Amami-shotō, Yoron-tō, ourlée tout du long de plages de sable blanc, possède un aéroport.

En poursuivant vers le sud, on arrive à Okinawa-hontō, l'île principale de l'Okinawa-ken, la préfecture la plus méridionale du pays. Affairée et attrayante, Okinawa-hontō est surpassée par les îles alentour, telles les fabuleuses Kerama-shotō, de petits joyaux aux plages de sable blanc baignées d'une eau cristalline. Vient ensuite Miyako-jima, qui offre également des plages de rêve et une ambiance détendue. Enfin, les sublimes Yaeyama-shotō comptent les plus beaux récifs coralliens, des jungles subtropicales et de vastes mangroves, sans oublier les raies mantas, les requins-marteaux et les mystérieuses ruines englouties de "l'Atlantide du Pacifique".

Outre leur beauté naturelle, les îles du Sud-Ouest fascinent par leur culture particulière, totalement différente de celle du reste du Japon. Okinawa fut un pays à part entière durant la majeure partie de son histoire et la culture Ryūkyū reste bien vivace dans les Nansei-shotō.

À NE PAS MANQUER

- Une randonnée dans les montagnes du centre de **Yakushima** (p. 769) pour découvrir les anciens *yaku-sugi*
- Une plongée parmi les raies mantas au large d'**Ishigaki-jima** (p. 796)
- Les marais de mangrove, les jungles et les récifs coralliens d'**Iriomote-jima** (p. 802), la dernière frontière du Japon
- Une traversée en ferry jusqu'à **Taketomi-jima** (p. 804), "musée vivant" d'un mode de vie révolu
- Farniente et soleil sur les plages de sable blanc de **Kerama-shotō** (p. 790)
- L'héritage de la culture Ryūkyū dans les ruelles et les marchés de **Naha** (p. 782)
- Les bancs de requins-marteaux et "l'Atlantide du Pacifique" (p. 806) au large de **Yonaguni-jima**

Histoire

Durant des siècles, Okinawa et les îles du Sud-Ouest furent dirigées par des *aji* (chefs locaux), qui se battaient pour le contrôle de petits fiefs, le pouvoir et la renommée. En 1429, Sho Hashi, du royaume Chūzan, unifia les îles et fonda la dynastie Ryūkyū. Durant cette période, Sho Hashi développa les contacts avec la Chine, ce qui contribua à l'essor de la musique, de la danse, de la littérature et de la céramique. Pendant cet "âge d'or", l'interdiction des armes garantit la paix et la tranquillité dans les îles.

Le royaume Ryūkyū, dépourvu d'armes et sans défenses conséquentes, n'était pas préparé à la guerre quand le clan Shimazu de Satsuma (l'actuelle Kagoshima) l'envahit en 1609. Les Shimazu conquirent facilement le royaume et instaurèrent un contrôle sévère sur son commerce. Alors que le reste du Japon fermait ses portes au monde extérieur jusqu'en 1853, les Shimazu poursuivirent leurs échanges avec la Chine sous couvert du royaume Ryūkyū. Les îles furent dirigées d'une main de fer, taxées et exploitées pendant près de 250 ans.

Avec la Restauration de l'empereur Meiji et l'abolition du système féodal, le Ryūkyū fut intégré au Japon en 1879 et devint la préfecture d'Okinawa. Cela ne changea guère la vie des habitants, considérés comme des sujets étrangers par le gouvernement japonais, comme par les Shimazu auparavant. De plus, le gouvernement Meiji s'employa à éradiquer la culture locale, interdisant l'enseignement de l'histoire du Ryūkyū dans les écoles et imposant le japonais comme langue officielle.

Vers la fin de la Seconde Guerre mondiale, l'armée japonaise décida d'utiliser les îles d'Okinawa comme un bouclier contre les Alliés, espérant freiner leur progression dans le Pacifique. La décision de sacrifier Okinawa pour protéger le reste du pays coûta cher aux insulaires : près de 250 000 Japonais et 12 500 soldats américains périrent pendant la bataille d'Okinawa.

Après la guerre, Okinawa fut de nouveau sacrifiée par Tōkyō : alors que l'occupation du Japon s'acheva en 1952, Okinawa resta sous contrôle américain jusqu'en 1972. En échange de sa restitution, le Japon autorisa le maintien de bases américaines sur les îles. Quelque 30 000 militaires américains stationnent encore dans l'Okinawa-hontō. Pour plus d'information sur l'occupation d'Okinawa, voir p. 788.

Climat

Les îles du Sud-Ouest possèdent un climat subtropical et bénéficient de températures bien plus clémentes que le reste du pays, notamment dans l'Okinawa-ken, au sud. À l'exception des sommets de Yakushima, parfois enneigés de décembre à février, les îles ne connaissent pas d'hiver véritable et sont plaisantes toute l'année. Toutefois, la baignade peut être déplaisante entre fin octobre et début mai, sauf pour les plus téméraires.

Dans l'Okinawa-hontō, la température moyenne s'élève à 20°C en décembre et 30°C en juillet. Elle est un peu plus basse dans les îles de Kagoshima-ken et un peu plus haute dans celles de Yaeyama-shotō et Miyako-shotō. Les îles sont particulièrement fréquentées de juin à août et pendant la Golden Week, début mai. En dehors de ces périodes, ce sont souvent des havres de paix.

Le principal élément à prendre en considération en préparant votre voyage est l'éventuel passage des typhons, qui peuvent survenir à tout moment entre juin et octobre. Si vous visitez les îles à cette époque, prévoyez un programme flexible car les typhons entraînent souvent des retards ou des annulations de vols ou de ferries, et achetez des billets que vous pouvez changer sans supplément. Préparez-vous à devoir rester quelques jours sur une île en attendant la fin d'une tempête. Le **site de l'Agence météorologique du Japon** (www.jma.go.jp/en/typh) indique avec précision les typhons qui menacent le pays.

Langue

Les îles Ryūkyū possédaient autrefois une langue distincte, qui a quasiment disparu. Presque tous les îliens parlent le japonais standard. Les étrangers qui parlent japonais auront peut-être du mal à comprendre l'accent et les dialectes locaux.

Depuis/vers Okinawa et les îles du Sud-Ouest

Les îles du Sud-Ouest sont facilement accessibles depuis le reste du Japon. Des vols relient les grandes villes du pays à Amami-Ōshima, Okinawa-hontō (Naha), Miyako-jima et Ishigaki-jima (carte p. 839). Kagoshima, dans Kyūshū, offre des vols depuis/vers toutes ces îles et des îles plus petites. D'autres îles plus éloignées, comme Yonaguni-jima, Kume-jima et Zamami-jima, peuvent se rejoindre par avion avec un changement à Naha ou Ishigaki.

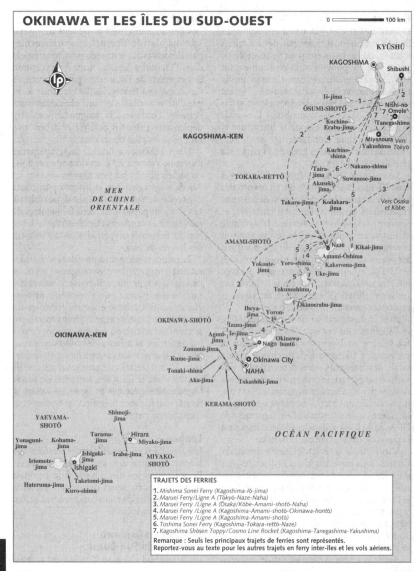

Des ferries circulent entre Tōkyō, Ōsaka/Kōbe, Kagoshima et les îles d'Amami-shotō et d'Okinawa-hontō. De nombreux bateaux naviguent entre Kagoshima, Yakushima et Tanegashima. Le ferry *Arimura Sangyō* qui desservait toutes les îles du Sud-Ouest entre Kyūshū et Taïwan n'existe plus, si bien qu'il n'est plus possible de rejoindre les Miyako-shotō et les Yaeyama-shotō par bateau depuis Kyūshū. Un nouveau service pourrait être créé ; renseignez-vous dans les offices du tourisme.

Si vous arrivez au Japon par avion, sachez que JAL et ANA proposent des forfaits "visitez le Japon" ; ils s'achètent à l'étranger, en même temps que votre billet. Ces forfaits procurent des réductions sur les vols intérieurs.

Comment circuler

Une fois arrivé dans un grand port comme Naze à Amami-Ōshima, Naha à Okinawa-hontō, ou Ishigaki à Ishigaki-jima, vous trouverez de nombreux ferries qui desservent les îles alentour. La fréquence des services permet d'utiliser ces villes comme bases pour naviguer d'île en île. Les archipels d'Amami-shotō, d'Okinawa-shotō et de Yaeyama-shotō possèdent un bon réseau aérien et la plupart des îles disposent d'aérodromes.

Se déplacer dans les îles est un peu moins facile. Des bus publics circulent dans la plupart des îles, mais chaque ligne ne compte habituellement que quelques bus par jour. Dans la mesure du possible, mieux vaut apporter un permis de conduire international et louer une voiture ou un scooter, notamment sur Yakushima, Ishigaki, Iriomote et Okinawa-hontō. Une autre solution consiste à louer un vélo (les engins de location sont souvent vétustes) ou à apporter le sien.

KAGOSHIMA-KEN
鹿児島県

L'extrémité nord des îles du Sud-Ouest fait partie de la préfecture de Kagoshima-ken, qui comprend le sud de Kyūshū. Trois groupes d'îles ("shotō" ou "rettō" en japonais) sont rattachés à Kagoshima-ken.

Au nord, l'Ōsumi-shotō inclut l'île de Yakushima, l'une des destinations les plus courues des îles du Sud-Ouest. Ce groupe d'îles, à 100 km au sud de Kyūshū, est desservi par des ferries fréquents de Kagoshima. Des liaisons aériennes limitées rallient deux de ces îles.

Vient ensuite le Tokara-rettō, 12 îlots volcaniques rarement visités, qui compte parmi les destinations les plus isolées de la région. Les ferries qui relient Kagoshima et Amami-Ōshima y font escale.

Tout au sud, l'Amami-shotō comprend Amami-Ōshima, le centre de peuplement, et d'autres îles plus pittoresques. À 380 km au sud de Kyūshū, ce groupe possède une ambiance plus tropicale que les autres îles de Kagoshima-ken. Des ferries fréquents et des avions le desservent de Kagoshima, ainsi que des ferries hebdomadaires en provenance de Tōkyō et d'Ōsaka/Kōbe.

ŌSUMI-SHOTŌ 大隈諸島

L'Ōsumi-shotō se compose des deux grandes îles de Yakushima et Tanegashima et d'un trio d'îles peu visitées, appelé Mishima-mura. Destination phare, Yakushima est un paradis pour les amoureux de la nature et attire de nombreux visiteurs japonais et étrangers. Tanegashima, connue pour abriter le programme spatial nippon, est une destination prisée des surfeurs japonais, mais voit peu de touristes étrangers. Enfin, Iō-jima, la plus connue du groupe de Mishima-mura, est un petit joyau volcanique peu fréquenté, doté d'excellents *onsen* (sources thermales).

Yakushima 屋久島
☎ 0997 / 14 000 habitants

Classée au patrimoine mondial de l'Unesco en 1993, Yakushima est l'une des plus belles îles du Sud-Ouest. Les montagnes escarpées de l'intérieur sont couvertes de *yaku-sugi* (屋久杉 ; *Cryptomeria japonica*), d'anciens cèdres du Japon qui auraient inspiré des scènes de *Princesse Mononoke*, un dessin animé de Hayao Miyazaki.

La randonnée parmi les pics élevés et les forêts moussues constitue la principale activité, mais l'île compte aussi d'excellents onsen sur les côtes et quelques plages de sable.

Sachez que Yakushima conjugue les extrêmes : les montagnes piègent les nuages chargés d'humidité et le centre de l'île est l'un des endroits les plus humides du Japon. En hiver, la neige peut coiffer les sommets alors que les températures restent relativement douces sur la côte. Quel que soit votre programme, ne partez pas en randonnée sans une bonne carte et l'équipement adéquat. Louer une voiture rendra votre séjour plus plaisant car les bus sont limités et peu fréquents.

ORIENTATION

Miyanoura (宮之浦), le port principal, se situe sur la côte nord-est et constitue une base pratique car la plupart des bus partent de là. Une route fait le tour de l'île, traverse le port secondaire d'Anbō (安房) sur la côte est, la ville thermale d'Onoaida (尾の間) au sud, puis remonte vers le nord par Nagata (永田), bordée d'une superbe plage de sable blanc.

RENSEIGNEMENTS

Au terminal des ferries de Miyanoura, un **Tourist Information Centre** (TIC ; ☎ 42-1019 ; ◷ 8h30-17h) très utile se tient dans le bâtiment blanc sur la droite après les bureaux des compagnies de ferry Toppy et Rocket. Le personnel vous aidera à trouver un hébergement et répondra à toutes vos questions sur l'île. À Anbō, un **office du tourisme** (☎ 46-2333 ; ⏰ 9h-17h30) plus modeste borde l'artère principale, au nord de la rivière.

Si vous prévoyez d'explorer l'île en bus, mieux vaut acheter un forfait (voir p. 774).

À VOIR ET À FAIRE
Onsen
Parmi les divers onsen de l'île, le meilleur avoisine le village d'Onoaida, sur la côte sud, desservi par des bus en direction du sud de Miyanoura ou d'Anbō.

Les amateurs apprécieront l'**Hirauchi Kaichū Onsen** (100 ¥ ; ⏰ 24h/24). Les bains extérieurs, parmi les rochers en bord de mer, ne s'utilisent qu'à marée basse (le TIC ou votre hébergement vous indiquera l'heure). Les bains sont accessibles à pied de l'arrêt de bus Kaichū Onsen, mais l'arrêt suivant, Nishikaikon, est plus proche. De Nishikaikon, descendez vers la mer sur 200 m puis tournez à droite au pied de la colline. Sachez qu'il s'agit d'un *konyoku onsen* (bain mixte) dans lequel on se baigne nu.

À 600 m à l'ouest, le **Yudomari Onsen** (100 ¥ ; ⏰ 24h/24) est un autre onsen en bord de mer et ne dépend pas des marées. Le petit bassin comporte une séparation qui offre un peu plus d'intimité. De l'arrêt de bus Yudomari, prenez la route en face de la poste en direction de la mer. Une fois dans le village, le chemin est indiqué. Cette marche de 300 m passe devant un superbe banian.

À Onoaida, l'**Onoaida Onsen** (200 ¥ ; ⏰ 7h-21h30 mai-oct, 7h-21h nov-avr, 12h-21h lun) est un bain couvert rustique non mixte. Très plaisant, il est fréquenté par les anciens du village. Il se situe en haut d'Onoaida (côté montagne), à environ 350 m de l'arrêt de bus Onoaida Onsen.

Randonnée
La marche est le meilleur moyen d'apprécier la beauté de Yakushima. Sauf pour les courtes promenades dans Yaku-sugi Land (voir ci-contre), procurez-vous la carte (en japonais) *Yama-to-Kougen-no-Chizu-Yakushima* (山と高原の地図屋久島 ; 840 ¥), disponible dans la plupart des grandes librairies du pays. Prévoyez un équipement de randonnée adéquat, dont un imperméable et des vêtements chauds, surtout en hiver, ainsi qu'un sac de couchage et des provisions si vous comptez passer la nuit dans un *yama-goya* (refuge de montagne).

Avant de partir, indiquez l'itinéraire prévu à votre hébergement et remplissez un *tōzan todokede* (plan d'itinéraire) au début du sentier.

La destination la plus prisée est le **Jōmon Sugi**, un énorme yaku-sugi qui serait âgé d'au moins 3 000 ans. Deux itinéraires mènent à l'arbre : celui de 19,50 km, de 8 à 10 heures aller-retour depuis l'**Arakawa-tozanguchi** (604 m), est desservi deux fois par jour par un bus depuis/vers Miyanoura (1 380 ¥, 1 heure 25, mars-novembre) ; l'aller-retour depuis le **Shiratani-unsuikyō-tozanguchi** (622 m) est desservi jusqu'à 8 fois par jour par des bus depuis/vers Miyanoura (530 ¥, 35 min, mars-novembre).

Depuis le classement de Yakushima au Patrimoine mondial, les touristes viennent en nombre au Jōmon Sugi en été et durant la Golden Week. Par ailleurs, sachez qu'il est interdit de se rendre en voiture de location à Arakawa-tozanguchi pendant le mois d'août (des bus font la navette de Yakusugi Land, où l'on peut se garer).

Le plus ancien parcours de randonnée de Yakushima est l'ascension d'une journée jusqu'au **Miyanoura-dake** (1935 m), le point culminant du Japon méridional. Des grimpeurs entraînés mettent environ 7 heures pour l'aller-retour depuis **Yodogawa-tozanguchi** (1 370 m), le début du sentier à 1,5 km (environ 30 min) après l'arrêt de bus Kigen-sugi. Deux bus depuis/vers Anbō (910 ¥, 1 heure) s'y arrêtent chaque jour. Les bus ne permettent pas d'effectuer l'ascension aller-retour dans la journée. En prenant tôt le matin un taxi à Miyanoura (environ 10 000 ¥), vous pourrez rejoindre Anbō avec le second bus.

Vous pouvez aussi combiner le Miyanoura-dake avec une étape en chemin au Jōmon Sugi. Ne tentez pas cette randonnée en une journée ; vous devrez passer la nuit dans l'un des *yama-goya* (refuges) au-dessus du Jōmon Sugi. Des itinéraires classiques relient Yodogawa et Arakawa ou Yodogawa et Shiratani-unsuikyō. La traversée complète de l'île est détaillée dans le guide *Hiking in Japan* de Lonely Planet (en anglais).

Les moins aventureux visiteront **Yaku-sugi Land** (300 ¥ ; ⏰ 9h-17h), une forêt préservée parmi les sommets. En dépit de son nom commercial, l'endroit mérite le détour et permet d'admirer des cèdres du Japon sans un long trek en forêt.

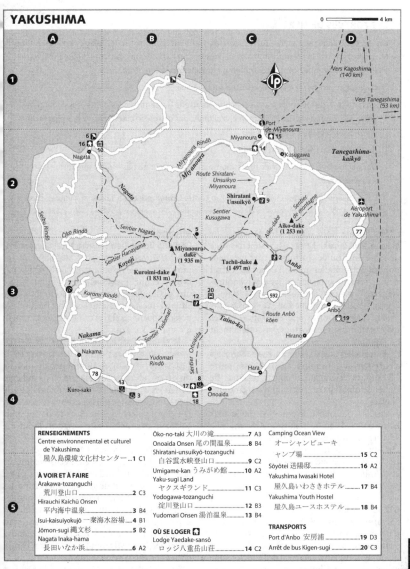

YAKUSHIMA

0 ————————— 4 km

Il offre deux courtes marches sur des passerelles en planches et deux randonnées plus longues dans la forêt de cèdres. Chaque jour, 4 bus circulent depuis/vers Anbō (720 ¥, 40 min).

Autres curiosités
À Miyanoura, le **Centre environnemental et culturel de Yakushima** (☎ 42-2900 ; entrée et film 500 ¥ ; 🕓 9h-17h mar-sam sept-juin, 9h-17h tlj juil-août) se tient au coin de la route du terminal des ferries. Ses expositions, avec peu de légendes en anglais, concernent l'environnement naturel et l'histoire de l'île. Un excellent film de 25 minutes est projeté toutes les heures sur grand écran et reste intéressant pour ceux qui ne comprennent pas le japonais.

LES TORTUES DE MER

Les tortues caouanes et les tortues vertes viennent pondre sur les plages de Yakushima. Malheureusement, la présence humaine peut perturber ce processus. Gardez ces quelques conseils à l'esprit si vous visitez ces plages, notamment celles de la côte nord-ouest :

■ Ne vous approchez jamais d'une tortue sur le rivage.

■ Ne faites pas de feu sur la plage car la lumière risque de perturber les petits (qui s'orientent grâce à la lueur de la Lune). De même, n'allumez pas de torche électrique ou des phares de voiture sur la plage ou à proximité.

■ Ne marchez pas sur la plage la nuit.

■ Dans la journée, marchez avec précaution sur le sable pour ne pas écraser une tortue juste sortie de l'œuf.

■ Pour observer les tortues, adressez-vous au centre **Umigame-kan** à Yakushima (ci-dessous).

Sur la côte nord-ouest, dans le village de Nagata, **Nagata Inaka-hama** est une superbe plage de sable doré où des tortues de mer viennent pondre entre mai et juillet. Elle jouxte l'arrêt de bus Inaka-hama, sur la ligne Miyanoura-Nagata. Vers le milieu de la plage, le long de la grand-route, l'**Umigame-kan** (☎ 49-6550 ; 200 ¥ ; ◷ 9h-17h mer-lun) offre une exposition et des informations sur les tortues (essentiellement en japonais).

Autre belle plage d'Okinawa, **Issō-kaisuiyokujō** s'étire sur la côte nord, à mi-chemin entre Miyanoura et Nagata, à courte distance de l'arrêt de bus Yahazu (sur la ligne Miyanoura-Nagata).

Sur la côte ouest, **Ōko-no-taki** est la plus haute chute d'eau de Yakushima (88 m). Elle se situe à 5 minutes de marche de l'arrêt de bus Ōko-no-taki, le terminus pour quelques bus circulant vers le sud et l'ouest de Miyano-ura et d'Anbō (seuls 2 bus par jour effectuent le parcours complet).

OÙ SE LOGER

Miyanoura, l'endroit le plus pratique pour passer la nuit, compte deux hôtels, de nombreux *minshuku* (chambres d'hôte) et quelques bungalows au bord de l'eau. Chaque village dispose d'hébergements et plusieurs *yama-goya* (refuges) rudimentaires sont installés dans les montagnes.

En juillet-août et pendant la Golden Week au printemps, mieux vaut réserver à l'avance car les établissements affichent vite complet. Si vous logez en dehors de Miyanoura, téléphonez pour savoir si l'hôtelier peut venir vous chercher au débarcadère des ferries.

Miyanoura

Camping Ocean View (Yakushima Youth Campground ; ☎ 47-3751 ; www.yakushima-yh.net ; 840 ¥/pers). Ce camping rustique se résume à un terrain où planter la tente et quelques douches et sanitaires, avec une petite plage rocheuse en contrebas. Il se situe à l'ouest de la station-service Eneos. L'île possède quelques autres campings, notamment à Anbō et Yahazu.

Miyanoura Portside Youth Hostel (☎ 49-1316 ; www.yakushima-yh.net ; dort membre/non membre HI 3 200/3 800 ¥ ; Ⓟ 🖳). À 10 minutes de marche du débarcadère de Miyanoura, cette auberge de jeunesse, simple et propre, ne sert pas de repas, mais avoisine plusieurs bons restaurants. Du débarcadère, entrez dans le bourg, puis suivez la première route longeant le littoral sur la gauche.

Lodge Yaedake-sansō (☎ 42-1551 ; ch pension complète 7 800 ¥/pers ; Ⓟ). Ce lodge isolé, installé dans les terres au bord de la Miyanoura-gawa, offre des chambres de style japonais dans des bungalows rustiques, reliés entre eux par des caillebotis. Profitez du bain privé en admirant le paysage pendant que les enfants s'amusent dans la rivière. Si vous réservez, on viendra vous chercher à Miyanoura. Vous aurez besoin d'un véhicule si vous séjournez ici.

Seaside Hotel (☎ 42-0175 ; www.ssh-yakushima.co.jp, en japonais ; ch demi-pension à partir de 12 600 ¥ ; Ⓟ 🖳). Surplombant le port des ferries de Myanoura, ce complexe hôtelier prisé, pratique et séduisant, possède une piscine superbe et de vastes chambres, pour la plupart à l'occidentale ; certaines bénéficient de la vue sur la mer. Il se situe à 5 minutes de marche du port, sur la droite en allant vers le bourg.

Onoaida

Yakushima Youth Hostel (☎ 47-3751 ; www.yakushima-yh.net ; dort avec/sans demi-pension 4 620/2 940 ¥ ; **P** **☐**). À 3 km à l'ouest d'Onoaida, cette auberge de jeunesse bien tenue comporte des dortoirs à l'occidentale et un splendide bain en cyprès dans la nouvelle aile. De Miyanoura, prenez n'importe quel bus en direction du sud jusqu'à l'arrêt Hirauchi-iriguchi, puis longez la route vers la mer sur 200 m.

Yakushima Iwasaki Hotel (☎ 47-3888 ; http :// yakushima.iwasakihotels.com, en japonais ; d à partir de 20 000 ¥ ; **P** **☐**). Perché sur une colline au-dessus d'Onoaida, l'hôtel le plus luxueux de l'île jouit d'une vue splendide. Ses spacieuses chambres à l'occidentale donnent sur le large ou sur la montagne. Un onsen et deux restaurants sont à disposition des hôtes. Les bus se dirigeant vers le sud de Miyanoura s'arrêtent devant l'hôtel.

Nakata

Sōyōtei (☎ 45-2819 ; http://soyote.ftw.jp/u44579.html, en japonais ; ch pension complète 12 600 ¥/pers ; **P**). Au nord-ouest de l'île près d'Inaka-hama, cette belle pension propose des maisons mitoyennes avec véranda privée et vue sur l'océan. Un bain en plein air fait face à la mer mais n'est pas toujours ouvert. À deux pas de l'arrêt de bus Inaka-hama.

OÙ SE RESTAURER

Chaque village compte quelques restaurants mais c'est Miyanoura qui offre le plus de choix. Si vous séjournez ailleurs qu'à Miyanoura, mieux vaut opter pour la demi-pension. Si vous prévoyez une randonnée, demandez la veille à votre hôtel de vous préparer un *bentō* (repas en boîte).

Resutoran Yakushima (☎ 42-0091 ; ☼ 9h30-16h30). Au 2ᵉ niveau du Yakushima Kankō Sentaa (le bâtiment vert à 2 étages dans l'artère principale, près de la route du débarcadère), ce restaurant sans prétention propose un petit-déjeuner à 500 ¥ (œufs, toasts et café) et un savoureux *tobi uo sashimi teishoku* (menu sashimis de poisson volant ; 900 ¥) au déjeuner. Accès Internet sur deux ordinateurs portables japonais.

Ten Ten (☎ 42-0689 ; ☼ 17h30-22h, fermeture irrégulière). Dans l'artère principale au centre de Miyanoura, ce sympathique *izakaya* (pub à la japonaise) sert un excellent *yakizakana teishoku* (menu de poisson grillé ; 1 000 ¥). Il est un peu difficile à repérer ; demandez à un habitant de vous l'indiquer.

Oshokuji-dokoro Shiosai (☎ 42-2721 ; ☼ 11h30-14h et 17h30-22h, fermé jeu). Dans la même rue que le Ten Ten, ce restaurant raffiné comprend un comptoir, des tables et des tatamis. Il offre un éventail complet des classiques japonais et d'excellents poissons et fruits de mer locaux. Essayez le *sashimi teishoku* (menu sashimis ; 1 700 ¥) ou le délicieux *ebi-furai teishoku* (menu beignets de crevettes ; 1 400 ¥). Repérez le bâtiment bleu et blanchâtre et les portes vitrées automatiques. Pas de carte en anglais.

Si vous devez faire des courses pour camper ou pour une randonnée, rendez-vous au supermarché Yakuden dans l'artère principale de Miyanoura, au nord de l'entrée du débarcadère.

DEPUIS/VERS YAKUSHIMA
Avion

JAC offre des vols entre Kagoshima et Yakushima (12 750 ¥, 35 min, 5/jour). L'aéroport de Yakushima se situe sur la côte nord-est, entre Miyanoura et Anbō. Des bus le desservent toutes les heures ; vous pouvez aussi téléphoner à votre hôtel pour qu'on vienne vous chercher ou prendre un taxi.

BATEAU

Trois compagnies maritimes proposent des services entre Kagoshima (Kyūshū) et Yakushima, et certains font escale à Tanegashima. **Kagoshima Shōsen/Toppy** (☎ 099-226-0128) et **Cosmo Line/Rocket** (☎ 099-223-1011) offrent chacun au moins trois hydroglisseurs par jour entre Kagoshima et Miyanoura (5 000 ¥, 1 heure 50 traversée directe, 2 heures 50 via Tanegashima). Kagoshima Shōsen/Toppy propose aussi des traversées en hydroglisseur entre Kagoshima et le port d'Anbō, à Yakushima.

Sachez que les hydroglisseurs cessent de circuler au moindre signe de mauvais temps. En été et durant la Golden Week, de Kagoshima, mieux vaut réserver la veille du départ par téléphone ou aux bureaux des compagnies. Le reste de l'année, on peut généralement emprunter le prochain bateau au départ.

Orita Kisen (☎ 099-226-0731) gère le ferry classique *Yakushima 2* entre Kagoshima et Miyanoura (aller/aller-retour 5 200/8 500 ¥, 4 heures, 1/jour). Il part à 8h30 de Kagoshima et revient à 13h30 de Miyanoura. Les réservations sont habituellement inutiles.

OKINAWA ET LES ÎLES DU SUD-OUEST

COMMENT CIRCULER

Des bus locaux parcourent en partie la route côtière autour de Yakushima toutes les une à deux heures. Seuls quelques-uns desservent l'intérieur. Les bus sont chers et l'achat d'un *Furii Jōsha Kippu*, qui donne droit à des trajets illimités, vous fera réaliser des économies substantielles : comptez 2 000/3 000 ¥ pour un forfait d'un/deux jours, en vente au bureau des ferries Toppy à Miyanoura.

Vous pouvez aussi faire du stop, mais le mieux consiste à louer une voiture pour sillonner l'île. **Toyota Rent-a-Car** (☎ 43-5180 ; jusqu'à 12 heures à partir de 5 775 ¥ ; 🕐 8h-20h) est installé près du terminal à Miyanoura.

Tanegashima 種子島
☎ 0997 / 36 000 habitants

Longue île étroite à 20 km au nord-est de Yakushima, Tanegashima est une destination détendue, prisée des surfeurs et des amateurs de plage japonais. Site du centre spatial japonais, l'île est aussi l'endroit où des armes à feu furent introduites pour la première fois au Japon par des Portugais naufragés en 1543. Bien desservie par des bateaux, cette île se combine facilement avec Yakushima. En revanche, la rareté des bus rend difficile son exploration sans louer une voiture, un scooter ou au moins un bon vélo.

Le port principal, **Nishi-no-Omote** (西の表), se situe sur la côte nord-ouest. L'aéroport se tient presque au milieu de l'île, près de la côte ouest. Les meilleures plages et la plupart des spots de surf bordent la côte est, qui comporte un onsen.

Vous trouverez un **office du tourisme** (種子島 観光案内所 ; ☎ 22-1146 ; 🕐 8h30-17h30) serviable dans la billetterie/salle d'attente des ferries Cosmo, au débarcadère de Nishi-no-Omote.

À VOIR ET À FAIRE

Le **centre spatial** (種子島宇宙センター), sur la côte sud-est, est un vaste complexe aux allures de parc. Il comprend des rampes de lancement et un **musée de la Technologie spatiale** (宇宙科 学技術館 ; ☎ 26-9244 ; 🕐 9h30-17h30 mar-dim, fermé les jours de lancement) qui retrace l'histoire du programme spatial nippon. Il contient des maquettes de fusées japonaises et d'anciens satellites. De l'arrêt de bus le plus proche, Iwasaki Hotel, une marche de 10 minutes conduit au centre.

À proximité du centre spatial, **Takesaki-kaigan** (竹崎海岸) possède une superbe étendue de

sable blanc, très prisée des surfeurs. Le plus bel endroit est la plage en face de l'Iwasaki Hotel (près de l'arrêt de bus du même nom) encadré d'imposantes formations rocheuses. **Nagahama-kaigan** (長浜海岸), sur la côte ouest, offre une plage de 12 km, également appréciée des surfeurs.

Plus haut sur la côte est, **Kumano-kaigan** (熊野海岸) comprend une longue plage, un camping et le **Nakatanechō Onsen** (中種子町温 泉 ; 300 ¥/pers ; 🕐 11h-20h oct-mars, 11h-21h avr-sept, fermé jeu). L'arrêt de bus le plus proche est Kumano-kaisuiyokujō.

Le **musée d'Histoire et du Folklore** (中種子 町立歴史民俗資料館 ; ☎ 27-2233 ; 160 ¥ ; 🕐 9h-19h mar-dim), près de l'aéroport, présente des expositions sur l'histoire et les modes de vie traditionnels des insulaires. Descendez à l'arrêt de bus Noma.

OÙ SE LOGER ET SE RESTAURER

Ryokan Miharu-sō (旅館美春荘 ; ☎ 22-1393 ; ch demi-pension 6 300 ¥/pers ; 🅿). À Nishi-no-Omote, ce repaire de surfeurs bon marché et accueillant propose des chambres sommaires de style japonais, avec tatamis. Du débarcadère, rejoignez la route principale, prenez à gauche puis tournez à droite au feu et remontez vers l'intérieur des terres.

East Coast (イーストコースト ; ☎ 25-0763 ; www.eastcoast.jp/ ; bungalow jusqu'à 3 pers 10 500 ¥, pers supp 3150 ¥ ; 🅿). Cette école de surf-restaurant loue deux bungalows confortables près des breaks, équipés chacun d'une cuisine et d'une sdb. Le propriétaire, un surfeur japonais, parle anglais. L'endroit se situe, vous l'aurez deviné, sur la côte est.

Mauna Village (マウナヴィレッジ ; ☎ 25-0811 ; ch demi-pension à partir de 6 800 ¥/pers ; 🅿). Toujours sur la côte est, cet ensemble de jolis cottages est prisé des surfeurs et des familles. Certains bénéficient de la vue sur la mer, tous disposent de toilettes mais les sdb sont communes. Les repas sont servis dans la salle à manger.

Izakaya Minshuku Sangoshō (居酒屋民宿珊瑚 礁 ; ☎ 23-0005 ; ch demi-pension à partir de 8 400 ¥/pers ; 🅿). Faisant à la fois chambre d'hôte et bar-pub, le Sangoshō semble directement importé d'Asie du Sud-Est. Il compte d'innombrables petites touches séduisantes, dont un bain entouré de rochers et un gros banian en façade, ainsi que des chambres de style japonais. Il se trouve sur la côte nord-ouest, à 5 minutes en voiture de la ville.

Koryōri Sirō (小料理しろう ; ☎ 23-2117 ; plats à partir de 1 000 ¥ ; ◷ 17h-23h). Entrez dans cet accueillant *izakaya* à Nishi-no-Omote pour découvrir l'hospitalité des îliens et savourer des plats excellents comme le *sashimi teishoku* (menu sashimis ; 1 200 ¥). Repérez les plantes et le *noren* (rideau de porte) bleu et blanc à courte distance de l'Hotel New Tanegashima (devant l'hôtel, demandez votre chemin).

DEPUIS/VERS TANEGASHIMA

JAC offre des vols entre Tanegashima et Kagoshima (11 550 ¥, 35 min) ou Ōsaka (aéroport Itami ; 29 950 ¥, 1 heure 30).

Des ferries rapides relient plusieurs fois par jour Kagoshima et Yakushima (voir p. 773).

Kashō Kaiun (☎ 099-261-7000) propose une traversée quotidienne en ferry classique entre Kagoshima et Tanegashima (3 000 ¥, 3 heures 40).

Iō-jima 硫黄島
☎ 09913 / 115 habitants

Iō-jima est une petite île couverte de bambous, avec un volcan fumant et deux onsen en bord de mer. Rarement visitée par les étrangers, l'île constitue une plaisante escapade en dehors des sentiers battus.

Le port et le seul village se trouvent à la pointe sud-ouest. Au débarcadère, une petite boutique de souvenirs dispose habituellement d'une brochure en japonais avec une carte pratique de l'île.

À la pointe est d'Iō-jima, le **Iō-dake** (硫黄岳 ; 704 m) est un volcan actif qui émet souvent des nuages jaunes de soufre. La couleur rouille du port provient de ces émissions. L'ascension du Iō-dake est strictement interdite.

L'île compte deux onsen gratuits. Sur la côte nord, à environ 4 km du port, le **Sakamoto Onsen** (坂本温泉) est un bassin rectangulaire construit dans la mer. La source chaude qui l'alimente est à 50°C : testez la température avant de plonger ; si elle est trop élevée, utilisez l'un des bassins adjacents où prédomine l'eau de mer. L'onsen est indiqué de manière irrégulière ; essayez de vous diriger vers le nord et légèrement à l'est après le rétrécissement de l'île.

Sur la côte sud, à 3 km à l'est du port et au pied du Iō-dake, le **Higashi Onsen** (東温泉) se révèle beaucoup plus séduisant (et facile à trouver). Trois bassins entourés de rochers et aux températures différentes font face au Pacifique. Au large, une aiguille rocheuse évoque une sentinelle égarée.

Niché au pied des falaises à 250 m à l'ouest du débarcadère, le **camping** d'Iō-jima est gratuit et ouvert toute l'année. Vous pouvez utiliser les douches de la piscine voisine pour 300 ¥. Pour plus de confort, choisissez le **Minshuku Gajmaru** (民宿ガジュマル ; ☎ 2-2105 ; ch demi-pension à partir de 6 000 ¥/pers), simple et accueillant, au centre du village et à 5 minutes de marche du débarcadère (n'hésitez pas à demander votre chemin). Réservation indispensable… en japonais.

Le ferry *Mishima* de **Mishima Sonei Ferry** (☎ 099-222-3141) effectue 3 fois par semaine la traversée de Kagoshima à Iō-jima (3 500 ¥, 4 heures). Il part habituellement de Kagoshima à 9h30.

TOKARA-RETTŌ トカラ列島
700 habitants

Les Tokara-rettō se composent de douze îles volcaniques, dont sept habitées, qui s'égrènent entre Yakushima et Amami-Ōshima. Avec une population de seulement 700 habitants, elles ont une atmosphère de bout du monde. La randonnée, la pêche et de nombreux onsen constituent leurs principaux atouts. Les îles habitées comportent des *minshuku* et l'on peut aussi camper. Le **site Internet des Tokara** (www.tokara.jp en japonais) comprend des photos des îles et des informations sur les *minshuku*.

Les ferries de la compagnie **Nakagawa Unyu** (Ferry Toshima ; ☎ 099-219-1191) partent de Kagoshima tous les lundi et vendredi et s'arrêtent sur chaque île habitée jusqu'à Takara-jima. Le ferry du lundi continue jusqu'à Naze sur Amami-Ōshima. Au retour, le ferry part de Takara-jima les mercredi et dimanche. Vérifiez tout de même les dates et les heures avant de vous présenter à l'embarcadère, car les horaires peuvent varier ou être modifiés en cas de typhon. La traversée en 2e classe entre Kagoshima et Takarajima revient à 7 800 ¥ et le trajet prend environ 13 heures.

Dans le sens nord-sud, le ferry passe par Kuchino-shima (口之島), Nakano-shima (中之島), Taira-jima (平島), Suwanose-jima (諏訪之瀬島), Akuseki-jima (悪石島), Kodakara-jima (小宝島) et Takara-jima (宝島). Montez sur le pont entre Akuseki-jima et Kodakara-jima pour voir une bande de dauphins qui accompagne régulièrement les bateaux ; à défaut, vous verrez sûrement des poissons volants.

OKINAWA ET LES ÎLES DU SUD-OUEST

AMAMI-SHOTŌ 奄美諸島

Les Amami-shotō forment le groupe le plus méridional du Kagoshima-ken. À l'extrémité nord du groupe, Amami-Ōshima, l'île la plus grande et la plus fréquentée, fait office de carrefour de transports. Elle possède des plages splendides et une jungle épaisse. Les plantations de canne à sucre prédominent sur les autres îles, qui comptent aussi de belles plages. En direction du sud, Tokunoshima est connue pour ses combats de taureaux, Okinoerabu-jima compte de curieuses grottes et la minuscule Yoron-tō est ourlée d'excellentes plages.

Amami-Ōshima 奄美大島
☎ 0997 / 70 000 habitants

À 350 km au sud-ouest de Kagoshima, Amami-Ōshima est la troisième plus grande île au large du Japon après Okinawa-hontō et Sado-ga-shima. Bénéficiant d'un climat doux subtropical toute l'année, l'île abrite une faune et une flore particulières, dont des fougères arborescentes et des forêts de mangrove. Son littoral très découpé – une succession de baies, de pointes et de criques, ponctuée de jolies plages de sable blanc –, en fait une alternative séduisante aux îles plus au sud de l'archipel. Des ferries desservent Amami-Ōshima depuis Tōkyō, Ōsaka/Kōbe et Kagoshima.

ORIENTATION ET RENSEIGNEMENTS
Naze (名瀬), la ville principale et le port, se situe sur la côte nord. Le petit aéroport se trouve sur la côte nord-est, à 55 minutes en bus (1 100 ¥, toutes les heures environ en correspondance avec les vols). Les meilleures plages se regroupent à la pointe nord-est. Dans le hall des arrivées de l'aéroport, un petit **comptoir d'information touristique** (☎ 63-2295 ; ◷ 8h30-18h45) fournit des cartes et les horaires des bus. Dans le centre de Naze, en face de l'Amami Sun Plaza Hotel, **Amami Nangoku Travel Service** (☎ 53-0085) effectue des réservations de ferry et d'avion.

À VOIR ET À FAIRE
Ōhama-Kaihin-kōen, la plage la plus proche de Naze, est appréciée pour la baignade, le snorkeling et le kayak de mer. Moins séduisante que les plages plus éloignées, elle peut être bondée mais se rejoint facilement. À Naze, prenez un bus à destination d'Ōhama et descendez à l'arrêt Ōhama (400 ¥).

Bien plus belle, la plage de **Sakibaru Kaigan** occupe la pointe d'une péninsule à 4,5 km au nord de Kise (environ 20 km au nord-est de Naze). À Naze, prenez un bus à destination de Sani, descendez à Kiseura (950 ¥) et terminez à pied. En voiture, suivez les indications en anglais à partir de la route principale (préparez-vous à emprunter des routes étroites).

Plus facile d'accès, **Tomori Kaigan** se situe à 3 km au nord de l'aéroport. À la superbe étendue de sable blanc s'ajoute un chenal entre la plage et le récif, idéal pour le snorkeling. À Naze, prenez un bus à destination de Sani et descendez à Tomori (1 210 ¥).

Un vélo ou une voiture de location constituent les meilleurs moyens d'explorer Amami-Ōshima. La route côtière vers **Uken** (宇検), à l'ouest, traverse de beaux paysages. Vous pouvez aussi suivre la route 58 vers le sud jusqu'à **Koniya** (古仁屋), puis continuer vers le sud-ouest jusqu'à **Honohoshi-kaigan** (ホノホシ海岸), une plage aux fantastiques formations rocheuses. Un ferry rejoint **Kakeroma-jima** (加計呂麻島), un îlot avec quelques plages peu profondes.

OÙ SE LOGER
Minshuku Tatsuya Ryokan (☎ 52-0260 ; ch avec/sans pension complète 4 500/3 000 ¥/pers ; **P**). Le sympathique propriétaire accueille et renseigne volontiers les étrangers. Les chambres correctes, sans prétention, constituent une bonne affaire. Ce *ryokan* se tient dans le centre de Naze, près de l'Hotel New Amami.

Minshuku Sango Beach (☎ 57-2580 ; demi-pension à partir de 6 000 ¥/pers). Surplombant une charmante plage de sable dans le village de Kuninao, ce *minshuku* détendu évoque l'Asie du Sud-Est. Les chambres sont installées dans trois bâtiments mitoyens et les repas sont servis face à la mer. Repérez le panneau "*Yes we speak English*".

Amami Sun Plaza Hotel (☎ 53-5151 ; s à partir de 6 500 ¥ ; **P**). Dans le centre de Naze, cet hôtel d'affaires offre des chambres plutôt spacieuses, avec des petites sdb impeccables, et un restaurant. Accès Internet gratuit.

Native Sea Amami (☎ 62-2385 ; www.native-sea.com ; demi-pension à partir de 13 650 ¥/pers ; **P**). À 18 km à l'est de Naze et à 3 km de l'arrêt de bus Akaogi, ce complexe hôtelier-centre de plongée propose de jolies chambres dans un bâtiment perché sur un promontoire dominant une baie charmante. Elles bénéficient d'une vue superbe, tout comme la salle à manger. Une belle plage peu profonde s'étend en contrebas.

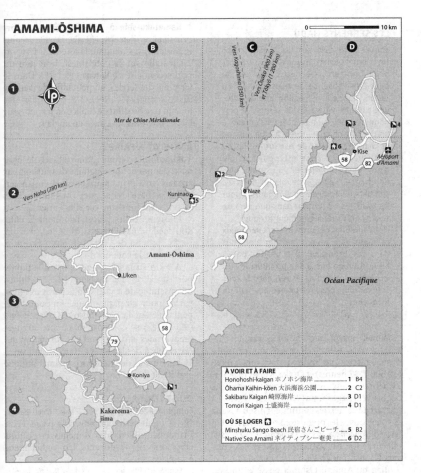

AMAMI-ŌSHIMA

Mer de Chine Méridionale

Vers Kagoshima (350 km)

Vers Ōsaka (900 km)
et Tōkyō (1 200 km)

Vers Naha (280 km)

Kuninao

Naze

Amami-Ōshima

Uken

Océan Pacifique

Koniya

Kakeroma-jima

Kise

Aéroport d'Amami

À VOIR ET À FAIRE
Honohoshi-kaigan ホノホシ海岸 1 B4
Ōhama Kaihin-kōen 大浜海浜公園 2 C2
Sakibaru Kaigan 崎原海岸 3 D1
Tomori Kaigan 土盛海岸 4 D1

OÙ SE LOGER
Minshuku Sango Beach 民宿さんごビーチ 5 B2
Native Sea Amami ネイティブシー奄美 6 D2

OÙ SE RESTAURER

Okonomiyaki Mangetsu (☎ 53-2052 ; 2-2-1F Irifune-cho, Naze ; 11h30-2h30). Les habitants de l'île se pressent dans cet excellent restaurant de Naze pour déguster de délicieux *okonomiyaki* (chou et crêpes-omelettes aux garnitures variées cuits sur une plaque chauffante). Les amateurs de viande apprécieront sûrement l'assortiment *kurobuta* (porc, crevettes et calamars, 1 260 ¥) et les végétariens choisiront l'*isobecchi* (algues *nori* au fromage, 750 ¥). Carte illustrée.

Burroughs (☎ 52-7306 ; repas à partir de 800 ¥ ; 11h-24h). Amami-Ōshima est bien le dernier endroit où nous pensions trouver un café portant le nom d'un écrivain américain de la Beat Generation, William Burroughs, en

l'occurrence, mais le Japon réserve toujours des surprises ! Point de *Festin nu* ici, mais des repas légers et les habituels cafés, à déguster en consultant la collection de livres. Repérez la petite enseigne en anglais au-dessus d'un serrurier.

DEPUIS/VERS AMAMI-ŌSHIMA

JAL ou JAC offrent des vols entre Amami-Ōshima et Tōkyō (42 500 ¥, 2 heures 30, 1/jour), Ōsaka (33 200 ¥, 1 heure 45, 1/jour) et Kagoshima (21 200 ¥, 1 heure, 4/jour). RAC propose un vol quotidien entre Naha et Amami-Ōshima (21 400 ¥, 1 heure). Des vols relient également Amami-Ōshima et les autres îles de l'Amami-shotō (voir la rubrique *Depuis/vers* de chaque île).

OKINAWA ET LES ÎLES
DU SUD-OUEST

LES SERPENTS HABU

Toute discussion sur les Nansei-shotō finit par tourner autour des serpents *habu* "mortels". Ce débat, qui reflète peut-être l'absence de réels dangers au Japon, donne l'impression que le *habu*, une sorte de vipère, est le serpent le plus dangereux au monde et qu'il s'en cache un derrière chaque arbre, chaque buisson et chaque tabouret de bar sur les îles du Sud-Ouest ! L'espèce est pourtant loin d'être aussi prolifique ; vous aurez plus de chance d'en apercevoir un dans les combats mangouste-*habu* organisés pour les touristes ou flottant dans une jarre de saké onéreux (et légèrement toxique).

Néanmoins, ces serpents sont venimeux et mieux vaut ne pas marcher pieds nus dans les broussailles. N'hésitez pas à taper du pied lors d'une promenade ; les vibrations feront fuir les serpents. Si vous êtes mordu, consultez immédiatement un médecin.

Maruei Ferry/A Line (☎ à Kagoshima 099-226-4141 ; www.aline-ferry.com, en japonais) propose 4 ou 5 ferries par mois depuis/vers Tōkyō (20 500 ¥, 37 heures) et Ōsaka/Kōbe (15 500 ¥, 29 heures), ainsi que des ferries quotidiens depuis/vers Kagoshima (92 00 ¥, 11 heures). La plupart de ces ferries continuent jusqu'à Naha et vous pouvez les prendre en sens inverse. Un ferry de **Amami Kaiun** (☎ à Kagoshima 099-222-2338) effectue 5 fois par semaine la traversée depuis/vers Kagoshima (9 200 ¥, 14 heures).

Bien qu'Amami-Ōshima possède un bon réseau de bus, louer une voiture se révèle plus plaisant pour explorer l'île. **Matsuda Renta Car** (☎ 63-0240), dans l'artère principale de Naze près de l'Amami Sun Plaza Hotel, loue des petites berlines à partir de 4 500 ¥ ; la société possède une succursale près de l'aéroport.

Tokunoshima 徳之島
☎ 0997 / 28 000 habitants

Deuxième plus grande île des Amami-shotō, Tokunoshima possède d'intéressantes formations rocheuses le long du littoral et quelques belles plages. Elle est connue pour les **tōgyū** (闘牛大会, combats de taureaux), pratiqués sur l'île depuis plus de cinq siècles. La plongée, le snorkeling et les paysages volcaniques font partie de ses atouts.

Kametoku-shinkō (亀徳新港), le port principal, et **Kametsu** (亀津), la ville la plus importante, se situent sur la côte est. L'aéroport est installé sur la côte ouest, non loin du port secondaire de **Hetono** (平土野). Dans le terminal des ferries, un petit **office du tourisme** (徳之島観光協会 ; ☎ 82-0575 ; ⏰ 9h-18h lun-sam) fournit une brochure détaillée en japonais sur l'île et une plus succincte en anglais.

À VOIR ET À FAIRE
Tokunoshima compte 13 sites officiels de *tōgyū* où se déroulent une vingtaine de tournois par an. Les trois principaux ont lieu en janvier, mai et octobre ; renseignez-vous sur les dates à l'office du tourisme car elles varient.

Plusieurs belles plages jalonnent la côte, dont celle d'**Aze-Princess** (畦プリンセスビーチ), proche de l'arrêt de bus Aze/Fruits Garden sur la côte nord-est.

À 9 km au nord de l'aéroport, à la pointe nord-ouest de l'île, **Mushirose** (ムシロ瀬) est un ensemble de rochers polis par les vagues, parfait pour un pique-nique. Au bout d'une péninsule sur la côte sud-ouest, l'**Innojō-futa** (犬の門蓋) se compose de coraux étrangement érodés et comprend une formation qui ressemble à des lunettes géantes. L'endroit, à 10 km au sud de l'aéroport, est mal indiqué et difficile à trouver.

OÙ SE LOGER
Camping Aze (畦キャンプ場 ; empl gratuit ; P). Ce joli petit camping, à la plage d'Aze Princess, possède des douches et de jolis emplacements verdoyants. Un sentier mène à sa plage privée.

Cōpo Shichifukujin (コーポ七福人 ; ☎ 82-2618 ; 3 000 ¥/pers). Aménagées dans un immeuble résidentiel, les chambres comprennent une douche et une cuisine. Une adresse originale et bon marché dans le centre de Kametsu.

Ⓒ Kanami-sō (金見荘 ; ☎ 84-9027 ; demi-pension à partir de 7 350 ¥/pers ; P). Dans le village de Kanami, à la pointe nord-est de l'île, ce lodge accueillant surplombe une plage excellente pour le snorkeling. Certaines des chambres de l'étage supérieur disposent d'une sdb et jouissent d'une vue splendide. La maison est spécialisée dans l'*ise ebi ryōri* (cuisine à base de homard).

DEPUIS/VERS TOKUNOSHIMA
De Tokunoshima, des vols rallient Kagoshima (JAL ; 24 600 ¥, 1 heure, 2/jour) et Amami-Ōshima (JAC ; 12 200 ¥, 35 min, 2/jour).

Tokunoshima est desservie par des ferries Maruei/A Line, qui circulent entre Kagoshima (provenant parfois de Honshu) et Naha, et par des ferries Amami Kaiun, qui relient Kagoshima et Okinoerabu-shima. Reportez-vous ci-contre pour plus de détails.

Des gares routières sont installées aux deux ports et un bon réseau de bus sillonne l'île. Toutefois, vous apprécierez de disposer d'une voiture, d'un scooter ou d'un vélo. **Toyota Renta Car** (トヨタレンタカー; ☎ 85-5089) se tient à la sortie du débarcadère de Kametoku-shinkō et des agences de location de voiture avoisinent l'aéroport.

Okinoerabu-jima 沖永良部島
☎ 0997 / 15 000 habitants

À 33 km au sud-ouest de Tokunoshima, Okinoerabu est couverte de plantations de canne à sucre et compte quelques belles plages, de séduisantes formations rocheuses le long de la côte et une superbe grotte calcaire. Avec son ambiance un peu désuète et ses petites rues, **Wadomari** (和泊), la localité la plus importante, donne l'impression de remonter le temps.

L'aéroport, à la pointe est de l'île, se situe à 6 km de **Wadomari-kō** (和泊港), la principale ville portuaire, sur la côte est. Dans le port, au 2e niveau du terminal des ferries à côté de la billetterie, un **comptoir d'information touristique** (☎ 92-2901 ; ☾ 8h30-17h) fournit des cartes de l'île.

À VOIR ET À FAIRE
Parmi les belles plages de l'île, celle d'**Okidomari-kaigan** (沖泊海岸), à la pointe nord-ouest et à 3 km à l'est de Taminamisaki (voir ci-dessous), mérite particulièrement le détour. Au pied d'un cirque de falaises verdoyantes, le sable blanc et les formations coralliennes au large forment un tableau enchanteur. Plusieurs petites plages "secrètes" ponctuent la route côtière entre Fūcha (voir ci-dessous) et l'aéroport.

Sur le versant sud-ouest de l'Ōyama, la montagne à la pointe ouest de l'île, **Shōryūdō** (昇竜洞 ; ☎ 93-4536 ; 1 000 ¥ ; ☾ 8h30-17h) est une superbe grotte calcaire avec 600 m de passerelles éclairées. À la sortie, on a l'impression d'émerger dans une jungle perdue (remontez la route asphaltée sur 400 m pour revenir au point de départ). La grotte se situe dans les terres, à quelques kilomètres de la route côtière du sud-ouest.

La côte présente de nombreuses particularités géologiques. **Taminamisaki** (田皆崎),

à la pointe nord-ouest, est un ancien récif corallien qui forme une falaise haute de 40 m. À l'extrémité nord-est de l'île, **Fūcha** (フーチャ) est un évent dans la roche calcaire, qui projette l'eau jusqu'à 10 m de haut les jours venteux.

OÙ SE LOGER ET SE RESTAURER
Camping Okidomari (沖泊キャンプ場 ; empl gratuit ; Ⓟ). À la plage Okidomari Kaigan, cet excellent camping, verdoyant et ombragé, dispose de douches.

Business Hotel Wadamari-kō (ビジネスホテル和泊港 ; ☎ 92-1189 ; s avec petit déj 3 500 ¥ ; Ⓟ). À quelques minutes de marche du port, cet hôtel simple et bon marché ressemble à une maison particulière. Il se situe sur la gauche à la sortie du débarcadère.

Kankō Hotel Azuma (観光ホテル東 ; ☎ 92-1283 ; ch demi-pension à partir de 7 300 ¥/pers ; Ⓟ). Dans Wadomari, cet hôtel accueillant semble un peu défraîchi, mais les chambres sont spacieuses et confortables. En venant du port, prenez la première à droite dans la rue commerçante Menshiori, puis la première à gauche.

Mouri Mouri (☎ 92-0538 ; repas à partir de 1 500 ¥ ; ☾ dîner). En face du Kankō Hotel Azuma, ce restaurant est une adresse sympathique pour un dîner à Wadomari.

En ville, deux supérettes permettent de faire des courses.

DEPUIS/VERS OKINOERABU-SHIMA
JAC offre des vols d'Okinoerabu à Kagoshima (27 050 ¥, 1 heure 30, 3/jour), Amami-Ōshima (à partir de 15 400 ¥, 35 min, 1/jour) et Yoron-tō (à partir de 9 200 ¥, 25 min, 1/jour).

Okinoerabu-shima est desservie par des ferries Maruei/A Line, qui circulent entre Kagoshima (provenant parfois de Honshu) et Naha, et par des ferries Amami Kaiun, qui relient Kagoshima et Okinoerabu-shima. Voir la section *Amami-Ōshima* (p. 776) pour plus de détails.

L'île possède un réseau de bus correct, mais vous vous déplacerez plus facilement avec une voiture, un scooter ou un vélo. **Toyata Renta Car** (トヨタレンタカー; ☎ 92-2100) est installé à la sortie de l'aéroport.

Yoron-tō 与論島 ヨロン島
☎ 0997 / 6 000 habitants

Large de 5 km à peine, cette petite île est la plus méridionale de Kagoshima-ken. Par beau temps, on distingue nettement Hedo-misaki,

LA CUISINE D'OKINAWA

Si, dans le lexique culinaire japonais, le *kansai-ryōri* (cuisine du Kansai) est un dialecte particulier, la cuisine d'Okinawa fait figure de langue à part ! Reflétant l'isolement géographique et historique de la région – Naha est plus proche de Taipei (Taïwan) que de Tōkyō –, cette tradition gastronomique a peu en commun avec le reste du Japon. L'intégration du royaume Ryūkyū date seulement de 130 ans, et les îles du Sud-Ouest semblent toujours tiraillées entre les cultures japonaise et chinoise.

La cuisine d'Okinawa tire son origine du faste de la cour des Ryūkyū et de la vie humble des insulaires. Une alimentation saine est considérée comme extrêmement importante, et médecine et nourriture ont longtemps été confondues. La langue locale différencie les aliments en *kusui-mun* (produits qui soignent) et *ujinīmum* (produits qui nourrissent). Aujourd'hui, le porc, acide et riche en protéines, et le *konbu*, une variété d'algue alcaline et hypocalorique, sont les aliments de base des îles.

Le porc figure dans la plupart des plats et toutes les parties de l'animal sont cuisinées. Le *mimigā* (ミミガー), des oreilles de porc émincées et marinées dans du vinaigre, risque pourtant de ne pas plaire à tous. Par temps chaud, il accompagne parfaitement un verre d'Orion (オリオンビール), la bière locale. Le *rafutē* (ラフテー), similaire au *buta-no-kakuni* (豚の角煮) du continent, est un ragoût de porc avec du gingembre, du sucre roux, du vin de riz et de la sauce soja, qu'on laisse mijoter jusqu'à ce que la viande fonde. Vous pouvez essayer l'*ikasumi-jiru* (イカスミ汁), de la viande de porc cuite dans de l'encre de seiche, ou l'*inamudotchi* (イナムドーチ), un ragoût roboratif comprenant porc, poisson, champignons, pommes de terre et miso, qui rappelle le sanglier.

Si les ragoûts sont communs, les habitants d'Okinawa préfèrent les plats sautés, qu'ils appellent *chanpurū* (チャンプルー). Le plus connu est sans doute le *goya-chanpurū* (ゴーヤチャンプルー), un mélange de porc, de melon amer et de *shima-dōfu* (島豆腐), le tofu de l'île. Ce dernier se distingue par sa consistance ferme, qui permet de le frire aisément. Vous en découvrirez à l'occasion une variante inhabituelle, le *tōfuyō* (豆腐㟏), très fermenté, relevé et d'un rose fluorescent ; goûtez un petit morceau piqué sur un cure-dent plutôt qu'un bloc entier !

L'*okinawa-soba* (沖縄そば), des nouilles *udon* servies dans un bouillon de porc, constitue la nourriture de base du travailleur. Il se présente le plus souvent sous la forme de *sōki-soba* (ソーキそば), accompagné de travers de porc ; de *shima-tōgarashi* (島とうがらし), avec des piments marinés dans l'huile de sésame ; ou de *yaeyama-soba* (八重山そば), agrémenté de fines nouilles blanches similaires aux *sōmen*.

Parmi les autres spécialités, citons le *hirayāchi* (ヒラヤーチ), une fine crêpe avec œufs, légumes et viande, semblable à l'*okonomiyaki* (お好み焼き). Le *yagi-jiru* (山羊汁), une soupe de chèvre revigorante mais à la saveur prononcée, vient du temps où l'on sacrifiait des chèvres pour célébrer la construction d'une nouvelle maison. Sur l'île de Miyako-jiima, vous pourrez goûter l'*umi-budō* (海ぶどう), littéralement "raisins de mer", une algue à la texture surprenante, souvent qualifiée de "caviar vert". Enfin, rien de tel pour clore le repas qu'une boule de Blue Seal (ブルーシール), une crème glacée américaine introduite à l'issue de la Seconde Guerre mondiale.

Sociables et enjoués, les habitants d'Okinawa aiment aussi lever le coude. Lors de votre séjour dans les Nansei-shotō, ne manquez pas l'*awamori* (泡盛), une eau-de-vie de riz qui titre de 30° à 60° ! Si on le sert habituellement *mizu-wari* (水割り) ; dilué dans de l'eau), il n'en reste pas moins redoutable. Le plus violent est le *habushu* (ハブ酒), avec un petit serpent *habu* au fond de la bouteille (voir p. 778).

la pointe nord d'Okinawa-hontō à 23 km au sud-ouest. Ourlée de belles plages de sable blanc et de longs récifs coralliens, Yoron-tō est l'une des îles les plus séduisantes du Sud-Ouest.

Le port avoisine l'aéroport à la pointe ouest de l'île et **Chabana**, la ville principale, se situe à 1 km à l'est. À côté de l'hôtel de ville de Chabana, l'**office du tourisme** (ヨロン島観光協会 ; ☎ 97-5151 ; ⊗ 8h30-17h30) fournit des cartes, une brochure en anglais et peut réserver des hébergements.

À VOIR ET À FAIRE

Du côté est de l'île, **Oganeku-kaigan** (大金久海岸) est la plus jolie plage de Yoron. À quelque 500 m au large, l'étonnant banc de sable blanc de Yurigahama (百合ヶ浜) disparaît totalement à marée haute. Des bateaux font la navette entre la plage et Yurigahama (1 000 ¥ aller-retour). Parmi les autres belles plages figurent **Maehama-kaigan** (前浜海岸), au sud-est, et **Terasaki-kaigan** (寺崎海岸), au nord-est.

À la pointe sud-est de l'île, le **Yoron Minzoku-mura** (与論民族村 ; ☎ 97-2934 ; 400 ¥ ; ☺ 9h-18h) est un ensemble remarquable d'habitations et d'entrepôts traditionnels à toit de chaume qui renferme des expositions sur la culture et l'histoire de Yoron-tō. Le propriétaire est une mine d'informations sur l'île ; essayez de venir avec quelqu'un qui parle japonais.

Le **Centre de la Croix du Sud** (サザンクロスセンター ; ☎ 97-3396 ; 300 ¥ ; ☺ 9h-18h), à courte distance de l'arrêt de bus Ishini (石仁), à 3 km au sud de Chabana, est un poste d'observation en béton de 5 étages et un musée consacré à la culture et l'histoire de Yoron et Amami. Offrant une jolie vue sur Okinawa au sud, le centre doit son nom au fait que Yoron-tō est l'île nippone la plus septentrionale d'où l'on peut voir la Croix du Sud.

OÙ SE LOGER ET SE RESTAURER

Les adresses suivantes se trouvent à Chabana.

Minshuku Nankai-sō (民宿南海荘 ; ☎ 97-2145 ; fax 43-0888 ; ch avec/sans pension complète 5 500/3 000 ¥/pers ; P). Ce *minshuku* offre des chambres sans prétention, des sdb communes et une ambiance détendue. Pour le trouver, suivez la rue qui fait face à l'office du tourisme et repérez l'établissement sur la droite. Vous pouvez aussi téléphoner à l'avance pour que l'on vienne vous chercher.

Shiomi-sō (汐見荘 ; ☎ 97-2167 ; pension complète à partir de 5 500 ¥/pers ; P 🖳). Une clientèle jeune apprécie ce *minshuku* accueillant et décontracté. Du port de Chabana, remontez la route principale vers le nord à la sortie de la ville. L'établissement ressemble à une maison particulière et se tient sur la gauche après le virage. On viendra vous chercher si vous téléphonez à l'avance.

Hotel Seikai-sō (ホテル青海荘 ; ☎ 97-2046 ; pension complète à partir de 6 300 ¥/pers ; P). Dans l'artère principale de Chabana, cet hôtel bien géré, propre et confortable constitue un bon choix si vous préférez une chambre à l'occidentale et l'intimité.

Izakaya Kayoi-bune (居酒屋かよい舟 ; ☎ 97-3189 ; repas à partir de 1 200 ¥ ; ☺ dîner). Dans la grand-rue de Chabana, à quelques pas de l'Hotel Seikai-sō (du même côté), cet *izakaya* sert les habituelles fritures et des poissons locaux. Carte illustrée. Repérez l'enseigne bleu-rouge-blanc et la lanterne rouge.

Deux supérettes sont installées dans le centre de Chabana.

DEPUIS/VERS YORON-TO

Des vols directs relient Yoron-tō à Kagoshima (JAC ; 28 400 ¥, 1 heure 20, 1/jour), Okinoerabu-shima (JAC ; 9 200 ¥, 40 min, 1/jour, avec correspondance pour Amami-Ōshima) et Naha (RAC ; 13 000 ¥, 40 min, 1/jour).

Yoron-tō est desservie par des ferries Maruei/A Line, qui circulent entre Kagoshima (provenant parfois de Honshu) et Naha, et par des ferries Amami Kaiun, qui relient Kagoshima et Okinoerabu-shima. Voir la section *Amami-Ōshima* (p. 776) pour plus de détails.

L'île possède un réseau de bus, mais vous vous déplacerez plus facilement avec une voiture, un scooter ou un vélo. **Yoron-tō Kankō Rentacar** (ヨロン島観光レンタカー ; ☎ 97-5075), installé à Chabana, vient chercher ses clients à l'aéroport.

OKINAWA-KEN 沖縄県

1,35 million d'habitants

Préfecture la plus méridionale du Japon, Okinawa-ken couvre la moitié sud des îles du Sud-Ouest. Elle s'étend du sud de Kagoshima-ken jusqu'à 110 km de Taïwan et se compose de trois archipels : Okinawa-shotō, Miyako-shotō et Yaeyama-shotō.

Au nord, les Okinawa-shotō comprennent Okinawa-hontō (littéralement "île principale d'Okinawa") et Naha, le chef-lieu de la préfecture. Cette ville animée, carrefour des transports de l'Okinawa-ken, est facilement accessible par avion et par bateau du continent. De nombreux bateaux circulent entre Naha et les Kerama-shotō, à 30 km à l'ouest d'Okinawa-hontō. Les îles Kerama possèdent des plages splendides aux eaux cristallines.

À 300 km au sud-ouest d'Okinawa-hontō, les Miyako-shotō se situent au centre de l'Okinawa-ken et comprennent Miyako-jima, une destination balnéaire très prisée. Aucun bateau ne dessert ce groupe ; il faut prendre un avion sur le continent, à Naha ou Ishigaki.

Le groupe le plus au sud, les Yaeyama-shotō, s'étend à 100 km au sud-ouest. En font partie Ishigaki, une île frangée de coraux, et Iriomote-jima, couverte de jungle. À l'instar des Miyako-shotō, cet archipel est accessible uniquement par avion du continent, de Naha ou Miyako-jima.

OKINAWA-HONTŌ 沖縄本島
☎ 098

Okinawa-hontō, la plus grande des îles du Sud-Ouest, fut le siège du pouvoir de la dynastie Ryūkyū. Son architecture, qui témoignait autrefois des différences culturelles avec le Japon continental, a quasiment disparu durant la Seconde Guerre mondiale. Les bombardements alliés n'ont pas réussi à détruire les autres vestiges de cette culture spécifique et l'île conserve ses traditions artistiques, musicales et culinaires.

Diverses cultures se croisent à Okinawa-hontō : ryūkyū, japonaise, américaine, chinoise, plus un nombre croissant de touristes coréens, taïwanais et hong-kongais. C'est une terre de contrastes et de juxtapositions, qui déroute les fins connaisseurs du Japon.

L'île offre des plages superbes, une cuisine délicieuse et des habitants accueillants, qui parlent souvent un peu mieux anglais que leurs compatriotes du continent. Les avions de l'armée de l'air américaine rappellent régulièrement la persistance de l'occupation militaire de l'île et ses causes historiques (voir l'encadré p. 788).

Naha est le chef-lieu, la plus grande ville et le carrefour des transports de la préfecture. Des monuments commémoratifs de la guerre parsèment le sud de l'île, tandis que le centre regroupe les bases militaires, quelques vestiges historiques et d'intéressants sites culturels. Motobu-hantō compte d'autres sites et quelques belles plages, alors que la pointe nord possède une superbe route côtière.

Okinawa-hontō s'est fortement développée pour accueillir les vacanciers japonais. Si vous recherchez des plages sauvages et moins de complexes hôteliers, consacrez quelques jours aux sites culturels et historiques de la grande île, puis rejoignez une plage tropicale dans un autre endroit de l'Okinawa-ken.

Naha 那覇
320 000 habitants

Rasé pendant la Seconde Guerre mondiale, le chef-lieu de la préfecture a été totalement reconstruit. Naha est aujourd'hui une ville prospère avec un monorail aérien pratique et un nombre croissant de buildings.

La cité accueille un intéressant mélange de jeunes vacanciers japonais, de GI américains en goguette et de touristes étrangers de plus en plus nombreux. L'action se concentre dans Kokusai-dōri (bd International), une artère

animée de 2 km, bordée d'hôtels, de restaurants, de bars, de discothèques et de boutiques de souvenirs. Dominant la ville à distance à l'est, le Shuri-jō, un château superbement restauré, était jadis la résidence royale des Ryūkyū.

Si Naha semble un piège à touristes au premier coup d'œil, il suffit de chercher un peu pour découvrir que la ville ne manque pas de cachet. Les galeries marchandes proches de Kokusai-dōri évoquent l'Asie du Sud-Est, le quartier des potiers de Tsuboya et ses alentours sont empreints d'*aji* (littéralement saveur ou caractère). Enfin, Naha est la capitale mondiale de la chemisette décontractée !

ORIENTATION

Il est assez facile de se déplacer dans Naha car les principaux sites sont regroupés dans le centre-ville. De Kokusai-dōri, l'artère principale, une série de galeries marchandes couvertes conduit au quartier des potiers de Tsuboya, au sud-est. Le quartier de Shuri se situe à 3 km à l'est du centre. Pour des informations sur les transports publics, voir *Comment circuler* (p. 788).

RENSEIGNEMENTS

Parmi les bureaux de poste disséminés en ville, citons celui de Miebashi, au rez-de-chaussée du bâtiment Palette Kumoji, celui de Tomari-kō, dans le bâtiment du port de Tomari, et celui de Kokusai-dōri, au coin de la station Makishi.

Comptoir d'information touristique (☎ 857-6884 ; terminal des arrivées, aéroport de Naha ; ☼ 9h-21h). À ce bureau serviable, prenez un exemplaire de la *Naha City Guide Map* avant de vous rendre en ville. Pour des excursions dans l'île, prenez une copie de l'*Okinawa Guide Map*.

Gera Gera (☎ 863-5864 ; 2-4-14 Makishi ; 480 ¥/h ; ☼ 24h/24). Cybercafé pratique dans Kokusai-dōri. Au 2e niveau, à quelques mètres de la supérette Family Mart.

Office du tourisme (☎ 868-4887 ; ☼ 8h30-20h lun-ven, 10h-20h sam-dim). L'office du tourisme municipal distribue également des cartes gratuites. Il se tient près de Kokusai-dōri (tournez au Starbucks).

Okinawa Tourist (☎ 862-1111 ; 1-2-3 Matsuo ; ☼ 9h30-18h30, fermé dim). Dans Kokusai-dōri, une agence de voyages compétente où le personnel parle anglais. Réservations de billets d'avion et de ferry.

À VOIR ET À FAIRE
Centre de Naha 那覇中心街
Kokusai-dōri (国際通り), l'artère principale, est une débauche de néons, de bruit, de boutiques

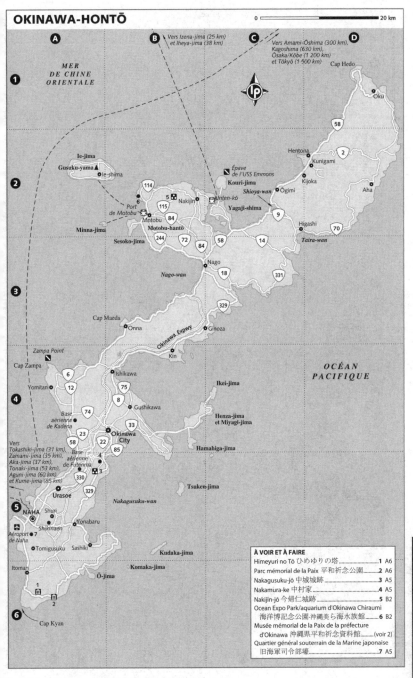

OKINAWA-HONTŌ

0 —————— 20 km

A **B** Vers Izena-jima (25 km) et Iheya-jima (38 km) **C** Vers Amami-Ōshima (300 km), Kagoshima (630 km), Ōsaka/Kōbe (1 200 km) et Tōkyō (1 500 km) **D**

1

MER DE CHINE ORIENTALE

Cap Hedo

Oku

58

Hentona
Kunigami
2

2 Ie-jima
Gusuku-yama ▲ Ie-shima

Épave de l'USS Emmons
Kōuri-jima
Shioya-wan
Ōgimi

Kijoka

Aha

114
5 Nakijin
115
Port de Motobu
84 Unten-kō
Yagaji-shima
9
Higashi
70

Minna-jima Motobu Motobu-hantō
244 72 84 58 14 Taira-wan

Sesoko-jima

Nago
Nago-wan 18

331

3

Cap Maeda 329
Onna Ginoza
Okinawa Expwy
Kin

OCÉAN PACIFIQUE

Zampa Point
Cap Zampa
6
Ishikawa
Ikei-jima

12
75
Yomitan 8 Gushikawa

4 74
Base aérienne de Kadena
23 33
Okinawa City
Henza-jima et Miyagi-jima

Vers Tokashiki-jima (31 km), Zamami-jima (35 km), Aka-jima (37 km), Tonaki-jima (53 km), Aguni-jima (60 km) et Kume-jima (85 km)
58 22 85
Base aérienne de Futenma
Hamahiga-jima

4
330 3
329
Urasoe Tsuken-jima

5 NAHA
Shuri
Shikinaen
Yonabaru
Nakagusuku-wan

Aéroport de Naha 7
Tomigusuku Sashiki

Kudaka-jima

Itoman
Komaka-jima
Ō-jima

6 1
2 Cap Kyan

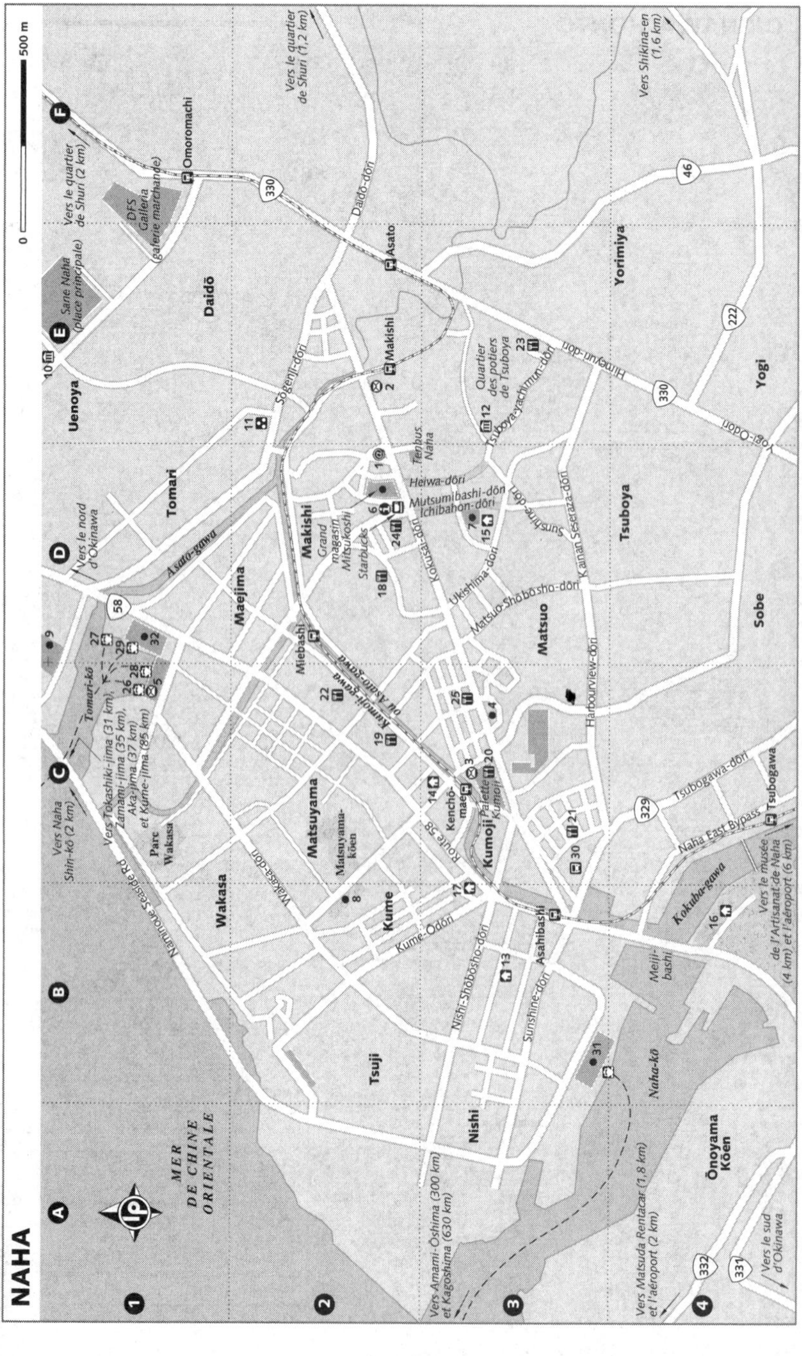

OKINAWA ET LES ÎLES
DU SUD-OUEST

NAHA

500 m

0

MER
DE CHINE
ORIENTALE

Vers Naha
Shin-kō (2 km)

Vers le nord
d'Okinawa

Vers le quartier
de Shuri (2 km)

Vers le quartier
de Shuri (1,2 km)

Vers Shikina-en
(1,6 km)

Vers Tokashiki-jima (31 km),
Zamami-jima (35 km),
Aka-jima (37 km)
et Kume-jima (85 km)

Vers Amami-Oshima (300 km)
et Kagoshima (630 km)

Vers Matsuda Rentacar (1,8 km)
et l'aéroport (2 km)

Vers le musée
de l'Artisanat de Naha
(4 km) et l'aéroport (6 km)

Vers le sud
d'Okinawa

Omoromachi
DFS Galleria
(galerie marchande)
Sans Naha
(place principale)
Asato
Makishi
Daidō
Uenoya
Tomari
Tomari-kō
Parc
Wakasa
Wakasa
Tsuji
Nishi
Maejima
Miebashi
Matsuyama
Matsuyama-kōen
Kume
Kume-Ōdōri
Nishi-Shibashō-dōri
Sunshine-dōri
Ōnoyama
Kōen
Naha-kō
Meiji-bashi
Kokuba-gawa
Tsubogawa
Naha East Bypass
Tsubogawa-dōri
Sobe
Tsuboya
Quartier
des potiers
de Tsuboya
Tsuboya-yachimun-dōri
Yorimiya
Yogi
Matsuo
Matsuo-Shōbō-sha-dōri
Ushima-dōri
Harbourview-dōri
Makishi
Grand
magasin
Mitsukoshi
Starbucks
Heiwa-dōri
Mutsumibashi-dōri
Ichibahon-dōri
Tenbus
Naha
Kokusai-dōri
Kumoji
Kenchō
Asahibashi
Route 58
Kumoji
Tenbusu-dōri
Kokusai-dōri
Hirajori-dōri
Asato-gawa
Saenai-dōri
Dainiko-Kōsoku Rd
Namino-ue-sekkei Rd
Vers Naha
Yakkasei-dōri
Daidō-dōri

58
330
46
222
330
329
332
331

de souvenirs, de restaurants animés et de jeunes japonais frimeurs. C'est un festival de bric-à-brac et d'objets de pacotille, amusant si vous êtes d'humeur.

Beaucoup préfèrent l'ambiance des trois galeries marchandes qui s'étendent au sud de Kokusai-dōri, presque en face du grand magasin Mitsukoshi : **Ichibahon-dōri** (市場本道り), **Mutsumibashi-dōri** (むつみ橋通り) et **Heiwa-dōri** (平和通り). Vous aurez l'impression d'arriver dans le quartier chinois de Bangkok.

Dans ce quartier, ne manquez pas le **Daichi Makishi Kōsetsu Ichiba** (2-10-1 Matsuo ; 10h-20h), un marché d'alimentation couvert à deux pas d'Ichibahon-dōri, à 200 m au sud de Kokusai-dōri. La diversité de poissons et de produits offerts est exceptionnelle et n'oubliez pas d'essayer les excellents restaurants à l'étage. L'activité est intense, aussi, ne gênez pas les commerçants et pensez à faire des achats.

Autre attraction majeure de Naha, le **quartier des potiers de Tsuboya** (壺屋) compte encore plus d'une dizaine de fours traditionnels en activité ; ce secteur est un centre de production de céramique depuis 1682, quand les fours Ryūkyū y furent rassemblés par décret royal. La plupart des boutiques vendent toutes les céramiques populaires d'Okinawa, comme les *shiisā* (lions-chiens, gardiens des toits) et les récipients pour servir l'*awamori*, l'eau-de-vie locale. De Kokusai-dōri, traversez la galerie marchande de Heiwa-dōri vers le sud sur 350 m.

À Tsuboya, l'excellent **musée de la Poterie de Tsuboya** (862-3761 ; 1-9-32 Tsuboya ; 315 ¥ ; 10h-18h mar-dim) contient de beaux exemples de poteries traditionnelles d'Okinawa, des tours de potier et des pièces *arayachi* (non vernissées) et *jōyachi* (vernissées).

Après la visite du musée, flânez dans **Tsuboya-yachimun-dōri** (壺屋やちむん通り), une rue pleine de cachet bordée de boutiques de poterie. Quelques vieilles maisons traditionnelles jalonnent les rues adjacentes.

À l'extrémité est de Kokusai-dōri, tournez à gauche pour rejoindre les portes reconstruites du **Sōgen-ji**. Les portes en pierre d'origine conduisaient au temple du XVIe siècle des rois Ryūkyū, détruit durant la Seconde Guerre mondiale.

Une marche de 15 minutes au nord-ouest de la station Omuromachi du monorail mène au **musée de la Préfecture d'Okinawa** (941-8200 ; Omuromachi 3-1-1 ; 400 ¥ ; 9h-17h30 mar-dim), ouvert en 2007. Consacré à l'histoire, la culture et l'histoire naturelle d'Okinawa, c'est l'un des meilleurs musées du pays. Les collections, bien agencées et joliment présentées, se comprennent facilement. La section artistique accueille des expositions temporaires qui privilégient les artistes locaux.

Du côté nord du port de Tomari, le **cimetière international** abrite un monument qui commémore l'arrivée de Matthew Perry à Naha en 1852. Cet officier de la marine américaine utilisa Okinawa comme base lorsqu'il obligea le shogunat Tokugawa à ouvrir les ports japonais aux Occidentaux.

Les amateurs de jardins feront un tour dans le **Fukushū-en** (carte p. 784 ; ☎ 869-5384 ; 2-29 Kume ; entrée libre ; ⏰ 9h-18h jeu-mar), de style chinois. Tous les matériaux furent apportés de Fuzhou, la ville chinoise jumelée à Naha, y compris la pagode qui surplombe une petite cascade.

Quartier de Shuri 首里

Shuri était la capitale d'Okinawa jusqu'à ce que Naha la remplace en 1879, peu avant la Restauration de Meiji. Les temples, les sanctuaires, les tombes et le château de Shuri furent tous détruits pendant la Seconde Guerre mondiale. Le château et les édifices alentours ont été reconstruits en 1992.

Perché sur une colline au centre de Shuri, le **Shuri-jō** (首里城 ; ☎ 886-2020 ; 800 ¥ ; ⏰ 9h-17h30) surplombe la vaste Naha moderne. L'ancien château, bâti au XIVᵉ siècle, fut le centre administratif et la résidence des rois Ryūkyū jusqu'au XIXᵉ siècle.

Entrez par la Kankai-mon (歓会門) et montez jusqu'à l'Hōshin-mon (奉神門), l'entrée du périmètre intérieur du château, que domine l'imposant **Seiden** (正殿). Les visiteurs peuvent entrer dans le Seiden, qui contient des expositions sur le château et la famille royale d'Okinawa. À côté, l'Hokuden présente une petite collection.

Ne manquez pas l'**Irino-Azana** (西のアザナ), un point de vue à 200 m à l'ouest du Seiden, qui offre une vue superbe sur Naha et les Kerama-shotō au loin.

Pour rejoindre le château, prenez le monorail Yui-rail jusqu'au terminus est, la station Shuri. Empruntez la sortie Ouest, descendez les marches, marchez tout droit, traversez une grande artère puis une petite rue, tournez à droite, parcourez 350 m et repérez les panneaux sur la gauche.

Environs de Naha 那覇周辺

À 4 km à l'est du centre-ville, le **Shikina-en** (識名園 ; ☎ 855-5936 ; 300 ¥ ; ⏰ 9h-17h jeu-mar), un jardin de style chinois, contient des ponts de pierre, un pavillon et une villa qui appartenait à la famille royale Ryūkyū. Tout a été soigneusement reconstruit après la Seconde Guerre mondiale, d'où son apparence parfaite. Prenez le bus n°2, 3 ou 5 jusqu'à l'arrêt Shikinaen-mae (220 ¥, 20 min).

À 3 minutes de marche de la station Akamine (suivez les panneaux en anglais), le **musée de l'Artisanat de Naha** (那覇市伝統工芸館 ; ☎ 868-7866 ; 2F Tenbusu Naha, 3-2-10 Makishi, Naha ; 300 ¥ ; ⏰ 9h-18h, fermé vacances du Nouvel An), possède une belle collection d'artisanat traditionnel d'Okinawa. Sur place, des artisans soufflent le verre, tissent ou tournent des poteries. Entrez avant 17h30.

FÊTES ET FESTIVALS

Courses de bateaux-dragons. Ces courses, appelées *hari*, ont lieu début mai, notamment à Itoman et Naha. Elles sont supposées apporter chance et prospérité aux pêcheurs.

Ryūkyū-no-Saiten (琉球の祭典). Plus d'une dizaine de festivals et de manifestations célèbrent la culture d'Okinawa pendant 3 jours fin octobre.

Naha Ōzunahiki (那覇大綱引き). À Naha, le dimanche correspondant à la fête nationale du Sport (en octobre), des grandes équipes s'affrontent dans la plus importante épreuve de tir à la corde au monde, utilisant une corde gigantesque de 1 m d'épaisseur pesant plus de 40 tonnes.

OÙ SE LOGER

Naha constitue la base la plus pratique pour explorer Okinawa-hontō.

Kashiwaya (☎ 869-8833 ; www.88smile.com/kasiwaya ; 2-12-22 Wakasa ; dort 1 500 ¥, ch 3 000 ¥/pers ; 🅿 🖳). Bien située à deux pas de Kokusai-dōri, près du marché Daichi Makishi Kōsetsu, cette excellente pension possède diverses chambres sommaires pour routards. L'ambiance est détendue et le bar-restaurant du rez-de-chaussée mérite la visite, même si vous logez ailleurs.

Okinawa International Youth Hostel (☎ 857-0073 ; www.jyh.gr.jp/okinawa/english.htm ; 51 Ōnoyama ; dort membre/non membre HI 3 360/3 960 ¥ ; 🅿 🖳). Très agréable, cette auberge de jeunesse se situe dans Ōnoyama-kōen, à 5 minutes de marche de la station Asahibashi (traversez le Meiji-bashi). Si vous venez à pied de la station, tournez à gauche au *torii* (portique de sanctuaire).

Tōyoko Inn Naha Asahibashi-eki-mae (☎ 951-1045 ; www.toyoko-inn.com/e_hotel/00076/ ; 2-1-20 Kume ; s/d à partir de 5 460/8 190 ¥ ; 🅿 🖳). À courte distance au nord de Kokusai-dōri, le Tōyoko est un hôtel d'affaires d'un bon rapport qualité/prix, avec des petites chambres bien équipées, l'accès Internet gratuit et des machines à laver. C'est l'une des meilleures adresses dans cette catégorie.

○ Hotel Sun Palace (☎ 863-4181 ; www.palace-okinawa.com/sunpalace, en japonais ; 2-5-1 Kumoji ; ch avec petit déj à partir de 6 500 ¥/pers ; 🅿 🖳). À 10 minutes de marche de Kokusai-dōri, le Sun Palace, un cran au-dessus des hôtels d'affaires standard, offre des chambres spacieuses aux touches design, avec balcon pour certaines.

Hotel Marine West Naha (☎ 863-0055 ; www. marine-west.jp, en japonais ; 2-5-1 Kumoji ; s/lits jum à partir de 5 040/9 450 ¥ ; P 🖳). À quelques pas à l'ouest de Kokusai-dōri, cet immeuble résidentiel reconverti propose des chambres confortables, un coin petit-déjeuner plaisant, l'accès Internet gratuit et un service efficace. L'hôtel est apprécié des plongeurs, qui peuvent entreposer leur équipement et le sécher au rez-de-chaussée.

OÙ SE RESTAURER

Naha est l'endroit où découvrir toutes les spécialités d'Okinawa. Les plats mentionnés ici sont décrits dans l'encadré p. 780.

Daitō Soba (☎ 867-3889 ; 1-4-59 Makishi ; 11h-21h). Ce petit restaurant de nouilles est parfait pour goûter à votre premier bol d'*okinawa-soba* (500 ¥, demandez des *daitō-soba*). Reconnaissable à sa banderole jaune et à sa lanterne, il se tient à un pâté de maisons au nord de Kokusai-dōri. Dernière commande à 20h30.

Yakiniku Station Bambohe (☎ 861-4129 ; 1-3-47 Makishi ; 11h-23h). Les plus affamés commanderont un *yakiniku* (barbecue coréen) à volonté, qui revient à 1 860 ¥ pour les hommes et 1 700 ¥ pour les femmes. Proche de Kokusai-dōri, le restaurant fait face à l'office du tourisme.

Minoya (☎ 869-4955 ; 9ᵉ niv, galerie marchande Palette Kumoji ; 11h-22h). À défaut d'ambiance, ce restaurant offre de savoureuses versions de tous les plats régionaux. La carte illustrée comprend des classiques comme les *sōki-soba* (650 ¥) et le *gōya teishoku* (menu au melon amer ; 850 ¥). Vous verrez le restaurant en haut de l'escalier roulant, reconnaissable à son enseigne jaune et noire.

🏵 **Gen** (☎ 861-0429 ; 2-6-23 Kumoji ; 11h30-14h et 17h-24h). Ce pittoresque restaurant de *yakiniku* est l'un de nos favoris à Naha. L'endroit est idéal pour se régaler de viandes grillées, accompagnées d'un excellent *awamori*. Repérez l'enseigne en anglais en bas des marches. Si vous ne parlez pas japonais, demandez au patron de votre hôtel de téléphoner car il faut commander le *yakiniku* à l'avance (3 500 ¥/pers).

Swan (☎ 927-9135 ; Kumoji ; 17h-24h, fermé dim). Cette petite gargote de *yakitori* sert d'excellentes brochettes de poulet et de *yanbaru*

shima buta (porc local). Si vous ne lisez pas le japonais, commandez un menu *makase* (7 brochettes 1 000 ¥, 14 brochettes 2 000 ¥). Des tables d'appoint sont installées à l'extérieur. Une succursale plus grande (Swan II) est située près de la gare routière.

Yūnangi (☎ 867-3765 ; 3-3-3 Kumoji ; 12h-15h et 17h30-22h, fermé dim et jours fériés). Vous aurez du mal à trouver une table mais, une fois installé, vous pourrez savourer l'une des meilleures cuisines d'Okinawa dans un cadre traditionnel. Essayez le menu *okinawa-soba* (1 400 ¥). Repérez l'enseigne en bois avec des caractères japonais blancs et les plantes.

Uchina Chaya Buku Buku (☎ 861-2950 ; 1-28-3 Tsuboya ; 10h-16h30, fermé mer). Cette maison de thé pleine de cachet, proche de l'extrémité est du quartier des potiers de Tsuboya, mérite le détour. Elle doit son nom au thé léger typique d'Okinawa servi ici, le *buku buku cha*. Elle se trouve au bout d'une petite rue, au nord de Tsuboya-yachimun-dōri.

Daichi Makishi Kōsetsu Ichiba (2-10-1 Matsuo ; repas à partir de 800 ¥ ; 10h-20h). Nous vous recommandons chaudement les restaurants installés au 2ᵉ niveau de ce marché d'alimentation. Inutile d'en conseiller un : regardez ce que mangent les clients et asseyez-vous.

DEPUIS/VERS NAHA
Avion
De l'aéroport international de Naha (OKA), des vols rallient Séoul, Taïwan, Hong Kong et Shanghai. Des vols intérieurs desservent Kagoshima (24 100 ¥, 1 heure 25), Hiroshima (29 400 ¥, 2 heures), Ōsaka (31 400 ¥, 2 heures 15), Nagoya (35 600 ¥, 2 heures 25), Tōkyō (37 500 ¥, 2 heures 45) et Sapporo (54 400 ¥, 3 heures 40). Cette liste n'est pas exhaustive ; il existe des vols pour la plupart des grandes villes japonaises (renseignez-vous auprès d'une agence de voyages).

Naha offre aussi des vols pour Kume-jima, Aka-jima, Miyako-jima, Ishigaki-jima et Yoron-tō, entre autres îles du Sud-Ouest. Reportez-vous aux sections correspondantes pour les détails.

Bateau
Des ferries circulent régulièrement entre Naha et les ports de Honshū (Tōkyō, Ōsaka/Kōbe) et Kyūshū (Kagoshima).

Maruei Ferry/A Line (☎ à Naha 861-1886, à Tōkyō 03-5643-6170 ; www.aline-ferry.com, en japonais) propose 4 ou 5 traversées par mois depuis/vers

LES BASES AMÉRICAINES À OKINAWA

Les États-Unis ont officiellement restitué Okinawa à l'administration japonaise en 1972, tout en négociant un *Status of Forces Agreement*, qui leur a laissé le droit d'utiliser de vastes zones de la préfecture d'Okinawa pour leurs bases militaires, essentiellement sur Okinawa-hontō. Actuellement, 33 des 85 bases américaines installées au Japon se situent à Okinawa et accueillent environ 24 000 soldats américains.

Bien que ces bases profitent à l'économie de l'île, elles sont mal vues des habitants à cause des délits commis par des soldats américains. L'hostilité a culminé en 1996, lorsque trois militaires américains ont enlevé et violé une petite fille d'Okinawa âgée de 12 ans. D'autres affaires similaires ont alimenté l'anti-américanisme ces dernières années.

La population considère à juste titre qu'en accueillant le gros des forces américaines stationnées au Japon, elle est de nouveau sacrifiée par Tōkyō (après la décision de Tōkyō de se servir d'Okinawa comme tampon pour ralentir la progression américaine pendant la Seconde Guerre mondiale). Divers gouverneurs d'Okinawa et des associations de citoyens ont demandé le retrait des bases au gouvernement national, sans obtenir de réponse jusqu'à présent.

Lors de la rédaction de ce guide, il était question de déplacer certaines bases situées dans des zones densément peuplées vers des régions moins peuplées ou au large d'Okinawa-hontō. Par ailleurs, quelque 6 000 militaires devraient déménager dans une base à Guam, mais les généraux américains ne prévoient pas ce transfert avant 2015.

Les touristes qui visitent Okinawa sont surpris de la relative discrétion des militaires américains. À moins d'aller au nord de Naha, où se concentrent la plupart des bases, on peut passer plusieurs jours à Okinawa sans remarquer cette occupation, ne serait-ce les bruyants passages des chasseurs américains dans le ciel !

Tōkyō (24 500 ¥, 46 heures) et Ōsaka/Kōbe (19 600 ¥, 42 heures), ainsi que des ferries quotidiens depuis/vers Kagoshima (14 600 ¥, 25 heures).

Naha compte trois ports, ce qui peut prêter à confusion. Les ferries Kagoshima/Amami-shotō partent de Naha-kō (port de Naha), les ferries Tōkyō/Ōsaka/Kōbe partent de Naha Shin-kō et les ferries pour Kume-jima et les Kerama-shotō partent de Tomari-kō (port de Tomari).

COMMENT CIRCULER
Le monorail Yui-rail est idéal pour explorer Naha. La ligne court de l'aéroport international de Naha, au sud, à Shuri, au nord. Les billets coûtent de 200 à 290 ¥. La station Kenchō-mae se situe à l'extrémité ouest de Kokusai-dōri et la station Makishi, à l'extrémité est.

Naha-kō se trouve à 10 minutes de marche au sud-ouest de la station Asahibashi, et Tomari-kō à égale distance au nord de la station Miebashi. Le bus n°101 part vers le nord du terminus de Naha et rejoint Naha Shin-kō (20 min, toutes les heures).

Si vous utilisez les bus urbains, déposez 200 ¥ dans le tronc à côté du chauffeur en montant. Pour des trajets plus longs, prenez un ticket indiquant votre lieu de départ en montant et payez le prix correspondant en descendant. De Naha, des bus desservent toutes les destinations de l'île.

Louer une voiture permet d'explorer plus facilement Okinawa-hontō (une fois sorti des embouteillages de Naha). Dans le hall des arrivées de l'aéroport, un comptoir de location organisera votre transport jusqu'aux principales agences. Toyota Rentacar est une adresse recommandée, mais son agence de Naha est souvent prise d'assaut par les touristes japonais. Vous bénéficierez d'un service plus attentif à **Matsuda Rentacar** (☎ 857-0802 ; 2-13-10 Akamine), près de la station Akamine, qui offre une navette gratuite depuis/vers l'aéroport.

Sud d'Okinawa-hontō
沖縄本島の南部
Lors des derniers jours de la bataille d'Okinawa, le sud d'Okinawa-hontō fut l'un des derniers bastions de l'armée nippone et l'endroit d'où elle évacuait les soldats blessés. Bien que devenue résidentielle, la région conserve d'émouvants souvenirs de cette période tragique. Ceux qui s'intéressent à cette page de l'histoire d'Okinawa pourront facilement visiter le secteur en une journée ou une demi-journée à partir de Naha.

Le **parc mémorial de la Paix** (🕑 aube-crépuscule), dans la ville d'Itoman sur la côte sud, renferme les principaux mémoriaux de la Seconde Guerre mondiale. Site majeur parmi plusieurs points d'intérêt, le **musée mémorial de la Paix de la préfecture d'Okinawa** (☎997-3844 ; 300 ¥ ; 🕑 9h-17h, fermé lun) est principalement consacré aux souffrances des habitants durant l'invasion de l'île et l'occupation américaine. Les expositions majeures sont installées au 2e niveau. Le musée s'efforce de présenter avec objectivité la bataille du Pacifique et les causes de l'invasion.

À l'extérieur du musée, la **Pierre angulaire de la Paix** (🕑 aube-crépuscule) porte les noms de tous ceux qui périrent au cours de la bataille d'Okinawa, militaires et civils, Japonais et étrangers. À la gare routière de Naha, prenez le bus n°89 jusqu'au terminus d'Itoman (500 ¥, 1 heure, toutes les 20 min), puis le bus n°82 jusqu'à Heiwa Kinen-kōen (400 ¥, 25 min, toutes les heures).

En chemin, le **Himeyuri no Tō** (musée de la Paix de Himeyuri ; ☎997-2100 ; 300 ¥ ; 🕑 9h-17h) constitue une halte intéressante ; il surplombe une grotte utilisée comme hôpital de campagne vers la fin de la bataille d'Okinawa. À cet endroit, 240 lycéennes furent réquisitionnées pour soigner les soldats japonais blessés. À l'approche des troupes américaines, elles furent renvoyées et la plupart périrent, prises entre les tirs croisés ou se suicidant sur les conseils des militaires. Ce musée suscite des avis controversés parmi ceux qui connaissent l'histoire d'Okinawa et du conflit. Le bus n°82 (voir plus haut) dessert le musée.

Au sud de Naha, dans le Kaigungo-kōen, se tient le **quartier général souterrain de la Marine japonaise** (☎850-4055 ; 420 ¥ ; 🕑 8h30-17h), où 4 000 hommes se suicidèrent ou furent tués alors que la bataille d'Okinawa s'acheminait vers une fin sanglante. Seuls 250 m de tunnel sont ouverts. Vous pouvez déambuler dans le labyrinthe des couloirs, lire les derniers mots du commandant inscrits sur un mur de sa chambre et découvrir les traces des explosions de grenades qui tuèrent de nombreux hommes. À la gare routière de Naha, prenez le bus n°33 ou 46 jusqu'à l'arrêt Tomigusuku-kōen-mae (230 ¥, 20 min, toutes les heures), puis marchez 10 minutes en suivant les panneaux en anglais (l'entrée se situe près du sommet de la colline).

Centre d'Okinawa-hontō
沖縄本島の中部

Le secteur densément peuplé au nord de Naha/Shuri accueille les bases militaires américaines et la métropole florissante d'**Okinawa City** (沖縄市 ; Okinawa-shi). Dans cette région, la plus américanisée de l'île, pizzerias, drive-in et véhicules militaires (sans parler du trafic militaire aérien) témoignent de la présence étrangère. Le centre offre aussi d'innombrables attractions touristiques destinées aux vacanciers japonais. Quelques sites historiques et culturels peuvent se visiter en une journée au départ de Naha. Si vous conduisez, mieux vaut emprunter l'autoroute pour ne pas vous égarer sur les routes secondaires.

Au sud d'Okinawa City, les ruines du **Nakagusuku-jō** (☎895-5719 ; 300 ¥ ; 🕑 8h30-17h) surplombe la côte est. Bâti au moins 80 ans avant toute autre construction en pierre du même type sur le continent, ce château occupait un emplacement privilégié. Il fut détruit en 1458, mais ses fondations donnent une idée de sa grandeur passée.

À 10 minutes de marche en amont, **Nakamura-ke** (☎935-3500 ; 300 ¥ ; 🕑 9h-17h30) est sans doute la maison traditionnelle la mieux conservée de l'île. Si les origines de la famille Nakamura dans la région remontent au XVe siècle, la demeure date des années 1720. Remarquez les vastes porcheries en pierre, la réserve surélevée afin de rester hors de portée des rats et les grands arbres plantés pour atténuer les effets des typhons. Nakamura-ke se situe à 10 minutes en taxi de Futenma, accessible de Naha par le bus n°25 (500 ¥, 1 heure, toutes les heures). En voiture, prenez la sortie Kita-Nakagusuku sur l'autoroute.

Motobu-hantō 本部半島
Au nord-ouest de Nago, la péninsule vallonnée de Motobu-hantō offre de belles vues, des plages plaisantes et un aquarium très couru. La péninsule est aussi le point de départ pour plusieurs îles voisines. Motobu-hantō est desservi par des lignes circulaires au départ de Nago : les bus n°65 et 66 font fréquemment le tour de la péninsule, respectivement dans le sens des aiguilles d'une montre et dans le sens inverse.

À quelques kilomètres au nord de la ville de Motobu, l'**Ocean Expo Park** abrite le fabuleux **aquarium Okinawa Chiraumi** (☎043-3748 ; 1 800 ¥ ; 🕑 8h30-18h30, horaire plus tard en été, fermé 1ers mer et jeu de déc). Il possède le plus grand bassin au monde où évolue une variété exceptionnelle de poissons, dont deux requins-baleines. L'aquarium figure au programme de tous les touristes et peut être bondé. De Nago, le bus n°70 dessert directement le parc (800 ¥, 45 min) ; les bus n°s65 et 66 s'arrêtent également devant.

En retrait de la côte nord de la péninsule, les vestiges croulants du **Nakijin-jō** (☎ 56-4400 ; 150 ¥ ; ☽ 8h30-17h30) sont visibles au sommet d'une colline. S'il n'est pas exceptionnel, ce château du XIVe siècle intéressera les passionnés d'histoire et offre une vue superbe sur l'océan. Avant de monter, achetez votre billet à la boutique qui jouxte le parking. Les bus n°s65 et 66 s'arrêtent devant.

Si vous disposez d'une voiture et si vous appréciez les sites naturels, rejoignez **Kouri-jima** (古宇利島) via **Yagaji-shima** (屋我地島). Le pont qui relie les deux îles enjambe une eau turquoise et une plage s'étend de part et d'autre de la route à l'arrivée à Kouri-jima. Le pont vers Yagaji-shima se situe au nord de Motobu-hantō, près de la route 58.

Nord d'Okinawa-hontō
沖縄本島の北部

Plus accidentée et sauvage, la partie nord d'Okinawa-hontō est peu développée. Son terrain montagneux permit à de nombreuses familles de se cacher, échappant à la destruction du sud de l'île à la fin de la Seconde Guerre mondiale. Vous aurez sans doute besoin de louer une voiture car les transports publics sont limités.

La route 58 longe la côte ouest jusqu'au **cap Hedo** (辺戸岬), à la pointe nord d'Okinawa. L'endroit est splendide, adossé à des collines verdoyantes d'où émergent des rochers. Par beau temps, on distingue facilement Yoron-tō, l'île la plus méridionale des Amami-shotō, à 23 km au nord-est.

Du cap Hedo, la route contourne la pointe de l'île et descend la côte est. Le tronçon suivant, plus étroit et sinueux, longe une succession de baies paisibles et n'a rien à voir avec le sud d'Okinawa-hontō. Essayez de repérer les petits oiseaux qui traversent parfois la route et veillez à faire le plein avant de vous engager sur la côte est.

ÎLES PROCHES D'OKINAWA-HONTŌ

Si vous souhaitez échapper aux foules et aux complexes hôteliers d'Okinawa-hontō, prenez un ferry pour l'une des îles voisines. À 30 km de Naha, les trois principales îles des Kerama-shotō comptent parmi les plus séduisantes du Sud-

Ouest, avec leur eau cristalline et de belles plages de sable blanc. Un peu plus éloignée, Kume-jima reste peu visitée. Les plus aventureux exploreront d'autres îles que nous ne décrivons pas dans ce guide : Ie-jima, Iheya-jima, Izena-jima, Aguni-jima, Kita-daitō-jima et Tonaki-jima.

Kerama-Shotō 慶良間諸島

À mille lieues de l'effervescence d'Okinawa-hontō, les Kerama-shotō risquent d'être bondées en été. Les trois îles principales, Zamami-jima, Aka-jima et Tokashiki-jima, peuvent chacune se visiter facilement dans la journée depuis Naha. Cependant, passer quelques jours dans un *minshuku* sur l'une d'elles vous permettra de mieux les apprécier.

AKA-JIMA 阿嘉島
☎ 098 / 310 habitants

Avec à peine 2 km de diamètre, Aka-jima possède une beauté inversement proportionnelle à sa taille. Ses plages superbes et son ambiance paisible invitent à s'attarder plusieurs jours en profitant des beaux sites de snorkeling et de plongée.

Au crépuscule, vous apercevrez peut-être un **sika de Kerama** (慶良間シカ), l'un des descendants des cerfs apportés de Kagoshima par les Satsuma lors de leur conquête des Ryūkyū en 1609. Plus petits et plus sombres que leurs cousins du continent, ces cervidés ont été déclarés trésors nationaux.

Parmi les belles plages qui jalonnent le tour de l'île, celle de **Nishibama** (ニシバマビーチ), une grève de sable blanc longue de 1 km sur la côte nord-est, est une perle. Elle peut être bondée en été et mieux vaut alors explorer les autres côtes si vous recherchez la tranquillité.

Centre de plongée-hôtel, **Marine House Seasir** (ペンションシーサー ; ☎ 0120-10-2737 ; www.seasir. com, en japonais ; ch pension complète 7 350 ¥/pers), à la lisière ouest du bourg principal, loue des chambres plaisantes, de style occidental ou japonais, avec sdb. La plupart des hôtes font de la plongée.

Air Dolphin (☎ 858-3363) offre deux vols quotidiens entre Naha et l'aéroport de Kerama (6 500 ¥, 20 min). **Zamami Sonei Ferry** (☎ 868-4567) propose chaque jour deux ou trois ferries rapides (2 750 ¥, 50 min) et un ferry classique (1 860 ¥, 1 heure 30) depuis/vers Tomari-kō à Naha. Un bateau à moteur relie aussi Aka-jima et Zamami-jima (300 ¥, 15 min, 4/jour).

La marche constitue le meilleur moyen d'explorer cette petite île.

ZAMAMI-JIMA 座間味島
☎ 098 / 610 habitants

À courte distance d'Aka-jima et un peu plus développée, Zamami-jima possède également de jolies plages et de beaux rochers. Les îlots proches et d'excellents sites de plongée et de snorkeling ajoutent à son attrait. Un **office du tourisme** (☎ 987-2277 ; ☿ 9h-17h) est installé au port.

La **plage de Furuzamami** (古座間味ビーチ), à 1 km au sud-est du port (de l'autre côté de la colline), est une splendide étendue de sable blanc de 700 m, baignée d'une eau transparente et peu profonde avec quelques coraux. Bien aménagée, la plage comporte des toilettes, des douches et des stands de restauration. Vous pouvez aussi louer l'équipement pour le snorkeling (1 000 ¥).

Si vous préférez la solitude, vous trouverez des criques désertes de l'autre côté de l'île. Les meilleures plages se situent sur **Gahi-jima** (嘉比島) et **Agenashiku-jima** (安慶名敷島), à 1 km au sud du port. Ourlées de sable blanc, ces îles sont idéales pour une escapade d'une demi-journée. **Zamami Tour Operation** (☎ 987-3586) propose la traversée et des sorties de snorkeling. L'office du tourisme peut également organiser des circuits en bateau (aller-retour 1 500 ¥ par personne).

De décembre à avril, on peut apercevoir des baleines. Pour plus d'informations, renseignez-vous à l'office du tourisme ou contactez l'**association d'observation des baleines de Zamami-mura** (座間味村ホエールウォッチング協会 ; ☎ 896-4141 ; circuits 2 heures 6 000 ¥ ; ☿ 1 ou 2/jour).

De Naha, Zamami-jima peut constituer une belle excursion d'une journée, mais si vous en profiterez mieux en passant une nuit sur place. **Joy Joy** (ジョイジョイ ; ☎ 0120-10-2445 ; http://keramajoyjoy.com/index.html ; ch avec petit déj à partir de 5 250 ¥/pers), dans le coin nord-ouest du bourg, offre des chambres diverses autour d'un petit jardin et comprend un centre de plongée.

À quelques pas, le **Minshuku Summer House Yū Yū** (民宿サマーハウス遊遊 ; ☎ 098-987-3055 ; www.yuyu-okinawa.jp/index.html, en japonais ; ch avec/sans pension complète à partir de 6 000/3 500 ¥/pers) est une adresse sympathique. Ces deux établissements sont facilement accessibles à pied du débarcadère.

Zamami Sonei (☎ 868-4567) propose chaque jour deux ou trois ferries rapides (2 750 ¥, 50 min) et un ferry classique (1 860 ¥,

2 heures) depuis/vers Tomari-kō à Naha. Ils font généralement escale à Aka-jima. Un bateau à moteur circule aussi entre Aka-jima et Zamami-jima (300 ¥, 15 min, 4/jour)

Zamami-jima ne compte ni bus ni taxi, mais rien n'est vraiment éloigné. Vous pourrez louer voiture, scooter ou vélo près du débarcadère (l'office du tourisme vous aidera).

TOKASHIKI-JIMA 渡嘉敷島
☎ 098 / 750 habitants

Tokashiki-jima, la plus grande île des Kerama-shotō, s'étire en longueur du nord-sud et possède des plages superbes. Très prisée des jeunes vacanciers japonais, elle a un peu moins de charme qu'Aka-jima et Zamami-jima. Les ferries accostent au port de Tokashiki (渡嘉敷), sur la côte est.

Les **plages de Tokashiku** (とかしくビーチ) et d'**Aharen** (阿波連ビーチ), les plus belles, bordent la côte ouest. Toutes deux comportent des toilettes, des douches, des stands de restauration et des échoppes qui louent des équipements de snorkeling (1 000 ¥).

Tokashiki se visite facilement dans la journée de Naha. Pour passer la nuit sur place, choisissez Aharen. Pratiquement sur la plage, le **Southern Cross** (サザンクロス ; ☎ 987-2258 ; ch avec/sans pension complète 6 500/4 000 ¥/pers), une auberge tenue par une famille, loue des chambres sans prétention, de style occidental ou japonais. Les jeunes vacanciers et les familles apprécient cette adresse. Dans le village, le **Kerama-sō** (けらま荘 ☎ 987-2125 ; ch avec/sans pension complète 5 775/3 675 ¥/pers) est un simple *minshuku*, avec des chambres à la japonaise et des prix raisonnables. Le personnel viendra vous chercher au débarcadère si vous avez réservé (en japonais).

Tokashiki Sonei (☎ 868-7541) propose chaque jour un ou deux ferries rapides (2 430 ¥, 35 min) et un ferry classique (1 620 ¥, 1 heure 10) depuis Tomari-kō à Naha.

Des bus relient le port de Tokashiki aux plages de la côte ouest. On peut louer vélo, voiture et scooter au port de Tokashiki.

Kume-jima 久米島
☎ 098 / 9 600 habitants

Paisible, la plus lointaine des îles extérieures accueille bien moins de touristes que les Kerama-shotō. Essentiellement plate et couverte de plantations de canne à sucre, elle compte quelques jolies plages et un grand banc de sable au large de la côte est.

EN EAU PROFONDE

Sans égaler le Sud-Est asiatique, les îles du Sud-Ouest comptent néanmoins d'excellents sites de plongée. Les eaux qui entourent les îles méridionales recèlent une incroyable diversité de poissons et de coraux, une quantité non négligeable d'épaves, des réseaux de grottes et même de curieux vestiges archéologiques.

Les prix sont plus élevés qu'en Asie du Sud-Est, mais les moniteurs sont habituellement qualifiés et les équipements de bonne qualité. Vous devrez posséder un brevet en cours de validité pour plonger autour d'Okinawa et des îles du Sud-Ouest.

L'inconvénient majeur pour les plongeurs étrangers est le faible nombre d'opérateurs parlant anglais. Les centres de plongée ci-dessous accueillent volontiers des étrangers et leur personnel parle anglais :

▨ **Ishigaki : Sea Friends** (☎ 0980-82-0863 ; 346 Ishigaki, Ishigaki-shi Aza ; 1/2 plongées 11 550/15 750 ¥, location équipement 3 150 ¥ ; ☺ 8h-20h)

▨ **Ishigaki : Umicoza** (☎ 0980-88-2434 ; 827-15 Kabira, Ishigaki-shi ; 1/2 plongées 9 450/12 600 ¥, location équipement 5 250 ¥ ; ☺ 8h-18h)

▨ **Okinawa Hontō : Reef Encounters** (☎ 098-968-4442 ; www.reefencounters.org)

▨ **Yonaguni : SaWest** (☎ 0980-87-2311 ; 59-6 Yonaguni, Yonaguni-chō Aza, Yaeyama-gun ; 1/2 plongées 8 000/12 000 ¥, location équipement 5 000 ¥ ; ☺ 8h-18h)

L'aéroport se situe à la pointe ouest de l'île et le port principal de Kaneshiro (兼城), sur la côte sud-ouest. À l'aéroport, un **office du tourisme** (☎ 985-7115) ouvre en été à l'arrivée des vols.

La **plage d'Ifu** (イーフビーチ), la plus fréquentée, se situe sur la côte est. Elle est renommée pour son fin sable blanc ; *ifu* signifie "blanc" en dialecte kume. Sur la côte ouest près de l'aéroport, **Shinri-hama** (シンリ浜), une autre plage séduisante, est réputée pour ses couchers de soleil sur la mer de Chine orientale.

Principale attraction de Kume-jima, **Hate-no-hama** (はての浜) est un superbe banc de sable de 7 km qui s'étire de la pointe est de l'île vers Okinawa-hontō. Si vous arrivez en avion, vous découvrirez cette langue de sable frangée de coraux dans le bleu turquoise de la mer de Chine orientale. Pour vous rendre au banc de sable, le mieux consiste à vous adresser à **Hatenohama Kankō Service** (☎ 090-8292-8854), une société qui organise un circuit de 3 heures pour 3 500 ¥. Si vous réservez à l'avance, un membre de la société viendra vous chercher à votre hôtel.

À **Ōjima** (奥武島), un îlot relié par une chaussée à la côte est de Kume-jima, le curieux **Tatami-ishi** (畳石) est une formation naturelle de rochers plats qui couvrent le rivage.

Meilleur endroit pour se loger, la plage d'Ifu offre un grand choix d'hébergements sur le front de mer, long de 1,5 km. Le **Minshuku**

Nankurunaisā (民宿なんくるないさぁ ; ☎ 985-7973 ; http://nankurunaisakume.ti-da.net, en japonais ; ch à partir de 5 000 ¥/pers ; ⓟ ▣), notre préféré, est un nouvel établissement, accueillant et très plaisant, qui offre des chambres de style japonais ou occidental, avec sdb. Vous pouvez aussi planter votre tente dans le petit camping d'Ōjima, avant le Tatami-ishi.

JTA et RAC proposent 5 vols par jour entre Naha et Kume-jima (10 800 ¥, 35 min). De juin à septembre, JTA offre un vol quotidien entre Tōkyō et Kume-jima (46 700 ¥, 2 heures 30). Chaque jour, un ferry de **Kume Shōsen** (☎ 098-868-2686) effectue la traversée entre Tomari-kō à Naha et Kume-jima (3 000 ¥, 3 heures 15).

Kume-jima dispose d'un réseau de bus efficace. **East Rentacar** (☎ 896-7766) possède un comptoir à l'aéroport.

MIYAKO-SHOTŌ 宮古諸島

Les Miyako-shotō se situent à 270 km au sud-ouest d'Okinawa-hontō et à 100 km au nord-est des Yaeyama-shotō. Ce groupe d'îles comprend Miyako-jima, l'île principale, Ikema-jima, Irabu-jima, Shimoji-jima et Kurima-jima, ainsi que quelques îlots. Juste au nord du tropique du Cancer, les Miyako-shotō constituent une destination balnéaire idéale, avec de bons sites de plongée et de snorkeling.

Les ferries ne desservent plus les Miyako-shotō, uniquement accessibles par avion du continent ou d'Okinawa-hontō. Les choses

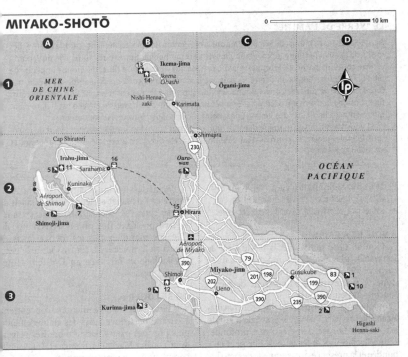

MIYAKO-SHOTŌ

0 _____ 10 km

À VOIR ET À FAIRE		Tōri-ike 通り池 **8** A2	Island Terrace Neela
Plage d'Aragusuku 親城海岸 **1** D3		Plage de Yoneha-Maehama	アイランドテラス・ニーラ **13** B1
Plage de Boraga 保良川ビーチ....**2** D3		与那覇前浜.....................................**9** B3	Raza Cosmica Tourist Home
Nagahama 長浜 **3** B3		Plage de Yoshino 吉野海岸 **10** D3	ラザコスミカツーリス
Nakanoshima-Kaigan			トホーム **14** B1
中の島海岸 **4** A2		**OÙ SE LOGER** 🏠	
Plage de Sawada-no-hama		Guesthouse Birafuya	**TRANSPORTS**
佐和田の浜.......................................**5** A2		びらふや ー **11** A2	Port de Hirara 平良湖 **15** B2
Plage de Sunayama 砂山ビーチ..**6** B2		Guesthouse Miyako-jima	Port de Sarahama 佐良浜港 **16** B2
Toguchi-no-hama 渡口の浜..........**7** A2		ゲストハウス宮古島 **12** B3	

peuvent toutefois changer ; renseignez-vous en ligne ou dans les offices du tourisme locaux. Cet archipel se distingue par des plages parmi les plus belles des îles du Sud-Ouest et une ambiance chaleureuse et détendue.

Miyako-jima 宮古島
☎ 0980 / 55 200 habitants

Principale île des Miyaho-shotō, Miyako-jima est essentiellement une étendue plate couverte de cannes à sucre, frangée de plages superbes, avec de longues avancées dans la mer. Parmi les quatre îles plus petites qui l'entourent, deux sont reliées par des ponts à l'île principale ; un autre pont en construction les rendra toutes accessibles par la route.

Miyako-jima est avant tout une destination balnéaire où l'on peut aller d'une plage à l'autre et s'adonner partout aux joies du snorkeling. Une excursion le long de la route côtière permet de découvrir les différents caps de l'île. Les quelques curiosités de Hirara, la ville principale, vous occuperont par un jour pluvieux.

RENSEIGNEMENTS
Bibliothèque publique (carte p. 795 ; 市立図書館 ; angle McCrum-dōri et Chūō-dōri). Accès gratuit à Internet au 2ᵉ niveau.
Bureau d'information touristique (☎ 72-0899 ; 🕐 9h30-17h). Dans le hall des arrivées de l'aéroport ; prenez un exemplaire de la *Miyako Island Guide Map* et, si vous lisez le japonais, une copie du *Guide Map Miyako*.

LE "VERRE DE L'AMITIÉ"

Accueillants, les habitants de Miyako-jima ont la réputation de boire facilement. Izato, le quartier des loisirs de la ville de Hirara, possèderait plus de bars par habitant que toute autre ville du Japon.

Une coutume particulière, appelée *otori*, préside aux libations. Ce rituel de groupe implique de faire un discours, remplir son verre (le plus souvent avec de l'*awamori*, une eau-de-vie locale, très forte) et ceux de tous les convives. Chacun vide son verre, le meneur prononce un petit discours final, désigne la prochaine victime et le processus recommence. L'*otori* de Miyako est si éprouvant que même les habitants des îles voisines, pourtant de solides buveurs, le redoutent.

Si vous vous trouvez entraîné dans un *otori* et si vous souhaitez vous échapper avant de rouler sous la table, suivez les conseils d'un vétéran local : "Ne dites pas au revoir. Filez aux toilettes et ne revenez pas !"

Poste de Hirara-Nishizato (carte p. 795 ; 平良に西里郵便局 ; Ichiba-dōri ; ☯ 9h-17h lun-ven). Les DAB, accessibles tard, acceptent les cartes de crédit étrangères.

À VOIR ET À FAIRE
À 4 km au nord de la ville, la petite **plage de Sunayama** (plage de la Montagne de sable ; carte p. 793) s'étend au pied d'une grande dune. À une extrémité, une arche de pierre fournit un peu d'ombre.

Sur la côte sud-ouest, la superbe **Yonaha-Maehama** (carte p. 793), une grève de 6 km de sable blanc bordée d'une eau peu profonde, séduit les familles et les jeunes. Elle peut être bondée et la présence occasionnelle des jet-skis gâche le plaisir. Elle se situe juste avant le pont Kurima-Ōhashi, du côté nord.

Pour plus de tranquillité, traversez le pont et rejoignez la côte nord-ouest de **Kurima-jima** (来間島) et la splendide **Nagahama** (carte p. 793), habituellement peu fréquentée.

Dans le coin sud-est de Miyako-jima, une route très pentue descend vers la **plage de Boraga** (carte p. 793), appréciée pour le snorkeling et le kayak. De l'autre côté du cap au nord, les **plages de Yoshino et d'Aragusuku** (carte p. 793), relativement peu profondes, sont bordées de nombreux coraux (morts pour la plupart).

Si vous disposez d'une voiture, rendez-vous au bout de l'**Higashi Henna-saki** (東平安名崎), une étroite langue de terre qui s'étire sur 2 km dans le Pacifique. À la pointe, vous trouverez des tables de pique-nique, des chemins de randonnée et un phare.

Une autre belle excursion en voiture traverse l'**Ikema-Ōhashi** (池間大橋) vers **Ikema-jima** (池間島 ; carte p. 793). Ce pont de 1,4 km enjambe une eau turquoise peu profonde, d'une beauté fascinante par beau temps. Plusieurs **petites plages privées** jalonnent la côte d'Ikema-jima.

Parmi les quelques sites de Hirara, l**Centre de l'artisanat et des arts traditionnels d** **Miyako** (carte p. 795 ; ☎ 72-8022 ; entrée libre ; ☯ 9h-18 lun-sam) présente des objets artisanaux d l'île ; ne manquez pas les métiers à tisse *minsā* au 2ᵉ niveau. Le centre jouxte le peti **Miyako-jinja** et fait face au Dai-ichi Hote (voir ci-dessous).

OÙ SE LOGER
Si la plupart des hébergements se concentren à Hirara, on trouve aussi des établissement plus près des plages. De nombreuses plages dont Yonaha-Maebama, Boraga et Aragusuku comptent des campings gratuits.

Hiraraya (carte p. 795 ; ☎ 75-3221 ; www.miyako-ne ne.jp/~hiraraya ; dort nuit/sem 2 000/12 000 ¥, ch nui sem 3 000/18 000 ¥ par pers ; ℗). Dans le centr de Hirara, à un pâté de maisons au nor du Miyako-jinja (repérez le rideau bleu clai indiquant une pension), cette adresse détendu est tenue par une charmante jeune femme qu veille au bien-être de ses hôtes. Elle comport des dortoirs et des chambres japonaises ave tatamis. Des repas sont proposés. Réduction pour des séjours de longue durée.

Guesthouse Miyako-jima (carte p. 793 ; ☎ 76-2330 www2.miyako-ma.jp/yonaha/index.html ; dort nuit/sem 2 500/11 200 ¥, ch nuit/sem 4 000/21 000 ¥ par pers ℗). Gaie et claire, cette pension occupe ur emplacement privilégié près de la plage d Yoneha-Maehama. Parfaite pour les voya geurs à petit budget, elle offre de confortable dortoirs et chambres à l'occidentale, avec sdb communes. Tarifs préférentiels pour les long séjours. Prêt de vélos et de scooters.

Miyako Dai-ichi Hotel (carte p. 795 ; ☎ 73-5522 ; c à partir de 6 825 ¥/pers ; ℗). Central et accueillant cet hôtel d'affaires comprend des chambres spacieuses et bien équipées, un restaurant e un grand parking.

HIRARA

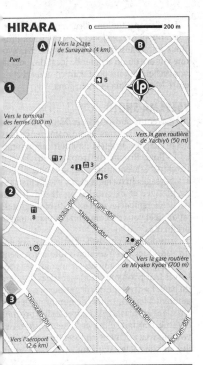

0 ———————— 200 m

RENSEIGNEMENTS
Poste de Hirara-Nishizato 平良西郵便局 **1** A3
Bibliothèque publique 平良市立図書館 **2** B2

À VOIR ET À FAIRE
Centre de l'artisanat et des arts traditionnels
de Miyako **3** A2
Miyako-jinja 宮古神社 **4** A2

OÙ SE LOGER
Hiraraya ひららや **5** B1
Miyako Dai-ichi Hotel 宮古第一ホテル **6** B2

OÙ SE RESTAURER
Chūzan 中山 **7** A2
Koja Shokudō Honten 古謝食堂本店 **8** A2

Raza Cosmica Tourist Home (carte p. 793 ; ☎ 75-
2020 ; www.raza-cosmica.com ; ch avec petit déj à partir de
8 000 ¥/pers ; P). Ce charmant établissement
domine une jolie plage isolée sur Ikema-jima.
Les chambres romantiques, de style occidental,
le calme et le bel environnement en font une
destination idéale pour les couples en vacances.
Les sdb sont communes et les enfants de moins
de 12 ans ne sont pas acceptés. Remarquez les
yeux de Shiva sur la porte.

Island Terrace Neela (carte p. 793 ; ☎ 74-4678 ; www.
neela.jp ; ch avec petit déj à partir de 30 000 ¥/pers ; P).

Surplombant la même plage que le Raza, ce
complexe hôtelier haut de gamme évoque la
Méditerranée avec ses villas blanches chaulées,
parfaites pour une lune de miel.

OÙ SE RESTAURER
Des restaurants sont disséminés un peu partout
sur l'île, mais Hirara offre le meilleur choix.

Koja Shokudō Honten (carte p. 795 ; ☎ 72-2139 ;
10h-22h). À un pâté de maisons au nord-ouest
du croisement d'Ichiba-dōri et de Nishizato-
dōri, cette gargote de nouilles est une
institution locale, qui sert depuis plus de 50 ans
des bols fumants de *sōki-soba* (650 ¥). Le
patron parle anglais. Le Koja, repérable aux
carreaux blancs autour de l'entrée, se tient de
l'autre côté d'un parking.

Chūzan (中山 ; carte p. 795 ; ☎ 73-1959 ; 16h-24h).
Bonne adresse, cet *izakaya* fréquenté propose
des poissons et des fruits de mer pêchés localement. Le *sashimi-moriawase* (assortiment
de sashimis ; 1 000 ¥) est une valeur sûre,
à accompagner d'une chope de *nama-biiru*
(bière pression ; 450 ¥). Carte partiellement
illustrée et service un peu lent. Des lanternes
rouges signalent l'entrée.

DEPUIS/VERS MIYAKO-JIMA
Miyako-jima offre des vols directs depuis/vers
l'aéroport Haneda à Tōkyō (JTA ; 42 900 ¥,
2 heures 30, 1/jour), l'aéroport international
du Kansai à Ōsaka (JTA ; 42 900 ¥, 2 heures 30,
1/jour), Naha (JTA/ANA ; 16 100 ¥, 50 min,
12/jour) et Ishigaki (JTA/RAC ; 10 900 ¥,
20 min, 4/jour).

COMMENT CIRCULER
Miyako-jima possède un réseau de bus limité
au départ de deux terminus dans Hirara. Des
bus relient l'aéroport et Hirara (170 ¥, 20 min).
Des bus partent du terminus de Yachiyo pour
Ikema-jima (460 ¥, 35 min), et du terminus de
Miyako Kyōei, à 700 m à l'est de la ville, pour
Yoshino/Bora (470 ¥, 50 min). Une autre ligne
circule entre Hirara et Yoneha/Kurima-jima
(390 ¥, 30 min).

Le terrain plat de l'île invite au cyclotourisme. Des loueurs de voiture disposent de
comptoirs à l'aéroport et d'agences à Hirara.

Irabu-jima et Shimoji-jima
伊良部島・下地島
À 10 minutes de bateau de Hirara (Miyako-
jima) et reliées par six ponts, Irabu-jima et
Shimoji-jima sont d'agréables îles agricoles,

couvertes de champs de canne à sucre. À l'instar de Miyako, ce sont des paradis pour les amateurs de plage, de baignade, de snorkeling et de farniente sous le soleil tropical. Si l'on peut les visiter de Hirara au cours d'une excursion d'une journée, quelques pensions sans prétention et de nombreux campings gratuits permettent de prolonger le séjour.

La plage la plus propice à la baignade, **Toguchi-no-hama**, se situe sur la côte ouest d'Irabu-jima. Avec son sable doré et son eau turquoise, c'est l'un des plus beaux endroits pour lézarder au soleil. Quelques échoppes louent des équipements de snorkeling et des campings gratuits offrent des installations sommaires.

Nakanoshima-kaigan, la meilleure plage pour le snorkeling, borde la côte ouest de Shimoji-jima. Vous pouvez plonger autour de coraux durs protégés par les hautes parois d'une baie. Les plongeurs ayant la fâcheuse habitude de toucher les coraux et de grimper dessus, les plus beaux sont les plus proches du rivage. Repérez le panneau "Nakano Island The Beach".

Autre site intéressant, l'**Tōri-ike**, deux bassins d'eau de mer sur la côte ouest de Shimoji-jima, sont en fait des creux dans le corail qui forme l'île. Des passerelles en caillebotis relient les bassins au parking proche de la grand-route. La promenade est plaisante, mais il est plus intéressant de les découvrir sous l'eau. C'est d'ailleurs une destination prisée des centres de plongée de Miyako-jima.

Autre curiosité, l'**aéroport de Shimoji** est une piste d'entraînement pour les compagnies aériennes japonaises. Des amateurs viennent de tout le pays pour regarder les pilotes s'entraîner au décollage, à l'atterrissage et autres manœuvres.

Si vous voulez passer la nuit sur place, la **Guesthouse Birafuya** (☎ 78-3380 ; www.birafuya.com, en japonais ; dort/s/d 2 000/3 000/5 000 ¥ ; P 🖳), un paradis pour routards, se situe à quelques pâtés de maisons de la plage de Sawada-no-hama. Idéale pour rencontrer d'autres voyageurs, japonais ou étrangers, elle comprend un dortoir et des petites chambres à l'occidentale. En téléphonant à l'avance, on viendra vous chercher au terminal des ferries. La pension loue des vélos.

Des ferries rapides (400 ¥, 10 min, 11/jour) et des car-ferries (passager/voiture 360/2 000 ¥, 25 min, 13/jour) circulent entre Hirara, sur Miyako-jima, et le port de Sarahama, sur Irabu-jima.

Le vélo constitue le meilleur moyen d'explorer l'île. Vous pouvez en louer au port d'Irabu-jima. Vous pouvez aussi prendre le ferry à Hirara avec une voiture ou un scooter de location. Lors de nos recherches, un pont était en construction entre Miyako-jima et Irabu-jima.

YAEYAMA-SHOTŌ 八重山諸島

À l'extrémité sud-ouest des Nansei-shotō, le groupe des Yaeyama-shotō comprend deux îles principales, Ishigaki-jima et Iriomote-jima, et 17 îlots. Proche du tropique du Cancer, l'archipel est renommé pour ses belles plages, ses paysages luxuriants et ses excellents sites de plongée et de snorkeling. Il séduit tout particulièrement les *freeters* (anticonformistes) japonais et vous rencontrerez des personnages originaux.

Sans doute la plus belle destination des îles du Sud-Ouest, les Yaeyama-shotō conservent des jungles et des marais de mangroves préservés (sur Iriomote-jima), parmi les derniers du pays. La diversité des îles et leur accès facile ajoutent à leurs attraits ; de nombreux ferries circulent entre Ishigaki City et les îles proches comme Iriomote-jima et Taketomi-jima, et vous pouvez aisément explorer trois ou quatre îles en une seule excursion.

Ishigaki-jima 石垣島

☎ 0980 / 48 420 habitants

À 100 km au sud-ouest de Miyako-jima, cette île est la plus peuplée et développée de l'archipel. Elle possède des plages superbes, d'exceptionnels sites de plongée et de snorkeling et un arrière-pays montagneux, à découvrir en voiture ou lors de randonnées. Ishigaki City offre de bons restaurants et une vie nocturne animée.

Si Ishigaki-jima constitue la porte d'entrée des Yaeyama-shotō, cette belle île mérite amplement qu'on lui consacre quelques jours.

ORIENTATION

Principale localité d'Ishigaki-jima, Ishigaki City occupe le coin sud-ouest de l'île. La ville s'organise autour du port et l'activité se concentre dans les deux galeries marchandes parallèles à l'artère principale. La cité peut facilement s'explorer à pied en 1 ou 2 heures.

D'Ishigaki City, des routes longent le littoral ou pénètrent dans l'arrière-pays. Plusieurs villages sont installés près de la côte ; l'intérieur des terres se compose essentiellement de montagnes escarpées et de champs cultivés.

RENSEIGNEMENTS

Gera Gera (carte p. 800 ; ☎ 82-8025 ;
400 ¥/h ; ☺ 24h/24). Accès à Internet.

Comptoir d'information (☎ 88-5239 ; aéroport ;
☺ 9h-17h). Petit mais efficace.

Office du tourisme (carte p. 800 ; ☎ 82-2809 ; 1er niv,
Ishigaki-shi Shōkō Kaikan ; ☺ 8h30-17h30 lun-ven). Le
personnel sympathique parle anglais et vous fournira des
cartes de l'île en anglais. Si vous lisez le japonais, prenez
l'*Ishigaki Town Guide* et le *Yaeyama Nabi*.

Poste de Yaeyama (carte p. 800 ; Sanbashi-dōri ;
☺ guichets 9h-19h lun-ven, 9h-15h sam ; DAB 8h45-19h
lun-ven, 9h-19h sam-dim et jours fériés). Ses DAB
acceptent les cartes internationales.

À VOIR ET À FAIRE

Ishigaki City 石垣市

Une demi-journée suffit pour visiter les sites
d'Ishigaki City. À 100 m au sud-est de la poste,
le modeste **musée d'Ishigaki City Yaeyama** (carte
p. 800 ; ☎ 82-4712 ; 200 ¥ ; ☺ 9h-17h mar-dim), consacré
à la culture et à l'histoire de l'île, présente des
palanquins funéraires, des pirogues, des textiles
et des photos des fêtes. Entrez avant 16h30.

Bien que les samouraïs n'aient pas fait partie
des traditions des Nansei-shotō, **Miyara Dōnchi**
(carte p. 800 ; ☎ 82-2767 ; 200 ¥ ; ☺ 9h-17h) est une
maison de samouraï de 1819 et la seule qui
reste sur les îles. Suivez Sanbashi-dōri vers
le nord jusqu'aux panneaux (en anglais) qui
indiquent la demeure.

Fondé en 1614, le **Tōrin-ji** (carte p. 800) se
situe près du croisement de Shiminkaikan-dōri
et de la Route 79. Ce temple zen contient des
statues du XVIIIe siècle des rois Deva, les
dieux gardiens des îles. À côté du temple, le
Gongen-dō (carte p. 800), un petit sanctuaire
construit à l'origine en 1614, fut rebâti après
sa destruction par un tsunami en 1771.

Plages

Certaines des plus belles plages bordent la
côte ouest. Au nord d'Ishigaki City le long de
la route 79, **Yonehara Beach** (carte p. 798) est
une jolie plage de sable avec un récif au large.
Toutes les échoppes en bord de route louent
des équipements de snorkeling (1 000 ¥).

Juste à l'ouest de Yonehara et tout aussi
renommée, **Kabira-wan** (carte p. 798) est une
baie abritée couverte de sable blanc avec
quelques îlots au large. Le trafic maritime la
rend peu propice à la baignade et gâche un
peu sa beauté. De l'autre côté de la péninsule,
la plage de **Sukuji** (carte p. 798), peu profonde,
convient aux familles avec des enfants.

SITES DE PLONGÉE À OKINAWA

Il existe des sites de plongée convenables
au large de la plupart des îles du Sud-Ouest,
mais les plus intéressants se situent dans
l'Okinawa-ken et s'améliorent à mesure
que l'on descend vers le sud. Afin de vous
appâter, voici quelques-uns de nos *daibingu-
supotto* (spots de plongée) favoris :

■ **Manta Scramble** (ci-dessous). Au large
de la côte ouest d'Ishigaki-jima, ce site
prisé garantit d'apercevoir des raies
mantas au printemps et en été.

■ **Irizaki Point** (p. 806). Si nager avec des
squales ne vous terrifie pas, rendez-vous
en hiver au large de Yonaguni-jima pour
évoluer parmi des bancs de requins-
marteaux.

■ **Ruines immergées** (p. 806). L'un
des sites les plus curieux des îles du
Sud-Ouest, également au large de
Yonaguni-jima, dévoile de mystérieuses
ruines archéologiques aux origines
méconnues.

Pour admirer le coucher de soleil sur la mer
de Chine orientale, rejoignez **Sunset Beach** (carte
p. 798), une longue plage de sable frangée de
quelques récifs à la pointe nord de l'île, sur
la côte ouest.

Plongée

De grands bancs de raies mantas évoluent
autour d'Ishigaki-jima, surtout de juin à
octobre. De nombreux bateaux de plongée
se regroupent à **Manta Scramble**, le site le plus
couru au large de Kabira Ishizaki. Vous verrez
presque certainement une raie ou plusieurs.

Parmi les centres de plongée d'Ishigaki-
jima, deux emploient des moniteurs qui
parlent anglais : **Umicoza** (☎ 88-2434 ; 827-15 Kabira,
Ishigaki-shi ; 1/2 plongées 9 450/12 600 ¥, location équipement
5 250 ¥ ; ☺ 8h-18h) et **Sea Friends** (☎ 82-0863 ; 346
Ishigaki, Ishigaki-shi Aza ; 1/2 plongées 11 550/15 750 ¥
location équipement 3 150 ¥ ; ☺ 8h-20h).

Autres curiosités

Si vous disposez d'un véhicule, rendez-vous à
Hirakubo-saki (carte p. 798), à la pointe nord de
l'île. Ce promontoire offre une vue spectaculaire sur les vagues qui se fracassent contre les
récifs. Le phare se détache sur la mer de Chine
orientale, composant une belle photo.

YAEYAMA-SHOTŌ

A   **B**   **C**   **D**

À VOIR ET À FAIRE
Barasu-tō バラス島...**1** B3
Haemida-no-hama 南風見田の浜.....**2** C5
Hoshisuna-no-hama 星砂の浜.........**3** B3
Ida-no-hama イダの浜......................**4** A5
Iriomote Onsen 西表温泉..................**5** C4
Kabira-wan 川平湾............................**6** F3
Kambirē-no-taki カンピレーの滝......**7** B4
Manta Scramble.................................**8** E2
Mariyudō-no-taki マリユドゥの滝.....**9** B4
Pinaisāra-no-taki
   ピナイサーラの滝..........................**10** B4

Plage de Sukuji 底地ビーチ..............**11** F3
Sunset Beach サンセットビーチ......**12** H2
Tsuki-ga-hama 月が浜.......................**13** B3
Umicoza..**14** F3
Embarcadère pour les croisières sur l'Urauchi-
   gawa 浦川観光遊覧船乗り場 **15** B4
Plage de Yonehara 米原ビーチ........**16** G3

OÙ SE LOGER 🏠🏕
Eco Village Iriomote
   エコヴィレッジ西表....................**17** D4
Camping Haemida-no-hama
   南風見田の浜キャンプ場............**18** C5

Irumote-sō Youth Hostel
   いるもて荘ＹＨ...........................**19** B4
Pension Hoshi-no-Suna
   ペンシォン星の砂.......................**20** B4

OÙ SE RESTAURER 🍴
Shinpachi Shokudo 新八食堂.............**21** B3

TRANSPORTS
Port de Funauki 船浮港.....................**22** A4
Port d'Ōhara 大原港.........................**23** C5
Port de Shirahama 白浜港.................**24** B4
Port d'Uehara 上原港........................**25** B3

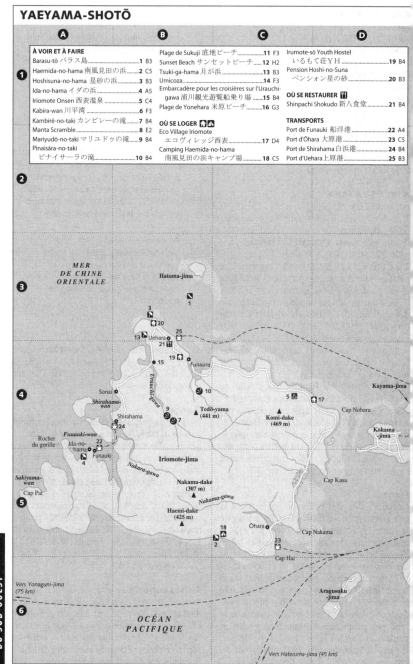

MER
DE CHINE
ORIENTALE

Hatoma-jima

Kayama-jima

Sonai
Shirahama-
wan
Shirahama
Rocher
du gorille
Ida-no-
hama
Funauki

Uehara
Funaura

Urauchi-gawa

Tedō-yama
(441 m)

Komi-dake
(469 m)

Cap Nobaru

Kohama
-jima

Cap Kasa

Iriomote-jima

Nakara-gawa

Sakiyama-
wan
Cap Pai

Nakama-dake
(307 m)

Nakama-gawa

Haemi-dake
(425 m)

Ōhara

Cap Nakama

Cap Hai

Vers Yonaguni-jima
(75 km)

Aragusuku
-jima

OCÉAN
PACIFIQUE

Vers Hateruma-jima (45 km)

OKINAWA ET LES ÎLES
DU SUD-OUEST

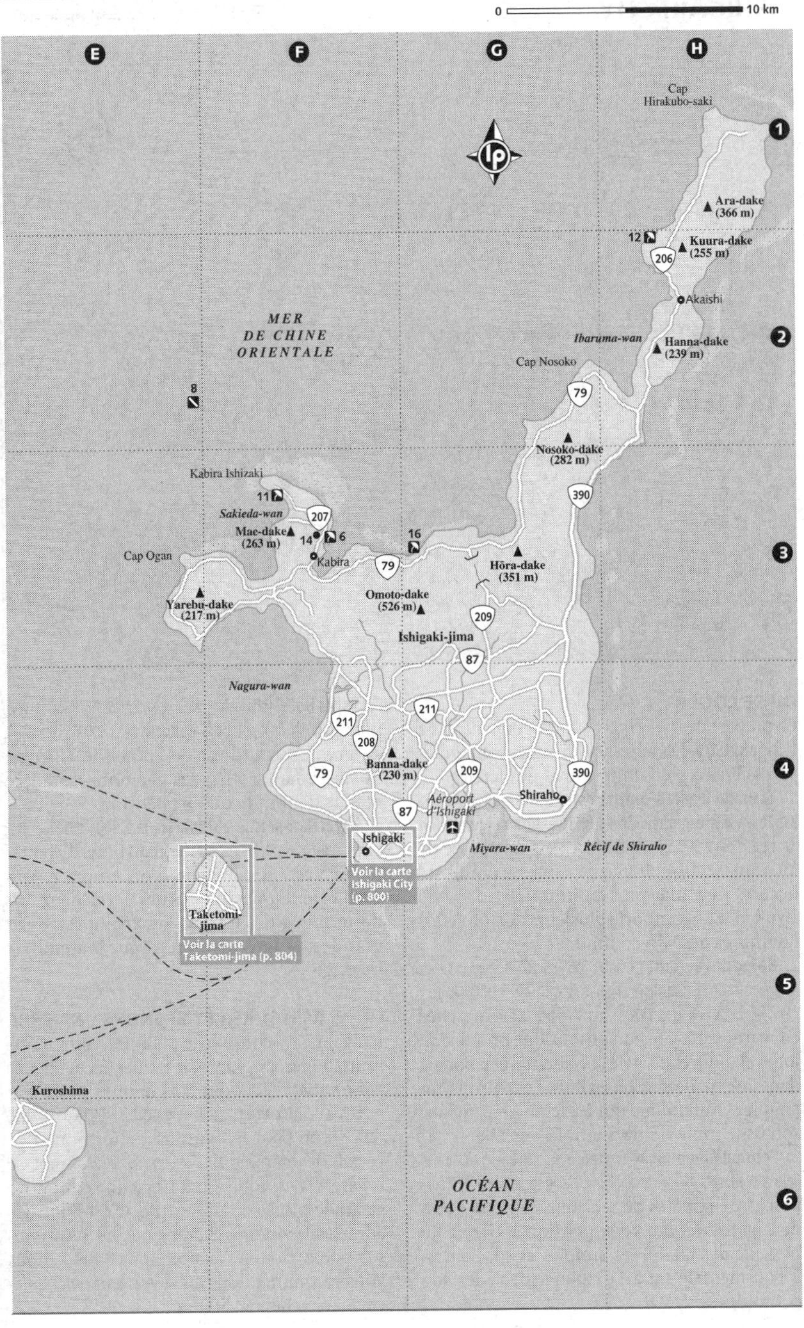

0 _____ 10 km

E   **F**   **G**   **H**

Cap
Hirakubo-saki

1

▲ Ara-dake
(366 m)

12 ▣   ▲ Kuura-dake
206   (255 m)

○ Akaishi

*MER
DE CHINE
ORIENTALE*

Ibaruma-wan

Cap Nosoko   ▲ Hanna-dake
(239 m)

2

79

▲ Nosoko-dake
(282 m)

8 ▣

390

Kabira Ishizaki

11 ▣

207

Sakieda-wan

▲ Mae-dake   14 ● ▣ 6   16 ▣
(263 m)   ○ Kabira

Cap Ogan   79   ▲ Hōra-dake
(351 m)

3

▲ Omoto-dake
(526 m) ▲

▲ Yarebu-dake
(217 m)

209

Ishigaki-jima

87

Nagura-wan

211

211

208

79   ▲ Banna-dake   209   390
(230 m)

4

87

*Aéroport
d'Ishigaki* ▣   ● Shiraho

○ Ishigaki   *Miyara-wan*   *Récif de Shiraho*

**Voir la carte
Ishigaki City
(p. 800)**

**Taketomi-
jima**

**Voir la carte
Taketomi-jima (p. 804)**

5

Kuroshima

*OCÉAN
PACIFIQUE*

6

ISHIGAKI CITY

0 ———— 200 m

OÙ SE LOGER

La plupart des hébergements se concentrent à Ishigaki City. Les adresses suivantes sont toutes accessibles à pied du terminal des ferries.

Yashima Ryokan Youth Hostel (carte p. 800 ; ☎ 82-3157 ; www.jyh.or.jp/english/kyushu/yaesu/index.html ; dort avec petit déj 2 500 ¥ ; P 🖳). À l'est du musée de Yaeyama, cette auberge de jeunesse douillette occupe une maison traditionnelle de style Ryūkyū. Elle comporte plusieurs dortoirs avec tatamis et des sdb communes.

Rakutenya (carte p. 800 ; ☎ 83-8713 ; www3.big. or.jp/~erm8p3gi/english/english.html ; ch 3 000 ¥/pers ; P 🖳). À deux rues au nord des marchés couverts, cette pension pittoresque propose de jolies chambres de styles occidental et japonais dans une vieille maison en bois. Les patrons, un couple sympathique qui parle un peu anglais, sont une mine d'informations sur l'île.

Pension Yaima-biyōri (carte p. 800 ; ☎ 88-5578 ; www. yaima-well.net/ybiyori/index.htm, en japonais ; ch 3 000 ¥/pers). À deux pâtés de maisons au nord-ouest de la gare routière, cette pension accueillante possède des chambres simples et spacieuses, à l'occidentale ou à la japonaise, et des sdb communes.

Super Hotel Ishigaki (carte p. 800 ; ☎ 83-9000 ; www. infinix.co.jp/sh, en japonais ; s avec petit déj 5 800 ¥ ; P 🖳). À 4 rues au nord-est de l'hôtel de ville, cet hôtel d'affaires offre des chambres standard et plus d'intimité qu'une pension.

Hotel Harbor Ishigakijima (carte p. 800 ; ☎ 88-8383 ; s à partir de 5 250 ¥ ; P). Accueillant hôtel d'affaires de 3 étages, il bénéficie d'un emplacement privilégié, au-dessus du port et à deux pas du terminal des ferries. Les chambres, assez grandes, s'agrémentent d'un fauteuil de massage.

OÙ SE RESTAURER ET PRENDRE UN VERRE

Ishigaki City compte de plaisants restaurants touristiques, des gargotes locales accueillantes et bon marché, et des bars animés.

Eifuku Shokudō (carte p. 800 ; ☎ 82-5838 ; 🕙 8h30 -23h). À un pâté de maisons au nord-ouest de la galerie marchande, ce petit restaurant se repère à la critique d'une ancienne édition de ce guide placée en devanture. C'est l'une des adresses les moins chères pour les *yaeyama-soba* (fines nouilles au bouillon ; 300 ¥) ; nous vous recommandons les savoureux *yagi-soba* (*soba* à la chèvre ; 500 ¥).

Asian Kitchen KAPI (carte p. 800 ; ☎ 82-2026 ; déj/dîner environ 1 000/3 000 ¥ ; 🕐 11h30-15h et 18h30-23h, fermé jeu). À côté du Mori-no-Kokage (signalé par une enseigne en anglais), ce bistrot asiatique branché constitue un bon choix si vous ne parlez pas japonais. Outre des spécialités locales, le KAPI offre une sélection impressionnante de plats asiatiques, des fondues coréennes aux curries indonésiens relevés.

Paikaji (carte p. 800 ; ☎ 82-6027 ; 🕐 17h-24h). Prisé à juste titre pour son ambiance et sa cuisine, ce restaurant sert tous les plats classiques d'Okinawa et de Yaeyama. Attendez qu'une table se libère, puis essayez l'*ikasumi chahan* (riz sauté à l'encre de calamar ; 650 ¥), le *gōya-champurū* (gōya sauté ; 700 ¥) ou le *sashimi moriawase* (assortiment de sashimis ; 750/1 300/1 800 ¥ selon la taille). Repérez la façade traditionnelle, l'entrée entourée de corail et l'enseigne rouge et blanche.

Mori-no-Kokage (carte p. 800 ; ☎ 83-7933 ; Yui Rd ; 🕐 17h-24h fermé mar). Au nord de la galerie couverte dans Yui Rd, ce petit *izakaya* chaleureux et détendu propose un bel éventail de spécialités locales, dont l'*Ishigaki-gyuu salada* (salade de bœuf d'Ishigaki ; à partir de 1 280 ¥), ainsi que l'*Ishigaki-shima-nari* (650 ¥), une bière produite sur l'île. Repérez les plantes et les troncs d'arbre à l'extérieur.

ACHATS

La principale galerie marchande, qui comprend un marché, est un bon endroit pour acheter des *omiyage* (souvenirs). Au-dessus du marché, le **Centre des produits régionaux d'Ishigaki City** (carte p. 800 ; ☎ 88-8633 ; 🕐 11h-19h) permet aux visiteurs de goûter les tisanes traditionnelles et d'admirer les textiles et les bijoux en perles.

Le **Minsā Kōgeikan** (みんさー工芸館 ; hors carte p. 800 ; ☎ 82-3473 ; 🕐 9h-18h), un atelier de tissage doublé d'une salle d'exposition, mérite le coup d'œil pour ses textiles des Yaeyama-shotō. Situé entre le centre-ville et l'aéroport, il est desservi par le bus qui rallie l'aéroport (indiquez au chauffeur l'endroit où vous voulez descendre).

DEPUIS/VERS ISHIGAKI-JIMA
Avion
Ishigaki-jima offre des vols directs depuis/vers l'aéroport Haneda à Tōkyō (JTA ; 54 000 ¥, 3 heures 30, 2/jour), l'aéroport international Kansai à Ōsaka (JTA ; 44 400 ¥, 2 heures 50, 1/jour), Kōbe (JTA ; 44 400 ¥, 2 heures 15, 1/jour), Naha (JTA/ANA ; 21 100 ¥, 1 heure, 20/jour), Miyako-jima (JTA/RAC ; 10 900 ¥, 35 min, 3/jour), Yonaguni-jima (JTA/RAC ; 29 100 ¥, 30 min, 1-2/jour) et Hateruma-jima (Air Dolphin ; 8 500 ¥, 25 min, 4/sem, davantage en été).

Bateau
Le terminal des ferries Rittō (carte p. 800) se situe à Ishigaki-wan, à courte distance au sud-ouest du centre-ville. D'innombrables ferries circulent tous les jours entre Ishigaki-jima et d'autres îles des Yaeyama-shotō, dont Iriomote-jima, Kohama-jima, Taketomi-jima et Hateruma-jima (voir les sections correspondantes). Les départs sont suffisamment fréquents pour pouvoir se présenter le matin et prendre le prochain ferry en partance (mieux vaut réserver la veille durant la haute saison estivale). Les trois principales compagnies de ferries, **Yaeyama Kankō Ferry** (☎ 82-5010), **Ishigaki Dream Kankō** (☎ 84-3178) et **Anei Kankō** (☎ 83-0055), disposent toutes d'une billetterie dans le terminal des ferries.

COMMENT CIRCULER

La gare routière se tient en face du terminal des ferries dans Ishigaki City. Des bus partent toutes les heures pour l'aéroport (200 ¥, 20 min). Quelques bus quotidiens desservent Kabira-wan (700 ¥, 50 min), Yonehara Beach (800 ¥, 1 heure) et Shiraho (400 ¥, 30 min).

Dans le centre-ville, des agences louent des voitures, des scooters et des vélos. En scooter, vous pouvez faire le tour de l'île en 4 ou 5 heures, sans compter les haltes sur les plages. **Ishigaki Rentacar** (☎ 82-8840) est installé dans le centre-ville et pratique des tarifs raisonnables.

Iriomote-jima 西表島

☎ 0980 / 2 290 habitants

À seulement 20 km à l'ouest d'Ishigaki-jima, Iriomote-jima peut se décrire comme la dernière frontière du Japon. Des jungles épaisses et une forêt de mangrove couvrent près de 90% de l'île, frangée de récifs coralliens parmi les plus beaux du pays. Avec beaucoup de chance, vous apercevrez même un rare *yamaneko*, un chat sauvage nocturne très farouche.

L'île est une destination rêvée pour les activités de plein air. Plusieurs rivières sillonnent l'arrière-pays luxuriant et peuvent se remonter en bateau ou en kayak. Ajoutez les plages inondées de soleil et d'exceptionnels sites de plongée et de snorkeling, et vous comprendrez vite pourquoi Iriomote-jima est l'un des endroits favoris des amoureux de la nature.

La plupart des visiteurs viennent pour la journée d'Ishigaki. Si vous en avez le temps, passez quelques jours à Iriomote-jima pour découvrir un Japon à mille lieues du centre de Tōkyō.

ORIENTATION ET RENSEIGNEMENTS

Une route côtière de 58 km couvre la moitié du périmètre de l'île. Aucune route ne mène vers l'intérieur, quasiment intact. Les bateaux en provenance d'Ishigaki-jima accostent à Uehara, sur la côte nord et plus proche des principaux sites, ou à Ōhara, sur la côte sud-est. Ōhara est la principale localité. Le hameau de Shirahama se tient à l'extrémité ouest de la grand-route et les meilleures plages bordent la pointe nord de l'île. Les croisières fluviales se déroulent sur l'Urauchi-gawa, dans le centre et le nord d'Iriomote-jima.

À VOIR ET À FAIRE

Plages

La plupart des plages sont peu profondes en raison du récif de corail qui entoure l'île. Plage la plus propice à la natation, **Tsuki-ga-hama** (plage de la Lune ; carte p. 798), un croissant de sable doré, se situe à l'embouchure de l'Urauchi-gawa sur la côte nord.

Pour le snorkeling, préférez **Hoshisuna-no-hama** (plage du Sable étoilé ; carte p. 798), à la pointe nord-ouest de l'île ; son sable est formé de squelettes de minuscules animaux marins. Si vous êtes un bon nageur et que la mer est calme, prenez masque et tuba et rejoignez l'extérieur du récif pour observer de spectaculaires coraux et poissons tropicaux.

De **Shirahama** (白浜), à l'extrémité ouest de la route côtière du nord, des bateaux partent quatre fois par jour pour le village isolé de **Funauki** (船浮 ; 410 ¥), à 10 minutes de marche d'**Ida-no-hama** (carte p. 798), une fabuleuse plage tropicale.

Haemita-no-hama (carte p. 798), une plage de sable doré quasi déserte, s'étend à l'extrémité ouest de la route côtière du sud. Jalonnée de gros rochers (et malheureusement de quelques épaves), elle s'étire à perte de vue sur des kilomètres. Par temps clair, on distingue l'île de Hateruma-jima (p. 805) au sud. Un parking et un panneau sont installés au bout de la route asphaltée, à 100 m de la plage.

Onsen

Par temps de pluie, réfugiez-vous dans l'**Iriomote Onsen** (carte p. 798 ; ☎ 85-5700 ; 1 500 ¥ ; ☷ 12h-22h), qui fait partie du Painu Maya Resort, un complexe hôtelier sur la côte est. L'onsen comprend des bains couverts et découverts non mixtes dans un parc paysagé, avec vue sur la forêt voisine. Achetez un billet à la réception de l'hôtel. Facile à manquer, le complexe se situe à quelque 20 km au nord d'Ōhara, près de la grand-route.

Croisières fluviales

La remontée en bateau de l'**Urauchi-gawa** (浦内川), un fleuve sinueux à l'eau brunâtre qui ressemble à un affluent de l'Amazone, constitue l'attraction majeure d'Iriomote. **Urauchi-gawa Kankō** (☎ 85-6154) organise des circuits de 8 km à partir de l'embouchure du fleuve (aller-retour 1 500 ¥, 30 min dans chaque sens, plusieurs départs quotidiens entre 8h30 et 17h). Au Km 8, le bateau accoste et vous pouvez parcourir 2 km pour rejoindre les jolies

cascades de **Mariyudō-no-taki** (マリユドウの
滝 ; carte p. 798), puis celles de **Kambiray-no-taki**
(カンビレーの滝 ; carte p. 798), à 200 m ;
comptez 2 heures de marche aller-retour.
Vous pouvez aussi vous contenter du circuit
en bateau. L'embarcadère se situe à 6 km à
l'ouest d'Uehara.

D'un embarcadère sur la rive sud de la
Nakama-gawa (仲間川), à l'est du pont d'Ōhara,
Tōbū Kōtsū (☎ 85-5304 ; ⏱ 8h30-17h30) propose des
croisières sur le deuxième fleuve d'Iriomote
par la taille. L'excursion d'une heure (1 500 ¥)
traverse des mangroves luxuriantes et une
épaisse végétation.

Si vous préférez l'indépendance, vous
pouvez louer un kayak ou un canoë (8 000 ¥
par jour) près des deux embarcadères.

Randonnée

Iriomote offre de superbes randonnées, mais
ne vous aventurez pas dans la jungle sans
un guide local. Les sentiers sont difficiles à
suivre dans la végétation exubérante et de
nombreux touristes se sont perdus et ont dû
être secourus ces dernières années. Restez sur
des itinéraires bien balisés comme celui que
nous décrivons, ou demandez à votre hôtel
de vous trouver un guide pour un parcours
plus audacieux.

Derrière la baie bordée de mangrove appelée
Funaura-wan, à quelques kilomètres à l'est
d'Uehara, vous pouvez rejoindre **Pinaisāra-no-**
taki (ピナイサーラの滝 ; carte p. 798), une
jolie chute d'eau et la plus haute d'Okinawa,
qui plonge des falaises sur 55 m. À marée
haute, on peut traverser le lagon en kayak,
puis remonter la Nishida-gawa jusqu'au pied
de la chute. De là, un chemin grimpe jusqu'au
sommet de la cascade, où l'on découvre une
vue splendide vers la côte. La randonnée dure
moins de 2 heures et peut s'achever par un
plongeon dans le fleuve.

Malheureusement, il est difficile de louer
un kayak sans participer à un circuit organisé.
À moins d'apporter votre propre kayak pliant
ou gonflable, vous devrez vous inscrire à une
excursion guidée par l'intermédiaire de votre
hôtel.

D'autres belles randonnées suivent
l'Urauchi-gawa (voir la section *Rivières*
p. 802).

Plongée

Les superbes récifs coralliens proches des côtes
d'Iriomote sont pour la plupart accessibles
aux bons nageurs avec masque et tuba. Les
centres de plongée d'Ishigaki (voir p. 797)
organisent des sorties vers presque tous les
sites qui entourent l'île.

Barasu-tō, entre Iriomote-jima et Hatoma-
jima, sort de l'ordinaire : il s'agit d'un îlot
entièrement constitué de coraux brisés. De
plus, les récifs proches, en bon état, constituent
une excellente sortie de snorkeling en bateau
par temps calme.

OÙ SE LOGER

Les hébergements sont éparpillés dans l'île,
aussi vaut-il mieux réserver par téléphone
avant d'arriver. La plupart d'entre eux viendront vous chercher au terminal des ferries.

Un camping gratuit, avec douches, toilettes
et cuisine, est installé à Haemida-no-hama
sur la côte sud, juste avant le parking de la
plage.

Irumote-sō Youth Hostel (carte p. 798 ; ☎ 85-6255 ;
www.ishigaki.com/irumote, en japonais ; dort à partir de
3 600 ¥ ; P 🖥). Bonne adresse pour les petits
budgets, cette auberge de jeunesse bien
tenue sur la colline au sud du port d'Uehara.
Elle comprend des dortoirs, des chambres
privés de style japonais et une grande salle
à manger (petit-déjeuner/dîner 500/1 000 ¥).
Téléphonez pour que l'on vienne vous chercher
car l'endroit n'est pas facile à trouver.

Pension Hoshi-no-Suna (carte p. 798 ; ☎ 85-6448 ;
www.hoshinosuna.ne.jp ; ch à partir de 7 500 ¥/pers ;
P). Au-dessus de Hoshinosuna-hama,
cette pension fréquentée bénéficie d'un bel
emplacement. Elle offre des chambres de
style occidental ou japonais, avec des petites
vérandas et la vue sur la mer, un bar-restaurant
et un centre de plongée.

Eco Village Iriomote (carte p. 798 ; ☎ 85-5115 ;
http://eco-village.jp, en japonais ; ch à partir de 10 000 ¥/
pers ; P). Sur la côte nord-est, ce complexe
hôtelier haut de gamme constitue un bon
choix si vous recherchez plus de confort.
Il propose plusieurs types d'hébergement,
des chambres sans prétention du bâtiment
principal aux suites indépendantes en bord
de plage. Il comporte un restaurant et loue
des kayaks.

OÙ SE RESTAURER

L'île compte peu de restaurants et la plupart
des visiteurs prennent leurs repas dans leur
hôtel ou les préparent eux-mêmes. Pour un
repas à l'extérieur, nous vous recommandons
l'adresse suivante :

Shinpachi Shokudō (carte p. 798 ; ☎ 85-6078 ; ☽ déj-dîner). À 200 m au sud du port d'Uehara, cette gargote de nouilles est parfaite pour un bol fumant de *sōki-soba* (700 ¥) ou de *gōya champuru* (800 ¥), accompagné d'une bière pression. Repérez la façade bleue avec des bannières.

Vous pourrez faire des courses dans le supermarché au centre d'Uehara, juste au nord de la station-service Eneos.

COMMENT S'Y RENDRE ET CIRCULER

Yaeyama Kankō Ferry (☎ 82-5010), **Ishigaki Dream Kankō** (☎ 84-3178) et **Anei Kankō** (☎ 83-0055) proposent des ferries entre Ishigaki City (Ishigaki-jima) et les deux ports principaux d'Iriomote-jima : Uehara (2 000 ¥, 40 min, jusqu'à 20/jour) et Ōhara (1 540 ¥, 35 min, jusqu'à 27/jour). Le port d'Uehara est plus pratique pour rejoindre d'autres destinations sur Iriomote.

Chaque jour, 6 bus sillonnent la route côtière entre Ōhara et Shirahama (1 200 ¥, 1 heure 30). Louer une voiture ou un scooter vous permettra de circuler plus facilement. **Yamaneko Rentacar** (☎ 85-5111) possède des agences à Uehara (sur la grand-route au sud de l'embarcadère des ferries) et à Ōhara. La plupart des hébergements louent des vélos à leurs clients. Par ailleurs, l'auto-stop fait aussi partie des possibilités, avec les précautions d'usage.

Taketomi-jima 竹富島
☎ 0980 / 350 habitants

À 10 minutes de bateau d'Ishigaki-jima, l'îlot de Taketomi-jima est un véritable musée vivant de la culture Ryūkyū. À mille lieues du Japon moderne, Taketomi s'organise autour d'un village fleuri constitué de maisons traditionnelles, avec murs en corail, toits de *kawara* (tuiles en terre cuite) rouges et statues *shiisa*.

Afin de préserver le caractère de l'île, les habitants ont décidé de bannir les matériaux modernes comme l'asphalte. Taketomi est ainsi sillonnée de routes de corail écrasé, qui se parcourent idéalement à vélo. Au lieu des inévitables supérettes, vous trouverez de délicieuses épiceries familiales disséminées dans l'île.

En été, des touristes japonais affluent dans la journée, puis le calme revient en soirée. Essayez de passer une nuit sur place pour réellement apprécier le charme de l'endroit.

ORIENTATION ET RENSEIGNEMENTS

Les ferries arrivent dans le petit port (竹富港) à la pointe nord-est, tandis que le village de Taketomi se situe dans le centre de l'île. Mesurant 3 km de long sur 2 km de large, celle-ci s'explore aisément à pied ou à vélo.

Un petit **comptoir d'information** (☎ 84-5633 ; ☽ 7h30-18h) est installé dans le bâtiment du port. Pour un aperçu complet de Taketomi-jima, rendez-vous au centre des visiteurs de **Taketomi-jima Yugafu-kan** (竹富島ゆがふ館 ; ☎ 85-2488 ; ☽ 8h-17h), à côté, qui présente d'excellentes expositions sur l'île.

À VOIR ET À FAIRE

Flâner au hasard et s'imprégner de l'ambiance constitue la principale activité. Le village de Taketomi compte néanmoins quelques sites modestes.

Au centre du village, la tour de guet de **Nagomi-no-tō** (entrée libre ; ☽ 24h/24) offre une belle vue sur les toits de tuiles rouges de cette île plate. Non loin, le **Nishitō Utaki** est un sanctuaire dédié à un dirigeant des Yaeyama-shotō du XVIᵉ siècle, né à Taketomi-jima. Le **Kihōin Shūshūkan** (☎ 85-2202 ; 300 ¥ ; ☽ 9h-17h),

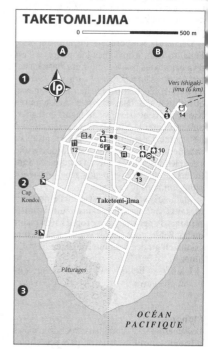

un musée privé, renferme une collection d'objets folkloriques. Le **Taketomi Mingei-kan** (☎ 85-2302 ; entrée libre ; 🕙 9h-17h) produit les ceintures *minsā* tissées et d'autres textiles.

Taketomi-jima possède quelques jolies plages. Celle de **Kondoi** (コンドイビーチ), sur la côte ouest, est la plus propice à la baignade. Juste au sud, **Gaiji-hama** (カイジ浜) est couverte de *hoshi-suna* (sable "étoilé").

OÙ SE LOGER ET SE RESTAURER

Nombre des maisons traditionnelles ont été transformées en *ryokan* et servent de la cuisine d'Okinawa. Réservez à l'avance car Taketomi se remplit vite en été.

Takana Ryokan (高那旅館 ; ☎ 85-2151 ; www. kit. hi-ho.ne.jp/hayasaka-my, en japonais ; dort avec/sans repas 4 390/2 990 ¥, ch pension complète à partir de 8 500 ¥/pers). En face de la petite poste, Takana se compose d'une simple auberge de jeunesse et d'un *ryokan* haut de gamme. Les dortoirs à l'occidentale de la première constituent un bon choix pour les petits budgets. Les chambres charmantes du *ryokan*, de style japonais avec tatamis, sont parfaites pour les couples.

Ōhama-sō (大浜荘 ; ☎ 85-2226 ; fax 85-2226 ; ch avec/sans repas 5 500/3 500 ¥ par pers). Également proche de la poste, ce *minshuku* se distingue par son atmosphère joyeuse, surtout quand le patron commence à jouer du *sanshin* (luth à 3 cordes) après le dîner. Il comprend des chambres à la japonaise avec tatamis, simples et confortables, et des sdb communes.

RENSEIGNEMENTS
Comptoir d'information ....(voir 14)
Poste de Taketomi 竹富郵便局 **1** B2
Taketomi-jima Yugafu-kan 竹富島ゆがふ館 **2** B1

À VOIR ET À FAIRE
Gaiji-hama ガイジ浜 **3** A2
Kihōin Shūshūkan 喜宝院蒐集館 **4** A2
Plage de Kondoi コンドイビーチ **5** A2
Nagomi-no-tō なごみの塔 **6** A2
Nishitō Utaki 西塘御嶽 **7** B2
Taketomi Mingei-kan 竹富民芸館 **8** B2

OÙ SE LOGER 🏠
Minshuku Izumiya 民宿泉屋 **9** A2
Ōhama-sō 大浜荘 **10** B2
Takana Ryokan 高那旅館 **11** B2

OÙ SE RESTAURER 🍴
Soba Dokoro Takenoko そば処竹の子 **12** A2

TRANSPORTS
Maruhachi Rentals 丸八レンタサイクル **13** B2
Port de Taketomi 竹富港 **14** B1

Minshuku Izumiya (民宿泉屋 ; ☎ 85-2250 ; ch pension complète 5 500 ¥/pers). À la lisière nord-ouest du village, ce *minshuku* intime offre des chambres de style japonais, avec tatamis et sdb communes, autour d'un splendide jardin traditionnel.

Soba Dokoro Takenoko (☎ 85-2251 ; 🕙 10h30-16h et 18h30-22h). Ce petit restaurant, dans la partie nord-ouest du village, sert des *sōki-soba* (700 ¥) et des *yaki-soba* (nouilles sautées ; 700 ¥), ainsi que des bières Orion. Repérez la bannière bleue et les parasols.

COMMENT S'Y RENDRE ET CIRCULER

Yaeyama Kankō Ferry (☎ 82-5010), **Ishigaki Dream Kankō** (☎ 84-3178) et **Anei Kankō** (☎ 83-0055) proposent des ferries entre Ishigaki City (Ishigaki-jima) et Taketomi-jima (590 ¥, 10 min, jusqu'à 45/jour).

Louer un vélo constitue un excellent moyen d'explorer les routes de corail écrasé. **Maruhachi Rentals** (丸八レンタサイクル ; ☎ 85-2260 ; vélo 300 ¥/h ; 🕙 8h-17h15) offre une navette gratuite entre sa boutique et le port. Deux agences proposent la découverte de l'île dans une **charrette tirée par un buffle** (30 min, 1 200 ¥ par personne).

Hateruma-jima 波照間島
☎ 0980 / 600 habitants

À 45 km au sud d'Iriomote-jima, Hateruma-jima est la plus méridionale des îles japonaises habitées. D'une circonférence de 15 km, elle compte quelques belles plages et se distingue par une ambiance très détendue.

Les ferries accostent au petit port à la pointe nord-ouest de l'île et le village de Hateruma se situe au centre. Un peu plus grande que Taketomi-jima, Hateruma-jima s'explore facilement à vélo ou en scooter. Dans le bâtiment du port et à l'aéroport, un **comptoir d'information** (☎ 82-5445 ; 🕙 8h30-17h, fermé sam-dim et jours fériés) vous aidera à trouver un hébergement.

Juste à l'ouest du port, **Nishihama** (ニシ浜) est une superbe plage de sable blanc avec de beaux coraux au large. Elle dispose de douches, de toilettes et d'un camping gratuits. À l'opposé, dans le coin sud-est de l'île et au sud de l'aéroport, **Takanasaki** (高那崎) est une impressionnante falaise calcaire longue de 1 km, battue par l'océan. À l'extrémité ouest de la falaise, un petit monument marque le **point le plus méridional du Japon** (日本最南端の碑), très fréquenté par les visiteurs japonais pour la photo traditionnelle.

L'île compte plusieurs *minshuku*, dont le **Minshuku Minoru-sō** (民宿みのる荘 ; ☎ 85-8438 ; ch avec/sans repas 5 000/2 500 ¥ par pers), près du centre du village. Il possède des chambres douillettes de style japonais, avec tatamis. Les sympathiques propriétaires louent vélos, scooters et équipements de snorkeling, et viendront vous chercher au port si vous avez réservé.

Autre bonne adresse à 3 minutes de marche de Nihihama, la **Pension Sainantan** (ペンション最南端 ; ☎ 85-8686 ; ch à partir de 8 500 ¥/pers) offre des chambres de style japonais ou occidental, toutes avec sdb.

Chaque jour, un vol d'Air Dolphin relie Ishigaki et Hateruma-jima (à partir de 8 500 ¥, 25 min). **Anei Kankō** (☎ 83-0055) et **Hateruma Kaiun** (☎ 82-7233) proposent chacun 3 ferries par jour entre Ishigaki et Hateruma-jima (respectivement 3 000 et 3 050 ¥, 1 heure). L'île ne dispose d'aucun transport public, mais on loue facilement des scooters et des vélos.

Yonaguni-jima 与那国島
☎ 0980 / 1 630 habitants

À 125 km à l'ouest d'Ishigaki et à 110 km à l'est de Taïwan, Yonaguni-jima est l'île habitée la plus à l'ouest du pays. Réputée pour son saké corsé, ses petits chevaux et la pêche au marlin, l'île abrite des *yonagunisan* (*Attacus atlas ryukyuensis*), les plus grands papillons de nuit au monde.

La plupart des visiteurs viennent faire de la plongée afin d'explorer les fonds marins autour de l'île. En 1985, un plongeur a découvert, au large de la côte sud, ce qui ressemble à des ruines. De plus, de grands bancs de requins-marteaux évoluent au large de la côte ouest. Cela fait de Yonaguni-jima l'un des hauts lieux de plongée du pays, aussi intéressant que les récifs coralliens et les raies mantas d'Ishigaki et d'Iriomote.

ORIENTATION ET RENSEIGNEMENTS

Kubura (久部良), le port des ferries, se situe à la pointe ouest de l'île. La principale localité entoure le port secondaire de Sonai (租内), sur la côte nord. L'aéroport est installé entre les deux, sur la côte nord-ouest.

Les **comptoirs d'information** (☎ 87-2402 ; ⏱ 8h30-17h30, fermé mar et sam), dans le bâtiment du port et à l'aéroport, vous aideront à trouver un hébergement. Prenez une carte *Yonaguni-jima*, très utile même si vous ne lisez pas le japonais.

À VOIR

Comme à Hateruma-jima, un rocher marque le **point le plus occidental** (日本最西端の碑) du pays à **Irizaki** (西崎). Par temps très dégagé (ce qui arrive rarement), on distingue au loin les montagnes de Taïwan.

Yonaguni présente un paysage très accidenté et de superbes formations rocheuses jalonnent la côte, semblables à celles du littoral est de Taïwan. **Tachigami-iwa** (立神岩), littéralement "rocher du Dieu debout", **Gunkan-iwa** (軍艦岩) et **Sanninu-dai** (サンニヌ台), toutes le long de la côte sud-est, sont les plus connues. À la pointe est de l'île, des chevaux yonaguni pâturent dans les prés autour du phare d'**Agarizaki** (東崎).

À 1 km au sud de Sonai, l'**Ayamihabiru-kan** (アヤミハビル館 ; ☎ 87-2440 ; 500 ¥ ; ⏱ 10h-16h mer-dim) présente des *yonagunisan*, des papillons de nuit géants d'une envergure de 25 à 30 cm.

Pour goûter le *hanazake*, l'eau-de-vie locale, rendez-vous au **Kokusen Awamori** (☎ 87-2315 ; ⏱ 8h-17h), à Sonai, qui offre des dégustations gratuites et vend ses produits.

À FAIRE
Plongée

Les plongeurs locaux connaissent depuis longtemps le frisson qui les attend à l'**Irizaki Point** (西崎ポイント), au large du cap Irizaki. En hiver (de janvier à mars), de grands bancs de requins-marteaux évoluent dans les profondeurs et les centres de plongée affirment qu'on a des chances d'en apercevoir en plongeant deux jours d'affilée durant cette période.

Encore plus prisées, les fameuses **Kaitei Iseki** (ruines sous-marines ; 海底遺跡) ont été découvertes par hasard en 1985 par le plongeur japonais Kihachirou Aratake. Certains affirment que ces vestiges, semblables à des blocs géants ou aux marches d'une pyramide engloutie, seraient les ruines d'une Atlantide du Pacifique ; d'autres estiment qu'ils résultent d'un processus géologique aléatoire. Pour juger par vous-même, plongez ou prenez le **bateau à fond de verre Jack's Dolphin** (☎ 87-2311 ; 6 000 ¥/pers ; ⏱ départs 9h et 12h), qui se rend 2 fois par jour aux ruines avec un minimum de 3 participants.

Parmi les nombreux centres de plongée, **SaWest** (☎ 87-2311 ; 59-6 Yonaguni, Yonaguni-chō Aza, Yaeyama-gun ; 1/2 plongées 8 000/12 000 ¥, location équipement 5 000 ¥ ; ⏱ 8h-18h) emploie des moniteurs qui parlent anglais.

Plages

L'île compte plusieurs belles plages de
l'île. **Ubudomai-hama** (ウブドゥマイハマ),
la meilleure, s'étend à la pointe est, peu
avant Agarizaki et desservie par une route
escarpée.

Pêche

Yonaguni est également réputée pour la **pêche
au marlin** et l'All-Japan Billfish Tournament
s'y déroule chaque année en juin ou juillet.
Si vous êtes intéressé par la pêche à la traîne,
vous pouvez louer un bateau à Kubura (à partir
de 55 000 ¥ par jour) ; renseignez-vous auprès
de la **Yonaguni Fishing Co-operative** (☎ 87-2803
en japonais).

OÙ SE LOGER ET SE RESTAURER

Bien que Yonaguni compte plusieurs hébergements, mieux vaut réserver avant de partir
compte tenu de son éloignement. Les établissements suivants viendront vous chercher à
l'aéroport ou au terminal des ferries.

Minshuku Yoshimarusō (民宿よしまる荘 ;
☎ 87-2658 ; ch pension complète 6 825 ¥ par pers). Près
du terminal des ferries à Kubura, ce *minshuku*
est une adresse idéale pour les plongeurs
car les sympathiques propriétaires dirigent
le Yonaguni Diving Service, sur place, et
connaissent parfaitement les sites de plongée.
Sur la colline qui domine le port, il offre des
chambres de style japonais, avec tatamis et vue
sur les quais, et des sdb communes.

Hotel Irifune (ホテル入船 ; ☎ 87-2311 ; www.
yonaguni.jp ; ch pension complète 6 000 ¥/pers). Près
de la poste principale à Sonai, cet hôtel d'affaires
propose des chambres standard de style japonais ou occidental, et garantit plus d'intimité
qu'un *minshuku*.

Fujimi Ryokan (ふじみ旅館 ; ☎ 87-2143 ;
fax 87-2956 ; ch demi-pension à partir de 5 800 ¥/pers). À
Sonai, à une rue de l'Hotel Irifune, ce *ryokan*

sommaire vous séduira si vous recherchez un
hébergement plus traditionnel. Il se tient entre
le feu de croisement et la poste.

Ailand Resort (アイランドリゾート与那国 ;
☎ 87-2300 ; www.ailand-resort.co.jp ; lits jum demi-pension
à partir de 13 000 ¥/pers ; P ⬛). Dans le nord de
l'île, entre l'aéroport et Sonai, ce nouveau
complexe hôtelier possède de belles chambres
à l'occidentale, spacieuses et confortables, et
un restaurant.

Adan (阿壇 ; ☎ 87-2140 ; ⏰ déj et dîner, fermé
dim ou lun). Dans le centre de Sonai, à 100 m
au nord-est du seul feu de croisement, ce
charmant petit restaurant sert des *soba*, des
yaki-soba et du *gyūdon* (bœuf cuit sur des
nouilles), tous à 600 ¥ environ. Trois soirs
par semaine, des musiciens s'y produisent.
Repérez l'enseigne en anglais.

Un camping correct est installé sur la côte
sud près du village de Higawa, à proximité de
Kataburu Hama (une plage décente).

Deux supermarchés dans le centre de Sonai
permettent de faire des provisions.

COMMENT S'Y RENDRE ET CIRCULER

RAC propose des vols entre Yonaguni et Naha
(29 100 ¥, 1 heure 40, 4/jour). RAC et JTA
offrent des vols entre Yonaguni et Ishigaki-jima
(18 000 ¥, 30 min, 1-2/jour).

Un ferry de **Fukuyama Kaiun** (☎ 87-2555)
effectue une ou deux fois par semaine la
traversée entre Ishigaki-jima et le port de
Kubura à Yonaguni (3 460 ¥, 4 heures 30).

Des bus publics font le tour de Yonaguni-
jima quatre fois par jour, aussi vaut-il mieux
louer une voiture ou un scooter. **Yonaguni Honda**
(☎ 87-2376), dans le centre de Sonai, viendra
vous chercher en voiture à l'aéroport ou au
terminal des ferries si vous téléphonez avant
votre arrivée. **Ailand Rentacar** (☎ 87-2300), autre
bonne agence de location de voitures, viendra
vous chercher à l'aéroport.

CARNET PRATIQUE

Carnet pratique

ACHATS

Le Japon est le paradis du shopping, à des prix parfois moins chers qu'on l'imagine. Réputé pour ses gadgets électroniques et son matériel high tech, l'archipel possède aussi un artisanat traditionnel de qualité. Les grands magasins (*department stores*) présentent le choix de cadeaux le plus vaste.

Ceux qui sont à la recherche de bonnes affaires visiteront les fameuses *hyaku-en shops* (boutiques à 100 ¥) : vous serez surpris de la quantité d'articles vendus à 100 ¥ (environ 0,78 euro). Les *hyaku-en* ont pignon sur rue dans tous les quartiers commerciaux des villes (parfois dans les galeries marchandes couvertes). Elles sont faciles à repérer, "100" y étant souvent écrit en grand sur les panneaux.

Art et artisanat japonais

Le Japon possède un savoir-faire artisanal d'une grande richesse. D'innombrables objets, depuis les *koinobori* (carpes en papier) jusqu'aux kimonos, raviront ceux que ces arts traditionnels font rêver.

KASA (PARAPLUIE)

Un grand classique. Il existe deux sortes de *kasa* : les *higasa* et les *bangasa*. Les premiers, faits de papier, de coton ou de soie, sont utilisés comme ombrelles. Les seconds, fabriqués en papier huilé, protègent de la pluie. Les *kasa* sont vendus dans les grands magasins et dans les boutiques pour touristes.

KATANA (SABRE)

Un bon *katana* (sabre japonais) pourra coûter plus cher que l'ensemble de votre voyage ! Le prix de ces armes se justifie par le caractère mystique de l'objet, symbole du pouvoir des samouraïs, et le soin apporté à sa fabrication. Les boutiques de *katana* authentiques vendent également des *tsuba* (gardes des sabres) et des armures de samouraïs complètes. Les grands magasins proposent des imitations correctes – pour un œil profane – à des prix abordables.

KIMONO ET YUKATA

Un kimono est peut-être le plus beau souvenir à rapporter du Japon. Les premiers prix pour une parure neuve débutent à 60 000 ¥ environ. Il faut alors essayer un modèle, puis attendre une semaine pour qu'il soit confectionné à vos mesures. Si vous n'avez pas le temps ni la somme nécessaire, optez pour un kimono d'occasion. Les boutiques de vêtements d'occasion proposent généralement un choix varié, entre 1 500 et 9 000 ¥. Dans les marchés aux puces, où le choix est encore plus vaste, on déniche des kimonos de bonne qualité à moins de 2 000 ¥.

Ceux qui ne souhaitent pas acquérir de kimono, apprécieront les *yukata* (kimono léger en coton). On peut les acheter neufs au prix modique de 2 000 ¥. Bien plus faciles à porter que le kimono, ils font d'agréables robes d'intérieur. Toutes les boutiques pour touristes et les grands magasins en vendent.

KOINOBORI (CARPE EN PAPIER)

Les *koinobori* sont les jolies bannières en papier qui flottent au vent dans tout le pays lors de la fête de Kodomo-no-hi (jour des enfants ; 5 mai). La carpe est un symbole de ténacité et de persévérance. Outre leur usage traditionnel, vous aimerez ces bannières pour leur élégance toute simple.

NINGYŌ (POUPÉE)

Ces poupées ne sont pas des jouets, mais des objets de décoration. Les *ningyō* sont souvent d'un grand raffinement, avec des cheveux bien coiffés et un kimono pour vêtement. Il existe également des *gogatsu-ningyō*, des poupées portant des armures de samouraïs, qui sont offertes à l'occasion de la fête de Kodomo-no-hi. Les poupées les plus réputées, les *kyō-ningyō*, sont fabriquées à Kyōto.

Les *ningyō* sont vendues dans les boutiques pour touristes, les grands magasins, et les magasins de poupées. Edo-dōri, une rue du quartier Asakusa à Tōkyō, est connue pour ses nombreuses boutiques spécialisées, telle Yoshitoku (p. 189).

POTERIE ET CÉRAMIQUE

Le Japon compte encore de nombreux villages de potiers, dont beaucoup possèdent des musées consacrés à la céramique ou à la porcelaine et des ateliers ouverts au public. Des articles en grès et en porcelaine sont proposés à la vente. Il existe de nombreux centres, producteurs de styles variés : Bizen (p. 463), près d'Okayama dans l'ouest de Honshū, célèbre pour la poterie Bizen-yaki, mais aussi Karatsu (p. 705), Imari (p. 707) et Arita (p. 708) à Kyūshū – le berceau de la poterie japonaise.

Les grands magasins présentent en général un beau choix de poterie japonaise. Takashimaya (voir p. 189) propose souvent des pièces soldées ; l'occasion de faire de très belles affaires. Pour des tarifs encore plus compétitifs, fréquentez les marchés aux puces.

SHIKKI (LAQUE)

L'art de la *shikki* est délicat. La technique de la laque est employée sur des objets divers, allant de la vaisselle aux meubles. Certaines pièces comptent jusqu'à 15 couches. Naturellement, les plus beaux laques sont assez onéreux, mais des articles de taille modeste se trouvent à un

---

LE JAPON PRATIQUE

- **Journaux et magazines :** Il existe trois grands quotidiens anglophones au Japon : *Japan Times*, *Daily Yomiuri* et *Asahi Shimbun/International Herald Tribune*. Dans les grandes villes, ils sont distribués en librairie, dans les commerces de proximité, dans les kiosques des gares et dans certains hôtels. Ils sont parfois introuvables à la campagne.

- **Radio :** Les radios à destination de la population étrangère se sont multipliées ces dernières années. InterFM (76.1 FM ; www.interfm.co.jp/) est la préférée des expatriés de Tōkyō ; son équivalent au Kansai est FM Cocolo (76.5 FM ; www.cocolo.co.jp).

- **Électricité :** Le courant électrique est en 100 V AC/50 Hz à Tōkyō et dans l'est du pays ; 60 Hz dans l'ouest du pays, notamment à Nagoya, Kyōto et Ōsaka. La plupart des appareils électriques importés de l'étranger fonctionnent au Japon. Les prises japonaises sont constituées de deux fiches plates.

- **Système vidéo :** Norme NTSC.

- **Poids et mesures :** Système métrique international.

---

prix abordable dans les grands magasins. Les bols, les plateaux et les petites boîtes, aisément transportables, comptent parmi les objets les plus prisés. Les grands magasins ont souvent une belle sélection d'objets en laque.

UKIYO-E (ESTAMPE)

Les premières estampes furent imprimées au XVIIIᵉ siècle. Alors utilisées pour la réclame et les affiches, elles constituèrent l'une des premières formes de culture de masse au Japon. La technique des *ukiyo-e* ne fut considérée comme une forme artistique que plus tard. Le mot *ukiyo-e* (littéralement : images du monde flottant) dérive d'une métaphore bouddhiste qui désigne le monde éphémère des plaisirs fugitifs. Les *ukiyo-e* représentent exclusivement des scènes de rue, ainsi que des aperçus du monde des comédiens et des courtisanes (voir aussi p. 62).

Aujourd'hui, les boutiques touristiques vendent des reproductions d'œuvres des grands maîtres des *ukiyo-e* comme Hokusai

(1760-1849), dont les paysages du Fuji-san (mont Fuji) sont particulièrement célèbres. Si vous souhaitez acquérir des originaux, il faut compter entre 3 000 et 40 000 ¥ pour des œuvres d'artistes moins renommés.

WASHI (PAPIER ARTISANAL)
Depuis plus d'un millénaire, le *washi* est considéré comme le plus beau papier artisanal au monde. Des boutiques spécialisées, ainsi que les grands magasins, vendent des feuilles de *washi* et des produits dérivés (cahiers, portefeuilles, etc.) – des articles généralement légers et bon marché, qui font d'excellents souvenirs et cadeaux. Voir p. 387 pour une sélection d'adresses à Kyōto.

Électronique
En matière d'électronique, les quartiers d'Akihabara à Tōkyō (p. 189) et de Den Den Town à Ōsaka (p. 414) présentent un choix sans égal dans le monde. Toutefois, la plupart des gadgets électroniques vendus au Japon sont conçus pour le système électrique japonais (100 V à 50 ou 60 Hz) et un transformateur est nécessaire pour les utiliser à l'étranger. Mieux vaut acheter des modèles réservés à l'export, légèrement plus chers, mais utilisables à l'étranger.

Hors taxes (boutiques)
Les boutiques hors taxes nipponnes ne sont pas toujours synonymes de bonnes affaires. Ces magasins concèdent aux étrangers une exemption de la taxe à la consommation (*shōhizei*) à laquelle sont soumis la plupart des articles, soit une remise de 5%. Pourtant, ils n'offrent pas nécessairement les tarifs les plus bas. En général, les clients doivent acquitter la taxe à la consommation, puis se faire rembourser à un guichet spécial (souvent sur présentation du passeport). La plupart des boutiques hors taxes sont signalées par la mention "tax-free".

Informatique (matériel)
Vous trouverez des ordinateurs, des accessoires et des logiciels partout. Toutefois, sachez que les systèmes d'exploitation, logiciels et claviers distribués dans le pays sont en japonais. Le Japon demeure intéressant pour les périphériques, processeurs et autres composants ne requérant pas l'usage de la langue. Vous trouverez des produits d'occasion à des prix très bas. En matière d'électronique, rendez-vous dans les quartiers spécialisés de Tōkyō et d'Ōsaka (voir la rubrique *Électronique* ci-dessus).

Jouets
Tōkyō compte quelques formidables magasins de jouets (voir p. 190). Par ailleurs, certaines régions fabriquent des objets en bois traditionnels, typiques et de bonne facture – ces souvenirs devraient plaire aux petits comme aux grands.

Marchandage
Au Japon, le marchandage doit être réservé aux marchés aux puces ou aux magasins de discount spécialisés dans l'électronique (où des remises de 10% environ sont souvent concédées sur demande).

Photographie (matériel)
Tōkyō est un paradis pour les amateurs de photographie. La grande majorité du matériel de marque est produite au Japon et certains tarifs sont extrêmement compétitifs. Les prix des accessoires, notamment pour les moteurs et les flashs, sont comparables à ceux pratiqués à Singapour et à Hong Kong. Sachez qu'au Japon, vous n'avez à craindre aucune escroquerie.

Pour l'achat de matériel photographique, privilégiez le quartier de Shinjuku, à Tōkyō. Dans la même ville, Ginza offre également un choix intéressant de magasins (voir p. 188). Jetez un coup d'œil dans les boutiques de matériel d'occasion. Il en existe un grand nombre dans les quartiers de Shinjuku et de Ginza, qui proposent souvent de bons appareils et objectifs à moitié prix du neuf. À Ōsaka, les magasins d'occasion se concentrent au sud de la gare d'Ōsaka (voir p. 415).

Perles
La société japonaise Mikimoto a développé une technique de production de perles de culture par injection d'un produit irritant dans les coquilles d'huîtres. Les perles et les bijoux en perles sont très appréciés des étrangers. Toutefois, mieux vaut vérifier les tarifs pratiqués dans votre propre pays. Le meilleur endroit pour acheter des perles est la maison mère de Mikimoto : Toba (p. 455), dans le Mie-Ken.

ACTIVITÉS SPORTIVES
Le Japon, certes réputé pour sa culture et son patrimoine, permet aussi la pratique d'une multitude d'activités de plein air et/ou sportives. Le ski, l'alpinisme, la randonnée, la plongée, le snorkeling et le cyclotourisme sont bien développés dans l'archipel, sans oublier naturellement les arts martiaux.

Arts martiaux

L'aïkido, le judo, le karaté et le kendo se pratiquent au Japon tout comme des disciplines moins connues, notamment le *kyūdō* (tir à l'arc japonais), ou encore le sumo, qui attire également les étrangers. Il est possible d'étudier ces disciplines au Japon, même si cela sera sans doute difficile pour un simple voyageur. Si vous êtes vraiment sérieux, nous vous conseillons de vivre un certain temps près du *dōjō* (lieu d'exercice) de votre choix.

AÏKIDO

Cet art purement défensif trouve son origine au Xe siècle, au sein du clan Minamoto. Morihei Ueshiba formalisa la pratique moderne de cette discipline dans les années 1920.

L'aïkido s'appuie sur un grand nombre de techniques différentes, notamment celles du shinto, du karaté et du kendo. Les exercices de respiration et de méditation font partie intégrante de l'apprentissage, comme la concentration sur les mouvements dérivés de la danse classique japonaise et la conscience du *ki* (force vitale ou volonté).

JUDO

Voici probablement le plus célèbre des arts martiaux. Pratiqué dans le monde entier, il figure régulièrement au programme des Jeux olympiques. Le judo vient du *jūjitsu*, l'une des pratiques d'autodéfense privilégiées des samouraïs, qui fut modernisée par Kano Jigoro en 1882 sous la forme du *judo* (littéralement, voie de l'adaptation). Cet art consiste à rediriger la force de son opposant contre lui-même pour parvenir à le vaincre. C'est à la fois son principe de base et toute sa subtilité.

KARATÉ

Le karaté (littéralement "mains vides") pourrait venir d'Inde. Il fut développé en Chine, avant d'être implanté à Okinawa au XIVe siècle. Il ne se répandit dans le reste de l'archipel qu'au cours de la première moitié du siècle dernier, aussi n'est-il pas considéré comme un art martial japonais traditionnel.

Le karaté repose sur un combat sans armes. Les coups sont portés avec les pieds et les poings. Une extrême maîtrise de l'esprit est nécessaire pour atteindre un haut degré de performance. Le karaté se pratique de deux façons. Le combat *kumite* oppose au moins 2 adversaires. Les *kata* sont des enchaînements d'exercices formels réalisés par une seule personne.

KENDO

La "voie du sabre" est le plus ancien des arts martiaux japonais. Les samouraïs s'en servaient jadis pour acquérir la maîtrise de l'escrime et développer leur sang-froid. Il se pratique aujourd'hui avec un sabre en bambou, une armure de protection, des gants et un masque. Le vainqueur est celui qui parvient à toucher son adversaire au visage, sur les bras, sur la partie supérieure du corps ou à la gorge.

Voici les coordonnées des principales fédérations d'arts martiaux :

All Japan Jūdō Federation (carte p. 130 ; Zen Nihon Jūdō Renmei ; ☎ 03-3818-4199 ; www.judo.or.jp en japonais ; c/o Kōdōkan, 1-16-30 Kasuga, Bunkyō-ku, Tōkyō)
All Japan Kendō Federation (☎ 03-3211-5804 ; www.kendo-fik.org/english-page/english-top-page.html ; c/o Nippon Budōkan, 2-3 Kitanomaru-kōen, Chiyoda-ku, Tōkyō)
All Nippon Kyūdō Federation (carte p. 135 ; ☎ 03-3481-2387 ; www.kyudo.jp/english/index.html ; niv 4, Kishi Memorial Hall, 1-1-1 Jinnan, Shibuya-ku, Tōkyō)
International Aikidō Federation (carte p. 130 ; ☎ 03-3203-9236 ; www.aikido-international.org ; 17-18 Wakamatsu-chō, Shinjuku-ku, Tōkyō)
Japan Karate Association (carte p. 130 ; ☎ 03-5800-3091 ; www.jka.or.jp/english/e_index.html ; 2-23-15 Kōraku, Bunkyō-ku, Tōkyō)
Japan Karate-dō Federation (carte p. 137 ; ☎ 03-3503-6640 ; www.karatedo.co.jp/jkf/jkf-eng/e_index.htm ; niv 6, Nihon Zaidan Daini Bldg, 1-11-2 Toranomon, Minato-ku, Tōkyō)
Nihon Sumō Kyōkai (Ryōgoku Sumō Stadium ; carte p. 130 ; ☎ 03-3623-5111 ; www.sumo.or.jp/eng; c/o Ryōgoku Kokugikan, 1-3-28 Yokoami, Sumida-ku, Tōkyō)

Cyclisme

Le cyclotourisme jouit d'une certaine popularité au Japon, en dépit du relief montagneux qui couvre la plus grande partie du territoire. Pour plus de détails, reportez-vous p. 846. Pour les modalités d'hébergement, voir *Cycling Terminals*, p. 823.

Plongée et snorkeling

Les belles destinations pour la plongée sous-marine et de surface (avec masque et tuba, ou snorkeling) dans les îles du sud du Japon sont un secret bien gardé. Combien de plongeurs savent qu'au Japon on peut plonger en compagnie des raies mantas ou des requins marteaux ? Les destinations les plus populaires comprennent les îles autour d'Okinawa (p. 766), à l'extrême sud-ouest du Japon, et les Izu-shotō (sept îles d'Izu ; p. 241), un chapelet d'îles au sud de Tōkyō. Les eaux autour de Tobi-shima (p. 569), au large du nord de Honshū, et les Ogasawara-shotō (p. 246) sont aussi appréciées des plongeurs.

La plongée au Japon, comparée à d'autres pays d'Asie du Sud-Est, reste une activité assez onéreuse. Comptez en moyenne 12 000 ¥/jour pour 2 plongées depuis un bateau, déjeuner inclus. Il existe des cours pour débutants (généralement en japonais), notamment sur Ishigaki-jima (p. 796) et Iriomote-jima (p. 802), près d'Okinawa – les prix commencent à environ 80 000 ¥.

Si vous envisagez un voyage à Okinawa ou dans l'archipel des Ogasawara, emportez vos propres masque, tuba et palmes (il est parfois difficile de trouver des palmes grande pointure dans les magasins de plongée). Les plongeurs confirmés préféreront peut-être apporter leur équipement complet, stab/BCD compris, bien qu'on trouve ce matériel en location dans les magasins de plongée.

Randonnée et alpinisme

Beaucoup de Japonais pratiquent la randonnée et des chemins sont aménagés dans plusieurs parcs nationaux. Dans la région de Tōkyō, les randonneurs privilégient les abords de Nikkō (p. 197) et les Izu-shotō (p. 241). Dans le Kansai, Nara (p. 425), Shiga-ken (p. 393) et Kyōto (p. 332) sont jalonnés d'agréables itinéraires.

Toutefois, le paradis nippon des randonneurs demeure sans conteste le parc national des Alpes japonaises, notamment autour de Kamikōchi (p. 283), le plateau de Bandai (p. 530) dans le nord de Honshū, ainsi que les parcs nationaux de Hokkaidō (p. 589).

Certains offices du tourisme locaux distribuent des cartes peu détaillées à l'usage des randonneurs (elles sont en général en anglais). Mieux vaut toutefois se fier aux cartes en japonais (en faisant l'effort de déchiffrer les kanji !). Les cartes de la collection *Yama-to-Kōgen No Chizu*, publiées par Shobunsha, couvrent avec force détails les sites de randonnée les plus populaires du pays. Elles sont disponibles dans la plupart des grandes librairies.

Les randonneurs chevronnés apprécieront le guide *Hiking in Japan* (en anglais), publié par Lonely Planet, très complet, qui propose des itinéraires d'une journée aux abords des grandes villes et des randonnées plus longues, dans des régions reculées.

Ski

Le Japon est fier, à juste titre, de ses excellents domaines skiables, et c'est sans conteste la meilleure destination asiatique pour les sports d'hiver ! Pour plus d'informations, reportez-vous au chapitre *Skier au Japon* (p. 108).

ALIMENTATION

Les restaurants des grandes villes répertoriés dans la rubrique *Où se restaurer* sont classés par quartier et par gamme de prix et type de cuisine (japonaise ou internationale). En dehors des grandes villes, tous les établissements sont en général regroupés dans une seule rubrique. Dans ce guide, les restaurants les moins chers reviendront à environ 1 000 ¥, ou moins, par personne ; ceux de la catégorie au-dessus entre 1 000 et 4 000 ¥ et les grandes tables plus de 4 000 ¥. Pour une présentation de la cuisine japonaise, reportez-vous au chapitre *La cuisine japonaise* p. 75.

AMBASSADES ET CONSULATS
Ambassades et consulats japonais

Voici certaines des missions diplomatiques japonaises à l'étranger :

France Paris (ambassade ; ☎ 01 48 88 62 00 ; www.fr. emb-japan.go.jp ; 7 av. Hoche, 75008 Paris). Consulats à Lyon, Marseille et Strasbourg.

Belgique Bruxelles (ambassade ; ☎ 02 513 23 40 / 02 511 23 07 ; www.be.emb-japan.go.jp ; av. des Arts 58, 1000 Bruxelles)

Suisse Berne (ambassade ; ☎ 031 300 22 22 ; www. ch.emb-japan.go.jp ; Engestrasse 53, 3012 Berne)

Canada Ottawa (ambassade ; ☎ 613-241 8541 ; www.ca. emb-japan.go.jp ; 255 prom. Sussex, Ottawa, Ontario K1N 9E6) ; Montréal (consulat ; ☎ 514-866 3429 ; 600 rue de la Gauchetière Ouest, Montréal, Québec, H3B 4L8)

Corée du Sud Séoul (ambassade ; ☎ 822-2170 5200 ; www.kr.emb-japan.go.jp ; 18-11, Jhoonghak-dong, Jhongro-gu, Séoul)

Hong Kong Hong Kong (consulat ; ☎ 852-2522 1184 ; www.hk.emb-japan.go.jp/eng ; 46-47e ét, One Exchange Square, 8 Connaught Place, Central, Hong Kong)

Ambassades et consulats au Japon

Voici certaines des missions diplomatiques étrangères au Japon :

France Tōkyō (ambassade ; carte p. 128 ; ☎ 03-5798-6000 ; www.ambafrance-jp.org ; 4-11-44 Minami Azabu, Minato-ku, Tōkyō) ; Ōsaka (consulat ; ☎ 06-4790-1505 ; 10e ét, Crystal Tower, 1-2-27 Shiromi, Chūō-ku, Ōsaka)

Belgique Tōkyō (ambassade ; carte p. 128 ; ☎ 03-3262-0191 ; www.diplomatie.be/tokyofr ; 54 Nibancho, Chiyoda-ku, Tōkyō 102-0084) ; Fukuoka (consulat honoraire ;

☎ 092-723-2131 ; Fukuoka Financial Group Honsha Bldg,
8-3 Otemon 1-chome, Chuo-ku, Fukuoka 810-8693)
Suisse Tōkyō (ambassade ; carte p. 130 ; ☎ 03-5449-
8400 ; www.eda.admin.ch/tokyo ; 5-9-12 Minami
Azabu, Minato-ku, Tōkyō 106-8589) ; Ōsaka (consulat ;
☎ 06-4797-2399 ; Meiji Yasuda Seimei Osaka Umeda Bldg
14F 3-20, Umeda 3-chome, Kita-ku, Osaka 530-0001)
Canada Tōkyō (ambassade ; carte p. 140 ; ☎ 03-5412-
6200 ; www.canadanet.or.jp/english.shtml ; 7-3-38 Akasaka,
Minato-ku, Tōkyō) ; Nagoya (consulat ; ☎ 052-972-0450 ;
Nakatō Marunouchi Bldg, 6e ét, 3-17-6 Marunouchi, Naka-ku,
Nagoya) ; Sapporo (consulat ; ☎ 011-281-6565 ; Nikko
Bldg, 5e ét, 1, Kita 4 Nishi 4, Chūō-ku, Sapporo) ; Hiroshima
(consulat ; ☎ 082-211-0505 ; N° 709, 5-44 Motomachi,
Naka-ku, Hiroshima)
Corée du Sud Tōkyō (ambassade ; carte p. 140 ;
☎ 03-3452-7611 ; www.mofat.go.kr/ek/ek_a001/
ek_jpjp/ek_02.jsp ; 1-2-5 Minami Azabu, Minato-ku,
Tōkyō) ; Fukuoka (consulat ; ☎ 092-771-0461 ;
1-1-3 Jigyohama, Chūō-ku, Fukuoka)

ARGENT

La devise japonaise est le yen (¥). Il existe des
pièces de 1, 5, 10, 50, 100 et 500 ¥ et des billets
de 1 000, 2 000, 5 000 et 10 000 ¥ (ceux de
2 000 ¥ sont rares). La pièce de 1 ¥ est légère,
en aluminium ; celles de 5 ¥ (couleur bronze)
et 50 ¥ (couleur argent) sont percées. Certains
distributeurs automatiques n'acceptent plus
les anciennes pièces de 500 ¥ (une pièce sud-
coréenne d'une valeur bien inférieure était
souvent utilisée à la place). Pièces et billets sont
aisément identifiables. Yen se prononce "en" en
japonais ; son écriture en kanji est 円.

Le système postal japonais a récemment relié
ses DAB aux réseaux internationaux Cirrus et
Plus, suivi par les supérettes de la chaîne 7-11.
Les voyageurs n'auront donc plus autant de
problèmes, comme c'était le cas autrefois, pour
retirer du liquide. Cependant, il vaut toujours
mieux partir avec une certaine somme en
liquide et une carte de crédit. Les chèques de
voyage peuvent aussi faire l'affaire.

Reportez-vous p. 26 pour des renseignements sur le coût de la vie au Japon. Les
taux de change sont indiqués en deuxième
de couverture.

Cartes de crédit

Au Japon, mieux vaut ne pas trop compter sur
sa carte de crédit, sinon pour retirer de l'argent à
un guichet de banque ou à un distributeur (voir
l'encadré ci-contre). Hormis les grands magasins, les hôtels de luxe et quelques restaurants,
la plupart des commerces ne les acceptent pas.

> **LE PAYS OÙ L'ARGENT LIQUIDE
> EST ROI**
>
> Sachez qu'au Japon, on paie avant tout en
> yens (¥) sonnants et trébuchants. L'argent
> en espèces demeure plus fréquemment
> employé, contrairement aux cartes de
> crédit étrangères et aux chèques de
> voyage. Hormis dans les grands magasins
> et les hôtels cotés, mieux vaut ne pas trop
> compter sur votre carte bancaire et prévoir
> toujours un montant suffisant en espèces.

L'argent liquide reste roi. Néanmoins, sachez
que la carte Visa sera la plus utile, suivie de
MasterCard, d'Amex et de Diners Club.

Voici les principales agences de cartes de
crédit à Tōkyō :
Amex (☎ 0120-02-1120 ; 4-30-16 Ogikubo,
Suginami-ku ; ☽ 24h/24)
MasterCard (carte p. 134 ; ☎ 03-5728-5200 ; 16e niv,
Cerulean Tower, 26-1 Sakuragaoka-cho, Shibuya-ku)
Visa (carte p. 142 ; ☎ 03-5275-7604 ; niv 7, Hitotsubashi
Bldg, 2-6-3 Hitotsubashi, Chiyoda-ku)

Change

Les banques, les bureaux de poste et les
agences de billets à prix réduit assurent un
service de change pour les principales devises
et les chèques de voyage. Il est très facile de
changer des dollars US en espèces, même si
vous ne devriez pas rencontrer de difficulté
avec des euros. Si vous arrivez des pays voisins,
sachez que les devises taïwanaises (nouveau
dollar de Taïwan) et coréennes (*won*) sont
rarement acceptées. Mieux vaut les convertir
en yens ou en dollars US avant d'arriver sur le
territoire nippon.

La plupart des banques et les principales
postes, les agences de billets à prix réduit, quelques agences de voyages, certains grands hôtels
et la plupart des grands magasins changent les
devises et les chèques de voyage. Les agences de
billets à prix réduit (appelées *kakuyasu kippu
uriba*), installées aux abords des grandes gares,
proposent souvent le meilleur taux.

TRANSFERTS INTERNATIONAUX

Pour recevoir de l'argent depuis l'étranger,
adressez-vous d'abord à l'agence principale
d'une grande banque. Même si celle-ci ne
possède pas d'accord avec votre banque, les
employés sauront généralement vous dire où
aller. Communiquez ensuite les coordonnées

précises de la banque japonaise à votre banque, en précisant le nom de la banque, l'agence et l'adresse. Une avance sur carte de crédit est souvent plus pratique.

Distributeurs automatiques de billets (DAB)

Au Japon, les distributeurs automatiques de billets (DAB) sont légion. Toutefois, la plupart refusent les cartes étrangères. Même lorsqu'un DAB porte les logos de Visa et de MasterCard, il n'est pas rare qu'il n'accepte que les versions nipponnes de celles-ci.

Les DAB de la poste japonaise, en revanche, acceptent les cartes appartenant aux réseaux internationaux suivants : Visa, Plus, MasterCard, Maestro et Diners Club. Presque toutes les postes sont équipées de DAB et le moindre village nippon a son agence postale. Attention, les DAB de la poste ne fonctionnent qu'avec des cartes bancaires ou de débit – vous ne pouvez donc pas utiliser des cartes de crédit différé, même dotées d'un code d'identification personnelle.

Les DAB de la poste sont généralement accessibles de 9h à 17h en semaine et de 9h à 12h le samedi. Ils sont fermés le dimanche et les jours fériés. Dans certains grands bureaux de poste, ils sont ouverts plus longtemps. Ces DAB sont assez faciles à utiliser : pressez d'abord "English Guide", puis appuyez sur le bouton "Withdrawal" (retrait) ; insérez votre carte, appuyez sur "Visitor Withdrawal" (retrait visiteur), composez votre code, pressez le bouton "Kakunin" (確認 en japonais) et entrez le montant désiré ; enfin, tapez "Yen" et "Confirm" et vous devriez entendre le cliquetis de la distribution des billets.

Outre les DAB postaux, vous pourrez aussi utiliser votre carte dans les distributeurs internationaux des grandes villes comme Tōkyō, Ōsaka et Kyōto, ainsi que les aéroports internationaux comme Narita ou celui du Kansai. Les DAB de la Citibank Japan acceptent également les cartes internationales (le site www.citibank. co.jp/en/branch/index.html fournit une liste des succursales au Japon).

Enfin, toutes les supérettes 7-11 du Japon sont reliées depuis peu aux réseaux internationaux de distributeurs de billets, et acceptent souvent des cartes bancaires que certains DAB de la poste refusent quelquefois. Ouvertes 24h/24, elles s'avèrent très pratiques. Demandez autour de vous où se trouve un 7-11 (prononcez bien à la japonaise "séboune éréboune").

Pourboires

Le pourboire n'est pas d'usage au Japon. Pour exprimer sa gratitude, mieux vaut offrir un cadeau que de l'argent. Si vous souhaitez toutefois faire un cadeau en espèces (à un employé de *ryokan* par exemple), prenez soin de le mettre dans une enveloppe.

Taxes

Le Japon applique une taxe à la consommation (*shōhizei*) de 5%. Les restaurants et hôtels haut de gamme pratiquent en outre une majoration de 10 à 15% pour le service.

ASSURANCE

La souscription d'une assurance couvrant le vol, les pertes et les frais médicaux est à considérer. Certains contrats ne couvrent pas les "activités dangereuses" telles la plongée, la moto et la randonnée. Soyez vigilant dans votre choix.

Mieux vaut souscrire une police d'assurance qui prenne directement en charge les frais de visites médicales et d'hospitalisation sur place. Si votre contrat implique un remboursement ultérieur, mieux vaut conserver précieusement tous les justificatifs. Certaines compagnies demandent que vous appeliez (en PCV) un standard dans votre pays, afin que votre problème soit immédiatement évalué. Vérifiez que votre contrat prenne en charge les frais d'ambulance et de rapatriement.

Certaines compagnies vous offrent le choix d'être assuré pour les soins médicaux de base ou pour les soins plus onéreux. Dans le cas du Japon, il est préférable d'opter pour la deuxième solution. Pensez à apporter avec vous votre carte d'assuré ainsi que tous les certificats nécessaires. Certains hôpitaux japonais ont en effet refusé des étrangers ne pouvant attester d'une couverture médicale.

Pour les assurances automobile et santé, reportez-vous respectivement p. 847 et p. 849.

BÉNÉVOLAT

En France, quelques organismes offrent des opportunités de travail bénévole sur des projets de développement ou d'environnement. Certaines associations s'adressent plus spécifiquement aux jeunes. Il s'agit d'une bonne formule pour s'immerger dans le pays, connaître l'envers du décor touristique, et bénéficier d'une ambiance internationale (les volontaires viennent de divers pays en général). En revanche, les conditions de vie sur un chantier sont spartiates, et prenez garde au décalage fréquent entre le programme et la réalité. Sur la plupart des chantiers, on demande aux volontaires de parler un peu le japonais, ou de pouvoir communiquer en anglais.

Service Civil International (SCI, branche française ; ☎ 01 42 54 62 43 ; www.sci-france.org ; 20 rue Camille-Flammarion, 75018 Paris). ONG internationale qui vise, via des chantiers de volontaires, à la promotion de la paix et du développement durable. Antennes dans 19 villes françaises. L'association proposait, en 2009, de travailler dans des fermes biologiques et à la rénovation de bâtiments.

Jeunesse et reconstruction (☎ 01 47 70 15 88 ; www.volontariat.org ; 10 rue de Trévise, 75009 Paris). Association créée après la Seconde Guerre mondiale pour promouvoir la paix. Elle proposait, en 2009-2010, 2 chantiers au Japon sur l'agriculture, l'environnement et l'aide aux personnes.

Concordia (SCI, branche française ; ☎ 01 45 23 00 23 ; www.concordia-association.org ; 17-19 rue Etex, 75019 Paris). Association née en 1950 de la volonté de jeunes Anglais, Allemands et Français ; représentée en France par 6 délégations régionales organisant des chantiers de jeunes volontaires. En 2009-2010, Concordia proposait des programmes de volontariat axés sur l'environnement, la construction et l'aide aux personnes âgées.

Solidarités jeunesses (SCI, branche française ; ☎ 01 55 26 88 77 ; www.solidaritesjeunesses.org ; 10 rue du 8-mai-1945, 75010 Paris). Mouvement international qui développe des chantiers internationaux et le volontariat à long terme. Parmi plusieurs projets en 2010 : préparation d'un festival d'art pour enfants et agriculture sur des fermes.

Au Japon, le **Willing Workers on Organic Farms Japan** (WWOOF Japan ; fax 011-780-4908 ; www.wwoofjapan.com/main/index.php?lang=en ; 6-7 3 chôme Honchô 2jô, Higashi-ku, Sapporo 065-0042) donne la possibilité, très recherchée, de travailler dans une ferme biologique. Il s'agit d'aider aux travaux agricoles et de participer à la vie de la famille et de la communauté. Excellente introduction à la vie rurale japonaise et à la gestion d'une ferme biologique, c'est aussi une chance extraordinaire de progresser en japonais !

Pour chercher un travail de volontaire une fois arrivé au Japon, consultez les (rares) annonces qui paraissent dans des magazines comme le *Kansai Time Out*, dans le Kansai, ou les diverses publications anglaises de la région de Tôkyô. Le bouche-à-oreille se révèle aussi efficace. Il arrive par exemple que des randonneurs se voient offrir un travail à court terme de gardien de refuge dans les montagnes (voir p. 824).

CARTES ET PLANS
Les éditions Nelles et Periplus publient des cartes correctes de tout le pays, disponibles à l'étranger.

Pour trouver des cartes plus détaillées, mieux vaut attendre d'être à Tôkyô ou Kyôto, où vous aurez un bon choix en anglais et en japonais.

La carte anglophone *Tourist Map of Japan* de la JNTO est distribuée gratuitement dans les offices du tourisme gérés par la JNTO au Japon et à l'étranger (voir p. 828). Elle permet de planifier un itinéraire en voiture sur les routes principales.

Ceux qui souhaitent sillonner le pays en voiture opteront pour le *Japan Road Atlas* (Shobunsha) ou le *Bilingual Atlas of Japan* (Kodansha), moins encombrant. Si vous lisez un minimum de japonais, préférez les excellents atlas *Super Mapple* publiés par Shobunsha.

CARTES DE RÉDUCTION
Cartes des auberges de jeunesse
Pour savoir comment obtenir une carte de membre, reportez-vous p. 823.

Cartes de réduction pour les musées
Le **Grutt Pass** (www.museum.or.jp/grutto/about-e.html), très pratique, donne droit à la gratuité ou à une réduction dans près de 50 musées de Tôkyô et de ses environs (voir p. 126).

Cartes d'étudiant et cartes Jeunes
Le Japon est l'un des rares pays d'Asie où les cartes d'étudiant conservent un intérêt. Toutefois, certains lieux n'accordent des réductions qu'aux lycéens et aux plus jeunes, et non aux étudiants. Officiellement, posséder une carte d'étudiant internationale (ISIC) est indispensable pour obtenir un tarif réduit. En France, procurez-vous la **carte d'identité internationale des étudiants** (ISIC ; www.isic.tm.fr), carte plastifiée avec photo. Toutefois, n'importe quelle carte Jeunes ou d'étudiant fait souvent l'affaire.

Cartes senior
Le Japon est une destination idéale pour les seniors. De fréquentes réductions sont accordées aux plus de 60 ou 65 ans dans les temples, les musées et les cinémas. Un passeport devrait suffire pour attester de votre âge. Les cartes Senior sont en général inutiles.

Les compagnies aériennes japonaises qui desservent les liaisons intérieures (JAS, JAL et ANA) accordent environ 25% de réduction aux seniors sur certains vols (pour leurs coordonnées, voir p. 838). Japan Rail (JR) offre toute une gamme de réductions et de forfaits, dont le **Full Moon Green Pass** (http://www.japanrail.com/JR_discounttickets.html), parfait pour voyager en *Green Car*

CARNET PRATIQUE

LES ADRESSES JAPONAISES

Au Japon, il peut être difficile de trouver une adresse, même pour les habitants du pays. Le problème est double. D'abord parce que le secteur est indiqué plutôt que la rue. Ensuite, car les numéros ne se suivent pas nécessairement – jusqu'au milieu des années 1950, ils étaient attribués en fonction de la date de construction.

Peu de rues de Tōkyō portent des noms et les immeubles sont alors désignés par un numéro au sein d'un secteur de quelques pâtés de maisons. Dans notre guide, les adresses de Tōkyō se présentent ainsi : numéro du secteur, numéro du pâté de maisons, numéro de l'immeuble, puis secteur et quartier. Vous trouverez par exemple : 1-11-2 Ginza, Chūō-ku.

À Kyōto, les choses sont plus simples. Nous indiquons le nom du secteur (Higashiyama-ku ou Nanzen-ji, par exemple) ou de la rue où un lieu se situe, suivi du croisement le plus proche (Karasuma-dōri-Imadegawa par exemple). Dans certains cas, une précision est apportée sur l'emplacement par rapport à l'intersection. Les rues de Kyōto descendent vers le sud. Aussi une adresse pourra-t-elle préciser si un lieu se trouve au-dessus ou au nord (*agaru*), ou au-dessous ou au sud (*sagaru* ou *kudaru*) d'une rue suivant un axe est-ouest. Ainsi "Karasuma-dōri-Imadegawa" signifie que l'adresse recherchée se trouve près de l'intersection entre Karasuma-dōri et Imadegawa- dōri. Karasuma-dōri-Imadegawa-sagaru indique qu'elle se trouve au sud de l'intersection. Nous pourrons également préciser si une adresse se trouve à l'est (*higashi*) ou l'ouest (*nishi*) d'une rue suivant un axe nord-sud.

À Sapporo, les adresses se présenteront souvent ainsi : S17W7-2-12 Chūō-ku. "S17W7" désigne le pâté de maisons South (sud) 17, West (ouest) 7. L'immeuble se trouve dans la seconde section, au numéro 12.

Dans d'autres localités, les adresses énumèrent le numéro du secteur, le numéro du pâté de maisons, le numéro de l'immeuble, puis le secteur et le quartier. Il s'agit de la forme la plus employée en anglais. Vous trouverez par exemple : "1-7-2 Motomachi-dōri, Chūō-ku". Quand ils sont indiqués, le niveau et le nom du bâtiment précèdent les autres indications.

En général, tout le monde demande son chemin (conservez sur vous l'adresse écrite). Informer passants et voyageurs sur les directions à prendre est même l'une des missions principales de la police de proximité. Par ailleurs, pour faciliter les choses, les commerces impriment souvent un plan sur leurs publicités et leurs cartes de visite.

La plupart des taxis et des voitures de location sont aujourd'hui équipés de systèmes GPS qui permettent de trouver beaucoup plus facilement qu'avant une adresse, à condition que vous puissiez saisir l'adresse (il faut savoir lire le japonais) ou le numéro de téléphone (ce qui pose moins de difficulté).

(1re classe) dans les *shinkansen* (trains à grande vitesse), dans les trains JR réguliers et dans les trains-couchettes. Ce pass est réservé aux couples dont la somme des âges est supérieure à 88 ans (sur présentation des passeports). Il coûte 80 500/99 900/124 400 ¥ par couple pour 5/7/12 jours consécutifs. Disponible dans les principales gares JR du 1er septembre au 31 mai, il est utilisable du 1er octobre au 30 juin (sauf du 28 décembre au 6 janvier, du 21 mars au 5 avril et du 27 avril au 6 mai). Attention, ces périodes varient parfois de quelques jours d'une année à l'autre – consultez le site du Full Moon Green Pass pour plus de précision.

CLIMAT

Le caractère montagneux du territoire nippon et la longueur de l'archipel (il s'étend sur quelque 20° de latitude) induisent d'importants contrastes climatiques. La plus grande partie du pays se trouve dans la zone tempérée septentrionale, marquée par quatre saisons distinctes. Le climat de Hokkaidō, au nord, se caractérise par la brièveté de l'été et la longueur de l'hiver, très enneigé. Il diffère radicalement du climat subtropical des îles méridionales, notamment celui d'Okinawa, dans les Nansei-shotō (archipel du Sud-Ouest).

Pendant l'hiver (de décembre à février), des vents froids et secs de Sibérie traversent le pays vers le sud et entrent en contact avec des masses d'air chaud et humide venues du Pacifique. Il en résulte d'importantes précipitations sous forme de chutes de neige le long de la mer du Japon. La face opposée de l'archipel, côté Pacifique, reçoit moins de neige, mais le froid peut y être très rigoureux. Les grandes villes de Honshū, comme Tōkyō, Ōsaka, Nagoya et Kyōto, enregistrent des températures assez douces, parfois de quelques degrés au-dessus de 0°C au plus froid de l'hiver et souvent aux alentours, voire au-dessus, de 10 degrés le reste du temps. Janvier et février connaissent des vagues de froid subites, qui ne durent guère plus de quelques jours.

L'été (de juin à août) est dominé par la présence de vents chauds et humides venus du Pacifique qui plongent le pays dans un bain de chaleur et d'humidité (à l'exception notable de Hokkaidō). Juste avant l'été, généralement de mi-mai à juin, une saison des pluies de quelques semaines touche d'abord le sud avant de remonter progressivement vers le nord. Si elle est parfois désagréable, elle ne constitue pas un obstacle majeur pour les voyageurs. Août, septembre et octobre sont les mois où peuvent survenir des typhons (pluies torrentielles et vents violents) ; ils peuvent alors rendre hasardeux un voyage à Okinawa, dans les Izu-shotō et les Ogasawara-shotō.

Le printemps (de mars à mai) et l'automne (de septembre à novembre) contrastent avec les conditions climatiques extrêmes des deux autres saisons. Les températures sont alors douces, les précipitations peu abondantes et le ciel globalement dégagé. Ce sont sans conteste les meilleures périodes pour visiter le pays.

CONSIGNES À BAGAGES

Seules les grandes gares ferroviaires possèdent un service spécial pour la consigne des bagages ; ailleurs, vous trouverez en général une consigne automatique fonctionnant avec des pièces – de 100 à 500 ¥/jour, selon la taille du casier. L'argent versé est valable jusqu'à minuit (et non pendant 24h) ; passé ce laps de temps, vous devrez réinsérer des pièces pour pouvoir retirer votre bagage. Si votre sac est trop volumineux pour la consigne automatique, demandez à quelqu'un :"*tenimotsu azukai wa doko desu ka*" (Où est le bureau de la consigne ?).

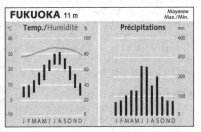

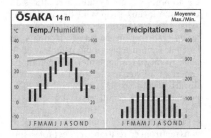

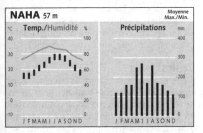

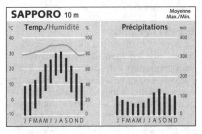

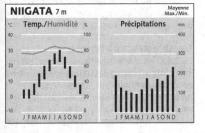

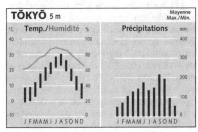

COURS

Il est possible de s'initier à presque tous les aspects de la culture japonaise. Kyōto et Tōkyō sont les meilleurs endroits pour dénicher le cours qui vous convient – à condition d'être à l'aise avec la pratique de l'anglais (les cours pour les étrangers sont souvent donnés dans cette langue), voire du japonais. Les visas culturels sont accordés aux étrangers assistant à un minimum de 20 heures de formation par semaine. Les personnes souhaitant travailler parallèlement à leurs études doivent déposer une demande d'autorisation spécifique. Pour plus de détails sur le visa culturel, consultez le site Internet du **ministère des Affaires étrangères du Japon** (www.mofa.go.jp/j_info/visit/visa/04.html).

Pour des informations sur les cours de cuisine, reportez-vous p. 94.

Arts traditionnels

De nombreux centres culturels et offices du tourisme locaux proposent des initiations artistiques, notamment à la céramique, au *washi* (fabrication du papier japonais), à l'*aizome* (teinture bleu indigo), au travail du bois, au *shodō* (calligraphie), à la peinture à l'encre et à l'ikebana (art de l'arrangement floral). Kyōto (p. 332) est l'endroit idéal pour découvrir ces diverses pratiques. Le Tourist Information Center (TIC ; p. 335) et l'International Community House (p. 335) vous mettront en relation avec des professeurs compétents.

Langue japonaise

Le pays ne manque pas d'écoles spécialisées dans l'enseignement du japonais, surtout dans les grandes villes comme Tōkyō, Kyōto, Nagoya, Ōsaka et Kōbe. Pour trouver une école, consultez le magazine *Kansai Time Out*, pour le Kansai, ou les diverses publications anglophones à Tōkyō. Les offices du tourisme sauront également vous renseigner.

Les tarifs des cours à plein-temps dans un établissement privé varient de manière importante en fonction du statut de l'école et de ses équipements. La plupart demandent entre 5 000 et 30 000 ¥ de frais d'inscription, de 50 000 à 100 000 ¥ de frais de dossier et entre 350 000 et 600 000 ¥ de frais de scolarité pour l'année. En ajoutant à cela les frais de nourriture et d'hébergement, la nécessité de travailler tout en étudiant paraît souvent inévitable.

CONSEILS AUX VOYAGEURS

La plupart des gouvernements possèdent des sites Internet qui recensent les dangers possibles et les régions à éviter. Consultez notamment les sites suivants :

- Ministère des Affaires étrangères de Belgique (www.diplomatie.be/)
- Ministère des Affaires étrangères du Canada (www.voyage.gc.ca)
- Ministère français des Affaires étrangères (www.france.diplomatie.gouv.fr)
- Département fédéral des affaires étrangères suisse (www.eda.admin.ch/eda/fr)

DÉSAGRÉMENTS ET DANGERS
Incendies

Les hôtels modernes répondent aux normes de sécurité. En revanche, les bâtiments traditionnels en bois, situés au cœur de quartiers surpeuplés, peuvent se transformer en souricières en cas d'incendie. Certes, la plupart des édifices anciens ne comportent que peu d'étages, mais mieux vaut repérer les sorties de secours à votre arrivée.

Nuisances sonores

Les villes japonaises sont extrêmement bruyantes. Des annonces vont sans cesse agresser vos oreilles : dans le bus, les escalators, les ascenseurs, les centres commerciaux, et jusque sur les trottoirs, les plages ou les stations de ski. Si vous avez du mal à dormir, n'oubliez pas de mettre vos bouchons d'oreilles !

Tailles

Les étrangers, même ceux de taille moyenne, doivent faire preuve de vigilance pour ne pas se cogner dans les logements japonais, souvent exigus. Les Occidentaux se sentent en général à l'étroit sur les sièges nippons. Les toilettes, qui peuvent être minuscules, requièrent bien des contorsions. Les baignoires, parfois étroites, demandent elles aussi une certaine agilité.

Tremblements de terre

Le Japon est une zone à risque sismique élevé. Toutefois, la plupart des tremblements de terre ne sont perceptibles que par les instruments de mesure. En cas de forte secousse, mettez-vous sous un chambranle de porte ou près d'un pilier de soutènement. Les pièces exiguës, notamment les salles de bains et les placards, résistent mieux que les espaces plus vastes. Une table ou un bureau vous protégera d'éventuels débris. En ville, ne sortez pas : vous risqueriez d'être blessé par la chute de matériaux.

Les hôtels japonais sont dotés de plans indiquant les sorties de secours. Des zones d'évacuation sont définies dans les quartiers (des incendies se déclarent fréquemment suite à un séisme important). Dans tous les cas : gardez votre calme et suivez les habitants. Ils sauront vous conduire dans une zone de sécurité.

Pour plus d'information sur la conduite à tenir en cas de séisme dans la région de Tōkyō, voir p. 127.

Vols

Le faible taux de vol et de criminalité de l'archipel est régulièrement l'objet de commentaires. En fait, s'il convient de prendre les précautions d'usage dans les aéroports et dans la cohue du réseau ferroviaire tokyoïte, il n'y a, dans l'absolu, pas grand-chose à craindre.

Les bureaux des objets trouvés fonctionnent bien et méritent une visite si vous avez oublié quelque chose dans le train ou dans tout autre transport public. En japonais, "objet perdu" se dit *wasure-mono* et les bureaux des objets trouvés sont généralement désignés ainsi. Dans les gares ferroviaires, renseignez-vous également au bureau du chef de gare (*eki-chō*).

DOUANE

À condition d'avoir 20 ans au minimum, vous pouvez importer sans taxe du tabac, 3 bouteilles de 760 ml d'alcool, 56 ml de parfum et des cadeaux et des souvenirs pour une valeur de 200 000 ¥ (ou l'équivalent dans une devise étrangère). Tout matériel pornographique dévoilant des poils pubiens sera confisqué.

Vous pouvez entrer dans le pays avec un montant illimité de yens et de devises étrangères. L'exportation de devises étrangères est totalement libre, celle de yens est plafonnée à 5 millions.

Pour plus d'informations sur la législation japonaise, consultez le site Internet des **douanes japonaises** (Japan Customs ; www.customs.go.jp/english/index.htm).

ENFANTS

Le Japon est un pays formidable pour voyager avec des enfants : il allie propreté et sécurité et recèle une profusion d'activités pour votre progéniture.

À voir et à faire

Tōkyō réunit de fameuses attractions susceptibles de capter l'attention des enfants, avec notamment Disneyland Tōkyō (p. 159). Reportez-vous à *Tokyo avec des enfants* p. 160 pour de plus amples informations. Dans le Kansai, à Ōsaka, l'Universal Studios Japan (p. 408) et l'aquarium (p. 408) sont en général très appréciés des petits, tout comme le Nara-kōen (p. 428), à Nara, qui accueille une population de cerfs.

Pour les amateurs en herbe de plage, de baignade ou de snorkeling (plongée de surface, avec masque et tuba), cap sur les îles autour d'Okinawa (p. 766) et les Izu-shotō (p. 241).

Pratique

En terme de commodités et de réductions accordées aux enfants, le Japon ressemble aux pays occidentaux, hormis quelques exceptions notables. La plupart des hôtels fournissent des lits d'enfant, qu'il est possible de réserver. De nombreux restaurants mettent des chaises hautes à la disposition de leurs clients (elles ne sont pas indispensables là où chacun s'assied par terre). Certains lieux publics, notamment les grands magasins et les gares principales, disposent d'un lieu pour changer les bébés. Le lait maternisé et les couches sont en vente partout, même dans les commerces de proximité. Il n'est pas d'usage d'allaiter en public. En voiture et en taxi, ne comptez pas sur la présence de siège enfant, très rare. Des agences spécialisées dans la garde d'enfant sont implantées dans la plupart des grandes villes. Un seul obstacle, évidemment : celui de la langue. En dehors de Tōkyō, rares sont les agences qui emploient des baby-sitters parlant anglais. Consultez aussi la rubrique *Avec des enfants* (p. 94) qui vous donnera quelques conseils pratiques sur la cuisine japonaise.

FÊTES ET FESTIVALS

Un *matsuri* (fête ou festival), événement festif s'il en est, marquera votre voyage si vous y assistez. C'est souvent l'occasion de voir des Japonais agir de façon moins formelle et d'avoir un aperçu un tant soit peu des anciennes traditions et croyances du pays. Outre les *matsuri*, il existe d'autres grandes dates annuelles, y compris des fêtes bouddhistes venues de Chine et des emprunts plus récents au monde occidental (Noël, par exemple).

Les Japonais invitent volontiers les étrangers intéressés à participer à leur fête locale. On vous proposera peut-être d'aider à promener l'autel portatif dans le village ou de vous joindre à la parade ou encore de danser avec tout le monde dans une ronde autour d'un feu. Si vous avez envie de faire partie d'un de ces *matsuri*, contactez l'office du tourisme. Et si vous tombez par hasard sur une fête, n'hésitez pas à demander à un des participants si vous pouvez vous joindre à eux. Sachez quand même que participer à un *matsuri* signifie aussi participer à la grande beuverie qui suit un tel événement !

Pour une liste des *matsuri* et autres événements annuels les plus intéressants, reportez-vous au chapitre *Fêtes et festivals* (p. 31).

FORMALITÉS ET VISAS

S'ils voyagent à des fins touristiques et non lucratives, les ressortissants de France, de Belgique et du Canada peuvent rester sur le territoire japonais jusqu'à 3 mois sans demander de visa, et les ressortissants suisses jusqu'à 6 mois (pour plus de détails, voir *Prorogations de visa*, ci-contre). Un visa dit *tanki-taizai* (visa de séjour temporaire) vous sera délivré à votre arrivée.

Un passeport en cours de validité suffit pour votre voyage (il doit être valable au moins 6 mois après votre voyage), ainsi qu'un billet d'avion ou de bateau et/ou une attestation de réservation. Répétons que ces exemptions ne sont pas valables si vous exercez une activité rémunérée au Japon.

Avant le départ, il est impératif de contacter ambassades ou consulats (voir p. 812) pour s'assurer que les modalités d'entrée sur le territoire n'ont pas changé, ou consultez le site Internet du **ministère japonais des Affaires étrangères** (www.mofa.go.jp, en anglais). Ce site présente les différents types de visas.

Sachez que l'on demande à tout visiteur arrivant au Japon, même pour un séjour de courte durée, de se faire photographier et de déposer ses empreintes digitales. On procédera à cette formalité quand vous montrerez votre passeport.

Nous vous conseillons aussi de photocopier tous vos documents importants (pages d'introduction de votre passeport, cartes de crédit, numéros de chèques de voyage, police d'assurance, billets de train/d'avion/de bus, permis de conduire, etc.). Emportez un jeu de ces copies, que vous conserverez à part des originaux. Vous remplacerez ainsi plus aisément ces documents en cas de perte ou de vol.

Carte d'immatriculation de résident étranger

Les étrangers demeurant plus de 90 jours dans l'archipel, y compris les touristes, doivent demander une carte d'immatriculation de résident étranger (*Gaikokujin Torokushō*) auprès de la mairie (*municipal office*) de leur lieu de résidence.

Conservez toujours cette carte avec vous. Elle pourra à tout moment vous être demandée par la police. Si vous n'êtes pas en mesure de la produire, vous pourrez être conduit au commissariat en attendant que quelqu'un vienne vous chercher.

Prorogations de visa

Pour les citoyens de la plupart des pays étrangers – cas de la France notamment –, le séjour est limité à 90 jours. Les ressortissants de la Suisse se verront presque toujours attribuer un visa de séjour temporaire de 90 jours à leur arrivée, qu'ils pourront ensuite faire proroger de 90 jours dans les services de l'immigration.

Les demandes d'extension de visa sont à déposer au bureau de l'immigration du domicile au Japon (le site www.immi-moj.go.jp/english/soshiki/index.html donne la liste des services de l'immigration et des bureaux régionaux). Les demandeurs devront fournir deux exemplaires du formulaire de demande de prolongation de séjour (disponible au bureau de l'immigration), une lettre expliquant les motifs de leur requête, avec justificatifs à l'appui, et leur passeport. Il leur en coûtera en outre 4 000 ¥.

Beaucoup d'étrangers contournent le problème en quittant brièvement le territoire japonais, souvent pour une escapade en Corée du Sud. Toutefois, les services d'immigration, avisés de cette pratique, leur refusent régulièrement l'entrée à leur retour au Japon.

Visa de travail

Vous n'êtes pas autorisé à travailler au Japon si vous n'êtes pas en possession d'un visa de travail. Exceptions possibles : si vous avez un visa culturel et que vous avez reçu l'autorisation de travailler, ou si vous êtes détenteur d'un visa vacances-travail. Pour ceux qui ont un visa de travail en bonne et due forme, ainsi qu'un employeur prêt à être leur garant, la procédure est simple, mais elle prend du temps – comptez en moyenne deux à trois mois.

Après avoir trouvé un employeur acceptant de se porter garant, il faut demander un certificat d'admissibilité (*Certificate of Eligibility*) au bureau de l'immigration de votre domicile. Ce même service vous délivrera ensuite un visa de travail, valable un ou trois ans.

Visa vacances-travail

Les ressortissants français et canadiens – et de plusieurs autres pays – âgés de 18 à 25 ans (jusqu'à 30 ans dans certains cas) peuvent prétendre à l'obtention d'un visa vacances-travail, valable un an. Il a pour objectif de permettre aux jeunes de voyager en toute liberté durant leur séjour. Si l'emploi choisi doit être en théorie partiel ou temporaire, la plupart des détenteurs de ce visa travaillent à temps plein.

Ce type de visa, très apprécié des employeurs japonais, s'obtient plus facilement qu'un visa de travail. Les demandeurs doivent réunir une somme équivalent à 2 000 $US pour une personne seule et à 3 000 $US pour un couple marié. Tous doivent posséder en outre un titre de transport pour quitter le Japon. Renseignez-vous auprès des ambassades et des consulats japonais (voir p. 812).

HANDICAPÉS

Le Japon fait des efforts envers les voyageurs handicapés mais la situation n'est pas encore parfaite. Beaucoup d'immeubles modernes sont équipés de rampes d'accès. Au niveau des feux de circulation, une musique indique quand traverser. Les plates-formes des gares ferroviaires ont des points et des lignes en relief pour indiquer la bonne direction et, à Tōkyō, des distributeurs de titres de transport comportent des indications en braille. Certains sites accordent la gratuité aux handicapés et à leur accompagnateur. Un bémol, cependant : nombre de villes nipponnes demeurent difficiles d'accès pour les personnes souffrant d'un handicap ; cela tient notamment au manque de trottoirs adaptés dans les rues étroites.

Si vous avez besoin d'aide à l'occasion d'un voyage en train, adressez-vous aux employés de la gare. Demandez : "*karada no fujiyuū no kata no sharyō wa arimasu ka ?*" (Y a-t-il des voitures réservées aux personnes handicapées ?). Sur la plupart des lignes, des voitures possèdent des espaces adaptés aux fauteuils roulants. Les personnes souffrant d'autres handicaps peuvent occuper les places dites *yūsen-zaseki*, situées à proximité des sorties. Des places similaires existent à l'avant des bus. Elles se distinguent généralement par la couleur.

Un service de volontaires de la Croix-Rouge japonaise, le **Japanese Red Cross Language Service Volunteers** (www.lanserv.gr.jp/index.shtml, en japonais ; c/o Volunteers Division, Japanese Red Cross Society, 1-1-3 Shiba Daimon, Minato-ku, Tokyo 105-8521, Japon) donne des informations très utiles aux voyageurs handicapés étrangers en visite à Tōkyō, Kyōto et Kamakura.

Axé sur le Japon, jetez un coup d'œil au site Internet d'**Accessible Japan** (www.tesco-premium.co.jp/aj/index.htm). **Eagle Bus Company** (☎ 049-227-7611 ; www.new-wing.co.jp/english/english.html) propose des circuits pour les voyageurs handicapés dans des bus équipés de plates-formes élévatrices. Certains des chauffeurs, qui reçoivent aussi une formation spéciale pour l'aide aux handicapés, parlent anglais – ils sont peu nombreux, aussi mentionnez éventuellement votre souhait d'avoir un chauffeur anglophone lors de la réservation. Les groupes sont admis. Il s'agit de circuits dans Tōkyō et ses environs, ainsi que des visites (en anglais) de la ville de Kawagoe, la "petite Edo", à l'extérieur de la capitale.

En France, l'**APF** (Association des paralysés de France, 17 bd Auguste-Blanqui ; 75013 Paris ; ☎ 01 40 78 69 00, fax 01 45 89 40 57, www.apf.asso.fr) peut vous fournir d'utiles informations sur les voyages accessibles. Deux sites Internet dédiés aux personnes handicapées comportent une rubrique consacrée au voyage et constituent une bonne source d'information. Il s'agit de **Yanous** (www.yanous.com) et de **Handica** (www.handica.com).

Dans ce guide, le logo ♿ apparaissant dans les adresses indique un endroit accessible en fauteuil roulant.

HÉBERGEMENT

Le Japon dispose d'une gamme d'hébergement étendue et variée, allant des pensions de famille aux hôtels de luxe. De plus, vous pourrez choisir entre un hébergement de style occidental ou de style typiquement japonais, comme les *ryokan* (auberges traditionnelles ; p. 825) et les *minshuku* (chambres d'hôtes peu onéreuses, logement chez l'habitant ; p. 824).

Les établissements proposés dans ce guide sont classés par quartier et par gamme de prix. Comptez 6 000 ¥ (ou moins) pour les adresses destinées aux voyageurs à petit budget, 6 000-15 000 ¥ pour la catégorie moyenne et plus de 15 000 ¥ la chambre double pour la catégorie supérieure. Les tarifs indiqués dans ce guide incluent la taxe nationale de 5% à la consommation.

CARNET PRATIQUE

Il existe bien sûr des variations régionales et saisonnières. L'hébergement, en général plus cher en ville qu'à la campagne, voit aussi ses tarifs augmenter durant les mois d'été dans les zones balnéaires prisées comme Izu-hantō, ou en hiver dans les stations de ski, telles Hakuba et Niseko.

L'été est chaud au Japon et aujourd'hui la climatisation est si répandue que n'avons pas jugé nécessaire de le mentionner pour chaque hôtel. Nous ne signalons au contraire que les établissements qui n'en sont pas dotés.

Réservations

Il est indispensable de réserver le plus tôt possible pour un séjour à la période du Nouvel An (Shōgatsu, du 31 décembre au 3 janvier), durant la Golden Week ("semaine en or", du 29 avril au 5 mai) et au moment d'O-Bon (mi-août).

Les offices du tourisme des gares principales assurent souvent un service de réservation. Beaucoup restent ouverts jusqu'à 18h30, voire plus tard. Même pour les personnes se déplaçant en voiture, les gares constituent une excellente étape pour récolter des renseignements, effectuer des réservations et trouver des parkings à bas prix.

Dans les plus grands hôtels et les *ryokan* accueillant les étrangers, il est généralement possible de réserver par téléphone en anglais. En parlant avec clarté, vous devriez vous faire comprendre. Pour plus d'informations sur les réservations d'hôtels au Japon, lisez l'encadré ci-dessous.

L'**International Tourism Center of Japan** (www. itcj.jp/) gère pour l'ensemble du Japon cinq Welcome Inn Reservation Centers ainsi qu'un système de réservation en ligne. Son service de réservation gratuit propose des centaines de *minshuku*, *ryokan*, auberges et pensions. Il est présent dans les principaux offices du tourisme de Tōkyō (p. 126) et de Kyōto (p. 335), ainsi que dans les comptoirs d'informations de l'aéroport de Narita et de celui du Kansai. Son site, excellente source d'informations sur les hôtels et les auberges membres, vous permet aussi de faire des réservations en ligne.

RÉSERVER SON HÉBERGEMENT AU JAPON : UN JEU D'ENFANT !

Plus d'un voyageur étranger ayant frappé à la porte d'un *ryokan* ou d'un *minshuku* (pensions à la japonaise) sans avoir effectué de réservation a été accueilli sans aménité… Fâcheuse impression ! Ces voyageurs ont simplement dérogé aux règles en vigueur dans l'hôtellerie japonaise, et d'abord la première d'entre elles : ne pas venir à l'improviste, sans réservation ; dans l'archipel, il convient de réserver sa chambre tôt, voire des mois avant sa venue. Voici quelques autres conseils qui vous aideront à trouver un lit pour chaque nuit de votre séjour. Ils sont valables pour les hôtels, bien qu'en général ceux-ci pratiquent des règles d'accueil plus souples.

- **Réserver à chaque fois que vous le pouvez** : même un rapide coup de fil quelques heures avant d'arriver augmentera vos chances d'obtenir une chambre.

- **Fax** : les Japonais sont beaucoup plus à l'aise avec l'anglais écrit qu'à l'oral. Si vous faxez votre réservation avec tous les détails, l'accueil sera plus chaleureux. Quand vous aurez reçu la réponse, vous pourrez ensuite passer un petit coup de téléphone.

- **Le relais** : demandez à votre hôtel de téléphoner pour réserver votre prochaine chambre. Cela mettra tout le monde à l'aise, car si vous êtes acceptable dans un établissement, vous l'êtes forcément dans un autre. Au Japon, être recommandé par quelqu'un fait toute la différence.

- **Offices du tourisme** : le moindre village ou l'île la plus isolée possède son office du tourisme, en général juste à la sortie de la gare ou près du terminal de ferries. Son personnel est d'une aide précieuse pour dénicher un hébergement aux voyageurs en panne ; il vous recommandera une adresse et téléphonera pour vérifier si une chambre est libre, avant de vous indiquer comment vous y rendre. Cerise sur le gâteau, là aussi vous aurez été recommandé.

Quoi qu'il en soit de vos précautions, un jour ou l'autre, vous devrez pousser la porte coulissante d'une auberge, en espérant la meilleure réception possible. Même les Japonais doivent de temps à autre faire face à cette situation. Souriez aimablement, dites bonsoir en japonais (*konbanwa*) et tâchez de convaincre aimablement votre hôte que tout est pour le mieux (oui, vous préférez le futon à un lit, le thé vert au café, les baguettes à la fourchette et le bain à la douche…).

Le **Japanese Inn Group** (www.jpinn.com/index.html) présente une liste de *ryokan* et de pensions recevant régulièrement des hôtes étrangers. Vous pourrez passer des réservations pour les établissements membres via le site Internet, par téléphone ou fax. Son très pratique miniguide des auberges membres est distribué par les principaux offices du tourisme de l'archipel.

Si vous avez effectué une réservation, puis changé d'avis, ayez la courtoisie d'annuler. (L'une des raisons pour lesquelles les étrangers ont parfois du mal à trouver un hôtel, c'est parce que d'autres avant eux n'ont pas honoré leur réservation.)

Auberges de jeunesse

Le Japon est doté d'un bon réseau d'auberges de jeunesse, souvent situées dans les régions les plus intéressantes. La meilleure source d'information sur ces établissements est le guide *Zenkoku Youth Hostel no Tabi*, en vente pour 1 365 ¥ auprès du **Japan Youth Hostels, Inc** (carte p. 142 ; JYHA ; ☎ 03-3288-1417 ; www.jyh.or.jp/anglais ; niv 9, Kanda Amerex Bldg, 3-1-16 Misaki-chō, Chiyoda-ku, Tōkyō 100-0006). Nombre d'auberges de jeunesse le vendent également. En France, vous pouvez vous procurer une carte internationale des auberges de jeunesse à la **FUAJ** (☎ 01 44 89 87 27 ; www.fuaj.org ; 27 rue Pajol, 75018 Paris). Le bulletin d'adhésion peut être téléchargé en ligne.

Le site Internet de la JYHA, qui contient une description en anglais de toutes les auberges membres, est le moyen le plus pratique pour réserver. Sinon, consultez la *Youth Hostel Map of Japan*, une carte qui répertorie chaque auberge ; elle est disponible dans tout le Japon auprès des bureaux du Japan National Tourism Organization (JNTO) et des offices de tourisme (Tourist Information Center, ou TIC).

ADHÉSION, TARIFS ET RÈGLEMENT

Il n'est pas nécessaire d'être affilié à la JYHA ou à l'International Youth Hostel Federation (IYHA) pour résider dans une auberge de jeunesse nipponne. Vous pouvez malgré tout acquérir une carte de membre de l'IYHA valable un an dans les auberges de jeunesse japonaises (2 500 ¥).

Comptez en moyenne 3 000 ¥ la nuit, plus, éventuellement, une taxe à la consommation de 5% (voir p. 814). Certaines auberges disposent de chambres individuelles (à partir de 3 500 ¥/nuit). Des établissements accordent une réduction aux clients étrangers, pouvant aller jusqu'à 500 ¥/nuit.

Les petits-déjeuners sont facturés 500 ¥ en moyenne, les dîners environ 900 ¥. Les auberges exigent généralement l'utilisation d'un drap réglementaire (loué pour 100 ¥ aux clients qui n'en possèdent pas). La limitation des séjours à 3 nuits ne s'applique pas toujours en basse saison.

Généralement, les admissions se font entre 15h et 20h ou 21h, et un couvre-feu est fixé à 22h ou 23h. Les clients doivent souvent quitter les lieux avant 10h et les dortoirs restent fermés entre 10h et 15h. Le créneau horaire des bains est fixé à 17h-21h, celui du dîner à 18h-19h30 et celui du petit-déjeuner à 7h-8h.

Camping

Il est possible de faire du camping dans les terrains officiels que vous trouverez un peu partout dans le pays, dont beaucoup ne fonctionnent qu'en été (juillet-août). Dans la montagne ou autour de certains refuges (p. 824), on peut planter sa tente toute l'année (à condition que la météo le permette). Dans la plupart des régions rurales, le camping sauvage est toléré quand il n'existe pas de terrain officiel. Par politesse, demandez au préalable la permission à quelqu'un du village le plus proche.

Cycling Terminals

Les *cycling terminals* (*saikuringu tāminaru*) louent, dans les régions adaptées au cyclotourisme, des lits superposés ou des tatamis à prix avantageux, ainsi que des vélos en location.

Les tarifs rivalisent avec ceux des auberges de jeunesse : environ 3 000 ¥ par personne et par nuit, 5 000 ¥ incluant deux repas. Pour plus de détails, consultez le site Internet de la **Bicycle Popularization Association of Japan** (Association pour la promotion du cyclisme au Japon ; www.cycle-info.bpaj. or.jp/english/begin/st.html).

Hôtels

La plupart des villes et certaines régions touristiques possèdent une variété d'hôtels "à l'occidentale". Dans un hôtel de catégorie moyenne ordinaire, comptez 9 000 ¥ pour une chambre simple, 12 000 ¥ pour une double ou des lits jumeaux. Outre la taxe de 5% à la consommation perçue dans tous les hôtels du Japon, certains hôtels de luxe facturent une taxe supplémentaire de 10% (voire plus), correspondant au service. Tous les tarifs indiqués dans ce guide incluent la taxe à la consommation.

BUSINESS HOTELS

Les *business hotels*, souvent implantés aux abords des gares ferroviaires, s'adressent en priorité aux hommes d'affaires locaux souhaitant loger près de la gare. Les chambres de style occidental sont exiguës, mais propres et dotées d'une petite sdb-toilettes. Des distributeurs automatiques font office de room-service.

Si les premiers prix des chambres simples débutent à 4 500 ¥, il vaut mieux compter sur 8 000 ¥ en moyenne. La plupart des *business hotels* disposent de chambres doubles ou équipées de lits jumeaux.

CAPSULE HOTELS

Les "hôtels-capsules", *capseru hoteru* en japonais, sont bien connus. Comme l'indique l'appellation, les "chambres" consistent en des rangées de deux ou trois capsules empilées, d'un blanc immaculé. Chaque capsule mesure 2 m de longueur, sur 1 m de largeur et 1 m de hauteur – un hébergement à déconseiller aux claustrophobes ! Malgré ces dimensions, elles comportent un lit, une TV, une lampe de bureau, un poste de radio et un réveil. Un casier est prévu pour les effets personnels. La plupart des capsule hotels s'agrémentent d'un sauna et d'un vaste bain commun. Le prix moyen pour la nuit est de 3 800 ¥.

Courants dans les métropoles, ces hôtels visent en priorité les travailleurs qui ont trop arrosé la soirée ou qui ont manqué le dernier train. Si la majorité d'entre eux est réservé aux hommes, certains acceptent les femmes dans une partie spécifique (voir *Capsule Hotel Riverside*, p. 166).

LOVE HOTELS

Comme leur nom le laisse deviner, les *love hotels* accueillent en toute discrétion les rendez-vous galants des Japonais. Ils sont ouverts aux étrangers et offrent, en dépit d'une décoration un peu mièvre, un bon hébergement pour une nuit.

Ils sont reconnaissables à leur façade flamboyante et aux tarifs clairement affichés. Ils assurent une discrétion absolue, avec entrées et sorties distinctes. L'employé donne les clés aux clients par une petite ouverture, sans entrer en contact avec eux. Les photos des chambres (dont la décoration explorent les thèmes les plus variés !) sont affichées pour faciliter le choix.

La journée, ils ouvrent pour des "siestes" (*kyûkei* en japonais) de 2 ou 3 heures, pour quelque 4 000 ¥ la chambre. Les admissions pour une nuit entière (environ 6 500 ¥) débutent à 22h. Attention : mieux vaut partir tôt le matin pour ne pas acquitter en sus les tarifs de jour assez élevés. Un panneau indique généralement les tarifs à l'extérieur de l'établissement. Même sans lire le japonais, il est possible de distinguer tarifs de nuit et de jour.

La plupart des *love hotels* sont habitués à recevoir des hôtes étrangers. Les couples homosexuels rencontrent parfois des difficultés à se faire accepter.

Kokumin-shukusha

Les *kokumin-shukusha* (logements du peuple) sont des institutions publiques offrant des hébergements à des prix raisonnables dans les régions touristiques. Ils proposent généralement des chambres individuelles de style japonais, plus rarement de style occidental. Comptez en moyenne 5 500-6 500 ¥/personne, avec deux repas.

Minshuku

Les *minshuku* sont généralement des logements tenus par une famille, évoquant un peu les chambres d'hôtes et les pensions ; le petit-déjeuner et le dîner sont compris, ce qui est très pratique pour le voyageur. Comptez en moyenne 6 000 ¥/personne pour la nuit (avec les repas). Les *minshuku* sont surtout présents dans les zones rurales et dans les îles éloignées, où ils sont souvent le seul mode d'hébergement. Pour plus d'informations, voir l'encadré p. 825.

Pensions

Les pensions, souvent tenues par de jeunes couples, offrent un hébergement de style occidental, inspiré des pensions européennes. Bien implantées dans les lieux de villégiature et autour des domaines skiables, elles coûtent en moyenne 6 000 ¥ par personne et par nuit, 8 500 ¥ avec deux repas.

Refuges de montagne

Les refuges de montagne (*mountain huts* ou *yama-goya*) sont un mode d'hébergement courant dans les régions où l'on pratique la randonnée et l'alpinisme. S'il existe quelques refuges d'urgence gratuits, la plupart sont privés et payants. Ils offrent le gîte et le couvert (2 repas 5 000-8 000 ¥/pers ; sans les repas 3 000-5 000 ¥/pers). Mieux vaut réserver : vous trouverez les numéros de téléphone dans les guides et les cartes de randonnée japonais, ainsi que dans le guide (anglais) de Lonely Planet,

Hiking in Japan. Toutefois, les clients n'ayant pas réservé ne sont pas refusés.

Rider houses

Les *rider houses* (*raidā hausu*) visent principalement une clientèle de touristes motards. Ils offrent un hébergement collectif extrêmement basique moyennant 1 000 ¥ la nuit. Certains fonctionnent avec des restaurants, notamment de *rāmen* (nouilles), et accordent des réductions aux clients qui acceptent de manger chez leur partenaire restaurateur. La literie est payante, mais il est possible d'apporter son propre sac de couchage. Pour se laver, les clients doivent souvent se rendre au *sentō* (bain public) local.

Les *rider houses*, très répandues à Hokkaidō, sont également bien présentes à Kyūshū et à Okinawa. Ceux qui possèdent des notions de japonais se reporteront aux cartes de l'édition à spirale *Touring Mapple*, publiée par Shobunsha et disponible au Japon. Presque toutes les *rider houses*, ainsi que des lieux de restauration bon marché y sont signalés. Ceux qui lisent le japonais consulteront le très pratique **Rider House Database** (www.tabizanmai.net/rider/riderdate/k_db.cgi).

Ryokan

Les *ryokan* sont des auberges traditionnelles. Vous en trouverez souvent dans de beaux bâtiments en bois, avec tatamis au sol et futons. Il en existe une grande variété, allant des plus luxueuses et atypiques aux adresses familiales pratiquant des tarifs raisonnables. Dans les établissements les plus simples, les prix commencent à quelque 4 000 ¥ par personne et par nuit, sans repas. En haut de l'échelle,

---

PASSER LA NUIT DANS UN RYOKAN OU UN MINSHUKU

Le Japon est l'un des rares pays d'Asie où il est facile de passer la nuit dans un environnement traditionnel, à l'image de celui proposé par les auberges et pensions locales.

Le *ryokan* (que les Japonais écrivent avec les idéogrammes de "voyage" et de "salle") est constitué en général d'une belle maison de bois, entourée d'un jardin, et dont les chambres comportent souvent tatamis, futons et baignoire profonde. Le service et la cuisine suivent également les règles de l'art et de la tradition. Il existe bien sûr des *ryokan* plus simples, certains ressemblant même tout à fait à un hôtel, sauf que les chambres y sont toujours de style japonais.

Le *minshuku* (écrit avec les caractères de "peuple" et de "logement") est une version plus sobre que le *ryokan* : il s'agit plutôt d'une pension de famille, installée dans une maison qui dispose de quelques chambres à louer ou dans un bâtiment attenant.

En raison des barrières de la langue et des coutumes, passer la nuit dans un *ryokan* ou un *minshuku* n'est pas aussi simple que de descendre dans un hôtel de style occidental. Cependant, après une légère initiation, l'expérience est très plaisante. Voici le *Vade mecum* du néophyte pour savoir ce qui vous attend :

Quand vous arrivez, enlevez vos chaussures dans le *genkan* (entrée) et montez (il y a un degré) dans la salle de réception. On vous demandera alors de signer le registre et peut-être de montrer votre passeport (vous réglerez en fin de séjour). Puis, on vous fera les honneurs de la maison avant de vous conduire à votre chambre. Là, on vous servira le thé, ou on vous montrera le plateau avec le thermos d'eau chaude et les tasses mises à votre disposition. En entrant dans votre chambre, vous ne verrez pas les futons : ils sont dans le placard et ne seront étalés que plus tard. Vous pouvez poser vos bagages où vous voulez, sauf dans le *tokonoma* (alcôve sacrée), orné d'un vase de fleurs ou d'un rouleau peint. Si vous arrivez tôt, allez faire une petite promenade.

À votre retour, faites comme tout le monde, changez-vous et passez un *yukata* (vêtement ou kimono léger en coton) pour le dîner, servi dans votre chambre ou dans la salle à manger. Dans un *ryokan*, le dîner, souvent copieux, comprend une multitude de plats, parfaits pour découvrir les spécialités régionales. Dans un *minshuku*, le repas est plus simple. Après le dîner vient l'heure du bain. Si l'établissement est important, on peut se baigner dès la fin de l'après-midi et jusqu'à 23h ; ailleurs, on vous indiquera l'heure. Pendant que vous goûterez aux plaisirs du bain, des elfes très discrets se faufileront dans votre chambre pour préparer les futons où vous n'aurez plus qu'à vous glisser pour rejoindre Morphée.

Le matin vous attend un petit-déjeuner maison (certains endroits proposent un petit-déjeuner occidental pour ceux qui ont du mal à avaler du riz et du poisson dès la première heure). En général, vous devrez quitter votre chambre avant 11h et régler en partant.

comptez jusqu'à 100 000 ¥. La catégorie de prix intermédiaire (environ 10 000 ¥/pers) concerne des *ryokan* très corrects, et le séjour comprend deux excellents repas.

Consultez les sites Internet de l'**International Tourism Center of Japan** (ancien Welcome Inn Reservation Center ; www.itcj.jp/) ou du **Japanese Inn Group** (www.jpinn.com/index.html) pour connaître les possibilités de réservation offertes. Pour plus d'informations sur un séjour dans un *ryokan*, voir l'encadré p. 825.

Shukubō

Les *shukubō* (hébergements dans un temple) dévoilent un autre aspect du Japon traditionnel. Les clients disposent parfois simplement d'une chambre dans l'enceinte du temple et jouissent d'une parfaite autonomie ; dans d'autres lieux, ils sont conviés à participer aux prières, aux cérémonies religieuses ou aux séances de méditation *zazen* (assises). Certains sites proposent de succulents repas végétariens (*shōjin-ryōri).*

Les offices du tourisme (TIC) de Tōkyō et de Kyōto diffusent des brochures sur les hébergements dans les temples de leurs régions. Grand centre religieux du Kansai, le Kōya-san (p. 443), avec plus de 50 *shukubō*, est l'un des meilleurs sites du pays pour goûter aux charmes d'une "retraite" dans un temple. Le célèbre pèlerinage des 88 temples sacrés de Shikoku (voir p. 664) invite également à faire l'expérience de ce mode d'hébergement.

Plus de 70 auberges de jeunesse sont par ailleurs implantées dans des temples et sanctuaires – identifiées par un svastika (symbole religieux hindou) à l'envers dans le guide de la JYHA. Les suffixes *-ji, -in* et *-dera* indiquent qu'une auberge se trouve dans un temple.

Toho

Le **réseau Toho** (www.toho.net/english.html) est constitué d'un ensemble varié d'adresses, qui se sont regroupées, en principe, pour offrir un mode d'hébergement plus souple que les auberges de jeunesse traditionnelles. Les auberges de ce réseau ont en commun le principe d'une hospitalité sans prétention, à des prix raisonnables. La majorité des 90 membres sont regroupés à Hokkaidō ; quelques-uns sont disséminés sur l'île de Honshū et sur des îles plus au sud. Pour un hébergement en dortoir, comptez en moyenne 4 000 ¥/personne, 5 000 ¥ avec deux repas. Des chambres individuelles sont parfois disponibles pour 1 000 ¥ de plus.

HEURES D'OUVERTURE

Les grands magasins ouvrent généralement tous les jours de 10h à 18h30 (ou 19h). Ils ferment un ou deux jours par mois. Les boutiques (alimentation, papeterie, vêtements) suivent des horaires similaires (en général de 9h à 17h du lundi au vendredi, et de 9h à 12h ou 13h le samedi) mais sont parfois fermées le dimanche. Les employés des grandes entreprises travaillent de 9h à 17h en semaine, et parfois le samedi matin.

Les banques sont ouvertes en semaine de 9h à 15h (certaines jusqu'à 17h). Pour des détails sur le change, voir p. 813. Les postes de quartier ouvrent de 9h à 17h du lundi au vendredi (les bureaux principaux de 8h à 20h) ; les bureaux de la poste centrale ont des guichets ouverts après les heures de service et le week-end.

La plupart des restaurants ouvrent de 11h à 14h et de 18h à 23h. Ils ferment un jour par semaine, souvent le lundi ou le mardi. Certains restent ouverts en continu l'après-midi. Les cafés servent généralement de 11h à 23h et ferment également un jour par semaine, le lundi ou le mardi. Les bars ouvrent en général de 17h aux premières heures du matin.

HEURE LOCALE

En dépit de la distance importante séparant les côtes est et ouest du pays, l'ensemble du territoire se situe dans un seul fuseau horaire. Le Japon avance de 9 heures sur l'heure GMT (Greenwich Mean Time), ce qui équivaut à -14 heures pour Montréal et -8 heures pour Paris. Ainsi, lorsqu'il est midi à Tōkyō, il est 4h du matin à Paris et 22h la veille à Montréal. Il n'y a pas d'heure d'été au Japon.

HOMOSEXUALITÉ

Abstraction faite de la Thaïlande, le Japon est le pays asiatique le plus tolérant, ou indifférent, aux pratiques sexuelles des étrangers. Shinjuku-nichōme, un lieu de rencontre pour les hommes, est bien implanté à Tōkyō. Il est facile de s'y faire comprendre en anglais.

En province, les lieux de rencontre se limitent parfois à un "snack-bar", où l'on vous demandera 1 500 ¥ pour une première boisson, l'entrée et l'en-cas. On trouve des snack-bars dans tous les quartiers nocturnes des grandes métropoles et des villes de province. Parmi ces minuscules boîtes qui n'accueillent souvent pas plus d'une douzaine de clients, le plus souvent hétérosexuels, les vrais snacks-bars gay sont difficiles à localiser sans l'aide d'une "connaissance".

Loger à l'hôtel pour un couple homosexuel ne pose pas de problème, car la plupart des établissements proposent des chambres avec lits jumeaux. Les *love hotels* ne sont en revanche pas toujours très accueillants pour les étrangers (voir p. 824). Si la scène lesbienne prend de l'ampleur, elle demeure souvent difficile d'accès aux étrangères ne maîtrisant pas le japonais. En dehors de Tōkyō, elle est presque impossible à découvrir, à moins de rester longtemps dans le même lieu ou d'être guidée par des habitants de la région.

L'arrivée d'Internet a constitué une aubaine pour les gays et les lesbiennes. **Utopia** (www.utopia-asia.com) est le site le plus fréquenté par les anglophones. Pour connaître les lieux dédiés à la communauté homosexuelle à Tōkyō, reportez-vous p. 186.

Les relations sexuelles entre personnes du même sexe y sont parfaitement légales. D'une manière générale, mieux vaut toutefois s'abstenir de gestes tendres en public, que vous soyez d'ailleurs homosexuel ou hétérosexuel.

INTERNET (ACCÈS)

Avant d'apporter un ordinateur portable, assurez-vous qu'il est compatible avec le système japonais (100 V AC ; 50 Hz dans l'est du pays, 60 Hz dans l'ouest), ce qui s'avère généralement le cas. Veillez aussi à ce que la prise convienne (les prises japonaises sont constituées de deux fiches plates). Transformateurs et adaptateurs se trouvent partout dans les quartiers spécialisés en électronique, comme Akihabara (p. 149) à Tōkyō, Den Den Town (p. 414) à Ōsaka, ou encore Teramachi-dōri (carte p. 344) à Kyōto.

Les modems et les prises téléphoniques (RJ11) sont identiques à ceux employés en France. La plupart des cabines téléphoniques IDD grises du pays sont dotées d'une fiche standard et d'un port infrarouge. Il est ainsi possible de se connecter partout, à condition toutefois de posséder un ordinateur muni d'un port infrarouge.

Dans ce guide, le symbole Internet (🖵) indique que l'option d'hébergement possède au moins un ordinateur relié à Internet à l'usage des hôtes. Nous précisons aussi où l'accès Wi-Fi (🛜) est disponible. Sachez qu'au Japon, le Wi-Fi est bien moins répandu dans les hôtels qu'en Europe. Il est plus courant de trouver dans sa chambre un point d'accès à Internet par câble LAN. L'hôtel vous fournit généralement le câble LAN, mais vous préférerez peut-être emporter le vôtre pour ne pas avoir à le demander à chaque fois. Ces connexions LAN fonctionnent très bien ; le seul inconvénient est que parfois elles ne sont pas compatibles avec votre matériel informatique.

Vous trouverez des cybercafés et divers points d'accès à Internet dans les villes. Les tarifs varient, avec une moyenne de 200-700 ¥ l'heure. Les connexions sont généralement rapides (DSL ou ADSL) et fiables. On peut se connecter dans la plupart des établissements hôteliers par des terminaux à la réception ou des points d'accès Wi-Fi ou LAN.

Une liste de sites Internet consacrés au Japon est présentée p. 28.

JOURS FÉRIÉS

Le Japon compte 15 jours fériés dans l'année. Quand un jour férié tombe un dimanche, le lundi est également férié ; et si le lundi est déjà fête, le mardi est férié. Deux jours fériés dans la semaine (tels mardi et jeudi) entraînent un pont.

Transports et hébergements sont bondés pendant la période du Nouvel An (29 décembre-6 janvier), de la Golden Week (29 avril-5 mai) et de la fête d'O-Bon (mi-août). Pour plus de détails sur les fêtes et les festivals, voir p. 819.

Voici les jours fériés nationaux :

Ganjitsu (Nouvel An). 1er janvier

Seijin-no-hi (jour du passage à l'âge adulte). 2e lundi de janvier

Kenkoku Kinem-bi (jour de la fondation nationale). 11 février

Shumbun-no-hi (équinoxe de printemps). 20 ou 21 mars

Shōwa-no-hi (jour de l'empereur Shōwa). 29 avril

Kempō Kinem-bi (jour de la Constitution). 3 mai

Midori-no-hi (journée de la Nature). 4 mai

Kodomo-no-hi (jour des Enfants). 5 mai

Umi-no-hi (jour de la Marine). 3e lundi de juillet

Keirō-no-hi (jour du Respect envers les personnes âgées). 3e lundi de septembre

Shūbun-no-hi (équinoxe d'automne). 23 ou 24 septembre

Taiiku-no-hi (jour des Sports de santé). 2e lundi d'octobre

Bunka-no-hi (jour de la Culture). 3 novembre

Kinrō Kansha-no-hi (fête en l'honneur des travailleurs). 23 novembre

Tennō Tanjōbi (anniversaire de l'empereur). 23 décembre

LIBRAIRIES SPÉCIALISÉES

Il existe deux librairies japonaises à Paris ; il s'agit de **Junkudo** (☎ 01 42 60 89 12 ; www.junku.fr ; 18 rue des Pyramides, 75001 Paris) et de **Book Off** (☎ 01 42 60 04 77 ; 29-31 rue Saint-Augustin, 75002).

CARNET PRATIQUE

OFFICES DU TOURISME

Au Japon, les services d'information à destination des touristes sont d'une qualité remarquable. La plupart des villes et certains villages sont dotés d'offices du tourisme, souvent installés devant ou à l'intérieur de la gare ferroviaire principale.

Dans les grandes villes, une partie du personnel parle généralement anglais. Ailleurs, cela peut être plus ou moins le cas. Dans les régions rurales et dans les petites villes, attendez-vous à vous exprimer par des mots isolés ou avec des gestes. Dans tous les cas, avec un peu de patience et de bonne humeur, vous obtiendrez les informations nécessaires, même dans un minuscule bureau local.

Japan National Tourism Organization (JNTO)

La **Japan National Tourism Organization** (JNTO ; www. japantravelinfo.com) est le principal service d'information anglophone à l'usage des voyageurs étrangers dans l'archipel. Elle publie quantité de brochures utiles, diffusées dans les antennes à l'étranger et au centre d'information touristique de Tōkyō (p. 126). La plupart sont en anglais, certaines en français et autres langues européennes et asiatiques.

Parmi les bureaux de la JNTO à l'étranger, citons :

France (☎ 01 42 96 20 29 ; 4 rue de Ventadour, 75001 Paris)

Canada (☎ 416-366 7140 ; 481 University Ave, suite 306, Toronto, ON M5G 2E9)

Autres offices du tourisme

Des **offices du tourisme** (*kankō annai-sho* ; 観光案内所) sont implantés dans la plupart des grandes gares ferroviaires ou à proximité. Toutefois, les chances de trouver un interlocuteur parlant anglais s'amenuisent en avançant vers l'intérieur du pays.

PHOTO ET VIDÉO

Le Japon est l'un des pays les plus intéressants du monde pour l'achat de matériel photo ou vidéo. Les amateurs de photo numérique trouveront toutes sortes de cartes mémoires, de batteries et d'appareils numériques pour enregistrer les images de leur voyage. Les boutiques de travaux photographiques offrent aussi des services haut de gamme, notamment des impressions de qualité à partir des photos numériques, à 35 ¥ par cliché.

Pour plus de renseignements sur l'achat d'appareils et de matériel, voir p. 810.

POSTE

Le système postal japonais est fiable et efficace. L'envoi de cartes postales et de lettres par avion ne coûte pas beaucoup plus cher que dans les autres pays développés.

Envoyer et recevoir du courrier

Le logo de la poste est un T rouge surmonté d'une barre sur fond blanc (〒). Les postes de district (ou postes principales) ouvrent généralement de 9h à 19h en semaine et de 9h à 15h le samedi. Elles sont fermées le dimanche et les jours fériés.

CENTRES CULTURELS JAPONAIS

Si vous passez par Paris avant votre départ, une visite à la **Maison de la culture du Japon** (☎ 01 44 37 95 00 ; www.mcjp.asso.fr ; 101bis quai Branly, 75740 Paris Cedex 15) ou à l'**Espace Japon** (☎ 01 47 00 77 47 ; www.espacejapon.com ; 12 rue de Nancy, 75010 Paris) s'impose.

Le **centre culturel franco-japonais** (☎ 01 43 48 83 64 ; www.ccfj-paris.org ; 8-10 passage Turquetil, 75011 Paris) et l'**association culturelle franco-japonaise de TENRI** (☎ 01 44 76 06 06 ; www.tenri-paris.com ; 8-12 rue Bertin-Poirée, 75001 Paris) sont également des fenêtres ouvertes sur la culture nippone.

Autre passerelle vers l'Archipel : l'association **Jipango** (www.jipango.com ; 26 rue Eugène-Carrière, 75018 Paris), qui publie un journal très utile, disponible en ligne.

Dans tous ces lieux, vous pourrez vous renseigner sur des ateliers de calligraphie, d'origami ou d'ikebana, des cours de japonais ou cuisine. En outre, des expositions sur le Japon et des concerts de musique sont régulièrement programmés à Paris et dans d'autres grandes villes.

Les Suisses pourront contacter le **Japan Information and Cultural Center** (☎ 031 305 15 70 ; Engestrasse 43, 3000 Berne 9), qui dépend de l'ambassade. De même, les ambassades du Japon à Bruxelles et à Ottawa (p. 812) abritent des **centres d'information et de culture**, avec salle d'exposition, auditorium, bibliothèque et, à Ottawa, un jardin japonais changeant selon la saison !

Enfin, le site de l'**ambassade du Japon en France** (www.fr.emb-japan.go.jp/jp_fr/asso/asso.html) diffuse une liste complète d'associations franco-japonaises installées à Paris et en province.

Les bureaux de poste locaux fonctionnent de 9h à 17h du lundi au vendredi et ferment les samedi, dimanche et jours fériés. Dans les grandes villes, certaines postes principales disposent d'un guichet ouvert 24h/24, 7j/7.

Les adresses des courriers expédiés depuis, vers le, ou à l'intérieur du Japon peuvent être rédigées en lettres latines (*romaji*), dans une écriture aussi lisible que possible.

Le concept de poste restante est méconnu, surtout dans les petites villes. Néanmoins, tous les bureaux conserveront les plis à leur adresse en attendant la venue du destinataire. Mieux vaut toutefois faire adresser votre courrier dans une poste principale. Après 30 jours, les lettres sont généralement renvoyées à l'expéditeur. Pour récupérer votre courrier, demandez *"kyoku dome yūbin"*.

L'adresse devra être rédigée comme suit :

Pierre UNTEL
Poste Restante
Central Post Office
Tōkyō, JAPAN

Tarifs postaux

Le tarif d'affranchissement d'un aérogramme est fixé à 90 ¥, celui d'une carte postale par avion à 70 ¥, quel que soit le pays de destination. Les lettres de moins de 25 g doivent être affranchies à 90 ¥ vers les autres pays d'Asie, à 110 ¥ vers l'Amérique du Nord et l'Europe, et à 130 ¥ vers l'Afrique et l'Amérique du Sud. Petite originalité du système nippon : l'envoi d'une carte postale vous coûtera plus cher si votre texte dépasse sur le côté réservé à l'adresse (à droite).

PROBLÈMES JURIDIQUES

Les policiers japonais jouissent d'un pouvoir étendu. La police peut garder un suspect en détention jusqu'à 3 jours sans chef d'accusation. Au-delà de cette période, le procureur peut prolonger la détention pendant 20 jours. La police choisit également d'autoriser (ou non) un suspect à téléphoner à son ambassade ou à un avocat. En cas de détention, refusez de coopérer tant que vous n'aurez pas pu passer votre appel. Si vous en avez la possibilité, contactez en premier lieu votre ambassade.

Exigez la présence d'un *tsuyakusha* (interprète), car la plupart des policiers ne parlent ni l'anglais ni le français. Les policiers sont obligés par la loi de vous fournir un interprète et d'attendre son arrivée avant de commencer l'interrogatoire. Si vous parlez japonais, mieux vaut ne pas le montrer.

En cas de problème, contactez la **Japan Helpline** (☎ 0120-46-1997). Ce numéro d'urgence fonctionne 24h/24, 7j/7.

TÉLÉPHONE

Les numéros de téléphone japonais sont formés d'un indicatif régional, puis d'un numéro. À l'intérieur d'une même région, l'indicatif régional est inutile. Pour appeler le Japon depuis l'étranger, composez le code d'accès international, l'indicatif du pays (☎ 81), puis l'indicatif régional (sans le 0) et le numéro. Les numéros qui commencent par ☎ 0120, ☎ 0070, ☎ 0077, ☎ 0088 et ☎ 0800 sont gratuits.

Appels internationaux

Pour téléphoner à l'étranger, le plus simple est d'utiliser une carte de téléphone internationale prépayée (voir ci-dessous).

Les téléphones internationaux ISDN gris permettent d'appeler à l'extérieur du pays. Vous les trouverez dans les cabines téléphoniques qui indiquent : "International & Domestic Card/Coin Phone". Ces cabines sont rares, aussi jetez un coup d'œil dans les halls d'entrée des hôtels de luxe et dans les aéroports. De nouveaux téléphones verts, qui équipent certains kiosques, permettent également d'appeler à l'international. Les appels sont facturés par tranches de 6 secondes. Vous pouvez appeler à l'étranger pour 100 ¥ en vous montrant concis. Les appels en PCV sont possibles depuis tous les téléphones publics.

Vous économiserez de l'argent en téléphonant tard le soir. Un tarif réduit s'applique de 23h à 8h. Les appels nationaux sont également meilleur marché en dehors des heures de travail.

Pour passer par un opérateur, appelez le ☎ 0051 (opérateur KDDI ; la plupart des opérateurs internationaux parlent anglais). Pour téléphoner directement, composez le ☎ 001 010 (KDDI), le ☎ 0041 010 (SoftBank Telecom) ou le ☎ 0033 010 (NTT) – les tarifs sont sensiblement les mêmes –, puis l'indicatif du pays et le numéro de votre correspondant.

CARTES INTERNATIONALES PRÉPAYÉES

Devant la rareté des téléphones publics permettant de téléphoner à l'étranger, ces cartes constituent la solution la plus simple pour passer des appels internationaux. La plupart des commerces de proximité vendent au moins l'une des cartes prépayées suivantes. Ces cartes sont utilisables dans tous les téléphones publics du pays.

CODES TÉLÉPHONIQUES AU JAPON

Les principales villes japonaises ont un code d'accès. Quand vous appelez depuis l'étranger, supprimez le premier 0.

Fukuoka/Hakata	☎ 092
Hiroshima	☎ 082
Kōbe	☎ 078
Kyōto	☎ 075
Matsuyama	☎ 089
Nagasaki	☎ 095
Nagoya	☎ 052
Nara	☎ 0742
Ōsaka	☎ 06
Sapporo	☎ 011
Sendai	☎ 022
Tōkyō	☎ 03
Yokohama	☎ 045

- KDDI Superworld Card
- NTT Communications World Card
- SoftBank Telecom Comica Card

Appels locaux

Le système des téléphones publics est d'une rare efficacité au Japon. Malheureusement, les téléphones payants sont de moins en moins nombreux depuis que tout le monde utilise les portables. Les appels locaux coûtent 10 ¥/minute. Les pièces de 10 ¥ non utilisées reviennent à l'utilisateur à la fin de l'appel, mais la monnaie n'est pas rendue sur les pièces de 100 ¥.

Il est souvent beaucoup plus simple d'acheter une carte de téléphone (*terefon kādo*) dès votre arrivée, plutôt que de devoir toujours chercher la monnaie. Il existe des cartes de 500 et de 1 000 ¥ (avec 50 ¥ en cadeau pour les secondes), utilisables dans la plupart des téléphones verts et gris. Ces cartes sont en vente dans les distributeurs (certains installés dans les cabines publiques) et dans les commerces de proximité. Leur variété séduit les collectionneurs.

Numéros utiles

Pour certaines personnes, s'adapter à la vie japonaise n'est pas chose facile et un long séjour au Japon pourra alors s'avérer éprouvant. Pour trouver du réconfort, elles pourront contacter le très utile **Metropolitan Government Foreign Residents Advisory Center** (Centre de conseils aux résidents étrangers ; ☎ 03-5320-7744 ; ⏱ 9h30-12h et 13h-16h lun-ven), géré par les services municipaux de Tōkyō. La **Japan Helpline** (☎ 0120-46-1997) est joignable 24h/24.

Renseignements téléphoniques

Pour obtenir le service des renseignements locaux, appelez le ☎ 104 (105 ¥/appel). Pour les renseignements en anglais, composez le ☎ 0120-36-4463 de 9h à 17h en semaine. Le service des renseignements internationaux est joignable au ☎ 0057.

Téléphones portables

Au Japon, les réseaux de téléphonie mobile ont recours à la technologie de troisième génération (3G) sur une variété de fréquences, ce qui exclut l'utilisation des téléphones des générations précédentes. Certains téléphones portables étrangers ne marcheront donc pas au Japon. De plus, les cartes SIM ne sont pas courantes. Donc, si vous voulez utiliser un téléphone portable au Japon, la seule solution est souvent d'en louer un.

Plusieurs sociétés sont spécialisées dans la location de téléphones portables de courte durée, à l'usage des voyageurs. En voici deux :

Mobile Phone Japan (☎ 090-8523-2053 ; www. mobilephonejp.com) propose la location d'un téléphone portable basique pour la modique somme de 2 900 ¥/ semaine. Les appels entrants, internationaux ou nationaux, sont gratuits ; les appels sortants pour le Japon sont facturés 90 ¥/minute (les appels vers l'étranger varient selon le pays et l'heure). La livraison de l'appareil partout sur le territoire japonais est incluse dans le prix ; l'enveloppe affranchie vous servira à le renvoyer.

Rentafone Japan (☎ 0120-74-6487 ; www. rentafonejapan.com) loue des téléphones portables pour 3 900 ¥/semaine, avec livraison gratuite de l'appareil à domicile. Un appel local coûte 35 ¥/minute, un appel international 45 ¥/minute.

TOILETTES

Vous trouverez aussi bien des toilettes occidentales que des toilettes "à la turque", de type asiatique. Comme le papier n'est pas toujours fourni, il est prudent de prévoir des mouchoirs en papier (des paquets sont souvent distribués dans la rue en guise de publicité).

Au Japon, à l'intérieur des toilettes (près de la porte), il est courant de trouver des chaussons réservés pour cette pièce. N'oubliez pas de les enlever avant de sortir.

Les toilettes publiques sont gratuites. Elles sont indiquées par les mots トイレ en katakana et お洗い en kanji.

Les kanji suivants sont fréquemment employés :
- Dames   女
- Hommes   男

TRAVAILLER AU JAPON

Vivre et travailler au Japon est une bonne idée, parfois lucrative. Les grandes villes de l'archipel ont ainsi attiré une importante population d'expatriés. Aujourd'hui encore, la plupart des Occidentaux enseignent l'anglais – ce qui pose problème pour un francophone. Il existe aussi des possibilités d'embauche dans les bars et dans les stations de sports d'hiver.

La clé du succès au Japon est de faire preuve de persévérance et de soigner son apparence. Pour un entretien d'embauche, prévoyez une tenue adaptée ainsi qu'un jeu suffisant de *meishi* (cartes de visite) ; il va sans dire qu'une attitude sérieuse et polie est de mise. Il est indispensable de posséder un diplôme universitaire pour pouvoir prétendre à un poste donnant droit à un visa de travail. Évidemment, avoir une expérience constitue un atout précieux.

Enfin, excepté le secteur des divertissements, du bâtiment et de l'enseignement des langues, vous ne pourrez sûrement pas obtenir un bon poste si vous ne parlez pas bien japonais.

Cours de langue

L'enseignement de l'anglais (le français est bien plus rare) est depuis longtemps un emploi assez courant. Toutefois, la concurrence est rude pour les postes intéressants, de nombreuses écoles ayant fait faillite suite à l'affaiblissement de l'économie nipponne. Il est indispensable de posséder un diplôme universitaire pour pouvoir prétendre à un visa de travail (pensez à vous munir d'une attestation). Avoir un diplôme dans l'enseignement ou une certaine expérience constitue un avantage certain. Les visas vacances-travail (p. 821) intéressent particulièrement les employeurs.

Sachez qu'il existe au Japon une hiérarchie bien définie parmi les professeurs de langues étrangères et les postes d'enseignement offerts. Au bas de l'échelle, se situent les grandes boîtes d'*eikaiwa* (écoles de langues privées spécialisées dans les cours de conversation anglaise), suivies par les petites boîtes locales du même genre, les cours de langue à l'intérieur des compagnies et les leçons privées. En haut de l'échelle et les plus recherchés : les postes à l'université ou dans les écoles internationales.

ÉCOLES INTERNATIONALES

Les grandes villes accueillant une importante population étrangère, notamment Tōkyō et Yokohama, possèdent des écoles internationales à destination des enfants des résidents étrangers. Ces dernières recrutent des professeurs occidentaux diplômés, pour toutes les disciplines. Elles s'occupent en général des formalités d'obtention des visas.

ÉCOLES PRIVÉES

Les écoles privées de langue (*eikaiwa*) étaient, avant la crise économique, de gros employeurs d'enseignants étrangers, et le meilleur moyen pour un nouveau venu de trouver un premier poste. La situation aura peut-être évolué au moment où vous lirez ces lignes. Quoi qu'il en soit, consultez les petites annonces de l'édition du lundi du *Japan Times*. Certaines écoles recrutent sur candidatures spontanées.

Tōkyō réunit le plus grand nombre d'opportunités d'embauche. Des écoles dans tout le pays recrutent en effet depuis la capitale. Vous pouvez aussi opter pour une autre grande ville (notamment Ōsaka, Fukuoka, Hiroshima et Sapporo), où les étrangers sont moins nombreux et la compétition moins rude.

ÉCOLES PUBLIQUES

Le programme **Japan Exchange & Teaching** (JET ; www.jetprogramme.org) offre 2 000 postes d'assistants à des professeurs étrangers. Il s'agit de contrats annuels, qui se décident depuis le pays d'origine des postulants. Le programme est très apprécié des professeurs participants.

Ces professeurs portent le titre d'Assistant Language Teachers (ALT). Si les demandes d'embauche dans le cadre du programme JET doivent être effectuées de l'étranger, de nombreuses administrations locales font également appel à des ALT pour les écoles de leurs circonscriptions. Celles-ci recrutent parfois directement à l'intérieur du pays.

Pour tout renseignement, consultez le site Internet de JET ou contactez une ambassade ou un consulat japonais (p. 812).

Travailler dans un bar

Un emploi de serveur ne donne pas droit à un visa de travail. La majorité des barmans étrangers au Japon travaillent de manière illégale, ou avec un autre type de visa. Dans les grandes villes, quelques bars emploient des serveurs étrangers. La plupart se montrent scrupuleux sur la question des visas, mais d'autres ne semblent pas s'en préoccuper. Mieux vaut opter pour les bars pour *gaijin* (étranger), même si certains établissements à destination d'une clientèle japonaise font également appel à des étrangers pour "l'ambiance". Le salaire – 1 000 ¥ l'heure en moyenne – est très bas. L'avantage de travailler dans un bar est de pouvoir s'entraîner à parler japonais.

Travailler dans une station de ski

Travailler dans une station de ski au Japon est une option recherchée, notamment par les Australiens et les Néo-Zélandais, qui allient ainsi voyage au Japon, pratique du ski et job. Outre une certaine aisance linguistique (en anglais, voire en japonais), l'idéal est de posséder un visa vacances-travail (p. 821), bien que certains visiteurs se soient vus offrir un travail sans avoir de visa de travail. Vous remplirez les postes habituellement à pourvoir dans les stations de ski : perchman, personnel hôtelier, barman et, si vous avez les qualifications requises (pratique du japonais et du ski), moniteur. Le salaire horaire avoisine 1 000 ¥ (sauf pour les moniteurs), mais vous serez logé et pourrez profiter gratuitement des remonte-pentes.

VOYAGER EN SOLO

Le Japon est une formidable destination pour les voyageurs en solitaire. Ils se déplaceront ici avec facilité, en toute sécurité, dans une ambiance sympathique. Presque tous les hôtels disposent de chambres simples. Dans les *business hotels*, les premiers prix débutent à 4 000 ¥. Les *ryokan* facturent généralement la nuitée au nombre de personnes et non à la chambre, ce qui est intéressant pour les personnes seules. Certains hésitent toutefois à céder une chambre à un seul voyageur s'ils estiment pouvoir la louer à 2 personnes. Pour plus de détails sur les hébergements, voir p. 821.

De nombreux restaurants sont dotés de petites tables ou de comptoirs parfaitement adaptés aux solitaires. Les *izakaya* (bars-restaurants à la japonaise) sont tout aussi accueillants. Il ne vous faudra pas longtemps, surtout si vous vous asseyez au comptoir, pour vous voir offrir un verre et participer à une conversation. Enfin, dans les grandes villes, les bars pour *gaijin* sont des lieux conviviaux, parfaits pour rencontrer d'autres voyageurs.

Femme seule

Le Japon est un pays relativement sûr pour les femmes voyageant seules, pas aussi sûr toutefois qu'on pourrait le penser. Les femmes seules sont des cibles faciles pour des agressions verbales ou des questions lourdement indiscrètes. Les agressions physiques, très rares, peuvent cependant arriver.

Ne vous laissez pas endormir par l'image de pays sûr que donne le Japon ; faites preuve de bon sens comme vous le feriez chez vous. Si un quartier ou un établissement vous paraît louche, soyez vigilante. En faisant attention, vous ferez un merveilleux voyage au Japon dans une ambiance très plaisante.

Plusieurs compagnies ferroviaires ont récemment introduit des wagons réservés aux femmes pour les protéger des *chikan* (hommes qui pratiquent des attouchements sur des femmes et des jeunes filles dans les trains bondés). Sur les lignes urbaines les plus fréquentées, ces wagons sont disponibles tous les jours de la semaine aux heures de pointe. Une marque sur le quai (en général rose) indique où les voitures s'arrêtent ; elles-mêmes portent une inscription en japonais et en anglais (à nouveau, souvent en rose).

En cas de problème, si la police ne vous vient pas en aide, appelez la **Japan Helpline** (☎ 0120-46-1997), un numéro d'urgence qui fonctionne dans tout le pays, 24h/24, 7j/7.

Transports

DEPUIS/VERS LE JAPON

ENTRER AU JAPON

Si la plupart des visiteurs arrivent au Japon via Tōkyō (et l'aéroport international de Narita, assez éloigné de la ville), d'autres aéroports dans le pays accueillent des vols internationaux. On peut également rejoindre l'archipel par bateau depuis la Corée du Sud, la Chine et la Russie.

Passeport

Votre passeport doit être valide au moins 6 mois après la date de retour prévu. Pour plus d'informations sur les visas et les formalités, voir p. 820.

VOIE AÉRIENNE

Les vols desservent le plus souvent Tōkyō, mais aussi d'autres grands aéroports du pays. Ainsi, les voyageurs qui souhaitent se rendre dans l'ouest du Japon ou dans la région du Kansai auront tout intérêt à prendre un vol pour l'aéroport international du Kansai (KIX), près d'Ōsaka.

Aéroports

Il existe des aéroports internationaux sur Honshū, l'île principale (Nagoya, Niigata, Ōsaka/Kansai et Tōkyō Narita), sur Kyūshū (Fukuoka, Kagoshima, Kumamoto et Nagasaki), Okinawa (Naha) et Hokkaidō (Sapporo).

Reportez-vous p. 838 pour connaître les coordonnées des compagnies aériennes japonaises.

AÉROPORT INTERNATIONAL DE NARITA

À l'exception de quelques vols seulement, tous les vols internationaux depuis/vers Tōkyō atterrissent à l'**aéroport international de Narita** (code NRT ; www.narita-airport.or.jp/airport_e). Désormais principal aéroport d'arrivée et de départ du Japon, les vols via Narita sont souvent les moins chers. Voir également p. 191.

AÉROPORT INTERNATIONAL DU KANSAI

Tous les vols internationaux pour Ōsaka se posent à l'**aéroport international du Kansai** (code KIX ; www.kansai-airport.or.jp/en/index.asp), d'où on peut rallier les grandes villes du Kansai, Kyōto, Ōsaka, Nara et Kōbe, grâce à des dessertes rapides et fiables (les vols directs pour Kyōto peuvent toutefois coûter cher).

AÉROPORT INTERNATIONAL DU CENTRE DU JAPON (CENTRAIR)

Bien situé près de Nagoya, l'**aéroport international du centre du Japon** (Centrair ; NGO ; www.centrair.jp) est le plus récent des aéroports internationaux du Japon. Centrair assure notamment la liaison avec la Chine, la France, l'Allemagne, Guam (île du Pacifique rattachée aux États-Unis), Hong Kong, Saipan (îles Mariannes), Singapour, la Corée du Sud, Taïwan, la Thaïlande et les États-Unis.

> **AVERTISSEMENT**
>
> Les informations contenues dans ce chapitre sont particulièrement susceptibles de changements. Vérifiez directement auprès de la compagnie aérienne ou de l'agence de voyages les modalités d'utilisation de votre billet d'avion. N'hésitez pas à comparer les prestations. Les détails fournis ici doivent être considérés à titre indicatif et ne remplacent en rien une recherche personnelle attentive.

L'IMPACT ÉCOLOGIQUE DE VOTRE VOYAGE

Le changement climatique menace gravement les écosystèmes dont dépend l'homme, et la responsabilité en incombe de plus en plus aux avions – et donc aux voyageurs. Pour Lonely Planet, le voyage ne doit pas se faire aux dépens de la planète ; il nous revient à tous de limiter notre part dans le réchauffement climatique.

Avion et changement climatique

Tous les types de voyages motorisés dégagent du CO_2 (première cause de changement climatique provoqué par l'homme), mais les avions sont de très loin les pires producteurs ; ils couvrent non seulement des distances considérables, mais ils dégagent des gaz à effet de serre en haute altitude dans l'atmosphère. Les chiffres sont affolants : deux personnes à bord d'un vol aller-retour entre l'Europe et les États-Unis contribuent autant au changement climatique que la consommation annuelle d'un foyer moyen en gaz et en électricité.

Programmes de compensation du CO_2

Climatecare.org et d'autres sites Internet fournissent aux voyageurs des "calculateurs de CO_2" permettant de calculer la part de gaz à effet de serre qu'ils contribuent à produire, et de la compenser en soutenant des initiatives écologiques dans les pays en développement, comme en Inde, au Honduras, au Kazakhstan et en Ouganda.

Lonely Planet soutient le programme de compensation créé par climatecare.org. Lonely Planet compense ainsi tous les voyages de son personnel et de ses auteurs.

Pour plus de renseignements, consultez le site www.lonelyplanet.fr.

AÉROPORT INTERNATIONAL DE FUKUOKA

Fukuoka, tout à fait au nord de Kyūshū, est le principal point d'arrivée pour l'ouest du Japon. L'**aéroport international de Fukuoka** (code FUK ; www.fuk-ab.co.jp/english/frame_index.html), situé près de la ville, propose des vols depuis/vers Bangkok, Beijing, Pusan (ou Busan), Dalian, Guam, Guangzhou, Ho Chi Minh-Ville, Hong Kong, Manille, Séoul, Shanghai, Singapour et Taipei (Taïwan).

AÉROPORT DE HANEDA

Les liaisons avec l'étranger sont assurées par l'aéroport international de Narita à Tōkyō, mais cinq compagnies (Japan Airlines, All Nippon Airways, China Eastern Airlines, Shanghai Airlines et Air China) opèrent quelques vols internationaux depuis **l'aéroport de Haneda** (HND ; www.tokyo-airport-bldg.co.jp/en). À 22 minutes par le monorail au sud-ouest de Tōkyō, cet aéroport assure le plus gros des vols domestiques desservant la capitale. Parmi les destinations internationales (également reliées à l'aéroport de Narita) : Shanghai, Séoul et Hong Kong.

AÉROPORT DE NAHA

Situé sur Okinawa-hontō (l'île principale d'Okinawa), l'**aéroport de Naha** (code OKA ; www. naha-airport.co.jp) propose des vols depuis/vers Hong Kong, Séoul, Shanghai et Taipei.

AÉROPORT DE NIIGATA

Au nord de Tōkyō, l'**aéroport de Niigata** (KIJ ; www.niigata-airport.gr.jp, en japonais) propose des vols depuis/vers Irkoutsk, Vladivostok, Khabarovsk, Séoul, Shanghai, Harbin, Xian, Honolulu et Guam.

AUTRES AÉROPORTS

Sur Kyūshū, l'**aéroport de Kagoshima** (KOJ ; www. koj-ab.co.jp) propose des vols depuis/vers Shanghai et Séoul ; l'**aéroport de Kumamoto** (KMJ ; www.kmj-ab.co.jp) rallie Séoul et l'**aéroport de Nagasaki** (NGS ; www.nabic.co.jp/english), Shanghai.

Sur Hokkaidō, le **nouvel aéroport de Chitose** (CTS ; www.new-chitose-airport.jp/language/english/index. html) est relié à Beijing, Dalien, Guam, Hong Kong, Séoul, Shanghai, Shenyang et Taipei.

Au nord de Honshū, l'**aéroport de Sendai** (SDJ ; www.sdj-airport.com/english/index.html), à 18 km au sud du centre-ville, assure différentes liaisons vers l'Asie, incluant Beijing, Dailan, Guam, Séoul et Shanghai.

Depuis/vers la France

Air France, Japan Airlines et All Nippon Airlines proposent des vols directs Paris-Tōkyō (jusqu'à 4 vols quotidiens en haute saison). Le trajet en avion prend environ 11 heures 30. D'autres compagnies très compétitives, telles Air China et Alitalia relient Paris au Japon, en général avec une escale.

Au moment de la rédaction de cet ouvrage, les tarifs moyens d'un aller-retour Paris-Tōkyō se situaient aux alentours de 750 €. Hors saison, ou en réservant longtemps à l'avance, vous trouverez des billets pour 575 € ou moins.

Pour une liste de tour-opérateurs proposant des séjours, parfois des vols secs, voir la rubrique *Voyages organisés*, p. 837.

Les transporteurs ci-dessous sont susceptibles d'obtenir des vols secs intéressants vers le Japon :

Air France (☎ 3654, 0,34 €/min ; www.airfrance.fr). Nombreuses agences à Paris et en province. Air France assure au moins 2 vols directs quotidiens pour Tōkyō, parfois en partage de code avec Alitalia.

Japan Airlines (JAL ; ☎ 01 44 35 55 50 ; www.fr.jal. com/en/ ; 4 rue Ventadour, 75001 Paris). Dessert deux fois par jour Tōkyō en vol direct.

All Nippon Airways (ANA ; ☎ 01 53 83 52 52 ; 0 811 650 259 ; www.ana.co.jp ; 29 rue Saint-Augustin, 75002 Paris). Un vol direct quotidien pour Tōkyō.

Air China (☎ 01 42 66 16 58 ; www.airchina.fr ; 10 bd Malesherbes, 75008 Paris). Propose 1 vol quotidien à destination de Tōkyō incluant 1 ou 2 escales.

Alitalia (☎ 0 820 315 315, 0,12 €/min ou 01 44 94 44 20 ; www.alitalia.com ; 31 rue Mogador, 75009 Paris). Assure au moins un vol chaque jour Paris-Tōkyō via Milan.

Depuis/vers la Belgique

Il n'existe pas de vols directs vers le Japon depuis la Belgique. Toutefois, de nombreuses compagnies (SN Brussels Airlines en partage de code avec Scandinavian Airlines, Alitalia et Air France notamment) proposent des vols avec escale(s). Les tarifs les plus intéressants se situent autour de 550-800 €, en fonction des dates de départ.

Voici une liste d'agences et de transporteurs recommandés :

SN Brussels Airlines (☎ 0 826 10 18 18 ou 070/35 11 11 ; www.flysn.com)

Alitalia (☎ 02/551 11 22 ; www.alitalia.com ; 2-4 rue Capitaine Crespel, 1050 Bruxelles)

Airstop (☎ 070/23 31 88 ; www.airstop.be ; 28 rue du Fossé-aux-Loups, Bruxelles 1000)

Connections (☎ 070/23 33 13 ; www.connections.be). Nombreuses agences dans toute la Belgique.

Gigatour - Éole (☎ 02/227 57 80 ; www.voyageseole.be ; chaussée de Haecht 39-41, 1210 Bruxelles)

Japan Airlines (☎ 02/745 44 00 ; www.jal.com)

Scandinavian Airlines System (SAS ; ☎ 02/643 69 00 ou 02/714 08 40 ; www.flysas.be)

Depuis/vers la Suisse

Swiss et All Nippon Airways proposent des vols directs Zurich-Tōkyō. De nombreuses autres compagnies (Lufthansa, SAS ou Air France) desservent Tōkyō depuis Zurich, Berne ou Genève avec escale(s). Les billets sont vendus à partir de 850/1 300 FS basse/haute saison.

Voici quelques adresses utiles :

Swiss International Air Lines (☎ 848 700 700 ; www.swiss.com ; Swiss International Air Lines Ltd, BP CH-4002 Bâle). Bureaux à Genève, Zurich et Lugano.

Air France (☎ 0 848 747 100, 0,11 cts/min ; www. airfrance.com)

Japan Airlines (☎ 02/731 71 60 ; www.ch.jal.com)

Lufthansa (☎ 0 900 900 933 ; www.lufthansa.com)

Scandinavian Airlines System (SAS ; ☎ 02/643 69 00 ou 02/714 08 40 ; www.flysas.be)

STA Travel (☎ 0 900 450 402, 0,69 cts/min ; www. statravel.ch). Plusieurs agences en Suisse.

Depuis/vers le Canada

Il existe des vols directs entre le Japon et deux villes canadiennes : Toronto et Vancouver. Si votre budget est serré, il peut s'avérer intéressant de voler avec une compagnie chinoise, taïwanaise ou coréenne qui prolongent leurs vols depuis leurs hubs asiatiques jusqu'au Japon. Prendre l'avion depuis une ville américaine proche du Canada, avec les compagnies United Airlines ou Northwest Airlines, peut parfois s'avérer très avantageux, même avec le vol de liaison depuis le Canada.

Le tarif des vols aller-retour commence à 950 $C, pour un trajet entre Toronto (ou Vancouver) et Tōkyō. Renseignez-vous notamment auprès de Japan Airlines (JAL), All Nippon Airways (ANA) et Air Canada.

TRANSPORTS

HAUTE SAISON

Réservez bien à l'avance si vous envisagez de venir au Japon fin décembre, ainsi que fin avril et début mai (durant la Golden Week). Comme on peut s'y attendre, l'été (avec un pic à la mi-août) est aussi une période très chargée. Voir p. 25 pour plus de détails.

Quelques transporteurs, comparateurs de vols et agences utiles au Canada :

Air Canada (☎ 1 888 247 2262 ; www.aircanada.ca)
All Nippon Airways (ANA ; ☎ 1-800-235-9262 ; www.ana.co.jp)
Expedia.ca (☎ 1 888 397 3342 ; www.expedia.ca). Le service de voyages en ligne le plus fréquenté au Canada.
Japan Airlines (JAL ; ☎ 1 800 525 3663 ; www.jal.com)
Travelocity.ca (☎ 1 800 457 8010 ; http://vacations. travelocity.ca). Un important site de voyages sur Internet.
Voyages Campus (☎ 1 866 832 7564 ; www.voyagescampus.com/fr ; ☎ 514-843-8511 ; 1613 rue Saint-Denis, Montréal, Québec, H2X 3K3). L'agence de voyages canadienne pour les étudiants a des bureaux partout dans le pays.

Depuis/vers la Chine

Plusieurs vols par jour relient le Japon à Hong Kong sur Cathay Pacific, Japan Airlines (JAL), All Nippon Airways (ANA). À Hong Kong, contactez **Four Seas Tours** (☎ 0852-2200-7777 ; www. fourseastravel.com/fs/en). Il existe aussi des vols entre le Japon et Beijing, Dalian, Guangzhou, Harbin, Shanghai, Shenyang et Xian.

Air China (code CA ; ☎ 03-5520-0333 ; www.china-airlines.com/en/index.htm ; aéroport international Beijing Capital, Beijing)
Cathay Pacific Airways (code CX ; ☎ 03-5159-1700 au Japon ; www.cathaypacific.com ; aéroport international de Hong Kong, Hong Kong)
China Eastern Airlines (code MU ; ☎ 03-3506-1166 ; www.ce-air.com/cea2/en_US/homepage ; aéroport international Shanghai Pudong, Shanghai)
China Southern Airlines (code CZ ; ☎ 03-5157-8011 ; www.cs-air.com/en ; aéroport international Guangzhou Baiyun, Guangzhou)
Dragon Air (code KA ; ☎ 03-5159-1715 au Japon ; www.dragonair.com ; aéroport international Hong Kong, Hong Kong)
Shanghai Airlines (code FM ; ☎ 06-6945-8666 ; www.shanghai-air.com/ywwy/home.htm ; aéroport international Shanghai Pudong, Shanghai)

Depuis/vers la Corée du Sud

De nombreux vols relient le Japon à Séoul et Pusan (Busan). À Séoul, renseignez-vous auprès de la **Korean International Student Exchange Society** (Kises ; ☎ 02-733 9494 ; www.kises.co.kr ; 5ᵉ niv, YMCA Bldg, Chongno 2-ga).

Voir p. 837 pour les trajets en bateau entre la Corée et le Japon.

Depuis/vers Taïwan

Taipei est relié fréquemment aux différents aéroports du Japon. Des vols assurent aussi la liaison entre Kaohsiung et Ōsaka ou Tōkyō.

Depuis/vers les autres pays d'Asie

Il existe des vols quotidiens entre le Japon et les pays suivants : Inde (Mumbai "Bombay" et Delhi), Indonésie (Jakarta et Denpasar), Malaisie (Kuala Lumpur), Philippines (Manille), Singapour, Thaïlande (Bangkok) et Vietnam (Ho Chi Minh-Ville et Hanoi). On trouve également quelques vols pour le Népal (Katmandou).

VOIE TERRESTRE
Transsibérien

Peu de voyageurs se rendent au Japon ou quittent le pays en Transsibérien. Ce train présente pourtant trois possibilités de trajets. L'une d'elles, depuis l'Europe, consiste à emprunter le chemin de fer jusqu'à Vladivostok (Russie), puis de prendre le ferry entre Vladivostok et Fushiki, dans le Toyama-ken. Autres solutions, moins onéreuses : opter pour le Transmongolien chinois ou le Transmandchourien russe, qui partent/arrivent en Chine, d'où des ferries relient le Japon, via Tientsin, Qingdao ou Shanghai.

Pour d'autres détails, consultez le guide *Transsibérien* de Lonely Planet (en français).

VOIE MARITIME
Chine

La **Japan China International Ferry Company** (☎ 06-6536-6541 au Japon, 021-6325-7642 en Chine ; www.shinganjin.com, en japonais) relie Shanghai à Ōsaka/Kōbe. Une place en 2ᵉ classe se monte à 200 $US, et le trajet dure près de 48 heures. La **Shanghai Ferry Company** (☎ 06-6243-6345 au Japon, 021-6537-5111 en Chine ; www.shanghai-ferry.co.jp, en japonais) assure un service similaire. Pour plus d'informations, voir p. 415.

Les ferries de la **China Express Line** (☎ 078-321-5791 au Japon, 022-2420-5777 en Chine ; www.celkobe. co.jp, en japonais) font la navette entre Kōbe et

Tientsin ; un billet en 2ᵉ classe coûte 230 $US, pour un trajet de 48 heures environ. Voir aussi p. 421.

Orient Ferry Ltd (☎ 0832-232-6615 au Japon, 532-8387-1160 en Chine ; www.orientferry.co.jp, en japonais) circule trois fois par semaine entre Shimonoseki et Qingdao, en Chine (billet le moins cher en aller simple à 130 $US, 28 heures environ). Voir p. 496 pour plus de détails.

Corée du Sud

La Corée du Sud est le voisin le plus proche du Japon et plusieurs compagnies maritimes relient les deux pays.

PUSAN (BUSAN)-SHIMONOSEKI

Kampu Ferry (☎ 0832-24-3000 au Japon, 051-464-2700 en Corée pour le compte de Pukwan Ferry ; 051-464-2700 ; www.kampuferry.co.jp, en japonais) propose des trajets Shimonoseki-Pusan (Busan). Comptez 85-180 $US pour un aller simple. Le voyage dure environ 12 heures. Voir p. 496.

PUSAN (BUSAN)-FUKUOKA

Un hydroptère à grande vitesse, surnommé *Biitoru* (coléoptère, scarabée), géré par **JR Kyūshū** (☎ au Japon 092-281-2315, en Corée 051-465-6111 ; www.jrbeetle.co.jp/english), relie Fukuoka et Pusan (environ 140 $US aller simple, 3 heures). **Camellia Line** (☎ 092-262-2323 au Japon, 051-466-7799 en Corée ; www.camellia-line.co.jp, en japonais et coréen) assure aussi une traversée quotidienne entre Fukuoka et Pusan (environ 95 $US, 6 heures de Fukuoka à Pusan, 6 à 10 heures de Pusan à Fukuoka). Voir p. 703 pour plus de détails.

Russie

FKK Air Service (☎ 0766-22-2212 ; http ://fkk-air.toyama-net.com en japonais) dessert Fushiki, dans le Toyama-ken, depuis Vladivostok. L'aller simple commence à 450 $US pour un trajet de 36 heures ; la ligne est ouverte de juillet jusqu'à la première semaine d'octobre. Voir p. 250 pour d'autres détails.

Si vous voulez faire un voyage encore plus exotique, il est possible, en été, de se rendre en ferry de Wakkanai (Hokkaidō) à Korsakov (île Sakhaline) avec **Heartland Ferry** (☎ au Japon 011-233-8010, en Russie 4242-42-0917 ; www.heart landferry.jp/english/index.html). Le prix de l'aller simple commence à 24 000 ¥ (250 $US, environ 7 heures 30). Les ferries fonctionnent de mi-mai à fin octobre. Voir aussi p. 630.

Taïwan

Ceux qui ont déjà voyagé au Japon se souviennent sans doute de la ligne de ferry Arimura qui reliait Kagoshima (Kyūshū) à Taïwan, via Okinawa. Malheureusement, cette ligne a cessé ses activités et il n'existe plus aujourd'hui de ferries de passagers entre les deux pays.

VOYAGES ORGANISÉS

Vous trouverez ci-dessous une liste de voyagistes assurant des prestations pour des circuits au Japon, en groupe ou en individuel. Cependant, l'offre est plutôt onéreuse : un circuit organisé de 15 jours revient en moyenne à 3 500 €. Examinez aussi les offres des compagnies aériennes citées dans *Voie aérienne* (p. 833) ainsi que celles des agences en ligne de l'encadré p. 835.

La plupart des tour-opérateurs couvrent des itinéraires classiques, parcourant les villes et les sites principaux, parfaits pour un premier voyage. Certains voyagistes affichent une offre plus originale. Ainsi, pour les sportifs, des randonnées à pied sont proposées. D'autres circuits organisent des voyages thématiques, comme des itinéraires à la découverte des mangas ou de la cuisine japonaise.

Allibert (☎ 0 825 090 190, 0,15 €/min ; www.allibert-trekking.com). Agences à Paris et en province. Ce voyagiste spécialisé dans la randonnée propose 3 circuits au Japon, notamment au mont Fuji et au parc national d'Akan.
Ariane Tours (☎ 01 45 86 88 66 ; www.ariane-tours.com ; 5 square Dunois, 75013 Paris). Circuits classiques au Japon ou combinés Corée du Sud-Japon de 13 à 16 jours.
Asia (☎ 01 44 41 50 10 ; www.asia.fr ; 1 rue Dante, 75005 Paris). Circuits culturels et généralistes (samourais, jardins zen, Kyōto à vélo) au Japon de 11 jours.
Bourse des Voyages (☎ 0 899 650 649, 0,34 €/min ; www.bourse-des-voyages.com ; 10 rue Villédo, 75001 Paris). Quatre circuits classiques de 9 à 11 jours.
Clio (☎ 0 826 10 10 82 ; www.clio.fr ; 27 rue du Hameau, 75015 Paris). Un voyage qui comprend les sites incontournables d'une première exploration du pays du Soleil-Levant.
Explorator (☎ 01 53 45 85 85, www.explorator.fr ; 1 rue Gabriel Laumain, 75010 Paris). Deux circuits de 18 jours, l'un mêlant les aspects traditionnels et contemporains, l'autre sur le "sentier du bout du monde" vers le nord du Japon.
Hallo Japon (☎ 01 53 05 99 70 / 01 43 12 87 65 ; www.hallojapon.com ; 3 rue Scribe, 75009 Paris). Spécialiste du Japon. Vaste choix de circuits à deux, en individuel ou en groupe (thèmes : architecture, gastronomie, hiver, etc.). Dépend de la compagnie ANA (All Nippon Airways).

TRANSPORTS

Jaltour (☎ 01 44 55 15 30 ; www.jaltour.fr ; 4 rue Ventadour, 75001 Paris). Également spécialiste de la destination, Jaltour présente plusieurs circuits thématiques, dont un "Manga tour", des circuits gastronomiques, etc. Dépend de la compagnie JAL (Japon Airlines).

NostalAsie (☎ 01 43 13 29 29 ; www.nostalasie.fr ; 19 rue Damesme, 75013 Paris). Plusieurs circuits originaux en groupe ou en individuel à travers le Japon, de 5 à 15 jours.

Orients (☎ 01 40 51 10 40 ; www.orients.com ; 25 rue des Boulangers, 75005 Paris). Trois fugues dans les principales villes, leurs temples, jardins… en groupe ou en couple.

Terres d'Aventure (☎ 0 825 700 825, 0,15 €/min ; www.terdav.com). Plusieurs agences en France. Deux itinéraires de 3 semaines au Japon, avec jours de marche et visites culturelles, l'un centré sur le chemin de pèlerinage de Shikoku, l'autre sur l'île de Honshū.

Terres de charme et îles du Monde (☎ 01 55 42 74 10 ; www.terresdecharme.com ; 19 avenue Franklin-Roosevelt, 75008 Paris). Délicieux voyage pour les amateurs de quiétude et de fine cuisine, avec séjours en hôtel-onsen.

Voyageurs du Monde (☎ 0 892 23 56 56, 0,34 €/min ; www.vdm.com ; 55 rue Sainte-Anne, 75002 Paris). Agences en province. Une vingtaine de séjours et voyages itinérants, dont "Génération manga" en famille et des circuits combinés Singapour-Tōkyō et Hong Kong-Tōkyō.

Yoketai/Ananta (☎ 01 45 56 58 20 pour Yoketai, ☎ 01 45 56 58 26 pour Ananta ; www.atlv.net ; 54-56 av. Bosquet, 75007 Paris). Circuits en individuel et sur mesure ou en petits groupes. Plusieurs itinéraires axés sur le Japon traditionnel, la civilisation nippone ou la vie quotidienne.

COMMENT CIRCULER

Le Japon est réputé pour son réseau de transports étendu, organisé et efficace – horaires rigoureusement respectés et annulations rarissimes –, mais ce luxe a un prix élevé. Certaines offres spéciales (voir p. 842) permettent de faire des économies.

AVION

L'avion est un moyen pratique et sûr de voyager au Japon, souvent beaucoup plus rapide que le *shinkansen*, et pas nécessairement plus cher. C'est également la façon idéale de se rendre dans les nombreuses petites îles qui bordent les côtes du pays, notamment les îles Ryūkyū (Nansei-shotō en japonais, dont la partie nord est rattachée à la préfecture de Kagoshima et la partie sud à la préfecture d'Okinawa).

Vous trouverez dans toutes les grandes villes japonaises des agences de voyages où l'on parle anglais. Pour se faire une idée des prix pratiqués à Tōkyō, consultez les annonces

---

ENVOI DE BAGAGES

Si vos bagages vous encombrent, suivez l'exemple des Japonais et faites-les envoyer jusqu'à votre prochaine étape par un *takkyūbin* (société d'envoi en express). Les tarifs sont étonnamment raisonnables, et les bagages arrivent généralement le lendemain. Yamato Takkyūbin, présent dans la plupart des *convenience store* (magasins de proximité), est sans doute le plus commode : préparez vos bagages et apportez-les dans la boutique la plus proche, où l'on vous aidera à remplir les papiers. Vous devrez donner l'adresse de destination complète en japonais ainsi que le numéro de téléphone. Vous pouvez également demander au responsable de votre hôtel ou *ryokan* de faire le nécessaire (moyennant parfois un supplément).

---

publicitaires des différentes publications en anglais ; dans le Kansai, lisez le *Kansai Time Out*. Ailleurs au Japon, procurez-vous le *Japan Times*. Pour plus de détails sur les agences de voyages, voir p. 123 (Tōkyō), p. 401 (Ōsaka) et p. 334 (Kyōto).

Compagnies aériennes au Japon

Plus grand transporteur international, **Japan Airlines** (JAL ; ☎ 03-5460-0522, 0120-255-971 ; www.jal.co.jp/en) possède aussi un réseau intérieur qui dessert les principales villes. Vient ensuite **All Nippon Airways** (ANA ; ☎ 0570-029-709, 03-6741-1120, 0120-029-709 ; www.ana.co.jp/eng), deuxième transporteur international, avec un réseau plus étendu à l'intérieur du pays. **Japan Trans Ocean Air** (JTA ; ☎ 03-5460-0522, 0120-255-971 ; www.jal.co.jp/jta en japonais), compagnie plus petite, est spécialisée dans les vols intérieurs, en particulier vers les îles de Nansei-shotō.

On trouve aussi **Skymark Airlines** (SKY ; ☎ 050-3116-7370 ; www.skymark.co.jp/en), compagnie bon marché récemment créée, et **Shinchūō Kōkū** (☎ 0422-31-4191 ; www.central-air.co.jp, en japonais), dont les petits avions assurent la liaison entre l'aéroport de Chōfu, dans les environs de Tōkyō, et les îles de l'Izu-shotō.

La carte des tarifs des vols intérieurs (p. 839) présente quelques-unes des principales liaisons et les tarifs en aller simple. L'aller/retour coûte en moyenne 10% de moins que deux allers simples. Les compagnies aériennes pratiquent aussi d'importantes réductions :

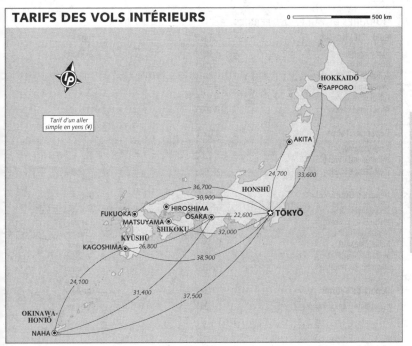

TARIFS DES VOLS INTÉRIEURS

0 ▭▭▭ 500 km

Tarif d'un aller
simple en yens (¥)

HOKKAIDŌ
SAPPORO

AKITA

24,700   33,600

36,700   HONSHŪ
30,900

FUKUOKA   HIROSHIMA
MATSUYAMA   ŌSAKA   22,600   ☆ TŌKYŌ
SHIKOKU
KYŪSHŪ   32,000
KAGOSHIMA   26,800

38,900

24,100
31,400   37,500

OKINAWA-
HONTŌ
NAHA

ANA et JAL offrent toutes les deux une remise allant jusqu'à 50% pour l'achat du billet un mois ou plus à l'avance, ou une remise moins importante de 1 à 3 semaines avant le départ. Les seniors de plus de 65 ans peuvent également demander une remise sur la plupart des compagnies aériennes, mais parfois seulement du lundi au vendredi.

ANA propose aussi aux étrangers un "Star Alliance Japan Airpass" valable sur le réseau ANA ou Star Alliance. À condition de vivre et d'acheter ses billets en dehors du Japon, et d'être titulaire d'un billet international sur n'importe quelle compagnie aérienne, ce forfait permet d'emprunter jusqu'à cinq vols en 60 jours sur toutes les liaisons intérieures ANA, pour seulement 11 550 ¥ par vol (soit une économie substantielle sur certains vols). Consulter www.ana.co.jp/wws/us/e/travelservice/ reservations/special/airpass.html pour plus d'informations.

BATEAU

Le Japon est une nation insulaire et un grand nombre de ferries assurent la liaison d'une île à l'autre, ou entre les ports d'une même île.

Ils permettent aussi de se rendre dans des régions reculées du Japon, inaccessibles autrement. On peut ainsi rejoindre Beppu (Kyūshū) depuis Ōsaka (Honshū) et admirer la mer Intérieure (Seto-nai-kai, p. 481) en chemin, à condition de partir au bon moment. De même, le ferry qui dessert les Izu-shotō (p. 241) constitue un voyage fabuleux.

Les temps de trajet sont très variables : 2 heures suffisent entre deux îles voisines, mais on passe parfois plus d'une journée à bord, sur des bateaux qui sont en fait de véritables petits paquebots. Pour les longs trajets, le tarif le plus bas correspond à une place dans des salles couvertes de tatamis (on déroule simplement son futon par terre). En classe normale, le voyage revient généralement moins cher que par voie terrestre, mais on peut aussi réserver des cabines privées, plus coûteuses. Les vélos sont acceptés à bord, et la plupart des ferries transportent les voitures et les motos.

Des renseignements sur les itinéraires des ferries, les horaires et les tarifs figurent dans le *JR Jikokuhyō* (p. 844) et sur les fascicules de la Japan National Tourist Organization (JNTO ; p. 828). Quelques trajets en ferry ainsi que le

TRANSPORTS

HORAIRES ET TARIFS DES FERRIES

Hokkaidō–Honshū	Tarif	Durée
Otaru-Maizuru	9 600 ¥	20 heures
Otaru-Niigata	6 200 ¥	18 heures
Tomakomai-Hachinohe	4 080 ¥	7 heures
Tomakomai-Nagoya (via Sendai)	10 500 ¥	38 heures 30
Tomakomai-Ōarai	8 000 ¥	19 heures
Tomakomai-Sendai	8 100 ¥	15 heures

Départ de Tōkyō	Tarif	Durée
Naha (Okinawa)	24 500 ¥	46 heures
Shinmoji (Kitakyūshū)	14 000 ¥	34 heures
Tokushima (Shikoku)	9 900 ¥	18 heures

Départ d'Ōsaka/Kōbe	Tarif	Durée
Beppu (Kyūshū)	10 000 ¥	11 heures 30
Matsuyama (Shikoku)	7 500 ¥	9 heures 15
Miyazaki (Kyūshū)	10 600 ¥	13 heures
Naha (Okinawa)	19 600 ¥	42 heures
Shibushi (Kyūshū)	11 500 ¥	14 heures 45
Shinmoji (Kitakyūshū)	6 420 ¥	12 heures

Départ de Kyūshū	Tarif	Durée
Kagoshima-Naha (Okinawa)	14 600 ¥	25 heures

tarif de base d'un aller simple sont répertoriés dans l'encadré ci-dessus.

BUS

Le Japon possède un vaste réseau de bus longue distance. Ces "bus d'autoroute" sont loin d'aller aussi vite que le *shinkansen* (train à grande vitesse), mais les tarifs sont comparables à ceux des trains *futsū* (locaux ; omnibus). Le trajet Tōkyō-Sendai (nord de Honshū), par exemple, prend environ 2 heures en *shinkansen*, 4 en *tokkyū* (express semi-direct) et presque 8 en bus. Cependant, le bus constitue parfois la seule possibilité d'accéder à certains endroits en transports en commun.

On peut réserver auprès de n'importe quelle agence de voyages au Japon, ou aux *midori-no-madoguchi* (guichets verts ; vous verrez une bande verte sur la vitre) des grandes gares du JR (Japan Rail). Le Japan Rail Pass est valable à bord de quelques bus d'autoroute, mais le *shinkansen* est souvent préférable (considérablement plus rapide et plus confortable). Attention : à bord de la plupart des bus, les porte-bagages sont trop petits pour contenir de grands sacs à dos, mais on peut les ranger dans la soute à bagages.

Bus de nuit

Les bus de nuit conviennent tout spécialement aux voyageurs à petit budget qui ne possèdent pas la Japan Rail Pass : bon marché, spacieux, ils permettent aussi d'économiser une nuit d'hôtel. Ils partent en général à 22h ou 23h, et arrivent le lendemain vers 6h ou 7h.

Tarifs

Voici quelques tarifs longue distance et durées de trajets depuis Tōkyō :

Destination	Tarif (aller simple)	Durée
Aomori	10 000 ¥	9 heures 30
Hakata	9 900 ¥	16 heures
Hiroshima	11 600 ¥	12 heures
Kōbe	8 690 ¥	9 heures 30
Kyōto	8 180 ¥	9 heures
Nagano	4 000 ¥	4 heures
Nagoya	5 100 ¥	6 heures
Nara	8 400 ¥	9 heures 30
Ōsaka	4 300 ¥	8 heures
Sendai	6 210 ¥	5 heures 30

EN STOP

Dans tous les pays du monde, le stop peut être dangereux, et nous ne saurions le conseiller. Les voyageurs qui y ont recours doivent être

TRANSPORTS

VOYAGES EN BUS À PETITS PRIX

La Japan Railways (JR) gère le plus grand réseau de bus longue distance du Japon, dont nous indiquons dans ce guide la plupart des trajets et leurs tarifs. Cependant, plusieurs compagnies de bus low-cost sont apparues, gagnant en popularité auprès des voyageurs à budget serré. **123Bus** (☎ 050-5805-0383 ; www.123bus.net) propose ainsi une ligne Tōkyō-Ōsaka (4 100 ¥), Tōkyō-Nagoya (2 900 ¥) et Tōkyō-Hiroshima (6 900 ¥). La réservation peut facilement se faire en ligne. Renseignez-vous sur le site Internet qui vous indiquera aussi les points d'arrêt.

conscients des risques. Le Japon, en particulier, est un pays dangereux pour les auto-stoppeuses seules – d'innombrables cas d'attaques, d'agressions et de viols y ont été enregistrés. Si vous décidez malgré tout de voyager en stop, partez à deux et prévenez toujours quelqu'un de votre destination.

Cela étant dit, et à condition de respecter toutes les précautions, le stop est parfois l'occasion d'heureuses rencontres : certains voyageurs ont été enchantés de la gentillesse des conducteurs qui les avaient pris dans leur voiture.

Les règles sont habituelles : s'habiller proprement et trouver le bon emplacement, comme les bretelles de voies express et les aires d'autoroute. Si un chauffeur sort de l'autoroute avant votre destination, essayez de descendre dans une des aires d'autoroute. Les cartes du guide *Service Area Parking Area* (SAPA), très utiles pour les auto-stoppeurs, sont gratuites dans les aires d'autoroutes et détaillent chaque échangeur (*interchange*, IC) et aire de stationnement – elles vous seront d'un grand secours si vous ne parlez pas bien le japonais.

TRAIN

Le réseau ferroviaire japonais compte parmi les meilleurs du monde : de l'omnibus au *shinkansen* à grande vitesse, symbole du Japon moderne, les trains sont rapides, fréquents, propres et confortables.

La compagnie "nationale", **Japan Railways** (**JR** ; www.japanrail.com/), est constituée en fait d'un certain nombre de compagnies privées indépendantes gérant un système intégré. Le réseau JR dessert tout le pays d'un bout

à l'autre, et chapeaute également les trains de banlieue autour des villes comme Tōkyō et Ōsaka. Environ 20 000 trains desservent chaque jour plus de 20 000 km de lignes. JR gère aussi le réseau des *shinkansen* dans tout le pays. Ces lignes sont complètement séparées du réseau ferroviaire normal ; parfois, la gare de *shinkansen* est même assez éloignée de la gare JR principale (comme à Ōsaka). JR exploite aussi des bus et des ferries, et l'on peut acheter des billets très pratiques qui combinent plusieurs moyens de transport.

Outre les trains JR, il existe un immense réseau de trains privés. Chaque grande ville possède au moins une ligne privée qui dessert la ville et ses environs, ou la relie aux villes de la région.

Types de trains

Les trains les plus lents, qui s'arrêtent à toutes les gares, sont appelés *futsū* ou *kaku-eki-teisha*. Viennent ensuite les *kyūkō* (express normal), qui ne s'arrêtent qu'à certaines gares. Les *kaisoku* (rapides, surtout sur les lignes JR) diffèrent très peu des *kyūkō*. Enfin, parmi les trains normaux (non-*shinkansen*), les plus rapides sont les *tokkyū* (express observant peu d'arrêts), dits également *shin-kaisoku* (à nouveau, surtout sur le réseau JR).

Types de trains

shinkansen	新幹線	train à grande vitesse
tokkyū	特急	express semi-direct
shin-kaisoku	新快速	train rapide spécial JR
kyūkō	急行	express normal
kaisoku	快速	train rapide ou express JR
futsū	普通	omnibus
kaku-eki-teisha	各駅停車	omnibus

Autres mots utiles

jiyū-seki	自由席	place sans réservation
shitei-seki	指定席	place réservée
green-sha	グリーン車	compartiment de 1re classe
ōfuku	往復	aller et retour
katamichi	片道	aller simple
kin'en-sha	禁煙車	compartiment non-fumeurs
kitsuen-sha	喫煙車	compartiment fumeurs

SHINKANSEN

Le train le plus rapide et le plus célèbre du Japon est le *shinkansen*, qui peut atteindre les 300 km/h – vitesse que certains modèles expérimentaux ont même dépassée. Il est aussi tout à fait sûr : en plus de 30 ans de service, on ne compte pas le moindre accident mortel.

TRANSPORTS

Avant même de monter à bord, on sent la différence : sur le quai, des panneaux vous indiquent où attendre, le train arrive exactement à l'heure, et la porte de votre compartiment s'ouvre juste devant vous.

La plupart des lignes de *shinkansen* proposent deux ou trois types de trains : certains sont des trains express et ne s'arrêtent qu'à quelques gares, d'autres, plus lents, marquent l'arrêt à plusieurs gares *shinkansen*. Il n'y a aucune différence de tarif, à l'exception des compartiments verts (*Green Car* ; 1ʳᵉ classe), qui coûtent un peu plus cher.

Les trains proposent quelques *kin'en-sha* (compartiments non-fumeurs) ; le préciser au moment de la réservation ou demander sur le quai le *kin'en-sha-jiyū-seki* (compartiment non-fumeurs sans réservation). Tous les trains comportent des compartiments sans réservation ; pendant les vacances, ils sont souvent bondés, et l'on doit même parfois se tenir debout pendant tout le trajet.

Les prix de certains trajets en *shinkansen* sont indiqués dans le tableau plus bas.

Classes

Tous les trains JR, ainsi que le *shinkansen*, sont composés de voitures normales et de compartiments verts (*Green Car* ; 1ʳᵉ classe), où les sièges sont un peu plus larges, mais ceux des voitures normales conviennent parfaitement.

Tarifs

Les tarifs de JR sont calculés sur la base d'un *futsū-unchin* (tarif ordinaire), auquel sont ajoutés le *tokkyū-ryōkin* (supplément appliqué uniquement aux billets express) et le *shinkansen-ryōkin* (supplément spécial *shinkansen*). Voici quelques tarifs moyens depuis Tōkyō ou Ueno (les tarifs indiqués pour le *shinkansen* correspondent au prix total du billet) :

Destination	Tarif de base	Shinkansen
Fukushima	4 620 ¥	8 500 ¥
Hakata	13 440 ¥	21 520 ¥
Hiroshima	11 340 ¥	17 850 ¥
Kyōto	7 980 ¥	13 020 ¥
Morioka	8 190 ¥	13 640 ¥
Nagoya	6 090 ¥	10 580 ¥
Niigata	5 460 ¥	10 070 ¥
Okayama	10 190 ¥	16 160 ¥
Shin-Ōsaka	8 510 ¥	13 550 ¥
Sendai	5 780 ¥	10 390 ¥
Shin-Shimonoseki	12 810 ¥	20 370 ¥

SUPPLÉMENTS

Divers suppléments s'ajoutent éventuellement au tarif de base : réservation, compartiment vert (1ʳᵉ classe), express ou *shinkansen*. Les sièges panoramiques et les trains spéciaux qui desservent des stations balnéaires coûtent aussi plus cher. On peut régler le supplément express à bord, auprès du contrôleur (hors super-express *shinkansen*).

Certains suppléments sont plus coûteux (5-10%), en particulier sur les réservations, pendant la haute saison, soit du 21 mars au 5 avril, du 28 avril au 6 mai, du 21 juillet au 31 août, et du 25 décembre au 10 janvier.

En outre, un supplément s'applique aux couchettes, et son montant varie : approximativement de 9 800 ¥ pour différentes sortes de couchettes à deux niveaux, à 20 000 ¥ pour un compartiment standard ou "royal". Les *shinkansen* ne sont pas équipés de couchettes, car ils n'effectuent aucun trajet de nuit, mais les titulaires du Japan Rail Pass doivent quand même s'acquitter du supplément couchette (pour en savoir plus sur ce pass, voir ci-dessous). Les trains-couchettes partent généralement de Tōkyō ou Ōsaka pour se rendre dans l'ouest de Honshū et à Kyūshū.

Le Nozomi super-express requiert un supplément plus élevé que pour les autres *shinkansen*, et il est exclu du Japan Rail Pass. En règle générale, le supplément Nozomi sur le Tōkyō-Kyōto est de 300 ¥ ; de 600 ¥ sur le Tōkyō-Hakata (réservation pour une place assise).

Forfaits et réductions

Si vous pensez effectuer un long voyage, le Japan Rail Pass vous sera indispensable : il permet non seulement de faire des économies substantielles, mais il vous évitera d'avoir à acheter un billet pour chaque train.

Il existe aussi divers tarifs spéciaux et billets à tarif réduit. Sur un trajet de plus de 600 km, l'achat du billet aller-retour vous donne droit à une réduction de 10% sur le prix du retour.

JAPAN RAIL PASS

Si vous pensez beaucoup voyager par le train au Japon, le Japan Rail Pass vous sera indispensable : il permet non seulement de faire des économies substantielles, mais il vous évitera d'avoir à acheter un billet pour chaque trajet. Attention : il doit impérativement être acheté à l'étranger. Ce pass est donc réservé aux touristes étrangers et aux Japonais résidant l'étranger (mais non aux résidents étrangers u Japon). Il permet de voyager à bord de out train JR pendant 7 jours pour 28 300 ¥, 4 jours pour 45 100 ¥ ou 21 jours moyennant 7 700 ¥. Les tarifs en compartiment vert 1re classe) sont respectivement de 37 800 ¥, 1 200 ¥ et 79 600 ¥. Tous les trains JR et hinkansen peuvent être utilisés, excepté le ouveau shinkansen Nozomi.

Sachant qu'un billet de shinkansen Tōkyō-Kyōto en aller simple avec réservation coûte 3 220 ¥, il suffit d'effectuer un Tōkyō-Kyōto-Tōkyō pour presque rentabiliser un pass de 7 jours. Le seul supplément à régler en plus du pass est celui des couchettes. Attention : le pass n'est valable que sur les trains JR. Pour les trains privés, il faut acheter son billet.

Pour obtenir un pass, achetez d'abord un "bon d'échange" en dehors du Japon, auprès des bureaux JAL ou ANA, ou des grandes agences de voyages. Une fois au Japon, présenter ce bon à un JR Travel Service Center (dans la plupart des grandes gares JR, et aux aéroports internationaux de Narita et du Kansai). Lorsque vous validez votre pass, vous devez montrer votre passeport. Seuls les détenteurs d'un visa temporaire peuvent utiliser ce pass.

La période de validité du pass commence au moment de sa validation ; si vous comptez passer quelques jours à Tōkyō ou Kyōto, ne le validez que lorsque vous quittez ces villes pour aller explorer le reste du Japon.

Pour plus de détails sur le forfait et les points de vente à l'étranger, consultez le site **Japan Rail Pass** (http://japanrailpass.net/fr/fr01.html).

JR EAST PASS

Idéal pour ceux qui se rendent dans l'est du Japon, ce pass est valable sur toutes les lignes JR dans cette région (y compris les shinkansen Tōhoku, Yamagata, Akita, Jōetsu et Nagano mais pas le shinkansen Tōkaidō), inclut la région autour de Tōkyō et le nord de Tōkyō jusqu'à l'extrémité de Honshū, mais exclut Hokkaidō.

Pour un forfait de 5 jours, compter 20 000/10 000/16 000 ¥ pour les adultes de plus de 26 ans/ les enfants de 6 à 11 ans/ les jeunes entre 12 et 25 ans. Les forfaits de 10 jours coûtent respectivement 32 000/16 000/25 000 ¥. Des forfaits "flexibles" sont également proposés, permettant de voyager pendant 4 jours, consécutifs ou non, sur une période d'un mois. Ils reviennent

également à 20 000/10 000/16 000/ ¥. Des forfaits plus chers existent aussi en compartiment vert (Green Car ; 1re classe).

De même que le Japan Rail Pass (voir plus haut), on ne peut acheter le JR East Pass qu'en dehors du Japon (dans les mêmes points de vente), et l'utiliser qu'avec un visa temporaire (présenter son passeport).

Pour plus d'informations sur ce pass, consultez le site **JR East Pass** (www.jreast.co.jp/e/eastpass/top.html).

JR WEST SAN-YŌ AREA PASS

Semblable au JR East Pass, ce forfait couvre un nombre illimité de trajets sur la ligne de shinkansen San-yō (y compris le Nozomi super-express) entre Ōsaka et Hakata, ainsi que les trains locaux entre les deux villes. Un forfait de 4 jours coûte 20 000 ¥ et un forfait de 8 jours 30 000 ¥ (demi-tarif pour les enfants). Ils sont vendus au Japon (dans les grandes gares, les agences de voyages et l'aéroport international du Kansai) et dans les autres pays (mêmes points de vente que le Japan Rail Pass) et ils sont aussi réservés aux titulaires de visas temporaires. Ce pass donne droit à des réductions sur la location de voitures. Pour plus de renseignements, voyez le site **San-yō Area Pass** (www.westjr.co.jp/english/global.html).

JR WEST KANSAI AREA PASS

S'adressant à ceux qui souhaitent explorer la région du Kansai, ce forfait comprend un nombre illimité de voyages sur le réseau JR entre les grandes villes du Kansai, comme Himeji, Kōbe, Ōsaka, Kyōto et Nara. Il inclut aussi les trajets en train JR depuis/vers l'aéroport international du Kansai, mais aucune ligne de shinkansen. Les forfaits 1/2/3/4 jours, qui coûtent respectivement 2 000/4 000/5 000/6 000 ¥ (demi-tarif pour les enfants), sont vendus aux mêmes points de vente que le San-yō Area Pass (au Japon et à l'étranger) et garantissent les mêmes réductions auprès des bureaux de location de voitures. Ce forfait est réservé aux titulaires d'un visa temporaire. Pour plus de renseignements, reportez-vous au site **Kansai Area Pass** (www.westjr.co.jp/english/global.html).

JR KYŪSHŪ RAIL PASS

Ce forfait est valable sur toutes les lignes JR de Kyūshū à l'exception des lignes de shinkansen. Un forfait de 5 jours (seule durée possible) coûte 16 000 ¥ (demi-tarif pour les enfants). Il est vendu au Japon, par les agences de voyages

Joyroad, dans les grandes gares de Kyūshū, et à l'étranger, dans les mêmes points de vente que le Japan Rail Pass (voir plus haut). Seuls les détenteurs d'un visa temporaire peuvent l'utiliser. Si vous achetez un bon d'échange à l'étranger, vous pouvez obtenir votre pass dans toutes les grandes gares de Kyūshū. Pour plus de renseignements, consulter le site du **JR Kyūshū** (www.jrkyushu.co.jp/english/kyushu_railpass.html).

SEISHUN JŪHACHI KIPPU

Pour ceux qui n'ont pas de Japan Rail Pass, le Seishun Jūhachi Kippu (littéralement "ticket jeune 18") est très pratique et s'adresse, malgré son nom, à tous les âges. Pour 11 500 ¥, on reçoit 5 billets valables chacun une journée pour voyager de façon illimitée sur toutes les lignes JR du pays. Seules restrictions : les trains *tokkyū* ou *shinkansen* ne sont pas compris, et chaque billet doit être utilisé dans les 24 heures. Il est très économique, même si on n'effectue, par exemple, qu'un aller-retour entre Tōkyō et Kyōto. Le Seishun Jūhachi Kippu s'achète dans la plupart des gares JR du pays.

Les billets, valables pendant l'une des trois périodes de vacances universitaires japonaises, doivent être achetés un peu avant : au printemps, achat entre le 20 février et le 31 mars, et validité du 1er mars au 10 avril ; en été, achat entre le 1er juillet et le 31 août, et validité du 20 juillet et le 10 septembre ; en hiver, achat entre le 1er décembre et le 10 janvier, et validité du 10 décembre au 20 janvier. Attention, ces périodes peuvent être soumises à des modifications ; renseignez-vous aux guichets JR.

Si vous ne souhaitez pas acheter le carnet de 5 billets, vous trouverez parfois des billets séparés dans les agences de billets à prix réduit autour des gares.

Pour plus d'informations sur le Seishun Jūhachi Kippu, consultez la page **Seishun Jūhachi Kippu** (www.jreast.co.jp/e/pass/seishun18.html) sur le site Internet du JR East.

KANSAI THRU PASS

Voir p. 333 pour plus de renseignements sur ce forfait, qui comprend un nombre illimité de voyages sur toutes les lignes JR non privées et la plupart des bus du Kansai.

SHŪYŪ-KEN ET FURII KIPPU (BILLETS DÉCOUVERTE)

Il existe un grand nombre de "billets découverte", dits *shūyū-ken* ou *furii kippu* (*furii* : "free" en japonais). Ils comprennent l'aller et retour jusqu'à votre destination, ainsi que tous les trains JR locaux dans les environs. Un *shūyū-ken* permet ainsi de se rendre de Tōkyō à Hokkaidō puis de voyager à Hokkaidō pendant un maximum de 7 jours. Avec les *shūyū-ken* Kyūshū ou Shikoku, on se rend jusque dans ces îles et l'on peut y voyager pendant 4 ou 5 jours. On peut même aller à Kyūshū en train et rentrer en ferry. Ces billets sont vendus dans les grandes gares JR du Japon. Pour plus de renseignements sur les *shūyū-ken* et les autres billets spéciaux, voir le site du JR East et consulter sur la page **Useful Tickets and Rail Passes for Visitors to East Japan** (www.jreast.co.jp/e/pass/index.html).

AGENCES DE BILLETS À PRIX RÉDUIT

Les agences de billets à prix réduit s'appellent *kakuyasu-kippu-uriba* en japonais. Elles proposent des billets de train, de bus, d'avion pour les vols intérieurs et de ferries, ainsi que d'autres produits comme des timbres ou des cartes téléphoniques à tarif réduit. On peut ainsi gagner 5 à 10% sur les billets de *shinkansen*. On trouve ces agences autour des gares, dans les villes principales ou de taille moyenne. Pour les repérer, mieux vaut demander au *kōban* (kiosque de police) à l'extérieur de la gare.

Horaires et renseignements

Le *JR Jikokuhyō* (indicateur officiel de JR ; vendu dans toutes les librairies ; en japonais) contient les horaires les plus complets. La JNTO publie également un petit guide très commode des horaires de train en anglais, où l'on trouve toutes sortes d'informations sur les trains, ainsi que les horaires des *shinkansen*, des JR *tokkyū* et des principales lignes privées. Si vous restez peu de temps au Japon, et que vous ne comptez pas vous éloigner des principaux sites touristiques, cette brochure convient tout à fait.

Les grandes gares disposent toutes de guichets d'information, où l'on peut généralement se renseigner dans un anglais sommaire.

Pour tout savoir de JR – horaires, tarifs, meilleurs trajets, objets trouvés, réductions sur les billets de train, hôtels ou location de voiture –, appeler la **JR East-Infoline** (☎ 050-2016-1603 ; www.jreast.co.jp/e/info/index.html ; ⏱ 10h-18h, fermée durant la période de fin d'année et le Nouvel An). Renseignements en anglais, coréen et chinois. Consultez le site Internet pour plus de renseignements. Le site **Hyperdia** (www.hyperdia.com) est une autre bonne source d'informations en ligne pour les horaires de trains.

Billets et réservations

Les billets s'achètent généralement auprès des distributeurs automatiques et des comptoirs/bureaux de réservations des gares ferroviaires. Pour réserver des billets plus complexes, les grandes gares disposent de *midori-no-madoguchi*. La plupart des agences de voyages vendent des places réservées ; si vous arrivez au Japon sur JAL, les agences JAL à l'étranger vous proposent aussi des billets de *shinkansen*.

Les trains *futsū* n'ont pas de place réservée. Sur les *tokkyū*, plus rapides, et les *shinkansen*, on peut acheter une place réservée, ou non – au risque de rester debout, parfois pendant tout le trajet (notamment le week-end, en haute saison et pendant les vacances). Les réservations sont ouvertes un mois avant la date du départ.

Les nombreuses agences de voyages délivrent renseignements et billets. Presque toutes les gares ferroviaires abritent, en plus des guichets normaux, au moins une agence chargée de toutes les réservations. Japan Travel Bureau (JTB) est la doyenne des agences japonaises. Toutefois, il est inutile de faire appel à une agence pour les billets de train et les réservations sur les bus longue distance ; il suffit de s'adresser au guichet ou au *midori-no-madoguchi* de n'importe quelle gare.

TRANSPORTS URBAINS

Les grandes villes offrent toutes un vaste choix de transports en commun. Un forfait journalier (*day pass*), souvent appelé *ichi-nichi-jōsha-ken*, permet d'effectuer un nombre illimité de trajets en bus, tramway ou métro. Si vous demeurez longtemps dans une ville, les cartes d'abonnement (*commuter pass*) conviennent mieux aux trajets quotidiens.

Bus

Presque toutes les villes japonaises bénéficient d'un réseau de bus étendu, mais les étrangers ont souvent du mal à s'y retrouver : le nom de la destination est le plus souvent en kanji, et les bus sont rarement numérotés.

On paie le prix du voyage au conducteur soit en entrant dans le bus, soit en descendant. Il existe deux systèmes : à Tōkyō et dans quelques autres grandes villes, un tarif fixe est appliqué, quelle que soit la distance. Seconde possibilité : on prend en montant un billet qui indique le numéro de la zone de départ. Lorsqu'on descend, un signal électrique à l'avant du bus indique le tarif appliqué pour chaque zone de départ – il ne reste qu'à régler au conducteur la somme correspondante. Il y a souvent à l'avant du bus une machine qui rend la monnaie sur les pièces de 100 et 500 ¥ et les billets de 1 000 ¥.

Nombre de villes touristiques proposent aussi des *teiki kankō basu* (autobus de tourisme), qui partent généralement de la gare principale. Si la plupart des visites se font en japonais, il existe aussi des excursions en anglais, notamment à Kyōto ou à Tōkyō. La formule vaut surtout la peine lorsque les sites sont éloignés ou difficiles à atteindre en transports en commun.

Taxi

Pratiques mais coûteux, les taxis circulent même dans de petites villes, et l'on en trouve souvent près de la gare. Le tarif (affiché sur la vitre du taxi) est plus ou moins le même partout dans le pays : de 600 à 660 ¥ pour les 2 premiers kilomètres, puis environ 100 ¥ tous les 350 m (approximativement). Lorsque la vitesse descend en dessous de 10 km/h, un tarif horaire s'applique aussi. Pendant la journée, impossible de distinguer un taxi libre d'un taxi occupé (il suffit de lui faire signe ; s'il est libre, il s'arrêtera). La nuit, les taxis libres ont une petite lumière allumée sur le toit.

Pour appeler un taxi, ne sifflez pas : un simple geste suffit. N'ouvrez pas les portières : grâce à un système centralisé, le chauffeur les ouvre et les referme lui-même.

Les chauffeurs de taxi parlent en général quelques mots d'anglais. Si vous avez du mal à faire comprendre au conducteur où vous souhaitez vous rendre, mieux vaut le lui montrer sur un papier ou une carte. Les hôtels possèdent des cartes de visite qui permettent au moins de retrouver l'adresse. Dans ce guide, les noms des sites sont indiqués en japonais.

Inutile de laisser un pourboire. Un supplément de 20% est appliqué après 23h ou si le taxi est appelé par radio ; de même, cela coûte plus cher de le réserver ou de l'appeler par téléphone. Enfin, la plupart des taxis peuvent prendre 4 personnes adultes (une personne s'asseyant devant). Les chauffeurs font parfois exception à la règle en acceptant en plus un enfant en bas âge.

Train et métro

Plusieurs villes, notamment Ōsaka et Tōkyō, possèdent un système ferroviaire composé d'une ligne circulaire autour du centre-ville et

TRANSPORTS

d'un réseau de lignes convergeant vers les gares centrales et le métro. Fukuoka, Kōbe, Kyōto, Nagoya, Ōsaka, Sapporo, Sendai, Tōkyō et Yokohama ont leur propre métro, qui s'avère généralement le moyen le plus rapide et le plus commode de circuler en ville.

Les tickets de métro et de train locaux s'achètent en général aux distributeurs. Même si vous ne lisez pas les kanji, des schémas représentant les lignes indiquent également les tarifs. Si vous ne trouvez pas votre tarif, achetez le moins cher. Lorsque vous arrivez à destination, il ne vous reste qu'à passer au comptoir ou à la "machine d'ajustement" (*seisan-ki*) avant d'atteindre la sortie, et de payer la différence. Dans les gares JR et la plupart des stations de métro, un panneau indique non seulement le nom de la gare, mais également ceux de la gare précédente et de la gare suivante.

Tramway

Un grand nombre de villes possèdent des lignes de tramway : Nagasaki, Kumamoto et Kagoshima à Kyūshū, Kōchi et Matsuyama à Shikoku, et Hakodate à Hokkaidō, entre autres. Le tramway offre tous les avantages du bus (pour la vue qu'il offre sur la ville et les passants) et du métro (facilité de circulation). Le calcul des tarifs est similaire aux bus, et il existe aussi des forfaits journaliers illimités.

VÉLO

Le Japon se prête parfaitement au vélo, et des milliers de cyclistes japonais et étrangers parcourent chaque année le pays. Les destinations les plus appréciées en deux-roues sont Kyūshū, Shikoku, les Alpes japonaises (réservées aux mollets d'acier !), Noto-hantō et Hokkaidō.

Inutile de se fatiguer à quitter les grandes villes à bicyclette ; placez votre vélo dans le train ou le bus pour vous éloigner du centre. Dans le train, on doit parfois utiliser un sac à vélo, disponible dans les magasins de cycles.

Voir p. 847 pour les informations sur les routes au Japon. Les différents *Touring Mapple* (Shobunsha) comportent des cartes pratiques destinées aux motocyclistes, mais également très utiles aux cyclistes.

Pour plus de renseignements, consultez l'excellent site Internet (en anglais) de **KANcycling** (www.kancycling.com).

Visites guidées à vélo

Pour en savoir plus sur les visites guidées de Kyōto à vélo, voir p. 391. Il semblerait qu'un service similaire voie bientôt le jour à Tōkyō ; une recherche sur Internet devrait permettre de trouver les coordonnées de l'agence.

Location

Vous trouverez des magasins de location de vélos devant les gares ferroviaires ou routières dans la plupart des zones touristiques du pays, et près des quais de ferry dans de nombreuses îles. Le prix tourne généralement autour de 200/1 000 ¥ par heure/jour. Kyōto se prête idéalement au vélo, et les magasins de location bon marché ne manquent pas.

Sachez pourtant que les vélos loués sont rarement des bolides. Surnommés *mama chari* (vélo de grand-mère) par les Japonais, ils ne comptent pas plus de trois vitesses. Inadaptés pour monter les côtes, ils sont aussi trop petits pour un individu de plus de 1,80 m.

Les auberges de jeunesse louent souvent des vélos : elles sont indiquées dans le *Japan Youth Hostel Handbook*. Des "cycling terminals" (stations de vélos) répartis dans tout le pays, proposent le même service. Pour en savoir plus, voir p. 823.

Achat

Au Japon, le prix d'un vélo d'occasion varie de quelques milliers de yens pour une vieille bicyclette à plusieurs dizaines de milliers de yens pour un bon VTT/vélo de course. Un vélo neuf coûte environ 10 000 ¥, un vélo de course ou un VTT rutilant jusqu'à 100 000 ¥.

Les prix des vélos neufs sont assez élevés au Japon. De plus, si vous êtes grand, vous aurez du mal à en trouver un à votre taille. Dans ce cas, et pour faire des économies, mieux vaut chercher un vélo d'occasion ; consultez les journaux en anglais à Tōkyō, et le *Kansai Time Out* dans le Kansai.

VOITURE ET MOTO

Conduire au Japon ne pose pas de difficulté particulière. Les panneaux sont en anglais sur les routes principales, le code de la route est respecté et la conduite y est plus sûre que dans tout autre pays d'Asie ; l'essence, bien que chère, n'est pas hors de prix. Dans certaines régions du Japon, la voiture demeure le moyen de transport le plus pratique, voire le plus économique si vous êtes en groupe.

Assurance

Si vous êtes propriétaire du véhicule, l'assurance contre les dommages aux tiers est obligatoire (*jidosha songai baishō sekinin hoken*). On la règle au moment du contrôle obligatoire (*shaken*). Une assurance-automobile multirisque est cependant conseillée (*jidosha hoken*) pour couvrir tous les frais.

Automobile-club

Si vous êtes membre d'un automobile-club dans votre pays – telle l'association française Automobile Club (www.automobile-club.org) –, vous devriez bénéficier des mêmes avantages auprès de la **Japan Automobile Federation** (JAF ; ☎ 03-6833-9000, ☎ 0570-00-2811 ; www.jaf.or.jp/e/index_e.htm ; 2-2-17 Shiba, Minato-ku, Tōkyō 105-0014). Ses bureaux sont proches de la gare d'Onarimon sur la ligne Tōei Mita. La JAF édite un choix de publications, et fournit des cartes à ses membres.

Cartes et navigation automobile

Le *Road Atlas Japan* (Shōbunsha) est entièrement en caractères latins, avec assez de noms en kanji (idéogrammes) pour faciliter la navigation, même hors des routes principales. Si vous pensez vraiment partir à l'aventure, il vous faudra une carte en japonais. Le meilleur atlas routier est la série des *Super Mapple* (Shōbunsha), vendue dans toutes les librairies et dans quelques magasins de proximité.

Les panneaux en caractères latins sont relativement répandus, et la navigation ne pose pas de problème insurmontable, surtout dans les régions développées. En cas de doute, fiez-vous à votre carte et au paysage : rivières, monuments, lignes de chemin de fer… Vous pourrez ainsi vous orienter sans pour autant dépendre des panneaux en japonais. Une boussole peut être utile.

Les voitures de location sont de plus en plus souvent équipées de systèmes de navigation par satellite qui sont de véritables copilotes. Encore faut-il pouvoir le faire fonctionner : demandez au personnel de l'agence de vous en expliquer la manipulation, et prenez des notes ! La plupart du temps, il suffit d'entrer le numéro de téléphone de votre destination (facile) ou son adresse (impossible si vous ne lisez pas le japonais) – demandez de l'aide. Même sans entrer votre destination, l'appareil s'avérera une aide précieuse grâce à son dispositif par défaut *"genzai-chi"* (localisation présente).

Code de la route

En dehors de la conduite à gauche, les règles du code de la route au Japon ne posent aucun problème particulier, et la plupart des panneaux sont conformes aux conventions internationales. La JAF (voir ci-contre) propose *Rules of the Road*, un ouvrage en anglais et cinq autres langues (pas en français malheureusement), pour 1 000 ¥.

Essence et pièces détachées

On trouve des *gasoreen sutando* (stations-service) dans presque toutes les villes et sur les voies express. Le coût de l'essence ordinaire varie de 104 à 107 ¥ le litre et de 116 à 118 ¥ pour l'essence à haut indice d'octane.

Les pièces détachées de voitures japonaises sont vendues dans tout le pays. Pour les véhicules étrangers, il faut souvent passer commande auprès d'un garage ou d'un magasin spécialisé.

Location

Les agences de location sont généralement regroupées près des gares et des quais de ferry. Pour louer un petit véhicule, il faut compter en moyenne 5 000 à 7 000 ¥ par jour, avec des réductions à partir du deuxième jour. En plus du prix de location, une assurance d'environ 1 000 ¥ par jour est exigée.

N'oubliez pas que les tarifs augmentent pendant la haute saison (28 avril-6 mai, 20 juillet-31 août et 28 décembre-5 janvier), la hausse des prix pouvant être significative.

Il peut être difficile de communiquer avec l'agent de location. Certaines agences se réfèrent à un petit guide de conversation comprenant des questions que vous souhaitez poser en anglais. Essayez de parler le plus lentement possible. Un bon moyen pour entamer la conversation est de dire *"kokusai menkyō o motteimasu"* (j'ai mon permis international).

Voici deux des principales agences de location japonaises et leurs coordonnées à Tōkyō : **Hertz** (☎ 0120-489-882) et **Toyota Rent-a-Lease** (☎ 0070-8000-10000).

LOCATION ET ACHAT DE MOTO

Des petits scooters sont souvent à louer pour visiter des sites ou des villes, mais il est plus facile de louer une voiture qu'une moto pour effectuer un long trajet.

Même si le Japon est renommé pour ses grosses cylindrées, la plupart des motos ne dépassent pas les 400 cm³. Au-delà, en effet, un permis spécifique est nécessaire, que peu de Japonais et d'étrangers possèdent.

Les 400 cm^3 sont les grosses motos les plus vendues au Japon, mais une 250 cm^3 conviendra parfaitement aux voyageurs : elles sont bien assez grosses pour un pays aussi compact que le Japon, et sont exemptées des coûteux *shaken* (contrôle technique).

Les motos plus petites (en dessous de 125 cm^3) sont interdites sur les voies express et moins adaptées aux longues distances. Quelques aventuriers auraient cependant traversé le pays d'un bout à l'autre sur de petites 50 cm^3 ! Grand avantage : elles ne nécessitent qu'un permis de conduire normal, et non un permis moto.

Le meilleur endroit pour acheter une moto est le quartier des motos de Korin-chō, à Ueno (Tōkyō). Plus de 20 magasins de motos s'y côtoient, dont certains emploient des étrangers qui parlent japonais et anglais. Pour des motos d'occasion dans le Kansai, voir *Kansai Time Out*, *Kansai Flea Market*, ou les petites annonces du Kyōto International Community House (p. 334).

Moto

Pour les ressortissants de la plupart des pays, le permis personnel et le permis de conduire international suffisent (voir ci-contre). Le port du casque est obligatoire, mais il faut aussi se prémunir contre les aléas de la météo, en particulier la pluie, qui peut être très violente.

Les magasins vendent tout le matériel nécessaire : sacoches, porte-bagages, sangles, etc. Pensez à emballer vos vêtements dans des sacs en plastique pour les garder bien au sec. Quelques outils et une trousse de réparation pour crevaisons se révèlent aussi de précieux alliés.

Si la moto n'est pas moins sûre au Japon qu'ailleurs, elle n'en reste pas moins dangereuse : les chauffeurs de taxi kamikazes, les irrégularités de la chaussée, les passagers distraits qui ouvrent leur porte sans regarder, ou encore les chiens, provoquent de trop nombreux accidents.

Parking

Dans la plupart des grandes villes, inutile de chercher une place gratuite mais, dans les campagnes, on peut se garer n'importe où. Si vous avez le courage de conduire en ville, comptez 200 ¥/heure au parcmètre, ou de 300 à 600 ¥/heure pour une place dans un garage

sur plusieurs étages. On trouve des parkings autour des grands magasins et près des gares. La plupart des hôtels offrent le parking à leurs clients, ainsi que certains restaurants et presque tous les grands magasins.

Permis de conduire

La plupart des étrangers en possession d'un permis de conduire international et de leur permis normal peuvent conduire au Japon. Le cas échéant, assurez-vous que le document mentionne les voitures et les motos.

Attention, les ressortissants suisses et français (et de tous les pays qui n'ont pas ratifié la convention de Genève de 1949 sur les permis de conduire internationaux) ne peuvent pas conduire au Japon avec un permis international ordinaire. Ils doivent présenter leur propre permis de conduire accompagné de sa traduction agréée. Au Japon, demander ces traductions à l'ambassade ou au consulat du pays concerné, ou à la Japan Automobile Federation (voir p. 847).

Les permis de conduire internationaux ou étrangers sont valides six mois au Japon. Si vous restez plus longtemps, il vous faudra obtenir un permis japonais auprès du service municipal chargé des véhicules. Il faut présenter son permis, des photos d'identité, sa carte de séjour, le montant demandé, et se soumettre à un rapide examen ophtalmologique.

Voies express

Le réseau de voies express qui s'étend de plus en plus entre les grandes villes est rapide et pratique. Malheureusement, il est aussi très cher, surtout si vous l'empruntez pour de longs trajets. Les voies express sont à péage : comptez 24,6 ¥ le kilomètre. Ainsi, le trajet de Tōkyō à Kyōto revient à 10 050 ¥ en frais de péages. Sur les voies express, la vitesse est limitée à 80 km/h, ce que chacun semble ignorer. À 100 km/h, on vous doublera aussi souvent que vous doublerez.

Il existe des aires de repos et de services à intervalles réguliers. Une carte d'autoroute prépayée, vendue aux péages et aux aires de services, vous offre de 4 à 8% de remise (selon la valeur de la carte). Les cartes bancaires sont également acceptées aux péages. Les sorties sont généralement indiquées en caractères latins, mais mieux vaut connaître leur nom, car elles ne portent pas toujours celui de la ville de destination.

Santé

Le Japon est doté d'un système de santé de qualité, mais le niveau des infrastructures médicales peut varier en fonction de l'endroit où vous vous rendez. Le coût des soins est assez raisonnable mais requiert tout de même une assurance de voyage adaptée. La nourriture et l'eau sont généralement de bonne qualité. Cependant, il existe un risque de contamination lors de la consommation de certains aliments crus ou à la cuisson insuffisante. Par ailleurs, dans certaines régions, vous pourriez être exposé, selon la période de l'année, à un faible risque de contracter des maladies véhiculées par les insectes, telles que l'encéphalite japonaise, la maladie de Lyme et l'encéphalite à tiques (voir ces paragraphes plus loin).

AVANT LE DÉPART

ASSURANCES ET SERVICES MÉDICAUX

Il est conseillé de souscrire à une police d'assurance qui vous couvrira en cas d'annulation de votre voyage, de vol, de perte de vos affaires, de maladie ou encore d'accident. Il est recommandé de choisir une option d'assurance médicale assez complète, car les dépenses de santé au Japon coûtent plutôt cher. Si vous consultez un médecin à son cabinet, il vous sera en général demandé d'avancer les frais.

Vérifiez notamment que les "sports à risques", comme la plongée, la moto ou même la randonnée ne sont pas exclus de votre contrat, ou encore que le rapatriement médical d'urgence, en ambulance ou en avion, est couvert. De même, le fait d'acquérir un véhicule dans un autre pays ne signifie pas nécessairement que vous serez protégé par votre propre assurance.

Vous pouvez contracter une assurance qui réglera directement les hôpitaux et les médecins, vous évitant ainsi d'avancer des sommes qui ne vous seront remboursées qu'à votre retour.

Avant de souscrire une police d'assurance, vérifiez bien que vous ne bénéficiez pas déjà d'une assistance par votre carte de crédit, votre mutuelle ou votre assurance-automobile.

N'oubliez pas de prendre avec vous les documents relatifs à l'assurance ainsi que les numéros de téléphone à appeler en cas d'urgence.

Quelques conseils

Assurez-vous que vous êtes en bonne santé avant de partir. Si vous partez pour un long voyage, faites contrôler l'état de vos dents.

Si vous suivez un traitement de façon régulière, n'oubliez pas votre ordonnance (avec le nom du principe actif plutôt que la marque du médicament, afin de pouvoir trouver un équivalent local, le cas échéant). Rangez vos médicaments dans leur emballage d'origine clairement étiqueté. Une lettre datée et signée de votre médecin décrivant votre état de santé et votre traitement est une bonne idée. Si vous avez un problème cardiaque, emportez une copie de votre ECG pratiqué juste avant le départ. Prévoyez d'apporter avec vous des boîtes supplémentaires en cas de perte ou de vol : vous pourriez en effet avoir du mal à obtenir les mêmes médicaments sur place. Il peut notamment s'avérer difficile de se procurer des contraceptifs oraux.

Un geste utile : emportez une trousse à pharmacie (voir l'encadré p. 855) contenant le nécessaire pour soigner les petits maux sans gravité. Elle devrait comprendre des analgésiques de base, un antiseptique et des pansements en cas de petites blessures, un produit contre les insectes, de la crème solaire, des antihistaminiques et vos éventuels traitements.

VACCINS RECOMMANDÉS

Maladie	Durée du vaccin	Précautions
Diphtérie, tétanos et poliomyélite (DTP)	10 ans	Une mise à jour est recommandée.
Fièvre jaune	10 ans	Obligatoire lorsque l'on vient d'une région infectée. À éviter en début de grossesse.
Hépatite virale A	5 ans (environ)	Recommandé. Il existe un vaccin combiné hépatite A et B qui s'administre en trois injections. La durée effective de ce vaccin ne sera pas connue avant quelques années.
Hépatite virale B	10 ans (environ)	Protection à vie dans 95% des cas.
Rougeole, oreillons et rubéole	toute la vie	Indispensable chez l'enfant. Les jeunes adultes ont souvent besoin d'un rappel.

VACCINS

Il n'y a aucune exigence particulière en matière de vaccins au Japon. Sachez toutefois que les Japonais contrôlent attentivement les voyageurs arrivant de pays où existe le risque de fièvre jaune et d'autres maladies du même type.

Faites inscrire vos vaccinations dans un carnet international de vaccination que vous pourrez vous procurer auprès de votre médecin ou d'un centre. Le ministère des Affaires étrangères effectue une veille sanitaire et met régulièrement en ligne (www.diplomatie.gouv.fr/voyageurs) des recommandations concernant les vaccinations.

Planifiez vos vaccinations à l'avance (au moins 6 semaines avant le départ), car certaines demandent des rappels ou sont incompatibles entre elles. Même si vous avez été vacciné contre plusieurs maladies dans votre enfance, votre médecin vous recommandera peut-être des rappels contre le tétanos ou la poliomyélite. Les vaccins ont des durées d'efficacité très variables ; certains sont contre-indiqués pour les femmes enceintes.

Voici les coordonnées de quelques centres de vaccination :
Institut Pasteur (☎ 0 890 71 08 11 ; 211 rue de Vaugirard, 75015 Paris)
Air France, centre de vaccination (☎ 01 43 17 22 00 ; 148 rue de l'Université, 75007 Paris)
Centre de vaccinations (☎ 04 72 76 88 66 ; 7 rue Jean-Marie-Chavant, 69007 Lyon)
Hôpital Félix-Houphouët-Boigny (☎ 04 91 96 89 11 ; 416 chemin de la Madrague-Ville, 13015 Marseille)
Vous pouvez obtenir la liste complète de ces centres en France en vous connectant sur le site Internet www.diplomatie.gouv.fr/voyageurs. Le site fournit par ailleurs une liste d'hôpitaux et de médecins francophones au Japon.

Aux vaccins recommandés dans l'encadré ci-dessus, il peut être souhaitable d'ajouter les vaccinations suivantes :

Encéphalite japonaise B – Vous ne courez aucun danger à Tōkyō, mais le risque est présent dans les zones rurales de toutes les îles, notamment à l'ouest du pays entre juillet et octobre. En ce qui concerne la vaccination, elle se fait en trois injections, réparties sur 1 mois, avec un rappel au bout de 2 ans. De rares réactions allergiques pouvant survenir, mieux vaut avoir terminé la série d'injections une dizaine de jours avant le départ.
Encéphalite à tiques – On ne trouve cette forme d'encéphalite que dans les zones boisées de Hokkaidō, où la transmission se fait entre avril et octobre. Aisé à trouver en Europe, ce vaccin est en revanche très difficile, voire impossible, à se procurer ailleurs. Demandez conseil à votre médecin.

SANTÉ SUR INTERNET

Il existe de très bons sites Internet consacrés à la santé en voyage.

Avant de partir, vous pouvez consulter les conseils en ligne du **ministère des Affaires étrangères** (www.diplomatie.gouv.fr/fr/conseils-aux-voyageurs_909/index.html) ou le site très complet du **ministère de la Santé** (www.sante.gouv.fr). Le site de l'**institut Pasteur** (www.pasteur-lille.fr/fr/sante/cmv.html) est également très utile.

Vous trouverez, d'autre part, plusieurs liens sur le site de **Lonely Planet** (www.lonelyplanet.fr), à la rubrique *Ressources*.

PENDANT LE VOYAGE

VOLS LONG-COURRIERS

Les trajets en avion, principalement du fait d'une immobilité prolongée, peuvent favoriser la formation de caillots sanguins dans les jambes (par exemple une phlébite ou une thrombose veineuse profonde – TVP). Le risque est d'autant plus élevé quand le vol est long. Généralement, l'un des premiers symptômes est un gonflement ou une douleur du pied, de la cheville ou du mollet. En prévention, buvez en abondance des boissons non alcoolisées, faites jouer les muscles de vos jambes lorsque vous êtes assis et levez-vous de temps à autre pour marcher dans la cabine.

DÉCALAGE HORAIRE ET MAL DES TRANSPORTS

Le décalage horaire est fréquent dans le cas de trajet traversant plus de trois fuseaux horaires – et le Japon a 8 heures d'avance sur Paris. Il se manifeste par des insomnies, de la fatigue, des malaises ou des nausées. En prévention, buvez abondamment (des boissons non alcoolisées) et mangez léger. En arrivant, exposez-vous à la lumière naturelle et adoptez les horaires locaux aussi vite que possible (pour les repas, le coucher et le lever).

Les antihistaminiques préviennent efficacement le mal des transports, qui se caractérise principalement par une envie de vomir, mais ils peuvent provoquer une somnolence. Lire aussi l'encadré ci-dessous.

AU JAPON

DISPONIBILITÉ ET COÛT DES SOINS MÉDICAUX

Au Japon, la qualité des soins médicaux peut varier d'un endroit à un autre, mais, en général, les soins dispensés dans les grandes villes sont nettement meilleurs que dans les zones rurales. De surcroît, il peut être difficile de trouver un médecin francophone ou parlant anglais hors des grandes zones urbaines. Mieux vaut donc vous faire accompagner par quelqu'un parlant japonais si vous devez vous rendre dans un cabinet médical ou à l'hôpital. Le Japon possède un système national d'assurance santé, mais seuls les étrangers possédant un visa de séjour long peuvent en bénéficier. Sachez que tous les centres médicaux vous demanderont de régler immédiatement l'intégralité des soins ou de fournir la preuve que votre compagnie d'assurance les paiera en totalité.

DÉCALAGE HORAIRE

Les malaises liés aux voyages en avion apparaissent généralement après la traversée de trois fuseaux horaires (chaque zone correspond à un décalage d'une heure). Plusieurs fonctions de notre organisme – dont la régulation thermique, les pulsations cardiaques, le travail de la vessie et des intestins – obéissent en effet à des cycles internes de 24 heures, qu'on appelle rythmes circadiens. Lorsque nous effectuons de longs parcours en avion, le corps met un certain temps à s'adapter à la "nouvelle" heure de notre lieu de destination – ce qui se traduit souvent par des sensations d'épuisement, de confusion, d'anxiété, accompagnées d'insomnie et de perte d'appétit. Ces symptômes disparaissent généralement au bout de quelques jours, mais on peut en atténuer les effets moyennant quelques précautions :

▪ Efforcez-vous de partir reposé. Autrement dit, organisez-vous : pas d'affolement de dernière minute, pas de courses échevelées pour récupérer passeport ou chèques de voyage. Évitez aussi les soirées prolongées avant d'entreprendre un long voyage aérien, et, si vous le pouvez, essayez de vous préparer en vous mettant progressivement au rythme du pays.

▪ À bord, évitez les repas trop copieux (ils gonflent l'estomac !) et l'alcool (qui déshydrate). Mais veillez à boire beaucoup – des boissons non gazeuses, non alcoolisées, comme de l'eau et des jus de fruits.

▪ Abstenez-vous de fumer avant et après un voyage en avion pour ne pas appauvrir les réserves d'oxygène ; ce serait un facteur de fatigue supplémentaire.

▪ Portez des vêtements amples, dans lesquels vous vous sentez à l'aise ; un masque oculaire et des bouchons d'oreille vous aideront peut-être à dormir.

Quelques conseils pratiques :

- En général, il vaut mieux s'adresser à un hôpital universitaire ou à tout autre grand hôpital qu'aux cliniques.
- Les médecins japonais sont parfois peu disposés à soigner des étrangers. Dans ce cas, montrez-leur que vous avez une assurance ou les moyens de les payer. Vous avez le droit d'exiger d'être soigné.
- La majorité des hôpitaux et cliniques ont des heures régulières de consultation (en général le matin).
- Les hôtels et les *ryokan* habitués à recevoir des hôtes étrangers sauront vous indiquer les meilleurs hôpitaux dans le secteur (ils connaîtront aussi des établissements où les médecins parlent anglais).

Les cabinets de soins dentaires sont très répandus, d'un bon niveau et pas particulièrement onéreux, mais il vaut mieux prévoir une visite de contrôle avant votre voyage.

Les offices du tourisme gérés par la JNTO (p. 828) possèdent des listes de médecins et de dentistes anglophones, ainsi que des hôpitaux où vous pourrez communiquer dans cette langue. Vous pouvez également contacter directement votre compagnie d'assurance ou votre ambassade pour obtenir ces renseignements.

Les médicaments délivrés sur ordonnance dans les pays occidentaux le sont généralement de la même façon au Japon. Emportez par conséquent dans vos bagages une quantité suffisante de vos médicaments habituels.

Il est interdit d'emporter certains médicaments au Japon, y compris parmi ceux que l'on utilise habituellement contre le rhume ou la grippe, à base de pseudoéphédrine et de codéine. De même, certaines prescriptions médicales sont interdites, dont les narcotiques, les stimulants et la codéine (à ce sujet, voir le site www.diplomatie.gouv.fr/voyageurs).

Si vous devez emporter avec vous des réserves pour plus d'un mois de tout autre médicament sur ordonnance, adressez-vous à l'ambassade japonaise de votre pays d'origine, car il vous faudra peut-être posséder une autorisation spéciale. Par ailleurs, ayez sur vous une lettre de votre médecin précisant votre état de santé et la nécessité de tout médicament prescrit.

MALADIES INFECTIEUSES
Diarrhée
Le risque de diarrhée au Japon est assez faible : seuls 10 à 20% des voyageurs peuvent souffrir de maux de ventre. Le changement de nourriture, d'eau ou de climat suffit à la provoquer ; si elle est causée par des aliments ou de l'eau contaminés, le problème est plus grave. En dépit de toutes vos précautions, vous aurez peut-être la "turista", mais quelques visites aux toilettes sans aucun autre symptôme n'ont rien d'alarmant. La déshydratation est le danger principal lié à toute diarrhée, particulièrement chez les enfants. Ainsi le premier traitement consiste à boire beaucoup. En cas de forte diarrhée, il faut prendre une solution réhydratante pour remplacer les sels minéraux. Les antibiotiques peuvent être utiles dans le traitement de diarrhées très fortes, en particulier si elles sont accompagnées de nausées, de vomissements, de crampes d'estomac ou d'une fièvre légère. Trois jours de traitement sont généralement suffisants, et on constate normalement une amélioration dans les 24 heures. Toutefois, lorsque la diarrhée persiste au-delà de 48 heures ou s'il y a présence de sang dans les selles, il est préférable de consulter un médecin.

Encéphalite à tiques
Ce type d'encéphalite ne survient que sur l'île septentrionale de Hokkaidō. Comme son nom l'indique, il s'agit d'un virus transmis par les tiques. Les premiers symptômes de la maladie ressemblent à ceux de la grippe et durent quelques jours avant de disparaître. La deuxième phase survient après une période de rémission (une semaine environ) et se manifeste par des maux de tête, de la fièvre, une raideur de la nuque, un état somnolent ou confus et d'autres troubles neurologiques comme la paralysie (encéphalite). Il n'existe aucun traitement spécifique et près de 10 à 20% des personnes ayant atteint la seconde phase de la maladie en gardent des séquelles neurologiques permanentes. Pour vous en prémunir, utilisez des produits répulsifs contre les insectes et vérifiez que vous n'avez pas rapporté de tiques après une promenade dans des zones boisées. Un vaccin est disponible en Europe, mais quasiment impossible à trouver ailleurs. Il consiste en deux injections faites entre 4 et 12 mois d'intervalle, puis d'une troisième piqûre 12 mois plus tard. Des rappels doivent être ensuite faits tous les 3 ans pour prolonger l'immunité. Prenez conseil auprès de votre médecin.

Encéphalite japonaise B

Un moustique nocturne (le *Culex*) est responsable de sa transmission, surtout dans les zones rurales près des élevages de cochons ou des rizières, car les porcs et certains oiseaux nichant dans les rizières servent de réservoirs au virus. Symptômes : fièvre soudaine, frissons et maux de tête, suivis de vomissements et de délire, aversion marquée pour la lumière vive et douleurs aux articulations et aux muscles. Les cas les plus graves provoquent des convulsions et un coma. Chez la plupart des individus qui contractent le virus, aucun symptôme n'apparaît.

Rare chez les voyageurs, l'encéphalite japonaise B fait en revanche partie du programme habituel de vaccination pour les enfants japonais scolarisés. Le risque existe dans les zones rurales de tout l'archipel, mais il est légèrement plus élevé dans la partie ouest du pays, notamment entre juillet et octobre. Dans le Nansei-shotō (îles de Kagoshima-ken et Okinawaken), cette période s'étend d'avril à décembre.

Il est recommandé aux voyageurs passant plus d'un mois dans ces zones rurales pendant la saison de transmission de se faire vacciner. Il convient également de se protéger des insectes en utilisant des produits répulsifs et en dormant sous des moustiquaires si les chambres ne sont pas elles-mêmes protégées. Bien que rare, il s'agit en effet d'une maladie grave pour laquelle n'existe aucun traitement spécifique.

Grippe A/H1N1

À l'heure où nous écrivons ces lignes, plusieurs cas de grippe A/H1N1 avaient été détectés au Japon, comme dans la plupart des autres pays. En cas de fièvre ou de symptômes grippaux pendant votre voyage au Japon, contactez un médecin. Si le virus A/H1N1 est détecté, prenez immédiatement contact avec votre ambassade. Des informations mises à jour (en anglais) sont disponibles sur le site du ministère japonais de la Santé : www.mhlw. go.jp/english. Reportez-vous également à l'encadré *Conseils aux voyageurs* p. 818.

Hépatites

L'hépatite est un terme général qui désigne une inflammation du foie. Elle est le plus souvent due à un virus. Dans les formes les plus discrètes, le patient n'a aucun symptôme. Les formes les plus habituelles se manifestent par une fièvre, une fatigue qui peut être intense, des douleurs abdominales, des nausées, des vomissements, associés à la présence d'urines très foncées et de selles décolorées presque blanches. La peau et le blanc des yeux prennent une teinte jaune (ictère). L'hépatite peut parfois se résumer à un simple épisode de fatigue sur quelques jours ou quelques semaines.

Hépatite A. C'est la plus répandue (même si les risques sont faibles au Japon) et la contamination est alimentaire. Il n'y a pas de traitement médical ; il faut simplement se reposer, boire beaucoup, manger légèrement en évitant les graisses et s'abstenir totalement de toute boisson alcoolisée pendant au moins 6 mois. L'hépatite A se transmet par l'eau, les coquillages et, d'une manière générale, tous les produits manipulés à mains nues. En faisant attention à la nourriture et à la boisson, vous préviendrez le virus. Malgré tout, si vous prévoyez de passer beaucoup de temps dans des régions rurales, il vaut mieux se faire vacciner.

Hépatite B. Elle est très répandue, puisqu'il existe environ 300 millions de porteurs chroniques dans le monde. Elle se transmet par voie sexuelle ou sanguine (piqûre, transfusion). Évitez de vous faire percer les oreilles, tatouer, raser ou de vous faire soigner par piqûres si vous avez des doutes quant à l'hygiène des lieux. Les symptômes de l'hépatite B sont les mêmes que ceux de l'hépatite A mais, dans un faible pourcentage de cas, elle peut évoluer vers des formes chroniques dont, dans des cas extrêmes, le cancer du foie. La vaccination est très efficace.

Hépatite E. Le virus de l'hépatite E se transmet par la nourriture et l'eau contaminées. Des cas d'hépatite E ont été récemment signalés au Japon, suite à une contamination par de la viande de sanglier et de biche et par du foie de porc insuffisamment cuit. La maladie se manifeste par une jaunisse, une grande fatigue et des nausées. Il n'y a pas de traitement spécifique et le malade guérit au bout de 4 à 6 semaines. L'hépatite E peut être très grave chez les femmes enceintes, qui devront s'abstenir de manger de la nourriture insuffisamment cuite. Il n'existe pas de vaccination.

Maladie de Lyme

Cette maladie est due à une bactérie appelée *Borrelia* transmise par des morsures de tiques, présents dans les régions boisées durant les mois d'été. Consultez un médecin si, dans les 30 jours qui suivent la piqûre, vous observez une petite bosse rouge entourée d'une zone enflammée. À ce stade, les antibiotiques constitueront un traitement simple et efficace. Le meilleur moyen d'éviter ce type de complications est de prendre ses précautions lorsque vous traversez des zones forestières. Utilisez un produit répulsif contenant un di-éthyl-toluamide, ou un substitut plus léger pour vos enfants. À la fin de chaque journée, vérifiez que ni vous ni vos enfants n'avez attrapé de tiques. La plupart des tiques ne sont pas porteuses de la bactérie.

VIH/sida et MST

L'infection à VIH (virus de l'immunodéficience humaine), agent causal du sida (syndrome d'immunodéficience acquise) est présente dans pratiquement tous les pays. La transmission de cette infection se fait : par rapport sexuel (hétérosexuel ou homosexuel – anal, vaginal ou oral), d'où l'impérieuse nécessité d'utiliser des préservatifs à titre préventif ; par le sang, les produits sanguins et les aiguilles contaminées. Il est impossible de détecter la présence du VIH chez un individu apparemment en parfaite santé sans procéder à un examen sanguin.

Il faut éviter tout échange d'aiguilles. S'ils ne sont pas stérilisés, tous les instruments de chirurgie, les aiguilles d'acupuncture et de tatouage, les instruments utilisés pour percer les oreilles ou le nez peuvent transmettre l'infection.

Toute demande de certificat attestant la séronégativité pour le VIH (certificat d'absence de sida) est contraire au Règlement sanitaire international (article 81).

L'utilisation du préservatif est assez peu répandue dans la société japonaise. Les personnes porteuses du VIH sont encore peu nombreuses, mais le nombre de contaminations augmente petit à petit. Au cours de l'année 2008, les rapports sexuels étaient à l'origine de 89% des nouveaux cas de contamination.

Les préservatifs peuvent protéger de certaines maladies sexuellement transmissibles, mais pas de toutes. Si vous avez eu des contacts sexuels avec un nouveau partenaire durant votre voyage, ou si vous présentez des symptômes tels que démangeaisons, douleurs ou pertes anormales, consultez un médecin pour un bilan MST complet.

AFFECTIONS LIÉES À L'ENVIRONNEMENT
Eau

Vous pouvez généralement consommer sans problème l'eau du robinet.

Hypothermie

L'excès de froid est aussi dangereux que l'excès de chaleur, surtout lorsqu'il provoque une hypothermie. Vous pouvez souffrir d'hypothermie en randonnant dans les Alpes japonaises ou en nageant simplement dans de l'eau froide. L'hypothermie a lieu lorsque le corps perd de la chaleur plus vite qu'il n'en produit et que sa température baisse. Le passage d'une sensation de grand froid à un état dangereusement froid est étonnamment rapide quand vent, vêtements humides, fatigue et faim se combinent, même si la température extérieure est supérieure à zéro. Le mieux est de s'habiller par couches : soie, laine et certaines fibres synthétiques nouvelles sont tous de bons isolants. N'oubliez pas de prendre un chapeau, car on perd beaucoup de chaleur par la tête. La couche supérieure de vêtements doit être solide et imperméable, car il est vital de rester au sec. Emportez du ravitaillement de base comprenant des sucres rapides, qui génèrent rapidement des calories, et des boissons en abondance.

Symptômes : fatigue, engourdissement, en particulier des extrémités (doigts et orteils), grelottements, élocution difficile, vertiges, crampes musculaires et explosions soudaines d'énergie. La personne atteinte d'hypothermie peut déraisonner au point de prétendre qu'elle a chaud et de se dévêtir.

Pour soigner l'hypothermie, protégez le malade du vent et de la pluie, enlevez-lui ses vêtements s'ils sont humides et habillez-le chaudement. Donnez-lui une boisson chaude (pas d'alcool) et de la nourriture très calorique, facile à digérer. Cela devrait suffire pour les premiers stades de l'hypothermie. Néanmoins, si son état est plus grave, couchez-le dans un sac de couchage chaud. Il ne faut ni le frictionner, ni le placer près d'un feu, ni lui changer ses vêtements dans le vent. Si possible, faites-lui prendre un bain chaud (pas brûlant).

Mal des montagnes

Certaines personnes peuvent se trouver sujettes au mal d'altitude lors de l'ascension du mont Fuji (voir p. 208) ou de certains des plus hauts sommets des Alpes japonaises.

Le mal des montagnes a lieu à haute altitude et peut s'avérer mortel. Il survient à des altitudes variables, parfois à 3 000 m, mais en général il frappe plutôt à partir de 3 500 m. Il est recommandé de dormir à une altitude inférieure à l'altitude maximale atteinte dans la journée. Le manque d'oxygène affecte la plupart des individus de façon plus ou moins forte.

Symptômes : manque de souffle, toux sèche irritante (qui peut aller jusqu'à produire une écume teintée de sang), fort mal de tête, perte d'appétit, nausée et parfois vomissements. Les symptômes disparaissent généralement au bout d'un jour ou deux, mais s'ils persistent ou empirent, le seul traitement consiste à redescendre, ne serait-ce que de 500 m.

Vous pouvez prendre certaines mesures à titre préventif : ne faites pas trop d'efforts au début, reposez-vous souvent. À chaque palier de 1 000 m, arrêtez-vous pendant au moins un jour ou deux afin de vous acclimater. Buvez plus que d'habitude, mangez légèrement, évitez l'alcool afin de ne pas risquer la déshydratation et tout sédatif. Même si vous prenez le temps de vous habituer à l'altitude, vous aurez probablement de petits problèmes passagers.

Piqûres d'insectes

Les morsures ou piqûres d'insectes ne sont pas très courantes au Japon. Néanmoins, protégez-vous des insectes lorsque vous partez en randonnée dans la forêt ou dans les zones rurales pendant les mois d'été. En dehors du port de vêtements de couleurs claires, l'utilisation d'insecticides ou de répulsifs à base de DEET (20 à 30%) sur les parties découvertes du corps est à recommander. Lorsque vous enlevez des tiques, assurez-vous bien d'avoir ôté la tête. Certaines personnes ayant des réactions allergiques après avoir attrapé une tique, c'est une bonne idée d'emporter un antihistaminique.

Pollution atmosphérique

Si vous avez des problèmes pulmonaires, la pollution atmosphérique dans des grandes villes comme Tōkyō peut vous préoccuper. Dans ce cas, prévenez votre médecin de votre voyage afin qu'il vous prescrive des médicaments adaptés en cas d'aggravation.

MÉDECINE TRADITIONNELLE

Les deux formes de médecine traditionnelle japonaises les plus connues sont le shiatsu et le reiki.

TROUSSE MÉDICALE DE VOYAGE

Veillez à emporter avec vous une petite trousse à pharmacie contenant quelques produits indispensables. Certains ne sont délivrés que sur ordonnance médicale. Attention, les liquides et les objets contondants sont interdits en cabine.

- des antibiotiques, à utiliser uniquement aux doses et périodes prescrites. Il n'est pas absurde de demander à votre médecin traitant de vous en prescrire pour le voyage.

- un antidiarrhéique, en cas de forte diarrhée, surtout si vous voyagez avec des enfants

- un antihistaminique en cas de rhumes, allergies, piqûres d'insectes, mal des transports – évitez de boire de l'alcool

- un antiseptique ou un désinfectant pour les coupures, les égratignures superficielles et les brûlures, ainsi que des pansements gras pour les brûlures

- de l'aspirine ou du paracétamol (douleurs, fièvre)

- une bande Velpeau et des pansements pour les petites blessures

- une paire de lunettes de secours (si vous portez des lunettes ou des lentilles de contact) et la copie de votre ordonnance

- une paire de ciseaux à bouts ronds, une pince à épiler et un thermomètre à alcool

- une petite trousse de matériel stérile comprenant une seringue, des aiguilles, du fil à suture, une lame de scalpel et des compresses

- des préservatifs

Le shiatsu est un type de massage né au Japon, et inspiré de la médecine chinoise traditionnelle. Il s'agit d'une forme de thérapie manuelle à base de manipulations douces et d'étirements, dérivés de la physiothérapie et de la chiropraxie, combinée à des techniques de pression exercée avec les doigts ou les pouces. La philosophie qui sous-tend le shiatsu se rapproche de celle de nombreuses médecines traditionnelles asiatiques et fait appel à l'énergie vitale corporelle (le *ki*) et à sa circulation à l'intérieur du corps par une série de canaux appelés méridiens. Si le *ki* est bloqué et ne peut circuler librement, le corps peut tomber malade. Cette technique vise donc à améliorer la circulation du *ki*. Au milieu des années 1900, le shiatsu a été officiellement reconnu par le gouvernement japonais comme une médecine à part entière.

Le reiki guérirait, quant à lui, en insufflant de l'énergie positive à cette même force vitale, permettant ainsi au *ki* de circuler de manière naturelle et saine. Au cours d'une séance standard, l'énergie reiki passe des mains du praticien au patient lui-même. Le praticien pose ou approche ses mains du patient dans une série de positions qu'il tient entre 3 et 10 minutes. On devient praticien après avoir reçu une "harmonisation" de la part d'un maître de reiki.

Si vous décidez de vous faire soigner selon la médecine traditionnelle, prévenez le praticien des éventuels traitements que vous suivez en médecine occidentale.

SANTÉ AU FÉMININ
Grossesse

La plupart des fausses couches ont lieu pendant les trois premiers mois de la grossesse. C'est donc la période la plus risquée pour voyager. Pendant les trois derniers mois, il vaut mieux rester à distance raisonnable de bonnes infrastructures médicales. Les femmes enceintes doivent éviter de prendre inutilement des médicaments. Mieux vaut consulter un médecin avant de prendre quoi que ce soit. Si possible, voyagez toujours accompagnée et assurez-vous avant de partir

que votre assurance couvre les problèmes qui pourraient être liés à la grossesse, y compris un accouchement prématuré. Voir p. 853 pour des informations concernant le risque de contracter l'hépatite E.

Pensez à consommer des produits locaux, comme les fruits secs, les agrumes, les lentilles et les viandes accompagnées de légumes.

Problèmes gynécologiques

Une nourriture pauvre, une résistance amoindrie par l'utilisation d'antibiotiques contre des problèmes intestinaux peuvent favoriser les infections vaginales lorsqu'on voyage dans des pays à climat chaud. Respectez une hygiène intime scrupuleuse, et portez jupes ou pantalons amples et sous-vêtements en coton.

Les champignons, caractérisés par une éruption cutanée, des démangeaisons et des pertes, peuvent se soigner facilement. En revanche, les trichomonas sont plus graves ; pertes blanches et sensation de brûlure lors de la miction en sont les symptômes. Le partenaire masculin doit également être soigné.

Au Japon, vous trouverez aisément des produits hygiéniques mais il peut être très difficile de vous faire délivrer une pilule contraceptive. Le mieux est d'en emporter une ou deux plaquettes d'avance.

Il n'est pas rare que le cycle menstruel soit perturbé lors d'un voyage.

VOYAGER AVEC DES ENFANTS

Voyager avec des enfants au Japon ne représente pas de danger. Vérifiez simplement que leurs vaccinations sont à jour avant de partir.

Langue

La langue parlée à travers tout l'archipel est le japonais. Le japonais standard ou *hyōjungo* est compris par la grande majorité des Nippons. Cependant, dans plusieurs régions, on parle un dialecte très caractérisé (*ben* en japonais ; ainsi, le fameux dialecte du Kansai : le *Kansai-ben*). Ces dialectes, particulièrement dans les régions rurales, ne sont pas si faciles à comprendre et déroutent même les Japonais venant d'ailleurs. Heureusement, on peut toujours se comprendre grâce au *hyōjungo*.

Ce chapitre présente un choix de mots et d'expressions utiles. Consultez aussi le lexique culinaire des expressions utiles p. 95 et le glossaire des termes japonais p. 864. Pour des informations sur les cours de langue dispensés au Japon, voir p. 818.

GRAMMAIRE

Pour des francophones, une phrase japonaise semble construite à l'envers et, de plus, manquer de précision. Par exemple, quand un Français dit : "Je vais au magasin", un Japonais dira "magasin au aller", omettant le pronom-sujet (je) et plaçant le verbe à la fin de la phrase. Et comme pour embrouiller encore les choses, certaines conjonctions, que l'on indique en début de phrase en français ("Si vous allez au Japon") n'apparaît qu'à la fin en japonais ("Japon à aller si").

ESSAYEZ VOTRE ANGLAIS AU JAPON

Beaucoup de Japonais ne savent pas parler et ne comprennent pas l'anglais, sans parler des autres langues étrangères, tel le français, dont l'enseignement ne commence qu'à l'université. Bien que l'anglais soit une matière obligatoire au collège et au lycée, et que les étudiants continuent à apprendre cette langue à l'université, plusieurs facteurs se conjuguent pour empêcher un grand nombre de personnes de bien parler l'anglais. Cela vient d'abord du système d'éducation, qui utilise des méthodes dépassées, à l'instar de celles reposant sur la seule traduction littérale. Autre écueil : la grande différence entre les deux langues, tant dans la prononciation que la structure grammaticale. S'ajoute enfin la réticence des Japonais à parler une langue qu'ils ne maîtrisent pas complètement.

Certains comportements, cependant, faciliteront la communication avec des personnes qui ne sont pas à l'aise avec l'anglais parlé :

- Abordez toujours quelqu'un avec le sourire pour créer une atmosphère détendue.
- Parlez très lentement et très clairement.
- Lorsque vous demandez des renseignements, choisissez des personnes qui semblent avoir l'âge d'être à l'université, ce sont elles qui seront le plus aptes à parler anglais (ou une autre langue). À noter que les femmes ont tendance à mieux parler et comprendre l'anglais que les hommes.
- Si nécessaire, écrivez votre question ; les Japonais comprennent souvent l'anglais écrit, même s'ils parlent difficilement.
- Mettez-vous au japonais ! Utilisez les phrases-clés figurant dans ce chapitre et, si vraiment la communication ne passe pas, montrez la phrase en question.

Tout n'est pas si compliqué qu'il y paraît ! En fait, reproduire les phrases du guide de conversation pour les voyageurs ne vous demandera

AVEC LES
⟩PÉES JAPONAISES

,topées font partie intégrante de
/ japonaise ; elles sont employées
quotiː.nnement par tous les Japonais,
aussi bien à l'oral qu'à l'écrit, et constituent
une forme d'expression très vivante et riche
de sens. Ainsi, par exemple, *nobi nobi* signifie
se sentir à l'aise, *doki doki* exprime le cœur
battant, *mīn mīn* évoque le chant des cigales
en été, *pin pon* un coup de sonnette…

Pour les plus curieux, un petit ouvrage en
français (*Japon ! Au pays des onomatopées*,
volumes 1 et 2, de Pierre Ferragut, éditions
Ilyfunet) regroupent plus d'une centaine
d'onomatopées, illustrées et expliquées
dans leur contexte avec précision, beaucoup
d'humour et de sensibilité. Vous pourrez
alors utiliser les onomatopées japonaises
raku raku (les doigts dans le nez) !

qu'un effort modeste, car prononcer le japonais
est plutôt simple ; le seul problème sera de
comprendre la réponse…

JAPONAIS ÉCRIT

Le japonais possède un des systèmes d'écriture
les plus compliqués au monde. En effet, il
comporte trois écritures différentes, quatre
même si l'on inclut l'utilisation de plus en plus
répandue de l'écriture latine. La plus difficile
à appréhender, aussi bien pour les étrangers
que pour les Japonais eux-mêmes, est celle
des kanji, formés à partir d'idéogrammes
développés par les Chinois. On doit non
seulement en apprendre plusieurs milliers mais
de plus, en japonais, contrairement au chinois,
les caractères n'ont pas qu'une prononciation
mais plusieurs, différentes selon le contexte.

En raison de la différence de structure
grammaticale entre les langues chinoise et
japonaise, les kanji ont dû être complétés par
un "syllabaire" (alphabet de syllabes), appelé
hiragana. Un autre syllabaire, les *katakana*,
est utilisé pour transcrire les mots empruntés
de l'étranger tels *terebi* (télévision) et *biiru*
(bière). Si vous voulez vraiment sérieusement
apprendre à écrire le japonais, vous vous
engagez à de longues années d'études.

Cependant, avant de partir au Japon, ou
durant votre séjour, sans vous lancer dans
la tâche ardue d'apprendre les kanji, vous
pouvez aisément vous initier à l'*hiragana* et au

katakana. Ces deux syllabaires, qui présentent
48 caractères chacun, peuvent s'apprendre en
une semaine, même s'il vous faudra au moins
un mois pour les parfaire. Une fois dans le pays,
vous pratiquerez votre *katakana* en déchiffrant
les menus de restaurant où vous trouverez
souvent des mots comme *kōhii* (café) et *kēiki*
(gâteau). Vous lirez l'*hiragana* lors de vos
voyages en train sur les panneaux du nom des
gares (où ils apparaissent toujours avec une
version en kanji et en anglais).

ROMANISATION

Le *romaji* employé dans ce guide suit le
système de transcription (lettres latines) dit
Hepburn. En outre, nous avons choisi de laisser
en japonais des noms communs comme *ji* ou
tera (temple) et *jinja* ou *jingū* (sanctuaire) – un
encadré p. 865 répertorie tous ces termes.

Lettres muettes

Le mode de transcription Hepburn suit
l'écriture du japonais mais ne reflète pas tous
les éléments de la langue parlée. Ainsi, dans
la langue quotidienne, on a tendance dans
de nombreux cas à omettre la voyelle "ou"
transcrite "u" dans ce système. Dans le cours
de ce chapitre, nous avons gardé ces lettres
muettes qui sont absolument nécessaires pour
une transcription précise en lettres latines,
toutefois elles sont indiquées entre crochets
pour montrer qu'on ne les prononce pas.
Dans la rubrique *Quelques expressions utiles*
(p. 95), vous trouverez ces lettres muettes entre
crochets.

PRONONCIATION

Contrairement à d'autres langues asiatiques
(comme le chinois, le vietnamien ou le thaï), le
japonais ne possède pas de tons et, de plus, sa
prononciation ne présente guère de difficultés
pour un francophone.

Les exemples suivants indiquent l'équivalent
de la prononciation en français :

a   comme dans "ami",
e   comme dans "blette"
i   comme dans "macaroni"
o   comme dans "loto"
u   comme dans "rouge"

Dans ce guide, les voyelles surmontées d'un
trait horizontal (**ā, ē, ō, ū**) sont prononcées de la
même manière que les voyelles ordinaires sauf
qu'on en redouble la longueur. Il est important
de bien faire la distinction entre une voyelle

LANGUE

courte et une voyelle longue, car la longueur d'une voyelle peut changer le sens d'un mot, ainsi *yuki* veut dire "neige" tandis que *yūki* veut dire "courage".

Il est important de distinguer entre les consonnes simples et doubles (**pp**, **tt**, etc.) en marquant une légère pause avant une consonne double. La plupart des consonnes simples sont prononcées comme en français, sauf :

f est plus doux, légèrement expiré (les lèvres s'arrondissent)

g qui est un son dur comme dans "gâteau", quelquefois légèrement nasalisé au milieu d'un mot.

j qui se prononce "dj" comme dans "Djibouti"

r est plutôt entre le "r" et le "l"

ch qui se prononce "tch" comme dans "Tchad"

w qui se prononce "oua"

ACHATS ET SERVICES

ambassade
大使館   *taishi-kan*
banque
銀行   *ginkō*
marché
市場   *ichiba*
office du tourisme
観光案内所   *kankō annaijo*
poste
郵便局   *yūbin kyoku*
téléphone public
公衆電話   *kōshū denwa*
toilettes
お手洗い／トイレ   *o-tearai/toire*

À quelle heure est-ce que cela (ouvre/ferme) ?
何時に（開きます/閉まります）か？
nanji ni (akimas[u]/shimarimas[u]) ka?
Je voudrais acheter...
... を買いたいです。   *... o kaitai des[u]*
Combien cela coûte-t-il ?
いくらですか？   *ikura des[u] ka?*
Je regarde seulement.
見ているだけです。   *miteiru dake des[u]*
C'est bon marché.
安いです。   *yasui des[u]*
C'est trop cher.
高すぎます。   *taka sugimas[u]*
Je prends celui-ci.
これをください。   *kore o kudasai*
Puis-je avoir un reçu ?
領収書をいただけませんか？
ryōshūsho o itadakemasen ka?

grand
大きい   *ōkii*
grand magasin
デパート   *depāto*
librairie
本屋   *hon ya*
magasin
店   *mise*
magasin photo
写真屋   *shashin ya*
petit
小さい   *chiisai*
supermarché
スーパー   *sūpā*

CONVERSATION ET EXPRESSIONS USUELLES

En japonais, on désigne toujours une personne en ajoutant le suffixe de politesse *san* après le nom, c'est l'équivalent de M., Mme, Mlle, au singulier comme au pluriel.

Bonjour (le matin).
おはようございます。   *ohayō gozaimas[u]*
Bonjour (l'après-midi).
こんにちは。   *konnichiwa*
Bonsoir.
こんばんは。   *kombanwa*
Au revoir.
さようなら。   *sayōnara*
À bientôt.
ではまた。   *dewa mata*

Servez-vous/Allez-y. (en offrant quelque chose)
どうぞ。   *dōzo*
S'il vous plaît. (pour demander un service)
お願いします。   *kudasai/onegai shimas[u]*

Merci. (informel)
どうも。   *dōmo*
Merci. (poli)
どうもありがとう。   *dōmo arigatō*
Merci beaucoup. (très poli)
どうもありがとうございます。
dōmo arigatō gozaimas[u]
Merci d'avoir pris soin de moi.
(quand on part de chez quelqu'un)
お世話になりました。   *osewa ni narimash[i]ta*
Je vous en prie.
どういたしまして。   *dō itashimashite*

Non merci.
いいえ，けっこうです。   *iie, kekkō des[u]*
Excusez-moi/Pardon.
すみません。   *sumimasen*

PANNEAUX SIGNALÉTIQUES

Accueil
案内所 *annaijo*

Ouvert
営業中 *eigyōchū*

Fermé
準備中 *junbichū*

Entrée
入口 *iriguchi*

Sortie
出口 *deguchi*

Toilettes
お手洗い/トイレ *otearai/toire*

Hommes
男 *otoko*

Femmes
女 *onna*

**Excusez-moi de vous déranger
(en entrant dans une pièce)**
おじゃまします。/失礼します。
ojama shimas[u]/shitsurei shimas[u]

Je suis désolé.
ごめんなさい。 *gomen nasai*

Quel est votre nom ?
お名前は何ですか?
onamae wa nan des[u] ka?

Je m'appelle...
私は...です。 *watashi wa... des[u]*

Voici M./Mme/Mlle (Smith).
こちらは(スミス)さんです。
kochira wa (sumisu) san des[u]

Je me recommande à votre bienveillance.
どうぞよろしく。 *dōzo yorosh[i]ku*

D'où venez-vous ?
どちらのかたですか?
dochira no kata des[u] ka?

Comment allez-vous ?
お元気ですか? *ogenki des[u] ka?*

Je vais bien.
元気です。 *genki des[u]*

Est-ce qu'on peut prendre une photo ?
写真を撮ってもいいですか?
shashin o totte mo ii des[u] ka?

À votre santé !
乾杯! *kampai*

Oui.
はい。 *hai*

Non.
いいえ。 *iie*

Non. (pour indiquer le désaccord)
違います。 *chigaimas[u]*

Non. (pour indiquer le désaccord ; moins fort)
ちょっと違います。
chotto chigaimas[u]

OK/d'accord/ça va
だいじょうぶ(です)。/オーケー。
daijōbu (des[u])/ōke

Demandes

Donnez-moi (ceci/cela), s'il vous plaît.
(これ/それ)をください。
(kore/sore) o kudasai

Donnez-moi (une tasse de thé), s'il vous plaît.
(お茶)をください。
(ocha) o kudasai

Attendez (un peu) s'il vous plaît.
(少々)お待ちください。
(shōshō) omachi kudasai

Montrez-moi votre (ticket), s'il vous plaît.
(切符)を見せてください。
(kippu) o misete kudasai

HÉBERGEMENT

Je cherche un (une)...
...を探しています。
... o sagashite imas[u]

  auberge
  旅館 *ryokan*

  auberge de jeunesse
  ユースホステル *yūsu hosuteru*

  auberge de style japonais
  旅館 *ryokan*

  chambre d'hôte
  民宿 *minshuku*

  hôtel
  ホテル *hoteru*

  love hotel
  ホテル *rabu hoteru*

  pension (guest house)
  ゲストハウス *gesuto hausu*

  terrain de camping
  キャンプ場 *kyampu-jō*

Avez-vous une chambre ?
空き部屋はありますか?
akibeya wa arimas[u] ka?

Je n'ai pas de réservation.
予約はしていません。
yoyaku wa shiteimasen

chambre simple
シングルルーム *shinguru rūmu*

chambre double
ダブルルーム *daburu rūmu*

chambre à lits jumeaux
ツインルーム *tsuin rūmu*

chambre de style japonais
和室 *washitsu*

chambre de style occidental
洋室　　　　　　　*yōshitsu*
bain japonais
お風呂　　　　　　*ofuro*
chambre avec bain (de style occidental)
バス付きの部屋　*basu tsuki no heya*
Combien est-ce (par nuit/par personne) ?
（一泊/一人）いくらですか?
(ippaku/hitori) ikura des[u] ka?
Le petit déjeuner/le repas est-il compris ?
（朝食/食事）は付いていますか?
chōshoku/shokuji wa tsuite imas[u] ka?
Je resterai une nuit/deux nuits.
（一晩/二晩）泊まります。
hitoban/futaban tomarimas[u]
Puis-je laisser mes bagages ici ?
荷物を預かっていただけませんか?
nimotsu o azukatte itadakemasen ka?

HEURE ET JOURS
Quelle heure est-il ?
今何時ですか?　　*ima nanji des[u] ka?*

Aujourd'hui
今日　　　　　　　*kyō*
Demain
明日　　　　　　　*ash[i]ta*
Hier
きのう　　　　　　*kinō*
matin/après-midi
朝/昼　　　　　　　*asa/hiru*
Lundi
月曜日　　　　　　*getsuyōbi*
Mardi
火曜日　　　　　　*kayōbi*
Mercredi
水曜日　　　　　　*suiyōbi*
Jeudi
木曜日　　　　　　*mokuyōbi*
Vendredi
金曜日　　　　　　*kinyōbi*
Samedi
土曜日　　　　　　*doyōbi*
Dimanche
日曜日　　　　　　*nichiyōbi*

MOTS D'INTERROGATION
Quoi ?
なに?　　　　　　*nani*
Quand ?
いつ?　　　　　　*itsu*
Où ?
どこ?　　　　　　*doko*
Qui ?
だれ?　　　　　　*dare*

NOMBRES
0	ゼロ/零	zero/rei
1	一	ichi
2	二	ni
3	三	san
4	四	yon/shi
5	五	go
6	六	roku
7	七	nana/shichi
8	八	hachi
9	九	kyū/ku
10	十	jū
11	十一	jūichi
12	十二	jūni
13	十三	jūsan
14	十四	jūyon
20	二十	nijū
21	二十一	nijūichi
30	三十	sanjū
40	四十	yonjū
100	百	hyaku
200	二百	nihyaku
300	三百	sanbyaku
600	六百	roppyaku
1 000	千	sen
5 000	五千	gosen
10 000	一万	ichiman
20 000	二万	niman
100 000	十万	jūman
1 million	百万	hyakuman

ORIENTATION
Où est le… ?
…はどこですか?
… wa doko des[u] ka?
Combien de temps ça prend à pied ?
歩いてどのくらいかかりますか?
aruite dono kurai kakarimas[u] ka?
Comment je me rends à… ?
…へはどのように行けばいいですか?
… e wa dono yō ni ikeba ii des[u] ka?
Où se trouve cette adresse ?
この住所はどこですか?
kono jūsho wa doko des[u] ka?
Pourriez-vous m'écrire l'adresse s'il vous plaît ?
住所を書いていただけませんか?
jūsho o kaite itadakemasen ka?
Allez tout droit.
まっすぐ行って。
massugu itte
Tournez (gauche/droite).
（左/右）へ曲がって。
(hidari/migi) e magatte
près/loin
近い/遠い　　*chikai/tōi*

URGENCES

À l'aide !
助けて!
tas[u]kete

Appelez un docteur !
医者を呼んでください!
isha o yonde kudasai

Appelez la police !
警察を呼んでください!
keisatsu o yonde kudasai

Je suis perdu.
道に迷いました。
michi ni mayoi mash[i]ta

Allez-vous en !
離れろ!
hanarero

QUESTIONS LINGUISTIQUES

Parlez-vous anglais ?
英語が話せますか?
eigo ga hanasemas[u] ka?

Est-ce que quelqu'un parle français ?
どなたかフランス語を話せますか?
donata ka furansu-go o hanasemas[u] ka?

Est-ce que vous comprenez (l'anglais/le japonais) ?
(英語/日本語)はわかりますか?
(eigo/nihongo) wa wakarimas[u] ka?

Je ne comprends pas.
わかりません。
wakarimasen

Je ne peux pas parler japonais.
日本語はできません。
nihongo wa dekimasen

Comment dit-on ... en japonais ?
日本語で...は何といいますか?
nihongo de... wa nan to iimas[u] ka?

Qu'est-ce que... veut dire ?
...はどんな意味ですか?
... wa donna imi des[u] ka

Comment est-ce qu'on appelle ceci ?
これは何といいますか?
kore wa nan to iimas[u] ka?

Écrivez-le en (japonais/anglais), s'il vous plaît.
(日本語/英語)で書いてください。
(nihongo/eigo) de kaite kudasai

Parlez plus lentement, s'il vous plaît.
もうちょっとゆっくり言ってください。
mō chotto yukkuri itte kudasai

Répétez-le plus lentement, s'il vous plaît.
もう一度、ゆっくり言ってください。
mō ichidō, yukkuri itte kudasai

SANTÉ

J'ai besoin d'un docteur.
医者が必要です。
isha ga hitsuyō des[u]

Comment vous sentez-vous ?
気分はいかがですか?
kibun wa ikaga des[u] ka?

Je suis malade.
気分が悪いです。 *kibun ga warui des[u]*

J'ai mal ici.
ここが痛いです。 *koko ga itai des[u]*

J'ai la diarrhée.
下痢をしています。 *geri o shite imas[u]*

J'ai mal aux dents.
歯が痛みます。 *ha ga itamimas[u]*

Je suis...
私は... *watashi wa...*

diabétique
糖尿病です。 *tōnyōbyō des[u]*

épileptique
てんかんです。 *tenkan des[u]*

asthmatique
喘息です。 *zensoku des[u]*

Je suis allergique aux antibiotiques.
抗生物質にアレルギーがあります。
kōsei-busshitsu ni arerugii ga arimas[u]

Je suis allergique à la pénicilline.
ペニシリン)にアレルギーがあります。
penishirin ni arerugii ga arimas[u]

antiseptique
消毒薬 *shōdokuyaku*

aspirine
アスピリン *asupirin*

dentiste
歯医者 *ha-isha*

diarrhée
下痢 *geri*

docteur
医者 *isha*

fièvre
発熱 *hatsunetsu*

hôpital
病院 *byōin*

médicament
薬 *kusuri*

migraine
偏頭痛 *henzutsū*

pharmacie
薬局 *yakkyoku*

pilule contraceptive
避妊用ピル *hinin yō piru*

préservatifs

コンドーム *kondōmu*

(un) rhume

風邪 *kaze*

tampons

タンポン *tampon*

TRANSPORTS

À quelle heure part le prochain… ?

次の... は何時に出ますか?

tsugi no… wa nanji ni demas[u] ka?

À quelle heure arrive le prochain… ?

次の... は何時に着きますか?

tsugi no… wa nanji ni tsukimas[u] ka?

bateau

ボート/船 *bōto/fune*

bus (de ville)

市バス *shibas[u]*

bus (interurbain)

長距離バス *chōkyoribas[u]*

train

電車 *densha*

tramway

路面電車 *romen densha*

arrêt de bus

バス停 *basutei*

gare

駅 *eki*

métro

地下鉄 *chikatetsu*

billet

切符 *kippu*

billetterie

切符売り場 *kippu uriba*

horaire

時刻表 *jikokuhyō*

taxi

タクシー *takushii*

consigne

荷物預かり所 *nimotsu azukarijo*

aller

片道 *katamichi*

aller/retour

往復 *ōfuku*

place non-fumeur

禁煙席 *kinen seki*

Combien est-ce que cela coûte jusqu'à… ?

...までいくらですか?

… made ikura des[u] ka?

Est-ce que ce (train, bus, etc.) va à… ?

これは...へ行きますか?

kore wa… e ikimas[u] ka?

S'il vous plaît, prévenez-moi quand on arrivera à…

...に着いたら教えてください。

… ni tsuitara oshiete kudasai

J'aimerais emprunter…

...を借りたいのですが。

… o karitai no des[u] ga

Je voudrais aller à…

...に行きたいです。

… ni ikitai desu

S'il vous plaît, arrêtez-vous ici.

ここで停めてください。

koko de tomete kudasai

LANGUE

GUIDE DE CONVERSATION

Le guide de conversation français/japonais publié par Lonely Planet (264 p., 7,90 €) permet d'acquérir les bases grammaticales et les rudiments de prononciation pour se faire comprendre. On y trouve les mots indispensables pour communiquer en toutes circonstances : à l'hôtel, au restaurant, dans les transports publics, au garage, etc. Facile à utiliser, il comprend également un mini-dictionnaire bilingue.

Glossaire

Pour une liste de termes culinaires, voir la p. 95. Pour des phrases utiles quand vous visitez un *onsen*, voir aussi p. 106.

Aïnou – peuple aborigène de Hokkaidō et de certaines régions du nord de Honshū
aka-chōchin – lanterne rouge ; un pub reconnaissable aux lanternes rouges accrochées à l'extérieur
Amaterasu – déesse du Soleil, ancêtre légendaire de la lignée impériale japonaise
ama-zake – saké doux, servi durant les fêtes d'hiver
ANA – All Nippon Airlines
ANK – All Nippon Koku
annai-sho/annai-jo – bureau d'informations
arubaito – du mot allemand *arbeit* (travail) ; adapté en japonais, il désigne un travail à temps partiel (souvent abrégé en *baito)*
asa-ichi – marché du matin
ashiyu – bain de pied
Aum Shinrikyō – secte responsable de l'attaque au gaz sarin dans le métro de Tōkyō en 1995

bama– plage, voir aussi *hama*
bangasa – parapluie en papier huilé
bashō – tournoi de sumo
bentō – boîte-déjeuner, souvent composée d'un plat à base de riz, accompagné de légumes marinés/salade
bonsai – art de cultiver les arbres miniatures (bonsaïs), par ligature et taille minutieuse des branches et des racines
bugaku – spectacle de danse accompagné jadis par les orchestres de cour
buke yashiki – résidence d'un *samouraï*
bunraku – théâtre de marionnettes classique, mettant en scène des marionnettes géantes, dans des pièces proches du kabuki
Burakumin – intouchables japonais, associés à des métiers souvent méprisés, notamment celui de tanneur (litt. : gens des villages)
bushidō – système de valeurs qui régit la vie des samouraïs (litt. : la voie du guerrier)
butsudan – autel bouddhique des maisons japonaises

chaniwa – jardin de thé
cha-no-yu – cérémonie du thé
chikan – homme qui pratique des attouchements sur des femmes ou des jeunes filles dans les trains bondés
chizu – carte
chō – quartier (dans une grande ville), entre le *ku* et le *chōme* ; rue

chōchin – lanterne en papier
chōme – ensemble de quelques pâtés de maisons

daibutsu – grand bouddha
daifuku – gâteau de fête à base de riz gluant, fourré d'une pâte de haricots rouges (litt. : grande joie)
daimyo (daïmio) – seigneur des provinces sous le shogunat (époque féodale)
daira/taira – nature
dake – pic ; voir aussi *take*
dani – vallée ; voir aussi *tani*
danjiri – char de festival
dera – temple ; voir aussi *tera*
dō – temple/salle d'un temple
danchi – appartements d'État
danjiri – char de festival
dantai – groupe de personnes
dengaku – poisson et légumes en brochette (rôtis)
dera – temple ; voir aussi *tera*
deva – *niō* (rois deva), représentations de gardiens postées à l'entrée principale de temples bouddhiques
donko – train local des régions rurales

eki – gare ferroviaire
ema – petite plaque votive accrochée dans un sanctuaire pour solliciter l'aide des divinités du lieu
engawa – véranda d'une maison japonaise traditionnelle surplombant le jardin
enka – style musical, souvent considéré comme l'équivalent nippon de la musique country occidentale, caractérisé par des ballades populaires sur les thèmes de l'amour et de la souffrance humaine ; très apprécié des personnes âgées
ero-guro – manga érotico-grotesque

fu – préfecture urbaine
fugu – poisson-globe, qui peut être toxique
fundoshi – pagne ; vêtement traditionnel des hommes, constitué d'une large ceinture et d'un tissu couvrant les parties génitales, porté dans les fêtes et les tournois de sumo
furigana – système nippon de transcription phonétique des kanji
furii kippu – pass valable une journée dans les transports (*furii* signifie "libre" et *kippu* "ticket")
fusuma – panneau coulissant
futon – matelas traditionnel semblable à une couette, roulé puis rangé pour la journée
futsü – train local (litt. : ordinaire)

gagaku – musique de la cour impériale
gaijin – étranger (litt. : personne de l'extérieur)

LEXIQUE DE TERMES UTILES

Voici une liste de termes japonais, employés comme suffixes pour spécifier un nom, et que l'on rencontre très couramment.

Géographie

-dake/-take	岳	pic
-dani/-tani	谷	vallée
-gawa/-kawa	川	rivière
-hama	浜	plage
-hantō	半島	péninsule
-jima/-shima	島	île
-kaikyō	海峡	chenal/détroit
-ko	湖	lac
-kō	港	port
-kōen	公園	parc
-kōgen	高原	plateau
kokutei kōen	国定公園	parc (quasi) national
kokuritsu kōen	国立公園	parc national
-kyō	峡	gorge
-minato	港	port
-misaki	岬	cap
-oka	丘	colline
onsen	温泉	source chaude
-san/-zan	山	montagne
-shima/-jima	島	île
-shotō	諸島	archipel
-take/-dake	岳	pic
-taki	滝	cascade
-tani/-dani	谷	vallée
-tō	島	île
-wan	湾	baie
-yama	山	montagne
-yu	湯	source chaude
-zaki/-misaki	岬	cap

Régions

-shi	市	ville
-chō	町	quartier
-mura	村	village
-ken	県	préfecture
-gun	郡	district
-ku	区	arrondissement

Sites

-dera/-tera	寺	temple
-dō	堂	temple/salle principale d'un temple
-en	園	jardin
-in	院	temple/salle principale d'un temple
-gū	宮	sanctuaire
-ji	寺	temple
-jō	城	château
-kōen	公園	parc
-mon	門	porte
-hori/-bori	堀	douve
-jingū	神宮	sanctuaire
-jinja	神社	sanctuaire
shokubutsu-en	植物園	jardin botanique
-taisha	大社	sanctuaire
-teien	庭園	jardin
-tera/-dera	寺	temple
-torii	鳥居	portique d'un sanctuaire

gaijin house – hébergement bon marché pour les résidents étrangers demeurant longtemps sur le territoire
gaman – supporter
gasoreen sutando – station-service
gasshō-zukuri – style architectural (litt. : mains en prière) se référant aux maisons traditionnelles au toit de chaume très pentu.
gawa – rivière ; voir aussi *kawa*
geisha – femme cultivée dans le domaine des arts qui distrait les invités ; une geisha n'est pas une prostituée
gekijō – théâtre
genkan – partie du vestibule où l'on retire ou enfile ses chaussures
geta – socques, sandales en bois traditionnelles
giri – obligations sociales

goya – melon amer
gū – sanctuaire
gun – district (*county*)

habu – serpent venimeux d'Okinawa
haïku – poème en 17 syllabes
hama – plage ; voir aussi *bama*
hanami – admirer la floraison (souvent des cerisiers), au printemps
haniwa – figurines en terre retrouvées dans les sépultures de la période Kofun
hantō – péninsule
hara – marécage
hara-kiri – suicide rituel, ou *seppuku*
hara-kyū – acupuncture

hari – course de bateaux-dragons
hatsu-mōde – la visite du premier sanctuaire de l'année
heiwa – paix
henrō – pèlerin du pèlerinage des 88 temples sacrés
de Shikoku
higasa – ombrelle
higawari ranchi – menu du jour (déjeuner)
Hikari – *shinkansen* express
hiragana – syllabaire employé pour transcrire
les mots japonais
hondō – route principale ; pavillon principal dans
un ensemble de temples
honsen – voie ferrée principale

ichi-nichi-jōsha-ken – "pass" valable une journée,
pour des trajets illimités en bus, en tramway ou en métro
ikebana – art traditionnel de l'arrangement floral
irezumi – tatouage ou art du tatouage
irori – foyer ou cheminée
itadakimasu – expression utilisée avant les repas
(litt. : je reçois avec respect)
izakaya – bar-restaurant à la japonaise ; bière, saké
et grande variété d'en-cas et de plats dans un décor
rustique et une ambiance animée

JAC – Japan Air Commuter
JAF – Japan Automobile Federation
JAL – Japan Airlines
JAS – Japan Air System
ji – temple
jigoku – eau chaude naturelle en ébullition, peu adaptée
à la baignade (litt. : enfers)
jikokuhyō – horaires ou brochure contenant des
horaires
jima – île ; voir aussi *shima*
jingū – sanctuaire ; voir aussi *jinja*
jinja – sanctuaire ; voir aussi *jingū*
jitensha – vélo
jizō – petite statue en terre de la divinité bouddhiste
protectrice des voyageurs et des enfants
JNTO – Japan National Tourist Organization
jō – château
JR – Japan Railways (chemins de fer japonais)
JTB – Japan Travel Bureau
jujitsu – art martial, ancêtre du judo
juku – établissement dispensant des cours intensifs
après l'école
JYHA – Japan Youth Hostel Association

kabuki – forme théâtrale japonaise, caractérisée
par l'exploitation de légendes populaires, des costumes
élaborés et un jeu stylisé ; joué exclusivement par
des hommes
kaikan – salle publique ou bâtiment
kaikyō – détroit/bras de mer

kaisoku – train rapide
kaiseki – haute cuisine japonaise, régie par un
ensemble de règles strictes, appliquées à tous les aspects
du repas, et notamment aux couverts
kaisoku – train rapide
kaisū-ken – carnet de tickets de transport
kaiten-zushi – sushis servis dans un restaurant doté
d'un tapis roulant ; restaurant de ce type
kami – divinités shintoïstes, esprits élémentaires
de la nature
kamikaze – typhon qui anéantit la flotte de Kubilaï
Khan lors d'une invasion au XIIIe siècle ; terme repris par
les pilotes responsables des attaques aériennes suicides
pendant la Seconde Guerre mondiale (litt. : vent divin)
kampai – Santé !
kana – les deux syllabaires, *hiragana* et *katakana*
kani-ryōri – crabe à la vapeur
kanji – caractère chinois employés en japonais
(litt. : écriture japonaise)
Kannon – bodhisattva de la Compassion
(Avaloliteshwara en sanskrit), appelé souvent déesse
bouddhiste de la Miséricorde
Kanto – le Grand Tōkyō
karakasa – parapluie en papier huilé
karakuri ningyō – marionnettes mécaniques
karaoké – bar dans lequel les clients chantent sur
une musique préenregistrée (litt. : orchestre vide)
kasa – parapluie
kashiwa-mochi – riz gluant fourré d'une farce sucrée,
enveloppé dans une feuille de chêne
katakana – syllabaire servant à transcrire
les mots étrangers
katamichi – billet aller simple
katana – sabre japonais
KDD – Kokusai Denshin Denwa (téléphone et
télégrammes internationaux)
keiretsu – cartel financier
ken – préfecture
kendo – le plus ancien des arts martiaux (litt. : la voie
du sabre)
ki – force vitale, volonté
kimono – tunique traditionnelle aux couleurs vives
kin'en-sha – voiture non-fumeurs
kissaten – café (établissement)
kōban – poste de police de proximité, guérite de police
kōgen – plaine
ko – lac
kō – port
kōban – guérite de police
kōen – parc
kōgen – plateau montagneux
koi – carpe, symbole de bravoure, de ténacité
et de vigueur ; nombre de villes possèdent des bassins
ou des canaux, royaumes des *nishiki-goi* colorées
(carpes d'ornement)

koinobori – bannières en forme de carpe et fanions ; poissons en papier colorés accrochés au vent en l'honneur des enfants mâles dans l'espoir qu'ils héritent des vertus de la carpe. Ils flottent dans de nombreuses maisons fin avril-début mai pour le "jour des garçons", le dernier jour de la Golden Week (semaine en or). Le "jour des garçons" a été transformé en "jour des enfants" et les fanions ne flottent plus uniquement en l'honneur des fils d'une famille.

kokumin-shukusha – logement du peuple ; hébergement bon marché

kokuritsu kōen – parc national

kokutetsu – Japan Railways (JR) en japonais

kotatsu – table chauffée, dotée d'une nappe pour maintenir les jambes et la partie inférieure du corps au chaud

koto – instrument à 13 cordes ; se joue à plat, à même le sol

ku – quartier

kuidaore – manger jusqu'à tomber (Kansai)

kūkō – aéroport

kura – grenier aux murs en terre

kyō – gorge

kyakuma – dans une maison, salon pour recevoir les invités

kyōiku mama – femme qui pousse ses enfants dans leurs études (litt. : mère éducation)

kyūkō – train express ordinaire (plus rapide qu'un *futsū*, ne dessert que certaines stations)

LAN – Local Area Network (réseau informatique local) ; Réseau câblé (par opposition au Wi-Fi)

live house – boîte de nuit ou bar accueillant des concerts

machi – secteur d'une grande ville, entre le *ku* et le *chōme* ; rue

machiya – maison de ville traditionnelle

maiko – apprentie geisha

mama-san – patronne de bar ou de boîte de nuit

maneki-neko – petite figurine représentant un chat levant la patte, souvent disposée dans les bars et les restaurants pour attirer les clients et faire fructifier le commerce

manga – bande dessinée japonaise

matsuri – fête

meishi – carte de visite

miai-kekkon – mariage arrangé

mikoshi – sanctuaire, ou autel, portatif porté en procession durant certaines fêtes

minato – port

minshuku – chambre d'hôte ; hébergement bon marché dans une famille

misaki – cap

miso-shiru – soupe à la pâte de haricot

mitsubachi – hébergement pour les touristes à moto

mizu-shōbai – divertissement, bars, prostitution, etc.

mochi – gâteau de riz mangé pour les fêtes

mōfu – couverture

momijii – saison du feuillage d'automne

mon – portail, porte

morning service – *mōningu sābisu* ; petit déjeuner frugal servi dans de nombreux *kissaten* jusqu'à 10h environ

mura – village

nagashi-somen – nouilles flottantes

nengajō – cartes du Nouvel An

N'EX – Narita Express

NHK – Nihon Hōsō Kyōkai (société japonaise de radiodiffusion)

Nihon – nom du Japon en japonais (litt. : origine du Soleil)

nihonga – peinture japonaise

ningyō – poupée japonaise

ninja – personne qui pratique le *ninjutsu* ; sorte de guerrier-espion de l'époque féodale au Japon

ninjutsu – l'"art de la dérobée", un art martial hérité des ninjas

Nippon – voir *Nihon*

nō – théâtre classique japonais, joué sur une scène vide

noren – pièce de tissu ou rideau, qui porte le nom d'un commerce ; indique qu'un restaurant est ouvert

norikae-ken – billet de correspondance (tramway et bus)

NTT – Nippon Telegraph & Telephone Corporation

o- – préfixe, marque de respect ; *voir san*

o-bāsan – femme âgée, grand-mère

obi – ceinture portée sur un kimono

o-cha – thé

ōfuku – billet aller-retour

o-furo – bain traditionnel

okashi-ya – magasin de sucreries

okiya – "maison" des geishas

OL – *office lady* ; employée d'une grande entreprise, souvent de bureau (prononcer "ō-eru")

o-miai – mariage arrangé

o-miyage – souvenir (objet)

on – faveur

onnagata – comédien jouant un rôle de femme (souvent dans le kabuki)

onsen – établissement de source chaude minérale, souvent doté d'un hébergement

origami – art du papier plié

oshibori – serviette chaude distribuée dans les restaurants

otaku – fou d'informatique ("geek") qui se coupe peu à peu du réel

oyaki – petit pain de farine de blé fourré de légumes marinés, de radis et d'une pâte de haricot rouge

pachinko – flippers verticaux, grande passion des Japonais (ils rapporteraient plus de 6 000 milliards de yens chaque année) et objets d'importantes fraudes fiscales, liées au milieu des *yakuza*

raidā hausu – hébergement (éventuellement en maison) collectif basique, visant principalement les touristes à moto
rakugo – conteur japonais, comique de one-man-show
reien – cimetière
reimen – nouilles *soba* accompagnées de *kimchi* (légumes marinés pimentés)
reisen – source minérale
rettō – groupe d'îles
Rinzai – école du bouddhisme zen qui met l'accent sur les *kōan* (anecdotes ou petits dialogues)
riotai – restaurant coté et onéreux servant du *kaiseki*
rō – cire à base de légumes
robatayaki – *yakitori-ya* au décor rustique et à l'ambiance conviviale et familiale ; voir également *izakaya*
romaji – transcription en lettres romaines
rōnin – étudiant qui a raté l'examen d'entrée à l'université et s'y prépare à nouveau ; litt. : samouraï sans maître ou errant.
ropeway – en japonais, téléphérique, tramway ou funiculaire
ropeway – en japonais, téléphérique ou tramway
rotemburo – bain en plein air
ryokan – auberge japonaise traditionnelle
ryōri – cuisine

sadō – cérémonie du thé (litt. : voie du thé)
saisen-bako – boîte à offrandes des sanctuaires shintoïstes
sakazuki – verre à saké
saki – cap
sakoku – période de fermeture du pays qui a précédé la Restauration de Meiji
sakura – floraison des cerisiers
salaryman – employé de bureau d'une grande société
sama – suffixe qui marque un degré de respect supérieur à *san* ; employé notamment dans *o-kyaku-sama* (invité d'honneur)
samouraï – classe des guerriers à l'époque féodale
san – montagne
san – suffixe marquant le respect ; voir également *o-* ; les deux suffixes peuvent parfois être conjugués, notamment dans *o-kyaku-san* (*kyaku* désigne un invité ou un client)
san-sō – maison de montagne
satori – concept zen d'illumination
seku-hara – harcèlement sexuel
sembei – biscuits de riz parfumés, souvent en vente dans les zones touristiques

sempai – l'aîné ou le senior, à l'école ou au travail
sentō – bains publics
seppuku – suicide rituel, hara-kiri
setto – menu
seza – position à genou
shamisen – instrument traditionnel à 3 cordes, semblable au banjo
shi – ville (pour distinguer une ville et la préfecture du même nom ; exemple : Kyōto-shi)
shikki – objet laqué
shima – île ; voir aussi *jima*
shinkaisoku – train express spécial (en général sur le réseau JR)
shibori – technique artisanale de peinture par nœuds
shiken-jigoku – examens d'accès aux différents degrés du système éducatif nippon, d'une importance primordiale et grandes sources de stress (litt. : enfer des examens)
shinkansen – train à grande vitesse, équivalent du T.G.V.
shikki – laque
Shintō – religion née et développée au Japon ; litt. : la voie des dieux
shirabyōshi – danseur traditionnel
shitamachi – quartiers à basse altitude, les moins riches de Tōkyō
shōchū – alcool fort, souvent à base de pomme de terre, parfois de blé ou de riz
shodō – calligraphie japonaise (litt. : la voie de l'écriture)
shogekijō – petit théâtre
shōgi – jeu d'échecs dans lequel chacun des joueurs, munis de 20 pièces, essaie de capturer le roi de son adversaire
shogun – ancien chef militaire du Japon
shogunat – gouvernement militaire
shōji – panneau de papier de riz coulissant
shōjin-ryōri – repas végétarien (servi notamment dans un *shukubō*)
shotō – archipel ou groupe d'îles
shokudō – petit restaurant bon marché, souvent situé près des gares
Shugendō – école bouddhiste incorporant anciens rites chamaniques, croyances shintoïstes et traditions ascétiques japonaises
shūji – forme mineure du *shodō* (litt. : la voie des lettres)
shukubō – hébergement dans un temple
shunga – gravure érotique ; litt. : les images du printemps (dans les cultures chinoise et japonaise, le printemps évoque la sexualité)
shūyū-ken – billet de train pour une excursion
soapland – maison de bains qui offre des "services sexuels"
soba – nouilles de blé noir
Sōtō – école du bouddhisme zen qui privilégie la méditation *zazen*

sukiyaki – fines tranches de bœuf cuites dans du saké, de la sauce de soja et du vinaigre ; sorte de fondue
sumi-e – peinture à la brosse à l'encre noire
sumo – lutte japonaise ritualisée ; lutteur
sutra – écritures bouddhiques, considérées comme transcrivant les enseignements oraux du Bouddha Gautama

tabi – chaussettes à doigts séparés, portées avec les *geta*
tadaima – expression employée traditionnellement en rentrant chez soi (litt. : maintenant ou présent)
taiko – tambour
taisha – grand sanctuaire
take – pic ; voir aussi *dake*
taki – cascade
tani – vallée ; voir aussi *dani*
tako – cerf-volant
tanka – poème de 31 syllabes ; voir *waka*
tanuki – personnage folklorique ressemblant à un raton laveur ou à un chien, souvent représenté par des figurines en céramique
tatami – natte au tissage serré, sur laquelle on ne marche jamais avec des chaussures ; traditionnellement, la superficie d'une pièce est définie par le nombre de tatamis
TCAT – Tokyo City Air Terminal
teien – jardin
tennō – roi céleste, l'empereur
tera – temple ; voir aussi *dera*
TIC – Centre d'information touristique (Tourist Information Center)
tō – île
teiki-ken – pass à tarif réduit pour circuler entre une ville et sa banlieue
teishoku – menu
tekitō – approprié, qui convient
to – métropole (exemple, Tōkyō-to)
tokkuri – flacon de saké
tokkyū – express semi-direct, plus rapide que les express ordinaires (*kyūkō*)
tokonoma – dans une maison, alcôve ornée d'un bouquet de fleurs ou d'un rouleau
torii – portique d'un sanctuaire shintoïste
tōsu – toilettes
tsukiai – pour les hommes actifs, se retrouver après le travail
tsunami – raz de marée provoqué par un tremblement de terre
tsuru – grue, symbole de longévité, souvent représentée en origami ou dans les jardins traditionnels

uchi – sens proche de "appartenir à", "faire partie de" (litt. : sa propre maison)

uchiwa – éventail
udon – nouilles blanches épaisses
ukai – pêche au cormoran
ukiyo-e – estampe (litt. : image du monde flottant)

wa – harmonie, esprit d'équipe ; employé jadis pour désigner le Japon, ce kanji demeure un préfixe (en japonais et en chinois) pour les choses d'origine japonaise ; voir *wafuku*
wabi – jouir de la paix et de la tranquillité
wafuku – style vestimentaire japonais
waka – poème en 31 syllabes ; voir *tanka*
wan – baie
wanko – bol en laque
waribashi – baguettes en bois jetables
wasabi – raifort japonais
washi – papier artisanal japonais

yabusame – tir à l'arc à cheval
yakimono – poterie ou céramique
yakitori – viandes (notamment du poulet) et légumes en brochettes cuits au barbecue
yakuza – mafia japonaise
yama – montagne
yamabushi – prêtre des montagnes (du bouddhisme Shugendō)
yama-goya – refuge de montagne
yamato – un terme à l'origine controversée ; désigne le monde japonais
yamato-e – peinture japonaise traditionnelle
yatai – char de festival ; stand mobile de cuisine de rue
YCAT – Yokohama City Air Terminal
yōfuku – style vestimentaire occidental
yukar – poème épique
yukata – kimono en coton léger d'été, porté pour se prélasser ; indispensable dans les *ryokan*

zabuton – petit coussin pour s'asseoir (dans les chambres avec tatamis)
zaibatsu – conglomérat industriel, un terme apparu avant la Seconde Guerre mondiale. De grands groupes comme Mitsui, Marubeni et Mitsubishi, impliqués dans divers secteurs, dominent aujourd'hui encore l'économie nipponne
zaki – cap
zan – montagne
zazen – position de méditation assise, primordiale dans l'école du bouddhisme zen Sōtō
Zen – école bouddhiste introduite au Japon au XIIᵉ siècle depuis la Chine ; accorde une importance primordiale à une approche intuitive de l'illumination, en opposition à une approche plus rationnelle

LES AUTEURS

Les auteurs

CHRIS ROWTHORN

**Auteur coordinateur, Kansai, Okinawa
et les îles du Sud-Ouest**

Né en Angleterre et élevé aux États-Unis, Chris vit à Kyōto depuis 1992. Dès son arrivée dans cette ville, il a étudié la langue et la culture japonaises, tout en travaillant comme professeur d'anglais et rédacteur, avant de devenir correspondant régional du *Japan Times*. Il a rejoint Lonely Planet en 1996 et a collaboré aux guides *Japon*, *Kyōto*, *Tōkyō* et *Hiking in Japan*. Lorsqu'il n'est pas sur la route, il part en quête des meilleurs restaurants, temples, jardins et chemins de randonnée de Kyōto. Il conduit également des promenades guidées dans Kyōto, Nara et Tokyo. Son blog www.insidekyoto.com vous en dira plus.

ANDREW BENDER

Centre de Honshū

Après la fac, Andy quitta sa Nouvelle-Angleterre natale, aux États-Unis, pour aller travailler à Tōkyō… Ce premier voyage dans l'archipel nippon changea sa vie. Il maîtrise aujourd'hui le japonais, le maniement des baguettes, le karaoké et l'art d'ôter élégamment ses chaussures à la porte ! Installé à Los Angeles, il travaille avec des sociétés japonaises sur les deux rives du Pacifique, écrit pour *Travel + Leisure*, *Forbes*, le *Los Angeles Times* et de nombreux magazines de compagnies aériennes, sans oublier les guides Lonely Planet. Désireux de cultiver l'harmonie transpacifique, Andy organise parfois des visites accompagnées du Japon. Pour en savoir plus : www.andrewbender.com.

MATTHEW D. FIRESTONE

Nord de Honshū, Hokkaidō

Après avoir étudié l'anthropologie et l'épidémiologie, Matt aurait dû embrassé une brillante carrière académique, si le Japon ne l'avait pas toujours retenu. Installé dans la mégalopole de Tōkyō, Matt est aujourd'hui journaliste freelance et écrivain. Pour cette édition, il a accepté de quitter un temps cette vie très urbaine pour partir à la découverte de l'extrême Nord japonais. Il a déjà écrit plus d'une douzaine de guides pour Lonely Planet couvrant l'Asie, l'Afrique et l'Amérique latine.

LES AUTEURS DE LONELY PLANET

Lonely Planet réalise ses guides en toute indépendance et n'accepte aucune publicité. Tous les établissements et prestataires mentionnés dans l'ouvrage le sont sur la foi du seul jugement des auteurs, qui ne bénéficient d'aucune rétribution ou réduction de prix en échange de leurs commentaires.

Sillonnant le pays en profondeur, les auteurs de Lonely Planet savent sortir des sentiers battus sans omettre les lieux incontournables. Ils visitent en personne des milliers d'hôtels, restaurants, bars, café, monuments et musées, dont ils s'appliquent à faire un compte-rendu précis.

TIMOTHY N. HORNYAK   Environnement, Environs de Tôkyô

Né à Montréal, Tim s'est installé au Japon en 1999. Depuis, il collabore régulièrement à diverses publications sur la culture, la technologie et l'histoire japonaises. Il a même donné des conférences sur les robots humanoïdes au Kennedy Center (Washington, D. C.) et s'est rendu à Hokkaidô à la recherche des vestiges d'un parc d'attractions oublié, le "Canadian World". Son goût pour les haïkus l'a conduit dans l'Akita-ken, sur les traces de Bashô. Il est par ailleurs convaincu que les *onsen* (sources chaudes) constituent l'un des agréments majeurs de l'archipel. D'ailleurs, après avoir visité les *onsen* des 47 préfectures japonaises, son prochain objectif est la découverte de celles qu'un certain groupe industriel a déclarées "secrètes".

BENEDICT WALKER   Kyūshū

L'amour de Ben pour le Japon, inspiré par un de ses enseignants de l'école primaire, s'est épanoui très tôt. À 17 ans, il est deuxième à la finale du concours de discours en japonais organisé par la Japan Foundation et a déjà voyagé deux fois tout seul au Japon. En 1998, un diplôme de communication en poche, Ben prend cette fois la route pour de bon. Après de longs séjours au Canada et en Europe, il se retrouve à enseigner l'anglais à Ôsaka jusqu'à ce que son guide Lonely Planet, déjà bien écorné, le mène dans les montagnes de Matsumoto, au cœur du Japon. Là, il trouve un poste de traducteur et commence à vivre comme tous les gens du coin. Aujourd'hui, Ben s'est fixé à Melbourne. C'est la première fois qu'il participe à un guide Lonely Planet.

PAUL WARHAM   Ouest de Honshū, Shikoku

Paul a grandi dans le Lancashire et s'en est échappé dès qu'il a pu. Encore adolescent, il arrive au Japon où il devient serveur dans des clubs de golf d'Ôsaka et Kôbe. Puis il entame des études de littérature japonaise à l'université d'Oxford et à Harvard. Aujourd'hui installé à Tôkyô, il traduit des romans japonais qui se vendent dans les supermarchés, ses recherches le menant régulièrement vers de vieux troquets à saké.

WENDY YANAGIHARA   Tôkyô

Wendy est venue pour la première fois à Tôkyô encore accrochée aux hanches de sa mère, à l'âge de 2 ans, où elle sera nourrie de riz blanc et de désirs de voyage. Des étés de son enfance passés dans l'archipel, le goût du voyage ne la quittera plus et elle s'arrangera toujours pour partir, qu'elle soit étudiante en psychologie, puis en art, livreuse de pain, vendeuse de bijoux, derrière une machine à expresso, graphiste ou professeur d'anglais. Plus récemment, Wendy a collaboré à divers guides Lonely Planet : *Tokyo Encounter*, *Costa Rica*, *Indonésie* et *Grand Canyon National Park*. Ces dernières années, elle a passé des mois à manger, boire et danser afin d'enquêter sur la capitale nippone. Elle habite aujourd'hui dans la belle ville de Boulder, dans le Colorado.

CONTRIBUTIONS

Brandon Presser a rédigé la section *Architecture*. Diplômé en architecture et en histoire de l'art de l'université de Harvard, il a collaboré tout au long de sa carrière professionnelle avec des architectes japonais à Tōkyō et à Paris. Aujourd'hui, devenu écrivain freelance, il est co-auteur d'une douzaine de guides Lonely Planet.

Trish Batchelor a rédigé le chapitre *Santé*. Docteur généraliste spécialisée dans la médecine du voyage, elle s'intéresse notamment aux pathologies liées à la plongée et à la haute montagne, ainsi qu'à l'impact du tourisme sur les pays hôtes. Elle enseigne à l'université d'Otago en Nouvelle-Zélande et joue le rôle de conseil dans les dispensaires de "Travel Doctor".

Luc Paris, docteur en médecine au service de Parasitologie-Mycologie de l'hôpital de la Pitié-Salpêtrière, à Paris, a également contribué à la rédaction du chapitre *Santé*.

Ken Henshall a écrit, en partie, le chapitre *Histoire*. Il est actuellement professeur d'études japonaises à l'université de Canterbury, en Nouvelle-Zélande. Il a publié plusieurs livres sur l'histoire du Japon, ainsi que sur le système d'écriture, la littérature et la société japonaises.

En coulisses

À PROPOS DE L'OUVRAGE

Cette troisième édition française du guide *Japon* est tirée de la 11ᵉ édition anglaise. Citons en premier lieu Chris Rowthorn, auteur-coordinateur, qui a dirigé les quatre dernières éditions. Cette fois-ci encore, il s'est entouré d'une kyrielle d'auteurs enthousiastes, dont Andrew Bender, Matthew D. Firestone, Timothy N. Hornyak, Benedict Walker, Paul Warham et Wendy Yanagihara. Le chapitre *Histoire* a été écrit, en partie, par Ken Henshall ; le chapitre *Santé*, par le Dr Trish Batchelor et le Dr Luc Paris. Enfin, Brandon Presser a rédigé la section *Architecture*.

Traduction : Nathalie Berthet, Dominique Lavigne, Mélanie Marx, Jeanne Robert et Karine Thuillier

CRÉDITS

Responsable éditorial : Didier Férat
Coordination éditoriale : Carole Haché
Coordination graphique : Jean-Noël Doan
Maquette : David Guittet
Cartographie : cartes originales de Fatima Bašić, Alex Leung, Marc Milinkovic, Jacqueline Nguyen, Amanda Sierp, Brendan Streager et Bonnie Wintle, supervisées par Diana Duggan, David Connolly et Adrian Persoglia ; Martine Marmouget pour l'adaptation en français.
Couverture : recherche de la couverture originale effectuée par lonelyplanetimages.com ; Alexandre Marchand pour l'adaptation en français.
Coordination de la section Langue : Laura Crawford

Remerciements à Céline Bénard, Chantal Duquenoy, Nicolas Guérin, Michel McLeod et Christiane Mouttet pour leur précieuse contribution au texte. Un grand merci également à Ludivine Brehier et Nadia Makouar pour leur préparation du manuscrit anglais. Enfin, merci à Dominique Bovet et Dominique Spaety qui ont apporté, comme toujours, un soutien attentif, sans oublier Clare Mercer et Tracey Kislinbury du bureau de Londres et Debra Hermann du bureau australien.

UN MOT DES AUTEURS
CHRIS ROWTHORN

Je tiens à remercier les personnes suivantes : Hiroe, KS et HS, Araki Toshiaki, Keiko Hagiwara, Perrin Lindelauf, Christopher Wood, Kise Erina, Mary Marjanovic, Rebecca Chau, Emily K. Wolman, Chris Love, David Connolly, Andy Bender, Wendy Yanagihara, Ben Walker, Tim Hornyak, Matt Firestone et Paul Warham. Sans oublier tous les lecteurs des précédents guides Lonely Planet du Japon qui ont envoyé lettres et e-mails truffés de renseignements sur ce pays : votre participation nous est réellement d'une grande aide et j'ai essayé d'utiliser au maximum les informations que vous avez fournies !

ANDREW BENDER

Je voudrais d'abord remercier Yohko Scott et Naoko Marutani du bureau de la JNTO à Los Angeles pour leur indéfectible soutien. Puis, tous mes remarquables assistants au Japon : Yamada Eri

---

LES GUIDES LONELY PLANET

Tout commence par un long voyage : en 1972, Tony et Maureen Wheeler rallient l'Australie après avoir traversé l'Europe et l'Asie. À l'époque, on ne disposait d'aucune information pratique pour mener à bien ce type d'aventure. Pour répondre à une demande croissante, ils rédigent leur premier guide Lonely Planet, écrit sur un coin de table.

Lonely Planet est ainsi devenu le plus grand éditeur indépendant de guides de voyage dans le monde. En octobre 2007, Lonely Planet s'est associé à la BBC Worldwide, qui a acquis 75% des parts du groupe, laquelle s'est engagée à maintenir intacte l'indépendance éditoriale des guides. Lonely Planet dispose de bureaux à Melbourne (Australie), Londres (Royaume-Uni) et Oakland (États-Unis).

La collection couvre désormais le monde entier et ne cesse de s'étoffer. L'information est aujourd'hui présentée sur différents supports, mais notre objectif reste constant : donner des clés au voyageur pour qu'il comprenne mieux le pays qu'il découvre.

L'équipe de Lonely Planet est convaincue que les voyageurs peuvent avoir un impact positif sur les pays qu'ils visitent, pour peu qu'ils fassent preuve d'une attitude responsable. Depuis 1986, nous reversons un pourcentage de nos bénéfices à des actions humanitaires, à des campagnes en faveur des droits de l'homme et, plus récemment, à la défense de l'environnement.

à Nagoya, Endô Akira à Matsumoto, Wani Naoko et le sympathique personnel de l'office de tourisme de Takayama, Yoshie Yasuko à Fukui, Matsubara Takuya à Obama et Kita Kazuko à Noto. Chez Lonely Planet, toute ma reconnaissance va à Emily K. Wolman, Chris Rowthorn, Gina Tsarouhas et Diana Duggan. À la maison, merci à Susan et Leonard, à Elaine, Nancy et Steve.

MATTHEW D. FIRESTONE

Merci à mes parents et à ma sœur, qui toujours m'entourent de leur amour et m'apportent un soutien sans limite. Je voudrais remercier aussi de tout cœur l'équipe de Lonely Planet travaillant sur le *Japon*, en particulier Chris, qui depuis plusieurs éditions veille à ce que ce merveilleux voyage soit un succès. Pour finir, je ne veux pas oublier tous ceux qui m'ont aidé à m'épanouir au Japon. À Tac, tu es un colocataire formidable et un meilleur ami encore, et je sais que tu vas apprécier la vue du "Toit du Monde". À Will, ton cœur est immense et quel swing au golf ; suis tes rêves ! À Aki, merci d'être resté avec moi toutes ces années, et j'espère que tu trouveras le bonheur dans cette vie.

TIMOTHY N. HORNYAK

Je voudrais remercier Chris Rowthorn, Matt Firestone et tout le personnel de Lonely Planet. Merci aussi à ma famille (surtout à Alex qui a pris la route avec moi) pour sa compréhension de mon goût du voyage et son chaleureux soutien. Je suis très reconnaissant dans les îles d'Izu à Tyler Roy, Robert Synovec, Rachel Turner et Michael Holdsworth de JET ; à la famille Ide à Fuji-Kawaguchi, à John Washington à Chichi-jima, à Burritt Sabin à Yokohama, ainsi qu'à Mamiko Hokari et Amal Gayed.

BENEDICT WALKER

Je dédie ce guide sur le Japon à mes professeurs ; ainsi qu'à la mémoire de mon père, Tony Walker, de ma "Nanna", Catherine Cook, de mon gourou, Denise Crundall, et de mon amie Nanayo Kato-Wilder, tous aujourd'hui malheureusement décédés. Chacun m'a encouragé à explorer mon lien avec le Japon, persuadé que je faisais le bon choix. Je les remercie de m'avoir révélé la magie qu'il y a à suivre ses rêves. Je remercie également ma famille, mes amis et tous ceux qui m'ont aidé sur la route. Remerciements à John Vlahides qui m'a montré que je pouvais mener ce projet à bien, à Chris Rowthorn et à Emily K. Wolman, à Bicky, Kaori, Takashi et Purima Shimizu, à mes amis de Matsumoto et à mon équipe adorée de Stage and Screen Travel à Melbourne. Sans votre patience,

votre amitié et votre soutien, ce voyage n'aurait pas été possible. Merci encore à Aunty Bonnie, qui savait ce qu'elle faisait en m'offrant le guide de Lonely Planet sur le Japon le jour de mon onzième anniversaire. Enfin, tout mon amour et ma gratitude vont à Maman, Patricia Walker, qui a toujours cru en moi, quoi que je fasse et où que je sois à l'autre bout du monde.

PAUL WARHAM

Je ne pourrais citer tous les gens qui m'ont aidé sur la route : en me suggérant un site délaissé des touristes, en me recommandant un restaurant ou un bar, en me mettant sur le bon chemin quand j'étais perdu... Partout où je suis allé sur l'île de Shikoku et dans l'ouest de Honshû, je n'ai rencontré que des sourires chaleureux et un vrai désir de m'aider. À Tôkyô, j'ai une dette de reconnaissance envers Shimokawa Tokiji qui m'a si gentiment permis de transformer son bel appartement en un capharnaüm de brochures, de notes et de pelures d'oranges. Je dois aussi à Chris Rowthorn une grande carafe de jus de fruit bien fraîche pour toutes les fois où il s'est mis en quatre pour m'aider, et moi le poussant encore plus loin. Merci à mes parents de m'avoir appris à garder les yeux ouverts. Et un grand merci comme toujours à Emi, pour tout.

WENDY YANAGIHARA

Grands remerciements à ma famille pour son amour et son soutien indéfectible. Merci à Papa, à Jason et aux familles Maekawa, Takahashi et Yamamoto. Un grand merci aussi à Kenichi Anazawa, Mariko Matsumura, Meiko Fujimura, Natsuki Shigeta, M. et Mme Konishi, Naoya Suzuki, Midori Thiollier et Denis Taillandier pour leur aide et leur agréable compagnie, et à Mark, bien sûr, qui a survécu à tout cela avec une telle bonne humeur.

À NOS LECTEURS

Nous remercions vivement les lecteurs qui nous ont fait part de leurs informations, expériences et anecdotes :
Catherine Bramaud, Gilles Bulthé, Claire Calmet, Nicole Castillon, Jean-Marc Divoux, Géraldine Guin, Anne et Berni Hasenknopf, Sébastien Kerroumi, Julien Krauth, Priscila Paccaud-Meyer, Emmanuel du Penhoat, Jonathan Philemont, Jacqueline Raux, Paul Regnault, Pascal Robic, Julie Rose et Cedric Villani.

REMERCIEMENTS
Nous remercions pour nous avoir autorisés à utiliser :
L'image du planisphère de la page de titre : ©Mountain High Maps 1993 Digital Wisdom, Inc. La carte du métro de Tōkyō : © 2009 Tokyo Metro and Bureau of Transportation Tokyo Metropolitan Government. Tokyo Metro Co., Ltd. approved (Approval Number 20-A065).
La carte des transports d'Ōsaka : Osaka Subway System map © Osaka Municipal Transportation Bureau 2009.
Les photographies : p. 505 (n°3) et p. 507 (n°1) John Ashburne ; p. 505 (n°2) Anthony Plummer ; p. 505 (n°3) et p. 507 (n°2) Martin Moos ; p. 506 (n°1), (n°4) Oliver Strewe ; p. 506 (n°2) Greg Elms ; p. 506 (n°3) Paul Dymond ; p. 507 (n°3) John Borthwick ; p. 508 (n°1), (n°3) Mason Florence et p. 508 (n°2) Richard Cummins.
Toutes ces photos sont sous le copyright des photographes. Les autres photos publiées dans ce guide sont disponibles auprès de l'agence photographique Lonely Planet Images : www.lonelyplanetimages.com.

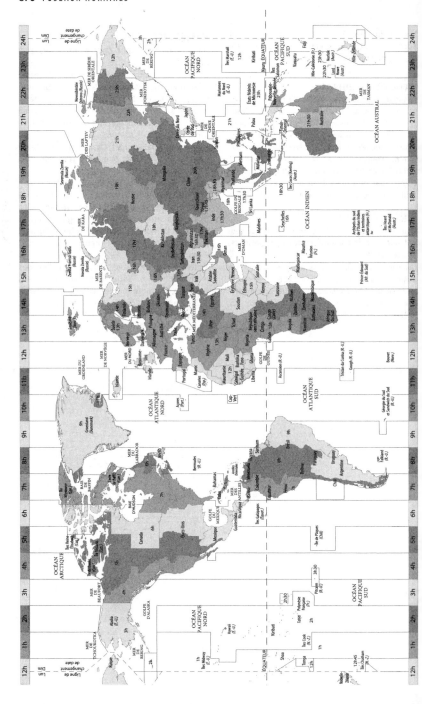

Index

INDEX

Les références des cartes sont
indiquées en **gras**.

INDEX

INDEX

INDEX

INDEX

Pour voyager en V.O.

**Et la collection
"Petite conversation en"**
Allemand
Anglais
Espagnol
Italien

guide de conversation
Thaï

Dictionnaire bilingue inclus

guide de conversation
Arabe
marocain

Dictionnaire bilingue inclus

guide de conversation
Hindi, ourdou
et bengali

Pour ne pas garder sa langue dans sa poche !

guide
de conversation

Japonais

Dictionnaire bilingue inclus

guide
de conversation
Polonais

Pour ne pas garder sa langue dans sa poche !

guide
de conversation
Vietnamien

Pour ne pas garder sa langue dans sa poche !

guide
de conversation
Portugais
et brésilien

Pour ne pas garder sa langue dans sa poche !

guide
de conversation
Mandarin

Pour ne pas garder sa langue dans sa poche !

guide
de conversation
Turc

Pour ne pas garder sa langue dans sa poche !

LÉGENDE DES CARTES

ROUTES

Autoroute payante	Sentier pédestre
Autoroute	Piste carrossable
Nationale	Rue piétonne
Départementale	Escalier
Cantonale	Tunnel
Petite route	Sens unique
Promenade	Promenade (détour)

TRANSPORTS

Trajet ferry	Rail
Métro	Rail (souterrain)
Monorail	Téléphérique/ funiculaire

HYDROGRAPHIES

Rivière	Lac salé
Riv. intermittente	Laisse de vase
Canal	Récif
Glacier	Marais
Lac asséché	Eau

LIMITES ET FRONTIÈRES

Internationale	Ancienne enceinte
Provinciale	Falaise/escarpement
Régionale	Parc marin

POPULATION

CAPITALE	Capitale régionale
Ville importante	Ville moyenne
Petite ville	Village

TOPOGRAPHIE

Zone touristique	Terre
Plage/désert	Rue piétonne
édifice	Marché
Cimetière chrétien	Parc
Cimetière	Terrain de sports
Forêt	Zone urbaine

SYMBOLES

À VOIR/À FAIRE	RENSEIGNEMENTS	ACHATS
Plage	Banque/distributeur	Magasins
Pagode	Ambassade/consulat	**TRANSPORTS**
Château	Hôpital	Aéroport/aérodrome
Cathédrale	Renseignements	Poste frontière
Culte confucéen	Cybercafé	Arrêt de bus
Site de plongée	Parking	Piste cyclable
Temple hindouiste	Station-service	Transports
Mosquée	Police	Taxi
Temple jaïna	Poste	Chemin de randonnée
Synagogue	Téléphone	**TOPOGRAPHIE**
Monument	Toilette	Danger
Musée	**SE LOGER**	Phare
Pique-nique	Hôtel	Point de vue
Centre d'intérêt	Camping	Montagne, volcan
Ruine	**SE RESTAURER**	Parc national
Culte shinto	Restauration	Oasis
Temple sikh	**BOIRE UN VERRE**	Col
Ski	Bar	Sens du courant
Culte taoiste	Café	Gîte d'étape
Vignoble	**SORTIR**	Point culminant
Zoo, ornithologie	Spectacle	Rapide

Note : tous les symboles ne sont pas utilisés dans cet ouvrage

Japon
3e édition
Traduit de l'ouvrage *Japan (11th edition), October 2009*
© Lonely Planet Publications Pty Ltd 2009

Traduction française :

place des éditeurs

© **Lonely Planet 2010,**
12 avenue d'Italie, 75627 Paris cedex 13
☎ 01 44 16 05 00
💻 lonelyplanet@placedesediteurs.com
💻 www.lonelyplanet.fr

**Dépôt légal
Mars 2010
ISBN 978-2-84070-931-2**

© photographes comme indiqués 2009

Photographie de couverture : Jeunes filles japonaises en kimono contemplant des barques sur la côte de Honshū ; Chad Ehlers/ Nordic Photos.
La plupart des photos publiées dans ce guide sont disponibles auprès de notre agence photographique Lonely Planet Images : www.lonelyplanetimages.com

Imprimé par  Grafica Veneta, Trebaseleghe, Italie

© Sources Mixtes
Groupe de produits issu de forêts bien gérées et d'autres sources contrôlées
www.fsc.org Cert no. BV-COC-070810
© 1996 Forest Stewardship Council
FSC